ATLAS ROUTIER & TO… …E FRANCE

Édition 14 - Novembre 2011

73 Avenue de Paris - 94165 Saint-Mandé Cedex - France

Achevé d'imprimer octobre 2011 - Dépôt légal octobre 2011.

Réalisé par l'Institut géographique national et par AA Publishing
Édité par l'Institut géographique national.

ISBN : 978-2-7585-2650-6

Imprimé par Rotolito Lombarda, Milano, Italia.

Nous attachons le plus grand soin à l'exactitude et à l'actualité des informations présentes dans nos cartes. Cependant, si vous constatiez une erreur ou omission sur cet atlas, nous vous remercions de le signaler à l'IGN : **Service Client 73 avenue de Paris F-94165 SAINT-MANDÉ Cedex** ou par courriel : **service-client@ign.fr**

Sommaire

Bonnes règles de conduite	Intérieur de couverture
Tableau d'assemblage	II - III
Carte nationale (échelle 1 : 1 250 000)	IV - XV
Légende	XVI
Carte régionale (échelle 1 : 250 000)	1 - 207
Index des communes	208 - 261
France administrative	262
Environs de Lille	263
Environs de Paris	264 - 267
Plan de Paris	268 - 269
Environs de Lyon	270 - 271
Environs de Marseille	272
Environs de Toulouse et de Bordeaux	273
Environs de Nantes et de Rennes	274
Environs de Montpellier et de Strasbourg	275
Plans de villes	276 - 304
Distances et temps de parcours	Intérieur de couverture

PLANS DE VILLES

AIX-EN-PROVENCE	276	MONTPELLIER	291
ANGERS	277	NANCY	292
AVIGNON	278	NANTES	293
BORDEAUX	279	NICE	294
BREST	280	NÎMES	295
CAEN	281	PERPIGNAN	296
CANNES	282	POITIERS	297
CLERMONT-FERRAND	283	REIMS	298
DIJON	284	RENNES	299
GRENOBLE	285	ROUEN	300
LA ROCHELLE	286	STRASBOURG	301
LILLE	287	TOULON	302
LYON	288	TOULOUSE	303
MARSEILLE	289	TOURS	304
METZ	290		

(F) Tableau d'assemblage

(NL) Kaartindeling
(D) Kartenübersicht
(GB) Key to map pages
(E) Mapas
(I) Pagine della carta

INDEX DES PRÉFECTURES

Agen (47) 151
Ajaccio (2A) 204
Albi (81) 170
Alençon (61) 60
Amiens (80) 7
Angers (49) 76-77
Angoulême (16) 122
Annecy (74) 132
Arras (62) 8
Auch (32) 167
Aurillac (15) 140
Auxerre (89) 83
Avignon (84) 174-175
Bar-le-Duc (55) 47
Bastia (2B) 203
Beauvais (60) 20
Belfort (90) 88
Besançon (25) 103
Blois (41) 79-80
Bobigny (93) 42
Bordeaux (33) 135
Bourg-en-Bresse (01) 116-117
Bourges (18) 97
Caen (14) 14
Cahors (46) 152
Carcassonne (11) 187
Châlons-en-Champagne (51) 45
Chambéry (73) 131
Charleville-Mézières (08) 24
Chartres (28) 62
Châteauroux (36) 96
Chaumont (52) 67
Clermont-Ferrand (63) 127
Colmar (68) 71
Créteil (94) 42
Digne-les-Bains (04) 160
Dijon (21) 85
Épinal (88) 69
Évreux (27) 40
Évry (91) 42
Foix (09) 185
Gap (05) 160
Grenoble (38) 145
Guéret (23) 111
La Rochelle (17) 106
La Roche-sur-Yon (85) 91
Laon (02) 22
Laval (53) 58
Le Mans (72) 60
Le Puy-en-Velay (43) 142
Lille (59) 3
Limoges (87) 124
Lons-le-Saunier (39) 102
Lyon (69) 130
Mâcon (71) 116
Marseille (13) 192
Melun (77) 64
Mende (48) 156
Metz (57) 26
Montauban (82) 169
Mont-de-Marsan (40) 166
Montpellier (34) 173
Moulins (03) 113
Nancy (54) 48
Nanterre (92) 42
Nantes (44) 74
Nevers (58) 98
Nice (06) 195
Nîmes (30) 174
Niort (79) 107
Orléans (45) 80
Paris (75) 42
Pau (64) 182
Périgueux (24) 137
Perpignan (66) 201
Poitiers (86) 109
Pontoise (95) 42
Privas (07) 143
Quimper (29) 53
Rennes (35) 57
Rodez (12) 154
Rouen (76) 18
Saint-Brieuc (22) 33
Saint-Étienne (42) 129
Saint-Lô (50) 37
Strasbourg (67) 51
Tarbes (65) 183
Toulon (83) 193
Toulouse (31) 169
Tours (37) 78
Troyes (10) 66
Tulle (19) 139
Valence (26) 144
Vannes (56) 55
Versailles (78) 42
Vesoul (70) 87

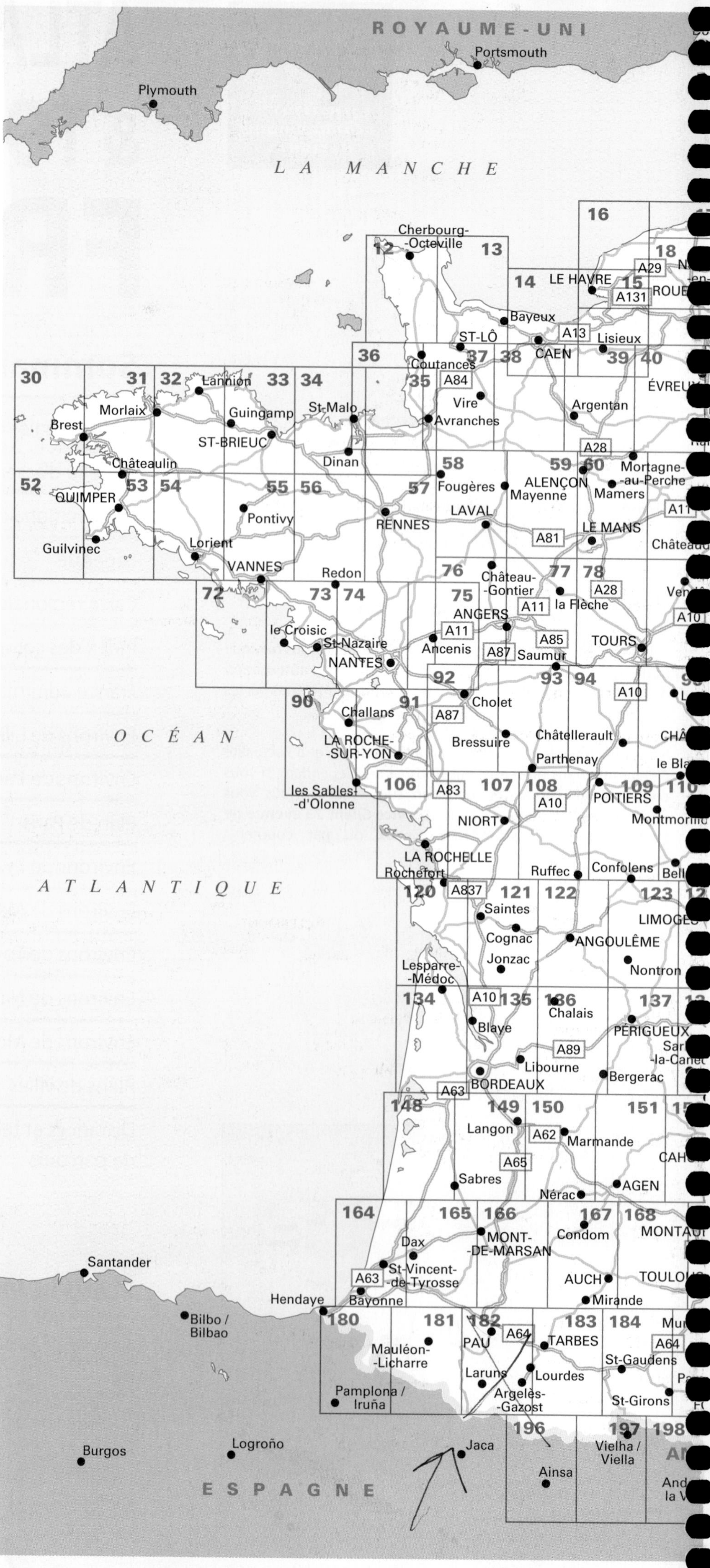

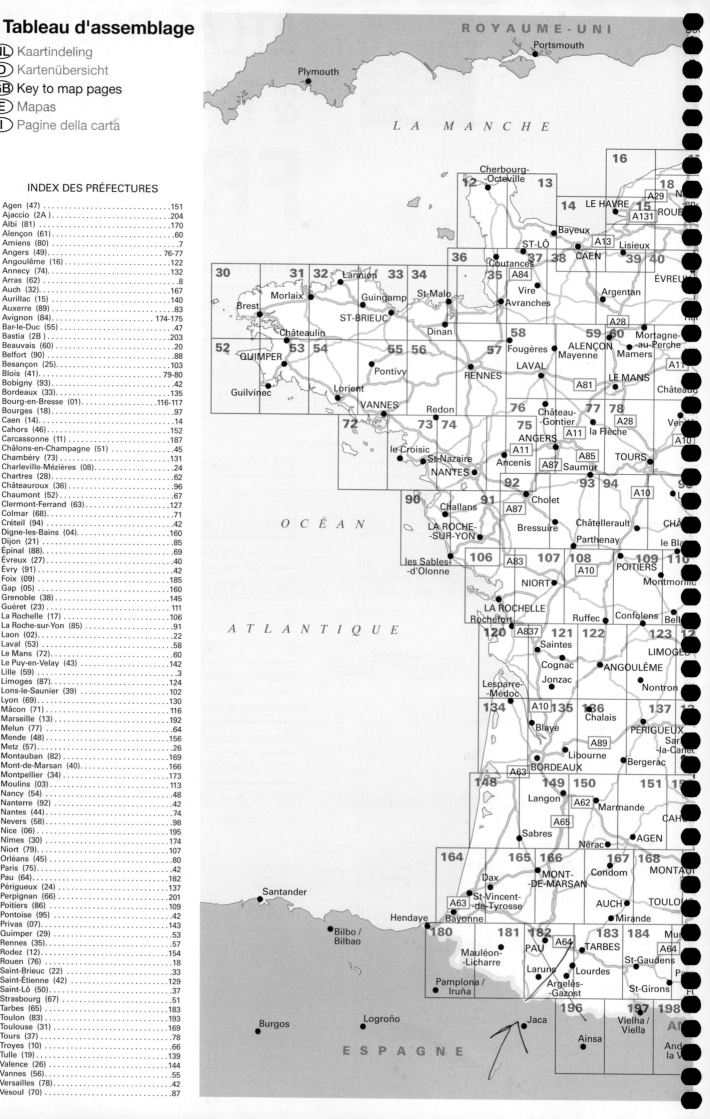

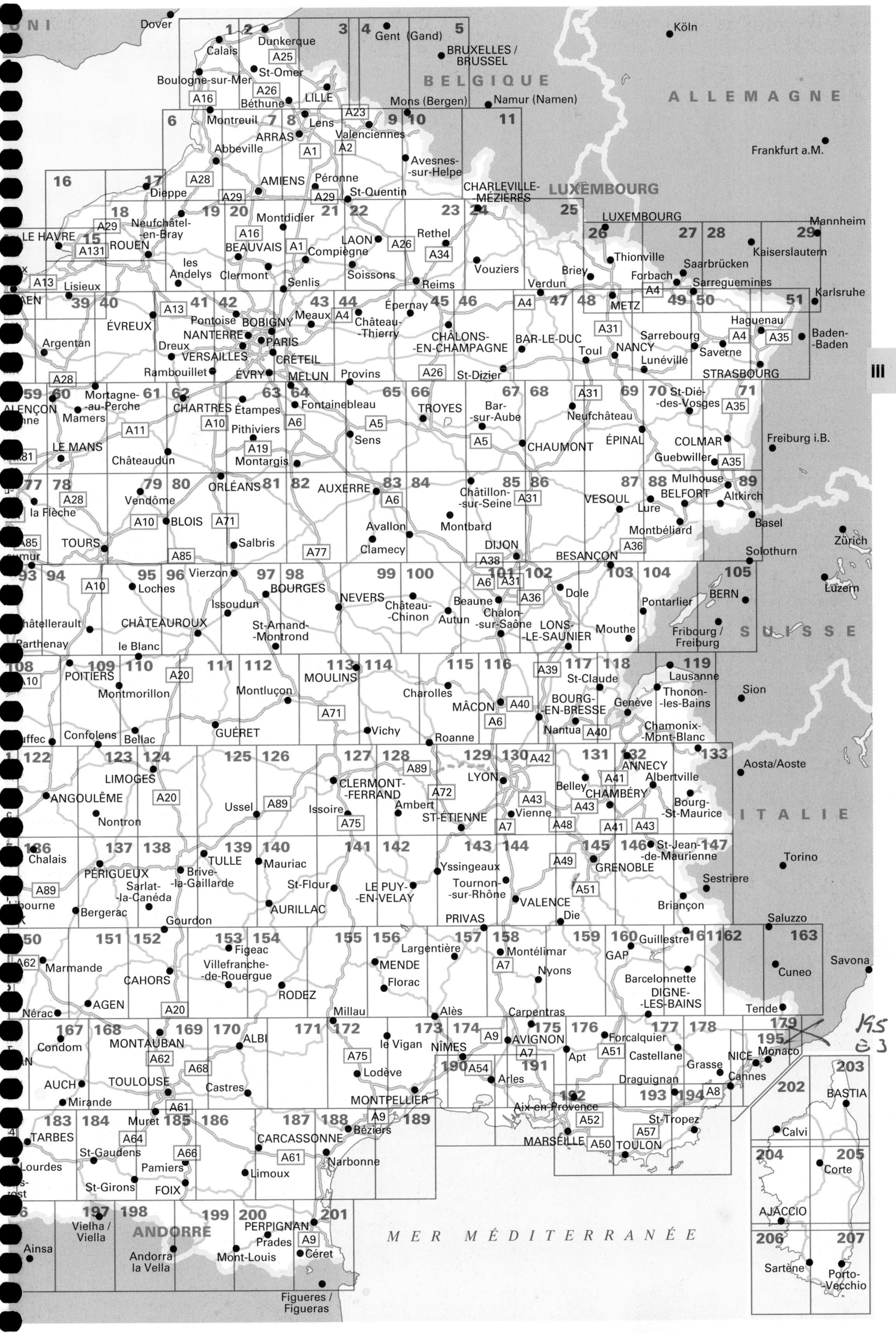

UNI
Dover
1 2 3 4 5
Calais
Dunkerque
A25
Gent (Gand)
BRUXELLES / BRUSSEL
Köln
St-Omer
Boulogne-sur-Mer
A26
BELGIQUE
A16
Béthune
LILLE
Mons (Bergen)
Namur (Namen)
ALLEMAGNE
6
Montreuil
7 8
Lens
A23
9 10
11
ARRAS
Valenciennes
Abbeville
A1
A2
Frankfurt a.M.
Avesnes-sur-Helpe
16
17
Dieppe
A28
AMIENS
Péronne
A29
St-Quentin
CHARLEVILLE-MÉZIÈRES
LUXEMBOURG
18
Neufchâtel-en-Bray
19 20
Montdidier
21 22
23 24
25
LUXEMBOURG
Mannheim
LE HAVRE
A29
15
ROUEN
A131
A16
BEAUVAIS
A1
LAON
Compiègne
A26
Rethel
A34
26
27 28
29
Thionville
Kaiserslautern
Saarbrücken
les Andelys
Clermont
Soissons
Vouziers
Forbach
Brieу
Sarreguemines
A13
Lisieux
Senlis
Reims
Verdun
A4
CAEN
39 40
41 42
A13
Pontoise
BOBIGNY
43 44
Meaux
A4
Château-Thierry
Épernay
45 46
A4
47 48
METZ
49 50
51
Karlsruhe
ÉVREUX
NANTERRE
PARIS
CHÂLONS-EN-CHAMPAGNE
A31
Sarrebourg
Haguenau
A4
A35
Baden-Baden
Argentan
Dreux
VERSAILLES
CRÉTEIL
BAR-LE-DUC
Toul
NANCY
Saverne
Lunéville
A28
Rambouillet
ÉVRY
MELUN
Provins
A26
St-Dizier
STRASBOURG
III
59 60
Mortagne-au-Perche
61 62
CHARTRES
Étampes
63 64
Fontainebleau
65 66
TROYES
67 68
Bar-sur-Aube
A31
Neufchâteau
69 70
St-Dié-des-Vosges
71
A35
ALENÇON
Mamers
A11
A10
A6
A5
Pithiviers
A19
Sens
A5
CHAUMONT
ÉPINAL
COLMAR
Freiburg i.B.
LE MANS
A81
Châteaudun
Montargis
Guebwiller
A35
77 78
A28
79 80
Vendôme
ORLÉANS
81 82
AUXERRE
83 84
A6
Châtillon-sur-Seine
85 86
A31
VESOUL
87 88
Mulhouse
BELFORT
89
Altkirch
la Flèche
A10
BLOIS
A71
Avallon
Montbard
Lure
Basel
Zürich
A85
TOURS
Salbris
A85
A77
Clamecy
DIJON
A38
BESANÇON
Montbéliard
A36
Solothurn
93 94
A10
95 96
Loches
Vierzon
97 98
BOURGES
99 100
NEVERS
101 102
A6
A31
Dole
103 104
105
BERN
Luzern
Issoudun
Château-Chinon
Beaune
A36
Pontarlier
Châtellerault
CHÂTEAUROUX
St-Amand-Montrond
Autun
Chalon-sur-Saône
LONS-LE-SAUNIER
Mouthe
Fribourg / Freiburg
SUISSE
Parthenay
le Blanc
108
POITIERS
109 110
A20
111 112
113 114
MOULINS
115 116
A39
117 118
St-Claude
119
Lausanne
A10
Montmorillon
Montluçon
Charolles
BOURG-EN-BRESSE
Thonon-les-Bains
Sion
MÂCON
A40
Genève
A71
A6
Nantua
A40
Chamonix-Mont-Blanc
Ruffec
Confolens
Bellac
GUÉRET
Vichy
Roanne
122
123 124
125 126
127 128
A89
129 130
A42
131 132
133
LIMOGES
CLERMONT-FERRAND
LYON
ANNECY
A41
Albertville
Aosta/Aoste
Belley
CHAMBÉRY
ANGOULÊME
A20
Ussel
A89
Issoire
A72
Ambert
A43
A43
Bourg-St-Maurice
Nontron
A75
ST-ÉTIENNE
Vienne
A48
A7
A41
A43
ITALIE
136
Chalais
137 138
PÉRIGUEUX
139 140
TULLE
Mauriac
141 142
143 144
Yssingeaux
A49
145 146
GRENOBLE
St-Jean-de-Maurienne
147
Torino
Brive-la-Gaillarde
Sarlat-la-Canéda
St-Flour
LE PUY-EN-VELAY
Tournon-sur-Rhône
A51
Sestriere
A89
Libourne
Bergerac
AURILLAC
VALENCE
Die
Briançon
Gourdon
PRIVAS
Saluzzo
150
151 152
153 154
Figeac
155
156
Largentière
157 158
Montélimar
159 160
Guillestre
161 162
163
A62
Marmande
CAHORS
Villefranche-de-Rouergue
MENDE
A7
GAP
Cuneo
Savona
Florac
Nyons
Barcelonnette
RODEZ
DIGNE-LES-BAINS
AGEN
A20
Millau
Alès
Carpentras
Tende
Nérac
167
168
169
MONTAUBAN
170
ALBI
171 172
le Vigan
173 174
A9
175
AVIGNON
176
Forcalquier
177 178
179
195
Monaco
Condom
A62
A68
NÎMES
A7
Apt
A51
Castellane
NICE
A75
190
A54
191
Grasse
203
BASTIA
AUCH
TOULOUSE
Castres
Lodève
Arles
Draguignan
Cannes
202
Mirande
A61
MONTPELLIER
192
Aix-en-Provence
193 194
A8
183 184
Muret
185 186
187 188
A9
189
Béziers
A52
St-Tropez
Calvi
TARBES
A64
CARCASSONNE
MARSEILLE
A50
A57
TOULON
St-Gaudens
A66
204
205
Lourdes
Pamiers
A61
Narbonne
Corte
Limoux
St-Girons
FOIX
197
Vielha / Viella
198
ANDORRE
199
200
PERPIGNAN
201
AJACCIO
Ainsa
Prades
A9
MER MÉDITERRANÉE
206
207
Andorra la Vella
Mont-Louis
Céret
Sartène
Porto-Vecchio
Figueres / Figueras

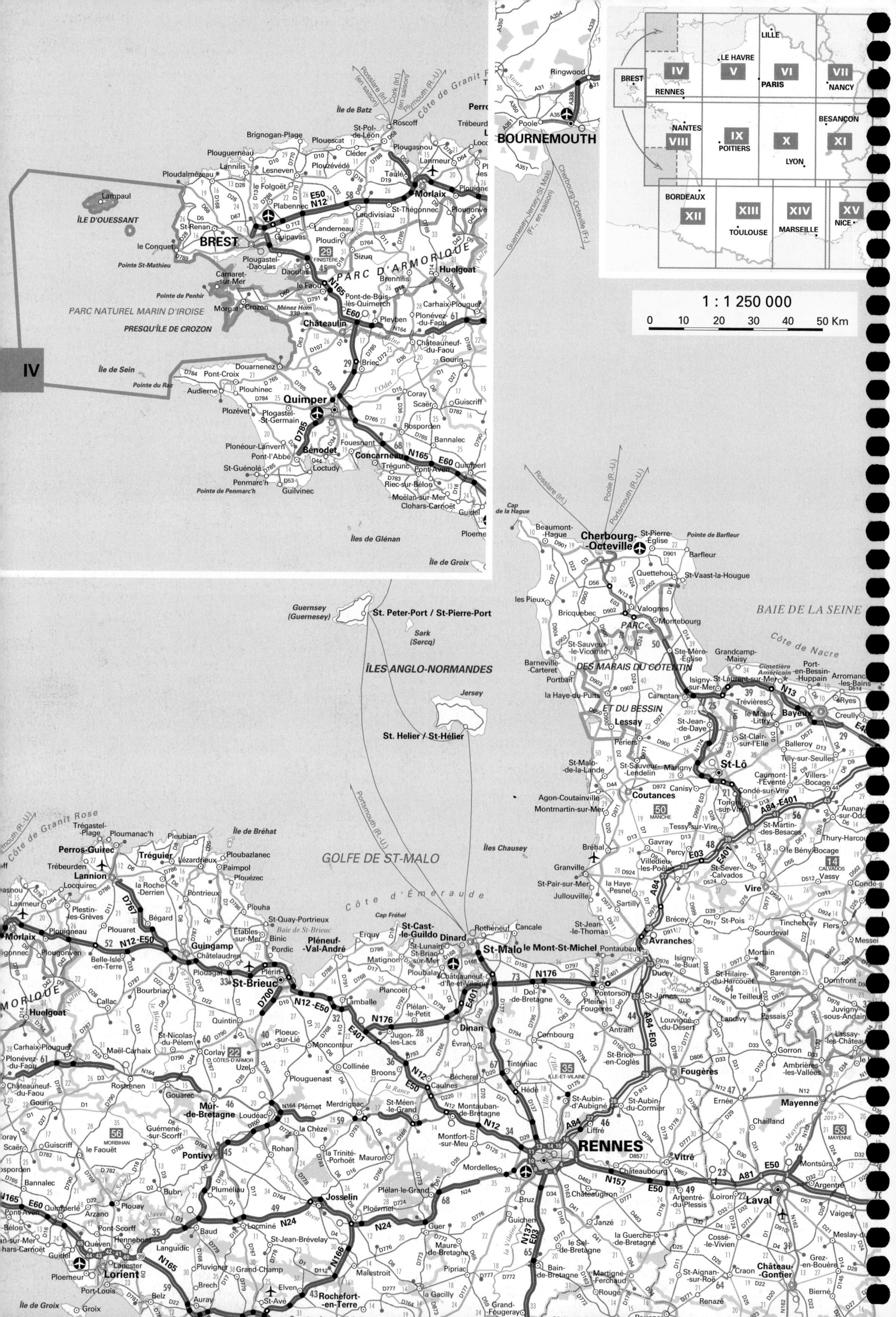

IV
V
VI
VII
VIII
IX
X
XI
XII
XIII
XIV
XV
BREST
RENNES
LE HAVRE
LILLE
PARIS
NANCY
NANTES
POITIERS
BESANÇON
LYON
BORDEAUX
TOULOUSE
MARSEILLE
NICE
1 : 1 250 000
0 10 20 30 40 50 Km
BOURNEMOUTH
Ringwood
Poole
Cherbourg-Octeville (Fr.)
Guernesey-Jersey-St-Malo (Fr., en saison)
Rosslare (Irl.) (en saison)
Cork (Irl.) (en saison)
Plymouth (R.-U.)
Côte de Granit Rose
Île de Batz
Roscoff
St-Pol-de-Léon
Brignogan-Plage
Plouescat
Plouguerneau
Lannilis
Lesneven
Ploudalmézeau
Lampaul
ÎLE D'OUESSANT
le Folgoët
Plabennec
Landivisiau
Morlaix
St-Thégonnec
Landerneau
Guipavas
St-Renan
BREST
le Conquet
Pointe St-Mathieu
Plougastel-Daoulas
Daoulas
Camaret-sur-Mer
Pointe de Penhir
PARC NATUREL MARIN D'IROISE
Morgat
Crozon
PRESQU'ÎLE DE CROZON
PARC D'ARMORIQUE
29 FINISTÈRE
Sizun
Huelgoat
Brennilis
le Faou
Pont-de-Buis-lès-Quimerch
Châteaulin
Pleyben
Carhaix-Plouguer
Plonévez-du-Faou
Châteauneuf-du-Faou
Gourin
Île de Sein
Pointe du Raz
Douarnenez
Pont-Croix
Audierne
Plouhinec
Quimper
Plozévet
Plogastel-St-Germain
Coray
Scaër
Guiscriff
Rosporden
Bannalec
Plonéour-Lanvern
Pont-l'Abbé
Bénodet
Fouesnant
Concarneau
Loctudy
St-Guénolé
Penmarc'h
Pointe de Penmarc'h
Guilvinec
Trégunc
Pont-Aven
Riec-sur-Bélon
Moëlan-sur-Mer
Clohars-Carnoët
Îles de Glénan
Île de Groix
Cap de la Hague
Beaumont-Hague
Cherbourg-Octeville
St-Pierre-Église
Pointe de Barfleur
Barfleur
Quettehou
St-Vaast-la-Hougue
les Pieux
Bricquebec
Valognes
Montebourg
BAIE DE LA SEINE
Côte de Nacre
St-Sauveur-le-Vicomte
PARC DES MARAIS DU COTENTIN ET DU BESSIN
Ste-Mère-Église
Grandcamp-Maisy
Cimetière Américain
Port-en-Bessin-Huppain
Arromanches-les-Bains
Barneville-Carteret
Portbail
Isigny-sur-Mer
St-Laurent-sur-Mer
Trévières
Bayeux
la Haye-du-Puits
Carentan
Lessay
St-Jean-de-Daye
le Molay-Littry
Creully
Périers
St-Clair-sur-l'Elle
Balleroy
Tilly-sur-Seulles
St-Malo-de-la-Lande
St-Sauveur-Lendelin
Marigny
St-Lô
Caumont-l'Éventé
Villers-Bocage
Agon-Coutainville
Coutances
Canisy
Condé-sur-Vire
Montmartin-sur-Mer
50 MANCHE
Torigni-sur-Vire
Aunay-sur-Odon
Tessy-sur-Vire
St-Martin-des-Besaces
Thury-Harcourt
Bréhal
Gavray
Percy
le Bény-Bocage
Granville
Villedieu-les-Poêles
St-Sever-Calvados
14 CALVADOS
Vassy
St-Pair-sur-Mer
Jullouville
la Haye-Pesnel
Sartilly
Vire
Condé-sur-Noireau
St-Jean-le-Thomas
Brécey
St-Pois
Tinchebray
Flers
Sourdeval
Avranches
Guernsey (Guernesey)
St. Peter-Port / St-Pierre-Port
Sark (Sercq)
ÎLES ANGLO-NORMANDES
Jersey
St. Helier / St-Hélier
Portsmouth (R.-U.)
Poole (R.-U.)
Portsmouth (R.-U.)
Rosslare (Irl.)
Îles Chausey
GOLFE DE ST-MALO
Côte d'Émeraude
Côte de Granit Rose
Trégastel-Plage
Ploumanac'h
Perros-Guirec
Pleubian
Île de Bréhat
Tréguier
Lézardrieux
Ploubazlanec
Paimpol
Trébeurden
Lannion
Plouézec
Locquirec
la Roche-Derrien
Pontrieux
Lanmeur
Plestin-les-Grèves
Plouha
Morlaix
Plouigneau
Plouaret
Bégard
St-Quay-Portrieux
Baie de St-Brieuc
Étables-sur-Mer
Binic
Cap Fréhel
Plougonven
Belle-Isle-en-Terre
Guingamp
Châtelaudren
Pordic
Erquy
St-Cast-le-Guildo
Dinard
Rothéneuf
Cancale
Pléneuf-Val-André
St-Lunaire
St-Briac-sur-Mer
St-Malo
le Mont-St-Michel
Pontaubault
Matignon
Ploubalay
Isigny-le-Buat
Mortain
Messei
Plouagat
St-Brieuc
Châteauneuf-d'Ille-et-Vilaine
Ducey
Barenton
Domfront
Huelgoat
Callac
Bourbriac
Lamballe
Plancoët
Dol-de-Bretagne
Pontorson
St-Hilaire-du-Harcouët
le Teilleul
Pléan-le-Petit
Pleine-Fougères
St-James
Juvigny-sous-Andaine
Passais
Carhaix-Plouguer
Maël-Carhaix
Quintin
St-Nicolas-du-Pélem
Ploeuc-sur-Lié
Moncontour
Jugon-les-Lacs
Dinan
Évran
Combourg
Antrain
Louvigné-du-Désert
Landivy
Gorron
Lassay-les-Châteaux
Plonévez-du-Faou
Corlay
22 CÔTES-D'ARMOR
Uzel
Collinée
Broons
Tinténiac
35 ILLE-ET-VILAINE
St-Brice-en-Coglès
Fougères
Ambrières-les-Vallées
Châteauneuf-du-Faou
Gourin
Rostrenen
Gouarec
Plouguenast
Bécherel
Caulnes
Hédé
St-Aubin-d'Aubigné
St-Aubin-du-Cormier
Ernée
Mayenne
Mûr-de-Bretagne
Loudéac
Plémet
Merdrignac
St-Méen-le-Grand
Montauban-de-Bretagne
Liffré
Chailland
Scaër
Guiscriff
Guémené-sur-Scorff
56 MORBIHAN
le Faouët
Pontivy
Rohan
la Chèze
la Trinité-Porhoët
Mauron
Montfort-sur-Meu
RENNES
Vitré
53 MAYENNE
Rosporden
Bannalec
Mordelles
Châteaubourg
Montsûrs
Argentré
Plouay
Bubry
Plumeliau
Josselin
Plélan-le-Grand
Châteaugiron
Argentré-du-Plessis
Loiron
Laval
Quimperlé
Arzano
Ploërmel
Bruz
Vaiges
Pont-Aven
Pont-Scorff
Hennebont
Baud
Locminé
Guichen
Janzé
Meslay-du-Maine
Quéven
Lanester
Lorient
Languidic
St-Jean-Brévelay
Guer
Maure-de-Bretagne
Le Sel-de-Bretagne
la Guerche-de-Bretagne
Cossé-le-Vivien
Guidel
Ploemeur
Pluvigner
Grand-Champ
Malestroit
Pipriac
Bain-de-Bretagne
Martigné-Ferchaud
Craon
Château-Gontier
Grez-en-Bouère
Port-Louis
Brech
Elven
St-Avé
Rochefort-en-Terre
la Gacilly
Rougé
St-Aignan-sur-Roë
Île de Groix
Groix
Belz
Auray
Grand-Fougeray
Renazé
Bierné

FOLKESTONE
DUNKERQUE
Tunnel sous la Manche
CALAIS
Gravelines
Petersfield
Petworth
Horsham
Haywards Heath
Tenterden
Midhurst
Chichester
Rye
PORTSMOUTH
Worthing
BRIGHTON
Newhaven
Hastings
Eastbourne
Wissant
Cap Gris Nez
Ardres
Audruicq
Marquise
Wimereux
Boulogne-sur-Mer
le Portel
PARC DES CAPS ET MARAIS D'OPALE
St-Omer
Lumbres
Desvres
Samer
Fauquembergues
Hucqueliers
Aire-sur-la-Lys
PAS DE CALAIS
Côte d'Opale
Étaples
le Touquet-Paris-Plage
Montreuil
Berck
Bruay-la-Buissière
Fruges
Heuchin
St-Pol-sur-Ternoise
le Parcq
Hesdin
Fort-Mahon-Plage
Quend
Campagne-lès-Hesdin
Crécy-en-Ponthieu
Aubigny-en-Artois
Frévent
Rue
le Crotoy
Nouvion
Auxi-le-Château
V
LA MANCHE
Cayeux-sur-Mer
St-Valery-sur-Somme
Abbeville
Bernaville
Ault
Mers-les-Bains
Fressenneville
le Tréport
Eu
Ailly-le-Haut-Clocher
Domart-en-Ponthieu
Acheux-en-Amiénois
Moyenneville
Gamaches
Pont-Remy
Flixecourt
Villers-Bocage
Oisemont
Airaines
Picquigny
AMIENS
Corbie
Longueau
Boves
Dieppe
Varengeville-sur-Mer
Offranville
Envermeu
Bouttencourt
Blangy-sur-Bresle
Fresnoy-Folny
Molliens-Dreuil
Côte d'Albâtre
St-Valery-en-Caux
Veules-les-Roses
St-Pierre-en-Port
Fécamp
Fontaine-le-Dun
Londinières
Aumale
Poix-de-Picardie
Moreuil
Cany-Barville
Ourville-en-Caux
Bacqueville-en-Caux
Neufchâtel-en-Bray
Ailly-sur-Noye
Étretat
Yport
Cap d'Antifer
Doudeville
Bellecombre
Tôtes
Conty
Criquetot-l'Esneval
Fauville-en-Caux
Goderville
Yerville
St-Saëns
Grandvilliers
Montdidier
Breteuil
Forges-les-Eaux
Formerie
Crèvecoeur-le-Grand
BAIE DE LA SEINE
Montivilliers
St-Romain-de-Colbosc
Bolbec
Yvetot
Clères
Buchy
Songeons
Marseille-en-Beauvaisis
Froissy
Harfleur
Lillebonne
Caudebec-en-Caux
Barentin
Pavilly
SEINE-MARITIME
LE HAVRE
Tancarville
St-Wandrille-Rançon
Duclair
Martainville-Épreville
Argueil
Gournay-en-Bray
Côte de Nacre
Honfleur
Quillebeuf-sur-Seine
Notre-Dame-de-Gravenchon
PARC DES BOUCLES DE LA SEINE NORMANDE
ROUEN
Boos
Lyons-la-Forêt
Beauvais
Côte Fleurie
Port-en-Bessin-Huppain
Arromanches-les-Bains
Courseulles-sur-Mer
Trouville-sur-Mer
Deauville
Villers-sur-Mer
Beuzeville
Routot
Fleury-sur-Andelle
Bresles
Clermont
Douvres-la-Délivrande
Cabourg
Bayeux
Creully
Ouistreham
Pont-l'Évêque
Pont-Audemer
Bourg-Achard
Grand-Couronne
Étrépagny
Auneuil
Noailles
Mouy
Dives-sur-Mer
Montfort-sur-Risle
Elbeuf
Pont-de-l'Arche
Val-de-Reuil
Gisors
Chaumont-en-Vexin
Ste-Geneviève
CAEN
Balleroy
Tilly-sur-Seulles
Dozulé
Cormeilles
Lieurey
St-Georges-du-Vièvre
le Bec-Hellouin
Amfreville-la-Campagne
Louviers
les Andelys
Creil
Troarn
Cambremer
Lisieux
Brionne
Gaillon
Chambly
Villers-Bocage
Évrecy
Bourguébus
Thiberville
la Fontaine-Soret
le Neubourg
Magny-en-Vexin
PARC DU VEXIN FRANÇAIS
Marines
l'Isle-Adam
Mézidon-Canon
Bernay
EURE
Vernon
Bonnières-sur-Seine
Aunay-sur-Odon
Bretteville-sur-Laize
St-Pierre-sur-Dives
Livarot
Orbec
Beaumont-le-Roger
Beaumesnil
la Ferrière-sur-Risle
Évreux
Pacy-sur-Eure
Mantes-la-Jolie
Pontoise
Meulan
Limay
Conflans-Ste-Honorine
Montmorency
Sarcelles
St-Denis
St-Martin-des-Besaces
Thury-Harcourt
Potigny
Falaise
le Bény-Bocage
CALVADOS
Vassy
Vimoutiers
la Barre-en-Ouche
Conches-en-Ouche
St-André-de-l'Eure
Ivry-la-Bataille
Maule
Poissy
Nanterre
St-Germain-en-Laye
Condé-sur-Noireau
Trun
Damville
Anet
Thoiry
PARIS
Versailles
Athis-de-l'Orne
Putanges-Pont-Écrepin
la Ferté-Frênel
Breteuil
Rugles
Tinchebray
Flers
Argentan
Gacé
l'Aigle
Verneuil-sur-Avre
Nonancourt
Houdan
Montfort-l'Amaury
Messei
Écouché
Haras du Pin
Nonant-le-Pin
Ste-Gauburge-Ste-Colombe
Tillières-sur-Avre
Brézolles
Dreux
Chevreuse
Palaiseau
Briouze
le Merlerault
PARC DE LA HAUTE VALLÉE DE CHEVREUSE
Domfront
la Ferté-Macé
Mortrée
Sées
Courtomer
Moulins-la-Marche
la Ferté-Vidame
Rambouillet
Nogent-le-Roi
Épernon
St-Arnoult-en-Yvelines
Montlhéry
Évry
Barenton
Bagnoles-de-l'Orne
Carrouges
Juvigny-sous-Andaine
PARC DE NORMANDIE MAINE
Tourouvre
Bazoches-sur-Hoëne
le Mêle-sur-Sarthe
Mortagne-au-Perche
Longny-au-Perche
Châteauneuf-en-Thymerais
Senonches
Maintenon
Arpajon
Lassay-les-Châteaux
Couptrain
ORNE
Pré-en-Pail
la Loupe
Courville-sur-Eure
Chartres
Gallardon
Dourdan
ESSONNE
Gorron
Ambrières-les-Vallées
le Horps
Javron-les-Chapelles
Alençon
Pervenchères
PARC DU PERCHE
Rémalard
Bellême
Auneau
Étampes
la Ferté-Alais
Milly-la-Forêt
Villaines-la-Juhel
Mamers
Nocé
la Fourche
Champrond-en-Gâtine
PARC DU GÂTINAIS
Mayenne
Fresnay-sur-Sarthe
Bais
Marolles-les-Braults
le Theil
Nogent-le-Rotrou
Illiers-Combray
Thiron-Gardais
Ouarville
Méréville
Angerville
MAYENNE
Beaumont-sur-Sarthe
Sillé-le-Guillaume
Ballon
Bonnétable
la Ferté-Bernard
Authon-du-Perche
Brou
EURE-ET-LOIR
Voves
Janville
Toury
Pithiviers
Montsûrs
Évron
Ste-Suzanne
Conlie
SARTHE
Tuffé
Chapelle-Royale
Bonneval
Orgères-en-Beauce
Argentré
Montmirail
Artenay
Neuville-aux-Bois
Beaune-la-Rolande
Vaiges
Connerré
Montfort-le-Gesnois
Vibraye
Droué
Châteaudun
Patay
Meslay-du-Maine
Loué
Brûlon
LE MANS
Cloyes-sur-le-Loir
Mondoubleau
ORLÉANS
LOIRET
Grez-en-Bouère
Château-Gontier
Allonnes
la Suze-sur-Sarthe
Arnage
Parigné-l'Évêque
St-Calais
Les Fontaines
Morée
Ouzouer-le-Marché
St-Jean-de-Braye
Jargeau
Solesmes
Bierné
Sablé-sur-Sarthe
Malicorne-sur-Sarthe
Écommoy
le Grand-Lucé
Savigny-sur-Braye
Ouques
Marchenoir
Meung-sur-Loire
Olivet
Châteauneuf-sur-Loire

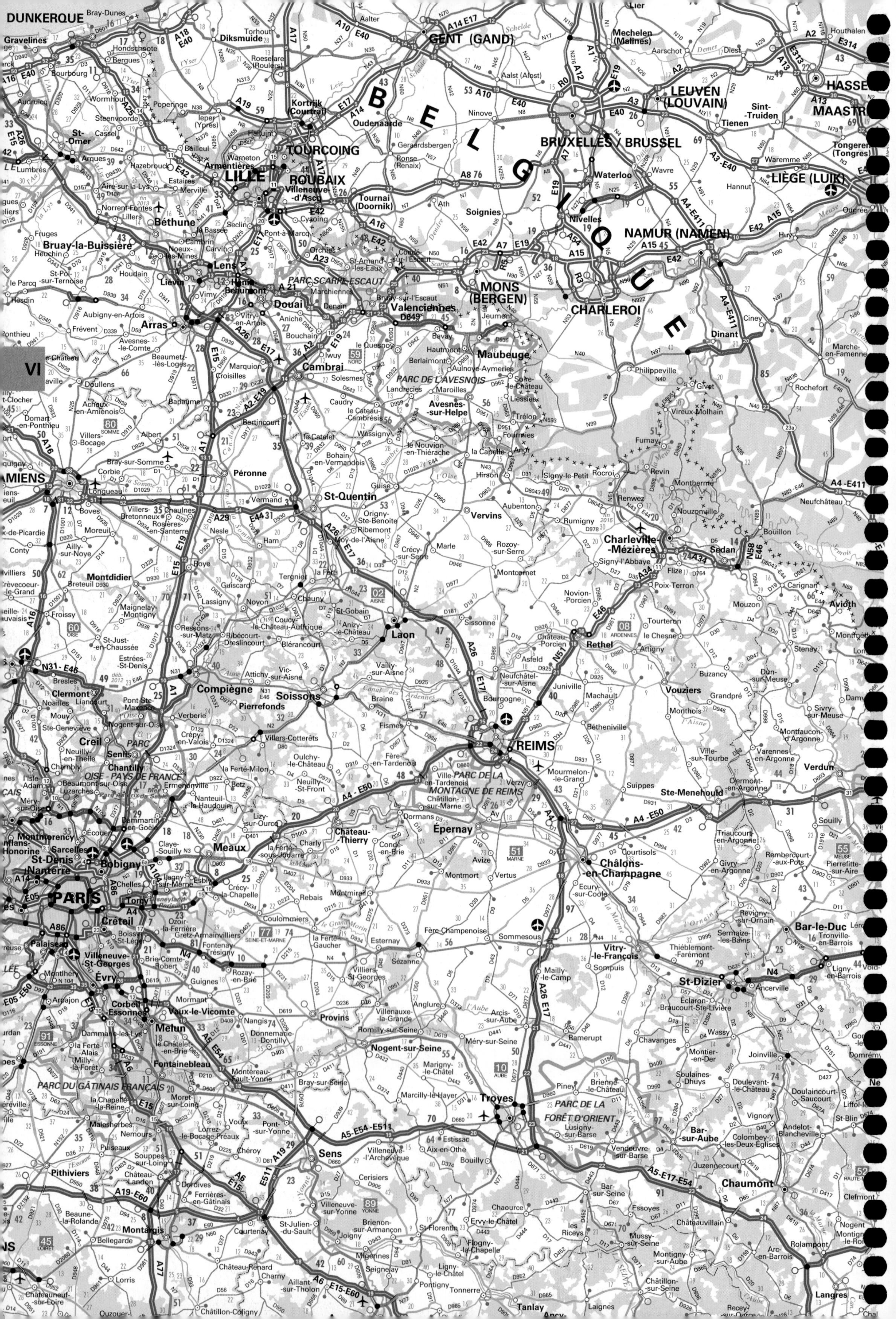

VI
BELGIQUE
DUNKERQUE
Gravelines
Diksmuide
Roeselare (Roulers)
GENT (GAND)
Mechelen (Malines)
Aarschot
Diest
Hasselt
LEUVEN (LOUVAIN)
Sint-Truiden
Tienen
Tongeren (Tongres)
LIÈGE (LUIK)
Maastricht
Aalst (Alost)
Ninove
BRUXELLES / BRUSSEL
Waterloo
Wavre
Hannut
Waremme
Huy
Oudenaarde
Geraardsbergen
Ronse (Renaix)
Kortrijk (Courtrai)
Ieper (Ypres)
Poperinge
St-Omer
Cassel
Hazebrouck
Armentières
TOURCOING
ROUBAIX
LILLE
Villeneuve-d'Ascq
Tournai (Doornik)
Ath
Soignies
Nivelles
NAMUR (NAMEN)
MONS (BERGEN)
CHARLEROI
Dinant
Ciney
Marche-en-Famenne
Rochefort
Béthune
Bruay-la-Buissière
Lens
Liévin
Hénin-Beaumont
Douai
Valenciennes
PARC SCARPE-ESCAUT
Denain
Arras
Cambrai
Le Quesnoy
Maubeuge
PARC DE L'AVESNOIS
Avesnes-sur-Helpe
Le Cateau-Cambrésis
Philippeville
Givet
Fumay
Revin
Rocroi
Hirson
Doullens
Bapaume
Péronne
AMIENS
St-Quentin
Guise
Vervins
Charleville-Mézières
Sedan
Bouillon
Montdidier
Roye
Noyon
Chauny
Laon
Rethel
Compiègne
Soissons
Pierrefonds
Clermont
Creil
Senlis
Chantilly
OISE - PAYS DE FRANCE
Villers-Cotterêts
Château-Thierry
Épernay
REIMS
PARC DE LA MONTAGNE DE REIMS
Vouziers
Ste-Menehould
Verdun
Châlons-en-Champagne
Bar-le-Duc
Vitry-le-François
St-Dizier
Meaux
Montmorency
St-Denis
Nanterre
Bobigny
PARIS
Créteil
Palaiseau
Évry
Corbeil-Essonnes
Melun
Provins
Sézanne
Nogent-sur-Seine
Fontainebleau
PARC DU GÂTINAIS FRANÇAIS
Troyes
PARC DE LA FORÊT D'ORIENT
Bar-sur-Aube
Chaumont
Joinville
Sens
Pithiviers
Montargis
Bar-sur-Seine
Châtillon-sur-Seine
Tonnerre
Langres

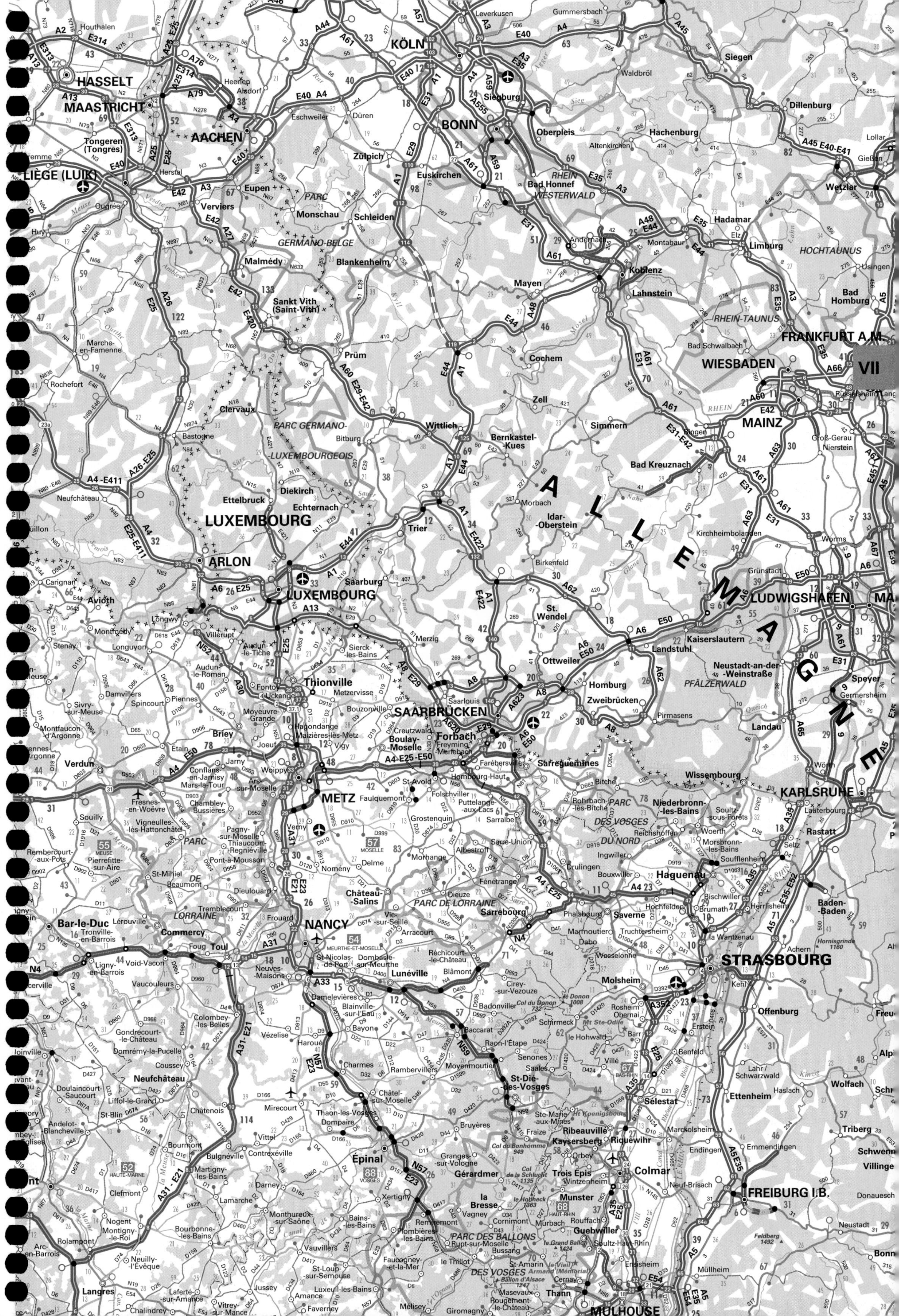VII
ALLEMAGNE
KÖLN
BONN
Leverkusen
Gummersbach
Siegen
Siegburg
Waldbröl
Dillenburg
Oberpleis
Hachenburg
Altenkirchen
Wetzlar
Gießen
Lollar
HASSELT
MAASTRICHT
Tongeren (Tongres)
AACHEN
Heerlen
Alsdorf
Eschweiler
Düren
Zülpich
Euskirchen
LIÈGE (LUIK)
Herstal
Eupen
Verviers
Monschau
Schleiden
Bad Honnef
RHEIN
WESTERWALD
Ougrée
Huy
PARC
GERMANO-BELGE
Malmédy
Blankenheim
Andernach
Montabaur
Hadamar
Limburg
Elz
HOCHTAUNUS
Koblenz
Lahnstein
Mayen
Usingen
Bad Homburg
Sankt Vith (Saint-Vith)
RHEIN-TAUNUS
Marche-en-Famenne
Prüm
Cochem
Bad Schwalbach
WIESBADEN
FRANKFURT A.M.
Rochefort
Clervaux
Zell
Simmern
Bingen
MAINZ
Rüsselsheim
Groß-Gerau
Nierstein
Bastogne
PARC GERMANO-
-LUXEMBOURGEOIS
Bitburg
Wittlich
Bernkastel-Kues
Bad Kreuznach
Diekirch
Ettelbruck
Echternach
Neufchâteau
Morbach
Idar-Oberstein
LUXEMBOURG
Trier
Kirchheimbolanden
Worms
ARLON
Birkenfeld
Grünstadt
Carignan
Avioth
LUXEMBOURG
Saarburg
St. Wendel
LUDWIGSHAFEN
Longwy
Montmédy
Stenay
Longuyon
Villerupt
Audun-le-Tiche
Sierck-les-Bains
Merzig
Landstuhl
Kaiserslautern
Neustadt-an-der-Weinstraße
Ottweiler
Homburg
PFÄLZERWALD
Speyer
Audun-le-Roman
Fontoy
Uckange
Thionville
Metzervisse
Saarlouis
Zweibrücken
Germersheim
Damvillers
Piennes
Sivry-sur-Meuse
Spincourt
Moyeuvre-Grande
Bouzonville
SAARBRÜCKEN
Pirmasens
Landau
Montfaucon-d'Argonne
Briey
Hagondange
Maizières-lès-Metz
Creutzwald
Boulay-Moselle
Forbach
Freyming-Merlebach
Verdun
Étain
Joeuf
Vigy
Sarreguemines
Wissembourg
Wörth
KARLSRUHE
Conflans-en-Jarnisy
Mars-la-Tour
Jarny
Woippy
Ars-sur-Moselle
St-Avold
Farébersviller
Hombourg-Haut
Bitche
Fresnes-en-Woëvre
Chambley-Bussières
METZ
Faulquemont
Folschviller
Puttelange-aux-Lacs
Sarralbe
Rohrbach-lès-Bitche
PARC DES VOSGES DU NORD
Niederbronn-les-Bains
Soultz-sous-Forêts
Lauterbourg
Rastatt
Souilly
Vigneulles-lès-Hattonchâtel
Grostenquin
Reichshoffen
Woerth
Morsbronn-les-Bains
Pagny-sur-Moselle
Thiaucourt-Regniéville
Verny
Albestroff
Sarre-Union
Ingwiller
Soufflenheim
Rembercourt-aux-Pots
Pierrefitte-sur-Aire
Pont-à-Mousson
Nomény
Delme
Morhange
Drulingen
Haguenau
St-Mihiel
Beaumont
Dieulouard
Château-Salins
Dieuze
Fénétrange
Bouxwiller
Bischwiller
Herrlisheim
Baden-Baden
PARC DE LORRAINE
PARC DE LORRAINE
Tremblecourt
Frouard
Sarrebourg
Phalsbourg
Saverne
Hochfelden
Brumath
Bar-le-Duc
Lérouville
Tronville-en-Barrois
Commercy
NANCY
Vic-sur-Seille
Arracourt
Marmoutier
Dabo
Truchtersheim
la Wantzenau
Hornisgrinde
Void-Vacon
Foug
Toul
Ligny-en-Barrois
Neuves-Maisons
St-Nicolas-de-Port
Dombasle-sur-Meurthe
Réchicourt-le-Château
Blâmont
Wasselonne
STRASBOURG
Achern
Vaucouleurs
Lunéville
Cirey-sur-Vezouze
Molsheim
Kehl
Damelevières
Blainville-sur-l'Eau
Badonviller
Le Donon
Rosheim
Obernai
Offenburg
Colombey-les-Belles
Gondrecourt-le-Château
Vézelise
Bayon
Haroué
Baccarat
Schirmeck
Mt Ste-Odile
Le Hohwald
Barr
Erstein
Raon-l'Étape
Senones
Villé
Benfeld
Lahr/Schwarzwald
Wolfach
Joinville
Domrémy-la-Pucelle
Charmes
Rambervillers
Moyenmoutier
St-Dié-des-Vosges
Neufchâteau
Doulaincourt-Saucourt
Liffol-le-Grand
Mirecourt
Châtel-sur-Moselle
Sélestat
Ettenheim
Haslach
Andelot-Blancheville
St-Blin
Châtenois
Thaon-les-Vosges
Dompaire
Bruyères
Ste-Marie-aux-Mines
Ribeauvillé
Riquewihr
Marckolsheim
Triberg
Bourmont
Bulgnéville
Contrexéville
Vittel
Épinal
Fraize
Kaysersberg
Orbey
Col du Bonhomme
Endingen
Emmendingen
Granges-sur-Vologne
Gérardmer
Col de la Schlucht
Trois Epis
Wintzenheim
Colmar
Neuf-Brisach
Martigny-les-Bains
Clefmont
Darney
Xertigny
la Bresse
Vagney
Munster
Hohneck
FREIBURG I.B.
Lamarche
Monthureux-sur-Saône
Remiremont
Plombières-les-Bains
Bains-les-Bains
Cornimont
Murbach
Rouffach
Guebwiller
Nogent
Montigny-le-Roi
Bourbonne-les-Bains
PARC DES BALLONS
Rupt-sur-Moselle
Bussang
Grand Ballon
Soultz-Haut-Rhin
Feldberg
Rolampont
Arc-en-Barrois
Neuilly-l'Évêque
Vauvillers
Faucogney-et-la-Mer
le Thillot
St-Amarin
Ensisheim
Müllheim
St-Loup-sur-Semouse
DES VOSGES
Ballon d'Alsace
Cernay
Langres
Laferté-sur-Amance
Jussey
Luxeuil-les-Bains
Amance
Masevaux
Rougemont-le-Château
Thann
Chalindrey
Vitrey-sur-Mance
Faverney
Mélisey
Giromagny
MULHOUSE

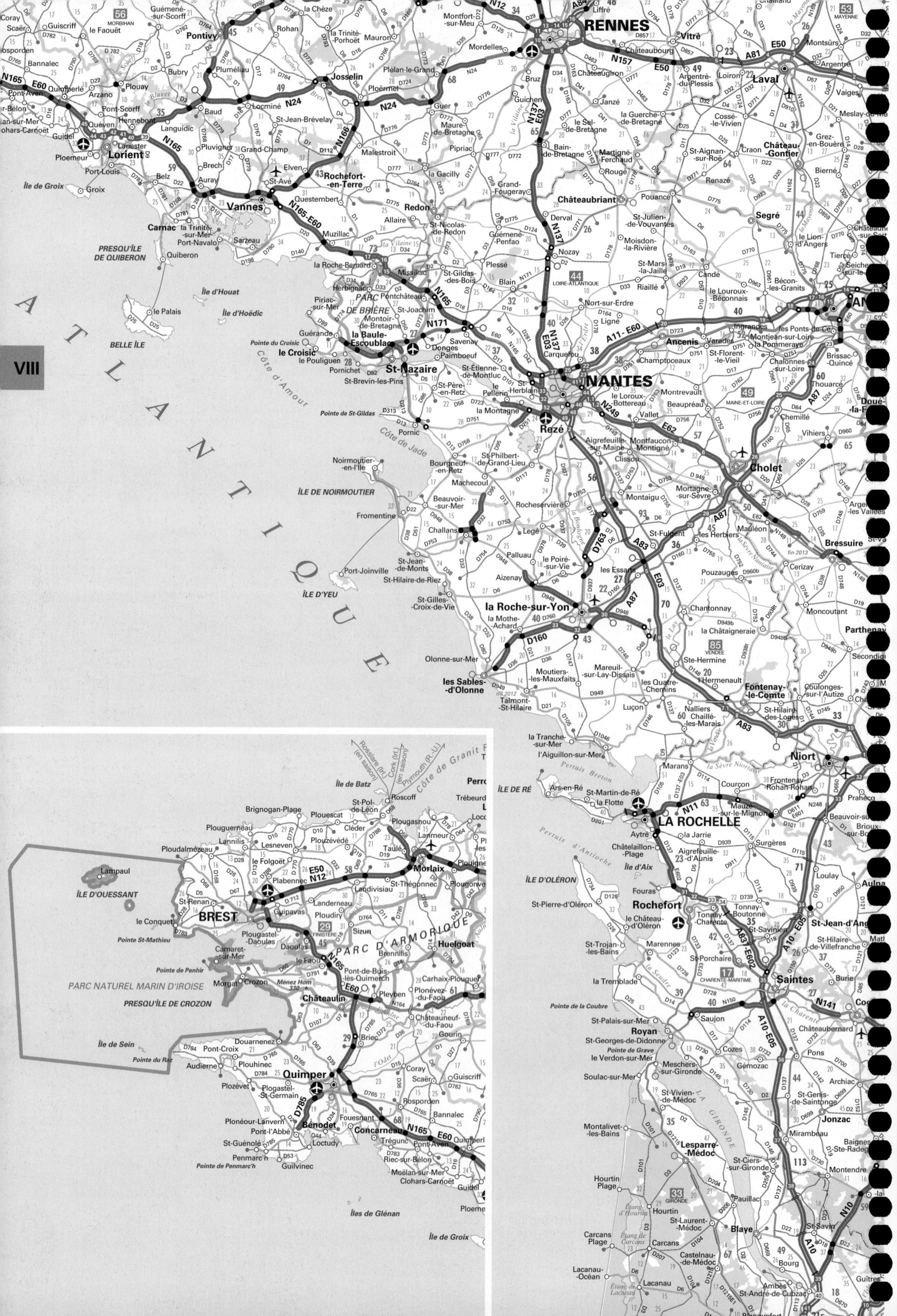

VIII
RENNES
Vitré
Laval
Château-Gontier
Fougères
Liffré
Montfort-sur-Meu
Mordelles
Bruz
Châteaugiron
Châteaubourg
Janzé
la Guerche-de-Bretagne
Bain-de-Bretagne
Martigné-Ferchaud
Grand-Fougeray
Châteaubriant
Pouancé
Craon
Segré
Pontivy
Rohan
Josselin
Ploërmel
Plélan-le-Grand
Guer
Malestroit
Locminé
Baud
Hennebont
Lorient
Ploemeur
Port-Louis
Quimperlé
Guidel
Auray
Vannes
Carnac
Quiberon
Sarzeau
Muzillac
Questembert
Rochefort-en-Terre
Redon
la Roche-Bernard
PRESQU'ÎLE DE QUIBERON
Île de Groix
Groix
BELLE ÎLE
le Palais
Île d'Houat
Île d'Hoëdic
A T L A N T I Q U E
Guérande
le Croisic
Pointe du Croisic
la Baule-Escoublac
Pornichet
St-Nazaire
St-Brevin-les-Pins
Savenay
Donges
Paimboeuf
PARC DE BRIÈRE
Pontchâteau
Missillac
Herbignac
Blain
Nort-sur-Erdre
Nozay
Derval
Ancenis
Varades
Champtoceaux
Carquefou
NANTES
Rezé
St-Herblain
le Pellerin
la Montagne
Pornic
Pointe de St-Gildas
Côte d'Amour
Côte de Jade
Noirmoutier-en-l'Île
ÎLE DE NOIRMOUTIER
Fromentine
Bourgneuf-en-Retz
Machecoul
St-Philbert-de-Grand-Lieu
Clisson
Vallet
Montaigu
Challans
Beauvoir-sur-Mer
St-Jean-de-Monts
St-Hilaire-de-Riez
Port-Joinville
ÎLE D'YEU
St-Gilles-Croix-de-Vie
Aizenay
la Roche-sur-Yon
la Mothe-Achard
Olonne-sur-Mer
les Sables-d'Olonne
Talmont-St-Hilaire
Luçon
les Essarts
Cholet
Beaupréau
Chemillé
Vihiers
Mortagne-sur-Sèvre
les Herbiers
Mauléon
Bressuire
Pouzauges
Chantonnay
la Châtaigneraie
Fontenay-le-Comte
Ste-Hermine
Parthenay
Niort
Marans
la Tranche-sur-Mer
l'Aiguillon-sur-Mer
ÎLE DE RÉ
St-Martin-de-Ré
la Flotte
Ars-en-Ré
Pertuis Breton
Pertuis d'Antioche
LA ROCHELLE
Aytré
Châtelaillon-Plage
Île d'Aix
ÎLE D'OLÉRON
St-Pierre-d'Oléron
le Château-d'Oléron
Rochefort
Surgères
Tonnay-Charente
St-Jean-d'Angély
Marennes
la Tremblade
Saintes
Royan
Pointe de la Coubre
Pointe de Grave
le Verdon-sur-Mer
Soulac-sur-Mer
Cognac
Jonzac
Pons
LA GIRONDE
Lesparre-Médoc
Pauillac
Blaye
Hourtin
Carcans
Lacanau
Lacanau-Océan
Castelnau-de-Médoc
Bourg
St-André-de-Cubzac
Chalonnes-sur-Loire
Doué-la-Fontaine
Thouarcé
Brissac-Quincé
les Ponts-de-Cé
Ouessant
ÎLE D'OUESSANT
Lampaul
BREST
le Conquet
St-Renan
Pointe St-Mathieu
Plabennec
Landerneau
Landivisiau
Morlaix
Roscoff
St-Pol-de-Léon
Île de Batz
Lesneven
Brignogan-Plage
Plougastel-Daoulas
Camaret-sur-Mer
Crozon
Morgat
Pointe de Penhir
PARC NATUREL MARIN D'IROISE
PRESQU'ÎLE DE CROZON
PARC D'ARMORIQUE
Huelgoat
Châteaulin
Carhaix-Plouguer
Douarnenez
Île de Sein
Pointe du Raz
Audierne
Quimper
Pont-l'Abbé
Bénodet
Concarneau
Fouesnant
Pointe de Penmarc'h
Guilvinec
Îles de Glénan
Quimperlé
Rosslare (Irl.) (en saison)
Cork (Irl.) (en saison)
Plymouth (R.-U.)
Côte de Granit Rose

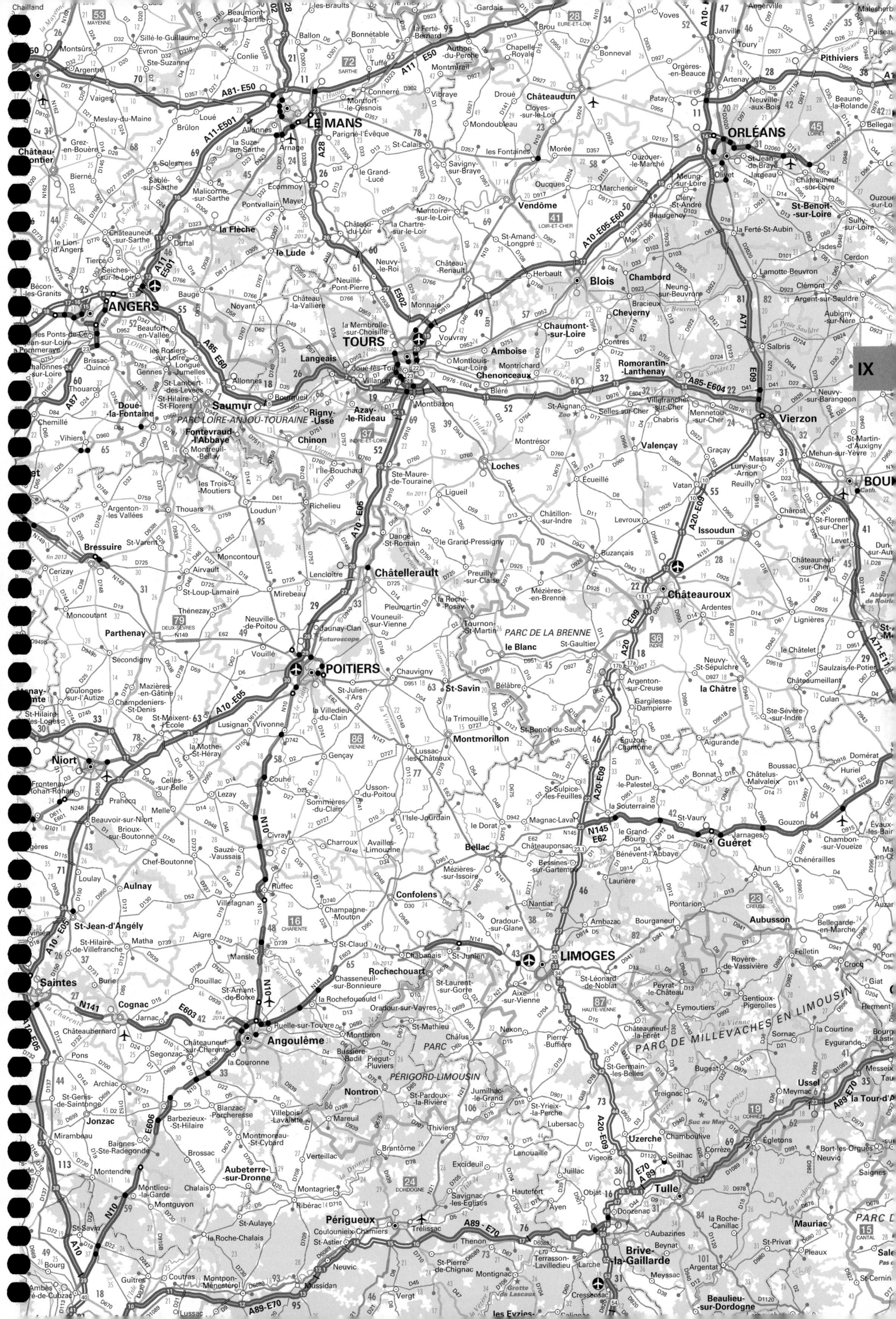
IX
LE MANS
ORLÉANS
ANGERS
TOURS
Blois
Vendôme
Châteaudun
Chambord
Cheverny
Chaumont-sur-Loire
Amboise
Chenonceaux
Romorantin-Lanthenay
Vierzon
Saumur
Chinon
Azay-le-Rideau
Rigny-Ussé
Langeais
Loches
Valençay
Issoudun
Châteauroux
Châtellerault
POITIERS
Futuroscope
Parthenay
Niort
Bressuire
Thouars
Loudun
Richelieu
Le Blanc
PARC DE LA BRENNE
PARC LOIRE-ANJOU-TOURAINE
Montmorillon
La Châtre
Guéret
Aubusson
LIMOGES
Bellac
Confolens
Rochechouart
Saint-Jean-d'Angély
Saintes
Cognac
Angoulême
Jonzac
Nontron
PÉRIGORD-LIMOUSIN
PARC DE MILLEVACHES EN LIMOUSIN
Périgueux
Tulle
Brive-la-Gaillarde
Ussel
Uzerche
A10-E05
A20-E09
A89-E70
A85-E604
A11-E501
A81-E50
A71
N10
N141
E603

X
Malesherbes
Nemours
Pithiviers
Puiseaux
Souppes-sur-Loing
Château-Landon
Lorrez-le-Bocage-Préaux
Chéroy
Pont-sur-Yonne
Sens
Villeneuve-l'Archevêque
Estissac
Aix-en-Othe
Bouilly
Lusigny-sur-Barse
Vendeuvre-sur-Barse
Bar-sur-Aube
Colombey-les-Deux-Églises
Andelot-Blancheville
Juzennecourt
Chaumont
A5-E54-E511
A5-E17-E54
A19-E60
A6 E15
E511 A19
Dordives
Ferrières-en-Gâtinais
Beaune-la-Rolande
Montargis
Bellegarde
Courtenay
Villeneuve-sur-Yonne
Cerisiers
St-Julien-du-Sault
Brienon-sur-Armançon
Joigny
Migennes
Seignelay
St-Florentin
Ervy-le-Châtel
Chaource
Flogny-la-Chapelle
Bar-sur-Seine
Essoyes
les Riceys
Mussy-sur-Seine
Châteauvillain
Montigny-sur-Aube
Arc-en-Barrois
Rolampont
Langres
Châtillon-sur-Seine
Recey-sur-Ource
Auberive
Château-Renard
Charny
Aillant-sur-Tholon
Lorris
Châteauneuf-sur-Loire
Ouzouer-sur-Loire
Châtillon-Coligny
St-Benoît-sur-Loire
Sully-sur-Loire
Auxerre
A6 E15-E60
Ligny-le-Châtel
Pontigny
Tonnerre
Chablis
Tanlay
Ancy-le-Franc
Laignes
Bléneau
Gien
Isdes
Cerdon
Briare
St-Fargeau
Toucy
Coulanges-la-Vineuse
Vermenton
Nitry
Noyers
Abbaye de Fontenay
Aignay-le-Duc
Prauthoy
Clémont
Argent-sur-Sauldre
Aubigny-sur-Nère
Châtillon-sur-Loire
Bonny-sur-Loire
St-Sauveur-en-Puisaye
St-Amand-en-Puisaye
Courson-les-Carrières
Coulanges-sur-Yonne
l'Isle-sur-Serein
Montbard
Baigneux-les-Juifs
Moloy
Is-sur-Tille
Selongey
Vailly-sur-Sauldre
Léré
Cosne-Cours-sur-Loire
Entrains-sur-Nohain
Vézelay
Clamecy
Avallon
A6-E15-E60
Venarey-les-Laumes
Semur-en-Auxois
St-Seine-l'Abbaye
Vitteaux
la Chapelle-d'Angillon
Henrichemont
Sancerre
Donzy
Tannay
Varzy
PARC NAT. RÉG.
DU
MORVAN
Précy-sous-Thil
Sombernon
DIJON
A38
A39
Neuvy-sur-Barangeon
Vierzon
Pouilly-sur-Loire
Brinon-sur-Beuvron
Corbigny
Lormes
Saulieu
Pouilly-en-Auxois
Chenôve
Gevrey-Chambertin
Genlis
Poncey-lès-Athée
Mehun-sur-Yèvre
St-Martin-d'Auxigny
les Aix-d'Angillon
Sancergues
la Charité-sur-Loire
Prémery
Montsauche-les-Settons
Lucenay-l'Évêque
Arnay-le-Duc
Bligny-sur-Ouche
Châteauneuf
Nuits-St-Georges
Brazey-en-Plaine
St-Jean-de-Losne
BOURGES
Baugy
Guérigny
St-Saulge
Château-Chinon
Beaune
A6
A36
Tavaux
Châtillon-en-Bazois
Épinac
Seurre
Chârost
St-Florent-sur-Cher
Levet
Avord
Nérondes
Pougues-les-Eaux
Fourchambault
Nevers
St-Benin-d'Azy
Moulins-Engilbert
St-Honoré-les-Bains
Autun
Nolay
Chagny
la Guerche-sur-l'Aubois
Dun-sur-Auron
Imphy
Magny-Cours
Châteauneuf-sur-Cher
Étang-sur-Arroux
Mesvres
Couches
Verdun-sur-le-Doubs
Chalon-sur-Saône
la Machine
Decize
Fours
Sancoins
St-Pierre-le-Moûtier
Luzy
Montcenis
le Creusot
Givry
Montchanin
St-Martin-en-Bresse
St-Marcel
Abbaye de Noirlac
Lignières
Lurcy-Lévis
Charenton-du-Cher
St-Amand-Montrond
Dornes
Issy-l'Évêque
Toulon-sur-Arroux
Montceau-les-Mines
Mont-St-Vincent
Buxy
St-Germain-du-Plain
Sennecey-le-Grand
Montret
Louhans
le Châtelet
Saulzais-le-Potier
Châteaumeillant
Cérilly
Bourbon-l'Archambault
Chevagnes
Bourbon-Lancy
Perrecy-les-Forges
Gueugnon
St-Gengoux-le-National
Tournus
Culan
Vallon-en-Sully
Hérisson
Souvigny
Moulins
Dompierre-sur-Besbre
Digoin
Cuisery
Montpont-en-Bresse
Cosne-d'Allier
Neuilly-le-Réal
Paray-le-Monial
Charolles
St-Bonnet-de-Joux
Lugny
Cluny
Pont-de-Vaux
St-Trivier-de-Courtes
Domérat
Huriel
Désertines
Montluçon
E62
le Montet
Villefranche-d'Allier
Jaligny-sur-Besbre
le Donjon
Varennes-sur-Allier
Anzy-le-Duc
Marcigny
la Clayette
Charnay-lès-Mâcon
Mâcon
Bagé-le-Châtel
Montrevel-en-Bresse
A40 E62
Bourg-en-Bresse
Néris-les-Bains
Commentry
Montmarault
St-Pourçain-sur-Sioule
Lapalisse
Semur-en-Brionnais
Chauffailles
Matour
Roche de Solutré
la Chapelle-de-Guinchay
Pont-de-Veyle
Gouzon
Évaux-les-Bains
Chambon-sur-Voueize
Montaigut
Bellenaves
Chantelle
St-Germain-des-Fossés
Cusset
Vichy
la Pacaudière
Les Écharmeaux
Beaujeu
Thoissey
Châtillon-sur-Chalaronne
Chénérailles
Marcillat-en-Combraille
Gorges de Chouvigny
Ébreuil
Bellerive-sur-Allier
Gannat
St-Yorre
le Mayet-de-Montagne
Charlieu
Belmont-de-la-Loire
Cours-la-Ville
Lamure-sur-Azergues
Belleville
St-Trivier-sur-Moignans
Pionsat
Menat
St-Gervais-d'Auvergne
Châteauneuf-les-Bains
Aigueperse
Randan
Roanne
Perreux
Thizy
Villefranche-sur-Saône
Villars-les-Dombes
Chalamont
Auzances
Combronde
Manzat
Châteldon
Puy-Guillaume
Amplepuis
Chamelet
Anse
Trévoux
Ars-sur-Formans
Bellegarde-en-Marche
Châtel-Guyon
Riom
Volvic
Ennezat
Maringues
St-Rémy-sur-Durolle
St-Just-en-Chevalet
St-Symphorien-de-Lay
Tarare
Pérouges
Meximieux
Montluel
Felletin
Crocq
Pontaumur
Pontgibaud
Vulcania
Thiers
A89-E70
A89
Lezoux
Pont-de-Dore
Noirétable
St-Germain-Laval
Néronde
Balbigny
l'Arbresle
Neuville-sur-Saône
EN LIMOUSIN
Giat
CLERMONT-FERRAND
Puy de Dôme 1465
Royat
Romagnat
Pont-du-Château
Courpière
Boën
Feurs
LYON
Charbonnières-les-Bains
Craponne
Villeurbanne
Herment
Rochefort-Montagne
Cournon-d'Auvergne
Billom
St-Georges-en-Couzan
Chazelles-sur-Lyon
St-Genis-Laval
la Courtine
Bourg-Lastic
Eygurande
Veyre-Monton
St-Saturnin
St-Dier-d'Auvergne
Olliergues
Montrond-les-Bains
Heyrieux
St-Symphorien-d'Ozon
la Verpillière
l'Isle-d'Abeau
Bourgoin-Jallieu
Ussel
Meymac
Messeix
la Bourboule
Chambon-sur-Lac
St-Nectaire
Vic-le-Comte
Cunlhat
Montbrison
St-Galmier
St-Symphorien-sur-Coise
Mornant
Givors
Vienne
Tauves
Mont-Dore
Puy de Sancy 1885
Murol
Champeix
Sauxillanges
St-Amant-Roche-Savine
Ambert
la Grand-Croix
Rive-de-Gier
la Tour-d'Auvergne
Super-Besse
Besse-et-St-Anastaise
Issoire
PARC DU LIVRADOIS-FOREZ
St-Anthème
St-Jean-Soleymieux
St-Just-St-Rambert
ST-ÉTIENNE
St-Chamond
Condrieu
St-Jean-de-Bournay
Champier
St-Germain-Lembron
St-Germain-l'Herm
Viverols
le Chambon-Feugerolles
St-Bonnet-le-Château
Pélussin
PARC DU PILAT
Roussillon
la Côte-St-André
Beaurepaire
Bort-les-Orgues
Champs-sur-Tarentaine-Marchal
Neuvic
Ardes
Lempdes-sur-Allagnon
Auzon
Arlanc
Firminy
St-Genest-Malifaux
Col de la République 1161
le Péage-de-Roussillon
Serrières
Condat
Craponne-sur-Arzon
Saignes
Riom-ès-Montagnes
Brioude
la Chaise-Dieu
Bas-en-Basset
Monistrol-sur-Loire
St-Didier-en-Velay
Bourg-Argental
St-Rambert-d'Albon
le Grand-Serre
Roybon
Massiac
PARC DES VOLCANS D'AUVERGNE
Allanche
Paulhaguet
Annonay
Mauriac
Allègre
Vorey
Retournac
Montfaucon-en-Velay
St-Marcellin
Pleaux
Salers
Puy Mary 1783
Pas de Peyrol 1588
Murat
Super-Lioran
Plomb du Cantal 1855
Langeac
Loudes
St-Paulien
Yssingeaux
Tence
Lalouvesc
Satillieu
St-Vallier
Tain-l'Hermitage
Tournon-sur-Rhône
St-Félicien
Romans-sur-Isère
St-Donat-sur-l'Herbasse
St-Cernin
St-Flour
Ruynes-en-Margeride
Pinols
Chanteuges
le Puy-en-Velay
le Chambon-sur-Lignon
St-Julien-Chapteuil
St-Agrève
Lamastre
Bourg-de-Péage
St-Jean-en-Royans

XI
SUISSE
ITALIE
Épinal
Colmar
FREIBURG I.B.
MULHOUSE
BASEL
Belfort
Montbéliard
Vesoul
Langres
BESANÇON
Dole
AARAU
Delémont
SOLOTHURN
BIEL/BIENNE
la Chaux-de-Fonds
NEUCHÂTEL
BERN
FRIBOURG/FREIBURG
THUN
Interlaken
Pontarlier
Lons-le-Saunier
Louhans
Bourg-en-Bresse
LAUSANNE
Montreux
Vevey
Évian-les-Bains
Thonon-les-Bains
GENÈVE
Annemasse
SION
Sierre
Brig
Visp
Zermatt
Martigny
Chamonix-Mont-Blanc
Annecy
Courmayeur
AOSTA/AOSTE
Chambéry
Aix-les-Bains
Albertville
GRENOBLE
TORINO
Ivrea
Biella
Romans-sur-Isère
St-Claude
Nantua
PARC DES BALLONS DES VOSGES
PARC DU HAUT-JURA
PARC DU MASSIF DES BAUGES
PARC DE CHARTREUSE
PARC DE LA VANOISE
PARC DU GRAND PARADIS
LAC LÉMAN
Lac de Neuchâtel
Tunnel du Mont Blanc
Tunnel du Fréjus
Matterhorn (Mont Cervin) 4478
Monte Rosa 4634
Jungfrau 4158
Mont Blanc 4810

GOLFE DE GASCOGNE

Côte d'Argent

BORDEAUX

PARC DES LANDES DE GASCOGNE

PARC NATIONAL DES PYRÉNÉES

PARQUE DE ORDESA Y MONTE PERDIDO

ESPAGNE

33 GIRONDE

40 LANDES

64 PYRÉNÉES-ATLANTIQUES

65 HAUTES-PYRÉNÉES

Montalivet-les-Bains
Lesparre-Médoc
Hourtin Plage
Hourtin
Étang d'Hourtin
Carcans Plage
Étang de Carcans
Carcans
St-Laurent-Médoc
Castelnau-de-Médoc
Pauillac
Blaye
St-Ciers-sur-Gironde
Jonzac
Mirambeau
St-Genis-de-Saintonge
Baignes-Ste-Radegonde
Barbezieux-St-Hilaire
Blanzac-Porcheresse
Villebois-Lavalette
Montmoreau-St-Cybard
Brossac
Aubeterre-sur-Dronne
Chalais
Ribérac
Montendre
Montlieu-la-Garde
Montguyon
St-Aulaye
la Roche-Chalais
St-Savin
Bourg
Lacanau-Océan
Lacanau
Étang de Lacanau
Ambès
St-André-de-Cubzac
Guîtres
Coutras
Montpon-Ménestérol
Fronsac
Libourne
St-Émilion
Lussac
Villefranche-de-Lonchat
Vélines
Blanquefort
Carbon-Blanc
St-Médard-en-Jalles
Lège-Cap-Ferret
Andernos-les-Bains
Bassin d'Arcachon
Arcachon
Audenge
Gujan-Mestras
Biganos
Pyla-sur-Mer
Dune du Pilat
la Brède
Créon
Targon
Branne
Castillon-la-Bataille
la Dordogne
la Force
Ste-Foy-la-Grande
Sigoulès
Pellegrue
Sauveterre-de-Guyenne
Duras
Eymet
Monségur
Podensac
Cadillac
St-Macaire
Langon
la Réole
Miramont-de-Guyenne
Seyches
Marmande
Étang de Cazaux et de Sanguinet
Biscarrosse-Plage
Biscarrosse
Étang de Biscarrosse
Parentis-en-Born
Belin-Béliet
Villandraut
St-Symphorien
Bazas
Bouglon
Grignols
le Mas-d'Agenais
Tonneins
Pissos
Sore
Captieux
Casteljaloux
Damazan
Aiguillon
Port-Ste-Marie
Mimizan-Plage
Mimizan
Labouheyre
Sabres
Houeillès
Lavardac
Nérac
Contis les Bains
St-Julien-en-Born
Labrit
Morcenx
Roquefort
Mézin
St-Girons-Plage
St-Girons-en-Marensin
Étang de Léon
Léon
Castets
Barbotan-les-Thermes
Gabarret
Condom
Montréal
Valence-sur-Baïse
Moliets-et-Maa
Étang de Soustons
Vieux-Boucau-les-Bains
Soustons
Mont-de-Marsan
Tartas
Villeneuve-de-Marsan
Cazaubon
Eauze
Vic-Fezensac
Jegun
l'Adour
le Midou
la Douze
Hossegor
Capbreton
St-Paul-lès-Dax
Dax
Mugron
St-Sever
Grenade-sur-l'Adour
Nogaro
Aire-sur-l'Adour
Aignan
St-Vincent-de-Tyrosse
Montfort-en-Chalosse
Hagetmau
Geaune
Riscle
Castelnau-Rivière-Basse
Plaisance
St-Martin-de-Seignanx
Amou
Peyrehorade
Arzacq-Arraziguet
Garlin
Anglet
Biarritz
Bayonne
Guéthary
St-Jean-de-Luz
Bidart
Hendaye
Irun
Ustaritz
Bidache
la Bastide-Clairence
Salies-de-Béarn
Sauveterre-de-Béarn
Orthez
Arthez-de-Béarn
Thèze
Lembeye
Marciac
Montesquiou
Mirande
Maubourguet
Vic-en-Bigorre
Rabastens-de-Bigorre
Miélan
Trie-sur-Baïse
Castelnau-Magnoac
Tournay
Ascain
Espelette
Cambo-les-Bains
Hasparren
Ainhoa
Iholdy
St-Palais
Mourenx
Navarrenx
Monein
Lescar
PAU
Morlaàs
Soumoulou
Tarbes
Pouyastruc
DONOSTIA / SAN SEBASTIÁN
Hernani
Eibar
Azpeitia
St-Étienne-de-Baïgorry
St-Jean-Pied-de-Port
Mauléon-Licharre
Tardets-Sorholus
Aramits
Oloron-Ste-Marie
Gan
Nay
Ossun
Pontacq
St-Pé-de-Bigorre
Lourdes
Basilique N.-D. du Rosaire
Grottes de Bétharram
Argelès-Gazost
Bagnères-de-Bigorre
Capvern
la Barthe-de-Neste
St-Laurent-de-Neste
Lannemezan
Doneztebe/Santesteban
Puerto Ibañeta 1057
Orreaga/Roncesvalles
Arette
Arudy
Campan
Pic du Midi de Bigorre 2876
Col d'Aspin 1489
St-Bertrand-de-Comminges
Altsasu/Alsasua
Port de Larrau 1573
Accous
Laruns
Col d'Aubisque 1709
les Eaux-Chaudes
Eaux-Bonnes
Gourette
Aucun
Pierrefitte-Nestalas
la Mongie
Col du Tourmalet 2115
Arreau
Bordères-Louron
Col de Peyresourde 1569
Escároz
Urdos
Pic du Midi d'Ossau 2884
Cauterets
Barèges
Luz-St-Sauveur
Vielle-Aure
St-Lary-Soulan
Superbagnères
PAMPLONA/IRUÑA
Estella/Lizarra
Col de Somport 1632
Col du Pourtalet 1794
Vignemale 3298
Baños de Panticosa
Gavarnie
Cirque de Gavarnie
Tunnel de Bielsa
Sangüesa
Rio Aragón
Jaca
Benasque
LOGROÑO
Tafalla
Albelda de Iregua
Pradejón
El Villar de Arnedo
Calahorra
Arnedo
Uncastillo
Ainsa
Alfaro
Rio Ebro
R. Arakil
R. Arga
R. Ega
R. Bidasoa
R. Oria
la Nive
le Gave d'Oloron
le Gave d'Aspe
le Gave de Pau
R. Isuela
R. Alcanadre
Rio Esera
R. Salazar

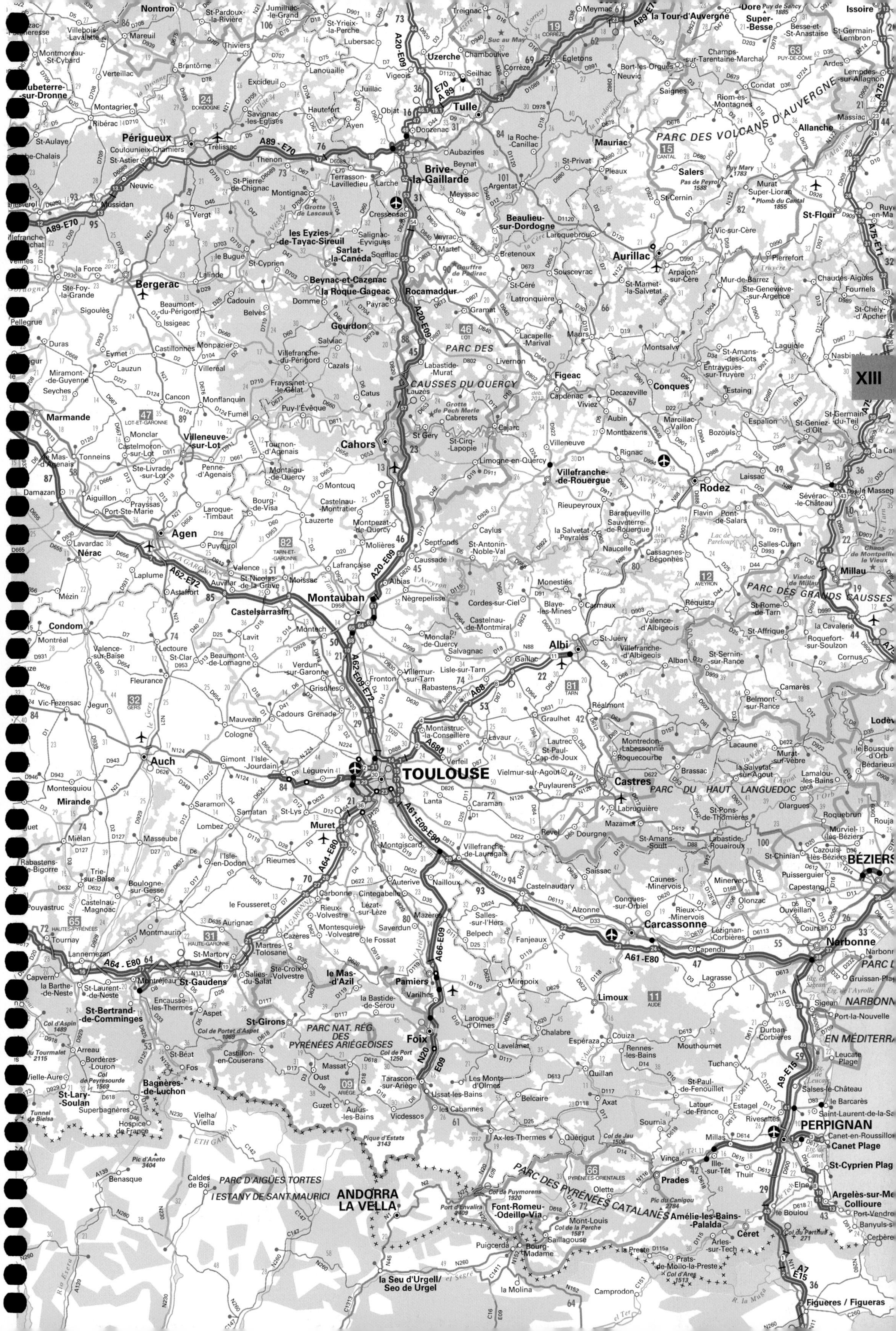

XIII
Nontron
Périgueux
Bergerac
Brive-la-Gaillarde
Tulle
Uzerche
Égletons
Mauriac
Aurillac
Salers
St-Flour
Issoire
PARC DES VOLCANS D'AUVERGNE
Sarlat-la-Canéda
Les Eyzies-de-Tayac-Sireuil
Rocamadour
Gourdon
Figeac
Cahors
PARC DES
CAUSSES DU QUERCY
Villeneuve-sur-Lot
Marmande
Agen
Nérac
Condom
Montauban
Castelsarrasin
Villefranche-de-Rouergue
Rodez
Millau
PARC DES GRANDS CAUSSES
Albi
Castres
TOULOUSE
Auch
Mirande
Muret
PARC DU HAUT LANGUEDOC
BÉZIERS
Narbonne
Carcassonne
Castelnaudary
Limoux
Pamiers
Foix
St-Girons
St-Gaudens
Bagnères-de-Luchon
Lannemezan
PARC NAT. RÉG. DES PYRÉNÉES ARIÉGEOISES
PARC DES PYRÉNÉES CATALANES
PERPIGNAN
Prades
Céret
Argelès-sur-Mer
ANDORRA LA VELLA
la Seu d'Urgell/Seo de Urgel
Figueres / Figueras
PARC D'AIGÜES TORTES I ESTANY DE SANT MAURICI
A20-E09
A89-E70
A62-E72
A61-E09-E80
A64-E80
A66-E09
A9-E15
A75
A68
N20

Issoire
PARC DU LIVRADOIS-FOREZ
St-Anthème
ST-ÉTIENNE
St-Chamond
Rive-de-Gier
Vienne
Condrieu
PARC DU PILAT
Firminy
St-Genest-Malifaux
le Chambon-Feugerolles
St-Bonnet-le-Château
Bas-en-Basset
Monistrol-sur-Loire
Bourg-Argental
Annonay
Pélussin
Roussillon
le Péage-de-Roussillon
Serrières
Beaurepaire
la Côte-St-André
St-Jean-de-Bournay
Champier
le Grand-Lemps
les Abrets
St-Geoire-en-Valdaine
Voiron
Virieu
St-Laurent-du-Pont
PARC DE CHARTREUSE
le Touvet
Rives
Moirans
Voreppe
St-Pierre-de-Chartreuse
GRENOBLE
Villard-Bonnot
Domène
Chamrousse
Vizille
Laffrey
Brioude
la Chaise-Dieu
Craponne-sur-Arzon
Arlanc
Ambert
Viverols
Auzon
Allanche
Massiac
Paulhaguet
Allègre
Vorey
Retournac
Montfaucon-en-Velay
Yssingeaux
Tence
Lalouvesc
St-Félicien
Tournon-sur-Rhône
Tain-l'Hermitage
St-Vallier
St-Rambert-d'Albon
le Grand-Serre
St-Étienne-de-St-Geoirs
Tullins
Vinay
Roybon
St-Marcellin
St-Donat-sur-l'Herbasse
Romans-sur-Isère
Bourg-de-Péage
Sassenage
Lans-en-Vercors
Pont-en-Royans
Villard-de-Lans
St-Jean-en-Royans
la Chapelle-en-Vercors
PARC DU VERCORS
Monestier-de-Clermont
la Mure
Valbonnais
Langeac
Loudes
le Puy-en-Velay
St-Paulien
Chanteuges
Pinols
Ruynes-en-Margeride
St-Flour
Pierrefort
Saugues
Monistrol-d'Allier
Solignac-sur-Loire
Cayres
le Chambon-sur-Lignon
St-Julien-Chapteuil
le Monastier-sur-Gazeille
Fay-sur-Lignon
le Cheylard
St-Martin-de-Valamas
St-Agrève
Lamastre
St-Péray
Valence
Chabeuil
Léoncel
Vernoux-en-Vivarais
Mt Mézenc 1753
Mt Gerbier de Jonc 1551
Chaudes-Aigues
Fournels
le Malzieu-Ville
St-Chély-d'Apcher
St-Alban-sur-Limagnole
Grandrieu
Pradelles
Langogne
Montpezat-sous-Bauzon
Antraigues-sur-Volane
Thueyts
Privas
la Voulte-sur-Rhône
le Pouzin
Livron-sur-Drôme
Loriol-sur-Drôme
Crest
Grane
Saillans
Die
Chomérac
Vals-les-Bains
Aubenas
Rochemaure
Montélimar
le Teil
Villeneuve-de-Berg
PARC DES MONTS D'ARDÈCHE
Nasbinals
Aumont-Aubrac
St-Amans
Laguiole
Châteauneuf-de-Randon
Marvejols
Mende
Bagnols-les-Bains
le Bleymard
Mt Lozère 1699
St-Geniez-d'Olt
la Canourgue
Chanac
Villefort
Largentière
Joyeuse
les Vans
Vallon-Pont-d'Arc
Bourg-St-Andéol
Pierrelatte
St-Paul-Trois-Châteaux
Donzère
Viviers
la Bégude-de-Mazenc
Dieulefit
Grignan
Valréas
Nyons
Bourdeaux
Châtillon-en-Diois
Luc-en-Diois
la Motte-Chalancon
Rémuzat
Rosans
Serres
Veynes
Aspres-sur-Buëch
Barcillonnette
Laragne-Montéglin
Orpierre
Ribiers
Sisteron
Super-Dévoluy
St-Étienne-en-Dévoluy
Mens
Clelles
Sévérac-le-Château
le Massegros
Ste-Énimie
le Pont-de-Montvert
Florac
Génolhac
la Malène
Gorges du Tarn
Aven Armand
Meyrueis
Barre-des-Cévennes
PARC DES CÉVENNES
St-Germain-de-Calberte
St-André-de-Valborgne
la Grand-Combe
Bessèges
Barjac
St-Ambroix
Lussan
Pont-St-Esprit
la Croisière
Bollène
Mondragon
Tulette
Vaison-la-Romaine
Buis-les-Baronnies
Malaucène
Mt Ventoux 1911
Sault
Séderon
Noyers-sur-Jabron
Millau
Viaduc de Millau
Chaos de Montpellier le Vieux
Mt Aigoual 1565
Trèves
Valleraugue
St-Jean-du-Gard
Alès
Vézénobres
Uzès
Bagnols-sur-Cèze
Orange
Beaumes-de-Venise
Bédoin
Mormoiron
Carpentras
Courthézon
Bédarrides
Châteauneuf-du-Pape
Roquemaure
Sorgues
Pernes-les-Fontaines
Fontaine-de-Vaucluse
St-Étienne-les-Orgues
Banon
Forcalquier
Peyruis
DES GRANDS CAUSSES
Nant
le Vigan
Lasalle
Anduze
St-Hippolyte-du-Fort
Sumène
Ganges
Grotte des Demoiselles
Quissac
Sauve
Lédignan
Roquefort-sur-Soulzon
Cornus
Alzon
la Cavalerie
la Couvertoirade
Cirque de Navacelles
NÎMES
Remoulins
Pont du Gard
Villeneuve-lès-Avignon
AVIGNON
Aramon
Châteaurenard
le Thor
l'Isle-sur-la-Sorgue
Gordes
Apt
Cavaillon
Bonnieux
PARC NAT. RÉG. DU LUBERON
Manosque
Reillanne
Volx
Ste-Tulle
Gréoux-les-Bains
Camarès
Lodève
St-Martin-de-Londres
Claret
Sommières
Marguerittes
Beaucaire
Tarascon
Bellegarde
St-Rémy-de-Provence
Orgon
Cadenet
Pertuis
Lunel
Vauvert
Aimargues
Marsillargues
St-Gilles
Arles
PARC DES ALPILLES
les Baux-de-Provence
Eyguières
Salon-de-Provence
Lambesc
Peyrolles-en-Provence
Rians
AIX-EN-PROVENCE
Murat-sur-Vèbre
le Bousquet-d'Orb
Bédarieux
Clermont-l'Hérault
Gignac
Aniane
les Matelles
Castries
Grotte de Clamouse
Lamalou-les-Bains
Olargues
MONTPELLIER
Mauguio
la Grande-Motte
Palavas-les-Flots
Aigues-Mortes
le Grau-du-Roi
PARC DE CAMARGUE
Étang de Vaccarès
Stes-Maries-de-la-Mer
St-Martin-de-Crau
Istres
Miramas
Berre-l'Étang
Marignane
Martigues
Fos-sur-Mer
Port-de-Bouc
Lavera
Port-St-Louis-du-Rhône
Carro
Carry-le-Rouet
Gardanne
Trets
Tourves
Nans-les-Pins
Roquevaire
Gémenos
Aubagne
Plan-d'Aups-Ste-Baume
Signes
Roquebrun
Roujan
Paulhan
Pézenas
Servian
Montagnac
Mèze
Murviel-lès-Béziers
Cazouls-lès-Béziers
BÉZIERS
Puisserguier
Capestang
Florensac
Bessan
Marseillan
Agde
Cap d'Agde
Balaruc-les-Bains
Sète
Frontignan
Valras-Plage
Ouveillan
Coursan
Narbonne
Narbonne-Plage
PARC DE LA NARBONNAISE EN MÉDITERRANÉE
Gruissan-Plage
Sigean
Port-la-Nouvelle
Leucate Plage
GOLFE DU LION
Salses-le-Château
le Barcarès
Saint-Laurent-de-la-Salanque
PERPIGNAN
Canet-en-Roussillon
Canet Plage
St-Cyprien Plage
Elne
Argelès-sur-Mer
Collioure
Port-Vendres
Banyuls-sur-Mer
Cerbère
le Boulou
Col du Perthus 271
Figueres / Figueras
Côte Vermeille
MARSEILLE
la Penne-sur-Huveaune
Cassis
la Ciotat
le Castellet
le Beausset
St-Cyr-sur-Mer
Bandol
Sanary-sur-Mer
Six-Fours-les-Plages
Ollioules
MÉDITERRANÉE
Annaba (Algérie)
Oran (Algérie)
Alger (Algérie)
Béjaïa (Alg.)
Skikda (Alg.)
Tunis (Tun.)
Porto-Torres (Sardaigne)
Propriano
Porto-Vecchio
Ajaccio
Calvi
l'Île Rousse
Bastia
Tunis (Tunisie) (en saison)
Nador (Maroc) (en saison)
Tanger (Maroc)

XV
ITALIE
MÉDITERRANÉE
GRENOBLE
TORINO
CUNEO
SAVONA
NICE
ANTIBES
Cannes
Monte-Carlo
Monaco
Menton
San Remo
Imperia
AIX-EN-PROVENCE
TOULON
Hyères
Gap
Digne-les-Bains
Sisteron
Briançon
Barcelonnette
Draguignan
Grasse
Aubagne
la Ciotat
la Seyne-sur-Mer
St-Tropez
Ste-Maxime
St-Raphaël
Fréjus
Bastia
Ajaccio
Calvi
Corte
Porto-Vecchio
Bonifacio
Propriano
Sartène
Alba
Asti
Bra
Pinerolo
Carmagnola
Saluzzo
Fossano
Mondovi
Chieri
Vercelli
Casale Monferrato
Acqui Terme
Albenga
Alassio
Finale Ligure
PARC DE CHARTREUSE
PARC DE LA VANOISE
PARC DES ÉCRINS
PARC DU QUEYRAS
PARC DU MERCANTOUR
PARC DU VERDON
PARC NAT. RÉG. DU LUBERON
PARCO ALPI MARITIME
PARCO ALTA VALLE PESIO
PARC DE PORT CROS
PARC DE CORSE
ÎLES D'HYÈRES
Côte d'Azur
Golfe d'Ajaccio
Golfe de Valinco
Golfe de Porto-Vecchio
Cap Corse
Monte Cinto 2706
Monte Viso 3841

Légende (F)
Verklaring der tekens (NL)
Zeichenerklärung (D)

(GB) Legend
(E) Signos convencionales
(I) Segni convenzionali

Autoroute, section à péage (1), Autoroute, section libre (2), Voie à caractère autoroutier (3) Autosnelweg, gedeelte met tol (1), Autosnelweg, tolvrij gedeelte (2), Weg van het type autosnelweg (3) Autobahn, gebührenpflichtiger Abschnitt (1), Autobahn, gebührenfreier Abschnitt (2), Schnellstraße (3)	1 2 3	Motorway, toll section (1), Motorway, toll-free section (2), Dual carriageway with motorway characteristics (3) Autopista, tramo de peaje (1), Autopista, tramo libre (2), Autovía (3) Autostrada, tratto a pagamento (1), Autostrada, tratto libero (2), Strada con caratteristiche autostradali (3)
Barrière de péage (1), Aire de service (2), Aire de repos (3) Tolversperring (1), Tankstation (2), Rustplaats (3) Mautstelle (1), Tankstelle (2), Rastplatz (3)	1 2 3	Tollgate (1), Full service area (2), Rest area - toilets only (3) Barrera de peaje (1), Área de servicio (2), Área de descanso (3) Stazione a barriera (1), Area di servizio (2), Area di parcheggio (3)
Échangeur : complet (1), partiel (2), numéro Knooppunt : volledig (1), gedeeltelijk (2), nummer Vollanschlußstelle (1), beschränkte Anschlußstelle (2), Autobahnkreuz	1 2 6 73	Junction : complete (1), restricted (2), number Acceso : completo (1), parcial (2), número Svincolo : completo (1), parziale (2), numero
Autoroute en construction Autosnelweg in aanleg Autobahn im Bau		Motorway under construction Autopista en construcción Autostrada in costruzione
Route de liaison principale (1), Route de liaison régionale (2), Autre route (3) Hoofdverkeersweg (1), Streekverbindingsweg (2), Andere weg (3) Fernverkehrsstraße (1), Regionale Verbindungsstraße (2), Sonstige Straße (3)	1 2 3	Main road (1), Regional connecting road (2), Other road (3) Carretera principal (1), Carretera regional (2), Otra carretera (3) Strada di grande comunicazione (1), Strada di interesse regionale (2), Altra strada (3)
Route en construction Weg in aanleg Straße im Bau		Road under construction Carretera en construcción Strada in costruzione
Route irrégulièrement entretenue (1), Chemin (2) Onregelmatig onderhoude weg (1), Pad (2) Nicht regelmäßig instandgehaltene Straße (1), Weg (2)	1 2	Not regularly maintained road (1), Footpath (2) Carretera sin revestir (1), Camino (2) Strada di irregolare manutenzione (1), Sentiero (2)
Tunnel (1), Route interdite (2) Tunnel (1), Verboden weg (2) Tunnel (1), Gesperrte Straße (2)	1 2	Tunnel (1), Prohibited road (2) Túnel (1), Carretera prohibida (2) Galleria (1), Strada vietata (2)
Distances kilométriques (km), Numérotation : autoroute, type autoroutier Kilometeraanduiding (km), Wegnummers : autosnelweg, van het type autosnelweg Entfernungen in Kilometern (km), Straßennumerierung : Autobahn	5 E11 A75	Distances in kilometers (km), Road numbering : motorway Distancia en kilómetros (km), Número : autopista, autovía Distanze chilometriche (km), Numeri delle strade : autostrada
Distances kilométriques sur route, Numérotation : autre route Kilometeraanduiding op wegen, Wegnummers : andere meg Straßenentfernungen in kilometern, Straßennumerierung : sonstige Straße	3 2 5 D197	Distances in kilometers on road, Road numbering : other road Distancia en kilómetros por carretera, Número : otra carretera Distanze in chilometri su strada, Numeri delle strade : altra strada
Chemin de fer, gare, arrêt, tunnel Spoorweg, station, halte, tunnel Eisenbahn, Bahnhof, Haltepunkt, Tunnel		Railway, station, halt, tunnel Ferrocarril, estación, parada, túnel Ferrovia, stazione, fermata, galleria
Aéroport (1), Aérodrome (2), Liaison maritime (3) Luchthaven (1), Vliegveld (2), Bootdienst met autovervoer (3) Flughafen (1), Flugplatz (2), Autofähre (3)	1 2 3 Bastia	Airport (1), Airfield (2), Car ferries (3) Aeropuerto (1), Aeródromo (2), Línea marítima (ferry) (3) Aeroporto (1), Aeroporto turistico (2), Traghetti per auto (3)
Zone bâtie (1), Zone industrielle (2), Bois (3) Bebouwde kom (1), Industriezone (2), Bos (3) Wohngebiet (1), Industriegebiet (2), Wald (3)	1 2 3	Built-up area (1), Industrial park (2), Woods (3) Zona edificada (1), Zona industrial (2), Bosque (3) Zona urbanistica (1), Zona industriale (2), Bosco (3)
Limite de département (1), de région (2), limite d'État (3) Grens van departement, gewestgrens (2), Staatsgrens (3) Departements- (1), Region- (2), Staatsgrenze (3)	1 2 3	Département (1), Region (2), International boundary (3) Límite de departamento (1), de región (2), Límite de Nación (3) Confine di dipartimento (1), di regione (2), di Stato (3)
Limite de camp militaire (1), Limite de Parc (2) Grens van militair kamp (1), Parkgrens (2) Truppenübungsplatzgrenze (1), Naturparkgrenze (2)	1 2	Military camp boundary (1), Park boundary (2) Límite de campo militar (1), Límite de Parque (2) Limite di campo militare (1), Limite di parco (2)
Marais (1), Marais salants (2), Glacier (3) Moeras (1), Zoutpan (2), Gletsjer (3) Sumpf (1), Salzteiche (2), Gletscher (3)	1 2 3	Marsh (1), Salt marshes (2), Glacier (3) Marisma (1), Salinas (2), Glaciar (3) Palude (1), Saline (2), Ghiacciaio (3)
Région sableuse (1), Sable humide (2) Zandig gebied (1), Getijdengebied (2) Sandgebiet (1), Gezeiten (2)	1 2	Dry sand (1), Wet sand (2) Zona arenosa (1), Arena húmida (2) Area sabbiosa (1), Sabbia bagnata (2)
Cathédrale (1), Abbaye (2), Église (3), Chapelle (4) Kathedraal (1), Abdij (2), Kerk (3), Kapel (4) Dom (1), Abtei (2), Kirche (3), Kapelle (4)	1 2 3 4	Cathedral (1), Abbey (2), Church (3), Chapel (4) Catedral (1), Abadía (2), Iglesia (3), Capilla (4) Cattedrale (1), Abbazia (2), Chiesa (3), Cappella (4)
Château (1), Château ouvert au public (2), Musée (3) Kasteel (1), Kasteel open voor publiek (2), Museum (3) Schloss (1), Schlossbesichtigung (2), Museum (3)	1 2 3	Castle (1), Castle open to the public (2), Museum (3) Castillo(1), Castillo abierto al público (2), Museo (3) Castello (1), Castello aperto al pubblico (2), Museo (3)
Localité d'intérêt touristique Bezienswaardige plaats Sehenswerter Ort	CAHORS	Town or place of tourist interest Localidad de interés turístico Località di interesse turistico
Phare (1), Moulin (2), Curiosité (3), Cimetière militaire (4) Vuurtoren (1), Molen (2), Bezienswaardigheid (3), Militaire begraafplaats (4) Leuchttum (1), Mühle (2), Sehenswürdigkeit (3), Soldatenfriedhof (4)	1 2 3 ★★★ 4	Lighthouse (1), Mill (2), Place of interest (3), Military cemetery (4) Faro (1), Molino (2), Curiosidad (3), Cementerio militar (4) Faro (1), Mulino (2), Curiosità (3), Cimitero militare (4)
Grotte (1), Mégalithe (2), Vestiges antiques (3), Ruines (4) Grot (1), Megaliet (2), Historische overblijfselen (3), Ruïnes (4) Höhle (1), Megalith (2), Altertümliche Ruinen (3), Ruinen (4)	1 2 3 4	Cave (1), Megalith (2), Antiquities (3), Ruins (4) Cueva (1), Magalito (2), Vestigios antiguos (3), Ruinas (4) Grotta (1), Megalite (2), Vestigia antiche (3), Rovine (4)
Point de vue (1), Panorama (2), Cascade ou source (3) Uitzichtspunt (1), Panorama (2), Waterval of bron (3) Aussichtspunkt (1), Rundblick (2), Wasserfall oder Quelle (3)	1 2 3	Viewpoint (1), Panorama (2), Waterfall or spring (3) Vista panorámica (1), Panorama (2), Cascada o fuente (3) Punto di vista (1), Panorama (2), Cascata o sorgente (3)
Station thermale (1), Sports d'hiver (2), Refuge (3), Activités de loisirs (4) Kuuroord (1), Wintersport (2), Schuilhut (3), Recreatieactiviteiten (4) Kurort mit Thermalbad (1), Wintersportort (2), Berghütte (3), Freizeittätigkeiten (4)	1 2 3 4	Spa (1), Winter sports resort (2), Refuge hut (3), Leisure activities (4) Estación termal (1), Estación de deportes de invierno (2), Refugio (3), Actividades de ocios (4) Stazione termale (1), Stazione di sport invernali (2), Rifugio (3), Attività di divertimenti (4)
Maison du Parc (1), Réserve naturelle (2), Parc ou jardin (3) Informatiebureau van natuurreservaat (1), Natuurreservaat (2), Park of tuin (3) Informationsbüro des Parks (1), Naturschutzgebiet (2), Park oder Garten (3)	1 2 3	Park visitor centre (1), Nature reserve (2), Park or garden (3) Casa del parque (1), Reserva natural (2), Parque o jardín (3) Ufficio d'informazione del Parco (1), Riserva naturale (2), Parco o giardino (3)
Chemin de fer touristique (1), Téléphérique (2) Toeristische trein (1), Kabelspoor (2) Touristische Kleinbahn (1), Seilbahn (2)	1 2	Tourist railway (1), Aerial cableway (2) Ferrocarril turístico (1), Teleférico (2) Ferrovia di interesse turistico (1), Teleferica (2)

La représentation sur cet atlas des routes, chemins et sentiers relève d'une simple information topographique (description du terrain), sans préjuger du régime juridique qui leur est attaché. Certains d'entre eux peuvent être privés ou d'accès réglementé.

1: 250 000

0 5 10 km 15 20 25

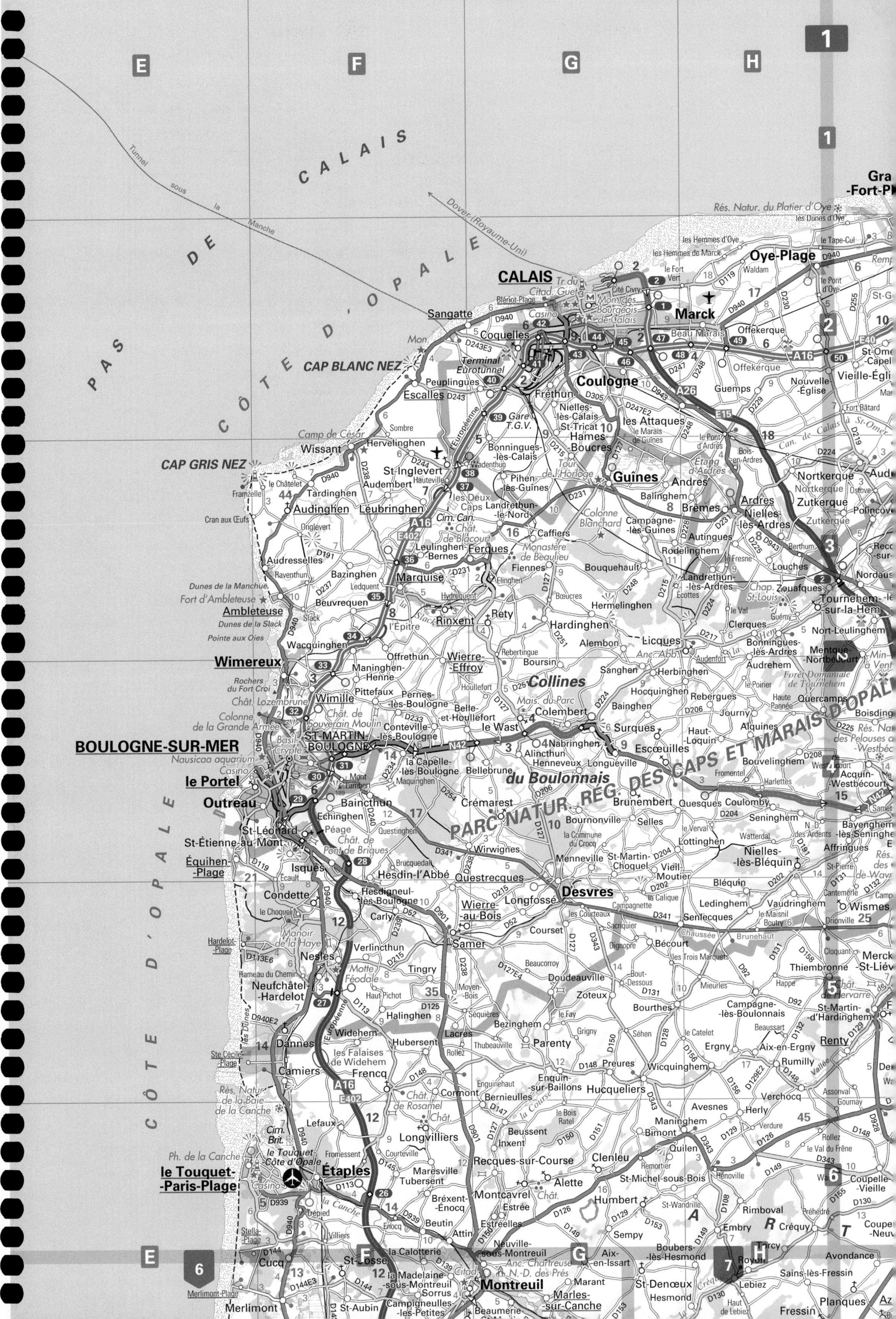

1
E
F
G
H
PAS DE CALAIS
Tunnel sous la Manche
Dover (Royaume-Uni)
CÔTE D'OPALE
CAP BLANC NEZ
CAP GRIS NEZ
CALAIS
Sangatte
Coquelles
Blériot-Plage
Terminal Eurotunnel
Peuplingues
Escalles
Marck
Oye-Plage
Les Hemmes d'Oye
Les Hemmes de Marck
Rés. Natur. du Platier d'Oye
Offekerque
Vieille-Église
Nouvelle-Église
Guemps
Coulogne
Fréthun
Nielles-lès-Calais
St-Tricat
Hames-Boucres
les Attaques
Guînes
Andres
Balinghem
Brêmes
Ardres
Nielles-lès-Ardres
Nortkerque
Zutkerque
Polincove
Autingues
Rodelinghem
Landrethun-lès-Ardres
Louches
Zouafques
Tournehem-sur-la-Hem
Nordausques
Nort-Leulinghem
Clerques
Bonningues-lès-Ardres
Audrehem
Mentque-Nortbécourt
Quercamps
Boisdinghem
Alquines
Journy
Rebergues
Haut-Loquin
Bouvelinghem
Acquin-Westbécourt
Seninghem
Bayenghem-lès-Seninghem
Affringues
Nielles-lès-Bléquin
Bléquin
Ledinghem
Vaudringhem
Wismes
Senlecques
Wissant
Hervelinghen
St-Inglevert
Audembert
Tardinghen
Audinghen
Leubringhen
Bonningues-lès-Calais
Pihen-lès-Guînes
Landrethun-le-Nord
Caffiers
Campagne-lès-Guînes
Bouquehault
Hermelinghen
Licques
Sanghen
Herbinghen
Hocquinghen
Bainghen
Surques
Escœuilles
Fiennes
Ferques
Leulinghen-Bernes
Marquise
Rinxent
Rety
Hardinghen
Alembon
Audresselles
Bazinghen
Beuvrequen
Ambleteuse
Wacquinghen
Wimereux
Offrethun
Maninghen-Henne
Wierre-Effroy
Boursin
Collines du Boulonnais
Colembert
Nabringhen
Longueville
Alincthun
Henneveux
Wimille
Pittefaux
Pernes-lès-Boulogne
Belle-et-Houllefort
le Wast
Conteville-lès-Boulogne
ST-MARTIN-BOULOGNE
BOULOGNE-SUR-MER
Nausicaa aquarium
la Capelle-lès-Boulogne
Bellebrune
PARC NATUR. RÉG. DES CAPS ET MARAIS D'OPALE
Brunembert
Quesques
Coulomby
Selles
Lottinghen
le Portel
Outreau
Baincthun
Echinghen
Crémarest
Bournonville
St-Léonard
St-Étienne-au-Mont
Équihen-Plage
Isques
Wirwignes
Menneville
St-Martin-Choquel
Vieil-Moutier
Hesdin-l'Abbé
Questrecques
Desvres
Longfossé
Condette
Hesdigneul-lès-Boulogne
Carly
Wierre-au-Bois
Samer
Courset
Bécourt
Thiembronne
Merck-St-Liévin
Hardelot-Plage
Nesles
Verlincthun
Tingry
Neufchâtel-Hardelot
Doudeauville
Zoteux
Bourthes
Campagne-lès-Boulonnais
St-Martin-d'Hardinghem
Halinghen
Widehem
Bezinghem
Parenty
Dannes
Hubersent
Lacres
Camiers
Frencq
Cormont
Enquin-sur-Baillons
Hucqueliers
Wicquinghem
Preures
Ergny
Aix-en-Ergny
Rumilly
Renty
Verchocq
Herly
Avesnes
Rés. Natur. de la Baie de la Canche
Lefaux
Longvilliers
Maninghem
Bimont
Beussent
Inxent
Quilen
Recques-sur-Course
Clenleu
Alette
le Touquet-Paris-Plage
Étaples
Maresville
Tubersent
Bréxent-Énocq
Montcavrel
Estrée
Estréelles
Humbert
St-Michel-sous-Bois
Rimboval
Créquy
Coupelle-Vieille
Embry
Sempy
Beutin
Attin
Neuville-sous-Montreuil
Aix-en-Issart
Boubers-lès-Hesmond
Torcy
Royon
Avondance
Sains-lès-Fressin
Lebiez
Cucq
St-Josse
la Calotterie
la Madelaine-sous-Montreuil
Montreuil
Marles-sur-Canche
St-Denœux
Hesmond
Planques
Fressin
Merlimont
St-Aubin
Campigneulles-les-Petites
Beaumerie
Stella-Plage
Merlimont-Plage
6
7

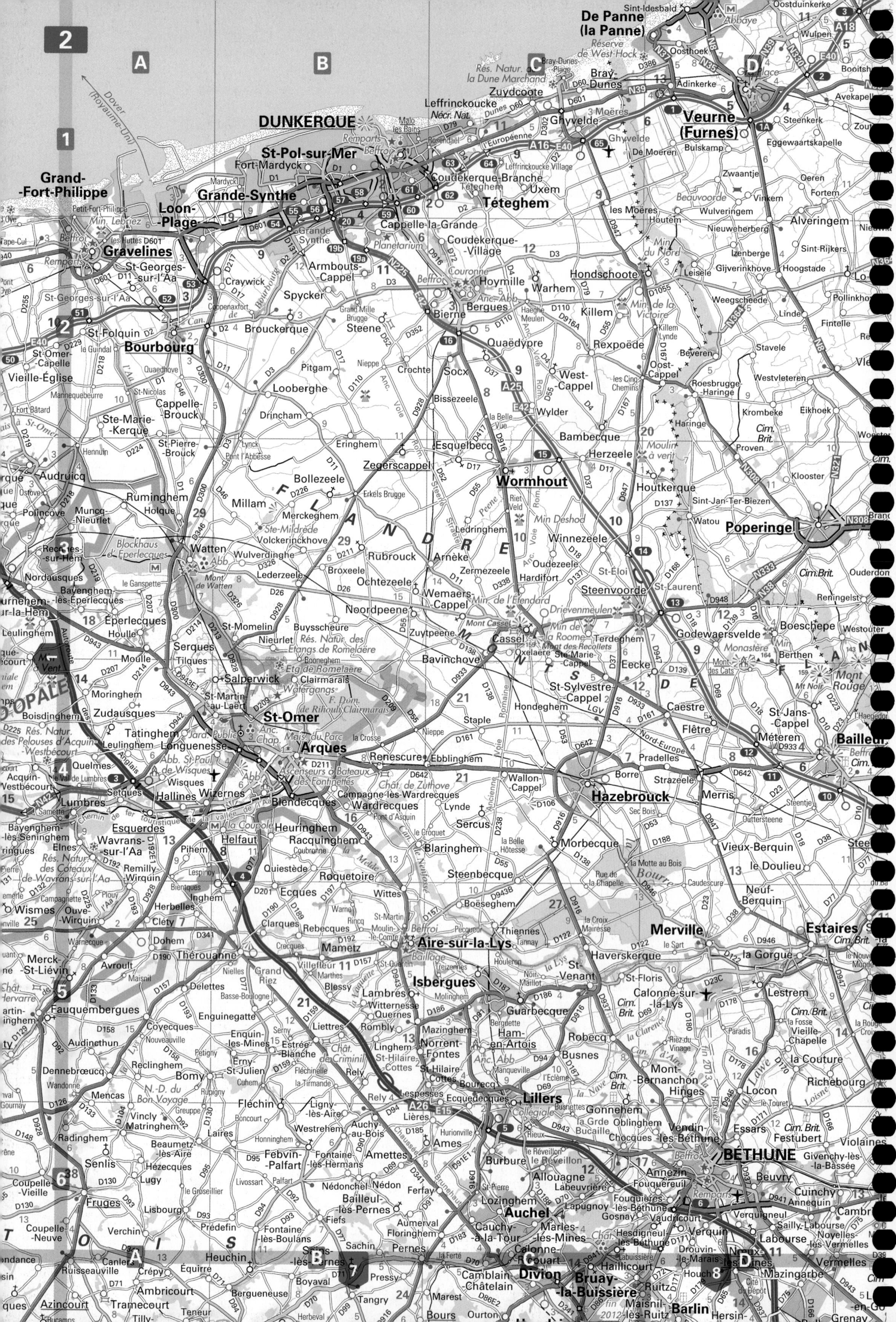

2
A
B
C
D
1
2
3
4
5
6
7
8
Dover (Royaume-Uni)
De Panne (la Panne)
Sint-Idesbald
Oostduinkerke
Abbaye
Réserve de West-Hock
Bray-Dunes
Rés. Natur. de la Dune Marchand
Zuydcoote
Leffrinckoucke
Nécr. Nat.
Malo-les-Bains
DUNKERQUE
Remparts
Beffroi
St-Pol-sur-Mer
Fort-Mardyck
Mardyck
Grand-Fort-Philippe
Petit-Fort-Philippe
Loon-Plage
Grande-Synthe
Gravelines
Remparts
St-Georges-sur-l'Aa
Craywick
Armbouts-Cappel
Spycker
Cappelle-la-Grande
Planetarium
Coudekerque-Village
Coudekerque-Branche
Téteghem
Uxem
Leffrinckoucke Village
Ghyvelde
Les Moëres
De Moeren
Adinkerke
Oosthoek
Veurne (Furnes)
Wulpen
Booitshoeke
Avekapelle
Steenkerk
Eggewaartskapelle
Bulskamp
Zwaantje
Oeren
Fortem
Vinkem
Beauvoorde
Wulveringem
Alveringem
Houtem
Nieuweherberg
Izenberge
Sint-Rijkers
Leisele
Gijverinkhove
Hoogstade
Weegscheede
Pollinkhove
Linde
Fintelle
Stavele
Westvleteren
Krombeke
Eikhoek
Haringe
Roesbrugge-Haringe
Beveren
Oost-Cappel
Proven
Cim. Brit.
Klooster
Poperinge
Watou
Sint-Jan-Ter-Biezen
Houtkerque
Moulin à vent
Herzeele
Bambecque
Wylder
West-Cappel
Rexpoëde
Killem
Killem Lynde
Les Cinq Chemins
Hondschoote
Min du Nord
Min de la Victoire
Warhem
Hoymille
Bergues
Bierne
Quaëdypre
Socx
Steene
Crochte
Pitgam
Brouckerque
Bourbourg
St-Folquin
St-Omer-Capelle
Vieille-Église
Cappelle-Brouck
Looberghe
Drincham
Ste-Marie-Kerque
St-Pierre-Brouck
Eringhem
Esquelbecq
Zegerscappel
Bollezeele
Wormhout
Audruicq
Ruminghem
Holque
Millam
Merckeghem
Munq-Nieurlet
Polincove
Recques-sur-Hem
Blockhaus d'Éperlecques
Watten
Wulverdinghe
Volckerinckhove
Ste-Mildrède
Rubrouck
Arnèke
Ledringhem
Winnezeele
Oudezeele
Steenvoorde
St-Laurent
St-Éloi
Zermezeele
Hardifort
Ochtezeele
Lederzeele
Broxeele
Noordpeene
Wemaers-Cappel
Min de l'Égendard
Drievenmeulen
Min de la Roome
Mont des Recollets
Terdeghem
Mont Cassel
Cassel
Oxelaëre
Ste-Marie-Cappel
Zuytpeene
Bavinchove
Buysscheure
Nieurlet
Rés. Natur. des Étangs de Romelaëre
St-Momelin
Éperlecques
Bayenghem-lès-Éperlecques
Nordausques
Houlle
Serques
Tilques
Moulle
Salperwick
Clairmarais
St-Martin-au-Laërt
St-Omer
Arques
Longuenesse
Tatinghem
Wizernes
Hallines
Blendecques
Helfaut
Esquerdes
Lumbres
Setques
Wisques
Moringhem
Zudausques
Boisdinghem
Quelmes
Acquin-Westbécourt
Wavrans-sur-l'Aa
Elnes
Remilly-Wirquin
Wismes
Ouve-Wirquin
Herbelles
Inghem
Cléty
Dohem
Thérouanne
Merck-St-Liévin
Avroult
Fauquembergues
Delettes
Enguinegatte
Coyecques
Audincthun
Dennebrœucq
Reclinghem
Bomy
Erny-St-Julien
Mencas
Vincly
Matringhem
Radinghem
Senlis
Lugy
Beaumetz-lès-Aire
Hézecques
Fruges
Lisbourg
Coupelle-Vieille
Coupelle-Neuve
Verchin
Canlers
Crépy
Équirre
Ruisseauville
Ambricourt
Tramecourt
Azincourt
Heuchin
Bergueneuse
Fontaine-lès-Boulans
Prédefin
Febvin-Palfart
Fontaine-lès-Hermans
Nédonchel
Nédon
Bailleul-lès-Pernes
Aumerval
Floringhem
Pernes
Sachin
Tangry
Boyaval
Pressy
Marest
Camblain-Châtelain
Divion
Bruay-la-Buissière
Calonne-Ricouart
Cauchy-à-la-Tour
Marles-les-Mines
Auchel
Lozinghem
Allouagne
Burbure
Ames
Amettes
Ferfay
Auchy-au-Bois
Westrehem
Ligny-lès-Aire
Fléchin
Rely
Lillers
Ecquedecques
Lières
Busnes
Gonnehem
Oblinghem
Chocques
Vendin-lès-Béthune
BÉTHUNE
Annezin
Fouquereuil
Fouquières-lès-Béthune
Vaudricourt
Verquin
Labourse
Noeux-les-Mines
Mazingarbe
Vermelles
Barlin
Haillicourt
Ruitz
Maisnil-lès-Ruitz
Hersin
Houdain
Beuvry
Cuinchy
Annequin
Festubert
Violaines
Givenchy-lès-la-Bassée
Essars
Locon
Hinges
Mont-Bernanchon
Robecq
Calonne-sur-la-Lys
Lestrem
Vieille-Chapelle
La Couture
Richebourg
Estaires
La Gorgue
Merville
Haverskerque
St-Venant
St-Floris
Guarbecque
Ham-en-Artois
Isbergues
Lambres
Witternesse
Quernes
Mazinghem
Norrent-Fontes
Linghem
St-Hilaire-Cottes
Aire-sur-la-Lys
Mametz
Thiennes
Steenbecque
Boëseghem
Morbecque
Blaringhem
Sercus
Lynde
Wardrecques
Campagne-lès-Wardrecques
Racquinghem
Heuringhem
Roquetoire
Quiestède
Ecques
Wittes
Clarques
Rebecques
Renescure
Ebblinghem
Wallon-Cappel
Hazebrouck
Borre
Strazeele
Merris
Pradelles
Vieux-Berquin
Le Doulieu
Neuf-Berquin
Staple
Hondeghem
St-Sylvestre-Cappel
Caëstre
Flêtre
Méteren
Bailleul
Eecke
Godewaersvelde
Boeschepe
Mont des Cats
Berthen
Mont Noir
Mont Rouge
St-Jans-Cappel
F L A N D R E
M O N T S
A R T O I S
OPALE
Westouter
Reningelst
Ouderdom
Cim. Brit.

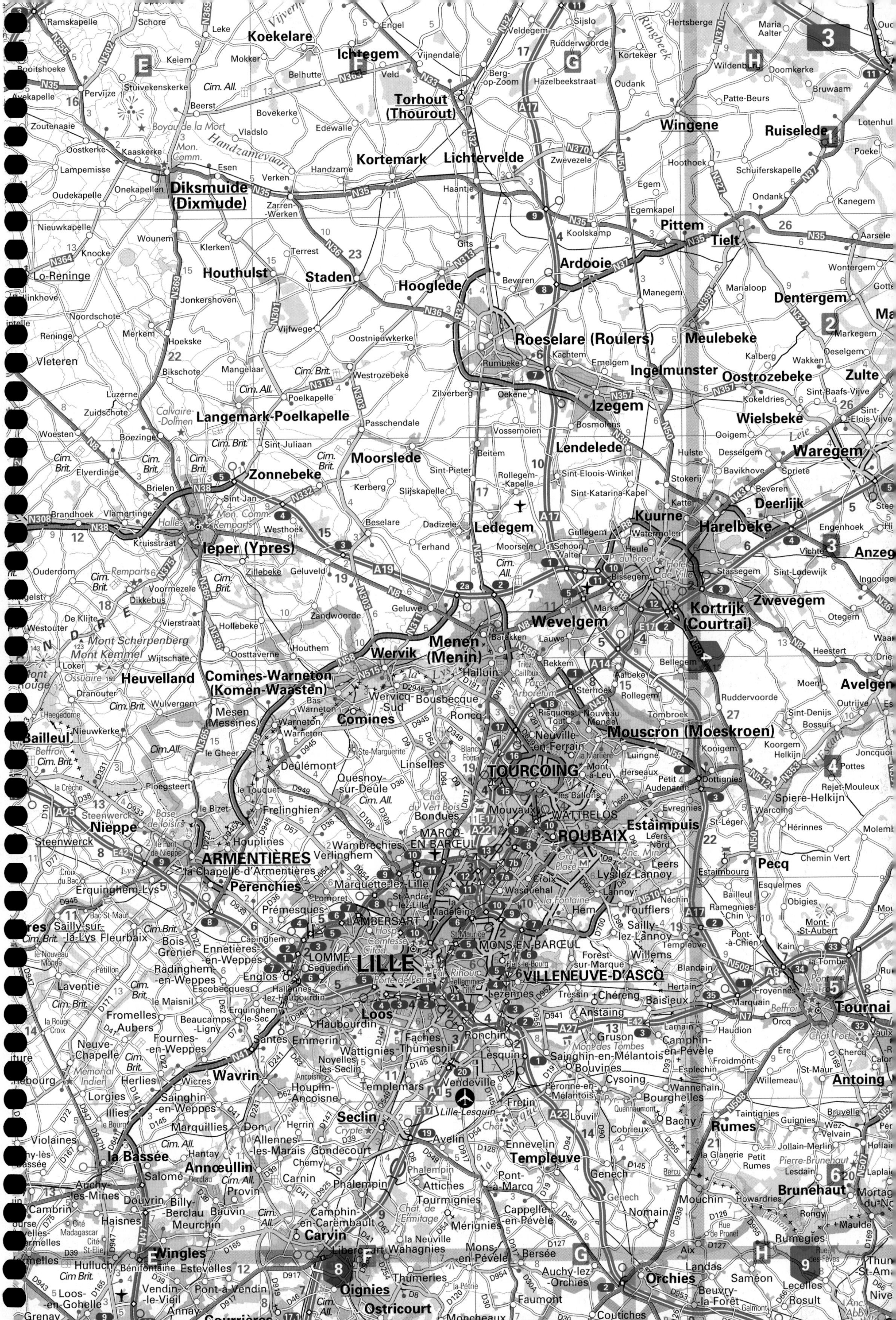
3
Ramskapelle
Schore
Leke
Koekelare
Ichtegem
Engel
Veldegem
Sijslo
Rudderwoorde
Hertsberge
Maria Aalter
Keiem
Mokker
Vijnendale
Kortekeer
Wildenburg
Doomkerke
Booitshoeke
Stuivekenskerke
Belhutte
Veld
Berg-op-Zoom
Hazelbeekstraat
Oudank
Bruwaam
Pervijze
Avekapelle
Beerst
Torhout (Thourout)
Patte-Beurs
Zoutenaaie
Bovekerke
Edewalle
Wingene
Ruiselede
Lotenhulle
Boyau de la Mort
Vladslo
Handzamevaart
Oostkerke
Kaaskerke
Lampernisse
Esen
Handzame
Kortemark
Lichtervelde
Zwevezele
Hoothoek
Schuiferskapelle
Poeke
Oudekapelle
Onekapellen
Diksmuide (Dixmude)
Verken
Haantje
Egem
Ondank
Kanegem
Zarren-Werken
Egemkapel
Nieuwkapelle
Wounem
Pittem
Tielt
Aarsele
Koolskamp
Knocke
Klerken
Terrest
Gits
Ardooie
Lo-Reninge
Houthulst
Staden
Hooglede
Beveren
Manegem
Wontergem
Marialoop
Dentergem
Jonkershoven
Noordschote
Vijfwege
Roeselare (Roulers)
Meulebeke
Reninge
Merkem
Hoekske
Oostnieuwkerke
Markegem
Kalberg
Wakken
Oeselgem
Vleteren
Rumbeke
Kachtem
Emelgem
Ingelmunster
Oostrozebeke
Zulte
Bikschote
Mangelaar
Westrozebeke
Luzerne
Poelkapelle
Zilverberg
Oekene
Izegem
Kokeldries
Sint-Baafs-Vijve
Zuidschote
Calvaire-Dolmen
Langemark-Poelkapelle
Wielsbeke
Sint-Eloois-Vijve
Passchendaele
Bosmolens
Woesten
Boezinge
Sint-Juliaan
Vossemolen
Lendelede
Ooigem
Leie
Beitem
Hulste
Desselgem
Waregem
Elverdinge
Moorslede
Sint-Pieter
Rollegem-Kapelle
Sint-Eloois-Winkel
Stokerij
Bavikhove
Spriete
Zonnebeke
Kerberg
Slijskapelle
Sint-Katarina-Kapel
Beveren
Deerlijk
Brielen
Sint-Jan
Katte
Brandhoek
Vlamertinge
Mon. Comm.
Halles
Remparts
Westhoek
Beselare
Dadizele
Ledegem
Kuurne
Harelbeke
Engenhoek
Kruisstraat
Ieper (Ypres)
Terhand
Moorsele
Gullegem
Watermolen
Heule
Schoon Walter
Vichte
Anzeg
Ouderdom
Zillebeke
Geluveld
P. du Broel
Hôtel de Ville
Stasegem
Sint-Lodewijk
Ingooigem
Voormezele
Dikkebus
Bissegem
Kortrijk (Courtrai)
Zwevegem
De Klijte
Geluwe
Marke
Westouter
Vierstraat
Zandwoorde
Wevelgem
Otegem
Mont Scherpenberg
Hollebeke
Menen (Menin)
Barakken
Lauwe
Mont Kemmel
Wijtschate
Oosttaverne
Houthem
Wervik
Heestert
Loker
Halluin
Rekkem
Bellegem
Ossuaire
Heuvelland
Comines-Warneton (Komen-Waasten)
Aalbeke
Moen
Avelgem
Dranouter
Wervicq-Sud
Bousbecque
Parc Arboretum
Sterhoek
Rollegem
Ruddervoorde
Outrijve
Wulvergem
Bas-Warneton
Roncq
Risquons-Tout
Nouveau Monde
Tombroek
Sint-Denijs
Mesen (Messines)
Comines
Neuville-en-Ferrain
Mouscron (Moeskroen)
Bossuit
Nieuwkerke
Bailleul
Beffroi
le Gheer
Ste-Marguerite
Linselles
Blanc Four
La Marlière
Luingne
Kooigem
Koorgem
Joncquoi
Deûlémont
Tourcoing
Mont-à-Leu
Herseaux
Petit Audenarde
Dottignies
Pottes
Ploegsteert
Quesnoy-sur-Deûle
les Ballons
Spiere-Helkijn
Rejet-Mouleux
le Touquet
Château du Vert Bois
Mouvaux
Wattrelos
Evregnies
Warcoing
Steenwerck
le Bizet
Frelinghien
Bondues
Estaimpuis
St-Léger
Hérinnes
Nieppe
Roubaix
Houplines
Marcq-en-Barœul
Leers-Nord
Wambrechies
Armentières
Verlinghem
Grd Place
Leers
Pecq
Chemin Vert
la Chapelle-d'Armentières
Croix
Lys-lez-Lannoy
Estaimbourg
Pérenchies
Marquette-lez-Lille
Wasquehal
Lannoy
Esquelmes
Erquinghem-Lys
St-André-lez-Lille
la Madeleine
Néchin
Baileul
Prémesques
Lompret
La Fontaine
Hem
Toufflers
Ramegnies-Chin
Obigies
Sailly-sur-la-Lys
Fleurbaix
Lambersart
Sailly-lez-Lannoy
Mont-St-Aubert
Bois-Grenier
Capinghem
St-Maurice
Templeuve
Pont-à-Chin
Ennetières-en-Weppes
Lomme
Mons-en-Barœul
Willems
Kain
Lille
Forest-sur-Marque
Blandain
la Tombe
Radinghem-en-Weppes
Englos
Séquedin
Palais Rihour
Porte de Paris
Flers-le-Bourg
Villeneuve-d'Ascq
Laventie
Escobecques
Hallennes-lez-Haubourdin
Hellemmes
Hertain
Froyennes
Lezennes
Tressin
Chéreng
Baisieux
Marquain
Tournai
le Maisnil
Erquinghem-le-Sec
Loos
Anstaing
Beffroi
Orcq
Fromelles
Beaucamps-Ligny
Haubourdin
Lamain
Aubers
Fournes-en-Weppes
Emmerin
Faches-Thumesnil
Ronchin
Gruson
Camphin-en-Pévèle
Haudion
Château Fort
Neuve-Chapelle
Santes
Wattignies
Lesquin
Mont des Tombes
Ere
Chercq
Sainghin-en-Mélantois
Froidmont
Noyelles-lès-Seclin
Bouvines
Esplechin
St-Maur
Wavrin
Vendeville
Cysoing
Willemeau
Antoing
Memorial Indien
Herlies
Wicres
Houplin-Ancoisne
Templemars
Péronne-en-Mélantois
Wannehain
Lorgies
Sainghin-en-Weppes
Lille-Lesquin
Fretin
Bourghelles
Illies
Seclin
Louvil
Taintignies
Bruyelle
Marquillies
Don
Herrin
Cobrieux
Bachy
Rumes
Guignies
Wez-Velvain
Allennes-les-Marais
Gondecourt
Avelin
Ennevelin
Jollain-Merlin
Violaines
La Bassée
Hantay
Chemy
Templeuve
la Glanerie
Petit Rumes
Pierre-Brunehaut
Hollain
Salomé
Annœullin
Carnin
Phalempin
Pont-à-Marcq
Genech
Lesdain
Auchy-les-Mines
Provin
Attiches
Brunehaut
Douvrin
Billy-Berclau
Bauvin
Tourmignies
Mouchin
Howardries
Cambrin
Camphin-en-Carembault
Chât. de l'Ermitage
Cappelle-en-Pévèle
Nomain
Rongy
Haisnes
Meurchin
Mérignies
Maulde
Carvin
la Neuville
Rumegies
Wingles
Libercourt
Wahagnies
Mons-en-Pévèle
Bersée
Aix
Hulluch
Estevelles
Auchy-lez-Orchies
Landas
Thun-St-Amand
Bénifontaine
Oignies
Thumeries
Orchies
Saméon
Lecelles
Loos-en-Gohelle
Vendin-le-Vieil
Pont-à-Vendin
Faumont
Beuvry-la-Forêt
Rosult
Annay
Ostricourt
Grenay
Courrières
Moncheaux
Coutiches

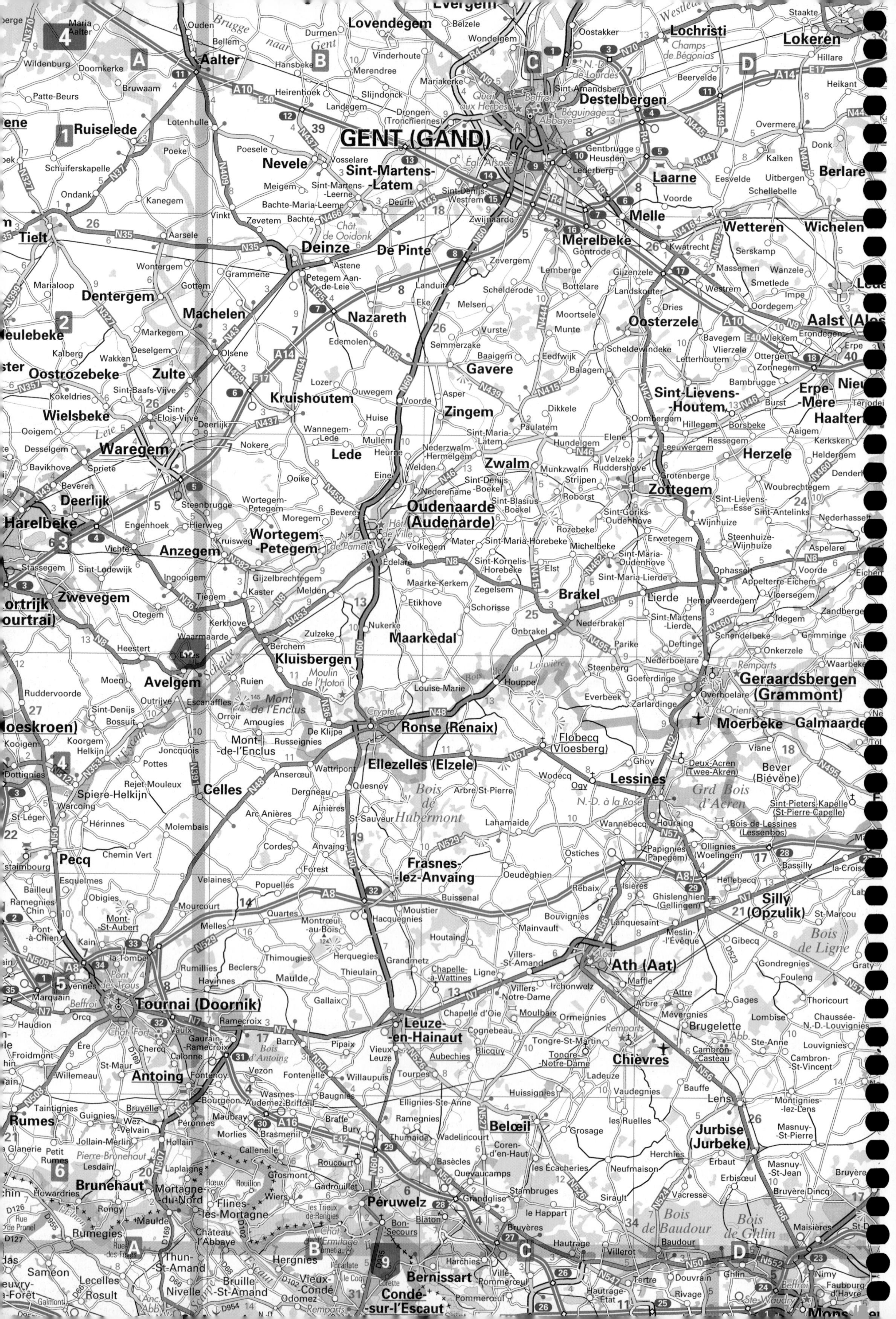

4
A
B
C
D
Aalter
Evergem
Lovendegem
Lochristi
Lokeren
Ruiselede
GENT (GAND)
Destelbergen
Nevele
Sint-Martens-Latem
Laarne
Berlare
Tielt
Deinze
De Pinte
Melle
Merelbeke
Wetteren
Wichelen
Dentergem
Nazareth
Oosterzele
Aalst (Alost)
Meulebeke
Machelen
Gavere
Oostrozebeke
Zulte
Kruishoutem
Zingem
Sint-Lievens-Houtem
Erpe-Mere
Wielsbeke
Waregem
Lede
Zwalm
Herzele
Haaltert
Deerlijk
Harelbeke
Oudenaarde (Audenaarde)
Zottegem
Anzegem
Wortegem-Petegem
Kortrijk (Courtrai)
Zwevegem
Brakel
Maarkedal
Kluisbergen
Avelgem
Geraardsbergen (Grammont)
Moeskroen (Mouscron)
Ronse (Renaix)
Moerbeke
Galmaarden
Flobecq (Vloesberg)
Mont-de-l'Enclus
Ellezelles (Elzele)
Lessines
Celles
Bois de Hubermont
Deux-Acren (Twee-Akren)
Bever (Biévène)
Pecq
Frasnes-lez-Anvaing
Silly (Opzulik)
Ath (Aat)
Tournai (Doornik)
Leuze-en-Hainaut
Antoing
Chièvres
Brugelette
Beloeil
Rumes
Brunehaut
Jurbise (Jurbeke)
Péruwelz
Bernissart
Condé-sur-l'Escaut
Mons
Saint-Amand
Bois de Baudour
Bois de Ghlin
Bois de Ligne
Grd Bois d'Acren

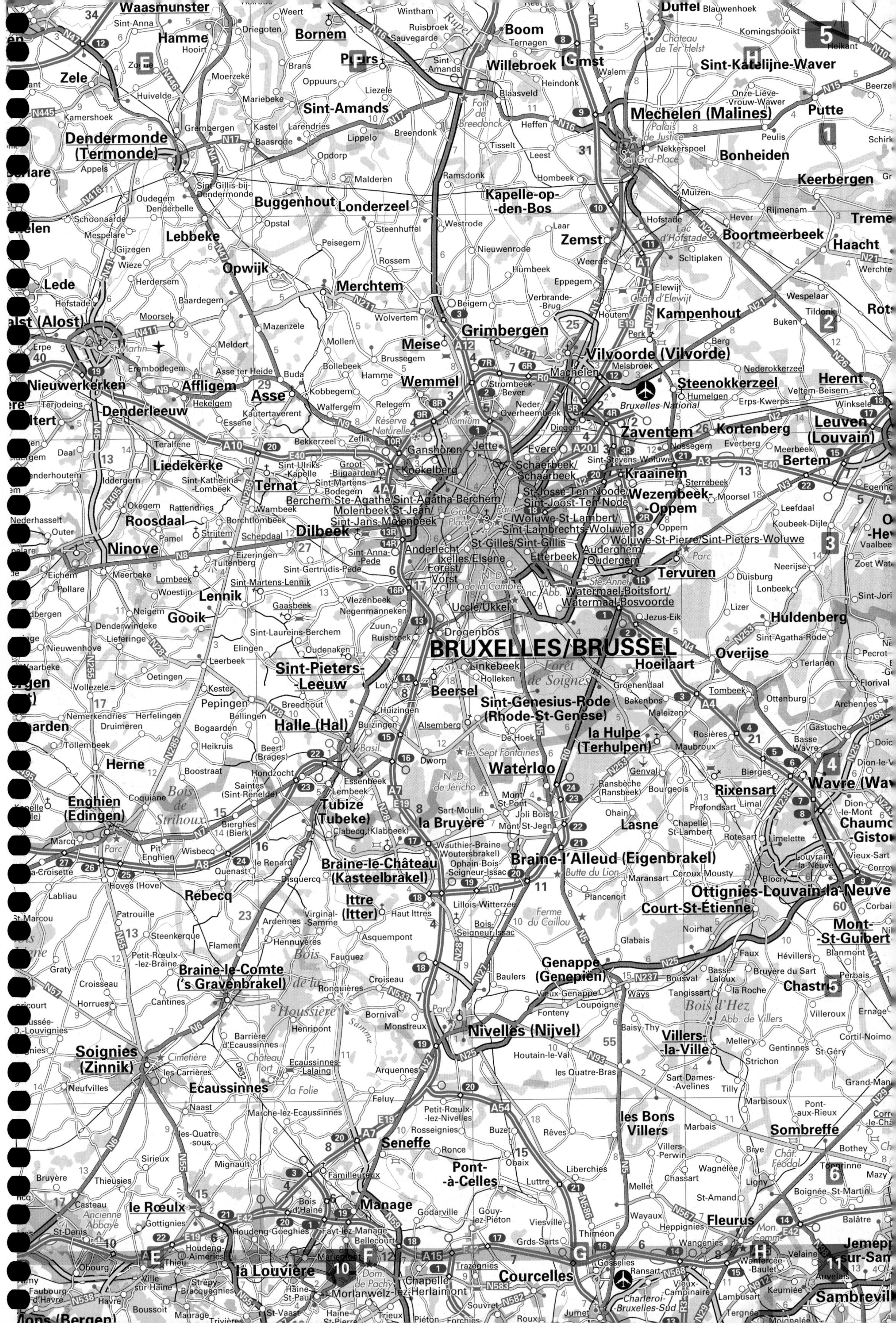

5
Waasmunster
Hamme
Zele
Dendermonde (Termonde)
Bornem
Puurs
Sint-Amands
Boom
Willebroek
Mechelen (Malines)
Sint-Katelijne-Waver
Putte
Bonheiden
Keerbergen
Buggenhout
Londerzeel
Kapelle-op-den-Bos
Lebbeke
Opwijk
Zemst
Boortmeerbeek
Haacht
Merchtem
Lede
Aalst (Alost)
Kampenhout
Grimbergen
Meise
Vilvoorde (Vilvorde)
Nieuwerkerken
Affligem
Asse
Wemmel
Steenokkerzeel
Herent
Denderleeuw
Bruxelles-National
Zaventem
Kortenberg
Leuven (Louvain)
Liedekerke
Ternat
Kraainem
Bertem
Roosdaal
Dilbeek
Wezembeek-Oppem
Ninove
Tervuren
Lennik
Gooik
Huldenberg
BRUXELLES/BRUSSEL
Overijse
Hoeilaart
Sint-Pieters-Leeuw
Beersel
Sint-Genesius-Rode (Rhode-St-Genèse)
Halle (Hal)
la Hulpe (Terhulpen)
Herne
Waterloo
Rixensart
Wavre
Enghien (Edingen)
Tubize (Tubeke)
la Bruyère
Lasne
Braine-le-Château (Kasteelbrakel)
Braine-l'Alleud (Eigenbrakel)
Rebecq
Ittre (Itter)
Ottignies-Louvain-la-Neuve
Court-St-Étienne
Mont-St-Guibert
Braine-le-Comte ('s Gravenbrakel)
Genappe (Genepiën)
Chastre
Nivelles (Nijvel)
Soignies (Zinnik)
Villers-la-Ville
Ecaussinnes
les Bons Villers
Sombreffe
Seneffe
Pont-à-Celles
le Rœulx
Manage
Fleurus
la Louvière
Courcelles
Sambreville
Mons (Bergen)
Morlanwelz
Charleroi-Bruxelles-Sud
Jemeppe-sur-Sambre

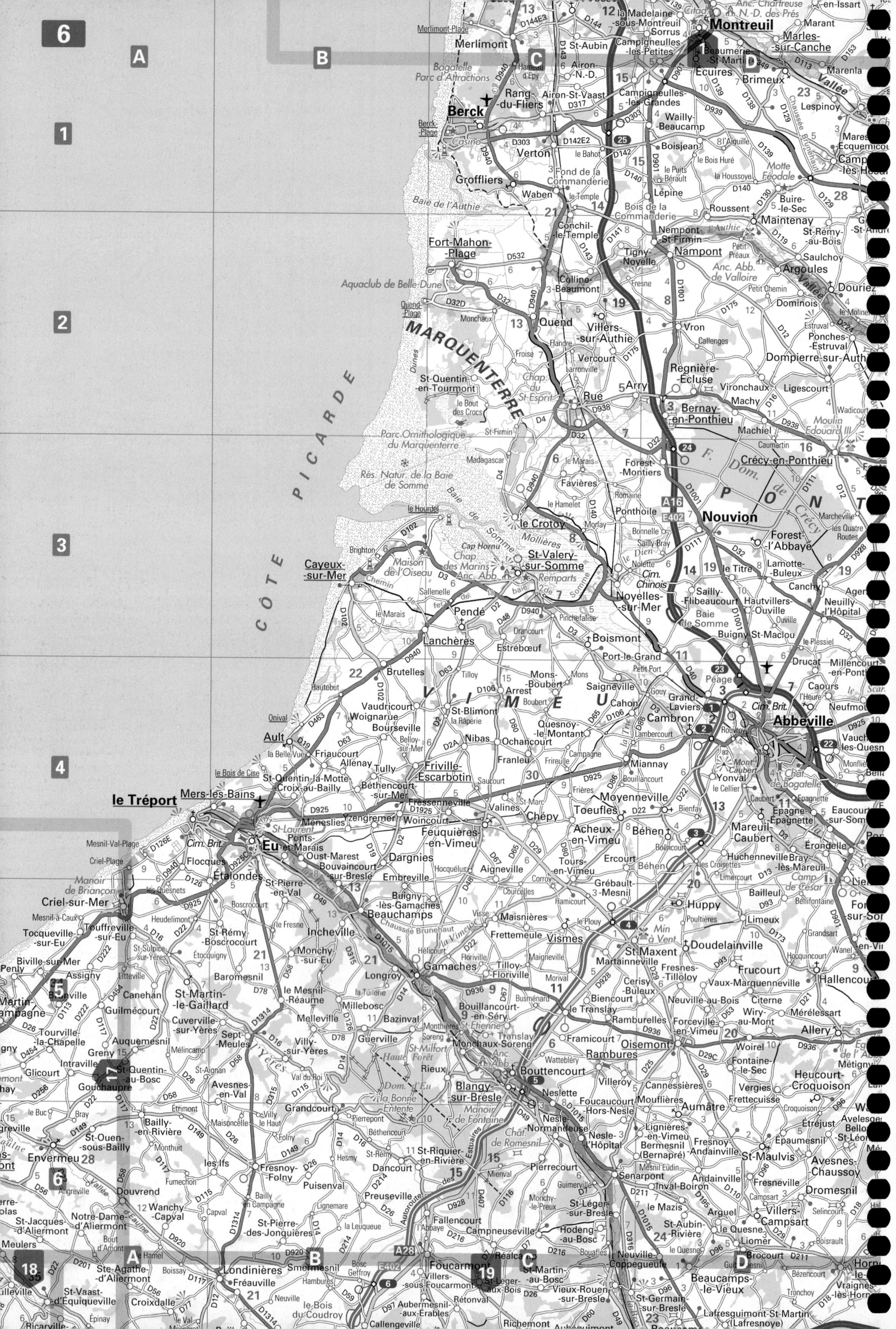
A
B
C
D
1
2
3
4
5
6
Montreuil
Merlimont-Plage
Merlimont
Bagatelle Parc d'Attractions
Berck
Berck-Plage
Rang-du-Fliers
Verton
Groffliers
Waben
Baie de l'Authie
Fort-Mahon-Plage
Aquaclub de Belle-Dune
Quend-Plage
Quend
MARQUENTERRE
CÔTE PICARDE
Villers-sur-Authie
St-Quentin-en-Tourmont
Rue
Parc Ornithologique du Marquenterre
Rés. Natur. de la Baie de Somme
le Hourdel
le Crotoy
Cayeux-sur-Mer
Maison de l'Oiseau
St-Valery-sur-Somme
Noyelles-sur-Mer
Nouvion
Crécy-en-Ponthieu
Bernay-en-Ponthieu
Nampont
Argoules
Douriez
Dompierre-sur-Authie
Forest-l'Abbaye
Abbeville
Lanchères
Pendé
Boismont
Port-le-Grand
Brutelles
Woignarue
Ault
Onival
Friville-Escarbotin
le Tréport
Mers-les-Bains
Eu
Criel-sur-Mer
Flocques
Étalondes
Feuquières-en-Vimeu
Dargnies
Chépy
Moyenneville
Acheux-en-Vimeu
Béhen
Huppy
Beauchamps
Incheville
Gamaches
Oisemont
Bouttencourt
Blangy-sur-Bresle
Rambures
Aumâtre
Senarpont
St-Maulvis
Hallencourt
Envermeu
Londinières
Foucarmont
Beaucamps-le-Vieux
Croixdalle
Ste-Agathe-d'Allermont
St-Vaast-d'Équiqueville
Vimeu
Ponthieu
A16
E402
A28
A28
17
18
19

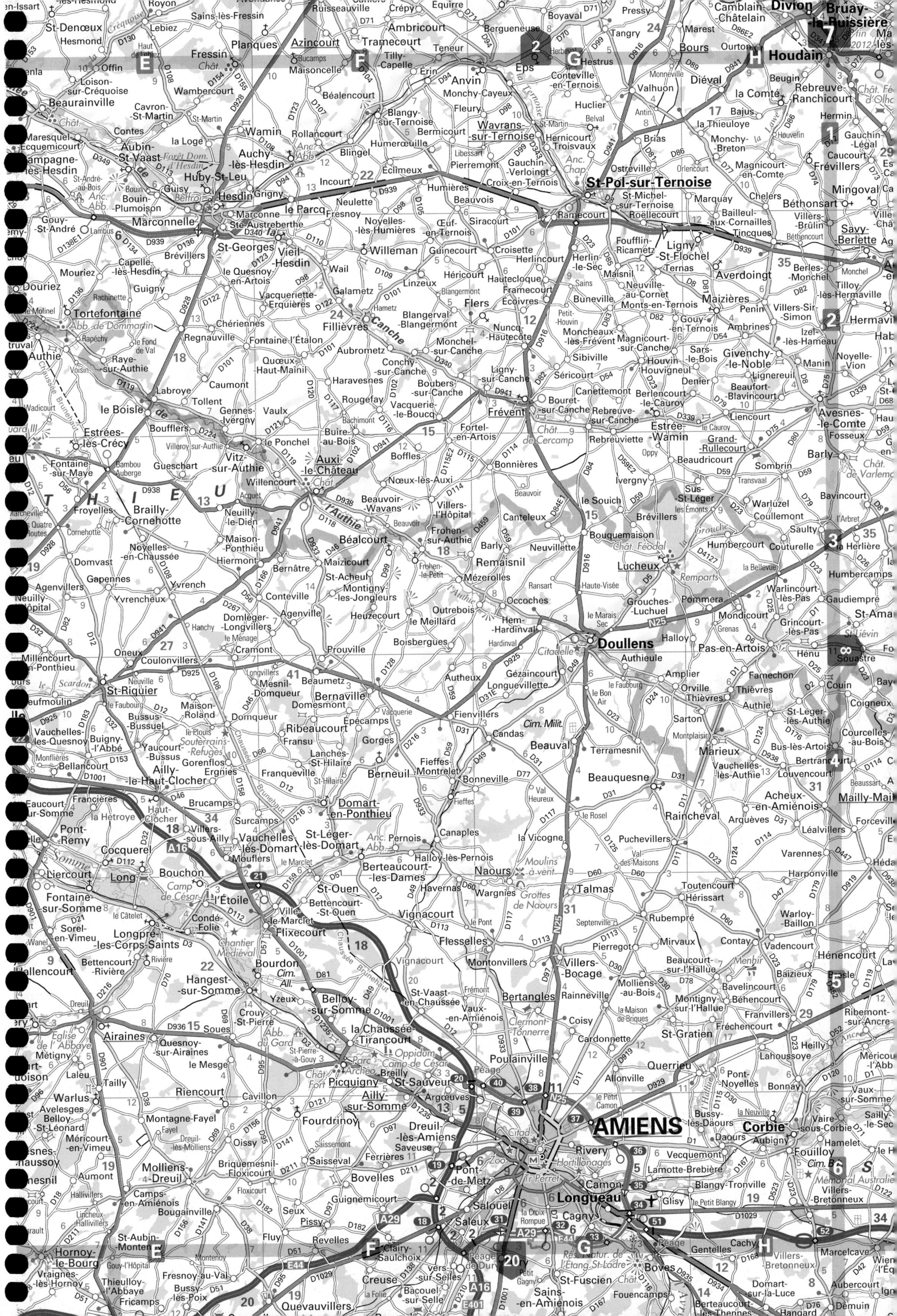

St-Pol-sur-Ternoise
Hesdin
Doullens
AMIENS
Fillièvres
Frévent
Auxi-le-Château
St-Riquier
Domart-en-Ponthieu
Flixecourt
Picquigny
Corbie
Longueau
Bruay-la-Buissière
Divion
Houdain
Avesnes-le-Comte
Pas-en-Artois
Lucheux
Beauval
Villers-Bocage
Airaines
Hornoy-le-Bourg
Long
Pont-Remy
Ailly-le-Haut-Clocher
Bernaville
Crécy
Vitz-sur-Authie
Boves
Conty

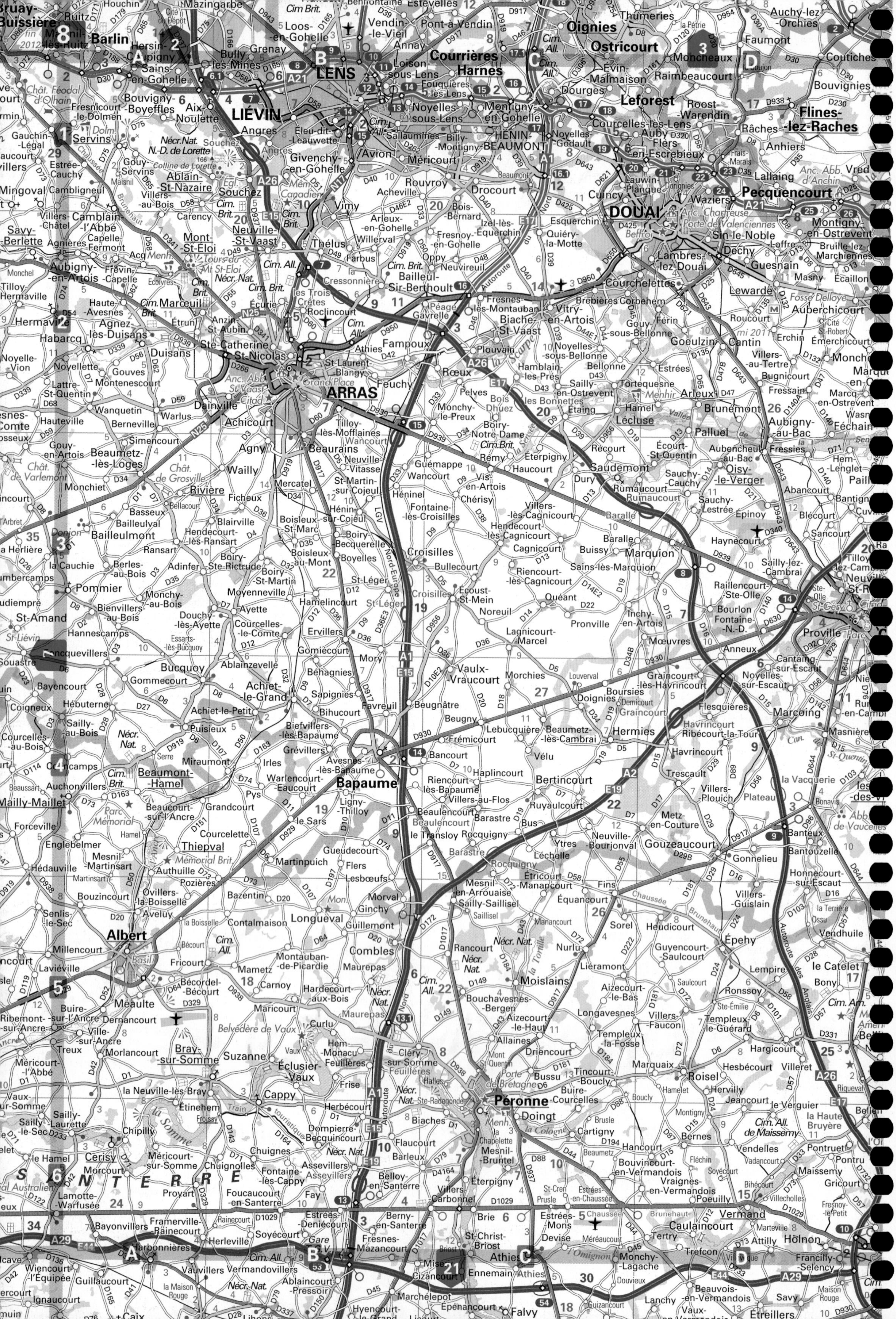

Bruay-Buissière
Barlin
Hersin-Coupigny
Mazingarbe
Bully-les-Mines
Grenay
Loos-en-Gohelle
Vendin-le-Vieil
Pont-à-Vendin
Oignies
Thumeries
Auchy-lez-Orchies
Ostricourt
Faumont
Moncheaux
LENS
Courrières
Harnes
Évin-Malmaison
Raimbeaucourt
Coutiches
Bouvignies
Sains-en-Gohelle
Bouvigny-Boyeffles
Aix-Noulette
LIÉVIN
Fouquières-lès-Lens
Noyelles-sous-Lens
Montigny-en-Gohelle
Dourges
Leforest
Roost-Warendin
Flines-lez-Raches
Fresnicourt-le-Dolmen
Servins
Angres
Éleu-dit-Leauwette
Sallaumines
Billy-Montigny
HÉNIN-BEAUMONT
Noyelles-Godault
Courcelles-lès-Lens
Auby
Flers-en-Escrebieux
Râches
Anhiers
Gauchin-Légal
Estrée-Cauchy
Nécr.Nat. N.-D. de Lorette
Souchez
Givenchy-en-Gohelle
Avion
Méricourt
Lauwin-Planque
Lallaing
Pecquencourt
Mingoval
Cambligneul
Gouy-Servins
Ablain-St-Nazaire
Villers-au-Bois
Carency
Acheville
Rouvroy
Drocourt
Cuincy
DOUAI
Waziers
Montigny-en-Ostrevent
Savy-Berlette
Villers-Châtel
Camblain-l'Abbé
Capelle-Fermont
Mont-St-Eloi
Neuville-St-Vaast
Vimy
Arleux-en-Gohelle
Bois-Bernard
Izel-lès-Équerchin
Esquerchin
Quiéry-la-Motte
Sin-le-Noble
Dechy
Loffre
Bruille-lez-Marchiennes
Aubigny-en-Artois
Agnières
Acq
Frévin-Capelle
Thélus
Farbus
Willerval
Oppy
Fresnoy-en-Gohelle
Neuvireuil
Lambres-lez-Douai
Guesnain
Masny
Écaillon
Tilloy-Hermaville
Haute-Avesnes
Marœuil
Écurie
Roclincourt
Bailleul-Sir-Berthoult
Gavrelle
Fresnes-lès-Montauban
Vitry-en-Artois
Brebières
Corbehem
Courchelettes
Lewarde
Auberchicourt
Hermaville
Habarcq
Agnez-lès-Duisans
Anzin-St-Aubin
Étrun
Ste-Catherine
St-Nicolas
Athies
Fampoux
Biache-St-Vaast
Plouvain
Gouy-sous-Bellonne
Férin
Goeulzin
Cantin
Roucourt
Erchin
Émerchicourt
Noyelle-Vion
Noyellette
Duisans
Gouves
Montenescourt
Lattre-St-Quentin
St-Laurent-Blangy
ARRAS
Feuchy
Rœux
Pelves
Noyelles-sous-Bellonne
Hamblain-les-Prés
Bellonne
Sailly-en-Ostrevent
Estrées
Tortequesne
Arleux
Villers-au-Tertre
Bugnicourt
Fressain
Wanquetin
Hauteville
Berneville
Warlus
Dainville
Achicourt
Tilloy-lès-Mofflaines
Monchy-le-Preux
Boiry-Notre-Dame
Étaing
Hamel
Lécluse
Brunémont
Aubigny-au-Bac
Fechain
Gouy-en-Artois
Beaumetz-lès-Loges
Simencourt
Agny
Wailly
Beaurains
Neuville-Vitasse
Guémappe
Wancourt
Rémy
Éterpigny
Haucourt
Récourt
Saudemont
Écourt-St-Quentin
Palluel
Aubencheul-au-Bac
Fressies
Monchiet
Rivière
Mercatel
St-Martin-sur-Cojeul
Héninel
Vis-en-Artois
Chérisy
Dury
Rumaucourt
Sauchy-Cauchy
Oisy-le-Verger
Abancourt
Basseux
Bailleulval
Ficheux
Blairville
Boisleux-St-Marc
Hénin-sur-Cojeul
Fontaine-lès-Croisilles
Villers-lès-Cagnicourt
Sauchy-Lestrée
Épinoy
Blécourt
Bailleulmont
Hendecourt-lès-Ransart
Boiry-Becquerelle
Hendecourt-lès-Cagnicourt
Baralle
Haynecourt
Sancourt
La Herlière
Ransart
Boiry-Ste-Rictrude
Boisleux-au-Mont
Boyelles
Croisilles
Cagnicourt
Buissy
Marquion
La Cauchie
Berles-au-Bois
Adinfer
Boiry-St-Martin
Bullecourt
Riencourt-lès-Cagnicourt
Sains-lès-Marquion
Sailly-lez-Cambrai
Pommier
Monchy-au-Bois
Moyenneville
St-Léger
Écoust-St-Mein
Quéant
Raillencourt-Ste-Olle
Bienvillers-au-Bois
Hamelincourt
Noreuil
Pronville
Inchy-en-Artois
Bourlon
Fontaine-N.-D.
St-Amand
Hannescamps
Douchy-lès-Ayette
Ayette
Courcelles-le-Comte
Ervillers
Lagnicourt-Marcel
Mœuvres
Proville
Souastre
Foncquevillers
Essarts-lès-Bucquoy
Ablainzevelle
Gomiécourt
Mory
Anneux
Cantaing-sur-Escaut
Bucquoy
Gommecourt
Achiet-le-Grand
Béhagnies
Vaulx-Vraucourt
Morchies
Louverval
Graincourt-lès-Havrincourt
Noyelles-sur-Escaut
Bayencourt
Hébuterne
Coigneux
Achiet-le-Petit
Sapignies
Bihucourt
Favreuil
Beugnâtre
Beugny
Boursies
Doignies
Flesquières
Marcoing
Sailly-au-Bois
Puisieux
Biefvillers-lès-Bapaume
Lebucquière
Beaumetz-lès-Cambrai
Hermies
Havrincourt
Ribécourt-la-Tour
Masnières
Courcelles-au-Bois
Serre
Miraumont
Irles
Grévillers
Frémicourt
Vélu
Colincamps
Beaumont-Hamel
Warlencourt-Eaucourt
Avesnes-lès-Bapaume
Bancourt
Haplincourt
Bertincourt
Trescault
La Vacquerie
Auchonvillers
Mailly-Maillet
Pys
Bapaume
Riencourt-lès-Bapaume
Villers-au-Flos
Ruyaulcourt
Villers-Plouich
Beaucourt-sur-l'Ancre
Grandcourt
Ligny-Thilloy
Le Sars
Beaulencourt
Barastre
Bus
Neuville-Bourjonval
Metz-en-Couture
Banteux
Forceville
Englebelmer
Hamel
Thiepval
Courcelette
Le Transloy
Rocquigny
Ytres
Léchelle
Gouzeaucourt
Gonnelieu
Bantouzelle
Mesnil-Martinsart
Hédauville
Authuille
Martinpuich
Gueudecourt
Flers
Lesbœufs
Étricourt-Manancourt
Fins
Honnecourt-sur-Escaut
Pozières
Ovillers-la-Boisselle
Bouzincourt
Bazentin
Morval
Ginchy
Mesnil-en-Arrouaise
Sailly-Saillisel
Équancourt
Villers-Guislain
Senlis-le-Sec
Aveluy
Contalmaison
Longueval
Guillemont
Sorel
Heudicourt
Épehy
Vendhuile
Albert
Millencourt
Bécourt
Fricourt
Montauban-de-Picardie
Combles
Maurepas
Rancourt
Nurlu
Guyencourt-Saulcourt
Le Catelet
Laviéville
Mametz
Carnoy
Moislains
Liéramont
Lempire
Bony
Bécordel-Bécourt
Hardecourt-aux-Bois
Bouchavesnes-Bergen
Aizecourt-le-Bas
Ronssoy
Buire-sur-l'Ancre
Méaulte
Dernancourt
Maricourt
Curlu
Aizecourt-le-Haut
Longavesnes
Villers-Faucon
Templeux-le-Guérard
Ribemont-sur-Ancre
Ville-sur-Ancre
Morlancourt
Bray-sur-Somme
Suzanne
Belvédère de Vaux
Hem-Monacu
Feuillères
Cléry-sur-Somme
Allaines
Driencourt
Templeux-la-Fosse
Hargicourt
Villeret
Treux
Méricourt-l'Abbé
Éclusier-Vaux
Frise
Mont-St-Quentin
Bussu
Tincourt-Boucly
Marquaix
Roisel
Hesbécourt
La Neuville-lès-Bray
Cappy
Herbécourt
Péronne
Buire-Courcelles
Doingt
Hervilly
Jeancourt
Le Verguier
Vaux-sur-Somme
Sailly-Laurette
Sailly-le-Sec
Étinehem
Chipilly
Dompierre-Becquincourt
Biaches
Cartigny
Bernes
La Haute Bruyère
Cerisy
Méricourt-sur-Somme
Chuignolles
Chuignes
Flaucourt
Barleux
La Chapelette
Mesnil-Bruntel
Hancourt
Vendelles
Pontruet
Le Hamel
Fontaine-lès-Cappy
Assevillers
Belloy-en-Santerre
Éterpigny
Bouvincourt-en-Vermandois
Vraignes-en-Vermandois
Maissemy
Gricourt
SANTERRE
Lamotte-Warfusée
Proyart
Foucaucourt-en-Santerre
Fay
Villers-Carbonnel
Estrées-en-Chaussée
Poeuilly
Bayonvillers
Framerville-Rainecourt
Herleville
Soyécourt
Estrées-Deniécourt
Berny-en-Santerre
Brie
Estrées-Mons
Devise
Caulaincourt
Vermand
Holnon
Harbonnières
Fresnes-Mazancourt
St-Christ-Briost
Athies
Tertry
Monchy-Lagache
Trefcon
Attilly
Francilly-Selency
Wiencourt-l'Équipée
Guillaucourt
Vauvillers
Vermandovillers
Ablaincourt-Pressoir
Mesnil
Cizancourt
Ennemain
Beauvois-en-Vermandois
Ignaucourt
Caix
Lihons
Hyencourt-le-Grand
Marchélepot
Licourt
Épénancourt
Falvy
Lanchy
Vaux-en-Vermandois
Savy
Étreillers

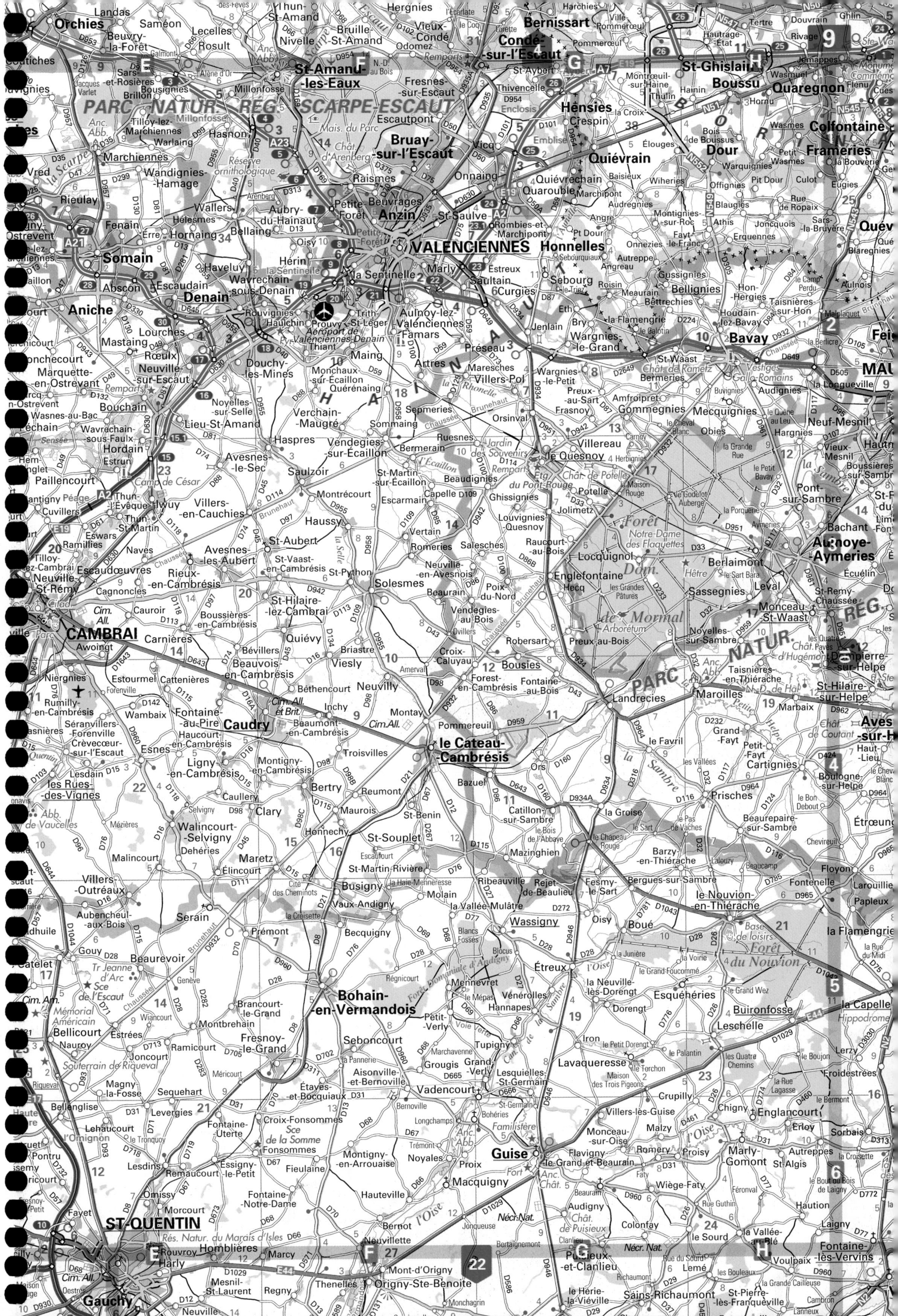

9
Orchies
Landas
Saméon
Lecelles
Rosult
Beuvry-la-Forêt
Thun-St-Amand
Hergnies
Bruille-St-Amand
Nivelle
Vieux-Condé
Odomez
Bernissart
Condé-sur-l'Escaut
Pommerœul
St-Ghislain
Tertre
Douvrain
Hautrage-Etat
Rivage
Jemappes
St-Amand-les-Eaux
Sars-et-Rosières
Millonfosse
Bousignies
Brillon
Fresnes-sur-Escaut
Thivencelle
St-Aybert
Montrœuil-sur-Haine
Hainin
Thulin
Boussu
Quaregnon
Hornu
PARC NATUR. REG. SCARPE-ESCAUT
Tilloy-lez-Marchiennes
Warlaing
Hasnon
Escautpont
Hensies
Crespin
Bruay-sur-l'Escaut
Vicq
Quiévrain
Élouges
Bois de Boussus
Dour
Wasmes
Colfontaine
Frameries
Marchiennes
Wandignies-Hamage
Raismes
Onnaing
Quiévrechain
Quarouble
Marchipont
Baisieux
Wiheries
Warquignies
Offignies
Pit Dour
Culot
Eugies
Vred
Rieulay
Wallers
Aubry-du-Hainaut
Petite-Forêt
Beuvrages
Anzin
St-Saulve
Audregnies
Blaugies
Rue de Ropaix
Sars-la-Bruyère
Fenain
Hélesmes
Erre
Hornaing
Bellaing
Rombies-et-Marchipont
Angre
Montignies-sur-Roc
Athis
Joncquois
Quév
Somain
Oisy
VALENCIENNES
Honnelles
Onnezies
Fayt-le-Franc
Erquennes
Blaregnies
Haveluy
Hérin
Marly
Estreux
Autreppe
Wavrechain-sous-Denain
la Sentinelle
Saultain
Sebourg
Gussignies
Abscon
Escaudain
Denain
Curgies
Roisin
Meaurain
Bellignies
Aniche
Rouvignies
Haulchin
Prouvy
Trith-St-Léger
Aulnoy-lez-Valenciennes
Famars
Aéroport de Valenciennes-Denain
Thiant
Jenlain
Eth
Bry
la Flamengrie
Wargnies-le-Grand
Hon-Hergies
Taisnières-sur-Hon
Houdain-lez-Bavay
Bavay
Malplaquet
Lourches
Mastaing
Rœulx
Neuville-sur-Escaut
Douchy-les-Mines
Maing
Artres
Préseau
Maresches
Villers-Pol
Wargnies-le-Petit
St-Waast
Bermeries
Mecquignies
la Longueville
Marquette-en-Ostrevant
Bouchain
Monchaux-sur-Écaillon
Quérénaing
Noyelles-sur-Selle
Lieu-St-Amand
Verchain-Maugré
Sepmeries
Preux-au-Sart
Frasnoy
Amfroipret
Gommegnies
Audignies
Neuf-Mesnil
Wasnes-au-Bac
Wavrechain-sous-Faulx
Hordain
Haspres
Vendegies-sur-Écaillon
Sommaing
Bermerain
Ruesnes
Orsinval
Villereau
le Quesnoy
Obies
Hargnies
Vieux-Mesnil
Avesnes-le-Sec
Saulzoir
St-Martin-sur-Écaillon
Beaudignies
Potelle
Jolimetz
Bousignies-sur-Roc
Paillencourt
Thun-l'Évêque
Iwuy
Villers-en-Cauchies
Montrécourt
Escarmain
Capelle
Ghissignies
Louvignies-Quesnoy
Pont-sur-Sambre
Cuvillers
Thun-St-Martin
Haussy
Vertain
Romeries
Salesches
Forêt Notre-Dame des Flaquettes
Bachant
Ramillies
Eswars
Naves
Avesnes-les-Aubert
St-Aubert
St-Vaast-en-Cambrésis
St-Python
Neuville-en-Avesnois
Raucourt-au-Bois
Locquignol
Berlaimont
Aulnoye-Aymeries
Tilloy-lez-Cambrai
Escaudœuvres
Rieux-en-Cambrésis
Solesmes
Englefontaine
Hecq
Sassegnies
Leval
Neuville-St-Rémy
Cagnoncles
St-Hilaire-lez-Cambrai
Poix-du-Nord
Beaurain
Vendegies-au-Bois
Monceau-St-Waast
Cauroir
Boussières-en-Cambrésis
Noyelles-sur-Sambre
CAMBRAI
Awoingt
Carnières
Quiévy
Robersart
Preux-au-Bois
Taisnières-en-Thiérache
Dompierre-sur-Helpe
Niergnies
Estourmel
Cattenières
Bévillers
Beauvois-en-Cambrésis
Viesly
Briastre
Croix-Caluyau
Bousies
Forest-en-Cambrésis
Fontaine-au-Bois
Landrecies
Maroilles
St-Hilaire-sur-Helpe
Rumilly-en-Cambrésis
Wambaix
Fontaine-au-Pire
Caudry
Béthencourt
Neuvilly
Inchy
Montay
Pommereuil
Marbaix
Séranvillers-Forenville
Crèvecœur-sur-l'Escaut
Esnes
Haucourt-en-Cambrésis
Beaumont-en-Cambrésis
Troisvilles
le Cateau-Cambrésis
Le Favril
Grand-Fayt
Petit-Fayt
Cartignies
Lesdain
Les Rues-des-Vignes
Ligny-en-Cambrésis
Montigny-en-Cambrésis
Bertry
Reumont
Bazuel
Ors
Prisches
Boulogne-sur-Helpe
Caullery
Clary
Maurois
St-Benin
Catillon-sur-Sambre
la Groise
Beaurepaire-sur-Sambre
Étrœungt
Walincourt-Selvigny
Honnechy
St-Souplet
Mazinghien
Barzy-en-Thiérache
Malincourt
Deheries
Maretz
Élincourt
St-Martin-Rivière
Ribeauville
Rejet-de-Beaulieu
Fesmy-le-Sart
Bergues-sur-Sambre
Le Nouvion-en-Thiérache
Floyon
Villers-Outréaux
Busigny
Molain
Fontenelle
Larouillies
Vaux-Andigny
la Vallée-Mulâtre
Wassigny
Oisy
Boué
Papleux
Aubencheul-aux-Bois
Serain
Prémont
Becquigny
Base de loisirs
Forêt du Nouvion
la Flamengrie
Gouy
Beaurevoir
Étreux
Mennevret
Vénérolles
Hannapes
la Neuville-lès-Dorengt
Esquéhéries
Bohain-en-Vermandois
Brancourt-le-Grand
Dorengt
Buironfosse
La Capelle
Bellicourt
Estrées
Montbrehain
Fresnoy-le-Grand
Petit-Verly
Tupigny
Leschelle
Nauroy
Ramicourt
Joncourt
Sebonctourt
Iron
Lavaqueresse
Lerzy
Froidestrées
Grougis
Grand-Verly
Aisonville-et-Bernoville
Lesquielles-St-Germain
Magny-la-Fosse
Sequehart
Étaves-et-Bocquiaux
Vadencourt
Crupilly
Bellenglise
Levergies
Fontaine-Uterte
Croix-Fonsommes
Sce de la Somme
Fonsommes
Villers-lès-Guise
Chigny
Englancourt
Lehaucourt
Malzy
Erloy
Sorbais
Montigny-en-Arrouaise
Noyales
Monceau-sur-Oise
Flavigny-le-Grand-et-Beaurain
Romery
Proisy
Marly-Gomont
Autreppes
St-Algis
Lesdins
Remaucourt
Essigny-le-Petit
Fieulaine
Proix
Guise
Macquigny
Wiège-Faty
Omissy
Morcourt
Fontaine-Notre-Dame
Hauteville
Audigny
Hautiön
Fayet
ST-QUENTIN
Bernot
Colonfay
Laigny
Neuvillette
le Sourd
la Vallée-au-Blé
Rouvroy
Harly
Homblières
Marcy
Puisieux-et-Clanlieu
Voulpaix
Fontaine-lès-Vervins
Mont-d'Origny
Lemé
Mesnil-St-Laurent
Regny
Thenelles
Origny-Ste-Benoite
Sains-Richaumont
St-Pierre-lès-Franqueville
Gauchy
22

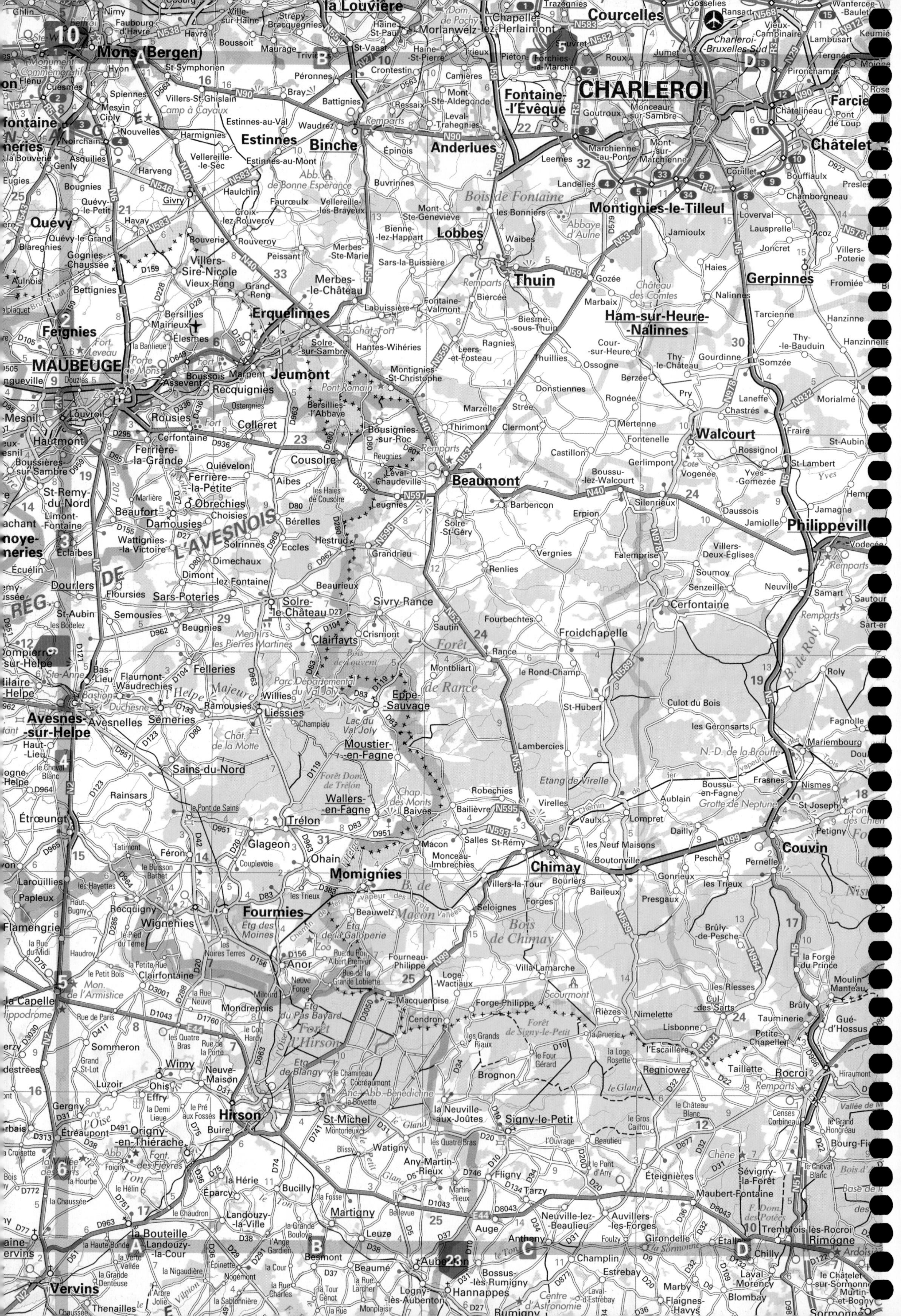

Mons (Bergen)
la Louvière
Courcelles
CHARLEROI
Fontaine-l'Évêque
Binche
Estinnes
Anderlues
Montignies-le-Tilleul
Châtelet
Farcie
Quévy
Lobbes
Thuin
Gerpinnes
Ham-sur-Heure-Nalinnes
Erquelinnes
Feignies
MAUBEUGE
Jeumont
Recquignies
Colleret
Cousolre
Beaumont
Walcourt
Philippeville
L'AVESNOIS
RÉG. DE
Solre-le-Château
Sivry-Rance
Clairfayts
Froidchapelle
Felleries
Eppe-Sauvage
Avesnes-sur-Helpe
Sains-du-Nord
Moustier-en-Fagne
Wallers-en-Fagne
Trélon
Momignies
Chimay
Couvin
Fourmies
Wignehies
Anor
Hirson
St-Michel
Signy-le-Petit
Rocroi
Origny-en-Thiérache
Martigny
Vervins
la Capelle
Aubenton
Hannappes
Rimogne
Forêt de Rance
Bois de Chimay
Forêt d'Hirson
Mariembourg
Nismes
Cerfontaine
Lac du Val Joly
Parc Départemental du Val Joly

NAMUR (NAMEN)
Wanfercée-Baulet
Auvelais
Sambreville
Moignelée
Tamines
Keumiée
Moustier
Mornimont
Soye
Flawinne
Floriffoux
Bauce
Malonne
Floreffe
Franière
Ham-sur-Sambre
Roselle
Arsimont
Falisolle
Aisemont
Fosse-la-Ville
Sart-St-Laurent
Bûzet
Gros Buisson
le Piro
Aiseau-Presles
le Roux
Vitrival
Sart-Eustache
Bambois
Etg de Bambois
les Fosses
Bois-de-Villers
Profondeville
Lesve
Arbre
Bésine
Rivière
Annevoie-Rouillon
Maison
Devant-les-Bois
Bois du Prince
Gouignies
Tergnée
St-Gérard
Bossière
Scry
Biesme
Graux
Mettet
Denée
Bioul
Ham-sur-Sambre
Warnant
Salet
Sosoye
Furnaux
Oret
Hanzinne
Hanzinnelle
Biesmere
Ermeton-sur-Biert
Maredret
Falaën
Sommière
Stave
Pavillons
Florennes
Corenne
Flavion
Serville
Weillen
Gerin
Anthée
Rosée
Morville
Miavoye
Chaumont
Hemptinne
Onhaye
Hastière
Wez-de Chine
Hastière-par-delà
Lives
Erpent
Andoi
Naninne
Wépion
Dave
Sart-Bernard
Lustin
Mont
Godinne
Yvoir
Evrenailles
Anhée
Houx
Haut-le-Wastia
Bouvignes
Dinant
St-Nicolas
Maizeret
Thon
Goyet
Mozet
Wierde
Faulx-les-Tombes
Strud
Haltinne
Gesves
Sorinne-la-Longue
Maillé
Courrière
Assesse
Florée
Ivoi
Crupet
Bauche
Durnal
Purnode
Dorinne
Spontin
Natoye
Emptinne
Emptinale
Braibant
Sovet
Ciney
Awagne
Loyi
Lisogne
Thynes
Taviet
Achêne
Corbion
Leignon
Chapois
Sorinnes
Foy-Notre-Dame
Anseremme
Dréhance
Furfooz
Celles
Conneux
Conjoux
Perwez
Nalamont
Ohey
Haillot
Jallet
Goesnes
Vyle-et-Tharoul
Thiarou
Libois
Centfontaine
Evelette
Sorée
Ossogne
Barsy
Flostoy
Havelange
Miécret
Schaltin
Pailhe
Hamois
Porcheresse
Achet
Mohiville
Scy
Nettinne
Pessoux
Haid
Haversin
Ichippe
Ronvaux
Chevetogne
Mont-Gauthier
Buissonville
Forzée
Havrenne
Custinne
Gindron
Vêr
Frandreux
Falmignoul
Falmagne
Waulsort
Hulsonniaux
Herhet
Houyet
Briquemont
Hérôk
Ciergnon
Wanlin
Jambline
Rochefort
Villers-sur-Lesse
Eprave
Parc de Lesse et Lomme
Lessive
Han-sur-Lesse
Wavreille
Grottes de Han
Belvaux
Auffe
Ave-et-Auffe
Resteigne
Tellin
Chanly
Halma
Wellin
Lomprez
Frois-Lieu
Revogne
Lavaux-Ste-Anne
Focant
Martouzin-Neuville
Neuville
Pondrôme
Baronville
Gozin
Wiesme
Finnevaux
Mesnil-Eglise
Hour
Mahou
Vodecée
Villers-le-Gambon
Franchimont
Lautène
Omezée
Surice
Soulme
Gochenée
Hermeton-sur-Meuse
Blaimont
Mesnil-St-Blaise
Heer
Agimont
Merlemont
Sautour
Wez de Chine
Romedenne
Vodelée
Sart-en-Fagne
Bois de Surice
Doische
Villers-en-Fagne
Romerée
Gimnée
Walcourt
Fort de Charlemont
Givet
Foisches
Fortifications
Rancennes
Fromelennes
Dion
Grotte de Nichet
Beauraing
Chât.
Feschaux
Matagne-la-Grande
Matagne-la-Petite
Niverlée
Mazée
Hierges
Château Fort
Réserve Naturelle
Ham-sur-Meuse
Chooz
Aubrives
Charnois
Flohimont
Winenne
Landrichamps
Javingue
Wancennes
Honnay
Sohier
Bois de Mohimont
Matignolles
Treignes
Dourbes
Rés. Natur. du Viroin
Vierves-sur-Viroin
Molhain
Vireux-Molhain
Vireux-Wallerand
Centrale Electrique
Viroinval
Bois de Treignes
Olloy-sur-Viroin
Forêt de Nismes
Fondry des Chiens
Felenne
Vonêche
Froidfontaine
Fays-Famenne
Bois de St-Remacle
Bois de Transinne
Daverdisse
Montigny-sur-Meuse
Forêt Domaniale d'Hargnies-Laurier
Bourseigne-Neuve
Bourseigne-Vieille
Vencimont
Malvoisin
le-Mesnil
Oignies-en-Thiérache
Haybes
Roc de Fépin
Fépin
Hargnies
Regniessart
Sart-Custinne
Patignies
Haut-Fays
Gembes
Redu
Lesse
Transinne
Ardoisières
la Platale
Fumay
Roche de l'Uf
Fantasticable
Willerzie
Rienne
Gedinne
Porcheresse
Villance
Calvaire
Maissin
Moulin Manteau
F. Dom. du Franchois-Bryas
Vallée de la Meuse
F. Dom. de la Manise
Bois de Rienne
Louette-St-Pierre
Louette-St-Denis
Graide
Our
Anloy
Gué-d'Hossus
Roche de la Faligeotte
F. Dom. des Cinq Bois
Revin
Mon. des Manises
Mont Malgré Tout
Anchamps
Les Hauts Buttés
Bois des Haies
la Neuville aux Haies
Calvaire du Maquis des Manises
Houdremont
Bièvre
Beth
Opont
Hiraumont
Vallée de Misère
Roches de Laifour
Laifour
les Dames de Meuse
les Woieries
F. Dom. de Château-Regnault
Vallée de Linchamps
Linchamps
Bellefontaine
Naomé
Framont
Paliseul
Sert
Jehonville
Grand Rongréau
Bourg-Fidèle
F. Dom. du Bois Huet
Roche à Sept Heures
Roc la Tour
Nafraiture
Orchimont
Monceau-en-Ardenne
Merny
Carlsbourg
Baillamont
Acremont
Hérisson
Réserve Naturelle
Petit-Fays
Oizy
Offagne
Bois d'Arcy
les Vieilles Forges
Monthermé
Longue Roche
Laval-Dieu
Croix de l'Enfer
les Hautes-Rivières
Vresse-sur-Semois
Six Planes
Nollevaux
Fays-les-Veneurs
Assenois
les Mazures
Deville
Tournavaux
Thilay
Membre
Gros-Fays
Chairière
Vivy
Plainevaux
Base de loisirs
Lac des Vieilles Forges
Roche aux Sept Villages
les Quatre Fils Aymon
Haulmé
Bohan
Laforêt
Cornimont
Géripont
Sécheval
Château-Regnault
Levrézy
Bogny-sur-Meuse
Roche la Dame
Vallée de la Semois
Mouzaive
Mogimont
Bellevaux
Renwez
Joigny-sur-Meuse
Roche des Grands Ducs
Rochehaut
Ucimont
Frahan
Ardoisières
Harcy
Montcornet
Arreux
Meillier-Fontaine
Gespunsart
Bagimont
Botassart
Tombeau du Géant
Sensenruth
Curfoz
Noirefontaine
la Cornette
Saut des Sorcières
Auby-s-Semois
le Châtelet-Sormonne
Murtin-et-Bogny
Lonny
Nouzonville
Neufmanil
Rogissart
Sugny
Poupehan
Moulin
Les Hayons
Cugnon
Pussemange
Chaire à Prêcher

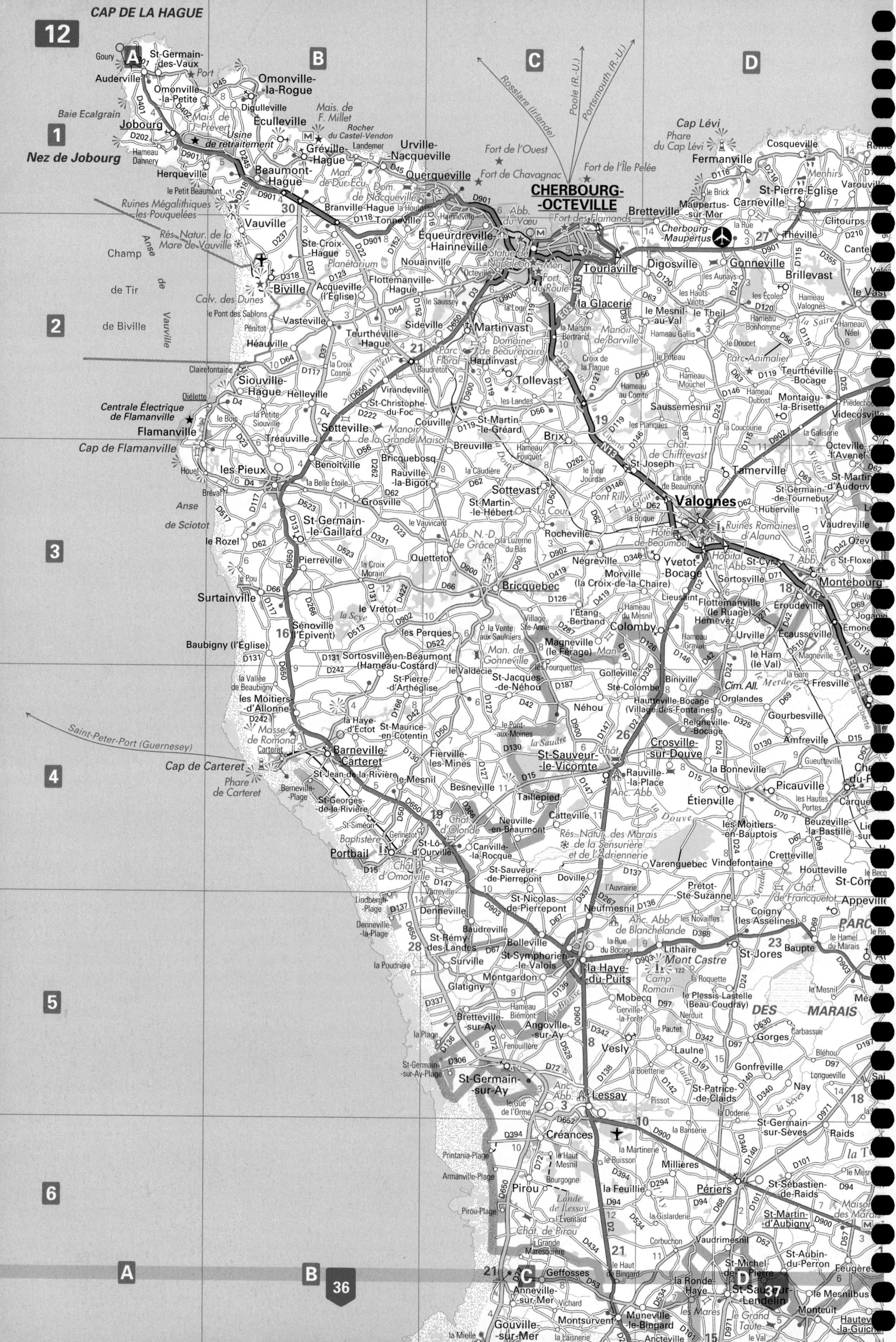

12
CAP DE LA HAGUE
A
B
C
D
1
2
3
4
5
6
Goury
Auderville
St-Germain-des-Vaux
Port
Omonville-la-Rogue
Omonville-la-Petite
Digulleville
Baie Ecalgrain
Jobourg
Nez de Jobourg
Hameau Dannery
Herqueville
Mais. de J. Prévert
Éculleville
Mais. de F. Millet
Rocher du Castel-Vendon
Usine de retraitement
Gréville-Hague
Landemer
Urville-Nacqueville
Beaumont-Hague
Man. de Dur-Écu
Dom. de Nacqueville
Querqueville
le Petit Beaumont
Ruines Mégalithiques les Pouquelées
Vauville
Branville-Hague
Tonneville
Rés. Natur. de la Mare de Vauville
Champ de Tir de Biville
Anse de Vauville
Ste-Croix-Hague
Planétarium
Biville
Calv. des Dunes
Acqueville (l'Église)
Flottemanville-Hague
Nouainville
Équeurdreville-Hainneville
Hainneville
Octeville
le Pont des Sablons
Pénitot
Vasteville
Héauville
Sideville
Teurthéville-Hague
Clairefontaine
la Croix Cosmé
Siouville-Hague
Helleville
Diélette
Centrale Électrique de Flamanville
Flamanville
Cap de Flamanville
le Bois
la Petite Siouville
Tréauville
Sotteville
Virandeville
St-Christophe-du-Foc
les Pieux
Houel
Bréval
Anse de Sciotot
le Rozel
Benoîtville
la Belle Étoile
Grosville
St-Germain-le-Gaillard
Pierreville
Surtainville
le Pou
Baubigny (l'Église)
Sénoville (l'Épivent)
la Vallée de Baubigny
les Moitiers-d'Allonne
Masse de Romond
Carteret
Cap de Carteret
Phare de Carteret
Barneville-Carteret
Barneville-Plage
St-Jean-de-la-Rivière
St-Georges-de-la-Rivière
St-Siméon
Baptistère
Portbail
Gennetot
St-Lô-d'Ourville
Lindbergh-Plage
Denneville-Plage
Denneville
St-Rémy-des-Landes
la Poudrière
Surville
Glatigny
Bretteville-sur-Ay
la Plage
St-Germain-sur-Ay-Plage
St-Germain-sur-Ay
Printania-Plage
Armanville-Plage
Pirou
Pirou-Plage
Créances
Anneville-sur-Mer
Geffosses
Gouville-sur-Mer
Saint-Peter-Port (Guernesey)
Rosslare (Irlande)
Poole (R.-U.)
Portsmouth (R.-U.)
Fort de l'Ouest
Fort de Chavagnac
Fort de l'Île Pelée
CHERBOURG-OCTEVILLE
Abb. du Vœu
Fort des Flamands
Statue de Napoléon
Mon.
Fort du Roule
Tourlaville
la Glacerie
Cap Lévi
Phare du Cap Lévi
Fermanville
Cosqueville
Bretteville
Maupertus-sur-Mer
Cherbourg-Maupertus
Digosville
Gonneville
Brillevast
St-Pierre-Église
Carneville
Théville
le Mesnil-au-Val
le Theil
Martinvast
Domaine de Beaurepaire
Parc Floral
Hardinvast
Tollevast
Manoir de Barville
Couville
St-Martin-le-Gréard
Brix
Manoir de la Grande Maison
Bricquebosq
Rauville-la-Bigot
Breuville
Sottevast
St-Martin-le-Hébert
Rocheville
Valognes
Ruines Romaines d'Alauna
Hôtel de Beaumont
Tamerville
St-Joseph
Chât. de Chiffrevast
Saussemesnil
Yvetot-Bocage
Négreville
Quettetot
Abb. N.-D. de Grâce
Bricquebec
Morville (la Croix-de-la-Chaire)
Sortosville
Montebourg
l'Étang-Bertrand
Colomby
Flottemanville (le Ruage)
Hémevez
Urville
Écausseville
le Vrétot
les Perques
Magneville (le Férage)
Man. de Gonneville
Sortosville-en-Beaumont (Hameau-Costard)
St-Pierre-d'Arthéglise
le Valdécie
St-Jacques-de-Néhou
Golleville
Ste-Colombe
Néhou
Biniville
Hautteville-Bocage
Orglandes
Reigneville-Bocage
la Haye-d'Ectot
St-Maurice-en-Cotentin
Fierville-les-Mines
St-Sauveur-le-Vicomte
Crosville-sur-Douve
Rauville-la-Place
la Bonneville
le Mesnil
Besneville
Taillepied
Étienville
Picauville
Neuville-en-Beaumont
Catteville
Rés. Natur. des Marais de la Sensurière et de l'Adriennerie
Canville-la-Rocque
St-Sauveur-de-Pierrepont
Doville
Varenguebec
les Moitiers-en-Bauptois
Vindefontaine
Chât. d'Olonde
Chât. d'Omonville
Varreville
St-Nicolas-de-Pierrepont
Neufmesnil
Prétot-Ste-Suzanne
Coigny (les Asselines)
Baudreville
Bolleville
St-Symphorien-le-Valois
la Haye-du-Puits
Anc. Abb. de Blanchelande
Lithaire
Mont Castre
Camp Romain
St-Jores
Baupte
Montgardon
Mobecq
le Plessis-Lastelle (Beau-Coudray)
DES MARAIS
Angoville-sur-Ay
Vesly
Laulne
Gorges
Lessay
St-Patrice-de-Claids
Gonfreville
Nay
la Feuillie
Millières
Périers
St-Germain-sur-Sèves
Raids
St-Sébastien-de-Raids
St-Martin-d'Aubigny
Lande de Lessay
Chât. de Pirou
Vaudrimesnil
St-Michel-de-la-Pierre
St-Sauveur-Lendelin
la Ronde-Haye
Muneville-le-Bingard
Montsurvent
St-Aubin-du-Perron
Feugères
Montcuit
le Mesnilbus
Hautteville-la-Guichard
36
37

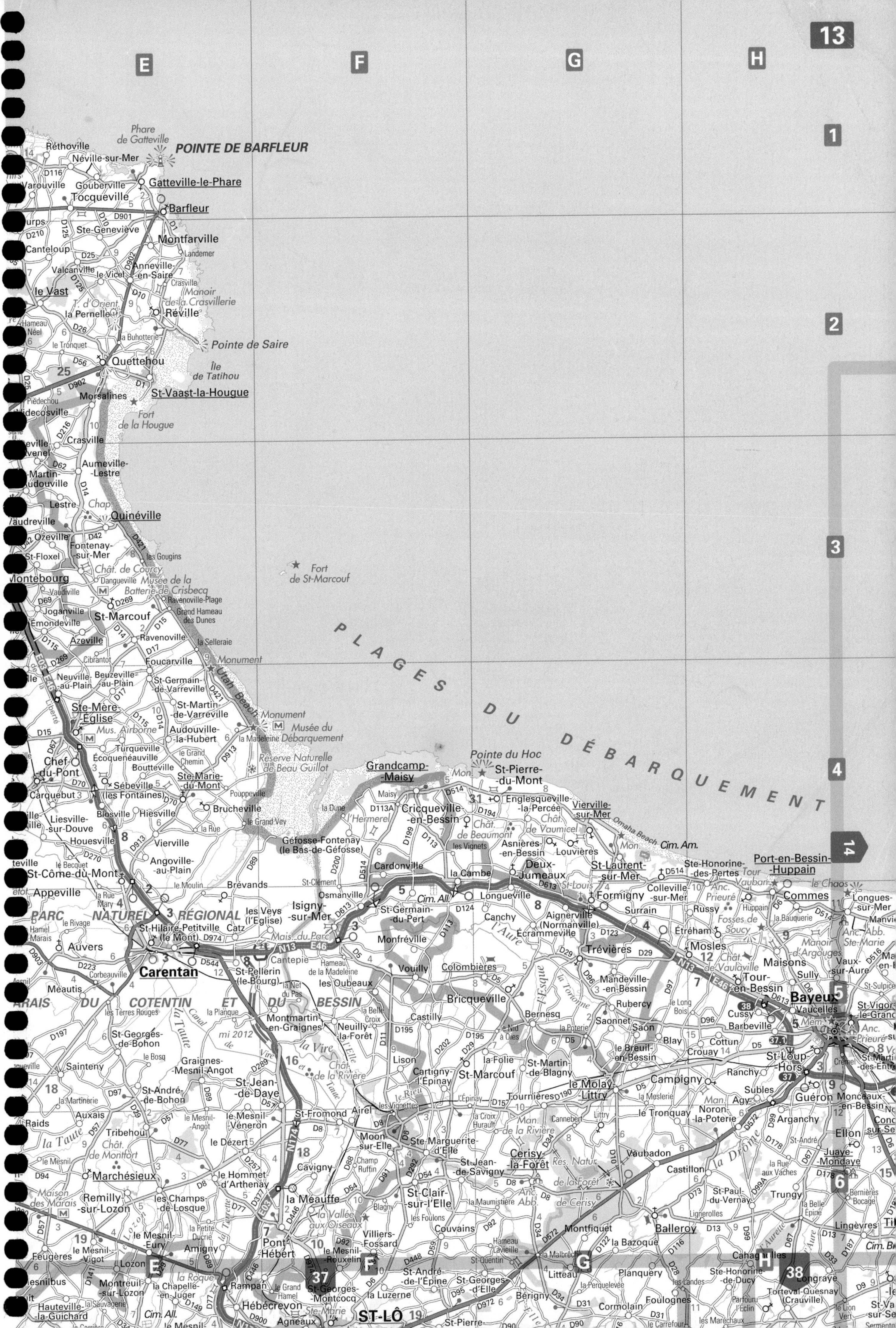
E
F
G
H
1
2
3
4
5
6
14
POINTE DE BARFLEUR
Phare de Gatteville
Réthoville
Néville-sur-Mer
Varouville
Gouberville
Gatteville-le-Phare
Tocqueville
Barfleur
Ste-Geneviève
Montfarville
Canteloup
Landemer
Valcanville
Anneville-en-Saire
le Vicel
le Vast
Crasville
Manoir de la Crasvillerie
T. d'Orient
la Pernelle
Réville
Hameau Néel
le Tronquet
la Buhotterie
Pointe de Saire
Quettehou
Île de Tatihou
St-Vaast-la-Hougue
Morsalines
Fort de la Hougue
Piédechou
Videcosville
Crasville
Aumeville-Lestre
Lestre
Chap.
Quinéville
Ozeville
Fontenay-sur-Mer
St-Floxel
les Gougins
Chât. de Courcy
Montebourg
Dangueville
Musée de la Batterie de Crisbecq
Vaudiville
Ravenoville-Plage
Grand Hameau des Dunes
Joganville
St-Marcouf
Fort de St-Marcouf
Émondeville
Azeville
Ravenoville
la Selleraie
Cibrantot
Foucarville
Monument
Utah Beach
Neuville-au-Plain
Beuzeville-au-Plain
St-Germain-de-Varreville
Liberté
Ste-Mère-Église
St-Martin-de-Varreville
Mus. Airborne
Audouville-la-Hubert
Monument
Musée du Débarquement
la Madeleine
Turqueville
le Grand Chemin
Écoquenéauville
Chef-du-Pont
Boutteville
Réserve Naturelle de Beau Guillot
Ste-Marie-du-Mont
Pouppeville
Carquebut
Sébeville (les Fontaines)
Blosville
Hiesville
Brucheville
Liesville-sur-Douve
la Rue
le Grand Vey
Houesville
Vierville
Angoville-au-Plain
le Becquet
St-Côme-du-Mont
le Moulin
Brévands
Appeville
la Rue Mary
PARC NATUREL RÉGIONAL
les Veys (l'Église)
Isigny-sur-Mer
le Rivage
St-Hilaire-Petitville
(le Mont)
Catz
Auvers
Carentan
Corbeauville
Méautis
St-Pellerin (le-Bourg)
Cantepie
MARAIS DU COTENTIN ET DU BESSIN
les Terres Rouges
la Taute
Canal
la Planque
mi 2012
St-Georges-de-Bohon
le Bosq
Graignes-Mesnil-Angot
Sainteny
St-Jean-de-Daye
St-André-de-Bohon
la Martinerie
Auxais
Raids
Tribehou
Chât. de Montfort
le Mesnil-Angot
le Mesnil-Véneron
le Dézert
le Mesnil
Marchésieux
le Hommet-d'Arthenay
les Champs-de-Losque
Remilly-sur-Lozon
Maison des Marais
le Mesnil-Eury
Amigny
le Mesnil-Vigot
Feugères
Lozon
Montreuil-sur-Lozon
la Chapelle-en-Juger
la Roque
Hauteville-la-Guichard
Cim. All.
Pointe du Hoc
St-Pierre-du-Mont
Grandcamp-Maisy
Maisy
Englesqueville-la-Percée
Vierville-sur-Mer
Cricqueville-en-Bessin
Chât. de Beaumont
Chât. de Vaumicel
Omaha Beach
Cim. Am.
la Dune
l'Hermerel
Géfosse-Fontenay (le Bas-de-Géfosse)
les Vignets
Asnières-en-Bessin
Louvières
Cardonville
la Cambe
Deux-Jumeaux
St-Laurent-sur-Mer
Ste-Honorine-des-Pertes
Port-en-Bessin-Huppain
le Chaos
St-Clément
Osmanville
Cim. All.
Longueville
St-Louis
Formigny
Colleville-sur-Mer
Commes
Longues-sur-Mer
St-Germain-du-Pert
Canchy
Aignerville (Normanville)
Surrain
Russy
Huppain
la Bauquerie
Monfréville
l'Aure
Écrammeville
Étréham
Mosles
Fosses de Soucy
Manoir d'Argouges
Hameau de la Madeleine
les Oubeaux
Vouilly
Colombières
Trévières
Chât. de Vaulaville
Maisons
Vaux-sur-Aure
Sully
Mandeville-en-Bessin
Tour-en-Bessin
Bayeux
Vaucelles
Montmartin-en-Graignes
Neuilly-la-Forêt
Bricqueville
Rubercy
Cussy
Barbeville
Castilly
Bernesq
Saonnet
Saon
le Long Bois
la Belle Croix
la Vire
Chât. de la Rivière
le Nid à Oies
la Poterie
le Breuil-en-Bessin
Blay
Cottun
Crouay
St-Loup-Hors
St-Vigor-le-Grand
Lison
la Folie
St-Martin-de-Blagny
Ranchy
Cartigny-l'Épinay
St-Marcouf
le Molay-Littry
Campigny
Subles
Guéron
Monceaux-en-Bessin
St-Fromond
Airel
les Vignettes
l'Épinay
Tournières
la Meslerie
le Tronquay
Agy
Noron-la-Poterie
Arganchy
Moon-sur-Elle
Ste-Marguerite-d'Elle
la Croix Hurault
Man. de la Rivière
Cannebert
Littry
Ellon
Cavigny
Champ Ruffin
St-Jean-de-Savigny
Cerisy-la-Forêt
Res. Natur. de la Forêt de Cerisy
Vaubadon
Castillon
la Drôme
St-André
Juaye-Mondaye
la Rue aux Vaches
la Meauffe
St-Clair-sur-l'Elle
la Maumissière
Anc. Abb.
St-Paul-du-Vernay
Trungy
Bernières-Bocage
Blagny
les Foulons
Lignerolles
la Belle Épine
la Vallée aux Oiseaux
Villiers-Fossard
Couvains
Monfiquet
Balleroy
Lingèvres
Pont-Hébert
le Mesnil-Rouxelin
Hameau Lavieille
la Malbrèche
la Bazoque
Cahagnolles
Rampan
St-André-de-l'Épine
St-Quentin
Litteau
Planquery
Ste-Honorine-de-Ducy
Longraye
le Grand Hamel
St-Georges-Montcocq
St-Georges-d'Elle
la Perquelevée
les Landes
Torteval-Quesnay (Crauville)
Hébécrevon
la Luzerne
Bérigny
Cormolain
Foulognes
Parfouru l'Éclin
Ste-Marie
Agneaux
ST-LÔ
St-Pierre-
le Carrefour
les Maréchaux
le Lion Vert
PLAGES DU DÉBARQUEMENT

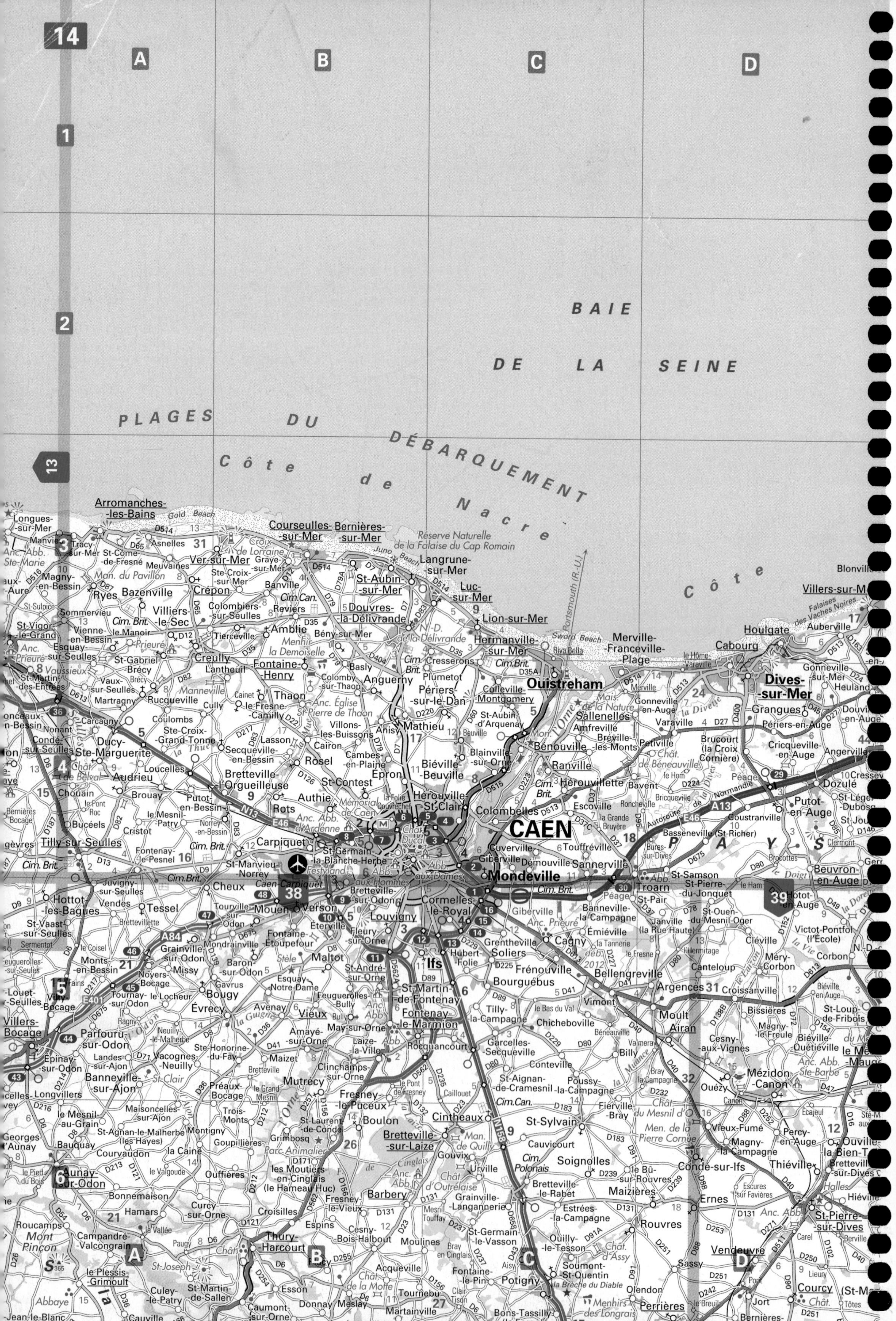

14
A
B
C
D
1
2
13
BAIE
DE LA SEINE
PLAGES DU DÉBARQUEMENT
Côte de Nacre
Côte
Portsmouth (R.-U.)
Réserve Naturelle de la Falaise du Cap Romain
Juno Beach
Gold Beach
Sword Beach
Falaises des Vaches Noires
Arromanches-les-Bains
Longues-sur-Mer
Asnelles
Ver-sur-Mer
Courseulles-sur-Mer
Bernières-sur-Mer
Langrune-sur-Mer
St-Aubin-sur-Mer
Luc-sur-Mer
Lion-sur-Mer
Hermanville-sur-Mer
Ouistreham
Riva Bella
Merville-Franceville-Plage
Cabourg
Houlgate
Dives-sur-Mer
Villers-sur-Mer
Blonville
Auberville
Gonneville-sur-Mer
Heuland
Douville-en-Auge
Grangues
Périers-en-Auge
Varaville
Brucourt
Cricqueville-en-Auge
Angerville
Dozulé
Putot-en-Auge
Goustranville
Basseneville (St-Richer)
Beuvron-en-Auge
Hotot-en-Auge
Victot-Pontfol (l'École)
Cléville
Méry-Corbon
Corbon
Bissières
St-Loup-de-Fribois
Magny-le-Freule
Biéville-Quétiéville
Cesny-aux-Vignes
Mézidon-Canon
Ouézy
Vieux-Fumé
Percy-en-Auge
Magny-la-Campagne
Thiéville
Condé-sur-Ifs
Ernes
St-Pierre-sur-Dives
Vendeuvre
Courcy
Jort
Bernières-
Perrières
Olendon
Sassy
Rouvres
Maizières
Soignolles
St-Sylvain
Fierville-Bray
Poussy-la-Campagne
Conteville
St-Aignan-de-Cramesnil
Garcelles-Secqueville
Billy
Airan
Moult
Argences
Croissanville
Canteloup
Bellengreville
Vimont
Chicheboville
Frénouville
Bourguébus
Cagny
Émiéville
Banneville-la-Campagne
Troarn
St-Samson
St-Pierre-du-Jonquet
St-Ouen-du-Mesnil-Oger
St-Pair
Janville
Sannerville
Touffréville
Démouville
Giberville
Cuverville
Mondeville
CAEN
Colombelles
Hérouville-St-Clair
Escoville
Hérouvillette
Ranville
Bénouville
Blainville-sur-Orne
Biéville-Beuville
Périers-sur-le-Dan
Colleville-Montgomery
St-Aubin-d'Arquenay
Sallenelles
Amfreville
Bréville-les-Monts
Petiville
Gonneville-en-Auge
Bavent
Plumetot
Cresserons
Douvres-la-Délivrande
Basly
Anguerny
Mathieu
Cambes-en-Plaine
Épron
St-Contest
Villons-les-Buissons
Cairon
Rosel
Thaon
Colomby-sur-Thaon
Reviers
Fontaine-Henry
Amblie
Bény-sur-Mer
Banville
Graye-sur-Mer
Ste-Croix-sur-Mer
Meuvaines
Crépon
Colombiers-sur-Seulles
Tierceville
Villiers-le-Sec
Creully
Lantheuil
Cully
Le Fresne-Camilly
Lasson
Secqueville-en-Bessin
Bretteville-l'Orgueilleuse
Rots
Authie
Carpiquet
St-Germain-la-Blanche-Herbe
St-Manvieu-Norrey
Caen-Carpiquet
Cheux
Tessel
Mouen
Verson
Bretteville-sur-Odon
Louvigny
Éterville
Fleury-sur-Orne
Cormelles-le-Royal
Ifs
Hubert-Folie
Grentheville
Soliers
Maltot
St-André-sur-Orne
St-Martin-de-Fontenay
Fontenay-le-Marmion
Rocquancourt
May-sur-Orne
Vieux
Feuguerolles-Bully
Amayé-sur-Orne
Laize-la-Ville
Clinchamps-sur-Orne
Mutrécy
Fresney-le-Puceux
Boulon
Bretteville-sur-Laize
Cintheaux
Gouvix
Urville
Grainville-Langannerie
Barbery
Fresney-le-Vieux
Cesny-Bois-Halbout
Moulines
St-Germain-le-Vasson
Estrées-la-Campagne
Ouilly-le-Tesson
Soumont-St-Quentin
Potigny
Fontaine-le-Pin
Tournebu
Acqueville
Esson
Thury-Harcourt
Caumont-sur-Orne
Donnay
Meslay
Martainville
Bons-Tassilly
Espins
Croisilles
Les Moutiers-en-Cinglais (le Hameau Huc)
St-Laurent-de-Condel
Grimbosq
Ouffières
Goupillières
Trois-Monts
Préaux-Bocage
Maizet
Ste-Honorine-du-Fay
Évrecy
Avenay
Esquay-Notre-Dame
Gavrus
Bougy
Baron-sur-Odon
Missy
Grainville-sur-Odon
Mondrainville
Tourville-sur-Odon
Fontaine-Étoupefour
Noyers-Bocage
Tournay-sur-Odon
Le Locheur
Parfouru-sur-Odon
Vacognes-Neuilly
Landes-sur-Ajon
Banneville-sur-Ajon
Longvillers
Maisoncelles-sur-Ajon
Le Mesnil-au-Grain
St-Agnan-le-Malherbe
Montigny
Courvaudon
La Caine
Bauquay
Aunay-sur-Odon
Bonnemaison
Hamars
Curcy-sur-Orne
Campandré-Valcongrain
Roucamps
Mont Pinçon
Le Plessis-Grimoult
Culey-le-Patry
St-Martin-de-Sallen
Jean-le-Blanc
Cauville
Villers-Bocage
Épinay-sur-Odon
Monts-en-Bessin
Villy-Bocage
Hottot-les-Bagues
Juvigny-sur-Seulles
Vendes
St-Vaast-sur-Seulles
Tilly-sur-Seulles
Fontenay-le-Pesnel
Cristot
Bucéels
Le Mesnil-Patry
Brouay
Putot-en-Bessin
Chouain
Audrieu
Loucelles
Ducy-Ste-Marguerite
Condé-sur-Seulles
Nonant
Carcagny
Coulombs
Ste-Croix-Grand-Tonne
Rucqueville
Martragny
Vaux-sur-Seulles
St-Gabriel-Brécy
Esquay-sur-Seulles
Vienne-en-Bessin
Sommervieu
St-Vigor-le-Grand
Ryes
Bazenville
Magny-en-Bessin
Tracy-sur-Mer
Manvieux
St-Côme-de-Fresné
Vaussieux
St-Martin-des-Entrées
Le Manoir
Pays d'Auge
Caen-Carpiquet
Cim. Brit.
Mémorial de Caen
Festyland
Abb. aux Hommes
Abb. aux Dames
Brèche du Diable
Menhirs des Longrais
Anc. Abb. d'Ardenne
Château de la Motte
Château d'Assy
Parc Animalier
A13
A84
N13
E46
E401
38
39

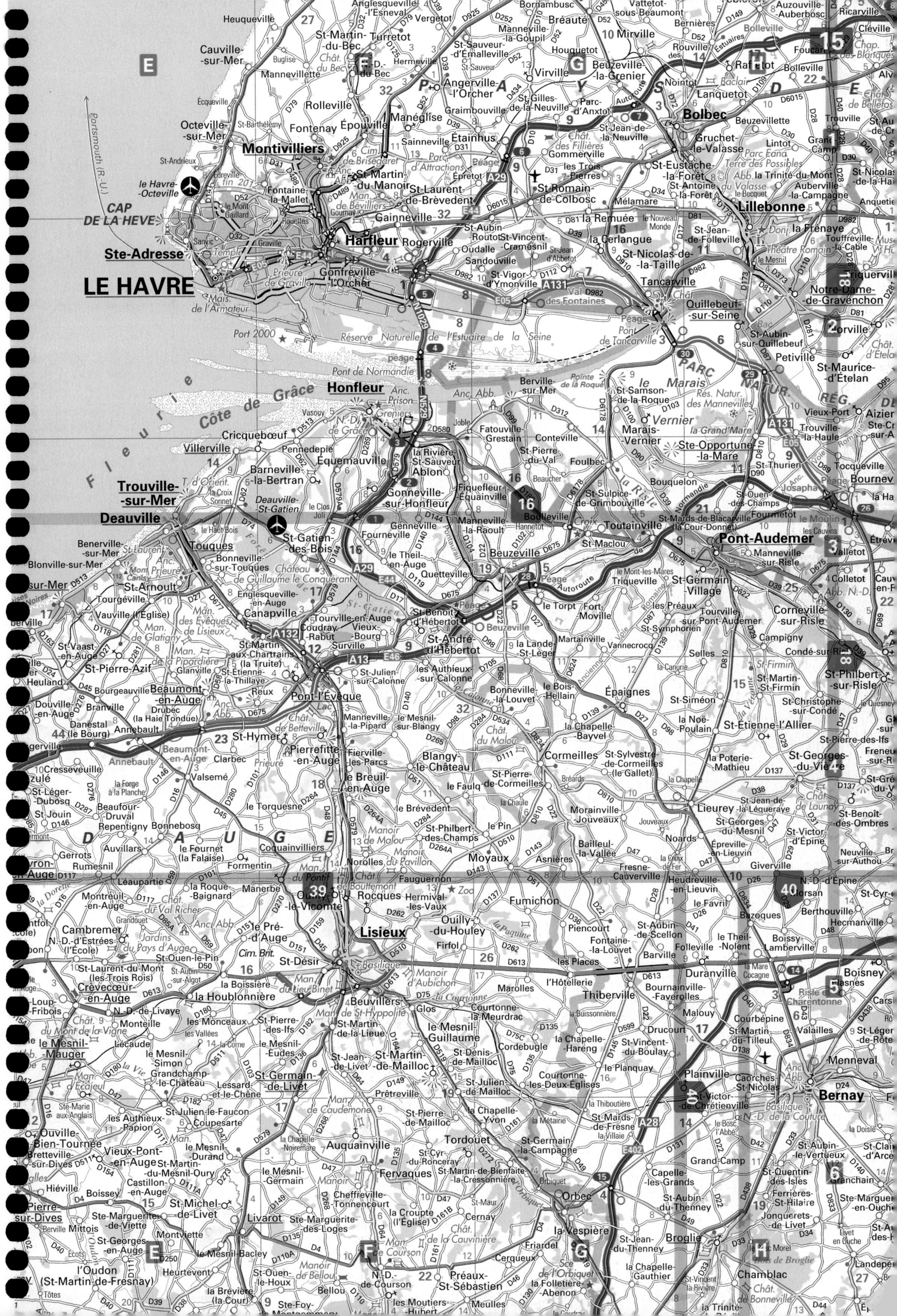

LE HAVRE
Ste-Adresse
CAP DE LA HEVE
le Havre-Octeville
Portsmouth (R.-U.)
Montivilliers
Octeville-sur-Mer
Cauville-sur-Mer
Heuqueville
Mannevillette
Rolleville
Fontenay
Épouville
Manéglise
St-Martin-du-Bec
Turretot
Angerville-l'Orcher
Étainhus
Gainneville
Harfleur
Rogerville
Gonfreville-l'Orcher
St-Martin-du-Manoir
St-Laurent-de-Brèvedent
St-Romain-de-Colbosc
Bréauté
Mirville
Beuzeville-la-Grenier
Bolbec
Gruchet-le-Valasse
St-Eustache-la-Forêt
Lillebonne
Tancarville
Quillebeuf-sur-Seine
St-Aubin-sur-Quillebeuf
Notre-Dame-de-Gravenchon
St-Maurice-d'Ételan
Port 2000
Réserve Naturelle de l'Estuaire de la Seine
Pont de Normandie
Pont de Tancarville
Honfleur
Côte de Grâce
Fleurie
Villerville
Cricqueboeuf
Equemauville
Barneville-la-Bertran
Trouville-sur-Mer
Deauville
Deauville-St-Gatien
St-Gatien-des-Bois
Touques
Benerville-sur-Mer
Blonville-sur-Mer
St-Arnoult
Tourgéville
Canapville
Gonneville-sur-Honfleur
Fiquefleur-Équainville
Beuzeville
Conteville
Foulbec
Marais-Vernier
Ste-Opportune-la-Mare
Toutainville
Pont-Audemer
St-Germain-Village
Manneville-sur-Risle
Corneville-sur-Risle
St-Philbert-sur-Risle
Condé-sur-Risle
Bourneville
St-André-d'Hébertot
St-Benoît-d'Hébertot
Pont-l'Évêque
Beaumont-en-Auge
St-Pierre-Azif
Vauville (l'Eglise)
Bonneville-la-Louvet
Épaignes
Cormeilles
Blangy-le-Château
Pierrefitte-en-Auge
le Breuil-en-Auge
Coquainvilliers
Moyaux
Lieurey
St-Georges-du-Vièvre
St-Étienne-l'Allier
Lisieux
Ouilly-le-Vicomte
Rocques
Fumichon
Ouilly-du-Houley
St-Désir
Cambremer
Crèvecoeur-en-Auge
la Houblonnière
Beuvillers
Thiberville
Duranville
Bernay
Courtonne-la-Meurdrac
le Mesnil-Guillaume
St-Martin-de-Mailloc
St-Germain-de-Livet
le Mesnil-Mauger
Plainville
Auquainville
Fervaques
Tordouet
Orbec
la Vespière
Livarot
St-Michel-de-Livet
Vieux-Pont-en-Auge
Ouville-la-Bien-Tournée
l'Oudon (St-Martin-de-Fresnay)
Préaux-St-Sébastien
Broglie
Chamblac
Menneval
Boisney
PARC NATUR. RÉG.
D A U G E
A29
A13
A131
A132
A28
E44
E46
E05
E402
N1029

A
B
C
D
1
2
3
4
5
6
LA MANCHE
CÔTE D'ALBÂTRE
Centrale Électrique de Paluel
Veulettes-sur-Mer
St-Martin-aux-Buneaux
Auberville-la-Manuel
Paluel
Malleville-les-Grès
Les Petites Dalles
Les Grandes Dalles
Butot-Vénesville
Vittefleur
St-Pierre-en-Port
Vinnemerville
Canouville
Écretteville-sur-Mer
Sassetot-le-Mauconduit
Criquetot-le-Mauconduit
Clasville
Életot
Ste-Hélène-Bondeville
Ancretteville-sur-Mer
Anneville
Ouainville
Senneville-sur-Fécamp
N.-D. du Salut
Fécamp
Palais Bénédictine
Bondeville
Angerville-la-Martel
Theuville-aux-Maillots
Bertreville
Cany-Barville
Colleville
Thérouldeville
Bertheauville
Criquebeuf-en-Caux
St-Léonard
Valmont
Toussaint
Gerponville
Grainville-la-Teinturière
Vattetot-sur-Mer
Yport
Ganzeville
Contremoulins
Ourville-en-Caux
Falaise d'Amont
Bénouville
Froberville
Tourville-les-Ifs
Thiergeville
Riville
Étretat
Chât. des Aygues
Épreville
Bec-de-Mortagne
Thiétreville
Beuzeville-la-Guérard
Falaise d'Aval
Bordeaux-St-Clair
les Loges
Gerville
Sorquainville
Cap d'Antifer
Phare d'Antifer
la Place
le Tilleul
Maniquerville
Viertot
Mentheville
Daubeuf-Serville
Limpiville
Ypreville-Biville
Cleuville
Thiouville
la Poterie-Cap-d'Antifer
Pierrefiques
Fongueusemare
Auberville-la-Renault
Annouville-Vilmesnil
Chât. de Bailleul
Chât. du Vaudroc
Normanville
Beaurepaire
Cuverville
Bretteville-du-Grand-Caux
Bénarville
Bennetot
Ste-Marguerite-sur-Fauville
Bruneval
Ste-Marie-au-Bosc
Sausseuzemare-en-Caux
Angerville-Bailleul
Trémauville
Port Pétrolier du Havre-Antifer
Villainville
Écrainville
Grainville-Ymauville
Tocqueville-les-Murs
Fauville-en-Caux
St-Jouin-Bruneval
Gonneville-la-Mallet
Goderville
Gonfreville-Caillot
St-Maclou-la-Brière
Hattenville
Criquetot-l'Esneval
Bornambusc
Vattetot-sous-Beaumont
Yébleron
Auzouville-Auberbosc
Bermonville
Ricarville
Anglesqueville-l'Esneval
Vergetot
Heuqueville
Bréauté
Bernières
St-Martin-du-Bec
Turretot
Manneville-la-Goupil
Mirville
Bolleville
Cléville
Houquetot
Rouville
Cauville-sur-Mer
Buglise
St-Sauveur-d'Émalleville
Hermeville
N.-D.-du-Bec
Beuzeville-la-Grenier
Raffetot
Foucart
Alvimare
Mannevillette
Virville
Nointot
Lanquetot
Angerville-l'Orcher
Écqueville
St-Gilles-de-la-Neuville
Parc d'Anxtot
Bolbec
Rolleville
St-Aubin-de-Crétot
Octeville-sur-Mer
St-Barthélemy
Fontenay
Manéglise
Épouville
Graimbouville
St-Jean-de-la-Neuville
Beuzevillette
Trouville
Montivilliers
Sainneville
Étainhus
Gruchet-le-Valasse
Lintot
Grand-Camp
St-Andrieux
Cim. de Brisegaret
Parc d'Attractions
Gommerville
les Trois-Pierres
Parc Eana Terre des Possibles
le Havre-Octeville
CAP DE LA HEVE
St-Martin-du-Manoir
Fontaine-la-Mallet
Épretot
St-Romain-de-Colbosc
St-Eustache-la-Forêt
St-Antoine-la-Forêt
Abb. la Trinité-du-Mont
Auberville-la-Campagne
St-Nicolas-de-la-Haie
le Mont Gaillard
Rouelles
St-Laurent-de-Brèvedent
Mélamare
le Becquet
Lillebonne
Anquetierville
Sanvic
Graville
Gournay
Gainneville
la Remuée
le Nouveau Monde
Ste-Adresse
Harfleur
Rogerville
St-Aubin-Routot
St-Vincent-Cramesnil
la Cerlangue
St-Jean-de-Folleville
la Frénaye
Touffreville-la-Cable
Musée V. Hugo
LE HAVRE
Prieuré de Graville
Oudalle
Sandouville
St-Jean-d'Abbetot
St-Nicolas-de-la-Taille
le Mesnil
Gonfreville-l'Orcher
St-Vigor-d'Ymonville
Tancarville
Triquerville
Mais. de l'Armateur
Val des Fontaines
Quillebeuf-sur-Seine
Notre-Dame-de-Gravenchon
Port 2000
Réserve Naturelle de l'Estuaire de la Seine
Péage Pont de Tancarville
St-Aubin-sur-Quillebeuf
Norville
Pont de Normandie
Honfleur
Berville-sur-Mer
Pointe de la Roque
le Marais
St-Samson-de-la-Roque
Petiville
St-Maurice-d'Ételan
Chât. d'Ételan
PARC NATUR. RÉG. DES
Côte de Grâce
Vasouy
Fatouville-Grestain
Conteville
Vernier
Marais-Vernier
Rés. Natur. des Mannevilles
la Grand'Mare
Vieux-Port
Aizier
Trouville-la-Haule
Ste-Croix-sur-Aizier
Cricquebœuf
Villerville
Pennedepie
Équemauville
la Rivière-St-Sauveur
Ablon
St-Pierre-du-Val
Foulbec
Ste-Opportune-la-Mare
St-Thurien
Tocqueville
Bourneville
Barneville-la-Bertran
Trouville-sur-Mer
Deauville-St-Gatien
Gonneville-sur-Honfleur
Fiquefleur-Équainville
Beaucher
Bouquelon
St-Sulpice-de-Grimbouville
St-Ouen-des-Champs
la Haye-Aubrée
Fleurie
LA SEINE
Portsmouth

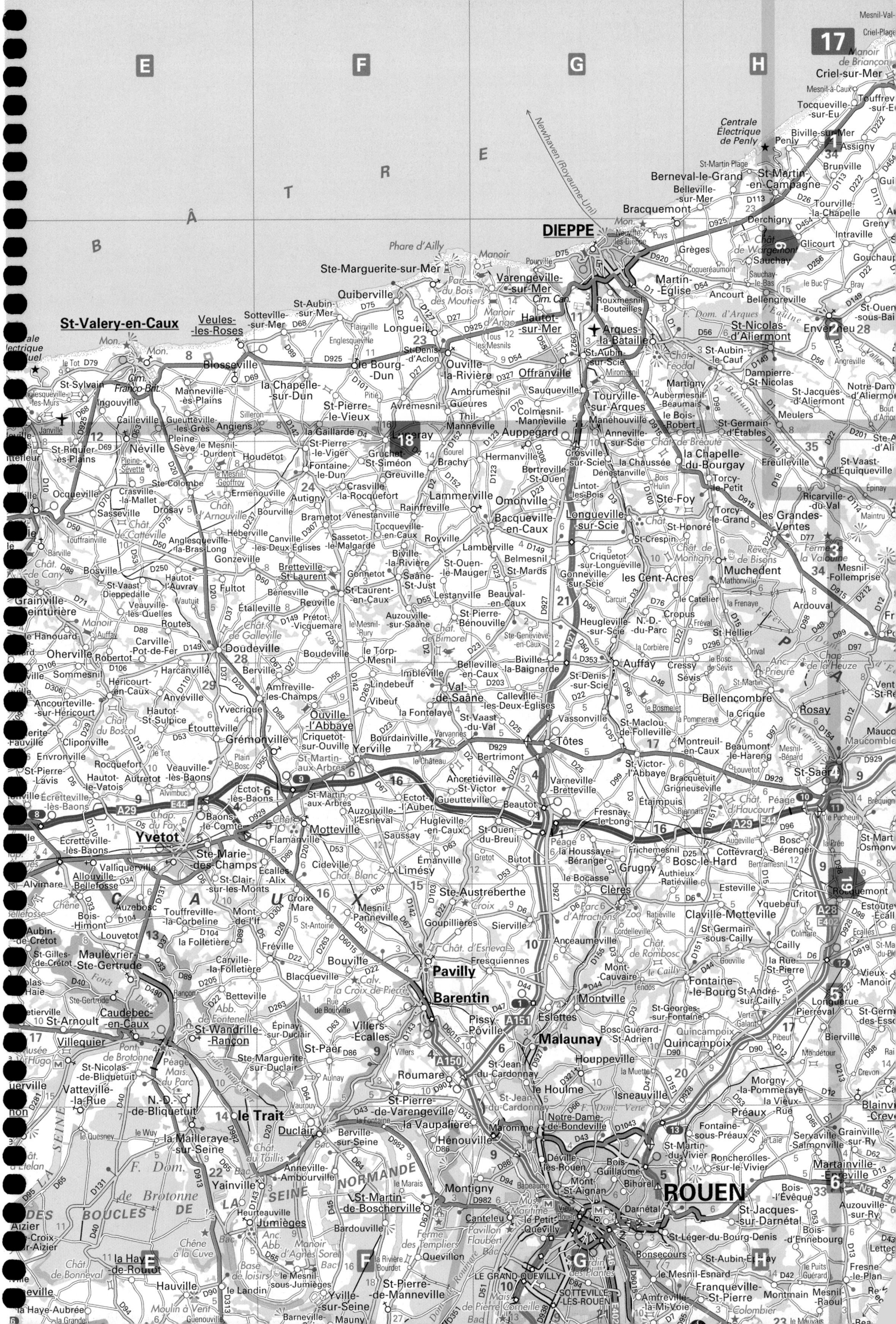

17
E
F
G
H
B
Â
T
R
E
Newhaven (Royaume-Uni)
DIEPPE
Phare d'Ailly
Ste-Marguerite-sur-Mer
Varengeville-sur-Mer
Quiberville
St-Aubin-sur-Mer
Sotteville-sur-Mer
Veules-les-Roses
St-Valery-en-Caux
Blosseville
Longueil
Le Bourg-Dun
Ouville-la-Rivière
Offranville
Hautot-sur-Mer
Arques-la-Bataille
St-Aubin-sur-Scie
Tourville-sur-Arques
Criel-sur-Mer
Tocqueville-sur-Eu
Centrale Électrique de Penly
Penly
Biville-sur-Mer
Assigny
Brunville
Berneval-le-Grand
St-Martin-en-Campagne
Belleville-sur-Mer
Bracquemont
Tourville-la-Chapelle
Derchigny
Greny
Intraville
Glicourt
Grèges
Sauchay
Gouchaupré
Martin-Église
Ancourt
Bellengreville
St-Nicolas-d'Aliermont
Envermeu
St-Ouen-sous-Bailly
St-Aubin-le-Cauf
Dampierre-St-Nicolas
St-Jacques-d'Aliermont
Notre-Dame-d'Aliermont
Martigny
Aubermesnil-Beaumais
Meulers
St-Germain-d'Étables
Manneville-ès-Plains
la Chapelle-sur-Dun
St-Pierre-le-Vieux
Avremesnil
Gueures
Ambrumesnil
Sauqueville
Colmesnil-Manneville
Thil-Manneville
Auppegard
Manéhouville
Anneville-sur-Scie
La Chapelle-du-Bourgay
Ingouville
Cailleville
Gueutteville-les-Grès
Angiens
la Gaillarde
Luneray
18
Néville
Pleine-Sève
le Mesnil-Durdent
Houdetot
St-Pierre-le-Viger
Gruchet-St-Siméon
Fontaine-le-Dun
Greuville
Brachy
Hermanville
Bertreville-St-Ouen
Crosville-sur-Scie
la Chaussée
Dénestanville
Freulleville
St-Vaast-d'Équiqueville
Torcy-le-Petit
Torcy-le-Grand
Ste-Foy
Longueville-sur-Scie
Lintot-les-Bois
Omonville
Lammerville
Bacqueville-en-Caux
Rainfreville
Crasville-la-Rocquefort
Autigny
Ocqueville
Crasville-la-Mallet
Sasseville
Drosay
Ermenouville
Bourville
Brametot
Vénestanville
Tocqueville-en-Caux
Royville
Les Grandes-Ventes
Ricarville-du-Val
St-Honoré
St-Crespin
Lamberville
Belmesnil
St-Mards
Criquetot-sur-Longueville
Gonneville-sur-Scie
les Cent-Acres
Muchedent
Mesnil-Follemprise
Ardouval
Hébertville
Anglesqueville-la-Bras-Long
Canville-les-Deux-Églises
Sassetot-le-Malgardé
Biville-la-Rivière
St-Ouen-le-Mauger
Gonzeville
Bretteville-St-Laurent
Gonnetot
Saâne-St-Just
Bosville
Hautot-l'Auvray
Fultot
St-Vaast-Dieppedalle
Bénesville
St-Laurent-en-Caux
Lestanville
Beauval-en-Caux
Grainville-la-Teinturière
Veauville-lès-Quelles
Étalleville
Reuville
Prétot-Vicquemare
Auzouville-sur-Saâne
St-Pierre-Bénouville
Heugleville-sur-Scie
N.-D.-du-Parc
Cropus
St-Hellier
Routes
Carville-Pot-de-Fer
Doudeville
Oherville
Robertot
Boudeville
le Torp-Mesnil
Imbleville
Belleville-en-Caux
Biville-la-Baignarde
Auffay
Cressy
Sévis
Sommesnil
Harcanville
Héricourt-en-Caux
Berville
Amfreville-les-Champs
Lindebeuf
Vibeuf
Val-de-Saâne
Calleville-les-Deux-Églises
St-Denis-sur-Scie
Bellencombre
Rosay
Ancourteville-sur-Héricourt
Anveville
Hautot-St-Sulpice
Yvecrique
Ouville-l'Abbaye
la Fontelaye
St-Vaast-du-Val
Vassonville
St-Maclou-de-Folleville
la Crique
Cliponville
Étoutteville
Grémonville
Criquetot-sur-Ouville
Bourdainville
Yerville
Tôtes
Montreuil-en-Caux
Beaumont-le-Hareng
Envronville
Rocquefort
Veauville-lès-Baons
Bertrimont
St-Victor-l'Abbaye
St-Saëns
St-Pierre-Lavis
Hautot-le-Vatois
Autretot
St-Martin-aux-Arbres
Ancretiéville-St-Victor
Varneville-Bretteville
Bracquetuit
Grigneuseville
Écretteville-lès-Baons
Ectot-lès-Baons
Ectot-l'Auber
Guetteville
Beautot
Étaimpuis
Fresnay-le-Long
Baons-le-Comte
Auzouville-l'Esneval
Hugleville-en-Caux
Yvetot
Motteville
Flamanville
Saussay
St-Ouen-du-Breuil
la Houssaye-Béranger
Frichemesnil
Bosc-le-Hard
Cottévrard
Bosc-Bérenger
Écretteville-lès-Baons
Valliquerville
Ste-Marie-des-Champs
Allouville-Bellefosse
St-Clair-sur-les-Monts
Ecalles-Alix
Cideville
Émanville
Limésy
Butot
Grugny
Authieux-Ratiéville
Alvimare
Auzebosc
Touffreville-la-Corbeline
Mont-de-l'If
Croix-Mare
Mesnil-Panneville
Ste-Austreberthe
Goupillières
Sierville
le Bocasse
Clères
Claville-Motteville
Esteville
Yquebeuf
Critot
Rocquemont
Louvetot
la Folletière
Fréville
Bouville
Pavilly
Fresquiennes
Anceaumeville
Mont-Cauvaire
Fontaine-le-Bourg
St-Germain-sous-Cailly
Cailly
la Rue-St-Pierre
Maulévrier-Ste-Gertrude
Carville-la-Folletière
Blacquetot
Blacqueville
Barentin
Montville
St-André-sur-Cailly
Vieux-Manoir
Longuerue
Caudebec-en-Caux
St-Arnoult
Villequier
Betteville
St-Wandrille-Rançon
Épinay-sur-Duclair
Villers-Écalles
Pissy-Pôville
Eslettes
Malaunay
Bosc-Guérard-St-Adrien
Quincampoix
St-Georges-sur-Fontaine
Pierreval
Bierville
St-Nicolas-de-Bliquetuit
Ste-Marguerite-sur-Duclair
St-Paër
Roumare
St-Jean-du-Cardonnay
Houppeville
Isneauville
Morgny-la-Pommeraye
Vatteville-la-Rue
N.-D.-de-Bliquetuit
le Trait
Duclair
St-Pierre-de-Varengeville
la Vaupalière
le Houlme
Notre-Dame-de-Bondeville
Préaux
Blainville-Crevon
la Mailleraye-sur-Seine
Berville-sur-Seine
Hénouville
Maromme
Déville-lès-Rouen
Bois-Guillaume
Fontaine-sous-Préaux
Servaville-Salmonville
Grainville-sur-Ry
Yainville
Anneville-Ambourville
Mont-St-Aignan
Bihorel
St-Martin-du-Vivier
Roncherolles-sur-le-Vivier
Martainville-Épreville
ROUEN
Jumièges
St-Martin-de-Boscherville
Montigny
Canteleu
le Petit-Quevilly
Darnétal
St-Jacques-sur-Darnétal
Bois-l'Évêque
Auzouville-sur-Ry
Bois-d'Ennebourg
Bardouville
Quevillon
St-Léger-du-Bourg-Denis
Bonsecours
St-Aubin-Épinay
la Haye-de-Routot
Hauville
le Landin
Yville-sur-Seine
St-Pierre-de-Manneville
LE GRAND-QUEVILLY
SOTTEVILLE-LÈS-ROUEN
le Mesnil-Esnard
Franqueville-St-Pierre
Montmain
Mesnil-Raoul
Amfreville-la-Mi-Voie
la Haye-Aubrée
Mauny
F. Dom. de Brotonne
BOUCLES DE LA SEINE NORMANDE
PAYS DE CAUX
A29
A150
A151
A28

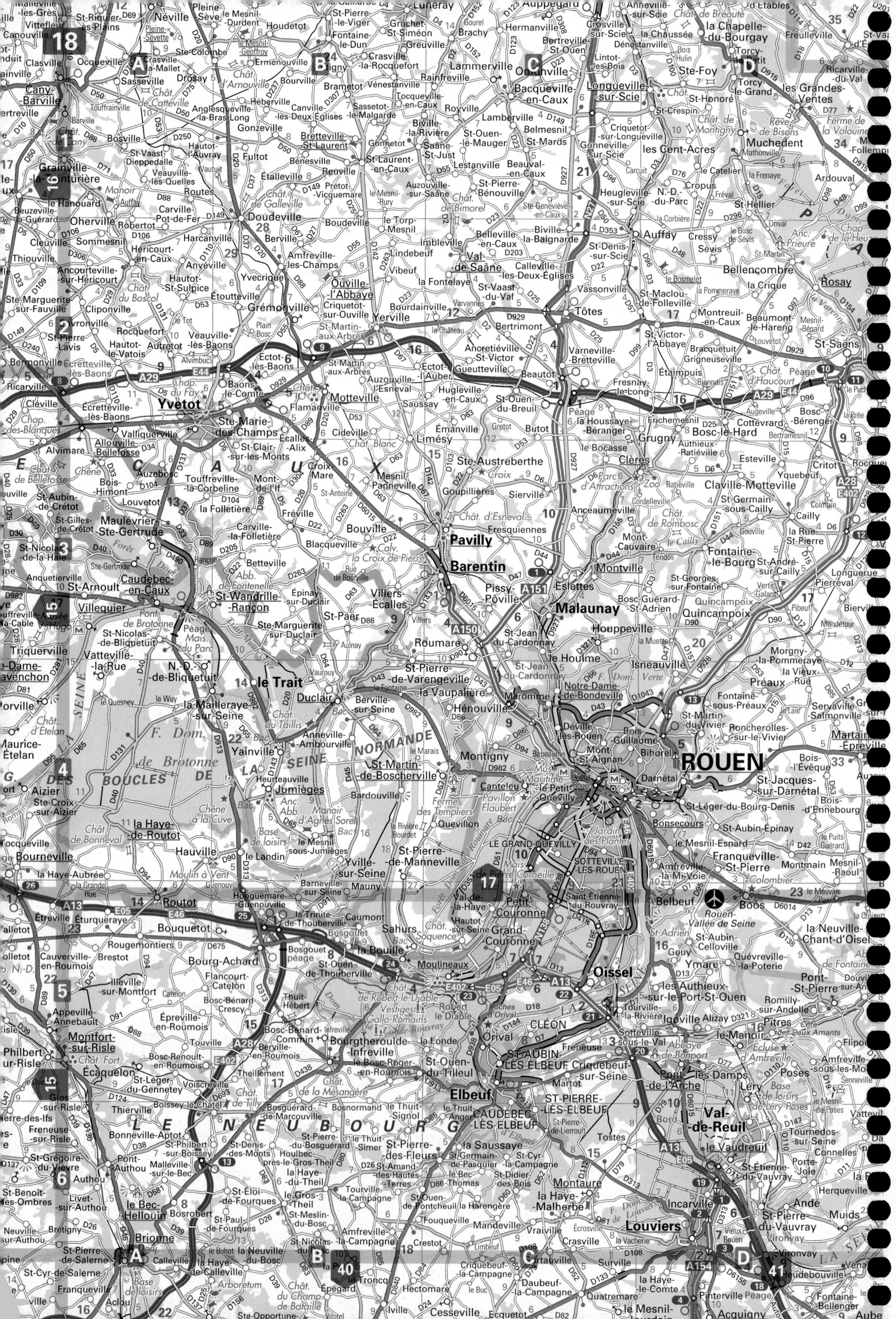
18
Vittefleur
Canouville
Cany-Barville
Néville
Ocqueville
Sasseville
Drosay
Houdetot
Ermenouville
Bourville
St-Pierre-le-Viger
Fontaine-le-Dun
Gruchet-St-Siméon
Greuville
Luneray
Brachy
Crasville-la-Rocquefort
Rainfreville
Lammerville
Hermanville
Bertreville-St-Ouen
Ouvonville
Bacqueville-en-Caux
Longueville-sur-Scie
Anneville-sur-Scie
Crosville-sur-Scie
la Chapelle-du-Bourgay
la Chaussée
Dénestanville
Ste-Foy
Torcy-le-Petit
Torcy-le-Grand
les Grandes-Ventes
Fréulleville
Ricarville-du-Val
Canville-les-Deux-Églises
Sassetot-le-Malgardé
Tocqueville-en-Caux
Royville
Lamberville
Belmesnil
St-Mards
Gonneville-sur-Scie
les Cent-Acres
St-Crespin
St-Honoré
Muchedent
Anglesqueville-la-Bras-Long
Gonzeville
Bretteville-St-Laurent
Gonnetot
Biville-la-Rivière
Saâne-St-Just
St-Ouen-le-Mauger
St-Laurent-en-Caux
Lestanville
Beauval-en-Caux
Bosville
Hautot-l'Auvray
Fultot
St-Vaast-Dieppedalle
Vaeuville-les-Quelles
Étalleville
Bénesville
Reuville
Auzouville-sur-Saâne
St-Pierre-Bénouville
Heugleville-sur-Scie
N.-D.-du-Parc
Cropus
St-Hellier
Ardouval
Grainville-la-Teinturière
le Hanouard
Routes
Prétot-Vicquemare
Beuzeville-la-Guérard
Oherville
Carville-Pot-de-Fer
Doudeville
Boudeville
le Torp-Mesnil
Biville-la-Baignarde
Auffay
Cressy
Sévis
Bellencombre
Cleuville
Sommesnil
Robertot
Harcanville
Héricourt-en-Caux
Berville
Amfreville-les-Champs
Lindebeuf
Imbleville
Belleville-en-Caux
Val-de-Saâne
St-Denis-sur-Scie
Thiouville
Ancourteville-sur-Héricourt
Anveville
Hautot-St-Sulpice
Yvecrique
Vibeuf
la Fontelaye
Calleville-les-Deux-Églises
Ouville-l'Abbaye
Étoutteville
la Crique
Rosay
Ste-Marguerite-sur-Fauville
Cliponville
Grémonville
Criquetot-sur-Ouville
Bourdainville
St-Vaast-du-Val
Vassonville
St-Maclou-de-Folleville
Montreuil-en-Caux
Beaumont-le-Hareng
Yvronville
Rocquefort
Veauville-lès-Baons
Yerville
St-Martin-aux-Arbres
Bertrimont
Tôtes
St-Victor-l'Abbaye
St-Saëns
St-Pierre-Lavis
Hautot-le-Vatois
Autretot
Ecretteville-lès-Baons
Ectot-lès-Baons
Ectot-l'Auber
Ancretiéville-St-Victor
Varneville-Bretteville
Bracquetuit
Grigneuseville
Bermonville
Ricarville
Baons-le-Comte
Auzouville-l'Esneval
Gueutteville
Beautot
Étaimpuis
Fresnay-le-Long
Cléville
Yvetot
Motteville
Flamanville
Saussay
Hugleville-en-Caux
St-Ouen-du-Breuil
la Houssaye-Béranger
Cottévrard
Bosc-Bérenger
Bosc-le-Hard
Valliquerville
Ste-Marie-des-Champs
Ecalles-Alix
Cideville
Limésy
Émanville
Butot
Grugny
Alvimare
Allouville-Bellefosse
St-Clair-sur-les-Monts
Ste-Austreberthe
Clères
Esteville
Yquebeuf
Cailly
Auzebosc
Touffreville-la-Corbeline
Mont-de-l'If
Croix-Mare
Mesnil-Panneville
Goupillières
Sierville
Claville-Motteville
St-Germain-sous-Cailly
Bois-Himont
Louvetot
la Folletière
Fréville
St-Aubin-de-Crétot
St-Gilles-de-Crétot
Maulévrier-Ste-Gertrude
Carville-la-Folletière
Bouville
Pavilly
Fresquiennes
Anceaumeville
Mont-Cauvaire
Fontaine-le-Bourg
St-André-sur-Cailly
St-Nicolas-de-la-Haie
Blacqueville
Barentin
Montville
Caudebec-en-Caux
Betteville
St-Arnoult
St-Wandrille-Rançon
Épinay-sur-Duclair
Villers-Écalles
Pissy-Pôville
Eslettes
Malaunay
Bosc-Guérard-St-Adrien
Quincampoix
Villequier
St-Paër
Ste-Marguerite-sur-Duclair
St-Nicolas-de-Bliquetuit
Roumare
St-Jean-du-Cardonnay
Houppeville
Isneauville
Vatteville-la-Rue
N.-D.-de-Bliquetuit
le Trait
St-Pierre-de-Varengeville
la Vaupalière
le Houlme
Morgny-la-Pommeraye
Préaux
Triquerville
Duclair
Berville-sur-Seine
Hénouville
Maromme
Notre-Dame-de-Bondeville
Fontaine-sous-Préaux
la Mailleraye-sur-Seine
Anneville-Ambourville
Déville-lès-Rouen
Bois-Guillaume
Bihorel
St-Martin-du-Vivier
Roncherolles-sur-le-Vivier
Servaville-Salmonville
F. Dom. de Brotonne
Yainville
Montigny
Mont-St-Aignan
ROUEN
BOUCLES DE LA SEINE NORMANDE
St-Martin-de-Boscherville
Aizier
Ste-Croix-sur-Aizier
Heurteauville
Jumièges
Bardouville
Canteleu
le Petit-Quevilly
Darnétal
St-Jacques-sur-Darnétal
Bois-l'Évêque
St-Léger-du-Bourg-Denis
Bosc-d'Ennebourg
la Haye-de-Routot
Quevillon
Bonsecours
St-Aubin-Épinay
Bourneville
Hauville
le Landin
le Mesnil-sous-Jumièges
LE GRAND-QUEVILLY
SOTTEVILLE-LÈS-ROUEN
le Mesnil-Esnard
Franqueville-St-Pierre
Montmain
Mesnil-Raoul
la Haye-Aubrée
Yville-sur-Seine
St-Pierre-de-Manneville
Amfreville-la-Mi-Voie
Belbeuf
Boos
Routot
Barneville-sur-Seine
Mauny
Val-de-la-Haye
Petit-Couronne
Saint-Étienne-du-Rouvray
Rouen-Vallée de Seine
la Neuville-Chant-d'Oisel
Étreville
Éturqueraye
Hongueraye-Guenouville
la Trinité-de-Thouberville
Caumont
Sahurs
Hautot-sur-Seine
Grand-Couronne
St-Aubin-Celloville
Bouquetot
Rougemontiers
Bosgouet
la Bouille
Gouy
Ymare
Quévreville-la-Poterie
Cauverville-en-Roumois
Brestot
Bourg-Achard
St-Ouen-de-Thouberville
Moulineaux
Oissel
Flancourt-Catelon
Illeville-sur-Montfort
Bosc-Bénard-Crescy
Thuit-Hébert
les Authieux-sur-le-Port-St-Ouen
Pont-St-Pierre
Romilly-sur-Andelle
Appeville-Annebault
Épreville-en-Roumois
Tourville-la-Rivière
Igoville
Alizay
Pîtres
Montfort-sur-Risle
Bosc-Bénard-Commin
Bourgtheroulde-Infreville
la Londe
Orival
CLÉON
Sotteville-sous-le-Val
le Manoir
Touville
Bosc-Renoult-en-Roumois
Berville-en-Roumois
le Bosc-Roger-en-Roumois
St-Ouen-du-Tilleul
ST-AUBIN-LÈS-ELBEUF
Freneuse
Criquebeuf-sur-Seine
Pont-de-l'Arche
les Damps
Léry
Poses
Amfreville-sous-les-Monts
Écaquelon
St-Léger-du-Gennetey
Voiscreville
Thuit-Signol
Elbeuf
Martot
ST-PIERRE-LÈS-ELBEUF
Thierville
Boissey-le-Châtel
Bosguérard-de-Marcouville
Bosnormand
CAUDEBEC-LÈS-ELBEUF
Val-de-Reuil
LE NEUBOURG
Bonneville-Aptot
St-Philbert-sur-Boissey
St-Denis-des-Monts
St-Pierre-du-Bosguérard
St-Pierre-des-Fleurs
la Saussaye
St-Cyr-la-Campagne
Tostes
le Vaudreuil
Tournedos-sur-Seine
Connelles
Pont-Authou
Malleville-sur-le-Bec
Houlbec-près-le-Gros-Theil
la Haye-du-Theil
St-Amand-des-Hautes-Terres
St-Germain-de-Pasquier
le Bec-Thomas
St-Didier-des-Bois
Montaure
St-Étienne-du-Vauvray
Porte-Joie
Herqueville
St-Éloi-de-Fourques
Tourville-la-Campagne
le Gros-Theil
St-Ouen-de-Pontcheuil
la Harengère
la Haye-Malherbe
Incarville
Andé
le Bec-Hellouin
Bosrobert
St-Paul-de-Fourques
St-Meslin-du-Bosc
Fouqueville
Mandeville
Vraiville
Louviers
St-Pierre-du-Vauvray
Muids
Brionne
St-Nicolas-du-Bosc
Amfreville-la-Campagne
Crestot
Crasville
Vironvay
Calleville
la Neuville-du-Bosc
Criquebeuf-la-Campagne
Ortauville
Surville
Heudebouville
Daubeuf-la-Campagne
Quatremare
la Haye-le-Comte
Pinterville
Acquigny
Épégard
le Troncq
Hectomare
Cesseville
Ecquetot
le Mesnil-Jourdain
Fontaine-Bellenger
Franqueville
Aclou
St-Cyr-de-Salerne
A
B
C
D
1
2
3
4
5
6
A29
A13
A28
A150
A151
A154
E05
E44
E46
E402
40
41

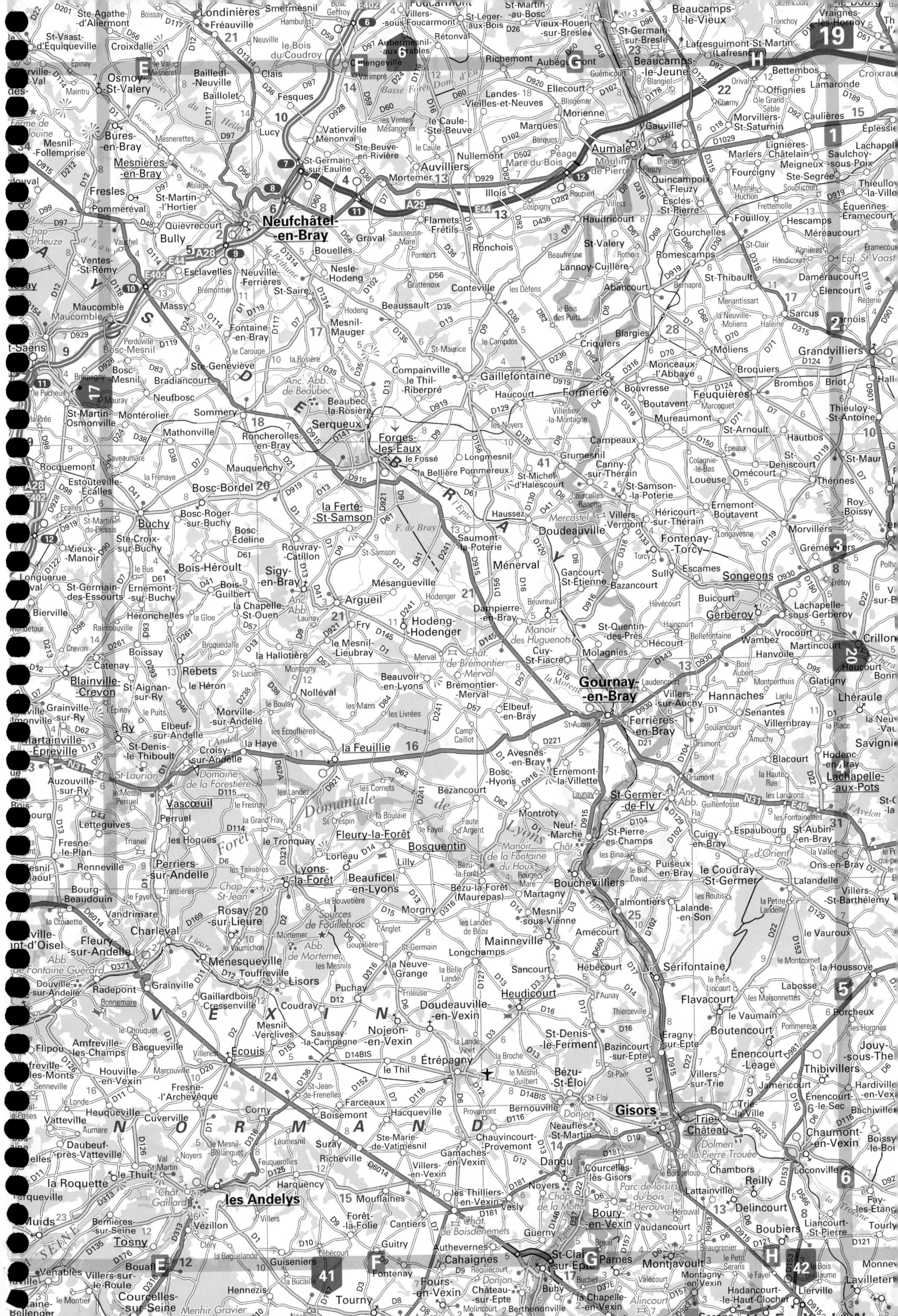

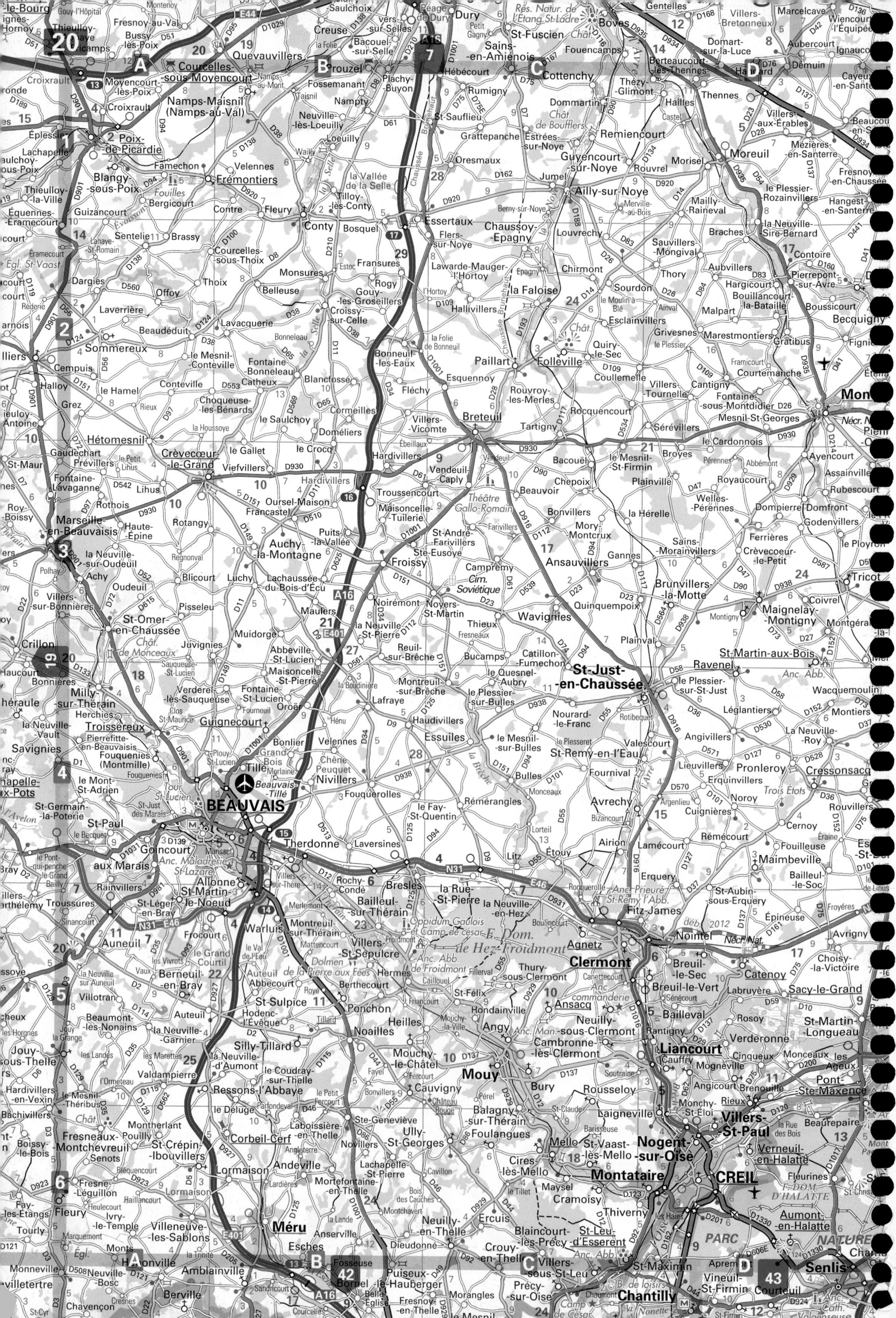

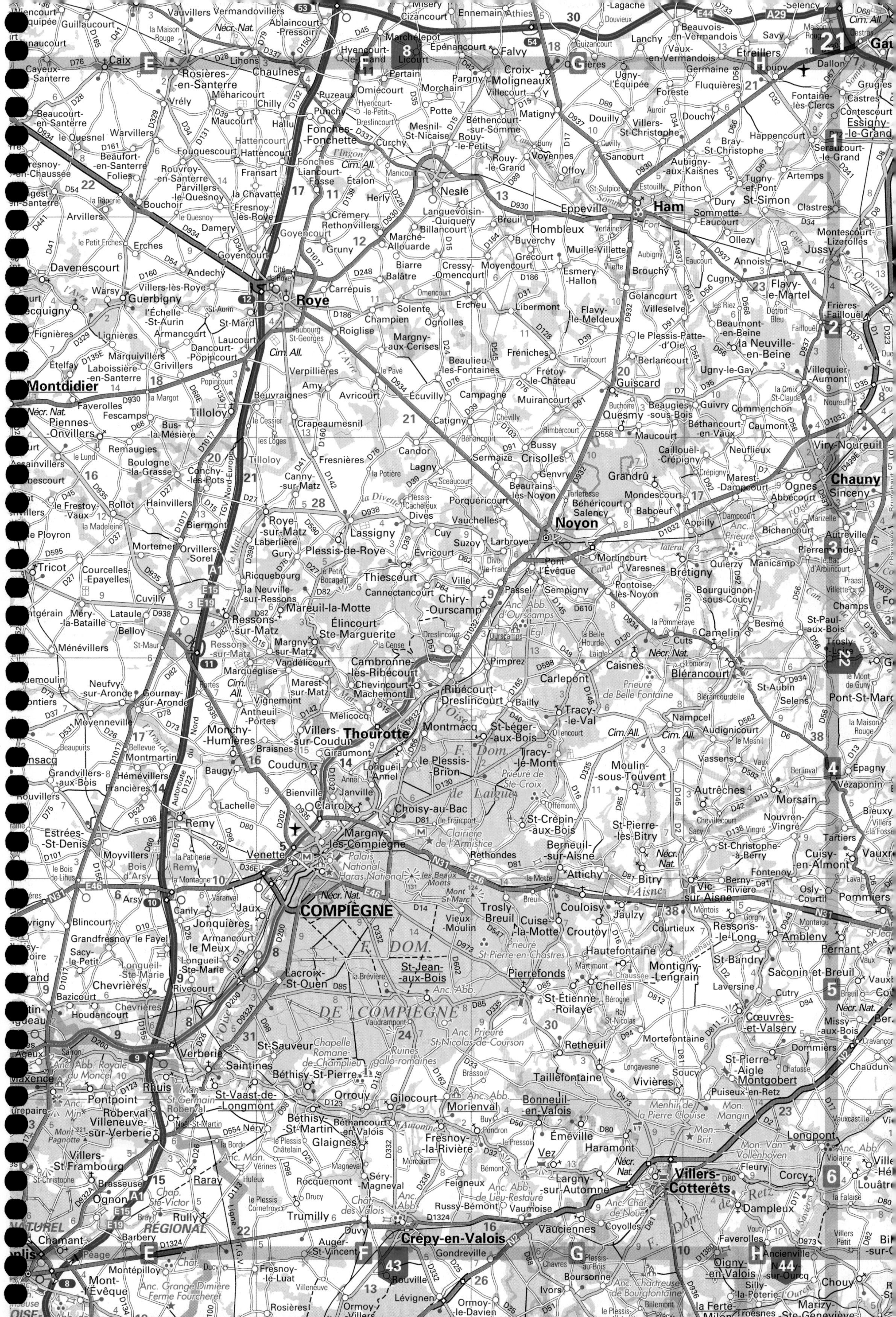

Vauvillers
Vermandovillers
Ablaincourt-Pressoir
Misery
Cizancourt
Ennemain
Athies
Lagache
Selency
Guillaucourt
Marchélepot
Hyencourt-le-Grand
Licourt
Épénancourt
Falvy
Beauvois-en-Vermandois
Vaux-en-Vermandois
Savy
Lanchy
Caix
Lihons
Chaulnes
Rosières-en-Santerre
Méharicourt
Pertain
Omiécourt
Morchain
Pargny
Croix-Moligneaux
Villecourt
Ugny-l'Équipée
Germaine
Étreillers
Dallon
Fontaine-lès-Clercs
Castres
Contescourt
Essigny-le-Grand
Grugies
Vrély
Chilly
Hallu
Puzeaux
Punchy
Fonches-Fonchette
Curchy
Potte
Mesnil-St-Nicaise
Béthencourt-sur-Somme
Matigny
Douilly
Villers-St-Christophe
Foreste
Fluquières
Douchy
Beaucourt-en-Santerre
Le Quesnel
Warvillers
Maucourt
Hattencourt
Rouy-le-Petit
Rouy-le-Grand
Voyennes
Offoy
Sancourt
Bray-St-Christophe
Aubigny-aux-Kaisnes
Happencourt
Seraucourt-le-Grand
Fresnoy-en-Chaussée
Beaufort-en-Santerre
Folies
Fouquescourt
Rouvroy-en-Santerre
Parvillers-le-Quesnoy
Fransart
Liancourt-Fosse
Étalon
Nesle
Pithon
Tugny-et-Pont
Artemps
St-Simon
Bouchoir
La Chavatte
Fresnoy-lès-Roye
Herly
Crémery
Rethonvillers
Languevoisin-Quiquery
Billancourt
Breuil
Eppeville
Ham
Sommette-Eaucourt
Dury
Clastres
Arvillers
Damery
Goyencourt
Gruny
Marché-Allouarde
Hombleux
Buverchy
Muille-Villette
Ollezy
Montescourt-Lizerolles
Jussy
Davenescourt
Erches
Andechy
Villers-lès-Roye
Biarre
Balâtre
Carrépuis
Cressy-Omencourt
Moyencourt
Grécourt
Esmery-Hallon
Brouchy
Annois
Cugny
Flavy-le-Martel
Guerbigny
Roye
L'Échelle-St-Aurin
St-Mard
Solente
Champien
Ognolles
Ercheu
Libermont
Flavy-le-Meldeux
Golancourt
Villeselve
Beaumont-en-Beine
Frières-Faillouël
Fignières
Lignières
Armancourt
Laucourt
Dancourt-Popincourt
Roiglise
Margny-aux-Cerises
Le Plessis-Patte-d'Oie
La Neuville-en-Beine
Ételfay
Laboissière-en-Santerre
Marquivillers
Grivillers
Verpillières
Beaulieu-les-Fontaines
Fréniches
Fréto y-le-Château
Berlancourt
Ugny-le-Gay
Villequier-Aumont
Montdidier
Faverolles
Fescamps
Tilloloy
Beuvraignes
Amy
Avricourt
Écuvilly
Campagne
Muirancourt
Guiscard
Quesmy
Beaugies-sous-Bois
Guivry
Commenchon
Béthancourt-en-Vaux
Caumont
Piennes-Onvillers
Bus-la-Mésière
Crapeaumesnil
Catigny
Maucourt
Viry-Noureuil
Remaugies
Boulogne-la-Grasse
Fresnières
Candor
Lagny
Sermaize
Crisolles
Bussy
Caillouël-Crépigny
Neuflieux
Chauny
Sinceny
Conchy-les-Pots
Canny-sur-Matz
Genvry
Beaurains-lès-Noyon
Grandrû
Marest-Dampcourt
Ognes
Hainvillers
Rollot
Porquéricourt
Béhéricourt
Salency
Mondescourt
Baboeuf
Abbécourt
Le Frestoy-Vaux
Biermont
Roye-sur-Matz
Laberlière
Lassigny
Dives
Vauchelles
Noyon
Appilly
Bichancourt
Autreville
Le Ployron
Mortemer
Orvillers-Sorel
Gury
Plessis-de-Roye
Cuy
Suzoy
Larbroye
Évricourt
Pierremande
Tricot
Courcelles-Epayelles
Ricquebourg
Thiescourt
Ville
Pont-l'Évêque
Morlincourt
Varesnes
Brétigny
Quierzy
Manicamp
La Neuville-sur-Ressons
Cannectancourt
Chiry-Ourscamp
Passel
Sempigny
Pontoise-lès-Noyon
Bourguignon-sous-Coucy
Cuvilly
Méry-la-Bataille
Lataule
Ressons-sur-Matz
Mareuil-la-Motte
Élincourt-Ste-Marguerite
Belloy
Ménévilliers
Camelin
Besmé
St-Paul-aux-Bois
Margny-sur-Matz
Pimprez
Cuts
Caisnes
Carlepont
Blérancourt
Vandélicourt
Cambronne-lès-Ribécourt
Marqueglise
Chevincourt
Machemont
Ribécourt-Dreslincourt
Bailly
Tracy-le-Val
St-Aubin
Selens
Pont-St-Mard
Neufvy-sur-Aronde
Gournay-sur-Aronde
Vignemont
Marest-sur-Matz
Antheuil-Portes
Mélicocq
Moyenneville
Monchy-Humières
Villers-sur-Coudun
Thourotte
Montmacq
St-Léger-aux-Bois
Tracy-le-Mont
Nampcel
Audignicourt
Braisnes
Giraumont
Coudun
Longueil-Annel
Le Plessis-Brion
Moulin-sous-Touvent
Vassens
Épagny
Vézaponin
Grandvillers-aux-Bois
Hémévillers
Francières
Baugy
Janville
Bienville
Clairoix
Choisy-au-Bac
Autrêches
Morsain
Lachelle
Remy
Estrées-St-Denis
Margny-lès-Compiègne
Venette
Clairière de l'Armistice
St-Crépin-aux-Bois
Berneuil-sur-Aisne
Rethondes
St-Pierre-lès-Bitry
Nouvron-Vingré
Tartiers
Moyvillers
Palais National
Haras National
Attichy
Bitry
St-Christophe-à-Berry
Cuisy-en-Almont
Vauxrezis
Arsy
Compiègne
Mont St-Marc
Trosly-Breuil
Couloisy
Vic-sur-Aisne
Berny-Rivière
Fontenoy
Osly-Courtil
Pommiers
Blincourt
Canly
Jaux
Jonquières
Vieux-Moulin
Cuise-la-Motte
Croutoy
Jaulzy
Courtieux
Ressons-le-Long
Ambleny
Grandfresnoy
Le Fayel
Armancourt
Le Meux
F. Dom. de Compiègne
Hautefontaine
Pernant
Sacy-le-Petit
Longueil-Ste-Marie
Lacroix-St-Ouen
St-Jean-aux-Bois
Pierrefonds
Montigny-Lengrain
St-Bandry
Saconin-et-Breuil
Chevrières
Rivecourt
Chelles
St-Étienne-Roilaye
Laversine
Cutry
Bazicourt
Houdancourt
Cœuvres-et-Valsery
Missy-aux-Bois
Verberie
St-Sauveur
Saintines
Béthisy-St-Pierre
Retheuil
Mortefontaine
Dommiers
Chaudun
Pontpoint
Rhuis
St-Vaast-de-Longmont
Orrouy
Gilocourt
Morienval
Bonneuil-en-Valois
Taillefontaine
Vivières
Soucy
St-Pierre-Aigle
Montgobert
Puiseux-en-Retz
Roberval
Villeneuve-sur-Verberie
Néry
Béthisy-St-Martin
Béthancourt-en-Valois
Glaignes
Fresnoy-la-Rivière
Éméville
Haramont
Longpont
Villers-St-Frambourg
Raray
Séry-Magneval
Rocquemont
Feigneux
Vez
Largny-sur-Automne
Villers-Cotterêts
Fleury
Corcy
Brasseuse
Ognon
Rully
Trumilly
Russy-Bémont
Vaumoise
Coyolles
Dampleux
Faverolles
Chamant
Barbery
Auger-St-Vincent
Duvy
Crépy-en-Valois
Vauciennes
Ancienville
Gondreville
Montépilloy
Mont-l'Évêque
Fresnoy-le-Luat
Rouville
Boursonne
Oigny-en-Valois
Silly-la-Poterie
Chouy
Rosières
Ormoy-Villers
Lévignen
Ormoy-le-Davien
Ivors
La Ferté-Milon
Troësnes
Marizy-Ste-Geneviève

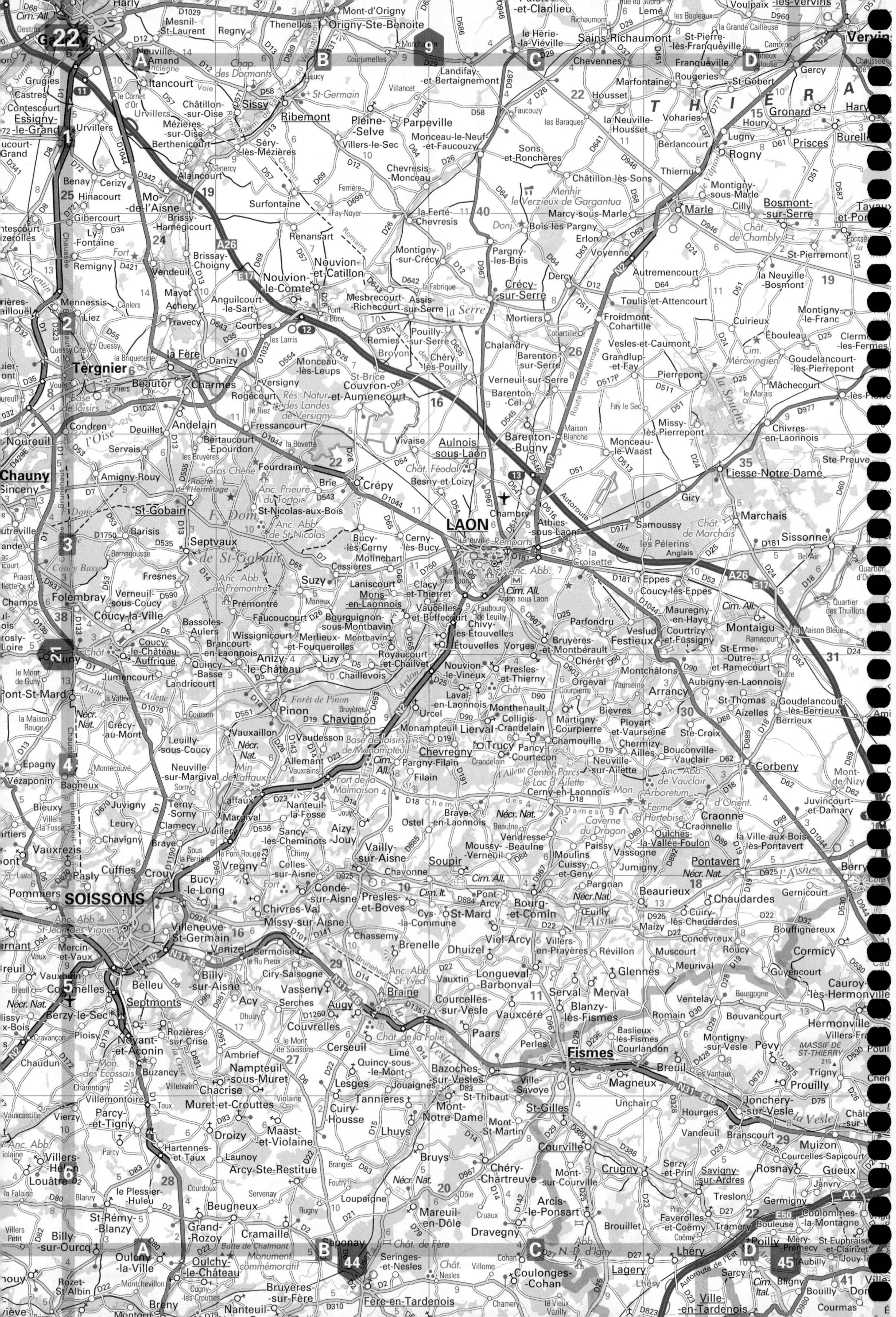

Mont-d'Origny
Thenelles
Origny-Ste-Benoite
Mesnil-St-Laurent
Regny
Neuville-St-Amand
Itancourt
Châtillon-sur-Oise
Sissy
Ribemont
Pleine-Selve
Parpeville
Landifay-et-Bertaignemont
le Hérie-la-Viéville
Sains-Richaumont
Chevennes
Marfontaine
Housset
Lemé
St-Pierre-lès-Franqueville
Franqueville
Rougeries
St-Gobert
Gercy
Vervins
T H I E R A
Gronard
Voharies
Berlancourt
Lugny
Rogny
Prisces
Burelles
Thiernu
Marle
Montigny-sous-Marle
Cilly
Bosmont-sur-Serre
Châtillon-lès-Sons
Sons-et-Ronchères
la Neuville-Housset
Monceau-le-Neuf-et-Faucouzy
Villers-le-Sec
Chevresis-Monceau
Surfontaine
Renansart
la Ferté-Chevresis
Marcy-sous-Marle
Bois-lès-Pargny
le Verzieux de Gargantua
Menhir
Erlon
Voyenne
Pargny-les-Bois
Montigny-sur-Crécy
Crécy-sur-Serre
Dercy
Autremencourt
la Neuville-Bosmont
St-Pierremont
Toulis-et-Attencourt
Froidmont-Cohartille
Mortiers
Montigny-le-Franc
Cuirieux
Ébouleau
Vesles-et-Caumont
Grandlup-et-Fay
Chalandry
Barenton-sur-Serre
Verneuil-sur-Serre
Barenton-Cel
Pierrepont
Goudelancourt-lès-Pierrepont
Mâchecourt
la Souche
Missy-lès-Pierrepont
Chivres-en-Laonnois
Monceau-le-Waast
Barenton-Bugny
Liesse-Notre-Dame
Ste-Preuve
Gizy
Marchais
Sissonne
Samoussy
les Pélerins
Essigny-le-Grand
Urvillers
Mézières-sur-Oise
Berthenicourt
Séry-lès-Mézières
Alaincourt
Benay
Cerizy
Hinacourt
Mo-de-l'Aisne
Gibercourt
Ly-Fontaine
Brissy-Hamégicourt
Remigny
Brissay-Choigny
Vendeuil
Nouvion-et-Catillon
Nouvion-le-Comte
Mesbrecourt-Richecourt
Assis-sur-Serre
la Serre
Pouilly-sur-Serre
Remies
Chéry-lès-Pouilly
Mayot
Achery
Anguilcourt-le-Sart
Travecy
Courbes
Mennessis
Liez
Tergnier
la Fère
Danizy
Monceau-lès-Leups
Versigny
Couvron-et-Aumencourt
Beautor
Charmes
Rogécourt
Rés. Natur. des Landes de Versigny
Fressancourt
Andelain
Condren
Deuillet
Chauny
Servais
Bertaucourt-Epourdon
Vivaise
Aulnois-sous-Laon
Amigny-Rouy
Fourdrain
Brie
Crépy
Besny-et-Loizy
Chambry
LAON
Athies-sous-Laon
la Croisette
St-Gobain
St-Nicolas-aux-Bois
Barisis
Septvaux
Bucy-lès-Cerny
Cerny-lès-Bucy
Molinchart
Cessières
Suzy
Laniscourt
Mons-en-Laonnois
Clacy-et-Thierret
Eppes
Coucy-lès-Eppes
Mauregny-en-Haye
Montaigu
Courtrizy-et-Fussigny
Parfondru
Veslud
Festieux
Fresnes
Verneuil-sous-Coucy
Folembray
Coucy-la-Ville
Prémontré
Faucoucourt
Bourguignon-sous-Montbavin
Vaucelles-et-Beffecourt
Chivy-lès-Étouvelles
Étouvelles
Vorges
Bruyères-et-Montbérault
Bassoles-Aulers
Wissignicourt
Merlieux-et-Fouquerolles
Coucy-le-Château-Auffrique
Brancourt-en-Laonnois
Quincy-Basse
Anizy-le-Château
Lizy
Royaucourt-et-Chailvet
Nouvion-le-Vineux
Presles-et-Thierny
Chérêt
Montchâlons
St-Erme-Outre-et-Ramecourt
Aubigny-en-Laonnois
Arrancy
Orgeval
Jumencourt
Landricourt
Chaillevois
Laval-en-Laonnois
Monthenault
Colligis-Crandelain
Martigny-Courpierre
Bièvres
Ployart-et-Vaurseine
St-Thomas
Goudelancourt-lès-Berrieux
Aizelles
Berrieux
Pont-St-Mard
Crécy-au-Mont
Pinon
Chavignon
Urcel
Monampteuil
Lierval
Trucy
Chamouille
Chermizy-Ailles
Ste-Croix
Bouconville-Vauclair
Corbeny
Vauxaillon
Vaudesson
Allemant
Chevregny
Pargny-Filain
Filain
Pancy-Courtecon
Neuville-sur-Ailette
Leuilly-sous-Coucy
Épagny
Neuville-sur-Margival
Cerny-en-Laonnois
Craonne
Craonnelle
Mont-de-Nizy
Juvincourt-et-Damary
Vézaponin
Bagneux
Juvigny
Terny-Sorny
Laffaux
Nanteuil-la-Fosse
Braye-en-Laonnois
Ostel
Vendresse-Beaulne
Oulches-la-Vallée-Foulon
la Ville-aux-Bois-lès-Pontavert
Bieuxy
Leury
Clamecy
Margival
Chavigny
Vuillery
Braye
Sancy-les-Cheminots
Aizy-Jouy
Vailly-sur-Aisne
Moussy-Verneuil
Paissy
Vassogne
Moulins
Cuissy-et-Geny
Jumigny
Pontavert
Vauxrezis
Cuffies
Crouy
Vregny
Celles-sur-Aisne
Soupir
Chavonne
Beaurieux
Chaudardes
Berry
Pasly
Pommiers
SOISSONS
Bucy-le-Long
Condé-sur-Aisne
Presles-et-Boves
Cys-la-Commune
St-Mard
Pont-Arcy
Bourg-et-Comin
Œuilly
Cuiry-lès-Chaudardes
Maizy
Gernicourt
Bouffignereux
Villeneuve-St-Germain
Chivres-Val
Missy-sur-Aisne
Chassemy
Brenelle
Dhuizel
Viel-Arcy
Villers-en-Prayères
Révillon
Concevreux
Roucy
Cormicy
Mercin-et-Vaux
Venizel
Sermoise
Billy-sur-Aisne
Ciry-Salsogne
Vasseny
Braine
Vauxtin
Longueval-Barbonval
Glennes
Muscourt
Meurival
Guyencourt
Cauroy-lès-Hermonville
Vauxbuin
Courmelles
Belleu
Septmonts
Acy
Serches
Augy
Courcelles-sur-Vesle
Vauxcéré
Serval
Merval
Blanzy-lès-Fismes
Ventelay
Bouvancourt
Hermonville
Berzy-le-Sec
Ploisy
Noyant-et-Aconin
Rozières-sur-Crise
Couvrelles
Cerseuil
Paars
Perles
Basileux-lès-Fismes
Courlandon
Fismes
Breuil
Montigny-sur-Vesle
Pévy
Villers-Franqueux
Chaudun
Buzancy
Ambrief
Nampteuil-sous-Muret
Chacrise
Quincy-sous-le-Mont
Lesges
Bazoches-sur-Vesles
Ville-Savoye
Magneux
Trigny
Prouilly
Villemontoire
Parcy-et-Tigny
Vierzy
Muret-et-Crouttes
Droizy
Maast-et-Violaine
Cuiry-Housse
Tannières
Lhuys
Mont-Notre-Dame
Mont-St-Martin
St-Gilles
Unchair
Hourges
Vandeuil
Jonchery-sur-Vesle
Branscourt
Muizon
Villers-Hélon
Louâtre
Hartennes-et-Taux
Launoy
Arcy-Ste-Restitue
Bruys
Chéry-Chartreuve
Courville
Mont-sur-Courville
Crugny
Serzy-et-Prin
Savigny-sur-Ardres
Rosnay
Gueux
Courcelles-Sapicourt
le Plessier-Huleu
St-Rémy-Blanzy
Billy-sur-Ourcq
Beugneux
Grand-Rozoy
Cramaille
Loupeigne
Mareuil-en-Dôle
Dravegny
Arcis-le-Ponsart
Brouillet
Faverolles-et-Coëmy
Treslon
Germigny
Tramery
Janvry
Coulommes-la-Montagne
Oulchy-la-Ville
Oulchy-le-Château
Saponay
Seringes-et-Nesles
Coulonges-Cohan
Lagery
Lhéry
Poilly
Sarcy
Bligny
Bouilly
Courmas
Rozet-St-Albin
Breny
Bruyères-sur-Fère
Nanteuil
Fère-en-Tardenois
Ville-en-Tardenois
St-Euphraise-et-Clairizet
Méry-Prémecy
Aubilly
A26
E17
E44
N2
N31
E46
A4
E50

Vervins
Besmont
Aubenton
Champlin
Harcy
Hannappes
Rumigny
Bossus-lès-Rumigny
Estrebay
Laval-Morency
Le Châtelet-sur-Sormonne
Sormonne
Blombay
Marby
Flaignes-Havys
Centre d'Astronomie
La Cour des Prés
Aouste
Prez
L'Échelle
Rouvroy-sur-Audry
Ham-les-Moines
Thenailles
Plomion
Jeantes
Bancigny
Harcigny
Hary
Braye-en-Thiérache
Coingt
Iviers
Mont-St-Jean
Abbaye de Bonne Fontaine
Blanchefosse-et-Bay
Logny-lès-Aubenton
Cernion
Logny-Bogny
Aubigny-les-Pothées
Remilly-les-Pothées
Nampcelles-la-Cour
Dagny-Lambercy
St-Clément
Dohis
Brunehamel
les Autels
la Férée
Liart
Lépron-les-Vallées
Vaux-Villaine
Neufmaison
St-Marcel
Clavy-Warby
Tavaux-et-Pontséricourt
Vigneux-Hocquet
Morgny-en-Thiérache
Renneval
Cuiry-lès-Iviers
Parfondeval
Archon
Dolignon
Résigny
le Fréty
Marlemont
St-Jean-aux-Bois
Maranwez
Font-Rouge
Forêt du Hailly
Thin-le-Moutier
Forêt Domaniale de Froidmont
Agnicourt-et-Séchelles
Vincy-Reuil-et-Magny
Chéry-lès-Rozoy
Ste-Geneviève
Grandrieux
Rouvroy-sur-Serre
Raillimont
Gouffre de Gibergeon
Gros Frêne
Forêt Dom. de Signy-l'Abbaye
Chaourse
Montcornet
Soize
Rozoy-sur-Serre
Vaux-lès-Rubigny
Rubigny
Rocquigny
la Romagne
Montmeillant
Signy-l'Abbaye
Dommery
Ancien Relais de Poste et de Messagerie
Jandun
Launois-sur-Vence
Raillicourt
Lislet
Noircourt
Montloué
Berlise
Fraillicourt
Chaumont-Porcien
Givron
la Neuville-lès-Wasigny
Grandchamp
Lalobbe
Draize
Wasigny
Neuvizy
Clermont-les-Fermes
Bucy-lès-Pierrepont
la Ville-aux-Bois-lès-Dizy
le Thuel
Renneville
Dizy-le-Gros
Doumely-Bégny
Mesmont
Wagnon
Viel-St-Remy
Boncourt
Lappion
Sévigny-Waleppe
Hannogne-St-Rémy
Seraincourt
Chappes
Remaucourt
Novion-Porcien
Faissault
Hagnicourt
Puiseux
St-Quentin-le-Petit
Justine-Herbigny
Hauteville
Sery
Montagne de Sery
Corny-Macheroménil
Saulces-Monclin
Cim. Brit. et All.
la Selve
Nizy-le-Comte
Banogne-Recouvrance
St-Fergeux
Son
Inaumont
Arnicourt
Auboncourt-Vauzelles
Sorcy-Bauthémont
Camp de Sissonne
le Thour
Château-Porcien
Écly
Sorbon
Bertoncourt
Faux
Lucquy
Écordal
Lor
Condé-lès-Herpy
Herpy-l'Arlésienne
Barby
Novy-Chevrières
Alland'Huy-et-Sausseuil
la Malmaison
Villers-devant-le-Thour
St-Germainmont
Taizy
Nanteuil-sur-Aisne
Rethel
Parc des Isles
Doux
Amagne
Coucy
Charbogne
Acy-Romance
Sault-lès-Rethel
Biermes
Ambly-Fleury
Givry
Gomont
Blanzy-la-Salonnaise
Balham
Thugny-Trugny
Seuil
Attigny
Amifontaine
Proviseux-et-Plesnoy
Asfeld
Aire
Avançon
Mont-Laurent
Prouvais
Cim. All.
Champ Roland
Vieux-lès-Asfeld
Perthes
Saulces-Champenoises
Avaux
St-Loup-en-Champagne
Vaux-Champagne
Guignicourt
Neufchâtel-sur-Aisne
Évergnicourt
Tagnon
Ménil-Annelles
Condé-sur-Suippe
Menneville
Brienne-sur-Aisne
Houdilcourt
Sault-St-Remy
Roizy
Bergnicourt
le Châtelet-sur-Retourne
Annelles
Variscourt
Pignicourt
Poilcourt-Sydney
l'Écaille
St-Remy-le-Petit
Neuflize
Pauvres
Berry-au-Bac
Aguilcourt
Juniville
Bignicourt
Alincourt
Dricourt
Leffincourt
Bertricourt
St-Étienne-sur-Suippe
Ville-sur-Retourne
Mont-St-Remy
Orainville
Ménil-Lépinois
Auménancourt
Boult-sur-Suippe
Bazancourt
Isles-sur-Suippe
Warmeriville
Machault
Bermericourt
Bourgogne
Loivre
Brimont
Cauroy
Aussonce
la Neuville-en-Tourne-à-Fuy
Pomacle
Fresne-lès-Reims
Heutrégiville
Mont de Merlan
Courcy
Reims-Champagne
Lavannes
St-Masmes
Hauviné
St-Clément-à-Arnes
St-Étienne-à-Arnes
St-Thierry
Witry-lès-Reims
Caurel
Selles
Pontfaverger-Moronvilliers
Bétheniville
St-Pierre-à-Arnes
Bétheny
Époye
Blanc Mont
Mémorial Américain
St-Hilaire-le-Petit
Châlons-sur-Vesle
Champigny
St-Brice-Courcelles
Berru
Cernay-lès-Reims
Nogent-l'Abbesse
Beine-Nauroy
St-Martin-l'Heureux
Sommepy-Tahure
Ste-Marie-à-Py
Tinqueux
REIMS
Ormes
Bezannes
Dontrien
St-Souplet-sur-Py
Camp de Moronvilliers
Mont Cornillet
Vaudesincourt
Cormontreuil
St-Léonard
Taissy
Fort de la Pompelle
Sillery
Trois-Puits
Champfleury
Puisieulx
Prunay
Aubérive
Nécr. Nat. Cim. All.
Villers-aux-Nœuds
Montbré
Sacy
Ville-Dommange
Prosnes
St-Hilaire-
Souain-Perthes

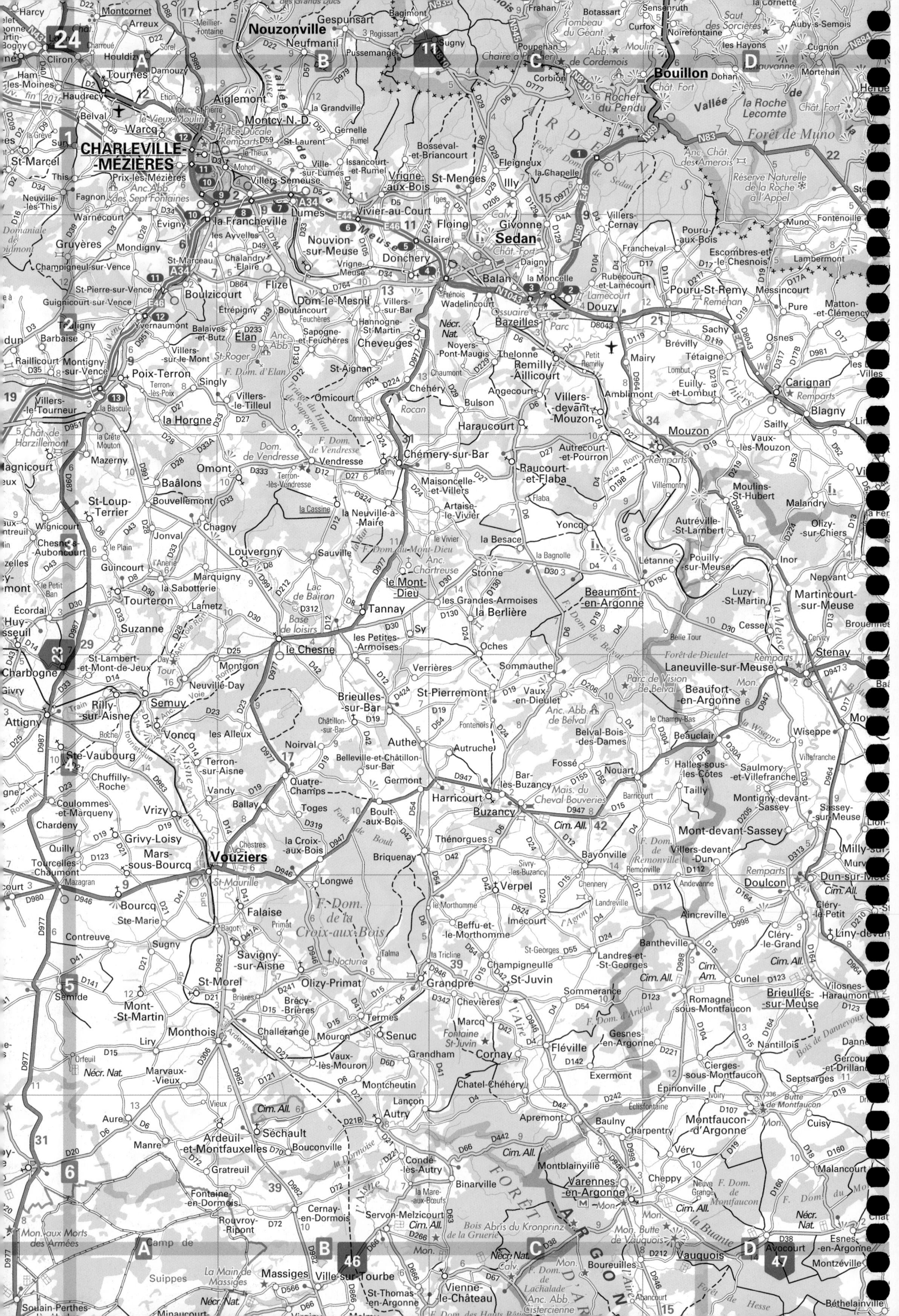

24
11
Nouzonville
Gespunsart
Neufmanil
Bouillon
Aiglemont
Montcy-N.-D.
CHARLEVILLE-
-MÉZIÈRES
Warcq
Tournes
Houldizy
Arreux
Montcornet
Prix-lès-Mézières
Villers-Semeuse
Lumes
Vrigne-aux-Bois
St-Menges
Fleigneux
Illy
Floing
Sedan
Givonne
Glaire
Balan
Donchery
Nouvion-sur-Meuse
Vivier-au-Court
la Francheville
Évigny
Gruyères
Mondigny
Warnécourt
Fagnon
St-Marcel
Flize
Boulzicourt
Dom-le-Mesnil
Élan
Cheveuges
Bazeilles
Douzy
Remilly-Aillicourt
Thelonne
Pouru-St-Remy
Messincourt
Carignan
Blagny
Mouzon
Villers-devant-Mouzon
Haraucourt
Bulson
Chéhéry
Chémery-sur-Bar
Raucourt-et-Flaba
Poix-Terron
Villers-le-Tourneur
la Horgne
Omont
Baâlons
Vendresse
St-Loup-Terrier
Louvergny
Chagny
Jonval
Tourteron
Suzanne
Tannay
le Mont-Dieu
Stonne
la Berlière
Beaumont-en-Argonne
Letanne
Inor
Martincourt-sur-Meuse
Stenay
Laneuville-sur-Meuse
Beaufort-en-Argonne
le Chesne
Oches
Sommauthe
St-Pierremont
Brieulles-sur-Bar
Authe
Semuy
Rilly-sur-Aisne
Attigny
Voncq
Ste-Vaubourg
Quatre-Champs
Germont
Buzancy
Harricourt
Vouziers
Bayonville
Mont-devant-Sassey
Doulcon
Dun-sur-Meuse
Grandpré
St-Juvin
Olizy-Primat
Termes
Senuc
Monthois
Cornay
Fléville
Exermont
Châtel-Chéhéry
Apremont
Montfaucon-d'Argonne
Varennes-en-Argonne
Cheppy
Vauquois
Avocourt
Esnes-en-Argonne
Binarville
Vienne-le-Château
Ville-sur-Tourbe
Massiges
Séchault
Ardeuil-et-Montfauxelles
Fontaine-en-Dormois
Cernay-en-Dormois
Servon-Melzicourt
Semide
Mont-St-Martin
Falaise
Savigny-sur-Aisne
St-Morel
Bourcq
Contreuve
ARDENNES
ARGONNE
FORÊT
Forêt de Muno
47
46

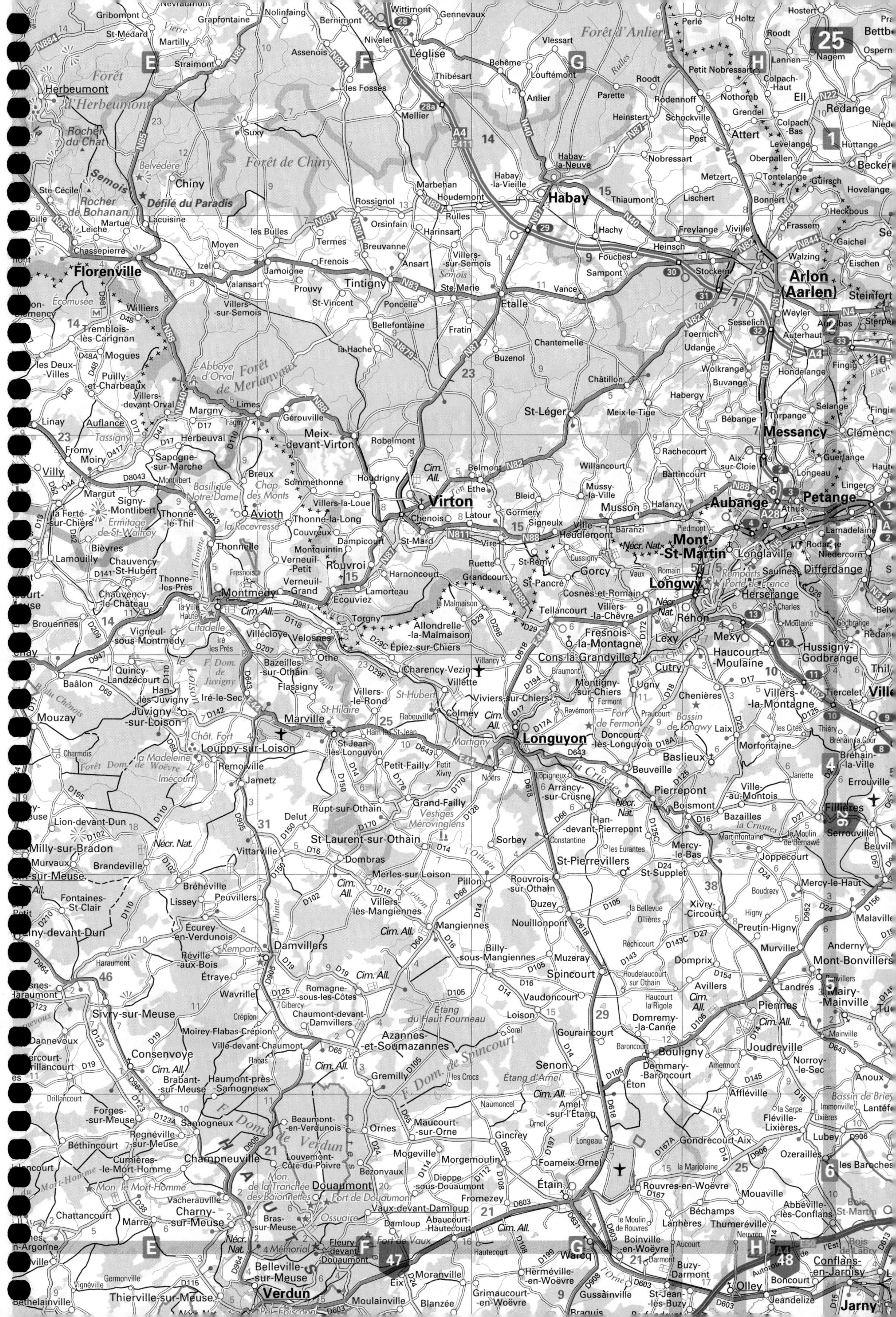

25
Gribomont
Grapfontaine
Nolinfaing
Bernimont
Wittimont
Gennevaux
St-Médard
Martilly
Nivelet
Léglise
Forêt d'Anlier
Perlé
Holtz
Hostert
Roodt
Straimont
Assenois
Vlessart
Behême
Louftémont
Thibésart
Petit Nobressart
Lannen
Nagem
Forêt d'Herbeumont
Herbeumont
les Fossés
Anlier
Parette
Roodt
Rodenhoff
Nothomb
Colpach-Haut
Ell
Redange
Mellier
Heinstert
Schockville
Grendel
Colpach-Bas
Rocher du Chat
Suxy
Post
Attert
Levelange
Huttange
Forêt de Chiny
Habay-la-Neuve
Nobressart
Oberpallen
Belvédère
Chiny
Semois
Habay-la-Vieille
Metzert
Tontelange
Guirsch
Hovelange
Ste-Cécile
Rocher de Bohanan
Défilé du Paradis
Marbehan
Houdemont
Habay
Thiaumont
Lischert
Bonnert
Heckbous
Martue
Lacuisine
Rossignol
Rulles
Orsinfain
Leiche
les Bulles
Termes
Harinsart
Hachy
Freylange
Viville
Frassem
Chassepierre
Moyen
Breuvanne
Villers-sur-Semois
Heinsch
Gaichel
Florenville
Izel
Jamoigne
Frenois
Ansart
Fouches
Stockem
Walzing
Eischen
Valansart
Prouvy
Tintigny
Sampont
Arlon (Aarlen)
Écomusée
Williers
Villers-sur-Semois
St-Vincent
Poncelle
Ste-Marie
Etalle
Vance
Steinfort
Weyler
Sesselich
Autelbas
Tremblois-lès-Carignan
Bellefontaine
Fratin
Toernich
Udange
Auterhaut
Mogues
la Hache
Chantemelle
Fingig
les Deux-Villes
Pouilly-et-Charbeaux
Abbaye d'Orval
Forêt de Merlanvaux
Buzenol
Châtillon
Wolkrange
Buvange
Hondelange
Villers-devant-Orval
Margny
Limes
Habergy
Selange
Linay
Auflance
Fagny
Gérouville
St-Léger
Meix-le-Tige
Turpange
Tassigny
Herbeuval
Meix-devant-Virton
Bébange
Messancy
Clémency
Fromy
Moiry
Sapogne-sur-Marche
Robelmont
Rachecourt
Guerlange
Villy
Montlibert
Breux
Belmont
Willancourt
Aix-sur-Cloie
Battincourt
Longeau
Basilique Notre-Dame
Chap. des Monts
Sommethonne
Houdrigny
Cim. All.
Ethe
Mussy-la-Ville
Linger
Margut
Signy-Montlibert
Villers-la-Loue
Virton
Bleid
Musson
Halanzy
Aubange
Petange
La Ferté-sur-Chiers
Thonne-le-Thil
Avioth
Thonne-la-Long
Chenois
Latour
Gormery
Signeulx
Athus
Ermitage de St-Walfroy
la Recevresse
Couvreux
Dampicourt
St-Mard
Ville-Houdlémont
Baranzi
Mont-St-Martin
Lamadelaine
Bièvres
Thonnelle
Montquintin
Vire
Nécr. Nat.
Longlaville
Rodange
Niedercorn
Lamouilly
Chauvency-St-Hubert
Verneuil-Petit
Rouvroi
Harnoncourt
Ruette
St-Rémy
Cussigny
Romain
Remparts Porte de France
Saulnes
Differdange
Thonne-les-Prés
Verneuil-Grand
Grandcourt
St-Pancré
Gorcy
Vaux
Longwy
Chauvency-le-Château
Montmédy
Écouviez
Lamorteau
Cosnes-et-Romain
Herserange
la Ville Haute
Citadelle
la Malmaison
Tellancourt
Villers-la-Chèvre
Réhon
Brouennes
Torgny
Allondrelle-la-Malmaison
Fresnois-la-Montagne
Lexy
Mexy
Vigneul-sous-Montmédy
Villécloye
Velosnes
Épiez-sur-Chiers
Cons-la-Grandville
Haucourt-Moulaine
Hussigny-Godbrange
Quincy-Landzécourt
Iré les Prés
Bazeilles-sur-Othain
Othe
Villancy
Cutry
Baâlon
F. Dom. de Juvigny
Charency-Vezin
Villette
Braumont
Montigny-sur-Chiers
Ugny
Chenières
Villers-la-Montagne
Tiercelet
Han-lès-Juvigny
Iré-le-Sec
Flassigny
Villers-le-Rond
St-Hubert
Viviers-sur-Chiers
Fermont
Fort de Fermont
Praucourt
Bassin de Longwy
Mouzay
Juvigny-sur-Loison
St-Hilaire
Flabeuville
Colmey
Revémont
Doncourt-lès-Longuyon
Laix
Morfontaine
Bréhain-la-Ville
Marville
Ham-lès-St-Jean
Longuyon
Thiéry
Charmois
Châţ. Fort
Louppy-sur-Loison
St-Jean-lès-Longuyon
Martigny
Basliieux
Beuveille
Errouville
la Madeleine
Forêt Dom. de Woëvre
Remoiville
Petit-Failly
Petit Xivry
Noërs
la Crusnes
Janette
Imécourt
Jametz
Lopigneux
Arrancy-sur-Crusnes
Pierrepont
Ville-au-Montois
Fillières
Rupt-sur-Othain
Grand-Failly
Vestiges Mérovingiens
Nécr. Nat.
Boismont
Serrouville
Lion-devant-Dun
Delut
Han-devant-Pierrepont
Bazailles
Martinfontaine
le Moulin de Bémawé
Milly-sur-Bradon
Nécr. Nat.
Vittarville
St-Laurent-sur-Othain
Sorbey
Constantine
les Eurantes
Mercy-le-Bas
Murvaux
Brandeville
Dombras
l'Othain
St-Pierrevillers
St-Supplet
Joppécourt
Merles-sur-Loison
Pillon
Rouvrois-sur-Othain
Mercy-le-Haut
Bréhéville
Cim. All.
Fontaines-St-Clair
Lissey
Peuvillers
Villers-lès-Mangiennes
Duzey
la Bellevue
Ollières
Boudrezy
Xivry-Circourt
Malaville
Liny-devant-Dun
Écurey-en-Verdunois
Cim. All.
Mangiennes
Nouillonpont
Higny
Preutin-Higny
Damvillers
Billy-sous-Mangiennes
Réchicourt
Murville
Anderny
Réville-aux-Bois
Muzeray
Domprix
Mont-Bonvillers
Haraumont
Remparts
Étraye
Romagne-sous-les-Côtes
Cim. All.
Spincourt
Houdelaucourt sur Othain
Bonvillers
Landres
Wavrille
Vaudoncourt
Aviilers
Mairy-Mainville
Sivry-sur-Meuse
Crépion
Gibercy
Chaumont-devant-Damvillers
Étang du Haut Fourneau
Loison
Haucourt la Rigole
Piennes
Moirey-Flabas-Crépion
Sorel
Domremy-la-Canne
Dannevoux
Ville-devant-Chaumont
Azannes-et-Soumazannes
F. Dom. de Spincourt
Gouraincourt
Mainville
Consenvoye
Flabas
Cim. All.
Baroncourt
Bouligny
Joudreville
Norroy-le-Sec
Gercourt-et-Drillancourt
Cim. All.
Brabant-sur-Meuse
Haumont-près-Samogneux
Gremilly
les Crocs
Étang d'Amel
Senon
Dommary-Baroncourt
Amermont
Anoux
Éton
Affléville
Drillancourt
Cim. All.
Naumoncel
Amel-sur-l'Étang
Bassin de Briey
Forges-sur-Meuse
Samogneux
Beaumont-en-Verdunois
Ornes
Maucourt-sur-Orne
Ornel
la Serpe
Immonville
Lantéfontaine
Fléville-Lixières
Béthincourt
Régnéville-sur-Meuse
F. Dom. de Verdun
Gincrey
Longeau
Gondrecourt-Aix
Lubey
Cumières-le-Mort-Homme
Champneuville
Louvemont-Côte-du-Poivre
Mogeville
Morgemoulin
Foameix-Ornel
Ozerailles
Mort-Homme
Mon. le Mort-Homme
Mon. de la Tranchée des Baïonnettes
Douaumont
Bezonvaux
Dieppe-sous-Douaumont
la Marjolaine
Étain
Rouvres-en-Woëvre
les Baroches
Vacherauville
Fort de Douaumont
Fromezey
Mouaville
Chattancourt
Marre
Charny-sur-Meuse
Bras-sur-Meuse
Ossuaire
Vaux-devant-Damloup
Damloup
Abaucourt-Hautecourt
Cim. All.
le Moulin de Rouvres
Lanhères
Béchamps
Thumeréville
Abbéville-lès-Conflans
Bois St-Martin
Esnes-en-Argonne
Nécr. Nat.
Mémorial
Fleury-devant-Douaumont
Fort de Vaux
Hautecourt
Warcq
Boinville-en-Woëvre
Aucourt
Neuvron
Conflans-en-Jarnisy
Belleville-sur-Meuse
Eix
Moranville
Herméville-en-Woëvre
Darmont
Buzy-Darmont
Boncourt
Germonville
Vignéville
Thierville-sur-Meuse
Verdun
Moulainville
Blanzée
Grimaucourt-en-Woëvre
Gussainville
St-Jean-lès-Buzy
Olley
Jeandelize
Jarny
Béthelainville

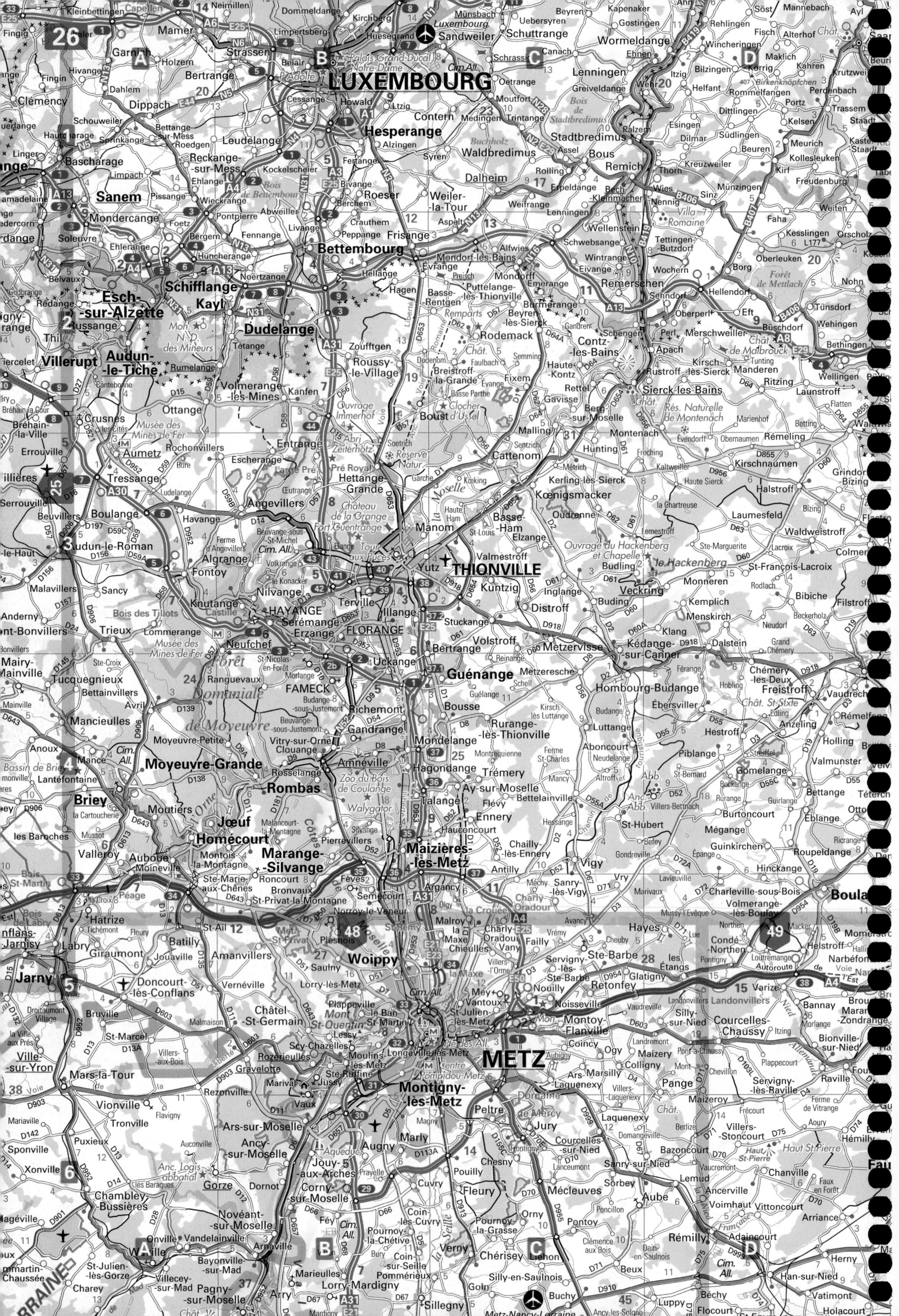

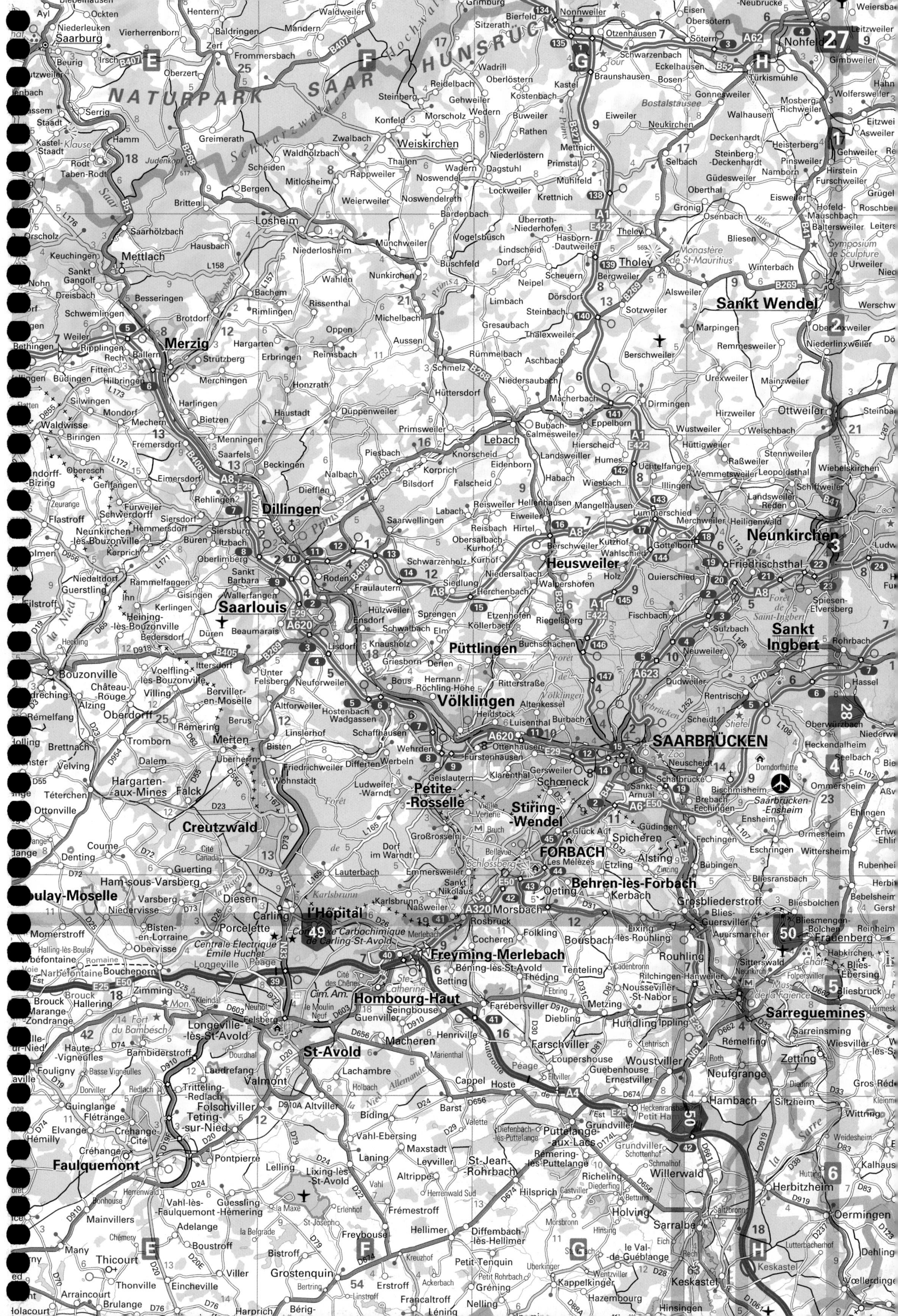

27
28
49
50
E
F
G
H
NATURPARK
SAAR HUNSRÜCK
Schwarzwälder Hochwald
Saarburg
Ockten
Niederleuken
Vierherrenborn
Hentern
Baldringen
Mandern
Waldweiler
Zerf
Frommersbach
Irsch
Beurig
Oberzerf
Serrig
Staadt
Hamm
Kastel-Staadt
Klause
Rodt
Taben-Rodt
Judenkopf
Greimerath
Scheiden
Waldhölzbach
Zwalbach
Weiskirchen
Konfeld
Morscholz
Steinberg
Reidelbach
Gehweiler
Wadrill
Oberlöstern
Kostenbach
Buweiler
Rathen
Wedern
Wadern
Dagstuhl
Thailen
Rappweiler
Mitlosheim
Bergen
Britten
Losheim
Niederlosheim
Münchweiler
Nunkirchen
Wahlen
Bachem
Rimlingen
Rissenthal
Michelbach
Oppen
Aussen
Hargarten
Erbringen
Reimsbach
Merzig
Strützberg
Merchingen
Hilbringen
Fitten
Ballern
Rech
Ripplingen
Weiler
Bethingen
Büdingen
Silwingen
Mondorf
Mechern
Harlingen
Bietzen
Menningen
Fremersdorf
Saarfels
Beckingen
Haustadt
Honzrath
Düppenweiler
Mettlach
Saarhölzbach
Hausbach
Keuchingen
Sankt Gangolf
Dreisbach
Schwemlingen
Besseringen
Brotdorf
Orscholz
Nohn
Waldwisse
Biringen
Oberesch
Gerlfangen
Eimersdorf
Rehlingen
Dillingen
Fürweiler
Schwerdorff
Siersdorf
Hemmersdorf
Siersburg
Itzbach
Büren
Neunkirchen-lès-Bouzonville
Flastroff
Zeurange
Korprich
Oberlimberg
Sankt Barbara
Rammelfangen
Niedaltdorf
Guerstling
Ihn
Gisingen
Wallerfangen
Saarlouis
Kerlingen
Heining-lès-Bouzonville
Beaumarais
Düren
Bedersdorf
Ittersdorf
Filstroff
Bouzonville
Voelfling-lès-Bouzonville
Château-Rouge
Villing
Alzing
Berviller-en-Moselle
Oberdorff
Rémelfang
Rémering
Berus
Brettnach
Tromborn
Merten
Überherrn
Dalem
Velving
Hargarten-aux-Mines
Falck
Téterchen
Ottonville
Creutzwald
Coume
Denting
Guerting
Ham-sous-Varsberg
Varsberg
Boulay-Moselle
Niedervisse
Diesen
Carling
L'Hôpital
Porcelette
Bisten-en-Lorraine
Momerstroff
Obervisse
Centrale Électrique Émile Huchet
Complexe Carbochimique de Carling-St-Avold
Longeville
Boucheporn
Narbéfontaine
Zimming
Brouck
Hallering
Marange-Zondrange
Longeville-lès-St-Avold
Haute-Vigneulles
Bambiderstroff
Fouligny
Laudrefang
Tritteling-Redlach
Folschviller
Teting-sur-Nied
Guinglange
Flétrange
Créhange
Elvange
Hémilly
Faulquemont
Pontpierre
Vahl-lès-Faulquemont
Guessling-Hémering
Mainvillers
Adelange
Many
Boustroff
Thicourt
Thonville
Viller
Eincheville
Arraincourt
Brulange
Harprich
Bérig
Grostenquin
Bistroff
Freybouse
Erstroff
Francaltroff
Léning
Nelling
Gréning
Petit-Tenquin
Hellimer
Diffembach-lès-Hellimer
Frémestroff
Altrippe
Laning
Lelling
Lixing-lès-St-Avold
Maxstadt
Leyviller
St-Jean-Rohrbach
Hilsprich
Vahl-Ebersing
Biding
Altviller
Valmont
Lachambre
St-Avold
Macheren
Henriville
Farébersviller
Seingbouse
Guenviller
Hombourg-Haut
Betting
Béning-lès-St-Avold
Freyming-Merlebach
Cocheren
Rosbruck
Morsbach
Forbach
Behren-lès-Forbach
Oeting
Kerbach
Folkling
Bousbach
Tenteling
Théding
Metzing
Diebling
Farschviller
Barst
Cappel
Hoste
Puttelange-aux-Lacs
Rémering-lès-Puttelange
Richeling
Holving
Sarralbe
Willerwald
Hundling
Ippling
Woustviller
Ernestviller
Guebenhouse
Loupershouse
Rémelfing
Neufgrange
Hambach
Siltzheim
Herbitzheim
Oermingen
Keskastel
Sarreguemines
Sarreinsming
Zetting
Wittring
Kalhausen
Rouhling
Lixing-lès-Rouhling
Grosbliederstroff
Blies-Guersviller
Auersmacher
Bliesmengen-Bolchen
Frauenberg
Habkirchen
Blies-Ébersing
Bliesbruck
Sitterswald
Bliesransbach
Kleinblittersdorf
Bübingen
Güdingen
Fechingen
Eschringen
Ormesheim
Ensheim
Saarbrücken-Ensheim
Brebach-Fechingen
Bischmisheim
Sankt Arnual
Schafbrücke
Neuscheidt
Spicheren
Alsting
Etzling
Stiring-Wendel
Schœneck
Gersweiler
Klarenthal
Petite-Rosselle
Großrosseln
Emmersweiler
Lauterbach
Dorf im Warndt
Ludweiler-Warndt
Geislautern
Fürstenhausen
Völklingen
Wehrden
Differten
Friedrichweiler
Wohnstadt
Bisten
Linslerhof
Schaffhausen
Hostenbach
Wadgassen
Altforweiler
Neuforweiler
Felsberg
Lisdorf
Ensdorf
Schwalbach
Elm
Sprengen
Hülzweiler
Knausholz
Griesborn
Derlen
Bous
Hermann-Röchling-Höhe
Püttlingen
Köllerbach
Etzenhofen
Riegelsberg
Buchschachen
Ritterstraße
Altenkessel
Luisenthal
Burbach
Heidstock
SAARBRÜCKEN
Dudweiler
Neuweiler
Sulzbach
Fischbach
Quierschied
Holz
Heusweiler
Walpershofen
Niedersalbach
Herchenbach
Siedlung
Kurhof
Obersalbach-Kurhof
Schwarzenholz
Fraulautern
Roden
Saarwellingen
Reisbach
Labach
Hirtel
Eiweiler
Berschweiler
Kutzhof
Wahlschied
Göttelborn
Merchweiler
Lummerschied
Illingen
Uchtelfangen
Wemmetsweiler
Mangelhausen
Hellenhausen
Reisweiler
Wiesbach
Habach
Humes
Landsweiler
Hierscheid
Eidenborn
Falscheid
Bilsdorf
Korprich
Knorscheid
Piesbach
Nalbach
Diefflen
Lebach
Primsweiler
Bubach-Calmesweiler
Eppelborn
Macherbach
Dirmingen
Niedersaubach
Hüttersdorf
Schmelz
Rümmelbach
Aschbach
Thalexweiler
Gresaubach
Limbach
Steinbach
Dörsdorf
Neipel
Scheuern
Dorf
Lindscheid
Vogelsbusch
Buschfeld
Bardenbach
Überroth-Niederhofen
Hasborn-Dautweiler
Tholey
Theley
Bergweiler
Sotzweiler
Alsweiler
Marpingen
Berschweiler
Urexweiler
Remmesweiler
Sankt Wendel
Mainzweiler
Ottweiler
Hirzweiler
Wustweiler
Welschbach
Hüttigweiler
Raßweiler
Stennweiler
Leopoldsthal
Wiebelskirchen
Schiffweiler
Landsweiler-Reden
Heiligenwald
Neunkirchen
Friedrichsthal
Spiesen-Elversberg
Forêt de Saint-Ingbert
Sankt Ingbert
Rohrbach
Hassel
Rentrisch
Scheidt
Oberwürzbach
Heckendalheim
Ommersheim
Wittersheim
Rubenheim
Niederlinxweiler
Oberlinxweiler
Winterbach
Urweiler
Bliesen
Oberthal
Gronig
Osenbach
Monastère de St-Mauritius
Symposium de Sculpture
Baltersweiler
Hofeld-Mauschbach
Eisweiler
Namborn
Güdesweiler
Furschweiler
Hirstein
Pinsweiler
Heisterberg
Steinberg-Deckenhardt
Deckenhardt
Selbach
Walhausen
Gonnesweiler
Neukirchen
Eiweiler
Bostalstausee
Türkismühle
Bosen
Eckelhausen
Braunshausen
Schwarzenbach
Sötern
Otzenhausen
Nonnweiler
Bierfeld
Sitzerath
Kastel
Mettnich
Primstal
Mühlfeld
Krettnich
Lockweiler
Noswendel
Noswendelreth
Weierweiler
Niederlöstern
Nohfelden
Gimbweiler
Wolfersweiler
Mosberg-Richweiler
Eitzweiler
Asweiler
Gehweiler
Eisen
Obersötern
Saarbrücken
Zoo
Forêt de Völklingen

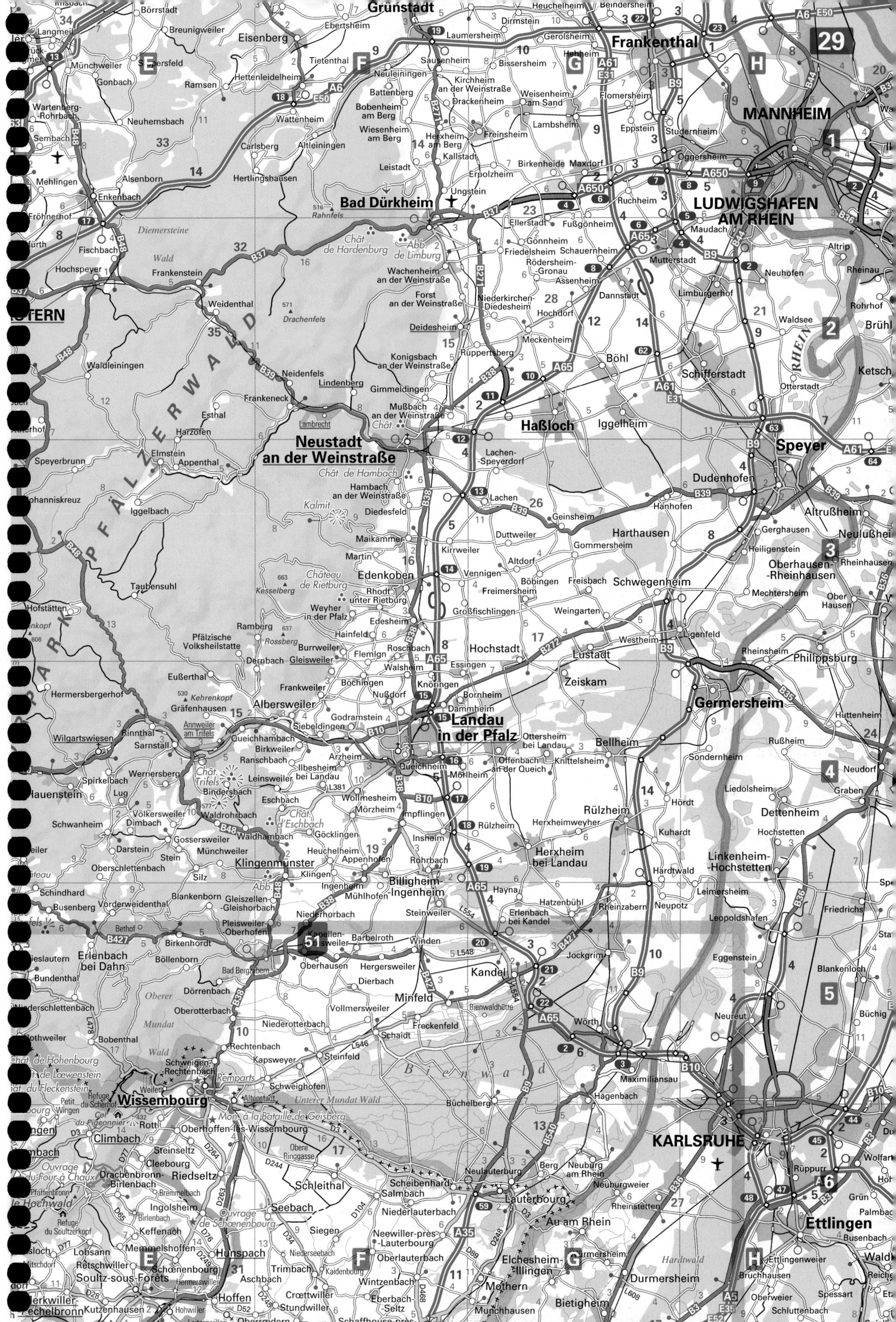

29
Grünstadt
Börrstadt
Breunigweiler
Eisenberg
Ebertsheim
Tiefenthal
Hettenleidelheim
Ramsen
Neuleiningen
Battenberg
Bobenheim am Berg
Wiesenheim am Berg
Wattenheim
Altleiningen
Carlsberg
Hertlingshausen
Leistadt
Laumersheim
Dirmstein
Gerolsheim
Heuchelheim
Beindersheim
Frankenthal
Sausenheim
Bissersheim
Kirchheim an der Weinstraße
Weisenheim am Sand
Flomersheim
Drackenheim
Lambsheim
Eppstein
Studernheim
Freinsheim
Herxheim am Berg
Kallstadt
Erpolzheim
Birkenheide
Maxdorf
Oggersheim
MANNHEIM
LUDWIGSHAFEN AM RHEIN
Ungstein
Bad Dürkheim
Rahnfels
Ruchheim
Ellerstadt
Fußgönheim
Gönnheim
Friedelsheim
Schauernheim
Maudach
Mutterstadt
Rödersheim-Gronau
Assenheim
Altrip
Rheinau
Neuhofen
Limburgerhof
Dannstadt
Châtf. de Hardenburg
Abb. de Limburg
Wachenheim an der Weinstraße
Forst an der Weinstraße
Deidesheim
Niederkirchen-Diedesheim
Hochdorf
Meckenheim
Waldsee
Rohrhof
Brühl
Ketsch
Böhl
Schifferstadt
Otterstadt
Ruppertsberg
Konigsbach an der Weinstraße
Gimmeldingen
Lindenberg
Mußbach an der Weinstraße
Châtf.
Haßloch
Iggelheim
Speyer
Lachen-Speyerdorf
Dudenhofen
Hanhofen
Lachen
Geinsheim
Altrußheim
Neulußheim
Gerghausen
Heiligenstein
Oberhausen-Rheinhausen
Mechtersheim
Harthausen
Gommersheim
Duttweiler
Kirrweiler
Altdorf
Böbingen
Freisbach
Schwegenheim
Freimersheim
Großfischlingen
Weingarten
Westheim
Lingenfeld
Lustadt
Rheinsheim
Philippsburg
Zeiskam
Germersheim
Hochstadt
Essingen
Bornheim
Dammheim
Landau in der Pfalz
Ottersheim bei Landau
Bellheim
Knittelsheim
Offenbach an der Queich
Sondernheim
Huttenheim
Rußheim
Neudorf
Graben
Liedolsheim
Dettenheim
Hochstetten
Hördt
Rülzheim
Herxheimweyher
Kuhardt
Herxheim bei-Landau
Linkenheim-Hochstetten
Hardtwald
Leimersheim
Rheinzabern
Neupotz
Hatzenbühl
Friedrichstal
Leopoldshafen
Eggenstein
Blankenloch
Büchig
Neureut
Jockgrim
Wörth
Maximiliansau
Hagenbach
KARLSRUHE
Rüppurr
Ettlingen
Ettlingenweier
Bruchhausen
Oberweier
Spessart
Schluttenbach
Busenbach
Palmbach
Grün
Wolfartsweier
Kaiserslautern
Langmeil
Münchweiler
Gonbach
Wartenberg-Rohrbach
Neuhemsbach
Sembach
Mehlingen
Enkenbach
Alsenborn
Fröhnerhof
Fischbach
Hochspeyer
Diemersteine
Wald
Frankenstein
Weidenthal
Drachenfels
PFÄLZERWALD
Waldleiningen
Neidenfels
Frankeneck
Lambrecht
Esthal
Harzofen
Elmstein
Appenthal
Speyerbrunn
Johanniskreuz
Iggelbach
Neustadt an der Weinstraße
Châtf. de Hambach
Hambach an der Weinstraße
Kalmit
Diedesfeld
Maikammer
Martin
Edenkoben
Château de Rietburg
Kesselberg
Rhodt unter Rietburg
Weyher in der Pfalz
Edesheim
Hainfeld
Roschbach
Flemlingen
Burrweiler
Gleisweiler
Rossberg
Ramberg
Pfälzische Volksheilstatte
Dernbach
Taubensuhl
Hofstätten
Eußerthal
Hermersbergerhof
Kehrenkopf
Gräfenhausen
Albersweiler
Frankweiler
Walsheim
Böchingen
Knöringen
Nußdorf
Godramstein
Siebeldingen
Annweiler am Trifels
Queichhambach
Rinnthal
Sarnstall
Wilgartswiesen
Birkweiler
Ranschbach
Arzheim
Queichheim
Mörlheim
Ilbesheim bei Landau
Leinsweiler
Châtf. Trifels
Bindersbach
Wernersberg
Spirkelbach
Hauenstein
Lug
Völkersweiler
Waldrohrbach
Dimbach
Schwanheim
Eschbach
Châtf. d'Eschbach
Wollmesheim
Mörzheim
Impflingen
Göcklingen
Waldhambach
Gossersweiler
Darstein
Stein
Münchweiler
Klingenmünster
Heuchelheim
Appenhofen
Insheim
Rohrbach
Oberschlettenbach
Silz
Klingen
Ingenheim
Mühlhofen
Billigheim-Ingenheim
Hayna
Schindhard
Blankenborn
Gleiszellen-Gleishorbach
Busenberg
Vorderweidenthal
Niederhorbach
Steinweiler
Erlenbach bei Kandel
Bethof
Pleisweiler-Oberhofen
Birkenhördt
Kapellen-Drusweiler
Barbelroth
Winden
Erlenbach bei Dahn
Böllenborn
Bad Bergzabern
Oberhausen
Hergersweiler
Kandel
Bundenthal
Dörrenbach
Dierbach
Minfeld
Niederschlettenbach
Oberer Mundat
Oberotterbach
Vollmersweiler
Bienwaldhütte
Niederotterbach
Freckenfeld
Bobenthal
Schaidt
Rechtenbach
Kapsweyer
Steinfeld
Bienwald
Châtf. de Hohenbourg
Châtf. de Lœwenstein
Châtf. du Fleckenstein
Schweigen-Rechtenbach
Remparts
Schweighofen
Weiler
Wissembourg
Altenstadt
Unterer Mundat Wald
Büchelberg
Col du Pigeonnier
Rott
Mon. à la Bataille de Geisberg
Oberhoffen-lès-Wissembourg
Climbach
Steinseltz
Cleebourg
Obere Ringgasse
Riedseltz
Ouvrage du Four à Chaux
Drachenbronn-Birlenbach
Schleithal
Scheibenhard
Salmbach
Neulauterburg
Berg
Neuburg am Rhein
Neuburgweier
Lauterbourg
Rheinstetten
Bremmelbach
Ingolsheim
Seebach
Niederlauterbach
Au am Rhein
Refuge du Soultzerkopf
Ouvrage de Schœnenbourg
Keffenach
Siegen
Neewiller-près-Lauterbourg
Memmelshoffen
Lobsann
Retschwiller
Hunspach
Niedersebach
Oberlauterbach
Kaidenbourg
Elchesheim-Illingen
Durmersheim
Hardtwald
Soultz-sous-Forêts
Schœnenbourg
Hermerswiller
Aschbach
Trimbach
Wintzenbach
Mothern
Crœttwiller
Eberbach-Seltz
Stundwiller
Munchhausen
Bietigheim
Hoffen
Kutzenhausen
Merkwiller-Pechelbronn
Hohwiller
Oberrœdern
Schaffhouse-près-Seltz
Leiterswiller
Mitschdorf

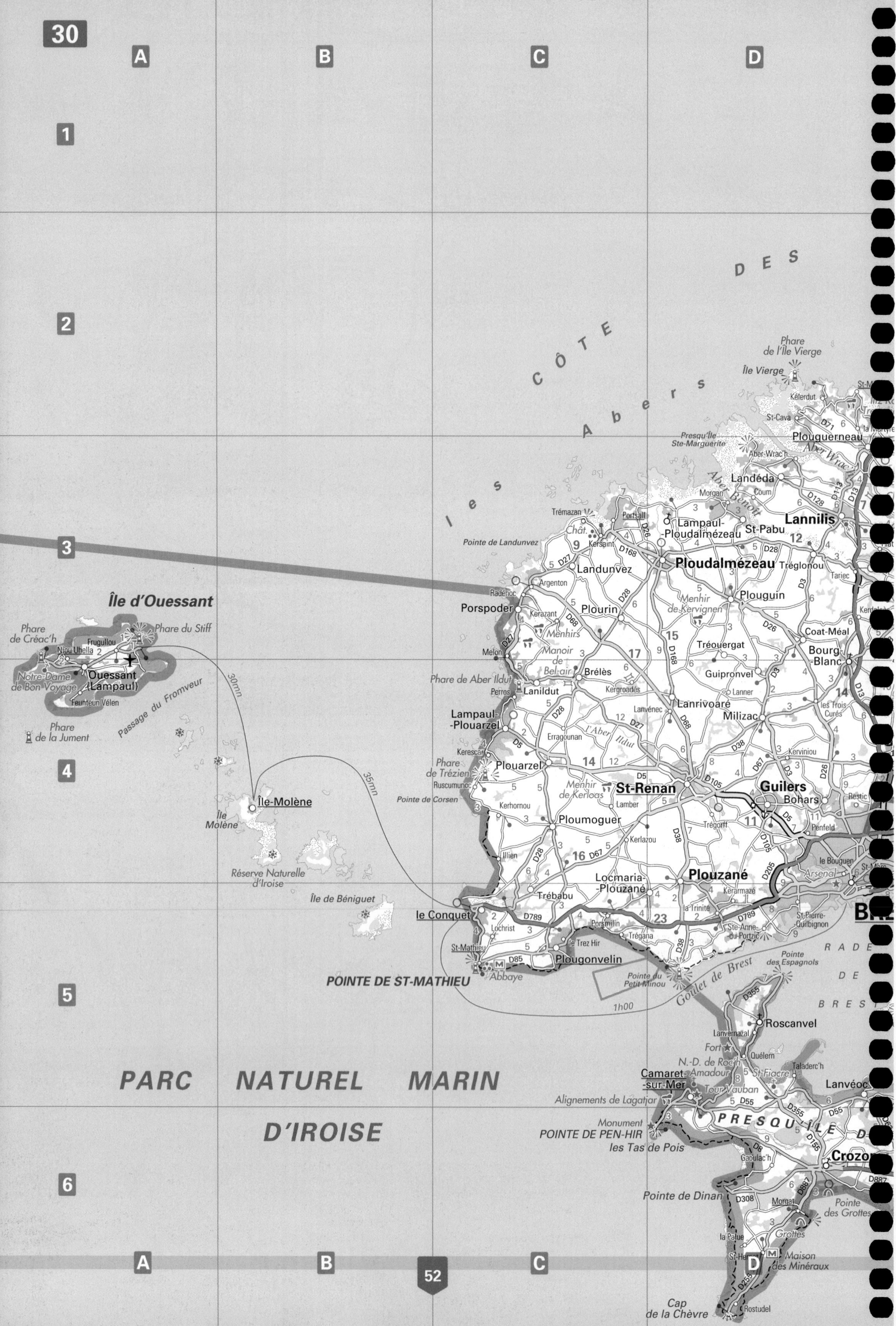
A
B
C
D
1
2
3
4
5
6
Île d'Ouessant
Phare de Créac'h
Phare du Stiff
Frugullou
Niou Uhella
Ouessant (Lampaul)
Notre-Dame de Bon Voyage
Feunteun Velen
Passage du Fromveur
Phare de la Jument
30mn
Île-Molène
Île Molène
Réserve Naturelle d'Iroise
Île de Béniguet
35mn
les Abers
CÔTE DES
Phare de l'Île Vierge
Île Vierge
Presqu'île Ste-Marguerite
Plouguerneau
Aber-Wrac'h
Landéda
Lannilis
Trémazan
Portsall
Lampaul-Ploudalmézeau
St-Pabu
Ploudalmézeau
Tréglonou
Pointe de Landunvez
Landunvez
Argenton
Porspoder
Plourin
Plouguin
Menhir de Kervignen
Menhirs
Manoir de Bel-air
Brélès
Tréouergat
Guipronvel
Coat-Méal
Bourg-Blanc
Phare de Aber Ildut
Lanildut
Lampaul-Plouarzel
Lanrivoaré
Milizac
Phare de Trézien
Plouarzel
Pointe de Corsen
Menhir de Kerloas
St-Renan
Guilers
Bohars
Plougonvelin
Ploumoguer
Locmaria-Plouzané
Plouzané
Trébabu
le Conquet
POINTE DE ST-MATHIEU
Abbaye
Pointe du Petit Minou
Goulet de Brest
1h00
Pointe des Espagnols
RADE DE BREST
Roscanvel
Camaret-sur-Mer
Alignements de Lagatjar
Monument
POINTE DE PEN-HIR
les Tas de Pois
PRESQU'ÎLE
Crozon
Lanvéoc
Pointe de Dinan
Morgat
Pointe des Grottes
Maison des Minéraux
Cap de la Chèvre
PARC NATUREL MARIN D'IROISE

E
F
G
H
1
2
3
4
5
6
LÉGENDES
Rosslare (Irlande, en saison)
Cork (Irlande, en saison)
Plymouth (Royaume-Uni)
Île de Batz
Chapelle Ste-Anne
Île-de-Batz
Roscoff
Ste-Barbe
Jardin Exotique
Baie de Morlaix
Santec
Dossen
L'Aber
Kerestat
Île Callot
Château du Taureau
St-Pol-de-Léon
Château de Kernévez
Carantec
Cairn de Barnenez
Pointe de Penn-al-Lann
Rade de Morlaix
le Camp Louis
Tévenn Kerbrat
Château de Tronjoly
Kérouzéré
Manoir de Kerlan
Moguériec
Menhir
Brignogan-Plage
Kerlouan
Lanhir
le Croazou
Porz ar Stréat
Guervihan
Kerider
Cléder
Sibiril
Plougoulm
St-Michel
Iliz Koz
Tremenec'h
le Curnic
Guissény
Kerlouan
Plounéour-Trez
Ludi Parc
Ker Emma
Plouescat
Kerlissien
Lanveur
Manoir de Créac'h Ingar
Plouénan
Lanvéguen
Henvic
Locquénolé
Lanrivan
la Martyre
Cleuz Meur
Goulven
Tréguelc'Hier
Tréflez
Lochrist
Plounévez-Lochrist
Château de Kergounadeac'h
Tréflaouénan
Ste-Catherine
Mespaul
Pont Eon
Calv.
Grouanec
Kerdélant
Château de Kerouartz
St-Frégant
Plouider
Château de Maillé
Mengleuz
Berven
Trézilidé
Kernouës
Kernilis
Pont du Châtel
Lanhouarneau
St-Vougay
Plouzévédé
Penzé
Taulé
Kerantoux
Morlaix
Prat Torchen
Lesneven
Basil.
le Folgoët
Cim. All.
Château de Kerjean
St-Laurent
Plouvorn
Croix-Neuve
Loc-Brévalaire
St-Méen
Plougar
Lambader
Croaz ar Born
Lanarvily
Trégarantec
Locmélar
St-Derrien
Plougourvest
Château de Penhoat
St-Jean Balanan
Ploudaniel
Manoir de Trébodennic
Guervenguy
Kerdalaës
Loc Maria
Plouvien
le Drennec
Kergoff
Ste Sève
St-Jaoua
Bodilis
Guiclan
Kroaz Sav Heol
Kerguéven
Kergongar
Plounéventer
Locmenven
Coatilézec
Plabennec
Narret
Trémaouézan
St-Servais
Penn Ar Vali
Motte Féodale
Keraïber
Lanneuffret
Landivisiau
Kermat
St-Thégonnec
Penvern
Kergoat
Kersaint-Plabennec
St-Thonan
Keramoal
Guernévez
Quillien
St-Éloi
Plouédern
Kerfaven
Guimiliau
Kerguélen
Pleyber-Christ
Gouesnou
Brest-Bretagne
Lampaul-Guimiliau
la Roche-Maurice
Loc-Eguiner
Créac'h ar Bleïz
Loc-Eguiner-St-Thégonnec
Kervenézec
St-Divy
Bronnennou
Guipavas
Landerneau
Ploudiry
Seiter
la Forest-Landerneau
Locmélar
Kerargant
le Mengleuz
Château de la Joyeuse Garde
Pencran
le Queff
la Martyre
St-Sauveur
Plounéour-Ménez
le Relecq-Kerhuon
Kerglouaren
Danouédel
Botlavan
St-Marc
Plouvien
l'Élorn
Tréflévénez
Lilyvon
Loc Ildut
Quillidiec
St-Jean
Le Cosquer-St-Jean
Maison de la Rivière
Roc'h Trédudon
Océanopolis
Dirinon
St-Urbain
Sizun
Kerouat
Commana
BREST
Pont A. Louppe
Bodivy
Mougau Bihan
Traouidan
le Tréhou
Ste-Christine
Calvaire
Plougastel-Daoulas
Irvillac
Croaz-Gueriel
Allée Couverte
Roc'h Trévézel
Quinoualc'h
Botmeur
Kerbérou
la Feuillée
Loperhet
les Létiez
MONTS
St-Adrien
St-Trémeur
Rostiviec
Forsquilly
Réserve Naturelle du Venec
Bréleis
Daoulas
St-Eloy
St-Cadou
St-Guénolé
Porsguen
Kernévez
St-Michel de Brasparts
Gorréquer
Goasven
Domaine de Menez Meur
Kerdéniel
Keraménez
Bodévintin
Les Vénez
St-Rivoal
Dolmen
Brennilis
Kermorvan
Hôpital-Camfrout
Pen-ar-Hoat-ar-Gorré
Anc. C. Électr.
Plouénez
Logonna-Daoulas
Kerascoët
Boudourec
Hanvec
Goaquer
Ferme des Artisans
le Moënnec
Couzanet
F. Dom. du Cranou
RÉGIONAL
Loqueffret
Anse de Poulmic
la Forêt
Landévennec
Hanvec
Rumengol
St-Guénolé
le Faou
Vieux Quimerc'h
Ossuaire
Kervez
Brasparts
Lannédern
DE CROZON
NATUR
Quimerc'h
Véridy
Calvaire
Quistillic
Crozon
PARC
Marros
Lopérec
Argol
Rosnoën
Penhuil
Tal ar Groaz
Logonna-Quimerc'h
Trégarvan
Pont Keryau
Kerivin
F. Com. d'Argol
l'Aulne
Pont-de-Buis-lès-Quimerc'h
la Douffine
le Cloître-Pleyben
Plonévez-du-Faou
Penquer
Telgruc-sur-Mer
Toul ar Gloët
Ménez Hom
St-Ségal
Ty Guen
Lézargol
Dinéault
Quillégou
Porslous
Manoir Guerveur
Pleyben
Nenvez
St-Nic
Ste-Marie du Ménez Hom
Port-Launay
Pentrez-Plage
Châteaulin
le Vieux-Bourg
Stêr ar Golven
Locunolé
St-Côme
Ty Blaise
Kerdiané
53
32
N12
E50
N165
E60
N164
D10
D788
D770
D712
D764
D30
D785
D36
D42
D18
D887

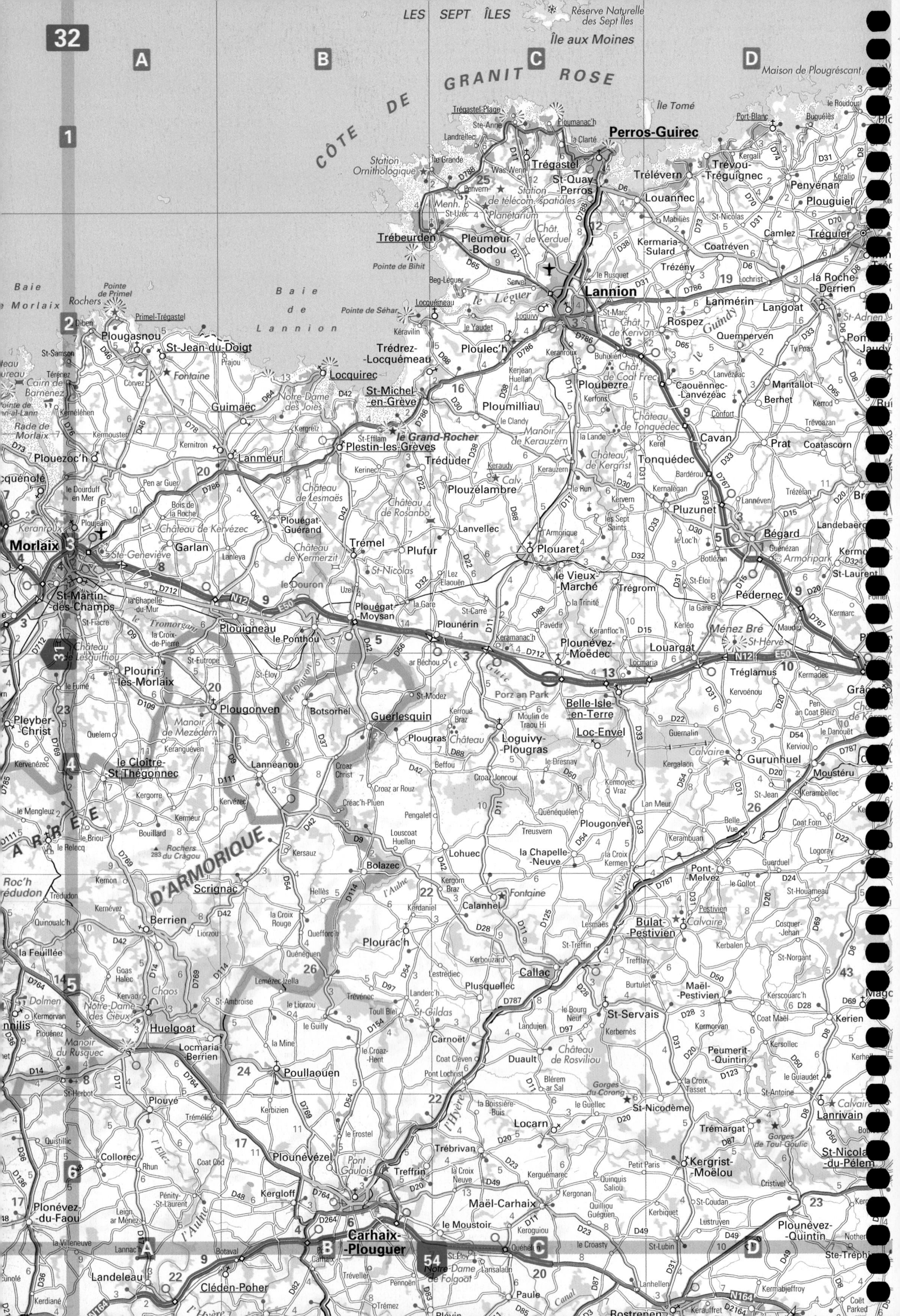
LES SEPT ÎLES
Réserve Naturelle des Sept Îles
Île aux Moines
A
B
C
D
CÔTE DE GRANIT ROSE
Maison de Plougrescant
Île Tomé
Trégastel-Plage
Ploumanac'h
Perros-Guirec
Port-Blanc
Buguélès
Le Roudour
Ste-Anne
Landrellec
La Clarté
Station Ornithologique
Île Grande
Trégastel
Trélévern
Trévou-Tréguignec
Kergall
Penvénan
Was Wenn
St-Quay-Perros
Station de télécom. spatiales
Louannec
Plouguiel
Penvern
Menh.
St-Uzec
Planétarium
Mabiliès
St-Nicolas
Camlez
Tréguier
Trébeurden
Pleumeur-Bodou
Chât. de Kerduel
Kermaria-Sulard
Coatréven
Pointe de Bihit
Trézény
Le Rusquet
Lochrist
La Roche-Derrien
Beg-Léguer
Servel
Lannion
Baie de Morlaix
Pointe de Primel
Rochers
Baie de Lannion
Pointe de Séhar
Locquémeau
le Léguer
Loguivy
Lanmérin
Langoat
Primel-Trégastel
Diben
Plougasnou
St-Jean-du-Doigt
St-Samson
Térénez
Cairn de Barnenez
Prajou
Kéravilin
Le Yaudet
Ploulec'h
St-Marc
Chât. de Kerivon
Rospez
Quemperven
le Guindy
Trédrez-Locquémeau
Keranroux
Buhulien
Chât. de Coat Frec
Caouënnec-Lanvézéac
Mantallot
Fontaine
Corvez
Locquirec
Kerjean
Huellan
Ploubezre
Berhet
Rade de Morlaix
Kernéléhen
Guimaëc
Notre-Dame des Joies
St-Michel-en-Grève
Ploumilliau
Kerfons
Château de Tonquédec
Confort
Kermouster
Kergreiz
Le Clandy
Manoir de Kerauzern
Trévoazan
St-Efflam
Le Grand-Rocher
Plouezoc'h
Kernitron
Lanmeur
Plestin-les-Grèves
La Lande
Kerel
Cavan
Prat
Coatascorn
Tréduder
Château de Kergrist
Tonquédec
Kerinec
Keraudy
Calv.
Kerauzern
Bardérou
Le Dourduff en Mer
Pen ar Guer
Plouzélambre
Le Run
Kernalégan
Trézélan
Château de Lesmaës
Château de Rosanbo
Kervern
Lannéven
Bois de la Roche
Pluzunet
Plouéjean
Plouégat-Guérand
Les Sept Saints
Landebaëron
Keranroux
Château de Kervézec
Lanvellec
l'Armorique
Le Loc'h
Bégard
Morlaix
Ste-Geneviève
Garlan
Château de Kermerzit
Trémel
Plufur
Plouaret
Guénézan
Armoripark
Lanleya
St-Nicolas
Botlézan
Le Vieux-Marché
Lez Elaouën
St-Laurent
Le Douron
Uzel
Trégrom
St-Martin-des-Champs
La Chapelle-du-Mur
La Trinité
St-Éloi
Pédernec
Plouégat-Moysan
La Gare
St-Carré
La Gare
Kermarc
St-Fiacre
Tromorgan
Plouigneau
Pavédir
Kerléo
Maudez
Ménez Bré
La Croix-de-Pierre
Le Ponthou
Plounérin
Keranflec'h
St-Hervé
Château de Lesquiffiou
Keramanac'h
Plounévez-Moëdec
Louargat
St-Eutrope
Ar Bréchou
Locmaria
Plourin-lès-Morlaix
St-Éloy
Tréglamus
Kermadec
Le Fumé
St-Modez
Porz an Park
Kervoénou
Grâces
Plougonven
Botsorhel
Kerroué Braz
Moulin de Traou Hi
Belle-Isle-en-Terre
Pen an Coat Bleiz
Pleyber-Christ
Guerlesquin
Le Danouët
Quelern
Manoir de Mezédern
Plougras
Château
Loguivy-Plougras
Guernalin
Kerviou
Kervénézec
Keranguéven
Loc-Envel
Calvaire
Le Cloître-St-Thégonnec
Lannéanou
Croaz Christ
Beffou
Le Bresnay
Gurunhuel
Moustéru
Kergalaon
Kergorre
Croaz Joncour
Croaz ar Rouz
Kermoyec Vraz
St-Jean
Kerambellec
Créac'h-Pluen
Le Mengleuz
Kervézec
Pengalet
Quénéquélen
Lan Meur
Belle Vue
Coat Forn
Monts d'Arrée
Kermeur
Plougonver
Bouillard
Louscoat Huellan
Treusvern
Kerambuan
Logoray
Le Briou
Le Relecq
Rochers du Cragou
D'ARMORIQUE
Kersauz
Lohuec
La Chapelle-Neuve
La Croix Kermen
Guerduel
Bolazec
Pont-Melvez
Le Gollot
Roc'h Trédudon
Kernon
Trédudon
Scrignac
Hellès
l'Aulne
Kergorn Braz
Fontaine
St-Houarneau
Kernévez
Berrien
Kerdaniel
Calanhel
Pestivien
Quinoualc'h
La Croix Rouge
Bulat-Pestivien
Cosquer-Jehan
Liorzou
Quefforc'h
Calvaire
La Feuillée
Plourac'h
Lesmaës
Kerbalen
Goas Halec
Quénéquen
St-Treffin
Trefflay
St-Norgant
Chaos
Lemézec Izella
Kerbouzard
Callac
Plusquellec
Burtulet
Maël-Pestivien
Kervao
Dolmen
Notre-Dame des Cieux
St-Ambroise
Lestrédiec
Landerc'h
Trévénec
Le Liorzou
Toull Blei
St-Gildas
Kerscouarc'h
Magoar
Kermorvan
Plouénez
Huelgoat
Le Guilly
Le Bourg Neuf
St-Servais
Coat Maël
Kerien
Manoir du Rusquec
La Mine
Carnoët
Landujen
Kerbernès
Kermorvan
Locmaria-Berrien
Le Croaz-Hent
Coat Cleven
Duault
Château de Rosviliou
Peumerit-Quintin
Kersollec
St-Herbot
Poullaouen
Pont Lochrist
Blérem ar Sal
La Croix Tasset
Le Guiaudet
Gorges du Corong
St-Antoine
Plouyé
Kerbizien
La Boissière-Buis
Le Guellec
St-Nicodème
Calvaire
Tréméléc
Locarn
Lanrivain
Quistillic
Le Frostel
Trémargat
Gorges de Toul-Goulic
Collorec
l'Ellez
Coat Cod
Plounévézel
Pont Gaulois
Trébrivan
Petit Paris
Kergrist-Moëlou
St-Nicolas-du-Pélem
Rhun
Treffrin
La Croix Neuve
Kerguémarec
Quinquis Saliou
Cristivel
Pénity-St-Laurent
Kergloff
Kergonan
Plonévez-du-Faou
Leign ar Ménez
Maël-Carhaix
Quillioù Guégiien
St-Coudan
Kerbiquet
Lustruyen
Plounévez-Quintin
Le Moustoir
Keroguiou
l'Aulne
La Villeneuve
Lannac'h
Botaval
Carhaix-Plouguer
Quénéah
Le Croasty
St-Lubin
Ste-Tréphine
Notre-Dame de Folgoat
St-Éloy
Lansalaün
Landeleau
Cléden-Poher
Tréveller
Pennoën
Paule
Canal
Lanhellen
Kermabjeffroy
Coët Parked
Kerdiané
Trémez
Rostrenen
Kerauffret
l'Hyère

33
E
F
G
H
1
2
3
4
5
6
34
55
Pointe du Château
Sillon de Talbert
Monument
Porz Bugalé
Plougrescant
Brestan
St-Antoine
Lanros
l'Armor
Centre d'études
et de valorisation
des algues
Phare du Paon
Île de Bréhat
Île-de-Bréhat
St-Michel
Pleubian
Chaire
St-Gonéry
Kerbors
Lanmodez
le Paradis
Kermouster
la Roche Jaune
St-Adrien
Pleumeur-Gautier
Loguivy
Lannévez
Pointe de l'Arcouest
Côte de Goëlo
Kerautret
Kermenguy
Perros Hamon
Porz Even
Trédarzec
Lézardrieux
Placen al Louédec
Ploubazlanec
Minihy-Tréguier
Pleudaniel
Kergrist
Paimpol
Plounez
Kerity
Abbaye de Beauport
Pointe de Plouézec
Pointe de Minard
Pouldouran
Moulin à Marée
Troguéry
Boloï
Lancerf
Hengoat
Pommerit-Jaudy
Plourivo
Lézoën
le Vieux Bourg
St-Riom
Plouézec
Kerfot
le Questel
la Madeleine
Ploëzal
la Roche Jagu
Kermaria
Bréhec
Runan
Pontrieux
Kervoquin
Yvias
le Danot
Kerberzo
Lanloup
Quemper-Guézennec
Temple
Manoir de la Noë Verte
Port-Moguer
Trévos
Kerouziel
le Faouët
Lanleff
St-Jacques
Pléhédel
Plouëc-du-Trieux
le Cabaret
Manoir de Boisgelin
Kergresquen
Kermaria
Run Bellec
St-Laurent
Plouha
le Palus
Tréméven
Pludual
Brélidy
St-Clet
St-Gilles-les-Bois
Trévérec
Lannebert
St-Yves
Tréveneuc
St-Quay
Château de Lizandre
Perhempoëns
le Guern Braz
Gommenec'h
le Leff
Squiffiec
St-Barnabé
BAIE DE ST-BRIEUC
Pommerit-le-Vicomte
Lanvollon
Pléguien
le Carrefour
St-Quay-Portrieux
Trégonneau
le Roha
Plourhan
Tressignaux
Étables-sur-Mer
le Vieux Poirier
Kermilon
le Paradis
la Ville Quimin
Côte
St-Antoine
Lantic
St-Roch
Kervaudry
Goudelin
Tréguidel
Kervélard
Binic
Pointe de Pléneuf
St-Yves
Plouisy
Pabu
Château de la Grande-Ville
Notre-Dame de la Cour
le Bourgneuf
Guingamp
le Merzer
St-Quay
la Cordérie
le Vaudic
la Ville Rouault
Grève des Rosaires
le Val-André
Dahouët
St-Jean
Kergoz
Bringolo
la Ville-Urvoy
Zoo
Grâces
St-Agathon
St-Jean-Kerdaniel
Plélo
St-Jean du Temple
Trégomeur
Pordic
Château de Kerano
Ploumagoar
Guern ar Punso
Tréméloir
St-Éloy
les Rosaires
Locmaria
Plouagat
Châtelaudren
St-Brieuc-Armor
Martin
Pointe du Roselier
St-Hernin
le Bouillon
le Roselier
la Cotentin
le Poirier
Coadout
Kerroniou
Resmarec
Château Goëlo
Plérin
St-Laurent
Réserve Naturelle
Croix Prigent
Terrarium
Seignaux
les Mines
Colombier
Planguenoual
Runanbuan
Lanrodec
Trémuson
Maison de la Baie
la Grandville
St-Roch
Kergabel
Kerhamon
Plerneuf
ST-BRIEUC
St-Ilan
Hillion
Croix
Morieux
Kergouan
Avaugour
Plouvara
St-Hervé
Colombier
St-Adrien
Kernaour
St-Ignace
la Ville Gontier
Bourbriac
Senven
Crimpelet
la Méaugon
Langueux
Licantois
St-Péver
Boqueho
Ploufragan
Coëtmieux
Boudehen
Manoir de Toul-an-Golet
Notre-Dame de Restudo
Crec'h Metern
St-Donan
Trégueux
Yffiniac
St-René
Andel
la Ville Blanche
Kerpery
St-Fiacre
Tumulus
la Croix Bertrand
le Créac'h
Yffiniac
Hara Nation
Plésidy
Kerdaniélou
Cohiniac
Château de la Ville Daniel
Pommeret
Château de Beaumanoir
Launay
Plaine-Haute
St-Julien
Camp Romain
Carnonen
Cailouan
le Leslay
Coldégroëg
Senven-Léhart
Pledran
Château de Cargouët
l'Hôpital
le Foeil
Meslin
Crézouard
l'Étang Neuf
Coldabry
St-Quihouët
St-Connan
St-Gildas
Château de la-Noë Sèche
Magoar
Abb. de Coat Malloue
Crénan
Mauguerand
le Hirel
la Houssaye
Trégenestre
Quessoy
Kerien
Quintin
Plaintel
Landéhen
St-Gilles-Pligeaux
la Ville Juhel
St-Guihen
la Gare
Catuélan
la Ville Commaux
le Vau Jaune
St-Brandan
Bogard
Kerhello
Penfel
le Vieux-Bourg
Château de Robien
Carestiemble
St-Carreuc
Château du Colombier
Bréhand
Kerpert
le Sulon
St-Bihy
Lanvia
7 la Ville-ès-Bruyères
Caradeuc
le Coudray
Caribet
Hénon
St-Trimoël
Ker-Anna
Calvaire
le Morboux
le Pas
St-Daman
Lanfains
Forêt de Lorge
le Chênetel
le Port Martin
la Ville-ès-Renault
Château de la Touche Trébry
Bothoa
Canihuel
la Croix
Château de Lorge
Moncontour
Trédaniel
Trébry
le Haut-Corlay
la Harmoye
St-Laurent
Pelem
le Bodéo
l'Hermitage-Lorge
Ploeuc-sur-Lié
Plémy
Notre-Dame du Haut
Corlay
Bel-Orient
le Bourgneuf
Bel-Air
le Bout du Pont
Kergoff
St-Éloi
Allineuc
Pourhon
la Tantouille
Notre-Dame de la Croix
la Ville Doualan
Goasnoat
Tréguestin
St-Martin-des-Prés
les Forges
Bosméléac
la Jubinière
St-Mieux
Notheret
St-Igeaux
Plussulien
le Ponto
la Porte-aux-Moines
Gausson
Caupé
Guerlézan
Chapelle St-Jean
St-Udy
Pohon
le Rohanno
le Poteau-St-Yves
Merléac
Uzel
le Chauchix
Plouguenast
Langast
Daoulas
Quelfénec
St-Jacques
St-Hervé
Bossiguel
Plessala
Coët Parked
St-Delon
St-Léon
les Aunaies
le Vieux Bourg
le Bocage
N12
E50
E401
Trieux
l'Oust
l'Urne

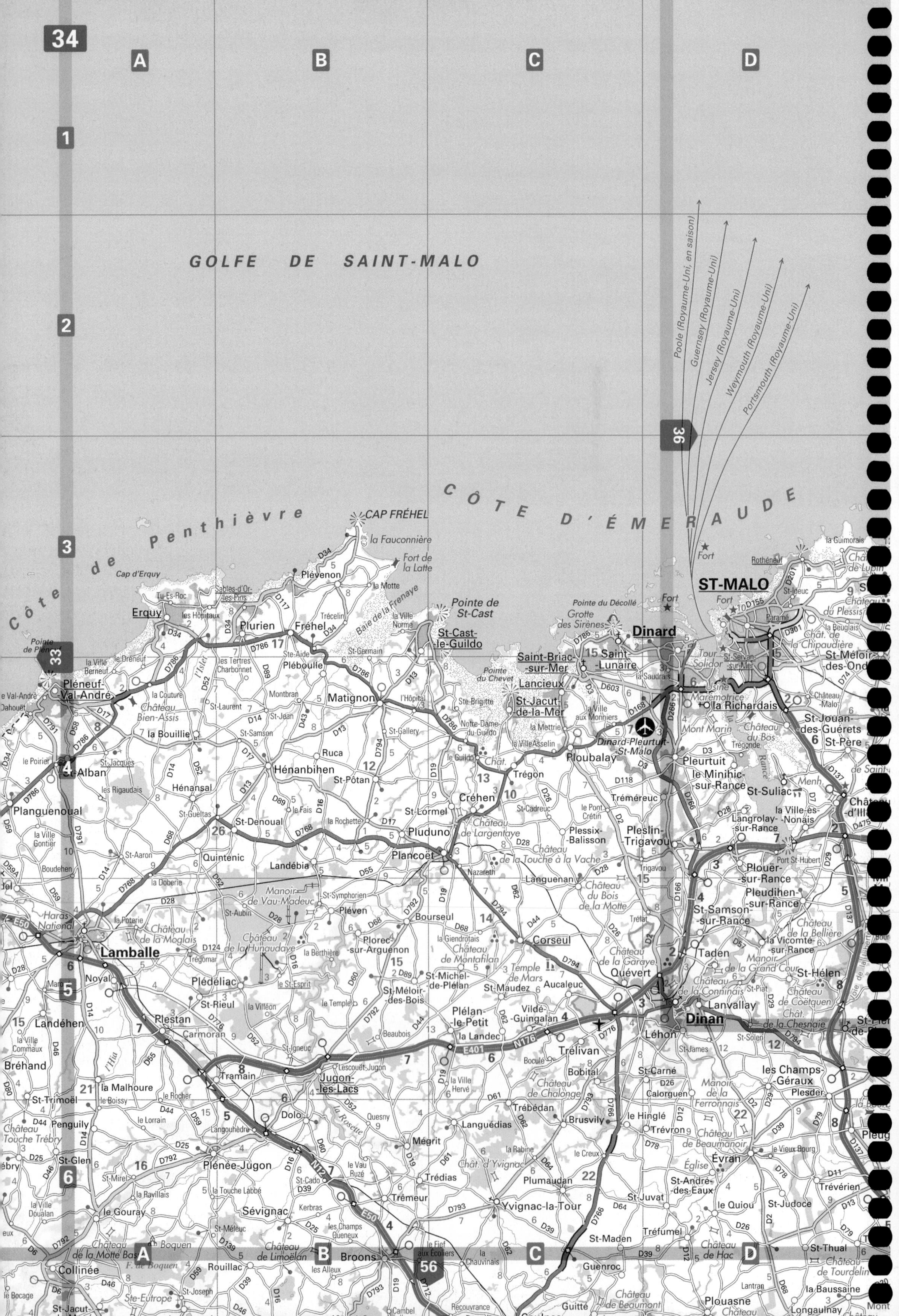

34
A
B
C
D
1
2
3
4
5
6
GOLFE DE SAINT-MALO
Poole (Royaume-Uni, en saison)
Guernsey (Royaume-Uni)
Jersey (Royaume-Uni)
Weymouth (Royaume-Uni)
Portsmouth (Royaume-Uni)
36
CÔTE D'ÉMERAUDE
Côte de Penthièvre
CAP FRÉHEL
la Fauconnière
Fort de la Latte
Cap d'Erquy
Plévenon
la Motte
Baie de la Frenaye
Tu-Es-Roc
Sables-d'Or-les-Pins
Erquy
les Hôpitaux
Plurien
Fréhel
Trécelin
la Ville Norme
Pointe de St-Cast
St-Cast-le-Guildo
Pointe de Pléneuf
33
la Ville Berneuf
le Dreneuf
les Tertres Charbonnet
Ste-Aide
Pléboulle
St-Germain
Pléneuf-Val-André
Val-André
Dahouët
la Couture
Château Bien-Assis
St-Laurent
Montbran
Matignon
l'Hôpital
Ste-Brigitte
Notre-Dame-du-Guildo
Pointe du Chevet
St-Jacut-de-la-Mer
Lancieux
Saint-Briac-sur-Mer
Saint-Lunaire
Pointe du Décollé
Grotte des Sirènes
Dinard
Fort
ST-MALO
Rothéneuf
la Guimorais
Paramé
St-Ideuc
Château du Plessis
la Beuglais
Chât. de la Chipaudière
St-Méloir-des-Ondes
St-Servan-sur-Mer
Tour Solidor
la Saudrais
Usine Marémotrice
la Richardais
Château-Malo
St-Jouan-des-Guérets
St-Père
Mont Marin
Château du Bos
Trégonde
Dinard-Pleurtuit-St-Malo
Pleurtuit
le Minihic-sur-Rance
St-Suliac
Menh.
la Ville-ès-Nonais
Château d'Ille
Langrolay-sur-Rance
Port St-Hubert
Plouër-sur-Rance
Pleudihen-sur-Rance
Château de la Bellière
la Vicomté-sur-Rance
St-Samson-sur-Rance
Taden
Manoir de la Grand'Cour
St-Hélen
Château de Coëtquen
Château de la Conninais
St-Piat
Lanvallay
Chât. de la Chesnaie
Dinan
Léhon
St-Solen
les Champs-Géraux
Plesder
la Ville Asselin
la Mettrie
la Ville aux Monniers
Ploubalay
Trégon
le Guildo
Chât.
Créhen
St-Cadreuc
le Pont Crétin
Tréméreuc
Plessix-Balisson
Pleslin-Trigavou
Trigavou
Château de la Touche à la Vache
Château de Largentaye
Languenan
Château du Bois de la Motte
Trélat
Château de la Garaye
Quévert
Corseul
Temple de Mars
Aucaleuc
Vildé-Guingalan
Trélivan
St-Maudez
St-Gallery
Ruca
Hénanbihen
St-Pôtan
St-Lormel
Pluduno
Plancoët
Nazareth
la Rochette
le Fais
St-Denoual
Hénansal
les Rigaudais
St-Jacques
St-Alban
St-Samson
St-Jean
la Bouillie
le Poirier
Planguenoual
St-Guéltas
Quintenic
Landébia
St-Aaron
Boudehen
la Ville Gontier
la Doberie
Manoir de Vau-Madeuc
St-Symphorien
Pléven
St-Aubin
Bourseul
la Giendrotais
Château de Montafilan
Plorec-sur-Arguenon
la Berthière
Château de la Hunaudaye
Château de la Moglais
la Poterie
Haras National
Lamballe
Trégomar
Noyal
Pledéliac
le St-Esprit
St-Michel-de-Plélan
St-Méloir-des-Bois
le Temple
St-Rieul
la Villéon
Plestan
Carmoran
Beaubois
Plélan-le-Petit
la Landec
St-Igneuc
Lescouët-Jugon
Jugon-les-Lacs
Tramain
Landéhen
la Ville Commaux
Bréhand
la Malhoure
le Rocher
le Boissy
St-Trimoël
Château Touche Trébry
Penguily
le Lorrain
Langouhèdre
Dolo
la Rosette
Quesny
Boculé
Château de Chalonge
Bobital
St-Carné
Calorguen
Manoir de la Ferronnais
Trébédan
Brusvily
Languédias
le Hinglé
Trévron
Château de Beaumanoir
Évran
le Vieux Bourg
Mégrit
la Rabine
Chât. d'Yvignac
le Creux
Église
St-André-des-Eaux
Plumaudan
Trédias
la Ville Hervé
St-Glen
Plénée-Jugon
St-Mirel
la Touche Labbé
la Ravillais
le Gouray
la Ville Doualan
Sévignac
Kerbras
St-Cado
le Vau Ruzé
Trémeur
Yvignac-la-Tour
St-Juvat
le Quiou
St-Judoce
Trévérien
les Champs Queneux
St-Méleuc
Château de la Motte Basse
Boquen
Château de Limoëlan
Broons
le Fief aux Écoliers
la Chauvinais
St-Maden
Tréfumel
Château de Hac
St-Thual
Château de Tourdelin
Collinée
F. de Boquen
Rouillac
les Alleux
56
Guenroc
St-Joseph
Ste-Eutrope
le Bocage
St-Jacut-du-Mené
Cambel
Recouvrance
Guitté
Château de Beaumont
Plouasne
Lantran
la Baussaine
Longaulnay
Caulnes
E50
N12
E401
N176

E
F
G
H
35
Grande Île
Îles Chausey
Hauteville-sur-Mer
Annoville
Hérenguerville
Quettreville-sur-Sienne
Trelly
Guéhébert
le Mesnil-Aubert
Grimesnil
Muneville-sur-Mer
Lengronne
St-Denis-le-Gast
Bricqueville-sur-Mer
Cérences
la Baleine
Bréhal
Chanteloup
Gavray
Coudeville-sur-Mer
le Mesnil-Amand
Bréville-sur-Mer
Donville-les-Bains
Longueville
Hudimesnil
le Loreur
le Mesnil-Rogues
le Mesnil-Garnier
Granville
Pointe du Roc
Remparts
Yquelon
Anctoville-sur-Boscq
St-Sauveur-la-Pommeraye
la Meurdraquière
le Mesnil-Villeman
Fleury
Équilly
St-Pair-sur-Mer
St-Planchers
St-Jean-des-Champs
Folligny
Beauchamps
Champrepus
Hocquigny
la Lande-d'Airou
St-Aubin-des-Préaux
la Haye-Pesnel
Bourguenolles
St-Pierre-Langers
Anc. Abb. de la Lucerne
la Mouche
Jullouville
la Lucerne-d'Outremer
Champcervon
les Chambres
Carolles
la Roche-Normande
Cabane Vauban
Angey
Sartilly
Ste-Pience
Champeaux
St-Jean-le-Thomas
Montviron
Subligny
le Luot
Falaises de Champeaux
Lolif
Champcey
Chavoy
Plomb
Pointe du Grouin
Île des Landes
Basse Cancale
Pointe de la Chaîne
Dragey-Ronthon
Chât. de Brion
Bacilly
Marcey-les-Grèves
St-Jean-de-la-Haize
Tirepied
BAIE
Cancale
St-Coulomb
Ponts
St-Brice
St-Senier-sous-Avranches
Bec d'Andaine
Genêts
Vains
DU MONT-ST-MICHEL
Anc. Prieuré de St-Léonard
Avranches
St-Loup
St-Méloir-des-Ondes
le Val-St-Père
St-Martin-des-Champs
le Mont-St-Michel
St-Benoît-des-Ondes
Ceaux
Pontaubault
St-Quentin-sur-le-Homme
la Gouesnière
Courtils
Hirel
le Vivier-sur-Mer
Cherrueix
Ossuaire Allemand
Huisnes-sur-Mer
Ducey
la Fresnais
Servon
Précey
Poilley
Anc. Abb. de Montmorel
St-Broladre
Beauvoir
Juilley
St-Guinoux
Lillemer
St-Marcan
Roz-sur-Couesnon
Tanis
Châteauneuf-d'Ille-et-Vilaine
Mont-Dol
St-Georges-de-Gréhaigne
Crollon
Mont-St-Michel
St-Aubin-de-Terregatte
Baguer-Pican
Macey
St-Senier-de-Beuvron
St-Laurent-de-Terregatte
Roz-Landrieux
Dol-de-Bretagne
Sains
Pontorson
Vergoncey
la Croix-Avranchin
Miniac-Morvan
Pleguer
Baguer-Morvan
Menhir de Champ Dolent
Pleine-Fougères
Aucey-la-Plaine
Villiers-le-Pré
Château de la Paluelle
Montjoie-St-Martin
Epiniac
la Boussac
Vieux-Viel
Sougéal
Vessey
St-James
Anc. Abbaye
le Tronchet
Trans-la-Forêt
Sacey
Carnet
Argouges
Tressé
Port Miniature de Villecartier
Montanel
Bonnemain
Broualan
le Ferré
St-Pierre-de-Plesguen
Lanhélin
la Fontenelle
Antrain
St-Ouen-la-Rouërie
Poilley
Lourmais
Cuguen
Château de Bonnefontaine
Coglès
Valaine
la Selle-en-Coglès
Montours
Château de la Bourbansais
Meillac
Trémeheuc
Château de la Balue
Tremblay
Bazouges-la-Pérouse
Combourg
Noyal-sous-Bazouges
58
Pleugueneuc
Lanrigan
Rimou
St-Brice-en-Coglès
St-Étienne-en-Coglès
St-Germain-en-Coglès
le Châtellier
Château du Logis
la Chapelle-aux-Filtzméens
St-Léger-des-Prés
Marcillé-Raoul
St-Domineuc
Romazy
Chauvigné
Québriac
Dingé
St-Rémy-du-Plain
Château du Moulinet
St-Marc-le-Blanc
Trimer
Base de loisirs
St-Hilaire-des-Landes
Tinténiac
St-Christophe-de-Valains
le Tiercent
Baillé
St-Sauveur-des-Landes
57
Sens-de-Bretagne
Vieux-Vy-sur-Couesnon
Château de la Haye
Romagné
Feins
Montmuran
St-Ouen-

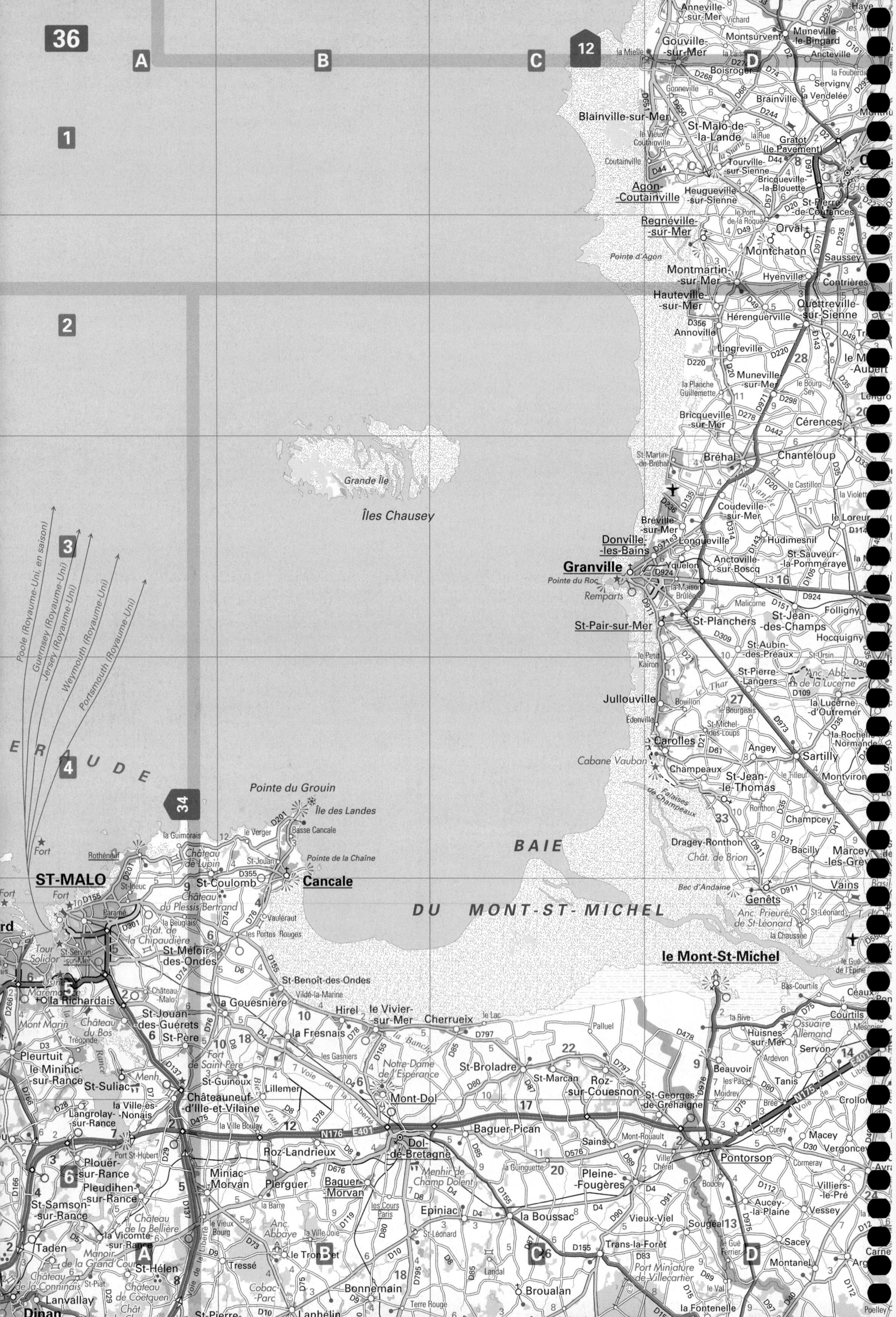
36
A
B
C
D
12
34
1
2
3
4
5
6
Îles Chausey
Grande Île
Pointe du Grouin
Île des Landes
BAIE
DU MONT-ST-MICHEL
Poole (Royaume-Uni, en saison)
Guernsey (Royaume-Uni)
Jersey (Royaume-Uni)
Weymouth (Royaume-Uni)
Portsmouth (Royaume-Uni)
ST-MALO
Cancale
St-Coulomb
Rothéneuf
Paramé
St-Servan-sur-Mer
St-Méloir-des-Ondes
St-Benoît-des-Ondes
la Gouesnière
la Richardais
St-Jouan-des-Guérets
St-Père
Pleurtuit
le Minihic-sur-Rance
St-Suliac
Châteauneuf-d'Ille-et-Vilaine
la Ville-ès-Nonais
Langrolay-sur-Rance
Plouër-sur-Rance
Pleudihen-sur-Rance
St-Samson-sur-Rance
la Vicomte-sur-Rance
Taden
St-Hélen
Lanvallay
Dinan
Miniac-Morvan
Plerguer
Roz-Landrieux
Hirel
le Vivier-sur-Mer
Cherrueix
la Fresnais
Mont-Dol
Dol-de-Bretagne
Baguer-Morvan
Baguer-Pican
Epiniac
la Boussac
St-Broladre
St-Marcan
Roz-sur-Couesnon
St-Georges-de-Gréhaigne
Sains
Pleine-Fougères
Vieux-Viel
Trans-la-Forêt
Broualan
Bonnemain
Tressé
le Tronchet
Lanhélin
Pontorson
Beauvoir
le Mont-St-Michel
Huisnes-sur-Mer
Servon
Tanis
Courtils
Céaux
Macey
Vergoncey
Aucey-la-Plaine
Villiers-le-Pré
Vessey
Sougéal
Sacey
Montanel
la Fontenelle
Genêts
Vains
Marcey-les-Grèves
Dragey-Ronthon
Bacilly
Champcey
St-Jean-le-Thomas
Champeaux
Carolles
Sartilly
Angey
Montviron
Jullouville
St-Pair-sur-Mer
St-Planchers
St-Jean-des-Champs
Granville
Pointe du Roc
Remparts
Donville-les-Bains
Bréville-sur-Mer
Longueville
Yquelon
Anctoville-sur-Boscq
Hudimesnil
St-Sauveur-la-Pommeraye
Coudeville-sur-Mer
Bréhal
Chanteloup
Cérences
Bricqueville-sur-Mer
Muneville-sur-Mer
Lingreville
Annoville
Hérenguerville
Hauteville-sur-Mer
Montmartin-sur-Mer
Hyenville
Quettreville-sur-Sienne
Contrières
Montchaton
Orval
Regnéville-sur-Mer
Agon-Coutainville
Heugueville-sur-Sienne
Tourville-sur-Sienne
Bricqueville-la-Blouette
St-Pierre-de-Coutances
St-Malo-de-la-Lande
Blainville-sur-Mer
Gratot
Brainville
Gouville-sur-Mer
Anneville-sur-Mer
Montsurvent
Muneville-le-Bingard
Ancteville
Servigny
la Vendelée
Pointe d'Agon
Cabane Vauban
Falaises de Champeaux
Bec d'Andaine
Folligny
Hocquigny
la Lucerne-d'Outremer
St-Aubin-des-Préaux
St-Pierre-Langers
Anc. Abb. de la Lucerne
Anc. Prieuré de St-Léonard
Ossuaire Allemand
Menhir de Champ Dolent
Notre-Dame de l'Espérance
Port Miniature de Villecartier
Château du Plessis Bertrand
Château de Lupin
Chât. de la Chipaudière
Tour Solidor
Usine Marémotrice
Mont Marin
Château du Bos
Château de la Bellière
Manoir de la Grand'Cour
Château de la Conninais
Château de Coëtquen
Fort de Saint-Père
N176
E401
N175

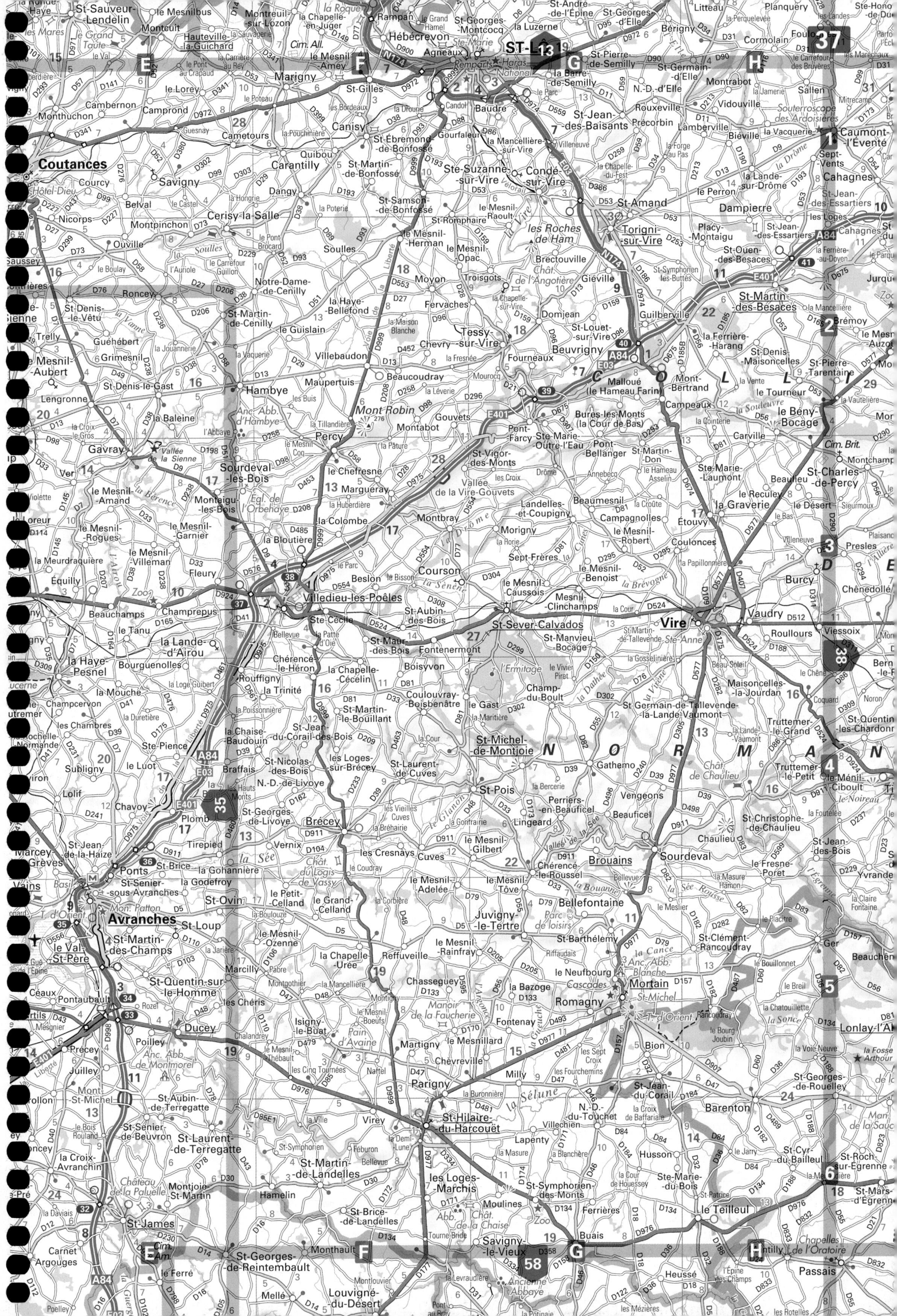
37
ST-LÔ
Coutances
Avranches
Vire
Villedieu-les-Poêles
St-Sever-Calvados
St-Hilaire-du-Harcouët
Mortain
St-James
Ducey
Percy
Hambye
Gavray
Cerisy-la-Salle
Marigny
Canisy
Tessy-sur-Vire
Torigni-sur-Vire
Condé-sur-Vire
St-Martin-des-Besaces
Caumont-l'Éventé
le Bény-Bocage
St-Pois
Brécey
Sourdeval
Juvigny-le-Tertre
St-Michel-de-Montjoie
Le Teilleul
Barenton
Passais
Lonlay-l'Abbaye
Hébécrevon
Agneaux
Cahagnes
St-Amand
St-Jean-des-Baisants
Beuvrigny
Montbray
Courson
Brouains
Isigny-le-Buat
Parigny
Sartilly
Pontorson
Montjoie-St-Martin
St-Georges-de-Reintembault
Louvigné-du-Désert
Savigny-le-Vieux
Buais
Ferrières
St-Symphorien-des-Monts
Vaudry
Tinchebray
NORMANDIE
A84
E401
N174
E
F
G
H
1
2
3
4
5
6
13
35
38
58

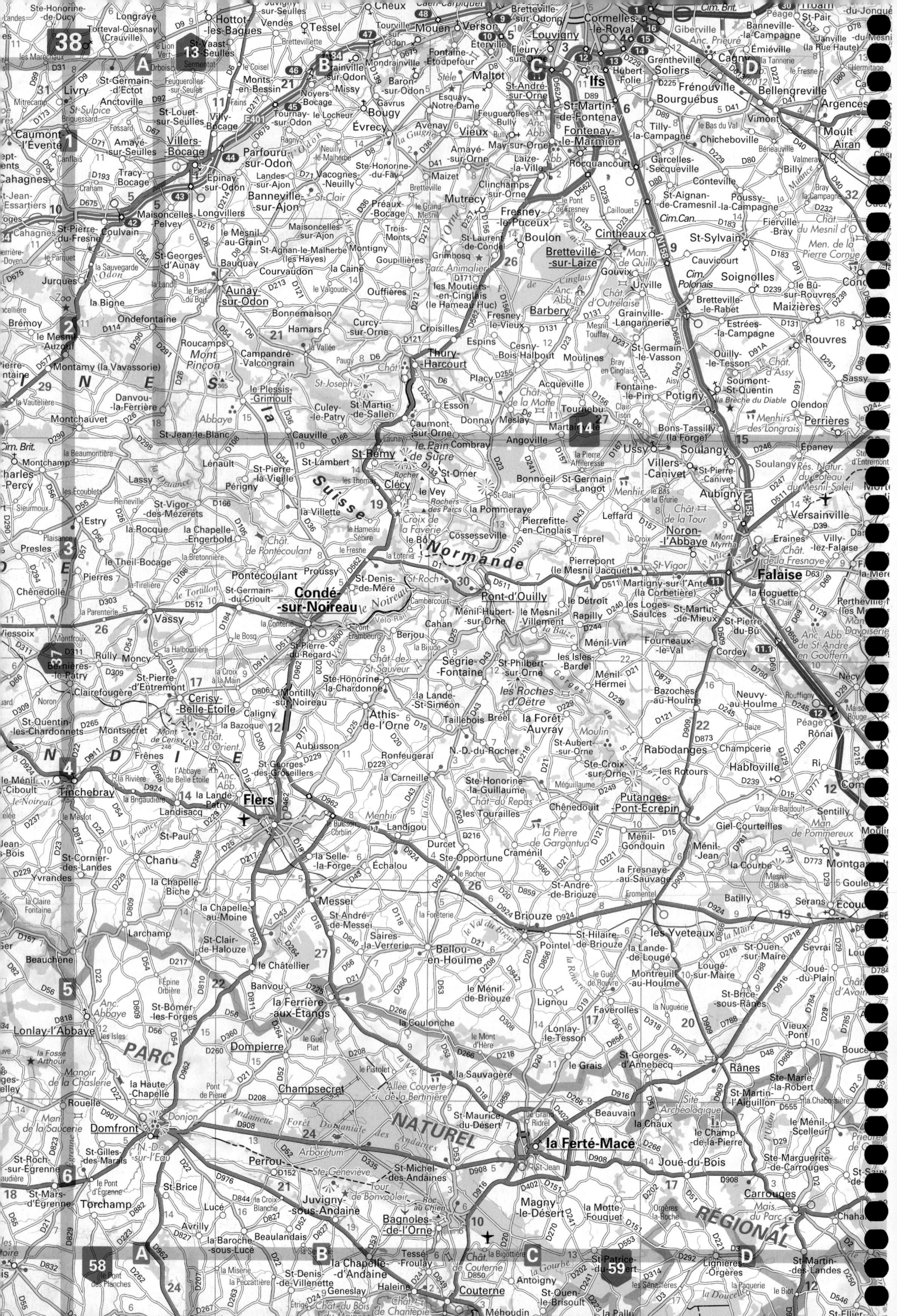

38
13
A
B
C
D
14
58
59
Caumont-l'Éventé
Livry
Villers-Bocage
Aunay-sur-Odon
Évrecy
Bougy
Tessel
Cheux
Mouen
Verson
Bretteville-sur-Odon
Cormelles-le-Royal
Louvigny
Ifs
Giberville
Cagny
Soliers
Bourguébus
Frénouville
Bellengreville
Argences
Moult
Vimont
Fontenay-le-Marmion
St-Martin-de-Fontenay
St-André-sur-Orne
Maltot
Vieux
May-sur-Orne
Laize-la-Ville
Rocquancourt
Garcelles-Secqueville
Chicheboville
Conteville
St-Aignan-de-Cramesnil
Poussy-la-Campagne
St-Sylvain
Cintheaux
Bretteville-sur-Laize
Boulon
Fresney-le-Puceux
Mutrécy
Clinchamps-sur-Orne
Barbery
Urville
Gouvix
Bretteville-le-Rabet
Soignolles
Maizières
Estrées-la-Campagne
Rouvres
Potigny
Soumont-St-Quentin
Olendon
Perrières
Thury-Harcourt
Curcy-sur-Orne
Hamars
Croisilles
Espins
Placy
Acqueville
Tournebu
Esson
Donnay
Meslay
Caumont-sur-Orne
Combray
Angoville
Ussy
Villers-Canivet
Soulangy
Aubigny
St-Rémy
Clécy
le Vey
St-Omer
la Pommeraye
Cossesseville
Pierrefitte-en-Cinglais
Leffard
Noron-l'Abbaye
Falaise
Versainville
Eraines
Villy-lez-Falaise
Pierrepont
Martigny-sur-l'Ante
Condé-sur-Noireau
Pont-d'Ouilly
Pontécoulant
Proussy
St-Denis-de-Méré
Vassy
Estry
Presles
Montchamp
Lassy
St-Vigor-des-Mézerets
la Chapelle-Engerbold
Ménil-Hubert-sur-Orne
le Mesnil-Villement
Rapilly
les Loges-Saulces
St-Martin-de-Mieux
St-Pierre-du-Bû
Cordey
Fourneaux-le-Val
Ménil-Vin
Berjou
Cahan
Ségrie-Fontaine
St-Philbert-sur-Orne
les Isles-Bardel
Ménil-Hermei
Bazoches-au-Houlme
Neuvy-au-Houlme
Rônai
Tinchebray
Flers
Cerisy-Belle-Étoile
Montilly-sur-Noireau
Athis-de-l'Orne
Taillebois
la Forêt-Auvray
Rabodanges
Habloville
Putanges-Pont-Écrepin
Chênedouit
Ménil-Gondouin
Giel-Courteilles
Ménil-Jean
Sentilly
Landisacq
la Lande-Patry
St-Paul
Chanu
Landigou
Durcet
Ste-Opportune
Craménil
la Fresnaye-au-Sauvage
Messei
Échalou
Briouze
les Yveteaux
Serans
Écouché
Bellou-en-Houlme
Pointel
St-Hilaire-de-Briouze
la Lande-de-Lougé
Montreuil-au-Houlme
Lougé-sur-Maire
Sevrai
Joué-du-Plain
la Ferrière-aux-Étangs
Dompierre
Champsecret
Lignou
Faverolles
Lonlay-le-Tesson
le Grais
St-Georges-d'Annebecq
Rânes
Vieux-Pont
Lonlay-l'Abbaye
Domfront
la Haute-Chapelle
la Ferté-Macé
Beauvain
la Chaux
Joué-du-Bois
Carrouges
Juvigny-sous-Andaine
Bagnoles-de-l'Orne
Magny-le-Désert
la Motte-Fouquet
Torchamp
St-Mars-d'Égrenne
Couterne
la Chapelle-d'Andaine
Tessé-Froulay
Haleine
Méhoudin
PARC
NATUREL
RÉGIONAL
Suisse Normande

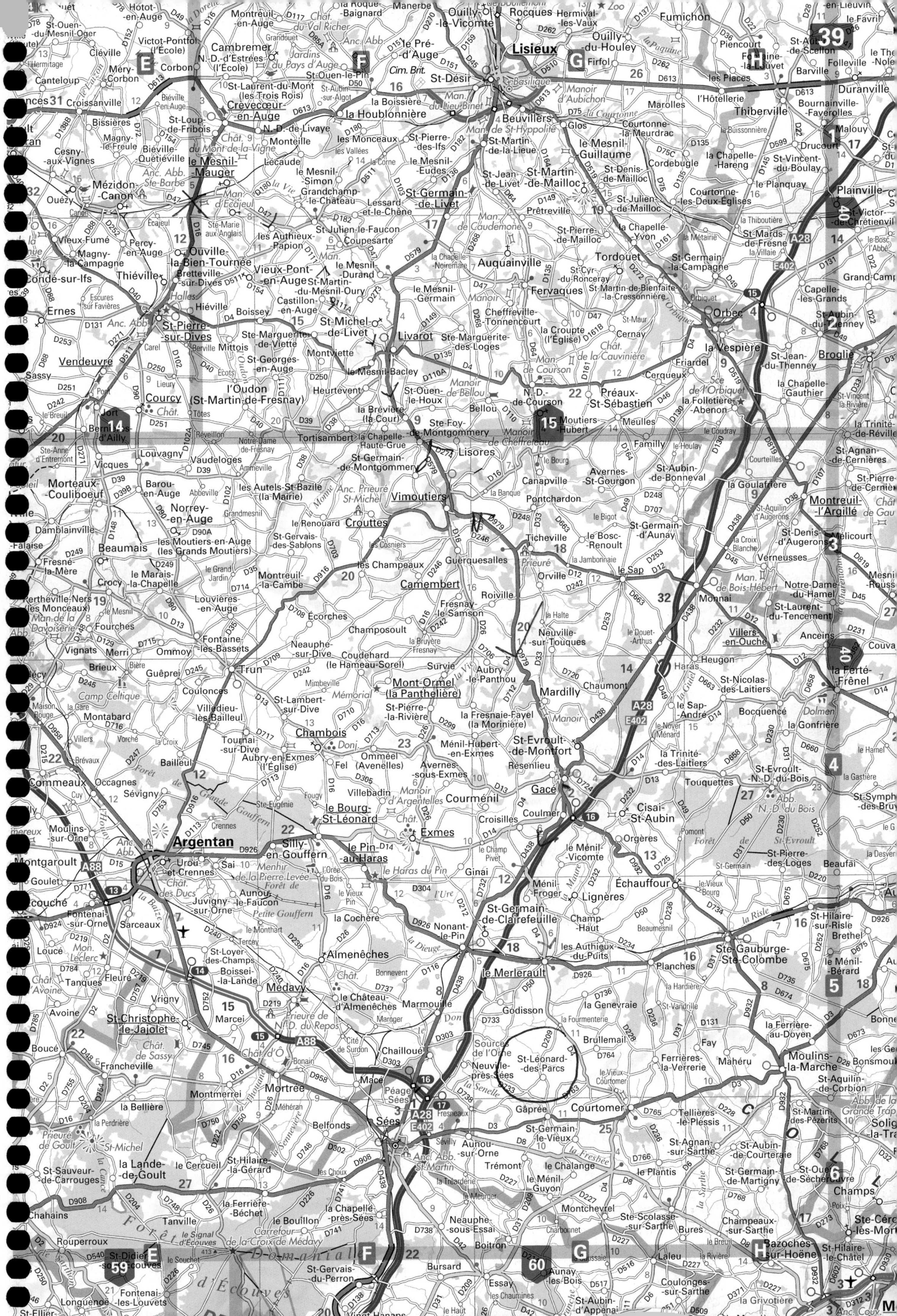

39
Lisieux
St-Désir
Beuvillers
Cambremer
Crèvecœur-en-Auge
la Houblonnière
Mézidon-Canon
St-Germain-de-Livet
St-Martin-de-Mailloc
Fervaques
Auquainville
Orbec
la Vespière
Broglie
Thiberville
Duranville
Livarot
St-Pierre-sur-Dives
Vendeuvre
Courcy
l'Oudon (St-Martin-de-Fresnay)
14
15
Moutiers-Hubert
Préaux-St-Sébastien
Vimoutiers
Lisores
Crouttes
Camembert
Trun
Chambois
Montreuil-l'Argillé
le Sap
Monnai
Villers-en-Ouche
Mont-Ormel (la Panthelière)
Mardilly
St-Evroult-de-Montfort
Gacé
Argentan
Exmes
le Pin-au-Haras
le Bourg-St-Léonard
Silly-en-Gouffern
Échauffour
St-Germain-de-Clairefeuille
le Merlerault
Ste-Gauburge-Ste-Colombe
Moulins-la-Marche
Médavy
Mortrée
Sées
Almenêches
St-Christophe-le-Jajolet
la Lande-de-Goult
Courtomer
St-Léonard-des-Parcs
Aunou-sur-Orne
Bazoches-sur-Hoëne
A28
E402
A88
40
59
60
Forêt Domaniale d'Écouves

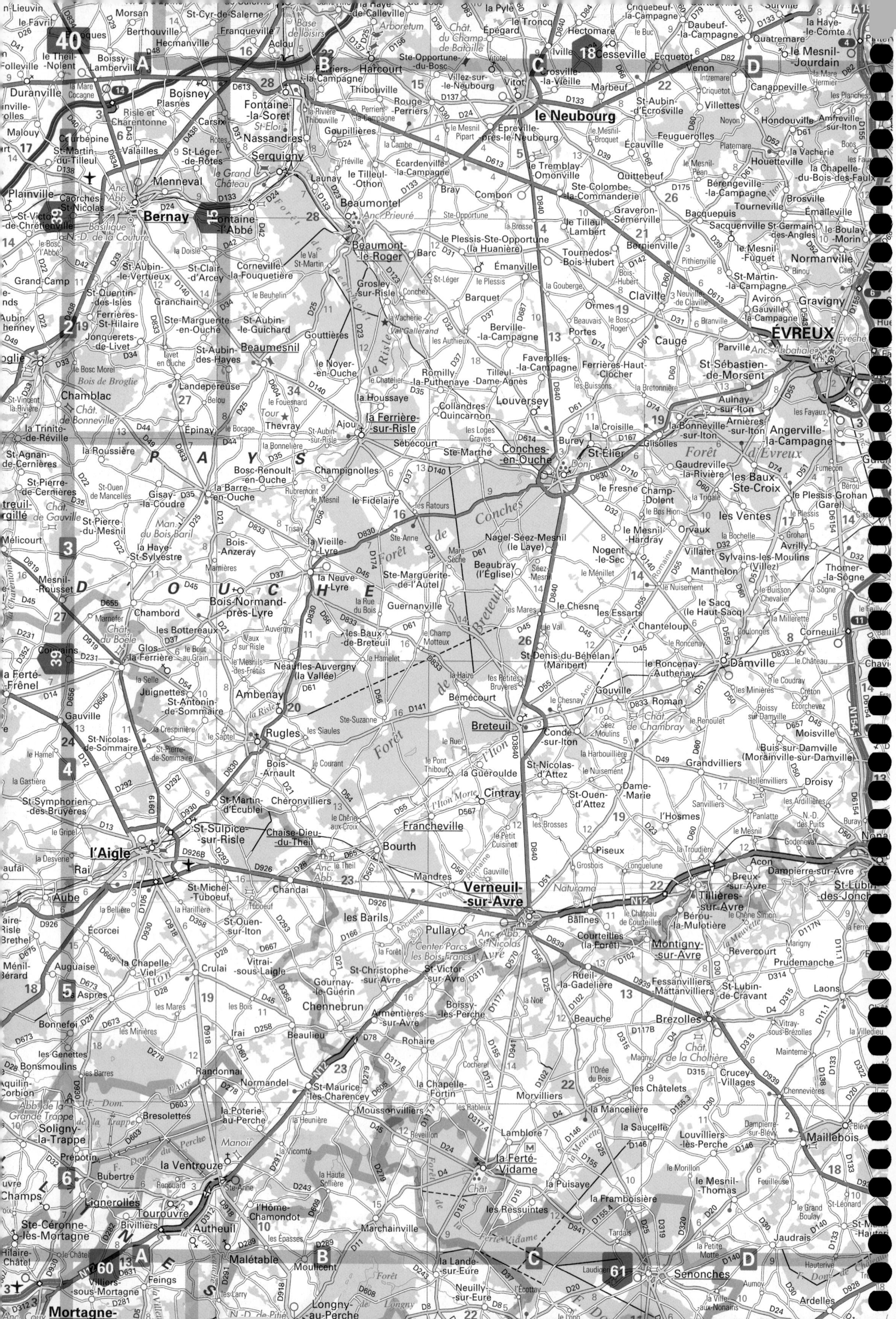

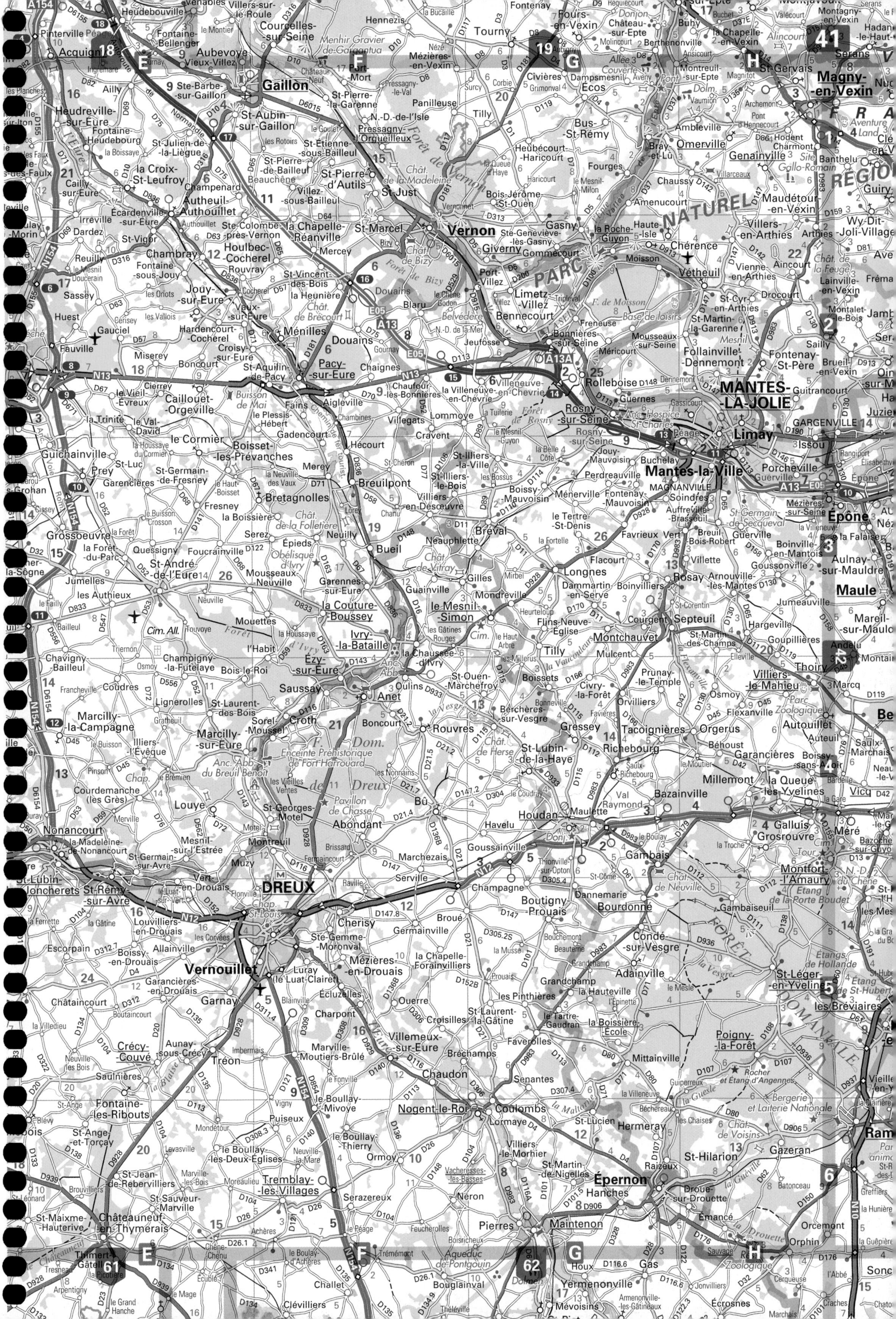

41
18
19
E
F
G
H
Gaillon
Vernon
Giverny
Magny-en-Vexin
Mantes-la-Jolie
Mantes-la-Ville
Limay
Épône
Maule
Pacy-sur-Eure
Évreux
St-André-de-l'Eure
Ivry-la-Bataille
Anet
Ézy-sur-Eure
Dreux
Vernouillet
Nonancourt
St-Rémy-sur-Avre
Houdan
Bréval
Rosny-sur-Seine
Bonnières-sur-Seine
Septeuil
Montfort-l'Amaury
St-Léger-en-Yvelines
Épernon
Maintenon
Nogent-le-Roi
Châteauneuf-en-Thymerais
Tremblay-les-Villages
Crécy-Couvé
Fontaine-les-Ribouts
Villemeux-sur-Eure
Gambais
Bourdonné
Richebourg
Orgerus
Thoiry
Villiers-le-Mahieu
La Queue-les-Yvelines
Garancières
Longnes
Abondant
Marcilly-sur-Eure
Saussay
Bueil
Breuilpont
Ménilles
Aubevoye
Autheuil-Authouillet
Écos
Vétheuil
La Roche-Guyon
Parc Naturel Régional
Forêt de Vernon
F. Dom. de Dreux
Forêt de Rambouillet
N13
N12
N154
A13
E05
N10
61
62

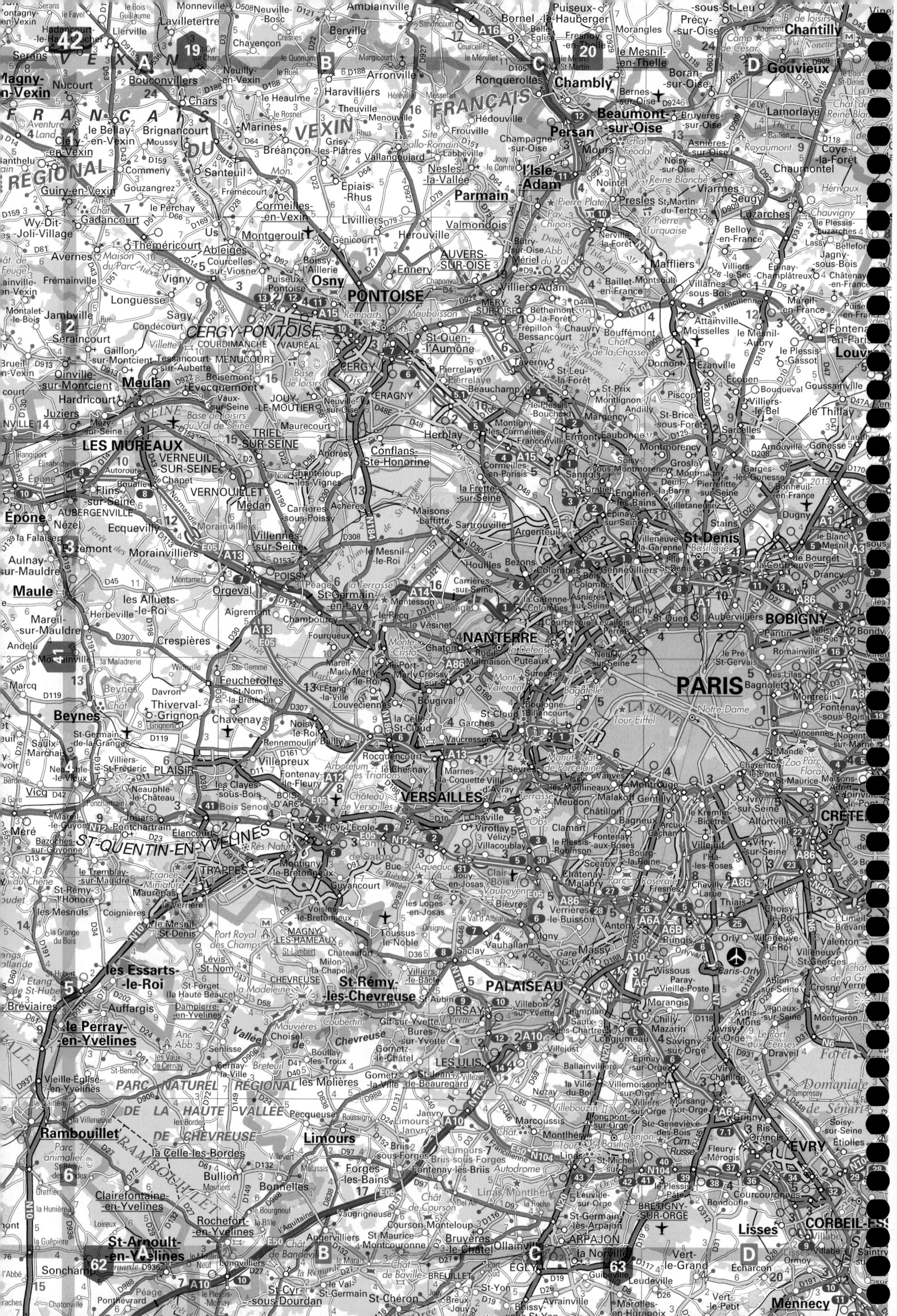42
19
20
A
B
C
D
VEXIN
FRANÇAIS
REGIONAL
Magny-en-Vexin
Bouconvillers
Chars
Marines
Brignancourt
Cléry-en-Vexin
Guiry-en-Vexin
Gadancourt
Wy-Dit-Joli-Village
Théméricourt
Avernes
Vigny
Longuesse
Us
Ableiges
Courcelles-sur-Viosne
Santeuil
Gouzangrez
Commeny
Frémainville
Jambville
Seraincourt
Condécourt
Sagy
Gaillon-sur-Montcient
Oinville-sur-Montcient
Tessancourt-sur-Aubette
Meulan
Hardricourt
Juziers
Évecquemont
Vaux-sur-Seine
LES MUREAUX
Verneuil-sur-Seine
Vernouillet
Médan
Triel-sur-Seine
Chanteloup-les-Vignes
Andrésy
Conflans-Ste-Honorine
Flins-sur-Seine
Aubergenville
Épône
Nézel
Ecquevilly
Morainvilliers
Villennes-sur-Seine
Poissy
Orgeval
Aulnay-sur-Mauldre
Maule
Mareil-sur-Mauldre
Les Alluets-le-Roi
Crespières
Feucherolles
Beynes
Thiverval-Grignon
Chavenay
Plaisir
Villepreux
Les Clayes-sous-Bois
Neauphle-le-Château
Jouars-Pontchartrain
Élancourt
ST-QUENTIN-EN-YVELINES
Trappes
Maurepas
Montigny-le-Bretonneux
Guyancourt
Voisins-le-Bretonneux
Le Mesnil-St-Denis
Magny-les-Hameaux
Les Essarts-le-Roi
Le Perray-en-Yvelines
Auffargis
Cernay-la-Ville
PARC NATUREL RÉGIONAL DE LA HAUTE VALLÉE DE CHEVREUSE
Rambouillet
La Celle-les-Bordes
Bullion
Bonnelles
Clairefontaine-en-Yvelines
Rochefort-en-Yvelines
St-Arnoult-en-Yvelines
Sonchamp
Ponthévrard
Chevreuse
St-Rémy-lès-Chevreuse
Gif-sur-Yvette
Bures-sur-Yvette
Orsay
Les Ulis
Palaiseau
Limours
Forges-les-Bains
Briis-sous-Forges
St-Cyr-sous-Dourdan
Ully
Marcoussis
Montlhéry
Linas
Arpajon
Égly
La Norville
Brétigny-sur-Orge
Longjumeau
Massy
Antony
Rungis
Orly
Paris-Orly
Villeneuve-le-Roi
Athis-Mons
Juvisy-sur-Orge
Savigny-sur-Orge
Viry-Châtillon
Grigny
Ris-Orangis
Évry
Corbeil-Essonnes
Lisses
Mennecy
Versailles
Vélizy-Villacoublay
Chaville
Meudon
Sèvres
St-Cloud
Garches
Rueil-Malmaison
Nanterre
La Défense
Puteaux
Suresnes
Boulogne-Billancourt
PARIS
Tour Eiffel
Notre-Dame
LA SEINE
Vincennes
Montreuil
Bagnolet
Pantin
Bobigny
Aubervilliers
St-Denis
St-Ouen
Clichy
Levallois-Perret
Neuilly-sur-Seine
Courbevoie
Colombes
Gennevilliers
Argenteuil
Bezons
Houilles
Sartrouville
Maisons-Laffitte
St-Germain-en-Laye
Le Vésinet
Chatou
Croissy-sur-Seine
Le Pecq
Marly-le-Roi
Louveciennes
Bougival
Le Chesnay
Rocquencourt
Vaucresson
Herblay
Cormeilles-en-Parisis
Franconville
Ermont
Eaubonne
Montmorency
Enghien-les-Bains
Sarcelles
Gonesse
Le Bourget
Drancy
Créteil
Vitry-sur-Seine
Villejuif
Ivry-sur-Seine
Charenton-le-Pont
Montrouge
Malakoff
Vanves
Issy-les-Moulineaux
Clamart
Châtillon
Bagneux
Sceaux
Fontenay-aux-Roses
Châtenay-Malabry
Bourg-la-Reine
Fresnes
L'Haÿ-les-Roses
Thiais
Choisy-le-Roi
Alfortville
Maisons-Alfort
Villeneuve-St-Georges
Montgeron
Draveil
Boissy-St-Léger
Pontoise
Cergy-Pontoise
Cergy
Osny
Éragny
St-Ouen-l'Aumône
Jouy-le-Moutier
Auvers-sur-Oise
Méry-sur-Oise
Taverny
Beauchamp
L'Isle-Adam
Parmain
Valmondois
Persan
Beaumont-sur-Oise
Chambly
Presles
Viarmes
Luzarches
Chantilly
Gouvieux
Lamorlaye
Chaumontel
Coye-la-Forêt
Écouen
Domont
Ézanville
Moisselles
Attainville
Villiers-le-Bel
Goussainville
Louvres
Survilliers
Marly-la-Ville
Fosses
St-Witz
Vémars
Puiseux-en-France
Mareil-en-France
Épiais-Rhus
Ennery
Hérouville
Livilliers
Génicourt
Nesles-la-Vallée
Vallangoujard
Labbeville
Frouville
Hédouville
Ronquerolles
Arronville
Haravilliers
Berville
Amblainville
Neuilly-en-Vexin
Bréançon
Grisy-les-Plâtres
Cormeilles-en-Vexin
Montgeroult
Boissy-l'Aillerie
Puiseux-Pontoise
Courdimanche
Menucourt
Vauréal
Boisemont
Neuville-sur-Oise
Achères
Carrières-sous-Poissy
Le Mesnil-le-Roi
Carrières-sur-Seine
Montesson
Aigremont
Chambourcy
Fourqueux
Mareil-Marly
L'Étang-la-Ville
Noisy-le-Roi
Bailly
Rennemoulin
Fontenay-le-Fleury
Bois-d'Arcy
St-Cyr-l'École
Buc
Jouy-en-Josas
Les Loges-en-Josas
Toussus-le-Noble
Châteaufort
Saclay
Vauhallan
Igny
Bièvres
Verrières-le-Buisson
Wissous
Chilly-Mazarin
Morangis
Paray-Vieille-Poste
Épinay-sur-Orge
Villemoisson-sur-Orge
Morsang-sur-Orge
Ste-Geneviève-des-Bois
St-Michel-sur-Orge
Leuville-sur-Orge
St-Germain-lès-Arpajon
Ollainville
Bruyères-le-Châtel
St-Maurice-Montcouronne
Angervilliers
Vaugrigneuse
Courson-Monteloup
Fontenay-lès-Briis
Janvry
Gometz-la-Ville
Gometz-le-Châtel
Boullay-les-Troux
Les Molières
Pecqueuse
Nozay
La Ville-du-Bois
Villebon-sur-Yvette
Champlan
Saulx-les-Chartreux
Ballainvilliers
Villejust
Vert-le-Grand
Vert-le-Petit
Leudeville
Fleury-Mérogis
Courcouronnes
Bondoufle
Échcarcon
Ormoy
Villabé
St-Yon
Breuillet
Avrainville
Guibeville
Marolles-en-Hurepoix
Boissy-sous-St-Yon
St-Chéron
Le Val-St-Germain
Longvilliers
Sermaise
Bois-d'Arcy
Le Tremblay-sur-Mauldre
St-Rémy-l'Honoré
Les Mesnuls
Coignières
La Verrière
Lévis-St-Nom
Dampierre-en-Yvelines
Senlisse
Choisel
St-Forget
Milon-la-Chapelle
Vieille-Église-en-Yvelines
Villiers-St-Frédéric
St-Germain-de-la-Grange
Saulx-Marchais
Vicq
Méré
Bazoches-sur-Guyonne
Mareil-le-Guyon
Andelu
Montainville
Davron
St-Nom-la-Bretèche
Herbeville
A1
A3
A4
A6
A6A
A6B
A10
A12
A13
A14
A15
A16
A86
N104
N118
N12
N10
N20
N7
N6
N184
E05
E15
E50
62
63
41

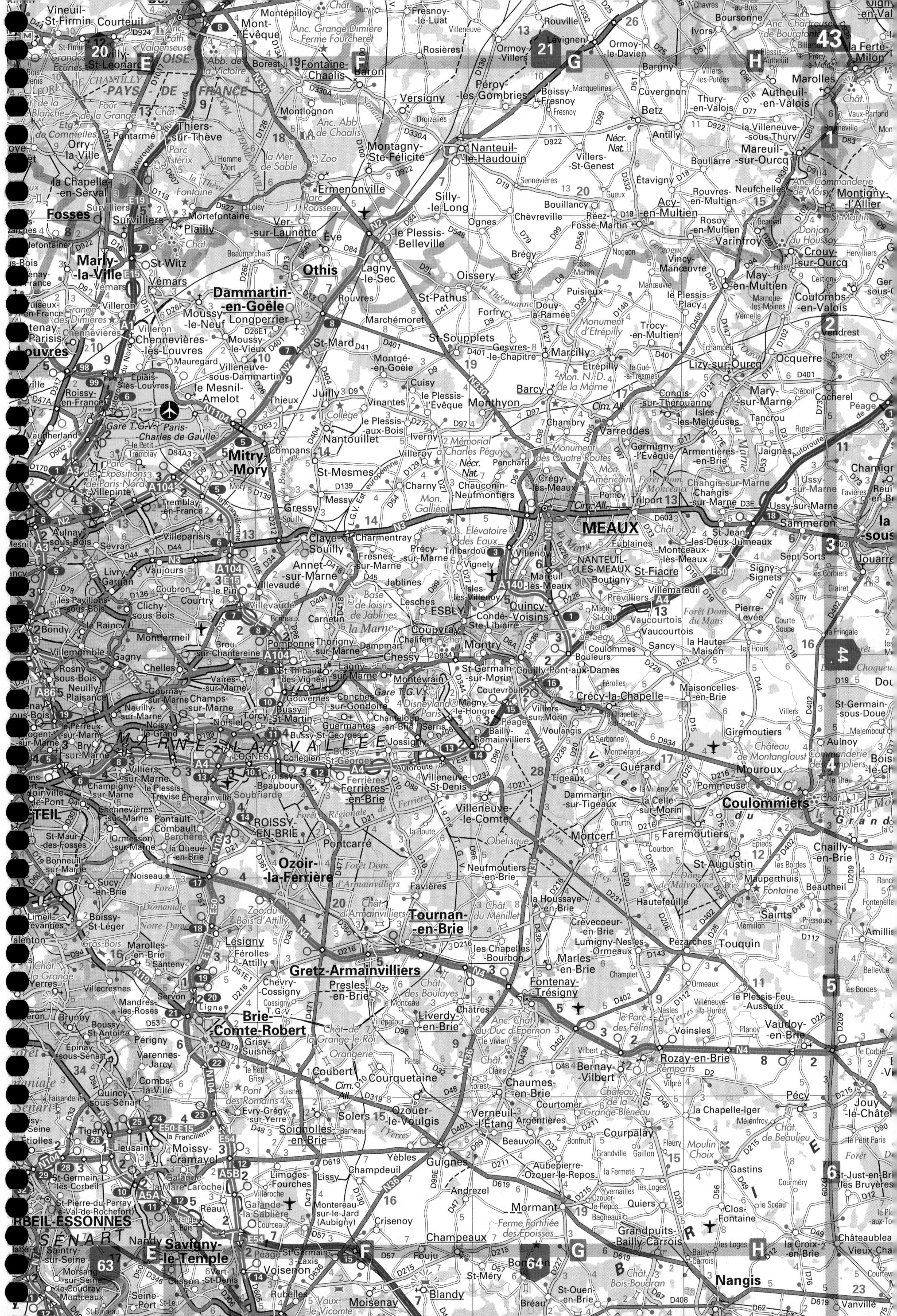
20
21
43
44
63
64
E
F
G
H
Vineuil-St-Firmin
Courteuil
Montépilloy
Mont-l'Évêque
Fresnoy-le-Luat
Rouville
Ormoy-le-Davien
Boursonne
Ivors
La Ferté-Milon
Senlis
Villers-St-Frambourg
Ognon
Fontaine-Chaalis
Baron
Péroy-les-Gombries
Levignen
Bargny
Marolles
Autheuil-en-Valois
Versigny
Montlognon
Boissy-Fresnoy
Cuvergnon
Thury-en-Valois
Betz
Thiers-sur-Thève
Pontarmé
Orry-la-Ville
Montagny-Ste-Félicité
Nanteuil-le-Haudouin
Villers-St-Genest
Antilly
Mareuil-sur-Ourcq
La Chapelle-en-Serval
Ermenonville
Silly-le-Long
Étavigny
Acy-en-Multien
Rouvres-en-Multien
Neufchelles
Montigny-l'Allier
Fosses
Survilliers
Plailly
Mortefontaine
Ver-sur-Launette
Ève
le Plessis-Belleville
Chèvreville
Bouillancy
Réez-Fosse-Martin
Rosoy-en-Multien
Varinfroy
Crouy-sur-Ourcq
Marly-la-Ville
St-Witz
Vémars
Othis
Lagny-le-Sec
Oissery
Brégy
Vincy-Manœuvre
May-en-Multien
Dammartin-en-Goële
Moussy-le-Neuf
Longperrier
Rouvres
St-Pathus
Forfry
Douy-la-Ramée
Puisieux
le Plessis-Placy
Coulombs-en-Valois
Chennevières-lès-Louvres
Louvres
Moussy-le-Vieux
St-Mard
Marchémoret
St-Soupplets
Gesvres-le-Chapitre
Marcilly
Trocy-en-Multien
Étrépilly
Lizy-sur-Ourcq
Ocquerre
Vendrest
Roissy-en-France
Épiais-lès-Louvres
le Mesnil-Amelot
Juilly
Montgé-en-Goële
Cuisy
Monthyon
Barcy
Congis-sur-Thérouanne
Isles-lès-Meldeuses
Mary-sur-Marne
Cocherel
Paris-Charles de Gaulle
Thieux
Vinantes
le Plessis-l'Évêque
Varreddes
Chambry
Tancrou
Mitry-Mory
Compans
Nantouillet
le Plessis-aux-Bois
Iverny
Villeroy
Germigny-l'Évêque
Armentières-en-Brie
Jaignes
Tremblay-en-France
St-Mesmes
Charny
Chauconin-Neufmontiers
Penchard
Crégy-lès-Meaux
Changis-sur-Marne
Ussy-sur-Marne
Villepinte
Gressy
Messy
Trilport
Aulnay-sous-Bois
Sevran
Villeparisis
Claye-Souilly
Charmentray
MEAUX
Fublaines
St-Jean-les-Deux-Jumeaux
Sammeron
Sept-Sorts
Jouarre
Livry-Gargan
Vaujours
Annet-sur-Marne
Fresnes-sur-Marne
Précy-sur-Marne
Trilbardou
Villenoy
Nanteuil-lès-Meaux
Montceaux-lès-Meaux
Signy-Signets
Les Pavillons-sous-Bois
Clichy-sous-Bois
Coubron
Courtry
le Pin
Villevaudé
Jablines
Vignely
Mareuil-lès-Meaux
Boutigny
St-Fiacre
Villemareuil
Pierre-Levée
Bondy
le Raincy
Montfermeil
Carnetin
Lesches
ESBLY
Isles-lès-Villenoy
Quincy-Voisins
Vaucourtois
Brou-sur-Chantereine
Pomponne
Thorigny-sur-Marne
Dampmart
Coupvray
Condé-Ste-Libiaire
Montry
Coulommes
Sancy
la Haute-Maison
Villemomble
Gagny
Chelles
Lagny-sur-Marne
Chessy
St-Germain-sur-Morin
Couilly-Pont-aux-Dames
Bouleurs
Rosny-sous-Bois
Neuilly-Plaisance
Vaires-sur-Marne
St-Thibault-des-Vignes
Montévrain
Coutevroult
Crécy-la-Chapelle
Maisoncelles-en-Brie
St-Germain-sous-Doue
Gournay-sur-Marne
Champs-sur-Marne
Torcy
Bussy-St-Martin
Conches-sur-Gondoire
Gouvernes
Chanteloup-en-Brie
Magny-le-Hongre
Villiers-sur-Morin
Neuilly-sur-Marne
Noisy-le-Grand
Noisiel
Guermantes
Bussy-St-Georges
Serris
Bailly-Romainvilliers
Voulangis
Giremoutiers
Aulnay
MARNE-LA-VALLÉE
LOGNES
Jossigny
Guérard
Mouroux
le Perreux-sur-Marne
Bry-sur-Marne
Villiers-sur-Marne
Croissy-Beaubourg
Collégien
Ferrières-en-Brie
Villeneuve-St-Denis
Tigeaux
Pommeuse
Coulommiers
Champigny-sur-Marne
le Plessis-Trévise
Émerainville
Villeneuve-le-Comte
Dammartin-sur-Tigeaux
la Celle-sur-Morin
Chennevières-sur-Marne
Pontault-Combault
ROISSY-EN-BRIE
Mortcerf
Faremoutiers
Chailly-en-Brie
St-Maur-des-Fossés
Ormesson-sur-Marne
la Queue-en-Brie
Pontcarré
Neufmoutiers-en-Brie
St-Augustin
Bonneuil-sur-Marne
Ozoir-la-Ferrière
Beautheil
Sucy-en-Brie
Noiseau
Favières
Mauperthuis
Hautefeuille
Limeil-Brévannes
Boissy-St-Léger
Tournan-en-Brie
la Houssaye-en-Brie
Crèvecoeur-en-Brie
Saints
Lésigny
Gretz-Armainvilliers
Lumigny-Nesles-Ormeaux
Pézarches
Touquin
Marolles-en-Brie
Santeny
Férolles-Attilly
les Chapelles-Bourbon
Marles-en-Brie
Villecresnes
Chevry-Cossigny
Presles-en-Brie
Fontenay-Trésigny
le Plessis-Feu-Aussoux
Mandres-les-Roses
Servon
Brie-Comte-Robert
Liverdy-en-Brie
Châtres
Vaudoy-en-Brie
Brunoy
Boussy-St-Antoine
Périgny
Grisy-Suisnes
Voinsles
Rozay-en-Brie
Épinay-sous-Sénart
Varennes-Jarcy
Coubert
Courquetaine
Bernay-Vilbert
Combs-la-Ville
Chaumes-en-Brie
Pécy
Jouy-le-Châtel
Quincy-sous-Sénart
Évry-Grégy-sur-Yerre
Solers
Ozouer-le-Voulgis
Courtomer
Verneuil-l'Étang
Argentières
la Chapelle-Iger
Tigery
Soignolles-en-Brie
Courpalay
St-Germain-lès-Corbeil
Moissy-Cramayel
Lieusaint
Yèbles
Guignes
Beauvoir
Limoges-Fourches
Lissy
Champdeuil
Aubepierre-Ozouer-le-Repos
Gastins
St-Just-en-Brie
St-Pierre-du-Perray
Réau
Andrezel
Mormant
Quiers
Clos-Fontaine
CORBEIL-ESSONNES
Montereau-sur-le-Jard
Crisenoy
Grandpuits-Bailly-Carrois
Châteaubleau
Savigny-le-Temple
Nandy
Champeaux
Voisenon
Fouju
St-Méry
Bombon
Nangis
Saintry-sur-Seine
Morsang-sur-Seine
Seine-Port
Cesson
Rubelles
Moisenay
Blandy
Bréau
St-Ouen-en-Brie
Vanvillé

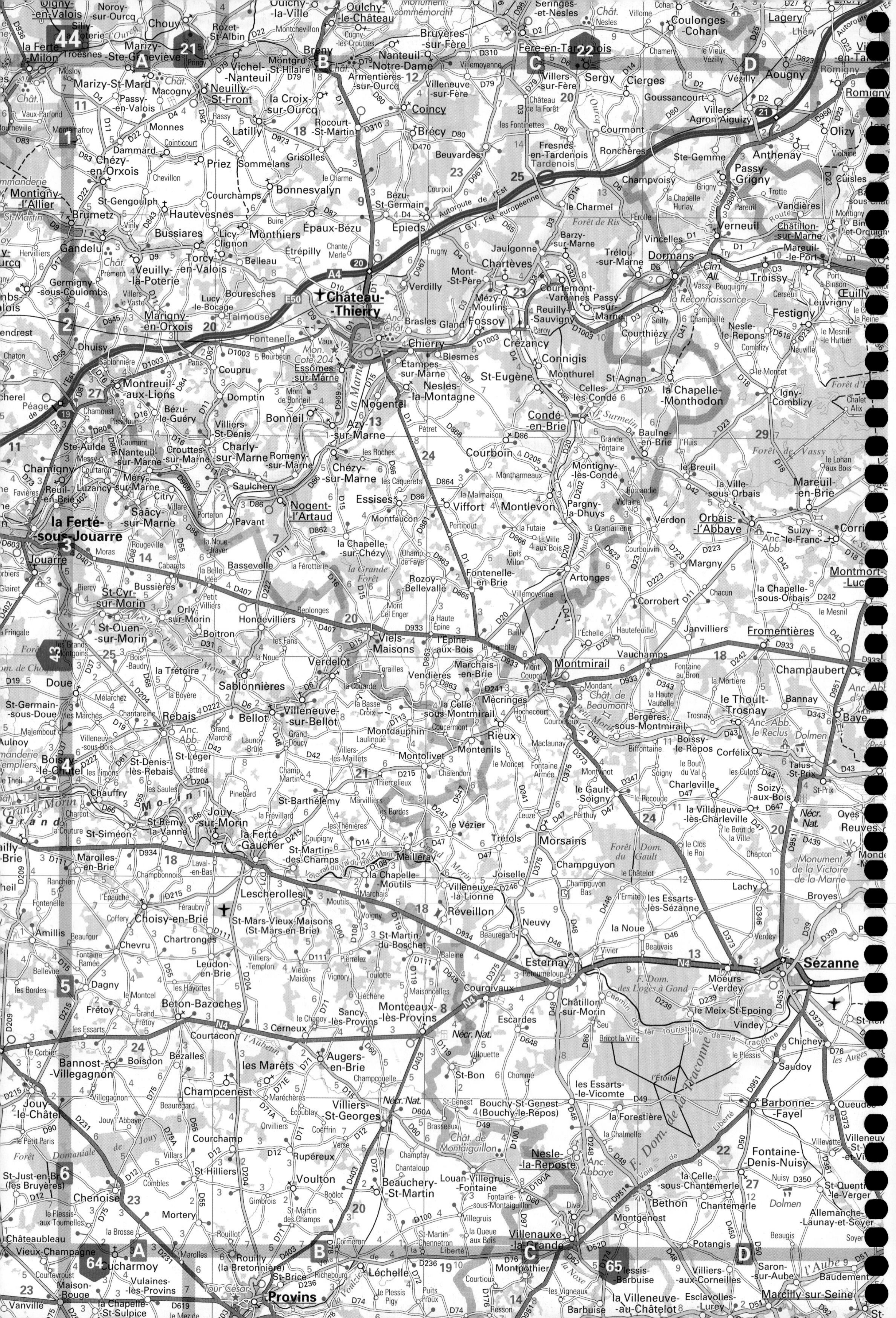

44
21
22
A
B
C
D
Oulchy-la-Ville
Oulchy-le-Château
Fère-en-Tardenois
Coulonges-Cohan
Lagery
Marizy-Ste-Geneviève
Chouy
Neuilly-St-Front
Sergy
Cierges
Aougny
Romigny
Marizy-St-Mard
Vichel-Nanteuil
Coincy
Brécy
Olizy
Latilly
la Croix-sur-Ourcq
Anthenay
Passy-Grigny
Chézy-en-Orxois
Priez
Bonnesvalyn
Épieds
Verneuil
Montigny-l'Allier
Brumetz
Hautevesnes
Bussiares
Monthiers
Épaux-Bézu
Jaulgonne
Chartèves
Dormans
Troissy
Gandelu
Veuilly-la-Poterie
Torcy-en-Valois
Belleau
Château-Thierry
Verdilly
Mézy-Moulins
Fossoy
Courtemont-Varennes
Reuilly-Sauvigny
Festigny
Marigny-en-Orxois
Chierry
Crézancy
Connigis
Essômes-sur-Marne
Nesles-la-Montagne
St-Eugène
la Chapelle-Monthodon
Montreuil-aux-Lions
Nogentel
Bonneil
Azy-sur-Marne
Condé-en-Brie
Charly-sur-Marne
Chézy-sur-Marne
Courboin
Baulne-en-Brie
Mareuil-en-Brie
Chamigny
la Ferté-sous-Jouarre
Jouarre
Saâcy-sur-Marne
Nogent-l'Artaud
Essises
Viffort
Montlevon
Orbais-l'Abbaye
St-Cyr-sur-Morin
St-Ouen-sur-Morin
Bassevelle
Viels-Maisons
Montmirail
Fromentières
Champaubert
Verdelot
Sablonnières
Rebais
Villeneuve-sur-Bellot
Montolivet
Rieux
le Thoult-Trosnay
Baye
Doue
Boissy-le-Châtel
Chauffry
Jouy-sur-Morin
la Ferté-Gaucher
Meilleray
Morsains
le Gault-Soigny
Marolles-en-Brie
Lescherolles
Choisy-en-Brie
Réveillon
Esternay
Sézanne
Beton-Bazoches
Montceaux-lès-Provins
Courgivaux
Bannost-Villegagnon
Augers-en-Brie
Champcenest
Jouy-le-Châtel
Villiers-St-Georges
Bouchy-St-Genest
Barbonne-Fayel
Courchamp
Voulton
Beauchery-St-Martin
Nesle-la-Reposte
Fontaine-Denis-Nuisy
Chenoise
Bethon
Villenauxe-la-Grande
Cucharmoy
Provins
Léchelle
Marcilly-sur-Seine
64
65

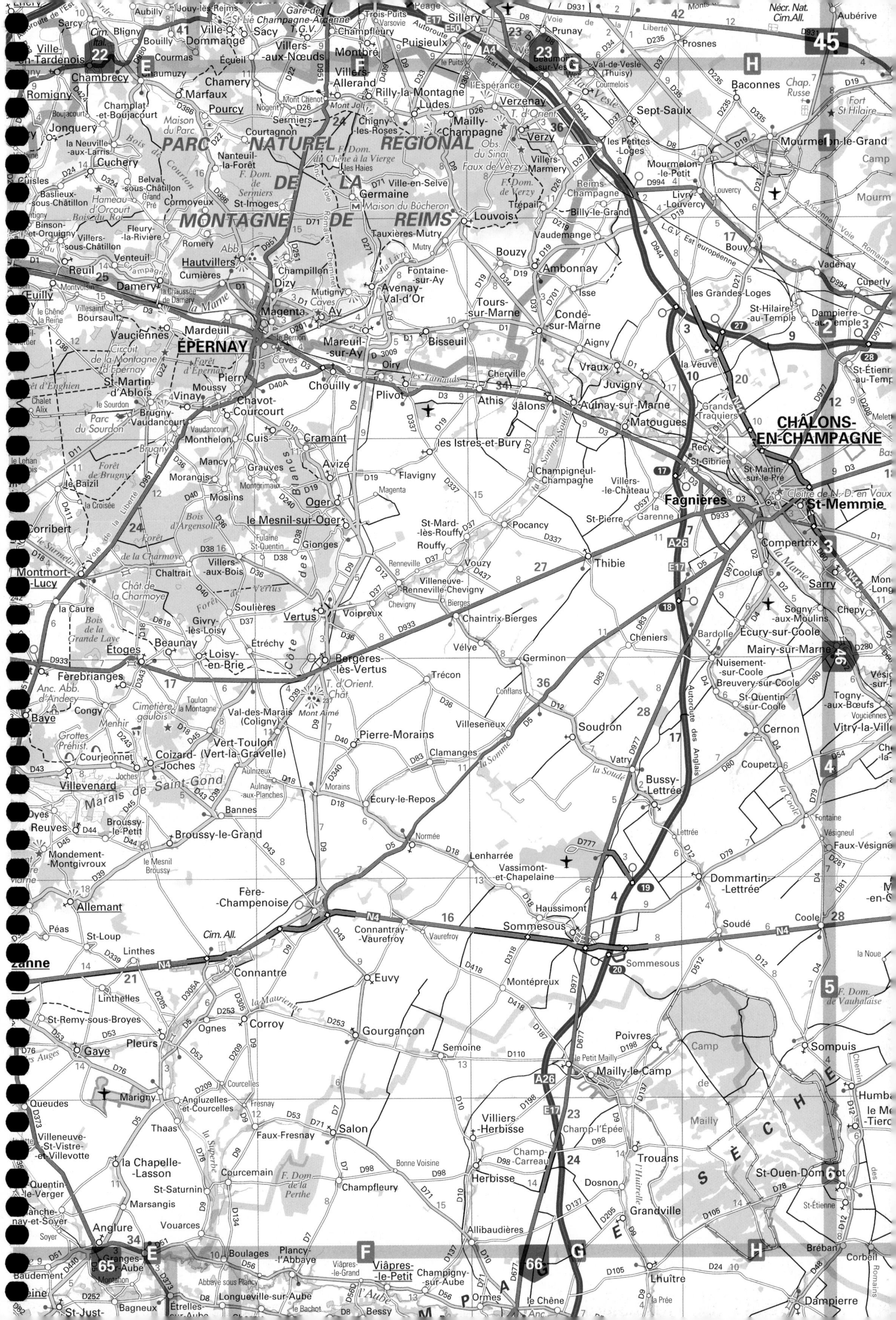

45
PARC NATUREL RÉGIONAL DE LA MONTAGNE DE REIMS
Sarcy
Aubilly
Jouy-lès-Reims
Gare de Champagne-Ardenne T.G.V.
Trois-Puits
Sillery
Prunay
Aubérive
Nécr. Nat. Cim.All.
Bligny
Ville-Dommange
Sacy
Champfleury
Puisieux
Prosnes
Ville-en-Tardenois
Bouilly
Courmas
Écueil
Villers-aux-Nœuds
Montbré
Beaumont-sur-Vesle
Val-de-Vesle (Thuisy)
Baconnes
Chap. Russe
Fort St Hilaire
Chambrecy
Chaumuzy
Chamery
Villers-Allerand
Rilly-la-Montagne
L'Espérance
Courmelois
Romigny
Marfaux
Pourcy
Mont Chenot
Mont Joli
Ludes
Verzenay
T. d'Orient
Sept-Saulx
Champlat-et-Boujacourt
Boujacourt
Nogent
Sermiers
Chigny-les-Roses
Mailly-Champagne
Verzy
Jonquery
Maison du Parc
Courtagnon
F. Dom. du Chêne à la Vierge
Obs. du Sinaï
les Petites-Loges
Mourmelon-le-Grand
la Neuville-aux-Larris
Nanteuil-la-Forêt
les Haies
Villers-Marmery
Camp
Cuchery
F. Dom. de Sermiers
Faux de Verzy
Mourmelon-le-Petit
Cuisles
Belval-sous-Châtillon
Ville-en-Selve
F. Dom. de Verzy
Reims-Champagne
Livry-Louvercy
Louvercy
Mourm
Baslieux-sous-Châtillon
Hameau d'Orcourt
Grand Pré
Cormoyeux
St-Imoges
Germaine
Maison du Bûcheron
Trépail
Billy-le-Grand
Binson-et-Orquigny
Bois du Roi
Fleury-la-Rivière
Louvois
Villers-sous-Châtillon
Romery
Tauxières-Mutry
Vaudemange
L.G.V. Est européenne
Bouy
Abb.
Mutry
Bouzy
Ambonnay
Vadenay
Reuil
Venteuil
Hautvillers
Champillon
Fontaine-sur-Ay
Cuperly
Damery
Cumières
Dizy
Avenay-Val-d'Or
Isse
les Grandes-Loges
Euilly
Montvoisin
la Chaussée de Damery
Mutigny
Caves
Tours-sur-Marne
Condé-sur-Marne
St-Hilaire-au-Temple
Dampierre-au-Temple
le Chêne
Villesaint
Boursault
Magenta
Ay
la Reine
Vauciennes
Mardeuil
Mareuil-sur-Ay
Bisseuil
Aigny
ÉPERNAY
le Bernon
Oiry
Circuit de la Montagne d'Épernay
Forêt d'Épernay
Caves
Cherville
Vraux
la Veuve
St-Étienne-au-Temple
St-Martin-d'Ablois
Pierry
Chouilly
les Tarnauds
Juvigny
Forêt d'Enghien
Moussy
Plivot
Athis
Jâlons
Aulnay-sur-Marne
Grands Traquiers
Chalet Alix
le Sourdon
Vinay
Chavot-Courcourt
Matougues
CHÂLONS-EN-CHAMPAGNE
Parc du Sourdon
Brugny-Vaudancourt
Vaudancourt
Monthelon
Cuis
Cramant
les Istres-et-Bury
Recy
St-Gibrien
Mancy
Grauves
Avize
Flavigny
Forêt de Brugny
Morangis
Montgrimaux
Magenta
Champigneul-Champagne
Villers-le-Château
St-Martin-sur-le-Pré
Cloître de N.-D. en Vaux
le Baizil
Moslins
Oger
Fagnières
St-Memmie
la Croisée
Bois d'Argensolle
le Mesnil-sur-Oger
St-Mard-lès-Rouffy
Pocancy
St-Pierre
la Garenne
Corribert
Forêt de la Charmoye
Fulaine St-Quentin
Gionges
Rouffy
Compertrix
le Surmelin
Chaltrait
Villers-aux-Bois
Renneville
Vouzy
Thibie
Montmort-Lucy
Forêt de Vertus
Villeneuve-Renneville-Chevigny
Coolus
Sarry
Mon-Long
Chât. de la Charmoye
Chevigny
Bierges
la Caure
Soulières
Vertus
Voipreux
Chaintrix-Bierges
Sogny-aux-Moulins
Chepy
Bois de la Grande Laye
Givry-lès-Loisy
Cheniers
Bardolle
Écury-sur-Coole
Étoges
Beaunay
Loisy-en-Brie
Étréchy
Vélye
Mairy-sur-Marne
Fèrebrianges
Bergères-lès-Vertus
Germinon
Nuisement-sur-Coole
Vésig-sur-
Anc. Abb. d'Andecy
T. d'Orient. Chât.
Trécon
Breuvery-sur-Coole
Toulon la Montagne
Mont Aimé
Conflans
St-Quentin-sur-Coole
Tognу-aux-Bœufs
Vouciennes
Congy
Cimetière gaulois
Val-des-Marais (Coligny)
Villeseneux
Soudron
Baye
Menhir
Vitry-la-Ville
Grottes Préhist.
Pierre-Morains
Cernon
Vert-Toulon (Vert-la-Gravelle)
Courjeonnet
Coizard-Joches
Clamanges
la Somme
Vatry
Coupetz
Joches
Aulnizeux
la Soude
Villevenard
Marais de Saint-Gond
Aulnay-aux-Planches
Morains
Bussy-Lettrée
la Coole
Écury-le-Repos
Fontaine
Bannes
Oyes
Reuves
Broussy-le-Petit
Lettrée
Vésigneul
Broussy-le-Grand
Normée
Faux-Vésigneul
Mondement-Montgivroux
Lenharrée
Vassimont-et-Chapelaine
le Mesnil Broussy
Dommartin-Lettrée
Allemant
Fère-Champenoise
Haussimont
Péas
Sommesous
Soudé
Coole
St-Loup
Cim. All.
Connantray-Vaurefroy
Vaurefroy
Linthes
la Noue
zanne
Sommesous
Connantre
Euvy
Montépreux
Linthelles
la Maurienne
F. Dom. de Vauhalaise
St-Remy-sous-Broyes
Ognes
Corroy
Gourgançon
Poivres
Camp
Sompuis
Gaye
Pleurs
Semoine
le Petit Mailly
Mailly-le-Camp
Marigny
Courcelles
Humba
Queudes
Angluzelles-et-Courcelles
Fresnay
de
le Me-Tierc
Thaas
Salon
Villiers-Herbisse
Mailly
Villeneuve-St-Vistre-et-Villevotte
Faux-Fresnay
Champ-l'Épée
la Superbe
Champ-Carreau
Trouans
la Chapelle-Lasson
Bonne Voisine
S È C H E
Courcemain
F. Dom. de la Perthe
Champfleury
Herbisse
Dosnon
St-Ouen-Domprot
St-Saturnin
l'Huitrelle
Quentin-le-Verger
Marsangis
St-Étienne
Grandville
nay-et-Soyer
Vouarces
Anglure
Allibaudières
Soyer
Bréban
Corbeil
Boulages
Plancy-l'Abbaye
Viâpres-le-Grand
Viâpres-le-Petit
Granges-sur-Aube
Montanon
Champigny-sur-Aube
Lhuître
Baudement
Abbaye sous Plancy
Romains
Longueville-sur-Aube
l'Aube
Ormes
le Chêne
la Prée
Dampierre
St-Just
Bagneux
Étrelles-sur-Aube
le Bachot
Bessy
Autoroute des Anglais
Voie de la Liberté
Autoroute de l'Est

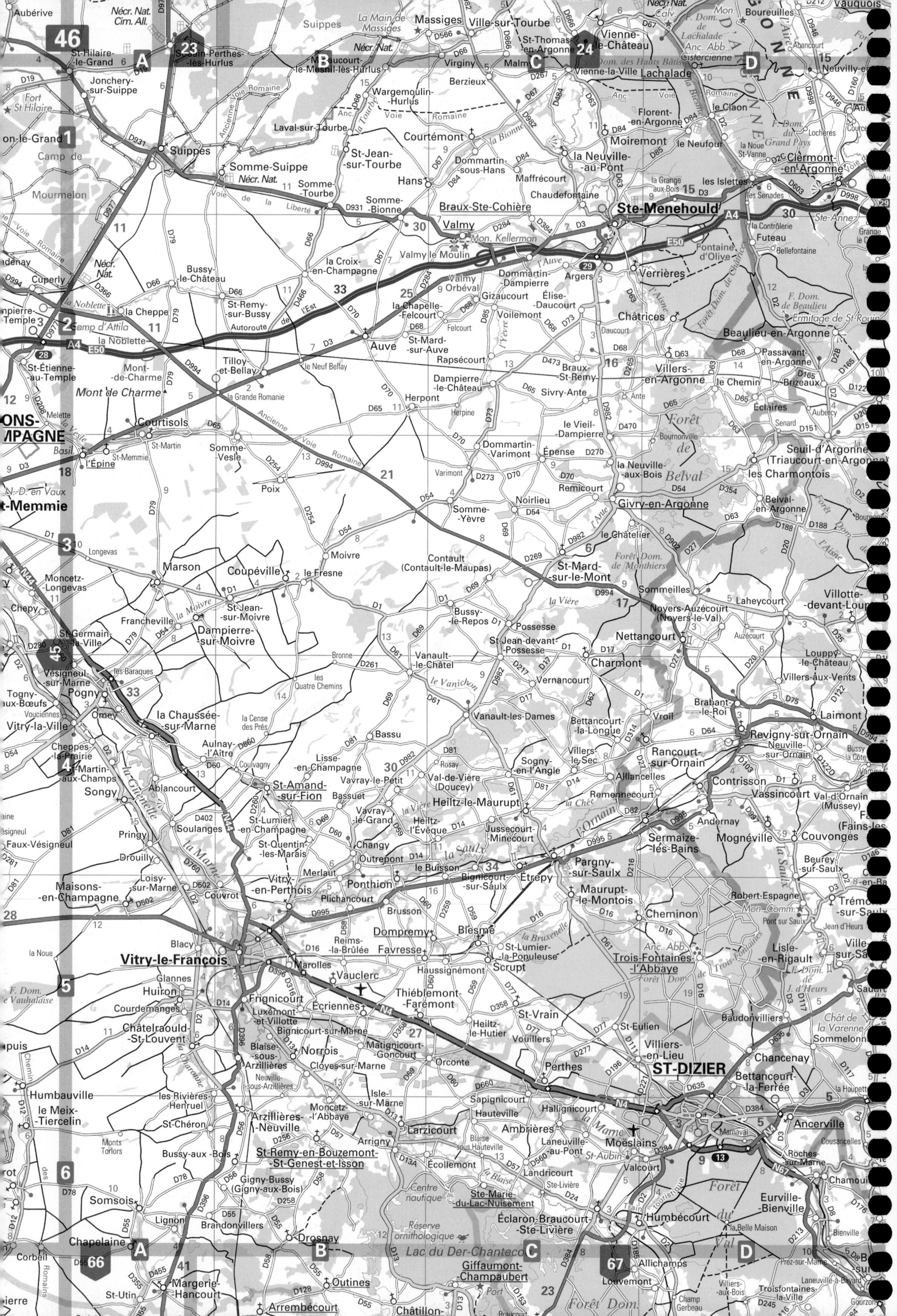

46
23
24
45
66
67
A
B
C
D
1
2
3
4
5
6
Aubérive
Nécr. Nat. Cim. All.
Suippes
La Main de Massiges
Massiges
Ville-sur-Tourbe
Vienne-le-Château
Boureuilles
Vauquois
St-Hilaire-le-Grand
Souain-Perthes-lès-Hurlus
Minaucourt-le-Mesnil-lès-Hurlus
Virginy
Malmy
St-Thomas-en-Argonne
Vienne-la-Ville
Lachalade
Neuvilly-en-Argonne
Jonchery-sur-Suippe
Fort St Hilaire
Wargemoulin-Hurlus
Berzieux
Florent-en-Argonne
le Claon
Laval-sur-Tourbe
Courtémont
Moiremont
le Neufour
Les Islettes
Mourmelon-le-Grand
Camp de Mourmelon
Suippes
Somme-Suippe
St-Jean-sur-Tourbe
Dommartin-sous-Hans
la Neuville-au-Pont
Clermont-en-Argonne
Hans
Maffrécourt
Somme-Tourbe
Somme-Bionne
Braux-Ste-Cohière
Chaudefontaine
Ste-Menehould
Voie de la Liberté
Valmy
Mon. Kellerman
Valmy le Moulin
Futeau
Fontaine d'Olive
la Croix-en-Champagne
Dommartin-Dampierre
Argers
Verrières
Cuperly
Bussy-le-Château
Valmy Orbéval
Gizaucourt
Élise-Daucourt
la Cheppe
St-Remy-sur-Bussy
la Chapelle-Felcourt
Voilemont
Châtrices
St-Étienne-au-Temple
Camp d'Attila
Auve
St-Mard-sur-Auve
Beaulieu-en-Argonne
la Noblette
Tilloy-et-Bellay
Rapsécourt
Villers-en-Argonne
Passavant-en-Argonne
Mont-de-Charme
Mont de Charme
Dampierre-le-Château
Braux-St-Remy
Brizeaux
la Grande Romanie
Herpont
Sivry-Ante
le Chemin
Éclaires
Courtisols
le Vieil-Dampierre
Forêt de Belval
Seuil-d'Argonne
(Triaucourt-en-Argonne)
l'Épine
Somme-Vesle
Dommartin-Varimont
Épense
la Neuville-aux-Bois
les Charmontois
Poix
Remicourt
Noirlieu
Givry-en-Argonne
Belval-en-Argonne
Somme-Yèvre
le Châtelier
Longevas
Moivre
Contault
(Contault-le-Maupas)
St-Mard-sur-le-Mont
Marson
Coupéville
le Fresne
Moncetz-Longevas
Sommeilles
Laheycourt
Villotte-devant-Louppy
Chepy
St-Jean-sur-Moivre
Noyers-Auzécourt
(Noyers-le-Val)
Francheville
Dampierre-sur-Moivre
Bussy-le-Repos
Possesse
Nettancourt
St-Germain-la-Ville
St-Jean-devant-Possesse
Charmont
Louppy-le-Château
Vésigneul-sur-Marne
Pogny
Vanault-le-Châtel
Vernancourt
Villers-aux-Vents
Togny-aux-Bœufs
Vitry-la-Ville
Omey
la Chaussée-sur-Marne
Vanault-les-Dames
Bettancourt-la-Longue
Vroil
Brabant-le-Roi
Laimont
Cheppes-la-Prairie
Bassu
Revigny-sur-Ornain
Neuville-sur-Ornain
St-Martin-aux-Champs
Aulnay-l'Aître
Lisse-en-Champagne
Sogny-en-l'Angle
Villers-le-Sec
Rancourt-sur-Ornain
Songy
Ablancourt
St-Amand-sur-Fion
Val-de-Vière
(Doucey)
Vavray-le-Petit
Contrisson
Bassuet
Heiltz-le-Maurupt
Alliancelles
Remennecourt
Vassincourt
Soulanges
St-Lumier-en-Champagne
Vavray-le-Grand
Heiltz-l'Évêque
Jussecourt-Minecourt
Andernay
Sermaize-les-Bains
Mognéville
Couvonges
Pringy
St-Quentin-les-Marais
Changy
Faux-Vésigneul
Drouilly
Outrepont
le Buisson
Pargny-sur-Saulx
Étrepy
Beurey-sur-Saulx
Loisy-sur-Marne
Merlaut
Vitry-en-Perthois
Ponthion
Bignicourt-sur-Saulx
Maurupt-le-Montois
Maisons-en-Champagne
Couvrot
Plichancourt
Brusson
Robert-Espagne
Cheminon
Blacy
Dompremy
Blesme
Vitry-le-François
Reims-la-Brûlée
Favresse
St-Lumier-la-Populeuse
Marolles
Scrupt
Trois-Fontaines-l'Abbaye
Lisle-en-Rigault
Glannes
Huiron
Vauclerc
Haussignémont
Frignicourt
Thiéblemont-Farémont
Courdemanges
Écriennes
Luxémont-et-Villotte
St-Vrain
Baudonvilliers
Châtelraould-St-Louvent
Bignicourt-sur-Marne
Heiltz-le-Hutier
Vouillers
St-Eulien
Sommelonne
Blaise-sous-Arzillières
Norrois
Matignicourt-Goncourt
Orconte
Villiers-en-Lieu
Chancenay
Humbauville
Cloyes-sur-Marne
Perthes
ST-DIZIER
Bettancourt-la-Ferrée
le Meix-Tiercelin
les Rivières-Henruel
Isle-sur-Marne
Sapignicourt
Hallignicourt
Hauteville
St-Chéron
Arzillières-Neuville
Moncetz-l'Abbaye
Larzicourt
Ambrières
Ancerville
Arrigny
Laneuville-au-Pont
Moëslains
Bussy-aux-Bois
St-Remy-en-Bouzemont-St-Genest-et-Isson
Écollemont
Valcourt
Roches-sur-Marne
Landricourt
Gigny-Bussy
(Gigny-aux-Bois)
Ste-Marie-du-Lac-Nuisement
Somsois
Eurville-Bienville
Lignon
Brandonvillers
Éclaron-Braucourt-Ste-Livière
Humbécourt
Chapelaine
Drosnay
Lac du Der-Chantecoq
Allichamps
Margerie-Hancourt
Giffaumont-Champaubert
Louvemont
Outines
St-Utin
Arrembécourt
Châtillon
Forêt Dom.
A4
E50
N4
N44
N67

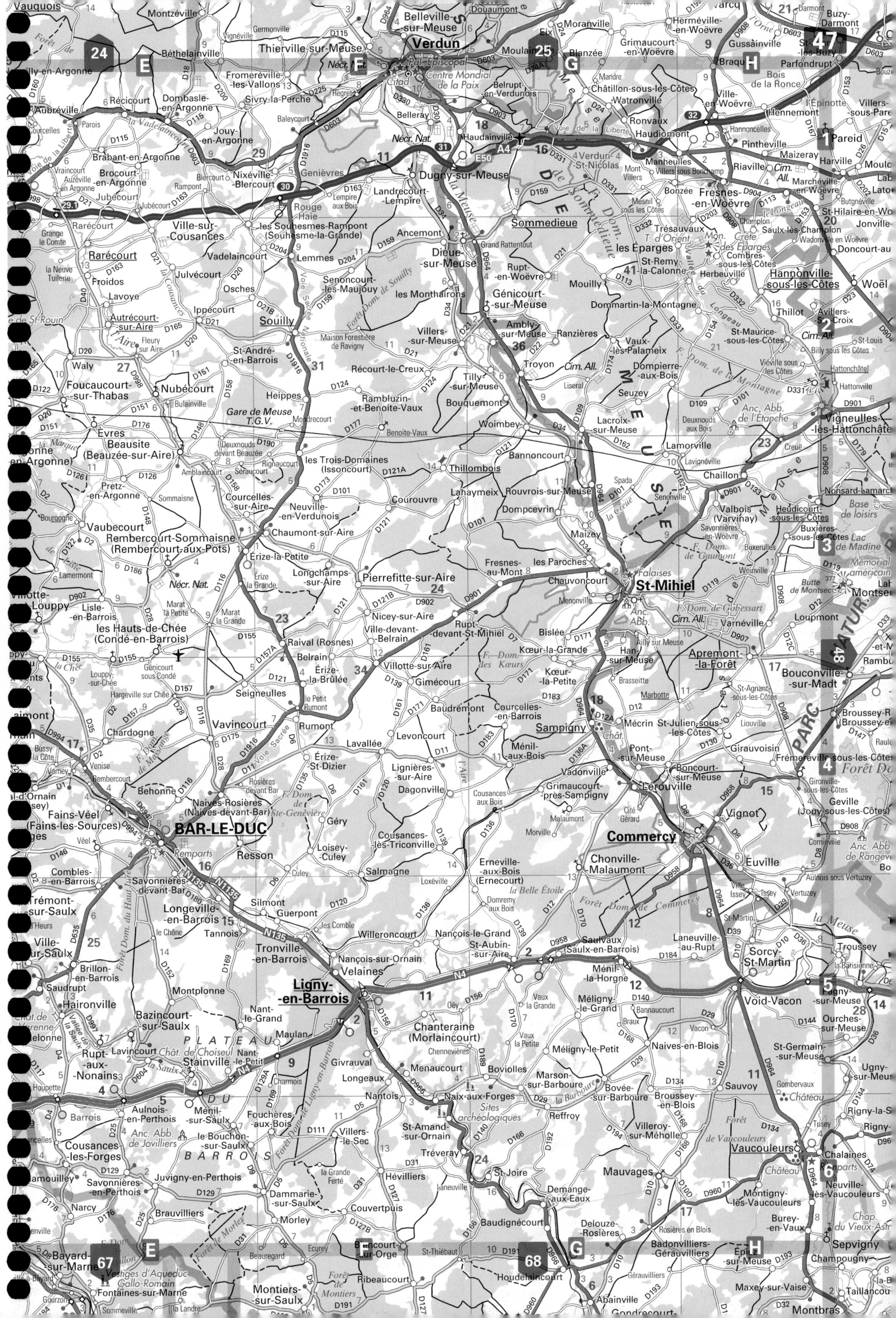

Vauquois
Montzéville
24
E
Béthelainville
Germonville
Vigneville
Thierville-sur-Meuse
F
Belleville-sur-Meuse
Verdun
Douaumont
Moranville
25
G
Eix
Moulainville
Blanzée
Herméville-en-Woëvre
Grimaucourt-en-Woëvre
Gussainville
H
Braquis
Darmont
Buzy-Darmont
47
St-Jean-lès-Buzy
Parfondrupt
Bois de la Ronce
Forêt de Hesse
Lachalade
Récicourt
Dombasle-en-Argonne
Fromeréville-les-Vallons
Sivry-la-Perche
Regret
Citad.
Pal. Épiscopal
Centre Mondial de la Paix
Belrupt-en-Verdunois
Mandre
Châtillon-sous-les-Côtes
Watronville
Ville-en-Woëvre
Hennemont
L'Épinotte
Villers-sous-Pareid
Aubréville
Parois
Baleycourt
Belleray
18
Haudainville
Ronvaux
Haudiomont
Hannoncelles
Pareid
Neuvilly-en-Argonne
Jouy-en-Argonne
Brabant-en-Argonne
29
Nécr. Nat.
11
Dugny-sur-Meuse
31
E50
A4
16
Verdun-St-Nicolas
Manheulles
Villers sous Bonchamp
Pintheville
Maizeray
Harville
Moulotte
Vraincourt
Auzéville en Argonne
Brocourt-en-Argonne
Blercourt
Nixéville-Blercourt
30
Genièvres
Landrecourt-Lempire
Mont Villers
Riaville
Cim. All.
Marchéville-en-Woëvre
Latour
Clermont-en-Argonne
29.1
Jubécourt
Rampont
Rouge Haie
Lempire aux Bois
Sommedieue
Bonzée
Fresnes-en-Woëvre
Butgnéville
St-Hilaire-en-Woëvre
Grange le Comte
Rarécourt
Ville-sur-Cousances
les Souhesmes-Rampont (Souhesme-la-Grande)
Ancemont
Dieue-sur-Meuse
Grand Rattentout
F. Dom. de Sommedieue
Mesnil sous les Côtes
Trésauvaux
T. d'Orient
Mon.
Crête des Éparges
Champlon
Saulx-lès-Champlon
Jonville-en-Woëvre
Wadonville en Woëvre
Doncourt-aux-Templiers
Rarécourt
la Neuve Tuilerie
Froidos
Vadelaincourt
Lemmes
Julvécourt
les Éparges
St-Remy-la-Calonne
Combres-sous-les-Côtes
Herbeuville
Hannonville-sous-les-Côtes
Woël
Lavoye
Osches
Senoncourt-les-Maujouy
Forêt Dom. de Souilly
les Monthairons
Rupt-en-Woëvre
Génicourt-sur-Meuse
Mouilly
41
Dommartin-la-Montagne
Thillot
Avillers-Ste-Croix
Autrécourt-sur-Aire
Ippécourt
Souilly
Maison Forestière de Ravigny
Villers-sur-Meuse
Ambly-sur-Meuse
36
Ranzières
Vaux-lès-Palameix
St-Maurice-sous-les-Côtes
Cim. All.
St-Louis
Billy sous les Côtes
Fleury sur Aire
Waly
27
St-André-en-Barrois
Récourt-le-Creux
Tilly-sur-Meuse
Troyon
Cim. All.
Dompierre-aux-Bois
F. Dom. de la Montagne
Viéville sous les Côtes
Hattonchâtel
Hattonville
Foucaucourt-sur-Thabas
Nubécourt
Bulainville
Heippes
Rambluzin-et-Benoite-Vaux
Bouquemont
Liseral
Seuzey
Gare de Meuse T.G.V.
Mondrecourt
Benoite-Vaux
Woimbey
Lacroix-sur-Meuse
Deuxnouds aux Bois
Anc. Abb. de l'Étanche
Vigneulles-lès-Hattonchâtel
Èvres
Beausite (Beauzée-sur-Aire)
Deuxnouds devant Beauzée
Rignaucourt
les Trois-Domaines (Issoncourt)
Thillombois
Bannoncourt
Lamorville
Lavignéville
23
Creuë
Amblaincourt
Séraucourt
Chaillon
Pretz-en-Argonne
Sommaisne
Courcelles-sur-Aire
Neuville-en-Verdunois
Courouvre
Lahaymeix
Rouvrois-sur-Meuse
Spada
Senonville
Valbois (Varvinay)
Heudicourt-sous-les-Côtes
Nonsard-Lamarche
Base de loisirs
Vaubecourt
Rembercourt-Sommaisne (Rembercourt-aux-Pots)
Chaumont-sur-Aire
Dompcevrin
Maizey
Savonnières-en-Woëvre
Buxières-sous-les-Côtes
Buxerulles
F. Dom. de Gaumont
Lac de Madine
Lisle-en-Barrois
Lamermont
Érize-la-Petite
Érize la Grande
Longchamps-sur-Aire
Pierrefitte-sur-Aire
Fresnes-au-Mont
les Paroches
Chauvoncourt
Falaises
St-Mihiel
Woinville
Mémorial américain
Butte de Montsec
Montsec
Louppy-le-Château
Villotte-devant-Louppy
Marat la Petite
Marat la Grande
Nicey-sur-Aire
Ville-devant-Belrain
Rupt-devant-St-Mihiel
Menonville
Anc. Abb.
F. Dom. de Gobessart
Cim. All.
Varnéville
Loupmont
les Hauts-de-Chée (Condé-en-Barrois)
Raival (Rosnes)
Belrain
Érize-la-Brûlée
F. Dom. des Kœurs
Bislée
Kœur-la-Grande
Kœur-la-Petite
Han-sur-Meuse
Ailly sur Meuse
Apremont-la-Forêt
Rambucourt
la Chée
Génicourt sous Condé
Louppy-sur-Chée
Hargeville sur Chée
Seigneulles
34
Villotte-sur-Aire
Gimécourt
Brasseitte
Marbotte
St-Agnant-sous-les-Côtes
Bouconville-sur-Madt
48
Le Petit Rumont
Baudrémont
Courcelles-en-Barrois
Sampigny
Mécrin
St-Julien-sous-les-Côtes
Liouville
Broussey-Raulecourt
PARC NATUR.
Chardogne
Vavincourt
Rumont
Lavallée
Levoncourt
Ménil-aux-Bois
Châtt.
Pont-sur-Meuse
Girauvoisin
Frémeréville-sous-les-Côtes
Bussy la Côte
Varney
Venise
Rembercourt
Behonne
Érize-St-Dizier
Lignières-sur-Aire
Vadonville
Boncourt-sur-Meuse
Lérouville
Forêt Dom.
Gironville-sous-les-Côtes
Géville (Jouy-sous-les-Côtes)
Fains-Véel (Fains-les-Sources)
Rosières devant Bar
Naives-Rosières (Naives-devant-Bar)
F. Dom. de Ste-Geneviève
Dagonville
Cousances aux Bois
Grimaucourt-près-Sampigny
Malaumont
Cité Gérard
Vignot
BAR-LE-DUC
Remparts
Géry
Cousances-lès-Triconville
Morville
Commercy
Corniéville
Anc. Abb. de Rangéval
Véel
Loisey-Culey
Resson
Chonville-Malaumont
Euville
Combles-en-Barrois
16
Savonnières-devant-Bar
Culey
Salmagne
Loxéville
Erneville-aux-Bois (Ernecourt)
la Belle Étoile
Aulnois sous Vertuzey
Trémont-sur-Saulx
Longeville-en-Barrois
Silmont
Guerpont
Domremy aux Bois
Forêt Dom. de Commercy
Ville Issey
Vertuzey
Tannois
le Chêne
les Comble
Willeroncourt
Nançois-le-Grand
12
St-Martin
la Meuse
Ville-sur-Saulx
25
Tronville-en-Barrois
St-Aubin-sur-Aire
Saulvaux (Saulx-en-Barrois)
Laneuville-au-Rupt
Sorcy-St-Martin
Troussey
Forêt Dom. du Haut Juré
Brillon-en-Barrois
Nançois-sur-Ornain
Velaines
Ménil-la-Horgne
la Batisienne
Saudrupt
Ligny-en-Barrois
Void-Vacon
Pagny-sur-Meuse
Haironville
Montplonne
Nant-le-Grand
Oëy
Vaux la Grande
Méligny-le-Grand
Bannoncourt
Ourches-sur-Meuse
Chât. de Varenne
Bazincourt-sur-Saulx
Maulan
Chanteraine (Morlaincourt)
Braux
Vacon
Vallée de la Saulx
Lavincourt
Chât. de Choiseul
PLATEAU
Vaux la Petite
Méligny-le-Petit
Naives-en-Blois
St-Germain-sur-Meuse
Rupt-aux-Nonains
Stainville
Nant-le-Petit
Givrauval
Chennevières
Menaucourt
Boviolles
Marson-sur-Barboure
Ugny-sur-Meuse
Houpette
Longeaux
Charmois
Nantois
Naix-aux-Forges
Sites archéologiques
la Barboure
Bovée-sur-Barboure
Broussey-en-Blois
Sauvoy
Gombervaux
Château
Rigny-la-Salle
Barrois
Aulnois-en-Perthois
DU
Ménil-sur-Saulx
Fouchères-aux-Bois
Forêt Dom. de Ligny-en-Barrois
Villers-le-Sec
St-Amand-sur-Ornain
Reffroy
Villeroy-sur-Méholle
Forêt de Vaucouleurs
Rigny-St-Martin
Cousances-les-Forges
Anc. Abb. de Jovilliers
le Bouchon-sur-Saulx
BARROIS
Tréveray
Vaucouleurs
Chalaines
Remparts
Juvigny-en-Perthois
la Grande Ferté
Hévilliers
St-Joire
Mauvages
Château
Savonnières-en-Perthois
Dammarie-sur-Saulx
Laneuville
Demange-aux-Eaux
Montigny-lès-Vaucouleurs
Neuville-lès-Vaucouleurs
Narcy
Brauvilliers
Couvertpuis
Morley
Forêt de Morley
Baudignécourt
Delouze-Rosières
Rosières en Blois
17
Burey-en-Vaux
Chap. du Vieux-Astre
Sepvigny
Bayard-sur-Marne
67
E
Vestiges d'Aqueduc Gallo-Romain
Beauregard
Ecurey
F
Biencourt-sur-Orge
St-Thiébaut
68
G
Badonvilliers-Gérauvilliers
Épiez-sur-Meuse
H
Champougny
Fontaines-sur-Marne
Montiers-sur-Saulx
Forêt de Montiers
Ribeaucourt
Houdelaincourt
Gérauvilliers
Maxey-sur-Vaise
Taillancourt
Gourzon
Sommeville
la Landre
Abainville
Gondrecourt
Montbras

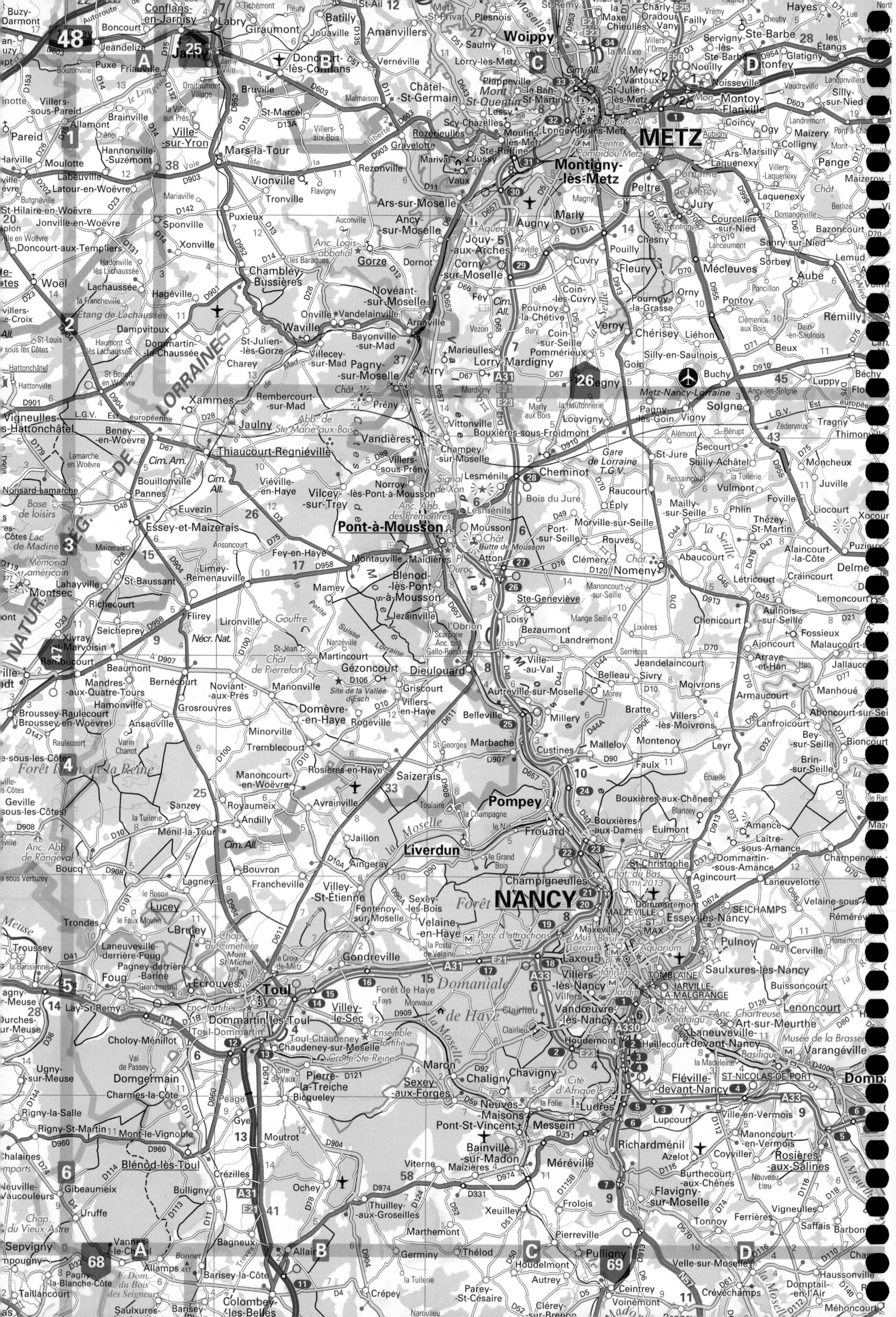
48
Conflans-en-Jarnisy
Labry
Jarny
25
Giraumont
Batilly
Jouaville
Amanvillers
St-Ail
12
Plesnois
Woippy
St-Privat
Saulny
Lorry-lès-Metz
Maxe
Chieulles
Charly-Oradour
Vany
Failly
Vrémy
Hayes
Servigny-lès-Ste-Barbe
Ste-Barbe
28
les Étangs
Glatigny
Retonfey
Noisseville
Nouilly
Vantoux
Mey
Montoy-Flanville
Coincy
Silly-sur-Nied
Boncourt
Jeandelize
Puxe
Friauville
Doncourt-lès-Conflans
Vernéville
Châtel-St-Germain
Plappeville
Le Ban-St-Martin
St-Julien-lès-Metz
Mont St-Quentin
Lessy
Scy-Chazelles
Moulins-lès-Metz
Longeville-lès-Metz
METZ
Ogy
Maizery
Colligny
Pange
Villers-sous-Pareid
Allamont
Brainville
Pareid
Bruville
St-Marcel
Ville-sur-Yron
Hannonville-Suzémont
Mars-la-Tour
Gravelotte
Rozérieulles
Ste-Ruffine
Jussy
Vaux
Marieulles
Montigny-lès-Metz
Ars-Laquenexy
Marsilly
Harville
Moulotte
Labeuville
Latour-en-Woëvre
Vionville
Tronville
Rezonville
Flavigny
Ars-sur-Moselle
Peltre
Jury
Laquenexy
St-Hilaire-en-Woëvre
Jonville-en-Woëvre
Puxieux
Sponville
Xonville
Ancy-sur-Moselle
Augny
Marly
Courcelles-sur-Nied
Doncourt-aux-Templiers
Gorze
Dornot
Jouy-aux-Arches
Corny-sur-Moselle
Pouilly
Chesny
Sanry-sur-Nied
Bazoncourt
Woël
Chambley-Bussières
Lachaussée
Hagéville
Novéant-sur-Moselle
Cuvry
Fleury
Mécleuves
Sorbey
Aube
Onville
Vandelainville
Waville
Arnaville
Fey
Coin-lès-Cuvry
Pournoy-la-Chétive
Pournoy-la-Grasse
Orny
Pontoy
Rémilly
Dampvitoux
Dommartin-la-Chaussée
St-Julien-lès-Gorze
Bayonville-sur-Mad
Villecey-sur-Mad
Pagny-sur-Moselle
Arry
Lorry-Mardigny
Coin-sur-Seille
Pommérieux
Verny
Chérisey
Liéhon
Silly-en-Saulnois
Goin
Buchy
Béchy
Luppy
Charey
Xammes
Rembercourt-sur-Mad
Prény
Vittonville
Marly aux Bois
Louvigny
Pagny-lès-Goin
Vigny
Solgne
Metz-Nancy-Lorraine
Vigneulles-lès-Hattonchâtel
Beney-en-Woëvre
Jaulny
Thiaucourt-Regniéville
Vandières
Bouxières-sous-Froidmont
Champey-sur-Moselle
Cheminot
Secourt
Sailly-Achâtel
Tragny
Thimonville
Moncheux
Lamarche en Woëvre
Bouillonville
Pannes
Viéville-en-Haye
Villers-sous-Prény
Norroy-lès-Pont-à-Mousson
Lesménils
Raucourt
Éply
Vulmont
Juville
Nonsard-Lamarche
Euvezin
Vilcey-sur-Trey
Bois du Juré
Mailly-sur-Seille
Phlin
Foville
Liocourt
Essey-et-Maizerais
Pont-à-Mousson
Mousson
Morville-sur-Seille
Port-sur-Seille
Rouves
Thézey-St-Martin
Lac de Madine
Fey-en-Haye
Montauville
Maidières
Atton
Clémery
Nomeny
Abaucourt
Alaincourt-la-Côte
Delme
Limey-Remenauville
St-Baussant
Blénod-lès-Pont-à-Mousson
Mamey
Lahayville
Montsec
Richecourt
Flirey
Lironville
Ste-Geneviève
Létricourt
Craincourt
Lemoncourt
Seicheprey
Xivray-et-Marvoisin
Jezainville
Loisy
Bezaumont
Landremont
Chenicourt
Aulnois-sur-Seille
Fossieux
Malaucourt
Rambucourt
Beaumont
Martincourt
Gézoncourt
Dieulouard
Ville-au-Val
Jeandelaincourt
Ajoncourt
Arraye-et-Han
Mandres-aux-Quatre-Tours
Bernécourt
Noviant-aux-Prés
Manonville
Griscourt
Villers-en-Haye
Autreville-sur-Moselle
Belleau
Sivry
Moivrons
Armaucourt
Manhoué
Broussey-Raulecourt (Broussey-en-Woëvre)
Hamonville
Grosrouvres
Domèvre-en-Haye
Rogéville
Belleville
Millery
Bratte
Villers-lès-Moivrons
Lanfroicourt
Abocourt-sur-Seille
Ansauville
Minorville
Tremblecourt
Marbache
Custines
Malleloy
Montenoy
Leyr
Bey-sur-Seille
Bioncourt
Forêt Dom. de la Reine
Manoncourt-en-Woëvre
Rosières-en-Haye
Saizerais
Faulx
Brin-sur-Seille
Geville
Sanzey
Royaumeix
Andilly
Avrainville
Pompey
Bouxières-aux-Chênes
Ménil-la-Tour
Jaillon
Liverdun
Frouard
Bouxières-aux-Dames
Eulmont
Amance
Laître-sous-Amance
Boucq
Bouvron
Lagney
Francheville
Aingeray
Lay-St-Christophe
Dommartin-sous-Amance
Agincourt
Champenoux
Lucey
Villey-St-Étienne
Champigneulles
NANCY
Dommartemont
Laneuvelotte
Trondes
Bruley
Fontenoy-sur-Moselle
Sexey-les-Bois
Velaine-en-Haye
Malzéville
Essey-lès-Nancy
Seichamps
Maxéville
St-Max
Pulnoy
Cerville
Troussey
Laneuveville-derrière-Foug
Pagney-derrière-Barine
Gondreville
Laxou
Saulxures-lès-Nancy
Foug
Écrouves
Toul
Villers-lès-Nancy
Tomblaine
Jarville-la-Malgrange
Buissoncourt
Lay-St-Remy
Dommartin-lès-Toul
Villey-le-Sec
Vandœuvre-lès-Nancy
Lenoncourt
Art-sur-Meurthe
Choloy-Ménillot
Chaudeney-sur-Moselle
Houdemont
Heillecourt
Laneuveville-devant-Nancy
Varangéville
Ugny-sur-Meuse
Domgermain
Pierre-la-Treiche
Maron
Chaligny
Chavigny
Fléville-devant-Nancy
St-Nicolas-de-Port
Charmes-la-Côte
Bicqueley
Sexey-aux-Forges
Neuves-Maisons
Ludres
Lupcourt
Ville-en-Vermois
Rigny-la-Salle
Gye
Pont-St-Vincent
Messein
Rigny-St-Martin
Mont-le-Vignoble
Moutrot
Bainville-sur-Madon
Richardménil
Manoncourt-en-Vermois
Chalaines
Blénod-lès-Toul
Crézilles
Viterne
Maizières
Méréville
Azelot
Coyviller
Rosières-aux-Salines
Gibeaumeix
Bulligny
Ochey
Burthecourt-aux-Chênes
Uruffe
Thuilley-aux-Groseilles
Xeuilley
Frolois
Flavigny-sur-Moselle
Vigneulles
Marthemont
Tonnoy
Ferrières
Saffais
Pierreville
Sepvigny
Vannes-le-Châtel
Bagneux
Allain
Germiny
Thélod
Pulligny
Allamps
Houdelmont
Velle-sur-Moselle
Barisey-la-Côte
Autrey
Haussonville
Taillancourt
Crépey
Parey-St-Césaire
Ceintrey
Crévéchamps
Domptail-en-l'Air
Saulxures
Colombey-les-Belles
Voinémont
Méhoncourt
68
69

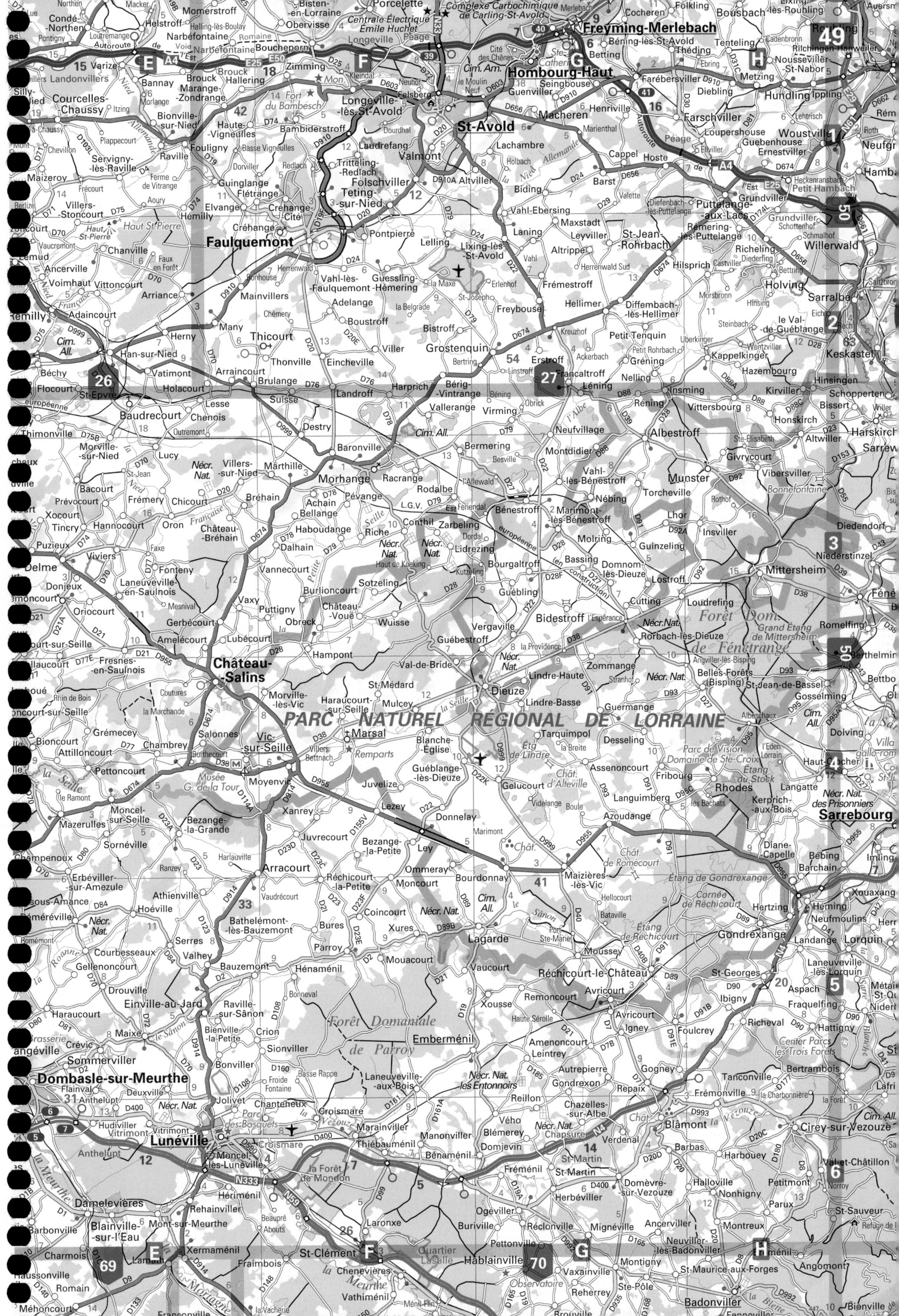

Condé-Northen
Momerstroff
Bisten-en-Lorraine
Porcelette
Complexe Carbochimique de Carling-St-Avold
Centrale Électrique Émile Huchet
Cocheren
Folkling
Bousbach
Freyming-Merlebach
49
Helstroff
Narbéfontaine
Obervisse
Longeville
Béning-lès-St-Avold
Tenteling
Théding
Varize
Boucheporn
Zimming
Hombourg-Haut
Betting
Nousseviller-St-Nabor
Landonvillers
Bannay
Brouck
Marange-Zondrange
Hallering
Seingbouse
Guenviller
Farébersviller
Metzing
Diebling
Hundling
Ippling
Courcelles-Chaussy
Bionville-sur-Nied
Longeville-lès-St-Avold
Henriville
Macheren
Farschviller
Woustviller
Haute-Vigneulles
Bambiderstroff
St-Avold
Loupershouse
Guebenhouse
Ernestviller
Servigny-lès-Raville
Raville
Fouligny
Laudrefang
Valmont
Lachambre
Cappel
Hoste
Maizeroy
Tritteling-Redlach
Folschviller
Altviller
Barst
Guinglange
Flétrange
Teting-sur-Nied
Biding
Puttelange-aux-Lacs
Grundviller
Villers-Stoncourt
Elvange
Créhange-Cité
Vahl-Ebersing
Maxstadt
Hémilly
Créhange
Pontpierre
Laning
Leyviller
St-Jean-Rohrbach
Rémering-lès-Puttelange
Willerwald
Faulquemont
Lelling
Lixing-lès-St-Avold
Altrippe
Richeling
Chanville
Hilsprich
Ancerville
Vahl-lès-Faulquemont
Guessling-Hémering
Frémestroff
Holving
Sarralbe
Voimhaut
Vittoncourt
Arriance
Mainvillers
Adelange
Freybouse
Hellimer
Diffembach-lès-Hellimer
Remilly
Adaincourt
Boustroff
Many
Bistroff
Petit-Tenquin
le Val-de-Guéblange
Herny
Thicourt
Grostenquin
Erstroff
Gréning
Kappelkinger
Keskastel
Han-sur-Nied
Thonville
Eincheville
Viller
54
Nelling
Hazembourg
Béchy
26
Vatimont
Arraincourt
Brulange
Bérig-Vintrange
27
Francaltroff
Léning
Insming
Hinsingen
Flocourt
St-Epvre
Holacourt
Landroff
Harprich
Réning
Vittersbourg
Kirviller
Schopperten
Baudrecourt
Lesse
Suisse
Vallerange
Virming
Bissert
Chenois
Destry
Neufvillage
Albestroff
Honskirch
Thimonville
Altwiller
Harskirch
Morville-sur-Nied
Baronville
Bermering
Montdidier
Givrycourt
Lucy
Villers-sur-Nied
Marthille
Racrange
Vahl-lès-Bénestroff
Munster
Vibersviller
Bacourt
Morhange
Rodalbe
Torcheville
Prévocourt
Frémery
Chicourt
Bréhain
Achain
Pévange
Bénestroff
Marimont-lès-Bénestroff
Nébing
Xocourt
Bellange
Conthil
Zarbeling
Lhor
Tincry
Hannocourt
Oron
Château-Bréhain
Haboudange
Riche
Insviller
Diedendorf
Puzieux
Viviers
Dalhain
Lidrezing
Molring
Guinzeling
3
Niederstinzel
Delme
Fonteny
Vannecourt
Bourgaltroff
Bassing
Domnom-lès-Dieuze
Lostroff
Mittersheim
Donjeux
Laneuveville-en-Saulnois
Sotzeling
Burlioncourt
Guébling
Cutting
Loudrefing
Oriocourt
Vaxy
Puttigny
Château-Voué
Bidestroff
Forêt Dom.
Gerbécourt
Obreck
Wuisse
Vergaville
Rorbach-lès-Dieuze
Grand Étang de Mittersheim
Romelfing
Amelécourt
Lubécourt
Guébestroff
de Fénétrange
Château-Salins
Fresnes-en-Saulnois
Hampont
Val-de-Bride
Zommange
50
Morville-lès-Vic
St-Médard
Lindre-Haute
Belles-Forêts
St-Jean-de-Bassel
Haraucourt-sur-Seille
Mulcey
Dieuze
Lindre-Basse
Gosselming
Grémecey
PARC NATUREL RÉGIONAL DE LORRAINE
Salonnes
Marsal
Tarquimpol
Germange
Dolving
Bioncourt
Chambrey
Vic-sur-Seille
Blanche-Église
Desseling
Attilloncourt
Remparts
Étg de Lindre
Parc de Vision
Pettoncourt
Moyenvic
Guéblange-lès-Dieuze
Assenoncourt
Fribourg
Haut-Clocher
4
Musée G. de la Tour
Juvelize
Gelucourt
Château d'Alteville
Rhodes
Langatte
Moncel-sur-Seille
Lezey
Languimberg
Kerprich-aux-Bois
Nécr. Nat. des Prisonniers
Mazerulles
Bezange-la-Grande
Xanrey
Donnelay
Azoudange
Sarrebourg
Sornéville
Juvrecourt
Bezange-la-Petite
Ley
Diane-Capelle
Bébing
Champenoux
Arracourt
Ommeray
Bourdonnay
Maizières-lès-Vic
Barchain
Erbéviller-sur-Amezule
Réchicourt-la-Petite
Moncourt
41
Étang de Gondrexange
Athienville
Héming
Xouaxange
Hoéville
33
Bathelémont-lès-Bauzemont
Coincourt
Xures
Lagarde
Hertzing
Neufmoulins
Serres
Bures
Parroy
Gondrexange
Landange
Lorquin
Courbesseaux
Valhey
Mouacourt
Moussey
Gellenoncourt
Bauzemont
Hénaménil
Vaucourt
Réchicourt-le-Château
St-Georges
Laneuveville-lès-Lorquin
Drouville
Avricourt
20
Aspach
5
Einville-au-Jard
Raville-sur-Sânon
Xousse
Remoncourt
Ibigny
Fraquelfing
Haraucourt
Bienville-la-Petite
Crion
Forêt Domaniale de Parroy
Igney
Foulcrey
Richeval
Hattigny
Maixe
Sionviller
Emberménil
Amenoncourt
Leintrey
Center Parcs les Trois Forêts
Crévic
Sommerviller
Bonviller
Laneuveville-aux-Bois
Autrepierre
Gogney
Tanconville
Bertrambois
Dombasle-sur-Meurthe
Flainval
Deuxville
Gondrexon
Repaix
Frémonville
Lafrimbolle
31
Anthelupt
Jolivet
Chanteheux
Croismare
Reillon
Chazelles-sur-Albe
Hudiviller
Vitrimont
Marainviller
Vého
Blémerey
Blâmont
Cirey-sur-Vezouze
Lunéville
Thiébauménil
Manonviller
Domjevin
Verdenal
Barbas
Harbouey
Anthelupt
12
Moncel-lès-Lunéville
Bénaménil
St-Martin
14
Val-et-Châtillon
6
Fréménil
Domèvre-sur-Vezouze
Halloville
Petitmont
Dameleviéres
Hériménil
Herbéviller
Nonhigny
Rehainviller
Ogéviller
Parux
Blainville-sur-l'Eau
Mont-sur-Meurthe
Laronxe
Buriville
Réclonville
Mignéville
Ancerviller
Montreux
St-Sauveur
Barbonville
Xermaménil
St-Clément
Hablainville
Pettonville
Montigny
Neuviller-lès-Badonviller
Charmois
69
Fraimbois
Chenevières
70
Vaxainville
St-Maurice-aux-Forges
Angomont
Romain
Vathiménil
Reherrey
Ste-Pôle
Badonviller
Méhoncourt
Bionville

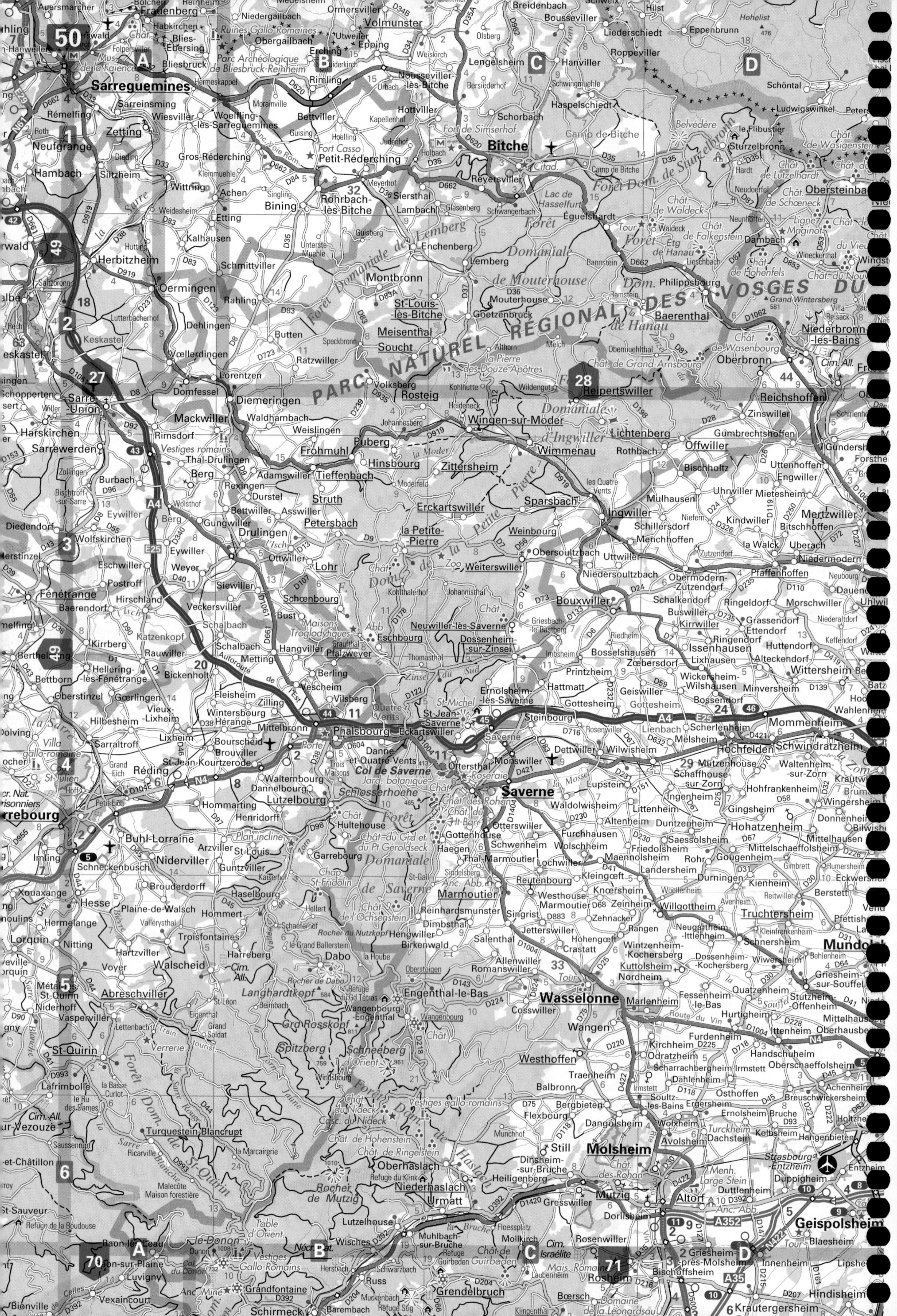

50
A
B
C
D
Sarreguemines
Frauenberg
Bliesbruck
Parc Archéologique de Bliesbruck-Reinheim
Volmunster
Epping
Erching
Rimling
Nousseviller-lès-Bitche
Lengelsheim
Hanviller
Roppeviller
Liederschiedt
Bousseviller
Breidenbach
Eppenbrunn
Hilst
Schöntal
Ludwigswinkel
Sarreinsming
Rémelfing
Zetting
Neufgrange
Hambach
Siltzheim
Wittring
Wiesviller
Woelfling-lès-Sarreguemines
Gros-Réderching
Petit-Réderching
Bettviller
Hottviller
Fort Casso
Fort de Simserhof
Schorbach
Haspelschiedt
Camp de Bitche
Bitche
Reyersviller
Lac de Hasselfurt
Éguelshardt
Belvédère
Le Flibustier
Sturzelbronn
Forêt Dom. de Sturzelbronn
Obersteinbach
Achen
Bining
Rohrbach-lès-Bitche
Siersthal
Lambach
Enchenberg
Lemberg
Montbronn
Forêt Domaniale de Lemberg
Forêt Domaniale de Mouterhouse
Mouterhouse
Goetzenbruck
St-Louis-lès-Bitche
Meisenthal
Soucht
Philippsbourg
Baerenthal
Niederbronn-les-Bains
Oberbronn
Reichshoffen
Herbitzheim
Oermingen
Kalhausen
Etting
Schmittviller
Rahling
Dehlingen
Butten
Ratzwiller
Vœllerdingen
Lorentzen
Domfessel
Diemeringen
Keskastel
Sarre-Union
PARC NATUREL RÉGIONAL DES VOSGES DU NORD
Volksberg
Rosteig
Wingen-sur-Moder
Reipertswiller
Lichtenberg
Zinswiller
Offwiller
Mackwiller
Rimsdorf
Harskirchen
Sarrewerden
Thal-Drulingen
Berg
Adamswiller
Tieffenbach
Frohmuhl
Puberg
Hinsbourg
Zittersheim
Wimmenau
Struth
Erckartswiller
Sparsbach
Ingwiller
Drulingen
Petersbach
La Petite-Pierre
Weinbourg
Lohr
Weiterswiller
Uttwiller
Pfaffenhoffen
Fénétrange
Schœnbourg
Bouxwiller
Neuwiller-lès-Saverne
Dossenheim-sur-Zinsel
Eschbourg
Pfalzweyer
Kirrwiller
Issenhausen
Wittersheim
Phalsbourg
St-Jean-Saverne
Steinbourg
Hochfelden
Mommenheim
Schwindratzheim
Col de Saverne
Saverne
Lutzelbourg
Sarrebourg
Buhl-Lorraine
Niderviller
Marmoutier
Truchtersheim
Mundolsheim
Wasselonne
Dabo
Walscheid
Abreschviller
St-Quirin
Turquestein-Blancrupt
Forêt Dom. de St-Quirin
Engenthal-le-Bas
Schneeberg
Westhoffen
Molsheim
Strasbourg-Entzheim
Geispolsheim
Oberhaslach
Niederhaslach
Urmatt
Mutzig
Altorf
Rosheim
Grendelbruch
Grandfontaine
Schirmeck
Russ
Wisches
Le Donon
Raon-lès-Leau
Krautergersheim
Hindisheim
Blaesheim
Griesheim-près-Molsheim
Bischoffsheim
27
28
49
70
71

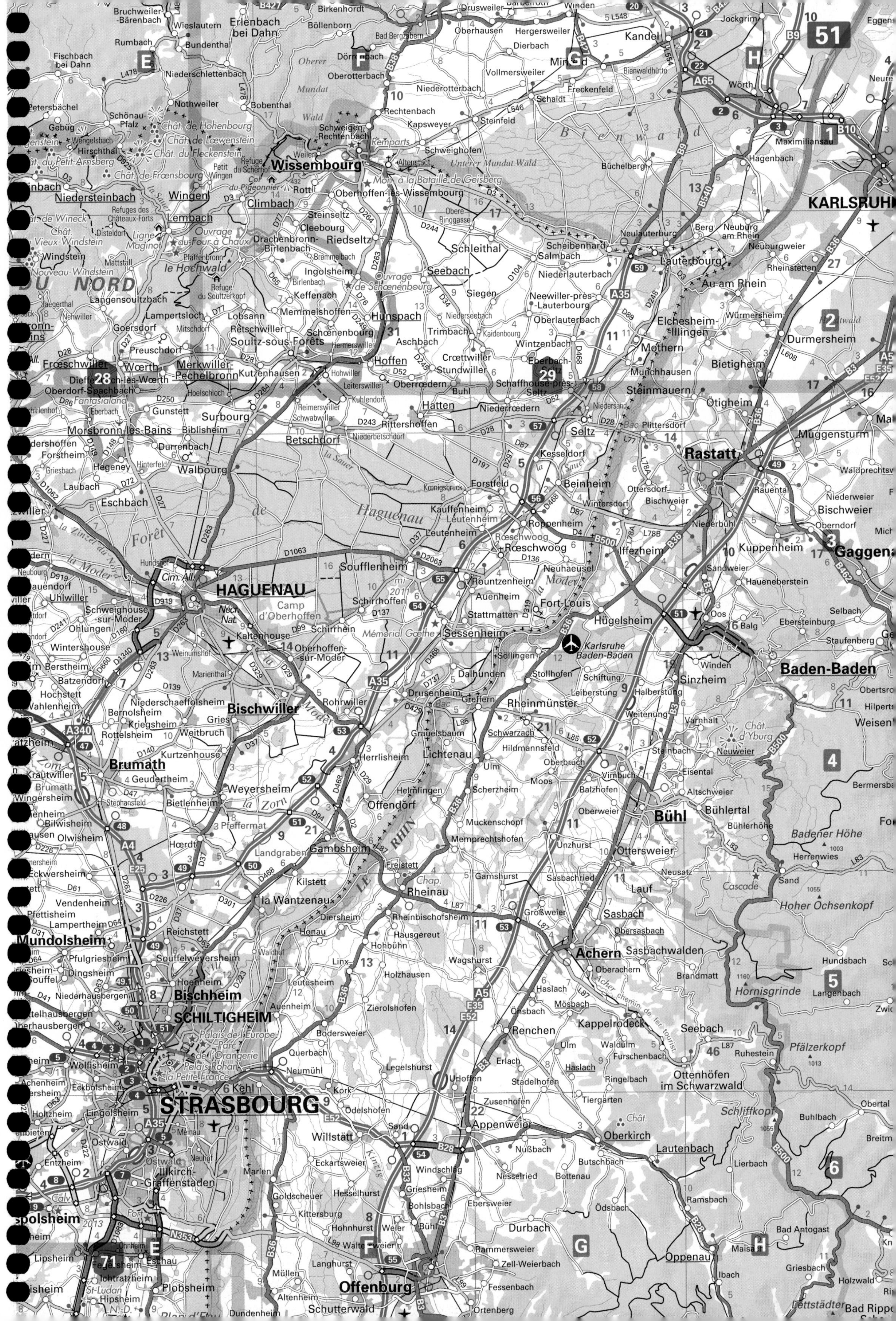
51
Bruchweiler-Bärenbach
Wieslautern
Erlenbach bei Dahn
Birkenhordt
Böllenborn
Bad Bergzabern
Drusweiler
Oberhausen
Hergersweiler
Winden
Kandel
Jockgrim
Eggenstein
Rumbach
Bundenthal
Fischbach bei Dahn
Oberer Mundat
Dörrenbach
Oberotterbach
Dierbach
Minfeld
Vollmersweiler
Bienwaldhütte
Niederschlettenbach
Niederotterbach
Freckenfeld
Wörth
Petersbächel
Nothweiler
Bobenthal
Rechtenbach
Schaidt
Schönau-Pfalz
Gebüg
Wengelsbach
Hirschthal
Chât. de Hohenbourg
Chât. de Lœwenstein
Chât. du Fleckenstein
Chât. du Petit-Arnsberg
Chât. de Frœnsbourg
Wald
Schweigen-Rechtenbach
Kapsweyer
Steinfeld
Remparts
Maximiliansau
Bienwald
Schweighofen
Hagenbach
Weiler
Wissembourg
Altenstadt
Unterer Mundat Wald
Büchelberg
Niedersteinbach
Wingen
Col du Pigeonnier
Rott
Climbach
Mon. à la Bataille de Geisberg
Oberhoffen-les-Wissembourg
KARLSRUHE
Lembach
Refuges des Châteaux-Forts
Ouvrage du Four à Chaux
Ligne Maginot
Steinseltz
Cleebourg
Riedseltz
Drachenbronn-Birlenbach
Obere Ringgasse
Schleithal
Neulauterburg
Berg
Neuburg am Rhein
Scheibenhard
Salmbach
Lauterbourg
Neuburgweier
Rheinstetten
Windstein
Nouveau-Windstein
Mattstall
Pfaffenbronn
le Hochwald
Ingolsheim
Seebach
Au am Rhein
DU NORD
Ouvrage de Schœnenbourg
Niederlauterbach
Langensoultzbach
Refuge du Soultzerkopf
Keffenach
Siegen
Neewiller-près-Lauterbourg
Lampertsloch
Lobsann
Memmelshoffen
Hunspach
Niederseebach
Oberlauterbach
Elchesheim-Illingen
Würmersheim
Goersdorf
Mitschdorf
Retschwiller
Schœnenbourg
Trimbach
Kaidenbourg
Wintzenbach
Durmersheim
Preuschdorf
Soultz-sous-Forêts
Aschbach
Mothern
Frœschwiller
Wœrth
Merkwiller-Pechelbronn
Hermerswiller
Hoffen
Crœttwiller
Stundwiller
Eberbach-Seltz
Bietigheim
Munchhausen
Dieffenbach-lès-Wœrth
Kutzenhausen
Hohwiller
Oberrœdern
Schaffhouse-près-Seltz
Steinmauern
Oberdorf-Spachbach
Hoelschloch
Leiterswiller
Buhl
Fantasialand
Gunstett
Kuhlendorf
Hatten
Niederrœdern
Ötigheim
Morsbronn-les-Bains
Surbourg
Reimerswiller
Schwabwiller
Rittershoffen
Seltz
Plittersdorf
Biblisheim
Betschdorf
Niederbetschdorf
Muggensturm
Forstheim
Durrenbach
Kesseldorf
Rastatt
Hegeney
Walbourg
la Sauer
Laubach
Eschbach
Kœnigsbruck
Forstfeld
Beinheim
Ottersdorf
Rauental
Wintersdorf
Bischweier
Kauffenheim
Leutenheim
Roppenheim
Niederbühl
Forêt de Haguenau
Rœschwoog
Iffezheim
Kuppenheim
Gaggenau
la Zinzel du Nord
Soufflenheim
Neuhaeusel
Sandweier
Haueneberstein
la Moder
Cim. All.
HAGUENAU
Rountzenheim
Auenheim
Uhlwiller
Camp d'Oberhoffen
Schirrhoffen
Fort-Louis
Schweighouse-sur-Moder
Stattmatten
Hügelsheim
Oos
Selbach
Ohlungen
Kaltenhouse
Schirrhein
Mémorial Gœthe
Sessenheim
Karlsruhe Baden-Baden
Balg
Ebersteinburg
Wintershouse
Oberhoffen-sur-Moder
Söllingen
Staufenberg
Berstheim
Weinumshof
Winden
Baden-Baden
Batzendorf
Marienthal
Dalhunden
Stollhofen
Schiftung
Sinzheim
Hochstett
Wahlenheim
Niederschaeffolsheim
Rohrwiller
Drusenheim
Greffern
Leiberstung
Halberstung
Bernolsheim
Bischwiller
Rheinmünster
Weitenung
Kriegsheim
Gries
Varnhalt
Chât. d'Yburg
Weisenbach
Rottelsheim
Weitbruch
Grauelsbaum
Schwarzach
Hildmannsfeld
Steinbach
Neuweier
Kurtzenhouse
Herrlisheim
Lichtenau
Oberbruch
Brumath
Geudertheim
Ulm
Vimbuch
Eisental
Altschweier
Bermersbach
Weyersheim
Stephansfeld
Bietlenheim
la Zorn
Offendorf
Helmlingen
Scherzheim
Moos
Balzhofen
Bühl
Bühlertal
Bilwisheim
Olwisheim
Pfeffermat
Oberweier
Bühlerhöhe
Muckenschopf
Hœrdt
Memprechtshofen
Unzhurst
Badener Höhe
Eckwersheim
Landgraben
Gambsheim
Ottersweier
Herrenwies
RHIN
Freistett
Gamshurst
Sasbachried
Neusatz
Vendenheim
Kilstett
Chap.
Rheinau
Lauf
Sand
Cascade
la Wantzenau
Hoher Ochsenkopf
Pfettisheim
Lampertheim
Diersheim
Rheinbischofsheim
Großweier
Sasbach
Reichstett
Honau
Hausgereut
Obersasbach
Mundolsheim
Hohbühn
Achern
Sasbachwalden
Pfulgriesheim
Souffelweyersheim
Waldhof
Wagshurst
Oberachern
Brandmatt
Hundsbach
Dingsheim
Linx
Griesheim-Souffel
Hœnheim
Leutesheim
Holzhausen
Haslach
Hornisgrinde
Langenbach
Niederhausbergen
Bischheim
Mösbach
Mittelhausbergen
SCHILTIGHEIM
Auenheim
Zierolshofen
Önsbach
Kappelrodeck
Seebach
Oberhausbergen
Palais de l'Europe
Parc de l'Orangerie
Palais Rohan
La Petite France
Bodersweier
Renchen
Ulm
Waldulm
Furschenbach
Ruhestein
Pfälzerkopf
Wolfisheim
Querbach
Erlach
Haslach
Achenheim
Eckbolsheim
Neumühl
Kehl
Legelshurst
Urloffen
Stadelhofen
Ringelbach
Ottenhöfen im Schwarzwald
Oberhausbergen
Kork
STRASBOURG
Holtzheim
Lingolsheim
Odelshofen
Zusenhofen
Tiergarten
Schliffkopf
Buhlbach
Obertal
Willstätt
Appenweier
Chât.
Oberkirch
Breitenberg
Ostwald
Entzheim
Neuhof
Eckartsweier
Nußbach
Butschbach
Lautenbach
Lierbach
Illkirch-Graffenstaden
Marlen
Windschläg
Nesselried
Bottenau
Goldscheuer
Hesselhurst
Griesheim
Bohlsbach
Ebersweier
Ödsbach
Ramsbach
Geispolsheim
Kittersburg
Hohnhurst
Weier
Bühl
Durbach
Bad Antogast
Lipsheim
Waltersweier
Rammersweier
Maisach
Fegersheim
Eschau
Ichtratzheim
Langhurst
Zell-Weierbach
Oppenau
Griesbach
Müllen
Ibach
Holzwald
Plobsheim
Offenburg
Fessenbach
St-Ludan
Hipsheim
Altenheim
Dundenheim
Schutterwald
Ortenberg
Lettstädter
Bad Rippoldsau
Erstein
A35
A4
A5
E52
E25
A340
A65
B36
B3
B500
B28
B33
B9
B10
28
29
71

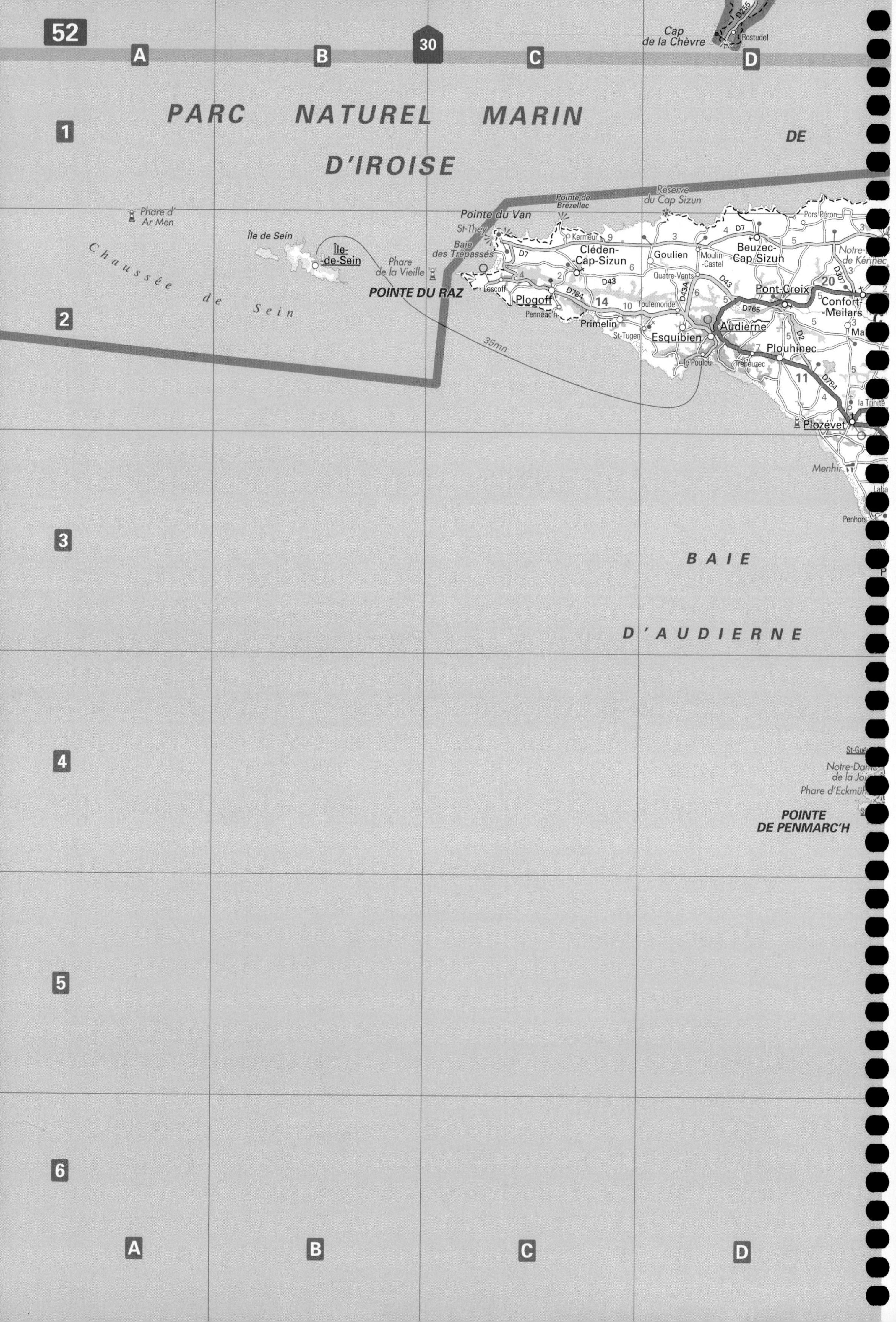
30
A
B
C
D
1
2
3
4
5
6
PARC NATUREL MARIN D'IROISE
DE
Cap de la Chèvre
Rostudel
D255
Phare d'Ar Men
Île de Sein
Île-de-Sein
Chaussée de Sein
Phare de la Vieille
POINTE DU RAZ
35mn
Pointe du Van
St-They
Baie des Trépassés
Pointe de Brézellec
Réserve du Cap Sizun
Kermeur
Cléden-Cap-Sizun
Goulien
Moulin-Castel
Beuzec-Cap-Sizun
Pors-Péron
Notre-Dame de Kérinec
D7
D43
D43A
D765
D784
D307
D2
Lescoff
Plogoff
Penneac'h
Primelin
St-Tugen
Toulemonde
Quatre-Vents
Esquibien
Audierne
le Pouldu
Trébeuzec
Pont-Croix
Confort-Meilars
Plouhinec
la Trinité
Plozévet
Menhir
Penhors
BAIE D'AUDIERNE
Notre-Dame de la Joie
Phare d'Eckmühl
POINTE DE PENMARC'H

53
31
54
E
F
G
H
1
2
3
4
5
6
BAIE
DOUARNENEZ
St-Nic
Pentrez-Plage
St-Côme
Ste-Marie du Ménez Hom
Châteaulin
Port-Launay
N164
le Vieux-Bourg
Stêr ar Goïven
Ty Blaise
Nenvez
Kerdiané
Châteauneuf
Plomodiern
Ty Job
Ploéven
Toul Hoat
Cast
Kerhant
St-Coulitz
Lothey
Pont-Coblant
Lescuz
Gouézec
Kermerrien
Lennon
Trévoallec
la Roche du Feu
Notre-Dame des Trois Fontaines
St-Thois
Penn ar Stang
Domaine de Trévarez
Groaz Brenn
Laz
Lanzent
Ste-Anne la Palud
Pointe de Leydé
Plonévez-Porzay
Kergoat
Kergaradec
Quéménéven
St-Venec
Kerdévez
Ty Fléhan
St-Maudez
Kervel
Douarnenez
Manoir du Moëllien
Kerlaz
Quillouarn
Tréboul
Ploaré
Locronan
St-Thélau
Briec
Edern
Kerhuon
Kergouéré
Trégourez
Leuhan
Poullan-sur-Mer
Notre-Dame de Kérinec
Kerfinidan
Plogonnec
Lezmel
Landrévarzec
Chapelle de Quillinen
St-Albin
Boullaouic
le Juch
St-Pierre
CORNOUAILLE
le Croëzou
le Croaz-Hent
Treinvel
Pont-Croix
Plaisance
Kerflous
Ty-Ru
Quiriou
Landudal
Langolen
Mahalon
Pouldergat
Guengat
Stang ar Guell
Kerscao
le Stangala
Keriou
Odet-loisirs
l'Odet
Coray
le Fort
le Goyen
Guiler-sur-Goyen
Gourlizon
Plonéis
QUIMPER
St-André
Croaz-Ménez Bris
le Jet
Quilien
Ménez Groaz
Tourch
la Trinité
Landudec
Hent-Meur
Kerfeunteun
Quélennec
Lestonan
Tréanna
Kerlaëron
Kerstridic
Penhars
Kerdévot
Ergué-Gabéric
Coadigou
Plogastel-St-Germain
Chât. du Hilguy
Pluguffan
Ménez Pontigou
Elliant
Quimper-Cornouaille
Locmaria
Kervéyen
St-Germain
Lababan
Pouldreuzic
Château Lanniron
Baie de Kérogan
St-Yvi
le Jet
Locjean
Penhors
St-Joseph
Peumérit
l'Arbre du Chapon
Lanvéron
Rosporden
Kernével
Plovan
Chap.
Tréogat
Menhir
Stang ar Bacol
St-Cadou
St-Évarzec
Étang de Trunvel
Plonéour-Lanvern
Languivoa
Plomelin
Boutiguéry
le Moulin du Pont
Locmaria-Hent
Cadol
Site des Vire-Court
Ty Glaz
Calvaire
la Grande Halte
Coat Mett
Tréguennec
Tréméoc
Barrage du Moulin Neuf
Château du Pérennou
Gouesnach
Prajou
la Forêt-Fouesnant
Pleuven
la Boissière
Coat an Poullou
Ste-Anne
la Trinité
Kerbascol
Ménez Kerdréanton
Parc Botanique
Combrit
Clohars-Fouesnant
Fouesnant
Moustoir
Melgven
Kéréon
Manoir de Trévilit
Chât. de Cheffontaines
le Poteau Vert
Beuzec-Conq
Notre-Dame de Tronoan
St-Jean-Trolimon
N.-D. de Tréminou
Église
Ste-Marine
Bénodet
Perguet
Cap Coz
Chât. de Keriolet
Pont-l'Abbé
le Letty
Pont Henvez
Concarneau
Croaz-Hent Bouillet
Pointe de la Torche
Beuzec
Plomeur
Manoir de Kérazan
le Sillon
Ville Close
Phare de la Croix
Lanriec
Nizon
Calvaire
la Madeleine
Château de Kernuz
Île-Tudy
Beg Meil
le Cabellou
Trégunc
St-Guénolé
Menhir
Dolmen
Loctudy
Anse de Bénodet
Pointe de Mousterlin
Pointe du Cabellou
Pont-Aven
Notre-Dame de la Joie
Kerity
Penmarc'h
Plobannalec-Lesconil
Pouldohan
Pendruc
Château du Hénant
Eckmühl
St-Pierre
Église
Guilvinec
Léchiagat
Treffiagat
Lodonnec
Lesconil
Phare du Guilvinec
Croaz-Hent Tinaouët
Névez
Kerdruc
Trévignon
Kervanlet
Pointe de Trévignon
Raguénez
Port-Manec'h
Île aux Moutons
Réserve Naturelle de St-Nicolas-de-Glénan
Îles de Glénan

54
Landeleau
Cléden-Poher
Châteauneuf-du-Faou
St-Hernin
Plévin
32
Paule
Glomel
Rostrenen
Plouguernével
Gouarec
N164
Spézet
Notre-Dame du Crann
Roc'h Toullaëron
Motreff
Tréogan
Étang du Coronc
Château de Coat-Couraval
Château de Trégarantec
Mellionnec
St-Goazec
Plélauff
MONTAGNES NOIRES
la Trinité-Langonnet
Gourin
Roudouallec
Plouray
Lescouët-Gouarec
Perret
Silfiac
Leuhan
Langonnet
Parc Zoologique
Abbaye Notre-Dame
Langoëlan
St-Tugdual
Ploërdut
Guiscriff
Priziac
le Croisty
Guémené-sur-Scorff
Locmalo
Scaër
le Faouët
Ste-Barbe
St-Nicolas
St-Caradec-Trégomel
Lignol
Persquen
Lanvénégen
St-Fiacre
Meslan
Berné
Kernascléden
Inguiniel
Bannalec
Querrien
St-Thurien
Chap. du Moustoir
Ste-Véronique
la Roche du Diable
Locunolé
Guilligomarc'h
Bubry
53
le Trévoux
Mellac
Tréméven
Domaine de Kernault
Plouay
Arzano
Quimperlé
Conservatoire de la Voiture Hippomobile
Lanvaudan
Calan
Quistinic
Pont-Aven
Riec-sur-Belon
Château du Hénant
Baye
Moëlan-sur-Mer
Rédéné
Cléguer
Inzinzac-Lochrist
le Blavet
Kerfany-les-Pins
Port-Manec'h
St-Philibert
Abb. et Chât. de St-Maurice
Pont-Scorff
Caudan
Hennebont
Languidic
Clohars-Carnoët
Parc Animalier du Quinquis
Guidel
Gestel
Quéven
Brandérion
le Pouldu
Guidel-Plage
Anse du Pouldu
Lorient-Lann-Bihoué
Lanester
LORIENT
Kervignac
le Fort-Bloqué
Ploemeur
Cité de la Voile
Locmiquélic
Merlevenez
Nostang
Landévant
Citadelle
Port-Louis
Riantec
Larmor-Plage
Gâvres
Plouhinec
Locoal-Mendon
Ste-Hélène
35 mn
Réserve Naturelle
Pen-Men
Île de Groix
Groix
Port-Tudy
Trou de l'Enfer
Locmaria
Pointe des Chats
Belz
Étel
Manoir de Kercadio
Erdeven
Alignement de Kerzerho
72
N165
E60
A
B
C
D
1
2
3
4
5
6

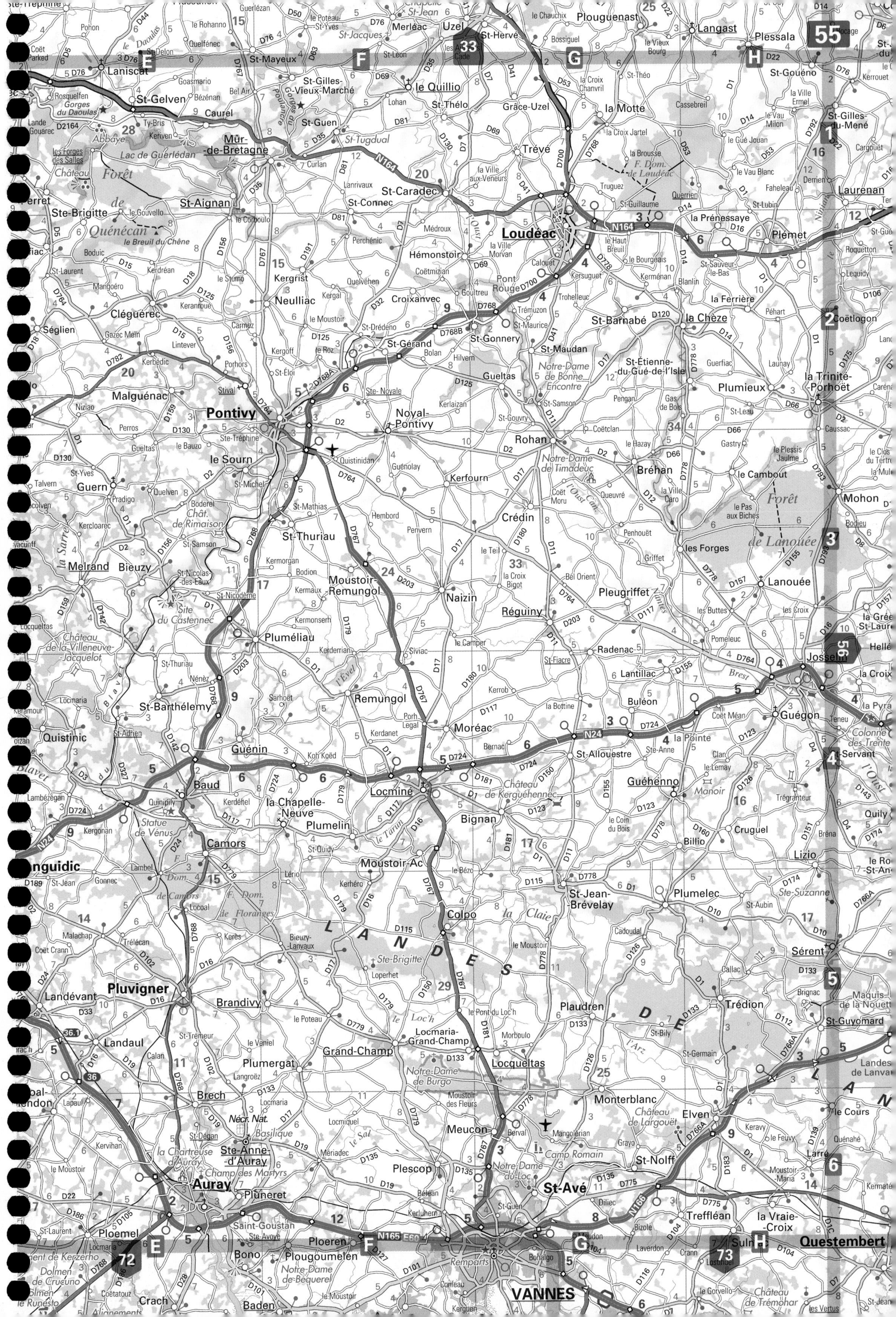

55
E
F
G
H
Uzel
Merléac
Plouguenast
Langast
Plessala
St-Mayeux
Laniscat
St-Gelven
Caurel
St-Gilles-Vieux-Marché
le Quillio
St-Thélo
Grâce-Uzel
la Motte
St-Gouéno
St-Gilles-du-Mené
Mûr-de-Bretagne
Lac de Guerlédan
Forêt de Quénécan
St-Guen
Trévé
St-Caradec
St-Aignan
Ste-Brigitte
St-Connec
Loudéac
Plémet
Laurenan
Hémonstoir
Kergrist
Neulliac
Cléguérec
Croixanvec
St-Barnabé
la Chèze
Coëtlogon
Séglien
St-Gérand
St-Gonnery
St-Maudan
St-Étienne-du-Gué-de-l'Isle
la Trinité-Porhoët
Malguénac
Pontivy
Noyal-Pontivy
Gueltas
Plumieux
Rohan
le Sourn
Guern
Kerfourn
Bréhan
Mohon
Crédin
St-Thuriau
Forêt de Lanouée
les Forges
Melrand
Bieuzy
Moustoir-Remungol
Naizin
Réguiny
Pleugriffet
Lanouée
Pluméliau
Radenac
Josselin
Remungol
St-Barthélemy
Moréac
Guégon
Quistinic
Guénin
St-Allouestre
Baud
Locminé
Guéhenno
la Chapelle-Neuve
Plumelin
Bignan
Camors
Moustoir-Ac
Lanquidic
St-Jean-Brévelay
Plumelec
Colpo
LANDES
Sérent
Pluvigner
Landévant
Brandivy
Plaudren
Trédion
Landaul
Grand-Champ
Locmaria-Grand-Champ
Locqueltas
St-Guyomard
Plumergat
Brech
Monterblanc
Elven
Ste-Anne-d'Auray
Meucon
St-Nolff
Plescop
Auray
Pluneret
St-Avé
Ploemel
Treffléan
Saint-Goustan
Ploeren
Questembert
Bono
Plougoumelen
VANNES
Crach
Baden
N164
N24
N165
E60

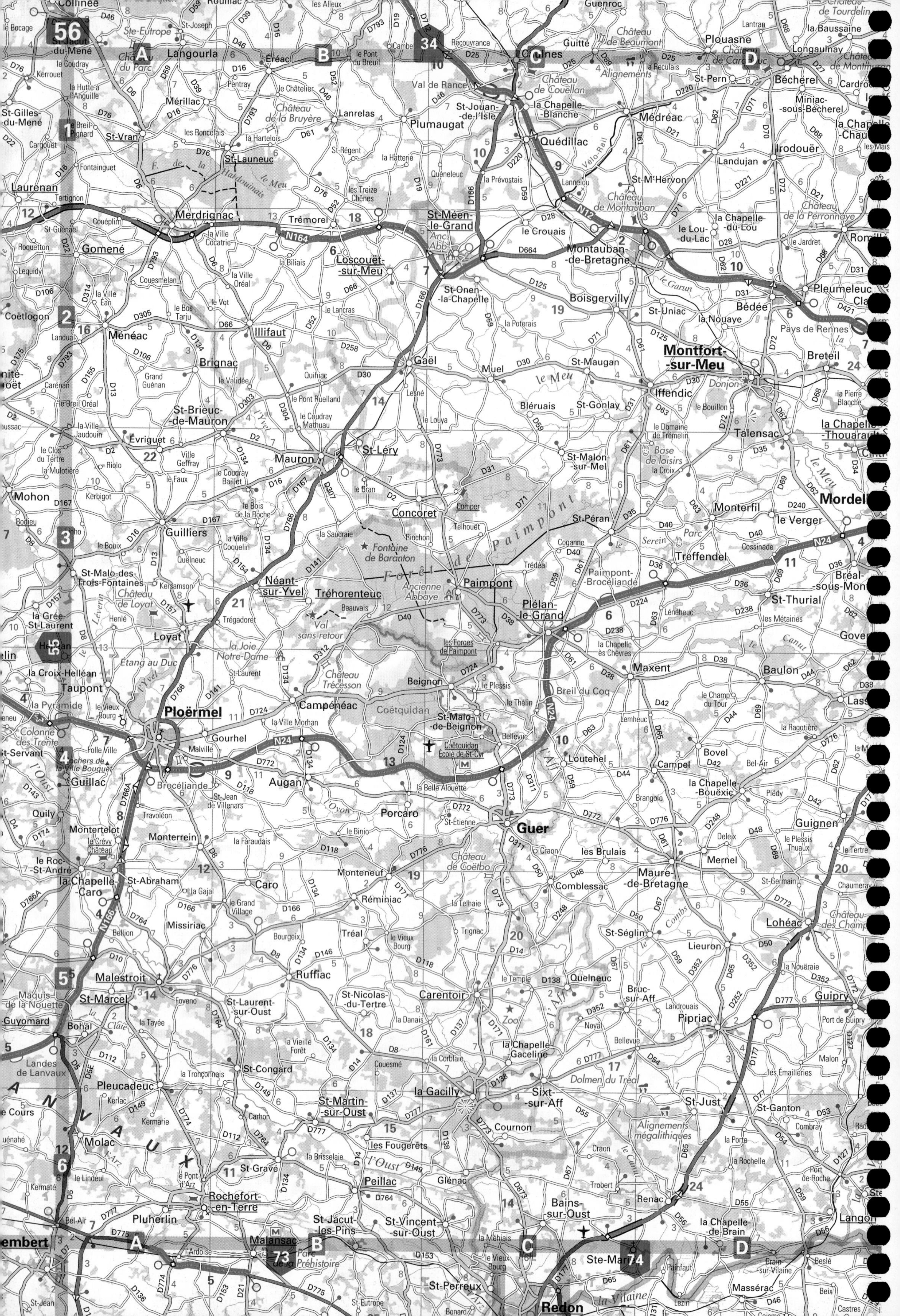

56
34
A
B
C
D
1
2
3
4
5
6
55
73
74
Collinée
Ste-Eutrope
St-Joseph
St-Jacut-du-Mené
Langourla
Éréac
le Pont du Breuil
Recouvrance
Caulnes
Guitté
Château de Beaumont
Plouasne
Château de Caradeuc
la Baussaine
Longaulnay
Bécherel
Château de Montmuran
Château du Parc
Alignements
Château de Couëllan
Val de Rance
St-Jouan-de-l'Isle
la Chapelle-Blanche
Médréac
St-Pern
Miniac-sous-Bécherel
Mérillac
Château de la Bruyère
Lanrelas
Plumaugat
Quédillac
la Chapelle-Chaussée
Irodouër
St-Gilles-du-Mené
St-Vran
les Roncelais
la Hartelois
St-Régent
Landujan
St-Launeuc
F. de la Hardouinais
le Meu
Vélo-Rail
St-M'Hervon
Laurenan
Les Treize Chênes
Quéneleuc
la Prévostais
Lannelou
Château de Montauban
Château de la Perronnaye
Merdrignac
Trémorel
St-Méen-le-Grand
Anc. Abb.
le Crouais
la Chapelle-du-Lou
le Lou-du-Lac
Romillé
Gomené
N164
Loscouët-sur-Meu
Montauban-de-Bretagne
Boisgervilly
St-Onen-la-Chapelle
St-Uniac
Bédée
Pleumeleuc
Coëtlogon
Ménéac
Illifaut
la Nouaye
Pays de Rennes
Gaël
Muel
St-Maugan
Montfort-sur-Meu
Breteil
Brignac
Iffendic
Donjon
le Meu
St-Brieuc-de-Mauron
Bléruais
St-Gonlay
la Chapelle-Thouarault
Évriguet
Mauron
St-Léry
Talensac
St-Malon-sur-Mel
Base de loisirs
Mohon
Concoret
Comper
Monterfil
Mordelles
le Verger
Guilliers
Fontaine de Barenton
Forêt de Paimpont
St-Péran
Treffendel
St-Malo-des-Trois-Fontaines
Néant-sur-Yvel
Tréhorenteuc
Paimpont
Ancienne Abbaye
Paimpont-Brocéliande
Bréal-sous-Montfort
Château de Loyat
Loyat
Val sans retour
Plélan-le-Grand
St-Thurial
la Grée-St-Laurent
N24
la Joie Notre-Dame
Les Forges de Paimpont
Maxent
Goven
la Croix-Helléan
Étang au Duc
Château Trécesson
Beignon
Baulon
Taupont
Ploërmel
Campénéac
Coëtquidan
St-Malo-de-Beignon
Breil du Coq
Lassy
Colonne des Trente
Gourhel
Coëtquidan École de St-Cyr
Loutehel
Bovel
Campel
Guillac
Brocéliande
Augan
la Chapelle-Bouëxic
Porcaro
Guer
Guignen
Montertelot
Monterrein
Château de Coëtbo
les Brulais
Mernel
le Roc-St-André
la Chapelle-Caro
St-Abraham
Monteneuf
Comblessac
Maure-de-Bretagne
Caro
Réminiac
Missiriac
Tréal
St-Séglin
Lohéac
Lieuron
Malestroit
Ruffiac
Quelneuc
St-Marcel
St-Laurent-sur-Oust
St-Nicolas-du-Tertre
Carentoir
Bruc-sur-Aff
Guipry
Maquis de la Nouette
Zoo
Pipriac
Bohal
Landes de Lanvaux
St-Congard
la Chapelle-Gaceline
Dolmen du Tréal
Pleucadeuc
la Gacilly
Sixt-sur-Aff
St-Just
St-Martin-sur-Oust
St-Ganton
Cournon
Alignements mégalithiques
Molac
les Fougerêts
L'Oust
St-Gravé
Peillac
Glénac
Renac
Rochefort-en-Terre
Bains-sur-Oust
Langon
Pluherlin
St-Jacut-les-Pins
St-Vincent-sur-Oust
la Chapelle-de-Brain
Malansac
Parc de Préhistoire
Ste-Marie
St-Perreux
Masserac
Redon
la Vilaine
Lanvaux

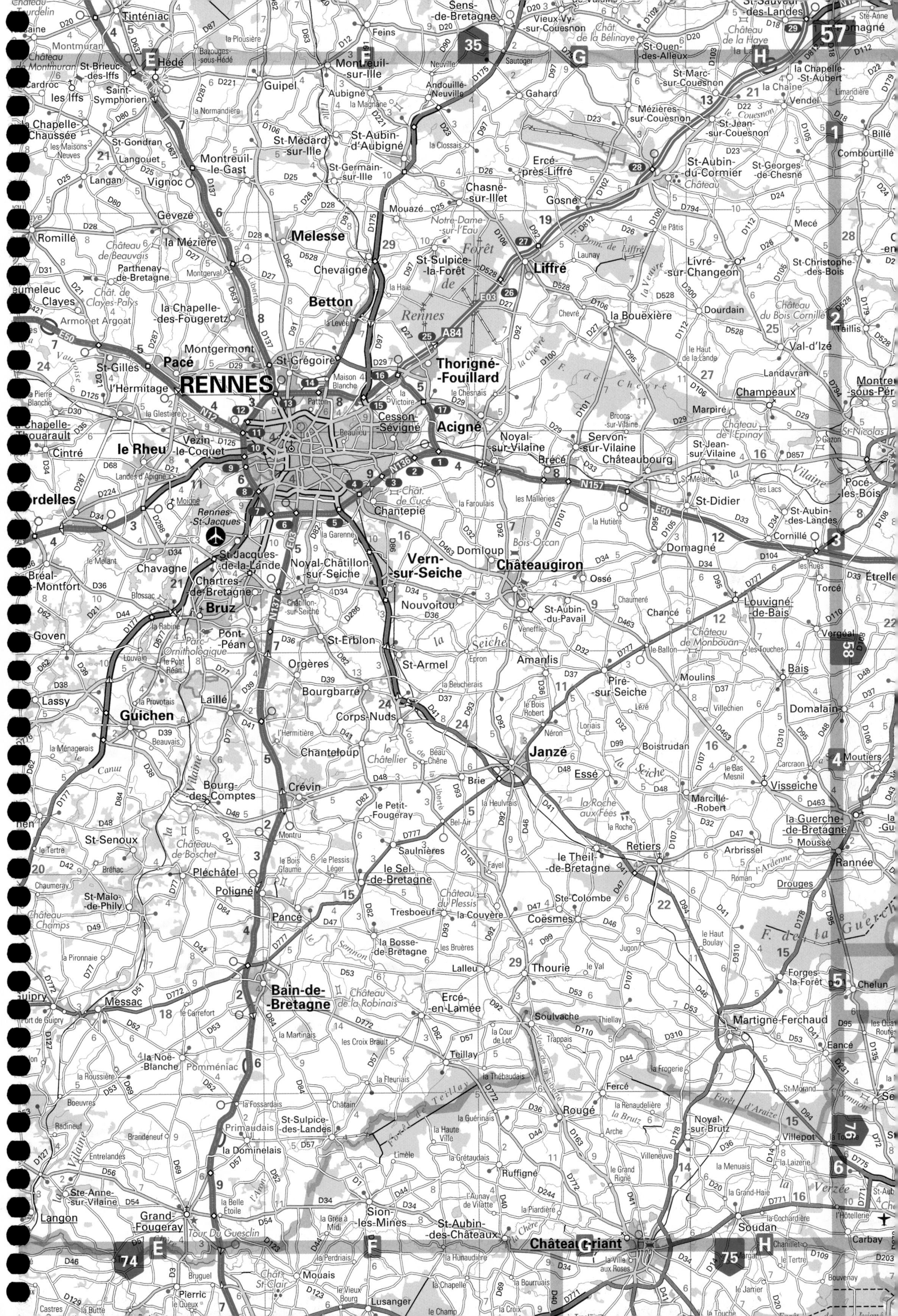

35
57
58
74
75
76
RENNES
Tinténiac
Hédé
Montmuran
Château de Montmuran
St-Brieuc-des-Iffs
les Iffs
Cardroc
Saint-Symphorien
Bazouges-sous-Hédé
la Plousière
Feins
Sens-de-Bretagne
Vieux-Vy-sur-Couesnon
Château de la Bélinaye
St-Ouen-des-Alleux
St-Sauveur-des-Landes
Château de la Haye
Romagné
Montreuil-sur-Ille
Guipel
Aubigné
Andouillé-Neuville
Gahard
St-Marc-sur-Couesnon
Mézières-sur-Couesnon
St-Jean-sur-Couesnon
la Chapelle-St-Aubert
la Chaîne
Vendel
Billé
Combourtillé
la Chapelle-Chaussée
St-Gondran
Langouet
Langan
Vignoc
Montreuil-le-Gast
St-Médard-sur-Ille
St-Aubin-d'Aubigné
St-Germain-sur-Ille
Ercé-près-Liffré
St-Aubin-du-Cormier
Château
St-Georges-de-Chesné
Chasné-sur-Illet
Gosné
Mouazé
Notre-Dame-sur-l'Eau
Forêt de Rennes
Gévezé
Romillé
la Mézière
Château de Beauvais
Melesse
Parthenay-de-Bretagne
Montgerval
Chevaigné
St-Sulpice-la-Forêt
Liffré
Forêt Dom. de Liffré
Livré-sur-Changeon
St-Christophe-des-Bois
Mecé
Clayes
Château de Claies-Palys
la Chapelle-des-Fougeretz
Betton
la Bouëxière
Dourdain
Château du Bois Cornillé
Val-d'Izé
Taillis
Armor et Argoat
Pacé
Montgermont
St-Grégoire
Thorigné-Fouillard
St-Gilles
l'Hermitage
Maison Blanche
Forêt de Chevré
Landavran
Champeaux
Montreuil-sous-Pérouse
la Chapelle-Thouarault
Cintré
le Rheu
Vezin-le-Coquet
Cesson-Sévigné
Acigné
Noyal-sur-Vilaine
Servon-sur-Vilaine
Brécé
Châteaubourg
Marpiré
Château de l'Epinay
St-Jean-sur-Vilaine
Broons-sur-Vilaine
la Vilaine
Pocé-les-Bois
Mordelles
Rennes-St-Jacques
Moigné
Château de Cucé
Chantepie
Domloup
Bois-Orcan
St-Didier
St-Aubin-des-Landes
Cornillé
Chavagne
St-Jacques-de-la-Lande
Noyal-Châtillon-sur-Seiche
Vern-sur-Seiche
Châteaugiron
Ossé
Domagné
Louvigné-de-Bais
Torcé
Étrelles
Bréal-sous-Montfort
Chartres-de-Bretagne
Bruz
Nouvoitou
St-Aubin-du-Pavail
Chancé
Château de Monbouan
Vergéal
Goven
Pont-Péan
Parc Ornithologique
St-Erblon
la Seiche
St-Armel
Amanlis
Piré-sur-Seiche
Moulins
Bais
Lassy
Guichen
Laillé
Orgères
Bourgbarré
Corps-Nuds
Domalain
Chanteloup
le Châtellier
Janzé
Essé
Boistrudan
Moutiers
Visseiche
Bourg-des-Comptes
Crévin
Brie
le Petit-Fougeray
la Roche aux Fées
Marcillé-Robert
la Guerche-de-Bretagne
St-Senoux
Château de Boschet
Saulnières
le Theil-de-Bretagne
Retiers
Arbrissel
Mousse
Rannée
Pléchâtel
le Sel-de-Bretagne
Drouges
St-Malo-de-Phily
Poligné
Pancé
Tresboeuf
Château du Plessis
la Couyère
Ste-Colombe
Coësmes
F. de la Guerche
la Bosse-de-Bretagne
Lalleu
Thourie
Forges-la-Forêt
Chelun
Guipry
Messac
Bain-de-Bretagne
Château de la Robinais
Ercé-en-Lamée
Soulvache
Martigné-Ferchaud
Eancé
la Noë-Blanche
Pomméniac
Teillay
Forêt de Teillay
Rougé
Fercé
Noyal-sur-Brutz
Villepot
Primaudais
St-Sulpice-des-Landes
la Dominelais
Ruffigné
Soudan
Ste-Anne-sur-Vilaine
Langon
Grand-Fougeray
Tour Du Guesclin
Sion-les-Mines
St-Aubin-des-Châteaux
Châteaubriant
Carbay
Château St-Clair
Mouais
Pierric
Lusanger

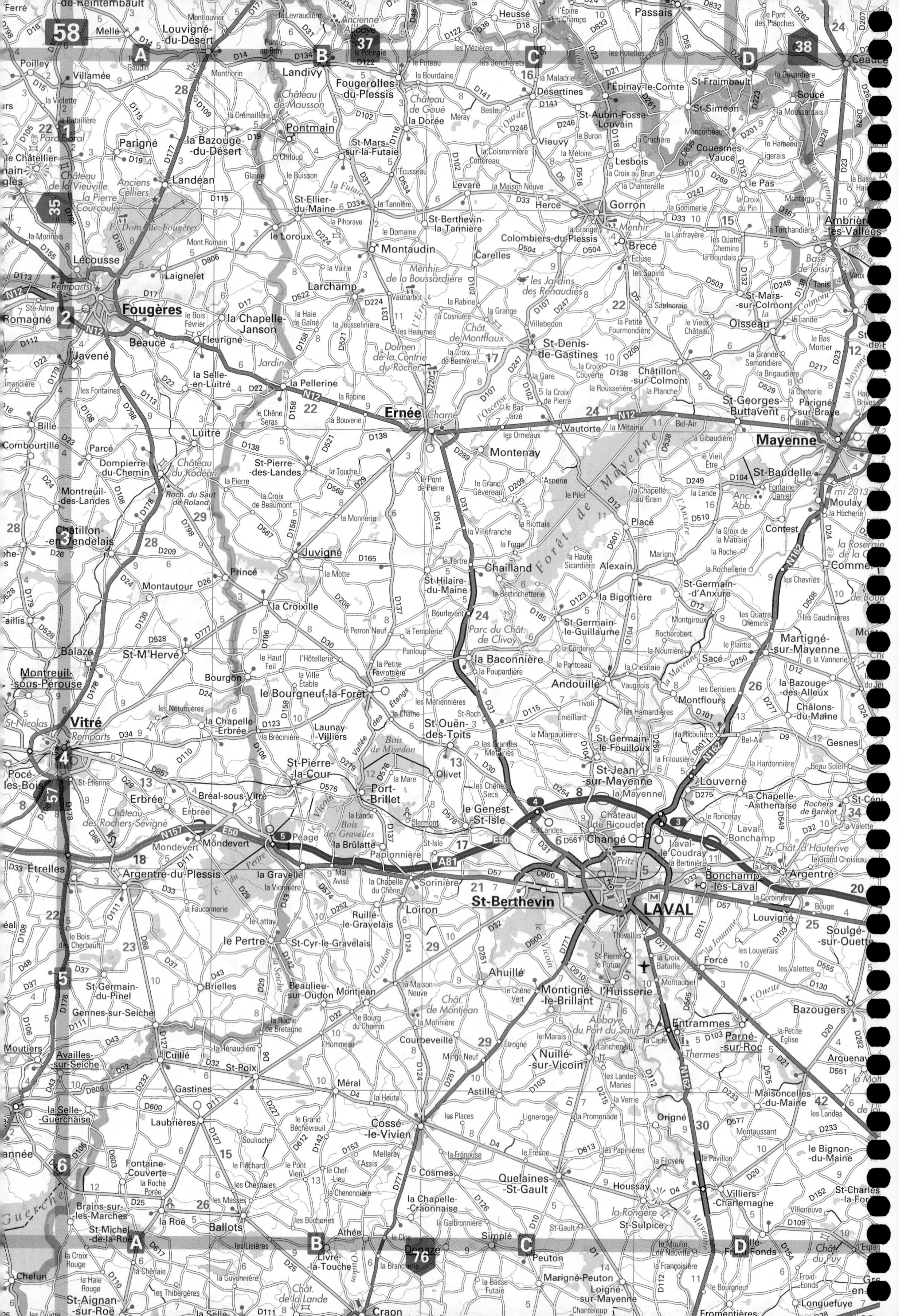
58
37
38
35
57
76
Mellé
Louvigné-du-Désert
Landivy
Fougerolles-du-Plessis
Heussé
Passais
Désertines
l'Épinay-le-Comte
St-Fraimbault
Ceaucé
Villamée
Château de Mausson
Château de Goué
la Dorée
St-Aubin-Fosse-Louvain
St-Siméon
Soucé
Parc Floral
Parigné
la Bazouge-du-Désert
Pontmain
St-Mars-sur-la-Futaie
Vieuvy
Lesbois
Couesmes-Vaucé
le Châtellier
Château de la Vieuville
Anciens Celliers
Landéan
la Pierre Courcoulée
Dom. de Fougères
St-Ellier-du-Maine
Levaré
Hercé
Gorron
le Pas
Ambrières-les-Vallées
St-Berthevin-la-Tannière
le Loroux
Montaudin
Colombiers-du-Plessis
Brecé
Lécousse
Laignelet
Carelles
Menhir de la Boussardière
les Jardins des Renaudies
Larchamp
Remparts
Fougères
Romagné
la Chapelle-Janson
Beaucé
Fleurigné
Châtillon-sur-Colmont
St-Mars-sur-Colmont
Oisseau
St-Denis-de-Gastines
Châtillon-sur-Colmont
Dolmen de la Contrie du Rocher
Javené
la Selle-en-Luitré
la Pellerine
Ernée
St-Georges-Buttavent
Parigné-sur-Braye
Vautorte
Mayenne
Billé
Luitré
Montenay
St-Baudelle
Parcé
Dompierre-du-Chemin
Château du Kodéan
St-Pierre-des-Landes
Forêt de Mayenne
Combourtillé
Montreuil-des-Landes
Roch. du Saut de Roland
Moulay
Place
Contest
Châtillon-en-Vendelais
Juvigné
Chailland
Alexain
Princé
St-Hilaire-du-Maine
Montautour
la Croixille
St-Germain-d'Anxure
la Bigottière
Parc du Chât. de Clivoy
St-Germain-le-Guillaume
Balazé
St-M'Hervé
la Baconnière
Martigné-sur-Mayenne
Montreuil-sous-Pérouse
Bourgon
le Bourgneuf-la-Forêt
Andouillé
la Bazouge-des-Alleux
Vitré
la Chapelle-Erbrée
Launay-Villiers
St-Ouën-des-Toits
Montflours
Châlons-du-Maine
Gesnes
Poce-les-Bois
Bois de Misedon
St-Germain-le-Fouilloux
St-Pierre-la-Cour
Olivet
St-Jean-sur-Mayenne
Louverné
Erbrée
Bréal-sous-Vitré
Port-Brillet
le Genest-St-Isle
Château des Rochers-Sévigné
Mondevert
Bois des Gravelles
Château de Ricoudet
Changé
Laval-le-Coudray
la Chapelle-Anthenaise
Rochers de Barikot
Étrelles
Argentré-du-Plessis
la Gravelle
Paplonnière
Sorinière
Laval
Bonchamp-lès-Laval
Argentré
St-Berthevin
Loiron
Ruillé-le-Gravelais
Louvigné
Soulgé-sur-Ouette
le Pertre
St-Cyr-le-Gravelais
Ahuillé
St-Germain-du-Pinel
Brielles
Beaulieu-sur-Oudon
Montjean
Montigné-le-Brillant
l'Huisserie
Bazougers
Gennes-sur-Seiche
Abbaye du Port du Salut
Entrammes
Parné-sur-Roc
Moutiers
Courbeveille
Thermes
Arquenay
Availles-sur-Seiche
Cuillé
St-Poix
Nuillé-sur-Vicoin
Gastines
Méral
Astillé
Maisoncelles-du-Maine
la Selle-Guerchaise
Laubrières
Cossé-le-Vivien
Origné
Fontaine-Couverte
Cosmes
Quelaines-St-Gault
Houssay
le Bignon-du-Maine
Brains-sur-les-Marches
la Roë
Ballots
la Chapelle-Craonnaise
Villiers-Charlemagne
St-Charles-la-Forêt
St-Michel-de-la-Roë
Athée
Simplé
St-Sulpice
Livré-la-Touche
Denazé
Peuton
Ville-Fort-Fonds
Chât. du Puy
Chelun
Marigné-Peuton
Loigné-sur-Mayenne
St-Aignan-sur-Roë
Chât. de la Lande
Craon
Fromentières
Longuefuye

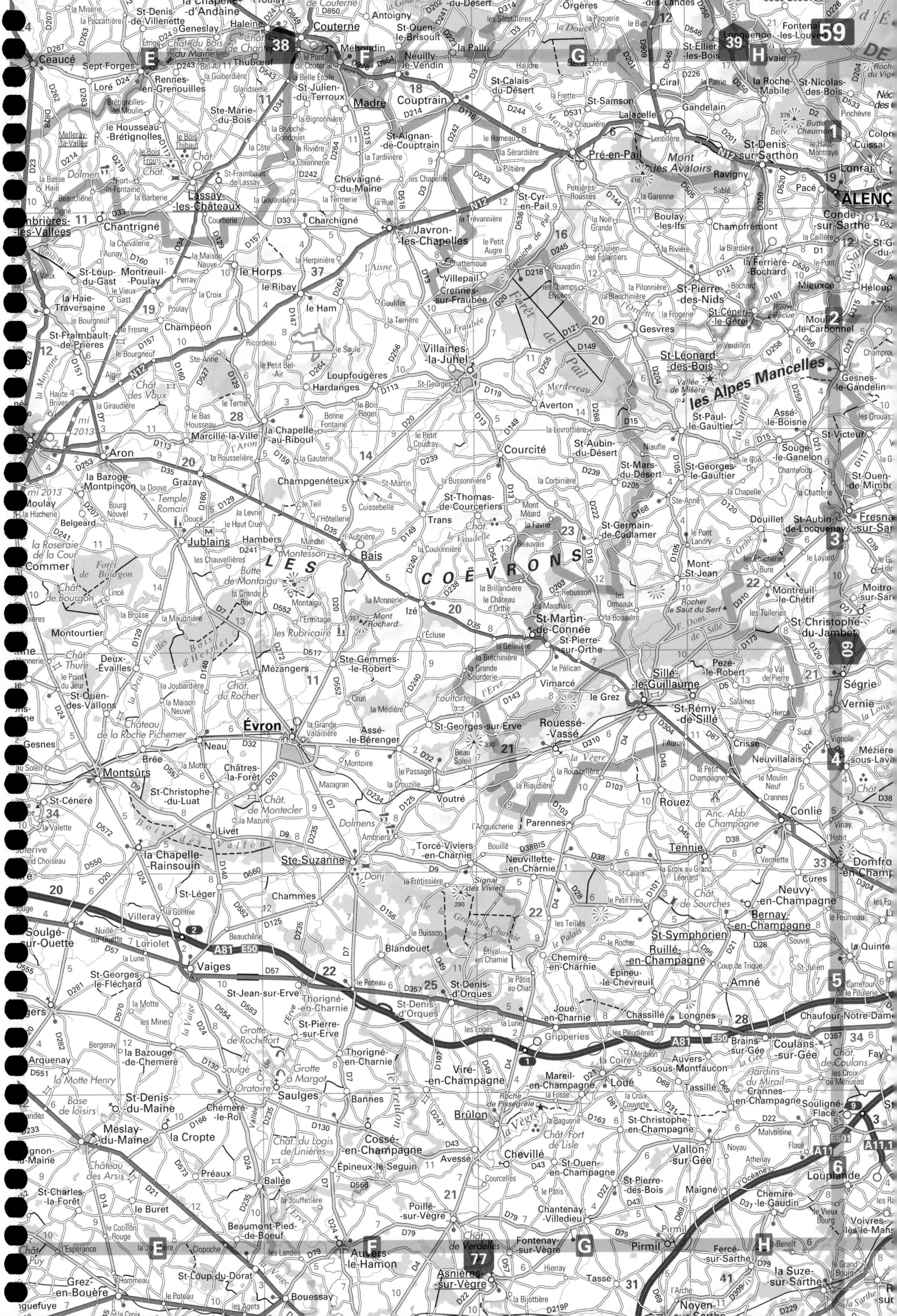

59
38
39
60
77
E
F
G
H
Ceaucé
Sept-Forges
Loré
Rennes-en-Grenouilles
Couterne
Haleine
St-Denis-de-Villenette
Geneslay
Antoigny
Méhoudin
St-Ouen-le-Brisoult
Neuilly-le-Vendin
La Pallu
Orgères
St-Julien-du-Terroux
Madré
Couptrain
St-Calais-du-Désert
Ciral
St-Ellier-les-Bois
Hivaie
La Roche-Mabile
St-Nicolas-des-Bois
Fontenai-les-Louvets
Ste-Marie-du-Bois
le Housseau-Brétignolles
St-Aignan-de-Couptrain
Lalacelle
Gandelain
St-Samson
Pré-en-Pail
Mont des Avaloirs
St-Denis-sur-Sarthon
Ravigny
Lonrai
Pacé
Cuissai
Colombiers
Lassay-les-Châteaux
Chevaigné-du-Maine
Charchigné
Javron-les-Chapelles
St-Cyr-en-Pail
Boulay-les-Ifs
Champfrémont
Condé-sur-Sarthe
ALENÇON
Chantrigné
Couesmes-Vaucé
Champéon
le Horps
le Ribay
le Ham
Villepail
Crennes-sur-Fraubée
Forêt de Pail
St-Pierre-des-Nids
La Ferrière-Bochard
Mieuxcé
Héloup
St-Loup-du-Gast
Montreuil-Poulay
la Haie-Traversaine
St-Fraimbault-de-Prières
St-Céneri-le-Gérei
Moulins-le-Carbonnel
Gesvres
Villaines-la-Juhel
Loupfougères
Hardanges
St-Léonard-des-Bois
les Alpes Mancelles
Gesnes-le-Gandelin
Averton
Assé-le-Boisne
St-Paul-le-Gaultier
la Chapelle-au-Riboul
Marcillé-la-Ville
Aron
Courcité
St-Aubin-du-Désert
St-Mars-du-Désert
St-Georges-le-Gaultier
Sougé-le-Ganelon
St-Victeur
St-Ouen-de-Mimbré
la Bazoge-Montpinçon
Grazay
Champgenéteux
St-Thomas-de-Courceriers
Moulay
Belgeard
Jublains
Hambers
Bais
Trans
St-Germain-de-Coulamer
Douillet
St-Aubin-de-Locquenay
Fresnay-sur-Sarthe
Commer
LES COËVRONS
Mont-St-Jean
Montreuil-le-Chétif
Izé
St-Martin-de-Connée
St-Pierre-sur-Orthe
St-Christophe-du-Jambet
Montourtier
Deux-Évailles
Mézangers
Ste-Gemmes-le-Robert
Sillé-le-Guillaume
Pezé-le-Robert
Ségrie
St-Ouen-des-Vallons
Vimarcé
le Grez
St-Rémy-de-Sillé
Vernie
Évron
Assé-le-Bérenger
St-Georges-sur-Erve
Rouessé-Vassé
Gesnes
Neau
Crissé
Neuvillalais
Mézières-sous-Lavardin
Montsûrs
Brée
Châtres-la-Forêt
St-Christophe-du-Luat
Voutré
Rouez
Conlie
St-Céneré
Livet
Parennes
Tennie
la Chapelle-Rainsouin
Ste-Suzanne
Torcé-Viviers-en-Charnie
Neuvillette-en-Charnie
Domfront-en-Champagne
St-Léger
Chammes
Neuvy-en-Champagne
Bernay-en-Champagne
Soulgé-sur-Ouette
Loriolet
St-Symphorien
Vaiges
Blandouet
Chemiré-en-Charnie
Ruillé-en-Champagne
St-Georges-le-Fléchard
Épineu-le-Chevreuil
Amné
St-Jean-sur-Erve
Thorigné-en-Charnie
St-Denis-d'Orques
Joué-en-Charnie
Chassillé
Longnes
Chaufour-Notre-Dame
St-Pierre-sur-Erve
Gripperies
Brains-sur-Gée
Coulans-sur-Gée
Arquenay
la Bazouge-de-Chemeré
Viré-en-Champagne
Mareil-en-Champagne
Loué
Auvers-sous-Montfaucon
Tassillé
Cranne-en-Champagne
St-Denis-du-Maine
Saulges
Chémeré-le-Roi
Bannes
Brûlon
St-Christophe-en-Champagne
Souligné-Flacé
Meslay-du-Maine
la Cropte
Cossé-en-Champagne
Chevillé
Vallon-sur-Gée
Préaux
Épineux-le-Seguin
Avessé
St-Ouen-en-Champagne
Ballée
Louplande
St-Charles-la-Forêt
Poillé-sur-Vègre
St-Pierre-des-Bois
Maigné
Chemiré-le-Gaudin
le Buret
Chantenay-Villedieu
Beaumont-Pied-de-Boeuf
Pirmil
Voivres-lès-le-Mans
Auvers-le-Hamon
Fontenay-sur-Vègre
Fercé-sur-Sarthe
St-Loup-du-Dorat
Asnières-sur-Vègre
Tassé
La Suze-sur-Sarthe
Grez-en-Bouère
Bouessay
Noyen-sur-Sarthe
A81
E50
A11
E501
N12

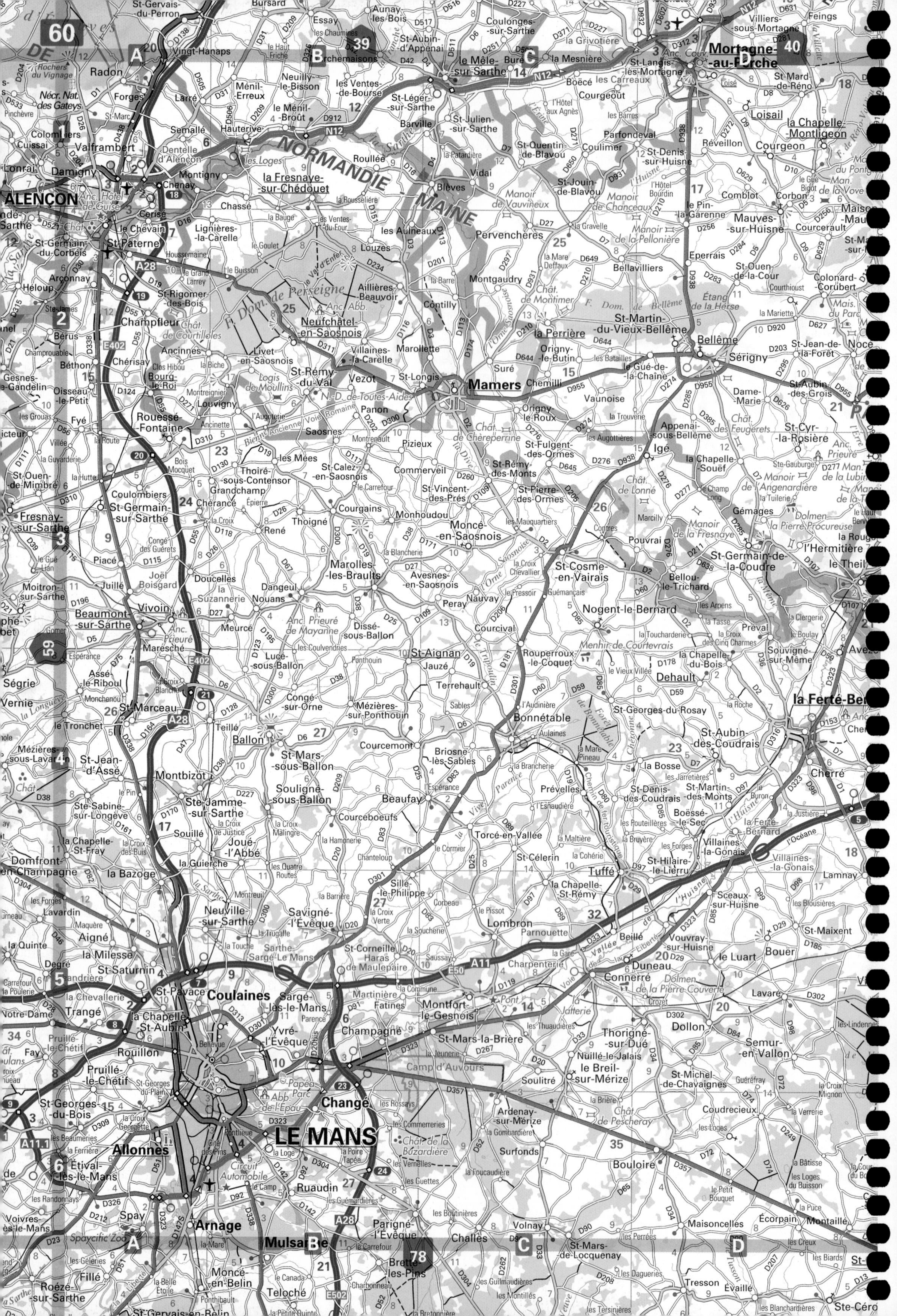

60
39
40
59
78
NORMANDIE
MAINE
St-Gervais-du-Perron
Bursard
Aunay-les-Bois
Coulonges-sur-Sarthe
Villiers-sous-Mortagne
Feings
Essay
les Chaumines
St-Aubin-d'Appenai
la Grivotière
Vingt-Hanaps
Rochers du Vignage
Radon
le Haut Friche
Marchemaisons
le Mêle-sur-Sarthe
Buré
la Mesnière
St-Langis-lès-Mortagne
Mortagne-au-Perche
St-Mard-de-Réno
Nécr. Nat. des Gateys
Forges
Larré
Ménil-Erreux
Neuilly-le-Bisson
les Ventes-de-Bourse
St-Léger-sur-Sarthe
Boëcé
les Carreaux
Courgeoût
Loisail
le Ménil-Broût
Barville
St-Julien-sur-Sarthe
l'Hôtel aux Agnès
les Barres
la Chapelle-Montligeon
Colombiers
Cuissai
Valframbert
Semallé
Hauterive
Parfondeval
Réveillon
Courgeon
Lonrai
Damigny
Dentelle d'Alençon
les Loges
Roullée
St-Quentin-de-Blavou
Coulimer
St-Denis-sur-Huisne
ALENÇON
Anc. Hôtel de Guise
Chenay
Montigny
la Fresnaye-sur-Chédouet
Blèves
Vidai
St-Jouin-de-Blavou
l'Hôtel Bourdin
Comblot
Corbon
Cerisé
Chassé
la Rousselière
Manoir de Vauvineux
Manoir de Chanceaux
le Pin-la-Garenne
Mauves-sur-Huisne
Courcerault
St-Germain-du-Corbéis
le Chevain
St-Paterne
Lignières-la-Carelle
la Bauge
les Ventes-du-Four
les Aulneaux
Pervenchères
la Gravelle
Manoir de la Pellonière
le Goulet
Louzes
Housemaine
le Buisson
le Val d'Enfer
la Mare Deffaux
Bellavilliers
Eperrais
St-Ouen-de-la-Cour
Colonard-Corubert
Arçonnay
Héloup
le Grand Larrey
St-Rigomer-des-Bois
Aillières-Beauvoir
la Barre
Montgaudry
Courthioust
F. Dom. de Perseigne
Anc. Abb.
Contilly
Chât. de Montimer
F. Dom. de Bellême
Étang de la Herse
St-James
Champfleur
Chât. de Courtilloles
Neufchâtel-en-Saosnois
la Perrière
St-Martin-du-Vieux-Bellême
la Mariette
Béруs
Champrouable
Ancinnes
Livet-en-Saosnois
Villaines-la-Carelle
Marollette
Origny-le-Butin
les Batailles
Bellême
St-Jean-de-la-Forêt
Nocé
Béthon
Chérisay
Clos Hibou
la Biche
Bourg-le-Roi
Logis de Moullins
St-Rémy-du-Val
Vezot
St-Longis
Suré
Mamers
Chemilli
le Gué-de-la-Chaîne
Sérigny
Gesnes-le-Gandelin
Oisseau-le-Petit
Montreignier
Louvigny
N.-D. de Toutes Aides
Panon
Origny-le-Roux
Vaunoise
Dame-Marie
St-Aubin-des-Grois
les Grouas
Fyé
Rousséé-Fontaine
Ancinette
l'Augoterie
Ancienne Voie Romaine
Saosnes
Chât. de Chèreperrine
la Trouverie
Appenai-sous-Bellême
Chât. des Feugerets
St-Cyr-la-Rosière
Villée
la Route
Montrenault
Pizieux
St-Fulgent-des-Ormes
les Augottières
Igé
Anc. Prieuré
la Guyardière
Bois Mocquet
Thoiré-sous-Contensor
les Mées
St-Calez-en-Saosnois
Commerveil
St-Rémy-des-Monts
la Chapelle-Souëf
St-Gauburge
Man. de la Lubin
St-Ouen-de-Mimbré
la Hutte
Grandchamp
le Carrefour
St-Vincent-des-Prés
St-Pierre-des-Ormes
Chât. de Lonné
Manoir de l'Angenardière
Coulombiers
St-Germain-sur-Sarthe
Chérancé
Épierre
Courgains
Monhoudou
les Mauquartiers
le Champ Long
la Tuilerie
Gémages
Fresnay-sur-Sarthe
la Croix
René
Thoigné
Moncé-en-Saosnois
Marcilly
Manoir de la Fresnaye
Dolmen de la Pierre Procureuse
Congé des Guérets
la Blancherie
Contres
Pouvrai
St-Germain-de-la-Coudre
la Rouge
l'Hermitière
le Gué Lian
Piacé
Joël Boisgard
Doucelles
Marolles-les-Braults
Avesnes-en-Saosnois
la Croix Chevallier
St-Cosme-en-Vairais
Bellou-le-Trichard
le Theil
Moitron-sur-Sarthe
Juillé
Dangeul
Nouans
Nauvay
le Pressoir
Guémançais
la Suzannerie
Peray
les Arpens
Vivoin
Beaumont-sur-Sarthe
Meurcé
Anc. Prieuré de Mayanne
Dissé-sous-Ballon
Courcival
Nogent-le-Bernard
la Clergerie
la Tasse
Préval
Gomer
la Touchardière
la Croix des Cinq Charmes
le Boulay
Anc. Prieuré
Maresché
les Coulvendries
Menhir de Courtevrais
la Chapelle-du-Bois
Souvigné-sur-Même
l'Espérance
Lucé-sous-Ballon
Ponthouin
St-Aignan
Jauzé
Rouperroux-le-Coquet
le Vieux Villée
Dehault
Sérgrie
Assé-le-Riboul
la Croix Blanche
Terrehault
Vernie
Monchenou
St-Marceau
Congé-sur-Orne
Mézières-sur-Ponthouin
Sables
l'Audinière
St-Georges-du-Rosay
la Roche
la Ferté-Bernard
le Tronchet
Teillé
Bonnétable
Forêt de Bonnétable
Mézières-sous-Lavardin
Ballon
Courcemont
Aulnaies
la Mare Pineau
St-Aubin-des-Coudrais
St-Jean-d'Assé
St-Mars-sous-Ballon
Briosne-lès-Sables
la Brancherie
la Bosse
Cherré
Montbizot
les Jarretières
Chât.
le Pin
Souligné-sous-Ballon
l'Espérance
Beaufay
Prévelles
St-Denis-des-Coudrais
St-Martin-des-Monts
Ste-Sabine-sur-Longève
Ste-Jamme-sur-Sarthe
l'Esnaudière
Boëssé-le-Sec
la Justière
la Croix de Justice
Courceboeufs
les Pouteillères
la Ferté-Bernard
la Chapelle-St-Fray
Souillé
la Croix Malingre
Torcé-en-Vallée
la Maltière
la Bruyère
Villaines-la-Gonais
l'Océane
Joué-l'Abbé
la Hamonerie
le Cormier
les Forges
St-Hilaire-le-Lierru
Domfront-en-Champagne
la Guierche
les Quatre Routes
Chanteloup
St-Célerin
la Cohérie
Tuffé
Lamnay
la Bazoge
Sillé-le-Philippe
la Chapelle-St-Rémy
Sceaux-sur-Huisne
les Blousières
Lavardin
Montreuil
la Barrière
Corbeau
Neuville-sur-Sarthe
Savigné-l'Évêque
la Croix Verte
le Pissot
Lombron
Aigné
la Trugalle
la Soucherie
Parnouette
Beillé
Vouvray-sur-Huisne
St-Maixent
la Quinte
la Touche
la Milesse
Sarthe
Sargé-Le Mans
St-Corneille
Haras de Maulepaire
Saussay
Charpenterie
la Gare
Vallée de l'Erve
Duneau
le Luart
Bouër
Degré
St-Saturnin
Connerré
Dolmen de la Pierre Couverte
Carrefour de la Poulerie
la Chevallerie
St-Pavace
Coulaines
Sargé-lès-le-Mans
Martinière
la Commune
Crozet
Lavaré
Notre-Dame
Trangé
la Chapelle-St-Aubin
Parence
Fatines
Montfort-le-Gesnois
Pont
la Jatterie
Dollon
les Lindennes
Prouillé-le-Chétif
Bellevue
Yvré-l'Évêque
Champagné
les Thuaudières
Thorigné-sur-Dué
Semur-en-Vallon
Fay
Rouillon
St-Mars-la-Brière
la Jeunerie
Nuillé-le-Jalais
le Breil-sur-Mérize
Pruillé-le-Chétif
St-Georges-du-Plain
Papéa Parc
Camp d'Auvours
Soulitré
St-Michel-de-Chavaignes
Guéréfray
la Croix Mignon
St-Georges-du-Bois
la Croix Georgette
Abb. de l'Épau
Changé
les Rossays
la Brière
Chât. de Pescheray
Coudrecieux
la Verrerie
les Beaumeries
Rontlieue
les Commerreries
Ardenay-sur-Mérize
la Gombardière
les Loges
LE MANS
Allonnes
la Ferrière
Cité des Pins
la Loge
la Poire Tapée
Chât. de la Bazardière
Surfonds
Bouloire
la Bâtisse
Étival-lès-le-Mans
Circuit Automobile
les Vernelles
les Guettes
la Foucaudière
les Loges du Buisson
le Camp
Ruaudin
le Petit Bouquet
les Randonnays
les Guémardières
la Puce
Spay
Arnage
les Boutinières
Volnay
Maisoncelles
Écorpain
Montaillé
Voivres-lès-le-Mans
Spaycific'Zoo
Mulsanne
Parigné-l'Évêque
Challes
les Perrées
les Creux
la Mare
le Carrefour
St-Mars-de-Locquenay
les Biards
les Gêleries
Fillé
Moncé-en-Belin
le Canada
Brette-les-Pins
les Guilmaudières
les Daguerles
Tresson
Évaillé
Roëzé-sur-Sarthe
la Belle Étoile
Ponthibault
Teloché
Charbonneau
les Montilles
Ste-Cérotte
St-Gervais-en-Belin
la Petite Quinte
la Bretonnière
les Tersinières
les Blanchardières
A
B
C
D
1
2
3
4
5
6
A11
A28
E402
E50
E502
N12

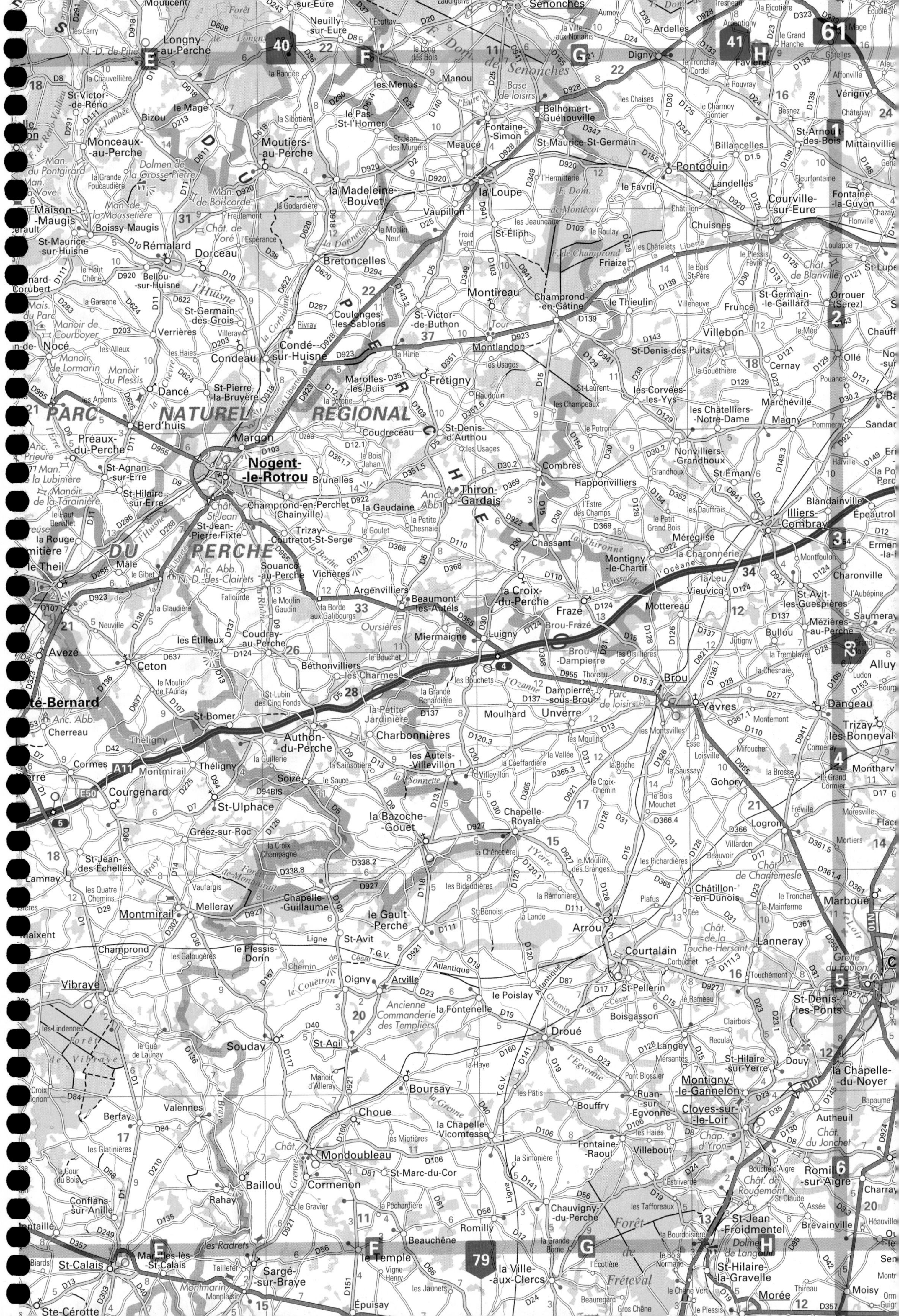

40
41
61
62
79
E
F
G
H
PARC NATUREL RÉGIONAL DU PERCHE
Longny-au-Perche
Senonches
Ardelles
Digny
Favières
Manou
Belhomert-Guéhouville
Fontaine-Simon
Moutiers-au-Perche
Monceaux-au-Perche
Bizou
le Mage
Meaucé
St-Maurice-St-Germain
Pontgouin
Billancelles
Landelles
Courville-sur-Eure
la Madeleine-Bouvet
la Loupe
Vaupillon
St-Éliph
Maison-Maugis
Boissy-Maugis
Rémalard
Dorceau
Bretoncelles
Champrond-en-Gâtine
Friaize
Chuisnes
St-Germain-le-Gaillard
Montireau
St-Victor-de-Buthon
Coulonges-les-Sablons
Condé-sur-Huisne
Condeau
St-Germain-des-Grois
Verrières
Noce
Montlandon
Frétigny
Marolles-les-Buis
Dancé
St-Pierre-la-Bruyère
Berd'huis
Margon
Nogent-le-Rotrou
Préaux-du-Perche
St-Agnan-sur-Erre
St-Hilaire-sur-Erre
Brunelles
Coudreceau
St-Denis-d'Authou
Thiron-Gardais
Combres
Happonvilliers
Nonvilliers-Grandhoux
St-Éman
Illiers-Combray
Magny
Villebon
Cernay
Marchéville
les Corvées-les-Yys
les Châtelliers-Notre-Dame
Champrond-en-Perchet
la Gaudaine
Trizay-Coutretot-St-Serge
Chassant
Méréglise
Montigny-le-Chartif
St-Jean-Pierre-Fixte
le Theil
Mâle
Souancé-au-Perche
Vichères
Argenvilliers
Beaumont-les-Autels
La Croix-du-Perche
Frazé
Vieuvicq
Mottereau
Luigny
Brou-Dampierre
Brou
Yèvres
Dangeau
Miermaigne
Coudray-au-Perche
Ceton
les Étilleux
Béthonvilliers
Avezé
Dampierre-sous-Brou
Unverre
Moulhard
Charbonnières
Authon-du-Perche
St-Bomer
Cherreau
Cormes
Montmirail
Théligny
Courgenard
St-Ulphace
Soizé
les Autels-Villevillon
Chapelle-Royale
la Bazoche-Gouet
Gohory
Logron
Trizay-lès-Bonneval
Gréez-sur-Roc
St-Jean-des-Échelles
Lamnay
Melleray
Chapelle-Guillaume
le Gault-Perche
Arrou
Châtillon-en-Dunois
Marboué
Lanneray
Courtalain
St-Pellerin
St-Avit
le Plessis-Dorin
Champrond
Vibraye
Oigny
Arville
le Poislay
la Fontenelle
St-Denis-les-Ponts
Boisgasson
Droué
Souday
St-Agil
Boursay
Langey
St-Hilaire-sur-Yerre
Douy
Montigny-le-Gannelon
Cloyes-sur-le-Loir
Ruan-sur-Egvonne
Bouffry
Choue
Valennes
Berfay
la Chapelle-Vicomtesse
Fontaine-Raoul
Villebout
Autheuil
la Chapelle-du-Noyer
Mondoubleau
St-Marc-du-Cor
Cormenon
Baillou
Rahay
Romilly-sur-Aigre
Conflans-sur-Anille
Chauvigny-du-Perche
St-Jean-Froidmentel
Brévainville
Romilly
Beauchêne
St-Calais
Marolles-lès-St-Calais
Sargé-sur-Braye
le Temple
la Ville-aux-Clercs
St-Hilaire-la-Gravelle
Morée
Moisy
Épuisay
Ste-Cérotte
Forêt de Fréteval

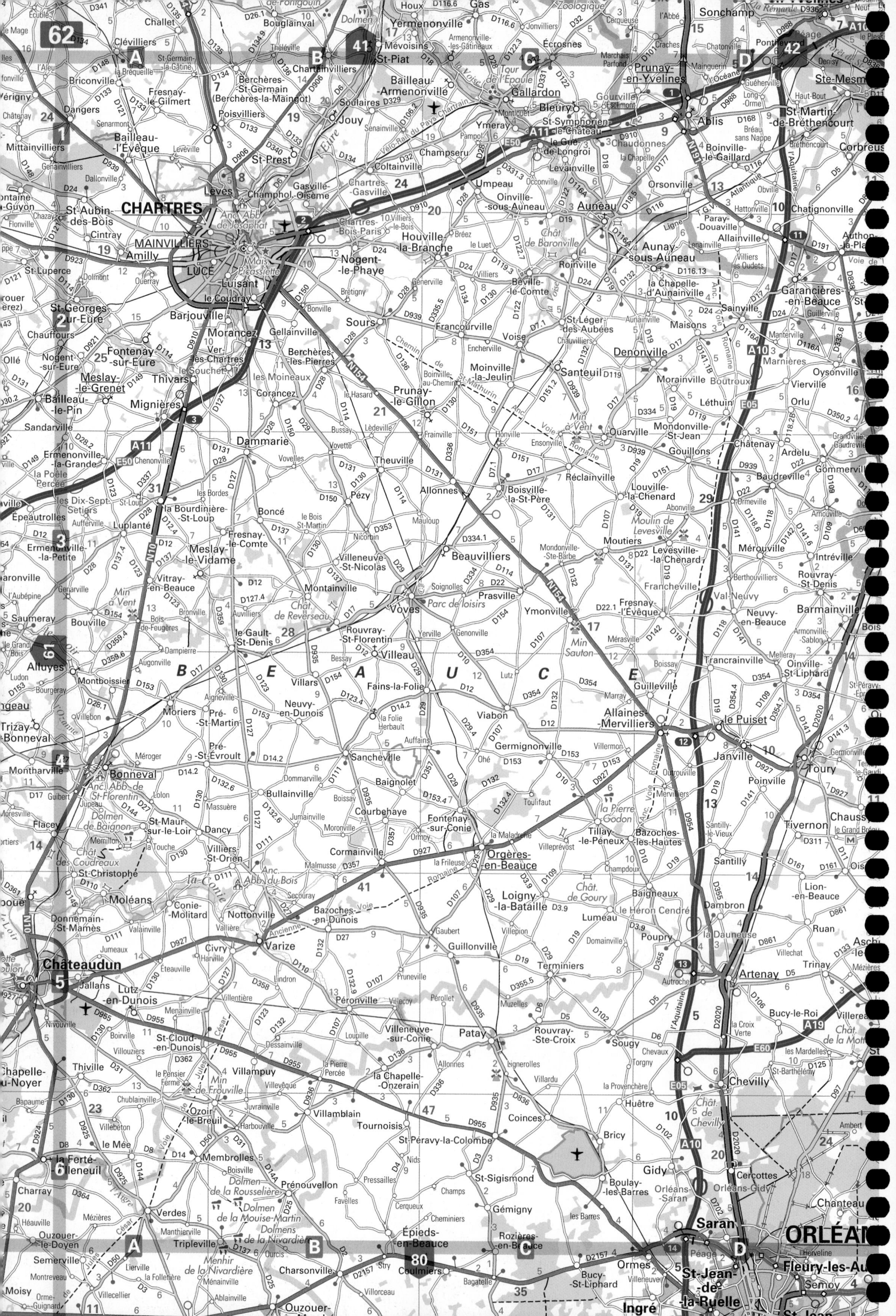

62
41
42
61
80
CHARTRES
Lèves
Champhol
Mainvilliers
Lucé
Luisant
Le Coudray
Barjouville
Morancez
Thivars
Mignières
Amilly
St-Aubin-des-Bois
Cintray
St-Luperce
St-Georges-sur-Eure
Fontenay-sur-Eure
Nogent-sur-Eure
Meslay-le-Grenet
Bailleau-le-Pin
Sandarville
Ermenonville-la-Grande
Épeautrolles
Ermenonville-la-Petite
Luplanté
Meslay-le-Vidame
Vitray-en-Beauce
Bouville
Alluyes
Montboissier
Bonneval
Montharville
Flacey
St-Maur-sur-le-Loir
Dancy
Villiers-St-Orien
Moléans
Conie-Molitard
Nottonville
Varize
Châteaudun
Jallans
Lutz-en-Dunois
St-Cloud-en-Dunois
Villampuy
Ozoir-le-Breuil
Membrolles
La Ferté-Villeneuil
Verdes
Tripleville
Ouzouer-le-Doyen
Semerville
Moisy
Ouzouer-le-Marché
Prénouvellon
Charsonville
Épieds-en-Beauce
Coulmiers
Rozières-en-Beauce
Gémigny
St-Sigismond
Huisseau-sur-Mauves
St-Péravy-la-Colombe
Tournoisis
Villamblain
La Chapelle-Onzerain
Patay
Coinces
Bricy
Boulay-les-Barres
Gidy
Cercottes
Saran
Ormes
Ingré
St-Jean-de-la-Ruelle
ORLÉANS
Fleury-les-Aubrais
Semoy
Chevilly
Huêtre
Sougy
Rouvray-Ste-Croix
Artenay
Trinay
Ruan
Lion-en-Beauce
Santilly
Toury
Janville
Le Puiset
Allaines-Mervilliers
Guilleville
Poupry
Lumeau
Loigny-la-Bataille
Terminiers
Orgères-en-Beauce
Tillay-le-Péneux
Bazoches-les-Hautes
Baigneaux
Dambron
Guillonville
Péronville
Villeneuve-sur-Conie
Cormainville
Bazoches-en-Dunois
Fontenay-sur-Conie
Courbehaye
Baignolet
Sancheville
Bullainville
Fains-la-Folie
Villars
Neuvy-en-Dunois
Villeau
Viabon
Germignonville
Voves
Rouvray-St-Florentin
Montainville
Villeneuve-St-Nicolas
Beauvilliers
Prasville
Ymonville
Boisville-la-St-Père
Allonnes
Theuville
Pézy
Bonçé
Fresnay-le-Comte
La Bourdinière-St-Loup
Dammarie
Corancez
Berchères-les-Pierres
Sours
Nogent-le-Phaye
Houville-la-Branche
Prunay-le-Gillon
Francourville
Moinville-la-Jeulin
Voise
Santeuil
Réclainville
Ouarville
Léthuin
Gouillons
Mondonville-St-Jean
Louville-la-Chenard
Moutiers
Levesville-la-Chenard
Fresnay-l'Évêque
Neuvy-en-Beauce
Mérouville
Intréville
Rouvray-St-Denis
Barmainville
Oinville-St-Liphard
Trancrainville
Baudreville
Gommerville
Châtenay
Ardelu
Oysonville
Vierville
Orlu
Denonville
Maisons
Sainville
Garancières-en-Beauce
Aunay-sous-Auneau
La Chapelle-d'Aunainville
Roinville
Béville-le-Comte
St-Léger-des-Aubées
Auneau
Oinville-sous-Auneau
Umpeau
Levainville
Gallardon
Bleury
St-Symphorien-le-Château
Ablis
Prunay-en-Yvelines
Allainville
Paray-Douaville
Chatignonville
Orsonville
Boinville-le-Gaillard
St-Martin-de-Bréthencourt
Sonchamp
Écrosnes
Yermenonville
Bailleau-Armenonville
Soulaires
Jouy
St-Prest
Coltainville
Champseru
Gasville-Oisème
Poisvilliers
Fresnay-le-Gilmert
Berchères-St-Germain
Chartainvilliers
St-Piat
Bouglainval
Challet
Clévilliers
Briconville
Dangers
Bailleau-l'Évêque
Mittainvilliers
B E A U C E

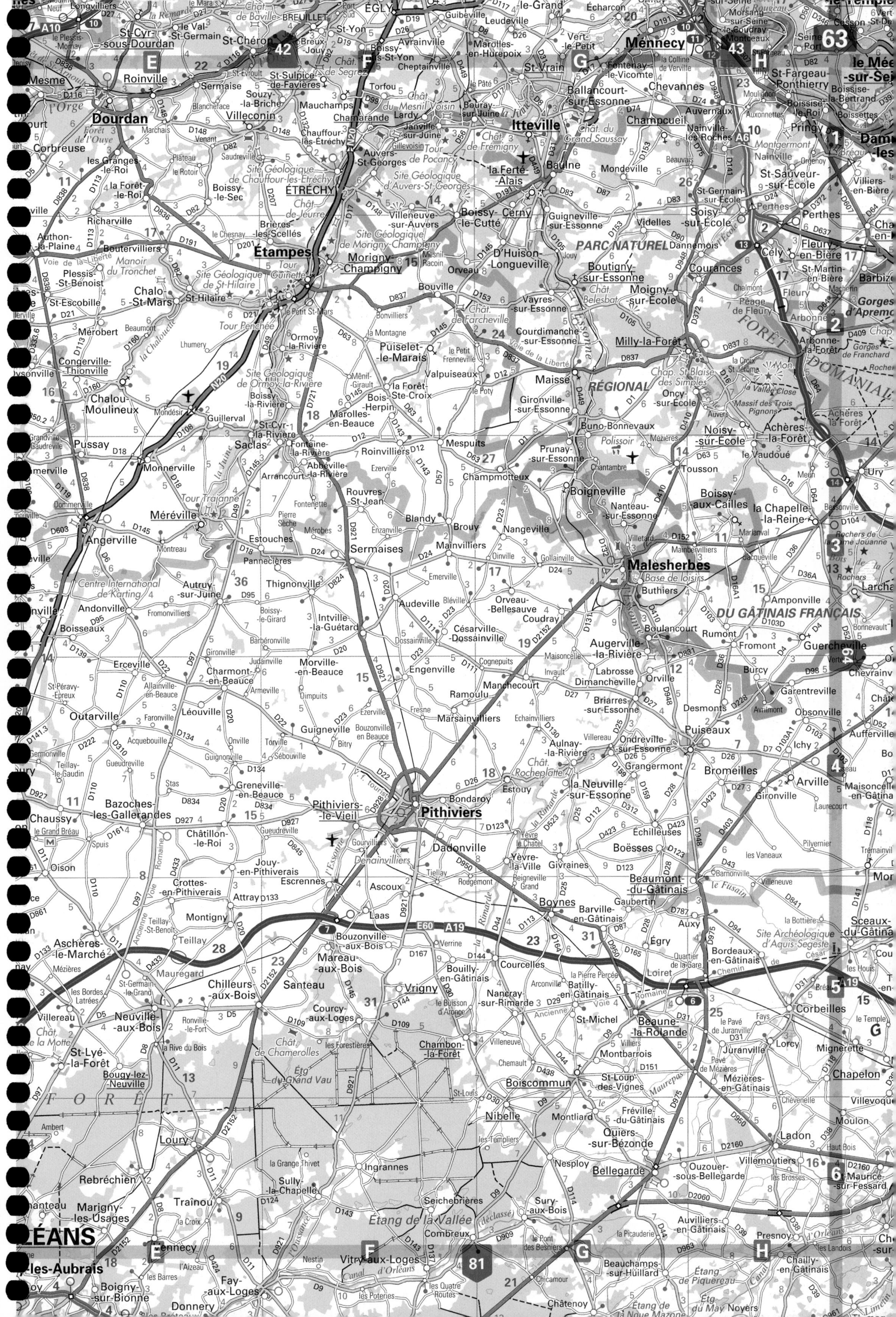

63
42
43
81
E
F
G
H
Dourdan
Étampes
Itteville
Mennecy
Pithiviers
Malesherbes
Milly-la-Forêt
ÉTRÉCHY
Corbreuse
Roinville
St-Cyr-sous-Dourdan
St-Chéron
Souzy-la-Briche
Villeconin
Chamarande
Lardy
Janville-sur-Juine
Auvers-St-Georges
Boissy-le-Sec
Morigny-Champigny
Boissy-le-Cutté
Cerny
La Ferté-Alais
Baulne
Ballancourt-sur-Essonne
Chevannes
Champcueil
Mondeville
Soisy-sur-École
Courances
Moigny-sur-École
Boutigny-sur-Essonne
D'Huison-Longueville
Vayres-sur-Essonne
Courdimanche-sur-Essonne
Maisse
Gironville-sur-Essonne
Buno-Bonnevaux
Prunay-sur-Essonne
Boigneville
Oncy-sur-École
Noisy-sur-École
Achères-la-Forêt
Tousson
Le Vaudoué
Boissy-aux-Cailles
la Chapelle-la-Reine
Fleury-en-Bière
St-Martin-en-Bière
Arbonne-la-Forêt
St-Sauveur-sur-École
Perthes
Cély
Pringy
St-Fargeau-Ponthierry
PARC NATUREL RÉGIONAL DU GÂTINAIS FRANÇAIS
FORÊT DOMANIALE
Chalo-St-Mars
St-Hilaire
Authon-la-Plaine
Boutervilliers
Plessis-St-Benoist
Mérobert
Congerville-Thionville
Chalou-Moulineux
Pussay
Monnerville
Angerville
Méréville
Saclas
Guillerval
Ormoy-la-Rivière
Puiselet-le-Marais
Valpuiseaux
Bois-Herpin
Marolles-en-Beauce
Mespuits
Roinvilliers
Champmotteux
Abbéville-la-Rivière
Arrancourt
Rouvres-St-Jean
Blandy
Brouy
Nangeville
Mainvilliers
Sermaises
Estouches
Autruy-sur-Juine
Thignonville
Andonville
Boisseaux
Erceville
Outarville
Charmont-en-Beauce
Léouville
Morville-en-Beauce
Intville-la-Guétard
Audeville
Césarville-Dossainville
Orveau-Bellesauve
Coudray
Engenville
Ramoulu
Marsainvilliers
Guigneville
Pithiviers-le-Vieil
Greneville-en-Beauce
Bazoches-les-Gallerandes
Châtillon-le-Roi
Jouy-en-Pithiverais
Crottes-en-Pithiverais
Attray
Montigny
Escrennes
Ascoux
Laas
Dadonville
Bondaroy
Estouy
Augerville-la-Rivière
Orville
Briarres-sur-Essonne
Dimancheville
Labrosse
Manchecourt
Puiseaux
Ondreville-sur-Essonne
Aulnay-la-Rivière
Grangermont
Bromeilles
Arville
Gironville
La Neuville-sur-Essonne
Échilleuses
Boësses
Yèvre-la-Ville
Givraines
Beaumont-du-Gâtinais
Boynes
Barville-en-Gâtinais
Égry
Auxy
Bordeaux-en-Gâtinais
Sceaux-du-Gâtinais
Courcelles
Bouilly-en-Gâtinais
Nancray-sur-Rimarde
Batilly-en-Gâtinais
St-Michel
Beaune-la-Rolande
Corbeilles
Juranville
Lorcy
Mignerette
Chapelon
Mézières-en-Gâtinais
Boiscommun
Nibelle
St-Loup-des-Vignes
Fréville-du-Gâtinais
Quiers-sur-Bézonde
Ladon
Bellegarde
Ouzouer-sous-Bellegarde
Villemoutiers
Auvilliers-en-Gâtinais
Presnoy
Chailly-en-Gâtinais
Chambon-la-Forêt
Vrigny
Courcy-aux-Loges
Santeau
Mareau-aux-Bois
Bouzonville-aux-Bois
Chilleurs-aux-Bois
Ascheres-le-Marché
Neuville-aux-Bois
St-Lyé-la-Forêt
Bougy-lez-Neuville
Loury
Rebréchien
Marigny-les-Usages
Traînou
Ingrannes
Sully-la-Chapelle
Seichebrières
Sury-aux-Bois
Combreux
Étang de la Vallée
Vitry-aux-Loges
Fay-aux-Loges
Donnery
Boigny-sur-Bionne
Fleury-les-Aubrais
Chécy
Beauchamps-sur-Huillard
Châtenoy
Montliard
Nesploy
LÉANS
A10
A19
A6
N20
E60

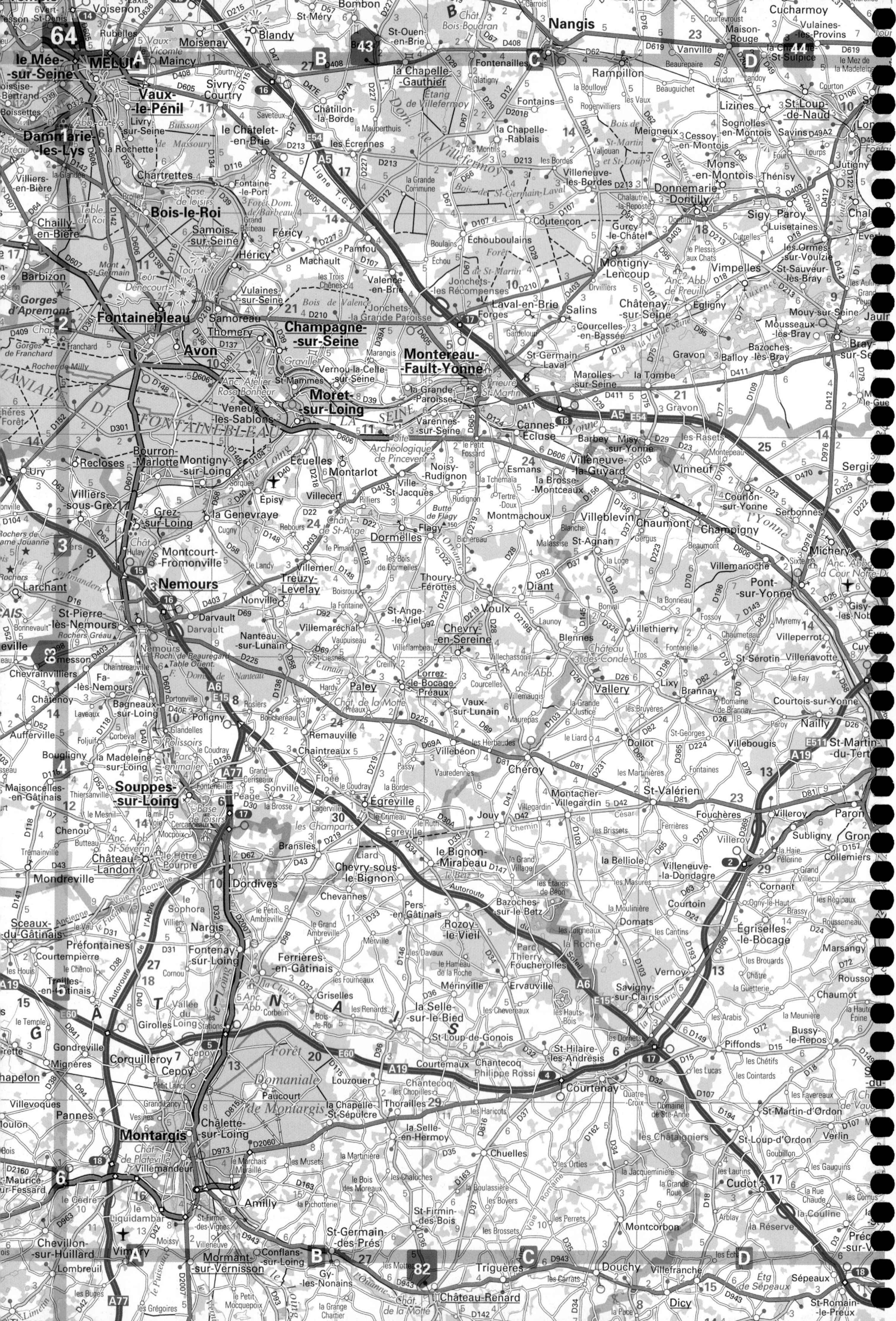
64
43
44
63
82
le Mée-sur-Seine
Melun
Maincy
Vaux-le-Pénil
Dammarie-les-Lys
Voisenon
Rubelles
Moisenay
Blandy
Bombon
St-Méry
St-Ouen-en-Brie
Nangis
Fontenailles
Rampillon
Cucharmoy
Vulaines-lès-Provins
Maison-Rouge
Vanvillé
la Chapelle-Gauthier
Châtillon-la-Borde
Sivry-Courtry
Livry-sur-Seine
le Châtelet-en-Brie
les Écrennes
Fontains
la Chapelle-Rablais
Villeneuve-les-Bordes
Donnemarie-Dontilly
Lizines
St-Loup-de-Naud
Sognolles-en-Montois
Cessoy-en-Montois
Savins
Mons-en-Montois
Thénisy
Jutigny
Chartrettes
Bois-le-Roi
Chailly-en-Bière
Samois-sur-Seine
Féricy
Héricy
Machault
Pamfou
Valence-en-Brie
Échouboulains
Coutençon
Gurcy-le-Châtel
Montigny-Lencoup
Sigy
Paroy
Vimpelles
Les Ormes-sur-Voulzie
St-Sauveur-lès-Bray
Barbizon
Fontainebleau
Vulaines-sur-Seine
Samoreau
Thomery
Champagne-sur-Seine
Avon
Laval-en-Brie
Salins
Châtenay-sur-Seine
Égligny
Mouy-sur-Seine
Mousseaux-lès-Bray
Bazoches-lès-Bray
Bray-sur-Seine
Courcelles-en-Bassée
St-Germain-Laval
Montereau-Fault-Yonne
Marolles-sur-Seine
la Tombe
Gravon
Balloy
Moret-sur-Loing
Veneux-les-Sablons
Vernou-la-Celle-sur-Seine
la Grande-Paroisse
Varennes-sur-Seine
Cannes-Écluse
Barbey
Misy-sur-Yonne
Bourron-Marlotte
Montigny-sur-Loing
Recloses
Écuelles
Montarlot
Noisy-Rudignon
Esmans
Villeneuve-la-Guyard
Vinneuf
Ury
Villiers-sous-Grez
Grez-sur-Loing
la Genevraye
Épisy
Villecerf
Ville-St-Jacques
la Brosse-Montceaux
Courlon-sur-Yonne
Serbonnes
Dormelles
Flagy
Montmachoux
Villeblevin
Chaumont
Champigny
Larchant
Montcourt-Fromonville
Nemours
Treuzy-Levelay
Villemer
Thoury-Férottes
St-Agnan
Diant
Michery
Pont-sur-Yonne
St-Pierre-lès-Nemours
Darvault
Nonville
Villemaréchal
St-Ange-le-Viel
Voulx
Chevry-en-Sereine
Blennes
Villethierry
Villeperrot
Nanteau-sur-Lunain
Chevrainvilliers
Fa-lès-Nemours
Châtenoy
Bagneaux-sur-Loing
Paley
Lorrez-le-Bocage-Préaux
Vaux-sur-Lunain
Vallery
Lixy
Brannay
St-Sérotin
Villenavotte
Courtois-sur-Yonne
Poligny
Remauville
Chaintreaux
Villebéon
Chéroy
Dollot
Villebougis
Nailly
St-Martin-du-Tertre
Aufferville
Bougligny
la Madeleine-sur-Loing
Maisoncelles-en-Gâtinais
Souppes-sur-Loing
Égreville
Jouy
Montacher-Villegardin
St-Valérien
Fouchères
Villeroy
Subligny
Château-Landon
Mondreville
Dordives
Bransles
Chevry-sous-le-Bignon
le Bignon-Mirabeau
la Belliole
Villeneuve-la-Dondagre
Cornant
Chevannes
Pers-en-Gâtinais
Bazoches-sur-le-Betz
Courtoin
Sceaux-du-Gâtinais
Nargis
Rozoy-le-Vieil
Domats
Égriselles-le-Bocage
Préfontaines
Courtempierre
Fontenay-sur-Loing
Ferrières-en-Gâtinais
Foucherolles
Vernoy
Marsangy
Treilles-en-Gâtinais
Griselles
Mérinville
Ervauville
Savigny-sur-Clairis
Girolles
la Selle-sur-le-Bied
St-Loup-de-Gonois
Chaumot
Bussy-le-Repos
Gondreville
Corquilleroy
Cepoy
Courtemaux
Chantecoq
St-Hilaire-les-Andrésis
Piffonds
Courtenay
Louzouer
Paucourt
la Chapelle-St-Sépulcre
Thorailles
St-Martin-d'Ordon
Pannes
Montargis
Châlette-sur-Loing
la Selle-en-Hermoy
Chuelles
St-Loup-d'Ordon
Verlin
Villemandeur
Cudot
Amilly
St-Firmin-des-Bois
Montcorbon
Chevillon-sur-Huillard
Vimory
St-Germain-des-Prés
Mormant-sur-Vernisson
Conflans-sur-Loing
Gy-les-Nonains
Triguères
Douchy
Villefranche
Château-Renard
Dicy
Sépeaux
St-Romain-le-Preux
Forêt Domaniale de Montargis
Forêt Domaniale de Fontainebleau
Bois de Valence
Forêt Dom. de Villefermoy
G A T I N A I S
A5
A6
A19
A77
E15
E54
E60
E511

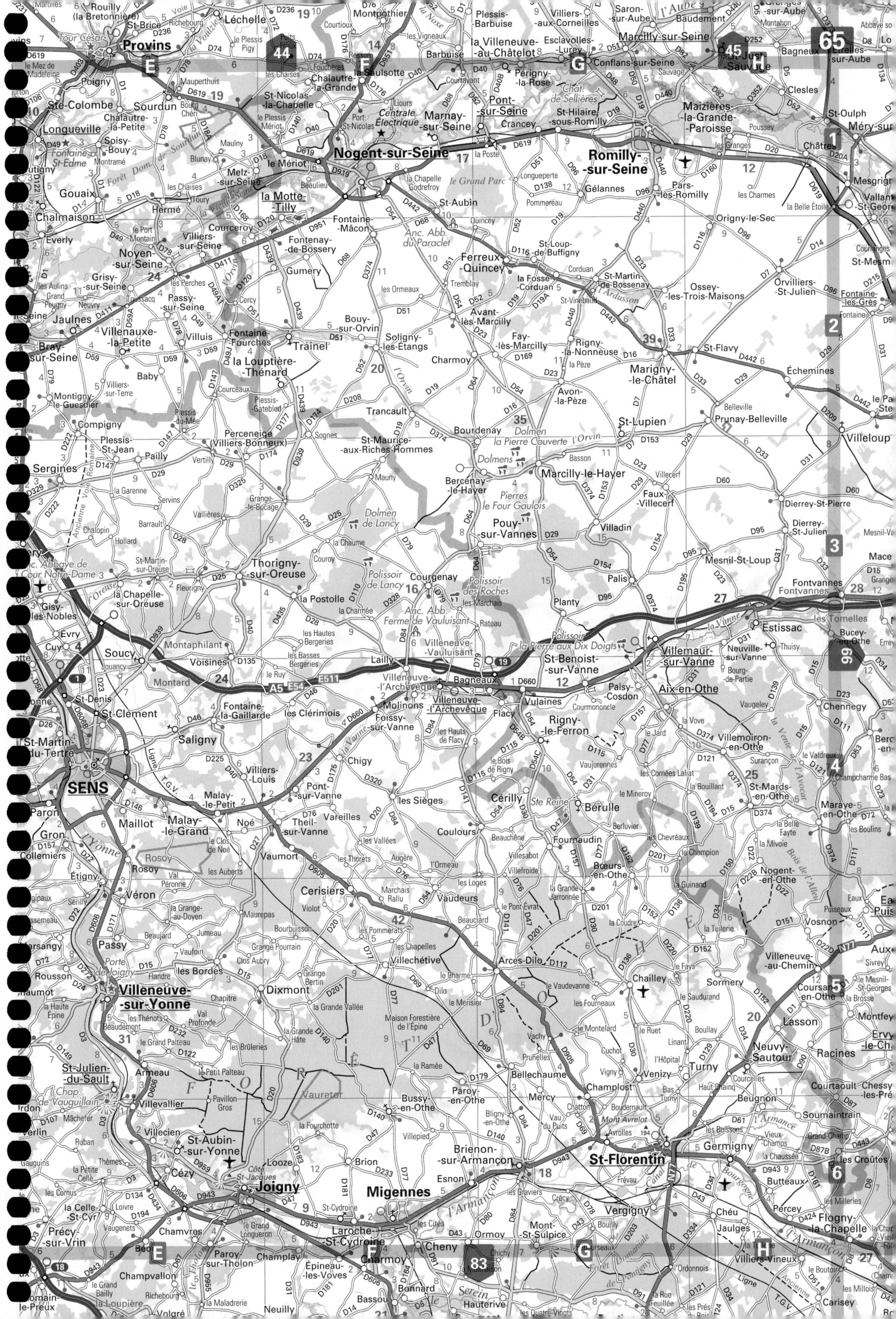

65
44
45
83
Provins
Nogent-sur-Seine
Romilly-sur-Seine
SENS
Villeneuve-sur-Yonne
Joigny
Migennes
St-Florentin
Brienon-sur-Armançon
Aix-en-Othe
Estissac
Villemaur-sur-Vanne
Marcilly-le-Hayer
Pouy-sur-Vannes
Thorigny-sur-Oreuse
Trainel
Marigny-le-Châtel
St-Julien-du-Sault
Cerisiers
Chailley
Arces-Dilo
Bérulle
Rigny-le-Ferron
Courgenay
Villeneuve-l'Archevêque
Soucy
Sergines
Bray-sur-Seine
la Motte-Tilly
Marcilly-sur-Seine
Conflans-sur-Seine
St-Just-Sauvage
Maizières-la-Grande-Paroisse
Méry-sur-Seine
Ferreux-Quincey
St-Lupien
Prunay-Belleville
Fontvannes
Villeneuve-au-Chemin
Neuvy-Sautour
Courtaoult
Germigny
Flogny-la-Chapelle
Laroche-St-Cydroine
Charmoy
Cheny
Ormoy
Vergigny
Champlost
Turny
Venizy
Bellechaume
Mercy
Bussy-en-Othe
Paroy-en-Othe
Dixmont
Villechétive
Vaudeurs
Cérilly
Coulours
Fournaudin
Bœurs-en-Othe
Vosnon
Lasson
Racines
Soumaintrain
Chessy-les-Prés
Villevallier
St-Aubin-sur-Yonne
Cézy
Armeau
Véron
Rosoy
Étigny
Maillot
Malay-le-Grand
Malay-le-Petit
Noé
Vareilles
Theil-sur-Vanne
Pont-sur-Vanne
Les Sièges
Chigy
Foissy-sur-Vanne
Molinons
Flacy
Vulaines
Bagneaux
Lailly
Saligny
Fontaine-la-Gaillarde
St-Clément
St-Denis
Gisy-les-Nobles
Évry
Cuy
la Chapelle-sur-Oreuse
la Postolle
Villadin
Planty
Palis
Mesnil-St-Loup
Dierrey-St-Pierre
Dierrey-St-Julien
Faux-Villecerf
Bercenay-le-Hayer
Bourdenay
Trancault
St-Maurice-aux-Riches-Hommes
Perceneige (Villiers-Bonneux)
Plessis-St-Jean
Compigny
Montigny-le-Guesdier
la Louptière-Thénard
Fontaine-Fourches
Villenauxe-la-Petite
Jaulnes
Passy-sur-Seine
Grisy-sur-Seine
Noyen-sur-Seine
Villiers-sur-Seine
Courceroy
Fontenay-de-Bossery
Fontaine-Mâcon
Gumery
Bouy-sur-Orvin
Soligny-les-Étangs
Charmoy
Avant-lès-Marcilly
Fay-lès-Marcilly
Rigny-la-Nonneuse
Avon-la-Pèze
St-Flavy
Échemines
Ossey-les-Trois-Maisons
Orvilliers-St-Julien
St-Martin-de-Bossenay
la Fosse-Corduan
St-Loup-de-Buffigny
Gélannes
Pars-lès-Romilly
Origny-le-Sec
St-Aubin
Marnay-sur-Seine
Pont-sur-Seine
Crancey
St-Hilaire-sous-Romilly
Périgny-la-Rose
la Villeneuve-au-Châtelot
Esclavolles-Lurey
Barbuise
la Saulsotte
Chalautre-la-Grande
St-Nicolas-la-Chapelle
Melz-sur-Seine
le Mériot
Sourdun
Ste-Colombe
Longueville
Léchelle
Montpothier
Villiers-aux-Corneilles
Plessis-Barbuise
Saron-sur-Aube
Baudement
Gouaix
Hermé
Chalmaison
Everly
Poigny
Soisy-Bouy
Chalautre-la-Petite
Rouilly (la Bretonnière)
St-Brice
A5
E54
E511
N77

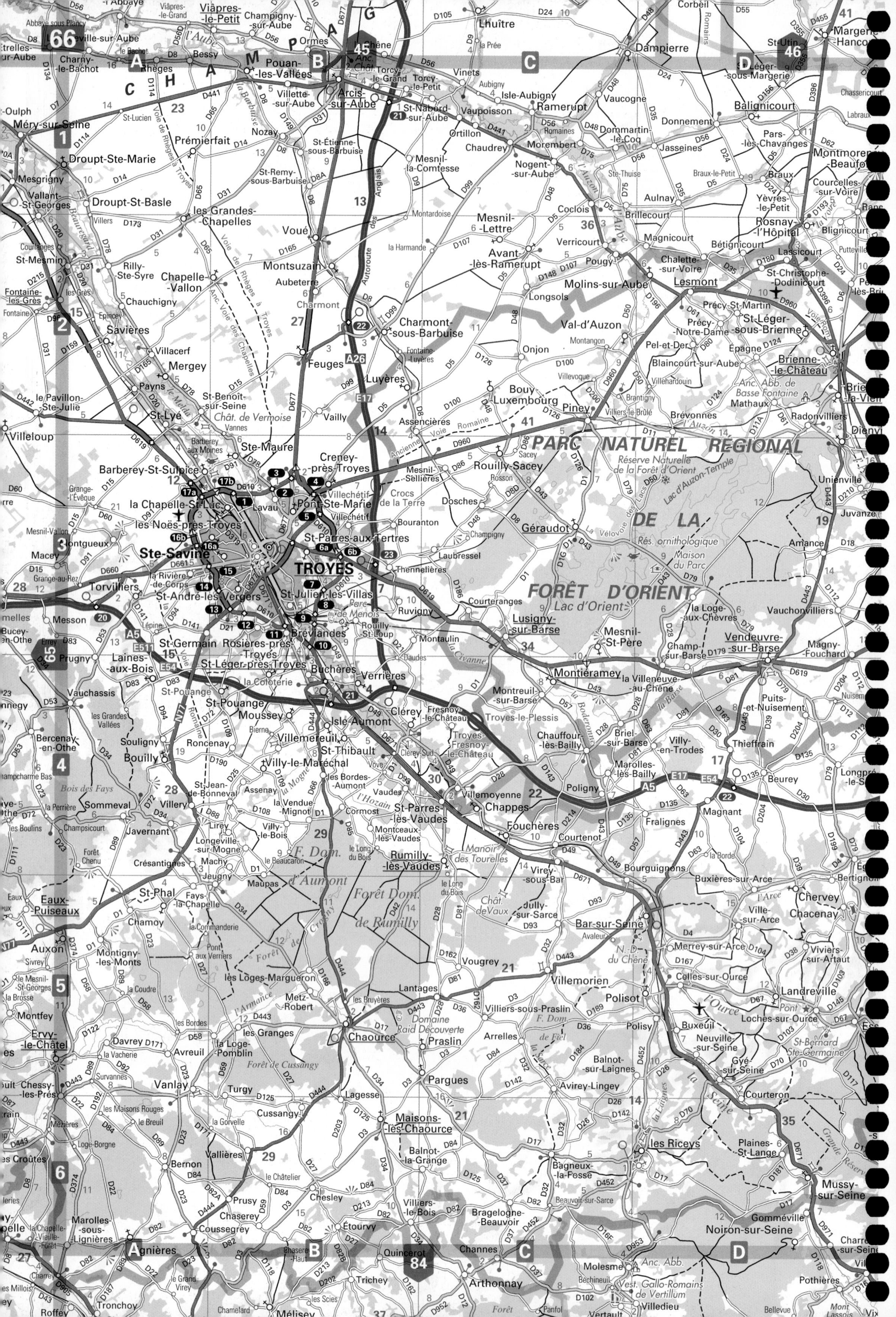
66
45
46
84
CHAMPAGNE
Méry-sur-Seine
Droupt-Ste-Marie
Mesgrigny
Vallant-St-Georges
Droupt-St-Basle
Prémierfait
Nozay
les Grandes-Chapelles
St-Mesmin
Rilly-Ste-Syre
Chapelle-Vallon
Fontaine-les-Grès
Chauchigny
Savières
Villacerf
Mergey
Payns
le Pavillon-Ste-Julie
St-Lyé
St-Benoît-sur-Seine
Villeloup
Barberey-St-Sulpice
la Chapelle-St-Luc
les Noës-près-Troyes
Ste-Savine
Torvilliers
Macey
Montgueux
St-André-les-Vergers
Messon
Laines-aux-Bois
Prugny
St-Germain
Rosières-près-Troyes
St-Léger-près-Troyes
Vauchassis
Bercenay-en-Othe
Souligny
Bouilly
St-Pouange
Moussey
Roncenay
Villy-le-Maréchal
St-Jean-de-Bonneval
Assenay
Villery
Sommeval
Javernant
Longeville-sur-Mogne
Crésantignes
Machy
Jeugny
Maupas
St-Phal
Fays-la-Chapelle
Chamoy
Eaux-Puiseaux
Auxon
Montigny-les-Monts
les Loges-Margueron
Metz-Robert
les Granges
Chaource
Ervy-le-Châtel
Davrey
Avreuil
la Loge-Pomblin
Vanlay
Turgy
Cussangy
Chessy-les-Prés
Vallières
Bernon
Prusy
Chaserey
Coussegrey
Marolles-sous-Lignières
Agnières
Tronchoy
Roffey
Mélisey
Lagesse
Maisons-lès-Chaource
Balnot-la-Grange
Chesley
Étourvy
Villiers-le-Bois
Quincerot
Trichey
Arthonnay
Channes
Bragelogne-Beauvoir
Molesme
Villedieu
Bagneux-la-Fosse
les Riceys
Avirey-Lingey
Balnot-sur-Laignes
Pargues
Praslin
Arrelles
Villiers-sous-Praslin
Lantages
Vougrey
Villemorien
Polisot
Polisy
Bar-sur-Seine
Courteron
Gyé-sur-Seine
Neuville-sur-Seine
Buxeuil
Plaines-St-Lange
Mussy-sur-Seine
Gomméville
Noiron-sur-Seine
Pothières
Loches-sur-Ource
Landreville
Celles-sur-Ource
Merrey-sur-Arce
Ville-sur-Arce
Chervey
Chacenay
Bertignolles
Buxières-sur-Arce
Bourguignons
Virey-sous-Bar
Jully-sur-Sarce
Fouchères
Courtenot
Chappes
Villemoyenne
Poligny
Magnant
Fralignes
Briel-sur-Barse
Villy-en-Trodes
Marolles-lès-Bailly
Chauffour-lès-Bailly
Thieffrain
Beurey
Puits-et-Nuisement
Vendeuvre-sur-Barse
Magny-Fouchard
Vauchonvilliers
Champ-sur-Barse
la Loge-aux-Chèvres
Mesnil-St-Père
Montiéramey
la Villeneuve-au-Chêne
Montreuil-sur-Barse
Lusigny-sur-Barse
Courteranges
Laubressel
Géraudot
Rouilly-Sacey
Dosches
Mesnil-Sellières
Bouranton
Thennelières
Ruvigny
Montaulin
Rouilly-St-Loup
St-Parres-aux-Tertres
Villechétif
Pont-Ste-Marie
Creney-près-Troyes
Lavau
TROYES
St-Julien-les-Villas
Bréviandes
Buchères
Verrières
Clérey
Isle-Aumont
Villemereuil
St-Thibault
les Bordes-Aumont
Vaudes
St-Parres-lès-Vaudes
Montceaux-lès-Vaudes
Rumilly-lès-Vaudes
Cormost
Villy-le-Bois
la Vendue-Mignot
Forêt Dom. de Rumilly
F. Dom. d'Aumont
Ste-Maure
Vailly
Feuges
Luyères
Charmont-sous-Barbuise
Montsuzain
Aubeterre
Voué
St-Étienne-sous-Barbuise
St-Remy-sous-Barbuise
Mesnil-la-Comtesse
Villette-sur-Aube
Arcis-sur-Aube
Pouan-les-Vallées
Torcy-le-Grand
Torcy-le-Petit
St-Nabord-sur-Aube
Vaupoisson
Ortillon
Chaudrey
Isle-Aubigny
Ramerupt
Lhuître
Dampierre
Vaucogne
Nogent-sur-Aube
Morembert
Dommartin-le-Coq
Jasseines
Donnement
Balignicourt
Pars-lès-Chavanges
Brillecourt
Coclois
Aulnay
Magnicourt
Vericourt
Pougy
Molins-sur-Aube
Chalette-sur-Voire
Lesmont
Mesnil-Lettre
Avant-lès-Ramerupt
Longsols
Val-d'Auzon
Onjon
Bouy-Luxembourg
Piney
Assencières
Précy-St-Martin
Précy-Notre-Dame
St-Léger-sous-Brienne
Pel-et-Der
Blaincourt-sur-Aube
Brienne-le-Château
Brévonnes
Mathaux
Radonvilliers
Unienville
Juvanzé
Amance
Rosnay-l'Hôpital
Blignicourt
Lassicourt
Bétignicourt
St-Christophe-Dodinicourt
Montmorency-Beaufort
Courcelles-sur-Voire
Yèvres-le-Petit
Braux
Viâpres-le-Petit
Champigny-sur-Aube
Ormes
Bessy
Rhèges
Charny-le-Bachot
PARC NATUREL RÉGIONAL DE LA FORÊT D'ORIENT
Réserve Naturelle de la Forêt d'Orient
Lac d'Auzon-Temple
Lac d'Orient
Rés. ornithologique
Maison du Parc

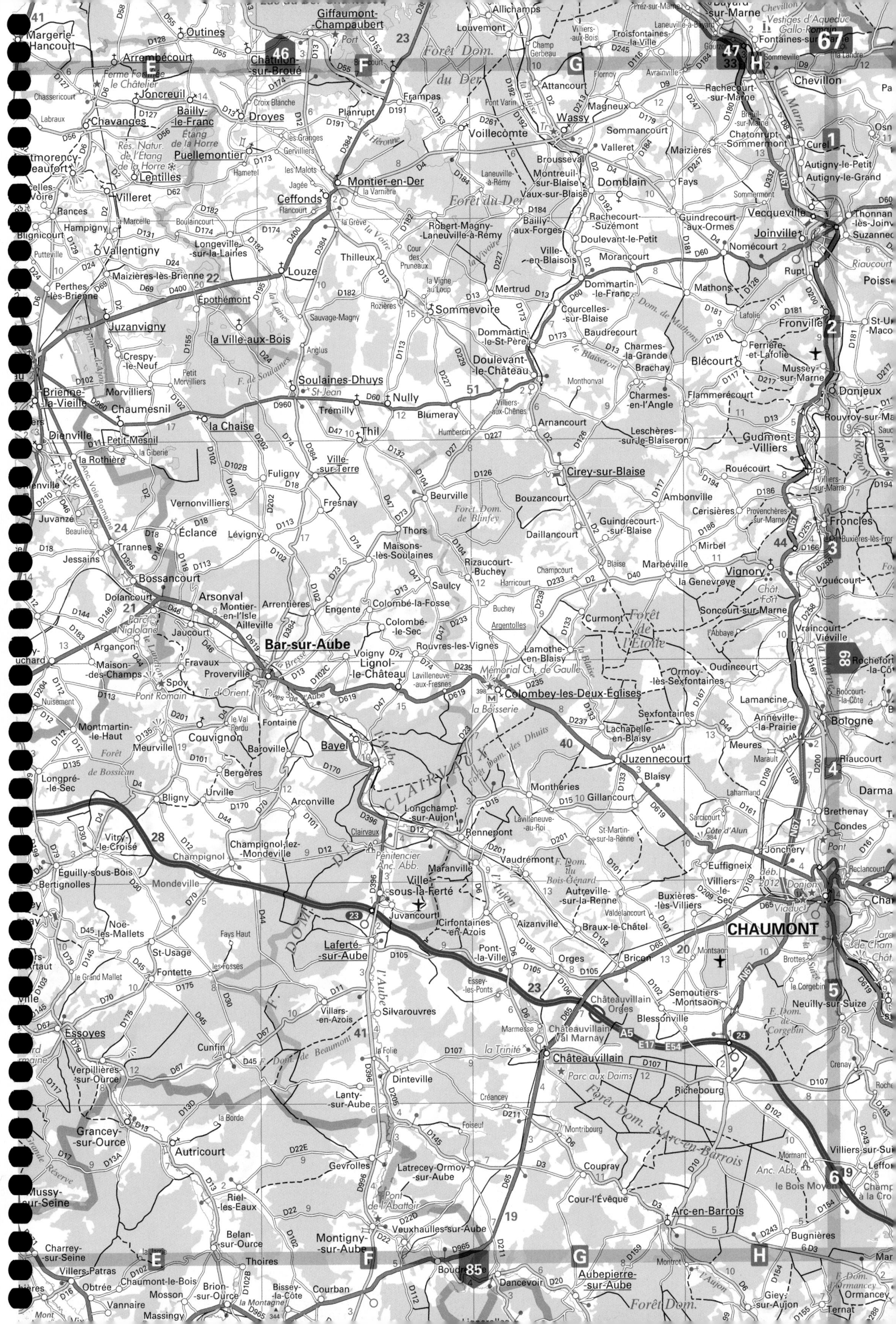

41
Margerie-Hancourt
Outines
Giffaumont-Champaubert
Port
Allichamps
Louvemont
Villiers-aux-Bois
Troisfontaines-la-Ville
Bayard-sur-Marne
Chevillon
Vestiges d'Aqueduc Gallo-Romain
Fontaines-sur-Marne
67
46
Arrembécourt
Châtillon-sur-Broué
23
Forêt Dom. du Der
Champ Gerbeau
47
33
E
F
G
H
Ferme Forêt le Châtelier
Joncreuil
Bailly-le-Franc
Frampas
Attancourt
Flornoy
Avrainville
Rachecourt-sur-Marne
Chevillon
Chassericourt
Croix Blanche
Planrupt
Pont Varin
Magneux
Chavanges
Droyes
Wassy
Sommancourt
Breuil-sur-Marne
Labraux
Étang de la Horre
Voillecômte
Chatonrupt-Sommermont
Curel
1
Rés. Natur. de l'Étang de la Horre
Puellemontier
les Granges
Gervilliers
Valleret
Maizières
Montmorency-Beaufort
Lentilles
Hametel
les Malots
Brousseval
Montreuil-sur-Blaise
Autigny-le-Petit
Autigny-le-Grand
Villeret
Jagée
Montier-en-Der
Laneuville-à-Rémy
Domblain
Fays
Sommermont
Ceffonds
la Varnière
Forêt du Der
Vaux-sur-Blaise
Rances
Flancourt
la Marcelle
Boulaincourt
Robert-Magny-Laneuville-à-Rémy
Bailly-aux-Forges
Rachecourt-Suzémont
Guindrecourt-aux-Ormes
Vecqueville
Thonnance-lès-Joinville
Hampigny
la Grève
Blignicourt
Joinville
Suzannecourt
Vallentigny
Longeville-sur-la-Laines
Cour des Pruneaux
Doulevant-le-Petit
Nomécourt
Villes-en-Blaisois
Morancourt
Rupt
Riaucourt
Puttevilie
Thilleux
Maizières-lès-Brienne
22
Louze
la Vigne au Loup
Mertrud
Dommartin-le-Franc
Mathons
Poissons
Perthes-lès-Brienne
Épothémont
Rozières
Sommevoire
Courcelles-sur-Blaise
F. Dom. de Mathons
Lafolie
Fronville
2
St-Urbain-Maconcourt
Juzanvigny
Sauvage-Magny
la Ville-aux-Bois
Dommartin-le-St-Père
Baudrecourt
Ferrière-et-Lafolie
Anglus
Charmes-la-Grande
Brachay
Blécourt
Mussey-sur-Marne
Crespy-le-Neuf
Doulevant-le-Château
Monthonval
Donjeux
F. de Soulaines
Petit Morvilliers
Soulaines-Dhuys
St-Jean
Nully
51
Villiers-aux-Chênes
Charmes-en-l'Angle
Flammerécourt
Brienne-la-Vieille
Morvilliers
Chaumesnil
Trémilly
Blumeray
Rouvroy-sur-Marne
la Chaise
Thil
Humbercin
Arnancourt
Leschères-sur-le-Blaiseron
Gudmont-Villiers
Dienville
Petit-Mesnil
la Rothière
la Giberie
Ville-sur-Terre
Cirey-sur-Blaise
Rouécourt
Villiers-sur-Marne
Fuligny
Beurville
Bouzancourt
Ambonville
Cerisières
Provenchères-sur-Marne
Vernonvilliers
Fresnay
Forêt Dom. de Blinfey
Froncles
Juvanzé
Beaulieu
24
Éclance
Lévigny
Thors
Guindrecourt-sur-Blaise
Daillancourt
Mirbel
Buxières-lès-Froncles
Jessains
Trannes
Maisons-lès-Soulaines
Rizaucourt-Buchey
Marbéville
44
3
Bossancourt
Saulcy
Champcourt
Harricourt
Blaise
Vignory
la Genevroye
Châtf. Fort
Vouécourt
Dolancourt
Arsonval
Montier-en-l'Isle
Arrentières
Colombé-la-Fosse
Buchey
Curmont
Forêt de l'Étoile
Soncourt-sur-Marne
21
Parc Nigloland
Ailleville
Engente
Colombé-le-Sec
Argentolles
l'Abbaye
Vraincourt
Viéville
Jaucourt
Bar-sur-Aube
Rouvres-les-Vignes
Lamothe-en-Blaisy
69
Rochefort-la-Côte
Arrançon
Voigny
Lignol-le-Château
Mémorial Ch. de Gaulle
Ormoy-lès-Sexfontaines
Oudincourt
Maison-des-Champs
Fravaux
Proverville
la Bresse
Lavilleneuve-aux-Fresnes
Colombey-les-Deux-Églises
Spoy
Pont Romain
T. d'Orient
Rives de l'Aube
la Boisserie
Sexfontaines
Lamancine
Nuisement
Bologne
Annéville-la-Prairie
le Val Perdu
Fontaine
Lachapelle-en-Blaisy
Montmartin-le-Haut
Couvignon
Meurville
Baroville
Bayel
40
Juzennecourt
Meures
Marault
Riaucourt
4
Forêt de Bossican
Bergères
Blaisy
Longpré-le-Sec
Bligny
Urville
Forêt de Clairvaux
Forêt Dom. des Dhuits
Montheries
Gillancourt
Laharmand
Darmannes
Arconville
Longchamp-sur-Aujon
Lavilleneuve-au-Roi
Sarcicourt
Brethenay
Condes
Clairvaux
Rennepont
St-Martin-sur-la-Renne
Côte d'Alun
Vitry-le-Croisé
28
Champignol-lez-Mondeville
Champignol
Pénitencier Anc. Abb.
Vaudrémont
Jonchery
F. Dom. du Bois-Gérard
Euffigneix
Éguilly-sous-Bois
Bertignolles
Maranville
Villiers-le-Sec
Mondeville
Ville-sous-la-Ferté
Autreville-sur-la-Renne
Buxières-lès-Villiers
Donjon
Viaduc
Juvancourt
Cirfontaines-en-Azois
Aizanville
Valdelancourt
Braux-le-Châtel
CHAUMONT
Noë-les-Mallets
Fays Haut
Laferté-sur-Aube
Pont-la-Ville
Montsaon
St-Usage
les Fosses
Orges
Bricon
20
Brottes
Fontette
le Grand Mallet
Essey-les-Ponts
Semoutiers-Montsaon
le Corgebin
5
Villars-en-Azois
Silvarouvres
Châteauvillain
Orges
Blessonville
Neuilly-sur-Suize
F. Dom. de Corgebin
Essoyes
Marmesse
Châteauvillain Val Marnay
A5
E17
E54
24
Cunfin
F. Dom. de Beaumont
la Folie
41
la Trinité
Crenay
Verpillières-sur-Ource
Dinteville
Parc aux Daims
Forêt Dom. d'Arc-en-Barrois
Richebourg
Lanty-sur-Aube
Créancey
la Borde
Foiseul
Montribourg
Villiers-sur-Suize
Grancey-sur-Ource
Autricourt
Gevrolles
Coupray
Mormant
Anc. Abb.
6
Latrecey-Ormoy-sur-Aube
Mussy-sur-Seine
Riel-les-Eaux
Pont de l'Abattoir
Cour-l'Évêque
le Bois Mory
19
Arc-en-Barrois
Belan-sur-Ource
Veuxhaulles-sur-Aube
Montigny-sur-Aube
Bugnières
Charrey-sur-Seine
Thoires
Villers-Patras
Chaumont-le-Bois
Boudreville
85
Dancevoir
Aubepierre-sur-Aube
Montrot
l'Aujon
F. Dom. d'Ormancey
Obtrée
Mosson
Brion-sur-Ource
Bissey-la-Côte
Courban
Giey-sur-Aujon
Ormancey
Vannaire
Massingy
la Montagne
Forêt Dom.
Ternat

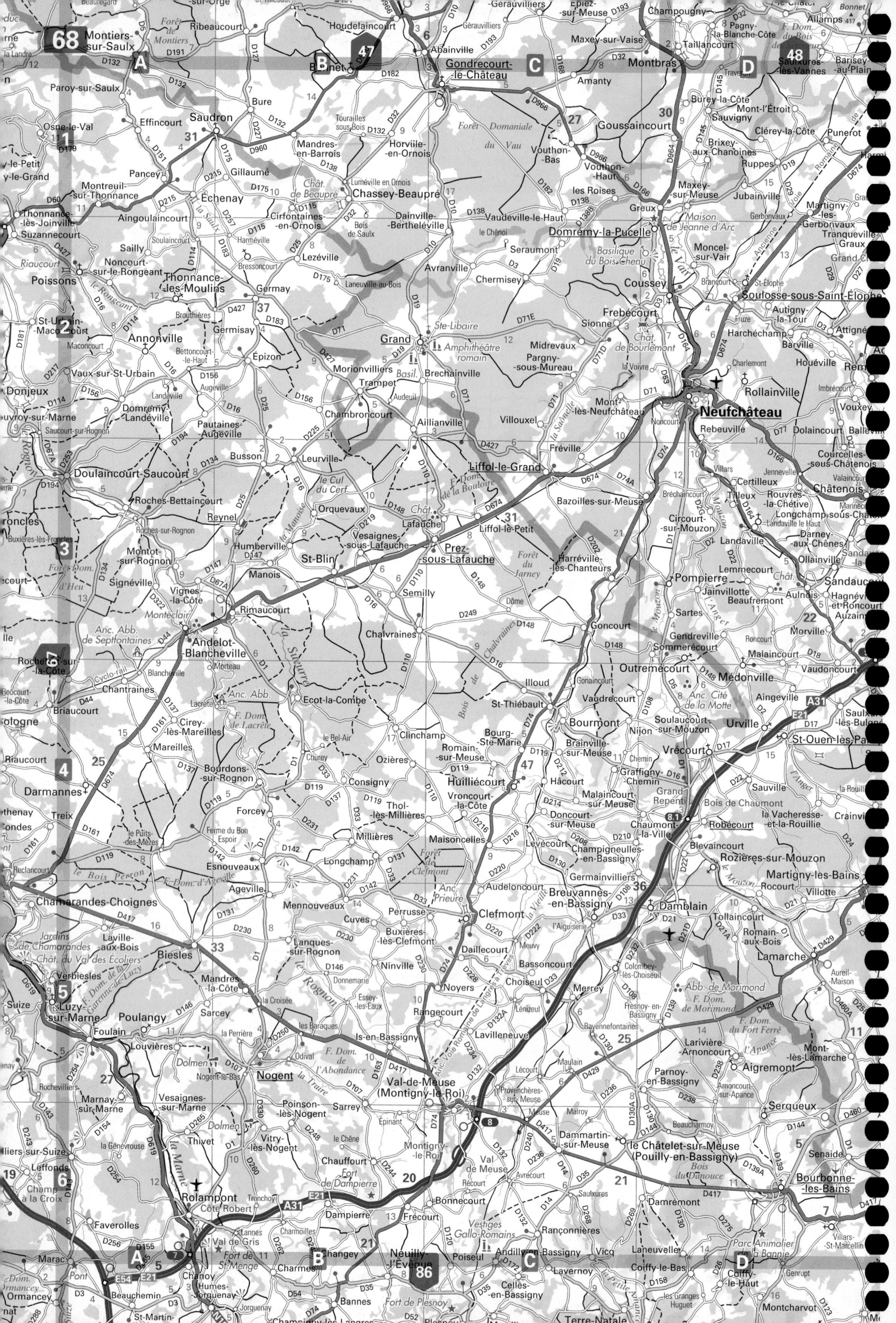

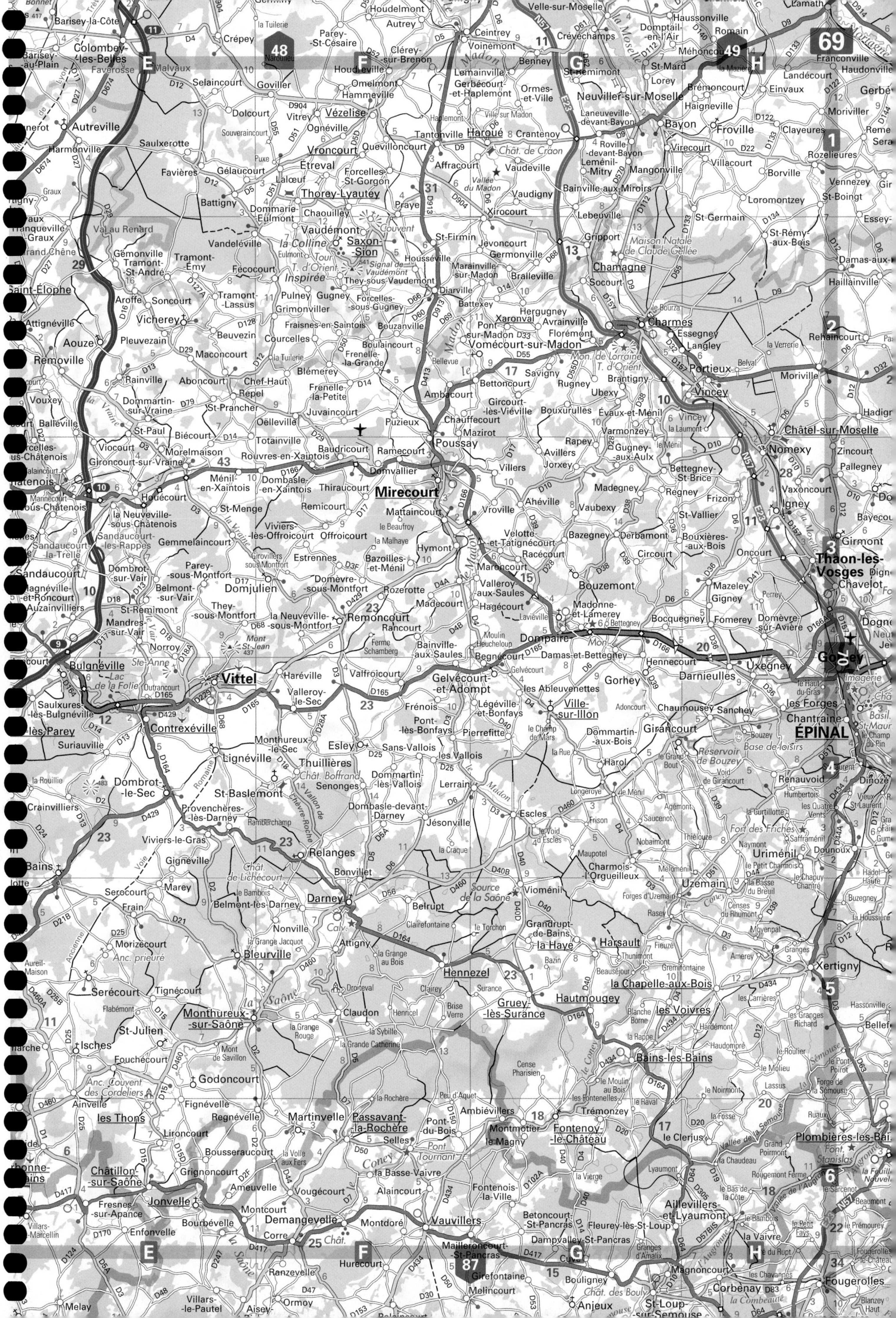
69
48
49
87
E
F
G
H
1
2
3
4
5
6
Barisey-la-Côte
Colombey-les-Belles
Barisey-au-Plain
Favières
Crépey
Parey-St-Césaire
Houdelmont
Autrey
Ceintrey
Voinémont
Clérey-sur-Brenon
Velle-sur-Moselle
Crévéchamps
Haussonville
Domptail-en-l'Air
Romain
Méhoncourt
Franconville
Landécourt
Haudonville
Lamath
St-Mard
Lorey
Neuviller-sur-Moselle
Benney
St-Remimont
Lemainville
Gerbécourt-et-Haplemont
Ormes-et-Ville
Houdreville
Goviller
Selaincourt
Omelmont
Hammeville
Vézelise
Dolcourt
Vitrey
Ognéville
Autreville
Harmonville
Saulxerotte
Tantonville
Haroué
Crantenoy
Bayon
Froville
Clayeures
Rozelieures
Brémoncourt
Haigneville
Einvaux
Moriviller
Roville-devant-Bayon
Virecourt
Villacourt
Borville
Vronclourt
Quevilloncourt
Étreval
Forcelles-St-Gorgon
Gélaucourt
Laloeuf
Thorey-Lyautey
Affracourt
Vaudeville
Châtt. de Craon
Vallée du Madon
Leménil-Mitry
Mangonville
Bainville-aux-Miroirs
Vennezey
St-Boingt
Loromontzey
Battigny
Dommarie-Eulmont
Chaouilley
Praye
Vaudigny
Xirocourt
Lebeuville
St-Germain
Essey-la-Côte
Vaudémont
Saxon-Sion
Couvent
la Colline Inspirée
Signal de Vaudémont
Vandeléville
Gémonville
Tramont-Émy
Tramont-St-André
Fécocourt
They-sous-Vaudemont
St-Firmin
Jevoncourt
Germonville
Houssévillle
Gripport
Maison Natale de Claude Gellée
Chamagne
St-Rémy-aux-Bois
Damas-aux-Bois
Haillainville
Marainville-sur-Madon
Bralleville
Socourt
Saint-Élophe
Aroffe
Soncourt
Tramont-Lassus
Pulney
Gugney
Forcelles-sous-Gugney
Diarville
Battexey
Vicherey
Grimonviller
Hergugney
Xaronval
Avrainville
Charmes
Essegney
Langley
Attignéville
Aouze
Pleuvezain
Beuvezin
Fraisnes-en-Saintois
Bouzanville
Pont-sur-Madon
Florémont
Vomécourt-sur-Madon
Rehaincourt
Courcelles
Boulaincourt
Frenelle-la-Grande
Mon. de Lorraine
Portieux
Removille
Maconcourt
Blémerey
Savigny
Brantigny
Moriville
Rainville
Aboncourt
Chef-Haut
Repel
Frenelle-la-Petite
Ambacourt
Bettoncourt
Rugney
Ubexy
Vincey
Vouxey
Dommartin-sur-Vraine
St-Prancher
Juvaincourt
Giroourt-lès-Viéville
Bouxurulles
Évaux-et-Ménil
Châtel-sur-Moselle
Balléville
St-Paul
Oëlleville
Puzieux
Chauffecourt
Mazirot
Varmonzey
Biécourt
Totainville
Poussay
Rapey
Gugney-aux-Aulx
Nomexy
Zincourt
Viocourt
Morelmaison
Baudricourt
Ramecourt
Avillers
Jorxey
Gironcourt-sur-Vraine
Rouvres-en-Xaintois
Domvallier
Villers
Bettegney-St-Brice
Pallegney
Châtenois
Ménil-en-Xaintois
Dombasle-en-Xaintois
Thiraucourt
Mirecourt
Madegney
Vaxoncourt
Regney
Houécourt
St-Menge
Remicourt
Ahéville
Vaubexy
Frizon
Igney
Mannecourt
Vroville
Mattaincourt
St-Vallier
Bayecourt
la Neuveville-sous-Châtenois
Viviers-lès-Offroicourt
Offroicourt
Velotte-et-Tatignécourt
Bazegney
Derbamont
Bouxières-aux-Bois
Girmont
Sandaucourt
Gemmelaincourt
Hymont
Racécourt
Circourt
Oncourt
Thaon-les-Vosges
Estrennes
Bazoilles-et-Ménil
Maroncourt
Dombrot-sur-Vair
Parey-sous-Montfort
Belmont-sur-Vair
Domjulien
Domèvre-sous-Montfort
Rozerotte
Valleroy-aux-Saules
Bouzemont
Mazeley
Chavelot
Auzainvilliers
Madecourt
Madonne-et-Lamerey
Gigney
St-Remimont
They-sous-Montfort
la Neuveville-sous-Montfort
Remoncourt
Hagécourt
Bocquegney
Fomerey
Domèvre-sur-Avière
Mandres-sur-Vair
Rancourt
Dompaire
Norroy
Mont St-Jean
Bainville-aux-Saules
Begnécourt
Damas-et-Bettegney
Hennecourt
Uxegney
Golbey
Bulgnéville
Ste-Anne
Vittel
Haréville
Valfroicourt
Gelvécourt-et-Adompt
Gorhey
Darnieulles
Lac de la Folie
Saulxures-lès-Bulgnéville
Contrexéville
Valleroy-le-Sec
Les Ablevenettes
Ville-sur-Illon
Chaumousey
Sanchey
les Forges
Chantraine
ÉPINAL
Frénois
Légéville-et-Bonfays
Pont-lès-Bonfays
Pierrefitte
Dommartin-aux-Bois
Girancourt
Suriauville
Monthureux-le-Sec
Lignéville
Esley
Sans-Vallois
les Vallois
Harol
Réservoir de Bouzey
Thuillières
Dombrot-le-Sec
Châtt. Boffrand
Senonges
Dommartin-lès-Vallois
Lerrain
Renauvoid
Dinozé
St-Baslemont
Escles
Crainvilliers
Provenchères-lès-Darney
Dombasle-devant-Darney
Jésonville
Viviers-le-Gras
Relanges
Fort des Friches
Uriménil
Dounoux
Gignéville
Bonvillet
Charmois-l'Orgueilleux
Bains
Serocourt
Marey
Belmont-lès-Darney
Darney
Belrupt
Source de la Saône
Viomenil
Uzemain
Frain
Nonville
Grandrupt-de-Bains
Harsault
Morizécourt
Attigny
la Haye
Bleurville
Hennezel
la Chapelle-aux-Bois
Xertigny
Serécourt
Tignécourt
Gruey-lès-Surance
Hautmougey
Monthureux-sur-Saône
Claudon
les Voivres
St-Julien
Isches
Fouchécourt
Bains-les-Bains
Godoncourt
Aineville
les Thons
Fignévelle
Regnévelle
Martinvelle
Passavant-la-Rochère
Pont-du-Bois
Ambiévillers
Montmotier
le Magny
Fontenoy-le-Château
Trémonzey
le Clerjus
Plombières-les-Bains
Lironcourt
Selles
Châtillon-sur-Saône
Bousseraucourt
Grignoncourt
Ameuvelle
la Basse-Vaivre
Vougécourt
Alaincourt
Fontenois-la-Ville
Aillevillers-et-Lyaumont
Jonvelle
Fresnes-sur-Apance
Montcourt
Demangevelle
Montdoré
Vauvillers
Betoncourt-St-Pancras
Fleurey-lès-St-Loup
Enfonvelle
Bourbévelle
Corre
Dampvalley-St-Pancras
Mailleroncourt-St-Pancras
Hurecourt
Ranzevelle
Girefontaine
Cuve
Magnoncourt
Bouligney
Corbenay
Fougerolles
Melincourt
Villars-le-Pautel
Ormoy
Aisey
Melay
Anjeux
St-Loup-sur-Semouse

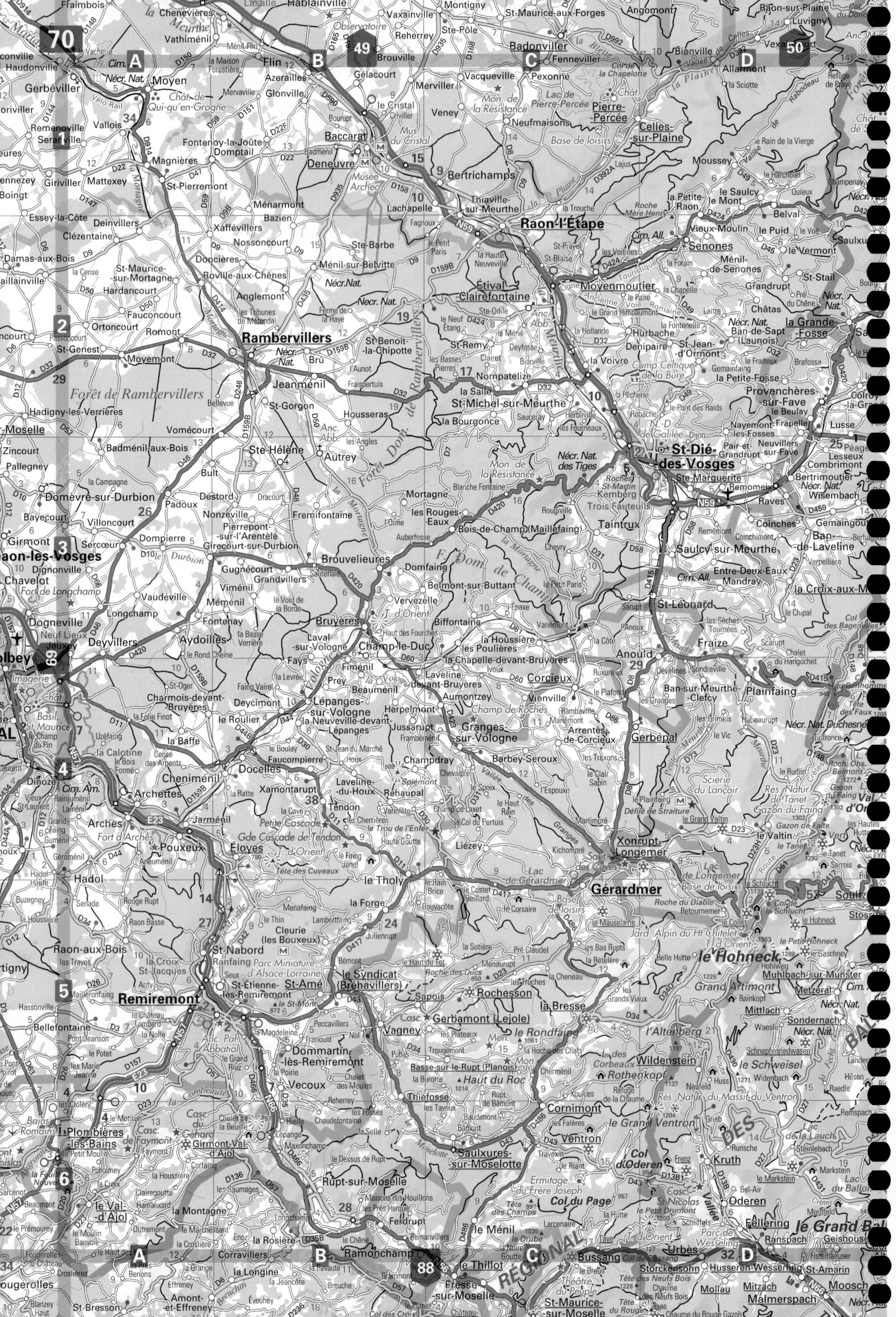

70
49
50
69
88
A
B
C
D
1
2
3
4
5
6
Fraimbois
Hablainville
Vaxainville
Montigny
St-Maurice-aux-Forges
Angomont
Raon-sur-Plaine
Luvigny
Vexaincourt
Chenevières
Vathiménil
Reherrey
Ste-Pôle
Badonviller
Fenneviller
Bionville
Allarmont
Haudonville
Gerbéviller
Moyen
Flin
Azerailles
Brouville
Gélacourt
Glonville
Merviller
Vacqueville
Pexonne
Vallois
Remenoville
Serainville
Baccarat
Deneuvre
Veney
Neufmaisons
Pierre-Percée
Celles-sur-Plaine
Magnières
Fontenoy-la-Joûte
Domptail
Bertrichamps
Moussey
Gériviller
Mattexey
St-Pierremont
Thiaville-sur-Meurthe
Lachapelle
Ménarmont
Bazien
Raon-l'Étape
La Petite-Raon
Belval
Essey-la-Côte
Deinvillers
Xaffévillers
Nossoncourt
Ste-Barbe
Vieux-Moulin
Le Puid
Senones
Clézentaine
Damas-aux-Bois
Doncières
Ménil-sur-Belvitte
St-Maurice-sur-Mortagne
Roville-aux-Chênes
Ménil-de-Senones
St-Stail
Hardancourt
Anglemont
Étival-Clairefontaine
Moyenmoutier
Grandrupt
Fauconcourt
Châtas
Ortoncourt
Romont
Rambervillers
La Grande-Fosse
St-Genest
Moyemont
Brû
St-Benoît-la-Chipotte
St-Remy
Hurbache
Denipaire
Ban-de-Sapt
St-Jean-d'Ormont
La Voivre
Jeanménil
Nompatelize
La Petite-Fosse
Forêt de Rambervillers
La Salle
St-Michel-sur-Meurthe
Provenchères-sur-Fave
Hadigny-les-Verrières
St-Gorgon
Housseras
La Bourgonce
Vomécourt
Lusse
Badménil-aux-Bois
Ste-Hélène
Autrey
St-Dié-des-Vosges
Ste-Marguerite
Bult
Mortagne
Domèvre-sur-Durbion
Padoux
Destord
Nonzeville
Pierrepont-sur-l'Arentèle
Fremifontaine
Les Rouges-Eaux
Bois-de-Champ (Maillefaing)
Taintrux
Raves
Coinches
Bayecourt
Villoncourt
Dompierre
Girecourt-sur-Durbion
Saulcy-sur-Meurthe
Ban-de-Laveline
Girmont
Sercœur
Brouvelieures
Domfaing
Dignonville
Chavelot
Gugnécourt
Grandvillers
Belmont-sur-Buttant
Entre-Deux-Eaux
Mandray
La Croix-aux-Mines
Vaudéville
Viménil
Ménil
Vervezelle
St-Léonard
Longchamp
Fontenay
Biffontaine
Dogneville
Aydoilles
Bruyères
La Houssière
Deyvillers
Laval-sur-Vologne
Champ-le-Duc
Fraize
Fays
La Chapelle-devant-Bruyères
Anould
Corcieux
Fiménil
Prey
Laveline-devant-Bruyères
Plainfaing
Charmois-devant-Bruyères
Beauménil
Aumontzey
Vienville
Ban-sur-Meurthe-Clefcy
Deycimont
Lépanges-sur-Vologne
Herpelmont
Le Roulier
La Neuveville-devant-Lépanges
Jussarupt
Granges-sur-Vologne
Arrentès-de-Corcieux
Gerbépal
La Baffe
Faucompierre
Champdray
Barbey-Seroux
Cheniménil
Docelles
Archettes
Xamontarupt
Laveline-du-Houx
Rehaupal
Tendon
Arches
Jarménil
Pouxeux
Éloyes
Liézey
Xonrupt-Longemer
Hadol
Le Tholy
Gérardmer
La Forge
Cleurie (les Bouxeux)
Le Hohneck
Raon-aux-Bois
St-Nabord
Le Syndicat (Brehavillers)
St-Étienne-lès-Remiremont
St-Amé
Remiremont
Sapois
Rochesson
La Bresse
Bellefontaine
Vagney
Gerbamont (Lejole)
Dommartin-lès-Remiremont
Basse-sur-le-Rupt (Planois)
Wildenstein
Vecoux
Thiefosse
Cornimont
Plombières-les-Bains
Girmont-Val-d'Ajol
Ventron
Kruth
Saulxures-sur-Moselotte
Rupt-sur-Moselle
Oderen
Le Val-d'Ajol
La Montagne
Ferdrupt
Le Ménil
Fellering
Le Grand Ballon
Corravillers
Ramonchamp
Bussang
Urbès
Husseren-Wesserling
St-Amarin
La Longine
Le Thillot
Storckensohn
Fougerolles
Amont-et-Effreney
Fresse-sur-Moselle
St-Maurice-sur-Moselle
Mollau
Mitzach
Malmerspach
St-Bresson
Muhlbach-sur-Munster
Metzeral
Mittlach
Sondernach
Soultzeren
Col de la Schlucht
Gazon-du-Faing
Le Valtin
Plainfaing
Col du Bonhomme
Col d'Oderen
Col du Page
Rothenkopf
Grand Ventron
Haut du Roc
Grand Artimont

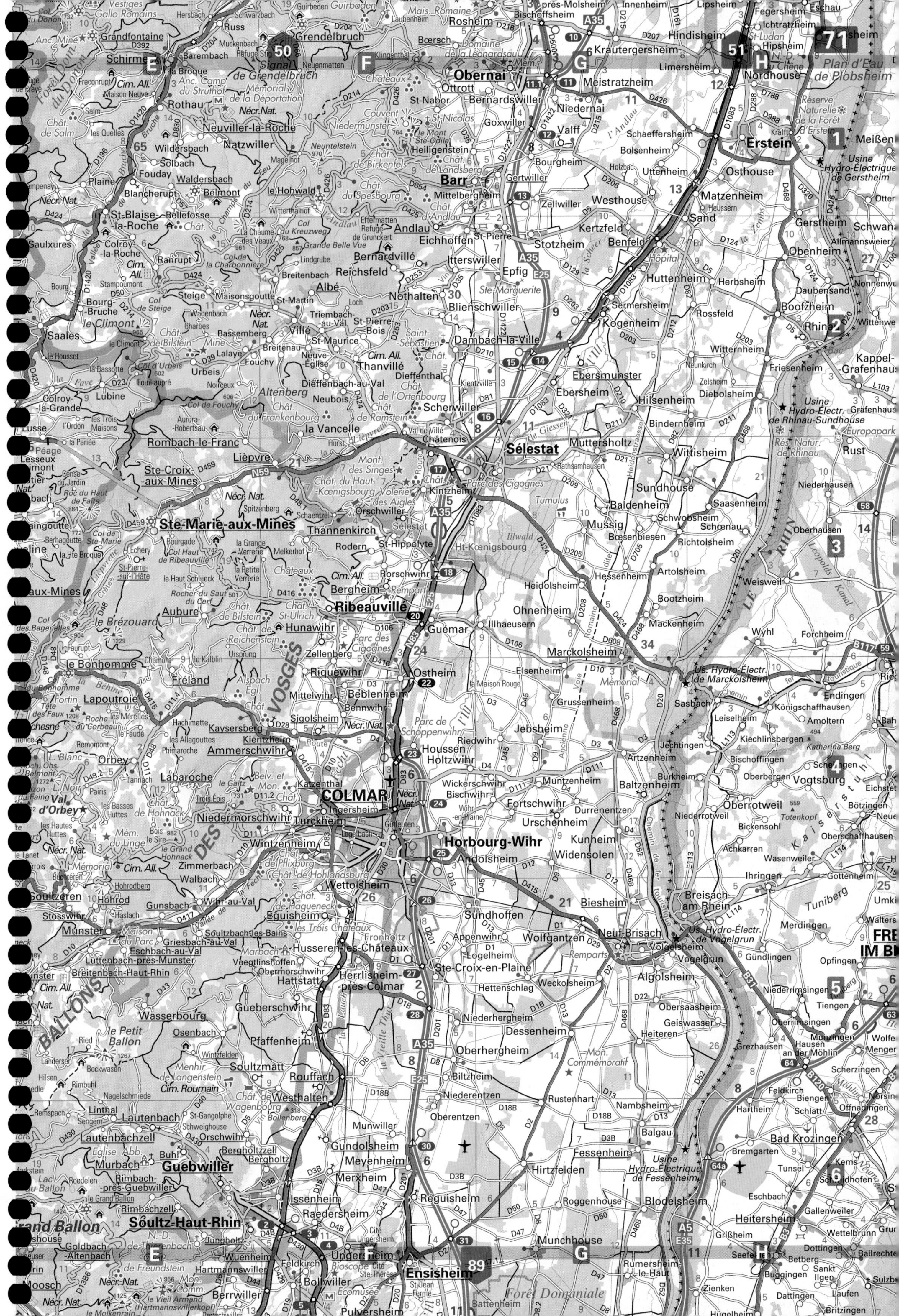

50
51
71
E
F
G
H
Grandfontaine
Schirmeck
la Broque
Barembach
Russ
Grendelbruch
Signal de Grendelbruch
Rosheim
Bischoffsheim
Krautergersheim
Hindisheim
Obernai
Ottrott
St-Nabor
Bernardswiller
Meistratzheim
Niedernai
Goxwiller
Valff
Heiligenstein
Bourgheim
Barr
Gertwiller
Mittelbergheim
Zellwiller
Westhouse
Andlau
Eichhoffen
St-Pierre
Stotzheim
Kertzfeld
Benfeld
Erstein
Osthouse
Matzenheim
Sand
Gerstheim
Obenheim
Rothau
Neuviller-la-Roche
Natzwiller
Wildersbach
Solbach
Fouday
Waldersbach
Belmont
Plaine
Blancherupt
le Hohwald
St-Blaise-la-Roche
Colroy-la-Roche
Ranrupt
Saulxures
Bourg-Bruche
Saales
Steige
Maisonsgoutte
St-Martin
Albé
Breitenbach
Reichsfeld
Bernardvillé
Itterswiller
Epfig
Nothalten
Blienschwiller
Villé
Triembach-au-Val
St-Pierre-Bois
Bassemberg
Lalaye
Urbeis
Fouchy
St-Maurice
Thanvillé
Dambach-la-Ville
Ebersmunster
Ebersheim
Hilsenheim
Kogenheim
Sermersheim
Huttenheim
Herbsheim
Boofzheim
Rhinau
Rossfeld
Witternheim
Friesenheim
Diebolsheim
Kappel-Grafenhausen
Lubine
Colroy-la-Grande
Lusse
Altenberg
Dieffenbach-au-Val
Neubois
Scherwiller
Châtenois
la Vancelle
Rombach-le-Franc
Lièpvre
Sélestat
Muttersholtz
Wittisheim
Rust
Ste-Croix-aux-Mines
Ste-Marie-aux-Mines
Thannenkirch
Orschwiller
Kintzheim
Baldenheim
Sundhouse
Saasenheim
Mussig
Schwobsheim
Schœnau
Richtolsheim
Artolsheim
Heidolsheim
Hessenheim
Bootzheim
Mackenheim
Ohnenheim
Rodern
St-Hippolyte
Rorschwihr
Bergheim
Ribeauvillé
Guémar
Illhaeusern
Aubure
Hunawihr
Zellenberg
Riquewihr
Ostheim
Marckolsheim
Weisweil
Wyhl
Forchheim
Endingen
le Bonhomme
Fréland
Lapoutroie
Kaysersberg
Kientzheim
Sigolsheim
Mittelwihr
Beblenheim
Bennwihr
Elsenheim
Grussenheim
Jebsheim
Sasbach
Ammerschwihr
Houssen
Holtzwihr
Riedwihr
Artzenheim
Orbey
Labaroche
COLMAR
Ingersheim
Turckheim
Wickerschwihr
Bischwihr
Muntzenheim
Fortschwihr
Durrenentzen
Urschenheim
Baltzenheim
Vogtsburg
Oberrotweil
Niedermorschwihr
Wintzenheim
Horbourg-Wihr
Kunheim
Widensolen
Andolsheim
Zimmerbach
Walbach
Wettolsheim
Biesheim
Breisach am Rhein
Soultzeren
Hohrod
Gunsbach
Wihr-au-Val
Stosswihr
Munster
Eguisheim
Sundhoffen
Neuf-Brisach
Volgelsheim
Vogelgrun
Wolfgantzen
Appenwihr
Husseren-les-Châteaux
Ste-Croix-en-Plaine
Hattstatt
Herrlisheim-près-Colmar
Weckolsheim
Algolsheim
Eschbach-au-Val
Luttenbach-près-Munster
Breitenbach-Haut-Rhin
Wasserbourg
Gueberschwihr
Niederhergheim
Dessenheim
Obersaasheim
Geiswasser
Heiteren
Osenbach
Pfaffenheim
Oberhergheim
le Petit Ballon
Soultzmatt
Rouffach
Biltzheim
Westhalten
Niederentzen
Oberentzen
Rustenhart
Nambsheim
Linthal
Lautenbach
Lautenbachzell
Orschwihr
Munwiller
Balgau
Gundolsheim
Fessenheim
Meyenheim
Hirtzfelden
Murbach
Guebwiller
Bergholtzzell
Bergholtz
Rimbach-près-Guebwiller
Merxheim
Réguisheim
Roggenhouse
Blodelsheim
Rimbachzell
Issenheim
Raedersheim
Grand Ballon
Soultz-Haut-Rhin
Jungholtz
Munchhouse
Heitersheim
Goldbach-Altenbach
Wuenheim
Ungersheim
Ensisheim
89
Hartmannswiller
Feldkirch
Rumersheim-le-Haut
Bollwiller
Berrwiller
Pulversheim
Battenheim
Moosch
Forêt Domaniale
Bad Krozingen
Staufen
VOSGES
DES
BALLONS
LE RHIN
A35
E25
N59
N83
Colmar

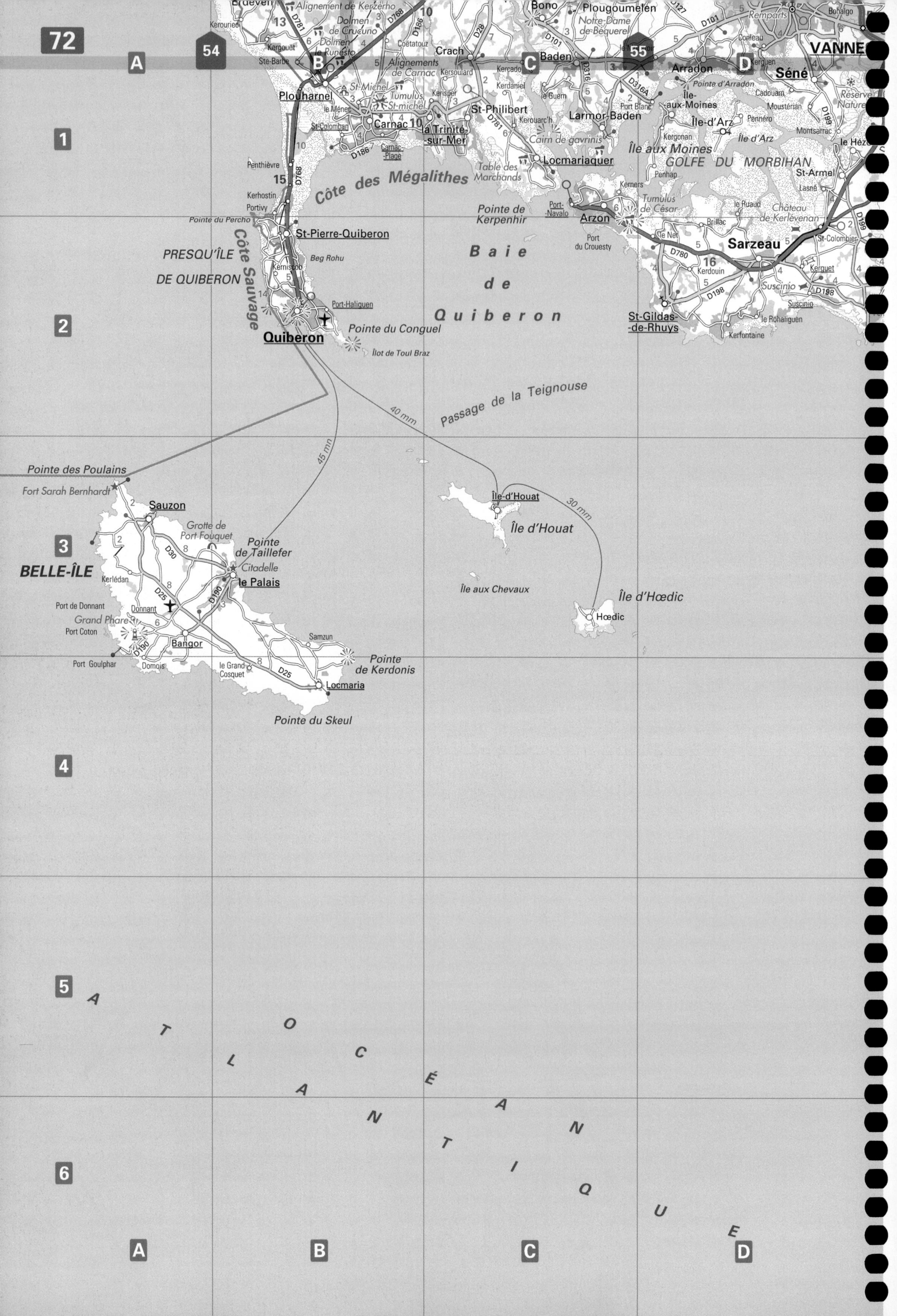

54
55
A
B
C
D
1
2
3
4
5
6
Alignement de Kerzerho
Dolmen de Crucuno
Dolmen le Runesto
Alignements de Carnac
Bono
Plougoumelen
Notre-Dame de Béquerel
Crach
Baden
Arradon
Séné
VANNE
Plouharnel
St-Michel
Tumulus St-Michel
Carnac
Carnac-Plage
la Trinité-sur-Mer
St-Philibert
Larmor-Baden
Île-aux-Moines
Île-d'Arz
Cairn de gavrinis
Locmariaquer
Table des Marchands
Île aux Moines
GOLFE DU MORBIHAN
St-Armel
Penthièvre
Côte des Mégalithes
Kerhostin
Portivy
Pointe du Percho
St-Pierre-Quiberon
Pointe de Kerpenhir
Port-Navalo
Arzon
Port du Crouesty
Tumulus de César
Château de Kerlévenan
Sarzeau
PRESQU'ÎLE DE QUIBERON
Côte Sauvage
Beg Rohu
Baie de Quiberon
Port-Haliguen
Quiberon
Pointe du Conguel
Îlot de Toul Braz
St-Gildas-de-Rhuys
Suscinio
Passage de la Teignouse
40 mn
45 mn
30 mn
Pointe des Poulains
Fort Sarah Bernhardt
Sauzon
Grotte de Port Fouquet
Pointe de Taillefer
Citadelle
le Palais
BELLE-ÎLE
Kerlédan
Port de Donnant
Donnant
Grand Phare
Port Coton
Bangor
Port Goulphar
Domois
le Grand Cosquet
Samzun
Pointe de Kerdonis
Locmaria
Pointe du Skeul
Île-d'Houat
Île d'Houat
Île aux Chevaux
Île d'Hœdic
Hœdic
OCÉAN ATLANTIQUE

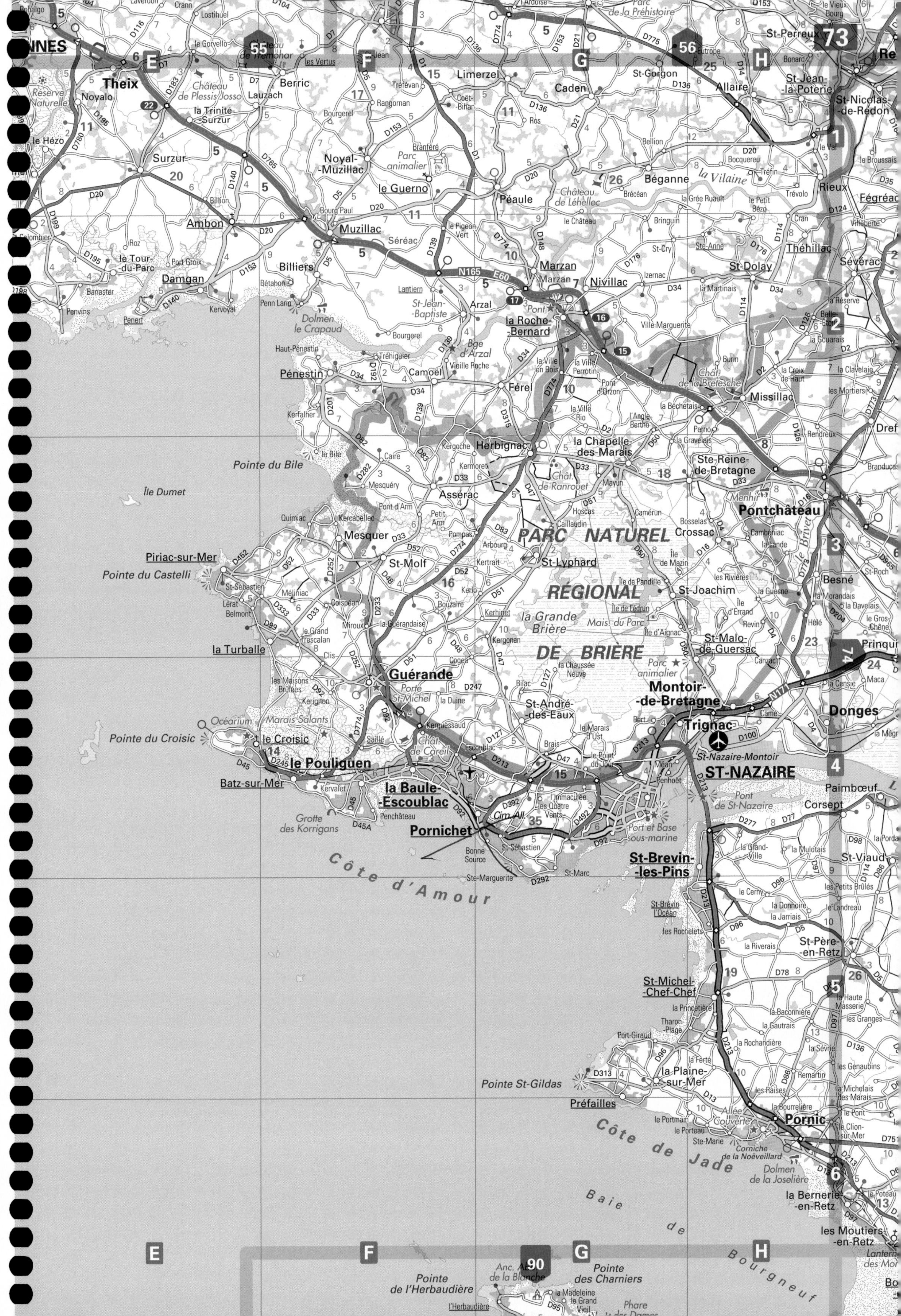

Theix
Berric
Lauzach
Noyalo
Surzur
Ambon
Damgan
le Tour-du-Parc
Billiers
Muzillac
Noyal-Muzillac
le Guerno
Limerzel
Caden
St-Gorgon
Allaire
St-Jean-la-Poterie
St-Nicolas-de-Redon
Péaule
Béganne
la Vilaine
Rieux
Marzan
Nivillac
St-Dolay
Théhillac
Sévérac
Arzal
la Roche-Bernard
Pénestin
Camoël
Férel
Missillac
Herbignac
la Chapelle-des-Marais
Ste-Reine-de-Bretagne
Pontchâteau
Assérac
Mesquer
St-Molf
Piriac-sur-Mer
Pointe du Castelli
Pointe du Bile
Île Dumet
la Turballe
Guérande
St-Lyphard
PARC NATUREL RÉGIONAL DE BRIÈRE
la Grande Brière
Crossac
St-Joachim
St-Malo-de-Guersac
Besné
Montoir-de-Bretagne
Trignac
Donges
St-André-des-Eaux
Pointe du Croisic
le Croisic
le Pouliguen
Batz-sur-Mer
la Baule-Escoublac
Pornichet
Grotte des Korrigans
ST-NAZAIRE
St-Nazaire-Montoir
Paimbœuf
Corsept
St-Brevin-les-Pins
St-Viaud
Côte d'Amour
St-Père-en-Retz
St-Michel-Chef-Chef
Pointe St-Gildas
Préfailles
la Plaine-sur-Mer
Pornic
Côte de Jade
la Bernerie-en-Retz
les Moutiers-en-Retz
Baie de Bourgneuf
Pointe de l'Herbaudière
Pointe des Charniers
N165
E60
N171
D213
E F G H
55 56 73 74 90

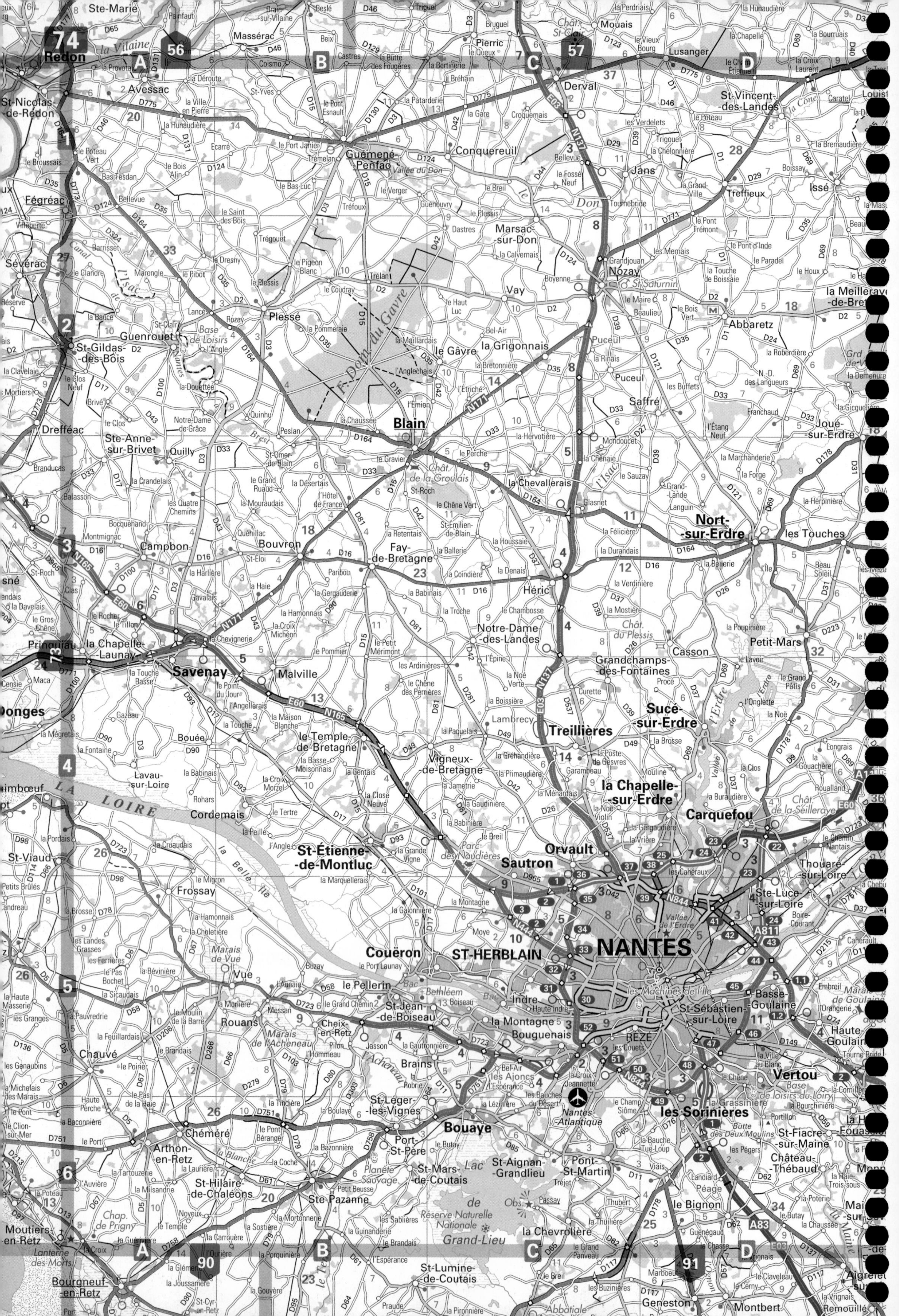
74
56
57
Redon
A
B
C
D
Ste-Marie
Masserac
Pierric
Mouais
Derval
Lusanger
Avessac
St-Nicolas-de-Redon
Guémené-Penfao
Conquereuil
St-Vincent-des-Landes
Jans
Treffieux
Issé
Fégréac
Marsac-sur-Don
Nozay
Sévérac
Plessé
Vay
Abbaretz
la Meilleraye-de-Bretagne
St-Gildas-des-Bois
Guenrouet
le Gâvre
la Grigonnais
Puceul
Saffré
Forêt Domaniale du Gavre
Blain
Drefféac
Ste-Anne-sur-Brivet
Quilly
Joué-sur-Erdre
la Chevallerais
Nort-sur-Erdre
les Touches
Campbon
Bouvron
Fay-de-Bretagne
Héric
Notre-Dame-des-Landes
Petit-Mars
Casson
Prinquiau
la Chapelle-Launay
Savenay
Malville
Grandchamps-des-Fontaines
Donges
Bouée
le Temple-de-Bretagne
Vigneux-de-Bretagne
Treillières
Sucé-sur-Erdre
Lavau-sur-Loire
la Chapelle-sur-Erdre
Carquefou
Cordemais
LA LOIRE
St-Étienne-de-Montluc
Orvault
Sautron
St-Viaud
Frossay
Thouaré-sur-Loire
Ste-Luce-sur-Loire
Couëron
ST-HERBLAIN
NANTES
Vue
le Pellerin
St-Jean-de-Boiseau
Indre
Basse-Goulaine
Rouans
Cheix-en-Retz
la Montagne
Bouguenais
St-Sébastien-sur-Loire
Rezé
Haute-Goulaine
Chauvé
Brains
Vertou
St-Léger-les-Vignes
Bouaye
Nantes-Atlantique
les Sorinières
Chéméré
Arthon-en-Retz
Port-St-Père
St-Aignan-Grandlieu
Pont-St-Martin
St-Fiacre-sur-Maine
Château-Thébaud
St-Hilaire-de-Chaléons
Ste-Pazanne
St-Mars-de-Coutais
Lac de Grand-Lieu
Réserve Naturelle Nationale
le Bignon
Moutiers-en-Retz
la Chevrolière
90
91
Bourgneuf-en-Retz
St-Lumine-de-Coutais
Geneston
Montbert
Aigrefeuille-sur-Maine
Remouillé

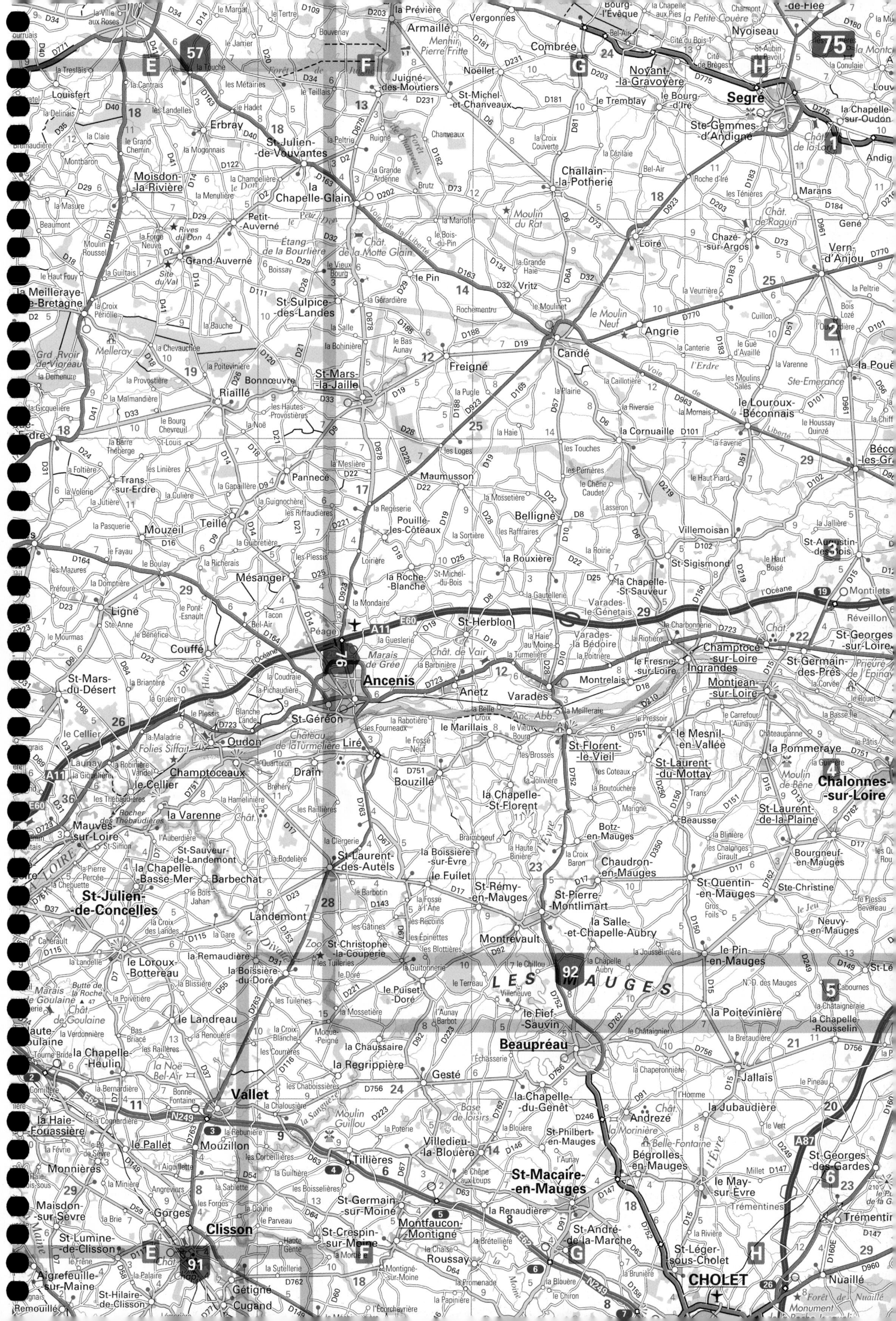

57
75
76
92
91
E
F
G
H
Segre
Ancenis
Candé
Varades
Oudon
Champtoceaux
Liré
St-Florent-le-Vieil
Chalonnes-sur-Loire
Beaupréau
Vallet
Clisson
CHOLET
Louisfert
Erbray
St-Julien-de-Vouvantes
Moisdon-la-Rivière
la Chapelle-Glain
Petit-Auverné
Grand-Auverné
la Meilleraye-de-Bretagne
St-Sulpice-des-Landes
St-Mars-la-Jaille
Riaillé
Bonnœuvre
Freigné
Challain-la-Potherie
Loiré
Angrie
Chazé-sur-Argos
Vern-d'Anjou
le Louroux-Béconnais
la Cornuaille
Belligné
Maumusson
Pannecé
Trans-sur-Erdre
Teillé
Mouzeil
Pouillé-les-Côteaux
la Roche-Blanche
la Rouxière
Villemoisan
St-Sigismond
Mésanger
Ligné
Couffé
St-Herblon
la Chapelle-St-Sauveur
Varades-le-Génetais
Champtocé-sur-Loire
Ingrandes
Montjean-sur-Loire
St-Germain-des-Prés
St-Georges-sur-Loire
St-Augustin-des-Bois
St-Mars-du-Désert
Anetz
Montrelais
le Fresne-sur-Loire
St-Géréon
le Cellier
le Marillais
Drain
Bouzillé
la Chapelle-St-Florent
le Mesnil-en-Vallée
St-Laurent-du-Mottay
la Pommeraye
St-Laurent-de-la-Plaine
Mauves-sur-Loire
la Varenne
St-Sauveur-de-Landemont
la Chapelle-Basse-Mer
Barbechat
St-Julien-de-Concelles
St-Laurent-des-Autels
la Boissière-sur-Èvre
le Fuilet
St-Rémy-en-Mauges
St-Pierre-Montlimart
Botz-en-Mauges
Chaudron-en-Mauges
St-Quentin-en-Mauges
Bourgneuf-en-Mauges
Ste-Christine
Neuvy-en-Mauges
Landemont
St-Christophe-la-Couperie
Montrevault
la Salle-et-Chapelle-Aubry
le Pin-en-Mauges
le Loroux-Bottereau
la Remaudière
la Boissière-du-Doré
le Puiset-Doré
LES MAUGES
le Fief-Sauvin
la Poitevinière
la Chapelle-Rousselin
le Landreau
la Chaussaire
la Regrippière
Gesté
Jallais
la Chapelle-Heulin
la Chapelle-du-Genêt
Andrezé
la Jubaudière
la Haie-Fouassière
le Pallet
Mouzillon
Tillières
Villedieu-la-Blouère
St-Philbert-en-Mauges
St-Macaire-en-Mauges
Bégrolles-en-Mauges
le May-sur-Èvre
St-Georges-des-Gardes
Trémentines
Monnières
Maisdon-sur-Sèvre
Gorges
St-Germain-sur-Moine
Montfaucon-Montigné
St-Crespin-sur-Moine
Roussay
St-André-de-la-Marche
St-Léger-sous-Cholet
St-Lumine-de-Clisson
Aigrefeuille-sur-Maine
St-Hilaire-de-Clisson
Gétigné
Cugand
Nuaillé
Armaillé
Vergonnes
Combrée
Noëllet
Juigné-des-Moutiers
St-Michel-et-Chanveaux
Noyant-la-Gravoyère
le Tremblay
le Bourg-d'Iré
Nyoiseau
Ste-Gemmes-d'Andigné
la Chapelle-sur-Oudon
Marans
Vritz
le Pin
A11
E60
E62
N249
A87

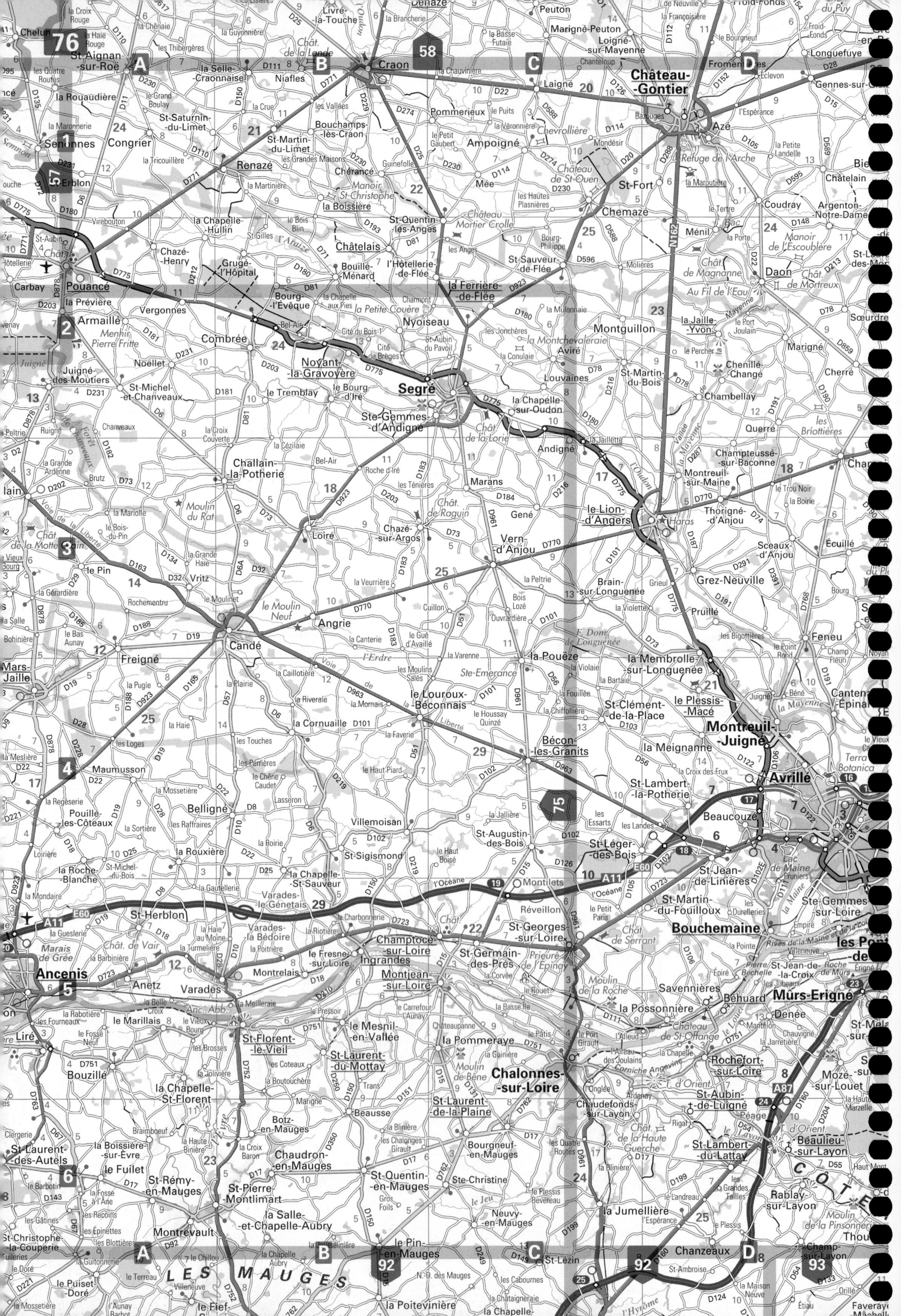

76
58
75
92
93
A
B
C
D
1
2
3
4
5
6
St-Aignan-sur-Roë
la Selle-Craonnaise
Niafles
Craon
Livré-la-Touche
Denazé
Peuton
Marigné-Peuton
Loigné-sur-Mayenne
Château-Gontier
Fromentières
Longuefuye
Gennes-sur-Glaize
Laigné
Azé
Bazouges
Chelun
la Rouaudière
Senonnes
Congrier
St-Saturnin-du-Limet
St-Martin-du-Limet
Bouchamps-lès-Craon
Pommerieux
Ampoigné
Chérancé
Renazé
St-Erblon
Mée
St-Fort
Coudray
Châtelain
Argenton-Notre-Dame
Chemazé
la Boissière
St-Quentin-les-Anges
la Chapelle-Hullin
Chazé-Henry
Grugé-l'Hôpital
Châtelais
Bouillé-Ménard
l'Hôtellerie-de-Flée
St-Sauveur-de-Flée
Ménil
Daon
Pouancé
Carbay
la Prévière
Vergonnes
Bourg-l'Évêque
la Ferrière-de-Flée
Armaillé
Combrée
Nyoiseau
Montguillon
la Jaille-Yvon
Marigné
Chenillé-Changé
Juigné-des-Moutiers
Noëllet
Noyant-la-Gravoyère
Segré
Aviré
Louvaines
St-Martin-du-Bois
Chambellay
Cherré
St-Michel-et-Chanveaux
le Tremblay
le Bourg-d'Iré
Ste-Gemmes-d'Andigné
la Chapelle-sur-Oudon
Querré
Challain-la-Potherie
Andigné
Champteussé-sur-Baconne
Montreuil-sur-Maine
Marans
le Lion-d'Angers
Thorigné-d'Anjou
Loiré
Chazé-sur-Argos
Gené
Vern-d'Anjou
Sceaux-d'Anjou
Écuillé
le Pin
Vritz
Grez-Neuville
Brain-sur-Longuenée
Angrie
Candé
Freigné
Feneu
la Pouëze
la Membrolle-sur-Longuenée
le Louroux-Béconnais
St-Clément-de-la-Place
le Plessis-Macé
Montreuil-Juigné
Cantenay-Épinard
Bécon-les-Granits
la Meignanne
Maumusson
Avrillé
St-Lambert-la-Potherie
Belligné
Pouillé-les-Côteaux
Beaucouzé
St-Augustin-des-Bois
St-Léger-des-Bois
la Rouxière
St-Sigismond
St-Jean-de-Linières
la Roche-Blanche
la Chapelle-St-Sauveur
Varades-le-Génetais
Montilets
St-Martin-du-Fouilloux
Ste-Gemmes-sur-Loire
St-Herblon
Réveillon
Bouchemaine
Varades-la Bédoire
Champtocé-sur-Loire
St-Georges-sur-Loire
Ingrandes
St-Germain-des-Prés
Ancenis
Anetz
Montrelais
Varades
Montjean-sur-Loire
Savennières
Béhuard
Mûrs-Erigné
la Possonnière
Denée
le Marillais
St-Florent-le-Vieil
le Mesnil-en-Vallée
la Pommeraye
Liré
Bouzillé
St-Laurent-du-Mottay
Chalonnes-sur-Loire
Rochefort-sur-Loire
Mozé-sur-Louet
la Chapelle-St-Florent
St-Laurent-de-la-Plaine
Chaudefonds-sur-Layon
St-Aubin-de-Luigné
Botz-en-Mauges
Beausse
la Boissière-sur-Èvre
Chaudron-en-Mauges
Bourgneuf-en-Mauges
St-Lambert-du-Lattay
Beaulieu-sur-Layon
St-Laurent-des-Autels
le Fuilet
St-Rémy-en-Mauges
St-Quentin-en-Mauges
Ste-Christine
St-Pierre-Montlimart
Rablay-sur-Layon
la Salle-et-Chapelle-Aubry
Neuvy-en-Mauges
la Jumellière
St-Christophe-la-Couperie
Montrevault
le Pin-en-Mauges
Chanzeaux
Champ-sur-Layon
St-Lézin
le Puiset-Doré
la Poitevinière
LES MAUGES
CÔTE
l'Oudon
la Mayenne
l'Erdre
la Maine
A11
E60
A87
N162
D775
D923
D770
D963

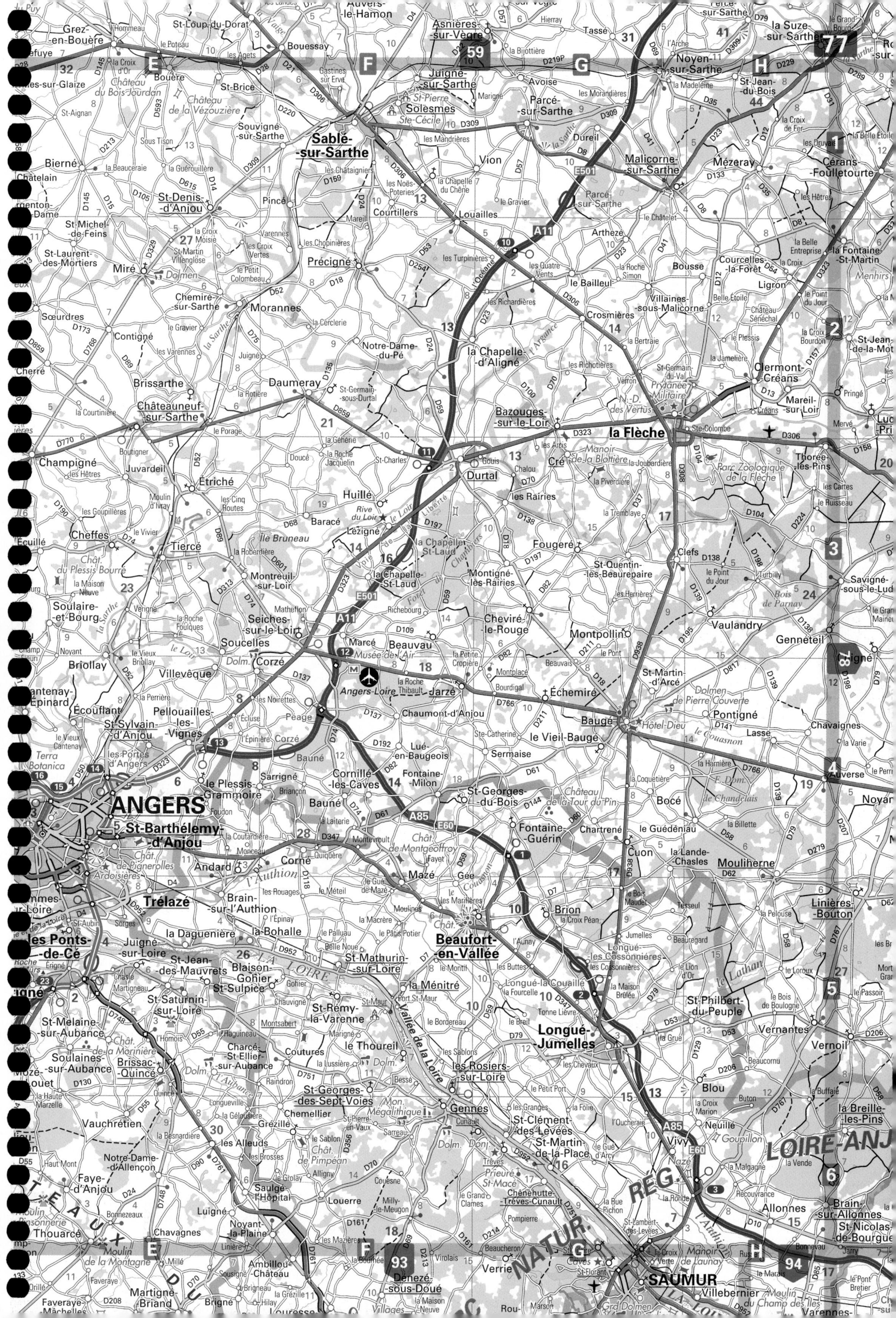

59
77
E
F
G
H
Grez-en-Bouère
Bouère
St-Loup-du-Dorat
Bouessay
Asnières-sur-Vègre
Tassé
la Suze-sur-Sarthe
Noyen-sur-Sarthe
St-Jean-du-Bois
Juigné-sur-Sarthe
Solesmes
Parcé-sur-Sarthe
Sablé-sur-Sarthe
Souvigné-sur-Sarthe
Malicorne-sur-Sarthe
Mézeray
Cérans-Foulletourte
Bierné
St-Denis-d'Anjou
Pincé
Courtillers
Louailles
Vion
Dureil
St-Michel-de-Feins
St-Laurent-des-Mortiers
Miré
Précigné
Arthezé
Bousse
Courcelles-la-Forêt
Ligron
la Fontaine-St-Martin
Chemiré-sur-Sarthe
Morannes
le Bailleul
Villaines-sous-Malicorne
Crosmières
Sœurdres
Contigné
Notre-Dame-du-Pé
la Chapelle-d'Aligné
Clermont-Créans
Brissarthe
Daumeray
Châteauneuf-sur-Sarthe
Bazouges-sur-le-Loir
la Flèche
Mareil-sur-Loir
Champigné
Juvardeil
Étriché
Durtal
Cré
Thorée-les-Pins
Huillé
Baracé
Lézigné
Cheffes
Tiercé
Fougeré
Clefs
la Chapelle-St-Laud
Montigné-lès-Rairies
St-Quentin-lès-Beaurepaire
Savigné-sous-le-Lude
Montreuil-sur-Loir
Soulaire-et-Bourg
Seiches-sur-le-Loir
Chevíré-le-Rouge
Montpollin
Vaulandry
Genneteil
Soucelles
Briollay
Marcé
Beauvau
Corzé
Villevêque
Jarzé
Échemiré
St-Martin-d'Arcé
Écouflant
Pellouailles-les-Vignes
Angers-Loire
Chaumont-d'Anjou
Baugé
Pontigné
St-Sylvain-d'Anjou
le Vieil-Baugé
Chavaignes
Lué-en-Baugeois
Sermaise
ANGERS
le Plessis-Grammoire
Sarrigné
Cornillé-les-Caves
Fontaine-Milon
St-Georges-du-Bois
Auverse
Bauné
Bocé
Noyant
St-Barthélemy-d'Anjou
Fontaine-Guérin
Chartrené
le Guédéniau
Andard
Corné
Mazé
Cuon
la Lande-Chasles
Mouliherne
Trélazé
Brain-sur-l'Authion
Gée
Brion
Linières-Bouton
la Daguenière
la Bohalle
Beaufort-en-Vallée
les Ponts-de-Cé
Juigné-sur-Loire
St-Jean-des-Mauvrets
Blaison-Gohier
St-Mathurin-sur-Loire
Longué-les-Cossonnières
St-Sulpice
la Ménitré
Longué-la Couaillé
St-Saturnin-sur-Loire
St-Rémy-la-Varenne
St-Philbert-du-Peuple
St-Melaine-sur-Aubance
le Thoureil
Longué-Jumelles
Vernantes
Vernoil
Soulaines-sur-Aubance
Brissac-Quincé
Charcé-St-Ellier-sur-Aubance
Coutures
les Rosiers-sur-Loire
Blou
St-Georges-des-Sept-Voies
Gennes
la Breille-les-Pins
Vauchrétien
Chemellier
Grézillé
St-Clément-des-Levées
les Alleuds
St-Martin-de-la-Place
Vivy
LOIRE-ANJ
Notre-Dame-d'Allençon
Faye-d'Anjou
Saulgé-l'Hôpital
Louerre
Chênehutte-Trèves-Cunault
Allonnes
Brain-sur-Allonnes
St-Nicolas-de-Bourgueil
Luigné
Noyant-la-Plaine
Thouarcé
Chavagnes
Ambillou-Château
Dénezé-sous-Doué
Verrie
SAUMUR
Villebernier
Martigné-Briand
Brigné
Faveraye-Mâchelles
REG.
NATUR.
LA LOIRE
Vallée de la Loire
A11
A85
E501
E60

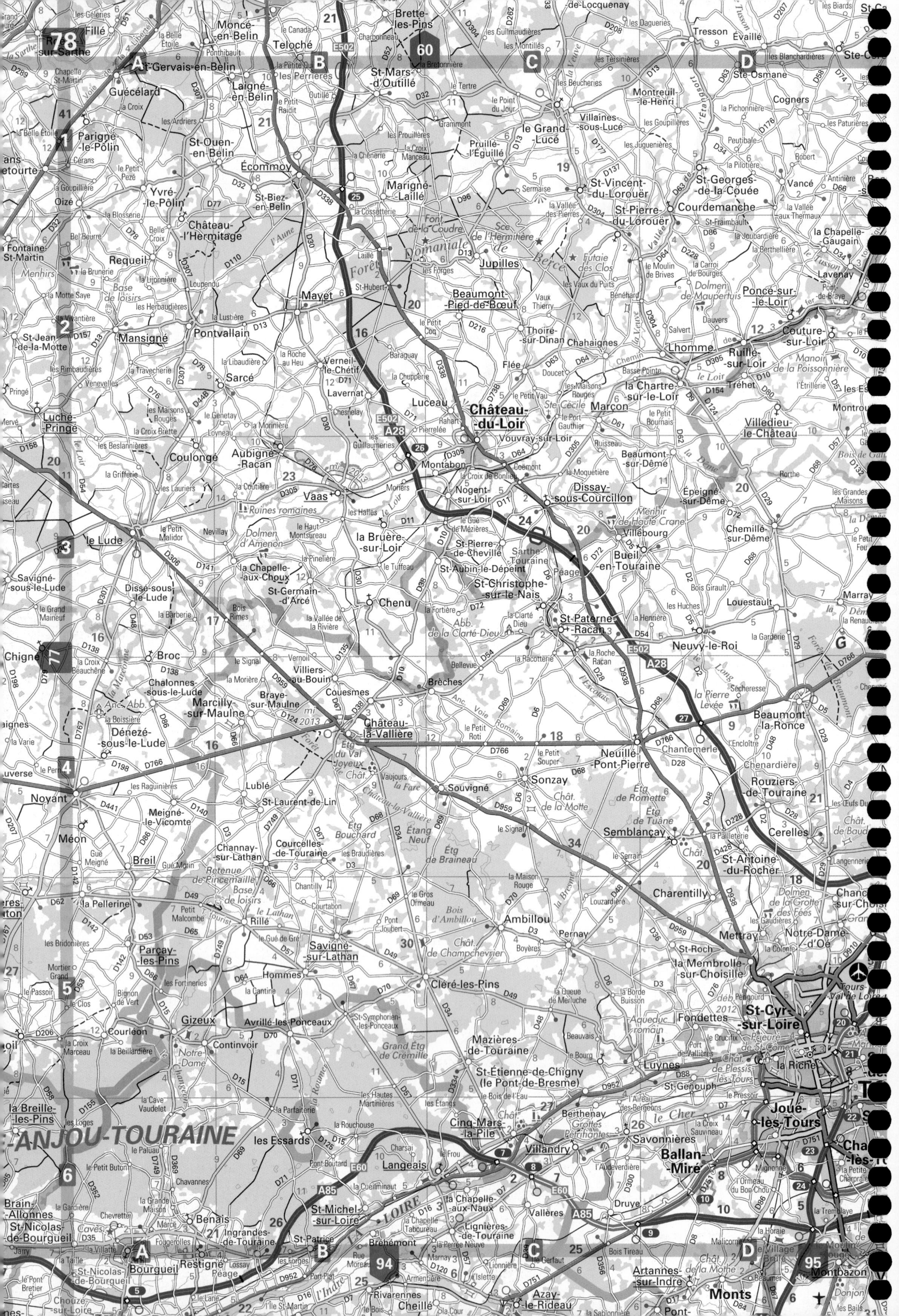

78
60
A
B
C
D
Fillé
Roëze-sur-Sarthe
Moncé-en-Belin
Teloché
Brette-les-Pins
de-Locquenay
Tresson
Évaillé
St-Gervais-en-Belin
Guécélard
Laigné-en-Belin
St-Mars-d'Outillé
Ste-Osmane
Montreuil-le-Henri
Cognérs
le Grand-Lucé
Villaines-sous-Lucé
Parigné-le-Pôlin
St-Ouen-en-Belin
Écommoy
Pruillé-l'Éguillé
Marigné-Laillé
St-Vincent-du-Lorouër
St-Georges-de-la-Couée
Vancé
Courdemanche
St-Pierre-du-Lorouër
Yvré-le-Pôlin
St-Biez-en-Belin
Château-l'Hermitage
Oizé
Requeil
Forêt Domaniale de Bercé
Jupilles
La Chapelle-Gaugain
Lavenay
Mayet
Beaumont-Pied-de-Bœuf
Ponce-sur-le-Loir
St-Jean-de-la-Motte
Mansigné
Pontvallain
Thoiré-sur-Dinan
Chahaignes
Lhomme
Ruillé-sur-Loir
Couture-sur-Loir
Verneil-le-Chétif
Sarcé
Flée
Lavernat
La Chartre-sur-le-Loir
Marçon
Luceau
Château-du-Loir
Luché-Pringé
Villedieu-le-Château
Coulongé
Aubigné-Racan
Vouvray-sur-Loir
Beaumont-sur-Dême
Montabon
Vaas
Nogent-sur-Loir
Dissay-sous-Courcillon
Épeigné-sur-Dême
le Lude
la Bruère-sur-Loir
Villebourg
Chemillé-sur-Dême
St-Pierre-de-Chevillé
Bueil-en-Touraine
Savigné-sous-le-Lude
La Chapelle-aux-Choux
St-Aubin-le-Dépeint
St-Christophe-sur-le-Nais
Dissé-sous-le-Lude
St-Germain-d'Arcé
Chenu
St-Paterne-Racan
Louestault
Marray
Broc
Neuvy-le-Roi
Chigné
Villiers-au-Bouin
Brèches
Chalonnes-sous-le-Lude
Marcilly-sur-Maulne
Braye-sur-Maulne
Couesmes
Château-la-Vallière
Beaumont-la-Ronce
Dénezé-sous-le-Lude
Neuillé-Pont-Pierre
Noyant
Lublé
Souvigné
Sonzay
Rouziers-de-Touraine
St-Laurent-de-Lin
Meigné-le-Vicomte
Méon
Courcelles-de-Touraine
Semblançay
Cerelles
Breil
Channay-sur-Lathan
St-Antoine-du-Rocher
la Pellerine
Rillé
Ambillou
Charentilly
Pernay
Mettray
Notre-Dame-d'Oé
Parçay-les-Pins
Savigné-sur-Lathan
St-Roch
La Membrolle-sur-Choisille
Hommes
Cléré-les-Pins
St-Cyr-sur-Loire
Gizeux
Courléon
Avrillé-les-Ponceaux
Continvoir
Fondettes
Mazières-de-Touraine
Luynes
La Riche
St-Étienne-de-Chigny (le Pont-de-Bresme)
St-Genouph
La Breille-les-Pins
Joué-lès-Tours
Cinq-Mars-la-Pile
Savonnières
ANJOU-TOURAINE
les Essards
Villandry
Ballan-Miré
Langeais
St-Michel-sur-Loire
La Chapelle-aux-Naux
Vallères
Druye
Benais
Ingrandes-de-Touraine
Lignières-de-Touraine
St-Nicolas-de-Bourgueil
St-Patrice
Bréhémont
Bourgueil
Restigné
Rivarennes
Azay-le-Rideau
Artannes-sur-Indre
Monts
Montbazon
Chouzé-sur-Loire
Cheillé
LA LOIRE
94
95
E502
A28
A85
E60

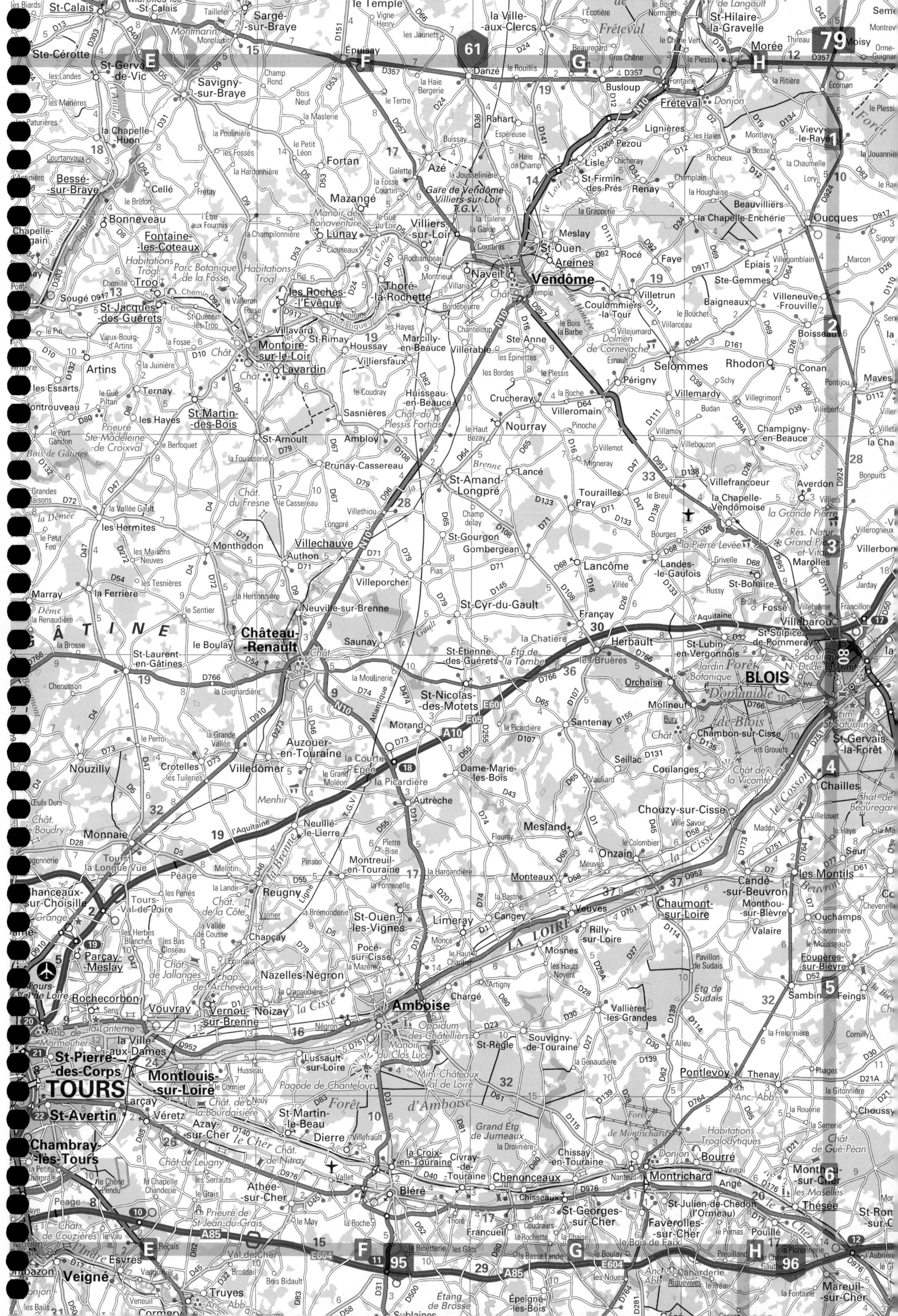

61
79
80
95
96
E
F
G
H
1
2
3
4
5
6
St-Calais
Sargé-sur-Braye
le Temple
la Ville-aux-Clercs
Fréteval
St-Hilaire-la-Gravelle
Morée
Ste-Cérotte
St-Gervais-de-Vic
Savigny-sur-Braye
Épuisay
Danzé
Busloup
la Chapelle-Huon
Fortan
Azé
Rahart
Lignières
Pezou
Lisle
St-Firmin-des-Prés
Renay
Vievy-le-Rayé
Bessé-sur-Braye
Cellé
Mazangé
Gare de Vendôme Villiers-sur-Loir T.G.V.
Villiers-sur-Loir
Bonneveau
Fontaine-les-Coteaux
Lunay
Manoir de Bonaventure
la Chapelle-Enchérie
Beauvilliers
Oucques
Meslay
St-Ouen
Areines
Rocé
Faye
Épiais
Vendôme
Naveil
Thoré-la-Rochette
Troo
Les Roches-l'Évêque
Sougé
St-Jacques-des-Guérets
Coulommiers-la-Tour
Villetrun
Ste-Gemmes
Baigneaux
Villeneuve-Frouville
Montoire-sur-le-Loir
Lavardin
St-Rimay
Houssay
Marcilly-en-Beauce
Villiersfaux
Ste-Anne
Selommes
Rhodon
Conan
Artins
Ternay
Huisseau-en-Beauce
Crucheray
Villeromain
Nourray
Périgny
Villemardy
St-Martin-des-Bois
les Hayes
St-Arnoult
Sasnières
Ambloy
Champigny-en-Beauce
Prunay-Cassereau
St-Amand-Longpré
Lancé
Tourailles
Pray
Villefrancoeur
la Chapelle-Vendômoise
Averdon
Villechauve
Authon
Monthodon
les Hermites
St-Gourgon
Gombergean
Lancôme
Landes-le-Gaulois
St-Bohaire
Marolles
Villeporcher
la Ferrière
Neuville-sur-Brenne
St-Cyr-du-Gault
Françay
Villebarou
Château-Renault
Saunay
Herbault
St-Sulpice-de-Pommeray
St-Laurent-en-Gâtines
le Boulay
St-Étienne-des-Guérets
les Bruères
St-Lubin-en-Vergonnois
BLOIS
GÂTINE
Orchaise
St-Nicolas-des-Motets
Molineuf
Morand
Santenay
Chambon-sur-Cisse
St-Gervais-la-Forêt
Auzouer-en-Touraine
Nouzilly
Crotelles
Villedômer
Dame-Marie-les-Bois
Seillac
Coulanges
Chailles
Autrèche
Chouzy-sur-Cisse
Monnaie
Neuillé-le-Lierre
Mesland
Onzain
Montreuil-en-Touraine
Monteaux
Candé-sur-Beuvron
les Montils
Chanceaux-sur-Choisille
Reugny
Chaumont-sur-Loire
Tours-Val-de-Loire
St-Ouen-les-Vignes
Limeray
Cangey
Veuves
Ouchamps
Chançay
Rilly-sur-Loire
Valaire
Parçay-Meslay
Pocé-sur-Cisse
Mosnes
LA LOIRE
Fougères-sur-Bièvre
Nazelles-Négron
Sambin
Feings
Rochecorbon
Vouvray
Vernou-sur-Brenne
Noizay
Amboise
Chargé
Vallières-les-Grandes
la Ville-aux-Dames
St-Pierre-des-Corps
TOURS
Montlouis-sur-Loire
Lussault-sur-Loire
St-Règle
Souvigny-de-Touraine
Pontlevoy
Thenay
St-Avertin
Larçay
Véretz
Azay-sur-Cher
St-Martin-le-Beau
Forêt d'Amboise
Chambray-lès-Tours
Dierre
La Croix-en-Touraine
Civray-de-Touraine
Chenonceaux
Chissay-en-Touraine
Montrichard
Bourré
Monthou-sur-Cher
Athée-sur-Cher
Bléré
St-Georges-sur-Cher
Faverolles-sur-Cher
St-Julien-de-Chédon
Thésée
Francueil
Pouillé
A85
E604
Esvres
Veigné
Truyes
Épeigné-les-Bois
Mareuil-sur-Cher

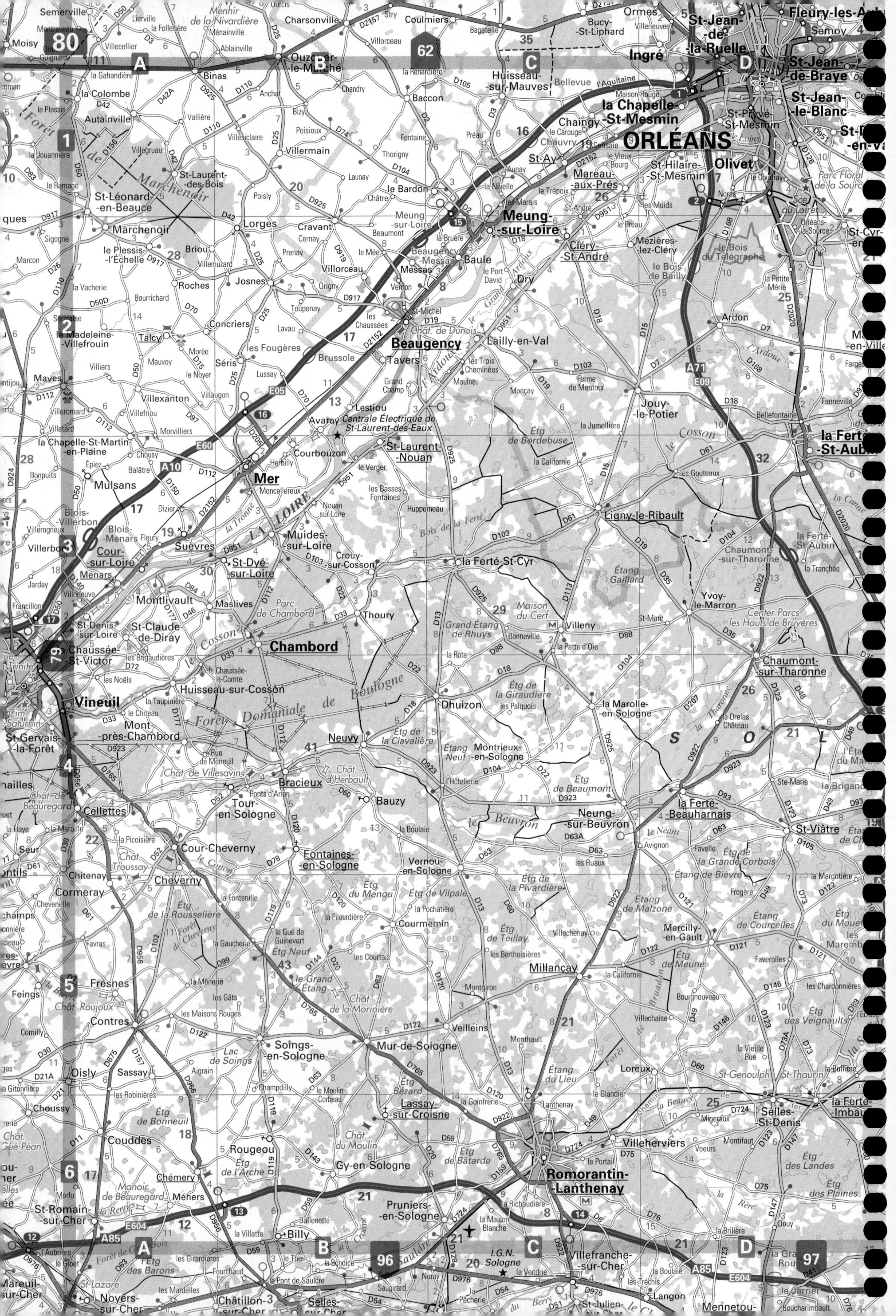

80
62
35
A
B
C
D
1
2
3
4
5
6
Semerville
Moisy
Binas
Ouzouer-le-Marché
Charsonville
Coulmiers
Huisseau-sur-Mauves
Bucy-St-Liphard
Ormes
Ingré
St-Jean-de-la-Ruelle
Fleury-les-Aubrais
Semoy
St-Jean-de-Braye
St-Jean-le-Blanc
la Chapelle-St-Mesmin
Chaingy
ORLÉANS
St-Ay
Mareau-aux-Prés
St-Hilaire-St-Mesmin
Olivet
Meung-sur-Loire
Baule
Cléry-St-André
Mézières-lez-Cléry
St-Léonard-en-Beauce
Marchenoir
Lorges
Cravant
Villermain
Baccon
le Bardon
Forêt de Marchenoir
Beaugency
Lailly-en-Val
Tavers
Josnes
Villorceau
Roches
Concriers
Talcy
Séris
la Madeleine-Villefrouin
Maves
Villexanton
Avaray
Lestiou
Centrale Électrique de St-Laurent-des-Eaux
St-Laurent-Nouan
Mer
Mulsans
Suèvres
Cour-sur-Loire
Menars
Muides-sur-Loire
Crouy-sur-Cosson
St-Dyé-sur-Loire
la Ferté-St-Cyr
Jouy-le-Potier
Ligny-le-Ribault
Ardon
la Ferté-St-Aubin
Montlivault
Maslives
Thoury
Chambord
St-Claude-de-Diray
Chaussée-St-Victor
Vineuil
Huisseau-sur-Cosson
Mont-près-Chambord
St-Gervais-la-Forêt
Forêt Domaniale de Boulogne
Dhuizon
Neuvy
Villeny
la Marolle-en-Sologne
Yvoy-le-Marron
Chaumont-sur-Tharonne
Center Parcs les Hauts de Bruyères
Bracieux
Bauzy
Tour-en-Sologne
Cellettes
Cour-Cheverny
Cheverny
Fontaines-en-Sologne
Vernou-en-Sologne
Neung-sur-Beuvron
la Ferté-Beauharnais
St-Viâtre
SOLOGNE
Chitenay
Cormeray
Courmemin
Millançay
Marcilly-en-Gault
Fresnes
Contres
Soings-en-Sologne
Mur-de-Sologne
Veilleins
Loreux
Oisly
Sassay
Couddes
Rougeou
Gy-en-Sologne
Lassay-sur-Croisne
Romorantin-Lanthenay
Villeherviers
Selles-St-Denis
la Ferté-Imbault
Chémery
Méhers
St-Romain-sur-Cher
Pruniers-en-Sologne
Billy
Villefranche-sur-Cher
Mareuil-sur-Cher
Noyers-sur-Cher
Châtillon-sur-Cher
Selles-sur-Cher
Langon
Mennetou
I.G.N. Sologne
96
97
A10
A71
A85
E05
E60
E09
E604

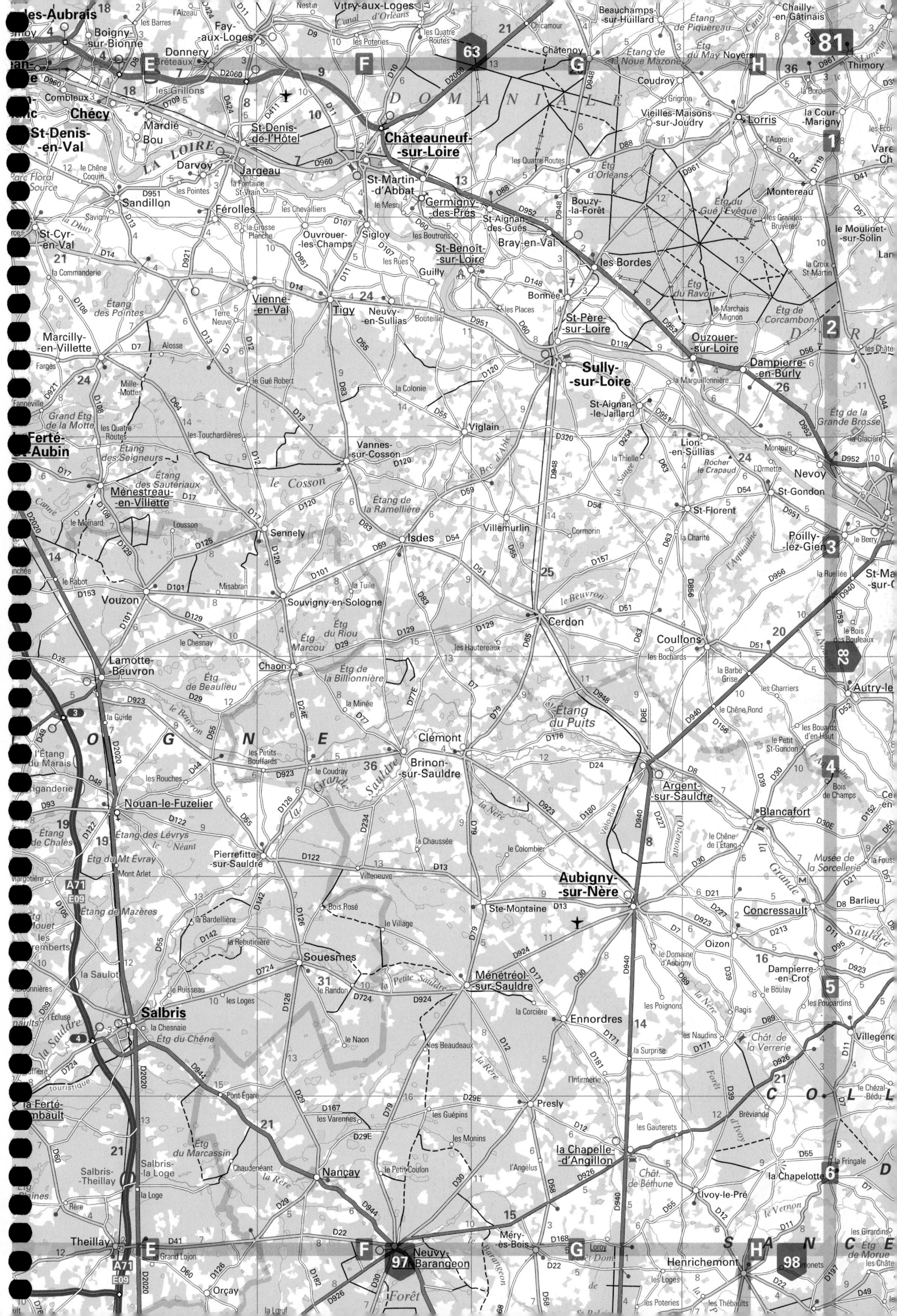
81
63
82
97
98
E
F
G
H
1
2
3
4
5
6
Boigny-sur-Bionne
Fay-aux-Loges
Donnery
Vitry-aux-Loges
Canal d'Orléans
Beauchamps-sur-Huillard
Étang de Piquereau
Chailly-en-Gâtinais
Thimory
Noyers
Châtenoy
Coudroy
Étang de la Noue Mazone
Combleux
Chécy
Mardié
Bou
St-Denis-en-Val
St-Denis-de-l'Hôtel
Châteauneuf-sur-Loire
D O M A N I A L E
Vieilles-Maisons-sur-Joudry
Lorris
la Cour-Marigny
LA LOIRE
Darvoy
Jargeau
Sandillon
Férolles
St-Martin-d'Abbat
Germigny-des-Prés
St-Aignan-des-Gués
Bouzy-la-Forêt
Étg d'Orléans
Étg du Gué l'Évêque
Montereau
Le Moulinet-sur-Solin
St-Cyr-en-Val
Ouvrouer-les-Champs
Sigloy
St-Benoît-sur-Loire
Bray-en-Val
les Bordes
Guilly
Bonnée
Étg du Ravoir
Étg de Corcambon
Vienne-en-Val
Tigy
Neuvy-en-Sullias
St-Père-sur-Loire
Ouzouer-sur-Loire
Dampierre-en-Burly
Marcilly-en-Villette
Sully-sur-Loire
St-Aignan-le-Jaillard
Étg de la Grande Brosse
Grand Étg de la Motte
La Ferté-St-Aubin
Viglain
Vannes-sur-Cosson
Lion-en-Sullias
Nevoy
Ménestreau-en-Villette
le Cosson
Étang de la Ramellière
St-Gondon
St-Florent
Sennely
Isdes
Villemurlin
Poilly-lez-Gien
Vouzon
Souvigny-en-Sologne
Cerdon
Coullons
Étg du Riou
Étg Marcou
Lamotte-Beuvron
Chaon
Étg de la Billionnière
Étg de Beaulieu
Autry-le
Étang du Puits
O G N E
Clémont
Brinon-sur-Sauldre
Argent-sur-Sauldre
Nouan-le-Fuzelier
Blancafort
Étang des Lévrys
Étg du Mt Évray
Pierrefitte-sur-Sauldre
Musée de la Sorcellerie
Aubigny-sur-Nère
Ste-Montaine
Concressault
Barlieu
Étang de Mazères
Oizon
Souesmes
Dampierre-en-Crot
Ménétréol-sur-Sauldre
Salbris
Ennordres
Villegenon
Étg du Chêne
Châtel de la Verrerie
C O L L
la Ferté-Imbault
Presly
Étg du Marcassin
La Chapelle-d'Angillon
Châtel de Béthune
Salbris-Theillay
Salbris-la Loge
Nançay
la Chapelotte
Ivoy-le-Pré
Méry-ès-Bois
Theillay
Neuvy-Barangeon
Henrichemont
S A N C E
Orçay
Forêt
A71
E09

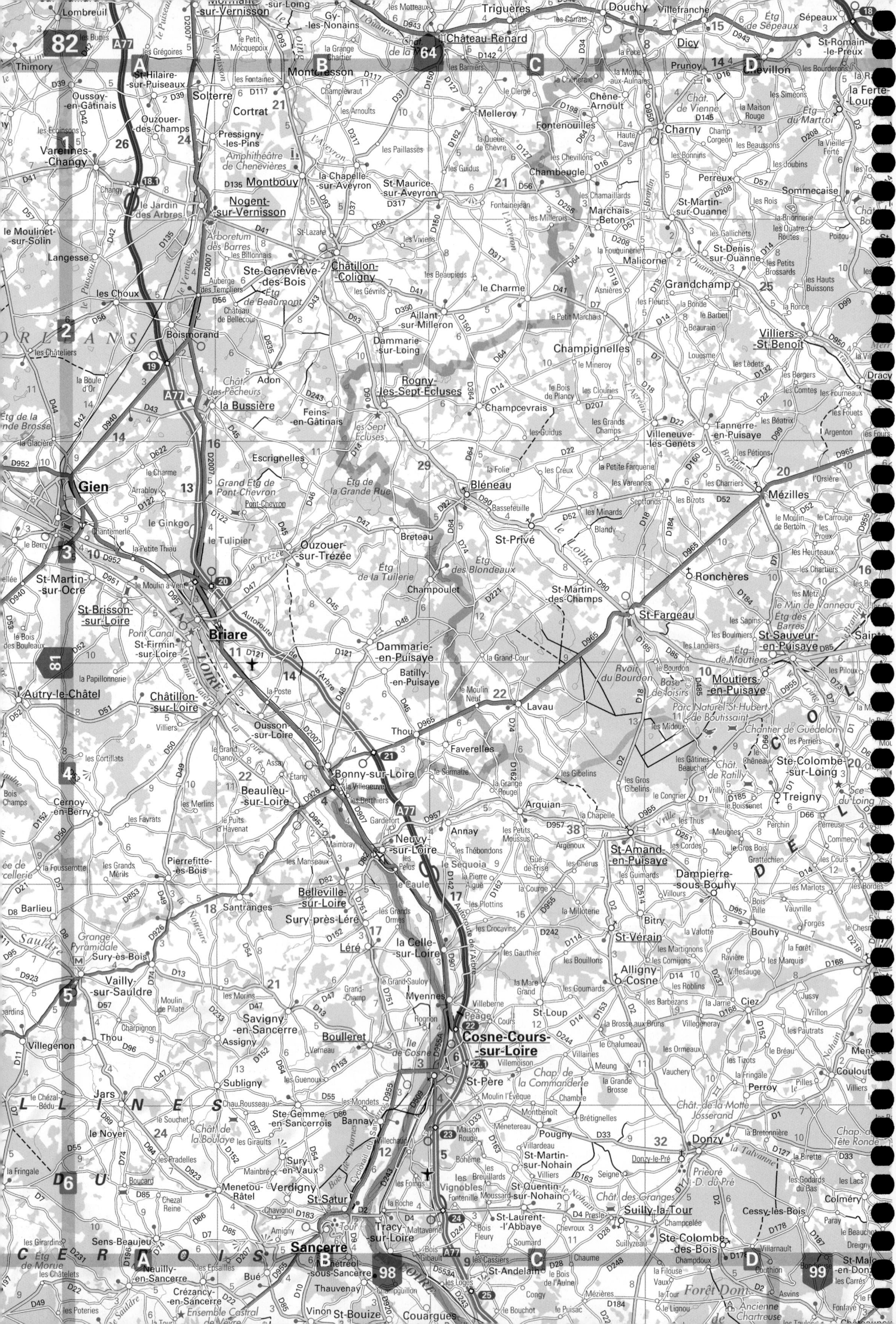

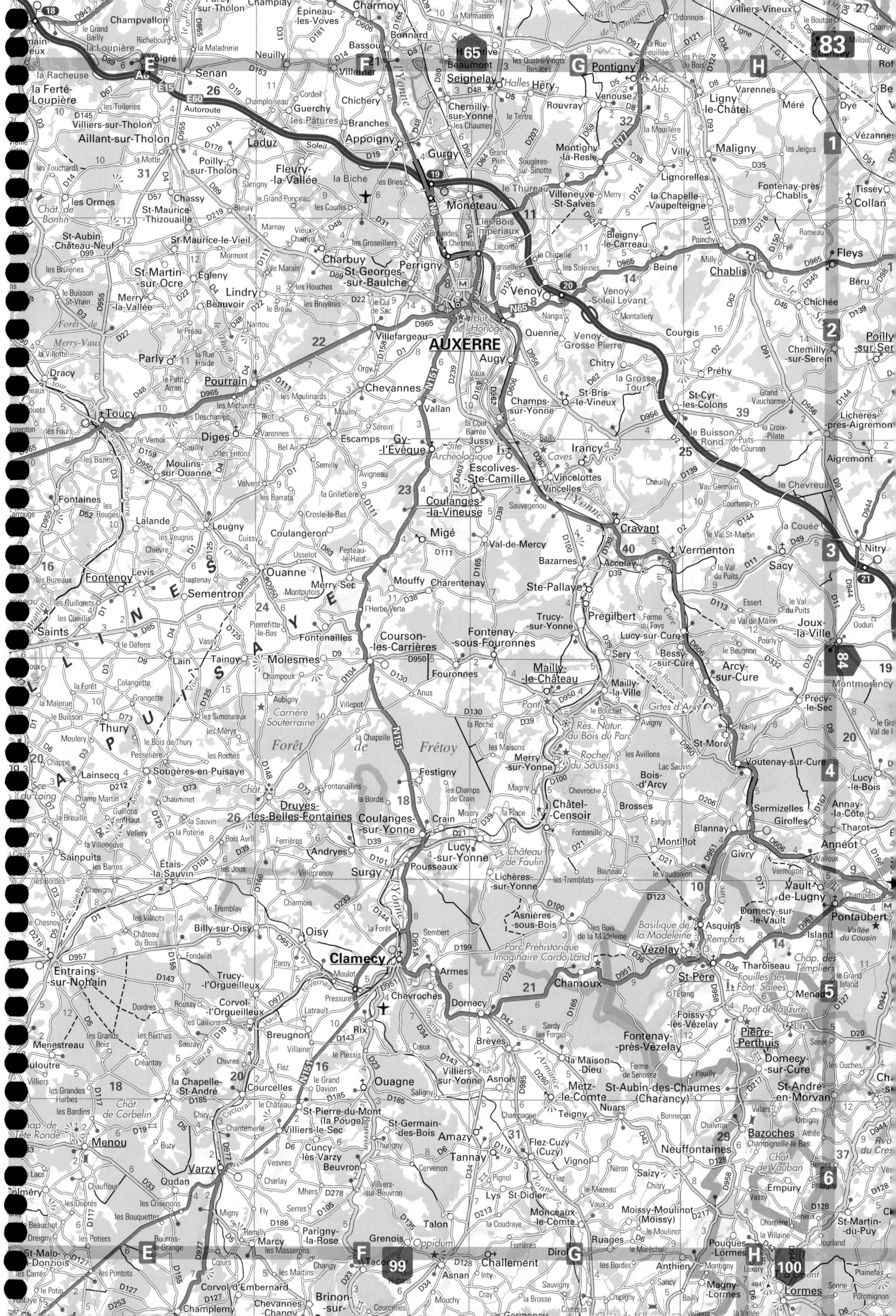

83
65
E
F
G
H
1
2
3
4
5
6
84
99
100
Champvallon
Sur-Tholon
Champlay
Épineau-les-Voves
Charmoy
Villiers-Vineux
Le Grand Bailly
La Loupière
Richebourg
La Maladrerie
Bassou
Bonnard
Hauterive
Volgré
Neuilly
Villemer
Beaumont
Seignelay
Pontigny
Senan
La Racheuse
La Ferté-Loupière
Chichery
Cordeil
Guerchy
Les Pâtures
Branches
Chemilly-sur-Yonne
Héry
Rouvray
Venouse
Varennes
Ligny-le-Châtel
Méré
Autoroute
Villiers-sur-Tholon
Aillant-sur-Tholon
Laduz
Appoigny
Gurgy
Montigny-la-Resle
Villy
Maligny
Vézannes
Poilly-sur-Tholon
Fleury-la-Vallée
La Biche
Lignorelles
Fontenay-près-Chablis
Tissey
Collan
Les Ormes
Chassy
St-Maurice-Thizouaille
Monéteau
Villeneuve-St-Salves
La Chapelle-Vaupelteigne
Les Bois Impériaux
Bleigny-le-Carreau
Rameau
Fleys
St-Aubin-Château-Neuf
St-Maurice-le-Vieil
Charbuy
Perrigny
St-Georges-sur-Baulche
Beine
Chablis
Béru
St-Martin-sur-Ocre
Égleny
Merry-la-Vallée
Lindry
Beauvoir
Venoy
Venoy-Soleil Levant
Chichée
Villefargeau
AUXERRE
Quenne
Venoy-Grosse Pierre
Courgis
Chemilly-sur-Serein
Poilly-sur-Serein
Parly
Pourrain
Augy
Chitry
Préhy
Dracy
Toucy
Chevannes
Vallan
Champs-sur-Yonne
St-Bris-le-Vineux
La Grosse Tour
St-Cyr-les-Colons
Lichères-près-Aigremont
Diges
Escamps
Gy-l'Évêque
Site Archéologique
Jussy
Irancy
Caves
Le Buisson Rond
Aigremont
Moulins-sur-Ouanne
Escolives-Ste-Camille
Vincelottes
Vincelles
Le Chevreuil
Fontaines
Coulanges-la-Vineuse
Cravant
Vermenton
La Couée
Lalande
Leugny
Coulangeron
Migé
Val-de-Mercy
Bazarnes
Accolay
Sacy
Nitry
Fontenoy
Levis
Ouanne
Merry-Sec
Mouffy
Charentenay
Ste-Pallaye
Sementron
Prégilbert
Trucy-sur-Yonne
Saints
Courson-les-Carrières
Fontenay-sous-Fouronnes
Lucy-sur-Cure
Bessy-sur-Cure
Joux-la-Ville
Taingy
Molesmes
Fouronnes
Mailly-le-Château
Mailly-la-Ville
Arcy-sur-Cure
Précy-le-Sec
Carrière Souterraine
Grottes d'Arcy
Thury
Forêt de Frétoy
Rés. Natur. du Bois du Parc
St-Moré
Merry-sur-Yonne
Rocher du Saussois
Sougères-en-Puisaye
Lainsecq
Festigny
Bois-d'Arcy
Voutenay-sur-Cure
Lucy-le-Bois
Druyes-les-Belles-Fontaines
Coulanges-sur-Yonne
Crain
Châtel-Censoir
Brosses
Sermizelles
Girolles
Annay-la-Côte
Sainpuits
Andryes
Lucy-sur-Yonne
Château de Faulin
Montillot
Blannay
Givry
Annéot
Étais-la-Sauvain
Surgy
Pousseaux
Lichères-sur-Yonne
Vault-de-Lugny
Asquins
Pontaubert
Billy-sur-Oisy
Oisy
Asnières-sous-Bois
Basilique de la Madeleine
Vézelay
Entrains-sur-Nohain
Clamecy
Armes
Parc Préhistorique Imaginaire Cardo-Land
St-Père
Tharoiseau
Trucy-l'Orgueilleux
Chevroches
Chamoux
Menades
Corvol-l'Orgueilleux
Dornecy
Pont de la Cure
Rix
Breugnon
Brèves
Foissy-lès-Vézelay
Pierre-Perthuis
Fontenay-près-Vézelay
Menestreau
La Maison-Dieu
Domecy-sur-Cure
La Chapelle-St-André
Courcelles
Ouagne
Villiers-sur-Yonne
Asnois
Metz-le-Comte
St-Aubin-des-Chaumes (Charancy)
St-André-en-Morvan
Château de Corbelin
St-Pierre-du-Mont (La Pouge)
St-Germain-des-Bois
Teigny
Menou
Villiers-le-Sec
Amazy
Flez-Cuzy (Cuzy)
Bazoches
Neuffontaines
Tannay
Vignol
Varzy
Cuncy-lès-Varzy
Beuvron
Saizy
Château de Vauban
Oudan
Lys
St-Didier
Empury
Monceaux-le-Comte
Moissy-Moulinot (Moissy)
Talon
St-Martin-du-Puy
Parigny-la-Rose
Grenois
Marcy
Ruages
Pouques-Lormes
St-Malo-en-Donziois
Challement
Anthien
Asnan
Corvol-d'Embernard
Chevannes-Changy
Brinon-sur-
Magny-Lormes
Lormes
Champlemy

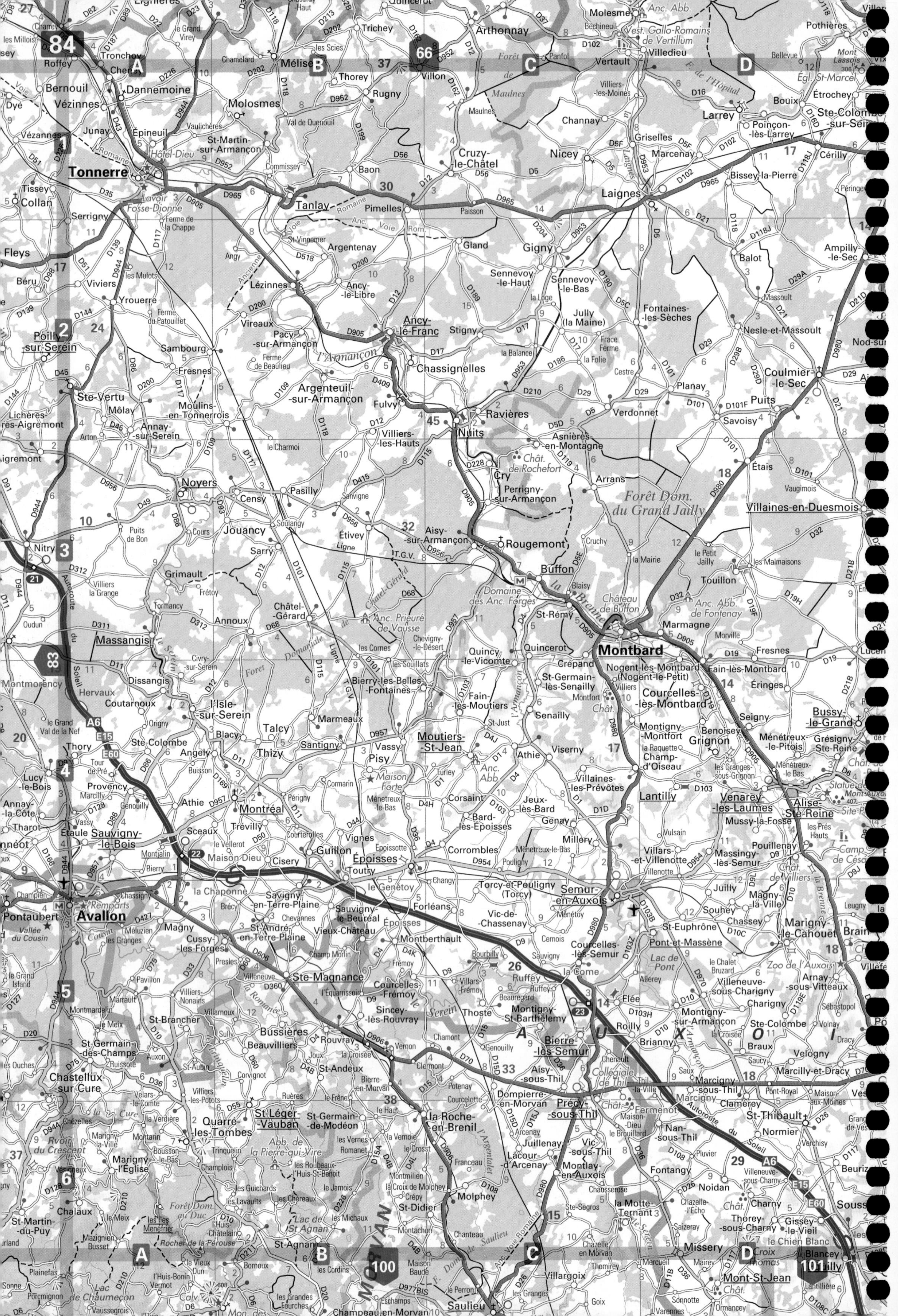

84
66
A
B
C
D
Charrey
les Millois
Roffey
Tronchoy
Cheney
le Grand Virey
Chamelard
Mélisey
Trichey
les Scies
Thorey
37
Villon
Arthonnay
Molesme
Anc. Abb.
Béchineuil
Vest. Gallo-Romains de Vertillum
Vertault
Villedieu
Panfol
Forêt de Maulnes
Pothières
Mont Lassois
Bellevue
Égl. St-Marcel
Bernouil
Dannemoine
Vézinnes
Dyé
Molosmes
Rugny
Val de Quenouil
Villiers-les-Moines
F. de l'Hôpital
Larrey
Bouix
Étrochey
Ste-Colombe-sur-Seine
Poinçon-lès-Larrey
Vézannes
Junay
Épineuil
Vaulichères
St-Martin-sur-Armançon
Hôtel-Dieu
Maulnes
Channay
Griselles
Marcenay
Cérilly
Tonnerre
Commissey
Baon
Cruzy-le-Châtel
Nicey
Laignes
Bissey-la-Pierre
Tissey
Collan
Lavoir Fosse-Dionne
Ferme de la Chappe
Tanlay
30
Pimelles
Paisson
Serrigny
Fleys
Béru
St-Vinnemer
Argentenay
Gland
Gigny
Balot
Ampilly-le-Sec
Viviers
les Mulots
Angy
Lézinnes
Ancy-le-Libre
Sennevoy-le-Haut
Sennevoy-le-Bas
Massoult
Yrouerre
Ferme du Patouillet
Vireaux
Pacy-sur-Armançon
Ancy-le-Franc
Stigny
Jully (la Maine)
Fontaines-les-Sèches
Nesle-et-Massoult
Nod-sur-Seine
Poilly-sur-Serein
Sambourg
Ferme de Beaulieu
l'Armançon
la Balance
France Ferme
la Folie
Chassignelles
Cestre
Coulmier-le-Sec
Fresnes
Argenteuil-sur-Armançon
Fulvy
Planay
Ste-Vertu
Môlay
Moulins-en-Tonnerrois
Ravières
Verdonnet
Puits
Savoisy
Lichères-près-Aigremont
Annay-sur-Serein
Arton
Aigremont
le Charmoi
Villiers-les-Hauts
45
Nuits
Asnières-en-Montagne
Chât. de Rochefort
Cry
Perrigny-sur-Armançon
Arrans
Étais
Vaugimois
Noyers
Censy
Pasilly
Savigne
Forêt Dom. du Grand Jailly
Villaines-en-Duesmois
Puits de Bon
Cours
Jouancy
Soulangy
Étivey
32
Aisy-sur-Armançon
Rougemont
Cruchy
Nitry
Sarry
Ligne T.G.V.
la Mairie
le Petit Jailly
les Malmaisons
Villiers la Grange
Grimault
Frétoy
Buffon
Blaisy
Touillon
Domaine des Anc. Forges
Château de Buffon
Anc. Abb. de Fontenay
Oudun
Tormancy
Annoux
Châtel-Gérard
Anc. Prieuré de Vausse
St-Rémy
Marmagne
Massangis
Chevigny-le-Désert
Quincy-le-Vicomte
Quincerot
Montbard
Morville
Fresnes
Civry-sur-Serein
les Cornes
les Souillats
Crépand
Nogent-lès-Montbard (Nogent-le-Petit)
Fain-lès-Montbard
Montmorency
Hervaux
Dissangis
Bierry-les-Belles-Fontaines
St-Germain-lès-Senailly
Villiers
Montfort
Courcelles-lès-Montbard
Éringes
Coutarnoux
l'Isle-sur-Serein
Fain-lès-Moutiers
Senailly
Bussy-le-Grand
le Grand Val de la Nef
Origny
Marmeaux
St-Just
Montigny-Montfort
Seigny
Thory
Ste-Colombe
Blacy
Talcy
Santigny
Vassy
Moutiers-St-Jean
Viserny
Benoisey
Ménétreux-le-Pitois
Grésigny-Ste-Reine
Tour de Pré
Angely
Thizy
Pisy
Athie
La Raquette
Champ-d'Oiseau
Grignon
Buisson
Turley
Anc. Abb.
les Granges-sous-Grignon
Lucy-le-Bois
Provency
Marcilly
Maison Forte
Cormarin
Villaines-les-Prévôtes
Venarey-les-Laumes
Alise-Ste-Reine
Statue de Vercingétorix
Mont-Auxois
Annay-la-Côte
Genouilly
Athie
Montréal
Périgny
Ménetreux-le-Bas
Corsaint
Jeux-lès-Bard
Lantilly
Mussy-la-Fosse
Vassy
Trévilly
Bard-lès-Époisses
Genay
Les Prés Hauts
Tharot
Étaule
Sauvigny-le-Bois
Sceaux
le Vellerot
Courterolles
Vignes
Millery
Vulsain
Pouillenay
Anéot
Montjalin
Maison Dieu
Guillon
Époissotte
Époisses
Corrombles
Ménetreux-le-Bas
Villars-et-Villenotte
Massingy-lès-Semur
Bierry
Cisery
Toutry
Pouligny
Villenotte
Camp de César
le Genetoy
Changy
Torcy-et-Pouligny (Torcy)
Semur-en-Auxois
Jully
Magny-la-Ville
Champien
Remparts
la Chaponne
Savigny-en-Terre-Plaine
Sauvigny-le-Beuréal
Forléans
Pontaubert
Avallon
Brécy
Chevannes
Vic-de-Chassenay
Ménétoy
Souhey
Chassey
Marigny-le-Cahouët
Vallée du Cousin
Méluzien
Magny
St-André-en-Terre-Plaine
Vieux-Château
Cernois
St-Euphrône
Brain
les Granges
Cussy-les-Forges
Montberthault
Sauvigny
Courcelles-lès-Semur
Pont-et-Massène
Champ Morlin
Lac de Pont
Fremoy
Bourbilly
26
Presles
la Côme
le Chalet Bruzard
Zoo de l'Auxois
le Grand Island
Pavillon
Villeneuve
Ste-Magnance
Courcelles-Frémoy
Ruffey
Allerey
Villeneuve-sous-Charigny
Arnay-sous-Vitteaux
l'Équarrissoir
Villars-Frémoy
Beauregard
Marrault
Villiers-Nonains
Sincey-lès-Rouvray
Thoste
Montigny-St-Barthélemy
Flée
Charigny
Sébastopol
Montmardelin
Villarnoux
St-Brancher
Montigny-sur-Armançon
le Meix
Sully
Bussières
Chamont
Roilly
Ste-Colombe
Volnay
St-Germain-des-Champs
Beauvilliers
Rouvray
Vernon
la Croisée
A U X O I S
Genouilly
Bierre-lès-Semur
Brianny
Braux
Dracy
Auxon
Ruissotte
Joux
St-Aubin
la Croisée
Clermont
Chenault
Collégiale de Thil
Saucy
Velogny
les Ouches
Chastellux-sur-Cure
Corvignot
St-Andeux
Bierre-en-Morvan
33
Aisy-sous-Thil
Saux
Marcigny-sous-Thil
18
Marcilly-et-Dracy
Villiers-les-Potots
Velars-le-Comte
Rivières
le Frêne
Potenay
Courcelotte
Thil-la-Ville
Pont-Royal
Maison-aux-Moines
la Cure
la Verdière
St-Léger-Vauban
Quarré-les-Tombes
St-Germain-de-Modéon
38
le Haut
la Roche-en-Brenil
Dompierre-en-Morvan
Précy-sous-Thil
Châl.
Fermenot
Maison-Dieu
le Brouillard
Clamerey
St-Thibault
Marigny-la-Ville
Montarin
Bousson-le-Bas
Trinquelin
Abb. de la Pierre-qui-Vire
les Vernes
Romanet
la Vernoie
le Crosst
Arcenay
Juillenay
Vic-sous-Thil
Nan-sous-Thil
Normier
Verchisy
Rivoir du Crescent
Champlois
les Rouvraux
l'Huis-St-Benoît
Franceau
l'Argentalet
Lacour-d'Arcenay
Montlay-en-Auxois
Pluvier
Fontangy
29
Villeneuve-sous-Charny
Marigny-l'Église
Montmillien
la Croix de Molphey
Crépy
les Guichards
les Lavaults
les Chéreaux
le Jarnois
Molphey
Chaussierose
Noidan
Châl.
Charny
Chalaux
Forêt Dom. au Duc
les Iles Ménéfrier
le Meix
les Michaux
St-Didier
Ste-Segros
la Motte-Ternant
Chazelle-l'Écho
Thorey-sous-Charny
Gissey-le-Vieil
St-Martin-du-Puy
Mazignien
Busset
l'Huis-Châtelain
Lac de St Agnan
Montachon
Chanteau
Chazelle en Morvan
Saizeray
le Chien Blanc
Rocher de la Pérouse
St-Agnan
Forêt Dom. de Saulieu
Missery
Croix Thomas
Blancey
Plainefas
le Vieux Dun
Bornoux
les Cordins
100
MORVAN
Maison Baude
Thomirey
Mercueil
Mairey
Mont-St-Jean
Châl.
101
Sonne
Porcmignon
Lac de Chaumeçon
Vausegrois
l'Huis-Bonin
Vermot
Mon. de
les Grandes Fourches
Champeau-en-Morvan
Eschamps
le Perron
Saulieu
les Granges
Villargoix
Goix
Sonnotte
Varennes
Ormancey
A6
E15
E60
Autoroute du Soleil

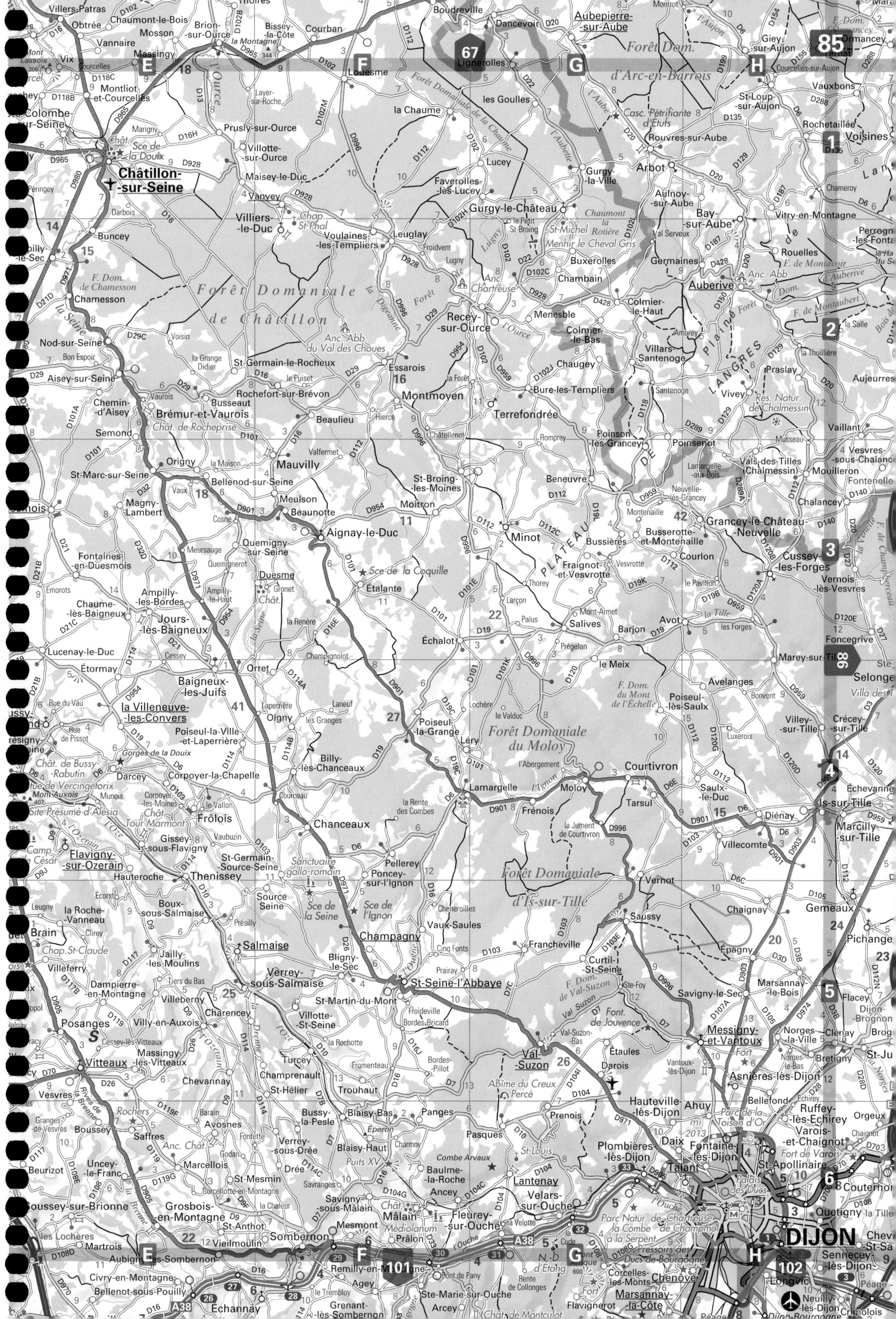

85
67
86
101
102
Villers-Patras
Obtrée
Chaumont-le-Bois
Brion-sur-Ource
Bissey-la-Côte
Courban
Boudreville
Dancevoir
Aubepierre-sur-Aube
Montrot
Giey-sur-Aujon
Ormancey
Vannaire
Mosson
Massingy
Vix
Lignerolles
Forêt Dom. d'Arc-en-Barrois
Courcelles-sur-Aujon
Louesme
Montliot-et-Courcelles
Layer-sur-Roche
Les Goulles
Vauxbons
St-Loup-sur-Aujon
la Chaume
Casc. Pétrifiante d'Étufs
Rochetaillée
Voisines
Forêt Domaniale de la Chaume
Marigny
Prusly-sur-Ource
Rouvres-sur-Aube
Sce de la Douix
Châtillon-sur-Seine
Villotte-sur-Ource
Lucey
Arbot
Maisey-le-Duc
Faverolles-lès-Lucey
Gurgy-la-Ville
Aulnoy-sur-Aube
Chameroy
Vanvey
Gurgy-le-Château
Darbois
Villiers-le-Duc
Chap. St-Phal
le Petit St-Broing
Chaumont la Rotière
Bay-sur-Aube
Vitry-en-Montagne
Buncey
Voulaines-les-Templiers
Leuglay
St-Michel
Menhir le Cheval Gris
Val Serveux
Rouelles
Perrogney-les-Fontaines
Froidvent
Buxerolles
Germaines
F. de Montavoir
Lugny
Chambain
Auberive
Anc. Abb.
F. Dom. de Chamesson
Anc. Chartreuse
Chamesson
Forêt Domaniale de Châtillon
Menesble
Colmier-le-Haut
F. de Montaubert
Recey-sur-Ource
Colmier-le-Bas
Amorey
La Salle
Nod-sur-Seine
Voisin
Anc. Abb. du Val des Choues
Villars-Santenoge
Plaine de Langres
Bon Espoir
la Grange Didier
St-Germain-le-Rocheux
Essarois
Chaugey
la Thuillière
Praslay
Aisey-sur-Seine
le Puiset
la Forêt
Aujeurres
Rochefort-sur-Brévon
Montmoyen
Bure-les-Templiers
Santenoge
Vivey
Chemin-d'Aisey
Busseaut
Brémur-et-Vaurois
Terrefondrée
Rés. Natur. de Chalmessin
Semond
Chât. de Rocheprise
Beaulieu
Hierce
Vaillant
Châtellenot
Romprey
Poinson-lès-Grancey
Poinsenot
Musseau
Valfermet
Vesvres-sous-Chalancey
Origny
la Maison
Mauvilly
St-Marc-sur-Seine
Bellenod-sur-Seine
St-Broing-les-Moines
Lamargelle-aux-Bois
Vals-des-Tilles (Chalmessin)
Mouilleron
Fontenelle
Beneuvre
Vaux
Neuvelle-lès-Grancey
Magny-Lambert
Meulson
Moitron
Chalancey
Beaunotte
Montenaille
Cosne
Grancey-le-Château-Neuvelle
Aignay-le-Duc
Minot
Busserotte-et-Montenaille
Meursauge
Quemigny-sur-Seine
Bussières
Courlon
Fontaines-en-Duesmois
Quemignerot
Sce de la Coquille
Cussey-les-Forges
Vesvrotte
Plateau de Langres
Duesme
Fraignot-et-Vesvrotte
Emorots
Ampilly-les-Bordes
Gronet
Étalante
Thorey
le Pavillon
Vernois-lès-Vesvres
Chaume-lès-Baigneux
Ampilly-le-Haut
Larçon
Mont-Armet
Avot
Jours-lès-Baigneux
la Renère
Palus
Salives
Barjon
la Tille
les Forges
Échalot
Foncegrive
Prégelan
Lucenay-le-Duc
Cessey
Champignolot
le Meix
Marey-sur-Tille
Étormay
Orret
Selongey
Baigneux-les-Juifs
F. Dom. du Mont de l'Échelle
Avelanges
Bonvent
Villa des Tilles
Poiseul-lès-Saulx
Rue du Vau
la Villeneuve-les-Convers
Laperrière
Laneuf
Lochère
Oigny
Poiseul-la-Grange
le Valduc
Villey-sur-Tille
Crécey-sur-Tille
Rue de Pissot
les Granges
Forêt Domaniale du Moloy
Luxerois
Poiseul-la-Ville-et-Laperrière
Léry
Gorges de la Douix
Billy-lès-Chanceaux
l'Abergement
Courtivron
Chât. de Bussy-Rabutin
Darcey
Corpoyer-la-Chapelle
Lamargelle
Moloy
Saulx-le-Duc
Échevannes
Statue de Vercingétorix
Mont-Auxois
Munois
Corpoyer-les-Moines
le Vallon
Courceau
la Rente des Combes
Frénois
Tarsul
Diénay
Is-sur-Tille
Site Présumé d'Alésia
Frôlois
la Jument de Courtivron
Marcilly-sur-Tille
Tour Marmont
Chanceaux
Villecomte
Vaubuzin
Gissey-sous-Flavigny
Flavigny-sur-Ozerain
Camp de César
St-Germain-Source-Seine
Pellerey
Vernot
Hauteroche
Thenissey
Sanctuaire gallo-romain
Poncey-sur-l'Ignon
Forêt Domaniale d'Is-sur-Tille
Ecorsaint
Leugny
la Roche-Vanneau
Boux-sous-Salmaise
Source Seine
Sce de la Seine
Sce de l'Ignon
Chenerailles
Chaignay
Gemeaux
Saussy
Présilly
Vaux-Saules
Brain
Clirey
Chap. St-Claude
Salmaise
Champagny
Francheville
Pichanges
Épagny
Jailly-les-Moulins
Cinq Fonts
Villeferry
Bligny-le-Sec
Curtil-St-Seine
Tiers du Bas
Verrey-sous-Salmaise
Prairay
Marsannay-le-Bois
Dampierre-en-Montagne
St-Seine-l'Abbaye
F. Dom. de Val-Suzon
Ste-Foy
Villeberny
St-Martin-du-Mont
Savigny-le-Sec
Flacey
Charencey
Froideville
Dijon-Brognon
Posanges
Villy-en-Auxois
Villotte-St-Seine
Bordes Bricard
Val Suzon
Font. de Jouvence
Cessey-lès-Vitteaux
Massingy-lès-Vitteaux
la Rochotte
Val-Suzon-Bas
Messigny-et-Vantoux
Norges-la-Ville
Clénay
Vitteaux
Turcey
Bordes-Pillot
Étaules
Darois
Vantoux-lès-Dijon
Bretigny
Chevannay
Champrenault
Fromenteau
Val-Suzon
Asnières-lès-Dijon
Vesvres
Rives de la Brenne
St-Hélier
Trouhaut
Abîme du Creux Percé
Hauteville-lès-Dijon
Ahuy
Bellefond
Ruffey-lès-Echirey
Orgeux
Rochers
Barain
Granges-de-Vesvres
Boussey
Avosnes
Bussy-la-Pesle
Blaisy-Bas
Panges
Prenois
Parc de la Toison d'Or
Saffres
Fontette
Éperon
Verrey-sous-Drée
Blaisy-Haut
Charmoy
Pasques
Plombières-lès-Dijon
Daix
Fontaine-lès-Dijon
Varois-et-Chaignot
Anc. Chât.
Puits XV
St-Louis
Beurizot
Uncey-le-Franc
Godan
Marcellois
Combe Arvaux
Talant
St-Apollinaire
Fort de Varois
St-Mesmin
Drée
Baulme-la-Roche
Lantenay
Couternon
Corcelotte-en-Montagne
Savranges
Ancey
Velars-sur-Ouche
Palais des Ducs
Quetigny
Soussey-sur-Brionne
Grosbois-en-Montagne
la Chaleur
Savigny-sous-Mâlain
Mâlain
Fleurey-sur-Ouche
Parc Natur. de la Combe à la Serpent
Chartreuse de Champmol
les Lochères
St-Anthot
Mesmont
Médiolanum
la Velotte
Martrois
Vieilmoulin
Sombernon
Prâlon
Cude
DIJON
Chevigny-St-Sauveur
Aubigny-lès-Sombernon
Remilly-en-Montagne
N.-D. d'Étang
Pressoirs des Ducs de Bourgogne
Sennecey-lès-Dijon
Civry-en-Montagne
Ageý
Pont de Pany
Corcelles-les-Monts
Chenôve
Longvic
Bellenot-sous-Pouilly
le Tremblay
Rente de Collonges
Péage
Échannay
Grenant-lès-Sombernon
Ste-Marie-sur-Ouche
Arcey
Flavignerot
Marsannay-la-Côte
Neuilly-lès-Dijon
Crimolois
A38

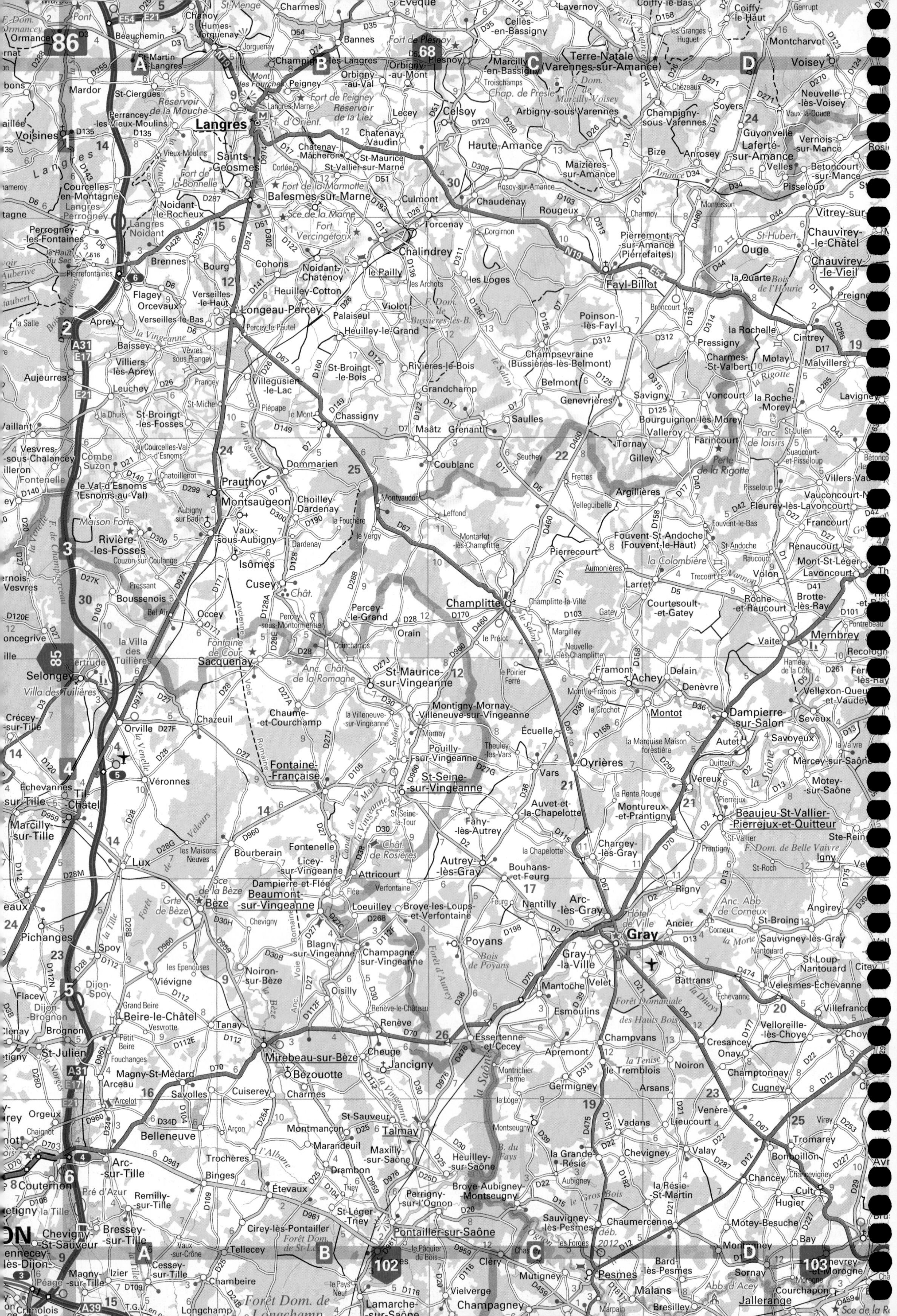
86
68
A
B
C
D
Pont
Ormancey
Beauchemin
St-Martin-lès-Langres
Chanoy
Humes-Jorguenay
Charmes
Bannes
Fort de Plesnoy
Plesnoy
Champigny-lès-Langres
Lavernoy
Celles-en-Bassigny
Marcilly-en-Bassigny
Terre-Natale (Varennes-sur-Amance)
Coiffy-le-Haut
Montcharvot
Voisey
Mardor
St-Ciergues
Réservoir de la Mouche
Orbigny-au-Val
Orbigny-au-Mont
Peigney
Fort de Peigney
Réservoir de la Liez
Celsoy
Arbigny-sous-Varennes
Champigny-sous-Varennes
Soyers
Neuvelle-lès-Voisey
Perrancey-les-Vieux-Moulins
Langres
Lecey
Chatenay-Vaudin
Haute-Amance
Voisines
Saints-Geosmes
Chatenay-Mâcheron
St-Maurice
St-Vallier-sur-Marne
Maizières-sur-Amance
Bize
Anrosey
Guyonvelle
Laferté-sur-Amance
Vernois-sur-Mance
Velles
Betoncourt-sur-Mance
Courcelles-en-Montagne
Fort de la Bonnelle
Fort de la Marmotte
Culmont
Chaudenay
Rougeux
Pisseloup
Noidant-le-Rocheux
Balesmes-sur-Marne
Sce de la Marne
Fort Vercingétorix
Torcenay
Vitrey-sur-Mance
Perrogney-les-Fontaines
Langres-Noidant
Chalindrey
Corgirnon
Pierremont-sur-Amance (Pierrefaites)
Ouge
Chauvirey-le-Châtel
Chauvirey-le-Vieil
Brennes
Bourg
Cohons
Noidant-Chatenoy
le Pailly
les Loges
Fayl-Billot
la Quarte
Flagey
Orcevaux
Verseilles-le-Haut
Heuilley-Cotton
Longeau-Percey
Violot
Aprey
Verseilles-le-Bas
Palaiseul
Heuilley-le-Grand
Poinson-lès-Fayl
la Rochelle
Pressigny
Cintrey
Baissey
Villiers-lès-Aprey
St-Broingt-le-Bois
Rivières-le-Bois
Champsevraine (Bussières-lès-Belmont)
Charmes-St-Valbert
Molay
Malvillers
Aujeurres
Leuchey
Villegusien-le-Lac
Grandchamp
Belmont
Genevrières
Savigny
Voncourt
La Roche-Morey
Lavigney
St-Broingt-les-Fosses
Chassigny
Maâtz
Grenant
Saulles
Bourguignon-lès-Morey
Valleroy
Tornay
Farincourt
Gilley
Vesvres-sous-Chalancey
Combe Suzon
Courcelles-Val-d'Esnoms
Dommarien
Coublanc
Argillières
le Val-d'Esnoms (Esnoms-au-Val)
Prauthoy
Montsaugeon
Choilley-Dardenay
Montvaudon
Leffond
Fleurey-lès-Lavoncourt
Vauconcourt-Nervezain
Francourt
Maison Forte
Rivière-les-Fosses
Vaux-sous-Aubigny
Isômes
Montarlot-lès-Champlitte
Pierrecourt
Fouvent-St-Andoche (Fouvent-le-Haut)
Renaucourt
Mont-St-Léger
Lavoncourt
Cusey
Percey-le-Grand
Larret
Volon
Boussenois
Champlitte
Courtesoult-et-Gatey
Roche-et-Raucourt
Brotte-lès-Ray
Occey
Orain
Membrey
Selongey
Villa des Tuilières
Sacquenay
St-Maurice-sur-Vingeanne
Achey
Delain
Denèvre
Vaite
Chazeuil
Chaume-et-Courchamp
Montigny-Mornay-Villeneuve-sur-Vingeanne
Montot
Dampierre-sur-Salon
Seveux
Orville
Véronnes
Fontaine-Française
Pouilly-sur-Vingeanne
St-Seine-sur-Vingeanne
Vars
Oyrières
Écuelle
Savoyeux
Mercey-sur-Saône
Motey-sur-Saône
Til-Châtel
Marcilly-sur-Tille
Auvet-et-la-Chapelotte
Montureux-et-Prantigny
Vereux
Beaujeu-St-Vallier-Pierrejux-et-Quitteur
Lux
Bourberain
Fontenelle
Licey-sur-Vingeanne
Attricourt
Fahy-lès-Autrey
Autrey-lès-Gray
Bouhans-et-Feurg
Chargey-lès-Gray
Rigny
Bèze
Beaumont-sur-Vingeanne
Dampierre-et-Flée
Loeuilley
Broye-les-Loups-et-Verfontaine
Nantilly
Arc-lès-Gray
Ancier
Angirey
Pichanges
Spoy
Blagny-sur-Vingeanne
Champagne-sur-Vingeanne
Poyans
Gray
Gray-la-Ville
St-Broing
Sauvigney-lès-Gray
St-Loup-Nantouard
Noiron-sur-Bèze
Vievigne
Oisilly
Mantoche
Velet
Battrans
Velesmes-Échevanne
Flacey
Dijon-Spoy
Beire-le-Châtel
Renève
Esmoulins
Forêt Domaniale des Hauts Bois
Villefrancon
Brognon
Tanay
Mirebeau-sur-Bèze
Cheuge
Jancigny
Essertenne-et-Cecey
Apremont
Champvans
Cresancey
Onay
Vellorelle-lès-Choye
St-Julien
Magny-St-Médard
Arceau
Bézouotte
le Tremblois
Noiron
Champtonnay
Savolles
Cuiserey
Charmes
Germigney
Arsans
Cugney
Orgeux
Montmançon
St-Sauveur
Talmay
Vadans
Lieucourt
Venère
Tromarey
Belleneuve
Marandeuil
Maxilly-sur-Saône
Heuilley-sur-Saône
la Grande-Résie
Chevigney
Valay
Bonboillon
Arc-sur-Tille
Trochères
Binges
Drambon
Étevaux
Perrigny-sur-l'Ognon
Broye-Aubigney-Montseugny
la Résie-St-Martin
Chancey
Cult
Hugier
Couternon
Remilly-sur-Tille
Cirey-lès-Pontailler
St-Léger-Triey
Pontailler-sur-Saône
Sauvigney-lès-Pesmes
Chaumercenne
Motey-Besuche
Bay
Chevigny-St-Sauveur
Bressey-sur-Tille
Tellecey
Cessey-sur-Tille
Magny-sur-Tille
Izier
Chambeire
Clery
Mutigney
Pesmes
Bard-lès-Pesmes
Sornay
Montagney
Malans
Jallerange
Chevrey-et-Morogne
Courchapon
Longchamp
Lamarche-sur-Saône
Vielverge
Champagney
Bresilley
102
103

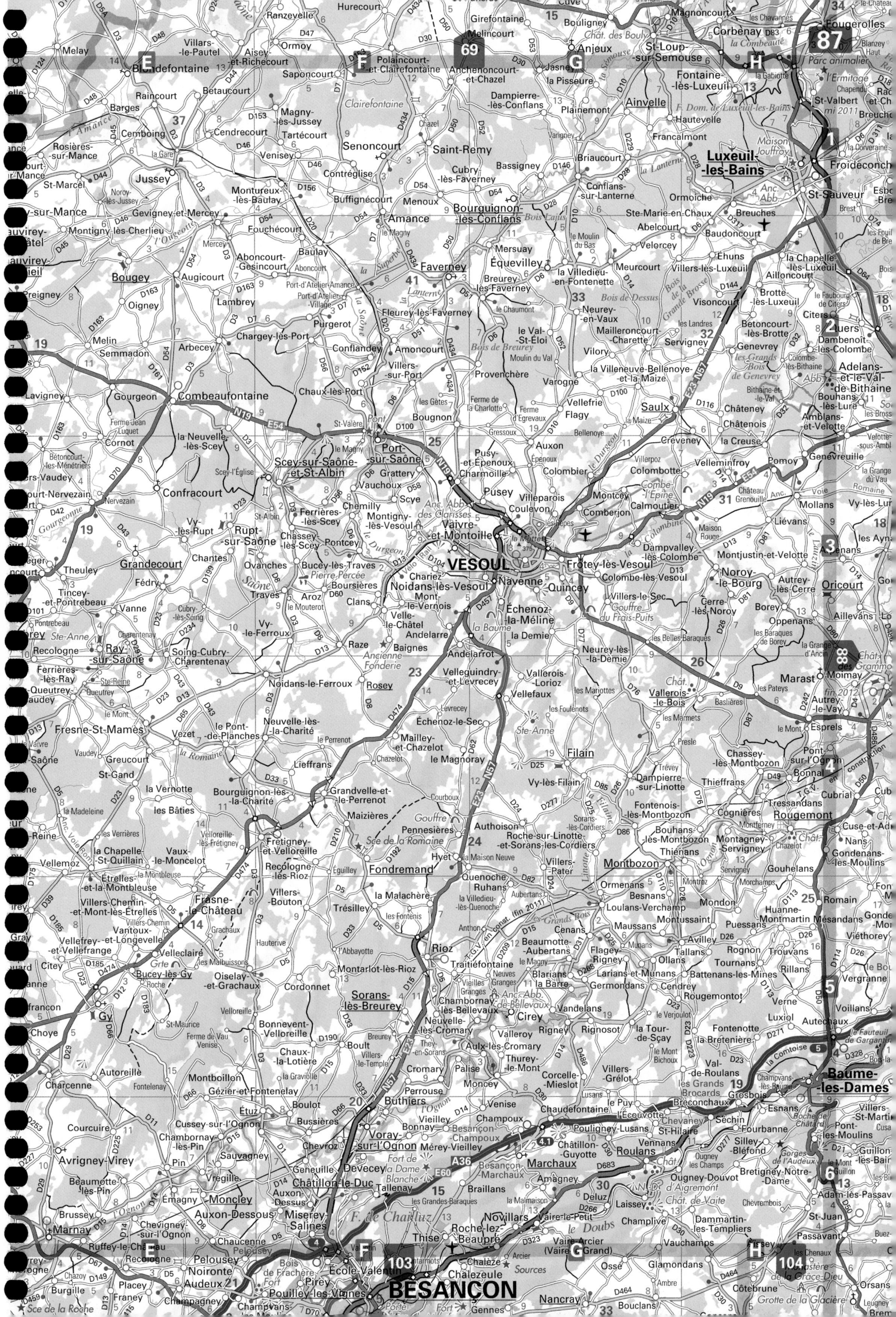

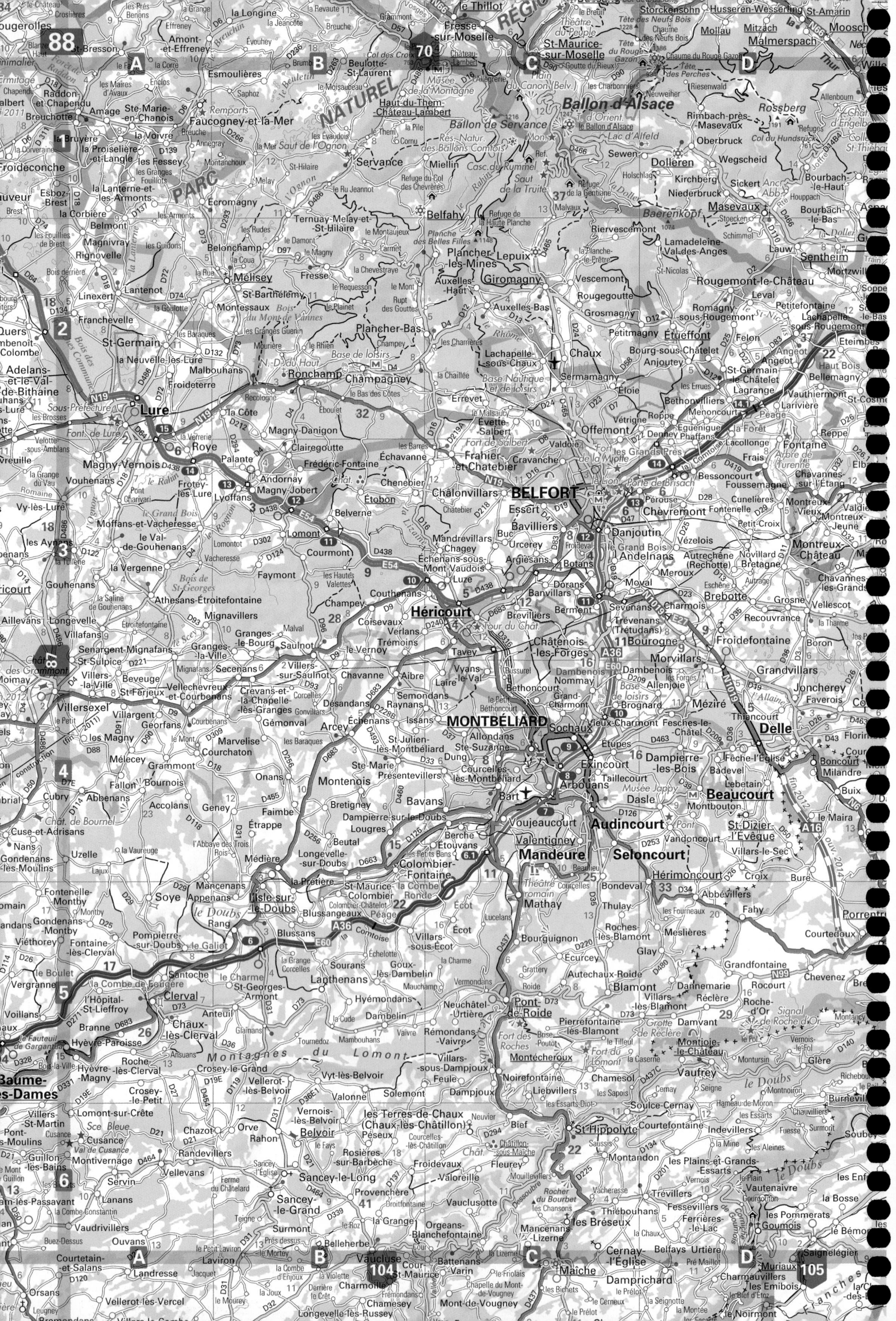

88
70
87
104
105
A
B
C
D
1
2
3
4
5
6
le Thillot
Fresse-sur-Moselle
St-Maurice-sur-Moselle
Storckensohn
Husseren-Wesserling
St-Amarin
Moosch
Mollau
Mitzach
Malmerspach
Ballon d'Alsace
Ballon de Servance
PARC
NATUREL
Faucogney-et-la-Mer
Haut-du-Them-Château-Lambert
Servance
Beulotte-St-Laurent
Esmoulières
Amont-et-Effreney
la Longine
St-Bresson
Raddon-et-Chapendu
Breuchotte
Amage
Ste-Marie-en-Chanois
la Voivre
la Proiselière-et-Langle
les Fessey
Froideconche
la Lanterne-et-les-Armonts
Esboz-Brest
la Corbière
Belmont
Magnivray
Rignovelle
Écromagny
Ternuay-Melay-et-St-Hilaire
Belfahy
Miellin
Sewen
Dolleren
Oberbruck
Wegscheid
Rimbach-près-Masevaux
Kirchberg
Niederbruck
Masevaux
Sickert
Bourbach-le-Haut
Bourbach-le-Bas
Sentheim
Lauw
Lamadeleine-Val-des-Anges
Riervescemont
Plancher-les-Mines
Lepuix
Giromagny
Auxelles-Haut
Auxelles-Bas
Vescemont
Rougegoutte
Grosmagny
Petitmagny
Rougemont-le-Château
Romagny-sous-Rougemont
Étueffont
Leval
Petitefontaine
Lachapelle-sous-Rougemont
Belonchamp
Mélisey
Lantenot
Linexert
Franchevelle
St-Germain
St-Barthélemy
Montessaux
Plancher-Bas
la Neuvelle-lès-Lure
Malbouhans
Froideterre
Ronchamp
Champagney
Adelans-et-le-Val-de-Bithaine
Lure
Roye
Magny-Vernois
Magny-Danigon
Clairegoutte
Frédéric-Fontaine
Échavanne
Frahier-et-Chatebier
Evette-Salbert
Errevet
Lachapelle-sous-Chaux
Chaux
Sermamagny
Éloie
Offemont
Valdoie
Cravanche
BELFORT
Essert
Bavilliers
Danjoutin
Pérouse
Chèvremont
Bessoncourt
Fontaine
Foussemagne
Frais
Chavannes-sur-l'Étang
Vouhenans
Frotey-lès-Lure
Lyoffans
Andornay
Magny-Jobert
Palante
Chenebier
Étobon
Châlonvillars
Moffans-et-Vacheresse
Belverne
Lomont
Courmont
Mandrevillars
Chagey
Échenans-sous-Mont-Vaudois
Luze
Urcerey
Argiésans
Botans
Andelnans
Sevenans
Vézelois
Meroux
Moval
Dorans
Banvillars
Bermont
Trévenans
Bourogne
Héricourt
Couthenans
Coisevaux
Verlans
Trémoins
Brevilliers
Châtenois-les-Forges
Froidefontaine
Grandvillars
Morvillars
Méziré
Delle
Joncherey
Faverois
Vy-lès-Lure
les Aynans
Gouhenans
le Val-de-Gouhenans
la Vergenne
Faymont
Athesans-Étroitefontaine
Mignavillers
Aillevans
Longevelle
Villafans
Senargent-Mignafans
St-Sulpice
Granges-le-Bourg
Granges-la-Ville
Saulnot
Secenans
Villers-sur-Saulnot
Chavanne
le Vernoy
Aibre
Tavey
Vyans-le-Val
Laire
Semondans
Raynans
Désandans
Arcey
Villersexel
Villers-la-Ville
Beveuge
St-Ferjeux
Vellechevreux-et-Courbenans
Crevans-et-la-Chapelle-lès-Granges
Villargent
Georfans
Gémonval
MONTBÉLIARD
Sochaux
Vieux-Charmont
Brognard
Nommay
Dambenois
Allenjoie
Fesches-le-Châtel
Étupes
Exincourt
Dampierre-les-Bois
Badevel
Beaucourt
Audincourt
Seloncourt
Valentigney
Mandeure
Voujeaucourt
Bart
Arbouans
Taillecourt
Dasle
St-Dizier-l'Évêque
Villars-le-Sec
Hérimoncourt
Abbévillers
Fahy
Courtedoux
Ste-Suzanne
Allondans
Dung
Courcelles-lès-Montbéliard
Présentevillers
Ste-Marie
St-Julien-lès-Montbéliard
Issans
Échenans
Montenois
Bavans
Bretigney
Dampierre-sur-le-Doubs
Lougres
Étouvans
Berche
Colombier-Fontaine
St-Maurice-Colombier
Longevelle-sur-Doubs
Beutal
Médière
l'Isle-sur-le-Doubs
Mancenans
Appenans
Soye
Rang
Blussangeaux
Blussans
Écot
Villars-sous-Écot
Mathay
Bourguignon
Bondeval
Thulay
Roches-lès-Blamont
Meslières
Glay
Écurcey
Autechaux-Roide
Blamont
Dannemarie
Villars-lès-Blamont
Réclère
Rocourt
Grandfontaine
Chevenez
Marvelise
Courchaton
Grammont
Mélecey
Fallon
Bournois
Abbenans
Cubry
Accolans
Geney
Onans
Faimbe
Étrappe
Cuse-et-Adrisans
Nans
Uzelle
Gondenans-les-Moulins
Fontenelle-Montby
Gondenans-Montby
Fontaine-lès-Clerval
Viéthorey
Pompierre-sur-Doubs
Santoche
Clerval
St-Georges-Armont
l'Hôpital-St-Lieffroy
Chaux-lès-Clerval
Anteuil
Branne
Hyèvre-Paroisse
Roche-lès-Clerval
Hyèvre-Magny
Baume-les-Dames
Lanthenans
Sourans
Goux-lès-Dambelin
Hyémondans
Dambelin
Neuchâtel-Urtière
Pont-de-Roide
Pierrefontaine-lès-Blamont
Damvant
Montjoie-le-Château
Vaufrey
Glère
Rémondans-Vaivre
Villars-sous-Dampjoux
Feule
Dampjoux
Noirefontaine
Liebvillers
Chamesol
Montécheroux
Crosey-le-Grand
Crosey-le-Petit
Vellerot-lès-Belvoir
Vyt-lès-Belvoir
Valonne
Solemont
Villers-St-Martin
Lomont-sur-Crête
Cusance
Guillon-les-Bains
Montivernage
Chazot
Orve
Rahon
Vernois-lès-Belvoir
Belvoir
les Terres-de-Chaux
Péseux
Rosières-sur-Barbèche
Froidevaux
Bief
St-Hippolyte
Soulce-Cernay
Courtefontaine
Indevillers
Randevillers
Vellevans
Servin
Sancey-le-Long
Sancey-le-Grand
Provenchère
Valoreille
Fleurey
Montandon
les Plains-et-Grands-Essarts
Trévillers
Vautenaivre
Goumois
Lanans
Vaudrivillers
Ouvans
Surmont
Belleherbe
Vaucluse
Vauclusotte
Orgeans-Blanchefontaine
la Grange
les Bréseux
Thiébouhans
Fessevillers
Ferrières-le-Lac
Courtetain-et-Salans
Landresse
Laviron
Cour-St-Maurice
Battenans-Varin
Maîche
Cernay-l'Église
Damprichard
Belfays
Urtière
Charmauvillers
les Emibois
Saignelégier
Muriaux
Orsans
Vellerot-lès-Vercel
Chamesey
Mont-de-Vougney
Longevelle-lès-Russey
Delle
Boncourt
Milandre
Buix
le Maira
Porrentruy

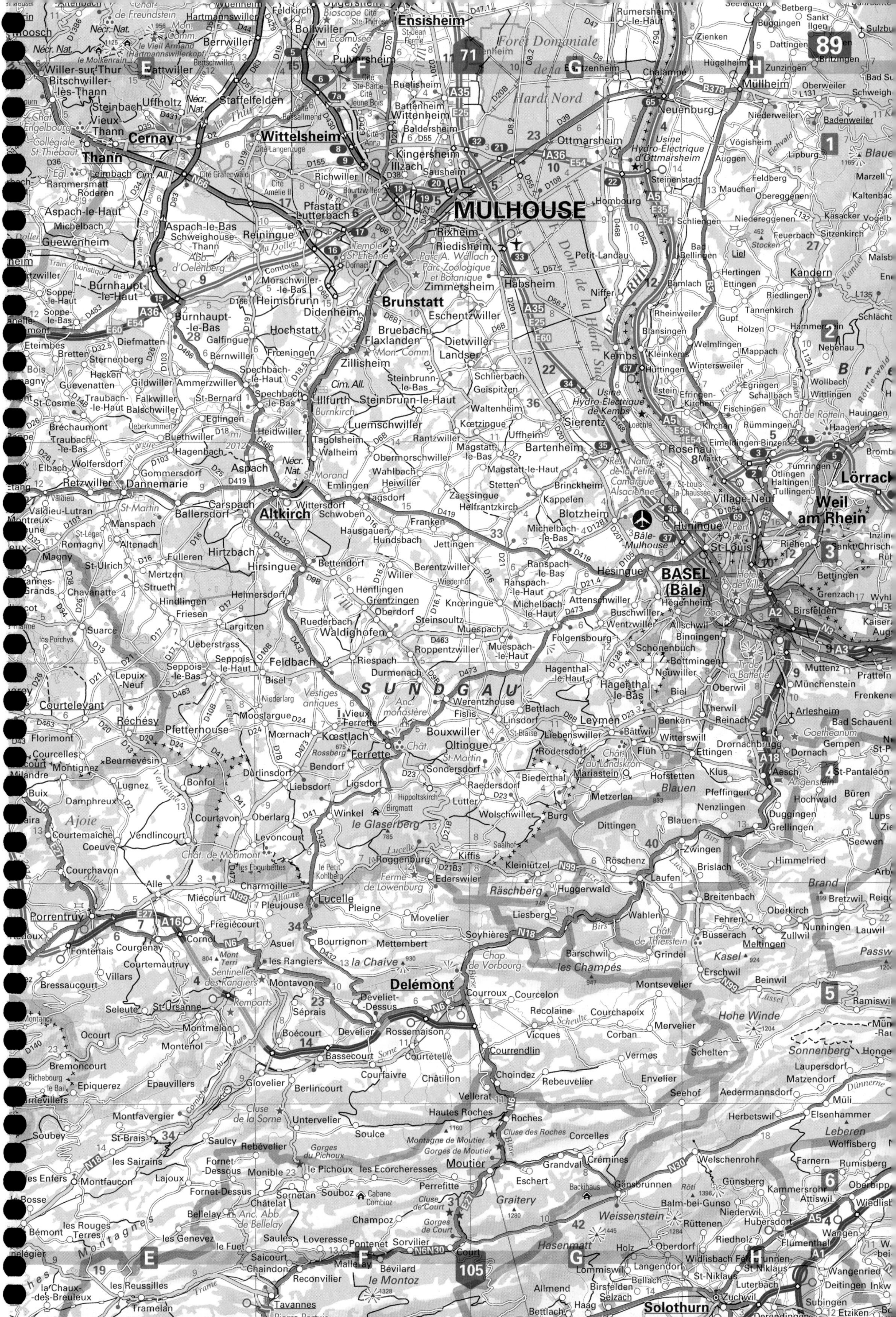
89
71
105
E
F
G
H
1
2
3
4
5
6
Ensisheim
Forêt Domaniale de la Hardt Nord
Willer-sur-Thur
Bitschwiller-lès-Thann
Steinbach
Vieux-Thann
Cernay
Thann
Wittelsheim
Staffelfelden
Pulversheim
Bollwiller
Berrwiller
Hartmannswiller
Uffholtz
Wattwiller
Feldkirch
Ruelisheim
Battenheim
Wittenheim
Baldersheim
Kingersheim
Illzach
Sausheim
Richwiller
Pfastatt
Lutterbach
Reiningue
MULHOUSE
Rixheim
Riedisheim
Ottmarsheim
Neuenburg
Müllheim
Chalampé
Hombourg
Petit-Landau
Habsheim
Zimmersheim
Brunstatt
Didenheim
Morschwiller-le-Bas
Heimsbrunn
Burnhaupt-le-Haut
Burnhaupt-le-Bas
Aspach-le-Haut
Aspach-le-Bas
Michelbach
Guewenheim
Rammersmatt
Roderen
Leimbach
Eschentzwiller
Bruebach
Flaxlanden
Dietwiller
Landser
Zillisheim
Hochstatt
Galfingue
Spechbach-le-Haut
Spechbach-le-Bas
Illfurth
Steinbrunn-le-Haut
Steinbrunn-le-Bas
Schlierbach
Geispitzen
Sierentz
Kembs
Niffer
Bartenheim
Uffheim
Magstatt-le-Bas
Magstatt-le-Haut
Luemschwiller
Tagolsheim
Walheim
Heidwiller
Aspach
Altkirch
Carspach
Ballersdorf
Dannemarie
Retzwiller
Hirtzbach
Hirsingue
Bettendorf
Franken
Hausgauen
Hundsbach
Jettingen
Berentzwiller
Blotzheim
Michelbach-le-Bas
Bâle-Mulhouse
Huningue
St-Louis
Village-Neuf
Hésingue
BASEL (Bâle)
Weil am Rhein
Lörrach
Riehen
Binningen
Allschwil
Oberwil
Münchenstein
Arlesheim
Dornach
Aesch
Folgensbourg
Hagenthal-le-Haut
Hagenthal-le-Bas
Leymen
Oltingue
Ferrette
Bouxwiller
Werentzhouse
SUNDGAU
Durmenach
Feldbach
Waldighofen
Grentzingen
Oberdorf
Seppois-le-Bas
Seppois-le-Haut
Pfetterhouse
Réchésy
Courtelevant
Florimont
Beurnevésin
Bonfol
Lugnez
Damphreux
Courtavon
Oberlarg
Levoncourt
Winkel
Lucelle
Kiffis
Roggenburg
Kleinlützel
Mariastein
Metzerlen
Röschenz
Laufen
Zwingen
Breitenbach
Liesberg
Soyhières
Delémont
Courroux
Courrendlin
Vicques
Porrentruy
Courgenay
Cornol
Asuel
Les Rangiers
St-Ursanne
Montmelon
Courtemaîche
Alle
Miécourt
Charmoille
Pleujouse
Fregiécourt
Bourrignon
Pleigne
Movelier
Mettembert
Develier
Bassecourt
Courfaivre
Glovelier
Châtillon
Choindez
Vellerat
Moutier
Roches
Soulce
Undervelier
Saulcy
St-Brais
Montfaucon
Lajoux
Les Genevez
Bellelay
Tavannes
Reconvilier
Bévilard
Malleray
Court
Crémines
Grandval
Gänsbrunnen
Balm-bei-Gunsö
Weissenstein
Günsberg
Welschenrohr
Hasenmatt
Solothurn
Zuchwil
Wangen
Wiedlisbach
Niederbipp
Oberbipp
Balsthal
Herbetswil
Mümliswil
Laupersdorf
Matzendorf
Aedermannsdorf
Holderbank
Seehof
Envelier
Vermes
Mervelier
Montsevelier
Erschwil
Beinwil
Büsserach
Nunningen
Zullwil
Meltingen
Himmelried
Seewen
Grellingen
Duggingen
Pfeffingen
Blauen
Dittingen
Nenzlingen
Hofstetten
Flüh
Ettingen
Therwil
Reinach
Biel
Benken
Witterswil
Bättwil
Rodersdorf
Biederthal
Wolschwiller
Burg
Lutter
Raedersdorf
Sondersdorf
Ligsdorf
Bendorf
Koestlach
Moernach
Vieux-Ferrette
Liebsdorf
Durlinsdorf
Kandern
Schliengen
Bad Bellingen
Efringen-Kirchen
Binzen
Haltingen
Kirchen
Rosenau

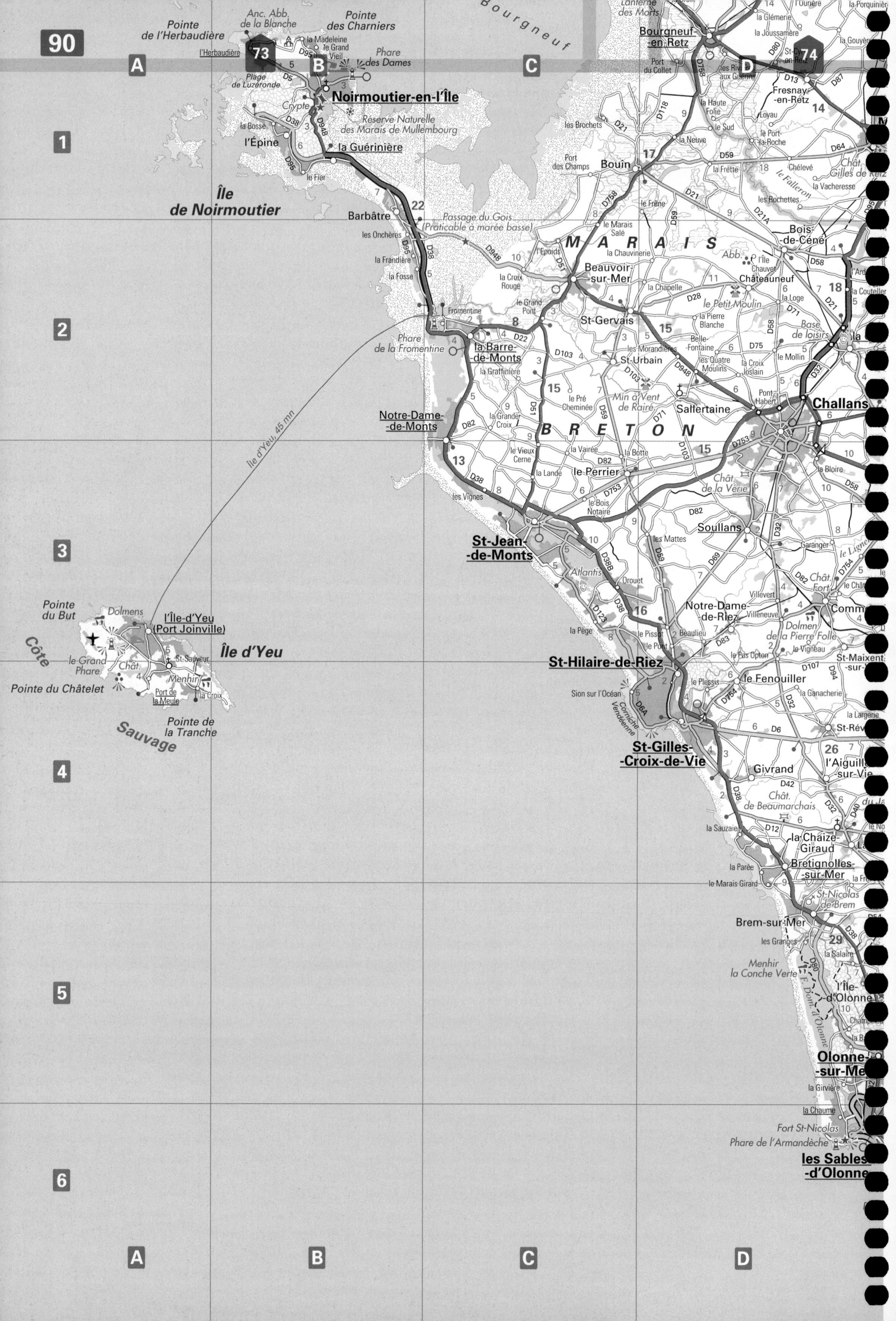
A
B
C
D
1
2
3
4
5
6
73
74
Pointe de l'Herbaudière
Anc. Abb. de la Blanche
Pointe des Charniers
Bourgneuf
l'Herbaudière
la Madeleine
le Grand Vieil
Phare des Dames
Plage de Luzéronde
Noirmoutier-en-l'Île
Crypte
Réserve Naturelle des Marais de Mullembourg
la Bosse
l'Épine
la Guérinière
le Fier
Île de Noirmoutier
Barbâtre
Passage du Gois (Praticable à marée basse)
les Onchères
la Frandière
la Fosse
Fromentine
Phare de la Fromentine
la Barre-de-Monts
la Graffinière
Notre-Dame-de-Monts
Île d'Yeu, 45 mn
Bourgneuf-en-Retz
Port du Collet
Fresnay-en-Retz
la Haute Folie
les Brochets
la Neuve
le Sud
Port des Champs
Bouin
la Frette
Chélevé
la Vacheresse
le Falleron
les Rochettes
le Frêne
le Marais Salé
MARAIS
BRETON
la Chauvinerie
l'Époids
Beauvoir-sur-Mer
la Croix Rouge
le Grand Pont
la Chapelle
Châteauneuf
le Petit Moulin
St-Gervais
la Pierre Blanche
Bois-de-Céné
la Loge
Base de loisirs
St-Urbain
les Morandières
Belle-Fontaine
les Quatre Moulins
la Croix Joslain
le Mollin
le Pré Cheminée
Min à Vent de Rairé
Sallertaine
Pont Habert
Challans
la Grande Croix
le Vieux Cerne
la Vairée
la Botte
la Lande
le Perrier
Chât. de la Vérie
la Bloire
les Vignes
le Bois Notaire
Soullans
St-Jean-de-Monts
les Mattes
Garanger
Atlantis
Orouet
Chât. Fort
Villevert
Notre-Dame-de-Riez
Villeneuve
Dolmen de la Pierre Folle
la Pège
le Pissot
Beaulieu
le Pont
le Pas Opton
le Vignéau
St-Hilaire-de-Riez
le Plessis
le Fenouiller
la Ganacherie
Sion sur l'Océan
Corniche Vendéenne
St-Gilles-Croix-de-Vie
Givrand
Chât. de Beaumarchais
la Sauzaie
la Chaize-Giraud
la Parée
Bretignolles-sur-Mer
le Marais Girard
St-Nicolas de Brem
Brem-sur-Mer
les Granges
la Salaire
Menhir la Conche Verte
F. Dom. d'Olonne
l'Île-d'Olonne
Olonne-sur-Mer
la Girvière
la Chaume
Fort St-Nicolas
Phare de l'Armandèche
les Sables-d'Olonne
Pointe du But
Dolmens
l'Île-d'Yeu (Port Joinville)
Île d'Yeu
Côte
le Grand Phare
Chât.
St-Sauveur
Menhir
Pointe du Châtelet
Port de la Meule
la Croix
Pointe de la Tranche
Sauvage

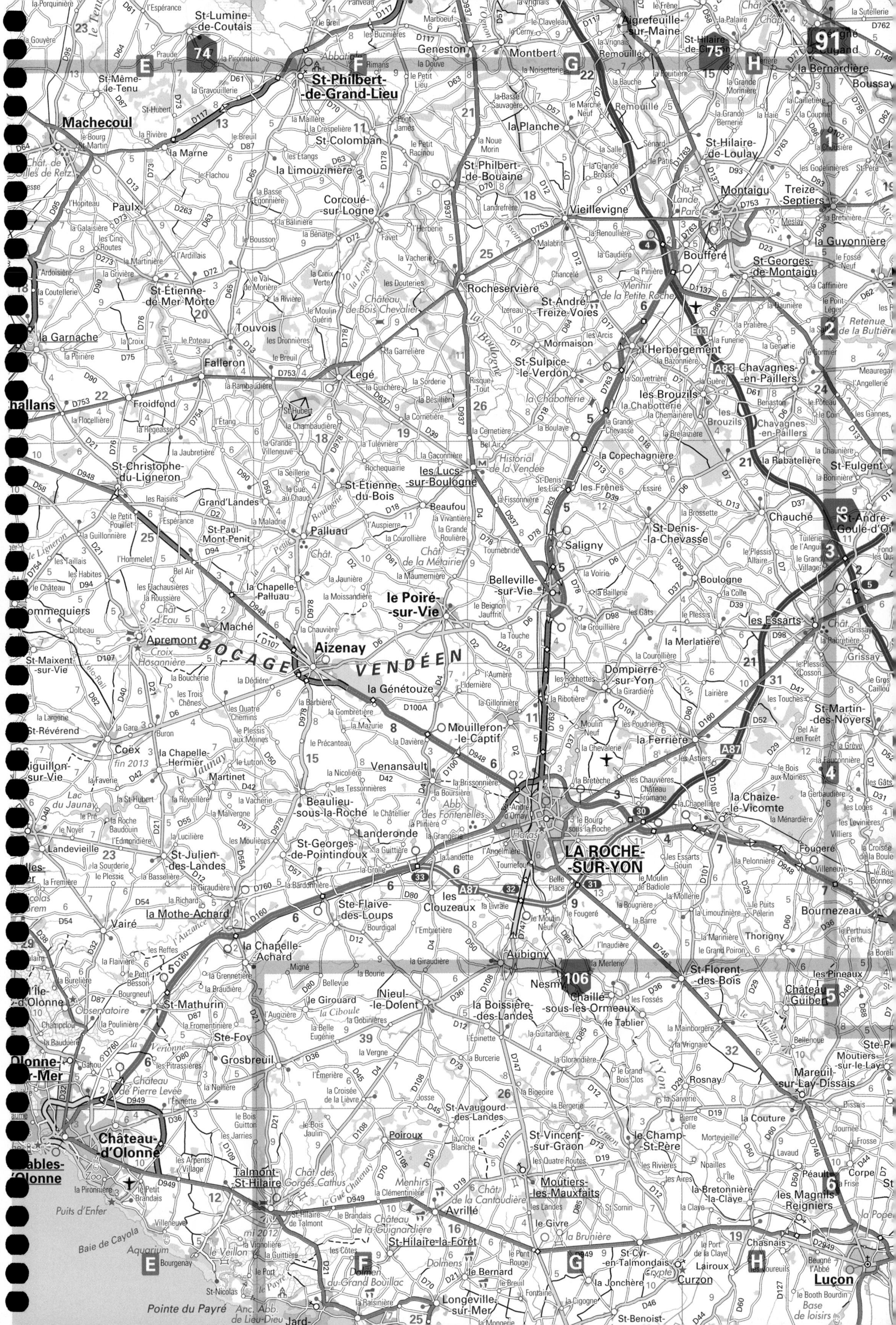

St-Lumine-de-Coutais
74
St-Philbert-de-Grand-Lieu
Geneston
Montbert
Aigrefeuille-sur-Maine
75
91
Machecoul
St-Même-le-Tenu
St-Colomban
la Planche
Remouillé
St-Hilaire-de-Loulay
la Limouzinière
St-Philbert-de-Bouaine
Montaigu
Treize-Septiers
Paulx
Corcoué-sur-Logne
Vieillevigne
Boufféré
la Guyonnière
St-Georges-de-Montaigu
St-Étienne-de-Mer-Morte
Rocheservière
St-André-Treize-Voies
Château de Bois Chevalier
Touvois
la Garnache
Mormaison
l'Herbergement
Falleron
St-Sulpice-le-Verdon
Chavagnes-en-Paillers
Legé
les Brouzils
Challans
Froidfond
la Chabotterie
St-Christophe-du-Ligneron
Historial de la Vendée
les Lucs-sur-Boulogne
la Copechagnière
St-Fulgent
St-Étienne-du-Bois
Grand'Landes
Beaufou
les Fresnes
Chauché
St-Paul-Mont-Penit
Palluau
St-Denis-la-Chevasse
St-André-Goule-d'Oie
Saligny
Château de la Métairie
la Chapelle-Palluau
Belleville-sur-Vie
Boulogne
Commequiers
le Poiré-sur-Vie
les Essarts
Apremont
Maché
BOCAGE
VENDÉEN
Aizenay
la Merlatière
St-Maixent-sur-Vie
Dompierre-sur-Yon
la Génétouze
St-Martin-des-Noyers
St-Révérend
Mouilleron-le-Captif
Coëx
la Chapelle-Hermier
la Ferrière
Venansault
Martinet
la Chaize-le-Vicomte
Beaulieu-sous-la-Roche
Landeronde
Landevieille
St-Georges-de-Pointindoux
LA ROCHE-SUR-YON
St-Julien-des-Landes
Fougeré
la Mothe-Achard
Ste-Flaive-des-Loups
les Clouzeaux
Bournezeau
Vairé
la Chapelle-Achard
Aubigny
106
St-Florent-des-Bois
Nesmy
St-Mathurin
Nieul-le-Dolent
Chaillé-sous-les-Ormeaux
Château-Guibert
la Boissière-des-Landes
Ste-Foy
Grosbreuil
Mareuil-sur-Lay-Dissais
Olonne-sur-Mer
Rosnay
Château-d'Olonne
Poiroux
St-Vincent-sur-Graon
le Champ-St-Père
Sables-d'Olonne
Talmont-St-Hilaire
Moutiers-les-Mauxfaits
les Magnils-Reigniers
Avrillé
St-Hilaire-la-Forêt
St-Cyr-en-Talmondais
Curzon
Luçon
Longeville-sur-Mer
Puits d'Enfer
Baie de Cayola
Pointe du Payré
A83
A87
E03

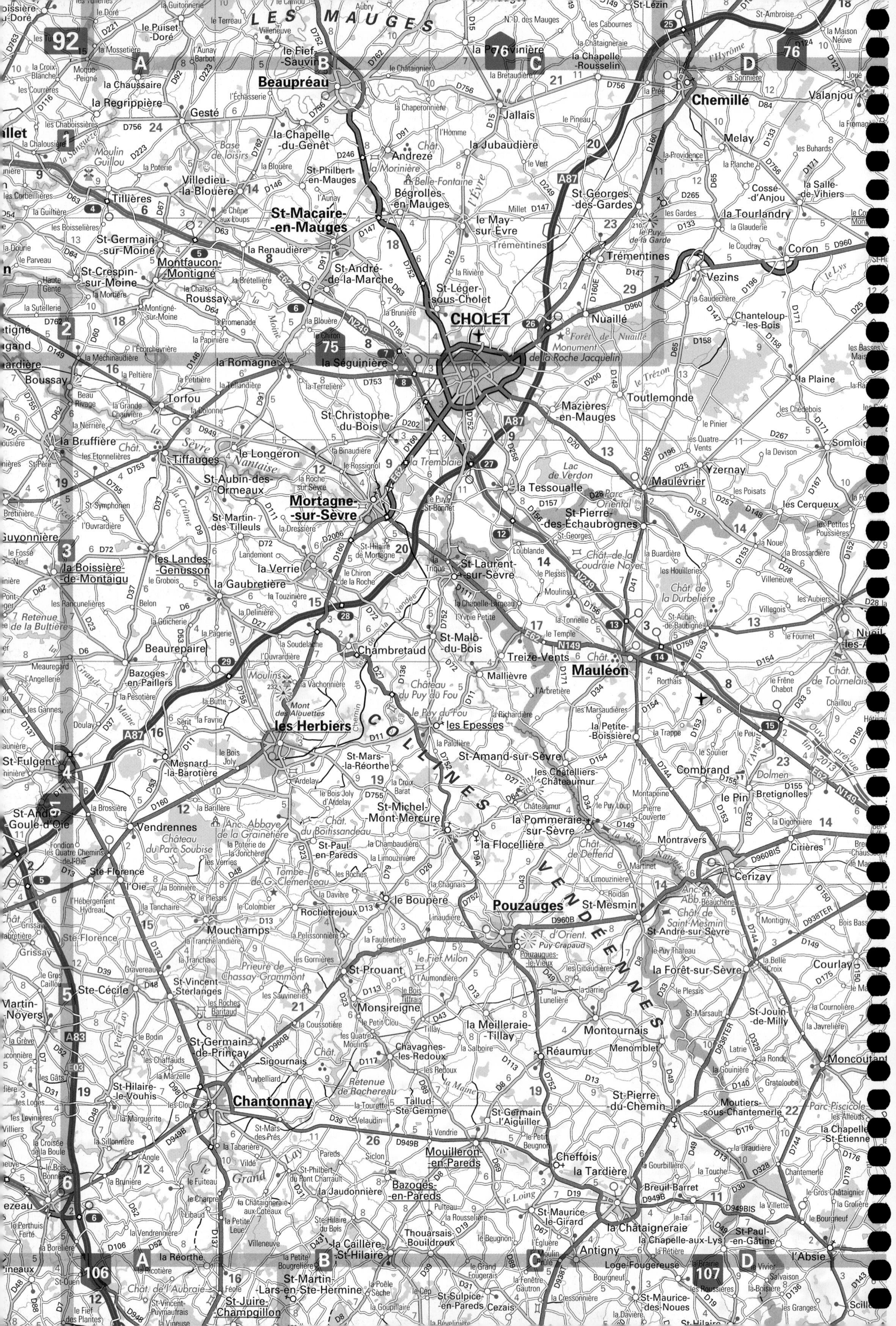
LES MAUGES
92
76
A
B
C
D
Beaupréau
le Fief-Sauvin
Chemillé
Valanjou
la Chaussaire
la Regrippière
Gesté
Jallais
la Jubaudière
la Chapelle-du-Genêt
Andrezé
Melay
Tillières
Villedieu-la-Blouère
St-Philbert-en-Mauges
Bégrolles-en-Mauges
St-Georges-des-Gardes
Cossé-d'Anjou
la Salle-de-Vihiers
la Tourlandry
St-Macaire-en-Mauges
le May-sur-Èvre
St-Germain-sur-Moine
la Renaudière
Trémentines
Coron
Montfaucon-Montigné
St-André-de-la-Marche
Vezins
St-Crespin-sur-Moine
Roussay
St-Léger-sous-Cholet
CHOLET
Nuaillé
Chanteloup-les-Bois
Forêt de Nuaillé
Monument de la Roche Jacquelin
la Romagne
la Séguinière
75
Boussay
Torfou
Toutlemonde
la Plaine
St-Christophe-du-Bois
Mazières-en-Mauges
la Bruffière
Tiffauges
le Longeron
la Tremblaie
Somloire
St-Aubin-des-Ormeaux
Mortagne-sur-Sèvre
la Tessoualle
Maulévrier
Yzernay
St-Martin-des-Tilleuls
St-Pierre-des-Échaubrognes
les Cerqueux
la Boissière-de-Montaigu
les Landes-Genusson
la Verrie
St-Laurent-sur-Sèvre
la Gaubretière
Châtellerault de la Durbelière
Beaurepaire
Chambretaud
St-Malô-du-Bois
Treize-Vents
Mauléon
Nueil-les-Aubiers
Bazoges-en-Paillers
Mallièvre
Château du Puy du Fou
Mont des Alouettes
les Herbiers
les Epesses
COLLINES
St-Fulgent
Mesnard-la-Barotière
St-Mars-la-Réorthe
St-Amand-sur-Sèvre
la Petite-Boissière
Combrand
les Châtelliers-Châteaumur
Bretignolles
le Pin
St-André-Goule-d'Oie
Vendrennes
St-Michel-Mont-Mercure
la Pommeraie-sur-Sèvre
la Flocellière
Cirières
Ste-Florence
St-Paul-en-Pareds
Cerizay
Mouchamps
Rochetrejoux
le Boupère
Pouzauges
St-Mesmin
VENDÉENNES
St-André-sur-Sèvre
Ste-Cécile
St-Vincent-Sterlanges
St-Prouant
Monsireigne
la Forêt-sur-Sèvre
Courlay
St-Jouin-de-Milly
St-Germain-de-Prinçay
Chavagnes-les-Redoux
la Meilleraie-Tillay
Montournais
Réaumur
Moncoutant
St-Hilaire-le-Vouhis
Chantonnay
Sigournais
Tallud-Ste-Gemme
St-Pierre-du-Chemin
Moutiers-sous-Chantemerle
St-Germain-l'Aiguiller
la Chapelle-St-Étienne
Mouilleron-en-Pareds
Cheffois
la Tardière
Bazoges-en-Pareds
Breuil-Barret
la Jaudonnière
St-Maurice-le-Girard
la Châtaigneraie
la Chapelle-aux-Lys
St-Paul-en-Gâtine
Thouarsais-Bouildroux
la Caillère-St-Hilaire
Antigny
l'Absie
la Réorthe
106
107
St-Martin-Lars-en-Ste-Hermine
St-Sulpice-en-Pareds
Cezais
St-Maurice-des-Noues
St-Juire-Champgillon
A87
E62
N249
N149
A83

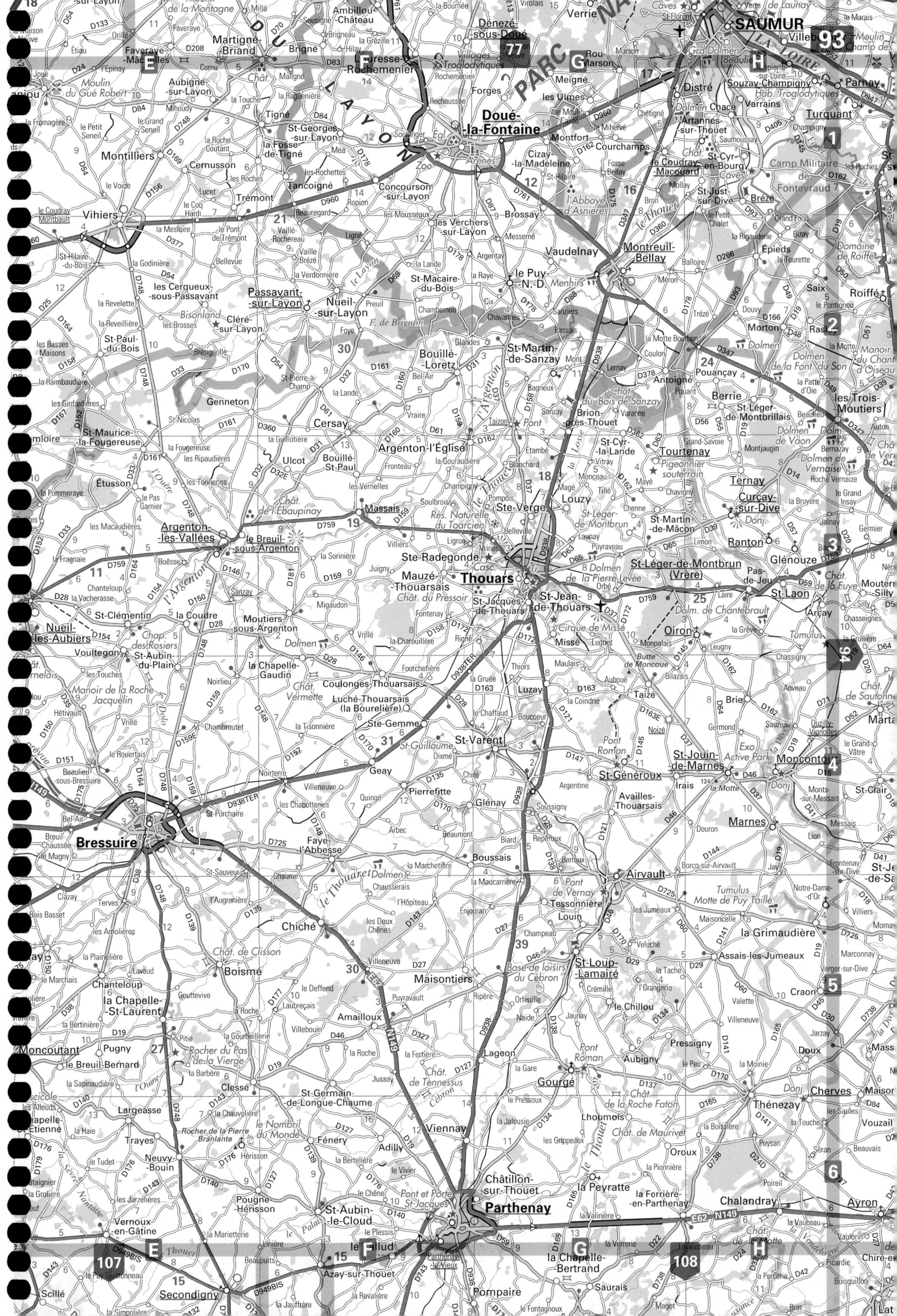

SAUMUR
93
77
94
107
108
E
F
G
H
1
2
3
4
5
6
Martigné-Briand
Ambillou-Château
Dénezé-sous-Doué
Verrie
Faveraye-Mâchelles
Brigné
Louresse-Rochemenier
Rou-Marson
Villebernier
Moulin du Gué Robert
Aubigné-sur-Layon
Meigné
Distré
Souzay-Champigny
Parnay
Turquant
Tigné
Doué-la-Fontaine
St-Georges-sur-Layon
la Fosse-de-Tigné
Montfort
Courchamps
Artannes-sur-Thouet
St-Cyr-en-Bourg
le Coudray-Macouard
Montilliers
Cernusson
Cizay-la-Madeleine
Camp Militaire de Fontevraud
Tancoigné
Concourson-sur-Layon
Trémont
Vihiers
St-Just-sur-Dive
Brézé
Brossay
les Verchers-sur-Layon
Vaudelnay
Montreuil-Bellay
Épieds
le Puy-N.-D.
St-Macaire-du-Bois
les Cerqueux-sous-Passavant
Passavant-sur-Layon
Nueil-sur-Layon
Cléré-sur-Layon
Saix
Roiffé
Morton
Rasles
St-Paul-du-Bois
Bouillé-Loretz
St-Martin-de-Sanzay
Antoigné
Pouançay
Berrie
les Trois-Moutiers
Genneton
Cersay
Brion-près-Thouet
St-Léger-de-Montbrillais
St-Maurice-la-Fougereuse
Ulcot
Bouillé-St-Paul
Argenton-l'Église
St-Cyr-la-Lande
Tourtenay
Étusson
Louzy
Ternay
Curçay-sur-Dive
Massais
Ste-Verge
St-Martin-de-Mâcon
Argenton-les-Vallées
le Breuil-sous-Argenton
Ste-Radegonde
Ranton
Glénouze
St-Léger-de-Montbrun (Vrère)
Mauzé-Thouarsais
Thouars
Pas-de-Jeu
St-Laon
St-Jacques-de-Thouars
St-Jean-de-Thouars
St-Clémentin
la Coudre
Moutiers-sous-Argenton
Nueil-les-Aubiers
Oiron
Arçay
Voultegon
St-Aubin-du-Plain
Missé
la Chapelle-Gaudin
Coulonges-Thouarsais
Luzay
Taizé
Luché-Thouarsais (la Boureliere)
Brie
Ste-Gemme
St-Varent
St-Généroux
St-Jouin-de-Marnes
Moncontour
Geay
Pierrefitte
Glénay
Availles-Thouarsais
Irais
Marnes
Bressuire
Faye-l'Abbesse
Boussais
Airvault
Tessonnière
Louin
Chiché
la Grimaudière
Boismé
Maisontiers
St-Loup-Lamairé
Assais-les-Jumeaux
Chanteloup
la Chapelle-St-Laurent
Craon
Amailloux
le Chillou
Moncoutant
Pugny
le Breuil-Bernard
Lageon
Pressigny
Aubigny
Gourgé
Doux
Clessé
St-Germain-de-Longue-Chaume
Thénezay
Cherves
Largeasse
Viennay
Lhoumois
Oroux
Traynes
Fénery
Adilly
Neuvy-Bouin
Châtillon-sur-Thouet
la Peyratte
Pougne-Hérisson
Parthenay
la Ferrière-en-Parthenay
Chalandray
Ayron
St-Aubin-le-Cloud
Vernoux-en-Gâtine
le Tallud
la Chapelle-Bertrand
Azay-sur-Thouet
Secondigny
Saurais
Pompaire
Scillé

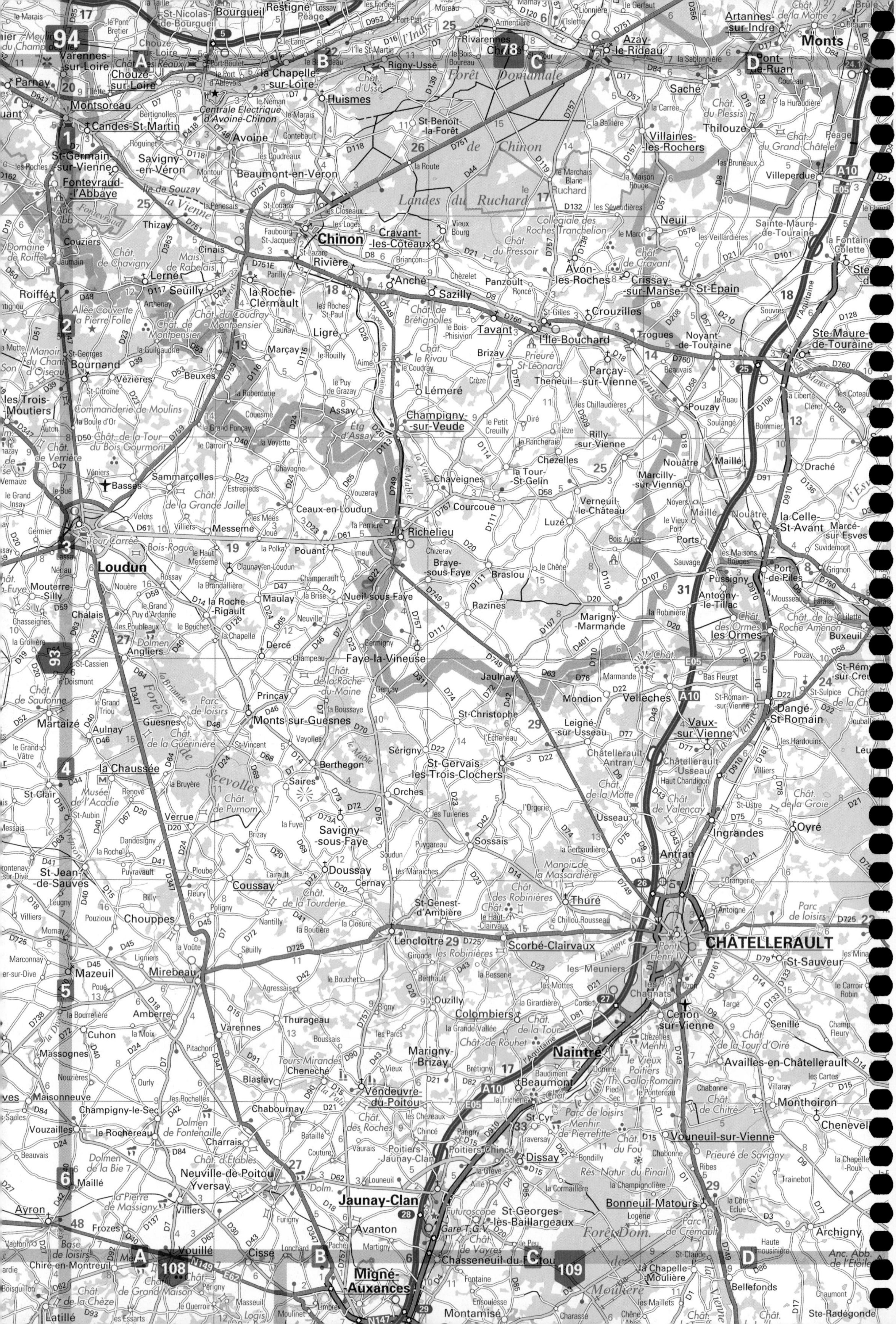

94
78
93
108
109
A
B
C
D
1
2
3
4
5
6
Bourgueil
St-Nicolas-de-Bourgueil
Restigné
Varennes-sur-Loire
Chouzé-sur-Loire
la Chapelle-sur-Loire
Rigny-Ussé
Rivarennes
Azay-le-Rideau
Artannes-sur-Indre
Monts
Pont-de-Ruan
Saché
Parnay
Montsoreau
Candes-St-Martin
Huismes
Centrale Électrique d'Avoine-Chinon
Avoine
St-Benoît-la-Forêt
Forêt Domaniale de Chinon
Villaines-les-Rochers
Thilouze
St-Germain-sur-Vienne
Savigny-en-Véron
Beaumont-en-Véron
Fontevraud-l'Abbaye
Landes du Ruchard
Villeperdue
Thizay
Chinon
Cravant-les-Côteaux
Neuil
Sainte-Maure-de-Touraine
Couziers
Cinais
Rivière
Lerné
Anché
Avon-les-Roches
Crissay-sur-Manse
St-Épain
Roiffé
Seuilly
la Roche-Clermault
Sazilly
Panzoult
Crouzilles
Tavant
l'Île-Bouchard
Ligré
Trogues
Noyant-de-Touraine
Ste-Maure-de-Touraine
Bournand
Marçay
Brizay
Parçay-sur-Vienne
Vézières
Beuxes
Lémeré
Theneuil
les Trois-Moutiers
Assay
Champigny-sur-Veude
Pouzay
Rilly-sur-Vienne
Chezelles
Nouâtre
Maillé
Draché
Sammarçolles
Basses
la Tour-St-Gelin
Chaveignes
Marcilly-sur-Vienne
Ceaux-en-Loudun
Courcoué
Verneuil-le-Château
Messemé
Richelieu
Luzé
Ports
la Celle-St-Avant
Marcé-sur-Esves
Loudun
Pouant
Braye-sous-Faye
Braslou
Port-de-Piles
Mouterre-Silly
la Roche-Rigault
Maulay
Nueil-sous-Faye
Razines
Pussigny
Antogny-le-Tillac
Chalais
Marigny-Marmande
les Ormes
Buxeuil
Angliers
Dercé
Faye-la-Vineuse
Jaulnay
Mondion
Vellèches
Dangé-St-Romain
Princay
St-Christophe
Martaizé
Aulnay
Guesnes
Monts-sur-Guesnes
Leigné-sur-Usseau
Vaux-sur-Vienne
Forêt de Scévolles
Sérigny
St-Gervais-les-Trois-Clochers
la Chaussée
Berthegon
Châtellerault-Antran
Saires
Orches
St-Clair
Verrue
Savigny-sous-Faye
Usseau
Ingrandes
Oyré
Sossais
Antran
St-Jean-de-Sauves
Doussay
Coussay
Cernay
Thuré
Chouppes
St-Genest-d'Ambière
Lencloître
Scorbé-Clairvaux
CHÂTELLERAULT
St-Sauveur
Mazeuil
Mirebeau
Ouzilly
Colombiers
Cenon-sur-Vienne
Amberre
Cuhon
Thurageau
Varennes
Naintré
Senillé
Massognes
Marigny-Brizay
Availles-en-Châtellerault
Cheneché
Vendeuvre-du-Poitou
Beaumont
Maisonneuve
Blaslay
Monthoiron
Champigny-le-Sec
Chabournay
St-Cyr
Vouzailles
le Rochereau
Charrais
Vouneuil-sur-Vienne
Cheneveil
Dissay
Neuville-de-Poitou
Yversay
Poitiers-Jaunay-Clan
Maillé
Jaunay-Clan
Bonneuil-Matours
Futuroscope
St-Georges-lès-Baillargeaux
Ayron
Villiers
Avanton
Archigny
Frozes
Vouillé
Cisse
Chasseneuil-du-Poitou
la Chapelle-Moulière
Chiré-en-Montreuil
Migné-Auxances
Bellefonds
Latillé
Montamisé
Ste-Radégonde
A10
E05
N149
E62
N147

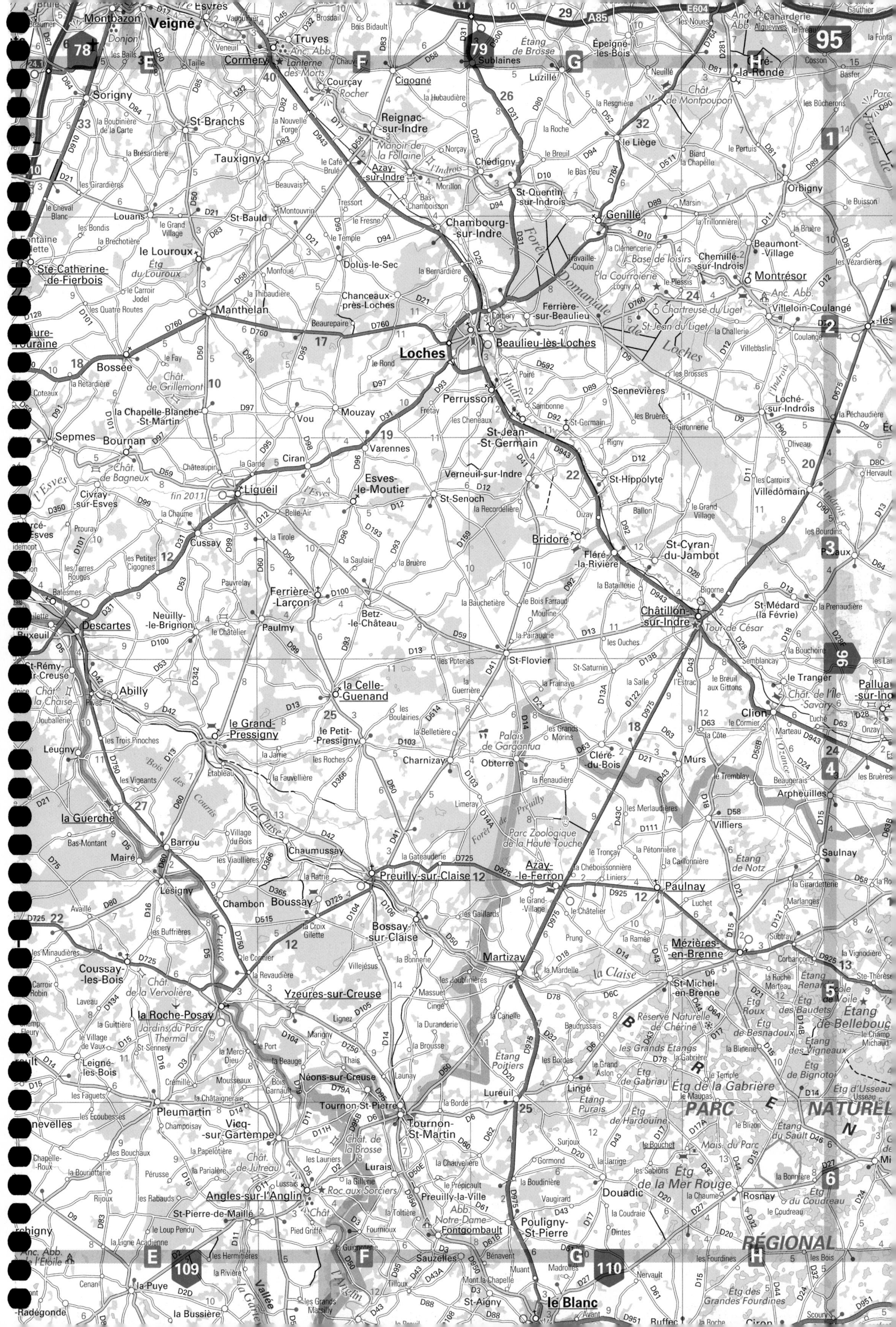

95
78
79
96
109
110
E
F
G
H
1
2
3
4
5
6
Montbazon
Veigné
Esvres
Truyes
Cormery
Courçay
Cigogné
Sublaines
Luzillé
Épeigné-les-Bois
Hé-la-Ronde
Sorigny
St-Branchs
Tauxigny
Reignac-sur-Indre
Azay-sur-Indre
Chédigny
Le Liège
Orbigny
St-Quentin-sur-Indrois
Genillé
Louans
St-Bauld
Chambourg-sur-Indre
Beaumont-Village
Chemillé-sur-Indrois
Montrésor
le Louroux
Ste-Catherine-de-Fierbois
Dolus-le-Sec
Manthelan
Chanceaux-près-Loches
Ferrière-sur-Beaulieu
Villeloin-Coulangé
Loches
Beaulieu-lès-Loches
Bossée
Perrusson
Sennevières
Loché-sur-Indrois
Sepmes
Bournan
la Chapelle-Blanche-St-Martin
Vou
Mouzay
St-Jean-St-Germain
Varennes
Ciran
Ligueil
Esves-le-Moutier
St-Senoch
Verneuil-sur-Indre
St-Hippolyte
Villedômain
Civray-sur-Esves
Cussay
Bridoré
Fléré-la-Rivière
St-Cyran-du-Jambot
Ferrière-Larçon
Betz-le-Château
Châtillon-sur-Indre
St-Médard (la Févrie)
Descartes
Neuilly-le-Brignon
Paulmy
St-Flovier
Abilly
la Celle-Guenand
Clion
Palluau-sur-Indre
le Grand-Pressigny
le Petit-Pressigny
Charnizay
Obterre
Cléré-du-Bois
Murs
Arpheuilles
la Guerche
Barrou
Villiers
Saulnay
Chaumussay
Preuilly-sur-Claise
Azay-le-Ferron
Paulnay
Lésigny
Chambon
Boussay
Bossay-sur-Claise
Mézières-en-Brenne
Coussay-les-Bois
Martizay
St-Michel-en-Brenne
Yzeures-sur-Creuse
la Roche-Posay
Leigné-les-Bois
Néons-sur-Creuse
Lureuil
Lingé
Pleumartin
Vicq-sur-Gartempe
Tournon-St-Pierre
Tournon-St-Martin
PARC NATUREL RÉGIONAL
BRENNE
Douadic
Rosnay
Angles-sur-l'Anglin
St-Pierre-de-Maillé
Preuilly-la-Ville
Fontgombault
Pouligny-St-Pierre
Sauzelles
Le Blanc
la Puye
la Bussière
Forêt Domaniale de Loches
Forêt de Preuilly
Réserve Naturelle de Chérine

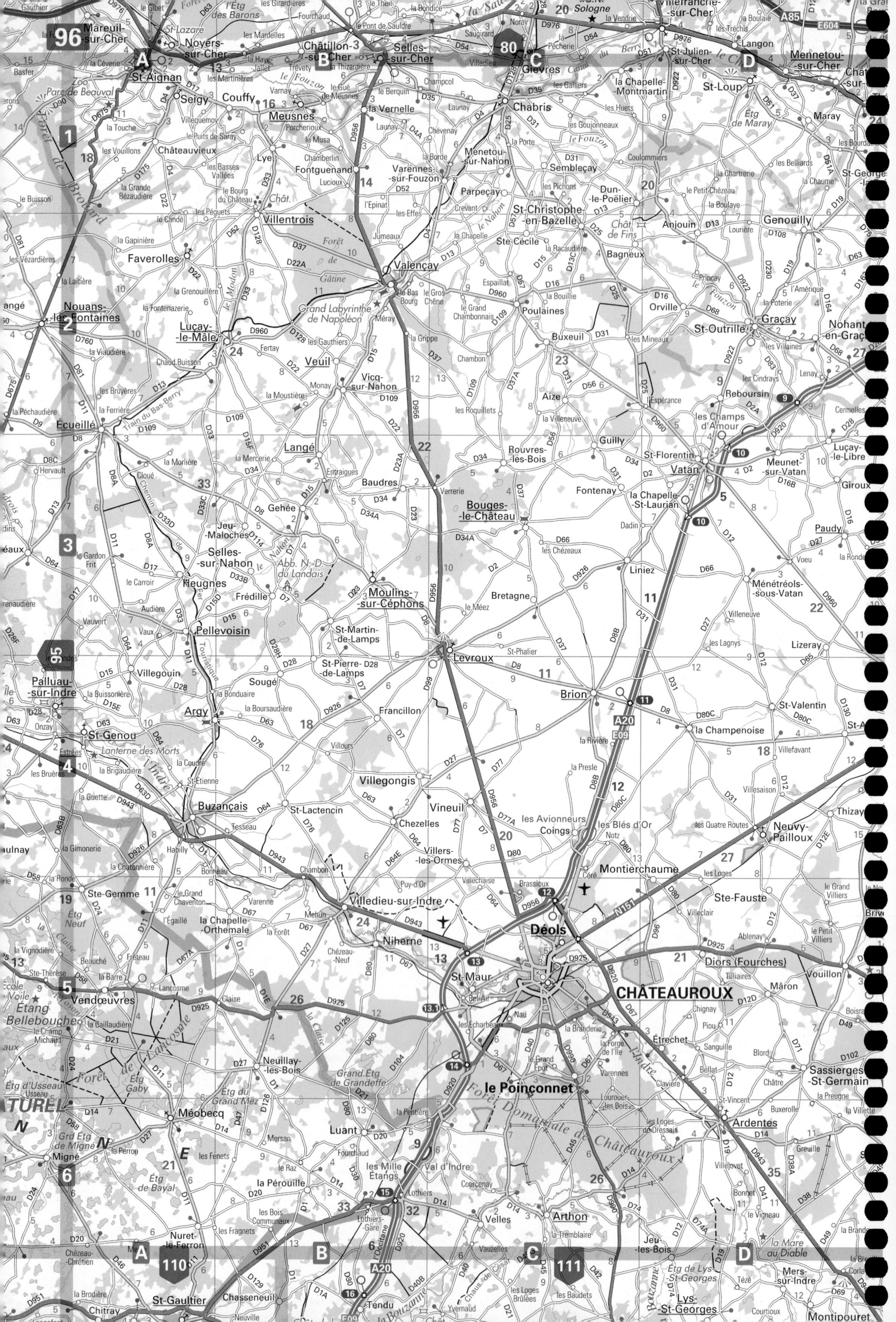
96
Mareuil-sur-Cher
Noyers-sur-Cher
St-Aignan
Châtillon-sur-Cher
Selles-sur-Cher
80
Gièvres
Villefranche-sur-Cher
Sologne
St-Julien-sur-Cher
Mennetou-sur-Cher
Langon
Seigy
Couffy
Meusnes
Pare de Beauval
Forêt de Brouard
Chabris
La Vernelle
St-Loup
Maray
Châteauvieux
Lye
Fontguenand
Varennes-sur-Fouzon
Menetou-sur-Nahon
Sembleçay
Villentrois
Parpeçay
St-Christophe-en-Bazelle
Dun-le-Poëlier
Genouilly
Anjouin
Faverolles
Ste-Cécile
Bagneux
Valençay
Forêt de Gâtine
Poulaines
Orville
Graçay
Nouans-les-Fontaines
Lucay-le-Mâle
Grand Labyrinthe de Napoléon
St-Outrille
Nohant-en-Graçay
Buxeuil
Veuil
Vicq-sur-Nahon
Aize
Reboursin
Écueillé
Langé
Guilly
St-Florentin
Vatan
Rouvres-les-Bois
Lucay-le-Libre
Meunet-sur-Vatan
Baudres
Fontenay
Giroux
Bouges-le-Château
La Chapelle-St-Laurian
Paudy
Gehée
Jeu-Maloches
Selles-sur-Nahon
Liniez
Heugnes
Ménétréols-sous-Vatan
Frédille
Moulins-sur-Céphons
Bretagne
Pellevoisin
St-Martin-de-Lamps
Levroux
Lizeray
St-Pierre-de-Lamps
Villegouin
Palluau-sur-Indre
Sougé
Brion
St-Valentin
Argy
Francillon
A20
St-Genou
La Champenoise
Villegongis
Buzançais
St-Lactencin
Vineuil
Chezelles
Coings
Neuvy-Pailloux
Villers-les-Ormes
Montierchaume
Ste-Gemme
Villedieu-sur-Indre
Ste-Fauste
La Chapelle-Orthemale
Niherne
Déols
Diors (Fourches)
St-Maur
Vendœuvres
CHÂTEAUROUX
Étang Bellebouche
Mâron
Vouillon
Étrechet
Neuillay-les-Bois
Forêt de Lancosme
Le Poinçonnet
Sassierges-St-Germain
Méobecq
Forêt Domaniale de Châteauroux
Luant
Ardentes
Migné
La Pérouille
Les Mille Étangs
Velles
Arthon
Nuret-le-Ferron
Jeu-les-Bois
La Mare au Diable
110
111
Mers-sur-Indre
St-Gaultier
Chasseneuil
Tendu
Lys-St-Georges
Montipouret

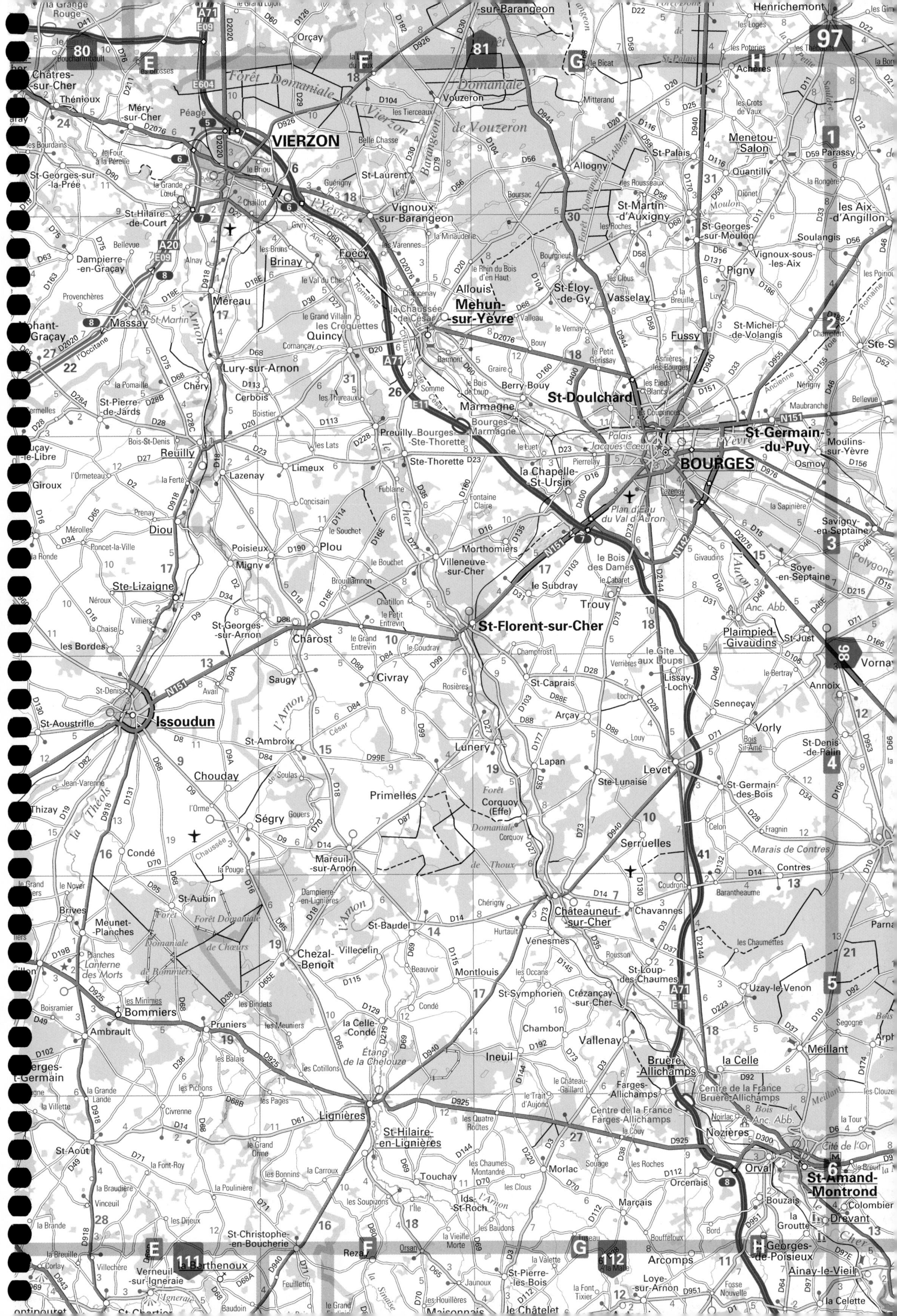

97
80
81
E
F
G
H
1
2
3
4
5
6
111
112
98
VIERZON
Forêt Domaniale de Vierzon
Domaniale de Vouzeron
Vouzeron
-sur-Barangeon
Henrichemont
Orçay
Châtres-sur-Cher
Thénioux
Méry-sur-Cher
Achères
Mitterand
Menetou-Salon
Parassy
St-Palais
Allogny
Quantilly
St-Laurent
St-Georges-sur-la-Prée
St-Hilaire-de-Court
Vignoux-sur-Barangeon
St-Martin-d'Auxigny
St-Georges-sur-Moulon
Les Aix-d'Angillon
Soulangis
Vignoux-sous-les-Aix
Pigny
Dampierre-en-Graçay
Brinay
Foëcy
Allouis
Mehun-sur-Yèvre
St-Éloy-de-Gy
Vasselay
Méreau
Massay
Graçay
Quincy
Fussy
St-Michel-de-Volangis
Lury-sur-Arnon
Chéry
Cerbois
Berry-Bouy
St-Doulchard
Marmagne
St-Pierre-de-Jards
Preuilly
Bourges-Ste-Thorette
Bourges-Marmagne
St-Germain-du-Puy
Moulins-sur-Yèvre
BOURGES
Reuilly
Lazenay
Limeux
Ste-Thorette
la Chapelle-St-Ursin
Osmoy
Plan d'Eau du Val d'Auron
Savigny-en-Septaine
Diou
Poisieux
Plou
Migny
Morthomiers
Villeneuve-sur-Cher
le Bois des Dames
Soye-en-Septaine
Ste-Lizaigne
le Subdray
Trouy
St-Georges-sur-Arnon
Chârost
St-Florent-sur-Cher
Plaimpied-Givaudins
St-Just
Vornay
Issoudun
St-Aoustrille
Saugy
Civray
St-Caprais
Lissay-Lochy
Annoix
Arçay
Senneçay
Vorly
St-Ambroix
Lunery
St-Denis-de-Palin
Chouday
Lapan
Levet
Primelles
Forêt Corquoy (Effe)
Ste-Lunaise
St-Germain-des-Bois
Ségry
Mareuil-sur-Arnon
Serruelles
Condé
Contres
Thizay
St-Aubin
Châteauneuf-sur-Cher
Chavannes
Meunet-Planches
Forêt Domaniale de Chœurs
Forêt Domaniale de Bommiers
St-Baudel
Chezal-Benoît
Villecelin
Venesmes
St-Loup-des-Chaumes
Montlouis
St-Symphorien
Crézançay-sur-Cher
Uzay-le-Venon
Bommiers
Ambrault
Pruniers
la Celle-Condé
Chambon
Vallenay
Meillant
Ineuil
Étang de la Chelouze
Bruère-Allichamps
la Celle
Farges-Allichamps
Centre de la France
Lignières
St-Hilaire-en-Lignières
Nozières
St-Aout
Morlac
Orval
St-Amand-Montrond
Touchay
Ids-St-Roch
Marçais
Orcenais
Drevant
Colombier
St-Christophe-en-Boucherie
la Berthenoux
Rezay
Arcomps
St-Georges-de-Poisieux
Ainay-le-Vieil
Verneuil-sur-Igneraie
St-Pierre-les-Bois
Loye-sur-Arnon
le Châtelet
la Celette

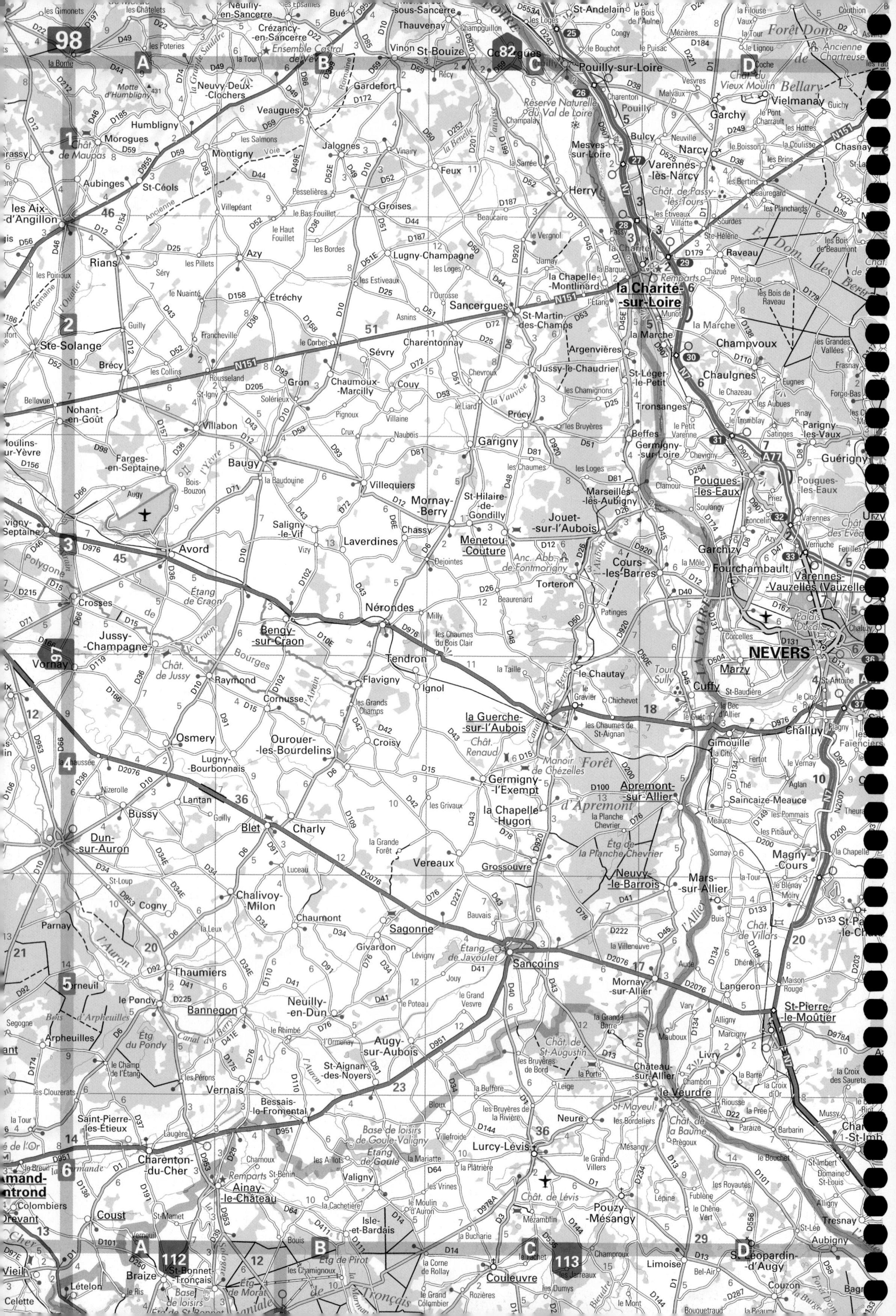
98
82
97
112
113
les Gimonets
les Châtelets
Neuilly-en-Sancerre
Bué
Thauvenay
St-Andelain
Crézancy-en-Sancerre
Vinon
St-Bouize
Pouilly-sur-Loire
Vielmanay
Neuvy-Deux-Clochers
Gardefort
Veaugues
Humbligny
Morogues
Garchy
Narcy
Varennes-lès-Narcy
Montigny
Jalognes
Feux
Aubinges
St-Céols
Mesves-sur-Loire
Herry
les Aix-d'Angillon
Groises
Rians
Azy
Lugny-Champagne
Étréchy
la Charité-sur-Loire
la Chapelle-Montlinard
Raveau
Sancergues
St-Martin-des-Champs
Ste-Solange
Brécy
Champvoux
Charentonnay
Sévry
Argenvières
Chaulgnes
Jussy-le-Chaudrier
Gron
Chaumoux-Marcilly
Couy
Nohant-en-Goût
Villabon
Précy
Tronsanges
Garigny
Beffes
Germigny-sur-Loire
Farges-en-Septaine
Baugy
Villequiers
Parigny-les-Vaux
Guérigny
Pougues-les-Eaux
Marseilles-lès-Aubigny
Mornay-Berry
St-Hilaire-de-Gondilly
Jouet-sur-l'Aubois
Saligny-le-Vif
Laverdines
Chassy
Menetou-Couture
Avord
Garchizy
Fourchambault
Cours-les-Barres
Torteron
Varennes-Vauzelles
Crosses
Nérondes
Jussy-Champagne
Bengy-sur-Craon
Vornay
NEVERS
Tendron
Marzy
Raymond
Flavigny
Ignol
le Chautay
Cuffy
Osmery
Ourouer-les-Bourdelins
la Guerche-sur-l'Aubois
Croisy
Gimouille
Challuy
Lugny-Bourbonnais
Germigny-l'Exempt
Apremont-sur-Allier
Saincaize-Meauce
Bussy
Lantan
Blet
Charly
la Chapelle-Hugon
Dun-sur-Auron
Vereaux
Grossouvre
Magny-Cours
Neuvy-le-Barrois
Mars-sur-Allier
Chalivoy-Milon
Cogny
Chaumont
Sagonne
Givardon
Sancoins
Thaumiers
Mornay-sur-Allier
Langeron
Neuilly-en-Dun
Bannegon
St-Pierre-le-Moûtier
Arpheuilles
Augy-sur-Aubois
Château-sur-Allier
Livry
St-Aignan-des-Noyers
Vernais
le Veurdre
Bessais-le-Fromental
Saint-Pierre-les-Étieux
Neure
Lurcy-Lévis
Charenton-du-Cher
Ainay-le-Château
Valigny
Coust
Isle-et-Bardais
Pouzy-Mésangy
Tresnay
Aubigny
Braize
St-Bonnet-Tronçais
Couleuvre
Limoise
St-Léopardin-d'Augy
Lételon
Celette
Couzon
N151
A77
N7
D976
D2076
D951

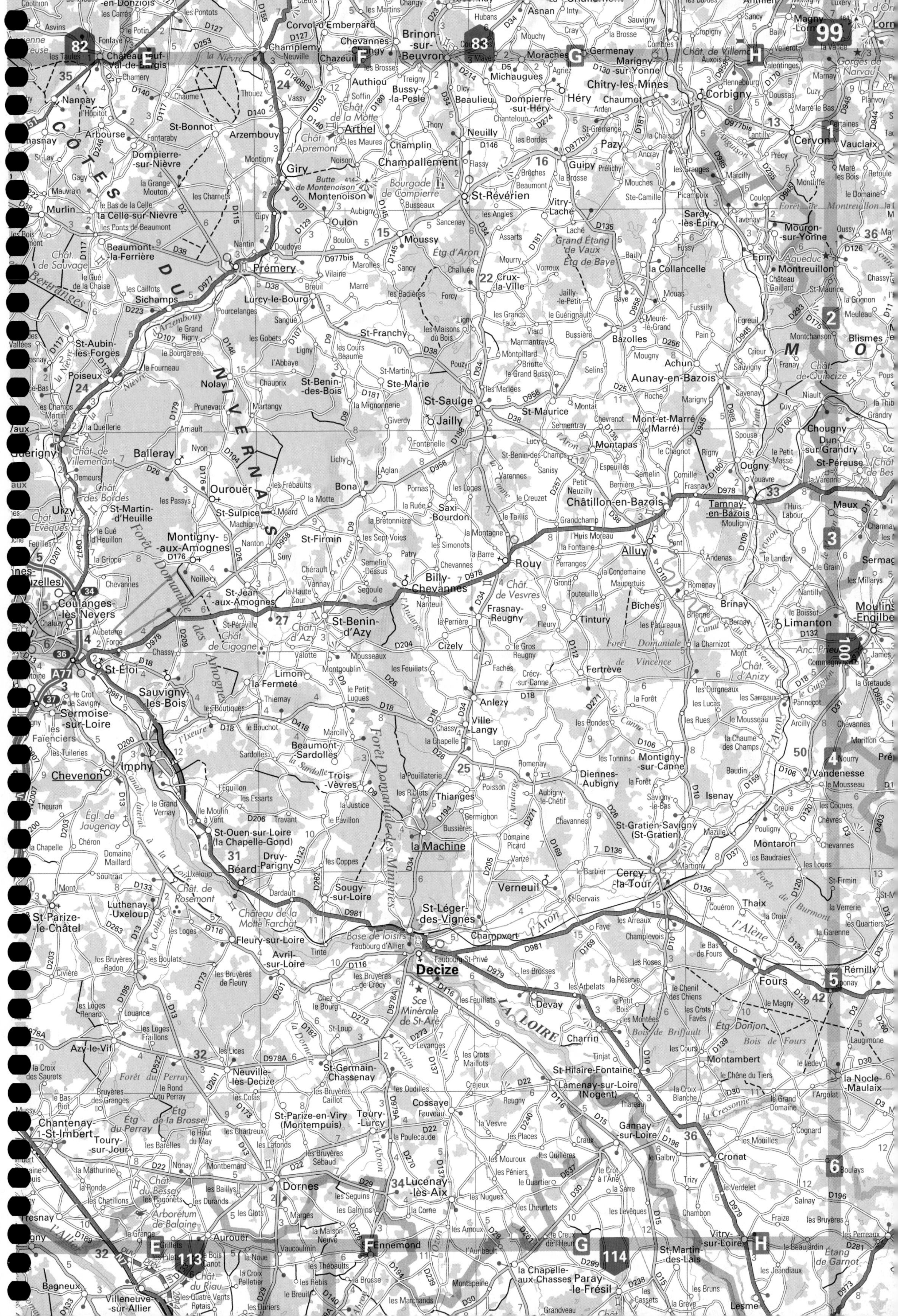

82
83
99
100
113
114
E
F
G
H
1
2
3
4
5
6
Château-Neuf-Val-de-Bargis
Champlemy
Chevannes-Changy
Brinon-sur-Beuvron
Moraches
Germenay
Marigny-sur-Yonne
Chitry-les-Mines
Corbigny
Magny-Lormes
Nannay
Arbourse
St-Bonnot
Arzembouy
Arthel
Champlin
Champallement
Neuilly
Dompierre-sur-Héry
Héry
Michaugues
Guipy
Pazy
Cervon
Vauclaix
Dompierre-sur-Nièvre
Giry
St-Révérien
Vitry-Laché
Murlin
la Celle-sur-Nièvre
Montenoison
Oulon
Moussy
Sardy-lès-Épiry
Mouron-sur-Yonne
Beaumont-la-Ferrière
Prémery
Crux-la-Ville
la Collancelle
Epiry
Montreuillon
Sichamps
Lurcy-le-Bourg
St-Franchy
Bazolles
Achun
Aunay-en-Bazois
St-Aubin-les-Forges
Poiseux
Nolay
St-Benin-des-Bois
Ste-Marie
St-Saulge
Jailly
St-Maurice
Mont-et-Marré (Marré)
Montapas
Chougny
Dun-sur-Grandry
Guérigny
Balleray
Ourouër
Bona
Saxi-Bourdon
Châtillon-en-Bazois
Tamnay-en-Bazois
Ougny
St-Péreuse
Maux
Urzy
St-Martin-d'Heuille
St-Sulpice
Montigny-aux-Amognes
St-Firmin
Rouy
Alluy
Billy-Chevannes
St-Jean-aux-Amognes
Coulanges-lès-Nevers
St-Benin-d'Azy
Frasnay-Reugny
Tintury
Biches
Brinay
Limanton
Moulins-Engilbert
St-Éloi
Sauvigny-les-Bois
Sermoise-sur-Loire
Limon
la Fermeté
Cizely
Anlezy
Ville-Langy
Fertrève
Beaumont-Sardolles
Montigny-sur-Canne
Chevenon
Imphy
Trois-Vèvres
Thianges
Diennes-Aubigny
Isenay
Vandenesse
St-Ouen-sur-Loire (la Chapelle-Gond)
la Machine
St-Gratien-Savigny (St-Gratien)
Montaron
Béard
Druy-Parigny
Sougy-sur-Loire
Verneuil
Cercy-la-Tour
Luthenay-Uxeloup
St-Parize-le-Châtel
St-Léger-des-Vignes
Champvert
Thaix
Fleury-sur-Loire
Avril-sur-Loire
Decize
Fours
Rémilly
Devay
Charrin
Azy-le-Vif
Neuville-lès-Decize
St-Germain-Chassenay
Montambert
St-Hilaire-Fontaine
Lamenay-sur-Loire (Nogent)
la Nocle-Maulaix
Chantenay-St-Imbert
Toury-sur-Jour
St-Parize-en-Viry (Montempuis)
Toury-Lurcy
Cossaye
Gannay-sur-Loire
Cronat
Dornes
Lucenay-lès-Aix
Aurouër
Fennemond
Vitry-sur-Loire
St-Martin-des-Lais
Bagneux
Villeneuve-sur-Allier
la Chapelle-aux-Chasses
Paray-le-Frésil
Lesme
CÔTES DU NIVERNAIS
MO
LA LOIRE
Forêt Domaniale des Minimes
Forêt Domaniale de Vincence
Forêt du Perray
Bois de Briffault
Bois de Fours
Canal latéral à la Loire
Canal du Nivernais

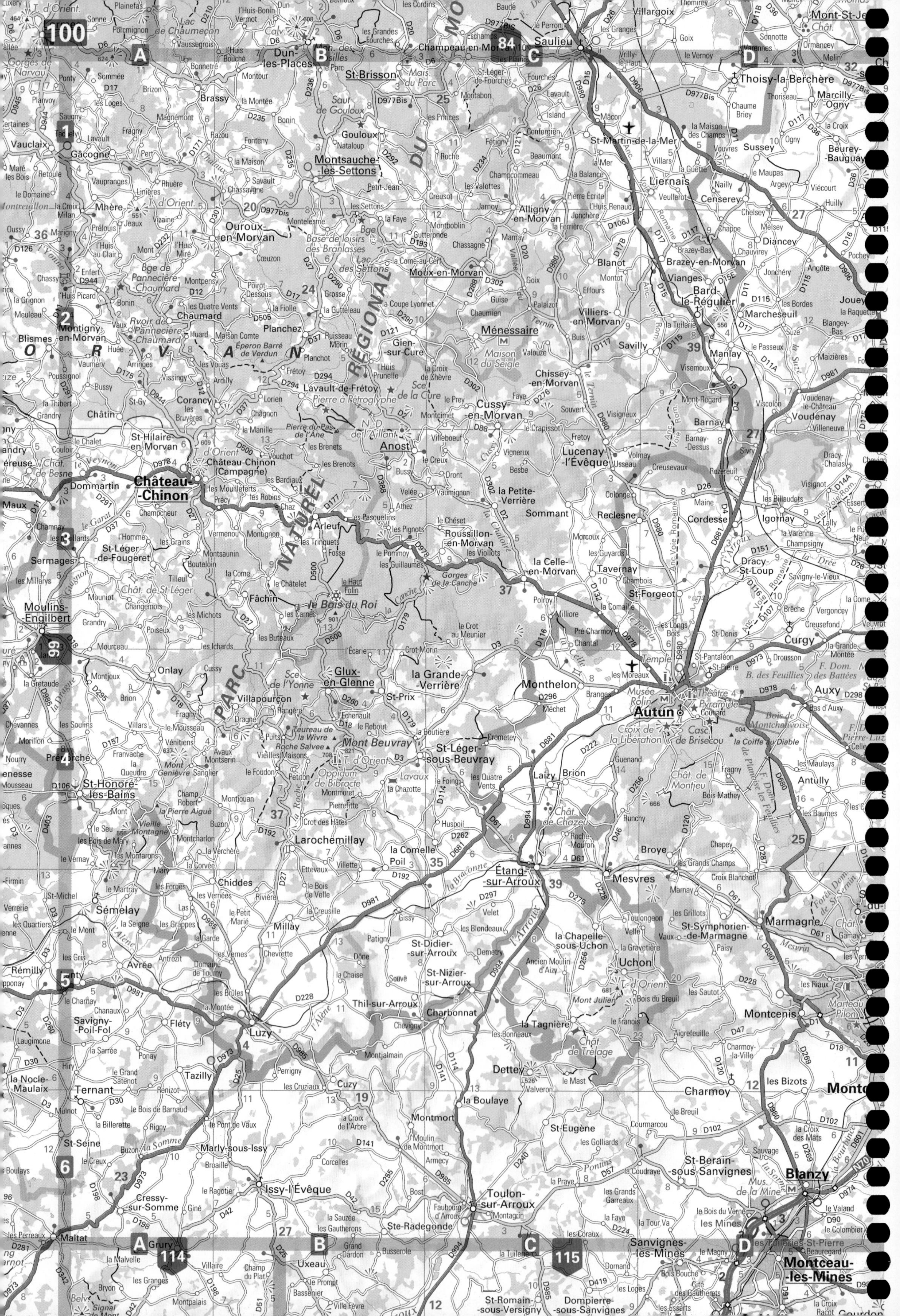

100
84
Saulieu
Dun-les-Places
St-Brisson
Champeau-en-Morvan
Thoisy-la-Berchère
Mont-St-Jean
Gâcogne
Vauclaix
Montsauche-les-Settons
Gouloux
Saut de Gouloux
Liernais
St-Martin-de-la-Mer
Censerey
Sussey
Beurey-Bauguay
Ouroux-en-Morvan
Alligny-en-Morvan
Mhère
Marigny
Brazey-en-Morvan
Moux-en-Morvan
Bard-le-Régulier
Bge de Pannecière-Chaumard
Chaumard
Montigny-en-Morvan
Blismes
Planchez
Ménessaire
Maison du Seigle
Villiers-en-Morvan
Marcheseuil
Éperon Barré de Verdun
Gien-sur-Cure
Savilly
Manlay
Chissey-en-Morvan
Lavault-de-Frétoy
Corancy
Cussy-en-Morvan
Châtin
Voudenay
Anost
St-Hilaire-en-Morvan
Lucenay-l'Évêque
Château-Chinon
Château-Chinon (Campagne)
Dommartin
la Petite-Verrière
Sommant
Reclesne
Cordesse
Igornay
Arleuf
Roussillon-en-Morvan
St-Léger-de-Fougeret
Sermages
la Celle-en-Morvan
Tavernay
Dracy-St-Loup
Gorges de la Canche
Fâchin
le Bois du Roi
St-Forgeot
Moulins-Engilbert
99
Curgy
Onlay
Glux-en-Glenne
la Grande-Verrière
Monthelon
Villapourçon
St-Prix
Autun
Musée Rolin
Théâtre
Pyramide
Croix de la Libération
Casc. de Brisecou
Auxy
Mont Beuvray
St-Léger-sous-Beuvray
Oppidum de Bibracte
Préporché
St-Honoré-les-Bains
Laizy
Brion
Antully
Larochemillay
la Comelle
Poil
Étang-sur-Arroux
Mesvres
Broye
Chiddes
Sémelay
Millay
Marmagne
St-Symphorien-de-Marmagne
St-Didier-sur-Arroux
St-Nizier-sur-Arroux
la Chapelle-sous-Uchon
Uchon
Rémilly
Avrée
Thil-sur-Arroux
Charbonnat
Montcenis
Savigny-Poil-Fol
Fléty
Luzy
la Tagnière
Tazilly
Dettey
la Nocle-Maulaix
Ternant
Cuzy
Charmoy
la Boulaye
Montmort
St-Eugène
St-Seine
Marly-sous-Issy
St-Berain-sous-Sanvignes
Blanzy
Cressy-sur-Somme
Issy-l'Évêque
Toulon-sur-Arroux
Ste-Radegonde
Maltat
Grury
114
115
Uxeau
Sanvignes-les-Mines
Montceau-les-Mines
St-Romain-sous-Versigny
Dompierre-sous-Sanvignes
M O R V A N
PARC NATUREL RÉGIONAL DU MORVAN

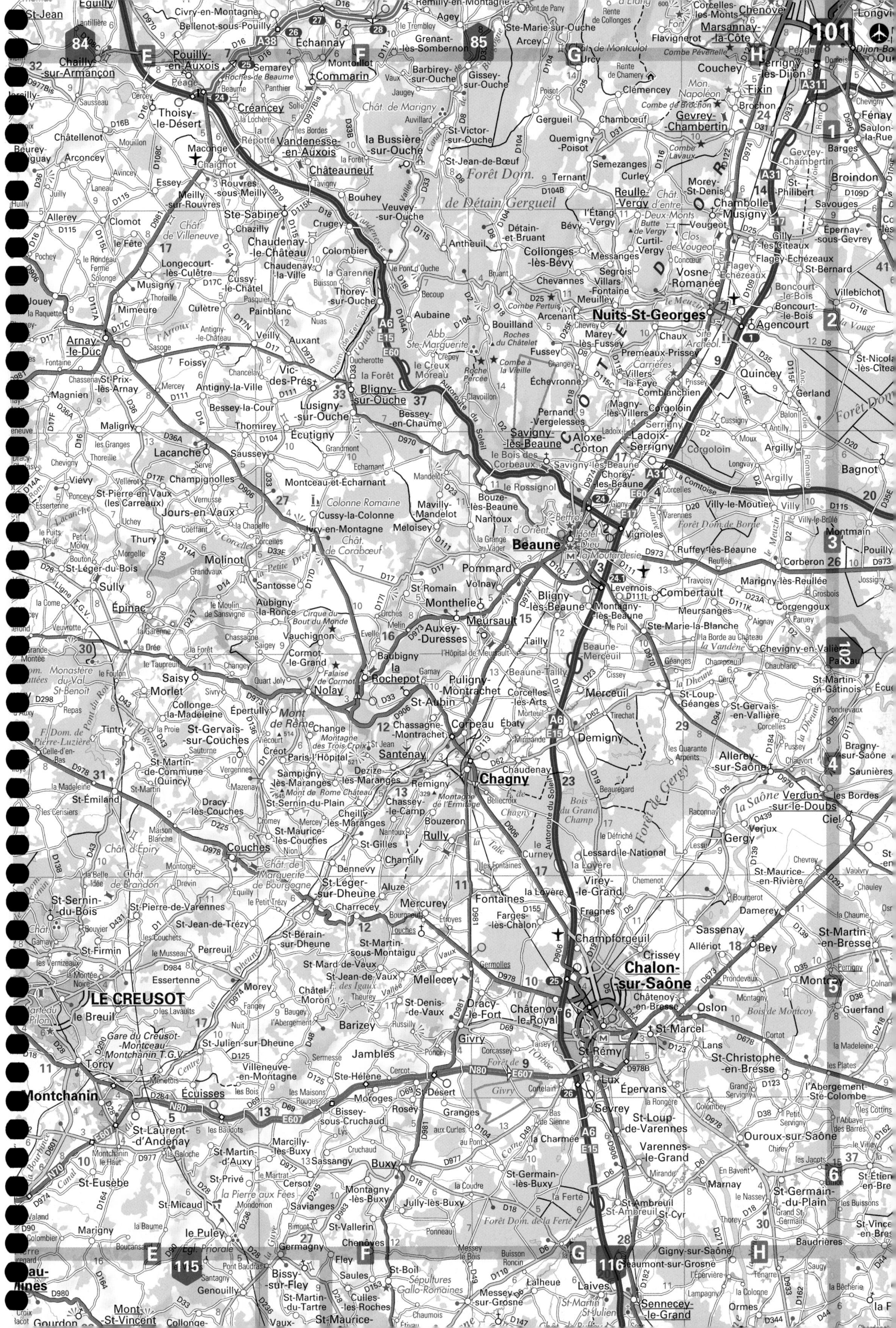

84
85
101
102
115
116
E
F
G
H
1
2
3
4
5
6
Pouilly-en-Auxois
Commarin
Créancey
Thoisy-le-Désert
Vandenesse-en-Auxois
Châteauneuf
la Bussière-sur-Ouche
Échannay
Gissey-sur-Ouche
Barbirey-sur-Ouche
Grenant-lès-Sombernon
Ste-Marie-sur-Ouche
Arcey
Marsannay-la-Côte
Couchey
Perrigny-lès-Dijon
Fixin
Brochon
Gevrey-Chambertin
Chenôve
Flavignerot
Clémencey
Gergueil
Chambœuf
Quemigny-Poisot
Semezanges
Curley
Reulle-Vergy
Morey-St-Denis
Chambolle-Musigny
Vougeot
Vosne-Romanée
Flagey-Échézeaux
Nuits-St-Georges
Agencourt
Boncourt-le-Bois
Villebichot
St-Bernard
Gilly-lès-Cîteaux
Épernay-sous-Gevrey
Saulon-la-Rue
Barges
Broindon
Savouges
Fénay
Forêt Dom. de Détain Gergueil
Détain-et-Bruant
Collonges-lès-Bévy
Chevannes
Messanges
Segrois
Villars-Fontaine
Meuilley
Arcenant
Marey-lès-Fussey
Premeaux-Prissey
Quincey
Gerland
Argilly
Bagnot
Villy-le-Moutier
Villy
Corgoloin
Ladoix-Serrigny
Aloxe-Corton
Savigny-lès-Beaune
Pernand-Vergelesses
Échevronne
Fussey
Bouilland
Roches du Châtelet
Abb. Ste-Marguerite
Arnay-le-Duc
Châtellenot
Arconcey
Essey
Meilly-sur-Rouvres
Rouvres-sous-Meilly
Ste-Sabine
Chazilly
Chaudenay-le-Château
Chaudenay-la-Ville
Bouhey
Veuvey-sur-Ouche
Crugey
Colombier
Thorey-sur-Ouche
Aubaine
Painblanc
Cussy-le-Châtel
Longecourt-lès-Culêtre
Musigny
Mimeure
Culètre
Allerey
Clomot
Veilly
Auxant
Foissy
Vic-des-Prés
Bligny-sur-Ouche
Lusigny-sur-Ouche
Bessey-en-Chaume
Antigny-la-Ville
Bessey-la-Cour
Thomirey
Écutigny
Maligny
Magnien
St-Prix-lès-Arnay
Lacanche
Saussey
Champignolles
Jours-en-Vaux
Montceau-et-Écharnant
Colonne Romaine
Cussy-la-Colonne
Ivry-en-Montagne
Mavilly-Mandelot
Meloisey
Bouze-lès-Beaune
Nantoux
Beaune
Pommard
Volnay
Monthelie
Meursault
St-Romain
Auxey-Duresses
Bligny-lès-Beaune
Montagny-lès-Beaune
Levernois
Combertault
Meursanges
Ste-Marie-la-Blanche
Ruffey-lès-Beaune
Vignoles
Corberon
Marigny-lès-Reullée
Corgengoux
Chevigny-en-Valière
St-Martin-en-Gâtinois
St-Gervais-en-Vallière
St-Loup-Géanges
Bragny-sur-Saône
Allerey-sur-Saône
Verdun-sur-le-Doubs
Ciel
Gergy
Verjux
Saunières
Molinot
Thury
St-Léger-du-Bois
Sully
Épinac
Santosse
Aubigny-la-Ronce
Vauchignon
Cormot-le-Grand
la Rochepot
Nolay
Saisy
Morlet
Collonge-la-Madeleine
Épertully
St-Gervais-sur-Couches
Tintry
St-Martin-de-Commune
St-Émiland
Dracy-lès-Couches
Couches
Créot
Paris-l'Hôpital
Santenay
Sampigny-lès-Maranges
Dezize-lès-Maranges
St-Sernin-du-Plain
Cheilly-lès-Maranges
St-Maurice-lès-Couches
Chassey-le-Camp
Remigny
Chagny
Puligny-Montrachet
Chassagne-Montrachet
St-Aubin
Corpeau
Ébaty
Corcelles-les-Arts
Merceuil
Demigny
Chaudenay
Bouzeron
Rully
Aluze
St-Gilles
Dennevy
Chamilly
St-Léger-sur-Dheune
Mercurey
Fontaines
Farges-lès-Chalon
Lessard-le-National
Virey-le-Grand
Fragnes
Champforgeuil
Crissey
Chalon-sur-Saône
Châtenoy-le-Royal
Châtenoy-en-Bresse
St-Marcel
St-Rémy
Lux
Épervans
Oslon
Sassenay
Bey
Damerey
St-Maurice-en-Rivière
St-Martin-en-Bresse
Montcoy
Guerfand
Lans
St-Christophe-en-Bresse
l'Abergement-Ste-Colombe
Ouroux-sur-Saône
St-Loup-de-Varennes
Varennes-le-Grand
Sevrey
St-Germain-du-Plain
Marnay
St-Ambreuil
St-Cyr
Gigny-sur-Saône
Baudrières
Beaumont-sur-Grosne
Sennecey-le-Grand
Laives
Lalheue
Messey-sur-Grosne
LE CREUSOT
Le Breuil
Torcy
Montchanin
St-Sernin-du-Bois
St-Pierre-de-Varennes
St-Jean-de-Trézy
St-Firmin
Perreuil
Essertenne
Morey
Charrecey
St-Bérain-sur-Dheune
St-Martin-sous-Montaigu
St-Mard-de-Vaux
St-Jean-de-Vaux
Mellecey
Châtel-Moron
Barizey
St-Denis-de-Vaux
Dracy-le-Fort
Givry
Jambles
St-Julien-sur-Dheune
Villeneuve-en-Montagne
Écuisses
Ste-Hélène
Moroges
St-Désert
Rosey
Bissey-sous-Cruchaud
Granges
St-Laurent-d'Andenay
St-Martin-d'Auxy
Marcilly-lès-Buxy
Sassangy
Buxy
St-Privé
Cersot
Montagny-lès-Buxy
Saviange
Jully-lès-Buxy
St-Germain-lès-Buxy
la Charmée
St-Eusèbe
St-Micaud
Marigny
le Puley
Germagny
St-Vallerin
Chenôves
Fley
Saules
Bissy-sur-Fley
St-Boil
Sépultures Gallo-Romaines
Culles-les-Roches
St-Martin-du-Tartre
Genouilly
Mont-St-Vincent
Gourdon
Forêt Dom. de la Ferté
Forêt de Gergy
Autoroute du Soleil
A6
A31
A38
E15
E60
E17
N80
E607

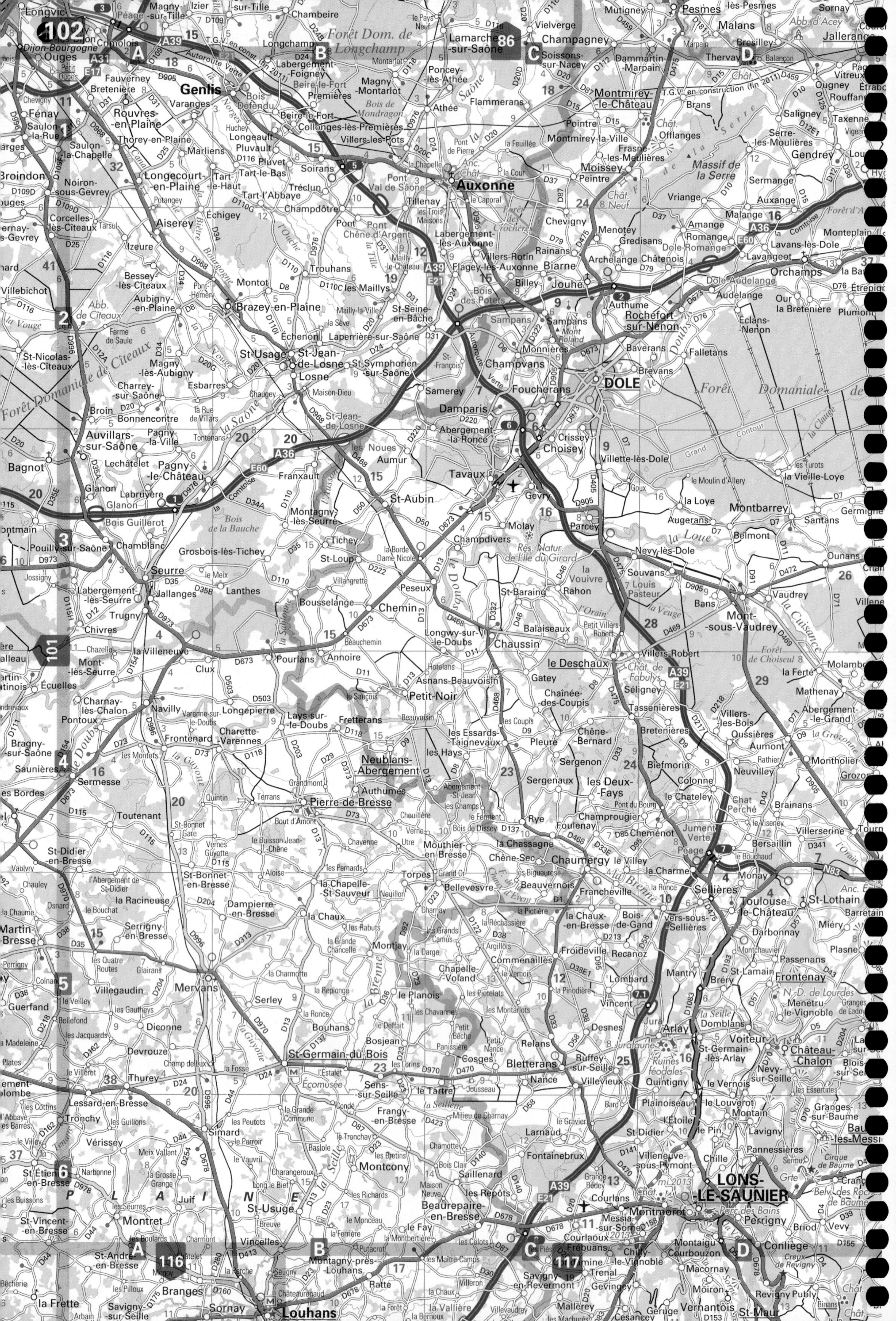

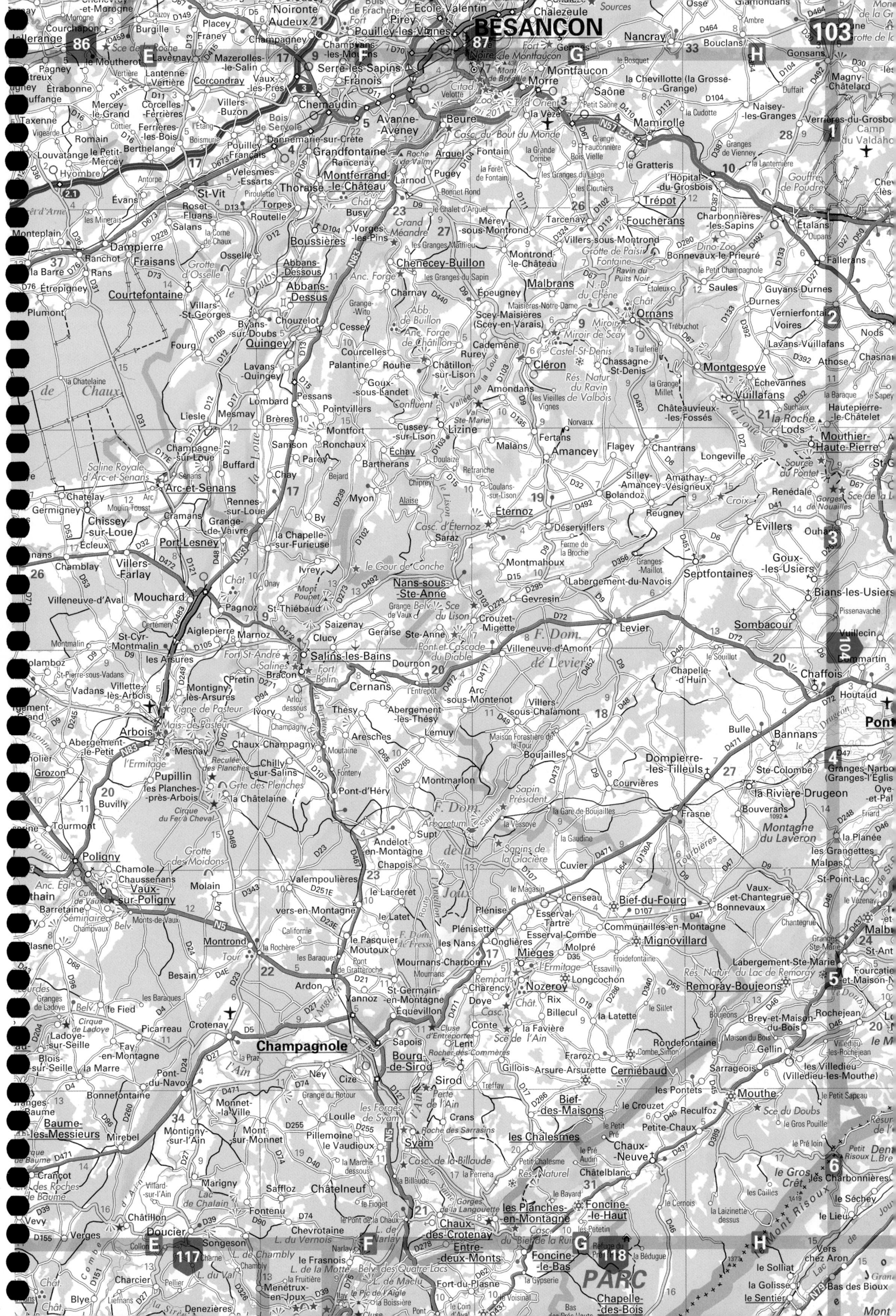

BESANÇON
86
87
103
104
117
118
E
F
G
H
1
2
3
4
5
6
Noironte
Audeux
École-Valentin
Chalezeule
Nancray
Bouclans
Gonsans
Courchapon
Burgille
Placey
Franey
Champagney
Pouilley-les-Vignes
Pirey
Champvans-les-Moulins
Serre-les-Sapins
Franois
Montfaucon
Morre
Saône
Mamirolle
la Chevillotte (la Grosse-Grange)
Naisey-les-Granges
Magny-Châtelard
Verrières-du-Grosbois
Lantenne-Vertière
Mazerolles-le-Salin
Corcondray
Vaux-les-Prés
Étrabonne
Mercey-le-Grand
Corcelles-Ferrières
Villers-Buzon
Chemaudin
Avanne-Aveney
Beure
la Vèze
Taxenne
Romain
Ferrières-les-Bois
Berthelange
Dannemarie-sur-Crète
Grandfontaine
Arguel
Fontain
Le Gratteris
L'Hôpital-du-Grosbois
Louvatange
Le Petit-Mercey
Pouilley-Français
Velesmes-Essarts
Montferrand-le-Château
Thoraise
Larnod
Pugey
Hyombre
St-Vit
Évans
Roset-Fluans
Torpes
Routelle
Busy
Trépot
Tarcenay
Foucherans
Charbonnières-les-Sapins
Étalans
Monteplain
Salans
Dampierre
Osselle
Boussières
Vorges-les-Pins
Mérey-sous-Montrond
Montrond-le-Château
Villers-sous-Montrond
Bonnevaux-le-Prieuré
Fallerans
Ranchot
Rans
Fraisans
Abbans-Dessous
Abbans-Dessus
Chenecey-Buillon
Malbrans
Courtefontaine
Étrepigney
Villars-St-Georges
Charnay
Épeugney
Saules
Guyans-Durnes
Durnes
Plumont
Byans-sur-Doubs
Chouzelot
Quingey
Cessey
Scey-Maisières (Scey-en-Varais)
Ornans
Vernierfontaine
Voires
Fourg
Lavans-Quingey
Courcelles
Palantine
Rouhe
Châtillon-sur-Lison
Cademène
Rurey
Cléron
Chassagne-St-Denis
Montgesoye
Lavans-Vuillafans
Athose
Vuillafans
Échevannes
Hautepierre-le-Châtelet
Liesle
Lombard
Pessans
Goux-sous-Landet
Amondans
Châteauvieux-les-Fossés
Mesmay
Pointvillers
Brères
Samson
Montfort
Cussey-sur-Lison
Lizine
Fertans
Lods
Mouthier-Haute-Pierre
Champagne-sur-Loue
Buffard
Ronchaux
Échay
Malans
Amancey
Flagey
Chantrans
Longeville
Arc-et-Senans
Chay
Bartherans
Silley-Amancey
Amathay-Vésigneux
Bolandoz
Renédale
Chatelay
Germigney
Chissey-sur-Loue
Rennes-sur-Loue
Cramans
Grange-de-Vaivre
Myon
Éternoz
Reugney
Évillers
Écleux
Port-Lesney
la Chapelle-sur-Furieuse
Saraz
Déservillers
Goux-les-Usiers
Chamblay
Villers-Farlay
Ivrey
Montmahoux
Septfontaines
Villeneuve-d'Aval
Mouchard
Nans-sous-Ste-Anne
Labergement-du-Navois
Bians-les-Usiers
Pagnoz
St-Thiébaud
Gevresin
Aiglepierre
Marnoz
Saizenay
Geraise
Ste-Anne
Crouzet-Migette
Levier
Sombacour
St-Cyr-Montmalin
Clucy
Villeneuve-d'Amont
les Arsures
Salins-les-Bains
Dournon
Chaffois
Houtaud
Bracon
Cernans
Chapelle-d'Huin
Montigny-les-Arsures
Villette-lès-Arbois
Pretin
Vadans
Ivory
Thésy
Abergement-lès-Thésy
Arc-sous-Montenot
Villers-sous-Chalamont
Arbois
Lemuy
Bulle
Bannans
Abergement-le-Petit
Chaux-Champagny
Aresches
Mesnay
Chilly-sur-Salins
Boujailles
Dompierre-les-Tilleuls
Ste-Colombe
Granges-Narboz
Grozon
Pupillin
la Rivière-Drugeon
les Planches-près-Arbois
la Châtelaine
Montmarlon
Courvières
Buvilly
Pont-d'Héry
Bouverans
Frasne
Tourmont
Andelot-en-Montagne
Supt
la Planée
Poligny
Chapois
Cuvier
les Grangettes
Malpas
Chamole
Chaussenans
Vaux-sur-Poligny
Molain
Valempoulières
St-Point-Lac
le Larderet
Censeau
Bief-du-Fourg
Vaux-et-Chantegrue
Bonnevaux
Barretaine
vers-en-Montagne
le Latet
Plénise
Esserval-Tartre
Communailles-en-Montagne
Plénisette
Esserval-Combe
Montrond
le Pasquier
Moutoux
les Nans
Onglières
Mièges
Molpré
Mignovillard
Malbuisson
Labergement-Ste-Marie
Besain
Mournans-Charbonny
Longcochon
Remoray-Boujeons
Ardon
St-Germain-en-Montagne
Charency
Nozeroy
Vannoz
Équevillon
Doye
Rix
Billecul
la Latette
le Fied
Picarreau
Crotenay
Conte
la Favière
Rochejean
Brey-et-Maison-du-Bois
Ladoye-sur-Seille
Fay-en-Montagne
Champagnole
Sapois
Rondefontaine
Gellin
Bourg-de-Sirod
Blois-sur-Seille
la Marre
Pont-du-Navoy
Ney
Cize
Sirod
Fraroz
Gillois
Arsure-Arsurette
Cerniébaud
Sarrageois
les Villedieu (Villedieu-les-Mouthe)
Bonnefontaine
Monnet-la-Ville
les Pontets
Mouthe
Bief-des-Maisons
le Crouzet
Reculfoz
Baume-les-Messieurs
Loulle
Crans
Petite-Chaux
Mirebel
Montigny-sur-l'Ain
Mont-sur-Monnet
Pillemoine
le Vaudioux
Syam
les Chalesmes
Chaux-Neuve
Crançot
Marigny
Saffloz
Châtelneuf
Châtelblanc
les Charbonnières
Fontenu
les Planches-en-Montagne
Foncine-le-Haut
le Séchey
Châtillon
Chevrotaine
le Lieu
Verges
Doucier
Songeson
Chaux-des-Crotenay
Entre-deux-Monts
Foncine-le-Bas
Vers chez Aron
le Solliat
le Frasnois
Charcier
Ménétrux-en-Joux
Fort-du-Plasne
la Golisse
Blye
Denezières
Chapelle-des-Bois
le Sentier
Bas des Bioux
PARC
Mont Risoux
F. Dom. de Levier
F. Dom. de la Joux
Lac de Chalain
L. de Chambly
L. du Vernois
L. de la Motte
L. du Val
L. de Narlay
L. de Maclu

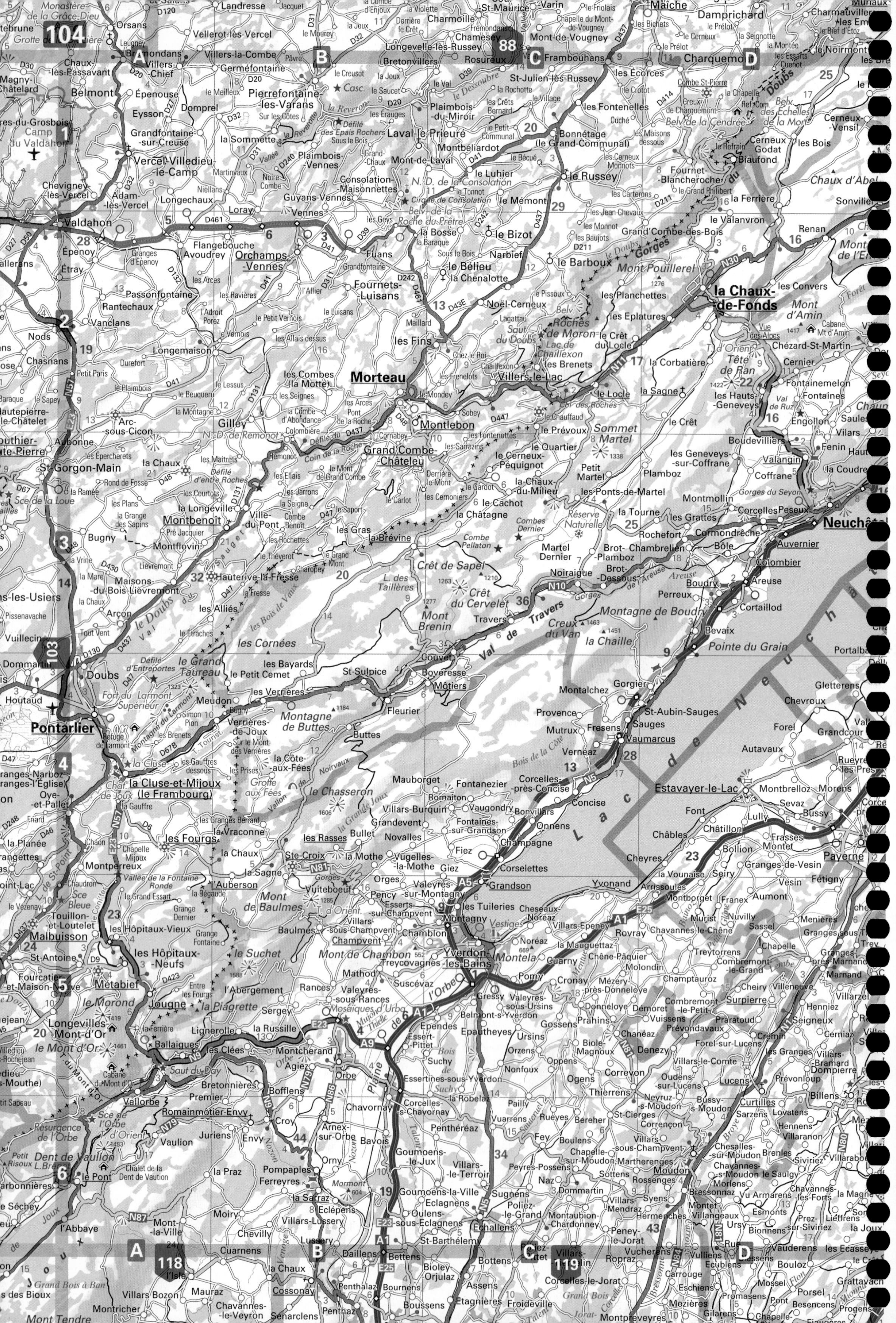
104
88
103
118
119
A
B
C
D
1
2
3
4
5
6
Orsans
Landresse
Charmoille
Vellerot-lès-Vercel
Villers-la-Combe
Longevelle-lès-Russey
Chamesey
Mont-de-Vougney
St-Maurice
Maîche
Damprichard
Charquemont
Le Noirmont
Bremondans
Villers-Chief
Chaux-lès-Passavant
Germéfontaine
Bretonvillers
Rosureux
Frambouhans
St-Julien-lès-Russey
les Écorces
Belmont
Épenouse
Pierrefontaine-les-Varans
Plaimbois-du-Miroir
les Fontenelles
Eysson
Domprel
Laval-le-Prieuré
Bonnétage (le Grand-Communal)
Grandfontaine-sur-Creuse
la Sommette
Montbéliardot
Cerneux-Godat
Biaufond
Vercel-Villedieu-le-Camp
Plaimbois-Vennes
Mont-de-Laval
le Luhier
le Russey
Fournet-Blancheroche
Chevigney-lès-Vercel
Adam-lès-Vercel
Longechaux
Consolation-Maisonnettes
Guyans-Vennes
Loray
le Mémont
la Ferrière
Valdahon
Vennes
le Bizot
Grand'Combe-des-Bois
le Valanvron
Renan
Épenoy
Étray
Flangebouche
Avoudrey
Orchamps-Vennes
Fuans
le Bélieu
Narbief
le Barboux
Mont Pouillerel
la Chaux-de-Fonds
Passonfontaine
Rantechaux
Fournets-Luisans
Noël-Cerneux
les Planchettes
les Eplatures
les Convers
Mont d'Amin
Vanclans
Nods
Longemaison
les Fins
Villers-le-Lac
le Locle
la Sagne
Chézard-St-Martin
Tête de Ran
Morteau
Montlebon
Arc-sous-Cicon
Gilley
Aubonne
Grand'Combe-Châteleu
le Prévoux
Sommet Martel
les Hauts-Geneveys
Fontaines
le Crêt
Boudevilliers
Valangin
St-Gorgon-Main
la Chaux
le Quartier
le Cerneux-Péquignot
la Chaux-du-Milieu
les Ponts-de-Martel
Petit Martel
Plamboz
les Geneveys-sur-Coffrane
Coffrane
Montmollin
la Longeville
Montbenoît
Ville-du-Pont
le Cachot
la Châtagne
la Tourne
les Grattes
Corcelles
Peseux
Neuchâtel
Bugny
Montflovin
les Gras
la Brévine
Rochefort
Cormondrèche
Auvernier
Colombier
Maisons-du-Bois-Lièvremont
Hauterive-la-Fresse
Crêt de Sapel
Martel Dernier
Noiraigue
Brot-Plamboz
Brot-Dessous
Chambrelien
Bôle
Boudry
Areuse
Arçon
Crêt du Cervelet
Mont Brenin
Travers
Montagne de Boudry
Perreux
Cortaillod
les Alliés
Creux du Van
la Chaille
Bevaix
Pointe du Grain
Vuillecin
les Cornées
Val de Travers
Couvet
Doubs
Dommartin
Houtaud
Pontarlier
le Grand Taureau
les Bayards
le Petit Cemet
St-Sulpice
Boveresse
Môtiers
Gorgier
Montalchez
St-Aubin-Sauges
Meudon
les Verrières
Montagne de Buttes
Fleurier
Provence
Mutrux
Fresens
Sauges
Vaumarcus
Verrières-de-Joux
Buttes
la Côte-aux-Fées
Vernéaz
Lac de Neuchâtel
Autavaux
Forel
Chevroux
Gletterens
la Cluse-et-Mijoux (le Frambourg)
Oye-et-Pallet
Mauborget
le Chasseron
Fontanezier
Romairon
Corcelles-près-Concise
Concise
Estavayer-le-Lac
Montbrelloz
Grandcour
Villars-Burquin
Vaugondry
Bonvillars
Onnens
Grandevent
Fontaines-sur-Grandson
Champagne
Font
Châtillon
Lully
Bussy
les Fourgs
les Rasses
Bullet
Novalles
Fiez
Châbles
Cheyres
Frasses
Montet
Payerne
la Chaux
Ste-Croix
la Mothe
Vugelles-la-Mothe
Giez
Corselettes
Bollion
Granges-de-Vesin
Montperreux
l'Auberson
la Sagne
Vuiteboeuf
Orges
Valeyres-sur-Montagny
Grandson
Yvonand
Arrissoules
Seiry
Vesin
Fétigny
Mont de Baulmes
Pency
Esserts-sur-Champvent
les Tuileries
Cheseaux-Noréaz
Villars-Epeney
Rovray
Montborget
Murist
Aumont
Touillon-et-Loutelet
Malbuisson
les Hôpitaux-Vieux
Baulmes
Villars-sous-Champvent
Champvent
Montagny
Chamblon
Chavannes-le-Chêne
Sassel
Ménières
Granges-sous-Trey
les Hôpitaux-Neufs
le Suchet
Mont de Chambon
Yverdon-les-Bains
Montela
Noréaz
la Mauguettaz
Chêne-Pâquier
Treytorrens
Chapelle
St-Antoine
Métabief
Treycovagnes
Mathod
Rances
Valeyres-sous-Rances
Suscévaz
Pomy
Cronay
Mézery-près-Donneloye
Molondin
Champtauroz
Marnand
Jougne
l'Abergement
le Morond
la Piagrette
Sergey
Gressy
Valeyres-sous-Ursins
Donneloye
Démoret
Combremont-le-Petit
Surpierre
Villeneuve
Villarzel
Longevilles-Mont-d'Or
Lignerolle
la Russille
Belmont-s-Yverdon
Prahins
Vuissens
Prévondavaux
Praratoud
Seigneux
le Mont d'Or
Ballaigues
les Clées
Montcherand
Ependes
Essert-Pittet
Epautheyes
Ursins
Chanéaz
Denezy
Cremin
Cerniaz
Agiez
Orbe
Suchy
Orzens
Oppens
Bioley-Magnoux
Forel-sur-Lucens
Villars-le-Comte
les Granges
Villars-Bramard
Dompierre
Saut du Day
Bretonnières
Premier
Bofflens
Essertines-sous-Yverdon
Nonfoux
Correvon
Ogens
Oulens-sur-Lucens
Lucens
Prévonloup
Vallorbe
Romainmôtier-Envy
Chavornay
Corcelles-s-Chavornay
la RobeIaz
Thierrens
Neyruz-s-Moudon
Bussy-s-Moudon
Curtilles
Billens
Sce de l'Orbe
Croy
Arnex-sur-Orbe
Penthéréaz
Pailly
Vuarrens
Rueyres
Bercher
St-Cierges
Correnon
Sarzens
Lovatens
Vaulion
Juriens
Envy
Bavois
Fey
Boulens
Villars-sous-Champvent
Hennens
Villaranon
Dent de Vaulion
Orny
Goumoens-le-Jux
Chapelle-sur-Moudon
Martherenges
Chesalles-sur-Moudon
Brenles
Siviriez
Villaraboud
le Pont
la Praz
Pompaples
Ferreyres
Villars-le-Terroir
Peyres-Possens
Sottens
Moudon
Chavannes-s-Moudon
le Saulgy
Naz
Rossenges
le Séchey
la Sarraz
Goumoens-la-Ville
Eclagnens
Sugnens
Poliez-le-Grand
Dommartin
Villars-Mendraz
Syens
Bressonnaz
Vu Armarens
Chavannes-les-Forts
la Magne
Moiry
Eclépens
Oulens-sous-Echallens
Echallens
Montaubion-Chardonney
Hermenches
Montet
Villangeaux
Esmonts
Prez-vers-Siviriez
Lieffrens
l'Abbaye
Mont-la-Ville
Chevilly
Villars-Lussery
St-Barthélemy
Peney-le-Jorat
Ursy
Bionnens
la Joux
Lussery
Cuarnens
Daillens
Bettens
Bottens
Villars-Tiercelin
Ropraz
Vucherens
Vulliens
Rue
Vauderens
les Ecasseys
l'Isle
la Chaux
Bioley-Orjulaz
Assens
Corcelles-le-Jorat
Carrouge
Ecublens
Bouloz
Villars Bozon
Mauraz
Cossonay
Penthalaz
Bournens
Etagnières
Froideville
Eschiens
Promasens
Porsel
Grattavache
Montricher
Chavannes-le-Veyron
Sénarclens
Penthaz
Boussens
Montpreveyres
Mézières
Besencens
Progens
Mont Tendre

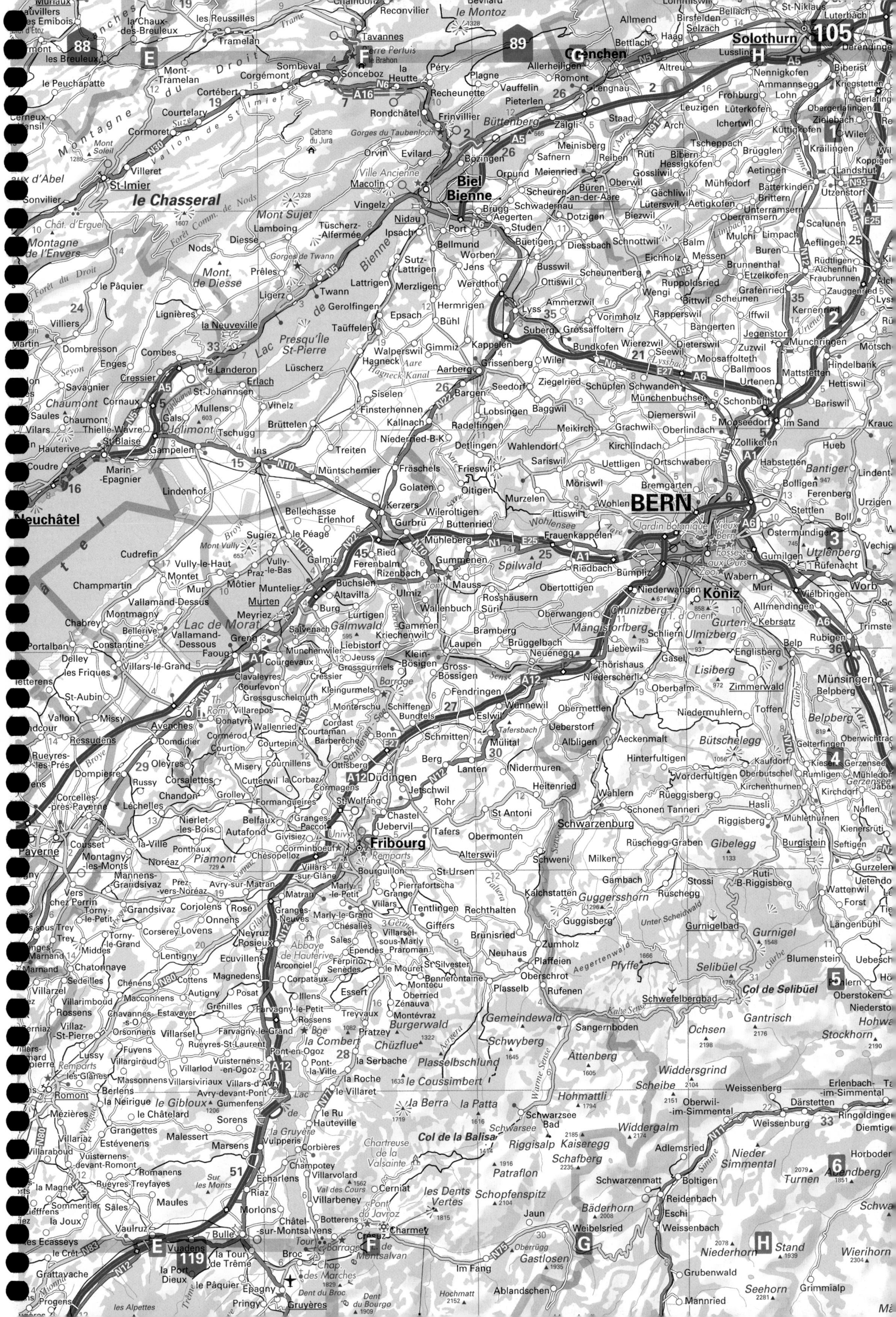

88
89
105
119
E
F
G
H
Solothurn
Grenchen
Biel
Bienne
le Chasseral
St-Imier
Tavannes
Tramelan
Sonceboz
Reconvilier
le Montoz
Pieterlen
Lengnau
Büren-an-der-Aare
Nidau
Mont Sujet
La Neuveville
Lac de Bienne
St-Pierre
Aarberg
Lyss
Neuchâtel
Cressier
Le Landeron
Erlach
St-Blaise
Ins
Kerzers
Murten
Lac de Morat
Avenches
Payerne
Faoug
BERN
Köniz
Münsingen
Worb
Wohlensee
Frauenkappelen
Bümpliz
Gurten
Belp
Laupen
Düdingen
Fribourg
Schwarzenburg
Gurnigel
Romont
Bulle
Gruyères
Charmey
Broc
Vuadens
Jaun
Boltigen
Zweisimmen
Weissenburg
Därstetten
Stockhorn
Gantrisch
Kaiseregg
Schwarzsee
Plaffeien
Rechthalten
Tafers
Marly
Posieux
Farvagny-le-Grand
Rossens
Le Gibloux
Vuippens
Marsens
Riaz
Châtel-sur-Montsalvens
Moléson
Col de la Balisa
Col de Selibüel
Guggershorn
Riggisberg
Thun
Urtenen
Jegenstorf
Fraubrunnen
Utzenstorf
Kirchberg
Bätterkinden
Ostermundigen
Muri
Gümligen
Zollikofen
Münchenbuchsee
Schüpfen
Grossaffoltern
Kappelen
Worben
Studen
Brügg
Port
Orpund
Safnern
Meinisberg
Arch
Leuzigen
Büttenberg
Frinvillier
Péry
Evilard
Macolin
Vingelz
Twann
Ligerz
Prêles
Diesse
Lamboing
Nods
Lignières
Cornaux
Marin-Epagnier
Hauterive
Gampelen
Jolimont
Vully
Sugiez
Cudrefin
Estavayer
Grolley
Belfaux
Givisiez
Villars-sur-Glâne
Avry-sur-Matran
Neyruz
Cottens
Autigny
Bossonnens
A1
A5
A6
A12
N1
N5
N6
N10
N12
E25
E27

106
A
B
C
D
92
1
2
3
4
5
6
91
120
Nieul-le-Dolent
la Boissière-des-Landes
Nesmy
Chaillé-sous-les-Ormeaux
Château-Guibert
Ste-Pexine
Moutiers-sur-le-Lay
Mareuil-sur-Lay-Dissais
St-Juire-Champgillon
Ste-Hermine
Thiré
Rosnay
St-Avaugourd-des-Landes
St-Vincent-sur-Graon
le Champ-St-Père
la Couture
Bessay
St-Jean-de-Beugné
Poiroux
Moutiers-les-Mauxfaits
la Bretonnière-la-Claye
les Magnils-Reigniers
Ste-Gemme-la-Plaine
St-Aubin-la-Plaine
Avrillé
St-Hilaire-la-Forêt
Chasnais
Luçon
Nalliers
Mouzeuil-St-Martin
St-Cyr-en-Talmondais
Curzon
Lairoux
le Bernard
Longeville-sur-Mer
Jard-sur-Mer
St-Vincent-sur-Jard
Mais. de G. Clemenceau
Angles
St-Benoist-sur-Mer
St-Denis-du-Payré
Grues
Triaize
Moreilles
Chaillé-les-Marais
Rés. Natur. de St-Denis du Payré
M A R A I S
P O
Puyravault
Champagne-les-Marais
Ste-Radégonde-des-Noyers
Vouillé-les-Marais
Pointe du Grouin du Cou
la Tranche-sur-Mer
la Faute-sur-Mer
l'Aiguillon-sur-Mer
St-Michel-en-l'Herm
Anc. Abb.
Marans
Charron
Anse de l'Aiguillon
Pointe d'Arçay
Pointe de l'Aiguillon
Pertuis Breton
Phare des Baleines
les Portes-en-Ré
St-Clément-des-Baleines (le Chabot)
Rés. Natur. de Lileau des Niges
Ars-en-Ré
Loix
St-Martin-de-Ré
Remparts
la Couarde-sur-Mer
la Flotte
Anc. Abb. des Châteliers
Fort de la Prée
le Bois-Plage-en-Ré
Ensembles Littoraux et Marais de l'Île de Ré
Phare de Chanchardon
Rivedoux-Plage
Ste-Marie-de-Ré
ÎLE DE RÉ
Pointe St-Clément
Esnandes
Andilly
Marsilly
Villedoux
Nieul-sur-Mer
St-Xandre
St-Ouen-d'Aunis
Longèves
l'Houmeau
Lagord
Puilboreau
La Rochelle-Île de Ré
Dompierre-sur-Mer
Ste-Soulle
Périgny
LA ROCHELLE
Vieux Port
Aquarium
St-Rogatien
Bourgneuf
Aytré
Clavette
Château de Buzay
la Jarne
la Jarrie
Salles-sur-Mer
Croix-Chapeau
Angoulins
Châtelaillon-Plage
Thairé
Ballon
Pertuis d'Antioche
Phare de Chassiron
St-Denis-d'Oléron
ÎLE D'OLÉRON
la Brée-les-Bains
Rade des Basques
Rés. Natur. du Marais d'Yves
Yves
Île d'Aix
Mais. de l'Empereur
Île-d'Aix
Fort Boyard
Fouras
St-Georges-d'Oléron
Breuil-Magné
St-Laurent-de-la-Prée
Boyardville
Ensembles Littoraux de l'Île d'Oléron
St-Pierre-d'Oléron
Île Madame
Port-des-Barques
Vergeroux
E03
E601
E602

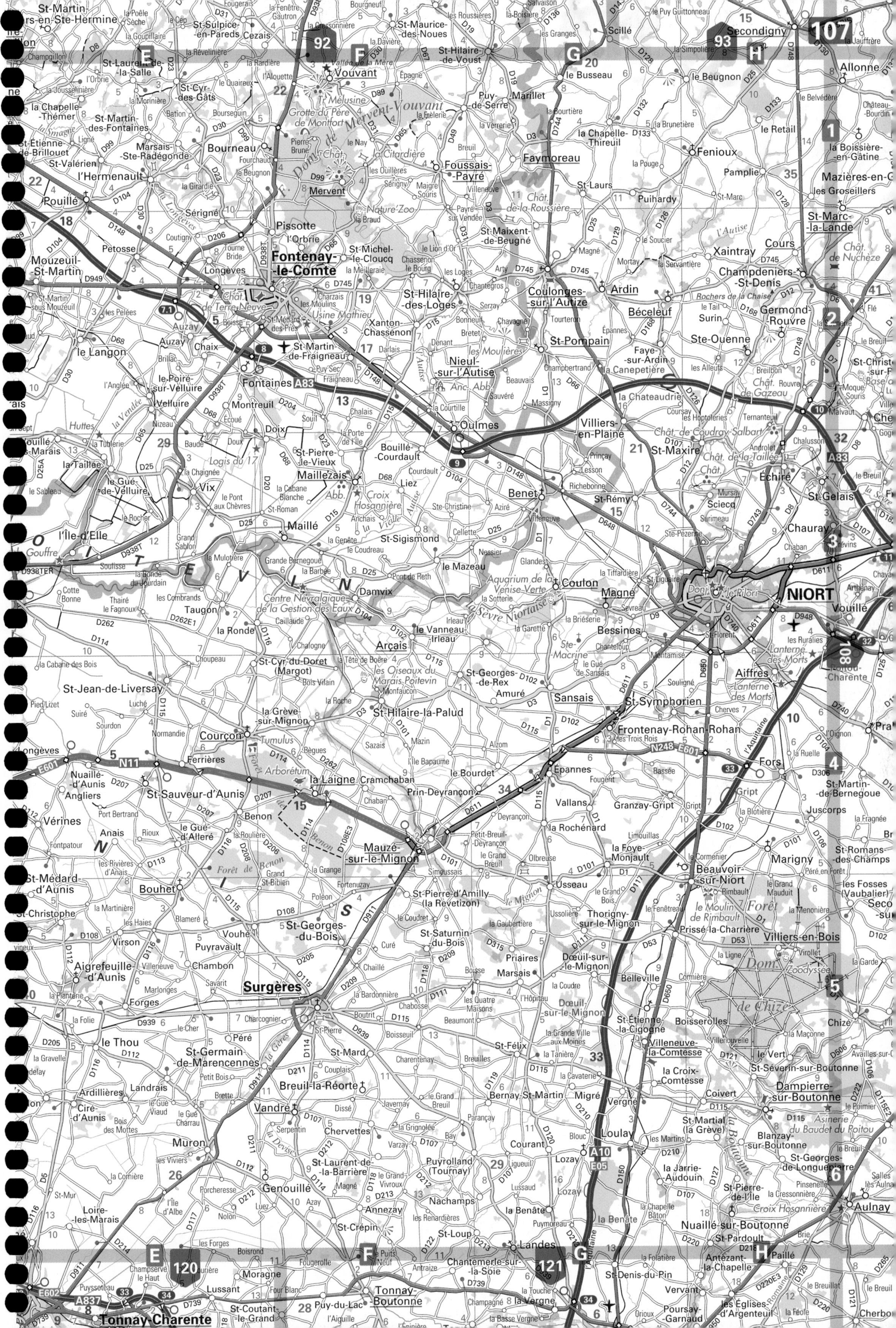

92
93
107
108
120
121
E
F
G
H
St-Martin-Lars-en-Ste-Hermine
St-Sulpice-en-Pareds
Cezais
St-Maurice-des-Noues
St-Hilaire-de-Voust
Scillé
Secondigny
Allonne
St-Laurent-de-la-Salle
Vouvant
le Busseau
le Beugnon
St-Cyr-des-Gâts
la Chapelle-Thémer
St-Martin-des-Fontaines
Puy-de-Serre
Marillet
Forêt Dom. de Mervent-Vouvant
la Chapelle-Thireuil
le Retail
la Boissière-en-Gâtine
St-Étienne-de-Brillouet
Marsais-Ste-Radégonde
Bourneau
Foussais-Payré
Faymoreau
Fenioux
Mazières-en-Gâtine
St-Valérien
l'Hermenault
Mervent
St-Laurs
Puihardy
les Groseillers
Pouillé
Sérigné
St-Maixent-de-Beugné
St-Marc-la-Lande
Mouzeuil-St-Martin
Pissotte
Fontenay-le-Comte
St-Michel-le-Cloucq
Coulonges-sur-l'Autize
Ardin
Xaintray
Cours
Champdeniers-St-Denis
Longèves
St-Hilaire-des-Loges
Béceleuf
Germond-Rouvre
Xanton-Chassenon
St-Pompain
Ste-Ouenne
le Langon
Auzay
Chaix
St-Martin-de-Fraigneau
Nieul-sur-l'Autize
Faye-sur-Ardin
le Poiré-sur-Velluire
Fontaines
Velluire
Montreuil
Oulmes
Villiers-en-Plaine
St-Maxire
Doix
Bouillé-Courdault
St-Pierre-le-Vieux
Maillezais
Liez
Benet
Échiré
St-Gelais
la Taillée
le Gué-de-Velluire
Vix
St-Rémy
Sciecq
Chauray
Maillé
l'Île-d'Elle
St-Sigismond
le Mazeau
Coulon
Magné
NIORT
Vouillé
Damvix
Taugon
la Ronde
Arçais
le Vanneau-Irleau
Bessines
St-Cyr-du-Doret
St-Georges-de-Rex
Amuré
Sansais
St-Symphorien
Aiffres
St-Jean-de-Liversay
la Grève-sur-Mignon
St-Hilaire-la-Palud
Courçon
Frontenay-Rohan-Rohan
Fors
Ferrières
la Laigne
Cramchaban
le Bourdet
Épannes
Nuaillé-d'Aunis
St-Sauveur-d'Aunis
Prin-Deyrançon
Vallans
Granzay-Gript
Juscorps
Vérines
Benon
le Gué-d'Alleré
Mauzé-sur-le-Mignon
la Rochénard
la Foye-Monjault
Beauvoir-sur-Niort
Marigny
St-Médard-d'Aunis
Bouhet
Usseau
St-Pierre-d'Amilly (la Revetizon)
Thorigny-sur-le-Mignon
St-Christophe
St-Georges-du-Bois
St-Saturnin-du-Bois
Prissé-la-Charrière
Villiers-en-Bois
Virson
Puyravault
Vouhé
Priaires
Dœuil-sur-le-Mignon
Aigrefeuille-d'Aunis
Chambon
Surgères
Marsais
Belleville
Forges
Dœuil-sur-le-Mignon
St-Étienne-la-Cigogne
Boisserolles
Chizé
le Thou
St-Germain-de-Marencennes
St-Mard
St-Félix
Villeneuve-la-Comtesse
St-Séverin-sur-Boutonne
Landrais
Breuil-la-Réorte
la Croix-Comtesse
Ardillières
Ciré-d'Aunis
Vandré
Bernay-St-Martin
Migré
Vergné
Dampierre-sur-Boutonne
Chervettes
Loulay
St-Martial (la Grève)
Blanzay-sur-Boutonne
Muron
Courant
Lozay
St-Laurent-de-la-Barrière
Puyrolland (Tournay)
la Jarrie-Audouin
St-Georges-de-Longuepierre
Genouillé
Nachamps
St-Pierre-de-l'Isle
Aulnay
Loire-les-Marais
Annezay
la Benâte
St-Crépin
St-Loup
Nuaillé-sur-Boutonne
Landes
Paillé
Moragne
Chantemerle-sur-la-Soie
St-Denis-du-Pin
Antézant-la-Chapelle
Lussant
Tonnay-Boutonne
Vervant
Poursay-Garnaud
les Églises-d'Argenteuil
Tonnay-Charente
St-Coutant-le-Grand
Puy-du-Lac
Cherbonnières
A83
A10
A837
N11
N248
E601

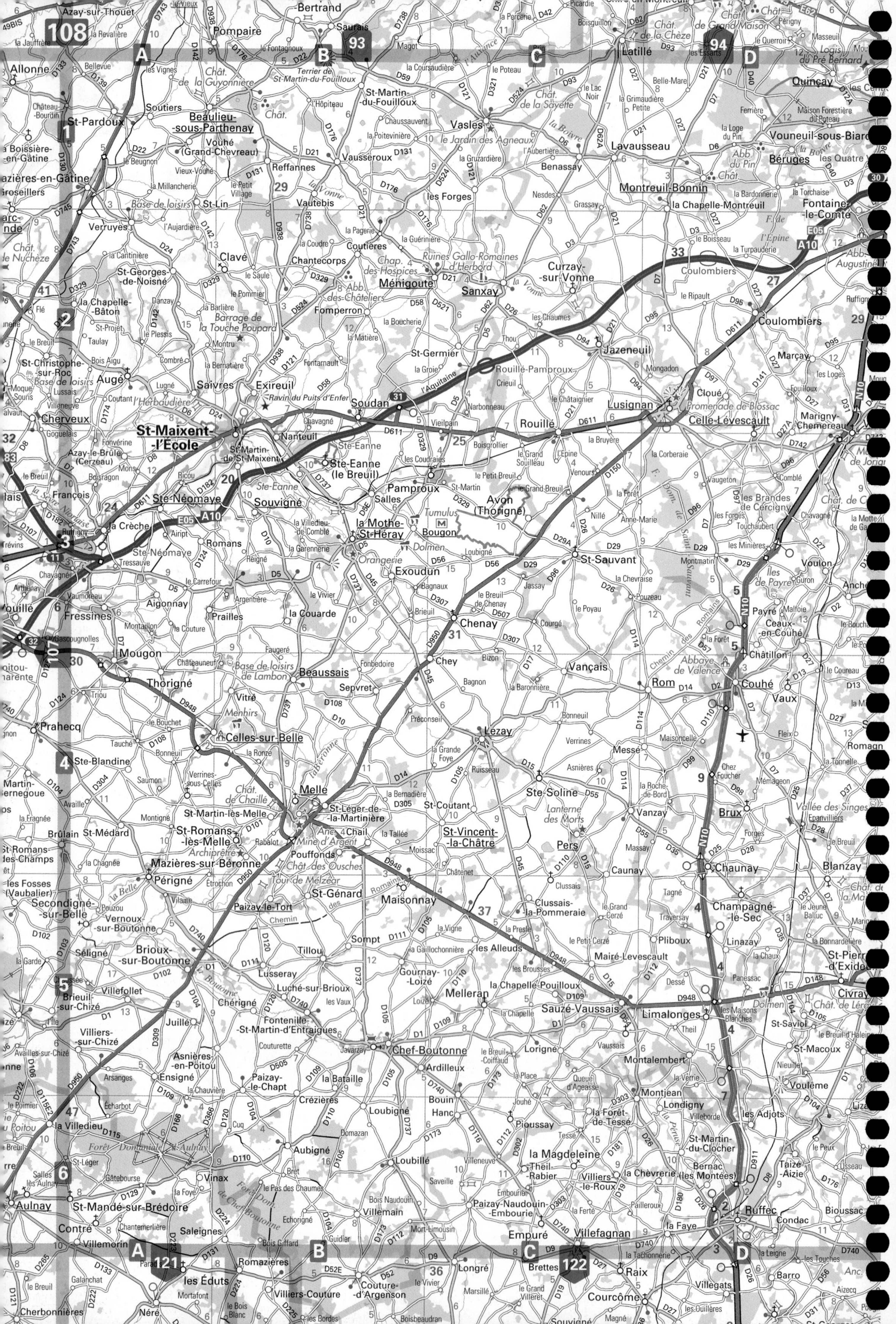

108
93
94
A
B
C
D
1
2
3
4
5
6
Azay-sur-Thouet
Pompaire
Saurais
Latillé
Allonne
St-Pardoux
Soutiers
Beaulieu-sous-Parthenay
Vouhé (Grand-Chevreau)
Reffannes
Vausseroux
Vasles
St-Martin-du-Fouilloux
Lavausseau
Benassay
Montreuil-Bonnin
Vouneuil-sous-Biard
Béruges
Quinçay
Fontaine-le-Comte
la Chapelle-Montreuil
les Forges
Vautebis
Verruyes
St-Lin
Clavé
St-Georges-de-Noisné
Coutières
Chantecorps
Ménigoute
Sanxay
Curzay-sur-Vonne
Coulombiers
Fomperron
Jazeneuil
St-Germier
Rouillé-Pamproux
Lusignan
Celle-Lévescault
Cloué
Marçay
Marigny-Chemereau
Augé
Saivres
Exireuil
Soudan
Cherveux
St-Maixent-l'École
Nanteuil
Rouillé
Ste-Eanne (le Breuil)
Pamproux
Ste-Néomaye
Souvigné
la Crèche
la Mothe-St-Héray
Avon (Thorigné)
Bougon
Romans
Exoudun
St-Sauvant
Aigonnay
Fressines
Prailles
la Couarde
Chenay
Mougon
Thorigné
Beaussais
Chey
Vançais
Rom
Couhé
Vaux
Payré
Ceaux-en-Couhé
Châtillon
Prahecq
Celles-sur-Belle
Lezay
Ste-Blandine
Melle
St-Léger-de-la-Martinière
Ste-Soline
Vanzay
Brux
St-Martin-lès-Melle
St-Romans-lès-Melle
Brûlain
St-Médard
St-Coutant
St-Vincent-la-Châtre
Pers
Chaunay
Blanzay
Mazières-sur-Béronne
Périgné
Pouffonds
Caunay
St-Génard
Maisonnay
Clussais-la-Pommeraie
Champagné-le-Sec
Secondigné-sur-Belle
Paizay-le-Tort
Vernoux-sur-Boutonne
Sompt
Pliboux
Linazay
St-Pierre-d'Exideuil
Séligné
Brioux-sur-Boutonne
Tillou
les Alleuds
Mairé-Levescault
Civray
Brieuil-sur-Chizé
Villefollet
Lusseray
Luché-sur-Brioux
Gournay-Loizé
Melleran
Sauzé-Vaussais
Limalonges
Chérigné
Juillé
Fontenille-St-Martin-d'Entraigues
la Chapelle-Pouilloux
St-Saviol
Villiers-sur-Chizé
Chef-Boutonne
Ardilleux
Lorigné
Montalembert
St-Macoux
Asnières-en-Poitou
Ensigné
Paizay-le-Chapt
la Bataille
Crézières
Bouin
Hanc
Montjean
Londigny
Voulême
les Adjots
la Villedieu
Loubigné
Pioussay
la Forêt-de-Tessé
St-Martin-du-Clocher
Aubigné
Loubillé
la Magdeleine
Theil-Rabier
Villiers-le-Roux
la Chèvrerie
Bernac (les Montées)
Taizé-Aizie
Vinax
Aulnay
St-Mandé-sur-Brédoire
Villemain
Paizay-Naudouin-Embourie
Ruffec
Condac
Bioussac
Contré
Saleignes
Empuré
Villefagnan
la Faye
Villemorin
121
122
Romazières
Longré
Brettes
Raix
les Éduts
Villiers-Couture
Couture-d'Argenson
Villegats
Courcôme
Néré
Cherbonnières

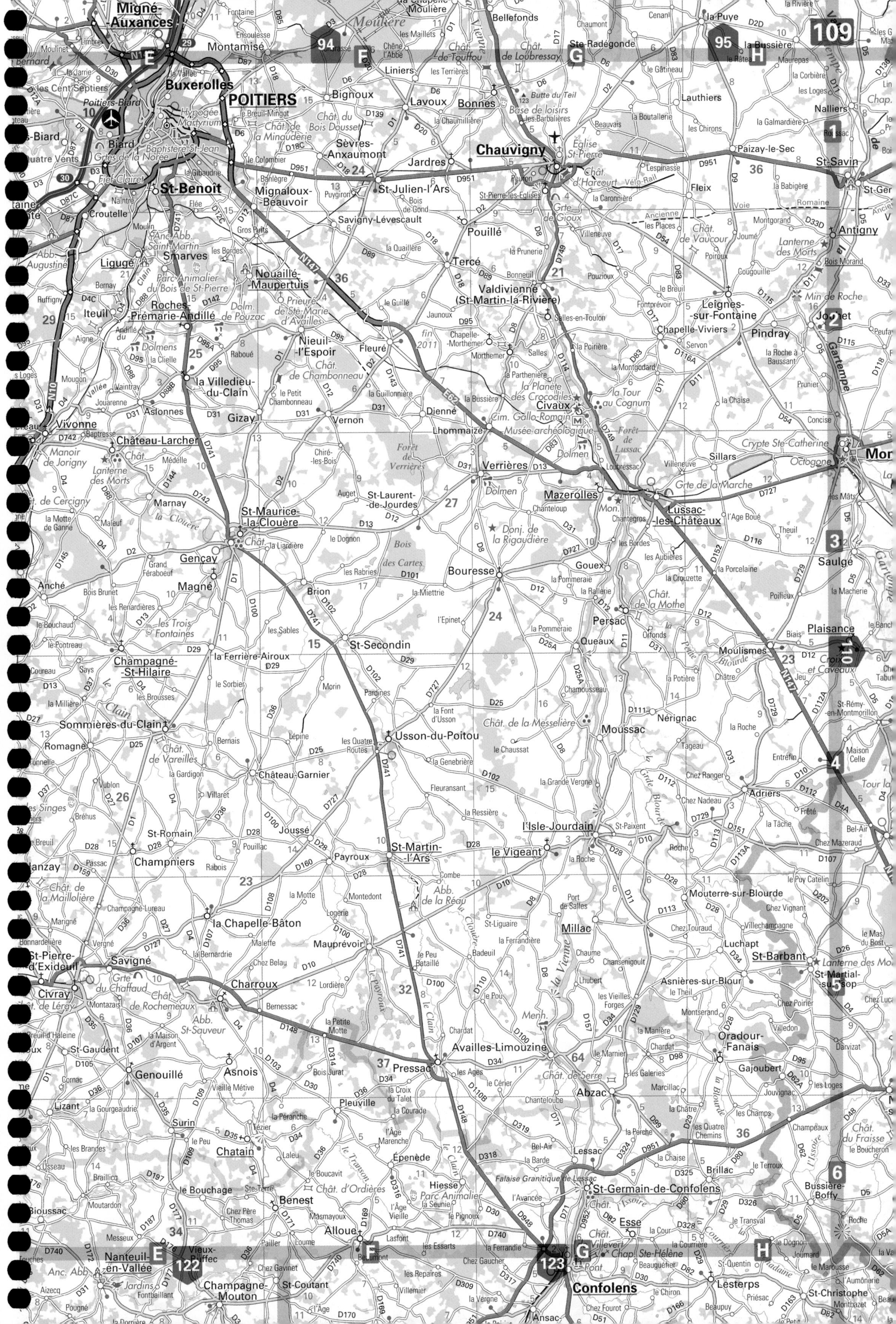
Migné-Auxances
Montamisé
Buxerolles
POITIERS
Poitiers-Biard
Biard
St-Benoît
Bignoux
Sèvres-Anxaumont
Mignaloux-Beauvoir
Savigny-Lévescault
St-Julien-l'Ars
Liniers
Lavoux
Bonnes
Jardres
Bellefonds
Ste-Radégonde
Chauvigny
Lauthiers
Paizay-le-Sec
St-Savin
Nalliers
Fleix
Antigny
Pouillé
Tercé
Valdivienne (St-Martin-la-Rivière)
Leignes-sur-Fontaine
Chapelle-Viviers
Pindray
Jouhet
Ligugé
Smarves
Nouaillé-Maupertuis
Roches-Prémarie-Andillé
Iteuil
Nieuil-l'Espoir
Fleuré
la Villedieu-du-Clain
Vivonne
Aslonnes
Gizay
Vernon
Dienné
Lhommaizé
Civaux
Château-Larcher
Verrières
Mazerolles
Lussac-les-Châteaux
Sillars
Marnay
St-Maurice-la-Clouère
St-Laurent-de-Jourdes
Gençay
Magné
Anché
Brion
Bouresse
Gouex
Saulgé
Persac
Queaux
Moulismes
Plaisance
St-Secondin
la Ferrière-Airoux
Champagné-St-Hilaire
Sommières-du-Clain
Romagne
Usson-du-Poitou
Moussac
Nérignac
Château-Garnier
Adriers
l'Isle-Jourdain
le Vigeant
Jousseé
Payroux
St-Martin-l'Ars
Champniers
St-Romain
Mouterre-sur-Blourde
la Chapelle-Bâton
Mauprévoir
Millac
Luchapt
St-Barbant
St-Pierre-d'Exideuil
Savigné
Civray
Charroux
Asnières-sur-Blour
Availles-Limouzine
Pressac
Oradour-Fanais
Gajoubert
St-Gaudent
Genouillé
Asnois
Abzac
Pleuville
Surin
Chatain
Épenède
Lessac
Brillac
St-Germain-de-Confolens
Bussière-Boffy
Hiesse
Benest
Alloue
Esse
Nanteuil-en-Vallée
Vieux-Ruffec
Champagné-Mouton
St-Coutant
Confolens
Lesterps
St-Christophe
Ansac
94
95
110
122
123
E
F
G
H

110
95
96
109
123
124
A
B
C
D
1
2
3
4
5
6
Le Blanc
Mérigny
Ruffec
Ciron
Chitray
St-Gaultier
Chasseneuil
St-Aigny
Rivarennes
Thenay
Le Pont-Chrétien-Chabenet
Anc. Prieuré de Puychevrier
Lanterne des Morts
Ingrandes
Concremiers
Scoury
Oulches
DE LA BRENNE
Mauvières
St-Germain
Villemort
Béthines
Antigny
St-Hilaire-sur-Benaize
Bélâbre
Chalais
Luzeret
Étang Bienfait
Haims
Liglet
Prissac
Chazelet
Celon
Sacierges-St-Martin
St-Civran
Vigoux
Journet
La Trimouille
Lignac
Dunet
Roussines
St-Gilles
Montmorillon
St-Léomer
Parnac
St-Benoît-du-Sault
Lanterne des Morts de Moussac
Thollet
Chaillac
Tilly
Coulonges
Bourg-Archambault
Brigueil-le-Chantre
Beaulieu
La Châtre-Langlin
Mouhet
Bonneuil
St-Martin-le-Mault
Jouac
Les Grands-Chézeaux
Azerables
Lathus-St-Rémy
Verneuil-Moustiers
Lussac-les-Églises
Cromac
St-Georges-les-Landes
Mailhac-sur-Benaize
St-Sulpice-les-Feuilles
Azat-le-Ris
Tersannes
Vareilles
St-Léger-Magnazeix
Thiat
Arnac-la-Poste
La Souterraine
Bussière-Poitevine
Oradour-St-Genest
La Bazeuge
St-Hilaire-la-Treille
Dinsac
Darnac
Magnac-Laval
Dompierre-les-Églises
Le Dorat
St-Maurice-la-Souterraine
St-Sornin-la-Marche
St-Sornin-Leulac
St-Bonnet-de-Bellac
St-Amand-Magnazeix
Fromental
Villefavard
St-Ouen-sur-Gartempe
La Croix-sur-Gartempe
Droux
Peyrat-de-Bellac
Châteauponsac
St-Pierre-de-Fursac
Blanzac
Rancon
Bellac
Mézières-sur-Issoire
Balledent
Bessines-sur-Gartempe
Folles
St-Junien-les-Combes
Bersac-sur-Rivalier
Nouic
Roussac
Laurière
Berneuil
Mortemart
Blond
St-Symphorien-sur-Couze
St-Pardoux
Breuilaufa
Montrol-Sénard
St-Sulpice-Laurière
Razès
St-Léger-la-Montagne
Vaulry
Nantiat
Chamboret
A20
E09
E62
N145
N147

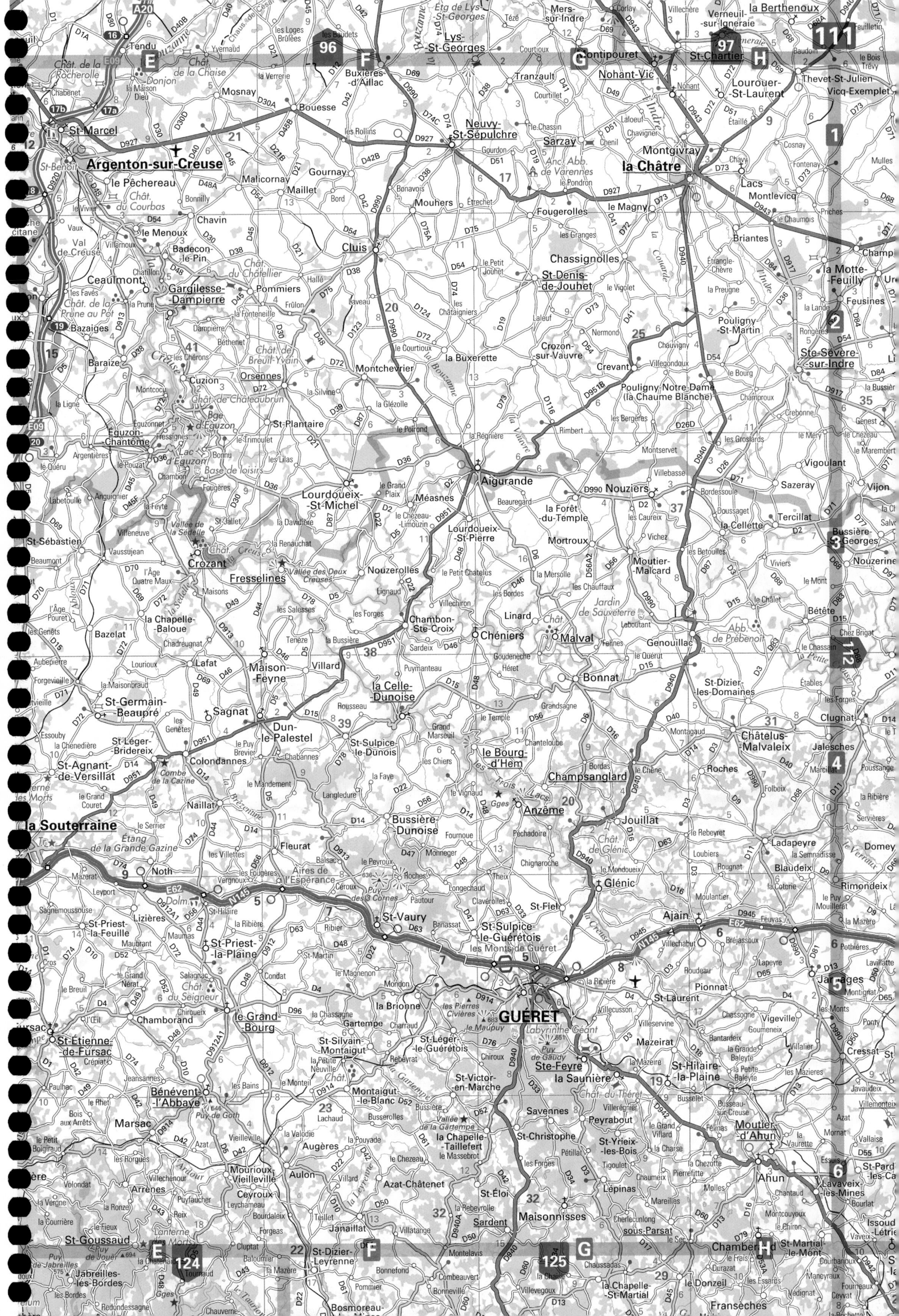

96
97
111
112
124
125
Argenton-sur-Creuse
St-Marcel
le Pêchereau
Tendu
Mosnay
Bouesse
Buxières-d'Aillac
Lys-St-Georges
Mers-sur-Indre
Montipouret
Nohant-Vic
St-Chartier
Verneuil-sur-Igneraie
la Berthenoux
Thevet-St-Julien
Vicq-Exemplet
Lourouer-St-Laurent
Tranzault
Neuvy-St-Sépulchre
Sarzay
Montgivray
la Châtre
Lacs
Montlevicq
Briantes
Gournay
Malicornay
Maillet
Mouhers
Fougerolles
le Magny
Chavin
le Menoux
Badecon-le-Pin
Cluis
Chassignolles
St-Denis-de-Jouhet
Ceaulmont
Gargilesse-Dampierre
Pommiers
Bazaiges
Baraize
Cuzion
Orsennes
Montchevrier
la Buxerette
Crozon-sur-Vauvre
Crevant
Pouligny-Notre-Dame
(la Chaume Blanche)
Pouligny-St-Martin
Ste-Sévère-sur-Indre
la Motte-Feuilly
Champillet
Feusines
Eguzon-Chantôme
St-Plantaire
Aigurande
Lourdoueix-St-Michel
Méasnes
Lourdoueix-St-Pierre
la Forêt-du-Temple
Nouziers
Vigoulant
Sazeray
Vijon
la Cellette
Tercillat
Bussière-St-Georges
St-Sébastien
Crozant
Fresselines
Nouzerolles
Mortroux
Moutier-Malcard
Nouzerines
la Chapelle-Baloue
Bazelat
Chambon-Ste-Croix
Chéniers
Malval
Genouillac
Bétête
Lafat
Maison-Feyne
Villard
la Celle-Dunoise
Bonnat
St-Dizier-les-Domaines
St-Germain-Beaupré
Sagnat
Dun-le-Palestel
St-Sulpice-le-Dunois
le Bourg-d'Hem
Champsanglard
Châtelus-Malvaleix
Clugnat
Jalesches
St-Léger-Bridereix
St-Agnant-de-Versillat
Colondannes
Roches
la Souterraine
Naillat
Bussière-Dunoise
Anzême
Jouillat
Ladapeyre
Domeyrot
Blaudeix
Fleurat
Noth
Glénic
Rimondeix
St-Vaury
St-Fiel
Ajain
Lizières
St-Priest-la-Feuille
St-Priest-la-Plaine
St-Sulpice-le-Guérétois
Jarnages
Pionnat
St-Laurent
le Grand-Bourg
la Brionne
GUÉRET
Chamborand
Vigeville
St-Étienne-de-Fursac
St-Silvain-Montaigut
St-Léger-le-Guérétois
Ste-Feyre
Mazeirat
Cressat
la Saunière
St-Hilaire-la-Plaine
St-Victor-en-Marche
Bénévent-l'Abbaye
Montaigut-le-Blanc
Savennes
Peyrabout
Marsac
Augères
la Chapelle-Taillefert
St-Christophe
St-Yrieix-les-Bois
Moutier-d'Ahun
Mourioux-Vieilleville
Aulon
Azat-Châtenet
Ahun
Arrènes
Ceyroux
St-Éloi
Lépinas
Lavaveix-les-Mines
St-Pardoux-les-Cards
Maisonnisses
Sardent
Janaillat
St-Goussaud
St-Dizier-Leyrenne
Chamberaud
St-Martial-le-Mont
Jabreilles-les-Bordes
la Chapelle-St-Martial
le Donzeil
Bosmoreau-les-Mines
Fransèches
E62
N145
E09
A20

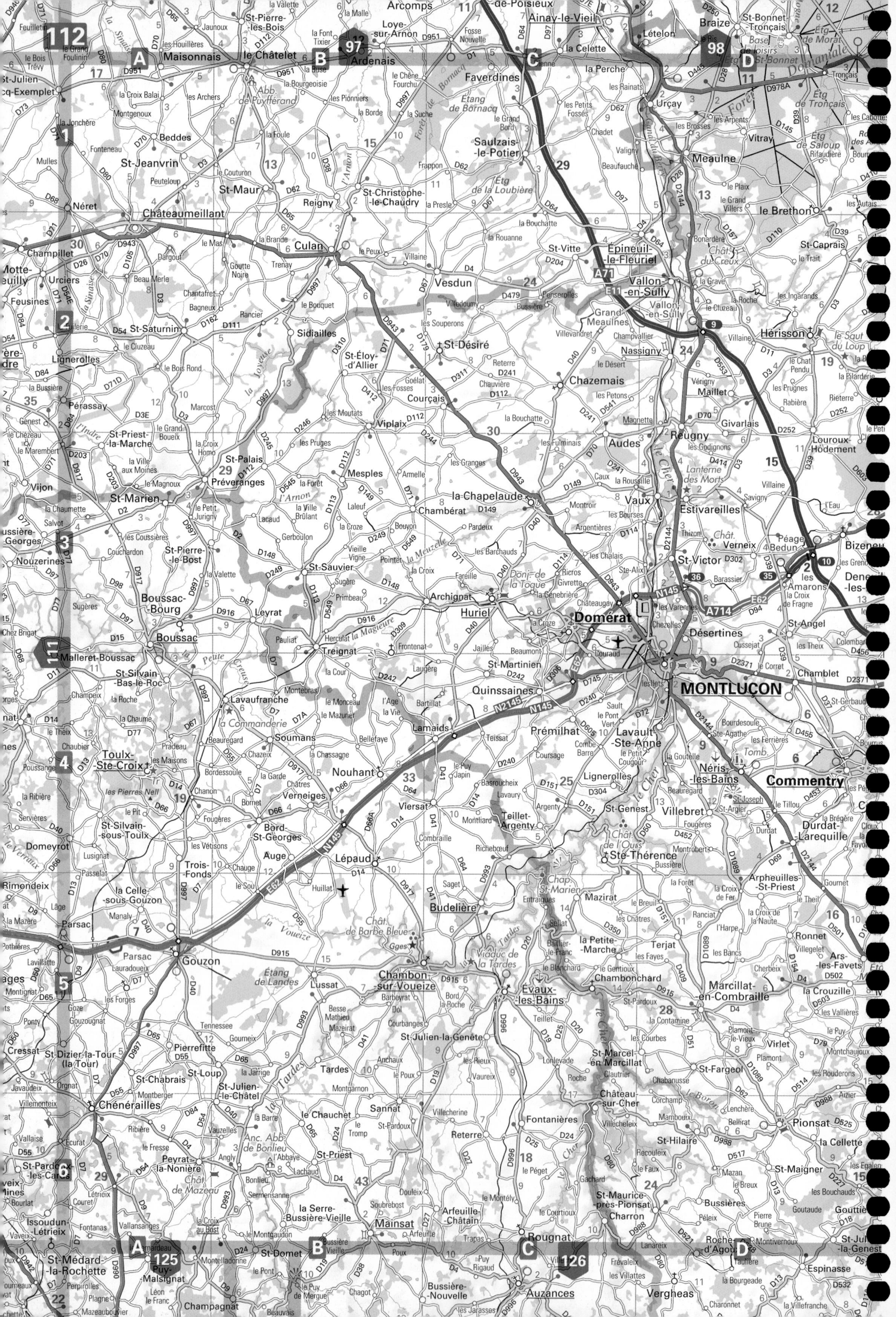
112
97
98
125
126
Maisonnais
le Châtelet
Ardenais
Arcomps
Loye-sur-Arnon
St-Pierre-les-Bois
Ainay-le-Vieil
Braize
St-Bonnet-Tronçais
Faverdines
la Perche
Urçay
Saulzais-le-Potier
Beddes
St-Jeanvrin
St-Maur
St-Christophe-le-Chaudry
Reigny
Meaulne
Néret
Châteaumeillant
le Brethon
Culan
Épineuil-le-Fleuriel
Vallon-en-Sully
Champillet
Urciers
Vesdun
St-Saturnin
Sidiailles
St-Désiré
Hérisson
Lignerolles
St-Éloy-d'Allier
Chazemais
Nassigny
Maillet
Pérassay
Courçais
Viplaix
Audes
Reugny
Givarlais
St-Priest-la-Marche
St-Palais
Mesples
Louroux-Hodement
Vijon
Préveranges
St-Marien
la Chapelaude
Vaux
Estivareilles
Chambérat
St-Pierre-le-Bost
St-Sauvier
St-Victor
Verneix
Bizeneuille
Nouzerines
Boussac-Bourg
Leyrat
Archignat
Huriel
Domérat
Boussac
Treignat
Désertines
St-Angel
Malleret-Boussac
St-Silvain-Bas-le-Roc
St-Martinien
Chamblet
Lavaufranche
Quinssaines
MONTLUÇON
Lamaids
Prémilhat
Lavault-Ste-Anne
Soumans
Toulx-Ste-Croix
Nouhant
Lignerolles
Néris-les-Bains
Commentry
Verneiges
Viersat
St-Genest
Villebret
St-Silvain-sous-Toulx
Bord-St-Georges
Teillet-Argenty
Durdat-Larequille
Domeyrot
Auge
Lépaud
Ste-Thérence
Trois-Fonds
Arpheuilles-St-Priest
la Celle-sous-Gouzon
Budelière
Mazirat
Parsac
Gouzon
la Petite-Marche
Terjat
Ronnet
Ars-les-Favets
Lussat
Chambon-sur-Voueize
Évaux-les-Bains
Chambonchard
Marcillat-en-Combraille
Pierrefitte
St-Julien-la-Genête
St-Marcel-en-Marcillat
Cressat
St-Dizier-la-Tour (la Tour)
Tardes
St-Fargeol
St-Chabrais
St-Loup
St-Julien-le-Châtel
Chénérailles
le Chauchet
Sannat
Château-sur-Cher
Fontanières
Pionsat
Reterre
St-Hilaire
la Cellette
Peyrat-la-Nonière
St-Priest
St-Pardoux-les-Cards
St-Maigner
St-Maurice-près-Pionsat
Issoudun-Létrieix
la Serre-Bussière-Vieille
Mainsat
Arfeuille-Châtain
Charron
Bussières
Rougnat
St-Médard-la-Rochette
Puy-Malsignat
St-Domet
Roche-d'Agoux
St-Julien-la-Geneste
Espinasse
Champagnat
Bussière-Nouvelle
Auzances
Vergheas
A71
E11
A714
E62
N145
N2145

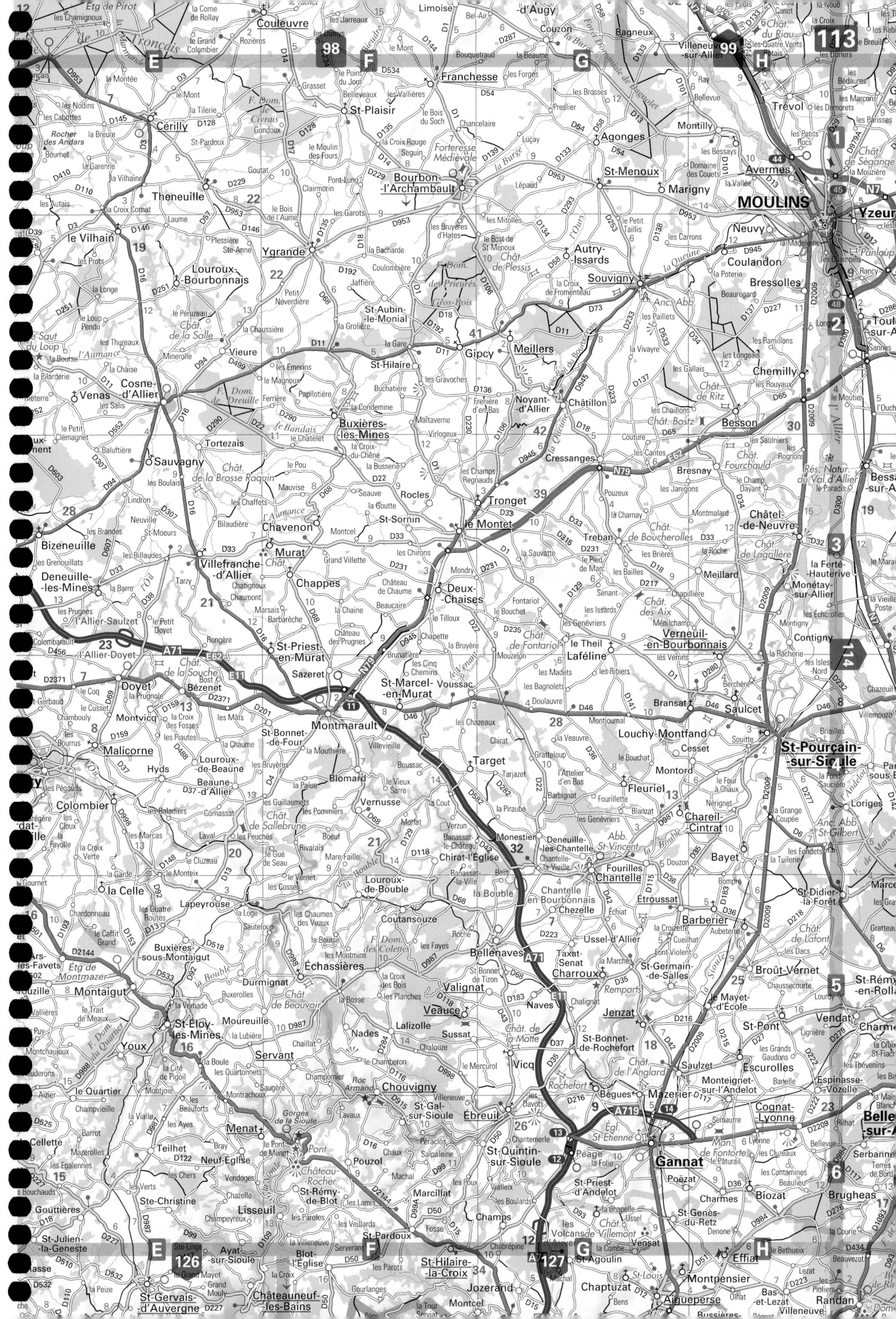

12
98
99
113
114
126
127
E
F
G
H
Couleuvre
Franchesse
Cérilly
St-Plaisir
Bourbon-l'Archambault
Agonges
St-Menoux
Marigny
Avermes
MOULINS
Yzeure
Trévol
Theneuille
Le Vilhain
Ygrande
Louroux-Bourbonnais
Autry-Issards
Souvigny
Coulandon
Bressolles
St-Aubin-le-Monial
Gipcy
Meillers
Cosne-d'Allier
Venas
Buxières-les-Mines
Noyant-d'Allier
Châtillon
Besson
Chemilly
Sauvagny
Cressanges
Tronget
le Montet
Bizeneuille
Chavenon
Murat
Villefranche-d'Allier
Deneuille-les-Mines
Chappes
Deux-Chaises
Châtel-de-Neuvre
Meillard
Treban
Verneuil-en-Bourbonnais
Le Theil
Laféline
St-Priest-en-Murat
Doyet
Bézenet
Montmarault
St-Marcel-en-Murat
Voussac
Bransat
Saulcet
St-Pourçain-sur-Sioule
Malicorne
Louchy-Montfand
Target
Blomard
Fleuriel
Chareil-Cintrat
Colombier
Vernusse
Monestier
Chirat-l'Église
Louroux-de-Bouble
Fourilles
Chantelle
Étroussat
Barberier
Bayet
la Celle
Lapeyrouse
Bellenaves
Échassières
Charroux
Ussel-d'Allier
Montaigut
Valignat
Veauce
Jenzat
Broût-Vernet
St-Éloy-les-Mines
Youx
Servant
Vicq
Escurolles
Chouvigny
Ébreuil
Gannat
Menat
St-Quintin-sur-Sioule
Lisseuil
St-Pardoux
Ayat-sur-Sioule
St-Gervais-d'Auvergne
Châteauneuf-les-Bains
St-Hilaire-la-Croix
Jozerand
Chaptuzat
Aigueperse
Effiat
Montpensier
Randan
Vendat
Biozat
A71
A719
N79
E62
E11
N7

114
99
100
A
B
C
D
la Chapelle-aux-Chasses
Paray-le-Frésil
Garnat-sur-Engièvre
Lesme
Bourbon-Lancy
St-Nazaire
Mont
la Chapelle-au-Mans
Gennetines
Chevagnes
Chézy
Beaulon
Chalmoux
Neuvy-Grandchamp
Lusigny
Yzeure
St-Aubin-sur-Loire
Abb. de Sept Fonts
Diou
Gilly-sur-Loire
Perrigny-sur-Loire
Montbeugny
Thiel-sur-Acolin
Dompierre-sur-Besbre
Parc animalier et d'attractions
Pierrefitte-sur-Loire
St-Agnan
la Motte-St-Jean
Digoin
Toulon-sur-Allier
Chapeau
Château de la Cour en Chapeau
St-Pourçain-sur-Besbre
Château de Thoury
Coulanges
Molinet
Neuilly-le-Réal
Mercy
Saligny-sur-Roudon
Vaumas
Bessay-sur-Allier
Monétay-sur-Loire
Le Pin
Gouise
St-Voir
Thionne
Châtelperron
Jaligny-sur-Besbre
St-Léon
Liernolles
St-Ambroise
St-Léger-sur-Vouzance
St-Gérand-de-Vaux
Treteau
St-Didier-en-Donjon
Chavroches
Sorbier
Montcombroux-les-Mines
le Donjon
Neuilly-en-Donjon
Luneau
St-Loup
113
Montoldre
Varennes-sur-Allier
Bouccé
Cindré
Trézelles
Varennes-sur-Tèche
Bert
Montaigu-le-Blin
Château de Montaigu
Barrais-Bussolles
Lenax
Loddes
Montaiguët-en-Forez
Servilly
St-Gérand-le-Puy
Sanssat
Langy
Créchy
Lapalisse
Périgny
Andelaroche
Urbise
Billy
St-Félix
St-Prix
Droiturier
Sail-les-Bains
Chenay-le-Châtel
Marcenat
St-Germain-des-Fossés
Magnet
Billezois
St-Pierre-Laval
St-Martin-d'Estréaux
Château de Châteaumorand
Seuillet
Châtelus
Vivans
Creuzier-le-Neuf
Creuzier-le-Vieux
St-Rémy-en-Rollat
Charmeil
St-Étienne-de-Vicq
St-Christophe
Isserpent
Arfeuilles
La Pacaudière
le Crozet
St-Bonnet-des-Quarts
Changy
Cusset
VICHY
Bellerive-sur-Allier
Combe des Malavaux
Châtel-Montagne
St-Forgeux-Lespinasse
St-Germain-Lespinasse
Ambierle
Abrest
Molles
Nizerolles
la Chapelle
Puy du Roc
Hauterive
St-Romain-la-Motte
St-Haon-le-Vieux
St-Haon-le-Châtel
le Mayet-de-Montagne
St-Clément
St-Nicolas-des-Biefs
St-Rirand
St-Yorre
Busset
Arronnes
St-Sylvestre-Pragoulin
Renaison
127
128
Château de Montgilbert
Ferrières-sur-Sichon
les Noës
St-André-d'Apchon
Pouilly-les-Nonains
St-Priest-Bramefant
Mariol
la Chabanne
St-Alban-les-Eaux
Arcon
N7
N79
E62
D973
D779
D480
D994
D990

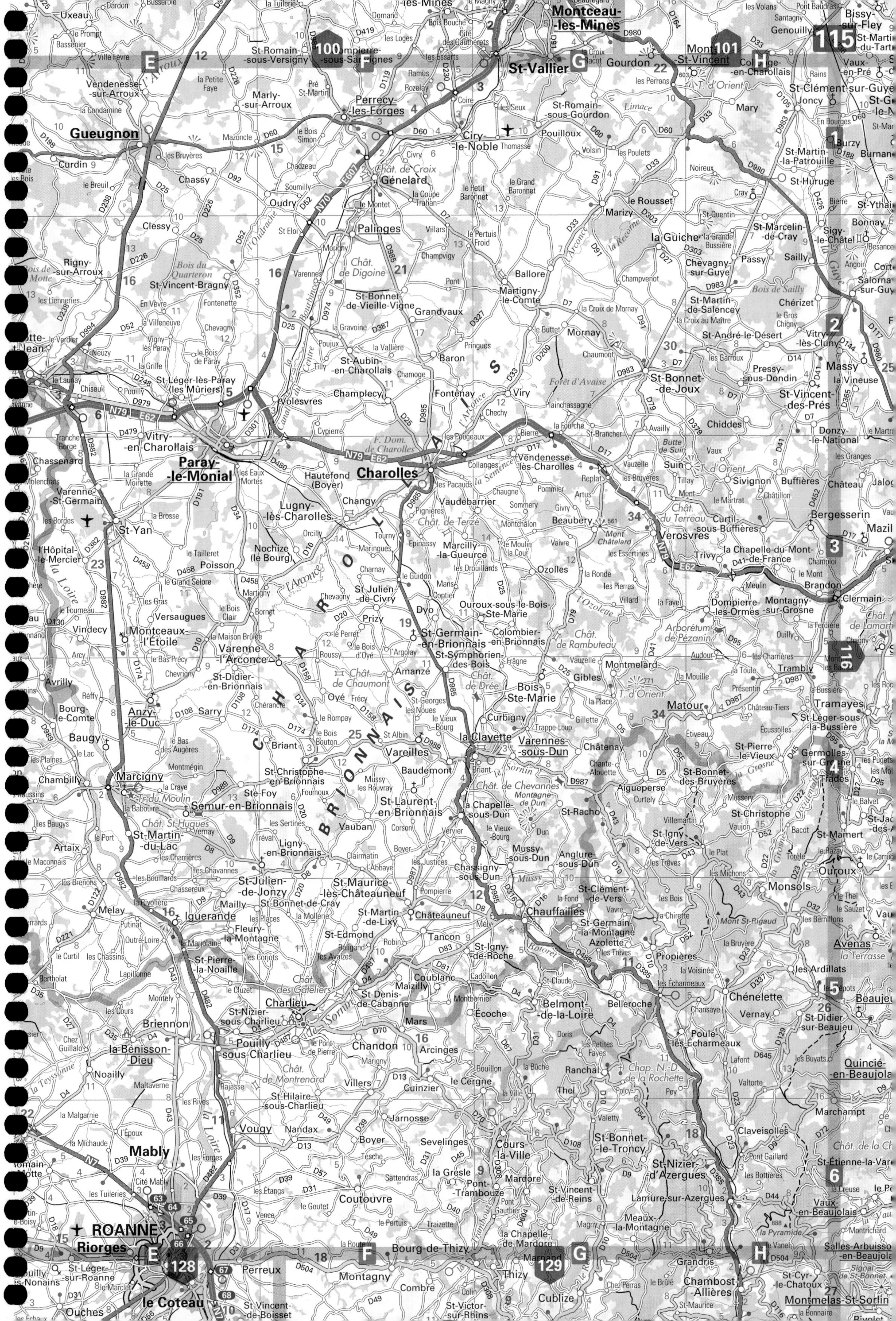
115
Montceau-les-Mines
St-Vallier
Gourdon
Mont-St-Vincent
101
100
Perrecy-les-Forges
Gueugnon
Génelard
Ciry-le-Noble
Palinges
Paray-le-Monial
Charolles
Vitry-en-Charollais
Volesvres
St-Yan
Lugny-lès-Charolles
St-Bonnet-de-Joux
La Guiche
Marcigny
Semur-en-Brionnais
Iguerande
St-Julien-de-Jonzy
Châteauneuf
Chauffailles
La Clayette
Varennes-sous-Dun
Matour
Bois-Ste-Marie
St-Germain-en-Brionnais
Charlieu
Pouilly-sous-Charlieu
La Bénisson-Dieu
Belmont-de-la-Loire
Cours-la-Ville
Thizy
Bourg-de-Thizy
Vougy
Mably
ROANNE
Riorges
Le Coteau
Perreux
Montagny
Cublize
Chambost-Allières
Lamure-sur-Azergues
St-Nizier-d'Azergues
Monsols
Beaujeu
Quincié-en-Beaujolais
Vaux-en-Beaujolais
Salles-Arbuissonnas-en-Beaujolais
Montmelas-St-Sorlin
Tramayes
Clermain
Verosvres
Anzy-le-Duc
CHAROLAIS
BRIONNAIS
N79
E62
N7
128
129
116
E
F
G
H

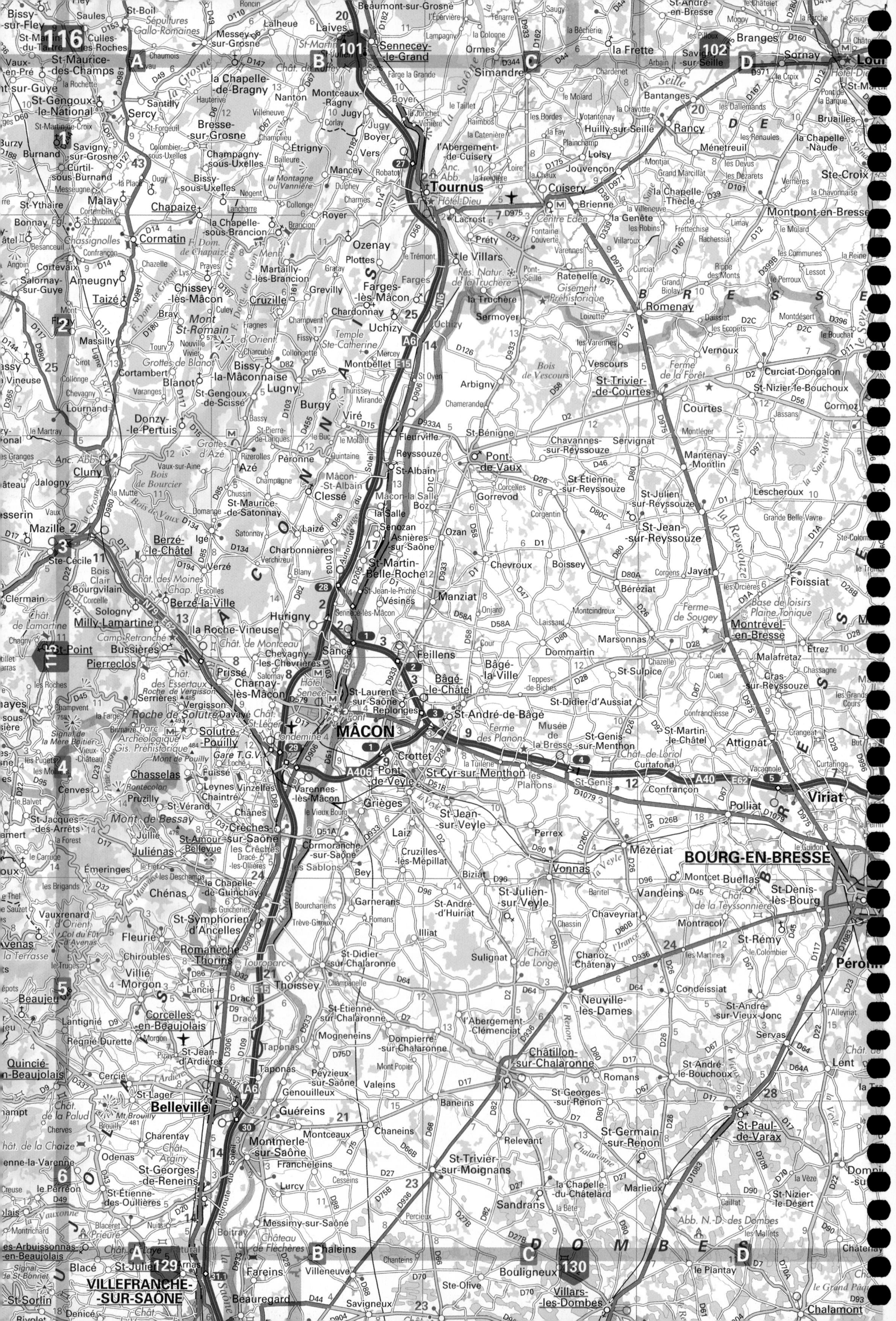
116
101
102
115
129
130
A
B
C
D
2
3
4
5
6
Bissy-sur-Fley
St-Boil
Sépultures Gallo-Romaines
Laives
Sennecey-le-Grand
Beaumont-sur-Grosne
Branges
Sornay
Louhans
Culles-les-Roches
St-Maurice-des-Champs
la Chapelle-de-Bragny
Messey-sur-Grosne
Lalheue
Simandre
la Frette
Savigny-sur-Seille
St-Gengoux-le-National
Sercy
Santilly
Bresse-sur-Grosne
Nanton
Montceaux-Ragny
Jugy
Boyer
Bantanges
Rancy
Huilly-sur-Seille
Bruailles
la Chapelle-Naude
Savigny-sur-Grosne
Burnand
Curtil-sous-Burnand
Champagny-sous-Uxelles
Étrigny
Vers
l'Abergement-de-Cuisery
Loisy
Ménetreuil
Mancey
Tournus
Cuisery
Jouvençon
Brienne
la Chapelle-Thècle
Ste-Croix
Bissy-sous-Uxelles
Malay
Chapaize
Royer
Lacrost
la Genête
Montpont-en-Bresse
St-Ythaire
Bonnay
la Chapelle-sous-Brancion
Cormatin
Ozenay
Préty
le Villars
Plottes
Cortevaix
Ameugny
Salornay-sur-Guye
Taizé
Chissey-lès-Mâcon
Martailly-lès-Brancion
Cruzille
Grevilly
Farges-lès-Mâcon
Ratenelle
la Truchère
Sermoyer
Romenay
Chardonnay
Uchizy
Mont St-Romain
Massilly
Cortambert
Blanot
Bissy-la-Mâconnaise
Lugny
Montbellet
Arbigny
Vescours
St-Trivier-de-Courtes
Vernoux
Curciat-Dongalon
St-Nizier-le-Bouchoux
Courtes
Cormoz
Lournand
St-Gengoux-de-Scissé
Donzy-le-Pertuis
Burgy
Viré
Fleurville
St-Bénigne
Chavannes-sur-Reyssouze
Servignat
Mantenay-Montlin
Cluny
Azé
Péronne
Reyssouze
St-Albain
Pont-de-Vaux
Gorrevod
St-Étienne-sur-Reyssouze
St-Julien-sur-Reyssouze
Lescheroux
Jalogny
St-Maurice-de-Satonnay
Clessé
Mâcon-la Salle
Boz
la Salle
St-Jean-sur-Reyssouze
Mazille
Berzé-le-Châtel
Igé
Laizé
Senozan
Asnières-sur-Saône
Ozan
Chevroux
Boissey
Jayat
Foissiat
Ste-Cécile
Charbonnières
St-Martin-Belle-Roche
Bourgvilain
Verzé
Béréziat
Sologny
Berzé-la-Ville
Milly-Lamartine
Hurigny
Vésines
Manziat
Montrevel-en-Bresse
la Roche-Vineuse
Bussières
St-Point
Pierreclos
Sancé
Feillens
Marsonnas
Dommartin
Bâgé-la-Ville
Chevagny-les-Chevrières
Prissé
Charnay-lès-Mâcon
Bâgé-le-Châtel
St-Sulpice
Malafretaz
Cras-sur-Reyssouze
Étrez
St-Laurent-sur-Saône
Replonges
St-André-de-Bâgé
St-Didier-d'Aussiat
Serrières
Vergisson
Roche de Solutré
Davayé
MÂCON
Solutré-Pouilly
Musée de la Bresse
St-Genis-sur-Menthon
St-Martin-le-Châtel
Attignat
Crottet
Pont-de-Veyle
St-Cyr-sur-Menthon
Curtafond
Confrançon
Viriat
Chasselas
Fuissé
Cenves
Leynes
Vinzelles
Chaintré
Varennes-lès-Mâcon
Grièges
Pruzilly
St-Vérand
Chânes
St-Jean-sur-Veyle
Polliat
St-Jacques-des-Arrêts
Mont de Bessay
Crêches-sur-Saône
Laiz
Perrex
Mézériat
Juliénas
St-Amour-Bellevue
Cormoranche-sur-Saône
Cruzilles-lès-Mépillat
BOURG-EN-BRESSE
Émeringes
Bey
Vonnas
Montcet
Buellas
Chénas
la Chapelle-de-Guinchay
Biziat
St-Julien-sur-Veyle
Vandeins
St-Denis-lès-Bourg
Garnerans
St-André-d'Huiriat
Chaveyriat
Vauxrenard
St-Symphorien-d'Ancelles
Montracol
Illiat
St-Rémy
Fleurie
Romanèche-Thorins
St-Didier-sur-Chalaronne
Sulignat
Chanoz-Châtenay
Péronnas
Chiroubles
Villié-Morgon
Thoissey
Condeissiat
Beaujeu
Lancié
Dracé
Neuville-les-Dames
Lantignié
Corcelles-en-Beaujolais
St-Étienne-sur-Chalaronne
l'Abergement-Clémenciat
St-André-sur-Vieux-Jonc
Régnié-Durette
St-Jean-d'Ardières
Mogneneins
Dompierre-sur-Chalaronne
Servas
Quincié-en-Beaujolais
Taponas
Châtillon-sur-Chalaronne
Cercié
Peyzieux-sur-Saône
Valeins
Romans
St-André-le-Bouchoux
Lent
St-Lager
Belleville
Genouilleux
St-Georges-sur-Renon
Guéreins
Baneins
Chaneins
St-Paul-de-Varax
Charentay
Montceaux
St-Germain-sur-Renon
Odenas
Montmerle-sur-Saône
Relevant
Francheleins
St-Trivier-sur-Moignans
St-Georges-de-Reneins
le Perréon
St-Étienne-des-Oullières
Lurcy
la Chapelle-du-Châtelard
Marlieux
St-Nizier-le-Désert
Sandrans
Messimy-sur-Saône
Chaleins
Blacé
St-Julien
Arnas
Fareins
Villeneuve
Bouligneux
le Plantay
VILLEFRANCHE-SUR-SAÔNE
Beauregard
Ste-Olive
Savigneux
Villars-les-Dombes
Chalamont
St-Sorlin
Denicé
A6
A40
A406
E15
E62
N6
N79
D O M B E S
B R E S S E

102
103
117
118
130
131
Louhans
Montagny-près-Louhans
Ratte
Sagy
Ste-Croix
Bresse
Frontenaud
Cousance
Cuiseaux
Varennes-St-Sauveur
Condal
St-Amour
Domsure
Beaupont
Coligny
Marboz
Verjon
Pirajoux
Salavre
St-Étienne-du-Bois
Treffort-Cuisiat
Meillonnas
Jasseron
Ceyzériat
Péronnas
Montagnat
Revonnas
Tossiat
Certines
Dompierre-sur-Veyle
Pont-d'Ain
Priay
Ambronay
Jujurieux
Cerdon
Poncin
Neuville-sur-Ain
St-Martin-du-Mont
Beaufort
Augisey
Cressia
Gigny
Montfleur
Chavannes-sur-Suran
Simandre-sur-Suran
Izernore
Oyonnax
Nantua
Montréal-la-Cluse
Arinthod
St-Julien
St-Hymetière
Orgelet
Présilly
Clairvaux-les-Lacs
Moirans-en-Montagne
Lavans-lès-St-Claude
Villards-d'Héria
Belleydoux
Giron
Brénod
le Petit-Abergement
le Grand-Abergement
Hauteville-
Bonlieu
Prénovel
Chaux-des-Prés
les Piards
Arbent
Dortan
Lavancia-Epercy
Maisod
Thoiria
St-Lupicin
Forêt de Macretet
Forêt d'Échallon
Lac de Nantua
Gorges de l'Ain
Plateau de Retord
A39
A40
A42
A404
E21
E62

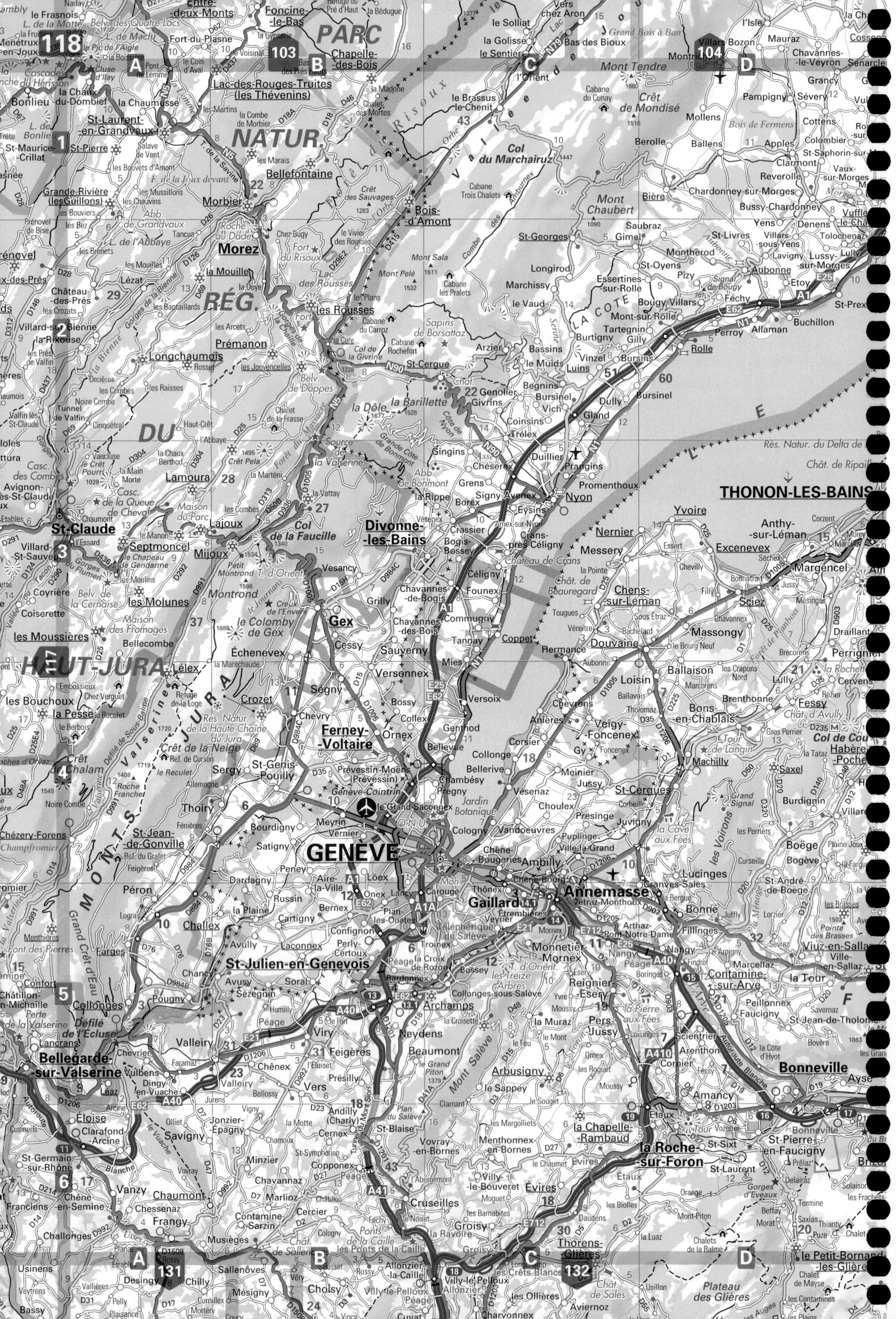

118
103
104
117
131
132
A
B
C
D
1
2
3
4
5
6
PARC
NATUR.
RÉG.
DU
HAUT-JURA
MONTS JURA
Foncine-le-Bas
Entre-deux-Monts
Chapelle-des-Bois
Lac-des-Rouges-Truites (les Thévenins)
St-Laurent-en-Grandvaux
Bonlieu
St-Pierre
Grande-Rivière (lesGuillons)
Morbier
Bellefontaine
Bois-d'Amont
Morez
les Rousses
Prémanon
Longchaumois
Lamoura
Lajoux
Septmoncel
Mijoux
St-Claude
Les Molunes
Les Moussières
Lélex
Crozet
Col de la Faucille
Divonne-les-Bains
Gex
Ferney-Voltaire
St-Genis-Pouilly
Thoiry
St-Jean-de-Gonville
Challex
Collonges
Bellegarde-sur-Valserine
Défilé de l'Écluse
St-Julien-en-Genevois
GENÈVE
Genève-Cointrin
Carouge
Gaillard
Annemasse
Col du Marchairuz
Mont Tendre
Crêt de Mondisé
St-Cergue
la Dôle
Nyon
Gland
Rolle
Aubonne
LA CÔTE
St-Georges
Mont Chaubert
Coppet
Versoix
Hermance
Douvaine
Yvoire
Nernier
Excenevex
THONON-LES-BAINS
Chens-sur-Léman
Sciez
Margencel
Fessy
Bons-en-Chablais
Machilly
St-Cergues
Saxel
Lucinges
Bonne
Boëge
Viuz-en-Sallaz
Contamine-sur-Arve
Reignier-Esery
Arbusigny
la Chapelle-Rambaud
la Roche-sur-Foron
Bonneville
St-Pierre-en-Faucigny
Cruseilles
Archamps
Chaumont
Frangy
Thorens-Glières
Plateau des Glières
le Petit-Bornand-les-Glières
Rés. Natur. du Delta de la Dranse
Lac Léman

104
105
119
132
133
E
F
G
H
1
2
3
4
5
6
LAUSANNE
Morges
St-Sulpice
Préverenges
Ouchy
Pully
Lutry
Paudex
Grandvaux
Riex
Cully
Epesses
Villette
Chexbres
Rivaz
St-Saphorin
Chardonne
le Pèlerin
Vevey
la Tour-de-Peilz
Corsier
Chailly
Clarens
Montreux
Territet
Glion
Caux
Veytaux
Blonay
Brent
St-Légier-la-Chiesaz
Les Pléiades
Rochers de Naye
Château de Chillon
Villeneuve
Noville
Rennaz
Roche
Chessel
Vouvry
Yvorne
Aigle
Illarsaz
Vionnaz
Torgon
Revereulaz
Vezenand
Muraz
Collombey
Collombey-le-Grand
St-Triphon
Ollon
Monthey
Massongex
Bex
St-Maurice
Lavey-les-Bains
Evionnaz
Collonges
Dorénaz
Vernayaz
Salvan
Martigny
Martigny-Bourg
la Bâtiaz
Finhaut
Trient
Col de la Forclaz
Vallorcine
Argentière
le Tour
Leysin
Aigle
Villars-sur-Ollon
Chesières
Gryon
Les Posses
Col des Mosses
Tour d'Aï
Moléson-Village
le Moléson
Les Paccots
Châtel-St-Denis
Semsales
Palézieux
Oron-la-Ville
Montpreveyres
Epalinges
Savigny
Forel
Renens
Prilly
Crissier
Cossonay
Vufflens-la-Ville
L É M A N
Évian-les-Bains
Lugrin
Meillerie
St-Gingolph
Bouveret
Port-Valais
Les Évouettes
Le Grammont
Neuvecelle
Maxilly-sur-Léman
Thollon-les-Mémises
Publier
Amphion-les-Bains
Marin
Champanges
Larringes
St-Paul-en-Chablais
Bernex
Novel
Féternes
Vinzier
Chevenoz
Allinges
Armoy
Lyaud
Reyvroz
Vacheresse
la Chapelle-d'Abondance
Abondance
Châtel
Pas de Morgins
Morgins
Col de la Conche
Pic de Morclan
Les Cornettes de Bise
Gorges du Pont du Diable
Lullin
Bellevaux
le Biot
Seytroux
St-Jean-d'Aulps
Portes du Soleil
Montriond
Avoriaz
Morzine
les Gets
Champoussin
Val-d'Illiez
Champéry
Troistorrents
Choëx
Dent du Midi
Les Crosets
Planachaux
Mégevette
Onnion
St-Jeoire
Mieussy
Taninges
Verchaix
Samoëns
Morillon
Sixt-Fer-à-Cheval
Châtillon-sur-Cluses
Cluses
Scionzier
Marnaz
Thyez
Marignier
Ayse
Mont-Saxonnex
Brizon
Magland
le Reposoir
Arâches-la-Frasse
Flaine
Chaîne du Bargy
Tour Sallière
Pic de Tenneverge
Grand Mont Ruan
Lac de Salanfe
C H A B L A I S
F A U C I G N Y

120
106
107
134
A
B
C
D
1
2
3
4
5
6
St-Pierre-d'Oléron
Boyardville
les Salines
Île Madame
Côte de Piédemont
Port-des-Barques
St-Nazaire-sur-Charente
Fort Vergeroux
Vergeroux
Tonnay-Charente
Lussant
Moragne
Champservé le Haut
la Mourière
Puyssetaut
St-Coutant-le-Grand
ROCHEFORT
Soubise
Dolus-d'Oléron
Parc Ornithologique
Le Marais aux Oiseaux
la Cotinière
la Perroche
la Remigeasse
ÎLE D'OLÉRON
Vert-Bois
Rés. Natur. de Moëze-d'Oléron
St-Froult
Anc. Seigneurie des Rohan
Moëze
Rochefort-St-Agnant
St-Hippolyte
Cabariot
Champdolent
Échillais
la Vallée
Bords
Croix Hosannière
Remparts
le Château-d'Oléron
Parcs à Huîtres
le Grand-Village-Plage
Fort Louvois
Bourcefranc-le-Chapus
Hiers-Brouage
Beaugeay
St-Agnant
Trizay
Romegoux
Beurlay
Ste-Radegonde
St-Trojan-les-Bains
Grande Plage
Côte Sauvage
Pointe de Gatseau
Pointe de Maumusson
Marennes
Chât. de la Gataudière
St-Jean-d'Angle
St-Just-Luzac
la Gripperie-St-Symphorien
Champagne
Pont-l'Abbé-d'Arnoult
St-Porchaire
Ronce-les-Bains
la Tremblade
Forêt de la Tremblade
St-Symphorien
Tour de Broue
St-Sulpice-d'Arnoult
les Essards
St-Sornin
Ste-Gemme
Soulignonne
Nieul-lès-Saintes
PRESQU'ÎLE D'ARVERT
Dom. de la Coubre
Arvert
Étaules
Chaillevette
Nieulle-sur-Seudre
Nancras
Balanzac
Corme-Royal
la Clisse
les Mathes
Mornac-sur-Seudre
l'Éguille
le Gua
Sablonceaux
Luchat
Ph. de la Coubre
POINTE DE LA COUBRE
la Palmyre
Zoo de la Palmyre
St-Augustin (Charosson)
Breuillet
Saujon
St-Romain-de-Benet
Pisany
Grde Passe de l'Ouest
Embouchure de la Gironde
St-Sulpice-de-Royan
Tour de Pirelongue
Thézac
Nécropole Nationale
Ph. de Terre Nègre
St-Palais-sur-Mer
Vaux-sur-Mer
Royan
Médis
Meursac
Conche
Promenade de la Corniche
Grande Conche
Corme-Écluse
Chât. de Didonne
St-Georges-de-Didonne
Phare de Cordouan
Pointe de Vallières
Semussac
Grézac
Thaims
POINTE DE GRAVE
Phare de la Pointe de Grave
Phare St-Nicolas
Pointe de Suzac
Conche des Nonnes
Cozes
le Verdon-sur-Mer
Meschers-sur-Gironde
Grotte Mataïa
Arces
Site Gallo-Romain du Fâ
Épargnes
Talmont-sur-Gironde
Soulac-sur-Mer
Basilique N.-D. de la Fin des Terres
Barzan
Chenac-St-Seurin-d'Uzet
Boutenac-Touvent
LA GIRONDE
Talais
Mortagne-sur-Gironde
Ermitage St-Martial
Grayan-et-l'Hôpital
Phare de Richard
St-Fort-sur-Gironde
St-Romain-sur-Gironde
St-Vivien-de-Médoc
MÉDOC
Vensac
Jau-Dignac-et-Loirac (le Centre)
Min de Vensac
Valeyrac
Montalivet-les-Bains
Queyrac
Vendays-Montalivet
Bégadan
St-Christoly-Médoc
Gaillan-en-Médoc
Civrac-en-Médoc
Couquèques
Prignac-en-Médoc
Blaignan
St-Yzans-de-Médoc

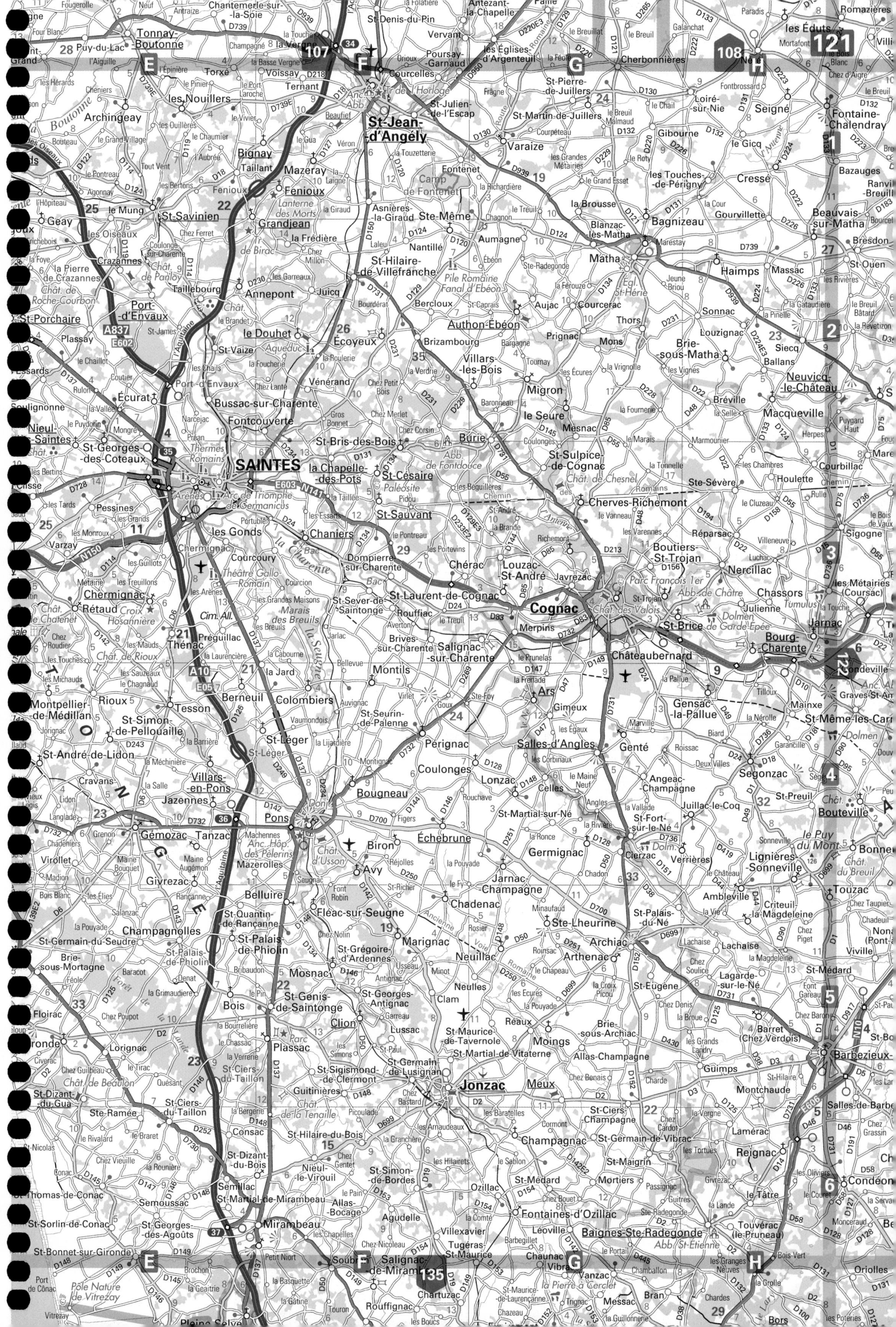

107
108
121
122
135
E
F
G
H
Tonnay-Boutonne
Puy-du-Lac
Torxé
Voissay
Ternant
Courcelles
St-Jean-d'Angély
St-Julien-de-l'Escap
Chantemerle-sur-la-Soie
St-Denis-du-Pin
Antezant-la-Chapelle
Vervant
Poursay-Garnaud
les Églises-d'Argenteuil
St-Pierre-de-Juillers
St-Martin-de-Juillers
Cherbonnières
Loiré-sur-Nie
Seigné
Fontaine-Chalendray
les Éduts
les Nouillers
Archingeay
Bignay
Mazeray
Fenioux
Taillant
Varaize
Fontenet
Camp de Fontenet
Gibourne
le Gicq
les Touches-de-Périgny
Cressé
Bazauges
St-Savinien
Grandjean
Asnières-la-Giraud
Ste-Même
la Brousse
Blanzac-lès-Matha
Bagnizeau
Gourvillette
Beauvais-sur-Matha
Geay
le Mung
les Oiseaux
la Frédière
Nantillé
Aumagne
Matha
Haimps
Massac
Bresdon
Crazannes
la Pierre de Crazannes
St-Hilaire-de-Villefranche
Pile Romaine Fanal d'Ebéon
Taillebourg
Annepont
Juicq
Bercloux
Authon-Ébéon
Aujac
Courcerac
Thors
Sonnac
Louzignac
Siecq
Ballans
St-Porchaire
Port-d'Envaux
le Douhet
Écoyeux
Brizambourg
Villars-les-Bois
Prignac
Mons
Brie-sous-Matha
Neuvicq-le-Château
Plassay
St-Vaize
Vénérand
Migron
Bréville
Macqueville
Écurat
Bussac-sur-Charente
Fontcouverte
le Seure
Mesnac
Nieul-lès-Saintes
St-Georges-des-Coteaux
SAINTES
la Chapelle-des-Pots
St-Bris-des-Bois
Burie
St-Césaire
St-Sulpice-de-Cognac
Houlette
Courbillac
Ste-Sévère
Pessines
St-Sauvant
Cherves-Richemont
Sigogne
les Gonds
Chaniers
Varzay
Courcoury
Dompierre-sur-Charente
Chérac
Louzac-St-André
Javrezac
Boutiers-St-Trojan
Réparsac
Nercillac
Chermignac
Rétaud
St-Sever-de-Saintonge
St-Laurent-de-Cognac
Cognac
Chassors
Julienne
Jarnac
Rouffiac
Merpins
St-Brice
Bourg-Charente
Thénac
Préguillac
Brives-sur-Charente
Salignac-sur-Charente
Châteaubernard
la Jard
Montils
Rioux
Berneuil
Colombiers
Ars
Gimeux
Gensac-la-Pallue
Mainxe
Montpellier-de-Médillan
Tesson
St-Simon-de-Pellouaille
St-Léger
St-Seurin-de-Palenne
Pérignac
Salles-d'Angles
Genté
Segonzac
St-André-de-Lidon
Cravans
Villars-en-Pons
Jazennes
Bougneau
Coulonges
Lonzac
Celles
Angeac-Champagne
Juillac-le-Coq
St-Preuil
Bouteville
Gémozac
Tanzac
Pons
Échebrune
St-Martial-sur-Né
St-Fort-sur-le-Né
Biron
Germignac
Verrières
Lignières-Sonneville
Virollet
Givrezac
Mazerolles
Avy
Jarnac-Champagne
Chadenac
Ambleville
Touzac
Belluire
Fléac-sur-Seugne
Ste-Lheurine
St-Palais-du-Né
Criteuil-la-Magdeleine
Champagnolles
St-Quantin-de-Rançanne
St-Palais-de-Phiolin
Marignac
Neuillac
Archiac
Arthenac
Lachaise
Viville
St-Germain-du-Seudre
Brie-sous-Mortagne
Mosnac
St-Grégoire-d'Ardennes
St-Médard
St-Eugène
Lagarde-sur-le-Né
Bois
St-Genis-de-Saintonge
St-Georges-Antignac
Clam
Clion
Floirac
Lorignac
Plassac
Lussac
St-Maurice-de-Tavernole
Réaux
Moings
Brie-sous-Archiac
Barret
Barbezieux
St-Martial-de-Vitaterne
Allas-Champagne
St-Sigismond-de-Clermont
St-Germain-de-Lusignan
Jonzac
Meux
Guimps
Montchaude
St-Dizant-du-Gua
Ste-Ramée
St-Ciers-du-Taillon
Guitinières
St-Ciers-Champagne
Salles-de-Barbezieux
Consac
St-Hilaire-du-Bois
Champagnac
St-Germain-de-Vibrac
Lamérac
Reignac
St-Dizant-du-Bois
Nieul-le-Virouil
St-Simon-de-Bordes
St-Maigrin
Condéon
St-Thomas-de-Conac
Semillac
St-Martial-de-Mirambeau
Allas-Bocage
Ozillac
St-Médard
Mortiers
le Tâtre
Semoussac
Fontaines-d'Ozillac
St-Sorlin-de-Conac
St-Georges-des-Agoûts
Mirambeau
Agudelle
Villexavier
Léoville
Baignes-Ste-Radegonde
Touvérac
St-Bonnet-sur-Gironde
Soubran
Salignac-de-Mirambeau
Tugéras-St-Maurice
Chaunac
Vibrac
Vanzac
Chartuzac
Rouffignac
Messac
Bran
Pôle Nature de Vitrezay
Oriolles

122
108
109
121
136
Romazières
Couture-d'Argenson
Longré
Brettes
Raix
Villegats
Barro
Courcôme
Bouvigné
Magné
Tuzie
Verteuil-sur-Charente
St-Georges
Champagne-Mouton
Chives
les Gours
St-Fraigne
Bessé
Charmé
Salles-de-Villefagnan
Poursac
St-Gourson
Lupsault
Ébréon
Tusson
Lonnes
Chenon
Chenommet
Couture
St-Sulpice-de-Ruffec
Beaulieu-sur-Sonnette
Parzac
le Grand-Madieu
Jardin Monastique Médiéval
Ligné
Juillé
Fontenille
Bayers
Aunac
Barbezières
Oradour
Ranville-Breuillaud
Bazauges
Moutonneau
Lichères
Villejésus
Aigre
Luxé
Fouqueure
St-Groux
Fontclaireau
Mouton
Ventouse
St-Front
Valence
Cellefrouin
Verdille
Bresdon
St-Ouen
Mons
Abbatiale Notre-Dame
Villognon
Mansle
Puyréaux
St-Ciers-sur-Bonnieure
la Tâche
Cellettes
Maine-de-Boixe
Ambérac
Marcillac-Lanville
Auge-St-Médard
Anville (la Cabane)
Bonneville
la Chapelle
Coulonges
St-Amant-de-Bonnieure
Nanclars
St-Angeau
Xambes
Vervant
Gourville
Montigné
Aussac-Vadalle
Ste-Colombe
St-Mary
Coulgens
Sonneville
Vouharte
St-Amant-de-Boixe
Genac
Villejoubert
Tourriers
la Rochette
Chasseneuil
Rouillac
Mareuil
Montignac-Charente
Bignac
Théâtre Gallo-Romain
Jauldes
St-Cybardeaux
Plaizac
Anais
Agris
Taponnat-Fleurignac
Vars
Marsac
Brie
Rivières
St-Projet-St-Constant
la Rochefoucauld
Vaux-Rouillac
St-Amant-de-Nouère
St-Genis-d'Hiersac
Sigogne
Fleurac
Échallat
Asnières-sur-Nouère
Vindelle
Balzac (les Genins)
Angoulême-Cognac
Champniers
Marillac-le-Franc
Foussignac
Douzat
Mérignac
Triac-Lautrait
St-Yrieix-sur-Charente
Trotte-Chiens
Ruelle-sur-Touvre
Mornac
Bunzac
Rancogne
Bassac
Hiersac
St-Saturnin
Gond-Pontouvre
Magnac-sur-Touvre
Touvre
Pranzac
Vilhonneur
Vouthon
Moulidars
St-Simon
Linars
Fléac
l'Isle-d'Espagnac
ANGOULÊME
Trois-Palis
St-Michel
Soyaux
Garat
Chazelles
Champmillon
Nersac
Sireuil
Mosnac
Châteauneuf-sur-Charente
la Couronne
Puymoyen
Dirac
Bouëx
St-Germain-de-Montbron
Marthon
Feuillade
Roullet-St-Estèphe
Vœuil-et-Giget
Sers
Vouzan (Nouveau Bourg)
Bonneuil
Eraville
Malaville
Birac
Mouthiers-sur-Boëme
Torsac
Dignac
Claix
Jurignac
Nonaville (Pont-à-Brac)
Plassac-Rouffiac
Fouquebrune
Rougnac
Charras
Vignolles
Mainfonds
Champagne-Vigny
Gardes-le-Pontaroux
Voulgézac
Bécheresse
Charmant
Magnac-Lavalette-Villars
les Graulges
Péreuil
Chadurie
Villebois-Lavalette
Édon
Barbezieux-St-Hilaire
Blanzac-Porcheresse
Juillaguet (la Treille)
Ronsenac
la Rochebeaucourt-et-Argentine
Pérignac
St-Léger
Chavenat
Blanzaguet-St-Cybard
St-Aulais-la-Chapelle
Cressac-St-Genis
Aignes-et-Puypéroux
Ste-Croix-de-Mareuil
Mareuil
Bessac (le Bourg)
Gurat
Challignac
Nonac
St-Eutrope
Vaux-Lavalette
Champagne-et-Fontaine
Condéon
Poullignac
Vendoire
Montmoreau-St-Cybard
Berneuil
Courgeac
St-Amant
la Chapelle-Grésignac (la Chapelle)
Cherval
Ste-Souline
St-Laurent-de-Belzagot
Salles-Lavalette
Chillac
St-Félix
St-Martial
Juignac
Nanteuil-Auriac-de-Bourzac
la Chapelle-Montabourlet
St-Martial-Viveyrol
la Tour-Blanche
St-Laurent-des-Combes
Bors (Canton de Montmoreau-St-Cybard)
Châtignac
Passirac
Cercles
Site Gallo-Romain

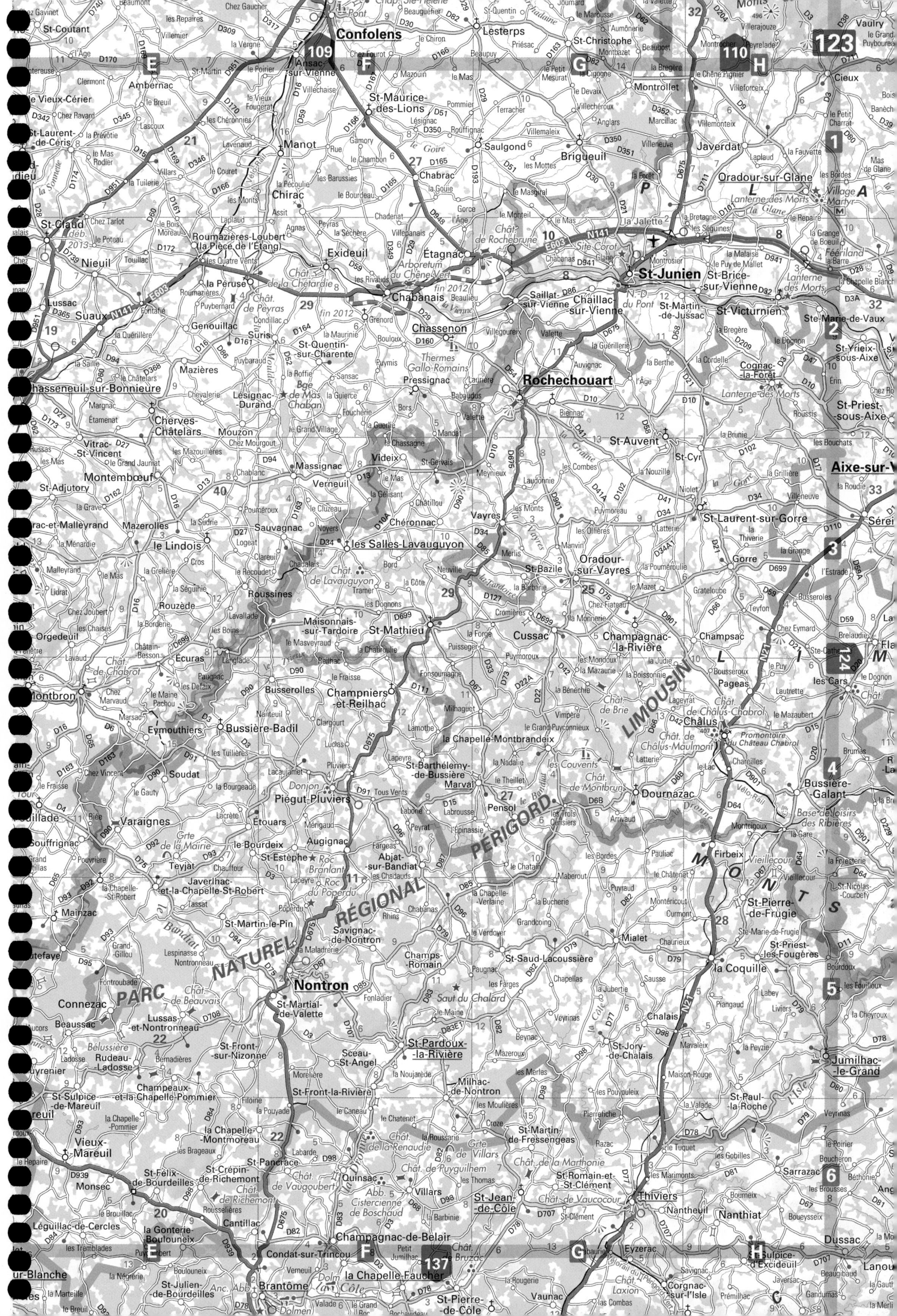
123
109
110
124
137
Confolens
Ansac-sur-Vienne
Lesterps
St-Christophe
St-Maurice-des-Lions
Montrollet
Ambernac
Manot
Saulgond
Brigueuil
Javerdat
Chabrac
Oradour-sur-Glane
Chirac
St-Claud
Roumazières-Loubert
Exideuil
Étagnac
Nieuil
St-Junien
St-Brice-sur-Vienne
Chabanais
Saillat-sur-Vienne
Chaillac-sur-Vienne
St-Victurnien
Suaux
Genouillac
Chassenon
Ste-Marie-de-Vaux
St-Yrieix-sous-Aixe
Suris
St-Quentin-sur-Charente
Rochechouart
Cognac-la-Forêt
Mazières
Pressignac
Chasseneuil-sur-Bonnieure
Lésignac-Durand
St-Priest-sous-Aixe
Cherves-Châtelars
Mouzon
St-Auvent
Vitrac-St-Vincent
Videix
Massignac
Montembœuf
Verneuil
Aixe-sur-Vienne
St-Adjutory
Chéronnac
Vayres
St-Laurent-sur-Gorre
Mazerolles
Sauvagnac
les Salles-Lavauguyon
le Lindois
St-Bazile
Oradour-sur-Vayres
Gorre
Roussines
Rouzède
Maisonnais-sur-Tardoire
St-Mathieu
Cussac
Champagnac-la-Rivière
Champsac
Orgedeuil
Écuras
Montbron
Busserolles
Champniers-et-Reilhac
Pageas
Les Cars
Eymouthiers
Bussière-Badil
Châlus
la Chapelle-Montbrandeix
LIMOUSIN
Soudat
St-Barthélemy-de-Bussière
Marval
Dournazac
Piégut-Pluviers
Bussière-Galant
Varaignes
Étouars
Pensol
PÉRIGORD
Teyjat
Augignac
Abjat-sur-Bandiat
Firbeix
Javerlhac-et-la-Chapelle-St-Robert
St-Estèphe
Mainzac
RÉGIONAL
St-Pierre-de-Frugie
St-Martin-le-Pin
Savignac-de-Nontron
NATUREL
Mialet
St-Priest-les-Fougères
Champs-Romain
St-Saud-Lacoussière
la Coquille
Nontron
Connezac
PARC
St-Martial-de-Valette
Saut du Chalard
Beaussac
Lussas-et-Nontronneau
Chalais
St-Front-sur-Nizonne
Sceau-St-Angel
St-Pardoux-la-Rivière
St-Jory-de-Chalais
Jumilhac-le-Grand
Rudeau-Ladosse
Milhac-de-Nontron
St-Sulpice-de-Mareuil
Champeaux-et-la-Chapelle-Pommier
St-Front-la-Rivière
St-Paul-la-Roche
la Chapelle-Montmoreau
Vieux-Mareuil
St-Martin-de-Fressengeas
St-Pancrace
St-Félix-de-Bourdeilles
St-Crépin-de-Richemont
Quinsac
St-Romain-et-St-Clément
Sarrazac
Monsec
Villars
St-Jean-de-Côle
Thiviers
Nanthiat
Cantillac
Nantheuil
Léguillac-de-Cercles
la Gonterie-Boulouneix
Champagnac-de-Belair
Dussac
Condat-sur-Trincou
Eyzerac
St-Sulpice-d'Excideuil
la Chapelle-Faucher
Brantôme
St-Julien-de-Bourdeilles
St-Pierre-de-Côle
Vaunac
Corgnac-sur-l'Isle
MONTS
N141
E603
N21

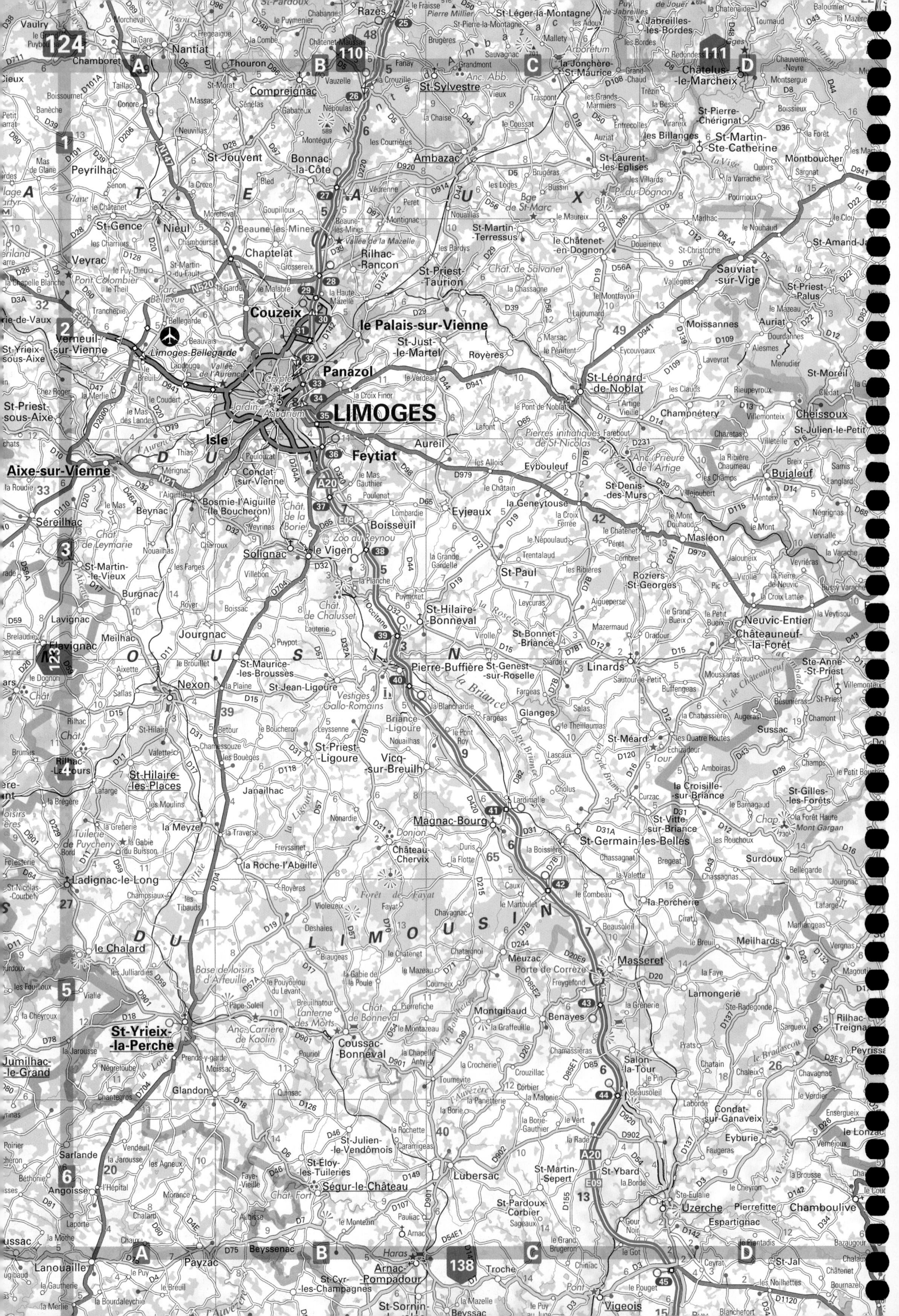

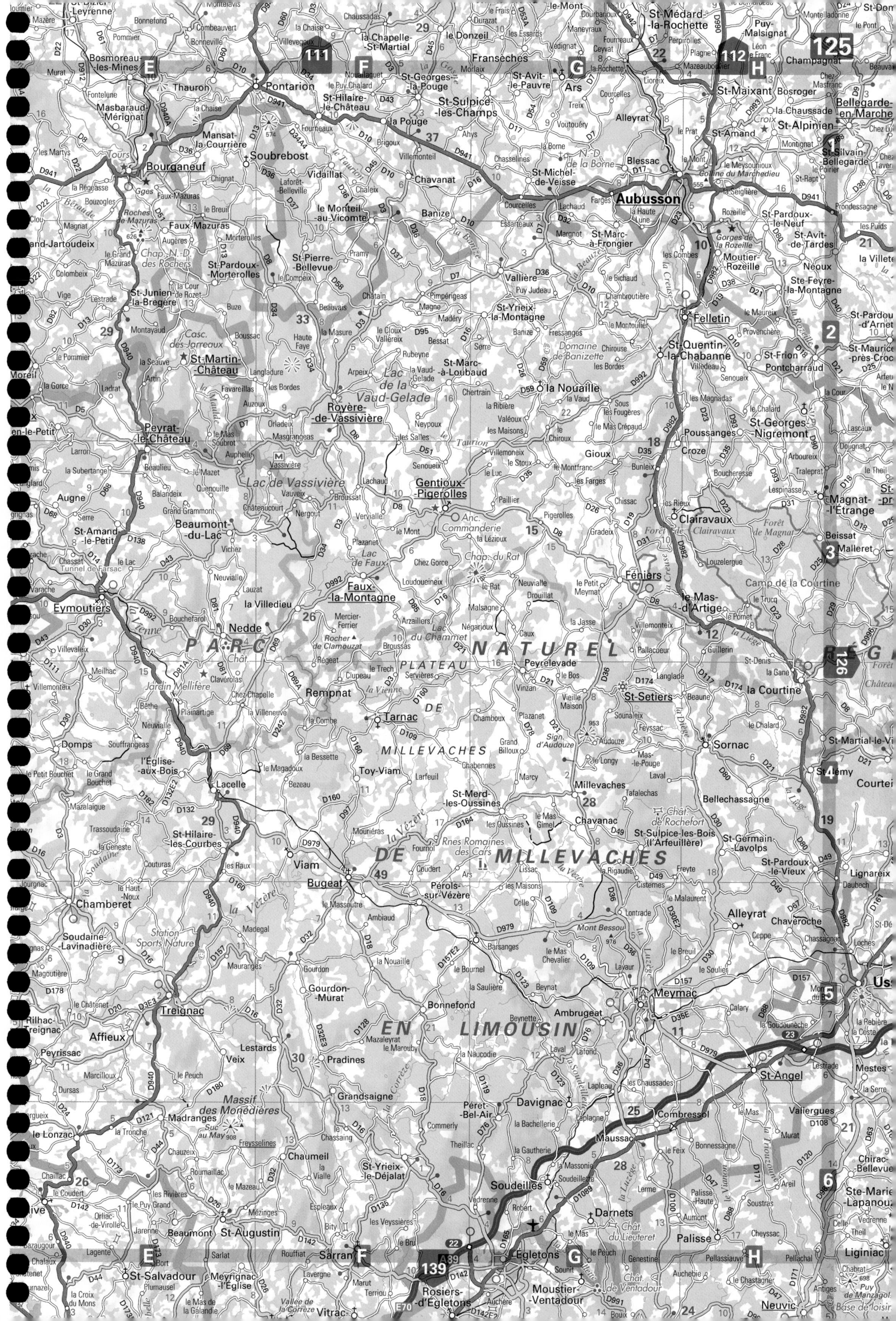

111
112
125
126
139
E
F
G
H
Bosmoreau-les-Mines
Pontarion
Thauron
Masbaraud-Mérignat
Mansat-la-Courrière
Soubrebost
Bourganeuf
Faux-Mazuras
Chap. N.-D. des Rochers
St-Pardoux-Morterolles
St-Junien-la-Bregère
Casc. des Jarreaux
St-Martin-Château
Peyrat-le-Château
Lac de Vassivière
Vassivière
Beaumont-du-Lac
St-Amand-le-Petit
Eymoutiers
Nedde
la Villedieu
Faux-la-Montagne
Lac de Faux
Royère-de-Vassivière
Lac de la Vaud-Gelade
Gentioux-Pigerolles
Anc. Commanderie
Chap. du Rat
Rocher de Clamouzat
Lac du Chammet
PARC NATUREL RÉGIONAL
PLATEAU DE MILLEVACHES
DE MILLEVACHES
EN LIMOUSIN
Peyrelevade
St-Setiers
Sornac
Féniers
le Mas-d'Artige
Clairavaux
Forêt de Clairavaux
Forêt de Magnat
Magnat-l'Étrange
Camp de la Courtine
la Courtine
St-Georges-Nigremont
Croze
Gioux
la Nouaille
St-Quentin-la-Chabanne
Felletin
Aubusson
St-Marc-à-Frongier
Vallière
St-Yrieix-la-Montagne
Domaine de Banizette
St-Marc-à-Loubaud
St-Pierre-Bellevue
le Monteil-au-Vicomte
Banize
Chavanat
Vidaillat
la Pouge
St-Hilaire-le-Château
St-Georges-la-Pouge
St-Sulpice-les-Champs
Fransèches
St-Avit-le-Pauvre
Ars
St-Michel-de-Veisse
Blessac
St-Médard-la-Rochette
St-Maixant
St-Alpinien
Bellegarde-en-Marche
St-Amand
Moutier-Rozeille
Gorges de la Rozeille
Néoux
Ste-Feyre-la-Montagne
Pontcharraud
Rempnat
Tarnac
Toy-Viam
Viam
Bugeat
Lacelle
l'Église-aux-Bois
St-Hilaire-les-Courbes
Chamberet
Domps
Soudaine-Lavinadière
Station Sports Nature
Treignac
Affieux
Veix
Pradines
Massif des Monédières
Suc au May 908
Madranges
le Lonzac
Chaumeil
St-Yrieix-le-Déjalat
St-Augustin
Sarran
Égletons
Rosiers-d'Égletons
Moustier-Ventadour
Châte. de Ventadour
Darnets
Châte. du Lieuteret
Palisse
Soudeilles
Maussac
Combressol
St-Angel
Meymac
Ambrugeat
Davignac
Péret-Bel-Air
Bonnefond
Gourdon-Murat
Pérols-sur-Vézère
St-Merd-les-Oussines
Rnes Romaines des Cars
Millevaches
Chavanac
Châte. de Rochefort
St-Sulpice-les-Bois (l'Arfeuillère)
St-Germain-Lavolps
St-Pardoux-le-Vieux
Alleyrat
Mont Bessou
Bellechassagne
St-Rémy
Lignareix
Chaveroche
Ussel
Mestes
Valiergues
Chirac-Bellevue
Ste-Marie-Lapanouze
Liginiac
Neuvic
St-Salvadour
Meyrignac-l'Église
Vitrac
Grandsaigne
Lestards
Peyrissac
Rilhac-Treignac
Jardin Mellifère

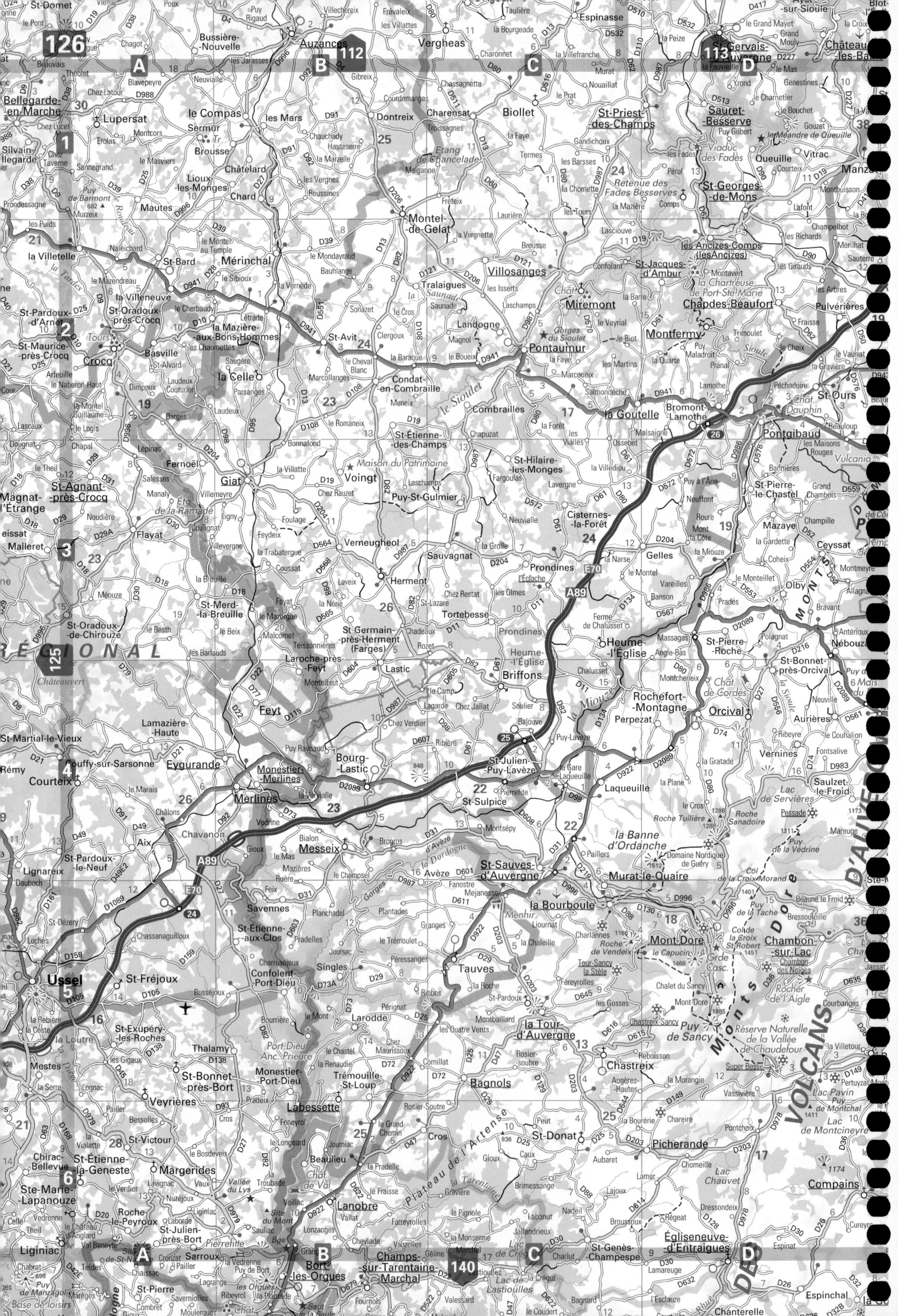

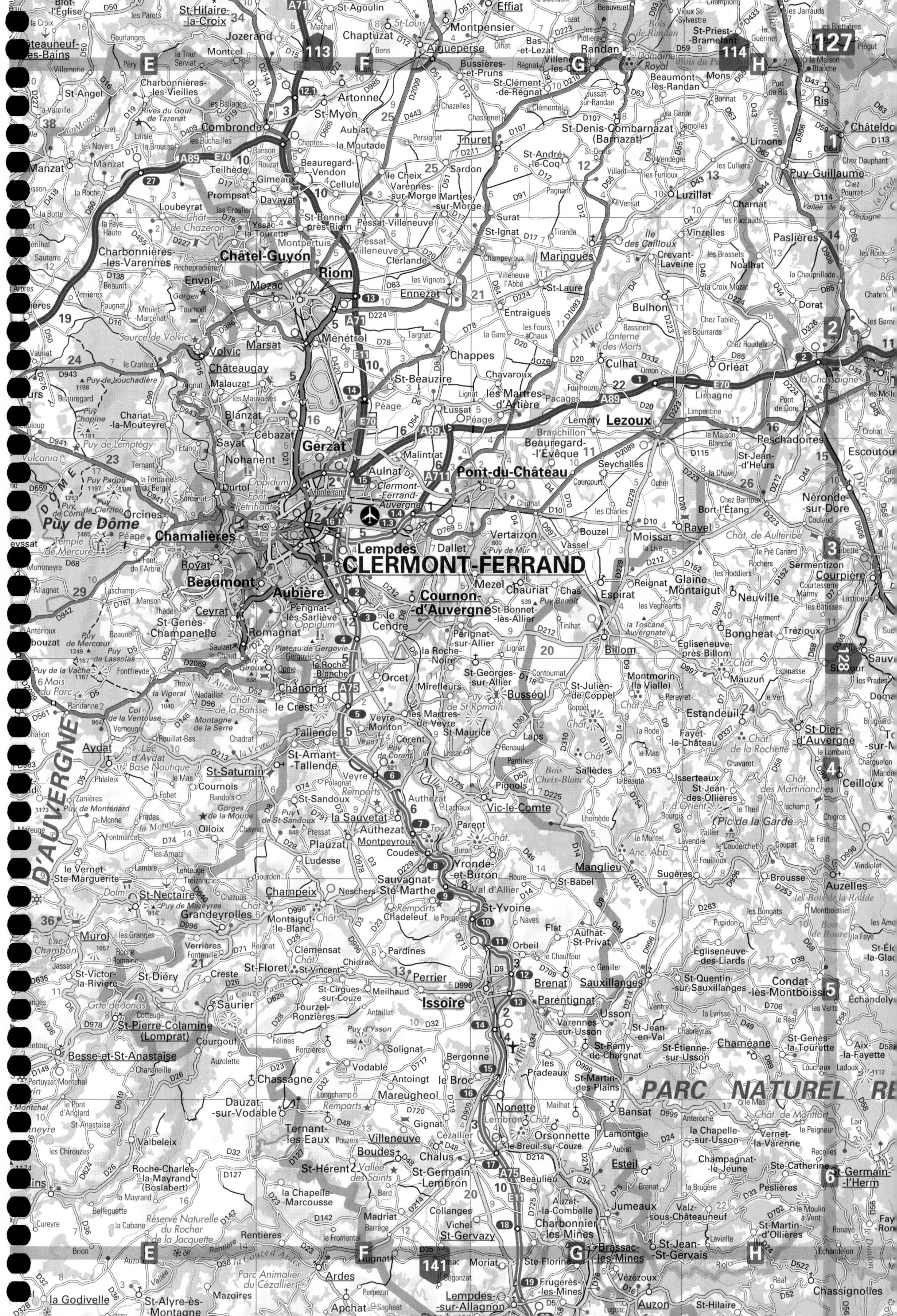

127
113
114
128
141
E
F
G
H
CLERMONT-FERRAND
Puy de Dôme
PARC NATUREL
D'AUVERGNE
St-Hilaire-la-Croix
Jozerand
Chaptuzat
Aigueperse
Effiat
Montpensier
Randan
Bas-et-Lezat
Combronde
Artonne
St-Myon
Manzat
Teilhède
Gimeaux
Davayat
Châtel-Guyon
Riom
Mozac
Enval
Volvic
Marsat
Ménétrol
Châteaugay
Ennezat
Maringues
Thuret
Sardon
Luzillat
Puy-Guillaume
Paslières
Limons
Châteldon
Charbonnières-les-Varennes
Charbonnières-les-Vieilles
St-Denis-Combarnazat (Barnazat)
St-Beauzire
Chappes
Culhat
Orléat
Lezoux
Gerzat
Aulnat
Pont-du-Château
Chamalières
Royat
Beaumont
Aubière
Ceyrat
Lempdes
Cournon-d'Auvergne
Vertaizon
Billom
Courpière
Peschadoires
Néronde-sur-Dore
Ravel
Moissat
Orcines
Romagnat
Orcet
Busséol
Vic-le-Comte
St-Dier-d'Auvergne
Ceilloux
Aydat
St-Saturnin
St-Amant-Tallende
Tallende
La Sauvetat
Plauzat
Montpeyroux
Champeix
St-Nectaire
Murol
St-Floret
Perrier
Issoire
Brenat
Sauxillanges
Parentignat
Usson
Manglieu
Auzelles
Chaméane
Besse-et-St-Anastaise
St-Pierre-Colamine (Lomprat)
Chassagne
Boudes
Villeneuve
St-Germain-Lembron
St-Gervazy
Nonette
Esteil
St-Germain-l'Herm
Brassac-les-Mines
Ardes
Lempdes-sur-Allagnon
Auzon
La Godivelle
St-Alyre-ès-Montagne
Chassignolles
A71
A89
A75
A711
E70
E11

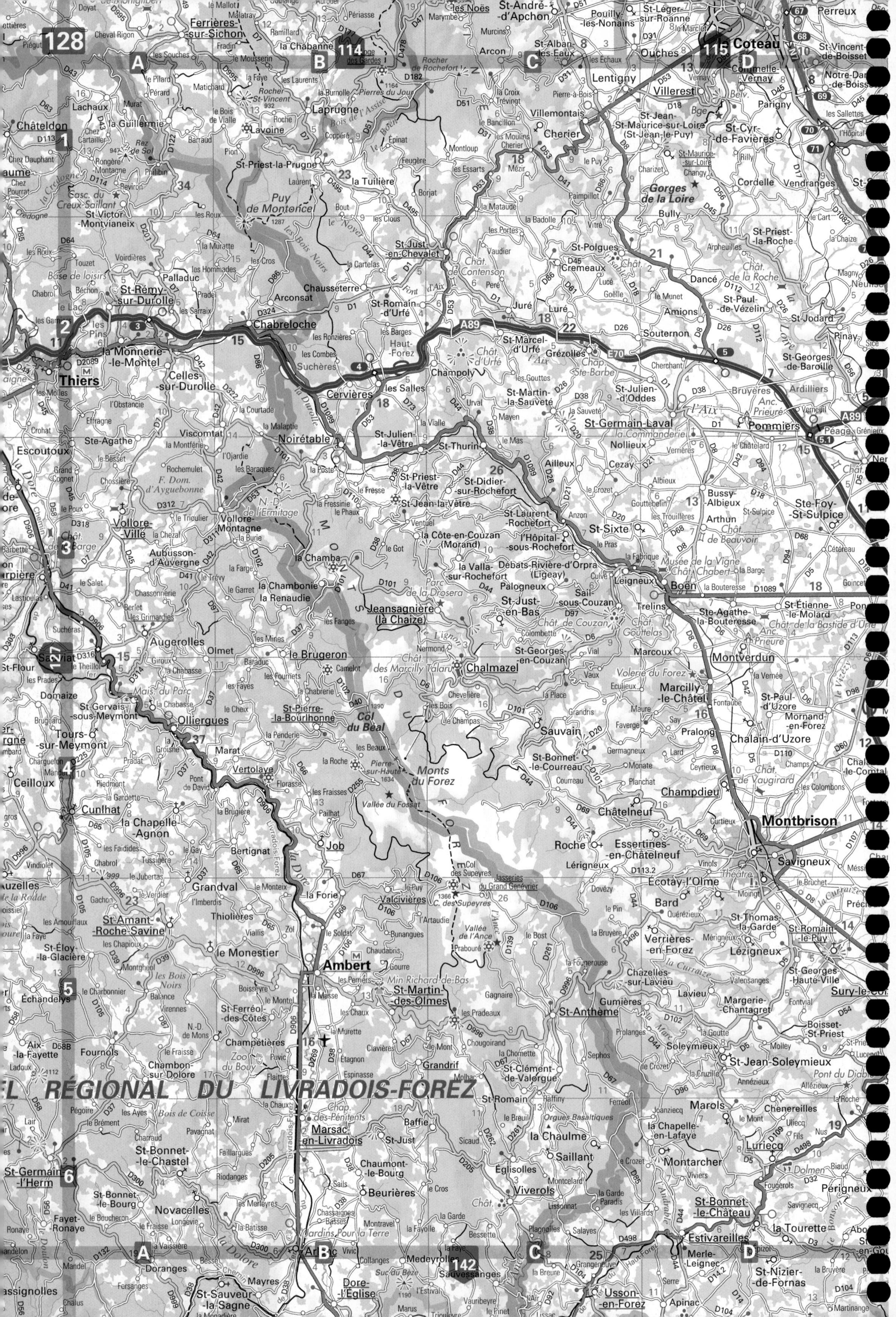

128
114
115
127
142
A
B
C
D
1
2
3
4
5
6
Thiers
Montbrison
Ambert
Chabreloche
Noirétable
Boën
Le Coteau
Villerest
Laprugne
St-Just-en-Chevalet
St-Germain-Laval
Cervières
Olliergues
Cunlhat
St-Anthème
Arlanc
Viverols
Estivareilles
St-Bonnet-le-Château
Usson-en-Forez
Marsac-en-Livradois
Chalmazel
Jeansagnière (la Chaize)
Puy de Montoncel
Monts du Forez
Gorges de la Loire
Col du Béal
Pierre-sur-Haute 1634
A89
E70
RÉGIONAL DU LIVRADOIS-FOREZ

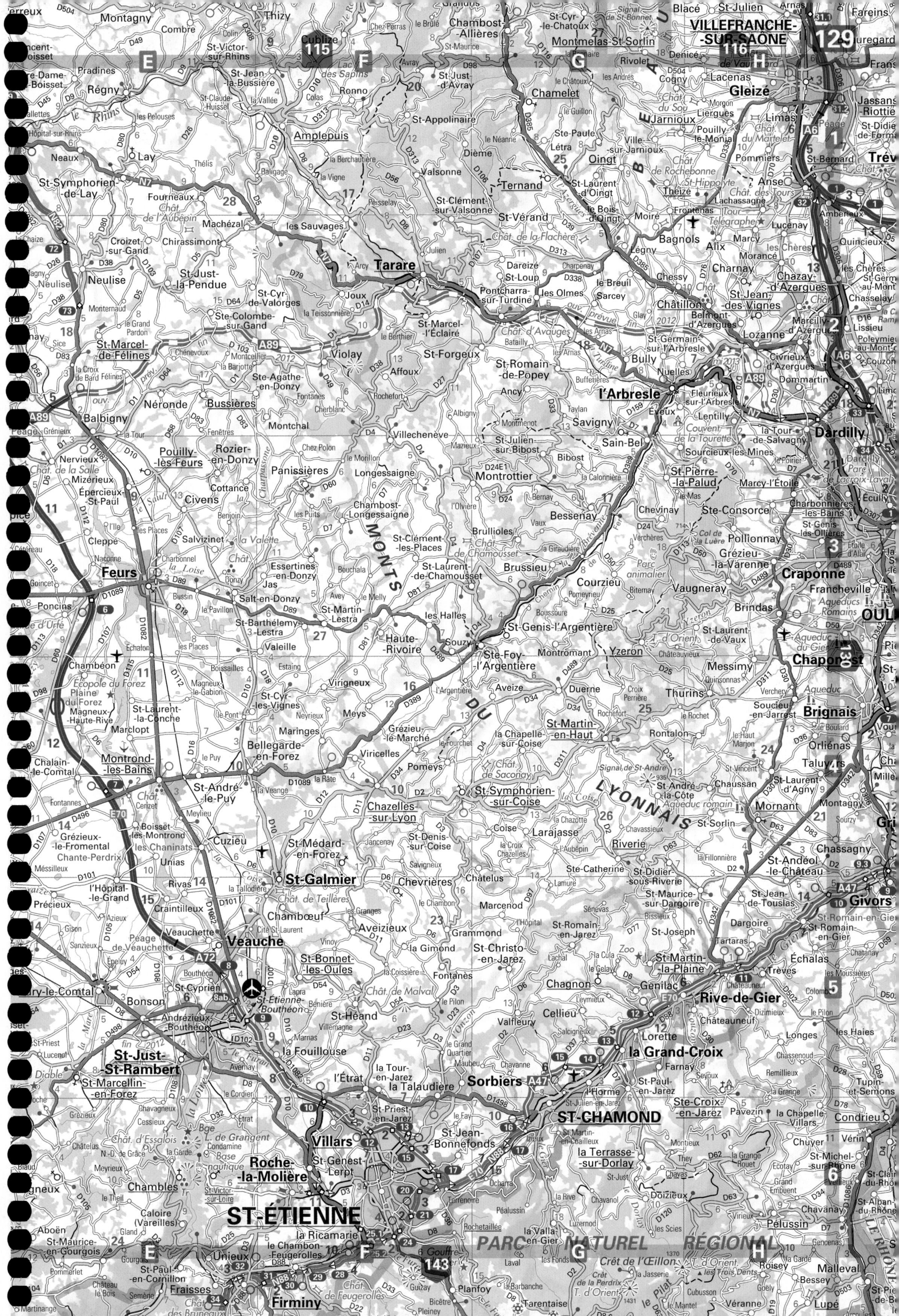

Montagny
Thizy
Combre
Cublize
115
E
F
G
H
116
129
Chambost-Allières
St-Cyr-le-Chatoux
Montmelas-St-Sorlin
Blacé
St-Julien
Arnas
Fareins
VILLEFRANCHE-SUR-SAÔNE
St-Victor-sur-Rhins
Pradines
Régny
St-Jean-la-Bussière
Lac des Sapins
Avray
St-Just-d'Avray
Ronno
Chamelet
Rivolet
Denicé
Lacenas
Gleize
Cogny
Jarnioux
Liergues
Pouilly-le-Monial
Limas
Jassans-Riottier
Amplepuis
St-Appolinaire
Ste-Paule
Létra
Oingt
Ville-sur-Jarnioux
Neaux
Lay
Thélis
Valsonne
Dième
Ternand
St-Laurent-d'Oingt
Theizé
Anse
Pommiers
St-Bernard
St-Symphorien-de-Lay
Fourneaux
Machézal
les Sauvages
St-Clément-sur-Valsonne
St-Vérand
Le Bois-d'Oingt
Moiré
Frontenas
Bagnols
Lachassagne
Lucenay
Croizet-sur-Gand
Chirassimont
Tarare
Dareizé
St-Loup
Légny
Alix
Marcy
Morancé
Charnay
Chazay-d'Azergues
Neulise
St-Just-la-Pendue
St-Cyr-de-Valorges
Joux
Pontcharra-sur-Turdine
les Olmes
le Breuil
Sarcey
Chessy
Châtillon
St-Jean-des-Vignes
Ste-Colombe-sur-Gand
St-Marcel-l'Éclairé
Belmont-d'Azergues
Lozanne
Marcilly-d'Azergues
St-Marcel-de-Félines
A89
Violay
St-Forgeux
St-Romain-de-Popey
Bully
St-Germain-sur-l'Arbresle
Civrieux-d'Azergues
Ste-Agathe-en-Donzy
Affoux
Ancy
Nuelles
l'Arbresle
Fleurieux-sur-l'Arbresle
Dommartin
Néronde
Bussières
Balbigny
Montchal
Villechenève
Savigny
Éveux
Lentilly
Dardilly
Sain-Bel
la Tour-de-Salvagny
Pouilly-lès-Feurs
Rozier-en-Donzy
Panissières
Longessaigne
St-Julien-sur-Bibost
Montrottier
Bibost
Sourcieux-les-Mines
St-Pierre-la-Palud
Marcy-l'Étoile
Nervieux
Mizérieux
Épercieux-St-Paul
Cottance
Civens
Chambost-Longessaigne
Bessenay
Chevinay
Ste-Consorce
Charbonnières-les-Bains
MONTS
Cleppé
Salvizinet
St-Clément-les-Places
Brullioles
Pollionnay
Grézieu-la-Varenne
Feurs
Essertines-en-Donzy
Jas
St-Laurent-de-Chamousset
Brussieu
Courzieu
Craponne
Francheville
Poncins
Salt-en-Donzy
St-Martin-Lestra
St-Barthélemy-Lestra
les Halles
Vaugneray
Brindas
St-Genis-l'Argentière
St-Laurent-de-Vaux
Chambéon
Valeille
Haute-Rivoire
Souzy
Ste-Foy-l'Argentière
Montromant
Yzeron
Messimy
Chaponost
Magneux-Haute-Rive
St-Laurent-la-Conche
Marclopt
Virigneux
St-Cyr-les-Vignes
Meys
Aveize
Duerne
Thurins
Brignais
Soucieu-en-Jarrest
DU
Maringes
Grézieu-le-Marché
Bellegarde-en-Forez
Viricelles
Pomeys
la Chapelle-sur-Coise
St-Martin-en-Haut
Rontalon
Orliénas
Chalain-le-Comtal
Montrond-les-Bains
St-André-le-Puy
Chazelles-sur-Lyon
St-Symphorien-sur-Coise
St-André-la-Côte
Chaussan
Taluyers
St-Laurent-d'Agny
LYONNAIS
Mornant
Montagny
Grézieux-le-Fromental
Boisset-lès-Montrond
Cuzieu
Unias
St-Médard-en-Forez
St-Denis-sur-Coise
Coise
Larajasse
Riverie
St-Sorlin
Chassagny
St-Andéol-le-Château
l'Hôpital-le-Grand
Précieux
Rivas
St-Galmier
Chevrières
Châtelus
Ste-Catherine
St-Didier-sous-Riverie
St-Maurice-sur-Dargoire
St-Jean-de-Touslas
Givors
Craintilleux
Chambœuf
Marcenod
Aveizieux
St-Romain-en-Jarez
Dargoire
Veauchette
Veauche
la Gimond
Grammond
St-Christo-en-Jarez
St-Joseph
St-Romain-en-Gier
St-Bonnet-les-Oules
St-Martin-la-Plaine
Échalas
Trèves
Bonson
St-Cyprien
Chagnon
Genilac
Rive-de-Gier
St-Étienne-Bouthéon
Andrézieux-Bouthéon
St-Héand
Cellieu
Valfleury
Châteauneuf
Lorette
la Grand-Croix
Longes
les Haies
St-Just-St-Rambert
la Fouillouse
Farnay
St-Marcellin-en-Forez
l'Étrat
la Tour-en-Jarez
la Talaudière
Sorbiers
St-Paul-en-Jarez
l'Horme
Tupin-et-Semons
St-Priest-en-Jarez
St-Jean-Bonnefonds
ST-CHAMOND
Ste-Croix-en-Jarez
Pavezin
la Chapelle-Villars
Condrieu
Villars
St-Genest-Lerpt
Roche-la-Molière
la Terrasse-sur-Dorlay
Chuyer
Vérin
St-Michel-sur-Rhône
Chambles
Doizieux
ST-ÉTIENNE
Caloire (Vareilles)
Pélussin
Chavanay
St-Maurice-en-Gourgois
la Ricamarie
le Chambon-Feugerolles
PARC NATUREL RÉGIONAL
Unieux
St-Paul-en-Cornillon
Fraisses
Firminy
143
Planfoy
Crêt de l'Œillon
Malleval
Bessey
Roisey
Lupé

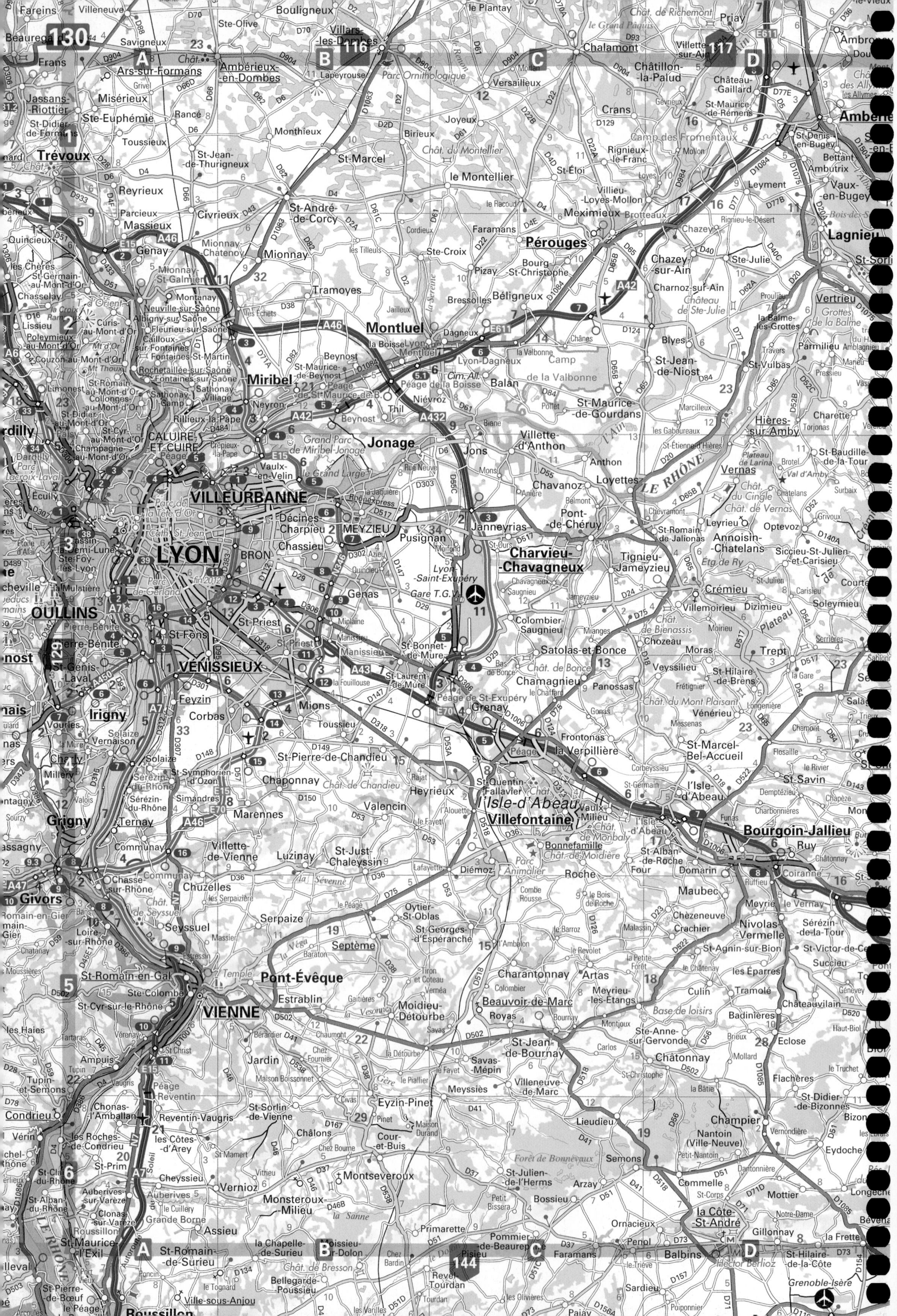

130
116
117
129
144
A
B
C
D
1
2
3
4
5
6
Fareins
Villeneuve
Ste-Olive
Bouligneux
le Plantay
Chât. de Richemont
Priay
Beauregard
Savigneux
Villars-les-Dombes
le Grand Paquis
Chalamont
Villette-sur-Ain
Ambronay
Frans
Ars-sur-Formans
Ambérieux-en-Dombes
Lapeyrouse
Parc Ornithologique
Versailleux
Châtillon-la-Palud
Château-Gaillard
Jassans-Riottier
Misérieux
St-Didier-de-Formans
Ste-Euphémie
Rancé
Joyeux
Crans
St-Maurice-de-Rémens
Ambérieu
Trévoux
Toussieux
Monthieux
Birieux
Camp des Fromentaux
St-Denis-en-Bugey
St-Jean-de-Thurigneux
St-Marcel
Chât. du Montellier
Rignieux-le-Franc
Mollon
Bettant
Ambutrix
Reyrieux
le Montellier
St-Éloi
Leyment
Vaux-en-Bugey
Villieu-Loyes-Mollon
Parcieux
Civrieux
St-André-de-Corcy
le Racoud
Meximieux
Brotteaux
Rignieu-le-Désert
Massieux
Cordieux
Faramans
Chazey
Lagnieu
Quincieux
Genay
Mionnay-Chatenoy
Mionnay
les Tilleuls
Ste-Croix
Pérouges
Les Chères
St-Germain-au-Mont-d'Or
Mionnay-St-Galmier
Pizay
Bourg-St-Christophe
Chazey-sur-Ain
Ste-Julie
St-Sorlin
Chasselay
Montanay
Tramoyes
Bressolles
Béligneux
Charnoz-sur-Ain
Château de Ste-Julie
Vertrieu
Neuville-sur-Saône
Albigny-sur-Saône
Jailleux
les Échets
Lissieu
Curis-au-Mont-d'Or
Fleurieu-sur-Saône
Montluel
Dagneux
la Balme-les-Grottes
Grottes de la Balme
Poleymieux-au-Mont-d'Or
Cailloux-sur-Fontaines
Fontaines-sur-Saône
Fontaines-St-Martin
la Boisse
Chânes
Blyes
Travers
Parmilieu
Couzon-au-Mont-d'Or
Rochetaillée-sur-Saône
Miribel
St-Maurice-de-Beynost
Beynost
Lyon-Dagneux
la Valbonne
Camp de la Valbonne
St-Jean-de-Niost
St-Vulbas
Limonest
St-Romain-au-Mont-d'Or
Collonges-au-Mont-d'Or
Sathonay-Camp
Sathonay-Village
Péage de St-Maurice-de-B.
Péage de la Boisse
Cim. All.
Balan
Neyron
Thil
Niévroz
St-Maurice-de-Gourdans
Marcilleux
Hières-sur-Amby
Charette
Torjonas
St-Didier-au-Mont-d'Or
St-Cyr-au-Mont-d'Or
Rillieux-la-Pape
Beynost
Villette-d'Anthon
Dardilly
Champagne-au-Mont-d'Or
CALUIRE-ET-CUIRE
Crépieux-la-Pape
Grand Parc de Miribel-Jonage
Jonage
Jons
St-Étienne-d'Hières
St-Baudille-de-la-Tour
Anthon
Le Grand Large
Vaulx-en-Velin
Mons
Loyettes
LE RHÔNE
Vernas
Chât. du Cingle
Chât. de Vernas
Lacroix-Laval
Écully
VILLEURBANNE
Chavanoz
Belmont
Pont-de-Chéruy
Leyrieu
Optevoz
Décines-Charpieu
MEYZIEU
Rhônexpress
Janneyrias
St-Romain-de-Jalionas
Annoisin-Chatelans
Siccieu-St-Julien-et-Carisieu
LYON
BRON
Chassieu
Pusignan
Charvieu-Chavagneux
Tignieu-Jameyzieu
Étg de Ry
Tassin-la-Demi-Lune
Ste-Foy-lès-Lyon
Lyon-Saint-Exupéry
Gare T.G.V.
Crémieu
Courtenay
Genas
Villemoirieu
Dizimieu
Soleymieu
Tour Lyon
OULLINS
Pierre-Bénite
St-Fons
St-Priest
Colombier-Saugnieu
Chât. de Bienassis
Mianges
Chozeau
Moras
Trept
St-Genis-Laval
VÉNISSIEUX
St-Bonnet-de-Mure
Satolas-et-Bonce
Veyssilieu
St-Hilaire-de-Brens
St-Laurent-de-Mure
Chât. de Bonce
Chamagnieu
Panossas
Frétignier
Irigny
Feyzin
Corbas
Mions
Péage de St-Exupéry
Grenay
Chât. du Mont Plaisant
Vénérieu
Vourles
Vernaison
Solaize
Toussieu
Frontonas
la Verpillière
St-Marcel-Bel-Accueil
Charly
St-Symphorien-d'Ozon
St-Pierre-de-Chandieu
Millery
Sérézin-du-Rhône
Chaponnay
Chât. de Chandieu
Heyrieux
St-Quentin-Fallavier
l'Isle-d'Abeau
St-Savin
Simandres
l'Alouette
Villefontaine
Vaulx-Milieu
Grigny
Ternay
Marennes
Valencin
Bourgoin-Jallieu
Ruy
Communay
Villette-de-Vienne
Luzinay
St-Just-Chaleyssin
Diémoz
Bonnefamille
Chât. de Moidière
St-Alban-de-Roche
Four
Domarin
Chasse-sur-Rhône
Chuzelles
Parc Animalier
Roche
Maubec
Coiranne
Givors
Chât. de Seyssuel
Oytier-St-Oblas
Meyrié
le Vernay
Loire-sur-Rhône
Seyssuel
Serpaize
St-Georges-d'Espéranche
Chèzeneuve
Crachier
Nivolas-Vermelle
Sérézin-de-la-Tour
St-Victor-de-Cessieu
Septème
St-Agnin-sur-Bion
St-Romain-en-Gal
Pont-Évêque
Temple
Charantonnay
Artas
les Éparres
Succieu
Ste-Colombe
Estrablin
Moidieu-Détourbe
Beauvoir-de-Marc
Meyrieu-les-Étangs
Culin
Tramolé
Châteauvilain
St-Cyr-sur-le-Rhône
VIENNE
Royas
Base de loisirs
Badinières
Ampuis
Jardin
St-Jean-de-Bournay
Ste-Anne-sur-Gervonde
Châtonnay
Eclose
Tupin-et-Semons
Savas-Mépin
Flachères
Meyssiès
Villeneuve-de-Marc
St-Didier-de-Bizonnes
Condrieu
Chonas-l'Amballan
St-Sorlin-de-Vienne
Eyzin-Pinet
Champier
Reventin-Vaugris
Lieudieu
Nantoin (Ville-Neuve)
Vérin
les Roches-de-Condrieu
Châlons
Cour-et-Buis
Les Côtes-d'Arey
Forêt de Bonnevaux
Semons
Eydoche
Chavanay
St-Clair-du-Rhône
St-Prim
Cheyssieu
Vernioz
Montseveroux
St-Julien-de-l'Herms
Arzay
Commelle
Mottier
Longechenal
Auberives-sur-Varèze
St-Alban-du-Rhône
Clonas-sur-Varèze
Monsteroux-Milieu
Bossieu
Grande Borne
Assieu
Roussillon
Primarette
Ornacieux
la Côte-St-André
Gillonnay
St-Maurice-l'Exil
St-Romain-de-Surieu
la Chapelle-de-Surieu
Moissieu-sur-Dolon
Pisieu
Pommier-de-Beaurepaire
Faramans
Penol
Balbins
Hector Berlioz
St-Hilaire-de-la-Côte
la Frette
Chât. de Bresson
Revel-Tourdan
Bellegarde-Poussieu
Sardieu
Grenoble-Isère
St-Pierre-de-Bœuf
le Péage
Ville-sous-Anjou
Roussillon
A6
A7
A42
A43
A46
A47
A432
E15
E611
E70
N7
N346
D904
D2
D22
D1083
D1084
D1075
D517
D518
D502
D41
D51
D73

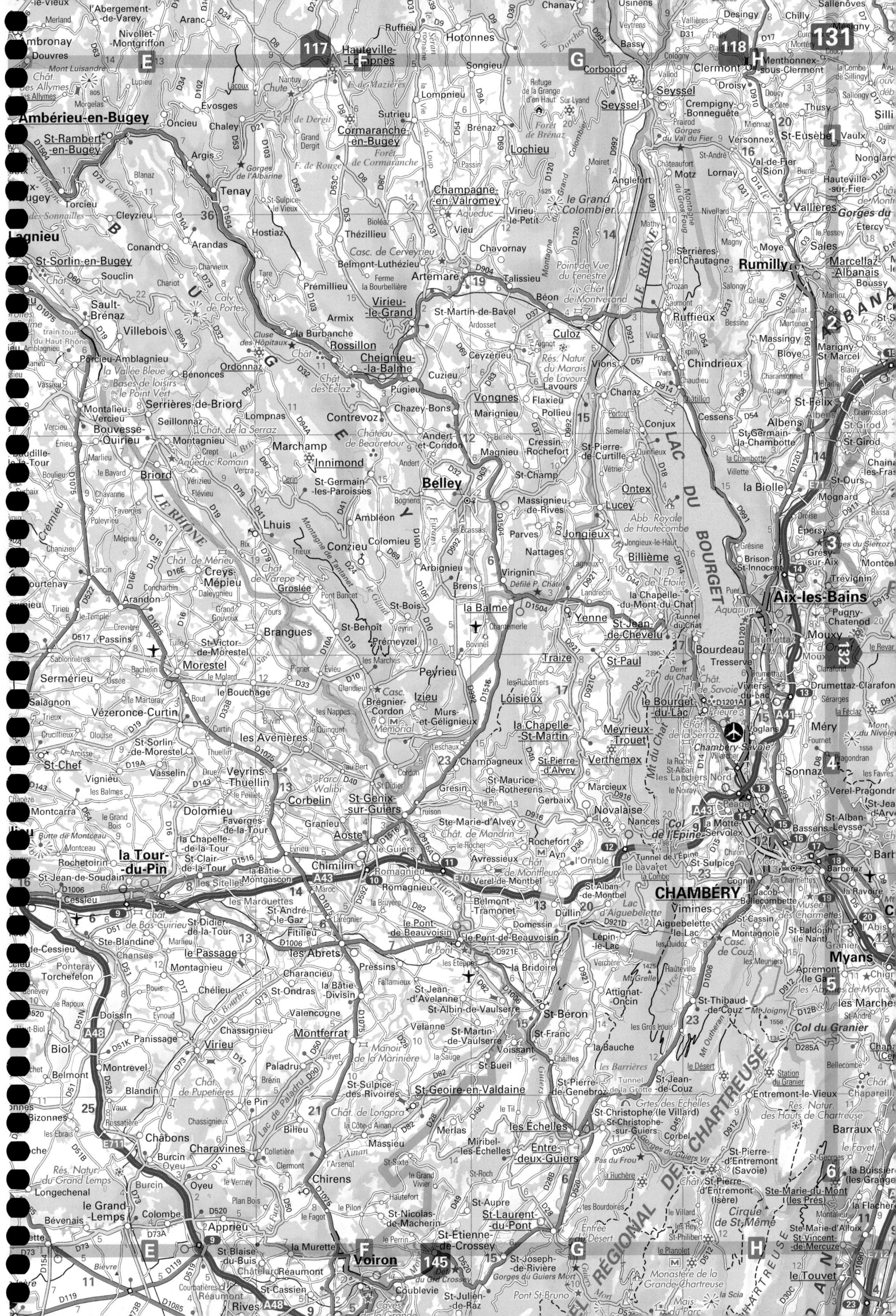

117
118
131
132
145
E
F
G
H
Ambronay
Douvres
Ambérieu-en-Bugey
St-Rambert-en-Bugey
Lagnieu
St-Sorlin-en-Bugey
Souclin
Sault-Brénaz
Villebois
Porcieu-Amblagnieu
Montalieu-Vercieu
Bouvesse-Quirieu
Serrières-de-Briord
Briord
Lhuis
Arandon
Passins
Morestel
Sermérieu
Salagnon
Vézeronce-Curtin
St-Chef
Vignieu
Montcarra
Dolomieu
la Tour-du-Pin
Rochetoirin
St-Jean-de-Soudain
Cessieu
Ste-Blandine
Torchefelon
Doissin
Biol
Montrevel
Blandin
Bizonnes
Châbons
Longechenal
le Grand-Lemps
Bévenais
Colombe
Apprieu
St-Blaise-du-Buis
Réaumont
Rives
Charavines
Oyeu
Burcin
Virieu
Panissage
Chélieu
Montagnieu
le Passage
St-Didier-de-la-Tour
les Abrets
Fitilieu
St-André-le-Gaz
Romagnieu
Chimilin
Aoste
Granieu
Corbelin
Veyrins-Thuellin
les Avenières
St-Genix-sur-Guiers
Champagneux
Gresin
Belmont-Tramonet
le Pont-de-Beauvoisin
la Bridoire
Domessin
Pressins
St-Jean-d'Avelanne
St-Albin-de-Vaulserre
St-Martin-de-Vaulserre
Voissant
St-Bueil
St-Geoire-en-Valdaine
Montferrat
Paladru
St-Sulpice-des-Rivoires
Bilieu
Massieu
Merlas
Chirens
St-Nicolas-de-Macherin
St-Étienne-de-Crossey
Voiron
Coublevie
la Murette
St-Cassien
St-Julien-de-Raz
St-Aupre
St-Laurent-du-Pont
St-Joseph-de-Rivière
Miribel-les-Échelles
les Échelles
Entre-deux-Guiers
St-Christophe-sur-Guiers
St-Pierre-de-Genebroz
St-Béron
St-Franc
la Bauche
Attignat-Oncin
Lépin-le-Lac
Aiguebelette-le-Lac
Dullin
St-Alban-de-Montbel
Novalaise
Nances
Col de l'Épine
Ayn
Rochefort
Verel-de-Montbel
Avressieux
Ste-Marie-d'Alvey
St-Maurice-de-Rotherens
Gerbaix
Marcieux
St-Pierre-d'Alvey
la Chapelle-St-Martin
Verthemex
Meyrieux-Trouet
Loisieux
Traize
St-Paul
Yenne
St-Jean-de-Chevelu
la Balme
Brens
Virignin
Murs-et-Gélignieux
Izieu
Peyrieu
Brégnier-Cordon
Prémeyzel
St-Benoît
St-Bois
Arbignieu
Conzieu
Colomieu
Ambléon
Brangues
Groslée
Creys-Mépieu
St-Victor-de-Morestel
le Bouchage
Belley
Innimond
Marchamp
Lompnas
Contrevoz
Andert-et-Condon
Chazey-Bons
Pugieu
Cheignieu-la-Balme
Rossillon
Virieu-le-Grand
Armix
Prémillieu
Arandas
Conand
Cleyzieu
Tenay
Torcieu
Argis
Oncieu
Chaley
Évosges
Hostiaz
Thézillieu
Belmont-Luthézieu
Artemare
Talissieu
Béon
Culoz
Vongnes
Flaxieu
Pollieu
Lavours
Ceyzérieu
Cuzieu
Marignieu
Magnieu
Cressin-Rochefort
St-Champ
Massignieu-de-Rives
Parves
Nattages
Jongieux
Lucey
Ontex
Billième
Champagne-en-Valromey
Vieu
Chavornay
Virieu-le-Petit
Lochieu
Brénaz
Sutrieu
Lompnieu
Cormaranche-en-Bugey
Hauteville-Lompnes
Hotonnes
Songieu
Ruffieu
Corbonod
Seyssel
Chanay
Anglefort
Motz
Serrières-en-Chautagne
Ruffieux
Chindrieux
Chanaz
Conjux
St-Pierre-de-Curtille
Vions
Clermont
Droisy
Menthonnex-sous-Clermont
Crempigny-Bonneguête
Versonnex
St-Eusèbe
Val-de-Fier
Lornay
Vallières
Rumilly
Sales
Marcellaz-Albanais
Massingy
Bloye
Marigny-St-Marcel
St-Félix
Albens
St-Germain-la-Chambotte
la Biolle
Cessens
Mognard
Épersy
Grésy-sur-Aix
Brison-St-Innocent
Aix-les-Bains
Trévignin
Pugny-Chatenod
Mouxy
Drumettaz-Clarafond
Méry
Viviers-du-Lac
Voglans
le Bourget-du-Lac
Bourdeau
la Chapelle-du-Mont-du-Chat
Tresserve
Sonnaz
Verel-Pragondran
St-Alban-Leysse
Bassens
La Motte-Servolex
CHAMBÉRY
Cognin
Jacob-Bellecombette
Vimines
St-Cassin
Montagnole
St-Baldoph
Barberaz
la Ravoire
Myans
Apremont
Les Marches
St-Thibaud-de-Couz
St-Jean-de-Couz
Corbel
St-Christophe (le Villard)
Entremont-le-Vieux
St-Pierre-d'Entremont (Savoie)
St-Pierre-d'Entremont (Isère)
Ste-Marie-du-Mont (les Prés)
St-Marie-d'Alloix
St-Vincent-de-Mercuze
le Touvet
Barraux
la Buissière
Col du Granier
Col de l'Épine
Cirque de St-Même
LAC DU BOURGET
LE RHÔNE
PARC NATUREL RÉGIONAL DE CHARTREUSE
Lac d'Aiguebelette
Lac de Paladru
le Grand Colombier
Monastère de la Grande Chartreuse
Abb. Royale de Hautecombe
Chambéry-Savoie
A41
A43
A48
E70
E711
E712

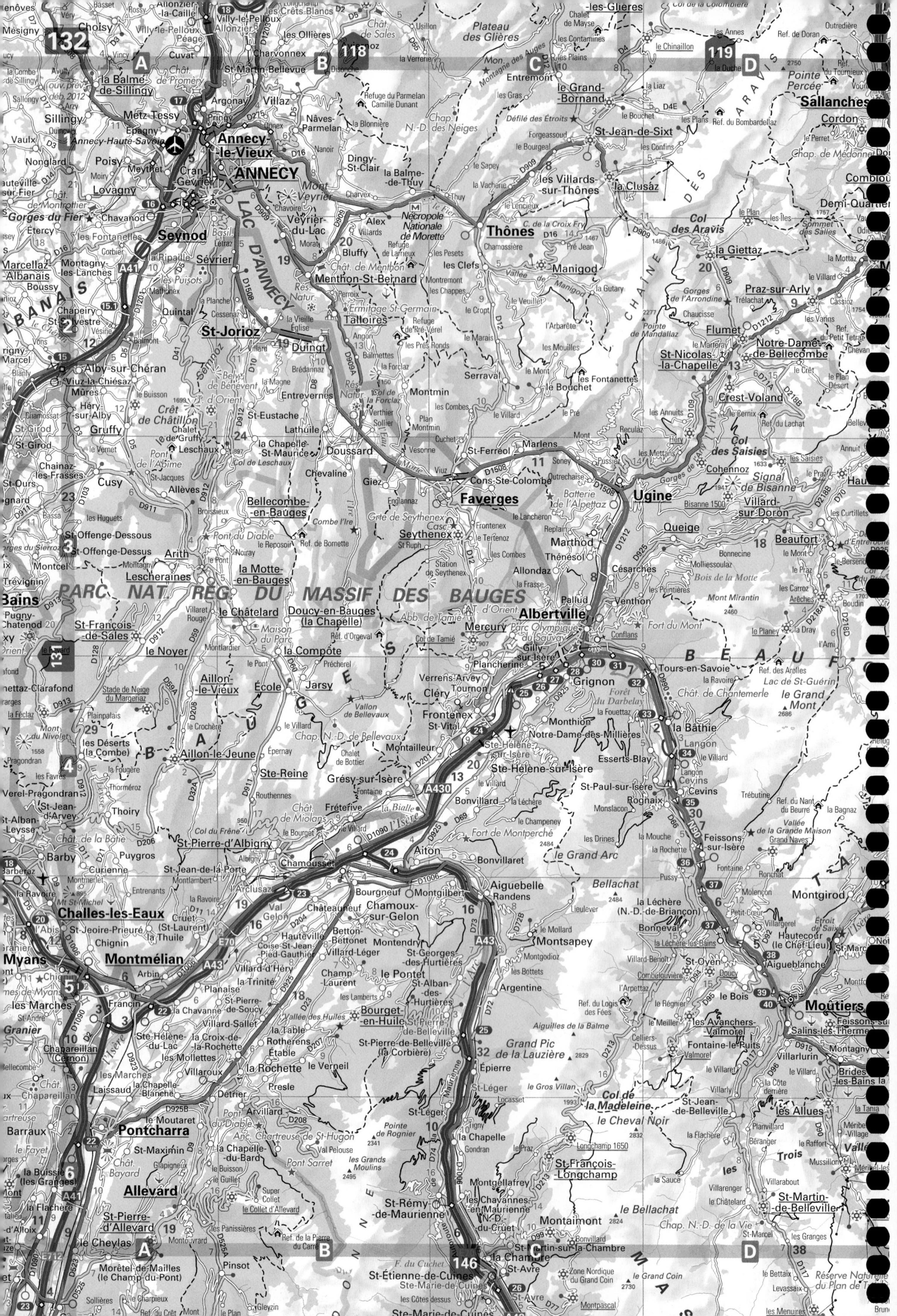

132
118
119
A
B
C
D
Choisy
Allonzier-la-Caille
Villy-le-Pelloux
Les Ollières
Charvonnex
St-Martin-Bellevue
Usillon
Plateau des Glières
Chalet de Mayse
Les Contamines
Le Chinaillon
les Annes
Ref. de Doran
Outredière
La Balme-de-Sillingy
Cuvat
Entremont
le Grand-Bornand
Pointe Percée
Sallanches
Cordon
Sillingy
Metz-Tessy
Argonay
Villaz
Nâves-Parmelan
Refuge du Parmelan Camille Dunant
Défilé des Étroits
St-Jean-de-Sixt
Annecy-Haute-Savoie
Annecy-le-Vieux
ANNECY
Dingy-St-Clair
Chap. N.-D. des Neiges
La Balme-de-Thuy
Les Villards-sur-Thônes
La Clusaz
Combloux
Demi-Quartier
Poisy
Meythet
Cran-Gevrier
Lovagny
Gorges du Fier
Chavanod
Seynod
Mont Veyrier
Veyrier-du-Lac
Alex
Nécropole Nationale de Morette
Thônes
C. de la Croix Fry
Col des Aravis
Chaîne des Aravis
La Giettaz
Montagny-les-Lanches
Sévrier
Lac d'Annecy
Menthon-St-Bernard
Bluffy
Les Clefs
Manigod
Vallée de Manigod
Albanais
Quintal
St-Jorioz
Talloires
Ermitage St-Germain
Gorges de l'Arrondine
Praz-sur-Arly
Flumet
Notre-Dame-de-Bellecombe
St-Nicolas-la-Chapelle
Pointe de Mandallaz
Chapeiry
St-Sylvestre
Duingt
Alby-sur-Chéran
Viuz-la-Chiésaz
Mûres
Héry-sur-Alby
Gruffy
Crêt de Châtillon
Belvédère de Semnoz
Entrevernes
Col de la Forclaz
Montmin
Serraval
Le Bouchet
Les Fontanettes
Crest-Voland
St-Eustache
Lathuile
Doussard
La Chapelle-St-Maurice
Leschaux
Col de Leschaux
Pont de l'Abîme
Chevaline
St-Ferréol
Marlens
Col des Saisies
Signal de Bisanne
Les Saisies
Cohennoz
Chainaz-les-Frasses
Cusy
Allèves
Giez
Faverges
Cons-Ste-Colombe
Ugine
Villard-sur-Doron
Beaufort
Bellecombe-en-Bauges
Grotte de Seythenex
Seythenex
Batterie de l'Alpettaz
Queige
St-Offenge-Dessous
St-Offenge-Dessus
Pont du Diable
Arith
Lescheraines
La Motte-en-Bauges
Marthod
Thénésol
Allondaz
Césarches
Bois de la Motte
PARC NAT. RÉG. DU MASSIF DES BAUGES
Bains
Le Châtelard
Doucy-en-Bauges (la Chapelle)
Abb. de Tamié
Albertville
Venthon
Mont Mirantin
St-François-de-Sales
Maison du Parc
Mercury
Col de Tamié
Parc Olympique du Sauvay
Conflans
Fort du Mont
Le Noyer
La Compôte
Gilly-sur-Isère
BEAUFORTAIN
Aillon-le-Vieux
École
Jarsy
Verrens-Arvey
Tournon
Grignon
Tours-en-Savoie
Lac de St-Guérin
Châtaigneraie de Chantemerle
Le Grand Mont
Stade de Neige du Margériaz
Vallon de Bellevaux
Cléry
Frontenex
Forêt du Darbelay
La Bâthie
Mont du Nivolet
Les Déserts (la Combe)
Aillon-le-Jeune
BAUGES
Chap. N.-D. de Bellevaux
Montailleur
Notre-Dame-des-Millières
Ste-Hélène-sur-Isère
Esserts-Blay
Ste-Reine
Grésy-sur-Isère
St-Paul-sur-Isère
Cevins
Verel-Pragondran
St-Jean-d'Arvey
Thoiry
Fréterive
Château de Miolans
Bonvillard
Rognaix
Vallée de la Grande Maison
St-Alban-Leysse
Château de la Bâtie
Col du Frêne
St-Pierre-d'Albigny
Fort de Montperché
Le Grand Arc
Feissons-sur-Isère
Barby
Puygros
Curienne
Chamousset
Aiton
Bonvillaret
St-Jean-de-la-Porte
Aiguebelle
Randens
Bellachat
La Léchère (N.-D.-de-Briançon)
Montgirod
Challes-les-Eaux
Cruet
Bourgneuf
Chamoux-sur-Gelon
Montgilbert
St-Jeoire-Prieuré
Chignin
Betton-Bettonet
Montsapey
Bonneval
Hautecour (le Chef-Lieu)
Aigueblanche
Myans
Montmélian
Villard-d'Héry
Montendry
St-Georges-des-Hurtières
Villard-Léger
Le Pontet
St-Oyen
Doucy
Arbin
La Trinité
Champ-Laurent
St-Alban-des-Hurtières
Argentine
Le Bois
Moûtiers
Planaise
St-Pierre-de-Soucy
Francin
Les Marches
Bourget-en-Huile
Vallée des Huiles
St-Pierre-de-Belleville
Aiguilles de la Balme
Les Avanchers-Valmorel
Salins-les-Thermes
Villard-Sallet
La Table
Grand Pic de la Lauzière
Fontaine-le-Puits
Chapareillan
Ste-Hélène-du-Lac
La Croix-de-la-Rochette
Rotherens
St-Pierre-de-Belleville (la Corbière)
Villarlurin
Brides-les-Bains
La Rochette
Le Verneil
Épierre
Laissaud
La Chapelle-Blanche
Villaroux
Presle
St-Léger
Col de la Madeleine
St-Jean-de-Belleville
Les Allues
Détrier
Arvillard
Pont du Diable
Pontcharra
Barraux
Le Moutaret
Anc. Chartreuse de St-Hugon
Pointe de Rognier
La Chapelle
Le Cheval Noir
St-Maximin
La Chapelle-du-Bard
Pont Sarret
Les Grands Moulins
Longchamp 1650
St-François-Longchamp
Trois Vallées
La Buissière (les Granges)
Allevard
Le Collet d'Allevard
St-Rémy-de-Maurienne
Montgellafrey
Les Chavannes-en-Maurienne
N.-D.-du-Cruet
Le Bellachat
St-Martin-de-Belleville
La Flachère
St-Pierre-d'Allevard
Le Cheylas
Montaimont
Chap. N.-D. de la Vie
St-Marcel
Ref. de la Pierre du Carré
St-Martin-sur-la-Chambre
146
La Chambre
St-Avre
Morêtel-de-Mailles (le Champ-du-Pont)
Pinsot
St-Étienne-de-Cuines
Ste-Marie-de-Cuines
Zone Nordique du Grand Coin
Le Grand Coin
Réserve Naturelle du Plan de Tuéda
A41
A43
A430
E70
E712

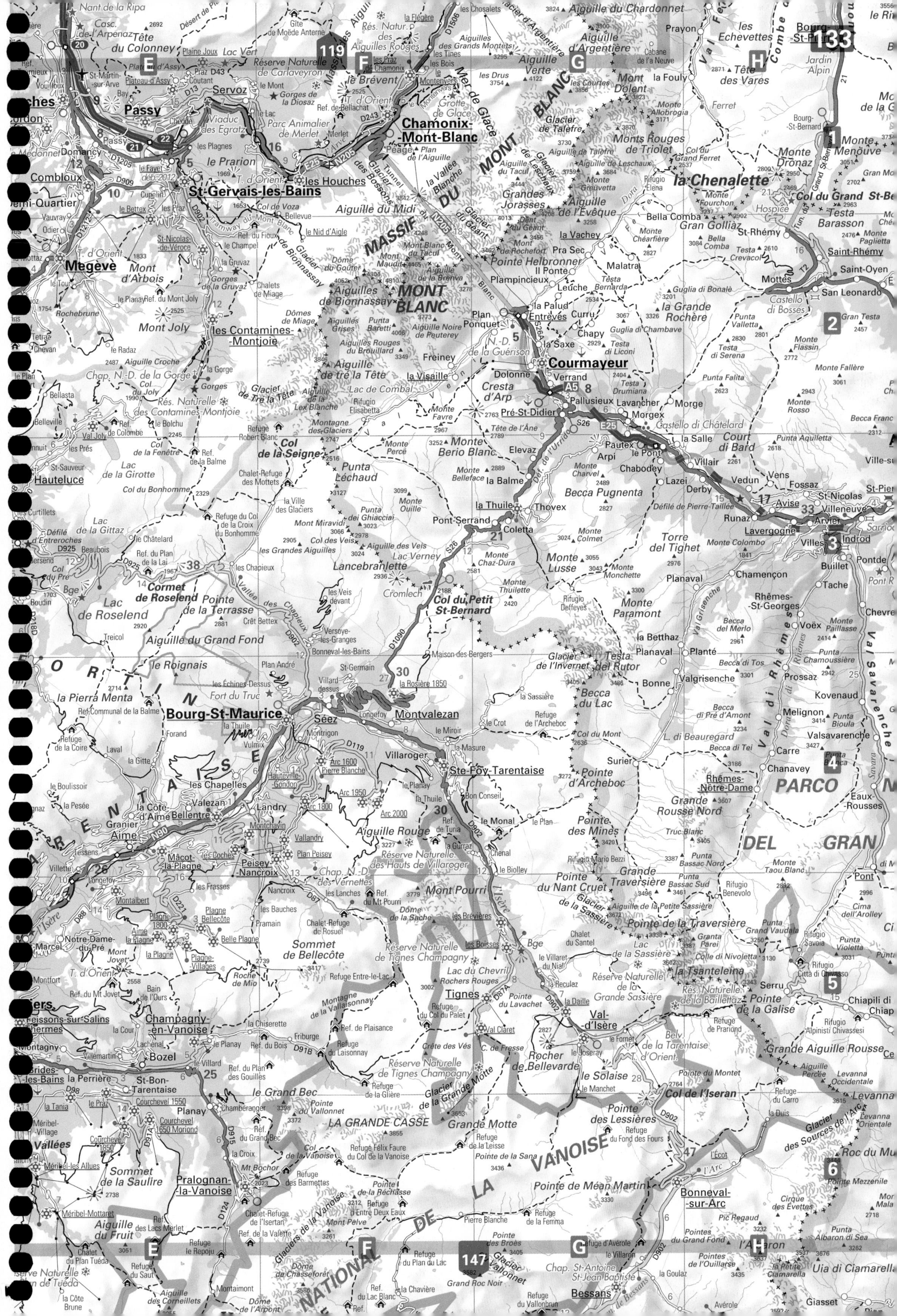

119
133
147
E
F
G
H
Nant de la Ripa
Casc. de l'Arpenaz
Tête du Colonney
Désert de Platé
Plaine Joux
Lac Vert
Plateau d'Assy
Réserve Naturelle de Carlaveyron
Gîte de Moëde Anterne
Rés. Natur. des Aiguilles Rouges
la Flégère
les Chosalets
Aiguilles des Grands Montets
les Tines
les Praz de Chamonix
les Bois
le Brévent
Aiguille du Chardonnet
Aiguille d'Argentière
Glacier d'Argentière
Aiguille Verte
les Drus
Mer de Glace
St-Martin-sur-Arve
Passy
Servoz
Gorges de la Diosaz
Chamonix-Mont-Blanc
Montenvers
Grotte de Glace
Parc Animalier de Merlet
Viaduc des Egratz
Domancy
Combloux
le Prarion
St-Gervais-les-Bains
les Houches
Péage
Plan de l'Aiguille
Tunnel du Mont Blanc
Glacier des Bossons
la Vallée Blanche
Aiguille du Midi
MASSIF DU MONT BLANC
Col de Voza
Bellevue
Tramway du Mont Blanc
Ref. du Fioux
le Nid d'Aigle
Glacier de Bionnassay
St-Nicolas-de-Véroce
Megève
Mont d'Arbois
la Gruvaz
Gorges de la Gruvaz
Chalets de Miage
Dôme du Goûter
Mont Blanc du Tacul
Mont Maudit
MONT BLANC
Aiguilles de Bionnassay
Dômes de Miage
Aiguilles Grises
Punta Baretti
Aiguille Noire de Peuterey
Mont Joly
Rochebrune
les Contamines-Montjoie
Aiguilles Rouges du Brouillard
Aiguille de Tré la Tête
Aiguille Croche
Chap. N.-D. de la Gorge
Col du Joly
Gorges
Rés. Naturelle des Contamines-Montjoie
Glacier de Tré la Tête
Lac de Combal
Rifugio Elisabetta
Montagne des Glaciers
Aiguille de Lex Blanche
Val Joly
Ref. de Colombe
le Bolchu
Col de la Fenêtre
Ref. de la Balme
Refuge Robert Blanc
Col de la Seigne
Lac de la Girotte
Col du Bonhomme
Chalet-Refuge des Mottets
Hauteluce
St-Sauveur
Punta Léchaud
la Ville des Glaciers
Refuge du Col de la Croix du Bonhomme
Lac de la Gittaz
Défilé d'Entreroches
Beaubois
le Châtelard
Ref. du Plan de la Lai
Mont Miravidi
Col des Veis
les Grandes Aiguilles
Aiguille des Veis
Lac Verney
Lancebranlette
Cromlech
Col du Petit St-Bernard
Cormet de Roselend
Pointe de la Terrasse
Lac de Roselend
Crêt Bettex
Vallée des Chapieux
les Chapieux
les Veis devant
Aiguille du Grand Fond
Versoye-les-Granges
Bonneval-les-Bains
le Roignais
Plan André
St-Germain
Maison des Bergers
la Rosière 1850
les Échines-Dessus
Fort du Truc
Villard dessus
la Pierra Menta
Ref. Communal de la Balme
Bourg-St-Maurice
Séez
Longefoy
Montvalezan
la Thuile
Forand
Vulmix
le Miroir
le Crot
Montrigon
Refuge de la Coire
Laval
la Gitte
Arc 1600
Pierre Blanche
Villaroger
la Masure
Ste-Foy-Tarentaise
Hauteville-Gondon
les Chapelles
TARENTAISE
le Boulissoir
la Pesée
Valezan
la Côte-d'Aime
Bellentre
Granier
Aime
Landry
Arc 1950
Arc 1800
Arc 2000
le Planay
Bon Conseil
Montchavin
Vallandry
Plan Peisey
Aiguille Rouge
le Monal
le Plan
Ref. de Turia
Réserve Naturelle des Hauts de Villaroger
la Gurraz
Chenal
le Biolley
Tessens
Villette
Mâcot-la-Plagne
les Coches
Peisey-Nancroix
Chap. N.-D. des Vernettes
Longefoy
les Frasses
Montalbert
Nancroix
les Lanches
Ref. du Mt Pourri
Mont Pourri
Dôme de la Sache
les Brevières
Plagne 1800
Plagne Bellecôte
les Bauches
Pramain
Chalet-Refuge de Rosuel
Notre-Dame-du-Pré
Aime la Plagne
la Plagne
Belle Plagne
Plagne-Villages
Sommet de Bellecôte
Réserve Naturelle de Tignes Champagny
les Boisses
Lac du Chevril
Rochers Rouges
Mont Jovet
T. d'Orient
Roche de Mio
Refuge Entre-le-Lac
Tignes
Refuge du Col du Palet
Montagne de la Vallaisonnay
Pointe du Lavachet
Val Claret
la Daille
Val-d'Isère
Montfort
Ref. du Mt Jovet
Bain de l'Ours
Moûtiers
Feissons-sur-Salins
Champagny-en-Vanoise
la Chiserette
Ref. de Plaisance
Refuge du Laisonnay
Crête des Vés
C. de Fresse
Rocher de Bellevarde
le Fornet
le Joseray
la Cour
Lachenal
le Planay
Ref. du Bois
Friburge
Montagny
Villemartin
Bozel
le Villard
Ref. du Plan des Gouilles
Réserve Naturelle de Tignes Champagny
Refuge de la Glière
Glacier de la Grande Motte
le Solaise
le Manchet
Brides-les-Bains
la Perrière
St-Bon-Tarentaise
le Grand Bec
Pointe du Vallonnet
la Tania
le Praz
Courchevel 1550
Courchevel 1650 Moriond
Chambéranger
Planay
LA GRANDE CASSE
Grande Motte
Refuge de la Leisse
Pointe des Lessières
Col de l'Iseran
Méribel-Village
Les 3 Vallées
Courchevel 1850
Ref. du Grand Bec
la Croix
Col de la Vanoise
Refuge Félix Faure du Col de la Vanoise
Pointe de la Sana
Refuge du Fond des Fours
Méribel-les Allues
Sommet de la Saulire
Mt Bochor
Refuge des Barmettes
Pralognan-la-Vanoise
PARC NATIONAL DE LA VANOISE
Pointe de Méan Martin
l'Écot
l'Arc
Bonneval-sur-Arc
Pointe de la Réchasse
Refuge d'Entre Deux Eaux
Méribel-Mottaret
Aiguille du Fruit
Ref. des Lacs Merlet
Chalet-Refuge de l'Isertan
Ref. de la Valette
Glaciers de la Vanoise
Mont Pelve
Pierre Blanche
Refuge de la Femma
Chalet du Plan Tuéda
Refuge le Repoju
Refuge du Saut
Réserve Naturelle du Plan de Tuéda
la Côte Brune
Aiguille des Corneillets
Montaimont
Dôme de Chasseforêt
Refuge du Plan du Lac
Pointe des Broës
Glacier du Vallonnet
Grand Roc Noir
Ref. du Lac Blanc
la Chavière
Dôme de l'Arpont
Refuge du Vallonbrun
Refuge d'Avérole
le Villaron
Chap. St-Antoine St-Jean Baptiste
Bessans
la Goulaz
Avérole
Glacier de Talèfre
Aiguille de Talèfre
Aiguille du Tacul
Aiguille de Leschaux
Glacier de Leschaux
Grandes Jorasses
Mont Gruetta
Aiguille de l'Évêque
Dent du Géant
Mont de Rochefort
Glacier du Géant
Pointe Helbronner
Plampincieux
Glacier de la Brenva
Aiguille de la Brenva
Mont Dolent
les Courtes
Monts Rouges de Triolet
Mont Allobrogia
Cabane de l'A Neuve
Prayon
la Fouly
Ferret
Les Echevettes
Tête des Vares
Combe de l'A
Bourg-St-Pierre
Jardin Alpin
Bourg-St-Bernard
Col du Grand Ferret
la Chenalette
Monte Dronaz
Monte Menouve
Col du Grand St-Bernard
Hospice
Monte Fourchon
Testa Barasson
Saint-Rhémy
St-Rhémy
Rifugio Elena
Bella Comba
Gran Golliaz
Monte Chéarfière
Testa Crevacol
Mottes
Saint-Oyen
San Leonardo
Castello di Bosses
la Vachey
Pra Sec
Malatra
Il Ponte
Leuche
Testa Bernarda
Guglia di Bonalé
la Grande Rochère
Punta Vallette
Gran Testa
la Palud
Entrèves
Curru
Chapy
Guglia di Chambave
Plan Ponquet
Testa di Liconi
Testa di Serena
Monte Flassin
N.-D. de la Guérison
la Saxe
Courmayeur
Freiney
Dolonne
Verrand
Monte Fallère
Punta Falita
Testa Drumiana
la Visaille
Cresta d'Arp
Pallusieux
Lavancher
Morge
Morgex
Monte Rosso
Pré-St-Didier
Tête de l'Âne
Castello di Châtelard
Becca France
Monte Favre
Val Veny
Monte Percé
Monte Berio Blanc
Elevaz
Pautex
Arpi
le Pont
la Salle
Court di Bard
Punta Aquiletta
Ville-sur-Sarre
Monte Belleface
la Balme
Monte Charvel
Chabodey
Villair
Vens
Becca Pugnenta
Lazei
Derby
Vedun
Fossaz
St-Pierre
Punta dei Ghiacciai
Monte Ouille
la Thuile
Thovex
Défilé de Pierre-Taillée
Runaz
Avise
St-Nicolas
Villeneuve
Arvier
Pont-Serrand
Coletta
Monte Colmet
Torre del Tighet
Lavergogne
Introd
Villes
Monte Colombo
Monte Chaz-Dura
Monte Lusse
Monte Monchette
Planaval
Chamençon
Buillet
Pontdel
Tache
Monte Thuilette
Rifugio Deffeyes
Monte Paramont
Rhêmes-St-Georges
Voëx
Chevrère
Becca del Merlo
Monte Paillasse
la Betthaz
Plantè
Planaval
Glacier de l'Invernet
Testa del Rutor
Punta Chamoussière
Valgrisenche
Bonne
Becca di Tos
Prossaz
la Sassière
Becca du Lac
Kovenaud
Refuge de l'Archeboc
Becca di Pré d'Amont
Melignon
Punta Bioula
Col du Mont
Valsavarenche
L. di Beauregard
Becca di Tei
Carre
Punta Bioula
Surier
Chanavey
Pointe d'Archeboc
Rhêmes-Nôtre-Dame
PARCO NAZIONALE DEL GRAN PARADISO
Eaux-Rousses
Grande Rousse Nord
Pointe des Mines
Truc Blanc
Punta Bassac Nord
Monte Taou Blanc
Rifugio Mario Bezzi
Grande Traversière
Pointe du Nant Cruet
Punta Bassac Sud
Rifugio Benevolo
Pont
Glacier de la Sassière
Aiguille de la Petite Sassière
Cima dell'Arolley
Pointe de la Traversière
Punta Grand Vaudala
Chalet du Santel
Lac de la Sassière
Granta Parei
Rifugio Savoia
Punta Violetta
le Villaret-du-Nial
Colle di Nivoletta
Réserve Naturelle de la Grande Sassière
la Tsanteleina
Rifugio Città di Chivasso
le Reculaz
Rés. Naturelle de la Bailletaz
Serru
Pointe de la Galise
Chiapili di Sopra
Refuge de Prariond
Rifugio Alpinisti Chivassesi
Belv. de la Tarentaise
Grande Aiguille Rousse
Aiguille Percée
Levanna Occidentale
Pointe du Montet
Refuge du Carro
Levanna Orientale
la Duis
Glacier des Sources de l'Arc
Roc du Mulinet
Pointe Mezzenile
Cirque des Évettes
Punta Albaron di Sea
Pic Regaud
Pointes du Grand Fond
l'Albaron
Pointes de l'Ouillarse
la Petite Ciamarella
Uia di Ciamarella
Giasset

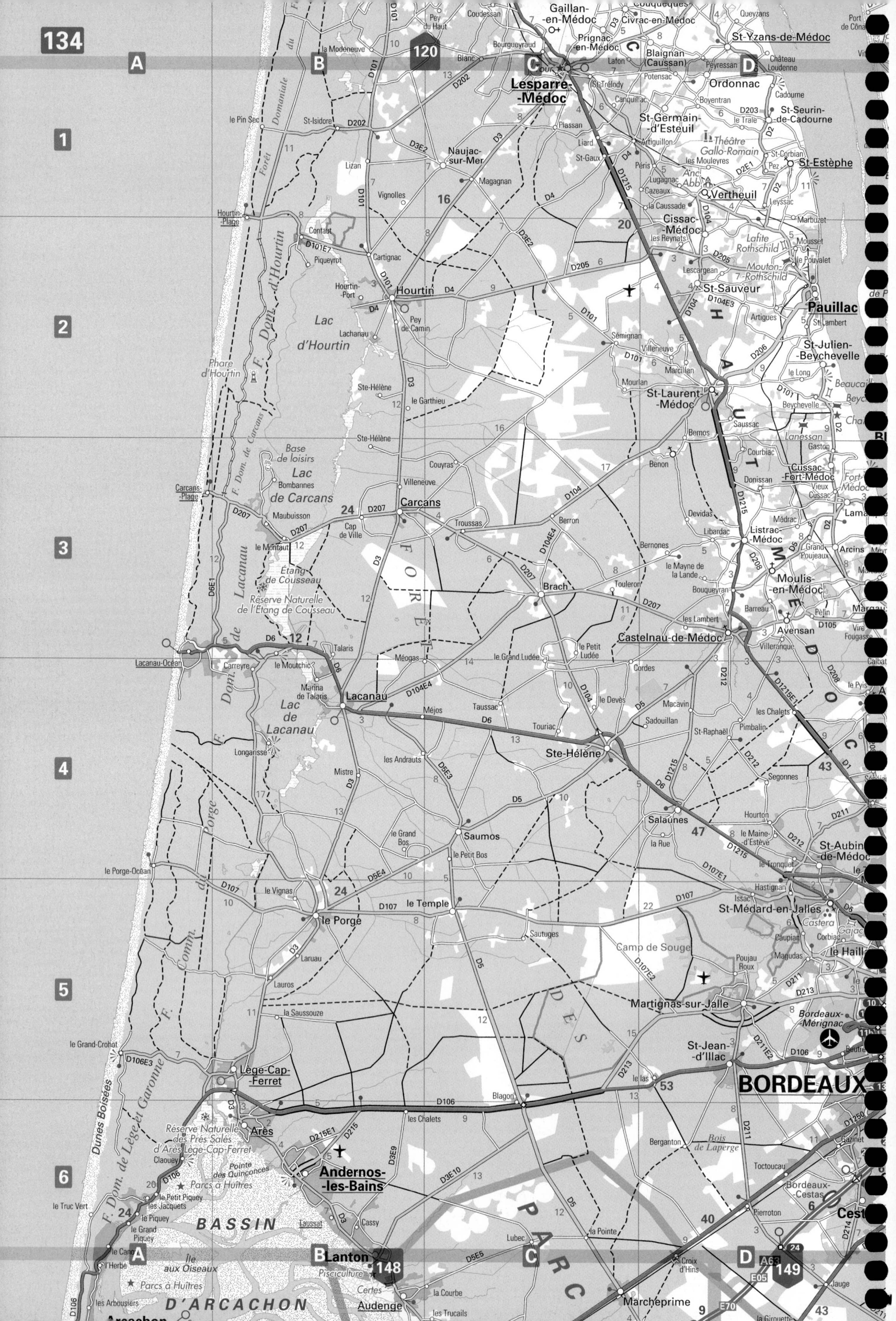

120
148
149
Lesparre-Médoc
Gaillan-en-Médoc
Civrac-en-Médoc
Prignac-en-Médoc
Blaignan (Caussan)
St-Yzans-de-Médoc
Ordonnac
St-Germain-d'Esteuil
Théâtre Gallo-Romain
St-Estèphe
Vertheuil
Cissac-Médoc
Lafite Rothschild
Mouton-Rothschild
St-Sauveur
Pauillac
St-Julien-Beychevelle
St-Laurent-Médoc
Cussac-Fort-Médoc
Listrac-Médoc
Moulis-en-Médoc
Castelnau-de-Médoc
Avensan
Naujac-sur-Mer
Hourtin
Hourtin-Plage
Lac d'Hourtin
Phare d'Hourtin
Base de loisirs
Lac de Carcans
Carcans-Plage
Carcans
Maubuisson
Brach
Étang de Cousseau
Réserve Naturelle de l'Étang de Cousseau
Lacanau-Océan
Lacanau
Lac de Lacanau
Ste-Hélène
Salaunes
Saumos
le Porge
le Porge-Océan
le Temple
St-Aubin-de-Médoc
St-Médard-en-Jalles
Camp de Souge
Martignas-sur-Jalle
Bordeaux-Mérignac
St-Jean-d'Illac
BORDEAUX
Lège-Cap-Ferret
Arès
Réserve Naturelle des Prés Salés d'Arès Lège-Cap-Ferret
Andernos-les-Bains
Parcs à Huîtres
BASSIN D'ARCACHON
Île aux Oiseaux
Lanton
Audenge
Marcheprime
Dunes Boisées
F. Dom. de Lège et Garonne
Forêt Domaniale du Flamand
F. Dom. d'Hourtin
F. Dom. de Carcans
F. Dom. de Lacanau
F. Comm. du Porge
FORÊT DES LANDES
HAUT MÉDOC
PARC

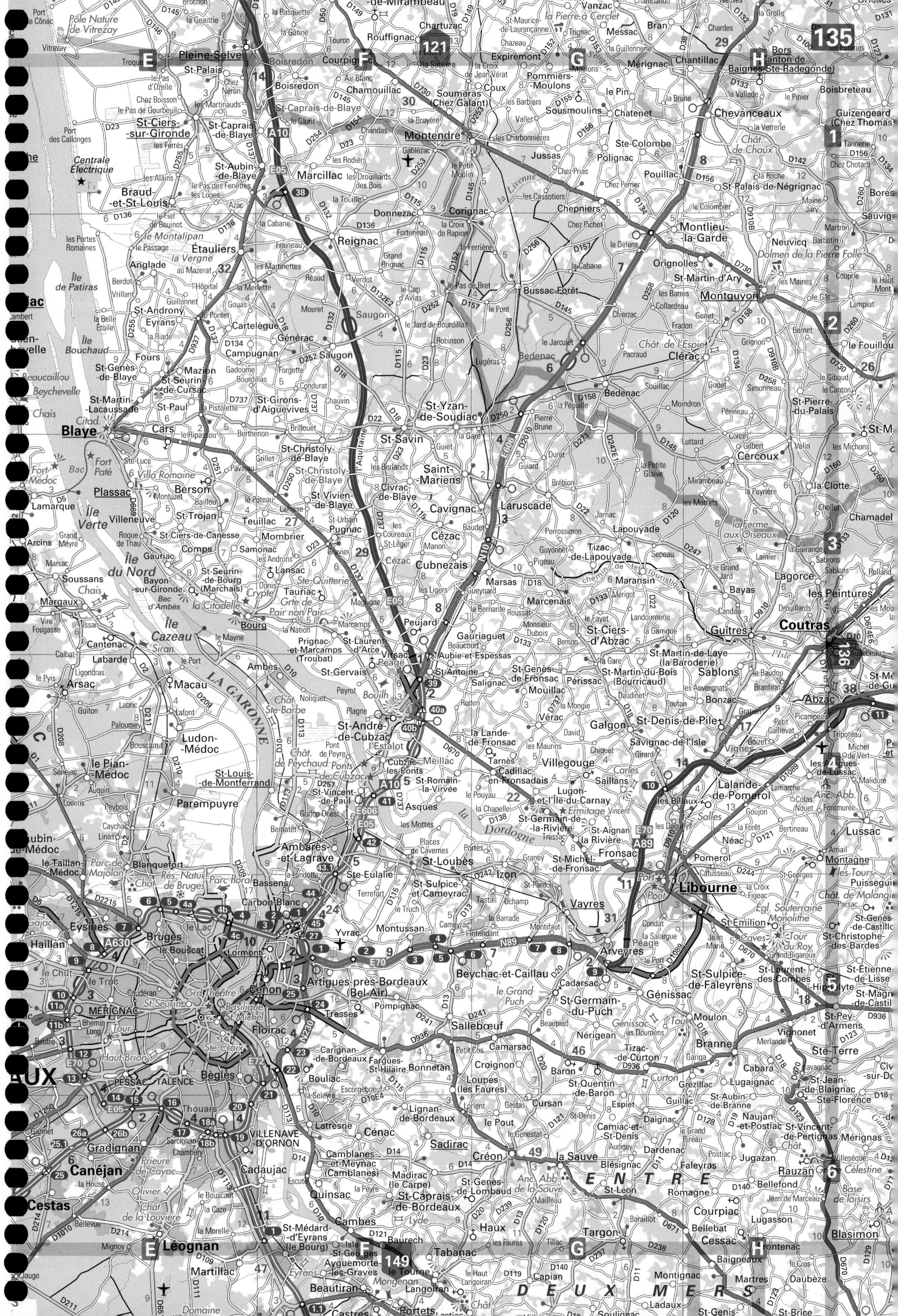
135
121
149
136
E
F
G
H
Pleine-Selve
St-Palais
St-Ciers-sur-Gironde
St-Caprais-de-Blaye
St-Aubin-de-Blaye
Braud-et-St-Louis
Centrale Électrique
Étauliers
Marcillac
Reignac
Donnezac
Montendre
Chartuzac
Rouffignac
Courpignac
Boisredon
Chamouillac
Souméras (Chez Galant)
Coux
Expirement
Pommiers-Moulons
Sousmoulins
Chatenet
Mérignac
Messac
Bran
Chantillac
Chevanceaux
Baignes-Ste-Radegonde
Boisbreteau
Guizengeard (Chez Thomas)
Jussas
Polignac
Ste-Colombe
Pouillac
St-Palais-de-Négrignac
Corignac
Chepniers
Montlieu-la-Garde
Orignolles
St-Martin-d'Ary
Montguyon
Neuvicq
Dolmen de la Pierre Folle
Bussac-Forêt
Clérac
Bedenac
St-Pierre-du-Palais
Cercoux
la Clotte
Chamadelle
Île de Patiras
Île Bouchaud
St-Androny
Eyrans
Cartelègue
Générac
Saugon
Campugnan
St-Genès-de-Blaye
Mazion
St-Seurin-de-Cursac
St-Martin-Lacaussade
St-Paul
St-Girons-d'Aiguevives
St-Yzan-de-Soudiac
Blaye
Cars
St-Savin
St-Christoly-de-Blaye
Saint-Mariens
Plassac
Berson
St-Vivien-de-Blaye
Cavignac
Laruscade
Lamarque
Île Verte
Villeneuve
St-Trojan
Teuillac
Mombrier
Pugnac
Cézac
Lapouyade
St-Ciers-de-Canesse
Comps
Samonac
Gauriac
Île du Nord
Cubnezais
Tizac-de-Lapouyade
Margaux
Soussans
Bayon-sur-Gironde
St-Seurin-de-Bourg
Lansac
Tauriac
Marsas
Maransin
Lagorce
Bayas
les Peintures
Bourg
Île Cazeau
Peujard
Marcenais
St-Ciers-d'Abzac
Guîtres
Coutras
Cantenac
Labarde
Prignac-et-Marcamps
St-Laurent-d'Arce
Gauriaguet
Aubie-et-Espessas
LA GARONNE
Arsac
Macau
Ambès
St-Gervais
Virsac
St-Antoine
St-Genès-de-Fronsac
Périssac
St-Martin-du-Bois
Sablons
Abzac
Ludon-Médoc
St-André-de-Cubzac
Salignac
Mouillac
Vérac
Galgon
St-Denis-de-Pile
Bonzac
le Pian-Médoc
Cubzac-les-Ponts
la Lande-de-Fronsac
Villegouge
Savignac-de-l'Isle
Lalande-de-Pomerol
St-Louis-de-Montferrand
Parempuyre
St-Romain-la-Virvée
Cadillac-en-Fronsadais
Saillans
Lugon-et-l'Île-du-Carnay
St-Vincent-de-Paul
Asques
St-Germain-de-la-Rivière
Dordogne
La Rivière
Fronsac
Néac
Lussac
Ambarès-et-Lagrave
Blanquefort
St-Loubès
Izon
St-Michel-de-Fronsac
Pomerol
Libourne
Montagne
Puisseguin
Bassens
Ste-Eulalie
St-Sulpice-et-Cameyrac
Vayres
St-Émilion
Eysines
Bruges
le Bouscat
Lormont
Carbon-Blanc
Yvrac
Montussan
Arveyres
St-Christophe-des-Bardes
Haillan
Beychac-et-Caillau
Cenon
Artigues-près-Bordeaux (Bel-Air)
St-Sulpice-de-Faleyreys
Génissac
St-Laurent-des-Combes
St-Pey-d'Armens
MÉRIGNAC
Tresses
St-Germain-du-Puch
Sallebœuf
Floirac
Camarsac
Nérigean
Vignonet
Branne
Ste-Terre
Carignan-de-Bordeaux
Fargues-St-Hilaire
Bonnetan
Croignon
Tizac-de-Curton
Cabara
AUX
PESSAC
TALENCE
Bègles
Bouliac
Loupes (les Faures)
Baron
St-Quentin-de-Baron
Grézillac
Lugaignac
St-Jean-de-Blaignac
Ste-Florence
Latresne
Lignan-de-Bordeaux
Cursan
Guillac
Naujan-et-Postiac
St-Vincent-de-Pertignas
Mérignas
Gradignan
VILLENAVE-D'ORNON
Cénac
Sadirac
Camiac-et-St-Denis
Daignac
Dardenac
Canéjan
Cadaujac
Camblanes-et-Meynac (Camblanes)
Créon
La Sauve
Blésignac
Jugazan
Rauzan
ENTRE
Cestas
Quinsac
Madirac (le Carpe)
St-Caprais-de-Bordeaux
St-Genès-de-Lombaud
St-Léon
Faleyras
Romagne
Bellefond
Courpiac
Lugasson
Cambes
Haux
Targon
Bellebat
Cessac
Blasimon
Léognan
St-Médard-d'Eyrans
Baurech
Tabanac
Frontenac
Ayguemorte-les-Graves
Martillac
Beautiran
le Tourne
Langoiran
Capian
Montignac
Martres
Daubèze
DEUX MERS
Portets

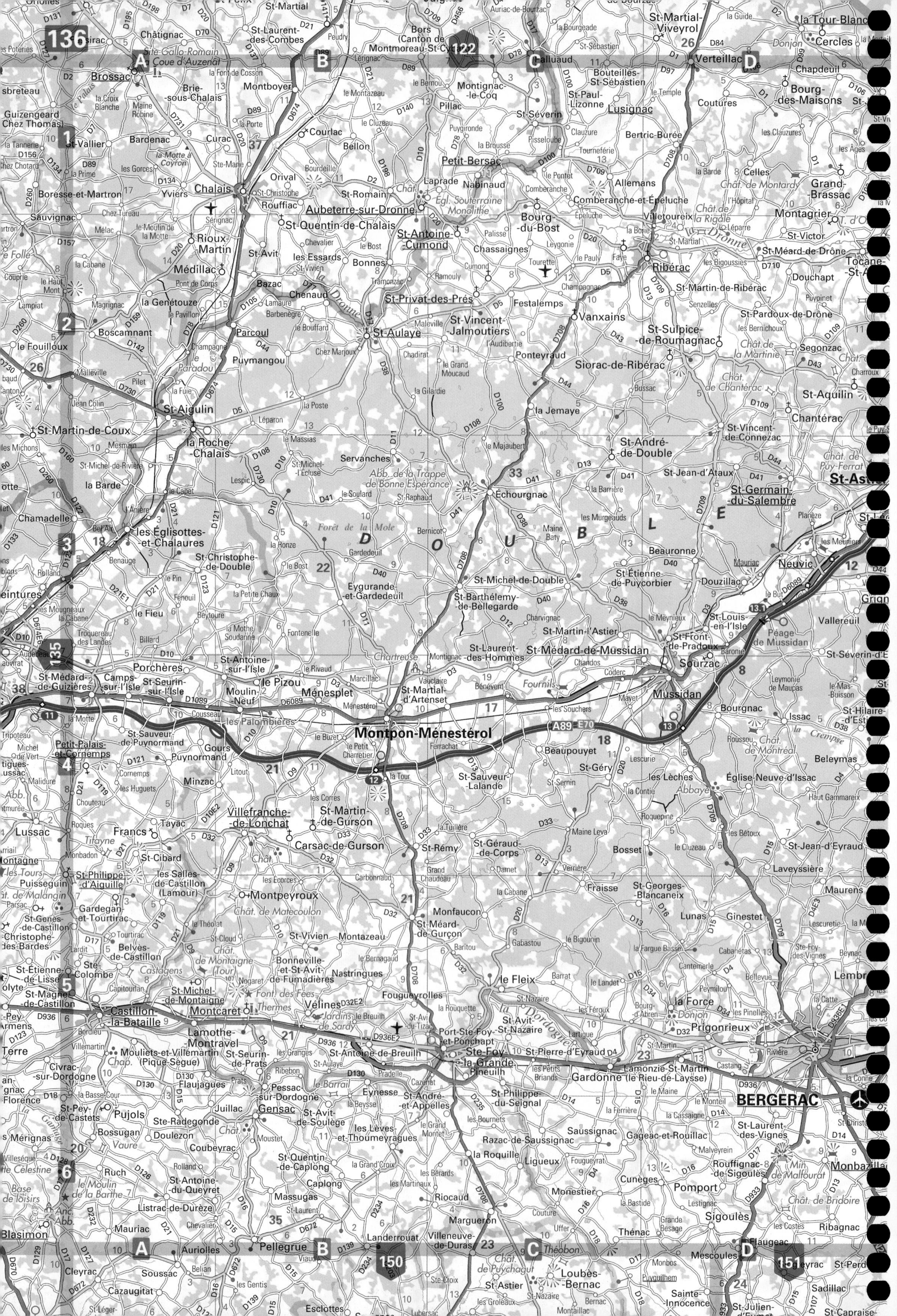
136
135
122
150
151
A
B
C
D
1
2
3
4
5
6
Brossac
Châtignac
St-Laurent-des-Combes
Bors (Canton de Montmoreau-St-Cybard)
Montmoreau-St-Cybard
Auriac-de-Bourzac
St-Martial-Viveyrol
la Tour-Blanche
Cercles
Verteillac
Bouteilles-St-Sébastien
Chapdeuil
Bourg-des-Maisons
Montboyer
Brie-sous-Chalais
Montignac-le-Coq
Pillac
St-Paul-Lizonne
Lusignac
Coutures
St-Séverin
Bertric-Burée
Courlac
Bardenac
Curac
St-Vallier
Bellon
Petit-Bersac
Allemans
Celles
Grand-Brassac
Chalais
Yviers
Orival
Laprade
Nabinaud
Boresse-et-Martron
Sauvignac
St-Romain
Aubeterre-sur-Dronne
Comberanche-et-Épeluche
Villetoureix
Montagrier
St-Quentin-de-Chalais
St-Antoine-Cumond
Bourg-du-Bost
Rioux-Martin
Rouffiac
Chassaignes
Ribérac
St-Méard-de-Drône
Tocane-St-Apre
Médillac
St-Avit
les Essards
Bonnes
Douchapt
Chenaud
St-Privat-des-Prés
Festalemps
St-Martin-de-Ribérac
Bazac
la Genétouze
St-Vincent-Jalmoutiers
Vanxains
St-Pardoux-de-Drône
Boscamnant
Parcoul
St-Aulaye
St-Sulpice-de-Roumagnac
Segonzac
le Fouilloux
Puymangou
Ponteyraud
Siorac-de-Ribérac
St-Aquilin
St-Aigulin
la Jemaye
Chantérac
St-Martin-de-Coux
la Roche-Chalais
Servanches
St-André-de-Double
St-Vincent-de-Connezac
la Barde
Échourgnac
St-Jean-d'Ataux
St-Germain-du-Salembre
Chamadelle
les Églisottes-et-Chalaures
Forêt de la Mole
D O U B L E
St-Christophe-de-Double
Beauronne
St-Étienne-de-Puycorbier
Douzillac
Neuvic
Eygurande-et-Gardedeuil
St-Michel-de-Double
St-Barthélemy-de-Bellegarde
le Fieu
St-Martin-l'Astier
St-Louis-en-l'Isle
St-Front-de-Pradoux
Vallereuil
St-Laurent-des-Hommes
St-Médard-de-Mussidan
Sourzac
Péage de Mussidan
Porchères
St-Antoine-sur-l'Isle
le Pizou
St-Médard-de-Guizières
Camps-sur-l'Isle
St-Seurin-sur-l'Isle
Moulin-Neuf
Ménesplet
St-Martial-d'Artenset
Mussidan
Bourgnac
Issac
Montpon-Ménestérol
St-Sauveur-de-Puynormand
Gours
Puynormand
Beaupouyet
St-Géry
Beleymas
Petit-Palais-et-Cornemps
Minzac
St-Sauveur-Lalande
les Lèches
Église-Neuve-d'Issac
Villefranche-de-Lonchat
St-Martin-de-Gurson
Lussac
Francs
Tayac
Carsac-de-Gurson
St-Rémy
St-Géraud-de-Corps
Bosset
St-Jean-d'Eyraud
St-Cibard
St-Philippe-d'Aiguille
Puisseguin
les Salles-de-Castillon (Lamour)
Montpeyroux
Fraisse
St-Georges-Blancaneix
Laveyssière
Monfaucon
St-Méard-de-Gurçon
Lunas
Ginestet
Belvès-de-Castillon
St-Vivien
Montazeau
Ste-Colombe
Bonneville-et-St-Avit-de-Fumadières
Nastringues
le Fleix
la Force
Prigonrieux
St-Magne-de-Castillon
St-Michel-de-Montaigne
Montcaret
Vélines
Fougueyrolles
Castillon-la-Bataille
Lamothe-Montravel
Port-Ste-Foy-et-Ponchapt
St-Avit-St-Nazaire
Ste-Foy-la-Grande
St-Pierre-d'Eyraud
Lamonzie-St-Martin
Gardonne (le Rieu-de-Laysse)
BERGERAC
Mouliets-et-Villemartin
St-Seurin-de-Prats
St-Antoine-de-Breuilh
Pineuilh
Civrac-sur-Dordogne
Flaujagues
Pessac-sur-Dordogne
Eynesse
St-André-et-Appelles
St-Philippe-du-Seignal
St-Pey-de-Castets
Pujols
Juillac
Gensac
St-Avit-de-Soulège
Ste-Radegonde
Les Lèves-et-Thoumeyragues
Saussignac
Gageac-et-Rouillac
St-Laurent-des-Vignes
Doulezon
Bossugan
Coubeyrac
Razac-de-Saussignac
la Roquille
Ligueux
St-Quentin-de-Caplong
Ruch
St-Antoine-du-Queyret
Caplong
Cunèges
Pomport
Rouffignac-de-Sigoulès
Monbazillac
Listrac-de-Durèze
Massugas
Riocaud
Monestier
Sigoulès
Mauriac
Margueron
Thénac
Ribagnac
Blasimon
Auriolles
Pellegrue
Landerrouat
Villeneuve-de-Duras
Mescoules
Cleyrac
Soussac
Loubès-Bernac
St-Astier
Cazaugitat
Sadillac
Esclottes
Sainte-Innocence
la Dronne
la Dordogne
A89
E70

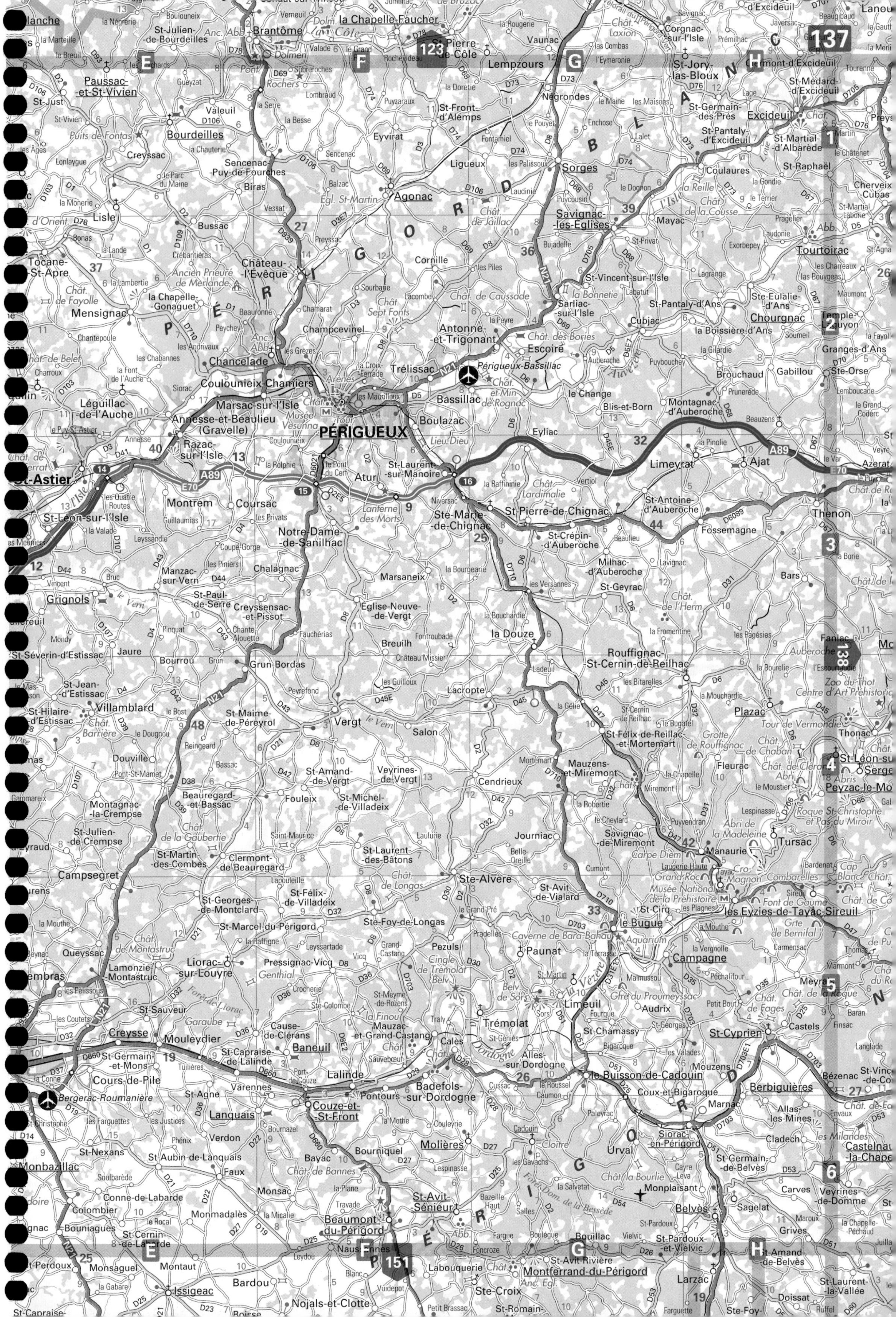

137
123
138
151
Brantôme
la Chapelle-Faucher
St-Pierre-de-Côle
Vaunac
Corgnac-sur-l'Isle
St-Julien-de-Bourdeilles
Paussac-et-St-Vivien
Lempzours
St-Jory-las-Bloux
Clermont-d'Excideuil
St-Médard-d'Excideuil
St-Front-d'Alemps
Négrondes
St-Germain-des-Prés
Excideuil
Valeuil
Bourdeilles
Eyvirat
St-Pantaly-d'Excideuil
St-Martial-d'Albarède
Creyssac
Sencenac-Puy-de-Fourches
Ligueux
Sorges
Coulaures
St-Raphaël
Biras
Agonac
Cherveix-Cubas
Lisle
Savignac-les-Eglises
Mayac
Bussac
Tourtoirac
Tocane-St-Apre
Château-l'Évêque
Cornille
St-Vincent-sur-l'Isle
Sarliac-sur-l'Isle
Ste-Eulalie-d'Ans
Mensignac
La Chapelle-Gonaguet
St-Pantaly-d'Ans
Chourgnac
Cubjac
la Boissière-d'Ans
Temple-Laguyon
Champcevinel
Antonne-et-Trigonant
Escoire
Granges-d'Ans
Chancelade
Trélissac
Périgueux-Bassillac
Brouchaud
Gabillou
Ste-Orse
Coulounieix-Chamiers
Bassillac
le Change
Léguillac-de-l'Auche
Marsac-sur-l'Isle
Blis-et-Born
Montagnac-d'Auberoche
Annesse-et-Beaulieu (Gravelle)
PÉRIGUEUX
Boulazac
Eyliac
Razac-sur-l'Isle
Limeyrat
Ajat
St-Astier
St-Laurent-sur-Manoire
Azerat
Montrem
Coursac
Atur
St-Pierre-de-Chignac
St-Antoine-d'Auberoche
Thenon
St-Léon-sur-l'Isle
Ste-Marie-de-Chignac
Fossemagne
Notre-Dame-de-Sanilhac
St-Crépin-d'Auberoche
Milhac-d'Auberoche
Manzac-sur-Vern
Chalagnac
Marsaneix
Bars
Grignols
St-Paul-de-Serre
Creyssensac-et-Pissot
St-Geyrac
Église-Neuve-de-Vergt
Jaure
Breuilh
la Douze
Fanlac
St-Séverin-d'Estissac
Bourrou
Grun-Bordas
Rouffignac-St-Cernin-de-Reilhac
St-Jean-d'Estissac
Lacropte
Plazac
St-Hilaire-d'Estissac
Villamblard
St-Maime-de-Péreyrol
Vergt
Salon
St-Félix-de-Reilhac-et-Mortemart
Thonac
Douville
Mauzens-et-Miremont
Fleurac
St-Léon-sur-Vézère
Sergeac
St-Amand-de-Vergt
Veyrines-de-Vergt
Cendrieux
Peyzac-le-Moustier
Beauregard-et-Bassac
Montagnac-la-Crempse
Fouleix
St-Michel-de-Villadeix
St-Julien-de-Crempse
Journiac
Savignac-de-Miremont
Tursac
St-Martin-des-Combes
Clermont-de-Beauregard
St-Laurent-des-Bâtons
Manaurie
Campsegret
Ste-Alvère
St-Félix-de-Villadeix
St-Avit-de-Vialard
St-Georges-de-Montclard
St-Cirq
les Eyzies-de-Tayac-Sireuil
St-Marcel-du-Périgord
Ste-Foy-de-Longas
le Bugue
Queyssac
Pezuls
Paunat
Campagne
Lamonzie-Montastruc
Liorac-sur-Louyre
Pressignac-Vicq
Limeuil
Audrix
Meyrals
St-Sauveur
Trémolat
St-Chamassy
Castels
Creysse
Mouleydier
Cause-de-Clérans
Mauzac-et-Grand-Castang
St-Cyprien
Baneuil
Calès
St-Capraise-de-Lalinde
St-Germain-et-Mons
Alles-sur-Dordogne
Cours-de-Pile
Lalinde
le Buisson-de-Cadouin
Bézenac
St-Agne
Varennes
Badefols-sur-Dordogne
Coux-et-Bigaroque
Berbiguières
Bergerac-Roumanière
Couze-et-St-Front
Languais
Marnac
Allas-les-Mines
Verdon
Molières
Siorac-en-Périgord
Cladech
St-Nexans
Bourniquel
Urval
Castelnaud-la-Chapelle
St-Aubin-de-Lanquais
Bayac
St-Germain-de-Belvès
Monbazillac
Faux
Conne-de-Labarde
Monsac
St-Avit-Sénieur
Monplaisant
Carves
Veyrines-de-Domme
Colombier
Monmadalès
Beaumont-du-Périgord
Belvès
Sagelat
Bouniagues
St-Cernin-de-Labarde
Bouillac
St-Pardoux-et-Vielvic
Grives
Monsaguel
Montaut
Naussannes
Labouquerie
St-Avit-Rivière
St-Amand-de-Belvès
Issigeac
Bardou
Montferrand-du-Périgord
Larzac
St-Laurent-la-Vallée
Nojals-et-Clotte
Ste-Croix
Doissat
A89
E70
N21
P É R I G O R D
B L A N C

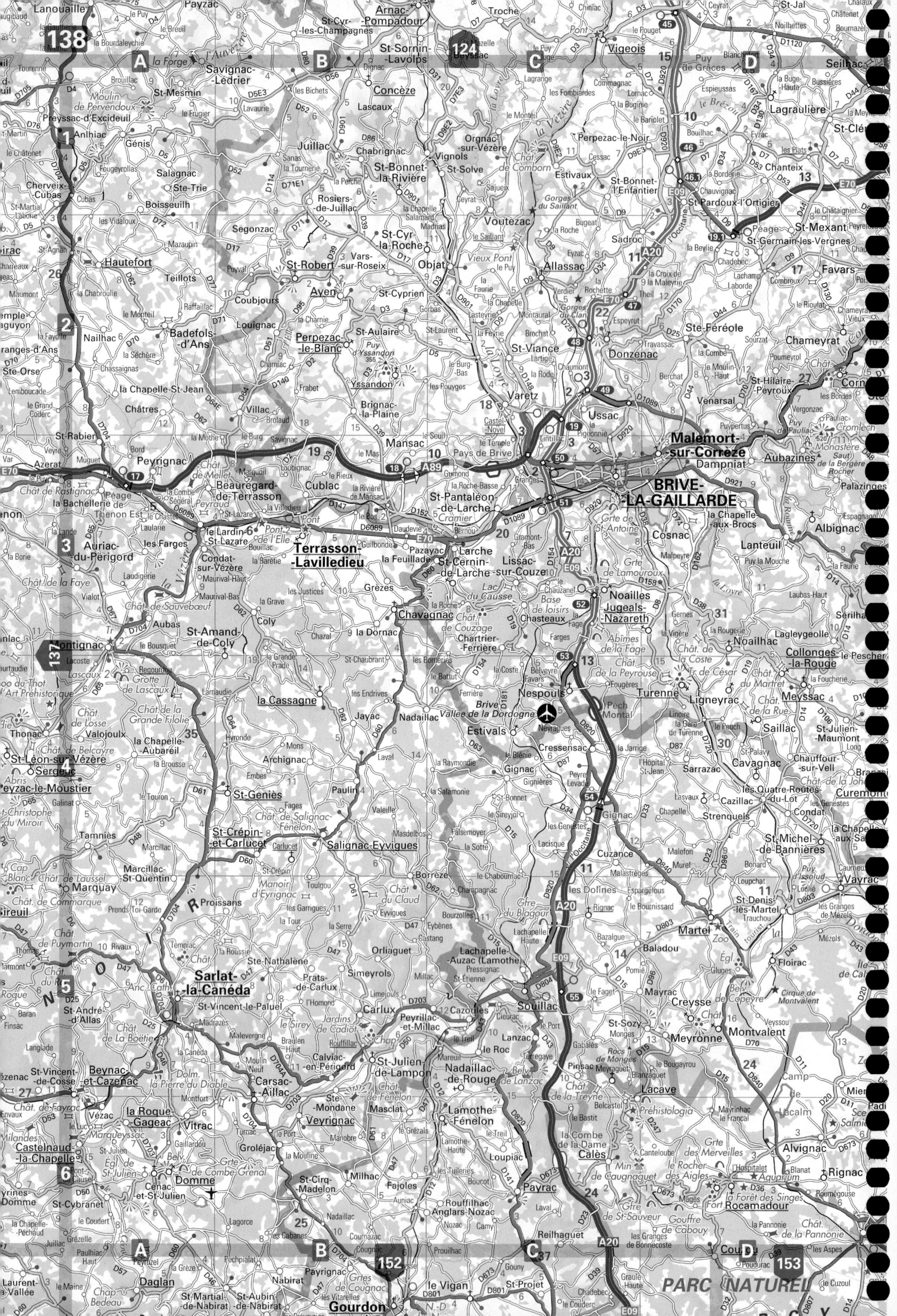

138
124
137
152
153
A
B
C
D
1
2
3
4
5
6
Lanouaille
Payzac
Arnac-Pompadour
St-Cyr-les-Champagnes
Troche
Vigeois
St-Jal
Seilhac
Savignac-Lédrier
St-Mesmin
Concèze
St-Sornin-Lavolps
Puy de Grâces
Lagraulière
Preyssac-d'Excideuil
Anlhiac
Génis
Juillac
Chabrignac
Vignols
Orgnac-sur-Vézère
Perpezac-le-Noir
Estivaux
Chanteix
St-Bonnet-la-Rivière
St-Solve
Salagnac
Ste-Trie
Cherveix-Cubas
Boisseuilh
Rosiers-de-Juillac
St-Bonnet-l'Enfantier
St-Pardoux-l'Ortigier
Voutezac
Segonzac
St-Cyr-la-Roche
Sadroc
St-Mexant
St-Germain-les-Vergnes
Hautefort
St-Robert
Vars-sur-Roseix
Objat
Allassac
Favars
Teillots
Coubjours
Ayen
St-Cyprien
Badefols-d'Ans
Louignac
Nailhac
Perpezac-le-Blanc
St-Aulaire
Ste-Féréole
Chameyrat
St-Viance
Donzenac
Yssandon
Varetz
Ussac
St-Hilaire-Peyroux
la Chapelle-St-Jean
Châtres
Villac
Brignac-la-Plaine
Mansac
St-Rabier
Peyrignac
Malemort-sur-Corrèze
Aubazines
Azerat
Beauregard-de-Terrasson
Cublac
St-Pantaléon-de-Larche
BRIVE-LA-GAILLARDE
Dampniat
Palazinges
Cosnac
Albignac
Auriac-du-Périgord
le Lardin-St-Lazare
Condat-sur-Vézère
Terrasson-Lavilledieu
Pazayac
Larche
St-Cernin-de-Larche
Lissac-sur-Couze
Lanteuil
Grèzes
Chavagnac
Noailles
Jugeals-Nazareth
Aubas
Coly
St-Amand-de-Coly
Chasteaux
Chartrier-Ferrière
Montignac
Noailhac
Collonges-la-Rouge
Lagleygeolle
Meyssac
Turenne
Ligneyrac
Nespouls
la Cassagne
Jayac
Nadaillac
Estivals
Saillac
Thonac
Valojoux
la Chapelle-Aubareil
Archignac
Cressensac
St-Julien-Maumont
St-Léon-sur-Vézère
Sergeac
Peyzac-le-Moustier
St-Geniès
Paulin
Gignac
Cavagnac
Sarrazac
Chauffour-sur-Vell
Tamniès
St-Crépin-et-Carlucet
Salignac-Eyvigues
Cuzance
Strenquels
Cazillac
Curemonte
St-Michel-de-Bannières
Marcillac-St-Quentin
Marquay
Borrèze
Vayrac
Proissans
St-Denis-lès-Martel
Martel
Baladou
Orliaguet
Lachapelle-Auzac (Lamothe)
Ste-Nathalène
Simeyrols
Prats-de-Carlux
Sarlat-la-Canéda
Floirac
St-André-d'Allas
Carlux
Peyrillac-et-Millac
Cazoulès
Souillac
Mayrac
Creysse
Montvalent
Meyronne
St-Sozy
Calviac-en-Périgord
St-Julien-de-Lampon
Lanzac
Nadaillac-de-Rouge
Carsac-Aillac
Beynac-et-Cazenac
St-Vincent-de-Cosse
Lacave
Vézac
la Roque-Gageac
Vitrac
Ste-Mondane
Veyrignac
Masclat
Lamothe-Fénelon
Castelnaud-la-Chapelle
Groléjac
Loupiac
Calès
Alvignac
Domme
Cénac-et-St-Julien
St-Cybranet
St-Cirq-Madelon
Milhac
Fajoles
Payrac
Rignac
Rocamadour
Rouffilhac
Anglars-Nozac
Reilhaguet
Daglan
Nabirat
Payrignac
le Vigan
St-Projet
St-Martial-de-Nabirat
St-Aubin-de-Nabirat
Gourdon
PARC NATUREL
A20
A89
E70
E09

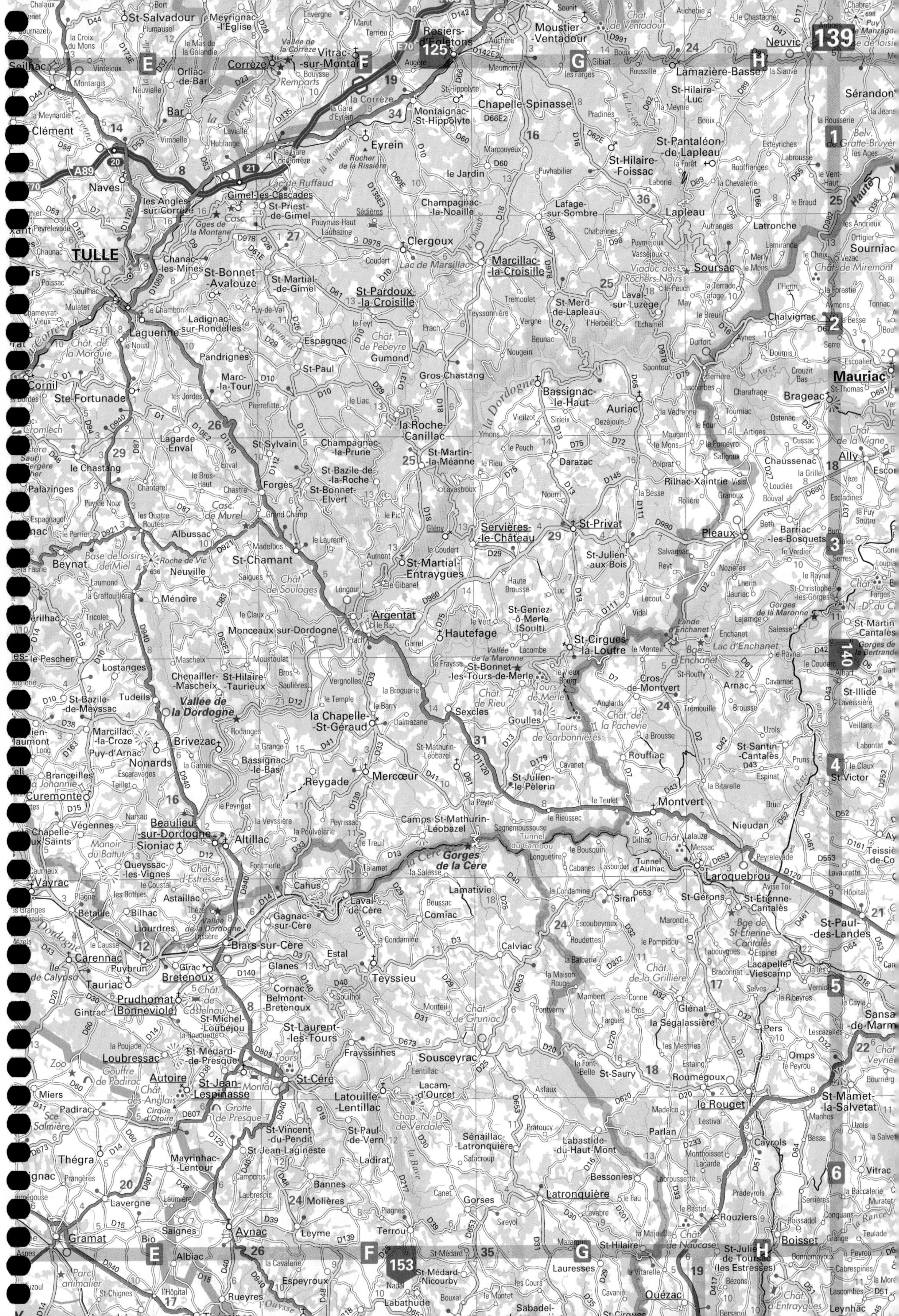
139
140
153
E
F
G
H
1
2
3
4
5
6
TULLE
Mauriac
Argentat
Laroquebrou
St-Céré
Gramat
Neuvic
Pleaux
Corrèze
Vitrac-sur-Montane
Rosiers-d'Égletons
Moustier-Ventadour
Lamazière-Basse
Chapelle-Spinasse
Montaignac-St-Hippolyte
Eyrein
Gimel-les-Cascades
Naves
Clergoux
Marcillac-la-Croisille
St-Pardoux-la-Croisille
Lapleau
Soursac
St-Pantaléon-de-Lapleau
St-Hilaire-Foissac
Laguenne
Cornil
Ste-Fortunade
Lagarde-Enval
Forgès
St-Chamant
Beynat
Albussac
Monceaux-sur-Dordogne
Hautefage
St-Martial-Entraygues
Servières-le-Château
St-Privat
St-Cirgues-la-Loutre
Auriac
Bassignac-le-Haut
Darazac
Rilhac-Xaintrie
La Roche-Canillac
Brivezac
Nonards
Beaulieu-sur-Dordogne
Altillac
Sioniac
Vayrac
Carennac
Bretenoux
Biars-sur-Cère
Gagnac-sur-Cère
Laval-de-Cère
Camps-St-Mathurin-Léobazel
Gorges de la Cère
Mercœur
Reygade
La Chapelle-St-Géraud
Sexcles
Goulles
St-Julien-le-Pèlerin
Montvert
Arnac
Cros-de-Montvert
Rouffiac
St-Santin-Cantalès
St-Victor
St-Paul-des-Landes
Siran
St-Gerons
St-Étienne-Cantalès
Lacapelle-Viescamp
Glénat
La Ségalassière
Pers
Roumégoux
Le Rouget
Cayrols
St-Mamet-la-Salvetat
Omps
Teyssieu
Sousceyrac
Calviac
Comiac
Latouille-Lentillac
St-Paul-de-Vern
Sénaillac-Latronquière
Labastide-du-Haut-Mont
Latronquière
Bessonies
St-Saury
Parlan
Loubressac
Autoire
St-Jean-Lespinasse
St-Médard-de-Presque
Aynac
Molières
Bannes
Gorsses
Terrou
Leyme
Saignes
Thégra
Mayrinhac-Lentour
St-Médard-Nicourby
Sabadel-
Quézac
St-Hilaire
Lauresses
Boisset
St-Julien-de-Toursac
Vitrac
Dordogne
A89
E70
D940
D1120
D978

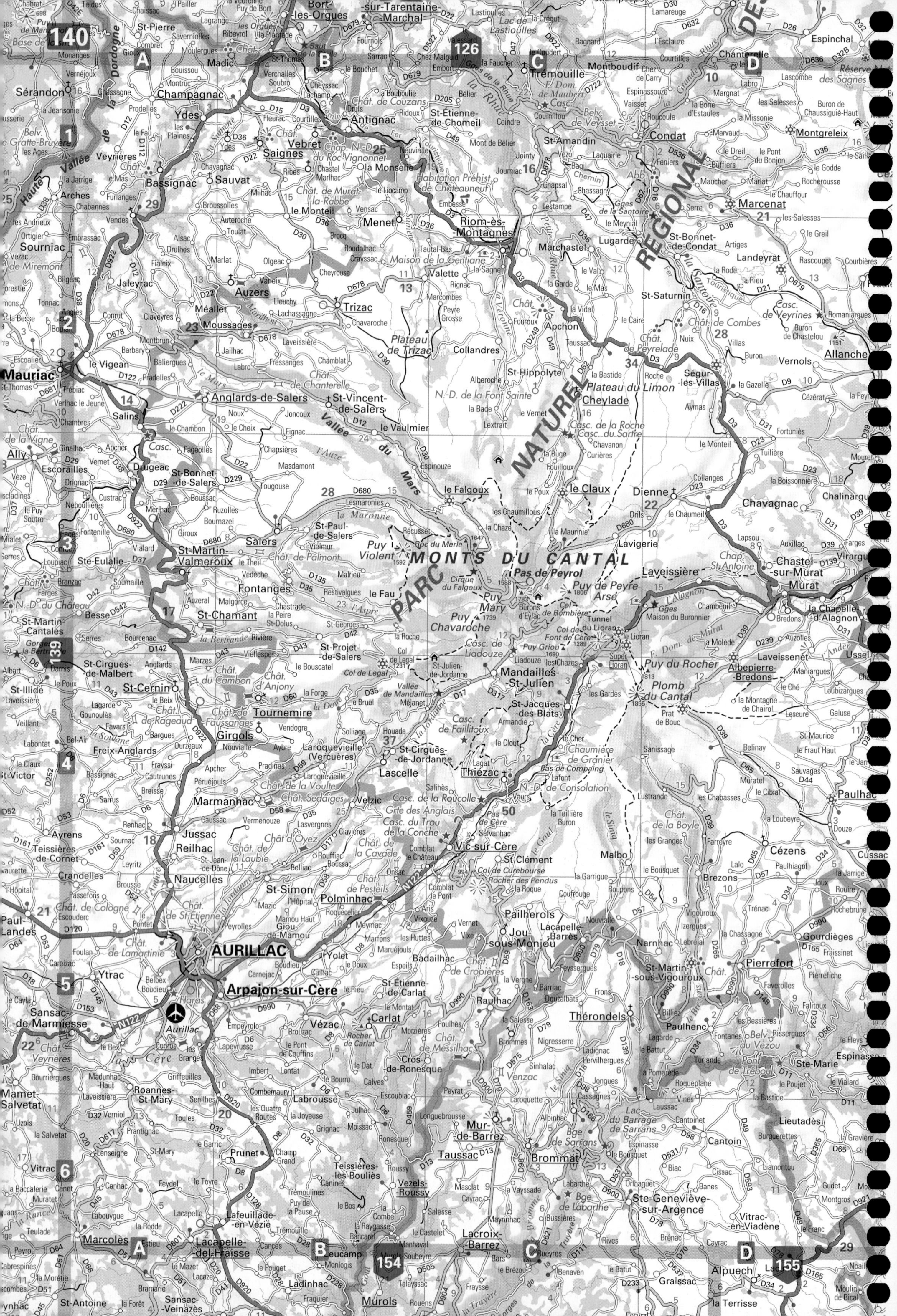

140
126
139
154
155
MONTS DU CANTAL
PARC NATUREL RÉGIONAL
Mauriac
AURILLAC
Arpajon-sur-Cère
Riom-ès-Montagnes
Murat
Salers
Vic-sur-Cère
Pierrefort
Condat
Allanche

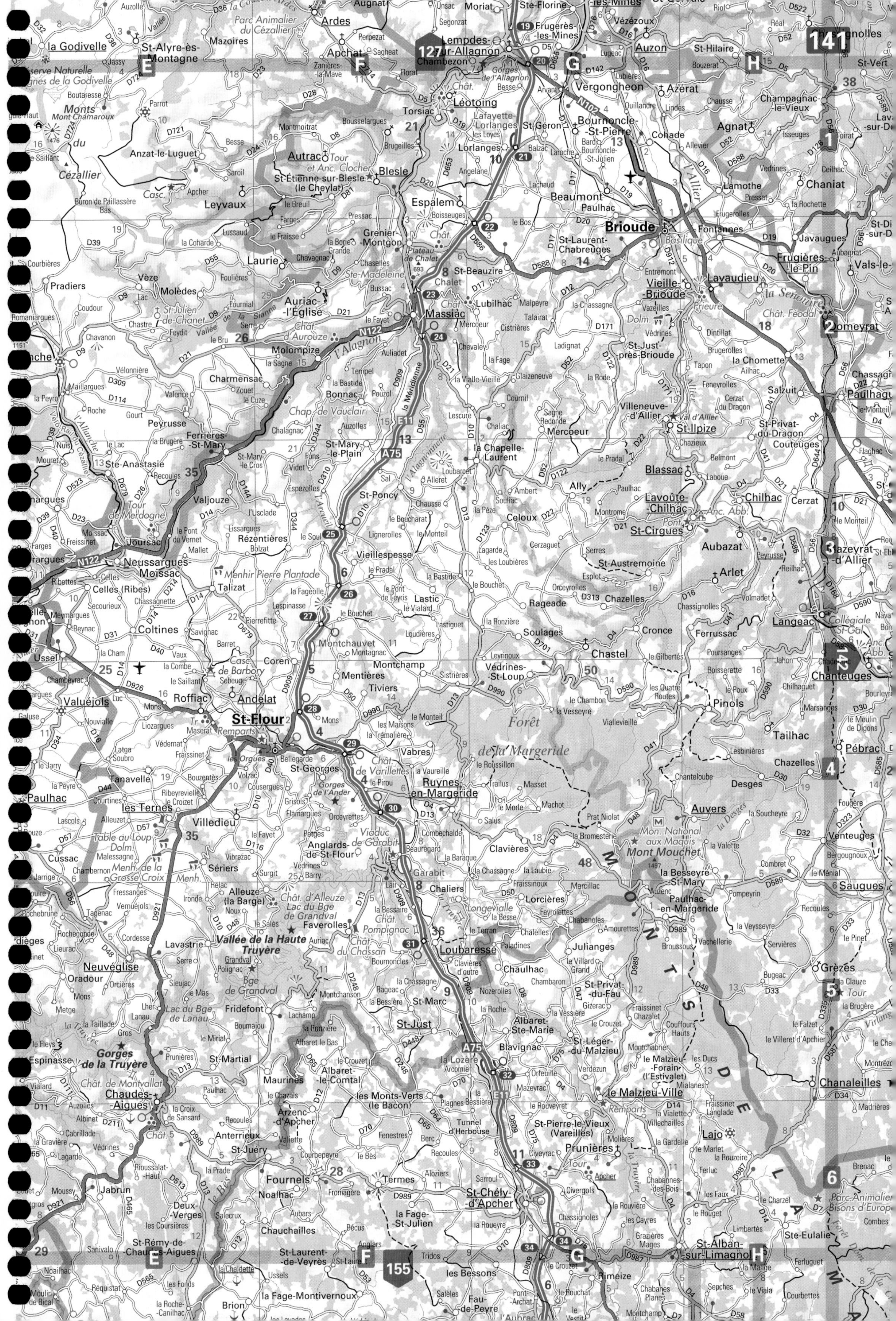

141
127
142
155
Ardes
Apchat
Parc Animalier du Cézallier
Lempdes-sur-Allagnon
Chambezon
Gorges de l'Allagnon
Ste-Florine
Frugères-les-Mines
Vézézoux
Auzon
St-Hilaire
Vergongheon
Azérat
la Godivelle
Réserve Naturelle
St-Alyre-ès-Montagne
Mazoires
Monts du Cézallier
Mont Chamaroux
Anzat-le-Luguet
Léotoing
Torsiac
Lafayette-Lorlanges
St-Géron
Bournoncle-St-Pierre
Cohade
Agnat
Champagnac-le-Vieux
Autrac
Tour et Anc. Clocher
Blesle
St-Étienne-sur-Blesle (le Cheylat)
Lorlanges
Leyvaux
Espalem
Beaumont
Paulhac
Lamothe
Chaniat
Grenier-Montgon
Brioude
Basilique
Fontannes
St-Laurent-Chabreuges
Laurie
Javaugues
Frugières-le-Pin
Vals-le-Chastel
Pradiers
Vèze
Molèdes
Auriac-l'Église
St-Beauzire
Chalet
Lubilhac
Massiac
Vieille-Brioude
Lavaudieu
la Senouire
Domeyrat
Molompize
Château d'Aurouze
l'Alagnon
St-Just-près-Brioude
la Chomette
Charmensac
Bonnac
Chap. de Vauclair
Paulhaguet
Salzuit
Peyrusse
Ferrières-St-Mary
Villeneuve-d'Allier
Mercoeur
St-Ilpize
St-Privat-du-Dragon
Couteuges
St-Mary-le-Plain
la Chapelle-Laurent
Ste-Anastasie
Blassac
Valjouze
St-Poncy
Ally
Lavoûte-Chilhac
Chilhac
Cerzat
Tour de Merdogne
Rézentières
Celoux
St-Cirgues
Aubazat
Mazeyrat-d'Allier
Joursac
Vieillespesse
St-Austremoine
Arlet
Neussargues-Moissac
Menhir Pierre Plantade
Celles (Ribes)
Talizat
Lastic
Rageade
Chazelles
Coltines
Montchauvet
Soulages
Cronce
Ferrussac
Langeac
Collégiale
Ussel
Coren
Montchamp
Mentières
Tiviers
Védrines-St-Loup
Chastel
Chanteuges
Valuéjols
Roffiac
Casc. de Barbory
Andelat
St-Flour
Remparts
Pinols
Forêt de la Margeride
Tailhac
Pébrac
St-Georges
Château de Varillettes
Ruynes-en-Margeride
Chazelles
Desges
Paulhac
Tanavelle
les Ternes
Villedieu
Gorges de l'Ander
Auvers
Mon. National aux Maquis
Mont Mouchet
Venteuges
Table au Loup
Anglards-de-St-Flour
Viaduc de Garabit
Clavières
Cussac
Sériers
Garabit
Chaliers
la Besseyre-St-Mary
Paulhac-en-Margeride
Saugues
Alleuze (la Barge)
Château d'Alleuze
Lac du Bge de Grandval
Faverolles
Lorcières
Loubaresse
Vallée de la Haute Truyère
Lavastrie
Neuvéglise
Oradour
Chaulhac
Julianges
Grèzes
St-Privat-du-Fau
Fridefont
St-Marc
Albaret-Ste-Marie
St-Just
Blavignac
St-Léger-du-Malzieu
Gorges de la Truyère
Espinasse
St-Martial
Maurines
Albaret-le-Comtal
le Malzieu-Forain (l'Estivalet)
Chanaleilles
Chaudes-Aigues
les Monts-Verts (le Bacon)
le Malzieu-Ville
Arzenc-d'Apcher
St-Pierre-le-Vieux (Vareilles)
Lajo
Anterrieux
St-Juéry
Prunières
Fournels
Termes
St-Chély-d'Apcher
Parc Animalier Bisons d'Europe
Jabrun
Noalhac
Deux-Verges
la Fage-St-Julien
Chauchailles
Ste-Eulalie
St-Rémy-de-Chaudes-Aigues
St-Laurent-de-Veyrès
les Bessons
Rimeize
St-Alban-sur-Limagnole
la Fage-Montivernoux
Fau-de-Peyre
Brion
A75
N122

142
128
141
156
157
A
B
C
D
1
2
3
4
5
6
St-Sauveur-la-Sagne
Dore-l'Église
Usson-en-Forez
St-Nizier-de-Fornas
St-Alyre-d'Arlanc
la Chapelle-Geneste
St-Jean-d'Aubrigoux
St-Pal-de-Chalencon
St-Hilaire-Cusson-la-Valmitte
Rozier-Côtes-d'Aurec
Laval-sur-Doulon
St-Victor-sur-Arlanc
Malvières
la Chaise-Dieu
Craponne-sur-Arzon
Bonneval
Julliances
St-Julien-d'Ance
Valprivas
Bas-en-Basset
Cistrières
Connangles
St-Georges-Lagricol
St-Didier-sur-Doulon
Berbezit
Vals-le-Chastel
Sembadel
Beaune-sur-Arzon
St-André-de-Chalencon
Montclard
St-Pal-de-Senouire
Félines
Chomelix
St-Pierre-du-Champ
Solignac-sous-Roche
Beauzac
St-Préjet-Armandon
Domeyrat
Collat
la Madeleine
Monlet
la Chapelle-Bertin
Bellevue-la-Montagne
Roche-en-Régnier
Retournac
Paulhaguet
Ste-Marguerite
Allègre
Mont Bar
Chamalières-sur-Loire
Mazerat-Aurouze
Varennes-St-Honorat
Céaux-d'Allègre
Vorey
St-Georges-d'Aurac
Chavaniac-Lafayette
St-Geneys-près-St-Paulien
Mézères
St-Julien-du-Pinet
Ste-Eugénie-de-Villeneuve
Vernassal
Fix-St-Geneys
St-Paulien
St-Vincent
Rosières
Yssingeaux
Mazeyrat-d'Allier
Vissac-Auteyrac
Lissac
Beaulieu
Bessamorel
Lavoûte-sur-Loire
Vazeilles-Limandre
Blanzac
Borne
Malrevers
Siaugues-Ste-Marie
(Siaugues-St-Romain)
Loudes
Chaspinhac
le Pertuis
St-Arcons-d'Allier
St-Jean-de-Nay
St-Vidal
Polignac
St-Étienne-Lardeyrol
St-Hostien
Queyrières
Chaspuzac
Chadrac
Aiguilhe
le Monteil
Brives-Charensac
Blavozy
St-Pierre-Eynac
Langeac
Sanssac-l'Église
Espaly-St-Marcel
LE PUY-EN-VELAY
St-Germain-Laprade
St-Julien-Chapteuil
St-Julien-des-Chazes
Pébrac
Prades
le Vernet
Ceyssac
Vals-près-le-Puy
Vergezac
Bains
St-Christophe-sur-Dolaison
Lantriac
Cubelles
St-Privat-d'Allier
Coubon
Arsac-en-Velay
St-Didier-d'Allier
Cussac-sur-Loire
Laussonne
Saugues
Monistrol-d'Allier
St-Jean-Lachalm
Séneujols
Solignac-sur-Loire
Moudeyres
le Devès
le Brignon
le Monastier-sur-Gazeille
St-Préjet-d'Allier
Cayres
Croisances
Alleyras
Esplantas
Vazeilles-près-Saugues
Monts Breysse
St-Martin-de-Fugères
Présailles
Freycenet-la-Cuche
Les Estables
Le Bouchet-St-Nicolas
Costaros
Goudet
Alleyrac
Thoras
St-Vénérand
Arlempdes
Salettes
St-Christophe-d'Allier
Chambon-le-Château
St-Haon
Le Béage
St-Symphorien
Landos
St-Arcons-de-Barges
Barges
Issarlès
St-Bonnet-de-Montauroux
Rauret
St-Paul-de-Tartas
Le Lac-d'Issarlès
Lachapelle-Graillouse
Laval-Atger
Coucouron
St-Paul-le-Froid
Grandrieu
St-Étienne-du-Vigan
Pradelles
Issanlas
Auroux
Réservoir de Naussac
Lavillatte
St-Cirgues-en-Montagne

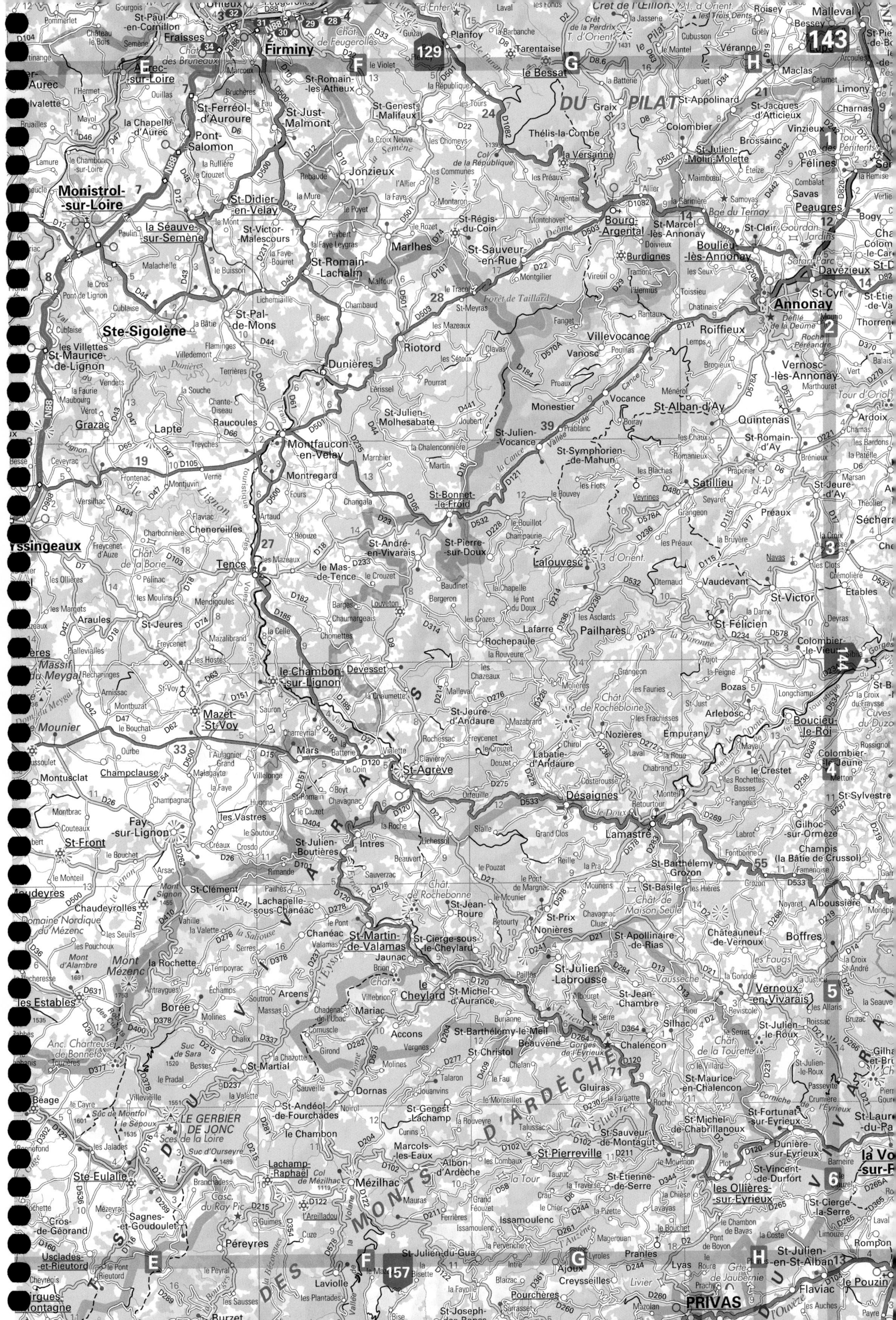

143
129
144
157
E
F
G
H
1
2
3
4
5
6
Firminy
Fraisses
St-Paul-en-Cornillon
le Bessat
Planfoy
Tarentaise
Malleval
Bessey
Roisey
Véranne
Maclas
Limony
Charnas
Vinzieux
Félines
Peaugres
Bogy
Davézieux
Annonay
St-Cyr
Thorrenc
Aurec-sur-Loire
St-Ferréol-d'Auroure
la Chapelle-d'Aurec
Pont-Salomon
St-Just-Malmont
St-Genest-Malifaux
St-Romain-les-Atheux
DU PILAT
Graix
Thélis-la-Combe
la Versanne
Colombier
St-Appolinard
St-Jacques-d'Atticieux
Brossainc
St-Julien-Molin-Molette
Monistrol-sur-Loire
St-Didier-en-Velay
la Séauve-sur-Semène
St-Victor-Malescours
Jonzieux
Marlhes
St-Régis-du-Coin
St-Sauveur-en-Rue
Bourg-Argental
Burdignes
St-Marcel-lès-Annonay
Boulieu-lès-Annonay
St-Clair
St-Romain-Lachalm
Ste-Sigolène
St-Pal-de-Mons
Riotord
Dunières
Villevocance
Vanosc
Roiffieux
Vernosc-lès-Annonay
St-Maurice-de-Lignon
Monestier
Vocance
St-Alban-d'Ay
Quintenas
Ardoix
Grazac
Lapte
Raucoules
Montfaucon-en-Velay
St-Julien-Molhesabate
St-Julien-Vocance
St-Symphorien-de-Mahun
St-Romain-d'Ay
Montregard
St-Bonnet-le-Froid
Satillieu
St-Jeure-d'Ay
Yssingeaux
Chenereilles
St-André-en-Vivarais
St-Pierre-sur-Doux
Lalouvesc
Préaux
Sécheras
Tence
le Mas-de-Tence
Vaudevant
St-Victor
Araules
St-Jeures
Rochepaule
Lafarre
Pailharès
St-Félicien
Colombier-le-Vieux
Massif du Meygal
le Chambon-sur-Lignon
Devesset
Bozas
Mazet-St-Voy
St-Jeure-d'Andaure
Arlebosc
Boucieu-le-Roi
Mars
St-Agrève
Labatie-d'Andaure
Empurany
Colombier-le-Jeune
Champclause
Désaignes
Lamastre
Fay-sur-Lignon
St-Front
les Vastres
St-Julien-Boutières
Intres
St-Barthélemy-Grozon
Champis (la Bâtie de Crussol)
Alboussière
St-Clément
Chaudeyrolles
Lachapelle-sous-Chanéac
St-Jean-Roure
St-Basile
Nonières
St-Martin-de-Valamas
St-Cierge-sous-le-Cheylard
St-Apollinaire-de-Rias
Châteauneuf-de-Vernoux
Boffres
Mont Mézenc
la Rochette
le Cheylard
St-Michel-d'Aurance
St-Julien-Labrousse
Vernoux-en-Vivarais
les Estables
Borée
Arcens
Mariac
Accons
St-Barthélemy-le-Meil
Beauvène
Chalencon
Silhac
St-Julien-le-Roux
St-Martial
St-Christol
Gluiras
St-Maurice-en-Chalencon
LE GERBIER DE JONC
Dornas
St-Andéol-de-Fourchades
St-Genest-Lachamp
St-Michel-de-Chabrillanoux
St-Fortunat-sur-Eyrieux
Ste-Eulalie
le Chambon
Marcols-les-Eaux
Albon-d'Ardèche
St-Sauveur-de-Montagut
St-Pierreville
Dunière-sur-Eyrieux
Lachamp-Raphaël
Mézilhac
St-Étienne-de-Serre
St-Vincent-de-Durfort
les Ollières-sur-Eyrieux
Sagnes-et-Goudoulet
Cros-de-Géorand
Issamoulenc
Péreyres
St-Julien-du-Gua
Pranles
St-Julien-en-St-Alban
Usclades-et-Rieutord
Lavíolle
Ajoux
Creysseilles
Pourchères
Lyas
Flaviac
le Pouzin
PRIVAS
Burzet
MONTS D'ARDÈCHE
DES
VIVARAIS

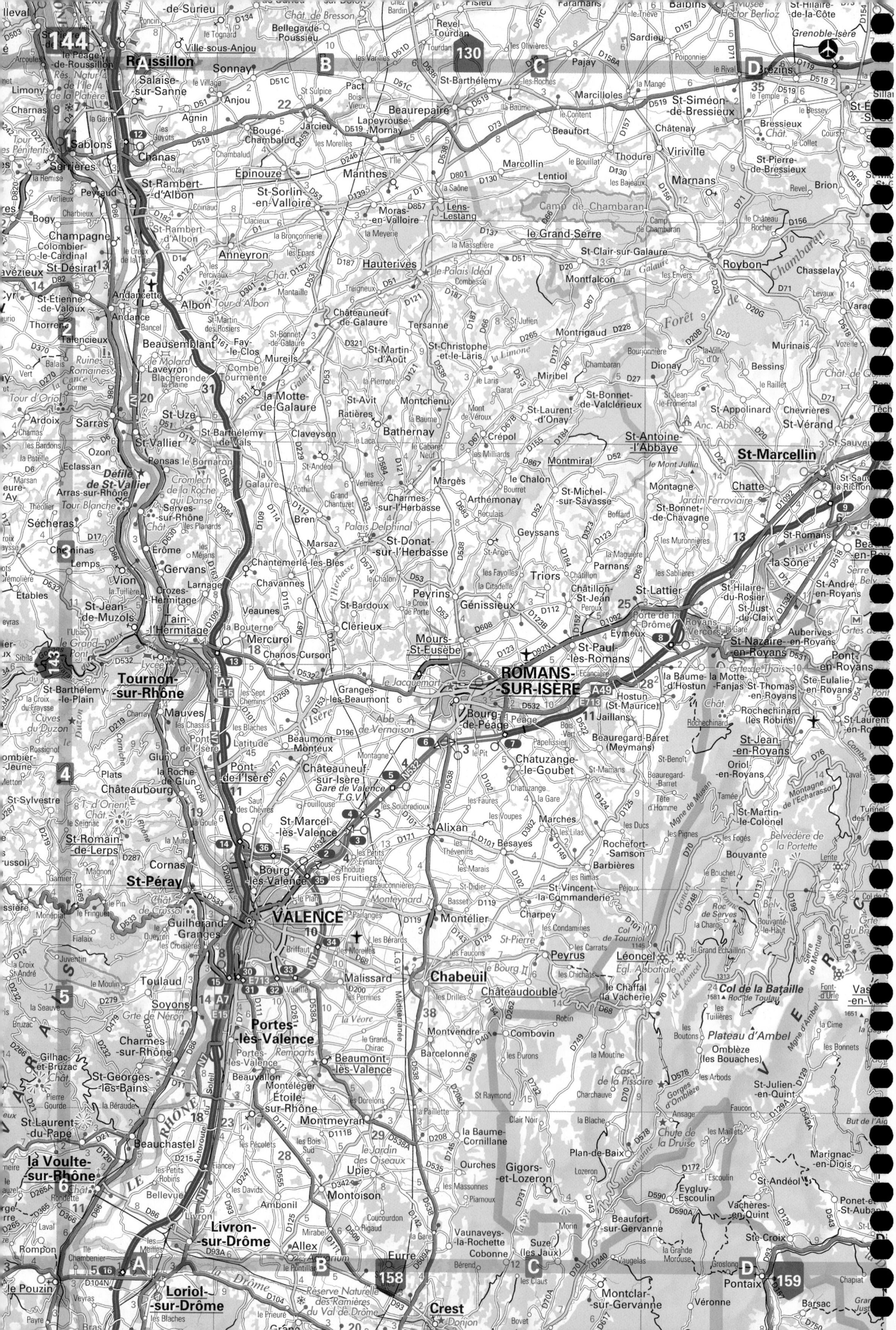
144
130
143
158
159
A
B
C
D
1
2
3
4
5
6
Roussillon
Le Péage-de-Roussillon
Salaise-sur-Sanne
Sonnay
Ville-sous-Anjou
Bellegarde-Poussieu
Revel-Tourdan
Pajay
Sardieu
Balbins
Musée Hector Berlioz
St-Hilaire-de-la-Côte
Grenoble-Isère
Brézins
Limony
Charnas
Sablons
Serrières
Chanas
Agnin
Anjou
Bougé-Chambalud
Jarcieu
Pact
Beaurepaire
Lapeyrouse-Mornay
St-Barthélemy
Marcilloles
St-Siméon-de-Bressieux
Bressieux
Beaufort
Châtenay
Viriville
Thodure
Marcollin
Lentiol
Épinouze
Manthes
St-Sorlin-en-Valloire
St-Rambert-d'Albon
Moras-en-Valloire
Lens-Lestang
Camp de Chambaran
Marnans
St-Pierre-de-Bressieux
Brion
Peyraud
Bogy
Champagne
Colombier-le-Cardinal
St-Désirat
Anneyron
le Grand-Serre
St-Clair-sur-Galaure
Roybon
Chasselay
Hauterives
le Palais Idéal
Montfalcon
Forêt de Chambaran
St-Étienne-de-Valoux
Andancette
Andance
Albon
Tour d'Albon
Thorrenc
Talencieux
Châteauneuf-de-Galaure
Tersanne
Montrigaud
Beausemblant
Fay-le-Clos
Mureils
St-Martin-d'Août
St-Christophe-et-le-Laris
Dionay
Murinais
Bessins
Laveyron
Ruines Romaines
la Motte-de-Galaure
Miribel
St-Bonnet-de-Valclérieux
Montchenu
St-Avit
Ratières
St-Laurent-d'Onay
St-Appolinard
Chevrières
St-Vérand
Ardoix
Sarras
St-Uze
St-Barthélemy-de-Vals
St-Vallier
Claveyson
Bathernay
Crépol
St-Antoine-l'Abbaye
St-Marcellin
Ozon
Eclassan
Défilé de St-Vallier
Ponsas
Montmiral
le Chalon
Margès
Arras-sur-Rhône
Serves-sur-Rhône
Charmes-sur-l'Herbasse
Arthémonay
St-Michel-sur-Savasse
Montagne
Chatte
Sécheras
Bren
St-Bonnet-de-Chavagne
Cheminas
Lemps
Érôme
Gervans
Marsaz
St-Donat-sur-l'Herbasse
Geyssans
St-Romans
Vion
Crozes-Hermitage
Larnage
Chantemerle-les-Blés
Chavannes
Triors
Parnans
la Sône
Étables
St-Jean-de-Muzols
Tain-l'Hermitage
Veaunes
St-Bardoux
Peyrins
Génissieux
Châtillon-St-Jean
St-Lattier
St-Hilaire-du-Rosier
St-Just-de-Claix
St-André-en-Royans
Mercurol
Chanos-Curson
Clérieux
Mours-St-Eusèbe
Eymeux
St-Nazaire-en-Royans
Auberives-en-Royans
Pont-en-Royans
Tournon-sur-Rhône
St-Barthélemy-le-Plain
Granges-les-Beaumont
ROMANS-SUR-ISÈRE
St-Paul-lès-Romans
la Baume-d'Hostun
la Motte-Fanjas
St-Thomas-en-Royans
Ste-Eulalie-en-Royans
Mauves
Bourg-de-Péage
Hostun
Jaillans
Rochechinard
St-Laurent-en-Royans
Glun
Beaumont-Monteux
Beauregard-Baret
St-Jean-en-Royans
Plats
Châteauneuf-sur-Isère
Chatuzange-le-Goubet
Oriol-en-Royans
Pont-de-l'Isère
Châteaubourg
St-Sylvestre
St-Marcel-lès-Valence
Alixan
Besayes
Marches
St-Martin-le-Colonel
St-Romain-de-Lerps
Cornas
Bourg-lès-Valence
Rochefort-Samson
Barbières
Bouvante
St-Péray
VALENCE
Montélier
Charpey
St-Vincent-la-Commanderie
Guilherand-Granges
Peyrus
Léoncel
Toulaud
Malissard
Chabeuil
Châteaudouble
Col de la Bataille
Soyons
Portes-lès-Valence
Combovin
Plateau d'Ambel
Charmes-sur-Rhône
Beaumont-lès-Valence
Montvendre
Barcelonne
Omblèze
Gilhac-et-Bruzac
St-Georges-les-Bains
Montéléger
Étoile-sur-Rhône
St-Julien-en-Quint
St-Laurent-du-Pape
Montmeyran
la Baume-Cornillane
Beauchastel
Upie
Ourches
Gigors-et-Lozeron
Plan-de-Baix
Marignac-en-Diois
la Voulte-sur-Rhône
Montoison
Eygluy-Escoulin
St-Andéol
Bellevue
Ambonil
Livron-sur-Drôme
Vaunaveys-la-Rochette
Beaufort-sur-Gervanne
Vachères-en-Quint
Ponet-et-St-Auban
Allex
Eurre
Suze
Ste-Croix
Rompon
Loriol-sur-Drôme
le Pouzin
Réserve Naturelle des Ramières du Val de Drôme
Crest
Montclar-sur-Gervanne
Véronne
Pontaix
Barsac
A7
A49
E15
E713
N7

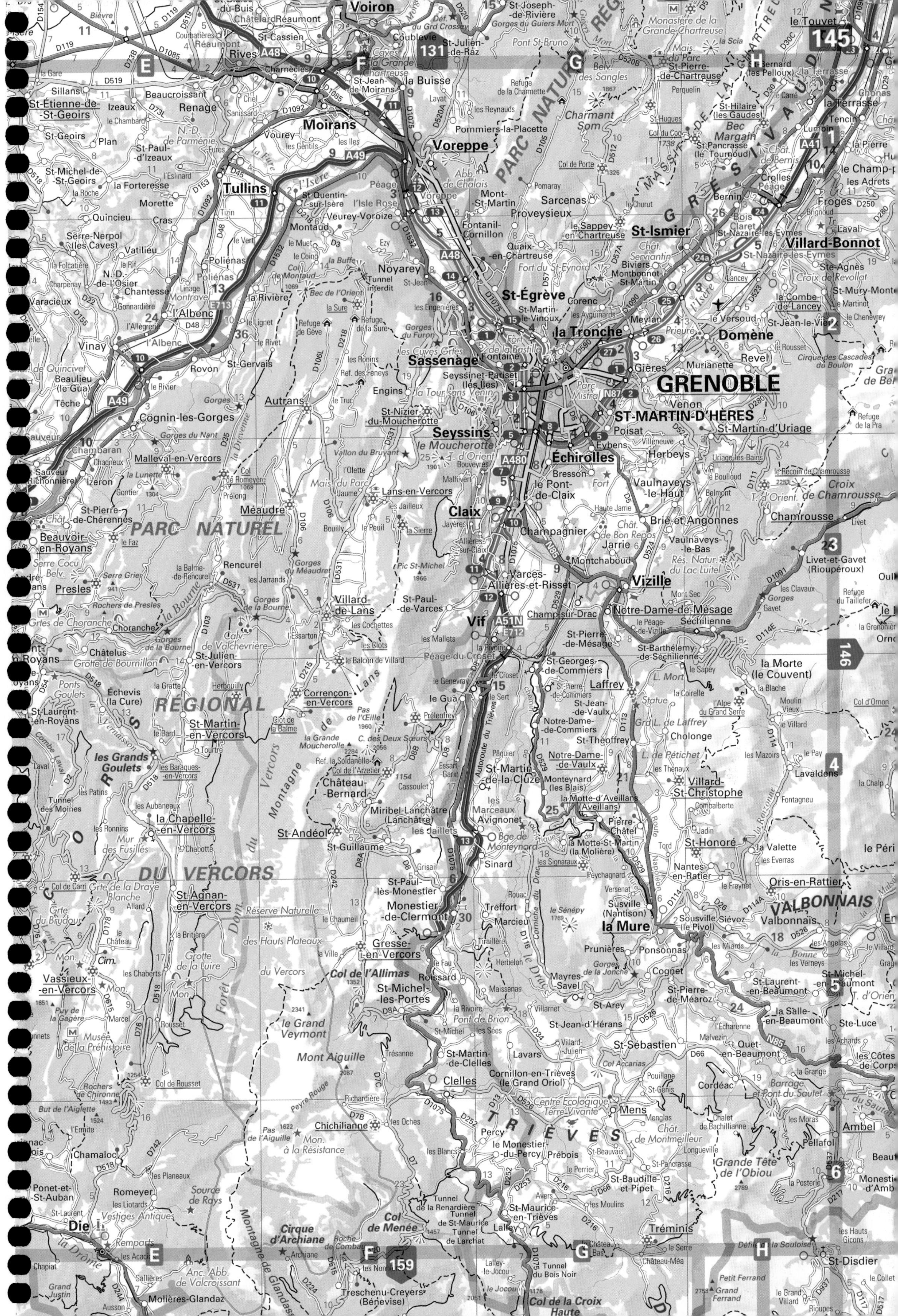
Voiron
Coublevie
St-Julien-de-Raz
131
145
146
159
Rives
St-Cassien
Réaumont
Charnècles
St-Jean-de-Moirans
la Buisse
Moirans
Voreppe
St-Étienne-de-St-Geoirs
Izeaux
Renage
Beaucroissant
Sillans
St-Geoirs
Plan
St-Paul-d'Izeaux
St-Michel-de-St-Geoirs
la Forteresse
Tullins
St-Quentin-sur-Isère
l'Isle Rose
Veurey-Voroize
Montaud
Morette
Cras
Quincieu
Serre-Nerpol (les Caves)
Vatilieu
Poliénas
N.-D.-de-l'Osier
Chantesse
Varacieux
l'Albenc
Vinay
Rovon
St-Gervais
Beaulieu (le Gua)
Têche
Cognin-les-Gorges
Malleval-en-Vercors
Izeron
St-Pierre-de-Chérennes
Beauvoir-en-Royans
Presles
Choranche
Châtelus
Échevis (la Cure)
St-Laurent-en-Royans
St-Julien-en-Vercors
St-Martin-en-Vercors
Autrans
Méaudre
Rencurel
Villard-de-Lans
Corrençon-en-Vercors
Lans-en-Vercors
St-Nizier-du-Moucherotte
Engins
Sassenage
Fontaine
Seyssinet-Pariset (les Iles)
Seyssins
Noyarey
Fontanil-Cornillon
Mont-St-Martin
Proveysieux
Sarcenas
Quaix-en-Chartreuse
St-Égrève
St-Martin-le-Vinoux
Corenc
la Tronche
Meylan
GRENOBLE
ST-MARTIN-D'HÈRES
Gières
Domène
Murianette
Venon
Poisat
Eybens
Échirolles
Bresson
le Pont-de-Claix
Claix
Champagnier
Varces-Allières-et-Risset
Vif
Jarrie
Vizille
Montchaboud
Brié-et-Angonnes
Herbeys
Vaulnaveys-le-Haut
Vaulnaveys-le-Bas
St-Martin-d'Uriage
Chamrousse
Croix de Chamrousse
Livet-et-Gavet (Rioupéroux)
Séchilienne
Notre-Dame-de-Mésage
Champ-sur-Drac
St-Pierre-de-Mésage
St-Barthélemy-de-Séchilienne
St-Georges-de-Commiers
Laffrey
le Guà
St-Paul-de-Varces
Château-Bernard
Miribel-Lanchâtre (Lanchâtre)
St-Andéol
St-Guillaume
la Chapelle-en-Vercors
St-Agnan-en-Vercors
Vassieux-en-Vercors
Gresse-en-Vercors
Monestier-de-Clermont
St-Paul-lès-Monestier
Sinard
Avignonet
St-Martin-de-la-Cluze
Notre-Dame-de-Vaulx
la Motte-d'Aveillans
la Motte-St-Martin (la Molière)
Pierre-Châtel
Susville (Nantison)
la Mure
Villard-St-Christophe
St-Honoré
Nantes-en-Ratier
Oris-en-Rattier
Valbonnais
VALBONNAIS
la Morte (le Couvent)
Lavaldens
Ponsonnas
Mayres-Savel
St-Arey
St-Jean-d'Hérans
St-Sébastien
Cognet
St-Laurent-en-Beaumont
St-Michel-en-Beaumont
la Salle-en-Beaumont
Ste-Luce
Quet-en-Beaumont
Cordéac
Mens
Clelles
St-Martin-de-Clelles
Cornillon-en-Trièves (le Grand Oriol)
Lavars
St-Michel-les-Portes
Roissard
Chichilianne
Percy
le Monestier-du-Percy
Prébois
St-Baudille-et-Pipet
St-Maurice-en-Trièves
Lalley
Tréminis
Pellafol
Ambel
St-Disdier
TRIÈVES
Col de Menée
Cirque d'Archiane
Treschenu-Creyers (Bénevise)
Col de la Croix Haute
Die
Chamaloc
Romeyer
Ponet-et-St-Auban
Molières-Glandaz
PARC NATUREL RÉGIONAL DU VERCORS
Mont Aiguille
le Grand Veymont
Col de l'Allimas
les Grands Goulets
Froges
Villard-Bonnot
Crolles
Bernin
St-Ismier
St-Nazaire-les-Eymes
le Touvet
la Terrasse
Lumbin
St-Hilaire (les Gaudes)
St-Pancrasse (le Tournoud)
St-Pierre-de-Chartreuse
le Sappey-en-Chartreuse
Biviers
Montbonnot-St-Martin
Revel
Ste-Agnès
Grande Tête de l'Obiou
Pommiers-la-Placette
Charmant Som
Col de Porte
GRÉSIVAUDAN

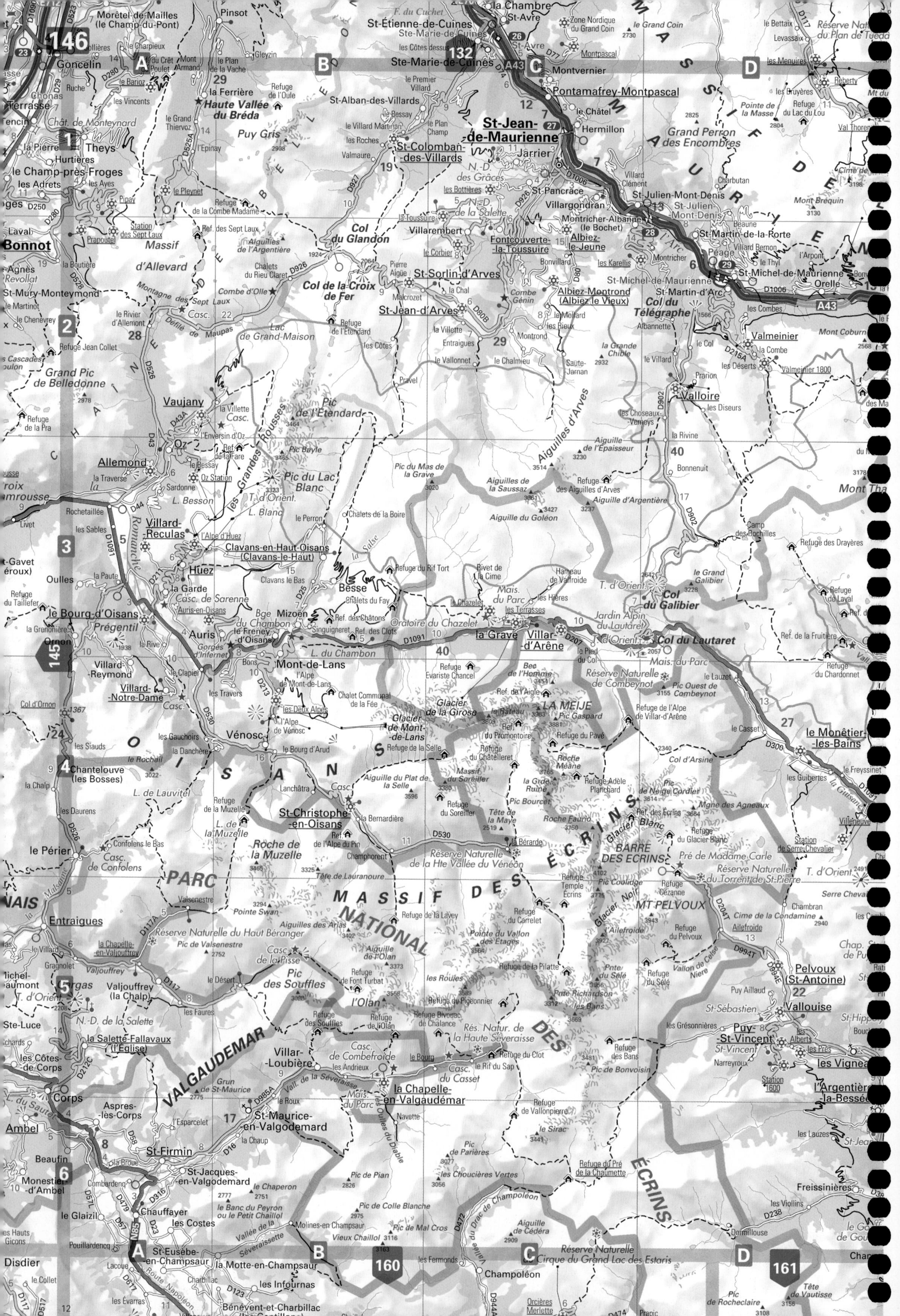

146
132
145
160
161
Morêtel-de-Mailles (le Champ-du-Pont)
Pinsot
la Chambre
St-Avre
St-Étienne-de-Cuines
Ste-Marie-de-Cuines
Goncelin
Ste-Marie-de-Cuines
Montvernier
Pontamafrey-Montpascal
le Grand Coin
Montpascal
les Menuires
Reberty
Val Thorens
Haute Vallée du Bréda
la Ferrière
Theys
St-Alban-des-Villards
St-Colomban-des-Villards
St-Jean-de-Maurienne
Hermillon
Jarrier
Grand Perron des Encombres
MASSIF DE LA MAURIENNE
le Champ-près-Froges
les Adrets
Puy Gris
St-Pancrace
Villargondran
St-Julien-Mont-Denis
Mont Bréquin
Bonnot
Massif d'Allevard
Col du Glandon
Villarembert
Fontcouverte-la-Toussuire
Albiez-le-Jeune
Montricher-Albanne (le Bochet)
St-Martin-de-la-Porte
St-Michel-de-Maurienne
Orelle
St-Mury-Monteymond
Col de la Croix de Fer
St-Sorlin-d'Arves
St-Jean-d'Arves
Albiez-Montrond (Albiez le Vieux)
Col du Télégraphe
St-Martin-d'Arc
Valmeinier
Lac de Grand-Maison
Grand Pic de Belledonne
CHAÎNE DE BELLEDONNE
Vaujany
Pic de l'Étendard
Aiguilles d'Arves
Valloire
Oz
Allemond
Pic du Lac Blanc
les Grandes Rousses
Aiguille du Goléon
Villard-Reculas
Clavans-en-Haut-Oisans (Clavans-le-Haut)
Huez
l'Alpe d'Huez
Besse
Col du Galibier
le Bourg-d'Oisans
Auris
Mizoën
la Grave
Villar-d'Arène
Col du Lautaret
le Freney-d'Oisans
Mont-de-Lans
les Deux Alpes
Villard-Reymond
Villard-Notre-Dame
LA MEIJE
Vénosc
le Monêtier-les-Bains
Chantelouve (les Bosses)
OISANS
St-Christophe-en-Oisans
le Périer
Roche de la Muzelle
BARRE DES ÉCRINS
MASSIF DES ÉCRINS
PARC NATIONAL DES ÉCRINS
MT PELVOUX
Entraigues
Pelvoux (St-Antoine)
Vallouise
Valjouffrey (la Chalp)
Pic des Souffles
l'Olan
VALGAUDEMAR
la Salette-Fallavaux (l'Église)
Villar-Loubière
la Chapelle-en-Valgaudémar
Puy-St-Vincent
les Vigneaux
l'Argentière-la-Bessée
Corps
St-Maurice-en-Valgodemard
St-Firmin
St-Jacques-en-Valgodemard
Freissinières
Chauffayer
St-Eusèbe-en-Champsaur
la Motte-en-Champsaur
les Infournas
Champoléon
Bénévent-et-Charbillac
Réserve Naturelle du Cirque du Grand Lac des Estaris
A43

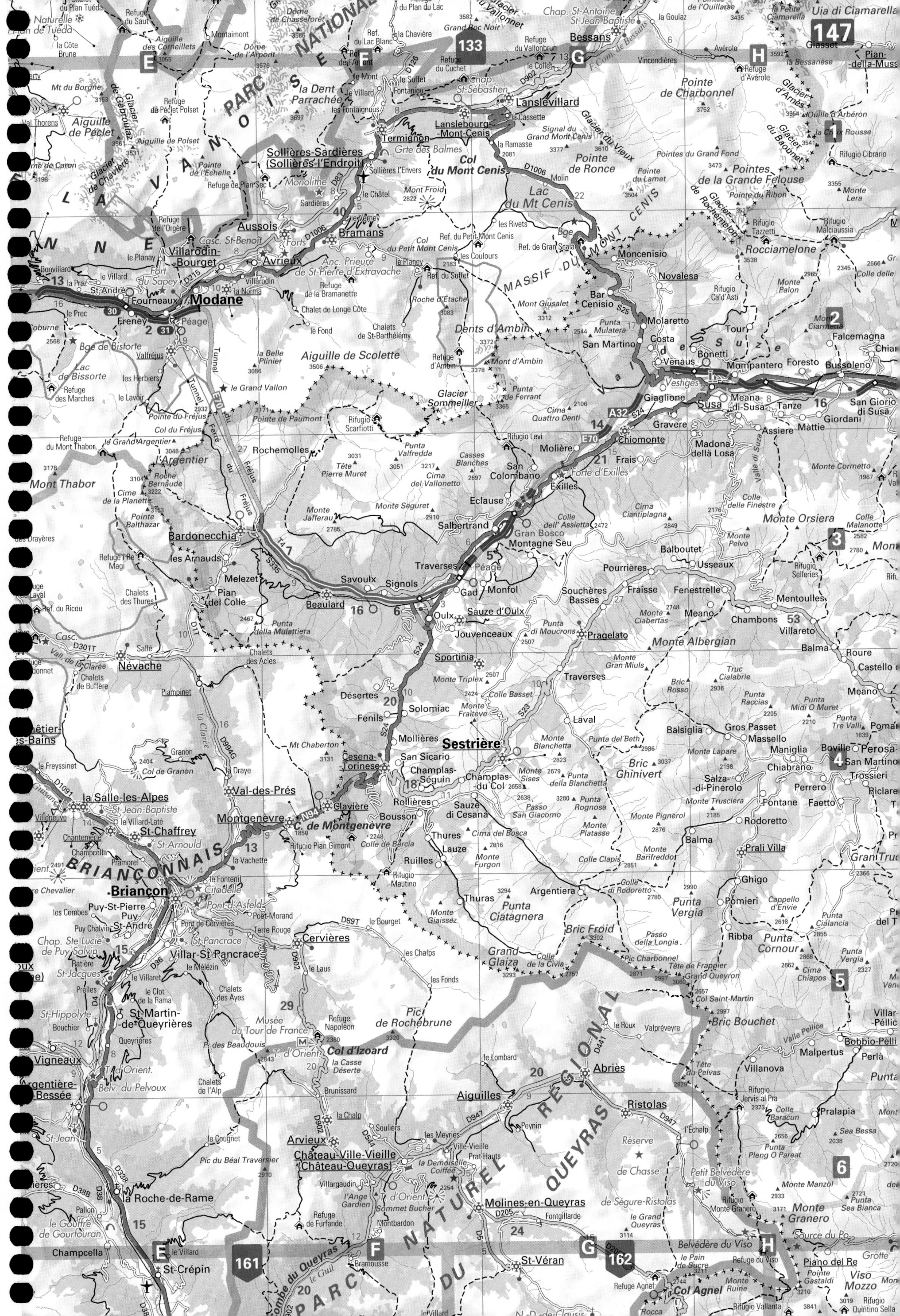

147
133
E
F
G
H
PARC NATIONAL
DE LA VANOISE
Uia di Ciamarella
Bessans
Chap. St-Antoine
St-Jean-Baptiste
la Goulaz
Refuge du Vallonbrun
Grand Roc Noir
Glacier du Vallonnet
Dôme de Chasseforêt
Refuge du Saut
Naturelle
Plan de Tuéda
la Côte Brune
Aiguille des Corneillets
Montaimont
Dôme de l'Arpont
Ref. du Lac Blanc
la Chavière
Ref. de l'Arpont
le Mont
le Villard
la Dent Parrachée
les Fontaignous
le Suffet
Fontaniou
Refuge du Cuchet
Chap. St-Sébastien
le Collet
Vincendières
Avérole
Refuge d'Avérole
la Bessanèse
Pian-della-Mussa
Glasset
Lanslevillard
Pointe de Charbonnel
Glacier d'Arnès
Ouille d'Arbéron
la Croix Rousse
Rifugio Cibrario
Glacier du Baounet
Mt du Borgne
Glacier de Gébroulaz
Refuge de Péclet Polset
Aiguille de Péclet
Aiguille de Polset
Val Thorens
Glacier de Chavière
Pointe de l'Echelle
Refuge de Plan Sec
Cime de Caron
Termignon
Lanslebourg-Mont-Cenis
la Cassette
Signal du Grand Mont Cenis
Glacier du Vieux
Grte des Balmes
la Ramasse
Sollières-Sardières (Sollières-l'Endroit)
Sollières l'Envers
Monolithe
Sardières
Col du Mont Cenis
Pointe de Ronce
Pointes du Grand Fond
Pointes de la Grande Feloue
Pointe du Lamet
Molin
Lac du Mt Cenis
Mont Froid
le Châtel
le Verney
Bramans
Aussois
Refuge de l'Orgère
Casc. St-Benoît
Forts
Villarodin-Bourget
Avrieux
Anc. Prieuré de St-Pierre-d'Extravache
le Planey
Col du Petit Mont Cenis
Ref. du Petit Mont Cenis
les Rivets
Ref. de Gran Scala
Bge
MASSIF DU MONT CENIS
Moncenisio
Glacier de Rochemelon
Rifugio Tazzetti
Rifugio Malciaussia
Rocciamelone
Pointe du Ribon
Monte Lera
Colle delle
Monte Palon
Rifugio Ca d'Asti
Novalesa
le Planay
Fort du Sapey
Bonvillard
le Praz
le Villard
St-André
Fourneaux
Modane
Villarodin
la Norma
Refuge de la Bramanette
les Coulours
Ref. du Suffet
Chalet de Longe Côte
Roche d'Etache
Mont Giusalet
Bar Cenisio
Freney
Péage
le Prec
Coburne
le Fond
Chalets de St-Barthélémy
Dents d'Ambin
Punta Mulatera
San Martino
Molaretto
Costa
Venaus
Bonetti
Mompantero
Foresto
Bussoleno
Falcemagna
Mon Ciarmetta
Tour
Bge de Bistorte
Valfréjus
Tunnel
la Belle Plinier
Aiguille de Scolette
Refuge d'Ambin
Mont d'Ambin
Lac de Bissorte
les Herbiers
Refuge des Marches
le Lavoir
le Grand Vallon
Glacier Sommeiller
Punta de Ferrant
Cima Quattro Denti
A32
Giaglione
Vestiges
Susa
Meana-di-Susa
Tanze
San Giorio di Susa
Giordani
Assiere
Màttie
Pointe du Fréjus
Col du Fréjus
Pointe de Paumont
Rifugio Scarfiotti
Gravere
Chiomonte
E70
Refuge du Mont Thabor
le Grand Argentier
l'Argentier
Rochemolles
Punta Valfredda
Tête Pierre Muret
Cima del Vallonetto
Casses Blanches
Rifugio Levi
Molière
Frais
Madona della Losa
Valle di Susa
Mont Thabor
Roche Bernaude
Cime de la Planette
Pointe Balthazar
Fréjus
Monte Seguret
Monte Jafferau
San Colombano
Forte d'Exilles
Exilles
Eclause
Monte Cormetto
Colle delle Finestre
Cima Ciantiplagna
Monte Orsiera
Colle Malanotte
Bardonecchia
Salbertrand
Colle dell' Assietta
Gran Bosco
Montagne Seu
Monte Pelvo
Balboutet
Usseaux
les Drayères
Refuge I Re Magi
les Arnauds
Melezet
S335
Savoulx
Signols
Traverses
Péage
Pourrières
Rifugio Selleries
Mentoulles
Chalets des Thures
Pian del Colle
Beaulard
Gad
Monfol
Souchères Basses
Fraisse
Fenestrelle
Ref. du Ricou
Oulx
Sauze d'Oulx
Jouvenceaux
Monte Ciabertas
Meano
Chambons
Villaretto
Punta della Mulattiera
Punta di Moucrons
Pragelato
Monte Albergian
Casc.
D301T
Saffé
Névache
Chalets des Acles
Sportinia
Monte Gran Miuls
Traverses
Balma
Roure
Castello
Vallée de la Clarée
Chalets de Buffère
Plampinet
Monte Triplex
Colle Basset
Truc Cialabrie
Bric Rosso
Meano
Désertes
Solomiac
Monte Fraiteve
Punta Raccias
Punta Midi O Muret
Fenils
Laval
Balsiglia
Gros Passet
Punta Tre Valli
Pomar
Mt Chaberton
Mollières
Sestrière
Monte Blanchetta
Punta del Beth
Massello
Boville
Perosa
Le Monêtier-les-Bains
Granon
Col de Granon
la Draye
le Freyssinet
Cesana-Torinese
San Sicario
Champlas-Séguin
Champlas-du Col
Monte Sises
Punta della Blanchetta
Bric Ghinivert
Monte Lapare
Maniglia
San Martino
Chiabrano
Trossieri
Val-des-Prés
la Salle-les-Alpes
St-Jean-Baptiste
Clavière
Rollières
Sauze di Cesana
Passo San Giacomo
Punta Rognosa
Salza-di-Pinerolo
Monte Trusciera
Perrero
Faetto
Riclaretto
Fontane
Villeneuve
le Villard-Laté
Montgenèvre
N94
C. de Montgenèvre
Bousson
Monte Pignerol
Rodoretto
Chantemerle
St-Chaffrey
St-Arnould
Rifugio Pian Gimont
Colle de Bercia
Thures
Cima del Bosco
Monte Platasse
Balma
Prali Villa
Champcella
BRIANÇONNAIS
la Vachette
Lauze
Monte Furgon
Colle Clapis
Monte Barifreddo
Grani Truc
Ruilles
Rifugio Mautino
Chevalier
Briançon
le Fontenil
Citadelle
Pont d'Asfeld
Thuras
Punta Ciatagnera
Argentiera
Colle di Rodoretto
Punta Vergia
Ghigo
Pomieri
Cappello d'Envie
Puy-St-Pierre
Puy-St-André
Les Combes
Poët-Morand
Pont de Cervières
Terre Rouge
D89T
le Bourget
Cervières
Monte Giaissez
Bric Froid
Passo della Longia
Ribba
Punta Cornour
Punta Cialancia
Puy Chalvin
Chap. Ste Lucie de Puy Salvin
le Pancrace
Villar-St-Pancrace
les Chalps
Grand Glaiza
Colle de la Civia
Pic Charbonnel
Tête de Frappier
Grand Queyron
Cima Chiapos
Punta Vergia
Ratière
St-Jacques
le Mélézin
le Laus
les Fonds
Col Saint-Martin
le Villaret
Prelles
le Clot de la Rama
Chalets des Ayes
St-Hippolyte
St-Martin-de-Queyrières
Bouchier
29
Musée du Tour de France
Refuge Napoléon
Pic de Rochebrune
Bric Bouchet
le Roux
Valpréveyre
Villar-Pellice
PARC NATUREL RÉGIONAL DU QUEYRAS
Queyrières
P. des Beaudouis
Col d'Izoard
T. d'Orient
la Casse Déserte
le Lombard
Abriès
Valle Pellice
Bobbio-Pellice
Malpertus
Perlà
Vigneaux
Belv. du Pelvoux
Tête du Pelvas
Villanova
L'Argentière-la-Bessée
Chalets de l'Alp
Brunissard
Aiguilles
Ristolas
Rifugio Jervis al Pra
Colle Baracun
Pralapia
la Chalp
Souliers
Peynin
l'Echalp
Sea Bessa
St-Jean
le Cougnet
Arvieux
les Meyries
Ville-Vieille
Réserve
Punta Pleng O Pareat
Château-Ville-Vieille (Château-Queyras)
Prat Hauts
la Demoiselle Coiffée
de Chasse
Pic du Béal Traversier
Villargaudin
Petit Belvédère du Viso
Monte Manzol
Punta Sea Bianca
la Roche-de-Rame
l'Ange Gardien
T. d'Orient
Sommet Bucher
Molines-en-Queyras
de Ségure-Ristolas
Rifugio Monte Granero
Monte Granero
Pallon
le Gouffre de Gourfouran
Refuge de Furfande
Montbardon
D205
Fontgillarde
le Grand Queyras
Source du Po
Champcella
le Villard
161
162
Belvédère du Viso
St-Crépin
Bramousse
Combe du Queyras
le Guil
St-Véran
le Pain de Sucre
Refuge du Viso
Piano del Re
Punta Gastaldi
Viso Mozzo
Refuge Agnel
Col Agnel
Monte Ruine
Rifugio Vallanta
Rifugio Quintino Sella
Rocca

D'ARCACHON
Arcachon
CAP FERRET
Phare du Cap-Ferret
Le Cap-Ferret
la Pointe
le Moulleau
Parc Mauresque
Pyla sur Mer
la Teste-de-Buch
Gujan-Mestras
le Teich
Biganos
Audenge
Marcheprime
Mios
Salles
Réserve Naturelle du Banc d'Arguin
Dune du Pilat
Truc de la Truque
Maison Forestière de Gaillouneys
Cazaux
Étang de Cazaux et de Sanguinet
Sanguinet
F. Dom. de la Teste
Biscarrosse Plage
Forêt Comm. de Biscarrosse
Petit Étang de Biscarrosse
Biscarrosse
Camp de Naouas
Étang de Biscarrosse et de Parentis
Parentis-en-Born
Gastes
Ychoux
Liposthey
Pissos
Belin-Béliet
Lugos
St-Michel du Vieux Lugos
Saugnacq-et-Muret
Muret
Ste-Eulalie-en-Born
Pontenx-les-Forges
Lüe
Labouheyre
Commensacq
Aureilhan
Mimizan
Mimizan Plage
St-Paul-en-Born
Escource
Bias
Solférino
Écomusée de la Grande Lande
Marquèze
Pierre de Grimann
St-Julien-en-Born
Contis les Bains
Mézos
Onesse-et-Laharie
Lit-et-Mixe
Uza
Cap de l'Homy-Plage
A660
A63
N10
N250
E05
E70
A
B
C
D
1
2
3
4
5
6
134
164
165

134
E
135
149
F
G
H
Martillac
Ayguemorte-les-Graves
le Tourne
Langoiran
Capian
DEUX MERS
Montignac
Beautiran
Castres-Gironde
Portets
Domaine de Montesquieu
la Brède
St-Selve
Réserve Naturelle de Saucats-la-Brède
Saucats
Tournebride
St-Morillon
Péage
Autoroute des Deux Mers
A62
Podensac
Paillet
Arbanats
Virelade
Rions
Béguey
Cadillac
Cérons
Loupiac
Barsac
Illats
Preignac
Ste-Croix-du-Mont
Verdelais
Cantois
St-Genis-du-Bois
St-Pierre-de-Bat
Gornac
Escoussans
Arbis
Soulignac
Ladaux
Omet
Donzac
Mourens
St-Martial
St-Germain-de-Grave
Monprimblanc
Gabarnac
Semens
Château de Malromé
St-André-du-Bois
le Pian-sur-Garonne
St-Maixant
St-Pierre-d'Aurillac
St-Macaire
St-Pierre-de-Mons
Langon
St-Pardon-de-Conques
Bieujac
Toulenne
Fargues
Sauternes
Bommes
Pujols-sur-Ciron
Landiras
St-Michel-de-Rieufret
Cabanac-et-Villagrains
Villagrains
le Barp
Sablaret
Jaugut
la Vignolle de Salles
Chantier
Baillet
le Désert
Douence
Bruillet
Cantarane
Guillos
Brot
Batsères
Budos
St-Magne
Cès
Pillon
Louchats
Belin-Béliet
Haudoua
Base de loisirs
Hostens
Janic
Sarton
Origne
Balizac
Pinot
Triscos
Léogeats
Laulan
Noaillan
la Saubotte
Roaillan
Mazères
Coimères
Brouqueyran
le Nizan
Aubiac
Cazats
le Mirail
Bazas
St-Vincent
St-Côme
Villandraut
Uzeste
Lignan-de-Bazas
Marimbault
Pompéjac
Préchac
Pont de la Trave
Château de la Fue
Moulin de Cossarieu
Château de Cazeneuve
Bernos-Beaulac
Cudos
Sauviac
150
Toutin
la Régasse
Joué
Canet
Rétis
Puch
Boutox
Pichemonge
la Berdotte
le Tuzan
Gardit
la Broque
Castelnau de Cernès
la Burthe
St-Symphorien
St-Léger-de-Balson
Privaillet
Capsus
Biganon
Mano
Villemégea
Peyredieu
Jeanbos
les Gillets
RÉGIONAL DES LANDES DE GASCOGNE
Belhade
Hourtoy
Vallée de la Petite Leyre
Moustey
Argelouse
Larrival
Montauzey
Berdoy
Richet
le Brous
Bourideys
Merrein
Souis
Cazalis
Lucmau
Briel
Insos
la Petite Leyre
la Ville
Harribey
Sore
le Douc
la Grotte
le Crec
Escaudes
Garillon
Pirette
Callen
Lucbernet
Captieux
Cœur d'Aquitaine
Giscos
Bern
Gruey
le Thus
Pince
Anc. Ateliers de Produits Résineux
Luxey
les Houssats
F. Comm. de Trensac
Caplanne
Camp Militaire de Captieux
Maillas
Trensacq
Lagavarre
l'École du Poteau
le Pont Long
Autoroute de Gascogne
Plaisy
Sabres
Lesgouadies
Broustic
Commanderie de Bessaut
les Traverses
Perregue
Quartier de Capboeuf
Anc. Moulin de Lestrat
Tarisson
le Sen
Bourriot-Bergonce
Bergonce
Labrit
les Chinans
Lencouacq
Jourets
Retjons
Chap. de Lugaut
Lussolle
le Barrail
Luglon
Vert
Ch. d'Albret
165
166
Cachen
Bélis
Arue

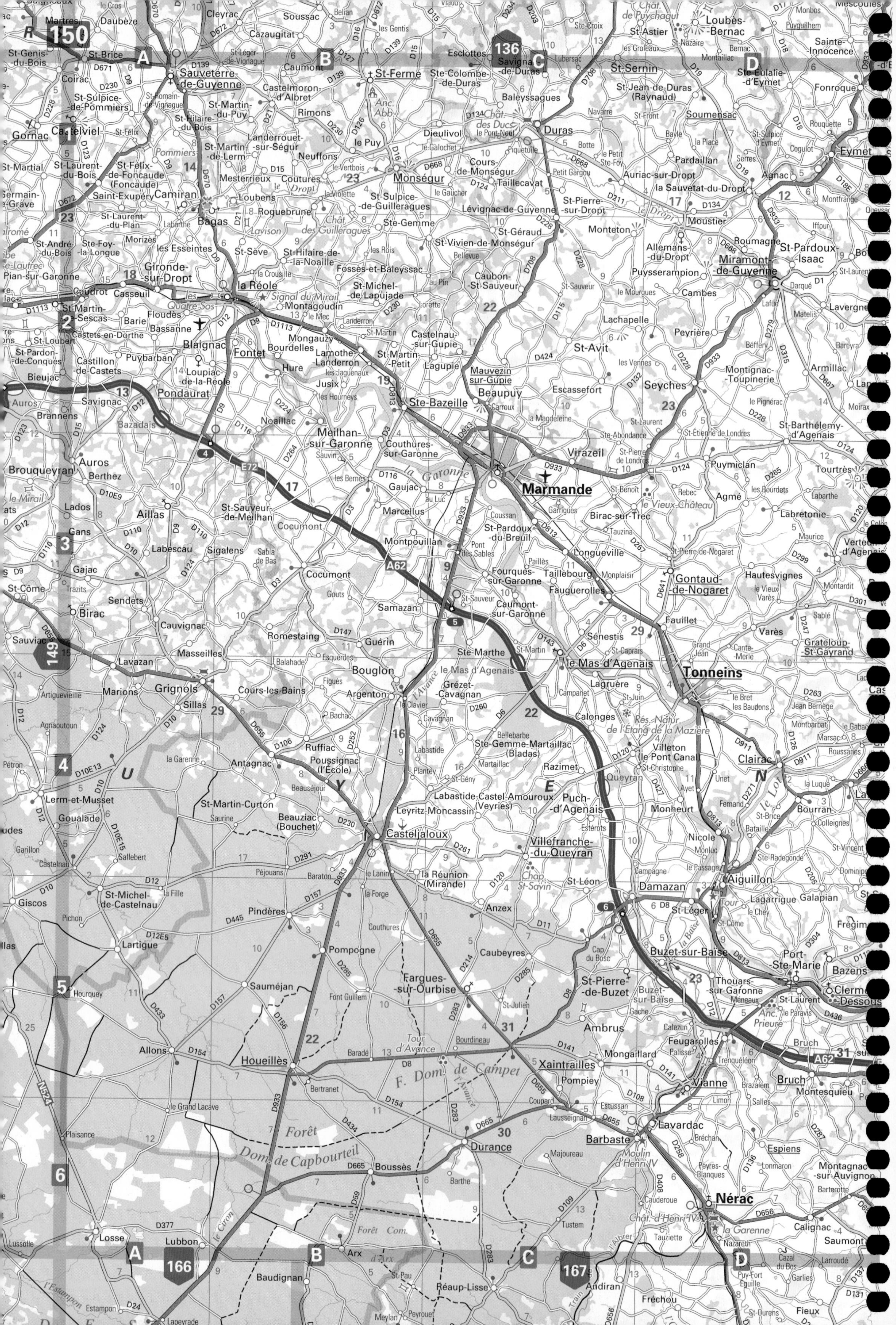
150
136
149
166
167
A
B
C
D
1
2
3
4
5
6
Martres
Daubèze
Cleyrac
Soussac
Loubès-Bernac
St-Astier
Sainte-Innocence
Monbos
St-Genis-du-Bois
St-Brice
Sauveterre-de-Guyenne
Caumont
St-Ferme
Esclottes
Savignac-de-Duras
Lubersac
St-Sernin
Ste-Eulalie-d'Eymet
Coirac
Castelmoron-d'Albret
Ste-Colombe-de-Duras
Baleyssagues
St-Jean-de-Duras (Raynaud)
Fonroque
St-Sulpice-de-Pommiers
St-Martin-du-Puy
Rimons
Anc. Abb.
Navarre
Soumensac
Gornac
Castelviel
St-Hilaire-du-Bois
Landerrouet-sur-Ségur
le Puy
Dieulivol
Duras
Châ. des Ducs
St-Martin-de-Lerm
Neuffons
Bayle
la Place
Pardaillan
Eymet
St-Martial
St-Laurent-du-Bois
St-Félix-de-Foncaude (Foncaude)
Pommiers
Mesterrieux
Coutures
Monségur
Cours-de-Monségur
Taillecavat
Auriac-sur-Dropt
Agnac
Saint-Exupéry
Camiran
Loubens
St-Sulpice-de-Guilleragues
le Dropt
la Sauvetat-du-Dropt
Bagas
Roquebrune
Lévignac-de-Guyenne
St-Pierre-sur-Dropt
Moustier
St-Laurent-du-Plan
Châ. des Guilleragues
Ste-Gemme
St-Géraud
Monteton
St-André-du-Bois
Ste-Foy-la-Longue
Morizès
les Esseintes
St-Sève
St-Hilaire-de-la-Noaille
St-Vivien-de-Monségur
Allemans-du-Dropt
Roumagne
St-Pardoux-Isaac
Miramont-de-Guyenne
Gironde-sur-Dropt
Fossès-et-Baleyssac
Caubon-St-Sauveur
Puysserampion
Pian-sur-Garonne
Caudrot
Casseuil
la Réole
Signal du Mirail
St-Michel-de-Lapujade
Cambes
Lavergne
St-Martin-de-Sescas
Floudès
Barie
Bassanne
Montagoudin
Lachapelle
Peyrière
Castets-en-Dorthe
Blaignac
Mongauzy
Castelnau-sur-Gupie
St-Loubert
Fontet
Bourdelles
Lamothe-Landerron
St-Martin-Petit
Lagupie
St-Avit
Armillac
St-Pardon-de-Conques
Castillon-de-Castets
Puybarban
Loupiac-de-la-Réole
Hure
Mauvezin-sur-Gupie
Montignac-Toupinerie
Bieujac
Pondaurat
Jusix
Beaupuy
Escassefort
Seyches
Savignac
Auros
Brannens
Bazadais
Noaillac
Meilhan-sur-Garonne
Ste-Bazeille
Couthures-sur-Garonne
Virazeil
St-Barthélemy-d'Agenais
Puymiclan
Tourtrès
Brouqueyran
Berthez
la Garonne
Marmande
Gaujac
Agmé
le Mirail
Lados
Aillas
St-Sauveur-de-Meilhan
Marcellus
le Vieux-Château
Birac-sur-Trec
Labretonie
Cocumont
St-Pardoux-du-Breuil
Gans
Sigalens
Labescau
Montpouillan
Longueville
Verteuil-d'Agenais
Gajac
Cocumont
Fourques-sur-Garonne
Taillebourg
Gontaud-de-Nogaret
Hautesvignes
A62
E72
St-Côme
Birac
Sendets
Samazan
Caumont-sur-Garonne
Fauguerolles
Fauillet
Cauvignac
Romestaing
Guérin
Sénestis
Varès
Sauviac
Masseilles
Ste-Marthe
le Mas-d'Agenais
Tonneins
Grateloup-St-Gayrand
Lavazan
Bouglon
le Mas d'Agenais
Grignols
Marions
Cours-les-Bains
Argenton
Grézet-Cavagnan
Lagruère
Sillas
Calonges
Rés. Natur. de l'Étang de la Mazière
Ste-Gemme-Martaillac (Bladas)
Villeton (le Pont Canal)
Clairac
Antagnac
Ruffiac
Poussignac (l'École)
Razimet
Lerm-et-Musset
St-Martin-Curton
Labastide-Castel-Amouroux (Veyries)
Puch-d'Agenais
Bourran
Goualade
Beauziac (Bouchet)
Leyritz-Moncassin
Monheurt
Casteljaloux
Villefranche-du-Queyran
Nicole
St-Michel-de-Castelnau
la Réunion (Mirande)
Chap. St-Savin
St-Léon
Damazan
Aiguillon
Giscos
Pindères
Anzex
St-Léger
Lagarrigue
Galapian
Lartigue
Pompogne
Caubeyres
Buzet-sur-Baïse
Port-Ste-Marie
Bazens
Hourquey
Sauméjan
Fargues-sur-Ourbise
St-Pierre-de-Buzet
Thouars-sur-Garonne
Clermont-Dessous
Allons
Houeillès
Ambrus
Mongaillard
Feugarolles
Bruch
F. Dom. de Campet
Xaintrailles
Vianne
Montesquieu
Durance
Barbaste
Lavardac
Forêt Dom. de Capbourteil
Boussès
Espiens
Montagnac-sur-Auvignon
Nérac
Losse
Lubbon
Arx
Calignac
Baudignan
Réaup-Lisse
Andiran
Fréchou
Estampon
Lapeyrade

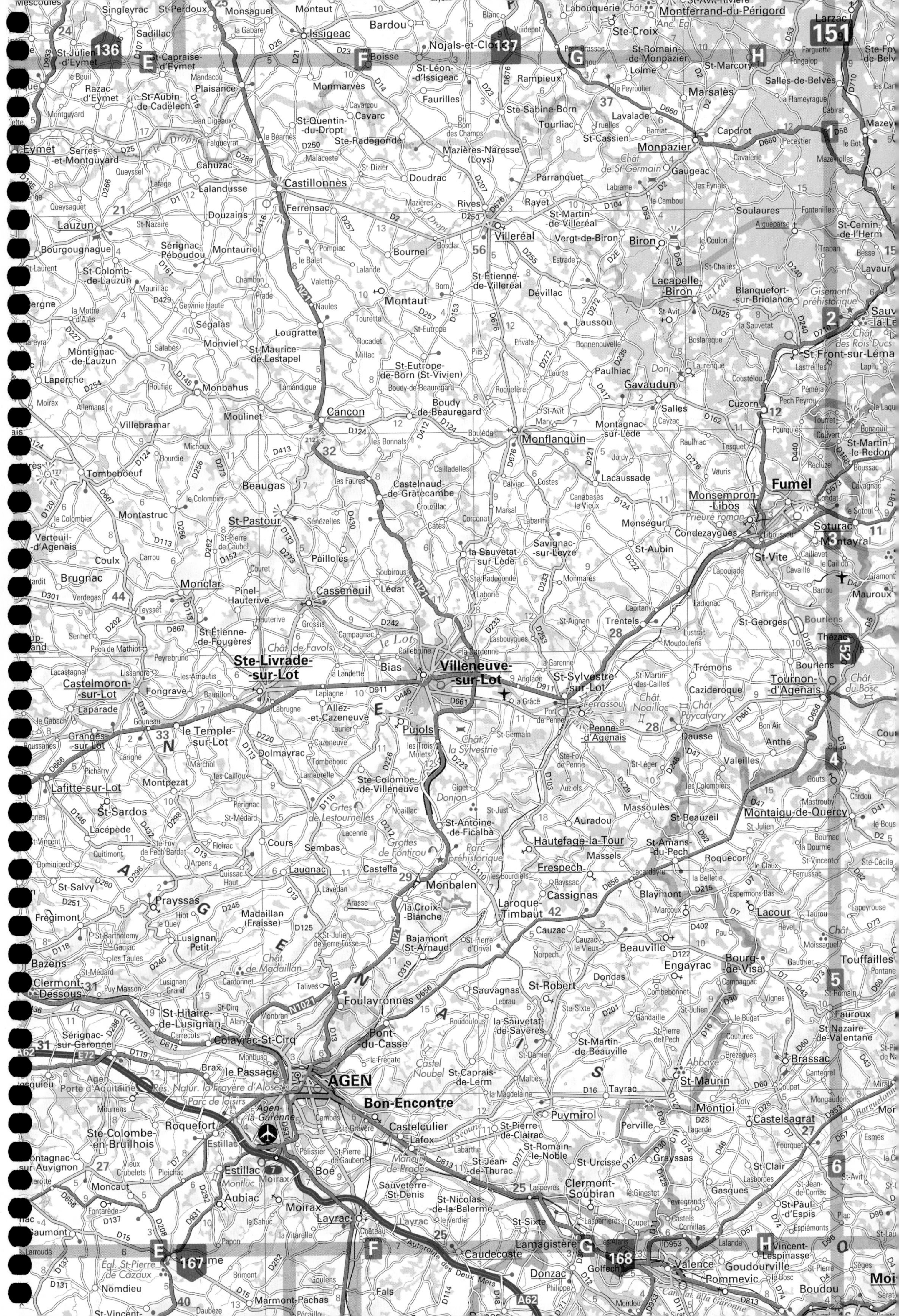

136
137
151
152
167
168
Singleyrac
St-Perdoux
Monsaguel
Montaut
Bardou
Issigeac
Nojals-et-Clotte
Labouquerie
Montferrand-du-Périgord
Larzac
Sadillac
St-Julien-d'Eymet
St-Capraise-d'Eymet
Boisse
St-Léon-d'Issigeac
Rampieux
Ste-Croix
St-Romain-de-Monpazier
Lolme
St-Marcory
Salles-de-Belvès
Razac-d'Eymet
St-Aubin-de-Cadelech
Plaisance
Monmarvès
Faurilles
Ste-Sabine-Born
Marsalès
Tourliac
Lavalade
St-Cassien
Capdrot
Monpazier
Gaugeac
Eymet
Serres-et-Montguyard
St-Quentin-du-Dropt
Cavarc
Ste-Radegonde
Mazières-Naresse (Loys)
Cahuzac
Castillonnès
Lalandusse
Doudrac
Parranquet
Rayet
Rives
St-Martin-de-Villeréal
Villeréal
Vergt-de-Biron
Biron
Soulaures
St-Cernin-de-l'Herm
Lauzun
Douzains
Ferrensac
Bourgougnague
Sérignac-Péboudou
Montauriol
Bournel
St-Colomb-de-Lauzun
St-Etienne-de-Villeréal
Dévillac
Lacapelle-Biron
Blanquefort-sur-Briolance
Montaut
Laussou
Ségalas
Monviel
Lougratte
St-Maurice-de-Lestapel
Montignac-de-Lauzun
St-Eutrope-de-Born (St-Vivien)
Paulhiac
Gavaudun
St-Front-sur-Lémance
Laperche
Monbahus
Boudy-de-Beauregard
Salles
Cuzorn
Villebramar
Moulinet
Cancon
Monflanquin
Montagnac-sur-Lède
St-Martin-le-Redon
Tombeboeuf
Beaugas
Castelnaud-de-Gratecambe
Lacaussade
Fumel
Montastruc
St-Pastour
Monsempron-Libos
Monségur
Condezaygues
Soturac
Verteuil-d'Agenais
Coulx
Pailloles
la Sauvetat-sur-Lède
Savignac-sur-Leyze
St-Aubin
St-Vite
Montayral
Brugnac
Monclar
Pinel-Hauterive
Casseneuil
Lédat
Trentels
St-Georges
Mauroux
St-Étienne-de-Fougères
Château de Favols
le Lot
Ste-Livrade-sur-Lot
Bias
Villeneuve-sur-Lot
St-Sylvestre-sur-Lot
Trémons
Bourlens
Castelmoron-sur-Lot
Fongrave
Allez-et-Cazeneuve
Pujols
Penne-d'Agenais
Cazideroque
Tournon-d'Agenais
Laparade
le Temple-sur-Lot
Granges-sur-Lot
Dausse
Anthé
Dolmayrac
Valeilles
Lafitte-sur-Lot
Montpezat
Ste-Colombe-de-Villeneuve
Massoulès
St-Sardos
Lacépède
Grottes de Lestournelles
St-Antoine-de-Ficalba
Auradou
St-Beauzeil
Montaigu-de-Quercy
Cours
Sembas
Grottes de Fontirou
Hautefage-la-Tour
St-Amans-du-Pech
Roquecor
Laugnac
Castella
Parc préhistorique
Massels
Frespech
St-Salvy
Monbalen
Cassignas
Blaymont
Prayssas
Laroque-Timbaut
Lacour
Frégimont
Madaillan (Fraisse)
la Croix-Blanche
Cauzac
Lusignan-Petit
Bajamont (St-Arnaud)
Beauville
Bourg-de-Visa
Touffailles
Bazens
Engayrac
Château de Madaillan
Clermont-Dessous
Foulayronnes
Sauvagnas
St-Robert
Dondas
Fauroux
St-Hilaire-de-Lusignan
la Sauvetat-de-Savères
St-Nazaire-de-Valentane
Sérignac-sur-Garonne
Colayrac-St-Cirq
Pont-du-Casse
St-Martin-de-Beauville
Brassac
la Garonne
Brax
le Passage
AGEN
Castel Noubel
St-Caprais-de-Lerm
St-Maurin
Agen Porte d'Aquitaine
Rés. Natur. la Frayère d'Alose
Bon-Encontre
Tayrac
Montjoi
Parc de loisirs
Agen-la-Garenne
Puymirol
Roquefort
Castelculier
Perville
Castelsagrat
Ste-Colombe-en-Bruilhois
Estillac
Lafox
St-Pierre-de-Clairac
la Séoune
St-Romain-le-Noble
Grayssas
Montagnac-sur-Auvignon
Manoir de Prades
St-Jean-de-Thurac
St-Urcisse
St-Clair
Estillac
Boé
Moncaut
Moirax
Sauveterre-St-Denis
Clermont-Soubiran
Gasques
Aubiac
Moirax
St-Nicolas-de-la-Balerme
St-Paul-d'Espis
Layrac
St-Sixte
Saumont
Caudecoste
Lamagistère
Valence
Goudourville
Égl. St-Pierre de Cazaux
Donzac
Golfech
Pommevic
Nomdieu
Autoroute des Deux Mers
Marmont-Pachas
Fals
Boudou

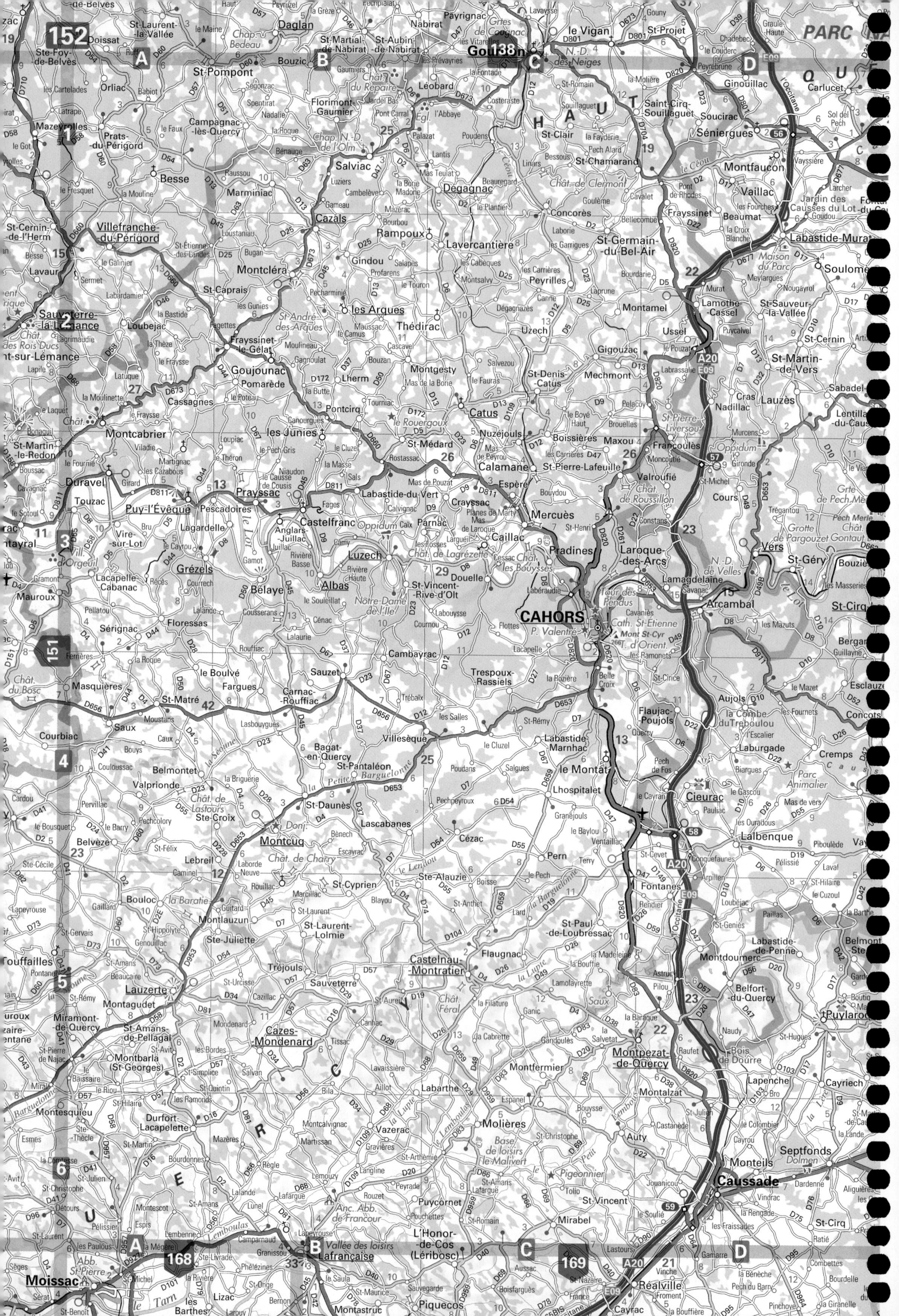
152
138
151
168
169
A
B
C
D
1
2
3
4
5
6
PARC
HAUT
QUERCY
Daglan
St-Laurent-la-Vallée
Doissat
Ste-Foy-de-Belvès
St-Pompont
Bouzic
St-Martial-de-Nabirat
St-Aubin-de-Nabirat
Nabirat
Payrignac
Gourdon
le Vigan
St-Projet
N.-D. des Neiges
Orliac
Florimont-Gaumier
Léobard
Ginouillac
Carlucet
Mazeyrolles
Prats-du-Périgord
Campagnac-lès-Quercy
Saint-Cirq-Souillaguet
Soucirac
Séniergues
St-Clair
St-Chamarand
Salviac
Besse
Montfaucon
Dégagnac
Vaillac
Marminiac
Cazals
Concorès
Frayssinet
Beaumat
Rampoux
Lavercantière
St-Germain-du-Bel-Air
Villefranche-du-Périgord
St-Cernin-de-l'Herm
Labastide-Murat
Soulomès
Montcléra
Gindou
Peyrilles
Lavaur
St-Caprais
Sauveterre-la-Lémance
Les Arques
Thédirac
Montamel
Lamothe-Cassel
St-Sauveur-la-Vallée
Loubejac
Frayssinet-le-Gélat
Uzech
Ussel
St-Cernin
Goujounac
Gigouzac
Montgesty
St-Martin-de-Vers
Pomarède
Lherm
St-Denis-Catus
Mechmont
Cassagnes
Sabadel
Catus
Nadillac
Lauzès
Pontcirq
Montcabrier
Les Junies
St-Médard
Nuzéjouls
Boissières
Maxou
St-Martin-le-Redon
Calamane
St-Pierre-Lafeuille
Francoulès
Duravel
Espère
Valroufié
Touzac
Puy-l'Évêque
Prayssac
Castelfranc
Labastide-du-Vert
Crayssac
Mercuès
Cours
Lagardelle
Anglars-Juillac
Parnac
Caillac
Pradines
Laroque-des-Arcs
Vers
St-Géry
Vire-sur-Lot
Luzech
Grézels
Albas
Bélaye
Douelle
St-Vincent-Rive-d'Olt
Lamagdelaine
Arcambal
Mauroux
Lacapelle-Cabanac
CAHORS
P. Valentré
Mont St-Cyr
St-Cirq
Floressas
Sérignac
Cambayrac
Trespoux-Rassiels
Aujols
Masquières
Le Boulvé
Fargues
Sauzet
Carnac-Rouffiac
St-Matré
Flaujac-Poujols
Esclauzels
Concots
Saux
Courbiac
Villesèque
Labastide-Marnhac
Laburgade
Cremps
Bagat-en-Quercy
St-Pantaléon
Belmontet
Valprionde
Le Montat
Lhospitalet
Cieurac
St-Daunès
Lascabanes
Ste-Croix
Montcuq
Cézac
Pern
Lalbenque
Belvèze
Lebreil
St-Cyprien
Ste-Alauzie
Fontanes
Bouloc
Montlauzun
St-Laurent-Lolmie
St-Paul-de-Loubressac
Ste-Juliette
Touffailles
Castelnau-Montratier
Flaugnac
Labastide-de-Penne
Montdoumerc
Tréjouls
Sauveterre
Lauzerte
Belfort-du-Quercy
Montagudet
Miramont-de-Quercy
St-Amans-de-Pellagal
Cazes-Mondenard
Puylaroque
Montpezat-de-Quercy
Montbarla (St-Georges)
Montfermier
Montalzat
Lapenche
Cayriech
Montesquieu
Durfort-Lacapelette
Labarthe
Molières
Vazerac
Auty
Monteils
Septfonds
Caussade
Puycornet
Mirabel
St-Vincent
L'Honor-de-Cos (Léribosc)
Lafrançaise
Moissac
Réalville
Piquecos
Montastruc
Lizac
Les Barthes
A20
E09
A20

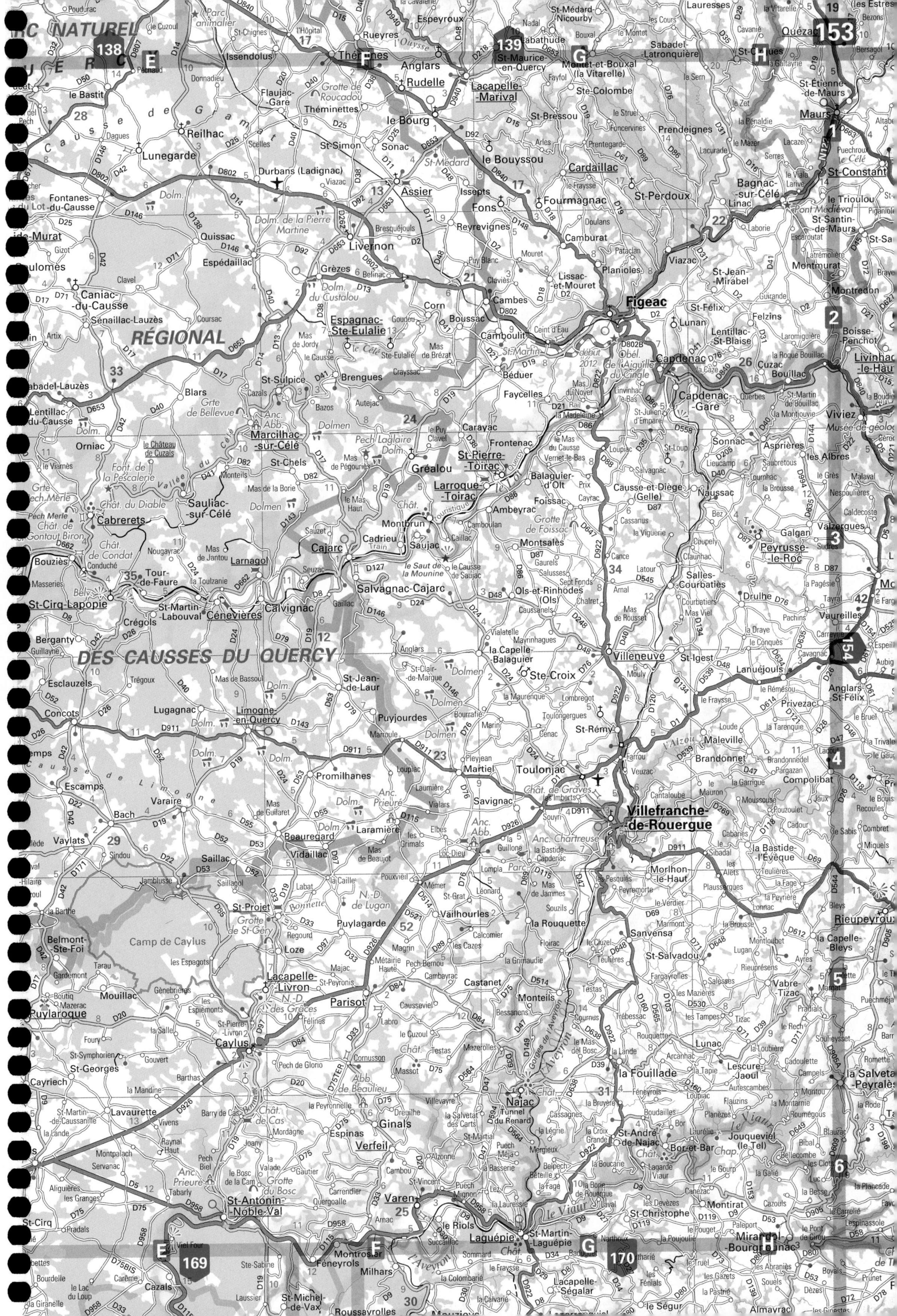

PARC NATUREL
RÉGIONAL
DES CAUSSES DU QUERCY
Causse de Gramat
Causse de Limogne
138
139
153
154
169
170
E
F
G
H
Issendolus
Thémines
Rueyres
Espeyroux
St-Médard-Nicourby
Lauresses
Quézac
St-Maurice-en-Quercy
Montet-et-Bouxal (la Vitarelle)
Sabadel-Latronquière
St-Cirgues
Anglars
Rudelle
Lacapelle-Marival
Ste-Colombe
St-Étienne-de-Maurs
Maurs
le Bastit
Flaujac-Gare
Théminettes
le Bourg
St-Bressou
Prendeignes
Reilhac
Lunegarde
St-Simon
Sonac
le Bouyssou
Cardaillac
Durbans (Ladignac)
Assier
Issepts
Fons
Fourmagnac
St-Perdoux
Bagnac-sur-Célé
St-Constant
Fontanes-du-Causse
Livernon
Reyrevignes
Camburat
Quissac
Espédaillac
Grèzes
Planioles
Viazac
Montmurat
Caniac-du-Causse
Cambes
Lissac-et-Mouret
Figeac
Montredon
Sénaillac-Lauzès
Espagnac-Ste-Eulalie
Corn
Boussac
Camboulit
Lunan
Felzins
Lentillac-St-Blaise
Boisse-Penchot
Béduer
Capdenac
Cuzac
Bouillac
Livinhac-le-Haut
St-Sulpice
Brengues
Faycelles
Capdenac-Gare
Blars
Lentillac-du-Causse
Carayac
Frontenac
Viviez
Orniac
Marcilhac-sur-Célé
St-Chels
Gréalou
St-Pierre-Toirac
Sonnac
Asprières
les Albres
Larroque-Toirac
Balaguier-d'Olt
Causse-et-Diège (Gelle)
Naussac
Sauliac-sur-Célé
Cabrerets
Ambeyrac
Foissac
Montbrun
Cadrieu
Cajarc
Saujac
Montsalès
Galgan
Valzergues
Peyrusse-le-Roc
Larnagol
Bouziès
Tour-de-Faure
Salles-Courbatiès
St-Cirq-Lapopie
St-Martin-Labouval
Cénevières
Calvignac
Salvagnac-Cajarc
Ols-et-Rinhodes (Ols)
Drulhe
Vaureilles
Crégols
Berganty
la Capelle-Balaguier
Villeneuve
St-Igest
Lanuéjouls
Ste-Croix
St-Jean-de-Laur
Anglars-St-Félix
Esclauzels
Concots
Lugagnac
Limogne-en-Quercy
Puyjourdes
St-Rémy
Maleville
Privezac
Brandonnet
Compolibat
Escamps
Promilhanes
Martiel
Toulonjac
Vaylats
Varaire
Bach
Savignac
Villefranche-de-Rouergue
Beauregard
Laramière
Vidaillac
la Bastide-l'Évêque
Saillac
Morlhon-le-Haut
St-Projet
Vailhourles
Puylagarde
la Rouquette
Rieupeyroux
Sanvensa
Belmont-Ste-Foi
Camp de Caylus
Loze
la Capelle-Bleys
St-Salvadou
Lacapelle-Livron
Castanet
Vabre-Tizac
Mouillac
Puylaroque
Parisot
Monteils
Caylus
Lunac
St-Georges
Cayriech
la Fouillade
Lescure-Jaoul
la Salvetat-Peyralès
Lavaurette
Najac
Ginals
Espinas
Verfeil
St-André-de-Najac
Jouqueviel (le Tel)
Bor-et-Bar
St-Antonin-Noble-Val
Varen
St-Christophe
Montirat
St-Cirq
Laguépie
St-Martin-Laguépie
Mirandol-Bourgnounac
Féneyrols
Montrosier
Milhars
Cazals
Lacapelle-Ségalar
St-Michel-de-Vax

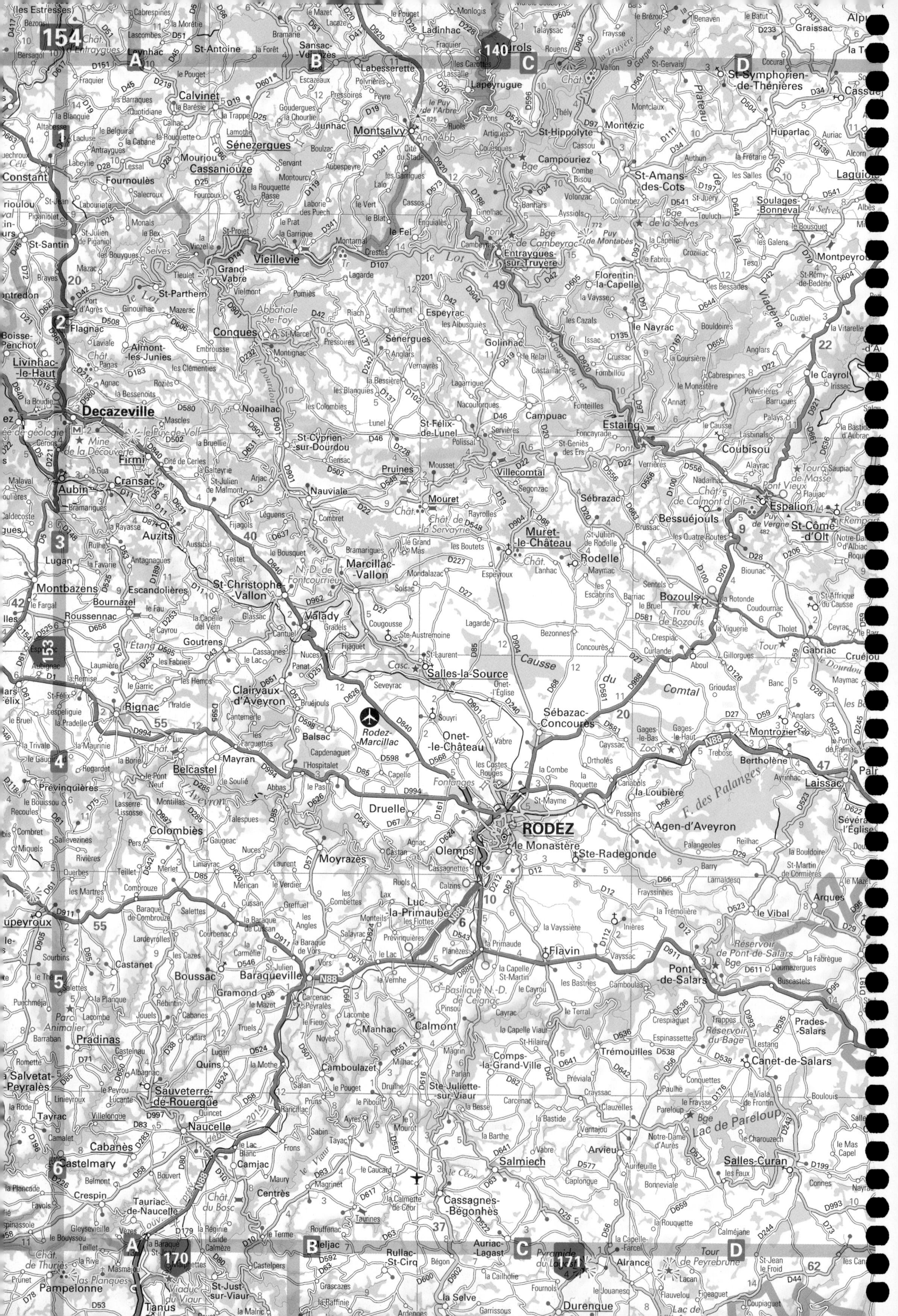

154
140
A
B
C
D
Decazeville
Conques
Montsalvy
Entraygues-sur-Truyère
Estaing
Espalion
St-Côme-d'Olt
Bozouls
Marcillac-Vallon
Salles-la-Source
Rodez-Marcillac
Onet-le-Château
RODEZ
le Monastère
Ste-Radegonde
Olemps
Luc-la-Primaube
Baraqueville
Flavin
Pont-de-Salars
Rignac
Belcastel
Aubin
Firmi
Cransac
Auzits
Montbazens
St-Christophe-Vallon
Valady
Clairvaux-d'Aveyron
Sébazac-Concourès
Laissac
Agen-d'Aveyron
Naucelle
Sauveterre-de-Rouergue
Calmont
Salmiech
Cassagnes-Bégonhès
Salles-Curan
Canet-de-Salars
Lac de Pareloup
Vieillevie
Grand-Vabre
Sénergues
Golinhac
Villecomtal
Mouret
Muret-le-Château
Rodelle
Coubisou
St-Amans-des-Cots
Soulages-Bonneval
Laguiole
St-Symphorien-de-Thénières
Campouriez
St-Hippolyte
Montézic
Pruines
Nauviale
Druelle
Moyrazès
Colombiès
Pradinas
Castanet
Boussac
Gramond
Manhac
Comps-la-Grand-Ville
Ste-Juliette-sur-Viaur
Trémouilles
Arvieu
Durenque
Alrance
Pampelonne
Tanus
St-Just-sur-Viaur
Rullac-St-Cirq
Auriac-Lagast
170
171
Causse
du
Comtal
F. des Palanges

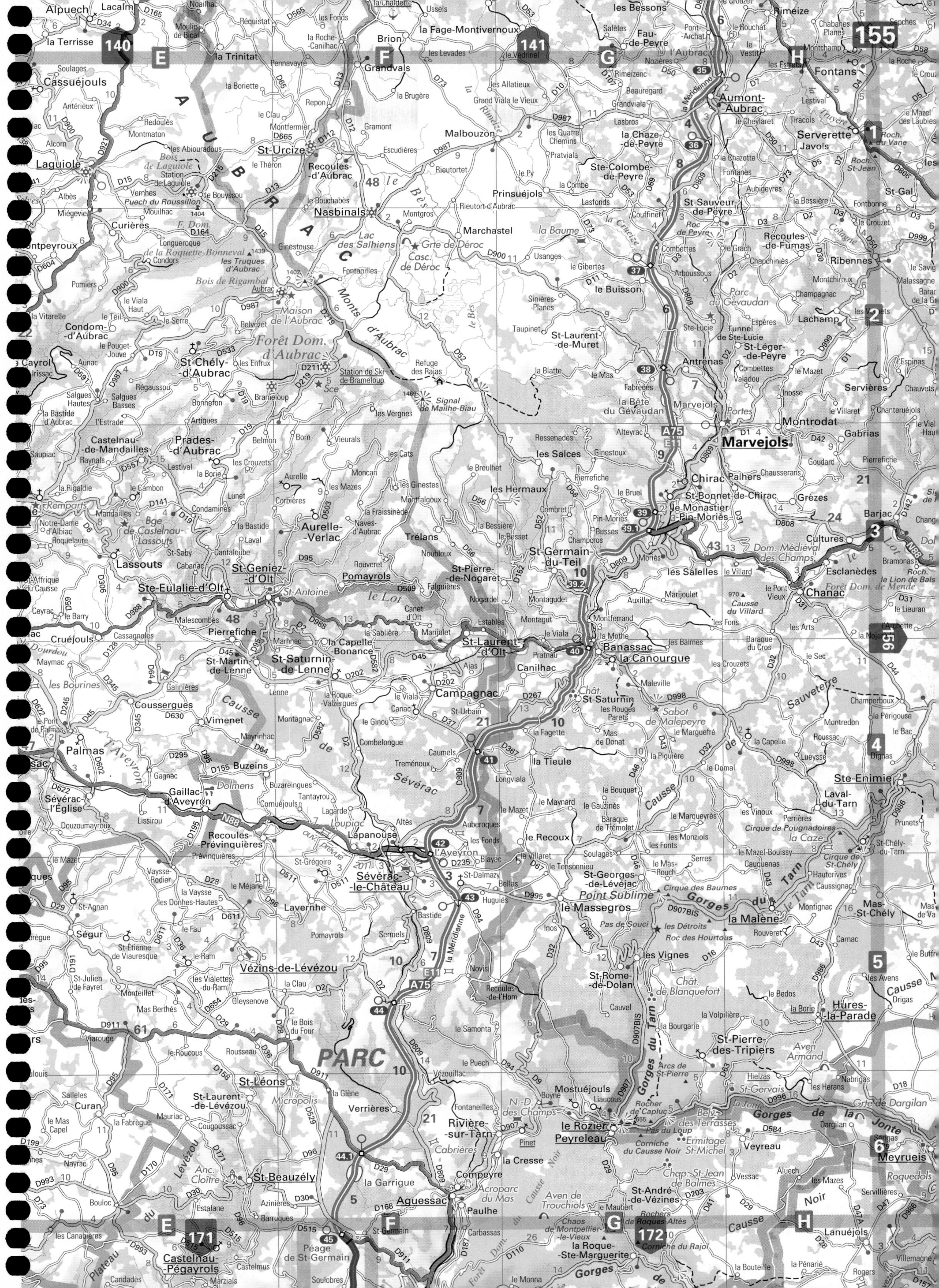
140
141
155
156
171
172
E
F
G
H
1
2
3
4
5
6
Alpuech
Lacalm
la Terrisse
Noailhac
Réquistat
Moulin de Bical
la Trinitat
Ussels
Brion
la Fage-Montivernoux
les Bessons
Rimeize
Fau-de-Peyre
Grandvals
les Levades
le Vedrinel
Fontans
Cassuéjouls
Soulages
la Boriette
Repon
la Brugère
les Allatieux
Grand Viala le Vieux
Aumont-Aubrac
Montferrier
Gramont
Malbouzon
Les Quatre Chemins
la Chaze-de-Peyre
Serverette
Javols
Laguiole
les Abiouradous
St-Urcize
Escudières
Recoules-d'Aubrac
Rieutortet
Pratviala
Ste-Colombe-de-Peyre
Station de Laguiole
Puech du Roussillon
le Bouyssou
Nasbinals
Montgros
Prinsuéjols
Lasfonds
St-Sauveur-de-Peyre
St-Gal
Curières
Mouilhac
Marchastel
Recoules-de-Fumas
Ribennes
Montpeyroux
de la Roquette-Bonneval
les Truques d'Aubrac
Ginestouse
Lac des Salhiens
Grte de Déroc
Casc. de Déroc
Usanges
le Gibertès
Pomiers
Bois de Rigambal
Aubrac
Fontanilles
le Buisson
Parc du Gévaudan
Champagnac
la Vitarelle
Condom-d'Aubrac
Maison de l'Aubrac
Monts d'Aubrac
Sinières-Planes
Taupinet
St-Laurent-de-Muret
Tunnel de Ste-Lucie
St-Léger-de-Peyre
Lachamp
Forêt Dom. d'Aubrac
St-Chély-d'Aubrac
Station de Ski de Brameloup
Refuge des Rajas
la Blatte
le Mas
Antrenas
Cayrol
Salgues Hautes
Salgues Basses
Brameloup
Signal de Mailhe-Biau
les Vergnes
Fabrèges
la Bête du Gévaudan
Marvejols
Servières
la Bastide d'Aubrac
l'Estrade
Artigues
Montrodat
Gabrias
Castelnau-de-Mandailles
Prades-d'Aubrac
Ressenades
les Salces
Ginestoux
Alteyrac
Raynals
Lestival
les Crouzets
la Borie
les Cats
Moncan
le Broulhet
Pierrefiche
Chirac
Palhers
Chausserans
Goudard
la Rigaldie
le Cambon
Aurelle
les Mazes
les Ginestes
les Hermaux
le Bruel
St-Bonnet-de-Chirac
Grèzes
Remparts
Lunet
Montfalgoux
Combret
le Monastier-Pin-Moriès
Barjac
Notre-Dame d'Albiac
Roquelaure
Mandailles
Bge de Castelnau-Lassouts
Condamines
Corbières
Aurelle-Verlac
la Fraissinède
Naves-d'Aubrac
la Bessière
le Besset
Pin-Moriès
Busses
Cultures
la Bastide
Laval
Trélans
Noubloux
Champcros
St-Germain-du-Teil
Dom. Médiéval des Champs
Esclanèdes
Lassouts
Cantaloube
Cabanac
St-Saby
St-Geniez-d'Olt
Pomayrols
St-Pierre-de-Nogaret
Moriès
les Salelles
le Villard
Bramonas
Roch. le Lion de Bals
Ste-Eulalie-d'Olt
St-Antoine
le Lot
Rouveret
Falguières
Chanac
le Pont Vieux
Causse du Villard
Forêt Dom. de Mende
Ceyrac
le Barry
Malescombes
Nogardel
Montagudet
Auxillac
Marijoulet
Canet d'Olt
Estables
Montagut
Montferrand
les Fons
le Lieuran
Cruéjouls
Cassagnoles
Pierrefiche
la Sablière
Marijolet
St-Laurent-d'Olt
le Viala
la Mothe
Banassac
les Balmes
Baraque du Cros
les Arts
la Nojaret
Dourdou
Marnhac
la Capelle-Bonance
Pratnau
la Canourgue
Maymac
St-Martin-de-Lenne
St-Saturnin-de-Lenne
Ajas
Canilhac
les Crouzets
le Sec
Les Bourines
Galinières
Lenne
Campagnac
la Roque-Valzergues
le Viala
Canac
St-Urbain
Chât. St-Saturnin
Maleville
Sabot de Malepeyre
Sauveterre
Champerboux
Coussergues
Vimenet
Causse
Montagnac
le Ginou
la Fagette
les Rouges Parets
le Marguefré
Mas de Donat
la Périgouse
Montredon
le Bac
Palmas
Mayrinhac
Combelongue
Caumels
la Tieule
la Piguière
la Capelle
Roussac
Lueysse
Dignas
Buzeins
Trémenoux
Sévérac
Longviala
le Domal
Ste-Enimie
Gagnac
Dolmens
Buzareingues
Tantayrou
Laval-du-Tarn
Sévérac-l'Église
Gaillac-d'Aveyron
Cornuéjouls
le Bouquet
le Gauzinès
Douzoumayroux
Lissirou
Lagarde
Loupiac
Altès
le Mazet
le Maynard
Baraque de Trémolet
les Vinoux
Perrières
Cirque de Pougnadoires
Prunets
Recoules-Prévinquières
Prévinquières
Lapanouse
l'Aveyron
Auberoques
les Fonds
le Recoux
les Marqueyrès
les Monziols
les Fonts
la Caze
St-Chély-du-Tarn
le Mazet
St-Grégoire
Sévérac-le-Château
Blayac
St-Dalmazy
le Villaret
le Tensonnieu
Soulages
le Mas-Rouch
Serres
le Mazel-Bouissy
Cauquenas
Cirque de St-Chély
Hauterives
Vaysse-Rodier
la Vaysse
le Méjanel
Bellas
Huguiès
St-Georges-de-Lévéjac
Cirque des Baumes
Caussignac
St-Agnan
les Donnes-Hautes
Lavernhe
le Massegros
Point Sublime
Gorges du Tarn
la Malène
Montignac
Mas-St-Chély
Ségur
le Fau
Bastide
Pas de Souci
les Détroits
Roc des Hourtous
Rouveret
Carnac
St-Étienne de Viauresque
le Ram
Pomayrols
Sermels
Inos
les Vignes
Vézins-de-Lévézou
Novis
St-Rome-de-Dolan
Chât. de Blanquefort
le Buffre
St-Julien de Fayret
les Vialettes-du-Ram
la Clau
Recoules-de-l'Hom
Cauvel
les Avens
Monteillet
Gleysenove
le Bedos
Hures-la-Parade
Drigas
Mas Berthès
le Bois du Four
la Volpilière
la Borie
Viarouge
le Samonta
la Bourgarie
St-Pierre-des-Tripiers
Aven Armand
le Roucous
Rousseau
PARC
le Puech
Arcs de St-Pierre
Hielzas
St-Gervais
Nabrigas
les Herans
Salleles
Curan
St-Léons
Micropolis
la Glène
Vézouillac
Mostuéjouls
Liaucous
Rocher de Capluc
Grte de Dargilan
St-Laurent-de-Lévézou
Mauriac
Verrières
Fontaneilles
N.D. des Champs
Belvédère des Terrasses
Gorges de la Jonte
le Mas Capel
la Fabrègue
Cougoussac
Rivière-sur-Tarn
le Rozier
Peyreleau
Pas du Loup
Dargilan
Nayrac
Cabrières
Pinet
Corniche du Causse Noir
Ermitage St-Michel
Veyreau
Meyrueis
Lévézou
Anc. Cloître
St-Beauzély
la Garrigue
la Cresse
Compeyre
Chap. St-Jean de Balmes
Vessac
Aluech
les Mazes
Roquedols
Bouloc
Estalane
Azinières
Barruques
Aguessac
Acroparc du Mas
Paulhe
Aven de Trouchiols
St-André-de-Vézines
Rochers de Roques-Altès
Noir
Servillières
les Canabières
Castelnau-Pégayrols
Péage de St-Germain
St-Germain
Carbassas
Chaos de Montpellier-le-Vieux
la Roque-Ste-Marguerite
Corniche du Rajol
Causse
Lanuéjols
Plateau
Candadès
Castelmus
Marzials
Soulobres
le Monna
Gorges
la Bouteille
la Pénarié
Rogers
Villemagne

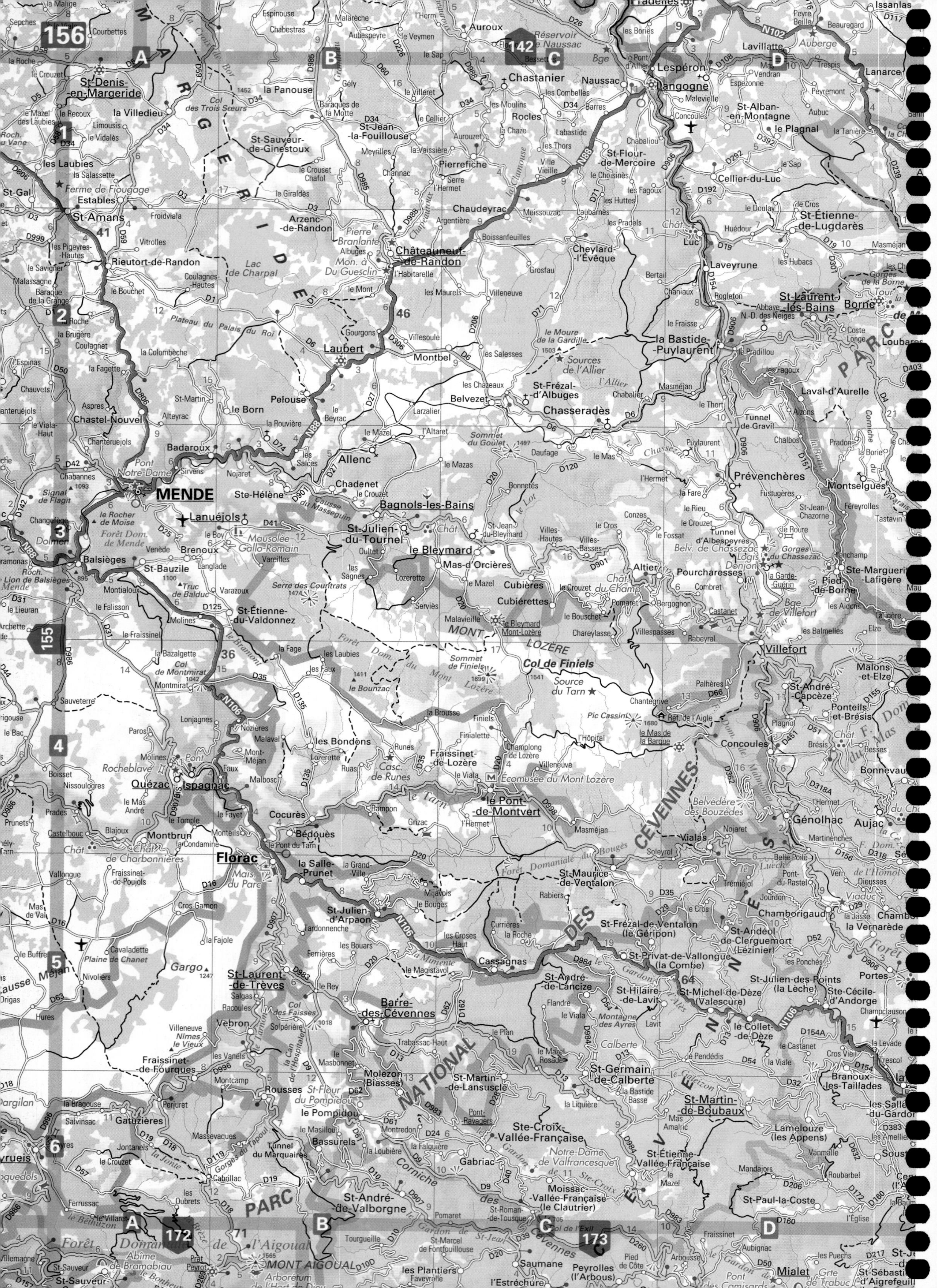
156
142
155
172
173
A
B
C
D
1
2
3
4
5
6
MARGERIDE
St-Denis-en-Margeride
la Villedieu
St-Sauveur-de-Ginestoux
la Panouse
St-Jean-la-Fouillouse
Chastanier
Auroux
Réservoir de Naussac
Naussac
Langogne
Lespéron
Laviliatte
Issanlas
Rocles
Pierrefiche
St-Flour-de-Mercoire
St-Alban-en-Montagne
le Plagnal
Cellier-du-Luc
Les Laubies
Estables
St-Amans
Ferme de Fiougage
Arzenc-de-Randon
Chaudeyrac
Châteauneuf-de-Randon
Pierre Branlante
Mon. à Du Guesclin
l'Habitarelle
Rieutort-de-Randon
Lac de Charpal
Plateau du Palais du Roi
Cheylard-l'Évêque
Luc
St-Étienne-de-Lugdarès
Laveyrune
St-Laurent-les-Bains
Borne
Abbaye N.-D. des Neiges
la Bastide-Puylaurent
Laubert
Montbel
Sources de l'Allier
St-Frézal-d'Albuges
Belvezet
Chasseradès
Pelouse
Chastel-Nouvel
le Born
Badaroux
Allenc
Sommet du Goulet
Laval-d'Aurelle
PARC
Prévenchères
Montselgues
MENDE
Pont Notre-Dame
Signal de Flagit
Lanuéjols
Mausolée Gallo-Romain
Forêt Dom. de Mende
Chadenet
Bagnols-les-Bains
St-Julien-du-Tournel
le Bleymard
Mas-d'Orcières
Balsièges
St-Bauzile
Truc de Balduc
Serre des Countrats
Lozerette
Cubières
Cubièrettes
Altier
Pourcharesses
Belv. de Chassezac
Gorges du Chassezac
Ste-Marguerite-Lafigère
St-Étienne-du-Valdonnez
MONT LOZÈRE
le Bleymard Mont-Lozère
Col de Finiels
Sommet de Finiels
Source du Tarn
Villefort
Col de Montmirat
Montmirat
Forêt Dom. du Mont Lozère
le Bounzac
Pic Cassini
Réf. de l'Aigle
le Mas de la Barque
Malons-et-Elze
St-André-Capcèze
Ponteils-et-Brésis
Concoules
les Bondons
Casc. de Runes
Fraissinet-de-Lozère
Rocheblave
Quézac
Ispagnac
le Pont-de-Montvert
Écomusée du Mont Lozère
CÉVENNES
Belvédère des Bouzèdes
Génolhac
Aujac
Cocurès
Bédouès
Florac
Castelbouc
Montbrun
Chât. de Charbonnières
la Salle-Prunet
St-Maurice-de-Ventalon
Forêt Domaniale du Bougès
Vialas
Chamborigaud
St-Julien-d'Arpaon
Plaine de Chanet
Gargo
St-Laurent-de-Trèves
Cassagnas
St-Frézal-de-Ventalon (le Géripon)
St-Andéol-de-Clerguemort (Lézinier)
St-Privat-de-Vallongue (la Combe)
DES
St-André-de-Lancize
St-Hilaire-de-Lavit
St-Michel-de-Dèze (Valescure)
St-Julien-des-Points (la Lèche)
Ste-Cécile-d'Andorge
Portes
Barre-des-Cévennes
Col des Faïsses
Vebron
Fraissinet-de-Fourques
NATIONAL
Molezon (Biasses)
St-Martin-de-Lansuscle
le Collet-de-Dèze
St-Germain-de-Calberte
Branoux-les-Taillades
Rousses
le Pompidou
St-Martin-de-Boubaux
Gatuzières
Tunnel du Marquairès
Bassurels
Ste-Croix-Vallée-Française
Lamelouze (les Appens)
Gabriac
Notre-Dame de Valfrancesque
St-Étienne-Vallée-Française
Gorges du Tapoul
Cabrillac
Corniche des Cévennes
St-André-de-Valborgne
Moissac-Vallée-Française (le Clautrier)
St-Paul-la-Coste
PARC
Forêt Domaniale de l'Aigoual
Abîme de Bramabiau
MONT AIGOUAL
Col de l'Exil
Saumane
Peyrolles (l'Arbous)
les Plantiers
Mialet
St-Sébastien-d'Aigrefeuille
N88
N106
N102
D906

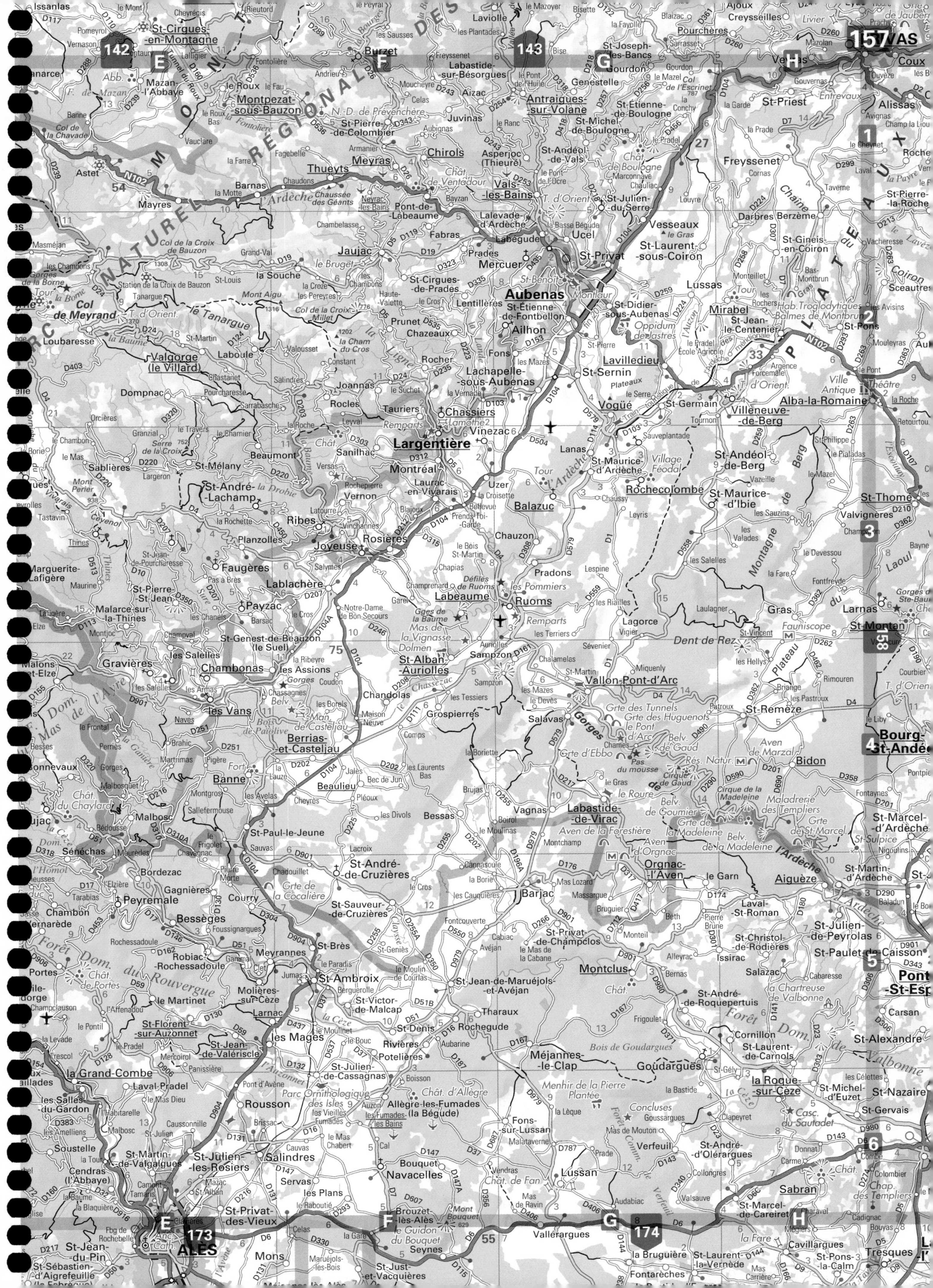

142
143
157
E
F
G
H
1
2
3
4
5
6
E
F
G
H
173
174
158
Issanlas
St-Cirgues-en-Montagne
Burzet
Laviolle
St-Joseph-des-Bancs
Pourchères
Creysseilles
Mazan-l'Abbaye
Montpezat-sous-Bauzon
Labastide-sur-Bésorgues
Antraigues-sur-Volane
Genestelle
Gourdon
Vernoux
Coux
Alissas
St-Priest
St-Pierre-de-Colombier
Juvinas
St-Étienne-de-Boulogne
St-Michel-de-Boulogne
Col de la Chavade
Chirols
Meyras
Thueyts
Asperjoc (Thieuré)
St-Andéol-de-Vals
Freyssenet
Astet
Mayres
Barnas
N102
PARC NATUREL RÉGIONAL DES MONTS
Pont-de-Labeaume
Vals-les-Bains
St-Julien-du-Serre
Lalevade-d'Ardèche
Fabras
Ucel
Vesseaux
Darbres
Berzème
St-Pierre-la-Roche
Col de la Croix de Bauzon
Jaujac
Prades
Mercuer
St-Privat
St-Laurent-sous-Coiron
St-Gineis-en-Coiron
la Souche
St-Cirgues-de-Prades
Aubenas
Lussas
Col de Meyrand
le Tanargue
Lentillères
St-Étienne-de-Fontbellon
St-Didier-sous-Aubenas
Mirabel
St-Jean-le-Centenier
St-Pons
Loubaresse
Ailhon
Prunet
Chazeaux
Valgorge (le Villard)
Laboule
Rocher
Fons
Lavilledieu
Lachapelle-sous-Aubenas
St-Sernin
PLATEAU DU COIRON
Joannas
Dompnac
Rocles
Tauriers
Chassiers
Vogüé
St-Germain
Villeneuve-de-Berg
Alba-la-Romaine
Largentière
Vinezac
Lanas
St-Maurice-d'Ardèche
St-Andéol-de-Berg
Beaumont
Sanilhac
Sablières
St-Mélany
Montréal
Laurac-en-Vivarais
Uzer
Rochecolombe
St-Maurice-d'Ibie
St-André-Lachamp
Vernon
Balazuc
St-Thomé
Ribes
Valvignères
Rosières
Joyeuse
Chauzon
Faugères
Planzolles
Pradons
Lablachère
Labeaume
Ruoms
Larnas
Payzac
Malarce-sur-la-Thines
St-Pierre-St-Jean
Lagorce
Gras
St-Montan
St-Genest-de-Beauzon (le Suel)
Gravières
Chambonas
St-Alban-Auriolles
Sampzon
Vallon-Pont-d'Arc
Dent de Rez
Chandolas
Grospierres
St-Remèze
Les Vans
Berrias-et-Casteljau
Salavas
Gorges de l'Ardèche
Bourg-St-Andéol
Banne
Beaulieu
Bidon
Labastide-de-Virac
Vagnas
Bessas
St-Paul-le-Jeune
St-Marcel-d'Ardèche
Sénéchas
St-André-de-Cruzières
Orgnac-l'Aven
Aiguèze
St-Martin-d'Ardèche
Peyremale
Bessèges
Barjac
St-Sauveur-de-Cruzières
Laval-St-Roman
St-Julien-de-Peyrolas
St-Privat-de-Champclos
St-Paulet-de-Caisson
Robiac-Rochessadoule
Meyrannes
St-Brès
Montclus
St-Christol-de-Rodières
Issirac
Pont-St-Esprit
St-Ambroix
St-Jean-de-Maruéjols-et-Avéjan
St-Victor-de-Malcap
St-André-de-Roquepertuis
Molières-sur-Cèze
Tharaux
St-Florent-sur-Auzonnet
St-Denis
Rochegude
St-Alexandre
Les Mages
St-Jean-de-Valériscle
Rivières
Potelières
Méjannes-le-Clap
Goudargues
St-Laurent-de-Carnols
St-Nazaire
la Grand-Combe
St-Julien-de-Cassagnas
la Roque-sur-Cèze
Laval-Pradel
Allègre-les-Fumades (la Bégude)
St-Michel-d'Euzet
Rousson
St-Gervais
Fons-sur-Lussan
Verfeuil
St-André-d'Olérargues
Soustelle
St-Martin-de-Valgalgues
St-Julien-les-Rosiers
Salindres
Navacelles
Lussan
Cendras (l'Abbaye)
Sabran
St-Privat-des-Vieux
St-Marcel-de-Careiret
Brouzet-lès-Alès
ALÈS
Vallérargues
St-Jean-du-Pin
Mons
Seynes
la Bruguière
St-Laurent-la-Vernède
Cavillargues
St-Pons-la-Calm
Tresques
St-Sébastien-d'Aigrefeuille
St-Just-et-Vacquières
Fontarèches

158
144
157
174
175
Loriol-sur-Drôme
Crest
Le Pouzin
Flaviac
Chabrillan
Aouste-sur-Sye
Mirabel-et-Blacons
Montclar-sur-Gervanne
Saillans
Saulce-sur-Rhône
Mirmande
Cliousclat
Chomérac
St-Lager-Bressac
Rochessauve
St-Bauzile
Autichamp
Divajeu (Lambres)
Piégros-la-Clastre
Aubenasson
St-Sauveur-en-Diois
Espenel
Chastel-Arnaud
La Roche-sur-Grane
La Répara-Auriples
St-Vincent-de-Barrès
Cruas
la Coucourde
les Tourrettes
Condillac
Marsanne
Roynac
Puy-St-Martin
Saou
Soyans
Francillon-sur-Roubion
Mornans
Forêt de Saou
Cléon-d'Andran
Manas
Pont-de-Barret
le Poët-Célard
Meysse
Savasse
Sauzet
St-Marcel-lès-Sauzet
la Laupie
Bonlieu-sur-Roubion
Charols
Bourdeaux
Bézaudun-sur-Bîne
Rochemaure
Ancône
St-Gervais-sur-Roubion
Rochebaudin
Félines-sur-Rimandoule
Truinas
Salettes
Eyzahut
Crupies
la Bâtie-Rolland
Montboucher-sur-Jabron
le Teil
MONTÉLIMAR
Puygiron
la Bégude-de-Mazenc
Souspierre
le Poët-Laval
Dieulefit
Comps
Orcinas
Rochefort-en-Valdaine (Chambaud)
Portes-en-Valdaine
la Touche
Espeluche
Aleyrac
Montjoux
Vesc
Bouvières
Allan
Malataverne
Châteauneuf-du-Rhône
Viviers
Montjoyer
Roche-St-Secret-Béconne
Chaudebonne (les Nauds)
Valouse
Teyssières
Salles-sous-Bois
Montbrison-sur-Lez
Réauville
Donzère
Taulignan
le Pègue
St-Ferréol-Trente-Pas
Roussas
Valaurie
Grignan
Rousset-les-Vignes
St-Pantaléon-les-Vignes
Condorcet
les Granges-Gontardes
Chantemerle-lès-Grignan
la Garde-Adhémar
Chamaret
Grillon
Colonzelle
Valréas
Venterol
Aubres
les Pilles
Pierrelatte
Bourg-St-Andéol
Clansayes
Nyons
St-Paul-Trois-Châteaux
Montségur-sur-Lauzon
Richerenches
Solérieux
la Baume-de-Transit
Vinsobres
Châteauneuf-de-Bordette
St-Restitut
Visan
Mirabel-aux-Baronnies
Piégon
Bénivay-Ollon
St-Just
Lapalud
Suze-la-Rousse
Bouchet
Tulette
St-Maurice-sur-Eygues
Buisson
Villedieu
Mérindol-les-Oliviers
Bollène
Lamotte-du-Rhône
St-Roman-de-Malegarde
Puyméras
Propiac
Pont-St-Esprit
Rochegude
Ste-Cécile-les-Vignes
Cairanne
Rasteau
Roaix
Vaison-la-Romaine
St-Romain-en-Viennois
Pierrelongue
Mollans-sur-Ouvèze
St-Marcellin-lès-Vaison
Mondragon
Mornas
Uchaux (la Galle)
Lagarde-Paréol
Crestet
Entrechaux
Séguret
Sablet
Vénéjan
St-Étienne-des-Sorts
Piolenc
Sérignan-du-Comtat
Travaillan
Beaumont-du-Ventoux
Malaucène
Bagnols-sur-Cèze
Gigondas
Suzette
Dentelles de Montmirail
ORANGE
Camaret-sur-Aigues
Violès
Lafare
la Roque-Alric
le Barroux
Vacqueyras
St-Hippolyte-le-Graveyron
Bédoin
Caromb
Jonquières
Beaumes-de-Venise
Aubignan
Laudun-l'Ardoise
Orsan
Caderousse
Courthézon
Modène
St-Pierre-de-Vassols
Centre Atomique de Marcoule
Centre d'Énergie de Pierrelatte
LE RHÔNE

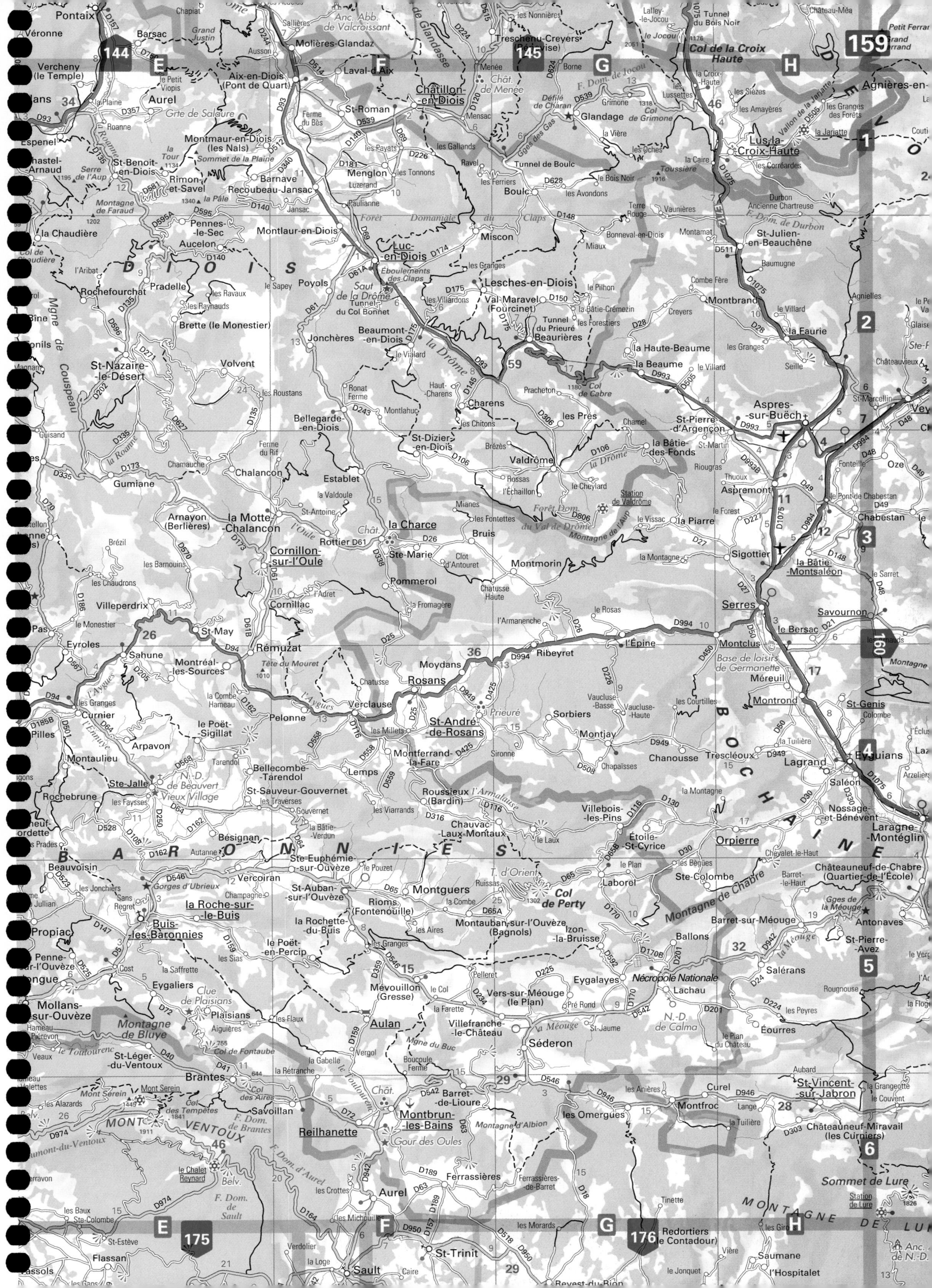

159
144
145
160
175
176
E
F
G
H
1
2
3
4
5
6
D I O I S
B A R O N N I E S
B O C H A I N E
MONT VENTOUX
MONTAGNE DE LURE
Pontaix
Véronne
Barsac
Vercheny (le Temple)
Aix-en-Diois (Pont de Quart)
Aurel
Molières-Glandaz
Laval-d'Aix
Châtillon-en-Diois
Treschenu-Creyers
Menée
Borne
Col de la Croix Haute
Lus-la-Croix-Haute
Agnières-en-Dévoluy
St-Roman
Glandage
Col de Grimone
Grimone
Montmaur-en-Diois (les Nals)
St-Benoit-en-Diois
Rimon-et-Savel
Barnave
Recoubeau-Jansac
Menglon
Boulc
Tunnel de Boulc
Pennes-le-Sec
Montlaur-en-Diois
Aucelon
la Chaudière
Luc-en-Diois
Miscon
St-Julien-en-Beauchêne
Lesches-en-Diois
Poyols
Saut de la Drôme
Rochefourchat
Pradelle
Val-Maravel (Fourcinet)
Beaurières
Montbrand
la Faurie
Brette (le Monestier)
Jonchères
Beaumont-en-Diois
la Haute-Beaume
la Beaume
Col de Cabre
St-Nazaire-le-Désert
Volvent
Charens
les Prés
Aspres-sur-Buëch
St-Pierre-d'Argençon
Bellegarde-en-Diois
St-Dizier-en-Diois
Valdrôme
la Bâtie-des-Fonds
Chalancon
Gumiane
Establet
Aspremont
Station de Valdrôme
Arnayon (Berlières)
la Motte-Chalancon
la Charce
Bruis
la Piarre
Chabestan
Cornillon-sur-l'Oule
Ste-Marie
Montmorin
Sigottier
la Bâtie-Montsaléon
Villeperdrix
Pommerol
Cornillac
Serres
Savournon
St-May
Rémuzat
Ribeyret
l'Épine
Montclus
le Bersac
Eyroles
Sahune
Montréal-les-Sources
Moydans
Rosans
Base de loisirs de Germanette
Méreuil
Montrond
Curnier
Verclause
Pelonne
St-André-de-Rosans
Sorbiers
St-Genis
Pilles
le Poët-Sigillat
Arpavon
Montjay
Chanousse
Trescléoux
Lagrand
Eyguians
Montaulieu
Bellecombe-Tarendol
Montferrand-la-Fare
Lemps
Saléon
Ste-Jalle
N.-D. de Beauvert
Vieux Village
St-Sauveur-Gouvernet
Rochebrune
Roussieux (Bardin)
Villebois-les-Pins
Nossage-et-Bénévent
Laragne-Montéglin
Chauvac-Laux-Montaux
Bésignan
Étoile-St-Cyrice
Orpierre
Beauvoisin
Ste-Euphémie-sur-Ouvèze
Vercoiran
Gorges d'Ubrieux
Laborel
Ste-Colombe
Châteauneuf-de-Chabre (Quartier-de-l'École)
St-Auban-sur-l'Ouvèze
Montguers
Col de Perty
Montagne de Chabre
Rioms (Fontenouille)
la Roche-sur-le-Buis
Buis-les-Baronnies
Propiac
la Rochette-du-Buis
Montauban-sur-l'Ouvèze (Bagnols)
Izon-la-Bruisse
Barret-sur-Méouge
Ballons
Antonaves
St-Pierre-Avez
le Poët-en-Percip
Salérans
Eygaliers
Eygalayes
Nécropole Nationale
Lachau
Mollans-sur-Ouvèze
Clue de Plaisians
Plaisians
Mévouillon (Gresse)
Vers-sur-Méouge (le Plan)
Montagne de Bluye
Aulan
Villefranche-le-Château
Séderon
N.-D. de Calma
Éourres
St-Léger-du-Ventoux
Col de Fontaube
Brantes
Barret-de-Liourre
les Omergues
Montfroc
Curel
St-Vincent-sur-Jabron
Savoillan
Reilhanette
Montbrun-les-Bains
Gour des Oules
Montagne d'Albion
Châteauneuf-Miravail (les Curniers)
Mont Serein
Col des Tempêtes
le Chalet Reynard
Ferrassières
Aurel
Sommet de Lure
Station de Lure
Redortiers (le Contadour)
St-Trinit
Sault
Flassan
Saumane
l'Hospitalet
Revest-du-Bion

160
146

A B C D

St-Disdier, Petit Ferrand, Grand Ferrand, le Collet, Lacoue, -en-Champsaur, la Motte-en-Champsaur, les Fermonds, Champoléon, du Cirque du Grand Lac des Estaris

Grand Villard, Rioupes, Charbillac, les Infournas, les Évarres, Bénévent-et-Charbillac (les Gentillons), Route Napoléon, Chaillol 1600, Orcières Merlette, Prapic

Maubourg, Col des Rioupes, Col du Noyer, Réf. Napoléon, le Noyer, St-Bonnet-en-Champsaur, St-Michel-de-Chaillol, la Coche, les Marches, Orcières

Agnières-en-Dévoluy, les Étroits, St-Étienne-en-Dévoluy, Poligny, Chantaussel, Serre Eyraud, Val du Drac Noir, Lachaup, la Joue du Loup, Superdévoluy, St-Jean, St-Michel

la Fare-en-Champsaur (les Baraques), St-Julien-en-Champsaur, Buissard, Chabottes, St-Jean-St-Nicolas (Pont-du-Fossé), Archinard

Coutières, Col du Festre, l'Enclus, les Farelles, St-Laurent-du-Cros, St-Léger-les-Mélèzes, le Mourre Froid 2993

V O L U Y, les Garcins, Montagne d'Aurouze 2587, Station de Laye, Chaudun, Laye, Forest-St-Julien, Chabottes

la Cluse, F. Dom. de Gap Chaudun, Station Gap-Bayard, Laiterie de Col Bayard, Col de Manse, St-Hilaire, Ancelle, C H A M P S A U R, les Gourniers

Observatoire du Plateau de Bure, Col Bayard 1248, Moissière, Forêt Domaniale des Sauvas

les Brunets, Chauvet, Réf. Napoléon, les Jaussauds, le Collet, Réallon, la Rivière, la Rochette, les Méans

la Montagne, Rabou, Château de Charance, les Baux, Romette, les Rousses, Puy-St-Eusèbe, les Casses, les Borels

le Petit Vau, Montmaur, Glaise, Grand Larra, la Bâtie-Neuve, la Blache, Chérines, Châtu du Terrail, la Roche-des-Arnauds, GAP, les Fauvins, les Andrieux, les Gourres, St-Apollinaire

Ste-Philomène, Man. de Kapados, la Bâtie-Vieille, Montgardin, Chorges, Prunières, Châteauvieux, le Villard, Rambaud, les Santons, St-Roch, les Bernards

Furmeyer, Manteyer, St-André, les Guérins, les Olliviers, St-Michel, Savines-le-Lac, Veynes, la Freissinouse, T. d'Orient, Chanteloube, Lac de Serre-Ponçon

Pelleautier, les Colombis, Avançon, le Fein, la Rama, Châteauneuf-d'Oze, Céüse 2000, les Durandons, Notre-Dame du Laus, Pontis, Anc. Abb. de Boscodon

Mgne de Céüse 1827, Neffes, Jarjayes, St-Étienne-le-Laus, les Demoiselles Coiffées, Cirque de Morgon, Oze, la Roche, l'Avance, Salle du Bal des Demoiselles Coiffées

St-Auban-d'Oze, F. Dom. de Céüse, Châteauvieux, Valserres, Rousset, le Sauze-du-Lac, l'Adroit de Pontis, Col des Guérins 1312, Sigoyer, les Bénéchons, Théus, Belv., Bge de Serre-Ponçon

Espréaux, Villauret, Lettret, Remollon, Espinasses, Chanteloube, le Saix, Tallard, les Tourniaires, la Bréole, Contier

Fouillouse, les Forests, Esparron, les Combes, Tournoux, Piégut, Rochebrune, St-Vincent-les-Forts, le Lautaret, Chât., Venterol

Sarret, Lardier-et-Valença, Péage, les Goirands, l'Eygaye, Plateau de Dormillouse, Barcillonnette, Vitrolles, la Saulce, Curbans, Urtis, Gigors, Bréziers, St-Jean, Station St-Jean Montclar

Bellaffaire, Chaumenc, Champanas, Plan de Vitrolles, la Curnerie, le Forest-loin, Turriers, Villaudemard, Montclar (Serre-Nauzet)

Arnauds, Rousset, Faucon-du-Caire, St-Martin-lès-Seyne, les Roches, Pibert, le Col, Montagne de St-Genis, Monêtier-Allemont, Bois Noir, Pompiery, F. Dom. de la Blanche

Claret, Selonnet, la Gineste Haute, Ventavon, Gautière, F. Dom. des Gorges du Sasse, le Caire, Astoin, Bas Chardavon, Citad., St-Pons

l'Écluse, Melve, Seyne, le Grand Pré, les Hautes-Graves, Chabanon-Selonnet, Lazer, la Durance, Val de Durance, Bayons, la Haute Combe, Autoroute du Val, la Motte-du-Caire

Arzeliers, la Rouchaye, Sigoyer, Villarnaud, Clamensane, le Grand Puy 1761, Col de Couloubroux, Upaix, Route Napoléon, la Bréjonnière, Esparron-la-Bâtie, l'Infernet Bas, le Grand Puy

Laragne-Montéglin, Thèze, Reynier, Ferme Béridon, Auzet, Escuyer, le Poët, la Sapie, le Vernet

Eyguians, les Fourniers, Vaumeilh, Nibles, Valavoire, la Route, Verdaches, Clues de Verdaches, le Haut-Vernet, Châteaufort, Barles

Mison, Valernes, le Forest, les Amayons, le Buëch, St-Clément, le Villard, les Traverses-Hautes

St-Geniez, la Bastide, Chabert, N.-D. de Dromont, Authon, Clues de Barles

le Verger, la Silve, Défilé de la Pierre Écrite, Pierre Écrite, Rocher de Dromont, l'Adrech

Ribiers, Plan de la Baume, le Château, Esclangon, St-Pierre, la Flogère, Entrepierres, Pré Forant, Beaujeu

les Charles, Franchironnette, le Durban, les Chabanons, Citad., Melan, Blégiers

le Vieux Noyers, Vilhosc, St-Symphorien, le Vanson, le Castellard-Mélan, Hautes-Duyes, Site de l'Ichtyosaure, Sisteron, la Javie

Bevons, Toge, Champ Roubin, le Guéni, le Brusquet, Clot de Moune, la Robine-sur-Galabre

Noyers-sur-Jabron, St-Martin, Salignac, les Ubachans, Valbelle (les Richaud), Sourribes, les Romans, Thoard, Draix, la Rouine

Peipin, la Tuilière, Beaucouse, Aubignosc, Marcoux, Archail

Lure 1826, Forêt Domaniale du Jabron, Centre Géologique de St-Benoît, Égl. St-Martin, le Villard, N.-D. du Bourg

le Forest, Barras, Courbons, Volonne, les Épinettes, DIGNE-LES-BAINS, la Peine

L U R E, Anc. Abb. de N.-D. de Lure, Château-Arnoux-St-Auban, Champtercier, St-Jérôme, le Villard, Tartonne (Plan-de-Chaudol)

Châteauneuf-Val-St-Donat (les Chabannes), Parc botanique, l'Escale, les Beauduns, Terres Rouges, Base de loisirs Lac des Ferréols, Malefougasse-Augès, le Belvédère, St-Auban, Gorges des Dourbes

159
176
177

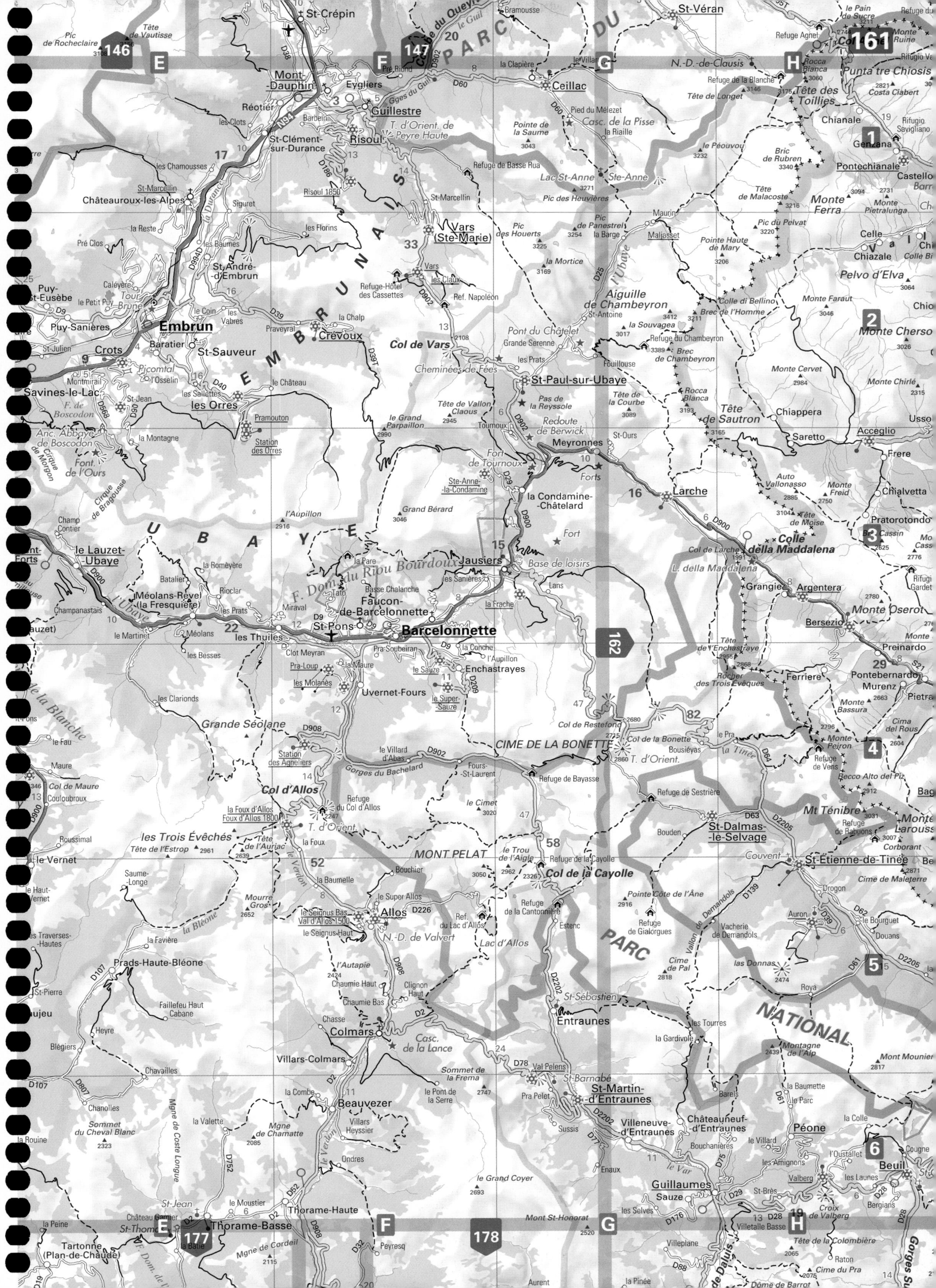

146
147
161
162
177
178
E
F
G
H
1
2
3
4
5
6
St-Crépin
Mont-Dauphin
Eygliers
Guillestre
Risoul
Risoul 1850
St-Clément-sur-Durance
Réotier
Châteauroux-les-Alpes
St-Marcellin
St-André-d'Embrun
Embrun
Baratier
Crots
St-Sauveur
Savines-le-Lac
Puy-Sanières
Puy-St-Eusèbe
Crévoux
les Orres
Pramouton
Station des Orres
Vars (Ste-Marie)
Col de Vars
Ceillac
St-Véran
Refuge Agnel
Chianale
Pontechianale
St-Paul-sur-Ubaye
Maljasset
Aiguille de Chambeyron
Tête de Sautron
Meyronnes
Larche
Col de Larche
Colle della Maddalena
Argentera
Bersezio
Acceglio
Jausiers
Barcelonnette
Faucon-de-Barcelonnette
St-Pons
le Lauzet-Ubaye
Méolans-Revel (la Fresquière)
les Thuiles
Pra-Loup
les Molanes
Uvernet-Fours
le Sauze
le Super-Sauze
Enchastrayes
Grande Séolane
CIME DE LA BONETTE
Col de Restefond
Col de la Bonette
Col d'Allos
Station des Agneliers
la Foux d'Allos
Foux d'Allos 1800
les Trois Évêchés
MONT PELAT
Col de la Cayolle
Refuge de la Cayolle
Allos
le Seignus Bas
Val d'Allos 1500
N.-D. de Valvert
Lac d'Allos
St-Dalmas-le-Selvage
St-Étienne-de-Tinée
Auron
Prads-Haute-Bléone
le Vernet
Colmars
Villars-Colmars
Casc. de la Lance
Entraunes
Val Pelens
St-Martin-d'Entraunes
Villeneuve-d'Entraunes
Châteauneuf-d'Entraunes
Beauvezer
Thorame-Haute
Thorame-Basse
Tartonne (Plan-de-Chaude)
Guillaumes
Péone
Valberg
Beuil
Sauze
PARC DU
PARC NATIONAL
EMBRUNAIS
UBAYE
Monte Chersogno
Monte Oserot
Mt Ténibre
Pelvo d'Elva
Monte Ferra

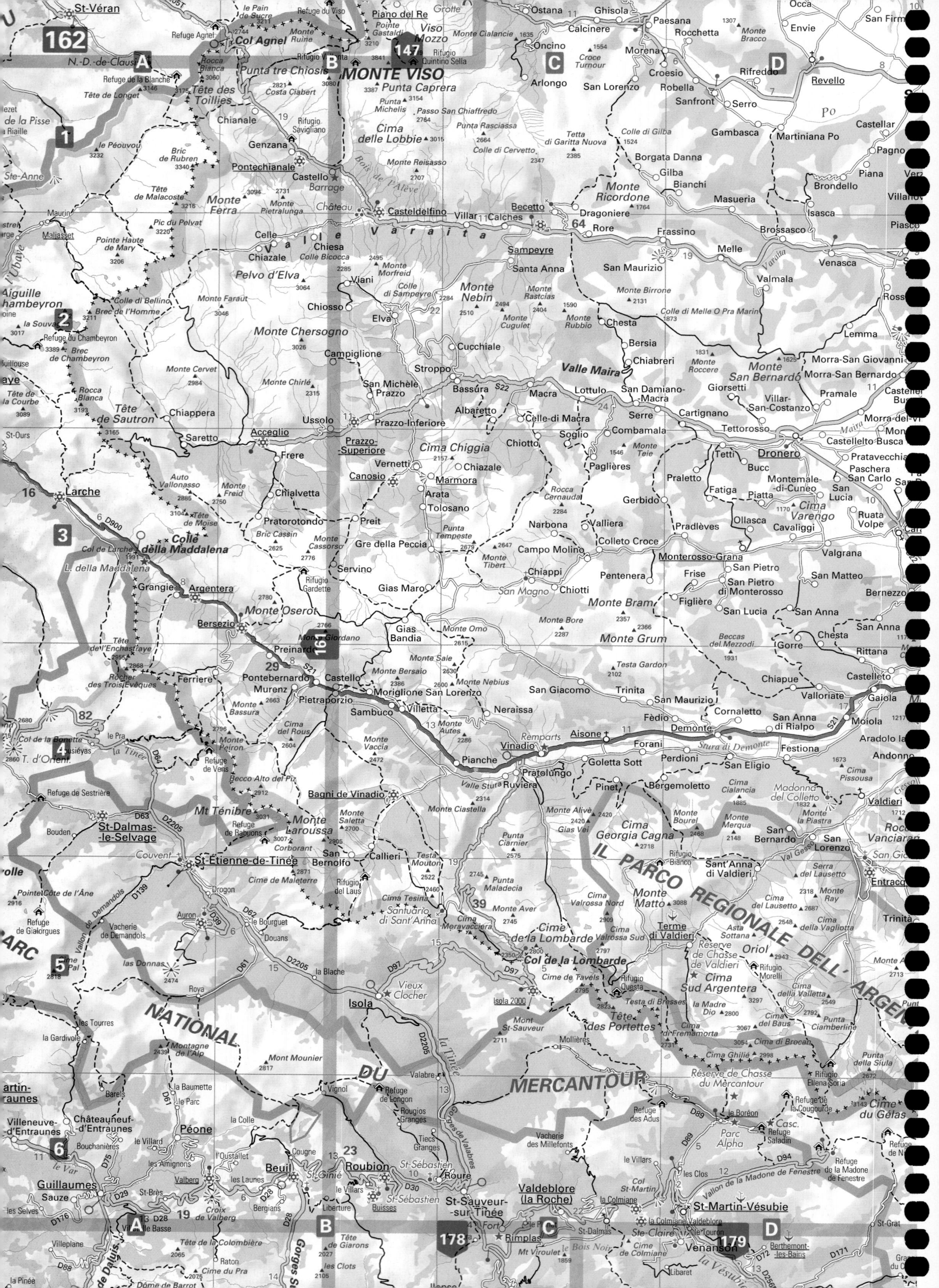162
St-Véran
Col Agnel
Refuge Agnel
N.-D.-de-Clausis
A
B
C
D
147
MONTE VISO
Punta tre Chiosis
Punta Caprera
Piano del Re
Viso Mozzo
Refugio Quintino Sella
Ostana
Ghisola
Calcinere
Paesana
Rocchetta
Occa
Envie
Oncino
Crose Turnour
Morena
Croesio
Rifreddo
Revello
Arlongo
San Lorenzo
Robella
Sanfront
Serro
Po
Tête des Toillies
Refuge de la Blanche
Tête de Longet
Chianale
Rifugio Savigliano
Cima delle Lobbie
Passo San Chiaffredo
Punta Rasciassa
Tetta di Garitta Nuova
Colle di Gilba
Colle di Cervetto
Gambasca
Martiniana Po
Castellar
Pagno
Borgata Danna
Gilba
Bianchi
Brondello
Piana
Genzana
Pontechianale
Castello
Barrage
Monte Reisasso
Bois de l'Alève
Monte Ricordone
Masueria
Isasca
Villanova
le Péouvou
Bric de Rubren
Ste-Anne
Tête de Malacoste
Monte Ferra
Monte Pietralunga
Château
Casteldelfino
Villar
Calches
Becetto
Dragoniere
Rore
Frassino
Brossasco
Piasco
Maurin
Maljasset
Pic du Pelvat
Pointe Haute de Mary
Celle
Valle Varaita
Chiesa
Chiazale
Colle Bicocca
Sampeyre
Santa Anna
Melle
Venasca
San Maurizio
Valmala
Monte Morfreid
Pelvo d'Elva
Viani
Colle di Sampeyre
Monte Nebin
Monte Rastcias
Monte Birrone
Colle di Melle O Pra Marin
Aiguille de Chambeyron
Colle di Bellino
Brec de l'Homme
Monte Faraut
Chiosso
Elva
Monte Cuguiet
Monte Rubbio
Chesta
Lemma
la Souvagea
Refuge du Chambeyron
Brec de Chambeyron
Monte Chersogno
Cucchiale
Bersia
Chiabreri
Monte Roccere
Monte San Bernardo
Morra-San Giovanni
Morra-San Bernardo
Campiglione
Stroppo
Valle Maira
Monte Cervet
Monte Chirlé
San Michele Prazzo
Bassura
S22
Macra
Lottulo
San Damiano-Macra
Giorsetti
Villar-San-Costanzo
Pramale
Tête de la Courbe
Rocca Blanca
Tête de Sautron
Chiappera
Albaretto
Celle di Macra
Serre
Cartignano
Tettorosso
Maira
Morra-del-Villar
Ussolo
Prazzo-Inferiore
St-Ours
Saretto
Acceglio
Prazzo-Superiore
Chiotto
Soglio
Combamala
Monte Teie
Castelletto Busca
Dronero
Pratavecchia
Frere
Cima Chiggia
Chiazale
Paglières
Tetti
Bucc
Pascherа San Carlo
Auto Vallonasso
Monte Freid
Vernetti
Canosio
Marmora
Praletto
Montemale-di-Cuneo
San Lucia
16
Larche
Chialvetta
Arata
Tolosano
Rocca Cernaudal
Gerbido
Fatiga
Piatta
Cima Varengo
Tête de Moise
Pratorotondo
Preit
Punta Tempeste
Narbona
Valliera
Ollasca
Cavaliggi
Ruata Volpe
3
D900
Colle della Maddalena
Col de Larche
Bric Cassin
Monte Cassorso
Gre della Peccia
Monte Tibert
Campo Molino
Colleto Croce
Pradlèves
Valgrana
L. della Maddalena
Servino
Chiappi
Monterosso-Grana
San Pietro
Frise
San Matteo
Grangie
Argentera
Rifugio Gardetta
Gias Maro
Chiotti
San Magno
Pentenera
San Pietro di Monterosso
Figlière
Bernezzo
Monte Oserot
Bersezio
Monte Bram
San Lucia
San Anna
Gias Bandia
Monte Omo
Monte Bore
Monte Grum
Beccas del Mezzodì
Chesta
Tête de l'Enchastraye
161
Monte Giordano
Preinardo
Gorre
Rittana
Rocher des Trois Évêques
Ferriere
Pontebernardo
Castello
Monte Sale
Monte Bersaio
Monte Nebius
Testa Gardon
Chiapue
Castelletto
Murenz
Pietraporzio
Moriglione
San Lorenzo
San Giacomo
Trinita
San Maurizio
Valloriate
Gaiola
Monte Bassura
Sambuco
Villetta
Neraissa
Fèdio
Cornaletto
San Anna di Rialpo
Moiola
82
Cima del Rous
Monte Autes
Remparts
Aisone
Demonte
S21
Col de la Bonette
le Pra
Monte Peiron
Vinadio
Forani
Stura di Demonte
Festiona
Aradolo
4
Bousiéyas
T. d'Orient
la Tinée
Refuge de Vens
Monte Vaccia
Pianche
Goletta Sott
Perdioni
San Eligio
Andonno
Refuge de Sestrière
Becco Alto del Piz
Pratolungo
Ruviera
Valle Stura
Pinet
Bergemoletto
Cima Cialancia
Madonna del Colletto
Cima Pissousa
Valdieri
D63
Mt Ténibre
Bagni de Vinadio
Monte Ciastella
Monte Alvè
Gias Vei
Cima Georgia Cagna
Monte Bourel
Monte Merqua
San Bernardo
San Lorenzo
Rocca Vanciaran
St-Dalmas-le-Selvage
Bouden
Refuge de Rabuons
Monte Larousa
Monte Saletta
Punta Ciarnier
Monte la Piastra
Corborant
Couvent
St-Étienne-de-Tinée
San Bernolfo
Callieri
Testa Mouton
Rifugio Bianco
Sant'Anna di Valdieri
Serra del Lausetto
IL PARCO REGIONALE DELL'ARGENTERA
Entracque
Cime de Maleterre
Rifugio del Laus
Punta Maladecia
Monte Matto
Monte Ray
Pointe Côte de l'Âne
Drogon
D139
Cima Tesina
Santuario di Sant'Anna
39
Monte Aver
Cima Valrossa Nord
Cima del Lausetto
Trinità
Refuge de Gialorgues
Vacherie de Demandols
Auron
D39
le Bourguet
Douans
Cima Moravacciera
Cime de la Lombarde
Cima Valrossa Sud
Terme di Valdieri
Asta Sottana
Cima della Vagliotta
PARC
5
Cime Pal
Vallon de Demandols
las Donnas
D61
D2205
la Blache
D97
Col de la Lombarde
Réserve de Chasse de Valdieri
Oriol
Rifugio Morelli
Cima Sud Argentera
Roya
Vieux Clocher
Isola
Isola 2000
Cime de Tavels
Rifugio Questa
Testa di Bresses
La Madre Dio
Cima della Valletta
NATIONAL
les Tourres
la Gardivole
Mont St-Sauveur
Tête des Portettes
Cima di Fremamorta
Cima del Baus
Punta Ciamberline
Montagne de l'Alp
Mont Mounier
D2205
la Tinée
Mollières
Cima di Brocan
Cima Ghilié
Punta della Siula
DU
MERCANTOUR
Réserve de Chasse du Mercantour
Rifugio Ellena Soria
Refuge de la Cougourde
Cime du Gélas
Martin-Entraunes
Barels
la Baumette
le Parc
Valabre
Vignol
Refuge de Longon
Rougios Granges
Gorges de Valabres
Refuge des Adus
Vacherie des Millefonts
le Boréon
Parc Alpha
Casc.
Refuge Saladin
Refuge de Nice
Villeneuve-d'Entraunes
Châteauneuf-d'Entraunes
Péone
la Colle
le Villard
Bouchanières
Tiecs Granges
D89
6
l'Oustallet
les Amignons
Cougne
23
Roubion
St-Sébastien
les Villars
Refuge de la Madone de Fenestre
le Var
Guillaumes
Valberg
les Launes
Beuil
St-Ginié
Roure
les Clos
Vallon de la Madone de Fenestre
St-Brès
Croix de Valberg
Bergians
Buisses
le Villars
D30
St-Sauveur-sur-Tinée
Valdeblore (la Roche)
Col St-Martin
la Colmiane
St-Martin-Vésubie
Sauze
D29
D28
19
Liberture
les Selves
D176
la Ville Basse
178
Fort
Rimplas
St-Dalmas
Ste-Claire
la Colmiane Valdeblore
le Touron
179
Berthemont-les-Bains
St-Grat
Villeplane
Tête de la Colombière
Tête de Giarons
Mt Viroulet
le Bois Noir
Cime de Colmiane
Venanson
la Vésubie
D171
Gorges de Daluis
D88
Raton
Cime du Pra
les Clots
Libaret
la Pinée
Dôme de Barrot
Gorges St

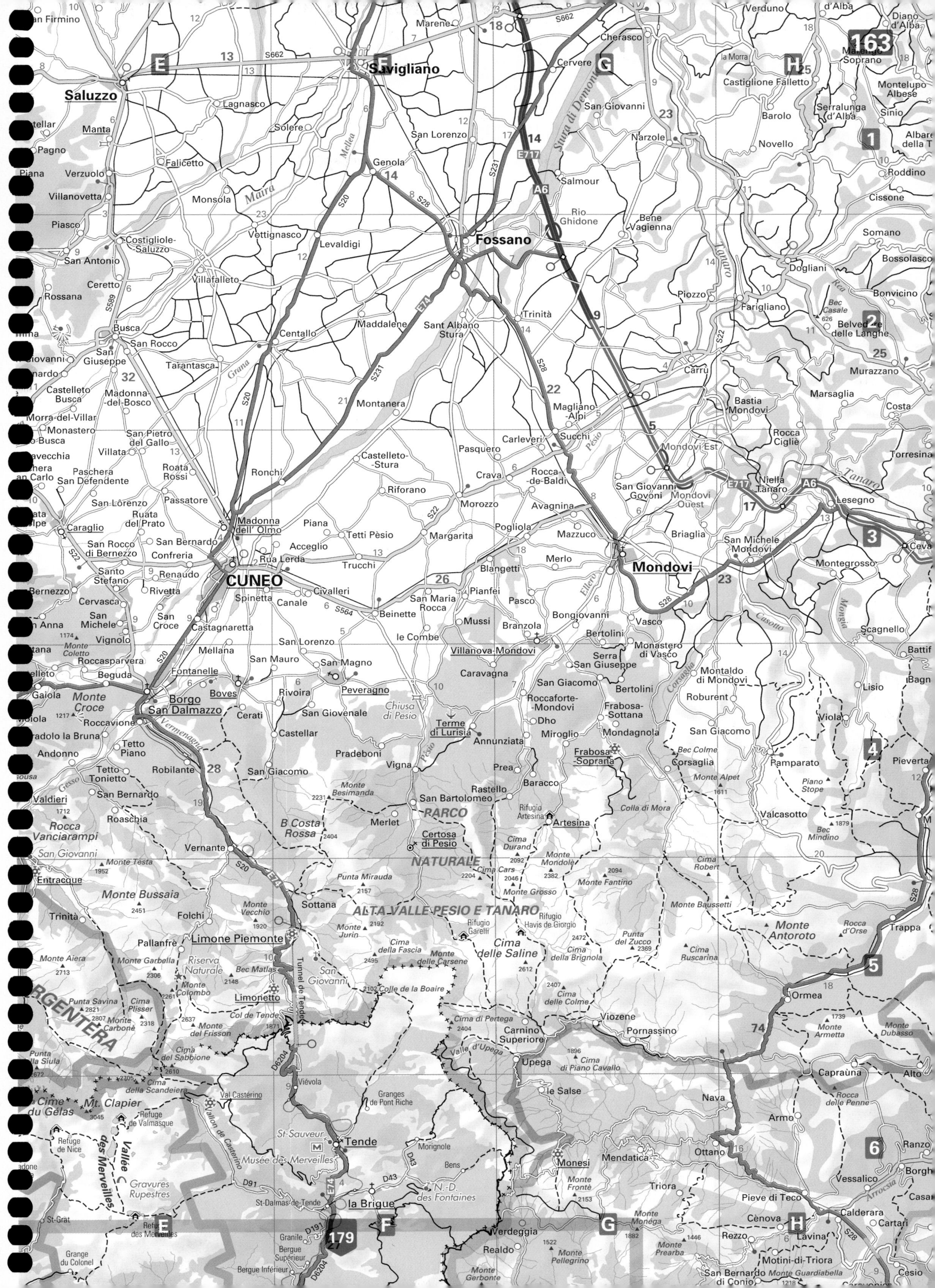

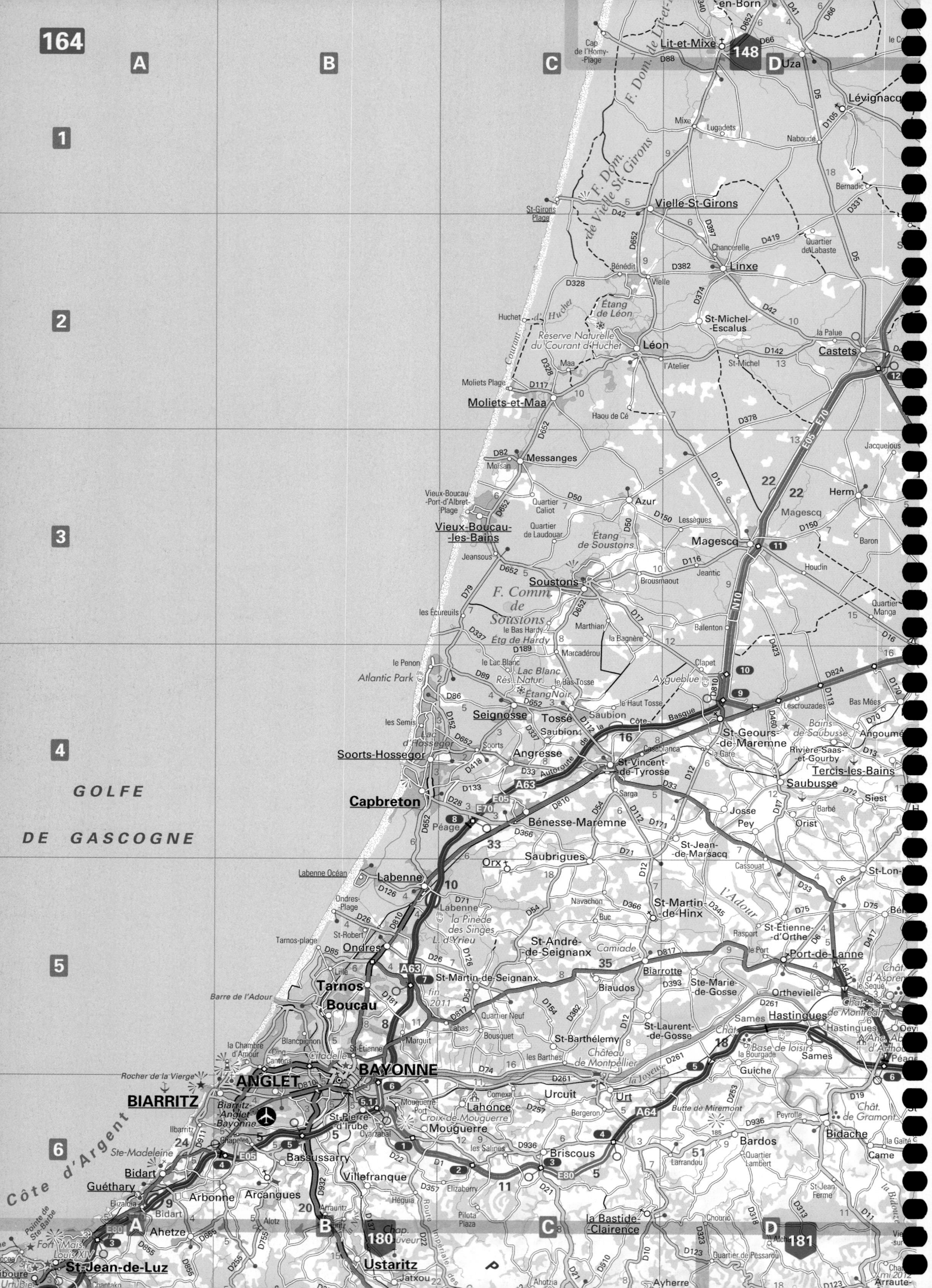

A
B
C
D
1
2
3
4
5
6
148
180
181
GOLFE
DE GASCOGNE
Côte d'Argent
Lit-et-Mixe
Uza
Lévignacq
Cap de l'Homy-Plage
F. Dom. de Lit-et-Mixe
F. Dom. de Vielle St-Girons
Mixe
Lugadets
Naboude
Bernadic
St-Girons Plage
Vielle-St-Girons
Quartier de Labaste
Chancerelle
Linxe
Bénédit
Vielle
Étang de Léon
Huchet
Réserve Naturelle du Courant d'Huchet
St-Michel-Escalus
Léon
la Palue
Castets
Maa
l'Atelier
St-Michel
Moliets Plage
Moliets-et-Maa
Haou de Cé
Jacquelous
Messanges
Moïsan
Vieux-Boucau-Port-d'Albret-Plage
Vieux-Boucau-les-Bains
Quartier Caliot
Azur
Lessègues
Herm
Magescq
Quartier de Laudouar
Étang de Soustons
Jeansous
Baron
Soustons
Brousmaout
Jeantic
Houdin
F. Comm. de Soustons
les Écureuils
le Bas Hardy
Étg de Hardy
Marthian
la Bagnère
Balenton
Quartier Manga
Marcadérou
le Penon
Atlantic Park
le Lac Blanc
Lac Blanc
Rés. Natur.
Étang Noir
le Bas Tosse
Clapet
Ayguebluе
le Haut Tosse
Lescrouzades
Bas Mées
les Semis
Seignosse
Tosse
Saubion
Côte Basque
Bains de Saubusse
Angoumé
Lac d'Hossegor
Soorts
Soorts-Hossegor
Angresse
Casablanca
St-Vincent-de-Tyrosse
St-Geours-de-Maremne
la Gare
Rivière-Saas-et-Gourby
Tercis-les-Bains
Saubusse
Autoroute de la Côte Basque
Capbreton
Sarga
Josse
Siest
Barbé
Péage
Bénesse-Maremne
Pey
Orist
St-Jean-de-Marsacq
Saubrigues
Orx
Cassouat
St-Lon-les-Mines
Labenne Océan
Labenne
l'Adour
Ondres-Plage
Labenne
la Pinède des Singes
Navachon
St-Martin-de-Hinx
Buc
St-Robert
L. d'Yrieu
St-André-de-Seignanx
Camiade
Rasport
St-Étienne-d'Orthe
Tarnos-plage
Ondres
le Port
Port-de-Lanne
Lilla
Biarrotte
Tarnos
St-Martin-de-Seignanx
Biaudos
Ste-Marie-de-Gosse
Orthevielle
Barre de l'Adour
Boucau
fin 2011
Quartier Neuf
Sames
Hastingues
Labas
Bousquet
St-Barthélemy
St-Laurent-de-Gosse
Blancpignon
Marguit
Château de Montpellier
Base de loisirs
la Chambre d'Amour
Cinq Cantons
Citadelle
St-Étienne
les Barthes
la Bourgade
Rocher de la Vierge
ANGLET
BAYONNE
la Joyeuse
Guiche
BIARRITZ
Urcuit
Urt
Comexe
Biarritz-Anglet-Bayonne
Lahonce
Bergeron
Butte de Miremont
St-Pierre-d'Irube
Mouguerre Port
Croix-de-Mouguerre
Mouguerre
Ilbarritz
Ouyarzabal
Peyrolle
Bidache
Chapelet
les Salines
Bardos
Ste-Madeleine
Bassussarry
Briscous
Larrandou
Quartier Lambert
Bidart
Villefranque
Elizaberry
Guéthary
Arcangues
Héguia
Arbonne
Arrauntz
St-Jean Ferme
Elizaldia
Bidart
Pilota Plaza
Pointe de Ste-Barbe
Ahetze
Alotz
Chap. du Sauveur
Route Impériale des Cimes
la Bastide-Clairence
Chourio
Fort
Mais. Louis XIV
St-Jean-de-Luz
Ustaritz
Quartier de Pessarou
Jatxou
Ahotzia
Ayherre
Chantako
Arraute-Charritte
A63
A64
E05
E70
E80
N10
D652
D42
D5
D105
D331
D419
D382
D397
D328
D374
D142
D117
D378
D82
D50
D150
D116
D79
D337
D17
D189
D423
D89
D86
D824
D152
D418
D133
D28
D33
D810
D366
D54
D112
D171
D72
D71
D12
D126
D26
D85
D181
D817
D393
D261
D345
D75
D6
D417
D154
D362
D74
D257
D253
D936
D19
D911
D932
D22
D1
D357
D21
D255
D755
D655
D855
D137
D10
D123
D313
D318
D323
D510

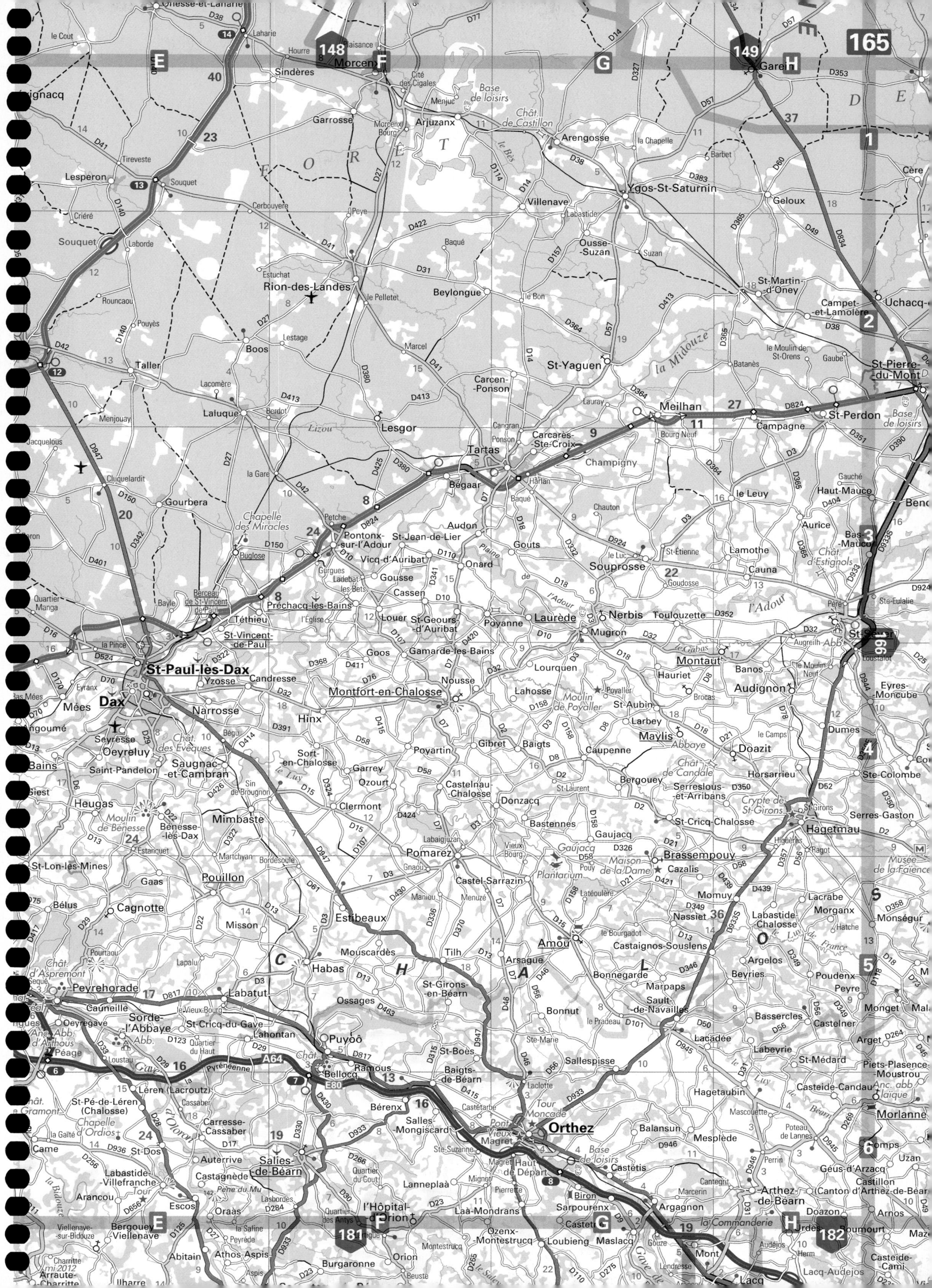
148
149
E
F
G
H
Morcenx
Garein
Ousse-et-Lahaire
Laharie
le Cout
Hourre
Plaisance
Sindères
Cité des Cigales
Base de loisirs
Menjuc
Châf. de Castillon
Arjuzanx
Garrosse
Morcenx-Bourg
Arengosse
la Chapelle
D
E
Tireveste
Lesperon
Souquet
Cerbouyère
Peye
Villenave
Labastide
Ygos-St-Saturnin
Geloux
Barbet
Cère
Criéré
Laborde
Baqué
Ousse-Suzan
Suzan
Estuchat
Rion-des-Landes
le Pelletet
Beylongue
le Bon
St-Martin-d'Oney
Campet-et-Lamolère
Uchacq-et-
Rouncaou
Pouyès
Boos
Lestage
Marcel
St-Yaguen
la Midouze
Batanès
le Moulin de St-Orens
Gaube
St-Pierre-du-Mont
Taller
Lacomère
Carcen-Ponson
Menjouay
Laluque
Berdot
Lizou
Lesgor
Lauray
Meilhan
Campagne
St-Perdon
Base de loisirs
Jacquelous
Cangran
Ponson
Carcarès-Ste-Croix
Bourg Neuf
Tartas
Champigny
la Gare
Cluquelardit
Bégaar
Harlan
Baqué
Chauton
le Leuy
Gauché
Haut-Mauco
Gourbera
Petche
Chapelle des Miracles
Pontonx-sur-l'Adour
St-Jean-de-Lier
Audon
Aurice
Bas-Mauco
Buglose
Vicq-d'Auribat
Onard
Plaine de l'Adour
Gouts
le Luc
St-Étienne
Lamothe
Souprosse
Cauna
Châf. d'Estignols
Goudosse
Gurgues
Ladebat
les Bets
Gousse
Cassen
Quartier Manga
Bayle
Berceau de St-Vincent de Paul
Préchacq-les-Bains
Téthieu
l'Église
Louer
St-Geours-d'Auribat
Poyanne
Laurède
Nerbis
Toulouzette
l'Adour
Péré
Ste-Eulalie
St-Vincent-de-Paul
Mugron
Augreih
Abb.
St-Sever
166
la Pince
St-Paul-lès-Dax
Goos
Gamarde-les-Bains
le Gabas
Montaut
Loustalot
Eyraux
Yzosse
Candresse
Lourquen
Hauriet
Banos
le Moulin Neuf
Eyres-Moncube
Mées
Dax
Narrosse
Montfort-en-Chalosse
Nousse
Lahosse
Moulin de Poyaller
Poyaller
Brocas
Audignon
Angoumé
Hinx
St-Aubin
Larbey
Seyresse
Béqu
Oeyreluy
Châf. des Évêques
Sort-en-Chalosse
Poyartin
Gibret
Baigts
Maylis
Abbaye
Doazit
Dumes
le Camps
Bains
Saint-Pandelon
Saugnac-et-Cambran
le Luy
Garrey
Caupenne
Châf. de Candale
Horsarrieu
Ste-Colombe
Siest
Sin de Brougnon
Ozourt
Castelnau-Chalosse
St-Laurent
Bergouey
Serreslous-et-Arribans
Heugas
Moulin de Bénesse
Bénesse-lès-Dax
Mimbaste
Clermont
Donzacq
Crypte de St-Girons
St-Girons
Bastennes
St-Cricq-Chalosse
Serres-Gaston
Hagetmau
Estanquet
Labaigjuzan
Gaujacq
Brassempouy
Higuères
Ragot
St-Lon-les-Mines
Marfchyan
Bordesoule
Pomarez
Vieux Bourg
Gaujacq
Plantarium
Pouy
Maison de la Dame
Cazalis
Musée de la Faïence
Gaas
Pouillon
Gnaou
Castel-Sarrazin
Lateoulère
Momuy
Lacrabe
Bélus
Cagnotte
Maniou
Menuzé
Nassiet
Morganx
Monségur
Misson
Estibeaux
le Bourgadot
Labastide-Chalosse
Hatche
le Luy de France
Pourtaou
Amou
Castaignos-Souslens
Lapalu
Mouscardès
Tilh
Arsague
Argelos
Poudenx
Châf. d'Aspremont
C
H
A
L
O
S
Habas
St-Girons-en-Béarn
Bonnegarde
Marpaps
Beyries
Peyre
Peyrehorade
Labatut
Ossages
Sault-de-Navailles
Bassercles
Monget
Cauneille
Sorde-l'Abbaye
le Vieux Bourg
St-Cricq-du-Gave
Bonnut
le Pradeau
Castelner
Oeyregave
Anc. Abb. d'Arthous
Abb.
Quartier du Haut
Lahontan
Puyoô
Lacadée
Labeyrie
Arget
Péage
Loustau
Gave
Pyrénéenne
Ste-Marie
St-Boès
St-Médard
Piets-Plasence-Moustrou
Châf.
Bellocq
Ramous
Baigts-de-Béarn
Sallespisse
Léren (Lacroutz)
Cassaber
Laclotte
Hagetaubin
Casteide-Candau
Anc. abb. laïque
St-Pé-de-Léren (Chalosse)
Gramont
Bérenx
Salles-Mongiscard
Castétarbe
Tour Moncade
Mascouette
Morlanne
Chapelle d'Ordios
Carresse-Cassaber
d'Oloron
Pont Vieux
Magret
Orthez
Balansun
Mesplède
Poteau de Lannes
la Gaîté
Came
St-Dos
Auterrive
Salies-de-Béarn
Ste-Suzanne
Haut de Départ
Base de loisirs
Castétis
Perrin
Gérus-d'Arzacq
Uzan
Labastide-Villefranche
Castagnède
Quartier du Gout
Mignot
Pierrette
Lanneplaà
Biron
Cantegrit
Marcerin
Arthez-de-Béarn
Castillon (Canton d'Arthez-de-Béarn)
Arancou
Tour
Pene du Mu
Escos
Oraàs
Lasbordes
la Saline
Quartier des Antys
l'Hôpital-d'Orion
Laà-Mondrans
Sarpourenx
Argagnon
Doazon
Bergouey-Viellenave
Vieillenave-sur-Bidouze
Peyrède
Castetis
la Commanderie
Ordes
Boumourt
Arnos
Abitain
Athos-Aspis
Ozenx-Montestrucq
Montestrucq
Loubieng
Maslacq
Gouze
Mont
Audéjos
Herm
Casteide-Cami
Charritte Mi 2012
Arraute-Charritte
Ilharre
Aspis
Burgaronne
Orion
Beuste
Lendresse
Lacq
Lacq-Audejos
181
182

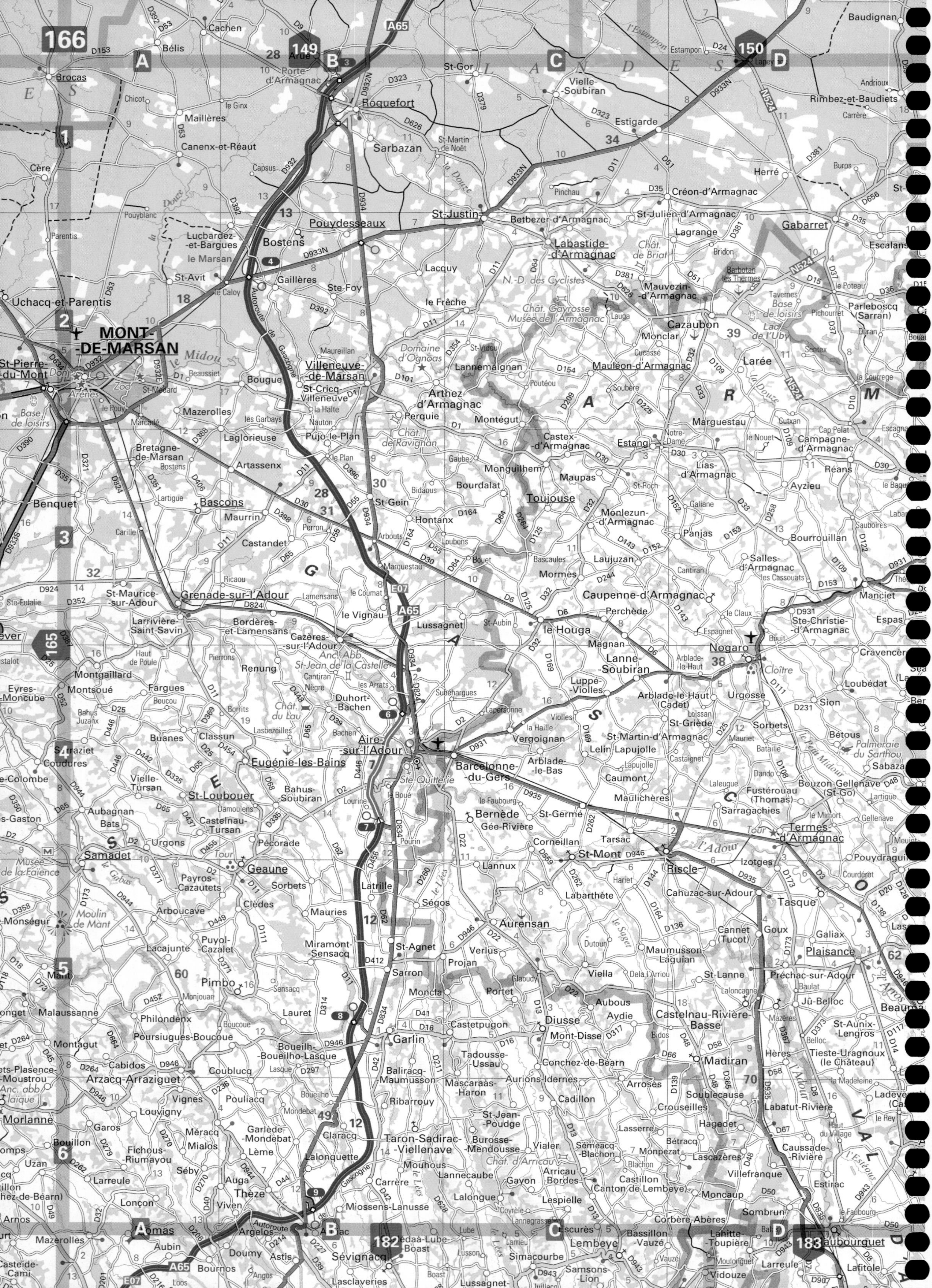166
149
150
182
183
165
A
B
C
D
1
2
3
4
5
6
LANDES
Baudignan
Cachen
Bélis
Arue
Porte d'Armagnac
St-Gor
Vielle-Soubiran
Estampon
Lapeyrade
Brocas
Chicot
le Ginx
Maillères
Roquefort
Andrioux
Rimbez-et-Baudiets
Carrère
Estigarde
Sarbazan
St-Martin de Noët
Canenx-et-Réaut
Cère
Capsus
la Douze
Herré
Buros
Pinchau
Créon-d'Armagnac
St-Justin
Betbezer-d'Armagnac
St-Julien-d'Armagnac
Gabarret
Pouyblanc
Parentis
Lucbardez-et-Bargues
Bostens
Pouydesseaux
Lagrange
Labastide-d'Armagnac
Bridon
Escalans
Châ. de Briat
le Marsan
St-Avit
Gaillères
Lacquy
N.-D. des Cyclistes
Barbotan les Thermes
Mauvezin-d'Armagnac
le Poteau
Uchacq-et-Parentis
le Caloy
Ste-Foy
le Frêche
Tavernes Base de loisirs
Pichourret
Parleboscq (Sarran)
Châ. Gayrosse Musée de l'Armagnac
Lauga
Cazaubon
Monclar
Lac de l'Uby
Duran
MONT-DE-MARSAN
Maureillan
Domaine d'Ognoas
Cucasse
Larée
Sentex
Villeneuve-de-Marsan
Lannemaignan
Mauléon-d'Armagnac
la Courrège
St-Pierre-du-Mont
Beaussiet
St-Médard
Zoo
Arènes
Bougue
St-Cricq-Villeneuve
Pouteou
Arthez-d'Armagnac
Soubère
Base de loisirs
le Pouy
Mazerolles
la Halte
Nauton
les Garbays
Perquie
Montégut
Marguestau
Cutxan
Cap Pelat
Escagnan
Marcadé
Laglorieuse
Pujo-le-Plan
Châ. de Ravignan
Castex-d'Armagnac
Estang
Notre-Dame
le Nouet
Campagne-d'Armagnac
Bretagne-de-Marsan
Bostens
le Plan
Gaube
Monguilhem
Lias-d'Armagnac
Réans
Artassenx
Maupas
St-Roch
AYzieu
le Baque
Bidaous
Bourdalat
Benquet
Lartigue
Bascons
St-Gein
Toujouse
Galiane
Maurrin
Perron
Hontanx
Monlezun-d'Armagnac
Sauboires
Panjas
Bourrouillan
Carille
Castandet
Arbouts
Loubens
Bascaules
Laujuzan
Salles-d'Armagnac
les Cassouats
Bouet
Cantiran
Marquestau
Mormès
Ricaou
Manciet
Ste-Eulalie
St-Maurice-sur-Adour
Grenade-sur-l'Adour
Lamensans
le Coumat
Caupenne-d'Armagnac
Ste-Christie-d'Armagnac
Larrivière-Saint-Savin
Bordères-et-Lamensans
le Vignau
Lussagnet
St-Aubin
Perchède
le Claux
le Houga
Espas
Cazères-sur-l'Adour
Espagnet
Magnan
Haut de Poule
Anc. Abb. St-Jean de la Castelle
Pierrons
Renung
Lanne-Soubiran
Nogaro
Arblade-le-Haut
Cloître
Cravencères
Montgaillard
Cantiran
Nègre
les Arrats
Montsoué
Fargues
Boucou
Eyres-Moncube
Duhort-Bachen
Subéhargues
Luppé-Violles
Arblade-le-Haut (Cadet)
Urgosse
Loubédat
Bahus Juzanx
Borrits
Châ. du Lau
Lapersonne
Loissan
Sion
Lasbezeilles
Bachen
la Haille
Violles
St-Griède
Sorbets
Buanes
Classun
Aire-sur-l'Adour
Vergoignan
St-Martin-d'Armagnac
Mauriet
Bétous
Palmeraie du Sarthou
Sarraziet
Coudures
Eugénie-les-Bains
Barcelonne-du-Gers
Arblade-le-Bas
Lelin-Lapujolle
Bataille
le Petit Midour
Sabazan
Ste-Quitterie
Lapujolle
Castaignet
Dando
Vielle-Tursan
Bahus-Soubiran
le Boue
Caumont
Laleugue
Fustérouau (Thomas)
Bouzon-Gellenave (St-Go)
St-Loubouer
Damoulens
Lourine
le Faubourg
Maulichères
Sarragachies
Lartigue
Aubagnan
Castelnau-Tursan
Bernède
Gée-Rivière
St-Germé
le Mimort
Gellenave
Bats
Termes-d'Armagnac
Urgons
Pécorade
Pourin
Corneillan
Tarsac
Tour
Samadet
St-Mont
l'Adour
Musée de la Faïence
Tour
Geaune
Lannux
Riscle
Izotges
Pouydraguin
Courdérot
Payros-Cazautets
Sorbets
Hariet
Latrille
Cahuzac-sur-Adour
Tasque
Monségur
Moulin de Mant
Arboucave
Clèdes
Labarthète
Ségos
Mauries
Aurensan
Cannet (Tucot)
Goux
Galiax
Puyol-Cazalet
Dutour
Lacajunte
Miramont-Sensacq
St-Agnet
Verlus
Maumusson-Laguian
Plaisance
Mant
Projan
St-Lanne
Préchac-sur-Adour
Pimbo
Monjouan
Sensacq
Sarron
Viella
Dela l'Arriou
Baulat
Claouday
Laloncagne
Moncla
Portet
Aubous
Jû-Belloc
Malaussanne
Lauret
Aydie
Castelnau-Rivière-Basse
Mazères
St-Aunix-Lengros
Philondenx
Boucoue
Garlin
Castetpugon
Diusse
Mont-Disse
Poursiugues-Boucoue
Montagut
Boueilh-Boueilho-Lasque
Tadousse-Ussau
Madiran
Hères
Tieste-Uragnoux (le Château)
Cabidos
Bidos
Lasque
Conchez-de-Béarn
Belloc
Arzacq-Arraziguet
Coublucq
Baliracq-Maumusson
Mascaraàs-Haron
Aurions-Idernes
Arrosès
Soublecause
la Madeleine
Labatut-Rivière
Morlanne
Vignes
Pouliacq
Boueilho
Cadillon
Crouseilles
Ladevèze
Louvigny
Mondebat
Ribarrouy
le Rey
Garos
Méracq
Garlède-Mondebat
Claracq
Taron-Sadirac-Viellenave
St-Jean-Poudge
Lasserre
Hagedet
Haut du Village
Bouillon
Mialos
Burosse-Mendousse
Viviale
Séméacq-Blachon
Bétracq
Caussade-Rivière
Uzan
Fichous-Riumayou
Lème
Châ. d'Arricau
Monpezat
Lascazères
Séby
Lalonquette
Mouhous
Blachon
Villefranque
Larreule
Auga
Lannecaube
Gayon
Arricau-Bordes
Castillon (Canton de Lembeye)
Estirac
Thèze
Carrère
Moncaup
Lonçon
Viven
Miossens-Lanusse
Lalongue
Coyrèle
Lespielle
Sombrun
le Faubourg
Arnos
Lannegrasse
Corbère-Abères
Momas
Argelos
Escurès
Bassillon-Vauzé
Lahitte-Toupière
Maubourguet
Mazerolles
Aubin
Lube
Sevignacq
Doumy
Astis
Lembeye
Vauzé
Moulonguet
Larreule
Casteide-Cami
Bournos
Lusson
Simacourbe
Samsons-Lion
Vidouze
Lafitole
Lasclaveries
Lussagnet
Loos
Angos
VAL
A65
E07
N524
Autoroute de Gascogne

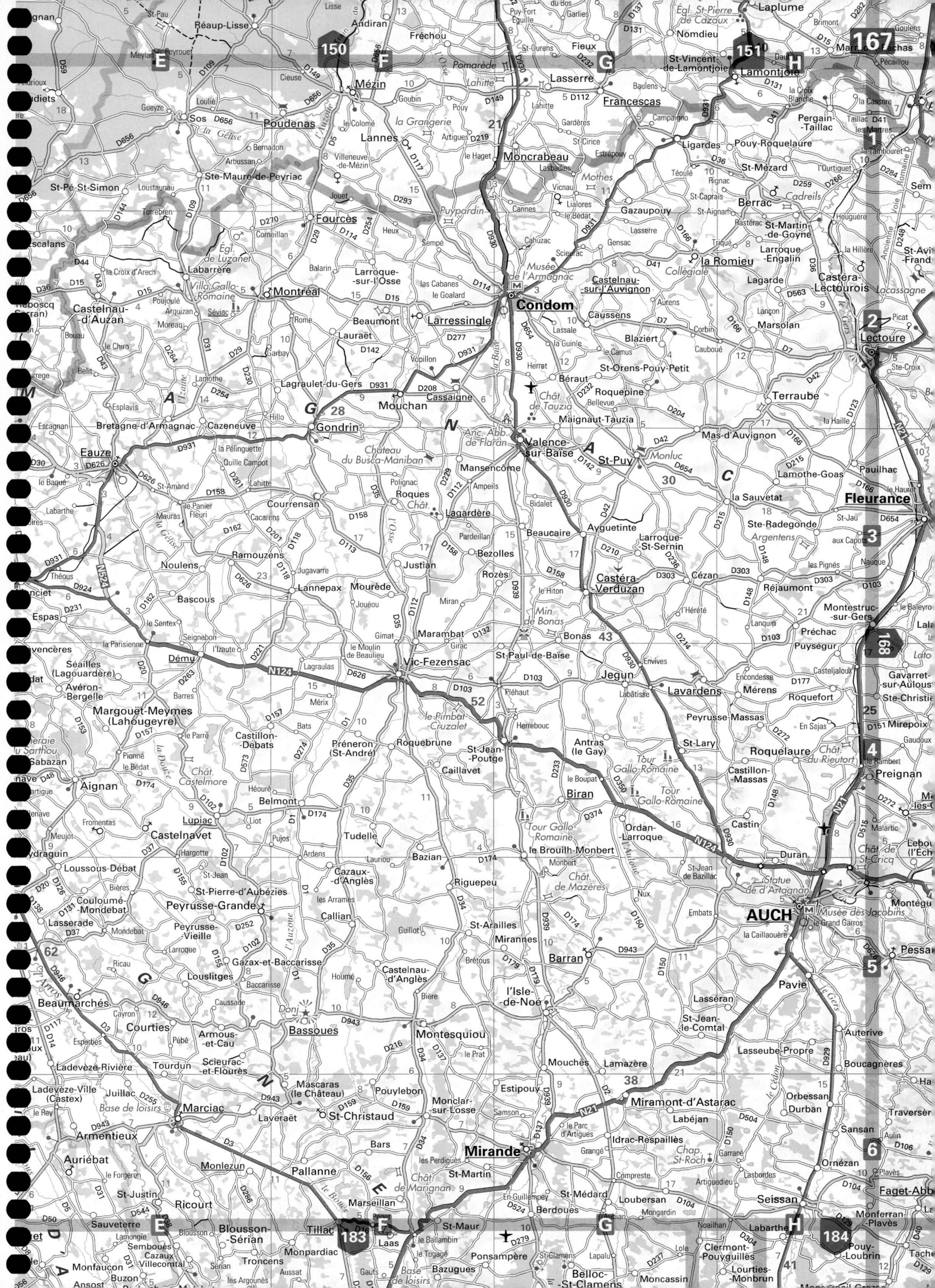

167
150
151
168
183
184
E
F
G
H
1
2
3
4
5
6
Laplume
Andiran
Fréchou
Réaup-Lisse
Nomdieu
St-Vincent-de-Lamontjoie
Lamontjoie
Marsolan
Mézin
Lasserre
Francescas
Poudenas
Sos
Lannes
Moncrabeau
Ligardes
Pouy-Roquelaure
St-Mézard
Pergain-Taillac
Ste-Maure-de-Peyriac
St-Pé-St-Simon
Fourcès
Berrac
Gazaupouy
St-Martin-de-Goyne
Larroque-Engalin
la Romieu
Collégiale
Cadreils
Labarrère
Montréal
Castelnau-d'Auzan
Larroque-sur-l'Osse
Condom
Musée de l'Armagnac
Castelnau-sur-l'Auvignon
Caussens
Castéra-Lectourois
Lectoure
Beaumont
Larressingle
Lauraët
Blaziert
St-Orens-Pouy-Petit
Béraut
Roquepine
Terraube
Lagraulet-du-Gers
Mouchan
Cassaigne
Gondrin
Bretagne-d'Armagnac
Cazeneuve
Eauze
Château du Busca-Maniban
Anc. Abb. de Flaran
Valence-sur-Baïse
Maignaut-Tauzia
Mas-d'Auvignon
St-Puy
Monluc
Mansencôme
Lamothe-Goas
Pauilhac
Fleurance
la Sauvetat
Ste-Radegonde
Courrensan
Roques
Lagardère
Ayguetinte
Larroque-St-Sernin
Beaucaire
Bezolles
Ramouzens
Noulens
Justian
Castéra-Verduzan
Cézan
Réjaumont
Lannepax
Mourède
Bascous
Montestruc-sur-Gers
Préchac
Puységur
Marambat
Bonas
Vic-Fezensac
St-Paul-de-Baïse
Jegun
Lavardens
Mérens
Roquefort
Démù
Séailles (Lagouardère)
Avéron-Bergelle
Margouët-Meymes (Lahougeyre)
Castillon-Debats
Préneron (St-André)
Roquebrune
St-Jean-Poutge
Antras (le Gay)
Peyrusse-Massas
St-Lary
Roquelaure
Castillon-Massas
Preignan
Aignan
Belmont
Lupiac
Castelnavet
Biran
Ordan-Larroque
Tudelle
Bazian
le Brouilh-Monbert
Castin
Duran
Loussous-Débat
Cazaux-d'Anglès
St-Pierre-d'Aubézies
Riguepeu
Couloumé-Mondebat
Peyrusse-Grande
Callian
AUCH
Musée des Jacobins
Lasserade
Peyrusse-Vieille
St-Arailles
Mirannes
Barran
Pessan
Gazax-et-Baccarisse
Louslitges
Castelnau-d'Anglès
Pavie
l'Isle-de-Noé
Lasséran
Beaumarchès
Courties
Armous-et-Cau
Bassoues
Montesquiou
St-Jean-le-Comtal
Auterive
Ladevèze-Rivière
Tourdun
Scieurac-et-Flourès
Mouchès
Lamazère
Lasseube-Propre
Boucagnères
Mascaras (le Château)
Pouylebon
Estipouy
Miramont-d'Astarac
Ladevèze-Ville (Castex)
Juillac
Marciac
Laveraët
St-Christaud
Monclar-sur-Losse
Labéjan
Orbessan
Durban
Armentieux
Bars
Mirande
Idrac-Respaillès
Auriébat
Monlezun
Pallanne
St-Martin
Ornézan
St-Justin
Ricourt
Marseillan
St-Médard
Loubersan
Seissan
Faget-Abbatial
Sauveterre
Blousson-Sérian
Tillac
St-Maur
Berdoues
Labarthe
Monferran-Plavès
Semboués
Cazaux-Villecomtal
Monpardiac
Troncens
Laas
Ponsampère
Clermont-Pouyguillès
Lourties-Monbrun
Monfaucon
Buzon
Bazugues
Belloc-St-Clamens
Moncassin
N124
N21
N524
D931
D930
D939
D626

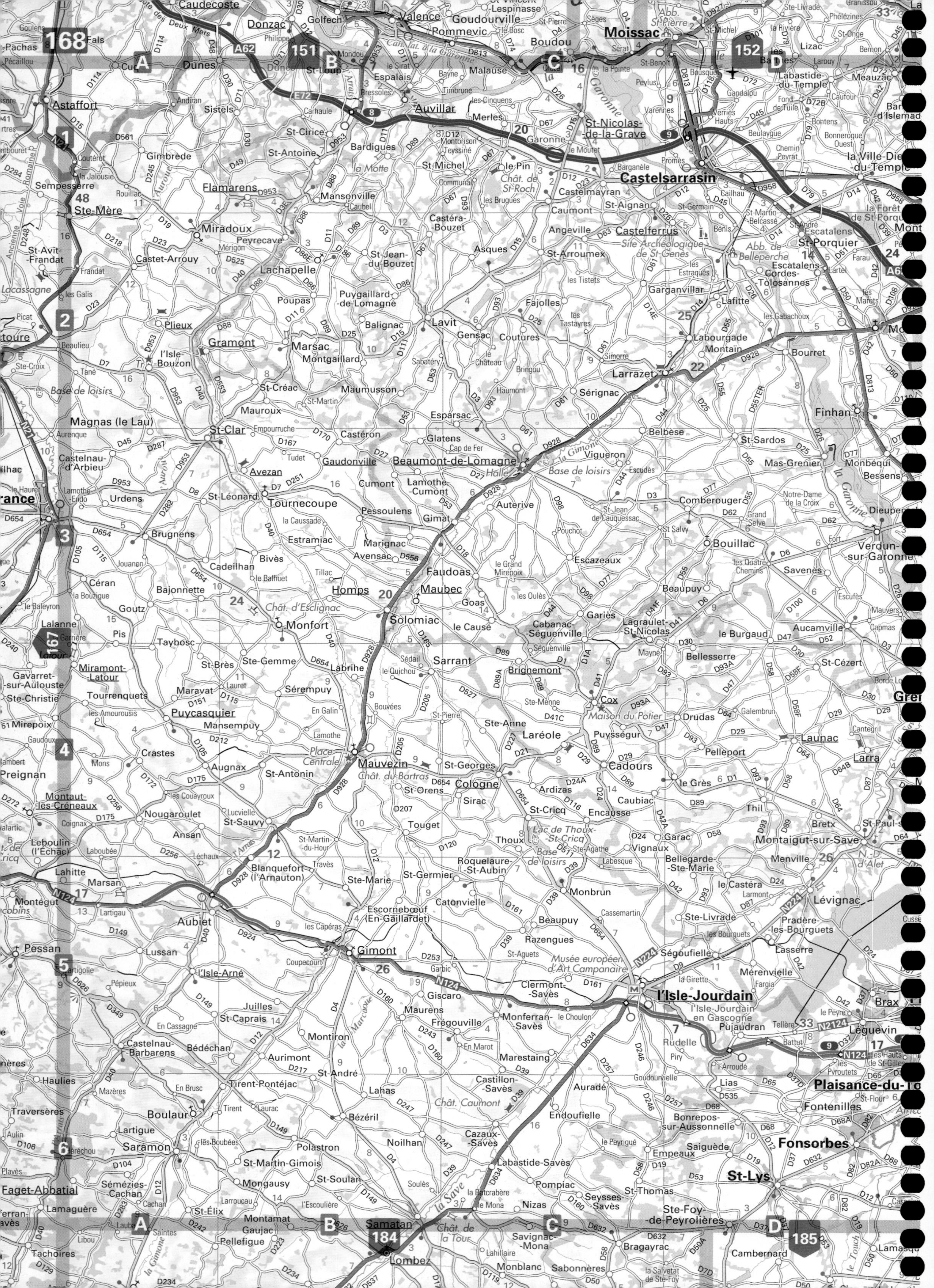
168
151
152
A
B
C
D
Caudecoste
Donzac
Golfech
Valence
Goudourville
Pommevic
Moissac
Dunes
St-Loup
Malause
Boudou
Astaffort
Sistels
Auvillar
St-Nicolas-de-la-Grave
Castelsarrasin
Gimbrède
Flamarens
Mansonville
Castelmayran
Ste-Mère
Miradoux
Lachapelle
Asques
Castelferrus
St-Porquier
Lavit
Garganvillar
Plieux
Gramont
Marsac
Larrazet
Finhan
Magnas (le Lau)
St-Clar
Beaumont-de-Lomagne
Avezan
Tournecoupe
Gimat
Bouillac
Verdun-sur-Garonne
Faudoas
Maubec
Homps
Solomiac
Monfort
Sarrant
Brignemont
Cox
Mauvezin
Cologne
Cadours
Launac
Puycasquier
Montaut-les-Créneaux
Aubiet
Gimont
l'Isle-Jourdain
Léguevin
Plaisance-du-Touch
Fonsorbes
St-Lys
Saramon
Samatan
Lombez
184
185
167

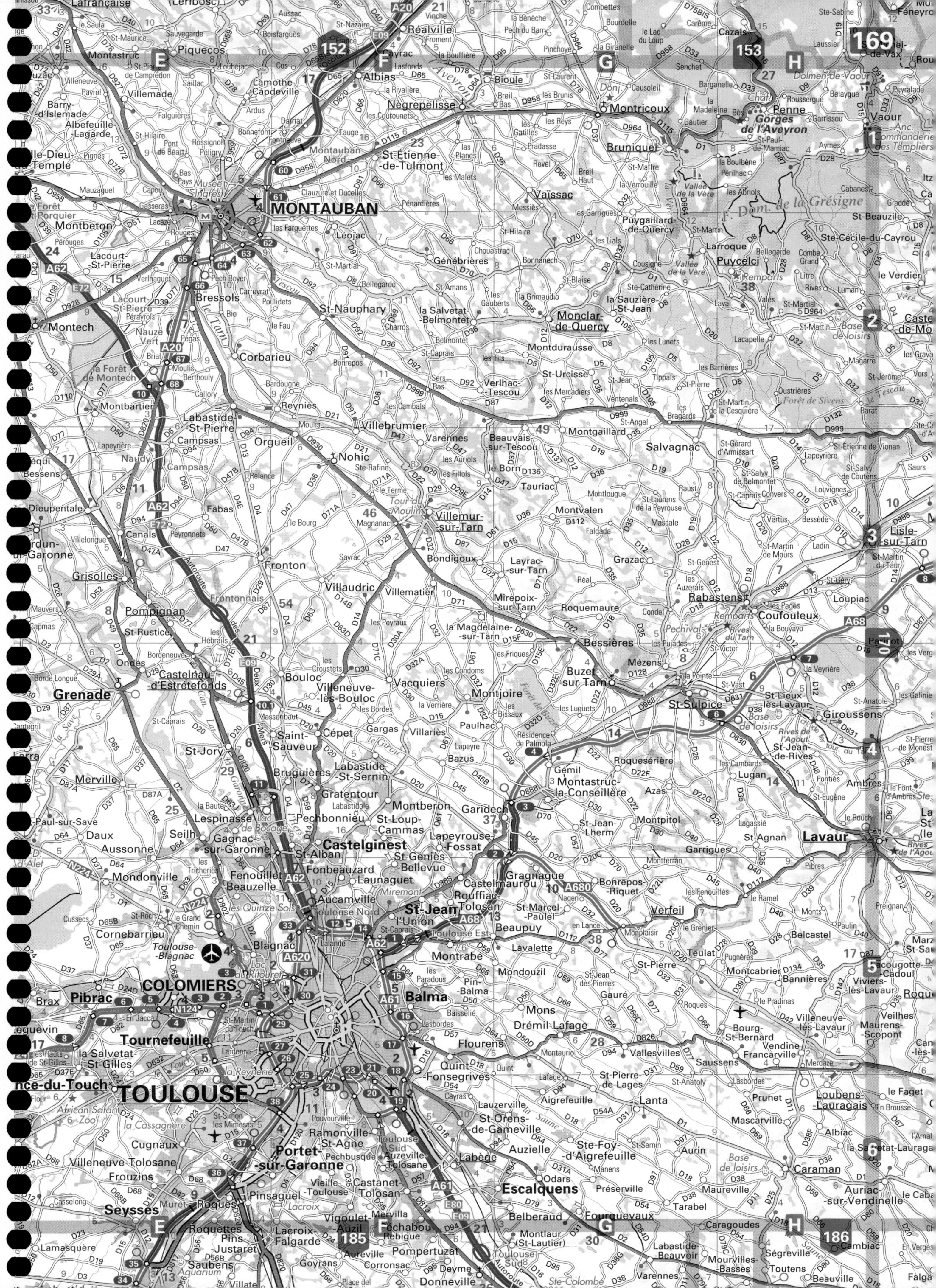

152
153
169
185
186
E
F
G
H
1
2
3
4
5
6
MONTAUBAN
TOULOUSE
COLOMIERS
Piquecos
Réalville
Albias
Nègrepelisse
Bioule
Montricoux
Bruniquel
Penne
Vaour
Gorges de l'Aveyron
Montastruc
Villemade
Lamothe-Capdeville
St-Étienne-de-Tulmont
Montbeton
Lacourt-St-Pierre
Bressols
Montech
Corbarieu
St-Nauphary
Léojac
Génébrières
Vaïssac
Puygaillard-de-Quercy
Larroque
Puycelci
Monclar-de-Quercy
La Salvetat-Belmontet
Montdurausse
St-Urcisse
Verlhac-Tescou
Reyniès
Labastide-St-Pierre
Villebrumier
Orgueil
Nohic
Varennes
Beauvais-sur-Tescou
Montgaillard
Salvagnac
Tauriac
Montvalen
Villemur-sur-Tarn
Bondigoux
Layrac-sur-Tarn
Grazac
Rabastens
Coufouleux
Lisle-sur-Tarn
Loupiac
Fronton
Villaudric
Villematier
Mirepoix-sur-Tarn
Roquemaure
La Magdelaine-sur-Tarn
Bessières
Mézens
Buzet-sur-Tarn
St-Sulpice
Giroussens
St-Lieux-lès-Lavaur
Grisolles
Pompignan
St-Rustice
Castelnau-d'Estrétefonds
Grenade
Ondes
Bouloc
Villeneuve-lès-Bouloc
Vacquiers
Montjoire
Paulhac
Saint-Sauveur
Cépet
Gargas
Villariès
Bazus
Roquesérière
Gémil
Montastruc-la-Conseillère
Azas
Lugan
St-Jean-de-Rives
Ambres
Lavaur
St-Jory
Merville
Bruguières
Labastide-St-Sernin
Gratentour
Montberon
Garidech
Lespinasse
Pechbonnieu
St-Loup-Cammas
Castelginest
Lapeyrouse-Fossat
St-Jean-Lherm
Montpitol
St-Agnan
Garrigues
Seilh
Gagnac-sur-Garonne
Daux
Aussonne
St-Alban
Fonbeauzard
St-Geniès-Bellevue
Launaguet
Gragnague
Castelmaurou
Bonrepos-Riquet
Mondonville
Fenouillet
Beauzelle
Aucamville
Rouffiac-Tolosan
St-Marcel-Paulel
Verfeil
St-Jean
l'Union
Beaupuy
Cornebarrieu
Blagnac
Toulouse-Blagnac
Montrabé
Lavalette
Teulat
Belcastel
Montcabrier
Bannières
Mondouzil
Pin-Balma
Balma
Pibrac
Brax
Mons
Drémil-Lafage
Gauré
Bourg-St-Bernard
Villeneuve-lès-Lavaur
Tournefeuille
La Salvetat-St-Gilles
Flourens
Quint-Fonsegrives
Vallesvilles
Saussens
Francarville
Vendine
St-Pierre-de-Lages
Lanta
Prunet
Loubens-Lauragais
Aigrefeuille
Cugnaux
St-Orens-de-Gameville
Ramonville-St-Agne
Auzielle
Ste-Foy-d'Aigrefeuille
Caraman
Villeneuve-Tolosane
Frouzins
Portet-sur-Garonne
Labège
Escalquens
Seysses
Roques
Pinsaguel
Castanet-Tolosan
Auzeville-Tolosane
Préserville
Maureville
Auriac-sur-Vendinelle
Belberaud
Fourquevaux
Roquettes
Pins-Justaret
Lacroix-Falgarde
Vigoulet-Auzil
Mervilla
Pechabou
Pompertuzat
Montlaur
Caragoudes
Ste-Colombe
Varennes
Mourvilles-Basses
Ségreville
Toutens
Cambiac
Beauville
Saubens
Goyrans
Corronsac
Deyme
Donneville
Lamasquère

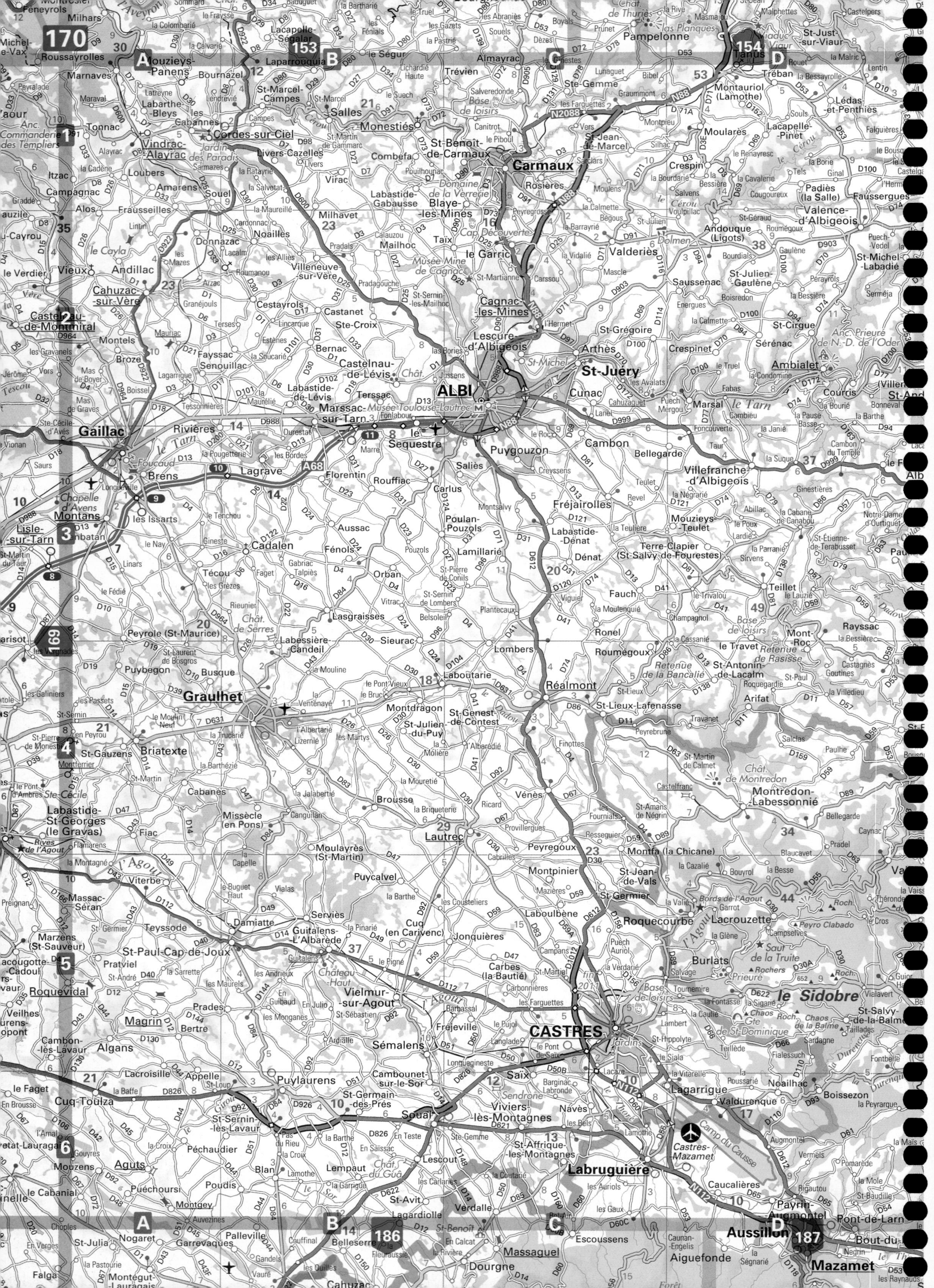

170
153
154
169
186
187
A
B
C
D
1
2
3
4
5
6
Cordes-sur-Ciel
Carmaux
Pampelonne
Tanus
St-Just-sur-Viaur
Monestiés
Salles
St-Benoît-de-Carmaux
Blaye-les-Mines
Valence-d'Albigeois
Valderiès
Cagnac-les-Mines
Lescure-d'Albigeois
Arthes
St-Juéry
ALBI
Musée Toulouse-Lautrec
Marssac-sur-Tarn
Castelnau-de-Lévis
Gaillac
Brens
Lagrave
le Sequestre
Puygouzon
Cunac
Ambialet
Villefranche-d'Albigeois
Castelnau-de-Montmiral
Cahuzac-sur-Vère
Vindrac-Alayrac
Lisle-sur-Tarn
Montans
Cadalen
Fréjairolles
Dénat
Réalmont
Graulhet
Briatexte
Lombers
Montredon-Labessonnié
Lautrec
Roquecourbe
Burlats
le Sidobre
Labastide-St-Georges (le Gravas)
St-Paul-Cap-de-Joux
Vielmur-sur-Agout
CASTRES
Puylaurens
Soual
Labruguière
Lagarrigue
Castres-Mazamet
Aussillon
Mazamet
Dourgne
Massaguel
Cuq-Toulza
Roquevidal
Magrin
Aguts
Montgey
A68
N88
N112
N2088
l'Agout
le Tarn
le Thoré

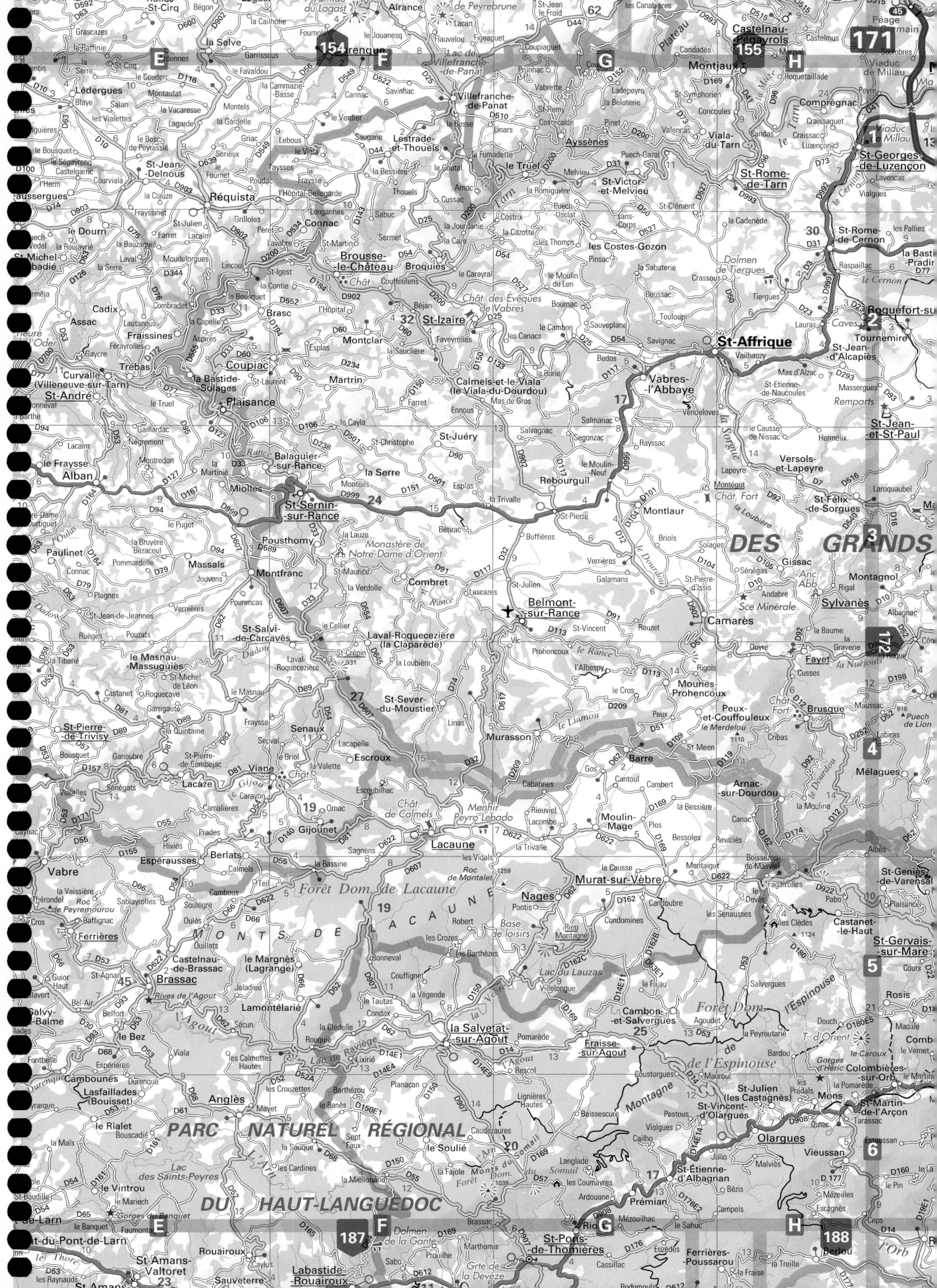

154
155
171
172
187
188
E
F
G
H
St-Cirq
la Selve
Lédergues
Villefranche-de-Panat
Castelnau-Pégayrols
Montjaux
Lestrade-et-Thouels
Ayssènes
Viala-du-Tarn
St-Georges-de-Luzençon
St-Jean-Delnous
Réquista
le Truel
St-Victor-et-Melvieu
St-Rome-de-Tarn
Connac
St-Rome-de-Cernon
Les Costes-Gozon
Brousse-le-Château
Broquiès
Dolmen de Tiergues
Cadix
Brasc
Châť. des Évêques de Vabres
Roquefort-sur
Assac
Fraissines
St-Izaire
St-Affrique
Montclar
Trébas
Coupiac
Curvalle (Villeneuve-sur-Tarn)
la Bastide-Solages
Martrin
Calmels-et-le-Viala (le Viala-du-Dourdou)
Vabres-l'Abbaye
St-André
Plaisance
St-Jean-et-St-Paul
St-Juéry
Balaguier-sur-Rance
Versols-et-Lapeyre
le Fraysse
Alban
la Serre
Rebourguil
Miolles
St-Sernin-sur-Rance
Montlaur
St-Félix-de-Sorgues
DES GRANDS
Paulinet
Pousthomy
Monastère de Notre-Dame d'Orient
Massals
Montfranc
Combret
Gissac
Montagnol
Sylvanès
Belmont-sur-Rance
Sce Minérale
Camarès
St-Salvi-de-Carcavès
Laval-Roquecezière (la Claparède)
le Masnau-Massuguiès
Fayet
Mounes-Prohencoux
St-Sever-du-Moustier
Peux-et-Couffouleux
Brusque
St-Pierre-de-Trivisy
Senaux
Murasson
Escroux
Barre
Viane
Lacaze
Mélagues
Arnac-sur-Dourdou
Gijounet
Moulin-Mage
Menhir Peyro Lebado
Lacaune
Espérausses
Berlats
Vabre
Forêt Dom. de Lacaune
Murat-sur-Vèbre
Nages
St-Geniès-de-Varensal
MONTS DE LACAUNE
Ferrières
Castanet-le-Haut
St-Gervais-sur-Mare
Castelnau-de-Brassac
Le Margnès (Lagrange)
Brassac
Lac du Laouzas
Lamontélarié
Cambon-et-Salvergues
Rosis
la Salvetat-sur-Agoût
Fraisse-sur-Agout
Lac de la Raviège
Cambounès
Lasfaillades (Bouisset)
Anglès
Montagne de l'Espinouse
St-Julien (les Castagnès)
St-Vincent-d'Olargues
Colombières-sur-Orb
Mons
St-Martin-de-l'Arçon
PARC NATUREL RÉGIONAL
DU HAUT-LANGUEDOC
le Rialet
le Soulié
Olargues
Vieussan
Lac des Saints-Peyres
le Vintrou
St-Étienne-d'Albagnan
Prémian
Gorges du Banquet
Dolmen de la Gante
St-Pons-de-Thomières
Ferrières-Poussarou
Rouairoux
St-Amans-Valtoret
Labastide-Rouairoux
Sauveterre
Grte de la Devèze
Berlou

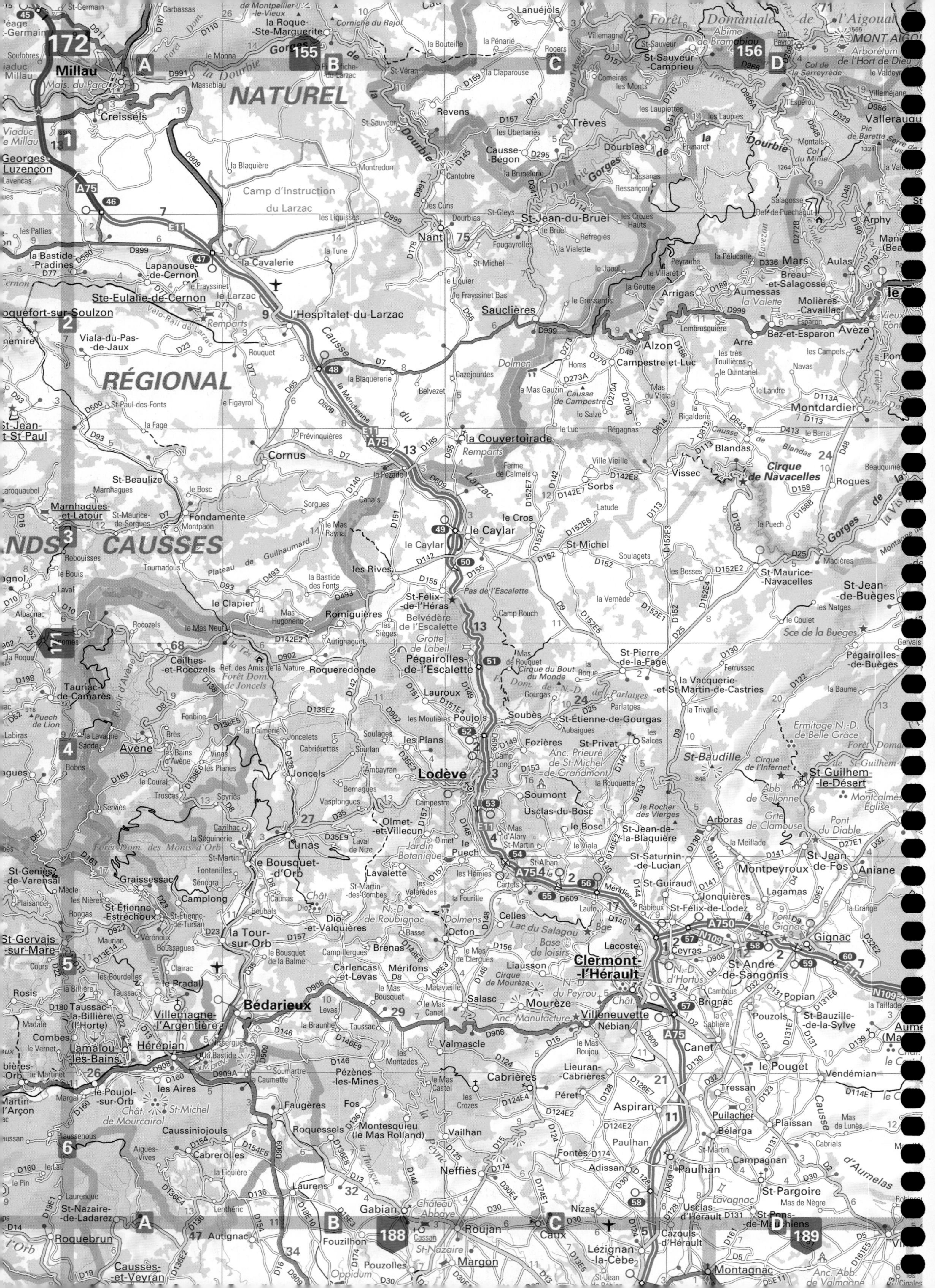

172
155
156
A
B
C
D
Millau
Mais. du Parc
Creissels
Viaduc de Millau
Georges-Luzençon
NATUREL
RÉGIONAL
ANDS CAUSSES
Camp d'Instruction du Larzac
la Roque-Ste-Marguerite
Corniche du Rajol
Gorges de la Dourbie
Lanuéjols
Forêt Domaniale de l'Aigoual
Abîme de Bramabiau
St-Sauveur-Camprieu
MONT AIGOUAL
Arborétum de l'Hort de Dieu
Col de la Serreyrède
Valleraugue
Trèves
Dourbies
Causse-Bégon
Cantobre
Revens
Nant
St-Jean-du-Bruel
Sauclières
Mars
Aulas
Arrigas
Aumessas
Bréau-et-Salagosse
Molières-Cavaillac
Alzon
Arre
Bez-et-Esparon
Avèze
Campestre-et-Luc
Causse de Campestre
Montdardier
Blandas
Cirque de Navacelles
Vissec
Rogues
Gorges de la Vis
St-Maurice-Navacelles
St-Jean-de-Buèges
Sce de la Buèges
Pégairolles-de-Buèges
la Bastide-Pradines
Lapanouse-de-Cernon
la Cavalerie
Ste-Eulalie-de-Cernon
l'Hospitalet-du-Larzac
Roquefort-sur-Soulzon
Viala-du-Pas-de-Jaux
Causse du Larzac
la Couvertoirade
Remparts
Cornus
St-Beaulize
Marnhagues-et-Latour
Fondamente
le Caylar
St-Michel
les Rives
St-Félix-de-l'Héras
Pas de l'Escalette
Belvédère de l'Escalette
Romiguières
le Clapier
Plateau de Guilhaumard
Ceilhes-et-Rocozels
Pégairolles-de-l'Escalette
St-Pierre-de-la-Fage
la Vacquerie-et-St-Martin-de-Castries
St-Étienne-de-Gourgas
Soubès
Poujols
les Plans
Lodève
Joncels
Avène
Tauriac-de-Camarès
St-Privat
St-Baudille
St-Guilhem-le-Désert
Abb. de Gellone
Soumont
Usclas-du-Bosc
le Bosc
St-Jean-de-la-Blaquière
Arboras
Montpeyroux
St-Jean-de-Fos
Aniane
Pont du Diable
Lunas
Olmet-et-Villecun
le Bousquet-d'Orb
St-Geniès-de-Varensal
Graissessac
Camplong
St-Étienne-Estréchoux
Dio-et-Valquières
Octon
Celles
Lac du Salagou
Clermont-l'Hérault
Lacoste
Ceyras
St-André-de-Sangonis
Gignac
St-Gervais-sur-Mare
La Tour-sur-Orb
Brenas
Mérifons
Carlencas-et-Levas
Salasc
Mourèze
Cirque de Mourèze
Villeneuvette
Nébian
Brignac
Canet
Pouzols
Popian
St-Bauzille-de-la-Sylve
le Pouget
Vendémian
Tressan
Puilacher
Bélarga
Plaissan
Bédarieux
Villemagne-l'Argentière
Hérépian
Lamalou-les-Bains
le Pradal
Taussac-la-Billière
Combes
le Poujol-sur-Orb
les Aires
Pézènes-les-Mines
Faugères
Cabrières
Lieuran-Cabrières
Péret
Aspiran
Paulhan
Caussiniojouls
Roquessels
Montesquieu (le Mas Rolland)
Vailhan
Cabrerolles
Neffiès
Fontès
Adissan
Campagnan
St-Pargoire
Causse d'Aumelas
Laurens
Gabian
Roujan
Caux
Nizas
Usclas-d'Hérault
Cazouls-d'Hérault
Lézignan-la-Cèbe
St-Pons-de-Mauchiens
St-Nazaire-de-Ladarez
Roquebrun
Autignac
Fouzilhon
Pouzolles
Margon
Causses-et-Veyran
Montagnac
188
189

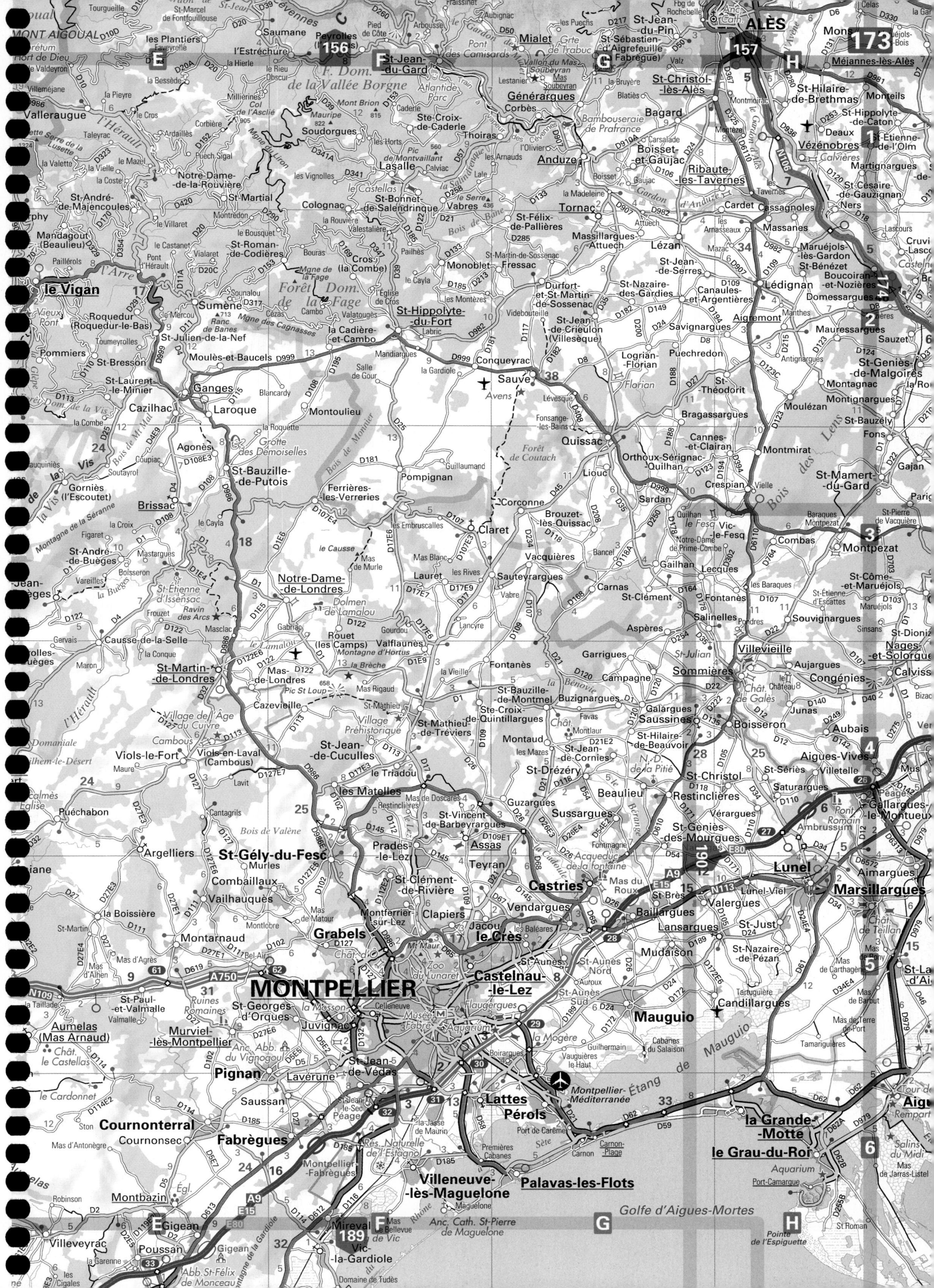

156
157
173
174
189
190
E
F
G
H
1
2
3
4
5
6
MONT AIGOUAL
ALÈS
MONTPELLIER
Mons
Méjannes-lès-Alès
St-Jean-du-Pin
St-Sébastien-d'Aigrefeuille (Fabrègue)
Mialet
Grte de Trabuc
Pont des Camisards
St-Jean-du-Gard
F. Dom. de la Vallée Borgne
Peyrolles
Saumane
l'Estréchure
les Plantiers
St-Marcel de Fontfouillouse
Valleraugue
Notre-Dame-de-la-Rouvière
St-André-de-Majencoules
St-Martial
Mandagout (Beaulieu)
le Vigan
Sumène
Roquedur (Roquedur-le-Bas)
St-Julien-de-la-Nef
Pommiers
St-Bresson
St-Laurent-le-Minier
Ganges
Cazilhac
Laroque
Moulès-et-Baucels
Agonès
Brissac
St-Bauzille-de-Putois
Grotte des Demoiselles
St-André-de-Buèges
Notre-Dame-de-Londres
St-Étienne d'Issensac
Causse-de-la-Selle
St-Martin-de-Londres
Mas-de-Londres
Rouet (les Camps)
Valflaunès
Pic St Loup
Cazevieille
St-Mathieu-de-Tréviers
St-Jean-de-Cuculles
les Matelles
Viols-le-Fort
Viols-en-Laval (Cambous)
Puéchabon
Argelliers
St-Gély-du-Fesc
Combaillaux
Vailhauquès
Montarnaud
la Boissière
Grabels
Montferrier-sur-Lez
Clapiers
Jacou
le Crès
Castelnau-le-Lez
Prades-le-Lez
St-Clément-de-Rivière
Teyran
Assas
St-Vincent-de-Barbeyrargues
Castries
Vendargues
Baillargues
St-Brès
Valergues
Lunel
Lunel-Viel
Marsillargues
Aimargues
St-Aunès
Mauguio
Candillargues
Lansargues
Mudaison
St-Just
St-Nazaire-de-Pézan
Juvignac
St-Georges-d'Orques
Murviel-lès-Montpellier
Aumelas (Mas Arnaud)
St-Paul-et-Valmalle
Pignan
Lavérune
St-Jean-de-Védas
Saussan
Cournonterral
Cournonsec
Fabrègues
Lattes
Pérols
Palavas-les-Flots
Villeneuve-lès-Maguelone
Montbazin
Gigean
Poussan
Villeveyrac
Mireval
Vic-la-Gardiole
Montpellier-Méditerranée
Étang de Mauguio
Carnon-Plage
la Grande-Motte
le Grau-du-Roi
Golfe d'Aigues-Mortes
Anc. Cath. St-Pierre de Maguelone
Pointe de l'Espiguette
Port-Camargue
Sommières
Villevieille
Aujargues
Congénies
Aubais
Junas
Boisseron
Saussines
Galargues
St-Christol
Restinclières
Beaulieu
Sussargues
Guzargues
St-Drézéry
Montaud
Buzignargues
St-Bauzille-de-Montmel
Ste-Croix-de-Quintillargues
Fontanès
Campagne
Garrigues
Aspères
Salinelles
Carnas
St-Clément
Lecques
Gailhan
Vacquières
Sauteyrargues
Claret
Lauret
Corconne
Brouzet-lès-Quissac
Quissac
Liouc
Sardan
Orthoux-Sérignac-Quilhan
Crespian
Vic-le-Fesq
Combas
Montpezat
Sauve
Conqueyrac
St-Hippolyte-du-Fort
Durfort-et-St-Martin-de-Sossenac
St-Jean-de-Crieulon (Villesèque)
Logrian-Florian
Canaules-et-Argentières
St-Nazaire-des-Gardies
Lédignan
Aigremont
Savignargues
Lézan
Massillargues-Attuech
Tornac
Anduze
St-Félix-de-Pallières
Fressac
Monoblet
Lasalle
Soudorgues
Thoiras
Ste-Croix-de-Caderle
Générargues
Bagard
Boisset-et-Gaujac
Ribaute-les-Tavernes
St-Christol-lès-Alès
Vézénobres
Cassagnoles
Massanes
Maruéjols-lès-Gardon
St-Bénézet
Montmirat
Cannes-et-Clairan
St-Mamert-du-Gard
Fons
Gajan
St-Geniès-de-Malgoires
Mauressargues
Moulézan
Montignargues
St-Bauzély
Souvignargues
St-Côme-et-Maruéjols
Nages-et-Solorgues
Calvisson
Aigues-Vives
Gallargues-le-Montueux
Ambrussum
Vérargues
St-Geniès-des-Mourgues
St-Sériès
Saturargues
Villetelle
A9
A750
N109
N113
N106
E15
E80

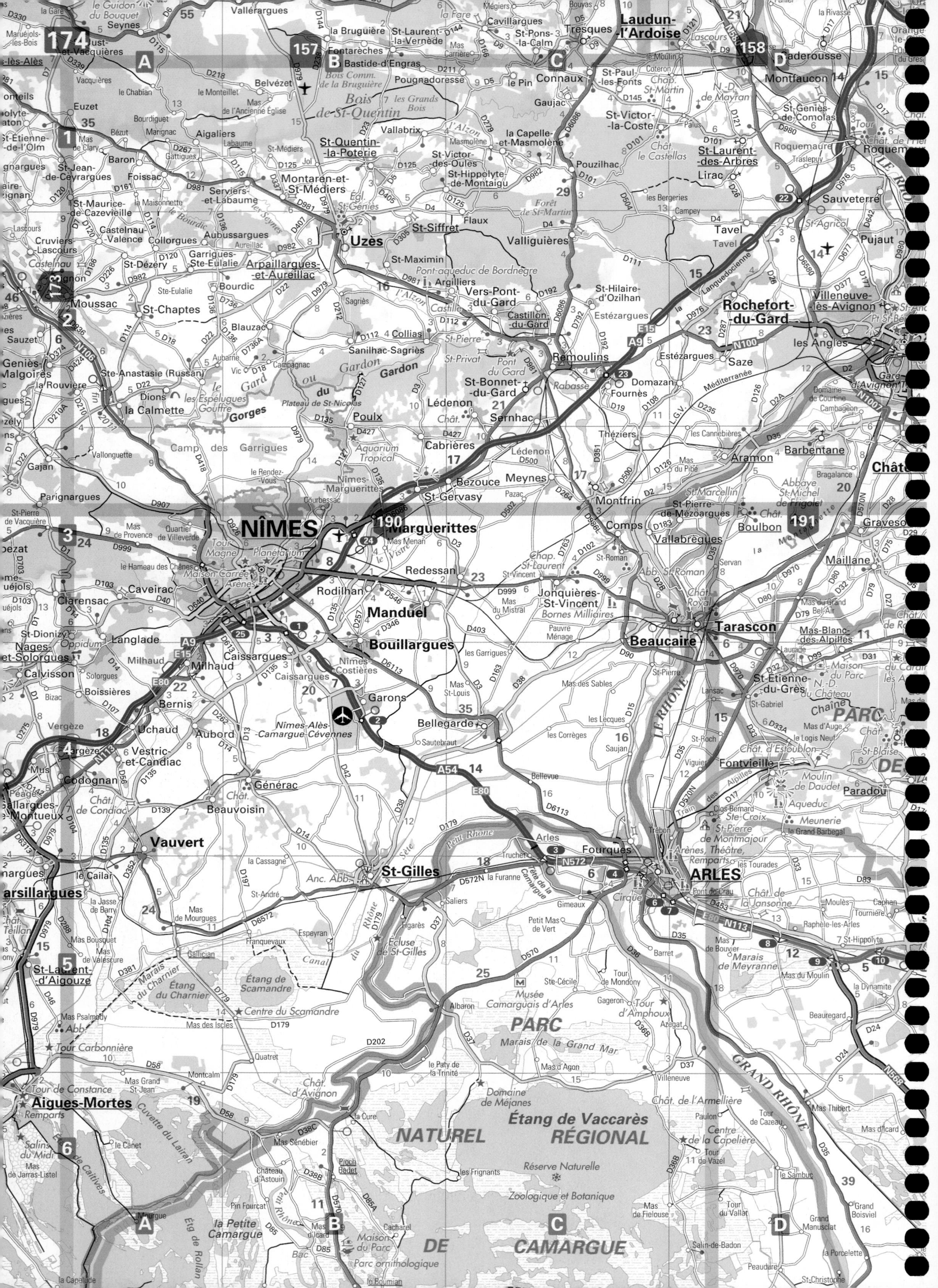

174
157
158
173
190
191
A
B
C
D
1
2
3
4
5
6
Vallérargues
le Guidon du Bouquet
Seynes
Bouquet-et-Vacquières
la Bruguière
Fontarèches
la Bastide-d'Engras
St-Laurent-la-Vernède
Cavillargues
St-Pons-la-Calm
Tresques
Laudun-l'Ardoise
Caderousse
Montfaucon
Bois Comm. de la Bruguière
Pougnadoresse
Belvézet
le Pin
Connaux
St-Paul-les-Fonts
Chap. St-Martin
N.-D. de Mayran
Bois de St-Quentin
les Grands Bois
Vacquières
le Chabian
le Monteillet
Mas de l'Ancienne Église
Euzet
Aigaliers
Vallabrix
la Capelle-et-Masmolène
Gaujac
St-Victor-la-Coste
St-Geniès-de-Comolas
Châtt. le Castellas
St-Laurent-des-Arbres
Roquemaure
St-Quentin-la-Poterie
St-Victor-des-Oules
St-Hippolyte-de-Montaigu
Pouzilhac
Lirac
Baron
Foissac
St-Jean-de-Ceyrargues
Serviers-et-Labaume
Montaren-et-St-Médiers
Forêt de St-Martin
les Bergeries
Sauveterre
St-Maurice-de-Cazevieille
Castelnau-Valence
Aubussargues
Collorgues
Flaux
St-Siffret
Uzès
Valliguières
Tavel
St-Agricol
Pujaut
St-Dézéry
Garrigues-Ste-Eulalie
Arpaillargues-et-Aureillac
St-Maximin
Pont-aqueduc de Bordnègre
Argilliers
Vers-Pont-du-Gard
Castillon-du-Gard
St-Hilaire-d'Ozilhan
Estézargues
Rochefort-du-Gard
Villeneuve-lès-Avignon
Moussac
Bourdic
St-Chaptes
Sagriès
Collias
Sanilhac-Sagriès
Remoulins
les Angles
Blauzac
Gardon
Pont du Gard
St-Bonnet-du-Gard
Domazan
Fournès
Saze
Gare d'Avignon TGV
Ste-Anastasie (Russan)
Dions
la Calmette
les Espélugues Gouffre
Gorges du Gardon
Plateau de St-Nicolas
Lédenon
Sernhac
Rabasse
la Rouvière
Poulx
Cabrières
Théziers
Aramon
Barbentane
Camp des Garrigues
Aquarium Tropical
Bezouce
Meynes
Montfrin
Abbaye St-Michel de Frigolet
Vallonguette
Gajan
Parignargues
le Rendez-Vous
Nîmes-Marguerittes
St-Gervasy
St-Pierre-de-Mézoargues
Boulbon
Châteaurenard
Graveson
Courbessac
NÎMES
Marguerittes
Comps
Vallabrègues
Mas de Provence
Quartier de Villeverde
Tour Magne
Planétarium
Maison Carrée
Arènes
Redessan
Chap. St-Laurent
Maillane
le Hameau des Chênes
Caveirac
Clarensac
Rodilhan
Manduel
Jonquières-St-Vincent
Bornes Milliaires
Abb. St-Roman
Tarascon
Beaucaire
Langlade
Milhaud
Caissargues
Bouillargues
Nîmes-Costières
Pauvre Ménage
Mas-Blanc-des-Alpilles
St-Dionizy
Nages-et-Solorgues
Calvisson
Boissières
Solorgues
Bernis
Garons
Mas St-Louis
Mas des Sables
St-Étienne-du-Grès
N.-D. du Château
Maison du Parc
Uchaud
Vergèze
Aubord
Nîmes-Alès-Camargue-Cévennes
Bellegarde
Sautebraut
les Corrèges
les Lecques
Saujan
Fontvieille
Moulin de Daudet
Paradou
Vestric-et-Candiac
Codognan
Mus
Générac
Châtt. de Candiac
Beauvoisin
Bellevue
Aqueduc
Meunerie
Vauvert
le Cailar
la Cassagne
St-Gilles
Anc. Abb.
Arles
Fourques
Trébon
Arènes, Théâtre, Remparts
ARLES
Cirque
Pont de Crau
Châtt. de la Jansonne
Aimargues
Marsillargues
la Jasse de Barry
St-André
Mas de Mourgues
la Furanne
Saliers
Gimeaux
Petit Mas de Vert
Figarès
Écluse de St-Gilles
Raphèle-lès-Arles
St-Hippolyte
Mas Bousquet
Mas de Valescure
Espeyran
Franquevaux
St-Laurent-d'Aigouze
Marais du Charnier
Étang du Charnier
Étang de Scamandre
Canal du Rhône à Sète
Ste-Cécile
Tour de Mondony
Barret
Mas de Bouvier
Marais de Meyranne
Mas du Moulin
la Dynamite
Musée Camarguais d'Arles
Gageron
Tour d'Amphoux
Beauregard
Mas Psalmody
Abb.
Centre du Scamandre
Mas des Iscles
Albaron
PARC
Marais de la Grand Mar
Tour Carbonnière
Quatret
le Paty de la Trinité
Mas d'Agon
Villeneuve
Montcalm
Mas Grand St-Jean
Tour de Constance
Aigues-Mortes
Remparts
Châtt. d'Avignon
Domaine de Méjanes
Châtt. de l'Armellière
Mas Thibert
Cuvette du Lairan
la Cure
Étang de Vaccarès
NATUREL
RÉGIONAL
Paulon
Tour de Cazeau
Centre de la Capelière
Tour de Vazel
Mas Sénébier
Salins du Midi
le Canet
Mas de Jarras-Listel
Château d'Astouin
les Frignants
Réserve Naturelle
Zoologique et Botanique
le Sambuc
Mas de Fielouse
Tour du Vallat
Grand Boisviel
Grand Manusclat
Pin Fourcat
la Petite Camargue
Étg de Rollan
Petit Rhône
Cacharel
Maison du Parc
Parc ornithologique
DE
CAMARGUE
Salin-de-Badon
la Porcelette
Peaudure
St-Christophe
Bac
le Boumian
la Capelude
LE RHÔNE
GRAND RHÔNE
Petit Rhône

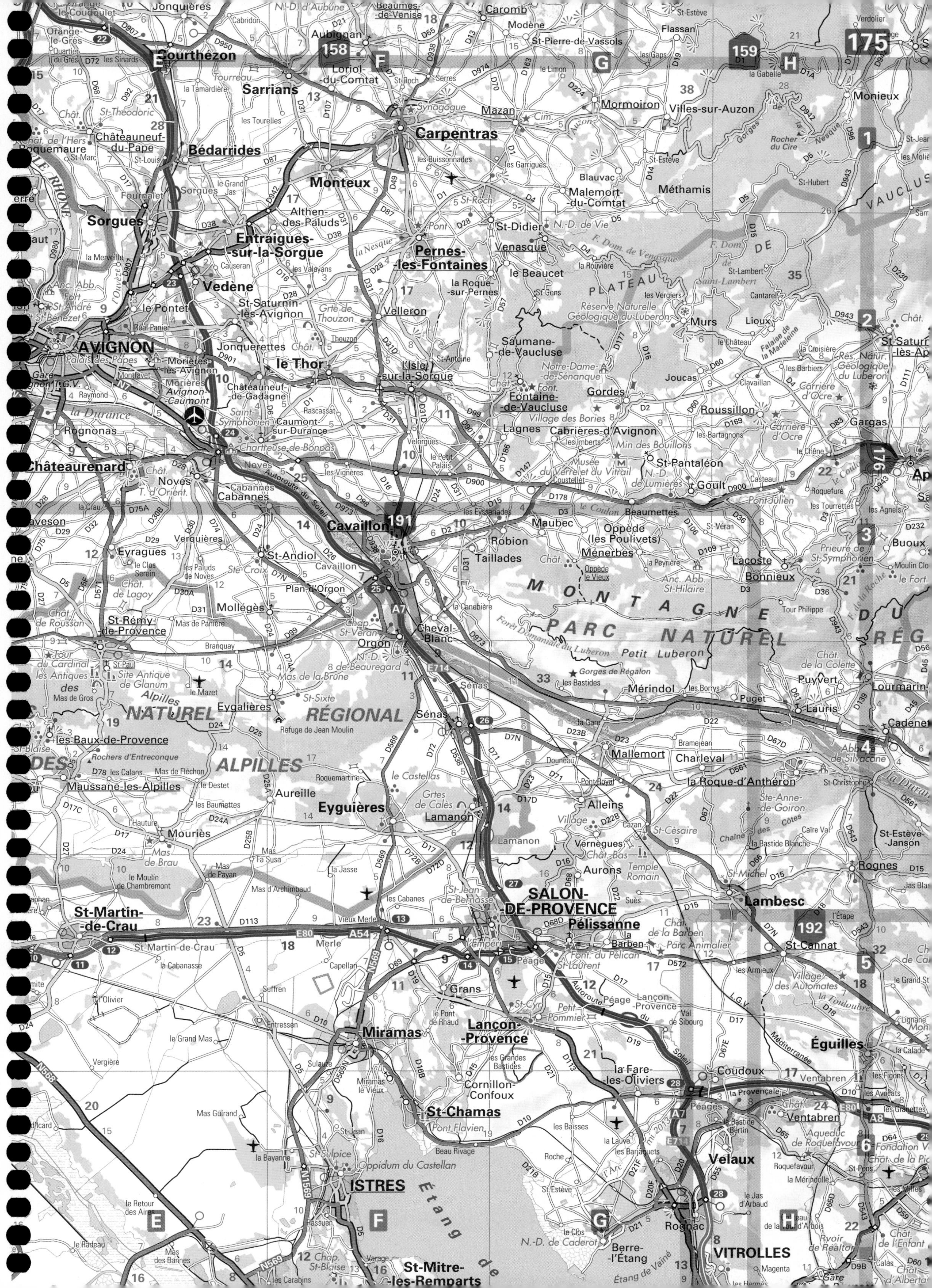
Courthézon
Sarrians
Loriol-du-Comtat
Aubignan
Carpentras
Mazan
Mormoiron
Villes-sur-Auzon
Monieux
Bédarridès
Châteauneuf-du-Pape
Roquemaure
Monteux
Sorgues
Althen-des-Paluds
Entraigues-sur-la-Sorgue
Pernes-les-Fontaines
St-Didier
Venasque
Malemort-du-Comtat
Méthamis
Blauvac
Vedène
le Pontet
le Beaucet
la Roque-sur-Pernes
St-Saturnin-lès-Avignon
Velleron
AVIGNON
Jonquerettes
le Thor
Morières-lès-Avignon
Saumane-de-Vaucluse
Murs
Lioux
Joucas
Gordes
Roussillon
Gargas
Châteauneuf-de-Gadagne
L'Isle-sur-la-Sorgue
Fontaine-de-Vaucluse
Caumont-sur-Durance
Lagnes
Cabrières-d'Avignon
St-Pantaléon
Goult
Rognonas
Châteaurenard
Noves
Cabannes
Cavaillon
Maubec
Robion
Oppède (les Poulivets)
Ménerbes
Beaumettes
Lacoste
Bonnieux
Buoux
Taillades
Eyragues
St-Andiol
Plan-d'Orgon
Mollégès
St-Rémy-de-Provence
Cheval-Blanc
Orgon
PLATEAU DE VAUCLUSE
MONTAGNE DU LUBERON
PARC NATUREL RÉGIONAL DU LUBERON
PARC NATUREL RÉGIONAL DES ALPILLES
Petit Luberon
Mérindol
Puyvert
Lauris
Lourmarin
Eygalières
Sénas
Mallemort
Charleval
la Roque-d'Anthéron
les Baux-de-Provence
Maussane-les-Alpilles
Aureille
Eyguières
Lamanon
Alleins
Vernègues
Aurons
Mouriès
St-Estève-Janson
Rognes
SALON-DE-PROVENCE
Pélissanne
Lambesc
St-Cannat
St-Martin-de-Crau
Grans
Miramas
Lançon-Provence
Cornillon-Confoux
St-Chamas
la Fare-les-Oliviers
Coudoux
Ventabren
Éguilles
Velaux
ISTRES
Rognac
Berre-l'Étang
VITROLLES
St-Mitre-les-Remparts
Étang de Berre

176
159
160
175
192
193
A
B
C
D
1
2
3
4
5
6
St-Trinit
Revest-du-Bion
Plateau d'Albion
la Rochegiron
Saumane
l'Hospitalet
Anc. Abb. de N.-D. de Lure
Châteauneuf-Val-St-Donat (les Chabannes)
Mallefougasse-Augès
le Belvédère de Peyruis
Montfort
Chap. St-Donat
Cruis
Montlaux (les Jacons)
Lardiers
St-Étienne-les-Orgues
Peyruis
Banon
Ongles
St-Christol
VAUCLUSE
Revest-St-Martin
Ganagobie
Montsalier
Fontienne
Sigonce
Prieuré de Ganagobie
Lagarde-d'Apt
Simiane-la-Rotonde
Limans
Revest-des-Brousses
Lurs
Forcalquier
Pierrerue
Anc. Abb. de Valsaintes
N.-D. de Salagon
Mane
N.-D. des Anges
Niozelles
St-Saturnin-lès-Apt
Vachères
la Brillanne
Oraison
Rustrel
Gignac
Oppedette
Aubenas-les-Alpes
Obs. de Haute-Provence
Châtr. de Sauvan
Villars
Ste-Croix-à-Lauze
St-Michel-l'Observatoire
St-Maime
Villeneuve
Carr. d'Ocre
Viens
Dauphin
Reillanne
St-Martin-les-Eaux
Volx
Caseneuve
Apt
Maison du Parc
St-Martin-de-Castillon
Villemus
Valensole
Saignon
Abb. St-Eusèbe
Céreste
Montjustin
Manosque
Lac des Vannades
Auribeau
Castellet
Montfuron
St-Elzéard
Buoux
Sivergues
Mourre Nègre
Vitrolles-en-Luberon
Pierrevert
Grand Luberon
LUBERON
PARC NATUREL RÉGIONAL DU LUBERON
Cabrières-d'Aigues
Ste-Tulle
Peypin-d'Aigues
la Bastide-des-Jourdans
Vaugines
la Motte-d'Aigues
Cucuron
St-Martin-de-la-Brasque
Grambois
Corbières
Châtr. des Templiers
Parc Animalier
Gréoux-les-Bains
Lourmarin
Sannes
Autoroute du Val de Durance
Cadenet
Ansouis
Beaumont-de-Pertuis
Bge Châtr. de Cadarache
Vinon-sur-Verdon
la Tour-d'Aigues
Villelaure
la Bastidonne
Mirabeau
Défilé de Mirabeau
Pertuis
St-Paul-lès-Durance
Centre d'Études Nucléaires
St-Julien
St-Estève-Janson
Ginasservis
le Puy-Ste-Réparade
Péage de Meyrargues
N.-D. de Consolation
la Verdière
Peyrolles-en-Provence
Jouques
Meyrargues
Meyrargues-Fontbelle
Rians
Venelles
Artigues
Esparron
St-Martin
Vauvenargues
St-Marc-Jaumegarde
Barrage du Bimont
N.-D. de la Victoire
Pic des Mouches
Mgne Ste-Victoire
Oppidum Pain de Munition
AIX-EN-PROVENCE
Croix de Provence
Puyloubier
Châtr. du Général
Brue-Auriac
Source d'Argens
le Tholonet
St-Antonin-sur-Bayon
Beaurecueil
Pourrières
Châteauneuf-le-Rouge
Trophée de Marius Tombeau
Seillons-Source-d'Argens
Ollières
Meyreuil
Nécropole Nationale de Luynes
Péage de la Barque
Rousset
Pourcieux
Bras
Bouc-Bel-Air
Fuveau
Basilique Ste-Marie-Madeleine
St-Maximin-la-Ste-Baume
Gardanne
A51
A8
E712
E80

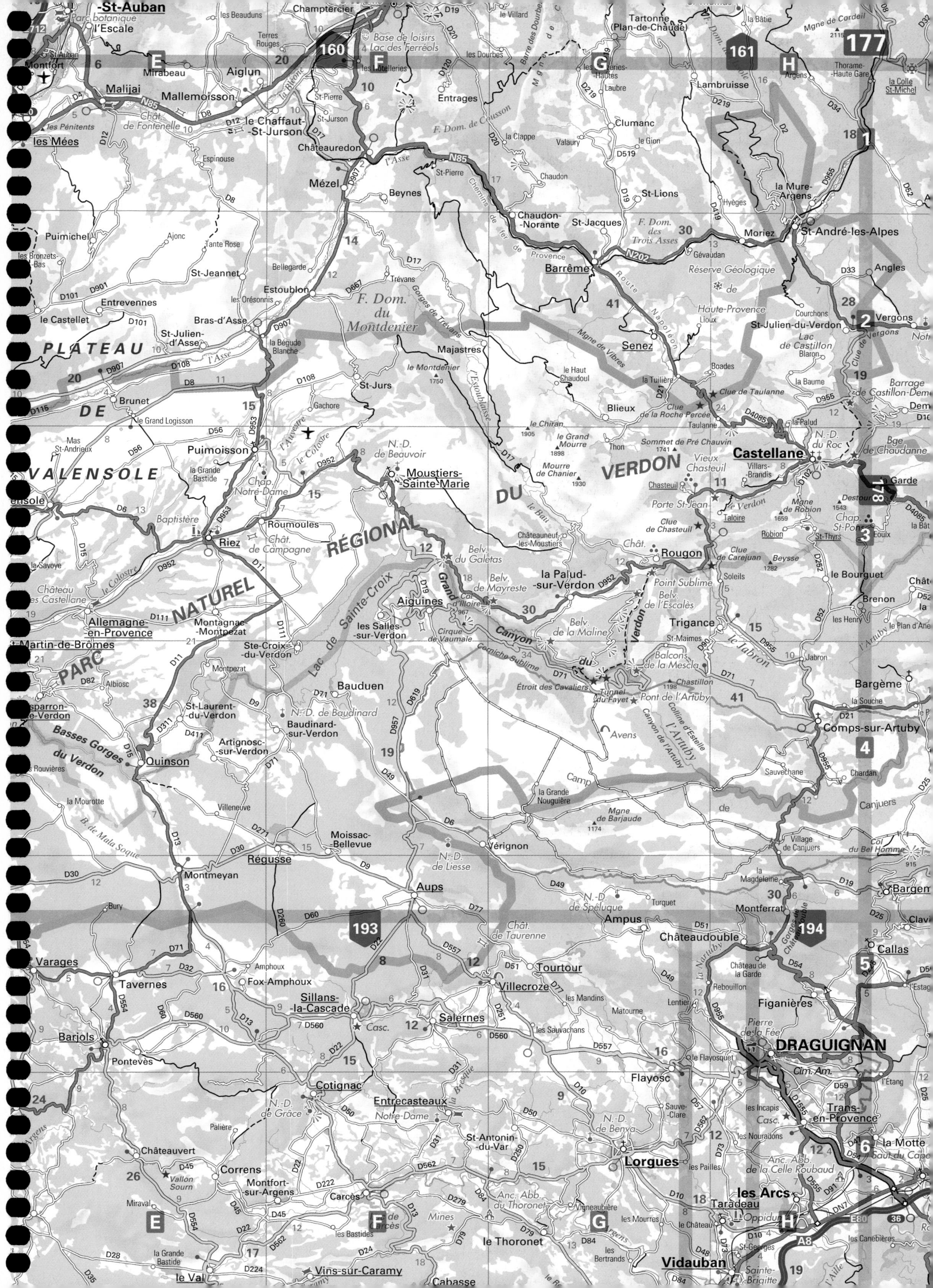

St-Auban
Parc botanique
l'Escale
Montfort
Champtercier
les Beauduns
Terres Rouges
Base de loisirs Lac des Ferréols
160
E
F
G
H
161
177
Mirabeau
Aiglun
les Hôtelleries
les Dourbes
Tartonne (Plan-de-Chaude)
la Bâtie
Mgne de Cordeil
Thorame-Haute Gare
la Colle St-Michel
Malijai
Mallemoisson
N85
Chât. de Fontenelle
les Pénitents
les Mées
le Chaffaut-St-Jurson
St-Pierre
St-Jurson
Entrages
F. Dom. de Cousson
Lambruisse
Clumanc
la Clappe
Valaury
le Gion
Châteauredon
l'Asse
Espinouse
Mézel
Beynes
St-Pierre
Chaudon
St-Lions
la Mure-Argens
Hyèges
Puimichel
Ajonc
Tante Rose
les Bronzets-Bas
Chaudon-Norante
St-Jacques
F. Dom. des Trois Asses
Moriez
St-André-les-Alpes
Gévaudan
N202
Barrême
Réserve Géologique de Haute-Provence
St-Jeannet
Bellegarde
Trévans
Gorges de Trévans
Angles
Entrevennes
Estoublon
les Orésonnis
le Castellet
Bras-d'Asse
St-Julien-d'Asse
F. Dom. du Montdenier
Route Napoléon
Lioux
Courchons
Vergons
St-Julien-du-Verdon
Lac de Castillon
Blaron
Clue de Vergons
PLATEAU
la Bégude Blanche
Majastres
Senez
Mgne de Vibres
le Haut Chaudoul
Boades
la Tuilière
Clue de Taulanne
la Baume
Barrage de Castillon
Brunet
DE
le Grand Logisson
St-Jurs
Gachore
le Montdenier 1750
l'Estoublaisse
Blieux
Clue de la Roche Percée
Taulanne
la Palud
Demandolx
Mas St-Andrieux
Puimoisson
l'Auvestre
le Colostre
N.-D. de Beauvoir
le Chiran 1905
le Grand Mourre 1898
Thon
Sommet de Pré Chauvin 1741
Castellane
N.-D. du Roc
Bge de Chaudanne
VALENSOLE
la Grande Bastide
Chap. Notre-Dame
Moustiers-Sainte-Marie
Mourre de Chanier 1930
VERDON
Vieux Chasteuil
Villars-Brandis
la Garde
178
Valensole
Baptistère
Roumoules
DU
Chasteuil
Porte St-Jean
le Verdon
Mgne de Robion 1659
Destourbes 1543
Chap. St-Pons
Clue de Chasteuil
Taloire
Robion
St-Thyrs
Eoulx
la Bâtie
Riez
Chât. de Campagne
RÉGIONAL
Châteauneuf-les-Moustiers
Château de la Savoye
Belv. du Galetas
Rougon
Clue de Carejuan
Beysse 1282
le Bourguet
Château des Castellane
le Colostre
Belv. de Mayreste
la Palud-sur-Verdon
Point Sublime
Soleils
Brenon
NATUREL
Aiguines
Col d'Illoire 967
Grand
Belv. de l'Escalès
Allemagne-en-Provence
Montagnac-Montpezat
les Salles-sur-Verdon
Cirque de Vaumale
Belv. de la Maline
Trigance
les Henrys
le Plan d'Anelle
St-Martin-de-Brômes
Ste-Croix-du-Verdon
Lac de Sainte-Croix
Canyon
Corniche Sublime
du
Verdon
St-Maimes
le Jabron
Jabron
PARC
Albiosc
Montpezat
Balcons de la Mescla
Étroit des Cavaliers
Tunnel du Fayet
Pont de l'Artuby
Chastillon 1198
Bargème
la Souche
Esparron-de-Verdon
St-Laurent-du-Verdon
Bauduen
N.-D. de Baudinard
Baudinard-sur-Verdon
Colline d'Estelle
Canyon de l'Artuby
l'Artuby
Avens
Comps-sur-Artuby
Basses Gorges du Verdon
Artignosc-sur-Verdon
Quinson
les Rouvières
Camp
Sauvechane
Chardan
la Grande Nouguière
de
Mgne de Barjaude 1174
Canjuers
la Mourotte
Villeneuve
B. de Mala Soque
Moissac-Bellevue
Vérignon
Village de Canjuers
Col du Bel Homme 915
Régusse
Montmeyan
N.-D. de Liesse
la Magdeleine
Aups
N.-D. de Spéluque
Turquet
Bargemon
Bury
193
Ampus
Montferrat
194
Chât. de Taurenne
Châteaudouble
Gorges de Châteaudouble
Claviers
Varages
Tavernes
Amphoux
Fox-Amphoux
Tourtour
Château de la Garde
Callas
Villecroze
Rebouillon
Figanières
Barjols
Sillans-la-Cascade
Casc.
les Mandins
Matourne
Lentier
Salernes
les Sauvachans
Pierre de la Fée
DRAGUIGNAN
Pontevès
le Flayosquet
Cim. Am.
Flayosc
l'Etang
Cotignac
Entrecasteaux
la Bresque
N.-D. de Grâce
Notre-Dame
les Incapis
Sauve-Clare
Casc.
Trans-en-Provence
N.-D. de Benva
les Nouradons
Palière
St-Antonin-du-Var
la Motte
Saut du Capelan
Châteauvert
Lorgues
Anc. Abb. de la Celle Roubaud
les Pailles
Correns
Vallon Sourn
Montfort-sur-Argens
Carcès
Anc. Abb. du Thoronet
Vigneaubière
les Mourres
les Arcs
Taradeau
Oppidum
Miraval
Mines
le Château
Lac de Carcès
les Bastides
le Thoronet
Argens
la Grande Bastide
Vins-sur-Caramy
les Bertrands
Vidauban
St-Georges
Sainte-Brigitte
les Canebières
A8
E80
36
le Val
Cabasse
l'Aille

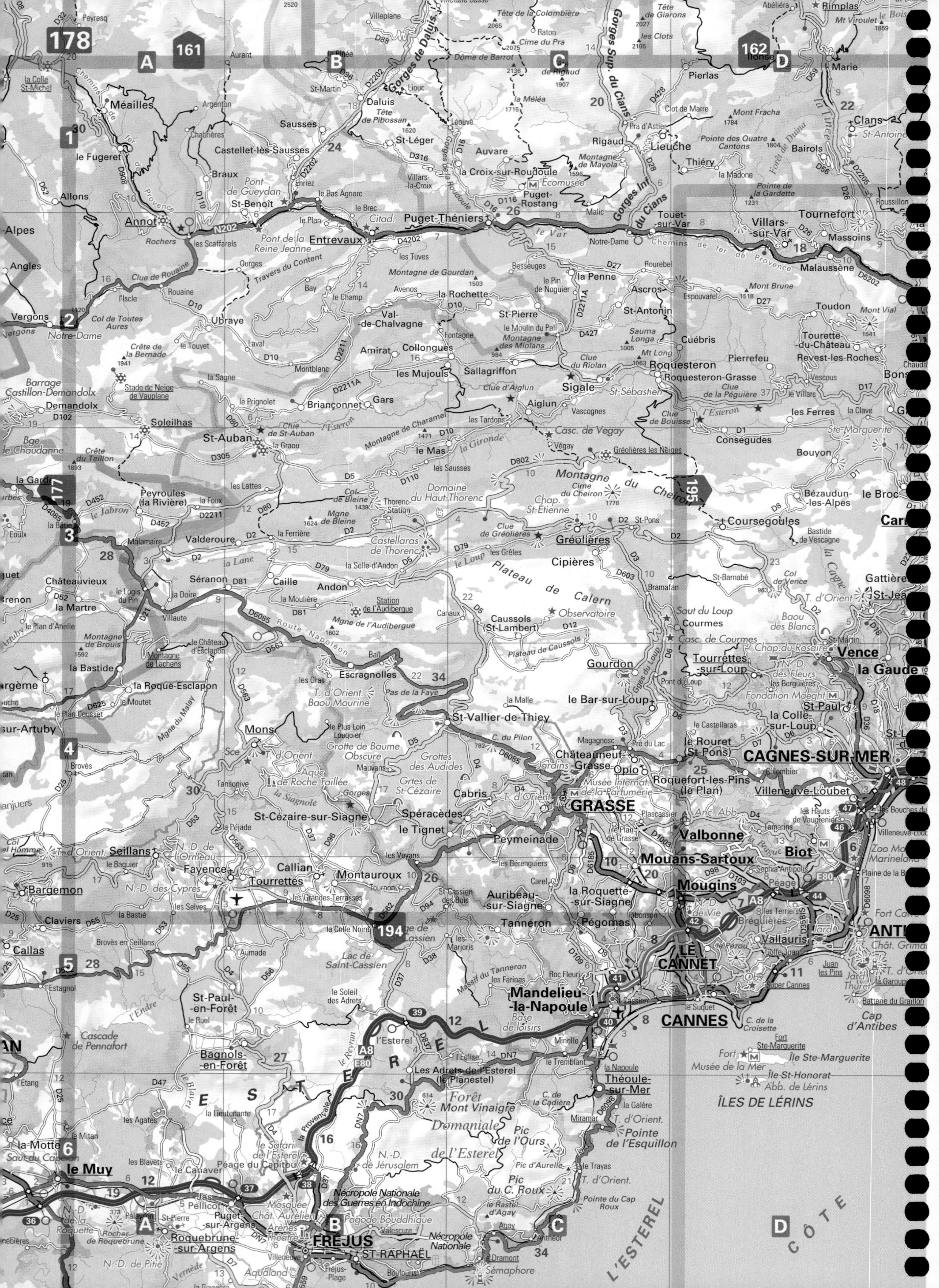

178
161
162
A
B
C
D
1
2
3
4
5
6
Peyresq
Villeplane
Tête de la Colombière
Tête de Giarons
Abéliéra
Rimplas
Mt Viroulet
Aurent
la Pinée
Raton
Cime du Pra
les Clots
Dôme de Barrot
Ilonse
Marie
la Colle St-Michel
St-Martin
Gorges de Daluis
Liouc
Gorges Sup. du Cians
Pierlas
Méailles
Argenton
Daluis
Tête de Pibossan
la Méléa
Clot de Marre
Mont Fracha
Clans
Sausses
Léouve
Pra d'Astier
St-Antoine
Chabrières
St-Léger
Rigaud
Lieuche
Pointe des Quatre Cantons
Bairols
le Fugeret
Castellet-lès-Sausses
Auvare
Montagne de Mayola
Thiéry
Forêt de Duina
Braux
Villars-la-Croix
la Croix-sur-Roudoule
Ecomusée
la Madone
Pointe de la Gardette
Enriez
Pont de Gueydan
Allons
le Bas Agnerc
St-Benoît
le Brec
Puget-Rostang
Malic
Roussillon
Annot
le Plan
Citad.
Puget-Théniers
Gorges Inf. du Cians
Touët-sur-Var
Villars-sur-Var
Tournefort
Rochers
les Scaffarels
Pont de la Reine Jeanne
Entrevaux
le Var
Notre-Dame
Chemins de fer de Provence
Massoins
Malaussène
Angles
Ourges
les Tuves
Travers du Content
Besseuges
la Penne
Rourebel
Montagne de Gourdan
Clue de Rouaine
Bay
le Pin de Noguier
Ascros
Mont Brune
l'Iscle
Rouaine
Avenos
la Rochette
Espouvarel
Toudon
le Champ
Mont Vial
Vergons
Col de Toutes Aures
Ubraye
Val-de-Chalvagne
St-Pierre
St-Antonin
Notre-Dame
Fontagne
le Moulin du Pali
Sauma Longa
Tourette-du-Château
Crête de la Bernade
le Touyet
Laval
Amirat
Collongues
Montagne des Miolans
Cuébris
Mt Long
Revest-les-Roches
Barrage Castillon-Demandolx
Stade de Neige de Vauplane
la Sagne
Montblanc
les Mujouls
Sallagriffon
Clue du Riolan
Roquesteron
Pierrefeu
Roquesteron-Grasse
Vescous
Demandolx
le Prignolet
Brianconnet
Gars
Clue d'Aiglun
Sigale
St-Sébastien
Clue de la Péguière
le Villars
Bonson
Aiglun
Vascognes
Clue de Bouisse
l'Esteron
les Ferres
la Clave
Soleilhas
Clue de St-Auban
Montagne de Charamel
les Tardons
Casc. de Vegay
Consegudes
Ste-Marguerite
St-Auban
la Graou
Bge de Chaudanne
Crête du Teillon
le Mas
la Gironde
Végay
Gréolières les Neiges
Bouyon
les Sausses
Montagne du Cheiron
Cime du Cheiron
la Garde
les Lattes
Domaine du Haut-Thorenc
Peyroules (la Rivière)
la Foux
Col de Bleine
Thorenc-Station
Chap. St-Etienne
Bézaudun-les-Alpes
le Broc
le Jabron
Mgne de Bleine
Clue de Gréolières
St-Pons
Coursegoules
la Bastide
Eoulx
Malamaire
Valderoure
la Ferrière
Castellaras de Thorenc
Gréolières
Bastide de Vescagne
les Grèles
la Lane
le Loup
Cipières
la Selle-d'Andon
Plateau de Calern
St-Barnabé
Col de Vence
Gattières
Châteauvieux
Séranon
Caille
Andon
Bramafan
le Logis du Pin
la Doire
la Moulière
Station de l'Audibergue
Brenon
la Martre
Villaute
Route Napoléon
Canaux
Caussols (St-Lambert)
Observatoire
Saut du Loup
T. d'Orient.
St-Jeannet
Mgne de l'Audibergue
Courmes
Baou des Blancs
le Plan d'Anelle
Montagne de Brouis
le Château d'Esclapon
Plateau de Caussols
Casc. de Courmes
St-Martin
Chap. du Rosaire
Vence
Montagne de Lachens
Baïl
la Gaude
Escragnolles
Gourdon
Tourrettes-sur-Loup
N.-D. des Fleurs
les Bergulères
la Roque-Esclapon
les Gras
Pas de la Faye
Gges du Loup
Pont du Loup
Fondation Maeght
le Moutet
T. d'Orient. Baou Mourine
la Malle
le Bar-sur-Loup
St-Paul
le Plan Cousset
Mgne du Malay
St-Vallier-de-Thiey
la Colle-sur-Loup
sur-Artuby
Mons
le Plus Loin Louquier
le Castellaras
Grotte de Baume Obscure
C. du Pilon
Magagnosc
Pré du Lac
le Rouret (St-Pons)
Brovès
Mauvans
Grottes des Audides
Châteauneuf-Grasse
Jardins
Opio
CAGNES-SUR-MER
Aqua. de Roche Taillée
Grtes de St-Cézaire
Roquefort-les-Pins (le Plan)
le Colombier
Tansonive
la Siagnole
Gorges
Cabris
Musée Internat. de la Parfumerie
Villeneuve-Loubet
GRASSE
Spéracèdes
Anc. Abb.
les Hauts de Vaugrenier
St-Cézaire-sur-Siagne
le Tignet
Plascassier
la Péjade
Peymeinade
le Plan de Grasse
Tamarins
Valbonne
la Brague
Villeneuve-Loubet
Col de l'Homme
N.-D. de l'Ormeau
Seillans
les Veyans
Mouans-Sartoux
Biot
Zoo Marineland
le Baguier
Fayence
Callian
Montauroux
les Bérenguiers
Sophia Antipolis
Plaine de la Brague
N.-D. des Cyprès
Tourrettes
Tournon
Carel
la Roquette-sur-Siagne
Mougins
Péage
Bargemon
les Selves
les Grandes Terrasses
St-Cassien des Bois
Auribeau-sur-Siagne
N.-D. de Vie
les Terriers
Fort Carré
Claviers
la Bastie
la Colle Noire
Lac de Saint-Cassien
Tanneron
Pégomas
Ribonson
Bréguières
ANTIBES
Callas
Brovès en Seillans
l'Aumade
les Marjoris
LE CANNET
le Pezou
Vallauris
Golfe-Juan
Châr. Grimaldi
Massif du Tanneron
les Farinas
Roc Fleuri
Juan les Pins
Super Cannes
l'Estagnol
l'Endre
le Soleil des Adrets
Mandelieu-la-Napoule
St-Cassien
le Suquet
Batterie du Graillon
St-Paul-en-Forêt
Base de loisirs
CANNES
C. de la Croisette
Cap d'Antibes
le Ruel
l'Esterel
Minelle
Fort Ste-Marguerite
Cascade de Pennafort
le Reyran
l'Eglise
le Tremblant
Île Ste-Marguerite
Bagnols-en-Forêt
Les Adrets-de-l'Esterel (le Planestel)
la Napoule
Musée de la Mer
Théoule-sur-Mer
Île St-Honorat
Abb. de Lérins
l'Etang
le Blavet
Forêt Mont Vinaigre
ÎLES DE LÉRINS
la Lieutenante
C. de la Cadière
la Galère
les Agates
Domaniale
Pic de l'Ours
Miramar
T. d'Orient.
Pointe de l'Esquillon
le Mitan
le Safari de l'Esterel
la Provençale
la Motte
Saut du Capelan
les Blavets
Péage du Capitou
N.-D. de Jérusalem
de l'Esterel
Pic d'Aurelle
le Trayas
le Muy
le Canaver
Jas Pellicot
Nécropole Nationale des Guerres en Indochine
Pic du C. Roux
Pointe du Cap Roux
N.-D. de la Roquette
Palayson
St-Pierre
Puget-sur-Argens
Mosquée
Chât. Aurélien
Arènes
Théâtre
Pagode Bouddhique
le Rastel d'Agay
Agay
Anthéor
Rocher de Roquebrune
Roquebrune-sur-Argens
FRÉJUS
Valescure
Nécropole Nationale
ST-RAPHAËL
le Dramont
Villeneuve
N.-D. de Pitié
Vernède
Aqualand
Fréjus-Plage
Boulouris
Sémaphore
L'ESTEREL
CÔTE
E S T E R E L
N202
D4202
A8
E80
DN7
D6098
D6085
D6185
D2211
D2211A
D2202

162
163
179
195
E
F
G
H
1
2
3
4
5
6
Venanson
Berthemont-les-Bains
Grange du Colonel
des Merveilles
Granile
Bergue Supérieur
Bergue Inférieur
Verdeggia
Realdo
Monte Gerbonte
Creppo
Triora
Corte
Andagna
Cetta
Perallo
Rifugio Allavena
Carmo Binelli
Buggio
Monte Ceppo
Pigna
Castel-Vittorio
Monte Mera
Vignai
Monte Collettazzo
Baiardo
Monte Bignone
Apricale
Isolabona
Perinaldo
San Romolo
Monte Rebuffao
Dolceaqua
Monte Caggio
Borello
Verrezo
Château
Soldano
Seborga
San Biagio della Cima
Vallebona
Coldirodi
Capo Nero
Vallecrosia Alta
Sasso di Bordighera
Ospedaletti
Bordighera
Mad. della Ruota
Punta di Migliarese
Vallecrosia
Capo Sant'Ampeglio
Mont Tournairet
Roquebillière Vieux
Roquebillière
Belvédère
les Granges de la Brasque
Grange de Praï
Maurion
Fontan
Saorge
Anc. Couvent des Franciscains
la Madone de Poggio
Authion
l'Authion
Forêt de Cairos
la Lagouna
la Bollène-Vésubie
Forêt
Col de Turini
Quinson
Lantosque
le Pra d'Alart
la Maglia
Gorges de Saorge
Bois Noir
la Giandola
Breil-sur-Roya
Monte Gouta
Monte Alto
Pélasque
Camari
St-Jean
Roussillon
la Tour
Loda
St-Colomban
Pierre Plate
T. d'Orient.
Peïra Cava
Turini
Moulinet
Agandon
la Miséricorde
C. de Brouis
le Figaret
le Suquet
Utelle
St-Jean la Rivière
Gorges de la Mescla
T. d'Orient.
Madone d'Utelle
Belv. du Saut des Français
Duranus
le Cros d'Utelle
Mont Vial
Défilé de Chaudan
le Chaudan
Bonson
Levens
les Traverses
Coaraze
l'Engarvin
le Pontet
Lucéram
Col de Braus
Chap. St-Grat
St-Laurent
le Piaon
Gorges du Piaon
Berrins
Pont
Sospel
Vallée de la Bévéra
Mont Grazian
Piène Haute
Libre
Monte Colombin
Fanghetto
Olivetta-San-Michele
Olivetta
Airole
Rochetta-Nèrvina
Monte Morgi
Monte Abellio
Collabassa
Bevera
Mont Razet
Trucco
Monte Baraccone
Valle Nervia
Gilette
le Plan du Var
le Plantier
Touët-de-l'Escarène
C. de Castillon
Castillon
Torri
Berre-les-Alpes
l'Escarène
Gerps
Bendejun
Ste-Claire
la Roquette-sur-Var
Laval
la Part
Gazouil
San Pancrazio
San Antonio
Camporosso
St-Blaise
St-Martin-du-Var
Contes
Sclos de Contes
la Vernéa
Gorges du Paillon
Gaudissart
Monti
Castellar
Scalza
San Lorenzo
Seglia
Péage
Vestige
la Croix de Fer
le Colombier
Châteauneuf-Villevieille
Blausasc
Peille
Ste-Agnès
Latte
Ventimiglia
Mortola
Jardin
Capo Mortola
l'Annonciade
Castagniers
Plan d'Arriou
Tourrette-Levens
la Grave de Peille
Peillon
Gorbio
Carros
Aspremont
la Bégude
Ste-Thècle
St-Martin de Peille
MENTON
Koaland
Mont Chauve d'Aspremont
Carros le Neuf
Grte St-André
Cantaron
Notre-Dame de Laghet
Scoperta
Laghet
Roquebrune-Cap-Martin
Cap Martin
St-Jeannet
Colomars
Falicon
Drap
la Turbie
Beausoleil
Monte-Carlo
St-André-de-la-Roche
la Trinité
Péages
la Provençale
la Condamine
Palais
St-Roman
St-Pancrace
Èze
MONACO
RIVIERA DU PONANT
St-Pons
Jardin exotique
Cap-d'Ail
la Gaude
St-Nicolas
Mont Alban
Beaulieu-sur-Mer
Villefranche-sur-Mer
Magnan
Citad.
Parc des Miniatures
Musée Chéret
Ste-Réparate
Mont-Boron
Zoo
St-Jean-Cap-Ferrat
St-Laurent-du-Var
NICE
Cap Ferrat
l'Île Rousse 3h00
Bastia 4h00
Ajaccio 4h00
Calvi 3h00
Nice-Côte d'Azur
Cros de Cagnes
les Bouches du Loup
Villeneuve-Loubet-Plage
Marineland
de la Brague
Baie des Anges
CORNICHES DE LA RIVIERA
Fort Carré
Chât. Grimaldi
T. d'Orient.
Garoupe
Batterie du Graillon
D'AZUR
MER MÉDITERRANÉE
A8
E74
E80
D6007
D2204
D2566
D2565
D6202

180
164

A B C D

Cap du Figuier
Pointe Ste-Anne
la Corniche
Fort
Louis XIV
Ahetze
Chap. St-Sauveur
Ustaritz
Ayherre
Hondarribia (Fuenterrabia)
Abbadia
Haizabia
Ciboure
Socoa
Urrugne
St-Jean-de-Luz
Chantako
Jatxou
Halsou
Ahotzia
Hasparren
Hendaye
Mugondo
Irun
Béhobie
Serres
Errotatoberria
Larressore
St-Pée-sur-Nivelle
Musée-Demeure d'Edmond Rostand
Cambo-les-Bains
Urcuray
Zelhaya
Bonloc
Ibarron
Ascain
Base de loisirs
Lac de St-Pée
Souraïde
Espelette
Mont Ursuya
Grte d'Oxocelhaya et d'Isturits
Péage
Biriatou
Olhette
Herboure
Montagne de Ciboure
Col de St-Ignace
Amotz
Pont
Amezpetu
Cherchebruit
Mt Urzumu
Haranéa
Itxassou
Macaye
Mendionde
St-Esteben
Ermitage de St-Martial
Xoldokocana
Mandale
Vallée de la Bidassoa
Train touristique
Sare
la Rhune
Laxia
Pas de Roland
Louhossoa
Peñas de Haya
Endarlatsa
Arditurri
Lehenbizcai
Istilarté
Ihalar
Ainhoa
la Nive
Olhaénéa
Hélette
Zia
Bera (Vera de Bidasoa)
Zalain
Ibanteli
Grottes de Sare
Dancharia
Artzamendi
Baïgoura
Zugarramurdi
Urdax (Urdazubi)
Telleria
Atxuria
Arouchia
Bidarray
Pont
Lesaka
Onclalas
Biurgarin
Lasaca
Frain
Igantzi
Berrizaun
Etxalar
Ugarana
Alcurrunz
Chouhourra Borda
St-Martin-d'Arrossa
Oustélégui
Ossès
Irissarry
Embalse de Articuza
Artikutza
Pic d'Iparla
Pic de Tutulia
Gorramendi
la Bastide
Urdos
Arantza
Amaiur (Maya)
Bozate
Erratzu
Azpilkueta
Arizkun
Col d'Ispéguy
St-Étienne-de-Baïgorry
Etchaux
Dolmen d'Arrodondo
Dolmen d'Artxvita
Luchianénea
Bustince-Iriberry
Sunbilla
Irouléguy
Soroheta
Ispoure
St-Jean-le-Vieux
Embalse de Sorano
Elgorriaga
Oteitza
Oyeregui
Oronc
Lekaroz
Elizondo
Ihitza
Anhaux
Ascarat
Uhart-Cize
St-Jean-Pied-de-Port
Auritz
Ituren
Narbarte
Bidasoa
Mugaire
Arraioz
Irurita
Lasse
Caro
Aincille
Latsaga
Doneztebe (Santesteban)
Legasa
Ciga
Gartzain
Oitz
Zuraurre de Ciga
Aniz
Donamaria
Urrotz
Ameztia
Berroeta
Banca
Chocoa
St-Michel
Saldias
Beintza-Labaien
Almandoz
Aldudes
Arnéguy
Luzaide (Valcarlos)
Ondarolle
Estérençuby
Eratsun
Esnazu
Maneixhandy
Embalse de Leurza
Urepel
Arrarats
Igoa
Puerto de Velato
Ulzama
Borde
Orokieta
Eltzaburu
Ilarregi
Ventas de Arraitz
Changoa
Basaburua
Jauntsarats
Arraitz
Alkotz
Lantz
Orreaga (Roncesvalles)
Auza
Etxaleku
Larraintzar
Urritzola Galain
Embalse de Eugi
Eugi
Cilveti
Auritz (Burguete)
Beunza
Lizaso
Olagüe
Iragi
Biskarreta-Gerediain
Auritzberri (Espinal)
Orbaitzeta
Egozkue
Urtasun
Lintzoain
Mezkiritz
Zarrantz
Erice
Aróstegui
Usetxi
Leazkue
Orbara
Muskitz
Ciaurriz
Etsain
Leranotz
Erro
Aria
Cia
Zubiri
Esnotz
Lusarreta
Garralda
Hiriberri (Villanueva de Aezkoa)
Nuin
Inbuluzketa
Orondritz
Villanueva
Aribe
Larumbe
Usi
Ostiz
Saragüeta
Arrieta
Garaioa
Osinaga
Marcaláin
Anoz
Sarasibar
Esquíroz
Aintzioa
Larrasoaña
Imízcoz
Olaldea
Erice
Akerreta (Venta de Aquerreta)
Errea
Ardaitz
Urdiroz
Abaurrea Baja
Abaurrea Alta
Ollacarizqueta
Olave
Zuriain
Orrio
Gorraiz
Oroz-Betelu
Ororbia
Ariz
Ilurdotz
Péage
Ballariáin
Ariz
Lacabe
Erremendia
Ansóain
Sorauren
Egulbati
Azparren
Arce
Oricáin
Zunzarren
Gurpegui
Arre
Zabaldika
Nagore
Loza
Elia
Usoz
Artozqui
Orcoyen
Echálaz
Huarte
Egüés
Eransus
Olza (Ororbia)
Zizur
Burlada
Mendióroz
Elcóaz
Orbaiz
Cizur Mayor (Zizur Nagusi)
Pamplona (Iruñea)
Ardanaz
Azoa
Uroz
Ayechu
Gazolaz
Beortegui
Itoiz
Paternáin
Cizur Menor
Mutilva Baja
Aranguren
Lizoáin
Erdozáin
Ongoz
Askirotz
Pamplona
Tajonar
Lérruz
Urroz
Villaveta
Agoitz
Adoáin
Astráin
Galar
Zolina
Idoate
Erro
Larequi
Arlegui
Noáin
Zulueta
Labiano
Unciti
Lónguida
Irurozqui
Irati
Arga
Urrobi

164
165
181
182
E
F
G
H
2
3
4
5
6
Sauveterre-de-Béarn
Mourenx
Navarrenx
St-Palais
Garris
Iholdy
Ostabat-Asme
Mauléon-Licharre
Ordiarp
Gotein-Libarrenx
Trois-Villes
Tardets-Sorholus
Lanne-en-Barétous
Arette
Aramits
Lucq-de-Béarn
Aren
Lourdios-Ichère
Lescun
Montfort
Audaux
Orègue
Luxe-Sumberraute
Amorots-Succos
Isturits
St-Martin-d'Arberoue
Méharin
Armendarits
Beyrie-sur-Joyeuse
Orsanco
Uhart-Mixe
Larribar-Sorhapuru
Lantabat (St-Martin)
Cim. Basque
Suhescun
Larceveau-Arros-Cibits
Juxue
Pagolle
Bunus
Ibarrolle
Gamarthe
Lacarre
Ainhice-Mongelos
Jaxu
Bussunarits-Sarrasquette
Ahaxe-Alciette-Bascassan
Mendive
Lecumberry
Béhorléguy
Estérençuby
Dolmen de Chuberam
Source de la Bidouze
Forêt des Arbailles
Aussurucq
St-Just-Ibarre
Musculdy
Garindein
Idaux-Mendy
Menditte
Sauguis-St-Étienne
Ossas-Suhare
Camou-Cihigue
Alos-Sibas-Abense
Alçay-Alçabéhéty-Sunharette
Lichans-Sunhar
Laguinge-Restoue
Lacarry-Arhan-Charritte-de-Haut
Etchebar
Licq-Athérey
Haux
Montory
Barcus
Roquiague
Esquiule
Chéraute
l'Hôpital-St-Blaise
Géronce
Orin
Moumour
Verdets
Estos
Bidos
Agnos
Féas
Ance
Asasp-Arros
Issor
Osse-en-Aspe
Lées-Athas
Larrau
Ste-Engrâce (la Caserne)
Pic d'Orhy
Pic Lakhoura
Pic d'Anie
Gorges de Kakouetta
Gorges d'Ehujarré
Gorges d'Holzarté et d'Holholdubi
Les Chalets d'Iraty
Forêt d'Iraty
Irati
Sierra de Abodi
Ochagavía
Izalzu
Jaurrieta
Ezcároz
Oronz
Esparza
Sarriés
Ibilcieta
Güesa
Igal
Izal
Gallués
Uscarrés
Adoáin
Abaurrea Alta
Uztárroz
Isaba
Urzainqui
Roncal
Garde
Vidángoz
Argible
Zuriza
Reserva Nacional de los Valles
Refugio de Oza
Refugio Belagua
Refuge de Labérouat
Gouffre Lépineux
Arette la Pierre St-Martin
Sierra de Be
PARC
B A S Q U E

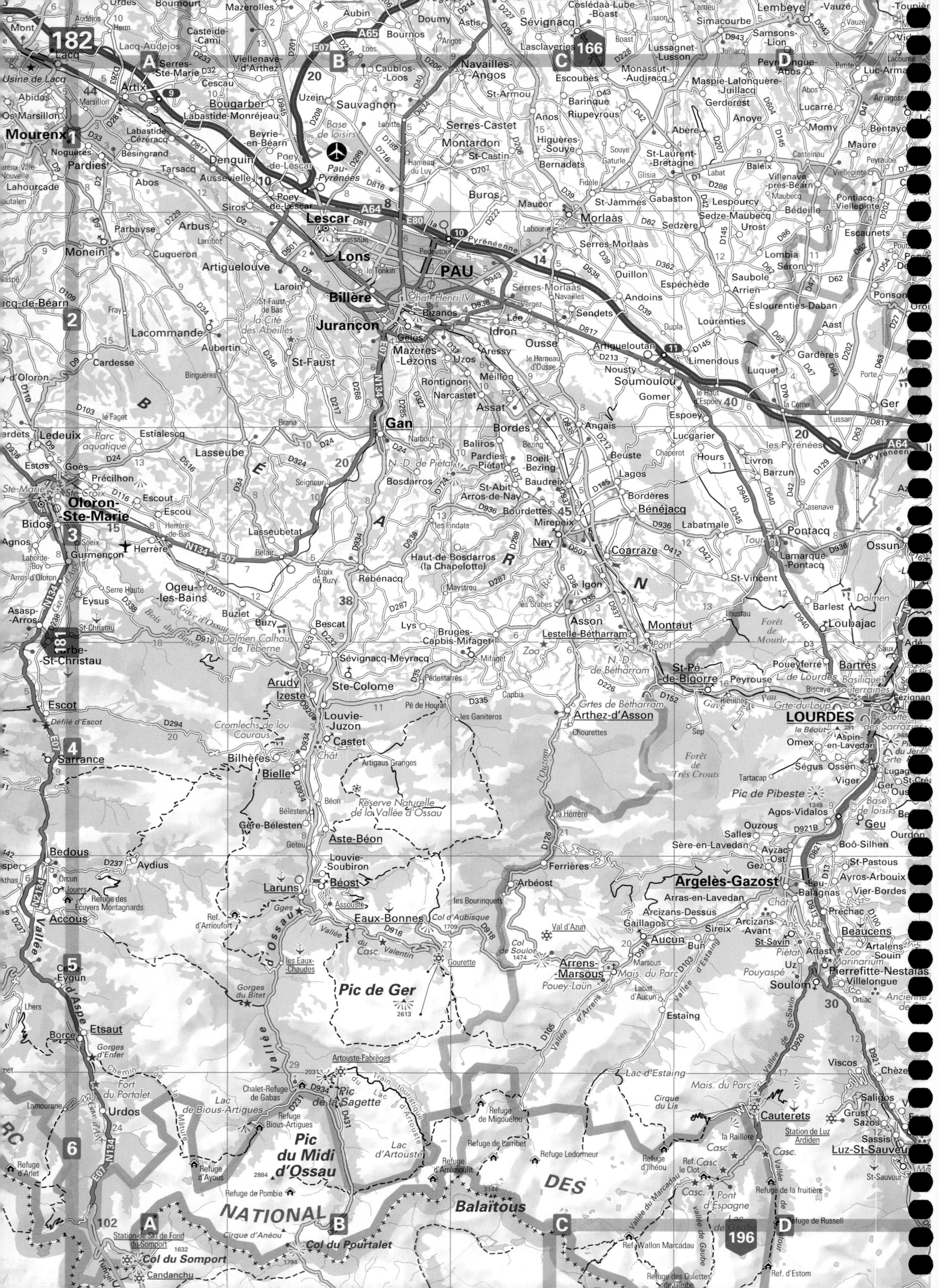
182
166
196
181
A
B
C
D
1
2
3
4
5
6
Mourenx
Lacq
Usine de Lacq
Artix
Pardies
Abos
Bougarber
Lescar
Lons
PAU
Billère
Jurançon
Gelos
Bizanos
Idron
Ousse
Morlaàs
Serres-Castet
Montardon
Navailles-Angos
Sauvagnon
Pau-Pyrénées
Sévignacq
Lembeye
Monein
Artiguelouve
Lacommande
Gan
Mazères-Lezons
Uzos
Rontignon
Narcastet
Assat
Bordes
Angaïs
Soumoulou
Nousty
Limendous
Espoey
Gomer
Ger
Pontacq
Lamarque-Pontacq
Ossun
Oloron-Ste-Marie
Bidos
Gurmençon
Herrère
Escout
Escou
Goès
Précilhon
Estos
Ledeuix
Lasseube
Estialescq
Lasseubetat
Ogeu-les-Bains
Buziet
Buzy
Eysus
Asasp-Arros
Lurbe-St-Christau
Escot
Sarrance
Bedous
Accous
Cette-Eygun
Etsaut
Borce
Urdos
Rébénacq
Bescat
Sévignacq-Meyracq
Arudy
Izeste
Ste-Colome
Louvie-Juzon
Castet
Bilhères
Bielle
Aste-Béon
Laruns
Béost
Eaux-Bonnes
Gourette
Pic de Ger
Pic du Midi d'Ossau
Col du Pourtalet
Col du Somport
Candanchu
Nay
Coarraze
Bénéjacq
Mirepeix
Igon
Asson
Montaut
Lestelle-Bétharram
St-Pé-de-Bigorre
Arthez-d'Asson
Ferrières
Arbéost
Arrens-Marsous
Aucun
LOURDES
Argelès-Gazost
Pierrefitte-Nestalas
Soulom
Cauterets
Luz-St-Sauveur
Balaïtous
Pic de Pibeste
Geu
Bartrès
Loubajac
NATIONAL
DES
A64
A65
N134
E07
E80

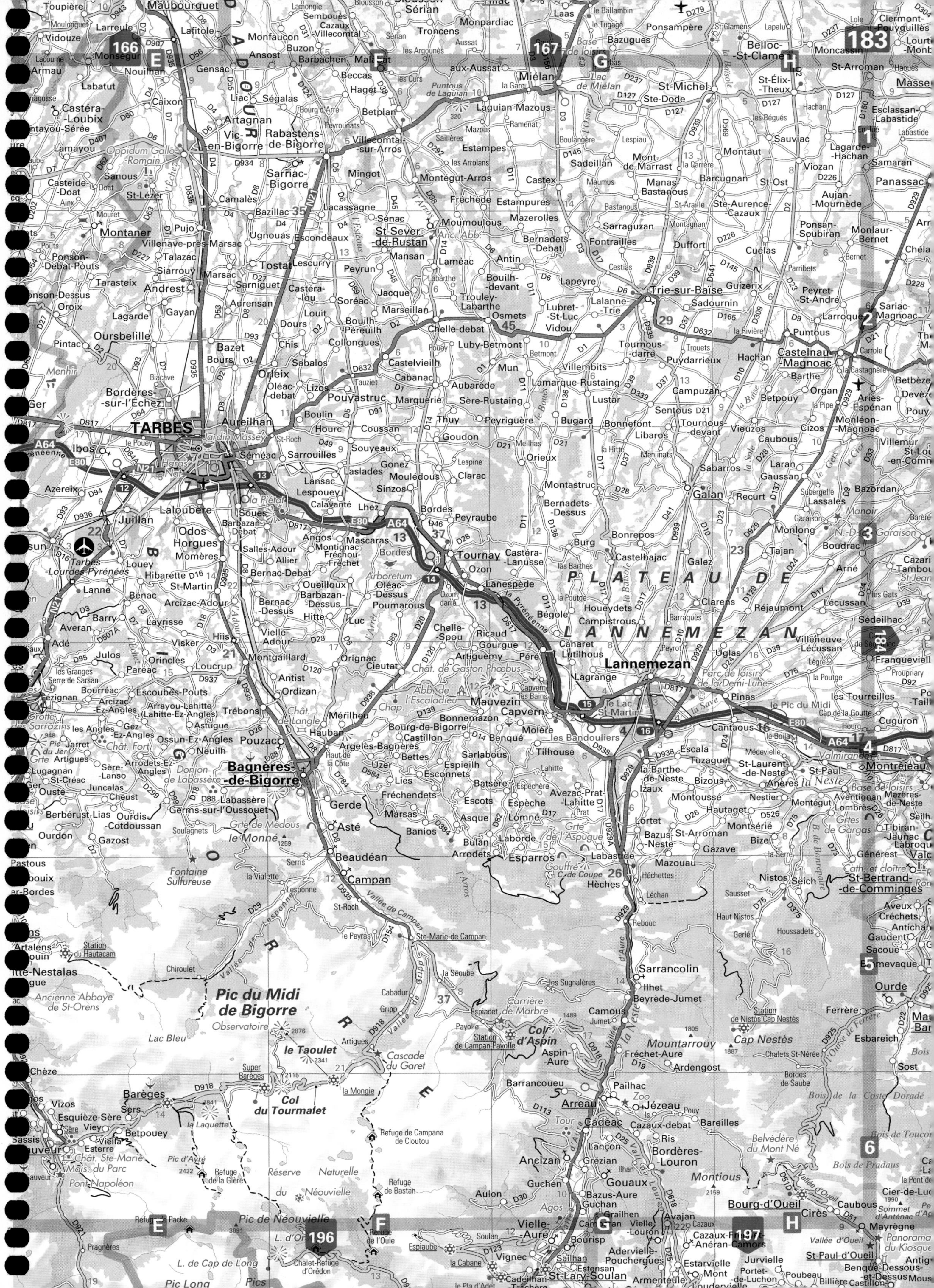

166
167
183
184
196
197
E
F
G
H
1
2
3
4
5
6
Maubourguet
Toupière
Moulonguet
Larreule
Vidouze
Lafitole
Lamongie
Semboués
Cazaux-Villecomtal
Sérian
Troncens
Monpardiac
Laas
le Ballambin
le Tugagé
Ponsampère
St-Clamens
Lapalu
Lole
Clermont-Pouyguillès
Lourtie-Monbrun
Monfaucon
Buzon
Aussat
Base de loisirs
Bazugues
Belloc-St-Clamens
Moncassin
Monségur
Ansost
Barbachen
Malabat
Armau
Nouilhan
Gensac
Beccas
aux-Aussat
Miélan
Lac de Miélan
St-Michel
St-Élix-Theux
St-Arroman
Masseube
Labatut
Les Curs
Haget
Puntous de Laguian
la Gare
Ste-Dode
Castéra-Loubix
Caixon
Liac
Ségalas
Bourg d'Arré
Betplan
Laguian-Mazous
Hachan
Esclassan-Labastide
Artagnan
Vic-en-Bigorre
Rabastens-de-Bigorre
Villecomtal-sur-Arros
Saillères
Mazous
Ramenat
Boulangère
Lespiau
Sauviac
Lagarde-Hachan
Lamayou
Oppidum Gallo-Romain
Estampes
Sadeillan
Mont-de-Marrast
Montaut
Viozan
Samaran
Sarriac-Bigorre
Mingot
Montégut-Arros
Castex
Manas-Bastanous
Barcugnan
St-Ost
Panassac
Casteide-Doat
Sanous
St-Lézer
Camalès
Lacassagne
Fréchède
Estampures
Ste-Aurence-Cazaux
Aujan-Mournède
Montaner
Pujo
Bazillac
Sénac
Moumoulous
Mazerolles
Sarraguzan
Villenave-près-Marsac
Ugnouas
Escondeaux
St-Sever-de-Rustan
Bernadets-Debat
Fontrailles
Duffort
Ponsan-Soubiran
Monlaur-Bernet
Chéla
Ponson-Debat-Pouts
Talazac
Tostat
Lescurry
Peyrun
Mansan
Laméac
Antin
Cuélas
Siarrouy
Marsac
Tarasteix
Andrest
Sarniguet
Castéra-Lou
Bouilh-devant
Lapeyre
Trie-sur-Baïse
Guizerix
Peyret-St-André
Ponson-Dessus
Oroix
Aurensan
Soréac
Jacque
Trouley-Labarthe
Lubret-St-Luc
Lalanne-Trie
Sadournin
Sariac-Magnoac
Lagarde
Gayan
Louit
Marseillan
Osmets
Vidou
Larroque
Dours
Bouilh-Péreuilh
Chelle-debat
Puntous
Oursbelille
Pintac
Chis
Collongues
Luby-Betmont
Tournous-darré
Castelnau-Magnoac
Bazet
Bours
Sabalos
Castelvieilh
Mun
Villembits
Puydarrieux
Hachan
Barthe
Orleix
Oléac-debat
Lizos
Cabanac
Aubarède
Lamarque-Rustaing
Campuzan
Organ
Aries-Espénan
Borderes-sur-l'Échez
Pouyastruc
Marquerie
Sère-Rustaing
Lustar
Betpouy
Ger
TARBES
Aureilhan
Boulin
Thuy
Peyriguère
Bugard
Bonnefont
Sentous
Tournous-devant
Monléon-Magnoac
Hourc
Coussan
Goudon
Libaros
Vieuzos
Caubous
Villemur
Ibos
Séméac
Sarrouilles
Souyeaux
Orieux
Cizos
St-Loup-en-Comminges
Laslades
Gonez
Mouledous
Clarac
Sabarros
Laran
Gaussan
Azereix
Lansac
Lespouey
Sinzos
Montastruc
Galan
Recurt
Bazordan
Laloubère
Calavanté
Lhez
Bordes
Bernadets-Dessus
Lassales
Juillan
Soues
Barbazan-Debat
Peyraube
Odos
Horgues
Angos
Mascaras
Montignac
Bonrepos
Monlong
Boudrac
Tarbes-Lourdes-Pyrénées
Louey
Momères
Salles-Adour
Fréchou-Fréchet
Allier
Tournay
Castéra-Lanusse
Burg
Castelbajac
Tajan
Hibarette
St-Martin
Bernac-Debat
Ozon
Galez
Arné
Cazaril-Tambourès
Lanne
Bénac
Arcizac-Adour
Oueilloux
Barbazan-Dessus
Oléac-Dessus
Lanespède
PLATEAU DE LANNEMEZAN
Réjaumont
Lécussan
Barry
Layrisse
Bernac-Dessus
Hitte
Poumarous
Bégole
Houeydets
Clarens
Averan
Luc
Chelle-Spou
Ricaud
Campistrous
Sédeilhac
Adé
Visker
Hiis
Vielle-Adour
Gourgue
Caharet
Lutilhous
Uglas
Villeneuve-Lécussan
Julos
Orincles
Loucrup
Montgaillard
Orignac
Cieutat
Artiguemy
Péré
Lannemezan
Franquevielle
Pareac
Antist
Lagrange
Les Granges
Serre de Sarsan
Ordizan
Parc de loisirs de la Demi-Lune
Lézignan
Bourréac
Escoubès-Pouts
Arcizac-Ez-Angles
Arrayou-Lahitte
Trébons
Mauvezin
Capvern
Les Bains
Pinas
les Tourreilles
Les Angles
Gez-Ez-Angles
Astugue
Mérilheu
Hauban
Bonnemazon
Bourg-de-Bigorre
Molère
le Lac
St-Martin
Cantaous
le Pic du Midi
Cap de la Goutte
Cuguron
Jarret
Ossun-Ez-Angles
Pouzac
Argelès-Bagnerres
Castillon
Benqué
les Bandouliers
Escala
Artigues
Neuilh
Uzer
Bettes
Sarlabous
Tilhouse
Tuzaguet
St-Laurent-de-Neste
St-Paul
Montréjeau
Lugagnan
Sère-Lanso
Arrodets-Ez-Angles
Bagnères-de-Bigorre
Lies
Esconnets
Espieilh
La Barthe-de-Neste
Izaux
Bizous
Anères
Aventignan
Mazères-de-Neste
St-Créac
Ousté
Juncalas
Cheust
Labassère
Fréchendets
Batsère
Avezac-Prat-Lahitte
Montousse
Nestier
Montégut
Lombrès
Berbérust-Lias
Ourdis-Cotdoussan
Germs-sur-l'Oussouet
Gerde
Escots
Espèche
Hautaget
Tibiran-Jaunac
Ourdon
Gazost
le Monné
Asté
Marsas
Banios
Asque
Lomné
Laborde
Lortet
Bazus-Neste
St-Arroman
Montsérié
Bize
Labroquère
Pastous
Beaudéan
Bulan
Arrodets
Esparros
Labastide
Gazave
Générest
Fontaine Sulfureuse
Campan
Gouffre d'Esparros
Hèches
Mazouau
Nistos
Seich
St-Bertrand-de-Comminges
la Vialette
Lesponne
St-Roch
Léchan
Sausset
Haut Nistos
Aveux
Créchets
Antichan
Gaudent
Sacoué
Ste-Marie-de-Campan
Rebouc
Houssadets
Gerlé
Station du Hautacam
Artalens-Souin
Nestalas
Chiroulet
la Séoube
les Sugnalères
Sarrancolin
Ilhet
Beyrède-Jumet
Ourde
Ancienne Abbaye de St-Orens
Pic du Midi de Bigorre
Observatoire
Cabadur
Gripp
Espiadet
Carrière de Marbre
Payolle
Camous
Jumet
Station de Nistos Cap Nestès
Ferrère
Lac Bleu
Artigues
Cascade du Garet
Col d'Aspin
Station de Campan-Payolle
Mountarrouy
Cap Nestès
Chalets St-Nérée
Esbareich
le Taoulet
Aspin-Aure
Fréchet-Aure
Ardengost
Sost
Chèze
Super Barèges
la Mongie
Barrancoueu
Pailhac
Bordes de Saube
Bois de la Coste Dorade
Barèges
Vizos
Sers
Col du Tourmalet
Arreau
Zoo
Jézeau
Esquièze-Sère
Viey
la Laquette
Tour
Cadéac
Cazaux-debat
Bareilles
Betpouey
Viella
Esterre
Refuge de Campana de Cloutou
Lançon
Ris
Belvédère du Mont Né
Bois de Toucouet
Sassis
Luz-St-Sauveur
Chât. Ste-Marie
Mais. du Parc
Pic d'Ayré
Refuge de la Glère
Réserve Naturelle du Néouvielle
Ancizan
Grézian
Ilhan
Bordères-Louron
Montious
Bois de Pradaus
Pont Napoléon
Refuge de Bastan
Aulon
Guchen
Gouaux
Bazus-Aure
Guchan
Grailhen
Avajan
Bourg-d'Oueil
Cirès
Caubous
Cier-de-Luchon
Vallée d'Oueil
Mayrègne
Panorama du Kiosque
Refuge Packe
Pic de Néouvielle
Refuge de l'Oule
Vielle-Aure
Camparan
Vielle-Louron
Cazaux-Fréchet-Anéran-Camors
Jurvielle
St-Paul-d'Oueil
Pragnères
Soulan
Espiaube
Vignec
Bourisp
Sailhan
Adervielle-Pouchergues
Estarvielle
Mont
Portet-de-Luchon
Poubeau
Benqué-Dessous-et-Dessus
Antignac
L. de Cap de Long
Chalet-Refuge d'Orédon
la Cabane
St-Lary-Soulan
Estensan
Cadeilhan-Trachère
Armenteule
Loudervielle
Billière
Castillon
Pic Long
Pics
A64
E80
N21
D817
D935
D632
D929
D918

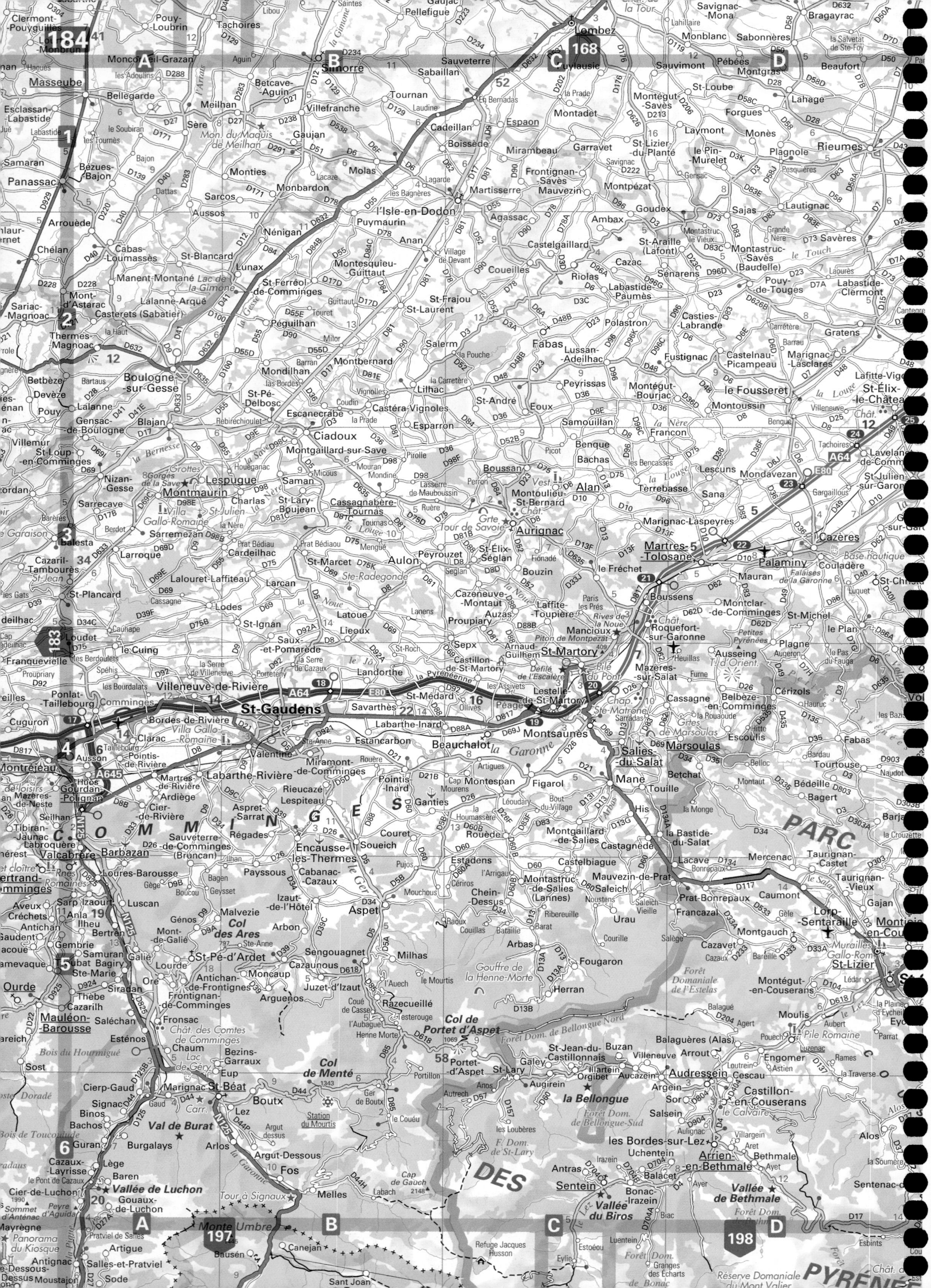

184
168
197
198
183
A
B
C
D
1
2
3
4
5
6
Lombez
Masseube
Simorre
Sauveterre
Sabaillan
Tournan
Villefranche
Gaujan
Espaon
Cadeillan
Boissède
Mirambeau
Garravet
Montadet
Sauvimont
Pébées
Montgras
Beaufort
Savignac-Mona
Bragayrac
Monblanc
Sabonnères
Montégut-Savès
St-Loube
Forgues
Lahage
Laymont
Monès
Rieumes
Plagnole
St-Lizier-du-Planté
le Pin-Murelet
Frontignan-Savès
Mauvezin
Montpézat
Martisserre
l'Isle-en-Dodon
Puymaurin
Agassac
Goudex
Ambax
Sajas
Lautignac
Savères
Castelgaillard
St-Araille (Lafont)
Montastruc-Savès (Baudelle)
Riolas
Cazac
Sénarens
Labastide-Paumès
Pouy-de-Touges
Labastide-Clermont
Coueilles
Anan
Nénigan
Panassac
Bellegarde
Meilhan
Sère
Monties
Molas
Monbardon
Sarcos
Aussos
Arrouède
Chélan
Cabas-Loumassès
St-Blancard
Lunax
Montesquieu-Guittaut
St-Ferréol-de-Comminges
St-Frajou
St-Laurent
Mont-d'Astarac
Lalanne-Arqué
Casterets (Sabatier)
Péguilhan
Thermes-Magnoac
Boulogne-sur-Gesse
Montbernard
Mondilhan
Salerm
Fabas
Lussan-Adeilhac
Polastron
Casties-Labrande
Fustignac
Castelnau-Picampeau
Marignac-Lasclares
Gratens
Lilhac
St-André
Peyrissas
Montégut-Bourjac
le Fousseret
St-Élix-le-Château
Montoussin
Eoux
Samouillan
Francon
St-Pé-Delbosc
Castéra-Vignoles
Escanecrabe
Esparron
Blajan
Ciadoux
Montgaillard-sur-Save
Benque
Bachas
Lescuns
Mondavezan
Lavelanet-de-Comminges
St-Julien-sur-Garonne
Boussan
Montoulieu-St-Bernard
Alan
Terrebasse
Sana
Lespugue
Montmaurin
Saman
Charlas
St-Lary-Boujean
Cassagnabère-Tournas
Aurignac
Marignac-Laspeyres
Cazères
Martres-Tolosane
Palaminy
Couladère
Balesta
Larroque
Cardeilhac
Sarremezan
Peyrouzet
St-Élix-Séglan
Aulon
St-Marcet
Ste-Radegonde
Bouzin
le Fréchet
Mauran
Lalouret-Laffiteau
Larcan
Cazeneuve-Montaut
Laffite-Toupière
Boussens
Montclar-de-Comminges
St-Michel
St-Plancard
Lodes
Latoue
Proupiary
Auzas
Manciou
Roquefort-sur-Garonne
Loudet
le Cuing
St-Ignan
Saux-et-Pomarède
Lieoux
Sepx
Arnaud-Guilhem
St-Martory
Mazères-sur-Salat
Ausseing
Plagne
le Plan
Landorthe
Castillon-de-St-Martory
Villeneuve-de-Rivière
St-Médard
Lestelle-de-St-Martory
Cassagne
Belbèze-en-Comminges
Cérizols
Ponlat-Taillebourg
St-Gaudens
Savarthès
Labarthe-Inard
Montsaunès
Salies-du-Salat
Marsoulas
Escoulis
Fabas
Bordes-de-Rivière
Clarac
Valentine
Estancarbon
Beauchalot
la Garonne
Montréjeau
Ausson
Pointis-de-Rivière
Miramont-de-Comminges
Pointis-Inard
Montespan
Figarol
Mane
Touille
Betchat
Tourtouse
Bédeille
Bagert
Gourdan-Polignan
Martres-de-Rivière
Labarthe-Rivière
Ardiège
Cier-de-Rivière
Rieucazé
Lespiteau
Ganties
Aspret-Sarrat
His
COMMINGES
PARC
Régades
Encausse-les-Thermes
Soueich
Couret
Rouède
Montgaillard-de-Salies
Castagnède
la Bastide-du-Salat
Valcabrère
Barbazan
Sauveterre-de-Comminges (Bruncan)
Estadens
Castelbiague
Lacave
Mercenac
Taurignan-Castet
Payssous
Cabanac-Cazaux
Montastruc-de-Salies (Lannes)
Mauvezin-de-Prat
Saleich
Taurignan-Vieux
Prat-Bonrepaux
Caumont
Luscan
Izaut-de-l'Hôtel
Aspet
Chein-Dessus
Urau
Francazal
Lorp-Sentaraille
Montjoie-en-Couserans
Gajan
Malvezie
Col des Ares
Arbon
Arbas
Cazavet
Montgauch
St-Lizier
St-Pé-d'Ardet
Sengouagnet
Milhas
Fougaron
Moncaup
Cazaunous
Juzet-d'Izaut
Herran
Gouffre de la Henne-Morte
Forêt Domaniale de l'Estelas
Montégut-en-Couserans
Arguenos
Frontignan-de-Comminges
Razecueillé
Moulis
Mauléon-Barousse
Saléchan
Fronsac
Col de Portet d'Aspet
Pile Romaine
Estenos
Chaum
Bezins-Garraux
St-Jean-du-Castillonnais
Buzan
Villeneuve
Balaguères (Alas)
Arrout
Engomer
Sost
Eup
Col de Menté
Portet-d'Aspet
St-Lary
Galey
Aucazein
Audressein
Cescau
Cierp-Gaud
Marignac
St-Béat
Boutx
Augirein
la Bellongue
Argein
Castillon-en-Couserans
Signac
Binos
Bachos
Lez
Sor
Salsein
Val de Burat
Guran
Burgalays
Arlos
les Bordes-sur-Lez
Arrien-en-Bethmale
Bethmale
Alos
Cazaux-Layrisse
Lège
Baren
Argut-Dessous
Fos
Uchentein
Antras
Balacet
Cier-de-Luchon
Vallée de Luchon
Gouaux-de-Luchon
Melles
Sentein
Bonac-Irazein
Vallée du Biros
Vallée de Bethmale
Sentenac-d'Oust
DES
PYRÉNÉES
Monte Umbre
Bausén
Canejan
Artigue
Salles-et-Pratviel
Antignac
Moustajon
Sode
Sant Joan
Esbints
A64
A645
E80
N125

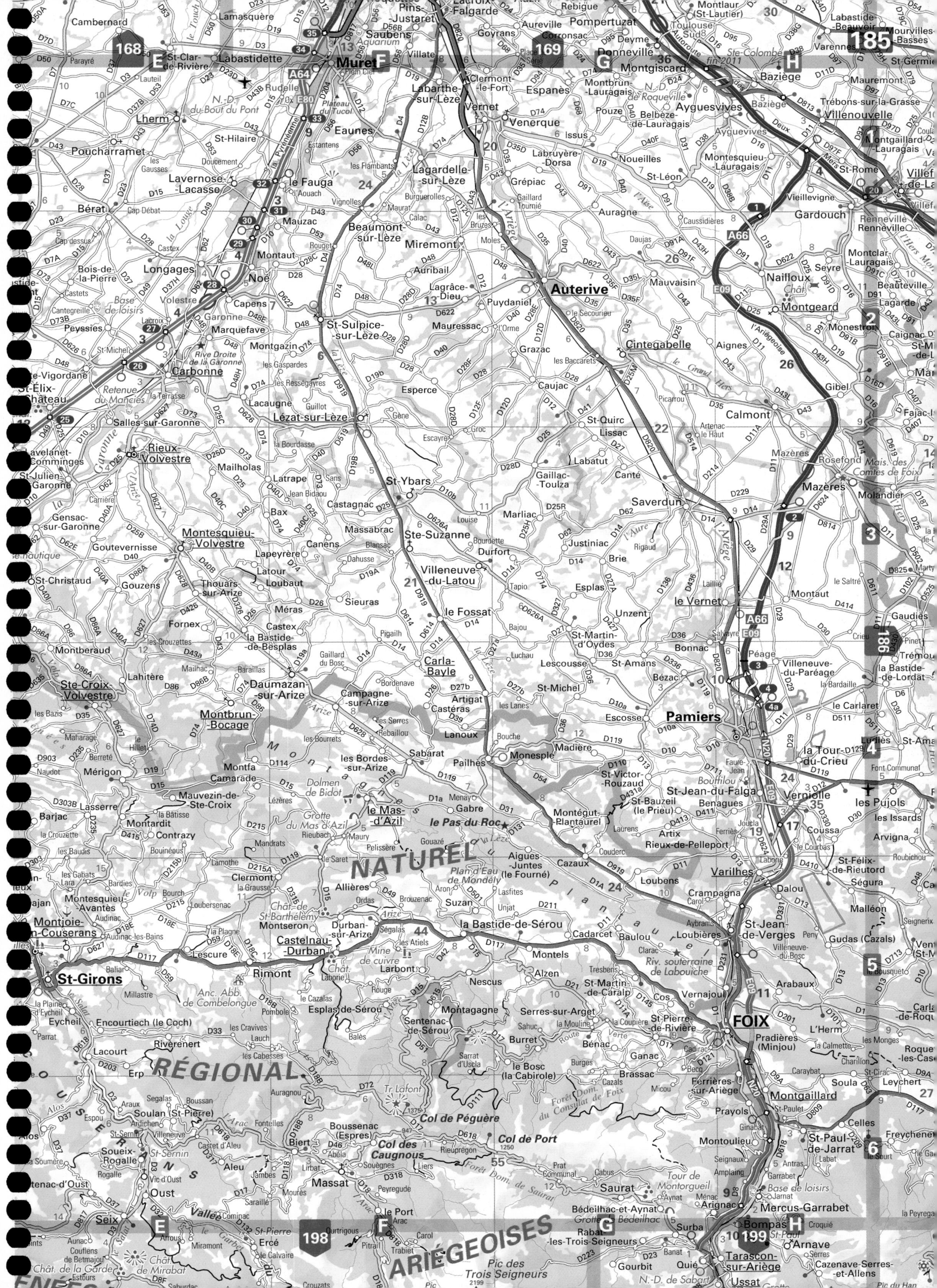

168
169
185
186
198
199
E
F
G
H
Muret
Auterive
Pamiers
FOIX
St-Girons
Saverdun
Cintegabelle
Carbonne
Noé
Longages
Lherm
Eaunes
Labarthe-sur-Lèze
Vernet
Venerque
Donneville
Montgiscard
Baziège
Ayguesvives
Villenouvelle
Nailloux
Montgeard
Calmont
Mazères
Gibel
Lézat-sur-Lèze
St-Sulpice-sur-Lèze
Beaumont-sur-Lèze
Lagardelle-sur-Lèze
Rieux-Volvestre
Montesquieu-Volvestre
St-Ybars
Ste-Suzanne
Le Fossat
Carla-Bayle
Daumazan-sur-Arize
Ste-Croix-Volvestre
Montbrun-Bocage
Le Mas-d'Azil
La Bastide-de-Sérou
Castelnau-Durban
Varilhes
St-Jean-de-Verges
Montgaillard
Mercus-Garrabet
Tarascon-sur-Ariège
Massat
Seix
Oust
Le Vernet
St-Jean-du-Falga
Vernajoul
NATUREL
RÉGIONAL
ARIÉGEOISES
Col de Péguère
Col de Port
Col des Caugnous
Le Pas du Roc
Pic des Trois Seigneurs
A64
A66
E09
E80
N20

186
170
185
199
200
A
B
C
D
2
3
4
5
6
Ségreville
Cambiac
Nogaret
St-Julia
Garrevaques
Palleville
Couffinal
Belleserre
En Calcat
Massaguel
Escoussens
Aiguefonde
Mourvilles-Basses
Beauville
Falga
Montégut-Lauragais
Roumens
Revel
Cahuzac
Dourgne
la Montagnarié
St-Germier
Maurens
Cessales
Juzes
Vaux
St-Félix-Lauragais
Butte des Trois Moulins
St-Amancet
Sorèze
Grotte de Calel
Durfort
Éperon de Berniquaut
St-Vincent
Lux
Bélesta-en-Lauragais
les Cassés
Rigaud
Bassin de St-Ferréol
St-Ferréol
Casc. de Malamort
Arfons
Forêt Domaniale de la Montagne Noire
Laprade
Vallègue
Mourvilles-Hautes
Vaudreuille
le Montagnet
Lac des Cammazes
Villefranche-de-Lauragais
Rieumajou
Folcarde
St-Paulet
Montmaur
la Pomarède
les Brunels
les Cammazes
Lac de la Galaube
Barrage
la Galaube
Lacombe
Avignonet-Lauragais
Soupex
Tréville
Labécède-Lauragais
Bassin de Lampy
Menhir de Picarel
Fontiers-Cabardès
Caudebronde
Montferrand
Col de Naurouze
Obél. de Riquet
Airoux
Puginier
Souilhe
Issel
Verdun-en-Lauragais
Villemagne
Saissac
Cuxac-Cabardès
Peyrens
Souilhanels
Labastide-d'Anjou
Ricaud
Gourvieille
Baraigne
Retenue de l'Estrade
Bge de la Ganguise
Cenne-Monestiés
St-Denis
Brousses-et-Villaret
Moulin de Caténat
Caignac
St-Michel-de-Lanès
Belflou
Castelnaudary
Collégiale
St-Papoul
Ferrals
Villespy
Fraisse-Cabardès
Marquein
Molleville
Mas-Stes-Puelles
Cumiès
St-Martin-Lalande
Carlipa
Anc. Abb.
Montolieu
Salles-sur-l'Hers
Fajac-la-Relenque
Lasbordes
St-Martin-le-Vieil
Raissac-sur-Lampy
Aragon
Villeneuve-la-Comptal
Montauriol
Payra-sur-l'Hers
Mireval-Castelnaudary
Fendeille
Canal du Midi
Villepinte
Pexiora
Moussoulens
Ventenac-Cabardès
Ste-Camelle
La Louvière-Lauragais
Mézerville
Peyrefitte-sur-l'Hers
Mireval-Lauragais
Laurabuc
Autoroute des Deux Mers
Bram
Alzonne
Pezens
le Fresquel
St-Sernin
Mayreville
St-Amans
Fonters-du-Razès
Laurac
la Viguière
Co de Lanes
Ste-Eulalie
Villesèquelande
Caux-et-Sauzens
CARCA
Pech-Luna
Villesiscle
Villasavary
Montréal
Carcassonne-Arzens
Carcassonne en Pays Cathare
Belpech
Generville
Cazalrenoux
la Cassaigne
Gaja-la-Selve
Cahuzac
Fanjeaux
Prouille
la Force
Arzens
Lavalette
Plaigne
Pécharic-et-le-Py
Ribouisse
Lafage
Lasserre-de-Prouille
Villeneuve-lès-Montréal
Alairac
Villautou
St-Julien-de-Briola
Fenouillet-du-Razès
Brézilhac
Cailhavel
Roullens
Trémoulet
La Bastide-de-Lordat
Lapenne
Orsans
Ferran
Plavilla
la Courtète
Gramazie
Cailhau
Villarzel-du-Razès
Preixan
St-Félix-de-Tournegat
Ste-Foi
St-Gaudéric
Hounoux
Mazerolles-du-Razès
Cambieure
Brugairolles
Montclar
Rouffiac-d'Aude
St-Amadou
Montgradail
Belvèze-du-Razès
Malviès
Escueillens-et-St-Just-de-Bélengard
St-Martin-de-Villereglan
Cépie
Vals
Manses
Teilhet
Malegoude
Seignalens
Bellegarde-du-Razès
Routier
Alaigne
Pomas
Châ. de Terride
Mirepoix
Cazals-des-Baylès
Lignairolles
Lauraguel
St-Hilaire
Rieucros
Pujols
Coutens
Besset
Moulin-Neuf
Gaja-et-Villedieu
Pieusse
Caudeval
Roumengoux
Gueytes-et-Labastide
Monthaut
Donazac
Pauligne
Tourtrol
Viviès (Gaston)
la Bastide-de-Bousignac
N.-D. de Marceille
Gardie
Tréziers
Pomy
Loupia
Limoux
Musée du piano
Vira
Calzan
St-Julien-de-Gras-Capou
Lagarde
Chât. Féodal
Peyrefitte-du-Razès
Malras
Villelongue-d'Aude
La Bezole
Ajac
la Digne-d'Aval
la Digne-d'Amont
St-Polycarpe
Dun
St-Quentin-la-Tour
Corbières
Courtauly
Castelreng
Magrie
Cournanel
Ventenac (St-Martin)
Limbrassac
Troye-d'Ariège
Camon
St-Benoît
Tourreilles
Belloc
Sonnac-sur-l'Hers
St-Couat-du-Razès
Alet-les-Bains
Abbaye Notre-Dame
Aigues-Vives
Tabre
Régat
Léran
Chalabre
Bourigeole
Roquetaillade
Lieurac
Pradettes
Esclagne
Carla-de-Roquefort
Barrage de Montbel
Montbel
Montjardin
Bouriège
Conilhac-de-la-Montagne
Laroque-d'Olmes
la Bastide-sur-l'Hers
Festes-et-St-André
la Serpent
Ilhat
Sautel
Roquefort-les-Cascades
Luc-sur-Aude
le Peyrat
Ste-Colombe-sur-l'Hers
Villefort
Antugnac
Montazels
Couiza
Châ. des Ducs de Joyeuse
Raissac
Dreuilhe
Rivel
Rouvenac
Espéraza
Leychert
Roquefixade
Lavelanet
Lesparrou
St-Jean-de-Paracol
Coustaussa
Rennes-le-Château
St-Jean-d'Aigues-Vives
Puivert
Nalzen
l'Aiguillon
Notre-Dame du Val d'Amour
Campagne-sur-Aude
Tour Magdala
Freychenet
Villeneuve-d'Olmes
Bénaix
Bélesta
Nébias
Granès
Montferrier
Sce de Fontestorbes
Forêt de Bélesta
Brenac
St-Ferriol
Gorges de la Frau
Fougax-et-Barrineuf
Montségur
F. Dom. de Comus Frêde-Picaussel
Quillan
Ginoles
Coudons
St-Just-et-le-Bézu
St-Julia-de-Bec
Belvis
Belvianes-et-Cavirac
St-Louis-et-Parahou
les Monts d'Olmes
Fontaine de l'Esquielle source
Pas de l'Ours
Plateau de Sault
A61
E80

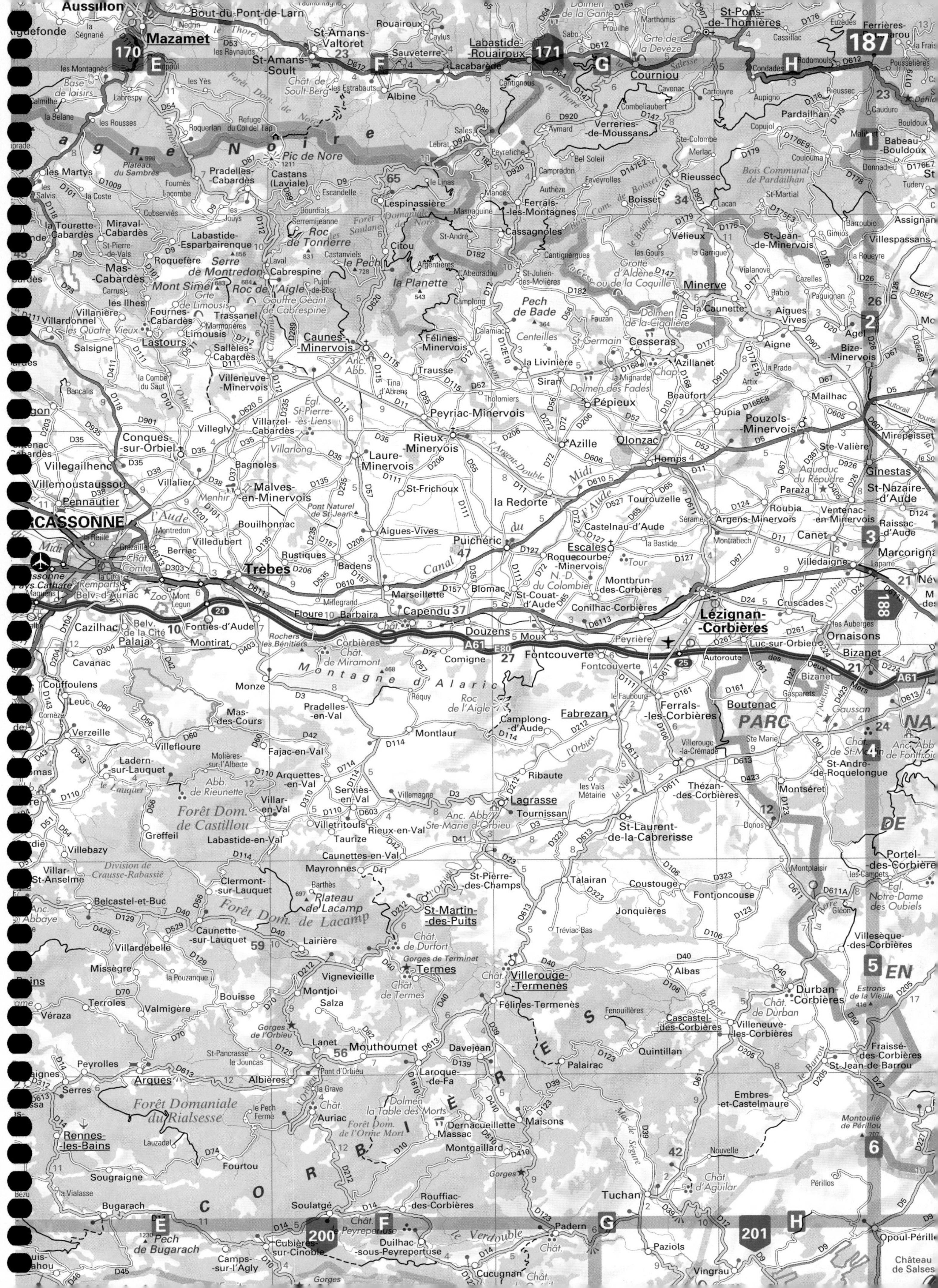

Aussillon
Aiguefonde
Mazamet
170
E
F
G
H
171
187
Bout-du-Pont-de-Larn
St-Amans-Valtoret
St-Amans-Soult
Rouairoux
Sauveterre
Lacabarède
Labastide-Rouairoux
St-Pons-de-Thomières
Ferrières-Poussarou
Courniou
Grte de la Devèze
Cassillac
Rodomouls
Condades
Pardailhan
Dolmen de la Gante
Prouilhe
Marthomis
Sabo
Albine
Chât. de Soult-Berg
les Estrabauts
Base de loisirs
les Montagnès
Hautpoul
les Yès
les Raynauds
les Rousses
Labrespy
Calmilhe
la Belane
Roquerlan
Refuge du Col del Tap
Montagne Noire
Forêt Dom. de Nore
Pic de Nore
1211
Plateau du Sambrès
998
Sales
Lebrat
Peyrefiche
Campredon
Bel Soleil
Verreries-de-Moussans
Aymard
Combeliaubert
Cavenac
Cartouyre
Aupigno
Rieussec
Cauduro
Copujol
Ste-Colombe
Merlac
Boulдoux
Babeau-Bouldoux
Malibert
Coulouma
Bois Communal de Pardailhan
Donnadieu
Tudery
Rieussec
Boisset
Bois Com. de Boisset
Lacan
St-Martial
34
les Martys
Pradelles-Cabardès
Castans (Laviale)
Fournès
Lacombe
la Coste
Escandelle
Le Linas
65
Lespinassière
Mancès
Ferrals-les-Montagnes
Faveyrolles
Authèze
Cuxac-Cabardès
Miraval-Cabardès
la Tourette-Cabardès
Cubserviès
les Jouys
Bourdials
Serremijeanne
Roc de Tonnerre
Forêt Domaniale des Soulanes de Nore
Masnaguine
St-André
Cassagnoles
Vélieux
St-Jean-de-Minerve
Gimios
Barroubio
Assignan
Villespassans
Labastide-Esparbairenque
St-Pierre-de-Vals
Roquefère
Mas-Cabardès
Serre de Montredon
Mont Simel
Roc de l'Aigle
Grte de Limousis
Gouffre Géant de Cabrespine
Cabrespine
Pujol-de-Bosc
Castanviels
le Pech
Laval
Citou
Argentières
la Planette
l'Abeuradou
St-Julien-des-Molières
Cantignergues
les Gours
la Garrigue
Grotte d'Aldène
la Cesse ou de la Coquille
Minerve
Vialanove
Cazelles
Paguignan
la Roueyre
Carrus
les Ilhes
Villanière
Villardonnel
Fournes-Cabardès
Trassanel
Marmorières
Limousis
les Quatre Vieux
Lastours
Salsigne
Sallèles-Cabardès
Caunes-Minervois
Camplong
Calamiac
Félines-Minervois
Pech de Bade
364
Centeilles
Fauzan
Dolmen de la Cigalière
la Caunette
Aigues-Vives
Agel
Aigne
Bize-Minervois
26
2
Cesseras
St-Germain
Azillanet
la Livinière
Siran
la Mignarde
Chap.
Dolmen des Fades
Trausse
Tina d'Abrens
Anc. Abb.
Villeneuve-Minervois
la Combe du Saut
Bancalis
Artix
la Prade
Mailhac
Beaufort
Oupia
Pouzols-Minervois
Tholomiers
Pépieux
Peyriac-Minervois
Égl. St-Pierre-ès-Liens
Villegly
Villarzel-Cabardès
Villarlong
Conques-sur-Orbiel
Rieux-Minervois
Azille
Olonzac
Homps
Ste-Valière
Mirepeisset
Ginestas
Aqueduc du Répudre
St-Nazaire-d'Aude
Paraza
Villegailhenc
Villemoustaussou
Pennautier
Bagnoles
Villalier
Menhir
Malves-en-Minervois
Laure-Minervois
St-Frichoux
la Redorte
Canal du Midi
Tourouzelle
Roubia
Ventenac-en-Minervois
Raissac-d'Aude
Argens-Minervois
Sérame
Castelnau-d'Aude
CARCASSONNE
Bouilhonnac
Pont Naturel de St-Jean
Aigues-Vives
Puichéric
Escales
la Bastide
Canet
3
Marcorignan
Montredon
Villedubert
Berriac
la Reille
Grazailla
Châ. Comtal
Remparts
la Cité
Belv. d'Auriac
Zoo
Rustiques
Trèbes
Badens
Roquecourbe-Minervois
Tour
N.-D. du Colombier
Montbrun-des-Corbières
Montrabech
Villedaigne
Laparre
Mont Legun
Millegrand
Marseillette
Blomac
St-Couat-d'Aude
Conilhac-Corbières
Cruscades
188
Lézignan-Corbières
Cazilhac
Belv. de la Cité
Fonties-d'Aude
24
Floure
Barbaira
Capendu
37
Douzens
Moux
Peyrière
les Auberges
Ornaisons
Palaja
Montirat
Rochers les Bénitiers
Corbières
Châ. de Miramont
A61
E80
27
Fontcouverte
25
Luc-sur-Orbieu
Bizanet
21
Cavanac
Comigne
Montagne d'Alaric
468
Autoroute des Deux Mers
Couffoulens
Leuc
Cornèze
Monze
Pradelles-en-Val
Réquy
Roc de l'Aigle
Ferrals-les-Corbières
le Faubourg
Boutenac
Gasparets
Gaussan
PARC NA
Verzeille
Mas-des-Cours
Camplong-d'Aude
Fabrezan
Montlaur
Villefloure
Fajac-en-Val
Villerouge-la-Crémade
Ste Marie
Anc. Abb. de Fontfroide
St-André-de-Roquelongue
4
Ladern-sur-Lauquet
Molières-sur-l'Alberte
Abb. de Rieunette
Arquettes-en-Val
Serviès-en-Val
Ribaute
les Vals Métairie
Thézan-des-Corbières
Montséret
Forêt Dom. de Castillou
Villar-en-Val
Villemagne
Lagrasse
Tournissan
Anc. Abb. Ste-Marie d'Orbieu
St-Laurent-de-la-Cabrerisse
12
Donos
Greffeil
Villetritouls
Taurize
Rieux-en-Val
Labastide-en-Val
DE
Villebazy
Division de Crausse-Rabassié
Caunettes-en-Val
Mayronnes
Portel-des-Corbières
les Campets
Villar-St-Anselme
Clermont-sur-Lauquet
Barthès
697
Plateau de Lacamp
St-Pierre-des-Champs
Talairan
Coustouge
Fontjoncouse
Montplaisir
Égl. Notre-Dame des Oubiels
Belcastel-et-Buc
Forêt Dom. de Lacamp
St-Martin-des-Puits
Jonquières
Gléon
Anc. Abbaye
Caunette-sur-Lauquet
Villardebelle
59
Lairière
Châ. de Durfort
Gorges de Terminet
Tréviac-Bas
Villesèque-des-Corbières
Missègre
Vignevieille
Termes
Châ. de Termes
Villerouge-Termenès
Albas
5 EN
Bains
la Pouzanque
Terroles
Bouisse
Montjoi
Salza
Félines-Termenès
Durban-Corbières
Châ. de Durban
Estrons de la Vieille
416
Véraza
Valmigère
Gorges de l'Orbieu
Fenouillères
Cascastel-des-Corbières
Villeneuve-les-Corbières
St-Pancrasse
le Jouncas
Lanet
56
Mouthoumet
Davejean
Quintillan
Palairac
Fraissé-des-Corbières
St-Jean-de-Barrou
Peyrolles
Arques
Albières
Laroque-de-Fa
Pont d'Orbieu
la Grave
Serres
Forêt Domaniale du Rialsesse
le Pech Ferme
Châ.
Auriac
Dolmen la Table des Morts
Forêt Dom. de l'Orme Mort
Dernacueillette
Massac
Maisons
Embres-et-Castelmaure
Montoulié de Périllou
707
Rennes-les-Bains
Lauzadel
Fourtou
Montgaillard
Mas de Ségure
42
Nouvelle
6
Sougraigne
la Vialasse
Gorges
Périllos
CORBIÈRES
Rouffiac-des-Corbières
Châ. d'Aguilar
Tuchan
Bugarach
Soulatgé
E
F
G
H
200
201
1230
Pech de Bugarach
Châ. Peyrepertuse
Cubières-sur-Cinoble
Duilhac-sous-Peyrepertuse
le Verdouble
Padern
Châ.
Paziols
Opoul-Périllos
Camps-sur-l'Agly
Cucugnan
Vingrau
Château de Salses
Gorges

188
A
B
C
D
172
187
201
Roquebrun
Berlou
Autignac
Fouzilhon
Roujan
Caux
Cazouls-d'Hérault
Lézignan-la-Cèbe
Cassan
St-Nazaire
Margon
Pouzolles
Causses-et-Veyran
St-Geniès-de-Fontedit (St-Geniès-le-Bas)
Magalas
Alignan-du-Vent
Pézenas
Aumes
Cessenon-sur-Orb
Murviel-lès-Béziers
Puissalicon
Coulobres
Abeilhan
Tourbes
Castelnau-de-Guers
Prades-sur-Vernazobre
Puimisson
Espondeilhan
Babeau-Bouldoux
Pailhès
Servian
Pierrerue
Cazedarnes
Thézan-lès-Béziers
Lieuran-lès-Béziers
Valros
Nézignan-l'Évêque
St-Chinian
Anc. Abb. de Fontcaude
Corneilhan
Bassan
St-Thibéry
Montblanc
Cébazan
Assignan
Cazouls-lès-Béziers
Lignan-sur-Orb
Boujan-sur-Libron
les Jardins de St-Adrien
Villespassans
Creissan
Puisserguier
Maraussan
BÉZIERS
Bessan
Cruzy
Quarante
Maureilhan
Béziers-Montblanc
Montouliers
Montady
Capestang
Péage de Béziers-Cabrials
Béziers-Vias
Cers
Vias
Agde
Argeliers
Oppidum d'Ensérune
Colombiers
Villeneuve-lès-Béziers
Portiragnes
Poilhes
Montels
Ouveillan
Nissan-lez-Enserune
Sauvian
Sérignan
Rés. Naturelle de Roque-Haute
Mirepeisset
Abb. de Fontcalvy
Amphoralis
Lespignan
Vendres
Sérignan-Plage
Le Grau-d'Agde
Aqualand du Cap d'Agde
Ginestas
Sallèles-d'Aude
St-Nazaire-d'Aude
St-Marcel-sur-Aude
Cuxac-d'Aude
Salles-d'Aude
Étang de Vendres
Valras-Plage
Raissac-d'Aude
Moussan
Coursan
Fleury
Marcorignan
Oppidum de Montlaurès
Vinassan
Narbonne-Vinassan
Névian
NARBONNE
Montredon-des-Corbières
Armissan
Gouffre de l'Œil-Doux
St-Pierre-sur-Mer
Musée Lapidaire
Moujan
Montagne de la Clape
Pech-Louba
Narbonne-Plage
Narbonne-Jonquières
N.-D. des Auzils
Aquajet
NATUREL
RÉGIONAL
Bages
Étang de Gruissan
Étang de Bages
Gruissan
Gruissan-Plage
Peyriac-de-Mer
DE LA NARBONNAISE
Étang de l'Ayrolle
Portel-des-Corbières
Réserve Africaine
Île de l'Aute
Étang de Sigean
Île Ste-Lucie
Oppidum de Pech de Maho
Sigean
Port-la-Nouvelle
EN MÉDITERRANÉE
Roquefort-des-Corbières
la Palme
la Franqui-Plage
Feuilla
Caves
Treilles
Leucate
Cap Leucate
Leucate-Plage
Chap. St-Aubin
Fitou
les Cabanes de Fitou
Étang de Leucate ou de Salses
Opoul-Périllos
Port Leucate
Château de Salses
Aqualand
GOLFE

Montagnac
Villeveyrac
Poussan
Gigean
Vic-
-la-Gardiole
Étang de Vic
de Maguelone
Anc. Abb. de Valmagne
Abb. St-Félix de Monceau
Balaruc-
-le-Vieux
Frontignan
Loupian
Bouzigues
Mèze
St-Martin de la Garrigue
Montmèze
le Sesquier
Parc à Huîtres
Balaruc-
-les-Bains
le Barrou
la Peyrade
Étang d'Ingril
Quartier du Grau
Frontignan-Plage
la Grand-Grange
les Métairies
Mont St-Clair
SÈTE
la Corniche
le Mourre Blanc
la Bellonette
Pinet
Florensac
Pomérols
la Fadèze
Marseillan
Bassin de Thau
les Mougères
Rés. Naturelle du Bagnas
la Tuilerie
les Onglous
Agde
Marseillan-Plage
la Chevrette
le Cap d'Agde
Aqualand Cap d'Agde
Cap d'Agde
Tanger (Maroc) 36h00
Nador (Maroc) 36h00
la Languedocienne
DU LION

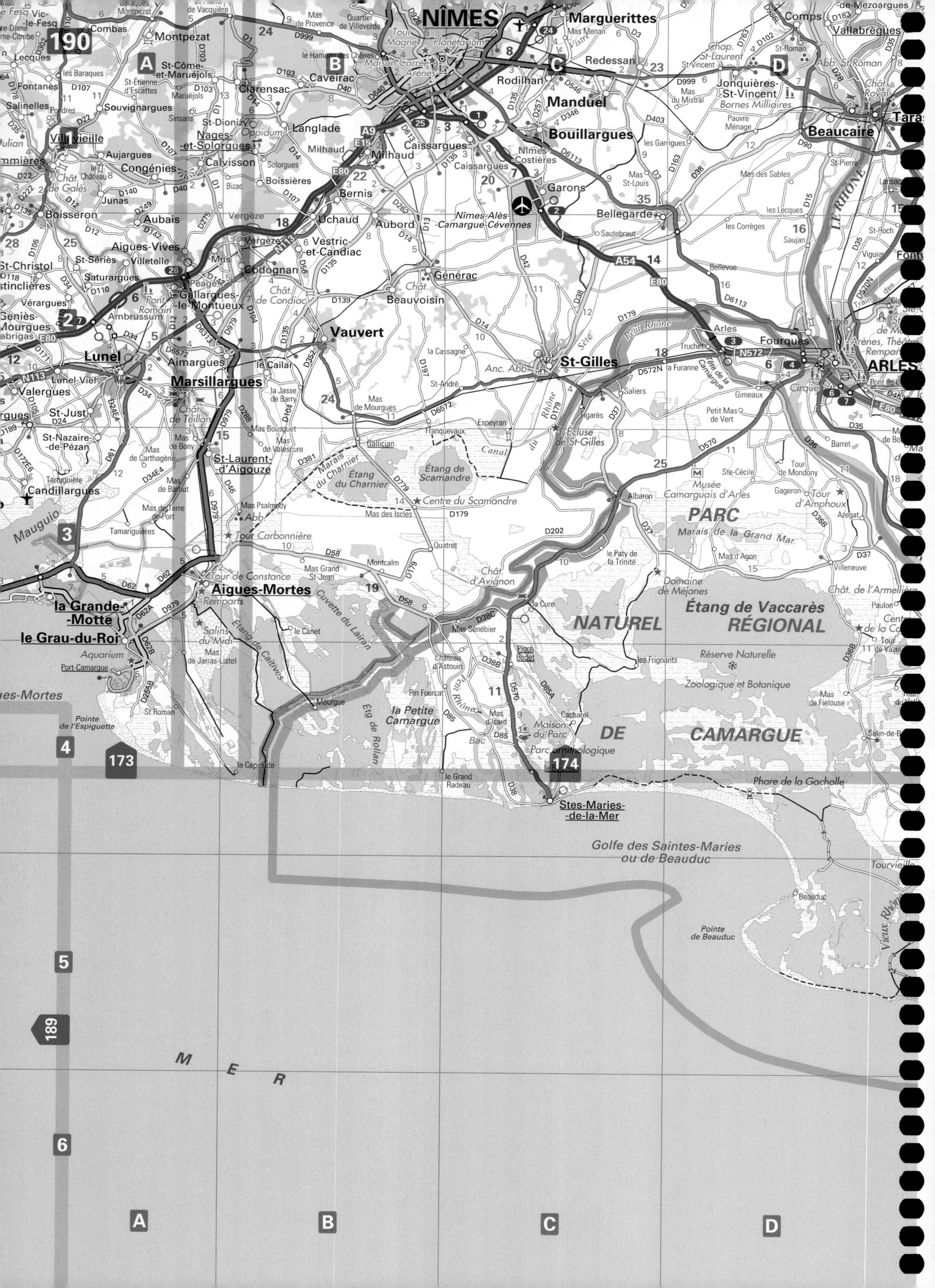
190
NÎMES
Marguerittes
Montpezat
Combas
St-Côme-et-Maruéjols
Clarensac
Caveirac
Redessan
Jonquières-St-Vincent
Rodilhan
Manduel
Bouillargues
Beaucaire
Vallabrègues
Comps
Souvignargues
Villevieille
Langlade
Nages-et-Solorgues
Calvisson
Congénies
Aujargues
Milhaud
Caissargues
Garons
Boissières
Bernis
Uchaud
Aubord
Nîmes-Alès-Camargue-Cévennes
Bellegarde
Aubais
Boisseron
Junas
Aigues-Vives
Vergèze
Vestric-et-Candiac
Codognan
Générac
Beauvoisin
St-Christol
Saturargues
Gallargues-le-Montueux
Vauvert
Lunel
Lunel-Viel
Marsillargues
Aimargues
le Cailar
St-Gilles
Arles
Fourques
ARLES
Valergues
St-Just
St-Nazaire-de-Pézan
Candillargues
St-Laurent-d'Aigouze
Étang du Charnier
Étang de Scamandre
Centre du Scamandre
Mauguio
Tour Carbonnière
Tour de Constance
Aigues-Mortes
la Grande-Motte
le Grau-du-Roi
Aquarium
Port-Camargue
Pointe de l'Espiguette
Salins du Midi
la Petite Camargue
Musée Camarguais d'Arles
PARC
NATUREL
RÉGIONAL
DE
CAMARGUE
Marais de la Grand Mar
Domaine de Méjanes
Étang de Vaccarès
Réserve Naturelle Zoologique et Botanique
Maison du Parc
Parc ornithologique
Stes-Maries-de-la-Mer
Phare de la Gacholle
Golfe des Saintes-Maries ou de Beauduc
Pointe de Beauduc
173
174
189
M E R
A
B
C
D
1
2
3
4
5
6

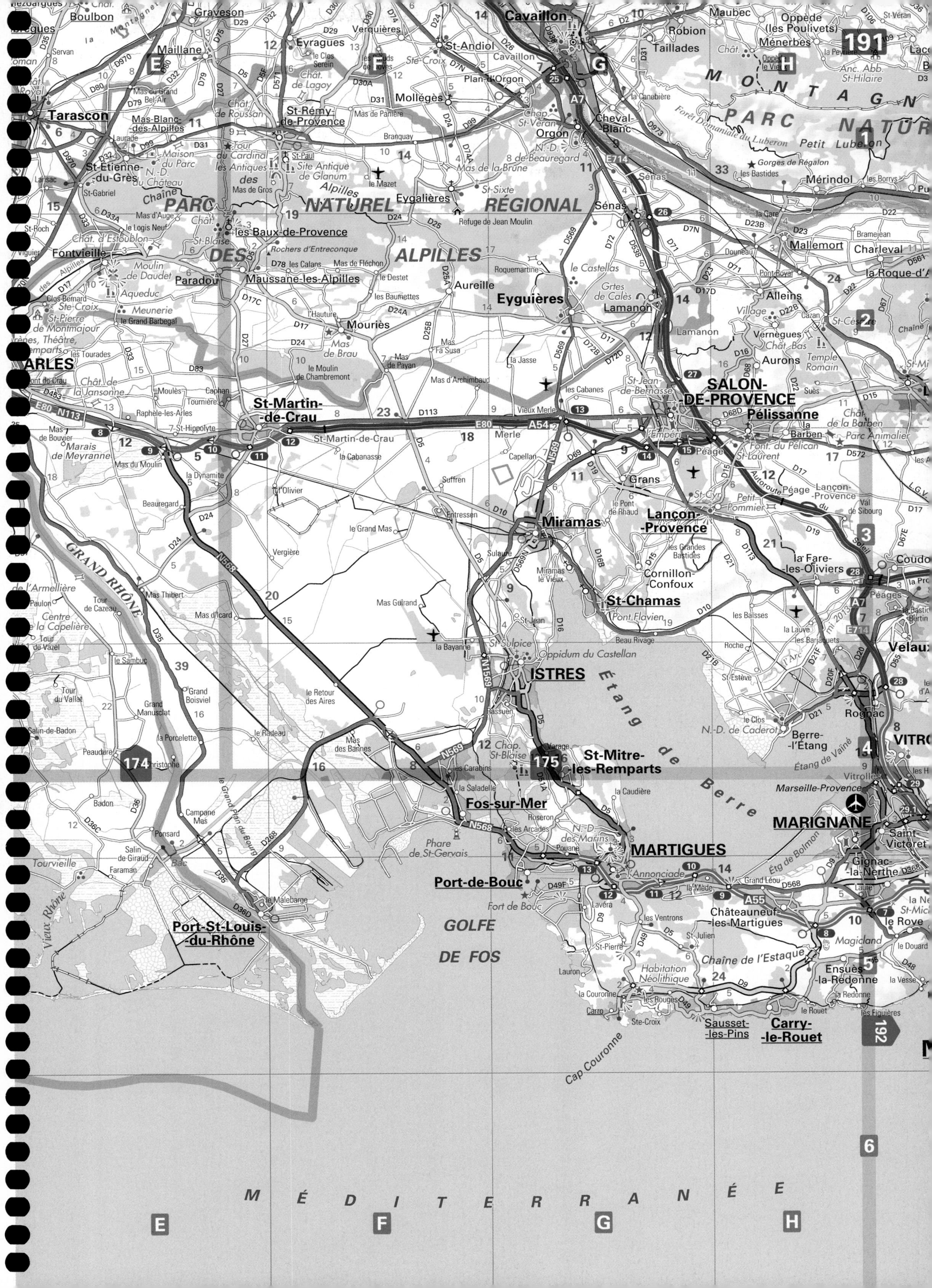191
192
174
175
Cavaillon
Tarascon
St-Rémy-de-Provence
Maillane
Graveson
Eyragues
St-Andiol
Plan-d'Orgon
Mollégès
Orgon
Cheval-Blanc
Robion
Maubec
Oppède
Ménerbes
Mérindol
Sénas
Eygalières
PARC NATUREL RÉGIONAL DES ALPILLES
Chaîne des Alpilles
MONTAGNE
PARC NATUREL
Petit Luberon
les Baux-de-Provence
Fontvieille
Paradou
Maussane-les-Alpilles
Mouriès
Aureille
Eyguières
Lamanon
Mallemort
Charleval
Alleins
Vernègues
Aurons
SALON-DE-PROVENCE
Pélissanne
ARLES
St-Martin-de-Crau
Grans
Lançon-Provence
Miramas
St-Chamas
Cornillon-Confoux
la Fare-les-Oliviers
Velaux
ISTRES
Étang de Berre
St-Mitre-les-Remparts
Fos-sur-Mer
MARTIGUES
MARIGNANE
Rognac
Berre-l'Étang
Vitrolles
Marseille-Provence
Port-de-Bouc
GOLFE DE FOS
Port-St-Louis-du-Rhône
GRAND RHÔNE
Vieux Rhône
Châteauneuf-les-Martigues
Gignac-la-Nerthe
Saint-Victoret
Chaîne de l'Estaque
Ensuès-la-Redonne
Sausset-les-Pins
Carry-le-Rouet
Cap Couronne
MÉDITERRANÉE
E
F
G
H
1
2
3
4
5
6

192
St-Cannat
Village des Automates
Éguilles
Coudoux
Ventabren
Velaux
VITROLLES
175
Gare d'Aix-en-Provence T.G.V.
Cabriès
Les Pennes-Mirabeau
Septèmes-les-Vallons
le Rove
MARSEILLE
191
Île Ratonneau
Hôp. Caroline
Île Pomègues
Châtt. d'If
Îles du Frioul
Château Borély
Cap Croisette
Île Maire
Île de Jarre
Île Riou
les Calanques
Annaba (Algérie) 22h00
Oran (Algérie) 24h00
Alger (Algérie) 20h00
Béjaïa (Algérie) 20h30
Skikda (Algérie) 21h00
Tunis (Tunisie) 21h00
Calvi 11h30
Ajaccio 12h00
Bastia 13h00
Porto-Vecchio 14h00
Porto Torres (Sardaigne) 13h45
Propriano 12h30
l'Île-Rousse 11h30
Venelles
Meyrargues
AIX-EN-PROVENCE
Vauvenargues
St-Marc-Jaumegarde
Mgne Ste-Victoire
Pic des Mouches
Le Tholonet
St-Antonin-sur-Bayon
Puyloubier
Pourrières
Rians
Artigues
Esparron
Oppidum Pain de Munition
Châteauneuf-le-Rouge
Meyreuil
Nécropole Nationale de Luynes
Bouc-Bel-Air
Gardanne
Fuveau
Rousset
Trets
176
Peynier
Pourcieux
St-Maximin-la-Ste-Baume
Gréasque
Simiane-Collongue
Mimet
St-Savournin
Belcodène
Peypin
la Bouilladisse
la Destrousse
Auriol
Roquevaire
St-Zacharie
Nans-les-Pins
Plan-d'Aups-Ste-Baume
Chaîne de la Ste-Baume
Chaîne de l'Étoile
Allauch
Plan-de-Cuques
Gémenos
AUBAGNE
Cuges-les-Pins
Circuit Automobile Paul Ricard
la Penne-sur-Huveaune
Carnoux-en-Provence
Roquefort-la-Bédoule
Ceyreste
Cassis
Cap Canaille
LA CIOTAT
Île Verte
St-Cyr-sur-Mer
la Cadière-d'Azur
le Castellet
Bandol
Île de Bendor
Sanary-sur-Mer
SIX-FOURS-LES-PLAGES
Île des Embiez
A
B
C
D
1
2
3
4
5
6

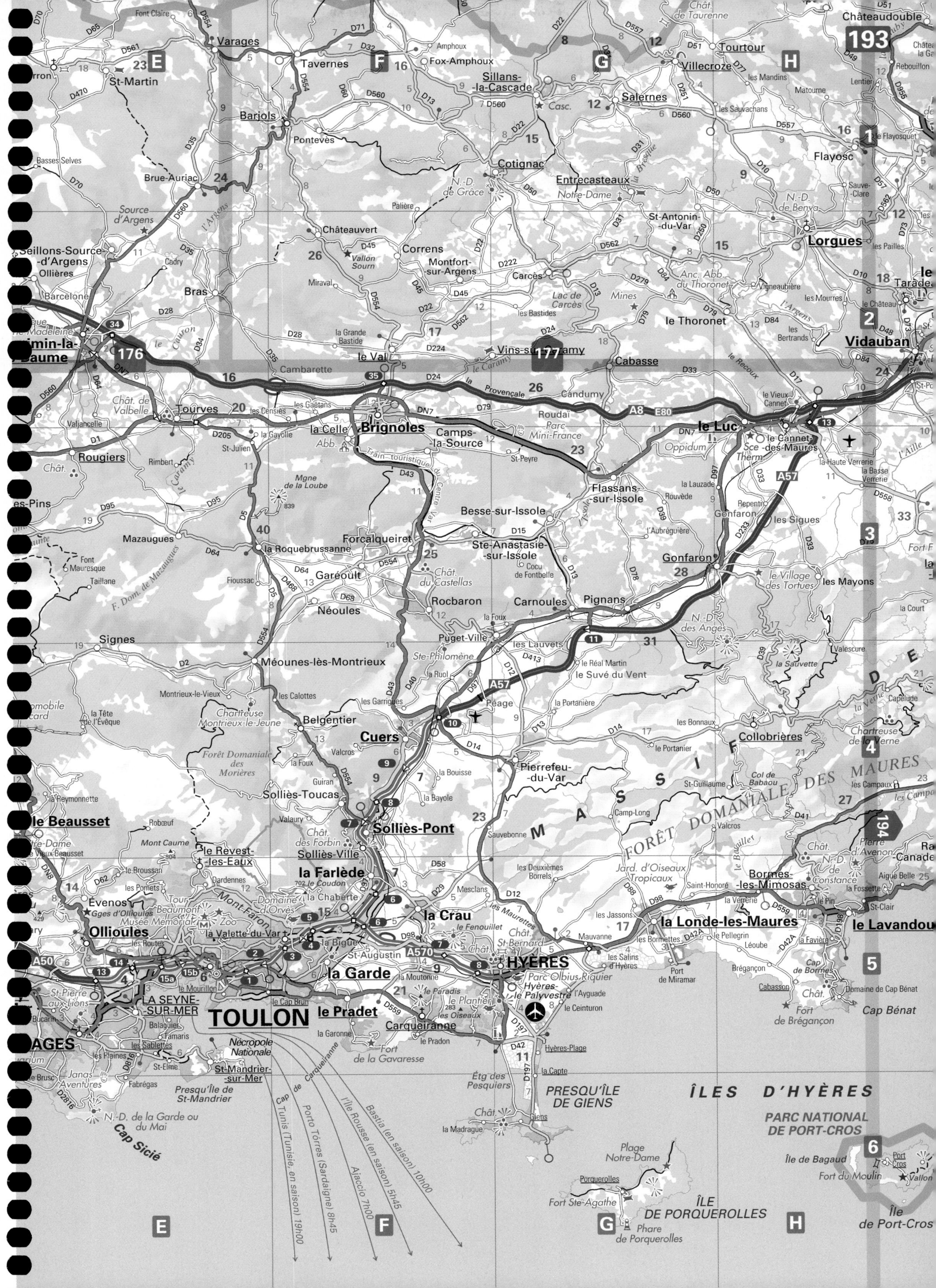
193
Châteaudouble
Varages
Tavernes
Fox-Amphoux
Sillans-la-Cascade
Tourtour
Villecroze
Salernes
St-Martin
Barjols
Pontevès
Flayosc
Cotignac
Entrecasteaux
Brue-Auriac
Source d'Argens
Châteauvert
Correns
Montfort-sur-Argens
Carcès
St-Antonin-du-Var
Lorgues
Seillons-Source-d'Argens
Ollières
Barcelone
Bras
Lac de Carcès
Anc. Abb. du Thoronet
le Thoronet
Taradeau
Vidauban
176
177
le Val
Vins-sur-Caramy
Cabasse
Tourves
Brignoles
la Celle
Camps-la-Source
Parc Mini-France
le Luc
le Cannet-des-Maures
Rougiers
Mgne de la Loube
Flassans-sur-Issole
Besse-sur-Issole
Gonfaron
Mazaugues
la Roquebrussanne
Forcalqueiret
Ste-Anastasie-sur-Issole
Garéoult
Néoules
Rocbaron
Carnoules
Pignans
Village des Tortues
les Mayons
Signes
Méounes-lès-Montrieux
Puget-Ville
N.-D. des Anges
Belgentier
Cuers
Collobrières
Pierrefeu-du-Var
MASSIF DES MAURES
FORÊT DOMANIALE DES MAURES
Solliès-Toucas
le Beausset
Solliès-Pont
Solliès-Ville
le Revest-les-Eaux
la Farlède
Bormes-les-Mimosas
194
Ollioules
la Valette-du-Var
la Crau
la Londe-les-Maures
le Lavandou
la Garde
HYÈRES
LA SEYNE-SUR-MER
TOULON
le Pradet
Carqueiranne
Hyères-Plage
St-Mandrier-sur-Mer
Cap Sicié
PRESQU'ÎLE DE GIENS
ÎLES D'HYÈRES
PARC NATIONAL DE PORT-CROS
Cap Bénat
Fort de Brégançon
Porquerolles
ÎLE DE PORQUEROLLES
Île de Port-Cros
Tunis (Tunisie, en saison) 19h00
Porto Torres (Sardaigne) 8h45
Ajaccio 7h00
l'Île Rousse (en saison) 5h45
Bastia (en saison) 10h00
E
F
G
H

194
DRAGUIGNAN
Figanières
Callas
Trans-en-Provence
la Motte
le Muy
les Arcs
Taradeau
Vidauban
177
Roquebrune-sur-Argens
Puget-sur-Argens
FRÉJUS
ST-RAPHAËL
178
Bagnols-en-Forêt
St-Paul-en-Forêt
Lac de Saint-Cassien
Mandelieu-la-Napoule
LE CANNET
CANNES
Théoule-sur-Mer
Les Adrets-de-l'Esterel
Forêt Domaniale de l'Esterel
Mont Vinaigre
Pic de l'Ours
N.-D. de Jérusalem
Pic du C. Roux
Pointe de l'Esquillon
Nécropole Nationale des Guerres en Indochine
Pagode Bouddhique
195
CORNICHE DE L'ESTEREL
Cap du Dramont
Agay
Anthéor
St-Aygulf
les Issambres
le Plan-de-la-Tour
la Garde-Freinet
Ste-Maxime
Pointe des Sardinaux
Golfe de St-Tropez
St-Tropez
Grimaud
Cogolin
Port Grimaud
Gassin
Ramatuelle
la Croix-Valmer
Cap Camarat
Cap Taillat ou Cap Cartaya
Cap Lardier
Cavalaire-sur-Mer
Rayol-Canadel-sur-Mer
193
CORNICHE DES MAURES
MAURES
Île du Levant
Port-Cros
Vallon de la Solitude
A
B
C
D

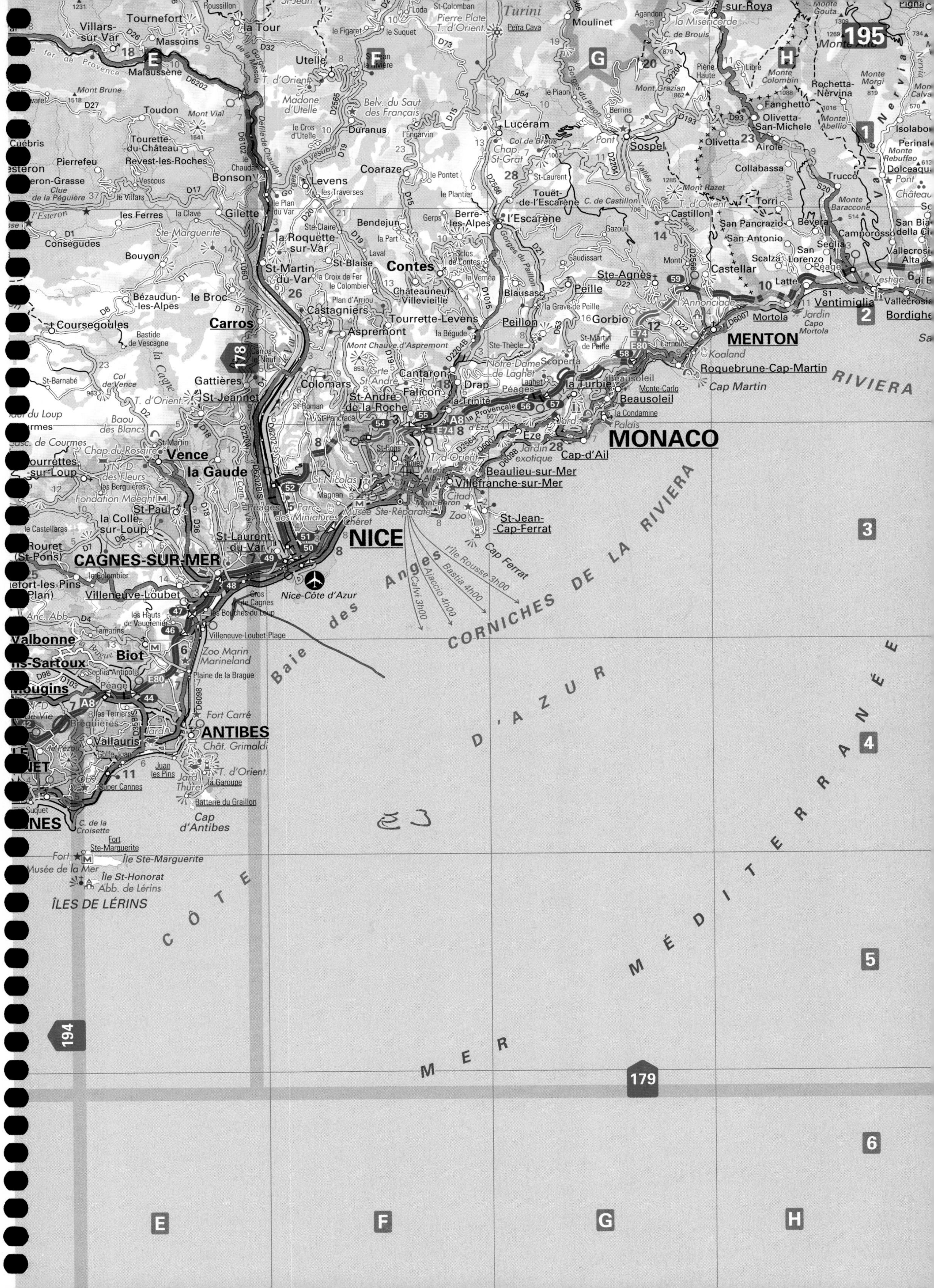
195
194
178
179
E
F
G
H
E
F
G
H
1
2
3
4
5
6
MONACO
NICE
MENTON
CAGNES-SUR-MER
ANTIBES
Carros
Vence
la Gaude
Contes
Biot
Valbonne
Villars-sur-Var
Tournefort
la Tour
Massoins
Malaussène
Utelle
Moulinet
Turini
Lucéram
Sospel
Coaraze
Levens
Bonson
Gilette
les Ferres
Conségudes
Bouyon
le Broc
Bézaudun-les-Alpes
Coursegoules
Gattières
St-Jeannet
St-Martin-du-Var
la Roquette-sur-Var
Bendejun
Berre-les-Alpes
l'Escarène
Touët-de-l'Escarène
Peille
Peillon
Ste-Agnès
Gorbio
Castellar
Castillon
Roquebrune-Cap-Martin
Cap Martin
Beausoleil
la Turbie
Eze
Cap-d'Ail
Beaulieu-sur-Mer
Villefranche-sur-Mer
St-Jean-Cap-Ferrat
Cap Ferrat
Drap
Cantaron
Falicon
Colomars
St-André-de-la-Roche
Tourrette-Levens
Aspremont
Castagniers
Châteauneuf-Villevieille
St-Laurent-du-Var
Villeneuve-Loubet
la Colle-sur-Loup
St-Paul
Nice-Côte d'Azur
Vallauris
Châtt. Grimaldi
Cap d'Antibes
Fort Carré
Zoo Marin
Marineland
Île Ste-Marguerite
Île St-Honorat
Abb. de Lérins
ÎLES DE LÉRINS
Ventimiglia
Bordighera
Mortola
Olivetta-San-Michele
Airole
Camporosso
Dolceacqua
Isolabona
Rochetta-Nèrvina
Baie des Anges
Calvi 3h00
Ajaccio 4h00
Bastia 4h00
l'Île Rousse 3h00
CORNICHES DE LA RIVIERA
RIVIERA
CÔTE D'AZUR
MER MÉDITERRANÉE

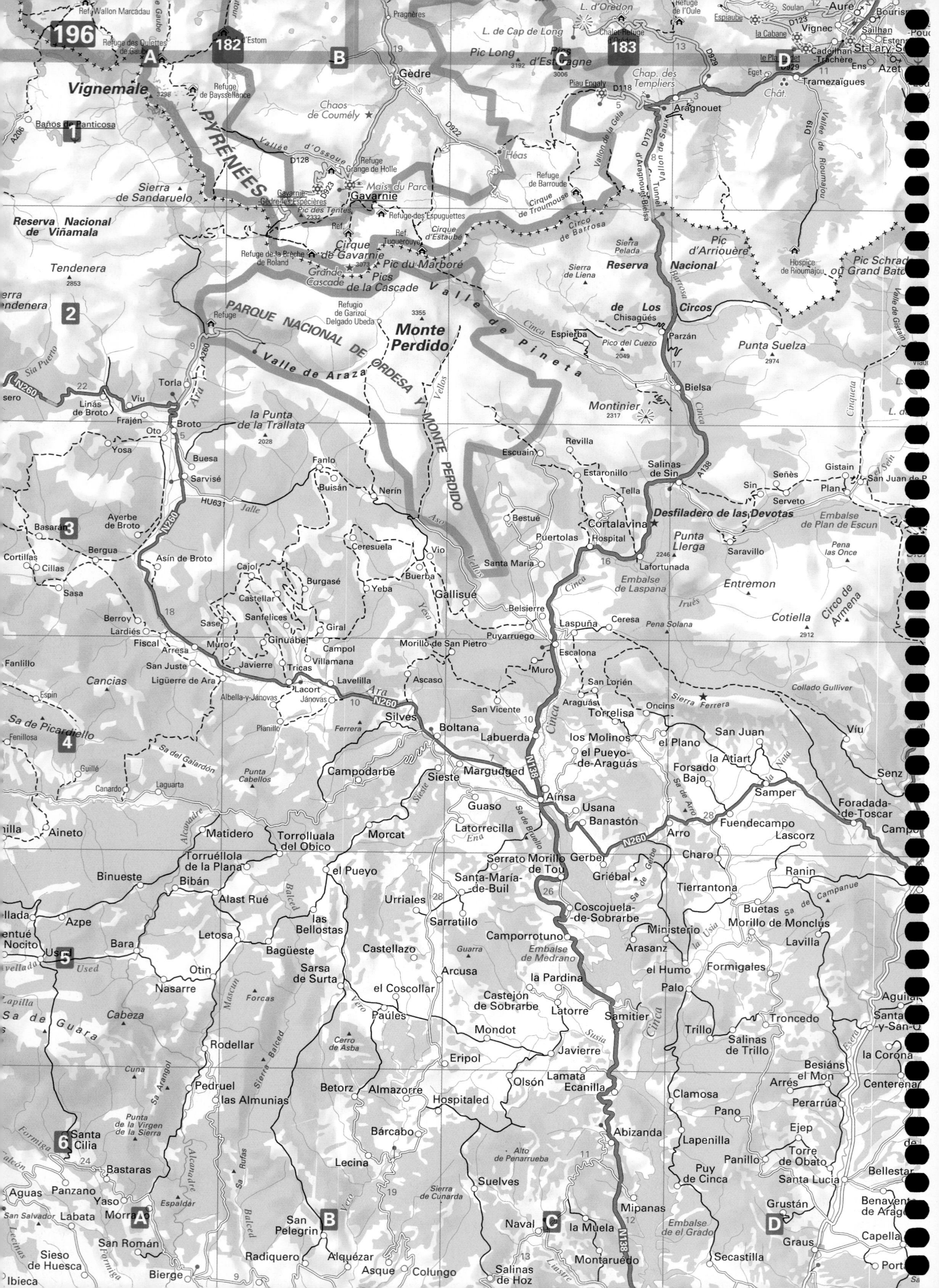

196
182
183
A
B
C
D
1
2
3
4
5
6
Vignemale
PYRÉNÉES
Gèdre
Gavarnie
Cirque de Gavarnie
Pic du Marboré
Pics de la Cascade
Pic Long
Aragnouet
St-Lary-Soulan
Tramezaïgues
Reserva Nacional de Viñamala
Tendenera
PARQUE NACIONAL DE ORDESA Y MONTE PERDIDO
Monte Perdido
Valle de Pineta
Reserva Nacional de Los Circos
Parzán
Bielsa
Punta Suelza
Torla
Broto
Sarvisé
Fanlo
Nerín
Escuain
Salinas de Sin
Desfiladero de las Devotas
Cortalavina
Hospital
Lafortunada
Boltana
Aínsa
Labuerda
Campodarbe
Sieste
Marguded
Guaso
Banastón
Fuendecampo
Foradada-de-Toscar
Morillo de Tou
Coscojuela-de-Sobrarbe
Camporrotuno
Embalse de Mediano
Sa de Guara
Rodellar
Santa Cilia
Bastaras
Panzano
Aguas
Morrano
Labata
San Román
Bierge
San Pelegrin
Alquézar
Asque
Colungo
Naval
la Muela
Salinas de Hoz
Montaruédo
Graus
Grustán
Secastilla
Embalse de el Grado
Santa Lucia
Torre de Obato
Abizanda
Mipanas
Lamata
Ecanilla
Javierre
Samitier
N260
N138
A138

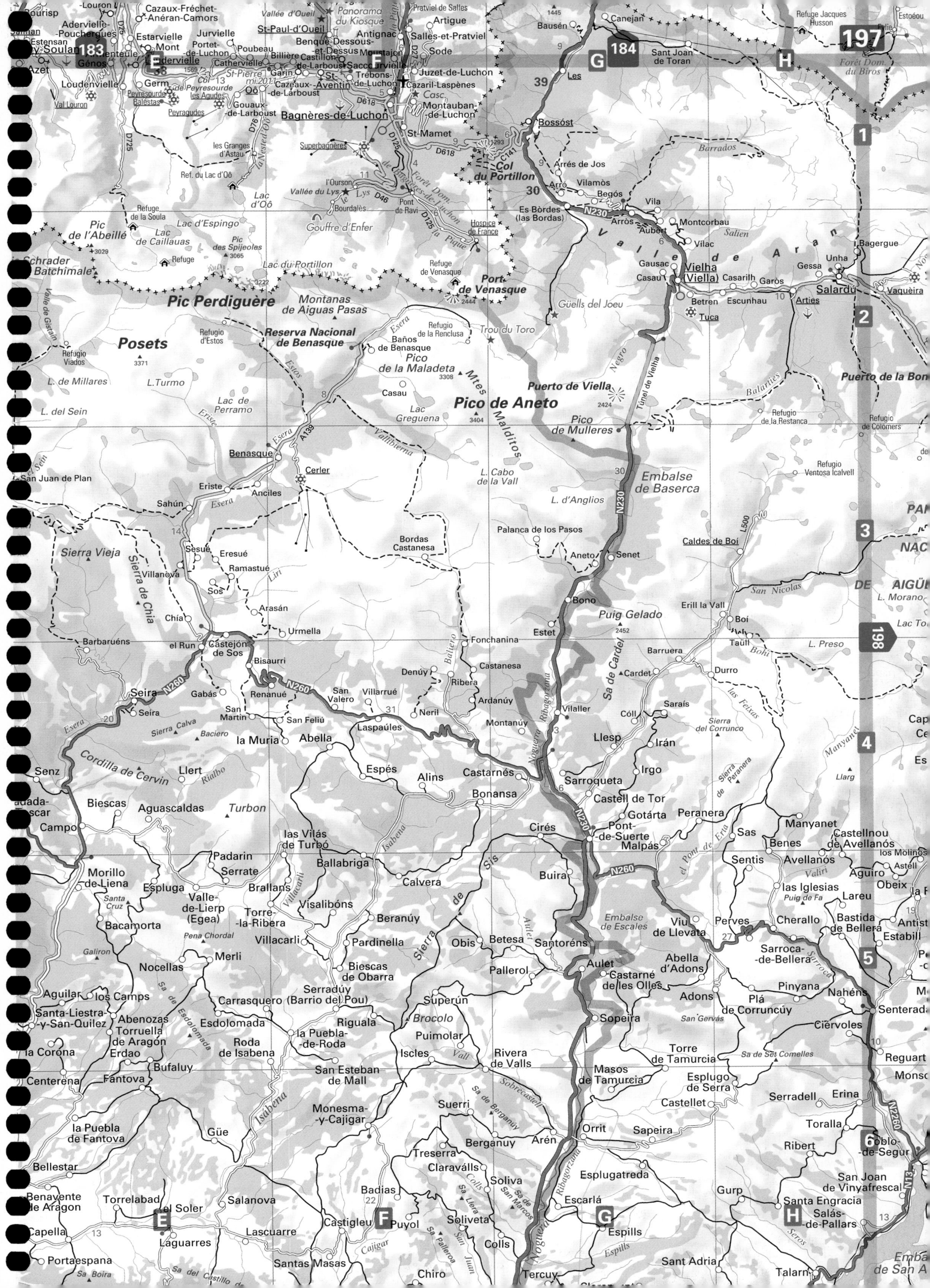

183
184
197
198
E
F
G
H
1
2
3
4
5
6
Adervielle-Pouchergues
Cazaux-Fréchet-Anéran-Camors
Vallée d'Oueil
Panorama du Kiosque
Pratviel de Salles
Artigue
Bausén
Canejan
Refuge Jacques Husson
Estarvielle
Jurvielle
Mont
Portet-de-Luchon
Poubeau
St-Paul-d'Oueil
Antignac
Benque-Dessous-et-Dessus
Salles-et-Pratviel
Moustajon
Sode
Sant Joan de Toran
Forêt Dom. du Biros
Génos
Adervielle
Cathervielle
Billière
Castillon-de-Larboust
Saccourvielle
Azet
Loudenvielle
Germ
Peyresourde
Col de Peyresourde
Garin
Cazaux-de-Larboust
St-Aventin
Trebons-de-Luchon
Juzet-de-Luchon
Cazaril-Laspènes
Les
Val Louron
Balestas
les Agudes
Oô
Casc.
Montauban-de-Luchon
Peyragudes
Gouaux-de-Larboust
Bagnères-de-Luchon
Bossòst
St-Mamet
Superbagnères
les Granges d'Astau
Col du Portillon
Barrados
Ref. du Lac d'Oô
Arrés de Jos
l'Ourson
Forêt Dom. de Bagnères-de-Luchon
Arró
Vilamòs
Begós
Vallée du Lys
Lac d'Oô
Bourdalès
Pont de Ravi
Es Bòrdes (las Bordas)
Vila
Refuge de la Soula
Lac d'Espingo
Gouffre d'Enfer
Hospice de France
Arròs
Aubèrt
Montcorbau
Pic de l'Abeillé
Lac de Caillauas
Pic des Spijeoles
Salien
Vilac
Bagergue
Val d'Aran
Schrader Batchimale
Refuge
Lac du Portillon
Refuge de Venasque
Gausac
Casau
Vielha (Viella)
Gessa
Unha
Casarilh
Garòs
Port de Venasque
Salardú
Vaquèira
Pic Perdiguère
Montanas de Aiguas Pasas
Güells del Joeu
Betren
Escunhau
Arties
Tuca
Refugio d'Estos
Reserva Nacional de Benasque
Refugio de la Renclusa
Trou du Toro
Posets
Refugio Viados
Baños de Benasque
Pico de la Maladeta
L. de Millares
L.Turmo
Casau
Mtes Malditos
Puerto de Viella
Túnel de Vielha
Balarties
Puerto de la Bonaigua
Lac de Perramo
Lac Greguena
Pico de Aneto
Pico de Mulleres
Refugio de la Restanca
Refugio de Colomers
L. del Sein
Benasque
Refugio Ventosa Icalvell
Cerler
L. Cabo de la Vall
Embalse de Baserca
San Juan de Plan
Eriste
Anciles
L. d'Anglios
Sahún
Palanca de los Pasos
Bordas Castanesa
Caldes de Boí
Sierra Vieja
Sesué
Eresué
Aneto
Senet
Ramastué
Villanova
Sierra de Chía
Sos
Bono
Erill la Vall
San Nicolás
L. Morano
Arasán
Puig Gelado
Chía
Boí
Urmella
Estet
Barbaruéns
el Run
Castejón de Sos
Fonchanina
Taüll
L. Preso
Bisaurri
Barruera
Castanesa
Denúy
Cardet
Durro
Ribera
Seira
Renanué
Sa de Cardet
Gabás
Ardanúy
Saraís
San Valero
Villarrué
Vilaller
las Feixas
San Martín
Neril
Còll
Sierra del Corrunco
Sierra Calva
San Feliú
Laspaúles
Montanúy
Llesp
Irán
la Muria
Abella
Cordilla de Cervín
Senz
Llert
Espés
Alins
Castarnés
Sarroqueta
Irgo
Llarg
Manyanet
Biescas
Aguascaldas
Turbon
Bonansa
Castell de Tor
Sierra Peranera
Campo
Gotárta
Peranera
Cirés
Pont-de-Suerte
Sas
Manyanet
Castellnou de Avellanós
las Vilás de Turbó
Malpás
Benes
Padarin
Serrate
Ballabriga
Sentis
Avellanós
los Molinos
Morillo de Liena
Calvera
Buira
Aguiro
Astell
Espluga
Brallans
Valle-de-Lierp (Egea)
Visalibóns
las Iglesias
Obeix
Lareu
Torre-la-Ribera
Beranúy
Embalse de Escales
Viu de Llevata
Perves
Cherallo
Bastida de Bellera
Bacamorta
Pena Chordal
Pardinella
Obis
Betesa
Santoréns
Estabill
Villacarli
Sarroca-de-Bellera
Sierra de Sis
Biescas de Obarra
Aulet
Abella d'Adons
Nocellas
Merli
Pallerol
Castarné de les Olles
Pinyana
Naheńs
Aguilar
los Camps
Serradúy (Barrio del Pou)
Superún
Adons
Plá de Corruncúy
Senterada
Santa-Liestra-y-San-Quilez
Abenozas
Carrasquero
Riguala
Sopeira
San Gervás
Ciérvoles
Esdolomada
Brocolo
Torruella de Aragón
Roda de Isabena
la Puebla-de-Roda
Puimolar
la Corona
Erdao
Iscles
Rivera de Valls
Torre de Tamurcia
Sa de Set Comelles
Reguart
Centerena
Fantova
Bufaluy
San Esteban de Mall
Masos de Tamurcia
Esplugo de Serra
Monso
Castellet
Serradell
Erina
Monesma-y-Cajigar
Suerri
la Puebla de Fantova
Güe
Isábena
Berganuy
Arén
Orrit
Sapeira
Toralla
Ribert
Pobleta-de-Segur
Treserra
Claraválls
Esplugatreda
Bellestar
Soliva
San Joan de Vinyafrescal
Benavente de Aragón
Torrelabad
el Soler
Salanova
Badias
Escarlá
Gurp
Santa Engracia
Salás-de-Pallars
Castigleu
Puyol
Soliveta
Espills
Capella
Laguarres
Lascuarre
Colls
Noguera Ribagorzana
Portaespana
Cajigar
Santas Masas
Sant Adria
Talarn
Embalse de San Antonio
Chiro
Tercuy
N230
N260
N13
A139
D618
D125
D46

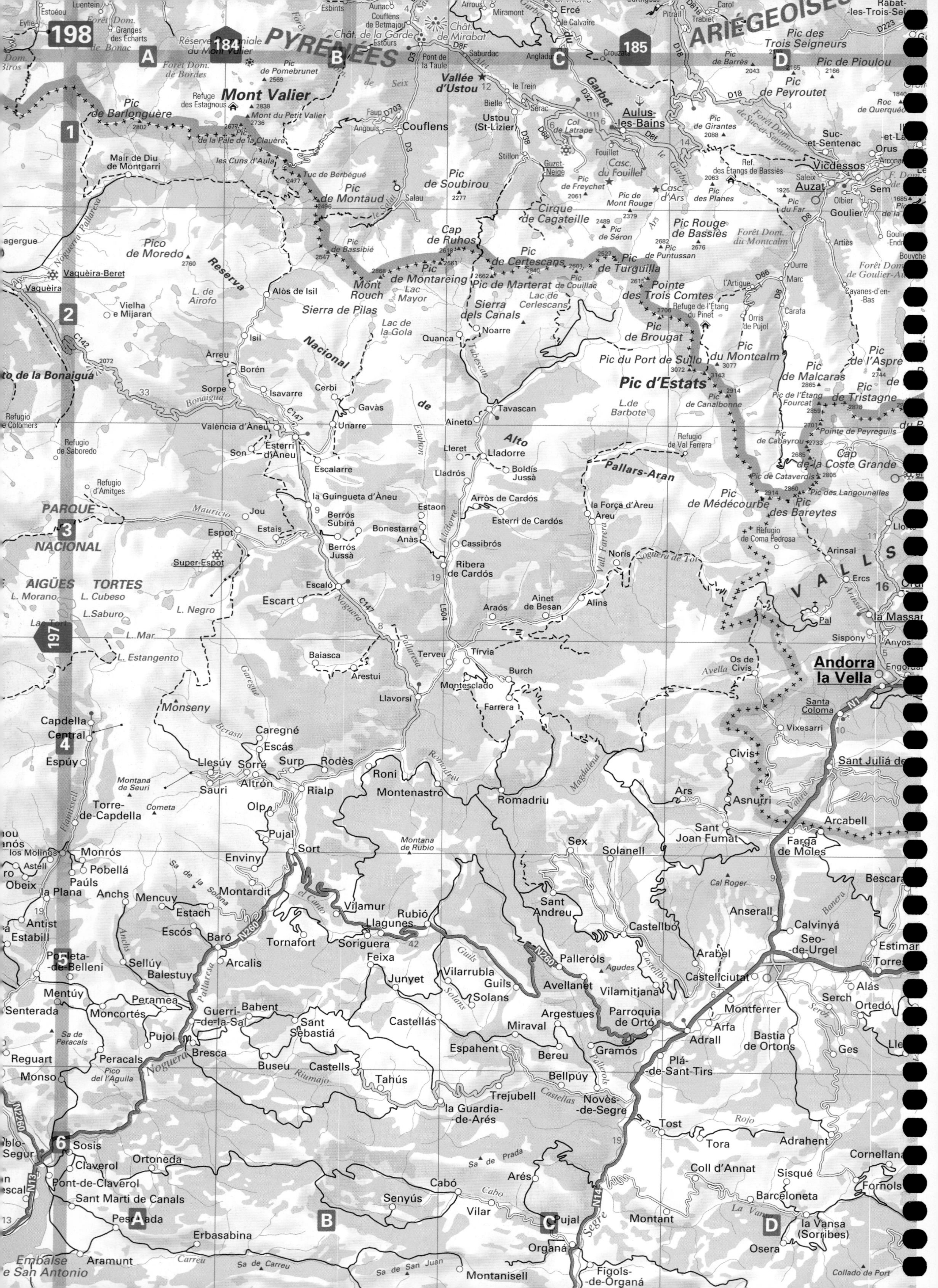

198
184
185
197
PYRÉNÉES
ARIÉGEOISES
A
B
C
D
1
2
3
4
5
6
Estoéou
Luentein
Eylie
Forêt Dom.
Granges des Echarts
de Bonac
Réserve Domaniale du Mont Valier
Dom. Biros
Forêt Dom. de Bordes
Pic de Pomebrunet
2569
Esbints
Aunac
Couflens de Betmajou
Chât. de la Garde
Estours
Arrous
Miramont
Chât. de Mirabat
Erce
le Calvaire
Pitrail
Trabiet
Carol
Rabat-les-Trois-Seigneurs
Pic des Trois Seigneurs
Pic de Piouleu
Pic de Barrès
2043
2165
2166
Pont de la Taule
Saburdac
Angladure
Crouzats
Vallée d'Ustou
le Trein
Seix
Pic de Barlonguère
2802
Refuge des Estagnous
Mont Valier
2838
Mont du Petit Valier
2736
Pic de la Pale de la Clauère
Faup
Couflens
Angouls
Bielle
Sérac
Ustou (St-Lizier)
Col de Latrape
Garbet
Aulus-les-Bains
Pic de Peyroutet
Roc de Querquéou
Pic de Girantes
2088
Forêt Dom. de Suc-et-Sentenac
Suc-et-Sentenac
Orus
Vicdessos
Auzat
Saleix
Sem
Mair de Diu de Montgarri
les Cuns d'Aula
Tuc de Berbégué
Pic de Montaud
2496
Salau
Pic de Soubirou
2277
Stillon
Guzet-Neige
Fouillet
Casc. du Fouillet
Pic de Freychet
2061
Pic de Mont Rouge
2379
Casc. d'Ars
Ref. des Étangs de Bassiès
2063
Pic des Planes
Pic du Far
1925
Olbier
Goulier
Noguera Pallaresa
agergue
Pico de Moredo
2760
Reserva
Pic de Bassibié
2547
Cap de Ruhos
2618
2661
Cirque de Cagateille
2489
Pic de Séron
Pic Rouge de Bassiès
2682
Pic de Puntussan
2676
Forêt Dom. du Montcalm
Artiès
Goulier-Endron
Bouychet
Vaquèira-Beret
Vaquèira
L. de Airofo
Alòs de Isil
Mont Rouch
2868
Pic de Montareing
Lac Mayor
Pic de Certescans
2840
2662
Pic de Marterat
Pic de Couillac
2527
Pic de Turguilla
2615
Pointe des Trois Comtes
l'Artigue
Ourre
Marc
Forêt Dom. de Goulier-Auzat
Cayanes-d'en-Bas
Vielha e Mijaran
Sierra de Pilas
Sierra dels Canals
Lac de Cerlescans
Noarre
Refuge de l'Étang du Pinet
2706
Pic de Brougat
Orris de Pujol
Carafa
C142
2072
Isil
Nacional
Lac de la Gola
Quanca
Tabescan
Pic du Port de Sullo
3072
Pic du Montcalm
3077
3143
Pic d'Estats
Pic de l'Aspre
Pic de Malcaras
2865
2744
Pic de Tristagne
to de la Bonaigua
Arreu
Borén
Sorpe
Isavarre
Cerbi
Bonaigua
33
Gavàs
de
L. de Barbote
2914
Pic de Canalbonne
Pic de l'Étang Fourcat
2859
2878
Refugio de Colomers
València d'Àneu
C147
Unarre
Aineto
Tavascan
2701
Pic de Cabayrou
2733
Pointe de Peyreguils
Refugio de Saboredo
Son
Esterri d'Àneu
Escalarre
Estaon
Lleret
Lladorre
Alto
Refugio de Val Ferrera
2685
Cap de la Coste Grande
2805
Lladrós
Boldís Jussà
Pallars-Aran
Pic de Cataverdis
Pic des Langounelles
2860
Refugio d'Amitges
la Guingueta d'Àneu
Arròs de Cardós
Esterri de Cardós
la Força d'Àreu
Àreu
Pic de Médécourbe
Pic des Bareytes
PARQUE
Mauricio
Jou
Berròs Subirà
Bonestarre
Anàs
Refugio de Coma Pedrosa
Espot
Estais
Berròs Jussà
Cassibròs
Vall Farrera
Noguera de Tor
Norís
Arinsal
NACIONAL
Super-Espot
Ribera de Cardós
19
AIGÜES TORTES
L. Morano
L. Cubeso
Escaló
Escart
Noguera
C147
L. Negro
L504
Araós
Ainet de Besan
Alins
VALLS
Ercs
Pal
la Massana
L. Saburo
Lac Tort
L. Mar
Pallaresa
Sispony
Anyos
L. Estangento
Baiasca
Arestui
Terveu
Tírvia
Burch
Avella
Os de Civís
Andorra la Vella
Engordany
Garegue
Llavorsí
Montesclado
Farrera
Santa Coloma
N1
Monseny
Capdella
Central
Espúy
Berasti
Caregné
Escás
Vixesarri
Llesúy
Sorré
Surp
Rodès
Romadriu
Magdalena
Civís
Sant Julià de Lòria
Montana de Seuri
Sauri
Altrón
Roni
Rialp
Montenastró
Romadriu
Ars
Asnurri
Torre-de-Capdella
Cometa
Olp
Valira
Arcabell
Flamissell
Pujal
Sant Joan Fumat
Farga de Moles
Montana de Rubio
Sex
Solanell
Monrós
Pobellá
los Mollinos
Astell
Sort
Enviny
Sa de la Solana
Cal Roger
Bescarán
Obeix
Paúls
Montardit
la Plana
Anchs
Mencuy
el Cantó
Vilamur
Rubió
Sant Andreu
Anserall
Antist
Estach
Llagunes
Castellbò
Calvinyá
Estabill
Escós
Baró
N260
Tornafort
Soriguera
42
Guils
Arabel
Seo-de-Urgel
Estimariu
Pobleta-de-Belleni
Sellúy
Arcalis
Feixa
Pallerols
Agudes
Torres
Balestuy
Vilarrubla
Avellanet
Vilamitjana
Castellciutat
Alás
Mentúy
Junyet
Solans
Serch
Ortedó
Peramea
Bahent
Argestues
Senterada
Moncortès
Guerri-de-la-Sal
Sant Sebastiá
Castellás
Miraval
Parroquia de Ortó
Montferrer
Arfa
Bastia de Ortons
Sa de Peracals
Pujol
Adrall
Ges
Espahent
Bresca
Gramós
Reguart
Peracals
Bereu
Plá-de-Sant-Tirs
Monso
Pico del l'Aguila
Buseu
Castells
Riumajo
Tahús
Bellpúy
Noguera
Trejubell
Castellas
Novès-de-Segre
la Guardia-de-Arés
Tost
Rojo
Adrahent
Tora
Sosis
Segur
Claverol
Ortoneda
Cornellana
Coll d'Annat
Sisqué
Pont-de-Claverol
Sa de Prada
Arés
Fornols
N13
Sant Marti de Canals
Cabó
Senyús
Barceloneta
Cabo
La Vansa
Pessonada
Vilar
Pujal
Montant
Segre
N14
la Vansa (Sorribes)
Erbasabina
Organá
Osera
Embalse de San Antonio
Aramunt
Carreu
Sa de Carreu
Sa de San Juan
Montanisell
Figols-de-Organá
Collado de Port

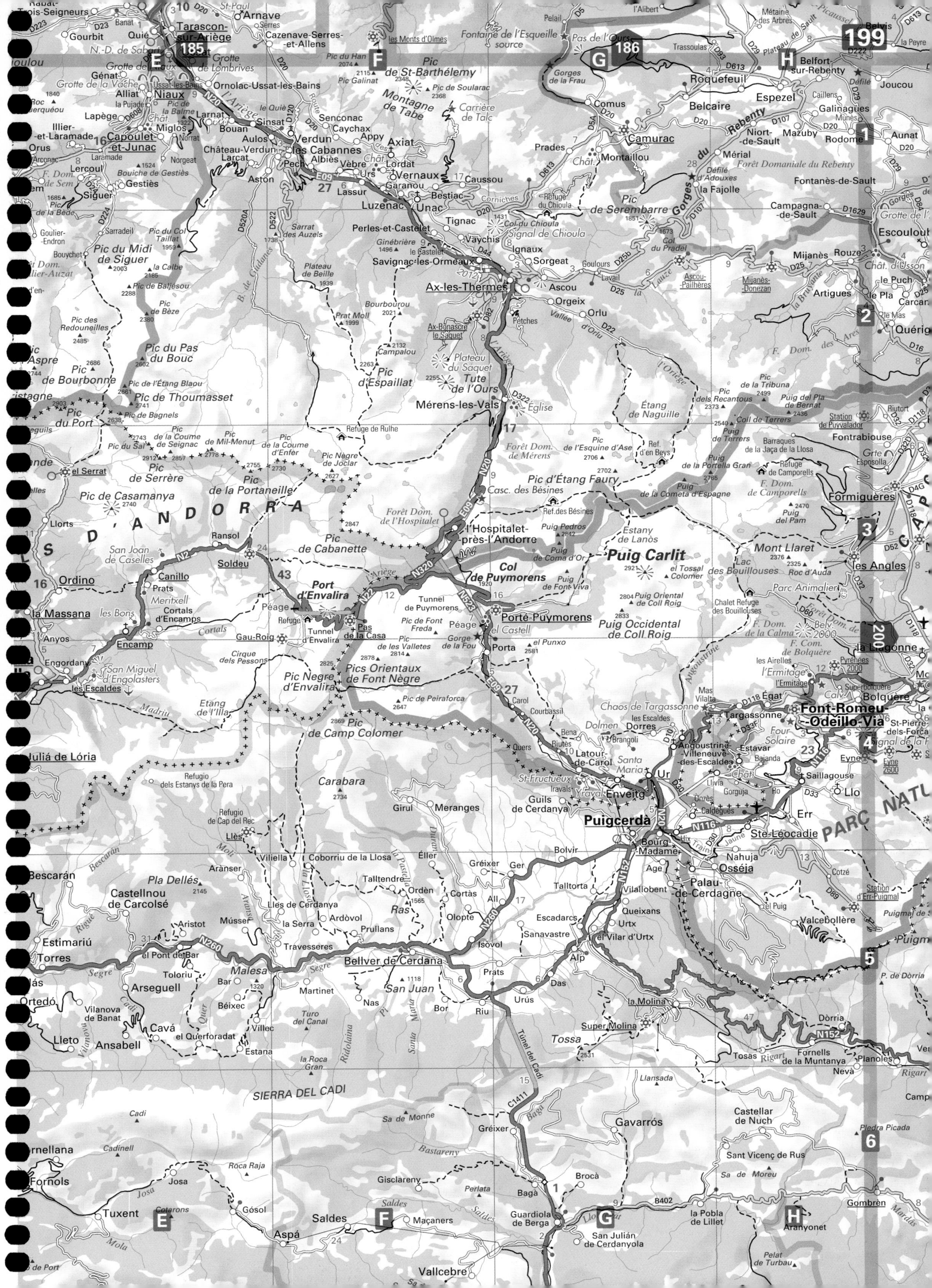
199
185
186
200
E
F
G
H
1
2
3
4
5
6
Tarascon-sur-Ariège
Arnave
Cazenave-Serres-et-Allens
Les Monts d'Olmes
Fontaine de l'Esqueille source
Pas de l'Ours
Trassoulas
Belvis
Belfort-sur-Rebenty
Joucou
Gourbit
Quié
N.-D. de Sabart
Grotte de Lombrives
Grotte de la Vache
Génat
Alliat
Niaux
Ornolac-Ussat-les-Bains
Pic du Han
Pic Galinat
Pic de St-Barthélemy
Pic de Soularac
Montagne de Tabe
Carrière de Talc
Gorges de la Frau
Roquefeuil
Espezel
Comus
Belcaire
Camurac
Galinagues
Niort-de-Sault
Mazuby
Rodome
Aunat
Mérial
Forêt Domaniale du Rebenty
Gorges du Rebenty
Défilé d'Adouxes
la Fajolle
Fontanès-de-Sault
Campagna-de-Sault
Escouloubre
Lapège
Illier-et-Laramade
Capoulet-et-Junac
Miglos
Larnat
Sinsat
Bouan
Aulos
Senconac
Caychax
Appy
Axiat
Verdun
Château-Verdun
Larcat
Les Cabannes
Albiès
Pech
Vèbre
Urs
Lordat
Vernaux
Caussou
Garanou
Lassur
Luzenac
Unac
Bestiac
Prades
Montaillou
Refuge du Chioula
Pic de Serembarre
Col du Chioula
Signal de Chioula
Col du Pradel
Orus
Lercoul
Gestiès
Siguer
Aston
Norgeat
Pic de la Bède
Goulier-Endron
Pic du Col Taillat
Sarrat des Auzels
Perles-et-Castelet
Tignac
Vaychis
Ignaux
Sorgeat
Ascou
Ascou-Pailhères
Mijanès-Donezan
Mijanès
Rouze
Château d'Usson
Le Puch
le Pla
Artigues
Quérigut
Pic du Midi de Siguer
Pic de Baljésou
Pic de Bèze
Ginébrière
Savignac-les-Ormeaux
Plateau de Beille
Ax-les-Thermes
Orgeix
Orlu
Vallée d'Orlu
Petches
Bourbourou
Prat Moll
Ax-Bonascre le Saquet
Campalou
Pic des Redouneilles
Pic du Pas du Bouc
Pic de Bourbonne
Pic d'Espaillat
Plateau du Saquet
Tute de l'Ours
Pic de l'Étang Blaou
Pic de Thoumasset
Pic de Bagnels
Pic du Port
Mérens-les-Vals
Église
Étang de Naguille
Pic de la Tribuna
Pic dels Recantous
Puig del Pla de Bernat
Station de Puyvalador
Fontrabiouse
Coll de Terrers
Puig de Terrers
Pic de la Coume de Seignac
Pic de Mil-Menut
Pic de la Coume d'Enfer
Refuge de Rulhe
Pic Nègre de Joclar
Pic du Sal
Forêt Dom. de Mérens
Pic de l'Esquine d'Ase
Ref. d'en Beys
Barraques de la Jaça de la Llosa
el Serrat
Pic de Serrère
Pic de la Portaneille
Pic d'Étang Faury
Puig de la Portella Gran
Refuge de Camporells
Puig de la Cometa d'Espagne
F. Dom. de Camporells
Formiguères
Pic de Casamanya
Casc. des Bésines
Ref. des Bésines
Puig del Pam
ANDORRA
Llorts
Forêt Dom. de l'Hospitalet
l'Hospitalet-près-l'Andorre
Puig Pedros
Estany de Lanòs
Puig Carlit
Mont Llaret
Les Angles
Ransol
San Joan de Caselles
Soldeu
Pic de Cabanette
Puig de Coma d'Or
el Tossal Colomer
Lac des Bouillouses
Roc d'Auda
Ordino
Canillo
Prats
Meritxell
Port d'Envalira
Col de Puymorens
Puig de Font Viva
Parc Animalier
la Massana
Les Bons
Cortals d'Encamps
Péage
Refuge
Tunnel de Puymorens
Porté-Puymorens
Puig Oriental de Coll Roig
Chalet Refuge des Bouillouses
Puig Occidental de Coll Roig
Anyos
Encamp
Gau-Roig
Tunnel d'Envalira
Pas de la Casa
Pic de Font Freda
Pic de les Valletes
Gorge de la Fou
el Castell
Porta
el Punxo
F. Dom. de la Calma
Bolquère
la Llagonne
Engordany
San Miguel d'Engolasters
Les Escaldes
Cirque dels Pessons
Pic Negre d'Envalira
Pics Orientaux de Font Nègre
Pic de Peiraforca
Carol
Courbassil
Les Airelles
l'Ermitage
Pyrénées 2000
Superbolquère
Étang de l'Illa
Pic de Camp Colomer
Chaos de Targassonne
Targassonne
Égat
Font-Romeu-Odeillo-Via
Bena
Dolmen
Les Escaldes
Dorres
Brangoli
Angoustrine-Villeneuve-des-Escaldes
Estavar
Four Solaire
St-Pierre-dels-Forcats
Signal de la Perche
Juliá de Lória
Refugio dels Estanys de la Pera
Quers
Latour-de-Carol
Santa Maria
Ur
Bajanda
Eyne
Eyne 2600
Saillagouse
Carabara
St-Fructueux
Travals
Yravals
Enveitg
Llivia
Gorguja
Llo
Girul
Meranges
Guils de Cerdanya
Puigcerdà
Onzès
Caldégues
Err
PARC NATUREL
Refugio de Cap del Rec
Llès
Bourg-Madame
Hix
Ste-Léocadie
Nahuja
Osséja
Bescarán
Viliella
Coborriu de la Llosa
Éller
Gréixer
Ger
Bolvir
Age
Cotzé
Aránser
Pla Dellés
Talltendre
Ordèn
Talltorta
Vilallobent
Palau-de-Cerdagne
Station d'Err-Puigmal
Castellnou de Carcolsé
Lles de Cerdanya
Cortàs
All
Queixans
el Puig
Puigmal
Ras
Escadarcs
Urtx
Valcebollère
Aristot
Músser
Ardòvol
Olopte
Sanavastre
el Vilar d'Urtx
Estimariú
la Serra
Prullans
Isòvol
Torres
el Pont de Bar
Travesseres
Alp
Toloriu
Malesa
Bellver de Cerdaña
Prats
Arseguell
Bar
Martinet
San Juan
Das
P. de Dòrria
Ortedó
Vilanova de Banat
Béixec
Nas
Bor
Riu
Urús
la Molina
Dòrria
Cavá
Villec
Turo del Canal
Super Molina
Lleto
Ansabell
el Querforadat
Estana
Tossa
Túnel del Cadí
Tosas
Fornells de la Muntanya
Planoles
Nevà
la Roca Gran
SIERRA DEL CADI
Llansada
Cadí
Sa de Monne
Gréixer
Gavarrós
Castellar de Nuch
Pedra Picada
Cornellana
Cadinell
Bastareny
Sant Vicenç de Rus
Sa de Moreu
Roca Raja
Fornols
Josa
Gisclareny
Perlata
Bagà
Brocà
Gombrèn
Tuxent
Cotorons
Gósol
Saldes
Maçaners
Guardiola de Berga
la Pobla de Lillet
Aranyonet
Aspà
San Julián de Cerdanyola
Pelat de Turbau
Vallcebre

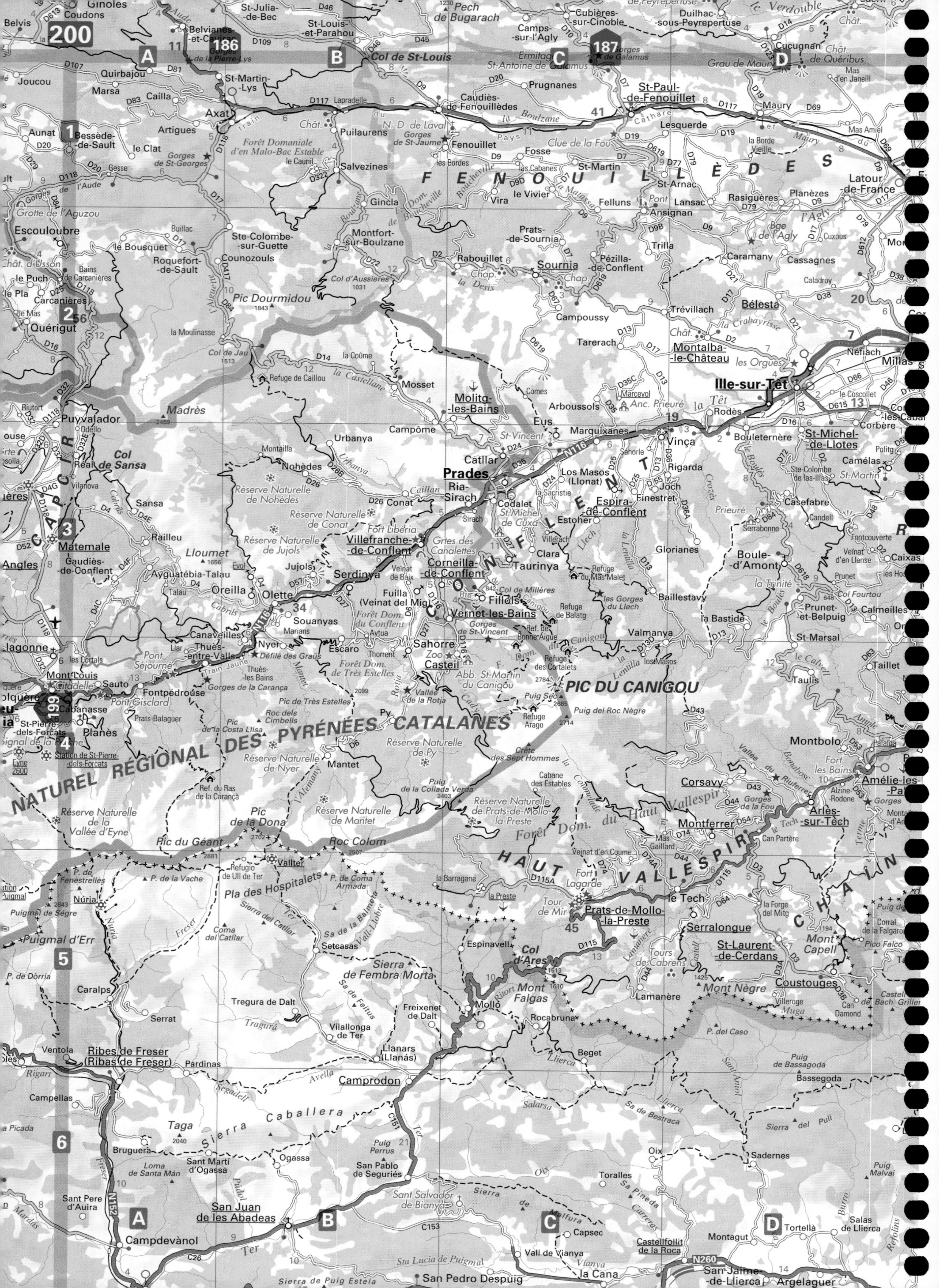

200
186
187
199
A
B
C
D
1
2
3
4
5
6
Belvis
Ginoles
Coudons
St-Julia-de-Bec
St-Louis-et-Parahou
Pech de Bugarach
Camps-sur-l'Agly
Cubières-sur-Cinoble
Duilhac-sous-Peyrepertuse
le Verdouble
Cucugnan
Châl. de Quéribus
Belvianes-et-Cavirac
Gorges de la Pierre-Lys
Col de St-Louis
Ermitage St-Antoine de Galamus
Gorges de Galamus
Grau de Maury
Joucou
Quirbajou
Marsa
St-Martin-Lys
Caudiès-de-Fenouillèdes
Prugnanes
St-Paul-de-Fenouillet
Maury
Mas Amiel
Axat
Cailla
Lapradelle
Puilaurens
N.-D. de Laval
Gorges de St-Jaume
Fenouillet
la Boulzane
Lesquerde
Aunat
Bessède-de-Sault
Artigues
le Clat
Forêt Domaniale d'en Malo-Bac Estable
Gorges de St-Georges
Clue de la Fou
Fosse
les Bordes
las Cabanes
St-Martin
St-Arnac
Salvezines
le Caunil
Gesse
F E N O U I L L È D E S
Latour-de-France
Grotte de l'Aguzou
Gincla
Vira
le Vivier
Felluns
Ansignan
Lansac
Rasiguères
Planèzes
l'Agly
Escouloubre
Buillac
Ste-Colombe-sur-Guette
Montfort-sur-Boulzane
Prats-de-Sournia
Trilla
Bge de l'Agly
Cuxous
le Bousquet
Roquefort-de-Sault
Cou nozouls
Pézilla-de-Conflent
Caramany
Cassagnes
Châl. d'Usson
Rabouillet
Sournia
le Puch
Bains de Carcanières
Col d'Aussières
Caladroy
le Pla
Carcanières
Chap. la Desix
Bélesta
Pic Dourmidou
Campoussy
Trévillach
le Mas
Quérigut
la Moulinasse
la Crabayrisse
Col de Jau
Tarerach
Montalba-le-Château
Néfiach
Millas
les Orgues
la Coûme
Refuge de Caillou
la Castellane
Mosset
Comes
Marcevol
Anc. Prieuré
Ille-sur-Têt
le Coscollet
Riutort
Madrès
Molitg-les-Bains
Arboussols
la Têt
Rodès
Puyvalador
Odeillo
Campôme
Eus
Marquixanes
Vinça
Bouleternère
St-Michel-de-Llotes
Corbère
Urbanya
St-Vincent
Col de Sansa
Montailla
Catllar
Sahorle
Rigarda
Camélas
Real
Nohèdes
Prades
Los Masos (Llonat)
Ste-Colombe de-las-Illas
St-Martin
Vilanova
Caillan
Ria-Sirach
Joch
Finestret
Sansa
Conat
Codalet
la Sacristie
Espira-de-Conflent
Casefabre
Réserve Naturelle de Nohèdes
St-Michel de Cuxa
Sirach
Estoher
Prieuré
Serrabonne
Candell
Réserve Naturelle de Conat
Fort Libéria
Matemale
Railleu
Villefranche-de-Conflent
Grtes des Canalettes
Villerach
Glorianes
Fontcouverte
Réserve Naturelle de Jujols
Clara
Boule-d'Amont
Caixas
Lloumet
Veïnat d'en Llense
Angles
Gaudiès-de-Conflent
Evol
Jujols
Corneilla-de-Conflent
Taurinya
C O N F L E N T
Refuge du Mas Malet
Prunet
Ayguatébia-Talau
Serdinya
Veïnat de Baix
Col de Millères
la Trinité
Talau
Oreilla
Olette
Fuilla (Veinat del Mig)
Fillols
Refuge de Balatg
les Gorges du Llech
Baillestavy
Prunet-et-Belpuig
Col Fourtou
Calmeilles
Souanyas
Marians
Forêt Dom. du Conflent
Aytua
Vernet-les-Bains
Gorges de St-Vincent
Ref. de Bonne-Aigue
la Bastide
Canaveilles
Llar
Thuès-entre-Valls
Nyer
Défilé des Graus
Escaro
Thorrent
Sahorre
Zoo Casteil
Canigou
Refuge des Cortalets
Valmanya
St-Marsal
les Cortals
Pont Séjourné
Forêt Dom. de Très Estelles
Abb. St-Martin du Canigou
los Masos
Taillet
Mont-Louis
Citadelle
Sauto
Fontpédrouse
Thuès-les-Bains
Train Jaune
Gorges de la Carança
Vallée de la Rotja
PIC DU CANIGOU
Taulis
Cabanasse
Pont Gisclard
Prats-Balaguer
Pic de Très Estelles
Puig Sec
Puig del Roc Nègre
Planès
St-Pierre-dels-Forcats
Roc dels Cimbells
Py
Refuge Arago
NATUREL RÉGIONAL DES PYRÉNÉES CATALANES
Pic de la Costa Llisa
Réserve Naturelle de Py
Crête des Sept Hommes
Montbolo
Station de St-Pierre-dels-Forcats
Eyne
Réserve Naturelle de Nyer
Mantet
Fort les Bains
Amélie-les-Bains-Palalda
Cabane des Estables
Corsavy
Ref. du Ras de la Carança
Puig de la Collada Verda
Réserve Naturelle de Prats-de-Mollo-la-Preste
Vallée du Riuferrer
Gorges de la Fou
Alzine-Rodone
Réserve Naturelle de la Vallée d'Eyne
Pic de la Dona
Réserve Naturelle de Mantet
Forêt Dom. du Haut Vallespir
Montferrer
Arlès-sur-Tech
Mas Gaillard
Can Partère
Pic du Géant
Roc Colom
Veïnat d'en Coume
Vallter
Refugio de Ull de Ter
HAUT VALLESPIR
P. de Fenestrelles
P. de la Vache
Pla des Hospitalets
P. de Coma Armada
la Barragane
Fort Lagarde
Núria
Puigmal de Ségre
la Preste
Tour de Mir
Prats-de-Mollo-la-Preste
le Tech
la Forge del Mitg
Puig de Coma
Corral de la Falgarosa
Sierra del Catllar
Coma del Catllar
Sa de la Balmeta
Serralongue
Puigmal d'Err
Setcasas
Espinavell
Col d'Ares
St-Laurent-de-Cerdans
Mont Capell
Pico Falco
Sierra de Fembra Morta
Tours de Cabrens
P. de Dòrria
Caralps
Mont Falgas
Lamanère
Mont Nègre
Coustouges
Tregura de Dalt
Freixenet de Dalt
Molló
Rocabruna
Villeroge
Can Damond
Serrat
Vilallonga de Ter
P. del Caso
Ventola
Ribes de Freser (Ribas de Freser)
Pardinas
Llanars (Llanás)
Beget
Puig de Bassagoda
Camprodon
Bassegoda
Campellas
Salarsa
Sa de Bestraca
Sierra Caballera
Sierra del Puli
Taga
Puig Perrus
Bruguera
Sant Martí d'Ogassa
Loma de Santa Màn
Ogassa
San Pablo de Seguriés
Oix
Sadernes
Toralles
Sa Pineda
Puig Malvai
Sant Pere d'Auira
Sant Salvador de Bianya
Sierra de Malfura
San Juan de les Abadeas
Capsec
Castellfollit de la Roca
Montagut
Tortellà
Salas de Llierca
Campdevànol
Vall de Vianya
la Cana
Sta Lucia de Puigmal
San Pedro Despuig
Sierra de Puig Estela
San Jaime de Llierca
Argelaguer

187
188
E
F
G
H
1
2
3
4
5
6
Paziols
Opoul-Périllos
Château de Salses
Port Leucate
Étang de Leucate ou
Vingrau
Caune de l'Arago
Fort de Salses
Salses-le-Château
les Capitelles
le Lydia
Mas de Vespeill
Musée de la préhistoire
Domaine de Mont Pins
Tautavel
le Verdouble
Port-Barcarès
le Barcarès
Cases-de-Pène
Espira-de-l'Agly
Estagel
St-Hippolyte
St-Laurent-de-la-Salanque
Rivesaltes
Fenouillèdes
l'Agly
Calce
Peyrestortes
Baixas
Claira
Torreilles
Torreilles-Plage
Montner
Perpignan-Rivesaltes
Pia
Villelongue-de-la-Salanque
Mas de las Fonts
Bompas
Ste-Marie-Plage
Belvédère de Força Réal
St-Estève
Ste-Marie
la Têt
Corneilla-la-Rivière
Pézilla-la-Rivière
Villeneuve-la-Rivière
Baho
Canet-en-Roussillon
Aquarium
Ste-Marie la Réal
PERPIGNAN
Canet-Plage
Millas
St-Féliu-d'Amont
Palais des Rois de Majorque
Cabestany
Étang de Canet
St-Féliu-d'Avall
le Soler
Toulouges
St-Nazaire
Corbère-les-Cabanes
Corbère
Saleilles
Pavillons
Canohès
Villeneuve-de-la-Raho
Alénya
Thuir
Caves
Pollestres
Théza
Corneilla-del-Vercol
St-Cyprien-Plage
Ponteilla
Chap. St-Julien
St-Cyprien
Castelnou
Llupia
Terrats
Montescot
Latour-Bas-Elne
Ste-Colombe-de-la-Commanderie
Trouillas
Mas Sabole
Bages
Elne
Cloître
Parc Aquatique
ROUSSILLON
Villemolaque
Ancien Prieuré
Mas Riols
le Tech
Réserve Naturelle du Mas Larrieu
Caixas
St-Jean-Lasseille
Ortaffa
CÔTE VERMEILLE
Fourques
Passa
Monestir del Camp
Banyuls-dels-Aspres
Montauriol
Taxo d'Amont
Taxo d'Avall
Tordères
Tresserre
Brouilla
Palau-del-Vidre
Argelès Plage
Calmeilles
Llauro
St-Génis-des-Fontaines
St-André
Argelès-sur-Mer
Oms
Tanger (Maroc, en saison) 36h00
Villelongue-dels-Monts
Sorède
le Racou
Collioure
Taillet
Vivès
Péage
le Boulou
La Vallée des Tortues
Dolm. de Cova de l'Alarb
Cap Gros
Port-Vendres
Notre-Dame de Roure
St-Jean-Pla-de-Corts
Bains-du-Boulou
Laroque-des-Albères
La Vallée Heureuse
la Vall
Chât. Royal
Cap Béar
Montesquieu-des-Albères
Chap. N.-D. de Vilar
Notre-Dame de la Consolation
Cosprons
St-Martin de Fenollar
Cap Oullestrell
Vieux Pont du Diable
Céret
Mas Anglade
Forêt Dom. des Albères
Valbonne
Reynès
Maureillas-las-Illas
les Cluses
Col de l'Ouillat
Rés. Naturelle de la Forêt de Maussane
Tour Madeloc
Aquarium
Banyuls-sur-Mer
Amélie-les-Bains-Palalda
L'Albère
Pic Neulos
Laboratoire Arago
Cap du Troc
Cap l'Abeille
les Hauts de Céret
Col du Perthus
Mas Parer
Cap Rédéris
Gorges
Riunoguès
le Perthus
St-Martin-de-l'Albère
Puig del Mas
Réserve Naturelle Marine de Cerbère-Banyuls
Montalba-d'Amélie
Fort de Bellegarde
Puig des Pradets
Mas de les Abelles
ALBÈRES
Llobregat
C. de Banyuls
Cerbère
Cap Cerbère
la Selve
Stèle des Évadés
Calmeille
Col del Tourn
Col des Balistres
Port Bou
las Illas
Puig de Prunes
Puig de Tarbaous
Roc de France
Mas Soulanells
la Junquera
Cantallops
Molinàs
Colera
Puig del Tourn
la Vajol
Corral de la Falgarone
Agullana
Los Estanys
Vilartolí
Espolla
Puig d'Esquers
Pico Falco
l'Estrada
Tapis
Maçanet de Cabrenys
Pico del Portell
Capmany
San Clemente Sasebas
Rabós
Vilamaniscle
Llansá
Setcases
Darnius
Castell de Bach Grillera
Masarach
Mollet de Peralada
Garriguella
Embalse de la Buadella
Mont Roig
Vilarnadal
Viure
Puerto de la Selva
Monasterio de San Pedro de Roda
San Lorenzo de la Muga
Buadella
les Escaules
Vilajuïga
la Selva de Mar
Albaña
Terrades
Pont de Molins
Cabanas
Peralada
Pau
Marza
Serra de Rodes
Pedret
Palau-Saverdera
CAP DE CREUS
Port-Lligat
Vilatenim
Muga
Llers
els Hostalets
Lliurona
Vilarig
Vilabertran
Vilanova de la Muga
PARC NAT. DEL CAP DE CREUS
Cadaqués
Puig del Aliga
Puig Malvai
Cistella
Vilatenim
Castelló d'Empúries (Castelló de Ampurias)
Rosas
Vilanant
Alfar
Vila-Sacra
Santa Margarida
Lladó
Aviñonet de Puig Ventós
Figueres (Figueras)
Taravaus
Vilafant
Fortià
Empuriabrava
Beuda
Cabanellas
Maya de Moncal
Santa Leocadia de Algama
Cap de Norfeu
Navata
Borrassà
Riumórs
GOLFO DE ROSAS
Ordis
Creixell
Vilamalla
Ciurana

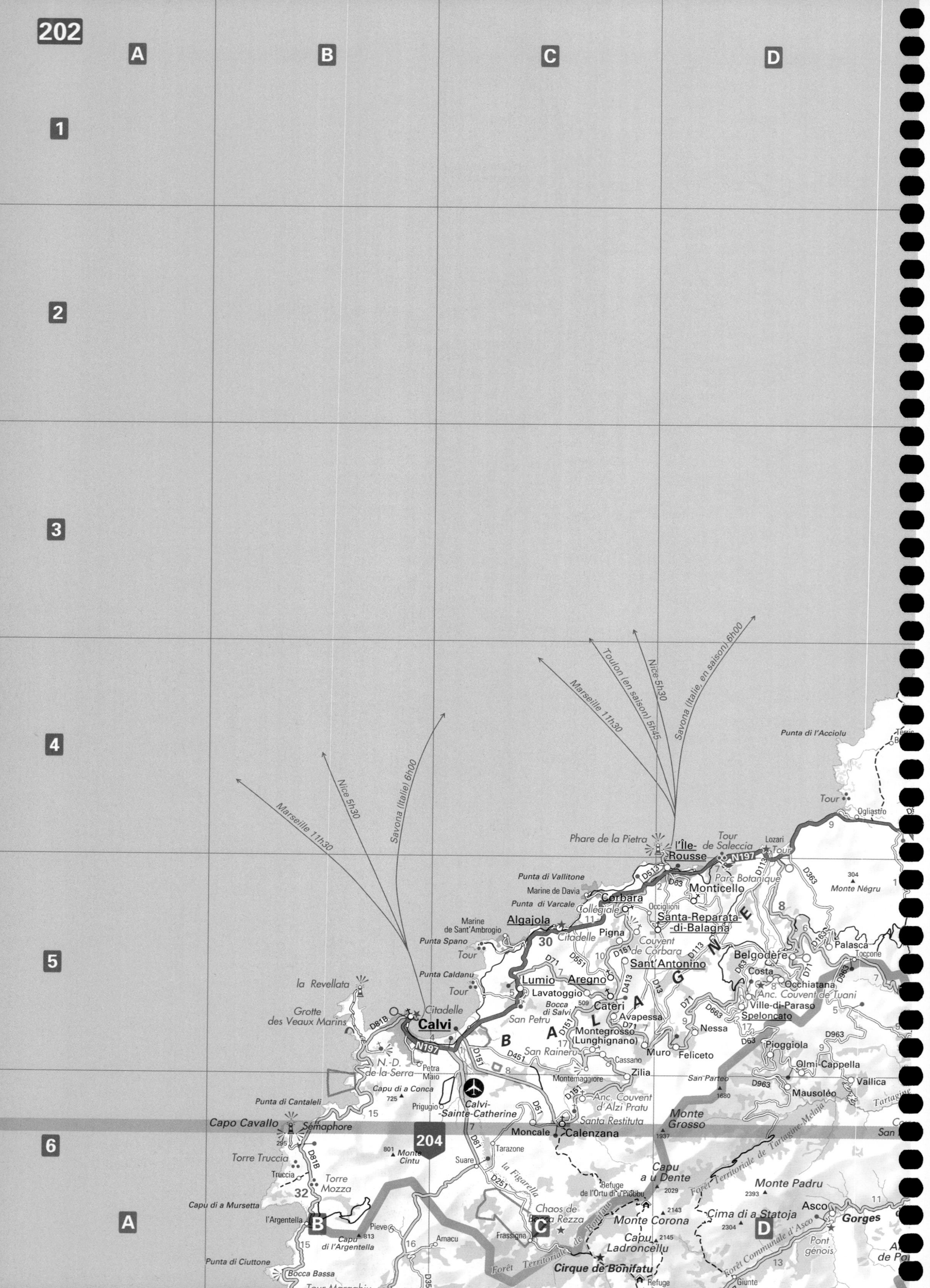
A
B
C
D
1
2
3
4
5
6
Marseille 11h30
Nice 5h30
Savona (Italie) 6h00
Toulon (en saison) 5h45
Savona (Italie, en saison) 6h00
Punta di l'Acciolu
Tour
Ogliastro
Phare de la Pietra
l'Île-Rousse
Tour de Saleccia
Lozari
Tour
N197
Parc Botanique
Monte Négru
Punta di Vallitone
Marine de Davia
Punta di Varcale
Corbara
Collégiale
Monticello
Algajola
Citadelle
Marine de Sant'Ambrogio
Pigna
Santa-Reparata-di-Balagna
Couvent de Corbara
Punta Spano
Tour
Sant'Antonino
Belgodère
Palasca
Toccone
Punta Caldanu
Tour
la Revellata
Lumio
Aregno
Lavatoggio
Cateri
Costa
Occhiatana
Anc. Couvent de Tuani
Ville-di-Paraso
Speloncato
Avapessa
Nessa
Bocca di Salvi
San Petru
Grotte des Veaux Marins
Citadelle
Calvi
BALAGNE
Montegrosso (Lunghignano)
Muro
Feliceto
Pioggiola
Olmi-Cappella
Vallica
Mausoléo
San Raineru
Cassano
Zilia
San Parteo
N.-D. de-la-Serra
Petra Maio
Montemaggiore
Capu di a Conca
Calvi-Sainte-Catherine
Anc. Couvent d'Alzi Pratu
Punta di Cantaleli
Prigugio
Santa Restituta
Monte Grosso
Tartagine
Capo Cavallo
Sémaphore
Moncale
Calenzana
204
Forêt Territoriale de Tartagine-Melaja
Torre Truccia
Monte Cintu
Tarazone
Suare
Truccia
Torre Mozza
la Figarella
Refuge de l'Ortu di u Piobbu
Capu a u Dente
Monte Padru
Forêt Territoriale de Bonifatu
Capu di a Mursetta
Chaos de Bocca Rezza
Monte Corona
Cima di a Statoja
Asco
Gorges
l'Argentella
Pieve
Capu di l'Argentella
Amacu
Frassigna
Capu Ladroncellu
Pont génois
Forêt Communale d'Asco
Punta di Ciuttone
Bocca Bassa
Cirque de Bonifatu
Refuge
Giunte
Tour Maraghiu

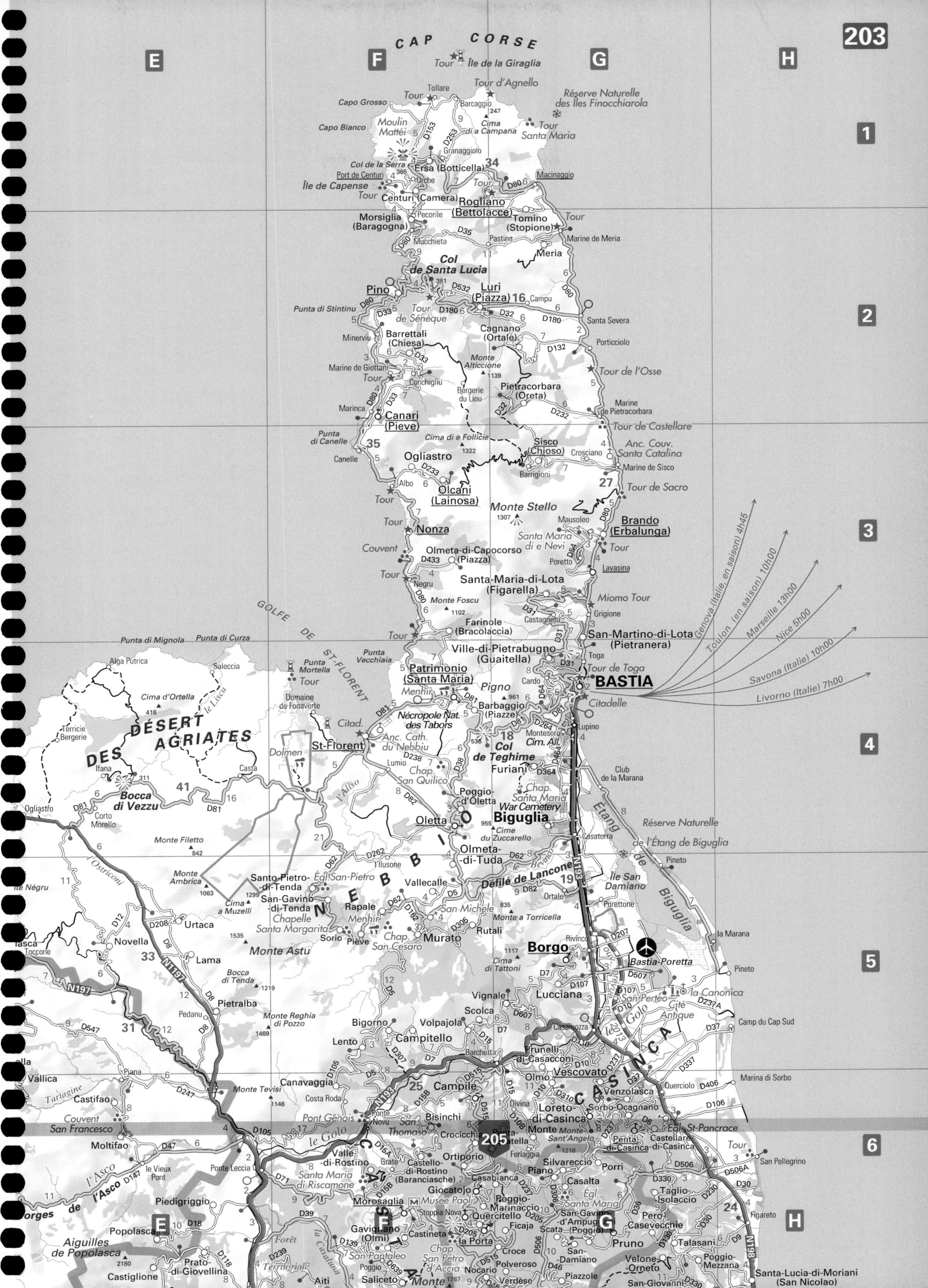
CAP CORSE
E
F
G
H
1
2
3
4
5
6
Tour Île de la Giraglia
Tour d'Agnello
Réserve Naturelle des Îles Finocchiarola
Tollare
Capo Grosso
Barcaggio
Cima di a Campana
Tour Santa Maria
Capo Bianco
Moulin Mattéi
Granaggiolo
Col de la Serra
Ersa (Botticella)
Port de Centuri
Orche
Île de Capense
Macinaggio
Centuri (Camera)
Rogliano (Bettolacce)
Morsiglia (Baragogna)
Pecorile
Tomino (Stopione)
Marine de Meria
Mucchieta
Pastina
Meria
Col de Santa Lucia
Pino
Luri (Piazza)
Campu
Punta di Stintinu
Tour de Sénèque
Santa Severa
Cagnano (Ortale)
Barrettali (Chiesa)
Minerviu
Porticciolo
Monte Alticcione
Marine de Giottani
Tour de l'Osse
Conchigliu
Bergerie du Liou
Pietracorbara (Oreta)
Marinca
Canari (Pieve)
Marine de Pietracorbara
Tour de Castellare
Punta di Canelle
Cima di e Follicie
Sisco (Chioso)
Crosciano
Anc. Couv. Santa Catalina
Canelle
Ogliastro
Barrigioni
Marine de Sisco
Albo
Olcani (Lainosa)
Tour de Sacro
Monte Stello
Mausoleo
Brando (Erbalunga)
Nonza
Santa Maria di e Nevi
Couvent
Olmeta-di-Capocorso (Piazza)
Poretto
Lavasina
Negru
Santa-Maria-di-Lota (Figarella)
Monte Foscu
Miomo Tour
Castagnetu
Grigione
GOLFE DE ST-FLORENT
Farinole (Bracolaccia)
San-Martino-di-Lota (Pietranera)
Punta di Mignola
Punta di Curza
Punta Vecchiaia
Ville-di-Pietrabugno (Guaitella)
Toga
Alga Putrica
Saleccia
Punta Mortella
Tour
Patrimonio (Santa Maria)
Tour de Toga
BASTIA
Cima d'Ortella
le Liscu
Domaine de Fonaverte
Menhir
Pigno
Cardo
Citadelle
Genova (Italie, en saison) 4h45
Toulon (en saison) 10h00
Marseille 13h00
Nice 5h00
Savona (Italie) 10h00
Livorno (Italie) 7h00
Terricie Bergerie
DÉSERT DES AGRIATES
Citad.
Nécropole Nat. des Tabors
Barbaggio (Piazze)
Lupino
Montesoro
Cim. All.
St-Florent
Anc. Cath. du Nebbiu
Col de Teghime
Dolmen
Lumio
Chap. San Quilico
Furiani
Club de la Marana
Ifana
Casta
Bocca di Vezzu
l'Aliso
Poggio-d'Oletta
Chap. Santa Maria
War Cemetery
Ogliastro
Corto Morello
Oletta
Biguglia
Étang de Biguglia
Réserve Naturelle de l'Étang de Biguglia
Monte Filetto
Cime du Zuccarello
Casatorra
l'Ostriconi
Olmeta-di-Tuda
Pineto
NEBBIO
l'Ilusone
Monte Ambrica
Santo-Pietro-di-Tenda
Égl. San-Pietro
Vallecalle
Défilé de Lancone
Île San Damiano
Île Négru
San-Gavino-di-Tenda
Cima a Muzelli
Rapale
Ortale
Chapelle Santa Margarita
San Michele
Monte a Torricella
Purettone
Urtaca
Menhir
Sorio
Pieve
Chap. San Cesaro
Murato
Rutali
Monte Astu
Novella
Toccone
Borgo
Rivinco
la Marana
Bastia-Poretta
Lama
Cima di Tattoni
Bocca di Tenda
Pineto
Pietralba
Vignale
Lucciana
San Perteo
Cité Antique
la Canonica
Pedanu
Monte Reghia di Pozzo
Scolca
Camp du Cap Sud
Bigorno
Volpajola
le Golo
Lento
Campitello
Barchetta
Prunelli-di-Casacconi
CASINCA
Vallica
Piana
Olmo
Vescovato
Marina di Sorbo
Tartagine
Monte Tevisi
Canavaggia
Campile
Venzolasca
Querciolo
Castifao
Costa Roda
Divina
Loreto-di-Casinca
Sorbo-Ocagnano
Couvent San Francesco
Pont Génois
Ponte Novu
Bisinchi
Monte
Penta-di-Casinca
Castellare-di-Casinca
Égl. St-Pancrace
Moltifao
San Thomaso
Crocicchia
205
Monte Sant'Angelo
Tour
San Pellegrino
l'Asco
Valle-di-Rostino
Grate
Castello-di-Rostino (Baranciasche)
Ortiporio
Ferlaggia
Silvareccio
Porri
le Vieux Pont
Ponte Leccia
Santa Maria di Riscamone
Casabianca
Piano
Casalta
Gorges de l'Asco
Giocatojo
Égl. Santa Maria
Taglio-Isolaccio
Piedigriggio
Morosaglia
Musée Paoli
Stoppia Nova
Poggio-Marinaccio
San-Gavino-d'Ampugnani
Quercitello
Pero-Casevecchie
Figareto
Popolasca
Aiguilles de Popolasca
Forêt
Gavignano (Olmi)
Castineta
la Porta
Ficaja
Scata
Pruno
Talasani
Castiglione
Prato-di-Giovellina
San Pantaleo
Chap. San Petro d'Accia
Croce
San-Damiano
Velone-Orneto
Poggio-Mezzana
Poggio
Saliceto
Monte
Nocario
Polveroso
Verdèse
Piazzole
San-Giovanni
Santa-Lucia-di-Moriani (San Nicolao)
Aiti
la Casaluna
N193
N197
N198
D80
D81
D5
D506

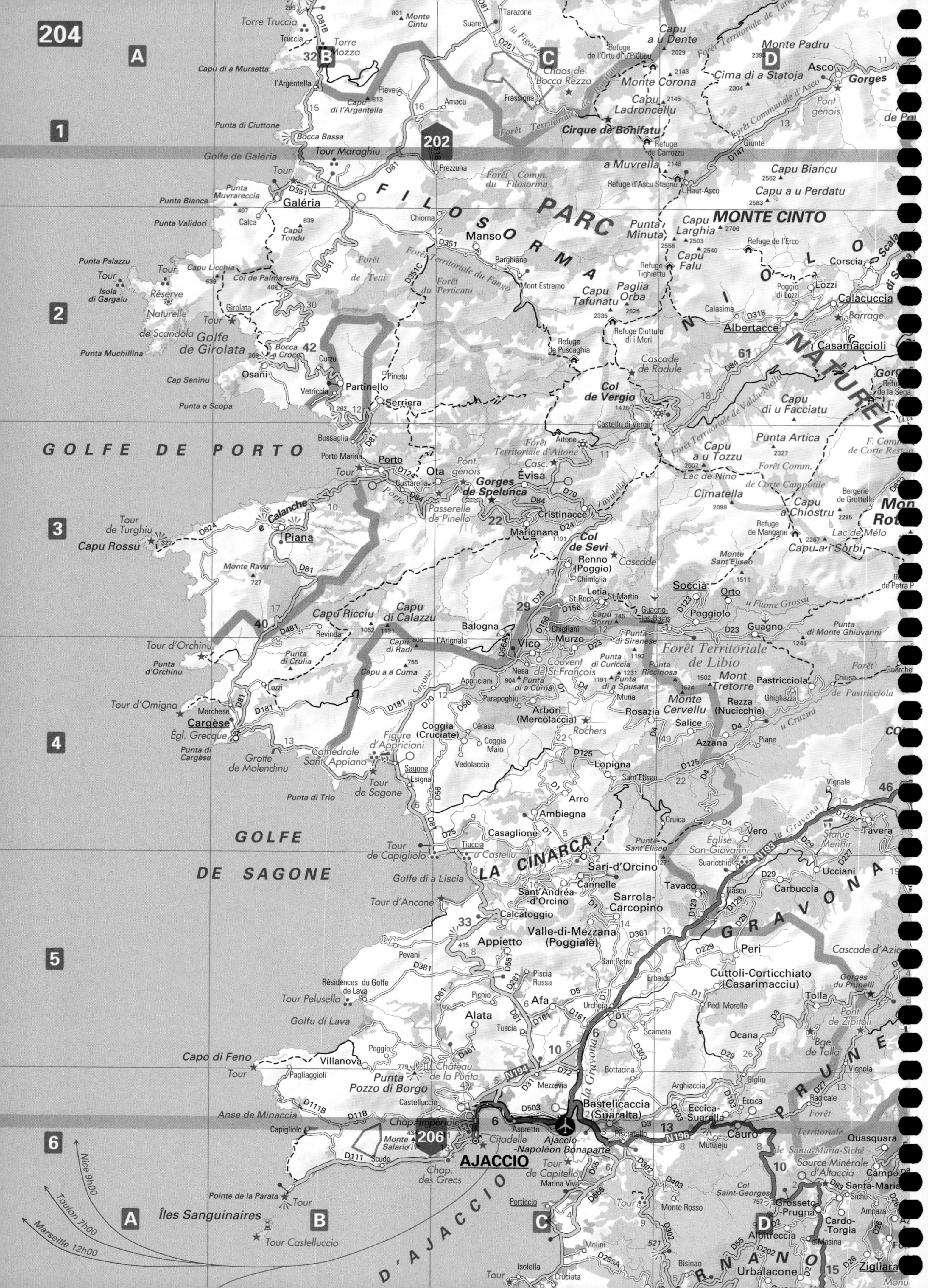

GOLFE DE PORTO
GOLFE DE SAGONE
D'AJACCIO
PARC NATUREL
FILOSORMA
NIOLO
LA CINARCA
GRAVONA
PRUNELLI
AJACCIO
Ajaccio-Napoléon Bonaparte
Porto
Piana
Cargèse
Galéria
Vico
Évisa
Ota
Calacuccia
Sagone
Tiuccia
Calcatoggio
Sari-d'Orcino
Bastelicaccia (Suaralta)
Porticcio
Cauro
MONTE CINTO
Capu Rossu
Gorges de Spelunca
Col de Vergio
Col de Sevi
Îles Sanguinaires
Golfe de Girolata
Golfe de Galéria
Capo di Feno
Punta Pozzo di Borgo
Nice 9h00
Toulon 7h00
Marseille 12h00

E
F
G
H
1
2
3
4
5
6
203
207
Moltifao
Ponte Leccia
Valle-di-Rostino
Castello-di-Rostino
Santa Maria di Riscamone
Ortiporio
Casabianca
Giocatojo
Morosaglia
Musée Paoli
Poggio-Marinaccio
Quercitello
Ficaja
Gavignano (Olmi)
Castineta
La Porta
Croce
Polveroso
Piano
Silvareccio
Porri
Casalta
Penta-di-Casinca
Castellare-di-Casinca
Sant'Angelo
Taglio-Isolaccio
Pero-Casevecchie
Pruno
Talasani
San Pellegrino
Tour
Figareto
Scata
San-Gavino-d'Ampugnani
San-Damiano
Velone-Orneto
Poggio-Mezzana
Santa-Lucia-di-Moriani (San Nicolao)
Piazzole
San-Giovanni-di-Moriani (Reggetto)
Monacia-d'Orezza
Moriani-Plage
San-Nicolao
Vanga di l'Oru
Monte Olmelli
Santa-Maria-Poggio
Santa-Reparata-di-Moriani (Forci)
Santa Cristina
Cervione
Valle-di-Campoloro (Mucchietu)
Prunete
San-Giuliano (Favalello)
Sant'Andréa-di-Cotone (Chigliacci)
Tour
Chiatra
Phare d'Alistro
Tour d'Alistro
Linguizzetta
Canale-di-Verde
Pietra-di-Verde
Barrage de l'Alesani
Moïta
Campi
Monte Sant' Appia u
Tox
Zalana
Matra
Pianello
Sant'Andréa-di-Bozio (Rebbia)
Mazzola
Alzi
Alando
Sermano
Bustanico
Punta de Caldane
Castellare-di-Mercurio
San Nicolao
Favalello
Tralonca
Santa-Lucia-di-Mercurio
Soveria
Monte Cecu
Église de Santa Mariona
Corte
Musée de la Corse
Citadelle
Belv.
Gorges du Tavignano
Forêt Territoriale du Tavignano
Gorges de la Restonica
Refuge de la Sega
Botro
Égl. et Baptistère de San Giovanni
Omessa
Castirla
Chapelle San Michele
Ponte Castirla
Scala di Santa Regina
Popolasca
Aiguilles de Popolasca
Prato-di-Giovellina
Castiglione
Piedigriggio
Gorges de l'Asco
Aiti
Saliceto
Monte San Petrone
Campana
Piedicroce
Couvent d'Orezza
Sces Minérales d'Orezza
Rapaggio
Parata
Valle-d'Orezza (Tramica)
Stazzona
Pie-d'Orezza
Piedipartino
Carcheto-Brustico
Carpineto
Tarrano (Ortia)
Felce (Piova)
Piobetta
Pietricaggio
Valle-d'Alesani
Piazzali
Perelli
Ortale
Novale
Anc. Couvent d'Alesani
Rocher de Muteri
La Madonna
San-Lorenzo
Lano
Santa Maria
San Quilico
Menhir
Erone
Cambia
Rusio
Carticasi
Francardo
Erbajolo
Chap. San Martino
Focicchia
Piedicorte-di-Gaggio
Pietraserena
Altiani
Ampriani
Zuani
Tallone
Poggio-di-Venaco
Casanova
Riventosa
Santo-Pietro-di-Venaco
Venaco
Monte Cardo
Monte Rotondo
Punta Felicina
Chap. San Giovanni
Pont Génois
Gorges du Tavignano
le Tavignano
Giuncaggio
Pancheraccia
Pianiccia
Marine de Bravone
Tour de Bravona
Noceta
Rospigliani
Pont du Vecchio
Forêt Communale de Venaco
Fortin de Pasciolo
Refuge de Petra Piana
Vivario
Muracciole
Vezzani
Antisanti
Casaperta
Frassiccia
Riva Bella
Tour de Diane
Forêt Territoriale de Rospa-Sorba
Pietroso
San Lorenzo
Casevecchie
Rottani
Étang de Diane
Caterragio
Col de Sorba
Agnatello
Punta Renosa
Monte d'Oro
Refuge de Vivario Tattone
Tattone
Canaglia
Refuge de l'Onda
Guarchetta
Vizzavona
Refuge de la Gare de Vizzavona
Casc. des Anglais
Ancien Fort
COL DE VIZZAVONA
La Foce
Refuge du Col de Vizzavona
Letto Majo
Teppa
Aghione
Campo al Quarcio
Ancien Fort Génois de Matra
Aléria
Site Antique
Casabianda
Étang del Sale
Pénitencier de Casabianda
Rosse
Agheri
Ghisoni
Défilé de l'Inzecca
Pinzalone
Samuleto
Réservoir d'Alzitone
St-Antoine
Lugo-di-Nazza
Étang d'Urbino
Aristone
Poggio-di-Nazza
Ghisonaccia Gare
Busso
Refuge de Capannella
Bocognano
Tavera
Monte Renoso
Forêt Communale de Ghisoni
Forêt Territoriale de Marmano
Forêt Territoriale de Pietra-Piana
Ajola
FIUMORBO
Chapelle San Giovanni
Ghisonaccia
Tour de Vignale
Refuge San Pietro di Verde
Col de Verde
Prunelli-di-Fiumorbo
Abbazia
Isolaccio-di-Fiumorbo
Morta
Marina du Caprone
Casamozza
Pietrapola
Serra-di-Fiumorbo
Chapelle Santa Maria
San-Gavino-di-Fiumorbo
Refuge de Prati
Station du Val d'Ese
Bastelica
Pedi Quarciu
Ania
Château de Coasina
Étang de Palu
Vix
Palneca
Scrivano
Forêt Territoriale de Punta-Niella
Refuge de Vizziluga
Ciamannacce
Ventiseri
Vangone
Cité de l'Air
Tasso
Sampolo
Cozzano
Refuge d'Usciolu
Chisa
Travo
le Travo
Lustinchellu
Solaro
Giovicacce
Guitera-les-Bains
Zicavo
Quasquara
Frasseto
Bains de Guitera
Ref. des Bergeries de Bassetta
Monte Malo
Ordioni
Forêt Territoriale de Tova
Petra di Lama
Solenzara
Campo
Zévaco
Corrano
Santa-Maria-Siché
Monte Incudine
Punta di Tintennaja
Plateau du Coscione
Refuge d'Asinao
Sari-Solenzara
la Solenzara
La Penna
Azilone-Ampaza
Olivese
Forciolo
Zigliara
Monument Préhistorique
Aiguilles
Tramuta
Cannella
RÉGIONAL
DE
CORSE
MER TYRRHÉNIENNE
N193
N198
N200

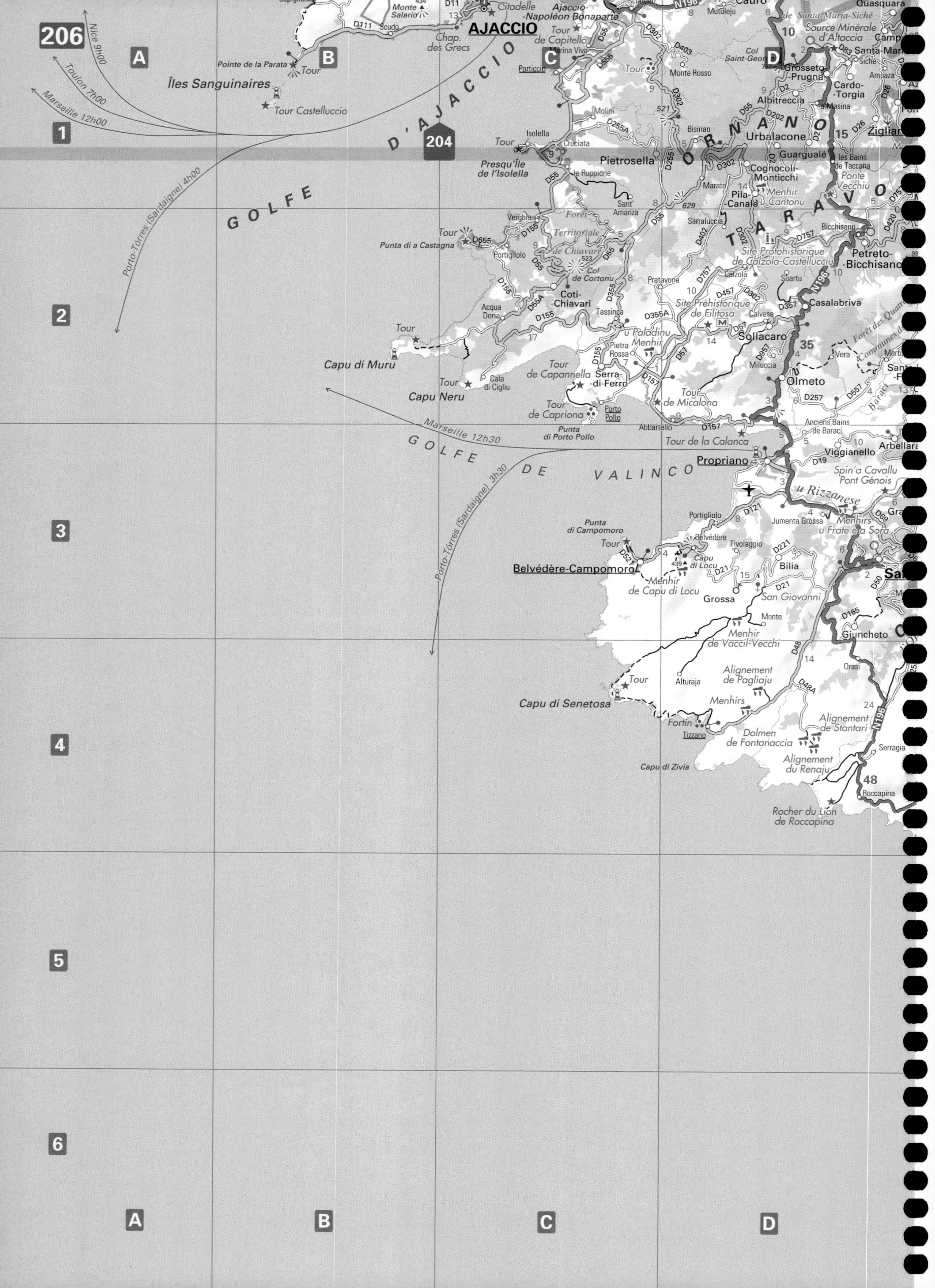
AJACCIO
Citadelle
Ajaccio-Napoléon Bonaparte
Monte Salario
Chap. des Grecs
Tour de Capitello
Marina Viva
Porticcio
Pointe de la Parata
Îles Sanguinaires
Tour Castelluccio
Nice 9h00
Toulon 7h00
Marseille 12h00
GOLFE D'AJACCIO
204
Isolella
Presqu'Île de l'Isolella
Pietrosella
Monte Rosso
Col Saint-Georges
Grosseto-Prugna
Albitreccia
Cardo-Torgia
Urbalacone
Guargualé
Zigliara
Source Minérale d'Altaccia
Santa-Maria-Siché
Quasquara
Mutuleju
ORNANO
TARAVO
Cognocoli-Monticchi
Pila-Canale
Menhir Cantonu
Ponte Vecchiu
Les Bains de Taccana
Sarraluccia
Marato
Sant' Amanza
Forêt Territoriale de Chiavari
Verghia
Tour
Punta di a Castagna
Portigliolo
Col de Cortone
Coti-Chiavari
Acqua Doria
Porto-Torres (Sardaigne) 4h00
Site Protohistorique de Calzola-Castellucciu
Petreto-Bicchisano
Bicchisano
Calzola
Suartu
Pratavone
Site Préhistorique de Filitosa
Casalabriva
Tassinca
u Paladinu Menhir
Calvese
Sollacaro
Miluccia
Olmeto
Vera
Capu di Muru
Capu Neru
Cala di Cigliu
Tour de Capannella
Serra-di-Ferro
Pietra Rossa
Tour de Micalona
Tour de Capriona
Porto Pollo
Punta di Porto Pollo
Abbartello
Tour de la Calanca
Anciens Bains de Baraci
Viggianello
Arbellara
Marseille 12h30
GOLFE DE VALINCO
Propriano
Spin'a Cavallu Pont Génois
u Rizzanese
Porto-Torres (Sardaigne) 3h30
Portigliolo
Jumenta Grossa
Menhirs u Frate e a Sora
Punta di Campomoro
Tour
Belvédère
Tivolaggio
Capu di Locu
Belvédère-Campomoro
Bilia
Menhir de Capu di Locu
Grossa
San Giovanni
Monte
Menhir de Vaccil-Vecchi
Giuncheto
Orasi
Tour
Alturaja
Alignement de Pagliaju
Capu di Senetosa
Menhirs
Fortin
Tizzano
Dolmen de Fontanaccia
Alignement de Stantari
Serragia
Capu di Zivia
Alignement du Renaju
Roccapina
Rocher du Lion de Roccapina
A
B
C
D
1
2
3
4
5
6

Monte Incudine
CORSE
Monte Malo
Punta di Tintennaja
Aiguilles de Bavella
COL DE BAVELLA
Solenzara
Sari-Solenzara
Cannella
Favone
Tarcu
Fautea
Conca
Quenza
Zonza
Levie
Carbini
Col de Mela
Forêt Territoriale de l'Ospedale
Sartène
Ste-Lucie-de-Tallano
Lecci
Pinarellu
Golfe de Porto-Vecchio
Porto-Vecchio
Punta di a Chiappa
Îles Cerbicale
Réserve Naturelle des Îles Cerbicale
Champ de Tir du Toro
Marseille 14h00
La Spezia (Italie, en saison) 12h00
Napoli (Italie, en saison) 16h30
Montagne de Cagna
ORTOLO
l'Uomo di Cagna
Sotta
Figari
Figari Sud-Corse
Monacia-d'Aullène
Pianottoli-Caldarello
Golfu Di Sant'Amanza
Golfe de Ventilegne
Bonifacio
Capo di Feno
CAPO PERTUSATO
Île Cavallo
ÎLES LAVEZZI
Réserve Naturelle des Bouches de Bonifacio
BOUCHES DE BONIFACIO
SARDEGNA
Santa Teresa di Gallura
Capo Testa
Ísola Santa Maria
Ísola Budelli
Ísola Spargi
ÍSOLA MADDALENA
PARCO NAZIONALE DELL' ARCIPELAGO DE LA MADDALENA
Napoli (Italie, en saison) 14h00
(en saison) 2h30
Punta Falcone
la Ficaccia
Becco di Vela
E F G H
1 2 3 4 5 6
205

A

Aast (64) 182 D2
Abainville (55) 68 B1
Abancourt (59) 8 D3
Abancourt (60) 19 G2
Abaucourt (54) 48 D3
Abaucourt-Hautecourt (55) 25 F6
Abbans-Dessous (25) 103 F2
Abbans-Dessus (25) 103 F2
Abbaretz (44) 74 D2
Abbécourt (02) 21 H3
Abbecourt (60) 20 B5
Abbenans (25) 88 A4
Abbeville (80) 6 D4
Abbéville-la-Rivière (91) 63 F3
Abbéville-lès-Conflans (54) 25 H6
Abbeville-Saint-Lucien (60) 20 B3
Abbévillers (25) 88 D5
Abeilhan (34) 188 C1
Abelcourt (70) 87 H2
Abère (64) 182 D1
l'Abergement-Clémenciat (01) 116 C5
l'Abergement-de-Cuisery (71) 116 C1
l'Abergement-de-Varey (01) 117 F6
Abergement-la-Ronce (39) 102 C2
Abergement-le-Grand (39) 102 D4
Abergement-le-Petit (39) 103 E4
Abergement-lès-Thésy (39) 103 F4
l'Abergement-Sainte-Colombe (71) 101 H5
Abidos (64) 182 A1
Abilly (37) 95 E4
Abitain (64) 165 E6
Abjat-sur-Bandiat (24) 123 F4
Ablain-Saint-Nazaire (62) 8 B1
Ablaincourt-Pressoir (80) 8 B6
Ablainzevelle (62) 8 B3
Ablancourt (51) 46 A4
Ableiges (95) 42 B2
les Ableuvenettes (88) 69 G4
Ablis (78) 62 D1
Ablon (14) 16 B6
Ablon-sur-Seine (94) 42 D5
Aboën (42) 128 D6
Aboncourt (54) 69 E2
Aboncourt (57) 26 C4
Aboncourt-Gesincourt (70) 87 F2
Aboncourt-sur-Seille (57) 48 D4
Abondance (74) 119 F4
Abondant (28) 41 F4
Abos (64) 182 A1
Abreschviller (57) 50 A5
Abrest (03) 114 A6
les Abrets (38) 131 F5
Abriès (05) 147 G5
Abscon (59) 9 E2
l'Absie (79) 92 D6
Abzac (16) 109 G5
Abzac (33) 135 H4
Accolans (25) 88 A4
Accolay (89) 83 G3
Accons (07) 143 F5
Accous (64) 182 A5
Achain (57) 49 F3
Achen (57) 50 A1
Achenheim (67) 50 D5
Achères (18) 97 H1
Achères (78) 42 B3
Achères-la-Forêt (77) 63 H3
Achery (02) 22 A2
Acheux-en-Amiénois (80) 7 H4
Acheux-en-Vimeu (80) 6 C4
Acheville (62) 8 B1
Achey (70) 86 C4
Achicourt (62) 8 B2
Achiet-le-Grand (62) 8 B4
Achiet-le-Petit (62) 8 B4
Achun (58) 99 H2
Achy (60) 20 A3
Acigné (35) 57 G2
Aclou (27) 40 B1
Acon (27) 40 D4
Acq (62) 8 A2
Acqueville (14) 14 B6
Acqueville (50) 12 B2
Acquigny (27) 41 E1
Acquin-Westbécourt (62) 2 A4
Acy (02) 22 B5
Acy-en-Multien (60) 43 G2
Acy-Romance (08) 23 G4
Adaincourt (57) 49 E2
Adainville (78) 41 G5
Adam-lès-Passavant (25) 87 H6
Adam-lès-Vercel (25) 104 A1
Adamswiller (67) 50 B3
Adast (65) 182 D5
Adé (65) 183 E3
Adelange (57) 49 F2
Adelans-et-le-Val-de-Bithaine (70) 87 H2
Adervielle-Pouchergues (65) 197 E1
Adilly (79) 93 F6
Adinfer (62) 8 A3
Adissan (34) 172 C6
les Adjots (16) 108 D6
Adon (45) 82 B2
les Adrets (38) 146 A1
les Adrets-de-l'Estérel (83) 178 B5
Adriers (86) 109 H4
Afa (2A) 204 C5
Affieux (19) 125 E5
Affléville (54) 25 H5
Affoux (69) 129 F2
Affracourt (54) 69 G1
Affringues (62) 1 H4
Agassac (31) 184 C2
Agde (34) 188 D2
Agel (34) 187 H2
Agen (47) 151 F5
Agen-d'Aveyron (12) 154 D4
Agencourt (21) 101 H2
Agenville (80) 7 F3
Agenvillers (80) 7 E3
les Ageux (60) 20 D5
Ageville (52) 68 B5
Agey (21) 101 F1
Aghione (2B) 205 G4
Agincourt (54) 48 D4
Agmé (47) 150 D3
Agnac (47) 150 D1
Agnat (43) 141 H1
Agneaux (50) 37 F1
Agnetz (60) 20 C5
Agnez-lès-Duisans (62) 8 A2
Agnicourt-et-Séchelles (02) 23 E2
Agnières (62) 8 A2
Agnières-en-Dévoluy (05) 160 A1
Agnin (38) 144 A1
Agnos (64) 181 H3
Agny (62) 8 B3
Agon-Coutainville (50) 36 D1
Agonac (24) 137 F1
Agonès (34) 173 E3
Agonges (03) 113 G1
Agos-Vidalos (65) 182 D4
Agris (16) 122 D3
Agudelle (17) 121 F6
Aguessac (12) 155 F6
Aguilcourt (02) 23 E4
Aguts (81) 170 A6
Agy (14) 13 H5
Ahaxe-Alciette-Bascassan (64) 181 E3
Ahetze (64) 164 A6
Ahéville (88) 69 G3
Ahuillé (53) 58 C5
Ahun (23) 111 H6
Ahuy (21) 85 H6
Aibes (59) 10 B3
Aibre (25) 88 B4
Aïcirits-Camou-Suhast (64) 181 F1
Aiffres (79) 107 H4
Aigaliers (30) 174 A1
l'Aigle (61) 40 A4
Aiglemont (08) 24 B1
Aiglepierre (39) 103 E3
Aigleville (27) 41 F2
Aiglun (04) 177 E1
Aiglun (06) 178 C2
Aignan (32) 167 E4
Aignay-le-Duc (21) 85 F3
Aigne (34) 187 H2
Aigné (72) 60 A5
Aignerville (14) 13 G5
Aignes (31) 185 G2
Aignes-et-Puypéroux (16) 122 B6
Aigneville (80) 6 C4
Aigny (51) 45 G2
Aigonnay (79) 108 A3
Aigre (16) 122 B2
Aigrefeuille (31) 169 G6
Aigrefeuille-d'Aunis (17) 107 E5
Aigrefeuille-sur-Maine (44) 74 D6
Aigremont (30) 173 H2
Aigremont (52) 68 D5
Aigremont (78) 42 B3
Aigremont (89) 84 A3
Aiguebelette-le-Lac (73) 131 G5
Aiguebelle (73) 132 C5
Aigueblanche (73) 132 D5
Aiguefonde (81) 170 D6
Aigueperse (63) 127 F1
Aigueperse (69) 115 G4
Aigues-Juntes (09) 185 G4
Aigues-Mortes (30) 173 H6
Aigues-Vives (09) 186 B5
Aigues-Vives (11) 187 F3
Aigues-Vives (30) 173 H4
Aigues-Vives (34) 187 H2
Aiguèze (30) 157 H5
Aiguilhe (43) 142 C4
Aiguilles (05) 147 G6
l'Aiguillon (09) 186 B6
Aiguillon (47) 150 D5
l'Aiguillon-sur-Mer (85) 106 B3
l'Aiguillon-sur-Vie (85) 90 D4
Aiguines (83) 177 F3
Aigurande (36) 111 G3
Ailhon (07) 157 G2
Aillant-sur-Milleron (45) 82 C2
Aillant-sur-Tholon (89) 83 E1
Aillas (33) 150 A3
Ailleux (42) 128 C3
Aillevans (70) 87 H3
Ailleville (10) 67 E3
Aillevillers-et-Lyaumont (70) 69 H6
Aillianville (52) 68 B2
Aillières-Beauvoir (72) 60 B2
Aillon-le-Jeune (73) 132 A4
Aillon-le-Vieux (73) 132 A4
Ailloncourt (70) 87 H2
Ailly (27) 41 E1
Ailly-le-Haut-Clocher (80) 7 E4
Ailly-sur-Noye (80) 20 C1
Ailly-sur-Somme (80) 7 F6
Aimargues (30) 174 A5
Aime (73) 133 E4
Ainay-le-Château (03) 98 B6
Ainay-le-Vieil (18) 98 A6
Aincille (64) 181 E3
Aincourt (95) 41 H2
Aincreville (55) 24 D5
Aingeray (54) 48 B4
Aingeville (88) 68 D4
Aingoulaincourt (52) 68 A1
Ainharp (64) 181 F2
Ainhice-Mongelos (64) 181 E3
Ainhoa (64) 180 C1
Ainvelle (70) 87 G1
Ainvelle (88) 69 E5
Airaines (80) 7 E5
Airan (14) 14 D5
Aire (08) 23 F4
Aire-sur-la-Lys (62) 2 B5
Aire-sur-l'Adour (40) 166 B4
Airel (50) 13 F6
les Aires (34) 172 A6
Airion (60) 20 C4
Airon-Notre-Dame (62) 6 C1
Airon-Saint-Vaast (62) 6 C1
Airoux (11) 186 B2
Airvault (79) 93 G5
Aiserey (21) 102 A2
Aisey-et-Richecourt (70) 87 E1
Aisey-sur-Seine (21) 85 E2
Aisonville-et-Bernoville (02) 9 F5
Aïssey (25) 87 H6
Aisy-sous-Thil (21) 84 C5
Aisy-sur-Armançon (89) 84 C3
Aiti (2B) 205 F1
Aiton (73) 132 B4
Aix (19) 126 A4
Aix (59) 3 H6
les Aix-d'Angillon (18) 98 A2
Aix-en-Diois (26) 159 F1
Aix-en-Ergny (62) 1 H5
Aix-en-Issart (62) 1 G6
Aix-en-Othe (10) 65 G4
Aix-en-Provence (13) 176 A6
Aix-la-Fayette (63) 127 H5
Aix-les-Bains (73) 131 H3
Aix-Noulette (62) 8 A1
Aixe-sur-Vienne (87) 124 A3
Aizac (07) 157 F1
Aizanville (52) 67 G5
Aize (36) 96 C2
Aizecourt-le-Bas (80) 8 C5
Aizecourt-le-Haut (80) 8 C5
Aizelles (02) 22 D4
Aizenay (85) 91 F4
Aizier (27) 15 H2
Aizy-Jouy (02) 22 B4
Ajac (11) 186 C5
Ajaccio (2A) 204 C6
Ajain (23) 111 H5
Ajat (24) 137 H3
Ajoncourt (57) 48 D3
Ajou (27) 40 B2
Ajoux (07) 143 G6
Alaigne (11) 186 C4
Alaincourt (02) 22 A1
Alaincourt (70) 69 F6
Alaincourt-la-Côte (57) 48 D3
Alairac (11) 186 D3
Alan (31) 184 C3
Alando (2B) 205 F2
Alata (2A) 204 C5
Alba-la-Romaine (07) 157 H2
Alban (81) 171 E3
Albaret-le-Comtal (48) 141 F5
Albaret-Sainte-Marie (48) 141 G5
Albas (11) 187 G5
Albas (46) 152 B3
Albé (67) 71 F2
Albefeuille-Lagarde (82) 169 E1
l'Albenc (38) 145 E2
Albens (73) 131 H2
Albepierre-Bredons (15) 140 D3
l'Albère (66) 201 F4
Albert (80) 8 A5
Albertacce (2B) 204 D2
Albertville (73) 132 C3
Albestroff (57) 49 G3
Albi (81) 170 C2
Albiac (31) 169 H6
Albiac (46) 139 E6
Albias (82) 169 F1
Albières (11) 187 F6
Albiès (09) 199 F1
Albiez-le-Jeune (73) 146 C2
Albiez-Montrond (73) 146 C2
Albignac (19) 138 D3
Albigny-sur-Saône (69) 130 A2
Albine (81) 187 F1
Albitreccia (2A) 204 D6
Albon (26) 144 A2
Albon-d'Ardèche (07) 143 F6
Alboussière (07) 143 H5
les Albres (12) 153 H3
Albussac (19) 139 E3
Alby-sur-Chéran (74) 132 A2
Alçay-Alçabéhéty-Sunharette (64) 181 F4
Aldudes (64) 180 C3
Alembon (62) 1 G3
Alençon (61) 60 A2
Alénya (66) 201 F3
Aléria (2B) 205 H4
Alès (30) 157 E6
Alet-les-Bains (11) 186 D5
Alette (62) 1 G6
Aleu (09) 185 E6
Alex (74) 132 B1
Alexain (53) 58 C3
Aleyrac (26) 158 C3
Alfortville (94) 42 D4
Algajola (2B) 202 C5
Algans (81) 170 A5
Algolsheim (68) 71 G5
Algrange (57) 26 B3
Alièze (39) 117 G1
Alignan-du-Vent (34) 188 D1
Alincourt (08) 23 G4
Alincthun (62) 1 G4
Alise-Sainte-Reine (21) 84 D4
Alissas (07) 158 A1
Alix (69) 129 H2
Alixan (26) 144 C4
Alizay (27) 18 D5
Allain (54) 48 B6
Allaines (80) 8 C5
Allaines-Mervilliers (28) 62 D4
Allainville (28) 41 E5
Allainville (78) 62 D2
Allaire (56) 73 H1
Allamont (54) 48 A1
Allamps (54) 48 A6
Allan (26) 158 B3
Allanche (15) 141 E2
Alland'Huy-et-Sausseuil (08) 23 H3
Allarmont (88) 70 D1
Allas-Bocage (17) 121 F6
Allas-Champagne (17) 121 G5
Allas-les-Mines (24) 137 H6
Allassac (19) 138 C2
Allauch (13) 192 B3
Allègre (43) 142 B2
Allègre-les-Fumades (30) 157 F6
Alleins (13) 191 H2
Allemagne-en-Provence (04) 177 E3
Allemanche-Launay-et-Soyer (51) 45 E6
Allemans (24) 136 C1
Allemans-du-Dropt (47) 150 D2
Allemant (02) 22 B4
Allemant (51) 45 E5
Allemond (38) 146 A3
Allenay (80) 6 B4
Allenc (48) 156 B3
Allenjoie (25) 88 D4
Allennes-les-Marais (59) 3 F6
Allenwiller (67) 50 C5
Allerey (21) 101 E2
Allerey-sur-Saône (71) 101 H4
Allériot (71) 101 H5
Allery (80) 6 D5
Alles-sur-Dordogne (24) 137 G5
les Alleuds (49) 77 E6
les Alleuds (79) 108 C5
les Alleux (08) 24 B4
Alleuze (15) 141 F5
Allevard (38) 132 A6
Allèves (74) 132 A3
Allex (26) 144 B6
Alleyrac (43) 142 D5
Alleyras (43) 142 B5
Alleyrat (19) 125 H5
Alleyrat (23) 125 G1
Allez-et-Cazeneuve (47) 151 F4
Alliancelles (51) 46 C4
Alliat (09) 199 E1
Allibaudières (10) 45 F6
Allichamps (52) 46 C6
Allier (65) 183 F3
Allières (09) 185 F5
les Alliés (25) 104 A3
Alligny-Cosne (58) 82 C5
Alligny-en-Morvan (58) 100 C1
Allineuc (22) 33 F6
Allinges (74) 119 E3
Allogny (18) 97 G1
Allondans (25) 88 C4
Allondaz (73) 132 C3
Allondrelle-la-Malmaison (54) 25 F3
Allonne (60) 20 B5
Allonne (79) 107 H1
Allonnes (28) 62 C3
Allonnes (49) 77 H6
Allonnes (72) 60 A6
Allons (04) 178 A1
Allons (47) 150 A5
Allonville (80) 7 G5
Allonzier-la-Caille (74) 118 B6
Allos (04) 161 F5
Allouagne (62) 2 C6
Alloue (16) 109 F6
Allouis (18) 97 F2
Allouville-Bellefosse (76) 17 E5
les Allues (73) 132 D6
les Alluets-le-Roi (78) 42 A3
Alluy (58) 99 G3
Alluyes (28) 62 A4
Ally (15) 139 H3
Ally (43) 141 G3
Almayrac (81) 170 C1
Almenêches (61) 39 F5
Almont-les-Junies (12) 154 A2
Alos (09) 184 D6
Alos (81) 170 A2
Alos-Sibas-Abense (64) 181 G3
Aloxe-Corton (21) 101 G3
Alpuech (12) 140 D6
Alquines (62) 1 H4
Alrance (12) 154 D6
Alsting (57) 27 G4
Altagène (2A) 207 E2
Alteckendorf (67) 50 D4
Altenach (68) 89 E3
Altenheim (67) 50 C4
Althen-des-Paluds (84) 175 F2
Altiani (2B) 205 F3
Altier (48) 156 C3
Altillac (19) 139 E4
Altkirch (68) 89 F3
Altorf (67) 50 D6
Altrippe (57) 49 G2
Altviller (57) 49 G1
Altwiller (67) 49 H3
Aluze (71) 101 F5
Alvignac (46) 138 D6
Alvimare (76) 18 A3
Alzen (09) 185 G5
Alzi (2B) 205 F2
Alzing (57) 27 E4
Alzon (30) 172 C2
Alzonne (11) 186 D3
Amage (70) 88 A1
Amagne (08) 23 H3
Amagney (25) 87 G6
Amailloux (79) 93 F5
Amance (10) 66 D3
Amance (54) 48 D4
Amance (70) 87 F1
Amancey (25) 103 G3
Amancy (74) 118 D6
Amange (39) 102 D2
Amanlis (35) 57 G4
Amanty (55) 68 C1
Amanvillers (57) 26 B5
Amanzé (71) 115 F4
Amarens (81) 170 A1
Amathay-Vésigneux (25) 103 H3
Amayé-sur-Orne (14) 14 B5
Amayé-sur-Seulles (14) 38 A1
Amazy (58) 83 G6
Ambacourt (88) 69 F2
Ambarès-et-Lagrave (33) 135 F4
Ambax (31) 184 C2
Ambazac (87) 124 C1
Ambel (38) 145 H6
Ambenay (27) 40 B4
Ambérac (16) 122 B2
Ambérieu-en-Bugey (01) 130 D1
Ambérieux (69) 129 H1
Ambérieux-en-Dombes (01) 130 B1
Ambernac (16) 123 E1
Amberre (86) 94 A5
Ambert (63) 128 B5
Ambès (33) 135 F4
Ambeyrac (12) 153 G3
Ambialet (81) 170 D2
Ambiegna (2A) 204 C4
Ambierle (42) 114 D6
Ambiévillers (70) 69 G6
Ambillou (37) 78 C5
Ambillou-Château (49) 77 F6
Ambilly (74) 118 C4
Amblainville (60) 20 B6
Amblans-et-Velotte (70) 87 H2
Ambleny (02) 21 H5
Ambléon (01) 131 F3
Ambleteuse (62) 1 F3
Ambleville (16) 121 H5
Ambleville (95) 41 H1
Amblie (14) 14 B3
Amblimont (08) 24 D2
Ambloy (41) 79 F2
Ambly-Fleury (08) 23 H4
Ambly-sur-Meuse (55) 47 G2
Amboise (37) 79 F5
Ambon (56) 73 E2
Ambonil (26) 144 B6
Ambonnay (51) 45 G2
Ambonville (52) 67 G3
Ambrault (36) 97 E5
Ambres (81) 169 H4
Ambricourt (62) 2 A6
Ambrief (02) 22 B5
Ambrières (51) 46 C6
Ambrières-les-Vallées (53) 58 D2
Ambrines (62) 7 H2
Ambronay (01) 130 D1
Ambrugeat (19) 125 G5
Ambrumesnil (76) 17 G2
Ambrus (47) 150 C5
Ambutrix (01) 130 D1
Amécourt (27) 19 G5
Amel-sur-l'Étang (55) 25 G6
Amelécourt (57) 49 E3
Amélie-les-Bains-Palalda (66) 200 D4
Amendeuix-Oneix (64) 181 F1
Amenoncourt (54) 49 G5
Amenucourt (95) 41 G1
Ames (62) 2 C6
Amettes (62) 2 B6
Ameugny (71) 116 A2
Ameuvelle (88) 69 E6
Amfreville (14) 14 C4
Amfreville (50) 12 D4
Amfreville-la-Campagne (27) 18 B6
Amfreville-la-Mi-Voie (76) 18 D4
Amfreville-les-Champs (27) 19 E5
Amfreville-les-Champs (76) 17 F4
Amfreville-sous-les-Monts (27) 18 D5
Amfreville-sur-Iton (27) 40 D1
Amfroipret (59) 9 G2
Amiens (80) 7 G6
Amifontaine (02) 23 E4
Amigny (50) 13 E6
Amigny-Rouy (02) 22 A3
Amillis (77) 43 H5
Amilly (28) 62 A2
Amilly (45) 64 B6
Amions (42) 128 D2
Amirat (06) 178 B2
Ammerschwihr (68) 71 F4
Ammerzwiller (68) 89 E2
Amné (72) 59 H5
Amnéville (57) 26 B4
Amoncourt (70) 87 F2
Amondans (25) 103 G2
Amont-et-Effreney (70) 88 A1
Amorots-Succos (64) 181 E1
Amou (40) 165 G5
Ampilly-le-Sec (21) 85 E2
Ampilly-les-Bordes (21) 85 E3
Amplepuis (69) 129 F1
Amplier (62) 7 G4
Ampoigné (53) 76 C1
Amponville (77) 63 H3
Ampriani (2B) 205 G2
Ampuis (69) 130 A5
Ampus (83) 177 G5
Amuré (79) 107 G4
Amy (60) 21 F2
Anais (16) 122 C3
Anais (17) 107 E4
Anan (31) 184 B2
Ance (64) 181 H3
Anceaumeville (76) 17 G5
Anceins (61) 39 H3
Ancelle (05) 160 C1
Ancemont (55) 47 F2
Ancenis (44) 75 F4
Ancerville (55) 46 D6
Ancerville (57) 26 D6
Ancerviller (54) 49 G6
Ancey (21) 85 F6
Anchamps (08) 11 E5
Anché (37) 94 B2
Anché (86) 108 D3
Anchenoncourt-et-Chazel (70) 87 F1
Ancienville (02) 21 H6
Ancier (70) 86 D5
Ancinnes (72) 60 A2
Ancizan (65) 183 G6
les Ancizes-Comps (63) 126 D2
Ancône (26) 158 A2
Ancourt (76) 17 H2
Ancourteville-sur-Héricourt (76) 17 E4
Ancretiéville-Saint-Victor (76) 17 F4
Ancretteville-sur-Mer (76) 16 D3
Ancteville (50) 36 D1
Anctoville (14) 38 A1
Anctoville-sur-Boscq (50) 35 G2
Ancy (69) 129 G2
Ancy-le-Franc (89) 84 B2
Ancy-le-Libre (89) 84 B2
Ancy-sur-Moselle (57) 26 B6
Andainville (80) 6 D6
Andance (07) 144 A2
Andancette (26) 144 A2
Andard (49) 77 E4
Andé (27) 18 D6
Andechy (80) 21 E2
Andel (22) 33 H5
Andelain (02) 22 A2
Andelaroche (03) 114 C4
Andelarre (70) 87 F3
Andelarrot (70) 87 F3
Andelat (15) 141 E4
Andelnans (90) 88 C3
Andelot-Blancheville (52) 68 A3
Andelot-en-Montagne (39) 103 F4
Andelot-Morval (39) 117 F3
Andelu (78) 41 H3
les Andelys (27) 19 E6
Andernay (55) 46 D4
Andernos-les-Bains (33) 134 B6
Anderny (54) 26 A3
Andert-et-Condon (01) 131 F2
Andeville (60) 20 B6
Andigné (49) 76 C3
Andillac (81) 170 A2
Andilly (17) 106 D4
Andilly (54) 48 B4
Andilly (74) 118 B6
Andilly (95) 42 C2
Andilly-en-Bassigny (52) 68 C6
Andiran (47) 150 C6
Andlau (67) 71 F2
Andoins (64) 182 C2
Andolsheim (68) 71 F4
Andon (06) 178 B3
Andonville (45) 63 E3
Andornay (70) 88 B3
Andouillé (53) 58 C4
Andouillé-Neuville (35) 57 F1
Andouque (81) 170 D2
Andrein (64) 181 G1
Andres (62) 1 G3
Andrest (65) 183 E2
Andrésy (78) 42 B3
Andrezé (49) 75 G6
Andrezel (77) 43 F6
Andrézieux-Bouthéon (42) 129 E5
Andryes (89) 83 F4
Anduze (30) 173 G1
Anères (65) 183 H4
Anet (28) 41 F4
Anetz (44) 75 F4
Angaïs (64) 182 C2
Angé (41) 79 H6
Angeac-Champagne (16) 121 G4
Angeac-Charente (16) 122 A4
Angecourt (08) 24 C2
Angeduc (16) 122 A5
Angely (89) 84 B4
Angeot (90) 88 D2
Angers (49) 76 D4
Angerville (14) 14 D4
Angerville (91) 63 E3
Angerville-Bailleul (76) 16 C4
Angerville-la-Campagne (27) 40 D2
Angerville-la-Martel (76) 16 D3
Angerville-l'Orcher (76) 15 F1
Angervilliers (91) 42 B6
Angeville (82) 168 C2
Angevillers (57) 26 B3
Angey (50) 35 G3
Angicourt (60) 20 D5
Angiens (76) 17 E2
Angirey (70) 86 D5
Angivillers (60) 20 D4
Anglade (33) 135 E2
Anglards-de-Saint-Flour (15) 141 F4
Anglards-de-Salers (15) 140 A2
Anglars (46) 153 F1
Anglars-Juillac (46) 152 B3

Anglars-Nozac (46) 138 C6
Anglars-Saint-Félix (12) 153 H4
Anglefort (01) 131 G1
Anglemont (88) 70 B2
Angles (04) 177 H2
les Angles (30) 174 D2
les Angles (65) 183 E4
les Angles (66) 199 H3
Anglès (81) 171 E6
Angles (85) 106 B2
les Angles-sur-Corrèze (19) 139 E1
Angles-sur-l'Anglin (86) 95 F6
Anglesqueville-la-Bras-Long (76) 17 E3
Anglesqueville-l'Esneval (76) 16 B4
Anglet (64) 164 B6
Angliers (17) 107 E4
Angliers (86) 94 A3
Anglure (51) 45 E6
Anglure-sous-Dun (71) 115 G4
Angluzelles-et-Courcelles (51) 45 E6
Angoisse (24) 124 A6
Angomont (54) 49 H6
Angos (65) 183 F3
Angoulême (16) 122 B4
Angoulins (17) 106 D5
Angoumé (40) 164 D4
Angous (64) 181 G2
Angoustrine-Villeneuve-des-Escaldes (66) 199 G4
Angoville (14) 38 C3
Angoville-au-Plain (50) 13 E4
Angoville-sur-Ay (50) 12 C5
Angres (62) 8 B1
Angresse (40) 164 C4
Angrie (49) 76 B3
Anguerny (14) 14 B4
Anguilcourt-le-Sart (02) 22 B2
Angy (60) 20 C5
Anhaux (64) 180 D3
Anhiers (59) 8 D1
Aniane (34) 172 D5
Aniche (59) 9 E2
Anisy (14) 14 B4
Anizy-le-Château (02) 22 B4
Anjeux (70) 87 G1
Anjou (38) 144 B1
Anjouin (36) 96 D2
Anjoutey (90) 88 D2
Anla (65) 184 A5
Anlezy (58) 99 G4
Anlhiac (24) 138 A1
Annay (58) 82 C4
Annay (62) 8 B1
Annay-la-Côte (89) 84 A4
Annay-sur-Serein (89) 84 A2
Annebault (14) 15 E4
Annecy (74) 132 A1
Annecy-le-Vieux (74) 132 B1
Annelles (08) 23 G4
Annemasse (74) 118 C4
Annéot (89) 84 A4
Annepont (17) 121 E2
Annequin (62) 2 D6
Annesse-et-Beaulieu (24) 137 E2
Annet-sur-Marne (77) 43 F3
Anneux (59) 8 D3
Anneville-Ambourville (76) 17 F6
Anneville-en-Saire (50) 13 E2
Annéville-la-Prairie (52) 67 H4
Anneville-sur-Mer (50) 12 C6
Anneville-sur-Scie (76) 17 G2
Anneyron (26) 144 B2
Annezay (17) 107 F6
Annezin (62) 2 D6
Annœullin (59) 3 E6
Annoire (39) 102 B4
Annois (02) 21 H2
Annoisin-Chatelans (38) 130 D3
Annoix (18) 97 H4
Annonay (07) 143 H2
Annonville (52) 68 A2
Annot (04) 178 A2
Annouville-Vilmesnil (76) 16 C4
Annoux (89) 84 B3
Annoville (50) 35 G1
Anor (59) 10 B5
Anos (64) 182 C1
Anost (71) 100 B3
Anould (88) 70 D3
Anoux (54) 25 H5
Anoye (64) 182 D1
Anquetierville (76) 18 A3
Anrosey (52) 86 D1
Ansac-sur-Vienne (16) 123 F1
Ansacq (60) 20 C5
Ansan (32) 168 A4
Ansauville (54) 48 A4
Ansauvillers (60) 20 C3
Anse (69) 129 H1
Anserville (60) 20 B6
Ansignan (66) 200 C2
Ansost (65) 183 F1
Ansouis (84) 176 A4
Anstaing (59) 3 G5
Antagnac (47) 150 B4
Anterrieux (15) 141 E6
Anteuil (25) 88 B5
Antezant-la-Chapelle (17) 107 H6
Anthé (47) 151 H4
Anthelupt (54) 49 E6
Anthenay (51) 44 D1
Antheny (08) 10 C6
Antheuil (21) 101 F2
Antheuil-Portes (60) 21 E4
Anthien (58) 83 H6
Anthon (38) 130 C3
Anthy-sur-Léman (74) 118 D3
Antibes (06) 195 E4
Antichan (65) 184 A5
Antichan-de-Frontignes (31) 184 A5
Antignac (15) 140 B1
Antignac (31) 197 F1
Antigny (85) 92 C6
Antigny (86) 109 H2
Antigny-la-Ville (21) 101 E2
Antilly (57) 26 C5
Antilly (60) 43 G1
Antin (65) 183 G2
Antisanti (2B) 205 G3
Antist (65) 183 F4
Antogny-le-Tillac (37) 94 D3
Antoigné (49) 93 G2
Antoigny (61) 38 C6
Antoingt (63) 127 F5
Antonaves (05) 159 H5
Antonne-et-Trigonant (24) 137 G2
Antony (92) 42 C5
Antraigues-sur-Volane (07) 157 G1
Antrain (35) 35 G5
Antran (86) 94 D4
Antras (09) 184 C6
Antras (32) 167 G4
Antrenas (48) 155 G2
Antugnac (11) 186 D5
Antully (71) 100 D4
Anvéville (76) 17 E4
Anville (16) 122 A2
Anvin (62) 7 G1
Any-Martin-Rieux (02) 10 C6
Anzat-le-Luguet (63) 141 E1
Anzeling (57) 26 D4
Anzême (23) 111 G4
Anzex (47) 150 C5
Anzin (59) 9 F2
Anzin-Saint-Aubin (62) 8 B2
Anzy-le-Duc (71) 115 E4
Aoste (38) 131 F4
Aougny (51) 44 D1
Aouste (08) 23 G1
Aouste-sur-Sye (26) 158 C1
Aouze (88) 69 E2
Apach (57) 26 D2
Apchat (63) 141 F1
Apchon (15) 140 C2
Apinac (42) 142 D1
Appelle (81) 170 A5
Appenai-sous-Bellême (61) 60 D2
Appenans (25) 88 B5
Appenwihr (68) 71 G5
Appeville (50) 12 D5
Appeville-Annebault (27) 18 A5
Appietto (2A) 204 C5
Appilly (60) 21 H3
Appoigny (89) 83 F1
Apprieu (38) 131 E6
Appy (09) 199 F1
Apremont (01) 117 G4
Apremont (08) 24 C6
Apremont (60) 20 D6
Apremont (70) 86 C5
Apremont (73) 131 H5
Apremont (85) 91 E3
Apremont-la-Forêt (55) 47 H4
Apremont-sur-Allier (18) 98 D4
Aprey (52) 86 A2
Apt (84) 176 A3
Arabaux (09) 185 H5
Arâches-la-Frasse (74) 119 F6
Aragnouet (65) 196 D1
Aragon (11) 187 E2
Aramits (64) 181 H3
Aramon (30) 174 D3
Aranc (01) 117 F6
Arancou (64) 165 E6
Arandas (01) 131 E2
Arandon (38) 131 E3
Araujuzon (64) 181 G1
Araules (43) 143 E3
Araux (64) 181 G1
Arbanats (33) 149 G1
Arbas (31) 184 C5
Arbecey (70) 87 E2
Arbellara (2A) 207 E3
Arbent (01) 117 G4
Arbéost (65) 182 C5
Arbérats-Sillègue (64) 181 F1
Arbignieu (01) 131 F3
Arbigny (01) 116 C2
Arbigny-sous-Varennes (52) 86 C1
Arbin (73) 132 A5
Arbis (33) 149 H1
Arblade-le-Bas (32) 166 C4
Arblade-le-Haut (32) 166 D4
Arbois (39) 103 E4
Arbon (31) 184 B5
Arbonne (64) 164 B6
Arbonne-la-Forêt (77) 63 H2
Arboras (34) 172 D4
Arbori (2A) 204 C4
Arbot (52) 85 G1
Arbouans (25) 88 C4
Arboucave (40) 166 A5
Arbouet-Sussaute (64) 181 F1
Arbourse (58) 99 E1
Arboussols (66) 200 C2
l'Arbresle (69) 129 G2
Arbrissel (35) 57 H4
Arbus (64) 182 A2
Arbusigny (74) 118 C5
Arc-en-Barrois (52) 67 G6
Arc-et-Senans (25) 103 E3
Arc-lès-Gray (70) 86 C5
Arc-sous-Cicon (25) 104 A2
Arc-sous-Montenot (25) 103 F4
Arc-sur-Tille (21) 86 A6
Arcachon (33) 148 B1
Arçais (79) 107 F3
Arcambal (46) 152 D3
Arcangues (64) 164 B6
Arçay (18) 97 G4
Arçay (86) 93 H3
Arceau (21) 86 A5
Arcenant (21) 101 G2
Arcens (07) 143 F5
Arces (17) 120 D4
Arces-Dilo (89) 65 G5
Arcey (21) 101 G1
Arcey (25) 88 B4
Archail (04) 160 D6
Archamps (74) 118 C5
Archelange (39) 102 C2
Arches (15) 140 A1
Arches (88) 70 A4
Archettes (88) 70 A4
Archiac (17) 121 G5
Archignac (24) 138 B4
Archignat (03) 112 C3
Archigny (86) 94 D6
Archingeay (17) 121 E1
Archon (02) 23 F1
Arcinges (42) 115 F5
Arcins (33) 134 D3
Arcis-le-Ponsart (51) 22 C6
Arcis-sur-Aube (10) 66 B1
Arcizac-Adour (65) 183 E3
Arcizac-Ez-Angles (65) 183 E4
Arcizans-Avant (65) 182 D5
Arcizans-Dessus (65) 182 D5
Arcomps (18) 97 H6
Arçon (25) 104 A3
Arcon (42) 128 C1
Arconcey (21) 101 E1
Arçonnay (72) 60 A2
Arconsat (63) 128 B2
Arconville (10) 67 F4
les Arcs (83) 177 H6
Arcueil (94) 42 D4
Arcy-Sainte-Restitue (02) 22 B6
Arcy-sur-Cure (89) 83 H4
Ardelles (28) 61 G1
Ardelu (28) 62 D3
Ardenais (18) 112 B1
Ardenay-sur-Mérize (72) 60 C6
Ardengost (65) 183 G5
Ardentes (36) 96 D6
Ardes (63) 127 F6
Ardeuil-et-Montfauxelles (08) 24 B6
Ardiège (31) 184 A4
les Ardillats (69) 115 H5
Ardilleux (79) 108 B5
Ardillières (17) 107 E5
Ardin (79) 107 G2
Ardizas (32) 168 C4
Ardoix (07) 143 H2
Ardon (39) 103 F5
Ardon (45) 80 D2
Ardouval (76) 17 H3
Ardres (62) 1 H3
Aregno (2B) 202 C5
Areines (41) 79 G2
Aren (64) 181 H2
Arengosse (40) 165 G1
Arenthon (74) 118 D5
Arès (33) 134 B6
Aresches (39) 103 F4
Aressy (64) 182 C2
Arette (64) 181 H4
Arfeuille-Châtain (23) 112 C6
Arfeuilles (03) 114 C5
Arfons (81) 186 D1
Argagnon (64) 165 G6
Arganchy (14) 13 H6
Argançon (10) 67 E3
Argancy (57) 26 C5
Argein (09) 184 C6
Argelès-Bagnères (65) 183 F4
Argelès-Gazost (65) 182 D5
Argelès-sur-Mer (66) 201 G3
Argeliers (11) 188 A2
Argelliers (34) 173 E4
Argelos (40) 165 H5
Argelos (64) 166 B6
Argelouse (40) 149 E4
Argences (14) 14 D5
Argens-Minervois (11) 187 G3
Argent-sur-Sauldre (18) 81 G4
Argentan (61) 39 E4
Argentat (19) 139 F3
Argentenay (89) 84 B2
Argenteuil (95) 42 C3
Argenteuil-sur-Armançon (89) 84 B2
l'Argentière-la-Bessée (05) 147 E6
Argentières (77) 43 G6
Argentine (73) 132 C5
Argenton (47) 150 B4
Argenton-l'Église (79) 93 F3
Argenton-les-Vallées (79) 93 E3
Argenton-Notre-Dame (53) 76 D2
Argenton-sur-Creuse (36) 111 E1
Argentré (53) 58 D4
Argentré-du-Plessis (35) 58 A5
Argenvières (18) 98 C2
Argenvilliers (28) 61 F3
Argers (51) 46 C2
Arget (64) 165 H5
Argiésans (90) 88 C3
Argillières (70) 86 D3
Argilliers (30) 174 C2
Argilly (21) 101 H3
Argis (01) 131 E1
Argiusta-Moriccio (2A) 207 E1
Argœuves (80) 7 F5
Argol (29) 31 E6
Argonay (74) 132 B1
Argouges (50) 35 H5
Argoules (80) 6 D2
Argueil (76) 19 F3
Arguel (25) 103 F1
Arguel (80) 6 D6
Arguenos (31) 184 B5
Argut-Dessous (31) 184 B6
Argy (36) 96 A4
Arhansus (64) 181 F2
Aries-Espénan (65) 183 H2
Arifat (81) 170 D4
Arignac (09) 185 G6
Arinthod (39) 117 G3
Arith (73) 132 A3
Arjuzanx (40) 165 F1
Arlanc (63) 128 B6
Arlay (39) 102 D5
Arlebosc (07) 143 H4
Arlempdes (43) 142 C5
Arles (13) 174 C5
Arles-sur-Tech (66) 200 D4
Arlet (43) 141 H3
Arleuf (58) 100 B3
Arleux (59) 8 D2
Arleux-en-Gohelle (62) 8 B2
Arlos (31) 184 B6
Armaillé (49) 76 A2
Armancourt (60) 21 E5
Armancourt (80) 21 E2
Armaucourt (54) 48 D4
Armbouts-Cappel (59) 2 B2
Armeau (89) 65 E5
Armendarits (64) 181 E2
Armenteule (65) 197 E1
Armentières (59) 3 E4
Armentières-en-Brie (77) 43 H3
Armentières-sur-Avre (27) 40 B5
Armentières-sur-Ourcq (02) 44 B1
Armentieux (32) 167 E6
Armes (58) 83 F5
Armillac (47) 150 D2
Armissan (11) 188 B3
Armix (01) 131 F2
Armous-et-Cau (32) 167 E5
Armoy (74) 119 E3
Arnac (15) 139 H4
Arnac-la-Poste (87) 110 D4
Arnac-Pompadour (19) 124 B6
Arnac-sur-Dourdou (12) 171 H4
Arnage (72) 60 A6
Arnancourt (52) 67 G2
Arnas (69) 116 A6
Arnaud-Guilhem (31) 184 C4
Arnave (09) 185 H6
Arnaville (54) 26 B6
Arnay-le-Duc (21) 101 E2
Arnay-sous-Vitteaux (21) 84 D5
Arnayon (26) 159 E3
Arné (65) 183 H3
Arnéguy (64) 180 D3
Arnèke (59) 2 C3
Arnicourt (08) 23 G3
Arnières-sur-Iton (27) 40 D2
Arnos (64) 165 H6
Arnouville-lès-Gonesse (95) 42 D3
Arnouville-lès-Mantes (78) 41 H3
Aroffe (88) 69 E2
Aromas (39) 117 F4
Aron (53) 59 E3
Aroue-Ithorots-Olhaïby (64) 181 F2
Aroz (70) 87 F3
Arpaillargues-et-Aureillac (30) 174 B2
Arpajon (91) 42 C6
Arpajon-sur-Cère (15) 140 B5
Arpavon (26) 159 E4
Arpenans (70) 87 H3
Arpheuilles (18) 98 A5
Arpheuilles (36) 95 H4
Arpheuilles-Saint-Priest (03) 112 D5
Arphy (30) 172 D2
Arquenay (53) 59 E5
Arques (11) 187 E5
Arques (12) 154 D5
les Arques (46) 152 B2
Arques (62) 2 B4
Arques-la-Bataille (76) 17 G2
Arquettes-en-Val (11) 187 F4
Arquèves (80) 7 H4
Arquian (58) 82 C4
Arracourt (54) 49 E4
Arradon (56) 72 D1
Arraincourt (57) 49 E2
Arrancourt (91) 63 F3
Arrancy (02) 22 D4
Arrancy-sur-Crusne (55) 25 G4
Arrans (21) 84 C3
Arras (62) 8 B2
Arras-en-Lavedan (65) 182 D5
Arras-sur-Rhône (07) 144 A3
Arrast-Larrebieu (64) 181 G2
Arraute-Charritte (64) 181 E1
Arraye-et-Han (54) 48 D3
Arrayou-Lahitte (65) 183 E4
Arre (30) 172 D2
Arreau (65) 183 G6
Arrelles (10) 66 C5
Arrembécourt (10) 67 E1
Arrènes (23) 111 E6
Arrens-Marsous (65) 182 C5
Arrentès-de-Corcieux (88) 70 C4
Arrentières (10) 67 F3
Arrest (80) 6 C4
Arreux (08) 11 E6
Arriance (57) 49 E2
Arricau-Bordes (64) 166 C6
Arrien (64) 182 D2
Arrien-en-Bethmale (09) 184 D6
Arrigas (30) 172 D2
Arrigny (51) 46 B6
Arro (2A) 204 C4
Arrodets (65) 183 G4
Arrodets-Ez-Angles (65) 183 E4
Arromanches-les-Bains (14) 14 A3
Arronnes (03) 114 B6
Arronville (95) 42 B1
Arros-de-Nay (64) 182 C3
Arrosès (64) 166 C5
Arrou (28) 61 G5
Arrouède (32) 184 A2
Arrout (09) 184 D5
Arry (57) 48 C2
Arry (80) 6 C2
Ars (16) 121 G4
Ars (23) 125 G1
Ars-en-Ré (17) 106 A4
Ars-Laquenexy (57) 26 C5
Ars-les-Favets (63) 113 E5
Ars-sur-Formans (01) 130 A1
Ars-sur-Moselle (57) 48 C1
Arsac (33) 135 E4
Arsac-en-Velay (43) 142 C4
Arsague (40) 165 G5
Arsans (70) 86 D5
Arsonval (10) 67 E3
Arsure-Arsurette (39) 103 G5
les Arsures (39) 103 E3
Arsy (60) 21 E5
Art-sur-Meurthe (54) 48 D5
Artagnan (65) 183 E1
Artaise-le-Vivier (08) 24 C3
Artaix (71) 115 E4
Artalens-Souin (65) 182 D5
Artannes-sur-Indre (37) 94 D1
Artannes-sur-Thouet (49) 93 H1
Artas (38) 130 C5
Artassenx (40) 166 B3
Artemare (01) 131 F2
Artemps (02) 21 H1
Artenay (45) 62 D5
Arthaz-Pont-Notre-Dame (74) 118 C5
Arthel (58) 99 F1
Arthémonay (26) 144 C3
Arthenac (17) 121 G5
Arthenas (39) 117 F1
Arthès (81) 170 C2
Arthez-d'Armagnac (40) 166 B2
Arthez-d'Asson (64) 182 C4
Arthez-de-Béarn (64) 165 H6
Arthezé (72) 77 G2
Arthies (95) 41 H2
Arthon (36) 96 C6
Arthon-en-Retz (44) 74 A6
Arthonnay (89) 66 C6
Arthun (42) 128 D3
Artigat (09) 185 F4
Artignosc-sur-Verdon (83) 177 E4
Artigue (31) 184 A6
Artigueloutan (64) 182 C2
Artiguelouve (64) 182 B2
Artiguemy (65) 183 F4
Artigues (09) 199 H2
Artigues (11) 200 A1
Artigues (65) 183 E4
Artigues (83) 192 D1
les Artigues-de-Lussac (33) 135 H4
Artigues-près-Bordeaux (33) 135 F5
Artins (41) 79 E2
Artix (09) 185 G4
Artix (64) 182 A1
Artolsheim (67) 71 G3
Artonges (02) 44 C3
Artonne (63) 127 F1
Artres (59) 9 F2
Artzenheim (68) 71 G4
Arudy (64) 182 B4
Arue (40) 166 B1
Arvert (17) 120 B3
Arveyres (33) 135 G5
Arvieu (12) 154 C6
Arvieux (05) 147 F6
Arvigna (09) 186 A4
Arvillard (73) 132 B6
Arville (41) 61 F5
Arville (77) 63 H4
Arvillers (80) 21 E1
Arx (40) 150 B6
Arzacq-Arraziguet (64) 166 A5
Arzal (56) 73 F2
Arzano (29) 54 C4
Arzay (38) 130 C6
Arzembouy (58) 99 F1
Arzenc-d'Apcher (48) 141 F6
Arzenc-de-Randon (48) 156 B2
Arzens (11) 186 D3
Arzillières-Neuville (51) 46 B6
Arzon (56) 72 C1
Arzviller (57) 50 B4
Asasp-Arros (64) 182 A3
Ascain (64) 180 B1
Ascarat (64) 180 D3
Aschbach (67) 51 F2
Aschères-le-Marché (45) 63 E5
Asco (2B) 202 D6
Ascou (09) 199 G2
Ascoux (45) 63 F5
Ascros (06) 178 C2
Asfeld (08) 23 F4
Aslonnes (86) 109 E2
Asnan (58) 83 F6
Asnans-Beauvoisin (39) 102 C4
Asnelles (14) 14 A3
Asnières (27) 15 G4
Asnières-en-Bessin (14) 13 G4
Asnières-en-Montagne (21) 84 C3
Asnières-en-Poitou (79) 108 B5
Asnières-la-Giraud (17) 121 F1
Asnières-lès-Dijon (21) 85 H5
Asnières-sous-Bois (89) 83 G5
Asnières-sur-Blour (86) 109 H5
Asnières-sur-Nouère (16) 122 B3
Asnières-sur-Oise (95) 42 D1
Asnières-sur-Saône (01) 116 B3
Asnières-sur-Seine (92) 42 C3
Asnières-sur-Vègre (72) 59 G6
Asnois (58) 83 G5
Asnois (86) 109 E5
Aspach (57) 49 H5
Aspach (68) 89 F3
Aspach-le-Bas (68) 89 E2
Aspach-le-Haut (68) 89 E1
Aspères (30) 173 G3
Asperjoc (07) 157 G1
Aspet (31) 184 B5
Aspin-Aure (65) 183 G5
Aspin-en-Lavedan (65) 182 D4
Aspiran (34) 172 C6
Aspremont (05) 159 H3
Aspremont (06) 195 F2
les Aspres (61) 40 A5
Aspres-lès-Corps (05) 146 A6
Aspres-sur-Buëch (05) 159 H2
Aspret-Sarrat (31) 184 B4
Asprières (12) 153 H3
Asque (65) 183 F4
Asques (33) 135 F4
Asques (82) 168 C2
Asquins (89) 83 H5
Assac (81) 171 E2
Assainvillers (80) 21 E3
Assais-les-Jumeaux (79) 93 H5
Assas (34) 173 F4
Assat (64) 182 C2
Assay (37) 94 B2
Assé-le-Bérenger (53) 59 F4
Assé-le-Boisne (72) 59 H3
Assé-le-Riboul (72) 60 A4
Assenay (10) 66 B4
Assencières (10) 66 B2
Assenoncourt (57) 49 G4
Assérac (44) 73 F3
Assevent (59) 10 A2
Assevillers (80) 8 B6
Assier (46) 153 F1
Assieu (38) 130 A6
Assignan (34) 187 H1
Assigny (18) 82 B5
Assigny (76) 17 H1
les Assions (07) 157 E4
Assis-sur-Serre (02) 22 B2
Asson (64) 182 C3
Asswiller (67) 50 B3
Astaffort (47) 168 A1
Astaillac (19) 139 E5
Asté (65) 183 F4
Aste-Béon (64) 182 B4
Astet (07) 157 E1
Astillé (53) 58 C6
Astis (64) 166 B6
Aston (09) 199 F1
Astugue (65) 183 E4
Athée (21) 102 C1
Athée (53) 58 B6
Athée-sur-Cher (37) 79 F6
Athesans-Étroitefontaine (70) 88 A3
Athie (21) 84 C4
Athie (89) 84 A4
Athienville (54) 49 E5
Athies (62) 8 B2
Athies (80) 8 C6
Athies-sous-Laon (02) 22 C3
Athis (51) 45 G2
Athis-de-l'Orne (61) 38 B4
Athis-Mons (91) 42 D5
Athos-Aspis (64) 181 F1
Athose (25) 103 H2
Attainville (95) 42 D2
Attancourt (52) 67 G1
les Attaques (62) 1 H2
Attenschwiller (68) 89 G3
Attiches (59) 3 F6
Attichy (60) 21 G4
Attignat (01) 116 D4
Attignat-Oncin (73) 131 G5
Attignéville (88) 68 D2
Attigny (08) 24 A4
Attigny (88) 69 F5
Attilloncourt (57) 49 E4
Attilly (02) 8 D6
Attin (62) 1 F6
Atton (54) 48 C3
Attray (45) 63 E5
Attricourt (70) 86 B4
Atur (24) 137 F3
Aubagnan (40) 166 A4
Aubagne (13) 192 C4
Aubaine (21) 101 F2
Aubais (30) 173 H4
Aubarède (65) 183 F2
Aubas (24) 138 A3
Aubazat (43) 141 H3
Aubazines (19) 138 D3
Aube (57) 26 C6
Aube (61) 40 A5
Aubéguimont (76) 19 G1
Aubenas (07) 157 G2
Aubenas-les-Alpes (04) 176 C2
Aubenasson (26) 158 D1
Aubencheul-au-Bac (59) 8 D3
Aubencheul-aux-Bois (02) 9 E5
Aubenton (02) 10 B6
Aubepierre-Ozouer-le-Repos (77) 43 G6
Aubepierre-sur-Aube (52) 85 G1
l'Aubépin (39) 117 E2
Auberchicourt (59) 8 D2
Aubercourt (80) 20 D1
Aubergenville (78) 42 A3
Aubérive (51) 23 G6
Auberive (52) 85 H2
Auberives-en-Royans (38) 144 D3

Auberives-sur-Varèze (38) 130 A6
Aubermesnil-aux-Érables (76) 19 F1
Aubermesnil-Beaumais (76) 17 G2
Aubers (59) 3 E5
Aubertin (64) 182 B2
Auberville (14) 14 D3
Auberville-la-Campagne (76) 15 H1
Auberville-la-Manuel (76) 16 D2
Auberville-la-Renault (76) 16 C4
Aubervilliers (93) 42 D3
Aubeterre (10) 66 B2
Aubeterre-sur-Dronne (16) 136 B1
Aubeville (16) 122 A5
Aubevoye (27) 41 E1
Aubiac (33) 149 H3
Aubiac (47) 151 E6
Aubiat (63) 127 F1
Aubie-et-Espessas (33) 135 F4
Aubière (63) 127 F3
Aubiet (32) 168 A5
Aubignan (84) 175 F1
Aubignas (07) 158 A2
Aubigné (35) 57 F1
Aubigné (79) 108 B6
Aubigné-Racan (72) 78 B3
Aubigné-sur-Layon (49) 93 E1
Aubignosc (04) 160 B6
Aubigny (03) 98 D6
Aubigny (14) 38 D3
Aubigny (79) 93 G5
Aubigny (80) 7 H6
Aubigny (85) 91 G5
Aubigny-au-Bac (59) 8 D3
Aubigny-aux-Kaisnes (02) 21 H1
Aubigny-en-Artois (62) 8 A2
Aubigny-en-Laonnois (02) 22 D4
Aubigny-en-Plaine (21) 102 A2
Aubigny-la-Ronce (21) 101 F3
Aubigny-les-Pothées (08) 23 H1
Aubigny-lès-Sombernon (21) 85 E6
Aubigny-sur-Nère (18) 81 G5
Aubilly (51) 22 D6
Aubin (12) 154 A3
Aubin (64) 166 A6
Aubin-Saint-Vaast (62) 7 E1
Aubinges (18) 98 A1
Auboncourt-Vauzelles (08) 23 H3
Aubonne (25) 104 A3
Aubord (30) 174 A4
Auboué (54) 26 A4
Aubous (64) 166 C5
Aubres (26) 158 D4
Aubréville (55) 46 D1
Aubrives (08) 11 F4
Aubrometz (62) 7 F2
Aubry-du-Hainaut (59) 9 F2
Aubry-en-Exmes (61) 39 F4
Aubry-le-Panthou (61) 39 G4
Aubure (68) 71 E3
Aubussargues (30) 174 A2
Aubusson (23) 125 G1
Aubusson (61) 38 B4
Aubusson-d'Auvergne (63) 128 A3
Aubvillers (80) 20 D2
Auby (59) 8 C1
Aucaleuc (22) 34 C5
Aucamville (31) 169 F5
Aucamville (82) 168 D3
Aucazein (09) 184 C5
Aucelon (26) 159 E2
Aucey-la-Plaine (50) 35 G5
Auch (32) 167 H5
Auchel (62) 2 C6
Auchonvillers (80) 8 A4
Auchy-au-Bois (62) 2 B6
Auchy-la-Montagne (60) 20 B3
Auchy-lès-Hesdin (62) 7 F1
Auchy-les-Mines (62) 3 E6
Auchy-lez-Orchies (59) 3 G6
Aucun (65) 182 C5
Audaux (64) 181 G1
Audelange (39) 102 D2
Audeloncourt (52) 68 C5
Audembert (62) 1 F3
Audenge (33) 148 C1
Auderville (50) 12 A1
Audes (03) 112 C2
Audeux (25) 103 F1
Audeville (45) 63 F3
Audierne (29) 52 D2
Audignicourt (02) 21 H4
Audignies (59) 9 H2
Audignon (40) 165 H4
Audigny (02) 9 G6
Audincourt (25) 88 C4
Audincthun (62) 2 A5
Audinghen (62) 1 F3
Audon (40) 165 F3
Audouville-la-Hubert (50) 13 E4
Audrehem (62) 1 H3
Audressein (09) 184 D6
Audresselles (62) 1 F3
Audrieu (14) 14 A4
Audrix (24) 137 G5
Audruicq (62) 1 H3
Audun-le-Roman (54) 26 A3
Audun-le-Tiche (57) 26 A2
Auenheim (67) 51 G3
Auffargis (78) 42 A5
Auffay (76) 17 G4
Aufferville (77) 63 H4
Auffreville-Brasseuil (78) 41 H3
Auflance (08) 25 E2
Auga (64) 166 B6
Augan (56) 56 B4
Auge (08) 10 C6
Auge (23) 112 B4
Augé (79) 108 A2
Auge-Saint-Médard (16) 122 A2
Augea (39) 117 F1
Auger-Saint-Vincent (60) 21 F6
Augerans (39) 102 D3
Augères (23) 111 F6
Augerolles (63) 128 A3
Augers-en-Brie (77) 44 B5
Augerville-la-Rivière (45) 63 G3
Augicourt (70) 87 E2
Augignac (24) 123 F4
Augirein (09) 184 C5
Augisey (39) 117 F1
Augnat (63) 127 F6
Augnax (32) 168 A4
Augne (87) 125 E3
Augny (57) 26 B6
Auguaise (61) 40 A5
Augy (02) 22 B5
Augy (89) 83 G2
Augy-sur-Aubois (18) 98 B5
Aujac (17) 121 G2
Aujac (30) 156 D4
Aujan-Mournède (32) 183 H1
Aujargues (30) 173 H4
Aujeurres (52) 86 A2
Aujols (46) 152 D4
Aulan (26) 159 F5
Aulas (30) 172 D2
Aulhat-Saint-Privat (63) 127 G5
Aullène (2A) 207 E2
Aulnat (63) 127 F3
Aulnay (10) 66 D1
Aulnay (17) 107 H6
Aulnay (86) 94 A4
Aulnay-la-Rivière (45) 63 G4
Aulnay-l'Aître (51) 46 A4
Aulnay-sous-Bois (93) 43 E3
Aulnay-sur-Iton (27) 40 D2
Aulnay-sur-Marne (51) 45 G2
Aulnay-sur-Mauldre (78) 42 A3
les Aulneaux (72) 60 B2
Aulnois (88) 68 D3
Aulnois-en-Perthois (55) 47 E6
Aulnois-sous-Laon (02) 22 C3
Aulnois-sur-Seille (57) 48 D3
Aulnoy (77) 43 H4
Aulnoy-lez-Valenciennes (59) 9 F2
Aulnoy-sur-Aube (52) 85 H1
Aulnoye-Aymeries (59) 9 H3
Aulon (23) 111 F6
Aulon (31) 184 B3
Aulon (65) 183 G6
Aulos (09) 199 F1
Ault (80) 6 B4
Aulus-les-Bains (09) 198 C1
Aulx-lès-Cromary (70) 87 G5
Aumagne (17) 121 G2
Aumale (76) 19 G1
Aumâtre (80) 6 D6
Aumelas (34) 172 D5
Auménancourt (51) 23 E5
Aumerval (62) 2 B6
Aumes (34) 188 D1
Aumessas (30) 172 D2
Aumetz (57) 26 A3
Aumeville-Lestre (50) 13 E3
Aumont (39) 102 D4
Aumont (80) 7 E6
Aumont-Aubrac (48) 155 G1
Aumont-en-Halatte (60) 20 D6
Aumontzey (88) 70 C4
Aumur (39) 102 B3
Aunac (16) 122 C1
Aunat (11) 199 H1
Aunay-en-Bazois (58) 99 H2
Aunay-les-Bois (61) 39 G6
Aunay-sous-Auneau (28) 62 D2
Aunay-sous-Crécy (28) 41 E5
Aunay-sur-Odon (14) 14 A6
Auneau (28) 62 C2
Auneuil (60) 20 A5
Aunou-le-Faucon (61) 39 E5
Aunou-sur-Orne (61) 39 F6
Auppegard (76) 17 G3
Aups (83) 177 F5
Auquainville (14) 15 F6
Auquemesnil (76) 6 A5
Auradé (32) 168 C6
Auradou (47) 151 G4
Auragne (31) 185 G1
Auray (56) 55 E6
Aure (08) 24 A6
Aurec-sur-Loire (43) 143 E1
Aureil (87) 124 C3
Aureilhan (40) 148 B5
Aureilhan (65) 183 E3
Aureille (13) 175 F4
Aurel (26) 159 E1
Aurel (84) 159 F6
Aurelle-Verlac (12) 155 F3
Aurensan (32) 166 C5
Aurensan (65) 183 E2
Aureville (31) 169 F6
Auriac (11) 187 F6
Auriac (19) 139 G2
Auriac (64) 166 B6
Auriac-du-Périgord (24) 138 A3
Auriac-Lagast (12) 154 C6
Auriac-l'Église (15) 141 F2
Auriac-sur-Dropt (47) 150 C1
Auriac-sur-Vendinelle (31) 169 H6
Auriat (23) 124 D2
Auribail (31) 185 F2
Auribeau (84) 176 A3
Auribeau-sur-Siagne (06) 178 C5
Aurice (40) 165 H3
Auriébat (65) 167 E6
Aurières (63) 126 D4
Aurignac (31) 184 C3
Aurillac (15) 140 A5
Aurimont (32) 168 B5
Aurin (31) 169 G6
Auriol (13) 192 C3
Auriolles (33) 136 B6
Aurions-Idernes (64) 166 C6
Auris (38) 146 B3
Aurons (13) 191 H2
Auros (33) 150 A3
Aurouër (03) 99 E6
Auroux (48) 156 C1
Aussac (81) 170 B3
Aussac-Vadalle (16) 122 C2
Ausseing (31) 184 D4
Aussevielle (64) 182 B1
Aussillon (81) 170 D6
Aussois (73) 147 F2
Ausson (31) 184 A4
Aussonce (08) 23 G5
Aussonne (31) 169 E5
Aussos (32) 184 A1
Aussurucq (64) 181 F3
Autainville (41) 80 A1
Autechaux (25) 87 H5
Autechaux-Roide (25) 88 C5
les Autels (02) 23 F1
les Autels-Saint-Bazile (14) 39 F3
les Autels-Villevillon (28) 61 F4
Auterive (31) 185 G2
Auterive (32) 167 H5
Auterive (82) 168 C3
Auterrive (64) 165 E6
Autet (70) 86 D4
Auteuil (60) 20 A5
Auteuil (78) 41 H4
Autevielle-Saint-Martin-Bideren (64) 181 F1
Authe (08) 24 B4
Autheuil (28) 61 H6
Autheuil (61) 40 A6
Autheuil-Authouillet (27) 41 E1
Autheuil-en-Valois (60) 43 H1
Autheux (80) 7 F4
Authevernes (27) 19 G6
Authezat (63) 127 F4
Authie (14) 14 B4
Authie (80) 7 H4
Authieule (80) 7 G4
les Authieux (27) 41 E3
les Authieux-du-Puits (61) 39 G5
les Authieux-Papion (14) 15 E6
Authieux-Ratiéville (76) 18 D3
les Authieux-sur-Calonne (14) 15 F4
les Authieux-sur-le-Port-Saint-Ouen (76) 18 D5
Authiou (58) 99 F1
Authoison (70) 87 G4
Authon (04) 160 C5
Authon (41) 79 F3
Authon-du-Perche (28) 61 F4
Authon-Ébéon (17) 121 G2
Authon-la-Plaine (91) 62 D2
Authou (27) 18 A6
Authuille (80) 8 A4
Authume (39) 102 C2
Authumes (71) 102 B4
Autichamp (26) 158 C1
Autignac (34) 172 B6
Autigny (76) 17 F3
Autigny-la-Tour (88) 68 D2
Autigny-le-Grand (52) 67 H1
Autigny-le-Petit (52) 67 H1
Autingues (62) 1 H3
Autoire (46) 139 E5
Autoreille (70) 87 E5
Autouillet (78) 41 H4
Autrac (43) 141 F1
Autrans (38) 145 F2
Autrèche (37) 79 F4
Autrechêne (90) 88 D3
Autrêches (60) 21 H4
Autrecourt-et-Pourron (08) 24 C3
Autrécourt-sur-Aire (55) 47 E2
Autremencourt (02) 22 D2
Autrepierre (54) 49 G5
Autreppes (02) 9 H6
Autretot (76) 17 E4
Autreville (02) 21 H3
Autreville (88) 69 E1
Autréville-Saint-Lambert (55) 24 D3
Autreville-sur-la-Renne (52) 67 G5
Autreville-sur-Moselle (54) 48 C4
Autrey (54) 48 C6
Autrey (88) 70 B3
Autrey-le-Vay (70) 87 H4
Autrey-lès-Cerre (70) 87 H3
Autrey-lès-Gray (70) 86 C4
Autricourt (21) 67 E6
Autruche (08) 24 C4
Autruy-sur-Juine (45) 63 E3
Autry (08) 24 B6
Autry-Issards (03) 113 G2
Autry-le-Châtel (45) 81 H4
Autun (71) 100 D4
Auty (82) 152 C6
Auvare (06) 178 C1
Auve (51) 46 B2
Auvernaux (91) 63 H1
Auvers (43) 141 H4
Auvers (50) 13 E5
Auvers-le-Hamon (72) 59 F6
Auvers-Saint-Georges (91) 63 F1
Auvers-sous-Montfaucon (72) 59 H5
Auvers-sur-Oise (95) 42 C2
Auverse (49) 77 H4
Auvet-et-la-Chapelotte (70) 86 C4
Auvillar (82) 168 B1
Auvillars (14) 15 E4
Auvillars-sur-Saône (21) 102 A3
Auvillers-les-Forges (08) 10 C6
Auvilliers (76) 19 F1
Auvilliers-en-Gâtinais (45) 63 H6
aux-Aussat (32) 183 G1
Auxais (50) 13 E6
Auxange (39) 102 D2
Auxant (21) 101 F2
Auxelles-Bas (90) 88 C2
Auxelles-Haut (90) 88 C2
Auxerre (89) 83 F2
Auxey-Duresses (21) 101 F3
Auxi-le-Château (62) 7 F3
Auxon (10) 66 A5
Auxon (70) 87 G3
Auxon-Dessous (25) 87 F6
Auxon-Dessus (25) 87 F6
Auxonne (21) 102 C1
Auxy (45) 63 H5
Auxy (71) 100 D4
Auzainvilliers (88) 69 E3
Auzances (23) 126 B1
Auzas (31) 184 C3
Auzat (09) 198 D1
Auzat-la-Combelle (63) 127 G6
Auzay (85) 107 E2
Auzebosc (76) 17 E5
Auzelles (63) 127 H4
Auzers (15) 140 B2
Auzet (04) 160 D4
Auzeville-Tolosane (31) 169 F6
Auzielle (31) 169 G6
Auzits (12) 154 A3
Auzon (43) 141 G1
Auzouer-en-Touraine (37) 79 F4
Auzouville-Auberbosc (76) 16 D4
Auzouville-l'Esneval (76) 17 F4
Auzouville-sur-Ry (76) 19 E4
Auzouville-sur-Saâne (76) 17 F3
Availles-en-Châtellerault (86) 94 D5
Availles-Limouzine (86) 109 G5
Availles-sur-Seiche (35) 58 A5
Availles-Thouarsais (79) 93 G4
Avajan (65) 183 G6
Avallon (89) 84 A5
les Avanchers-Valmorel (73) 132 D5
Avançon (05) 160 C2
Avançon (08) 23 F4
Avanne-Aveney (25) 103 F1
Avant-lès-Marcilly (10) 65 F2
Avant-lès-Ramerupt (10) 66 C2
Avanton (86) 94 B6
Avapessa (2B) 202 C5
Avaray (41) 80 B2
Avaux (08) 23 F4
Aveize (69) 129 G4
Aveizieux (42) 129 F5
Avelanges (21) 85 H4
Avelesges (80) 7 E6
Avelin (59) 3 F6
Aveluy (80) 8 A5
Avenas (69) 116 A5
Avenay (14) 14 B5
Avenay-Val-d'Or (51) 45 F2
Avène (34) 172 A4
les Avenières (38) 131 F4
Avensac (32) 168 B3
Avensan (33) 134 D3
Aventignan (65) 183 H4
Averan (65) 183 E3
Averdoingt (62) 7 H2
Averdon (41) 79 H3
Avermes (03) 113 H1
Avernes (95) 42 A2
Avernes-Saint-Gourgon (61) 39 G3
Avernes-sous-Exmes (61) 39 F4
Avéron-Bergelle (32) 167 E4
Averton (53) 59 G2
Avesnelles (59) 10 A4
Avesnes (62) 1 H6
Avesnes-Chaussoy (80) 6 D6
Avesnes-en-Bray (76) 19 G4
Avesnes-en-Saosnois (72) 60 C3
Avesnes-en-Val (76) 6 B5
Avesnes-le-Comte (62) 7 H2
Avesnes-le-Sec (59) 9 E3
Avesnes-les-Aubert (59) 9 E3
Avesnes-lès-Bapaume (62) 8 B4
Avesnes-sur-Helpe (59) 10 A4
Avessac (44) 74 A1
Avessé (72) 59 F6
Aveux (65) 184 A5
Avezac-Prat-Lahitte (65) 183 G4
Avezan (32) 168 B3
Avèze (30) 172 D2
Avèze (63) 126 B5
Avezé (72) 60 D3
Aviernoz (74) 132 B1
Avignon (84) 175 E2
Avignon-lès-Saint-Claude (39) 118 A3
Avignonet (38) 145 G4
Avignonet-Lauragais (31) 186 A2
Avillers (54) 25 H5
Avillers (88) 69 G3
Avillers-Sainte-Croix (55) 47 H2
Avilley (25) 87 H5
Avilly-Saint-Léonard (60) 43 E1
Avion (62) 8 B1
Avioth (55) 25 E3
Aviré (49) 76 C2
Avirey-Lingey (10) 66 C5
Aviron (27) 40 D2
Avize (51) 45 F3
Avocourt (55) 24 D6
Avoine (37) 94 B1
Avoine (61) 39 E5
Avoise (72) 77 G1
Avolsheim (67) 50 D6
Avon (77) 64 A2
Avon (79) 108 C3
Avon-la-Pèze (10) 65 G2
Avon-les-Roches (37) 94 C2
Avondance (62) 2 A6
Avord (18) 98 A3
Avosnes (21) 85 E6
Avot (21) 85 H3
Avoudrey (25) 104 A2
Avrainville (54) 48 B4
Avrainville (88) 69 G2
Avrainville (91) 63 F1
Avranches (50) 35 H3
Avranville (88) 68 C2
Avrechy (60) 20 C4
Avrée (58) 100 A5
Avremesnil (76) 17 F2
Avressieux (73) 131 G4
Avreuil (10) 66 A5
Avricourt (54) 49 G5
Avricourt (57) 49 G5
Avricourt (60) 21 F2
Avrieux (73) 147 E2
Avrigney-Virey (70) 87 E6
Avrigny (60) 20 D5
Avril (54) 26 A4
Avril-sur-Loire (58) 99 F5
Avrillé (49) 76 D4
Avrillé (85) 91 F6
Avrillé-les-Ponceaux (37) 78 B5
Avrilly (03) 114 D4
Avrilly (27) 40 D3
Avrilly (61) 38 A6
Avroult (62) 2 A5
Avy (17) 121 F4
Awoingt (59) 9 E3
Ax-les-Thermes (09) 199 G2
Axat (11) 200 B1
Axiat (09) 199 F1
Ay (51) 45 F2
Ay-sur-Moselle (57) 26 C4
Ayat-sur-Sioule (63) 113 E6
Aydat (63) 127 E4
Aydie (64) 166 C5
Aydius (64) 182 A5
Aydoilles (88) 70 A3
Ayen (19) 138 B2
Ayencourt (80) 20 D3
Ayette (62) 8 B3
Ayguatébia-Talau (66) 200 A3
Ayguemorte-les-Graves (33) 135 F6
Ayguesvives (31) 185 H1
Ayguetinte (32) 167 G3
Ayherre (64) 180 D1
Ayn (73) 131 G4
Aynac (46) 139 E6
les Aynans (70) 88 A3
Ayrens (15) 140 A4
Ayron (86) 94 A6
Ayros-Arbouix (65) 182 D5
Ayse (74) 118 D5
Ayssènes (12) 171 G1
Aytré (17) 106 D5
les Ayvelles (08) 24 B2
Ayzac-Ost (65) 182 D4
Ayzieu (32) 166 D3
Azannes-et-Soumazannes (55) 25 F5
Azas (31) 169 G4
Azat-Châtenet (23) 111 F6
Azat-le-Ris (87) 110 B4
Azay-le-Brûlé (79) 108 A3
Azay-le-Ferron (36) 95 G5
Azay-le-Rideau (37) 94 C1
Azay-sur-Cher (37) 79 E6
Azay-sur-Indre (37) 95 F1
Azay-sur-Thouet (79) 93 F6
Azé (41) 79 F1
Azé (53) 76 D1
Azé (71) 116 B3
Azelot (54) 48 D6
Azerables (23) 110 D3
Azerailles (54) 70 B1
Azerat (24) 138 A3
Azérat (43) 141 G1
Azereix (65) 183 E3
Azet (65) 196 D1
Azeville (50) 13 E3
Azillanet (34) 187 G2
Azille (11) 187 G3
Azilone-Ampaza (2A) 205 E6
Azincourt (62) 7 F1
Azolette (69) 115 G5
Azoudange (57) 49 G4
Azur (40) 164 C3
Azy (18) 98 B2
Azy-le-Vif (58) 99 E5
Azy-sur-Marne (02) 44 B2
Azzana (2A) 204 D4

B

Baâlon (55) 25 E4
Baâlons (08) 24 A3
Babeau-Bouldoux (34) 188 A1
Baboeuf (60) 21 G3
Baby (77) 65 E2
Baccarat (54) 70 B1
Baccon (45) 80 B1
Bach (46) 153 E4
Bachant (59) 9 H3
Bachas (31) 184 C3
la Bachellerie (24) 138 A3
Bachivillers (60) 20 A6
Bachos (31) 184 A6
Bachy (59) 3 G6
Bacilly (50) 35 G3
Baconnes (51) 45 H1
la Baconnière (53) 58 C4
Bacouël (60) 20 C3
Bacouel-sur-Selle (80) 20 B1
Bacourt (57) 49 E3
Bacquepuis (27) 40 D2
Bacqueville (27) 19 E5
Bacqueville-en-Caux (76) 17 G3
Badailhac (15) 140 C5
Badaroux (48) 156 A3
Badecon-le-Pin (36) 111 E2
Badefols-d'Ans (24) 138 A2
Badefols-sur-Dordogne (24) 137 F5
Baden (56) 72 C1
Badens (11) 187 F3
Badevel (25) 88 D4
Badinières (38) 130 D5
Badménil-aux-Bois (88) 70 A3
Badonviller (54) 70 C1
Badonvilliers-Gérauvilliers (55) 47 H6
Baerendorf (67) 50 A3
Baerenthal (57) 28 C6
la Baffe (88) 70 A4
Baffie (63) 128 C6
Bagard (30) 173 G1
Bagas (33) 150 A1
Bagat-en-Quercy (46) 152 B4
Bâgé-la-Ville (01) 116 C4
Bâgé-le-Châtel (01) 116 C4
Bagert (09) 184 D4
Bages (11) 188 A4
Bages (66) 201 F3
Bagiry (31) 184 A5
Bagnac-sur-Célé (46) 153 H1
Bagneaux (89) 65 G4
Bagneaux-sur-Loing (77) 64 A4
Bagnères-de-Bigorre (65) 183 F4
Bagnères-de-Luchon (31) 197 F1
Bagneux (02) 22 A4
Bagneux (03) 113 G1
Bagneux (36) 96 C2
Bagneux (51) 65 H1
Bagneux (54) 48 B6
Bagneux (92) 42 C4
Bagneux-la-Fosse (10) 66 C6
Bagnizeau (17) 121 G1
Bagnoles (11) 187 E3
Bagnoles-de-l'Orne (61) 38 C6
Bagnolet (93) 42 D4
Bagnols (63) 126 C5
Bagnols (69) 129 G2
Bagnols-en-Forêt (83) 178 B5
Bagnols-les-Bains (48) 156 B3
Bagnols-sur-Cèze (30) 158 A6
Bagnot (21) 102 A3
Baguer-Morvan (35) 35 E5
Baguer-Pican (35) 35 F4
Baho (66) 201 E2
Bahus-Soubiran (40) 166 B4
Baigneaux (28) 62 D5
Baigneaux (33) 135 H6
Baigneaux (41) 79 H2
Baignes (70) 87 F3
Baignes-Sainte-Radegonde (16) 121 H6
Baigneux-les-Juifs (21) 85 E4
Baignolet (28) 62 B4
Baigts (40) 165 G4
Baigts-de-Béarn (64) 165 F6
Baillargues (34) 173 G5
Baillé (35) 35 H6
Bailleau-Armenonville (28) 62 C1
Bailleau-le-Pin (28) 62 A2
Bailleau-l'Évêque (28) 62 A1
Baillestavy (66) 200 C3
Baillet-en-France (95) 42 C2
Bailleul (59) 2 D4
Bailleul (61) 39 E4
le Bailleul (72) 77 G2
Bailleul (80) 6 D5
Bailleul-aux-Cornailles (62) 7 H2
Bailleul-la-Vallée (27) 15 G4
Bailleul-le-Soc (60) 20 D4
Bailleul-lès-Pernes (62) 2 B6
Bailleul-Neuville (76) 19 E1
Bailleul-Sir-Berthoult (62) 8 B2
Bailleul-sur-Thérain (60) 20 B5
Bailleulmont (62) 8 A3
Bailleulval (62) 8 A3
Bailleval (60) 20 D5
Baillolet (76) 19 E1
Baillou (41) 61 E6
Bailly (60) 21 G4
Bailly (78) 42 B4
Bailly-aux-Forges (52) 67 G1
Bailly-en-Rivière (76) 6 A6
Bailly-le-Franc (10) 67 E1
Bailly-Romainvilliers (77) 43 G4
Bain-de-Bretagne (35) 57 E5
Baincthun (62) 1 F4
Bainghen (62) 1 G4
Bains (43) 142 B4
Bains-les-Bains (88) 69 G5
Bains-sur-Oust (35) 56 C6
Bainville-aux-Miroirs (54) 69 G1
Bainville-aux-Saules (88) 69 F4
Bainville-sur-Madon (54) 48 C6
Bairols (06) 178 D1
Bais (35) 57 H4
Bais (53) 59 F3
Baisieux (59) 3 G5
Baissey (52) 86 A2
Baives (59) 10 B4
Baix (07) 158 B1
Baixas (66) 201 E2
Baizieux (80) 7 H5
le Baizil (51) 45 E3
Bajamont (47) 151 F5
Bajonnette (32) 168 A3
Bajus (62) 7 H1
Balacet (09) 184 C6

Baladou (46) 138 C5
Balagny-sur-Thérain (60) 20 C5
Balaguères (09) 184 D5
Balaguier-d'Olt (12) 153 G3
Balaguier-sur-Rance (12) 171 E3
Balaiseaux (39) 102 C3
Balaives-et-Butz (08) 24 B2
Balan (01) 130 C2
Balan (08) 24 C2
Balanod (39) 117 E2
Balansun (64) 165 G6
Balanzac (17) 120 D3
Balaruc-le-Vieux (34) 189 F1
Balaruc-les-Bains (34) 189 F1
Balâtre (80) 21 F2
Balazé (35) 58 A4
Balazuc (07) 157 G3
Balbigny (42) 129 E2
Balbins (38) 130 D6
Balbronn (67) 50 C5
Baldenheim (67) 71 G3
Baldersheim (68) 89 F1
la Baleine (50) 35 H1
Baleix (64) 182 D1
Balesmes-sur-Marne (52) 86 B1
Balesta (31) 184 A3
Baleyssagues (47) 150 C1
Balgau (68) 71 G6
Balham (08) 23 F4
Balignac (82) 168 B2
Balignicourt (10) 66 D1
Bâlines (27) 40 C5
Balinghem (62) 1 H3
Baliracq-Maumusson (64) 166 B5
Baliros (64) 182 C3
Balizac (33) 149 G3
Ballainvilliers (91) 42 C5
Ballaison (74) 118 D3
Ballan-Miré (37) 78 D6
Ballancourt-
-sur-Essonne (91) 63 G1
Ballans (17) 121 H2
Ballay (08) 24 B4
Balledent (87) 110 C5
Ballée (53) 59 E6
Balleray (58) 99 E3
Balleroy (14) 13 G6
Ballersdorf (68) 89 E3
Balléville (88) 69 E2
Ballon (17) 106 D5
Ballon (72) 60 B4
Ballons (26) 159 G5
Ballore (71) 115 G2
Ballots (53) 58 B6
Balloy (77) 64 D2
Balma (31) 169 F5
la Balme (73) 131 G3
la Balme-de-Sillingy (74) 132 A1
la Balme-de-Thuy (74) 132 B1
la Balme-d'Épy (39) 117 F3
la Balme-les-Grottes (38) 130 D2
Balnot-la-Grange (10) 66 C6
Balnot-sur-Laignes (10) 66 D5
Balogna (2A) 204 C3
Balot (21) 84 D2
Balsac (12) 154 B4
Balschwiller (68) 89 E2
Balsièges (48) 156 A3
Baltzenheim (68) 71 G4
Balzac (16) 122 B3
Bambecque (59) 2 C2
Bambiderstroff (57) 49 F1
Ban-de-Laveline (88) 70 D3
Ban-de-Sapt (88) 70 D2
le Ban-Saint-Martin (57) 26 B5
Ban-sur-Meurthe-Clefcy (88) 70 D4
Banassac (48) 155 G4
Banca (64) 180 C3
Bancigny (02) 23 E1
Bancourt (62) 8 C4
Bandol (83) 192 D5
Baneins (01) 116 C5
Baneuil (24) 137 F5
Bangor (56) 72 A3
Banios (65) 183 F4
Banize (23) 125 F2
Bannalec (29) 54 A3
Bannans (25) 103 H4
Bannay (18) 82 B6
Bannay (51) 44 D4
Bannay (57) 49 E1
Banne (07) 157 E4
Bannegon (18) 98 B5
Bannes (46) 139 F6
Bannes (51) 45 E4
Bannes (52) 86 B1
Bannes (53) 59 F5
Banneville-la-Campagne (14) 14 C5
Banneville-sur-Ajon (14) 14 A5
Bannières (81) 169 H5
Bannoncourt (55) 47 G3
Bannost-Villegagnon (77) 44 A5
Banogne-Recouvrance (08) 23 F3
Banon (04) 176 B1
Banos (40) 165 H4
Bans (39) 102 D3
Bansat (63) 127 G6
Bantanges (71) 116 D1
Banteux (59) 8 D4
Banthelu (95) 41 H1
Bantheville (55) 24 D5
Bantigny (59) 8 D3
Bantouzelle (59) 8 D4
Bantzenheim (68) 89 G1
Banvillars (90) 88 C3
Banville (14) 14 B3
Banvou (61) 38 B5
Banyuls-dels-Aspres (66) 201 F3
Banyuls-sur-Mer (66) 201 G4
Baon (89) 84 B1
Baons-le-Comte (76) 17 E4
Bapaume (62) 8 B4
Bar (19) 139 E1
Bar-le-Duc (55) 47 E4
Bar-lès-Buzancy (08) 24 C4
Bar-sur-Aube (10) 67 F4
le Bar-sur-Loup (06) 178 C4
Bar-sur-Seine (10) 66 D5
Baracé (49) 77 F3
Baraigne (11) 186 A2
Baraize (36) 111 E2
Baralle (62) 8 C3
Baraqueville (12) 154 B5
Barastre (62) 8 C4
Baratier (05) 161 E2
Barbachen (65) 183 F1
Barbaggio (2B) 203 F4
Barbaira (11) 187 F3
Barbaise (08) 24 A2
Barbas (54) 49 G6
Barbaste (47) 150 D6
Barbâtre (85) 90 B1
Barbazan (31) 184 A5
Barbazan-Debat (65) 183 F3
Barbazan-Dessus (65) 183 F3
Barbechat (44) 75 E4
la Barben (13) 191 H3
Barbentane (13) 174 D3
Barberaz (73) 131 H4
Barberey-Saint-Sulpice (10) 66 A3
Barberier (03) 113 H5
Barbery (14) 14 B6
Barbery (60) 21 E6
Barbeville (14) 13 H5
Barbey (77) 64 C2
Barbey-Seroux (88) 70 C4
Barbezières (16) 122 A1
Barbezieux-
-Saint-Hilaire (16) 121 H5
Barbières (26) 144 C4
Barbirey-sur-Ouche (21) 101 F1
Barbizon (77) 63 H2
Barbonne-Fayel (51) 44 D6
Barbonville (54) 48 D6
le Barboux (25) 104 C2
Barbuise (10) 65 F1
Barby (08) 23 G3
Barby (73) 132 A4
Barc (27) 40 B2
le Barcarès (66) 201 G1
Barcelonne (26) 144 C5
Barcelonne-du-Gers (32) 166 C4
Barcelonnette (04) 161 F3
Barchain (57) 49 H5
Barcillonnette (05) 160 A3
Barcugnan (32) 183 G1
Barcus (64) 181 G3
Barcy (77) 43 G2
Bard (42) 128 D5
Bard-le-Régulier (21) 100 D2
Bard-lès-Époisses (21) 84 C4
Bard-lès-Pesmes (70) 86 D6
la Barde (17) 136 A3
Bardenac (16) 136 A1
Bardigues (82) 168 B1
le Bardon (45) 80 C1
Bardos (64) 164 D6
Bardou (24) 137 F6
Bardouville (76) 17 F6
Barèges (65) 183 E6
Bareilles (65) 183 G6
Barembach (67) 71 E1
Baren (31) 184 A6
Barentin (76) 17 F5
Barenton (50) 37 H6
Barenton-Bugny (02) 22 C2
Barenton-Cel (02) 22 C2
Barenton-sur-Serre (02) 22 C2
Barésia-sur-l'Ain (39) 117 G1
Barfleur (50) 13 E1
Bargème (83) 178 A4
Bargemon (83) 177 H5
Barges (21) 101 H1
Barges (43) 142 C6
Barges (70) 87 E1
Bargny (60) 43 G1
Barie (33) 150 A2
les Barils (27) 40 B5
Barinque (64) 182 C1
Barisey-au-Plain (54) 69 E1
Barisey-la-Côte (54) 48 A6
Barisis (02) 22 A3
Barizey (71) 101 F5
Barjac (09) 184 D4
Barjac (30) 157 G5
Barjac (48) 155 H3
Barjols (83) 193 F1
Barjon (21) 85 G3
Barjouville (28) 62 B2
Barles (04) 160 D5
Barlest (65) 182 D3
Barleux (80) 8 C6
Barlieu (18) 82 A5
Barlin (62) 8 A1
Barly (62) 7 H3
Barly (80) 7 G3
Barmainville (28) 62 D3
Barnas (07) 157 E1
Barnave (26) 159 E1
Barnay (71) 100 D2
Barneville-Carteret (50) 12 B4
Barneville-la-Bertran (14) 16 B6
Barneville-sur-Seine (27) 18 B5
la Baroche-sous-Lucé (61) 38 B6
les Baroches (54) 26 A4
Baromesnil (76) 6 B5
Baron (30) 174 A1
Baron (33) 135 G5
Baron (60) 43 F1
Baron (71) 115 F2
Baron-sur-Odon (14) 14 B5
Baronville (57) 49 F3
Barou-en-Auge (14) 39 E3
Baroville (10) 67 F4
le Barp (33) 149 E1
Barquet (27) 40 C2
Barr (67) 71 G1
Barrais-Bussolles (03) 114 C4
Barran (32) 167 G5
Barrancoueu (65) 183 G6
Barras (04) 160 C6
Barraute-Camu (64) 181 G1
Barraux (38) 132 A6
la Barre (39) 102 D2
la Barre (70) 87 G5
Barre (81) 171 G4
la Barre-de-Monts (85) 90 C2
la Barre-de-Semilly (50) 37 G1
Barre-des-Cévennes (48) 156 B5
la Barre-en-Ouche (27) 40 A3
Barrême (04) 177 G2
Barret (16) 121 H5
Barret-de-Lioure (26) 159 F6
Barret-sur-Méouge (05) 159 H5
Barretaine (39) 103 E5
Barrettali (2B) 203 F2
Barriac-les-Bosquets (15) 139 H3
Barro (16) 108 D6
Barrou (37) 95 E4
le Barroux (84) 158 D6
Barry (65) 183 E3
Barry-d'Islemade (82) 169 E1
Bars (24) 137 H3
Bars (32) 167 F6
Barsac (26) 159 E1
Barsac (33) 149 G2
Barst (57) 49 G1
Bart (25) 88 C4
Bartenheim (68) 89 G3
Barthe (65) 183 H2
la Barthe-de-Neste (65) 183 G4
Bartherans (25) 103 F3
les Barthes (82) 168 D1
Bartrès (65) 182 D4
Barville (27) 15 G5
Barville (61) 60 C1
Barville (88) 68 D2
Barville-en-Gâtinais (45) 63 G5
Barzan (17) 120 D5
Barzun (64) 182 D3
Barzy-en-Thiérache (02) 9 G4
Barzy-sur-Marne (02) 44 C2
Bas-en-Basset (43) 142 D1
Bas-et-Lezat (63) 127 G1
Bas-Lieu (59) 10 A4
Bas-Mauco (40) 165 H3
Bascons (40) 166 A3
Bascous (32) 167 E3
Baslieux (54) 25 H4
Baslieux-lès-Fismes (51) 22 C5
Baslieux-sous-Châtillon (51) 45 E1
Basly (14) 14 B4
Bassac (16) 122 A4
Bassan (34) 188 C1
Bassanne (33) 150 A2
Basse-Goulaine (44) 74 D5
Basse-Ham (57) 26 C3
Basse-Rentgen (57) 26 C2
Basse-sur-le-Rupt (88) 70 C5
la Basse-Vaivre (70) 69 F6
la Bassée (59) 3 E6
Bassemberg (67) 71 F2
Basseneville (14) 14 D4
Bassens (33) 135 F5
Bassens (73) 131 H4
Bassercles (40) 165 H5
Basses (86) 94 A3
Basseux (62) 8 A3
Basseville (77) 44 B3
Bassignac (15) 140 A1
Bassignac-le-Bas (19) 139 E4
Bassignac-le-Haut (19) 139 G2
Bassigney (70) 87 G1
Bassillac (24) 137 G2
Bassillon-Vauzé (64) 166 D6
Bassing (57) 49 G3
Bassoles-Aulers (02) 22 A3
Bassoncourt (52) 68 C5
Bassou (89) 83 F1
Bassoues (32) 167 F5
Bassu (51) 46 B4
Bassuet (51) 46 B4
Bassurels (48) 156 B6
Bassussarry (64) 164 B6
Bassy (74) 131 G1
Bastanès (64) 181 G1
Bastelica (2A) 205 E5
Bastelicaccia (2A) 204 C6
Bastennes (40) 165 G4
Bastia (2B) 203 G4
la Bastide (66) 200 D3
la Bastide (83) 178 A4
la Bastide-Clairence (64) 164 C6
la Bastide-de-Besplas (09) 185 E3
la Bastide-
-de-Bousignac (09) 186 B5
la Bastide-de-Lordat (09) 185 H4
la Bastide-de-Sérou (09) 185 F5
la Bastide-d'Engras (30) 174 B1
la Bastide-
-des-Jourdans (84) 176 B3
la Bastide-du-Salat (09) 184 C4
la Bastide-l'Évêque (12) 153 H4
la Bastide-Pradines (12) 172 A2
la Bastide-Puylaurent (48) 156 D2
la Bastide-Solages (12) 171 E2
la Bastide-sur-l'Hers (09) 186 B5
la Bastidonne (84) 176 B4
le Bastit (46) 153 E1
Basville (23) 126 A2
la Bataille (79) 108 B5
Bathelémont-
-lès-Bauzemont (54) 49 E5
Bathernay (26) 144 B2
la Bâthie (73) 132 D4
la Bâtie-des-Fonds (26) 159 G3
la Bâtie-Divisin (38) 131 F5
la Bâtie-Montgascon (38) 131 F4
la Bâtie-Montsaléon (05) 159 H3
la Bâtie-Neuve (05) 160 C2
la Bâtie-Rolland (26) 158 B2
la Bâtie-Vieille (05) 160 C2
les Bâties (70) 87 E4
Batilly (54) 26 A5
Batilly (61) 38 D5
Batilly-en-Gâtinais (45) 63 G5
Batilly-en-Puisaye (45) 82 B4
Bats (40) 166 A4
Batsère (65) 183 G4
Battenans-les-Mines (25) 87 H5
Battenans-Varin (25) 88 C6
Battenheim (68) 89 F1
Battexey (88) 69 G2
Battigny (54) 69 E1
Battrans (70) 86 D5
Batz-sur-Mer (44) 73 F4
Batzendorf (67) 51 E4
Baubigny (21) 101 F3
Baubigny (50) 12 B3
la Bauche (73) 131 G5
Baud (56) 55 E4
Baudement (51) 45 E6
Baudemont (71) 115 F4
Baudignan (40) 150 B6
Baudignécourt (55) 47 G6
Baudinard-sur-Verdon (83) 177 F4
Baudoncourt (70) 87 H2
Baudonvilliers (55) 46 D5
Baudre (50) 37 G1
Baudrecourt (52) 67 G2
Baudrecourt (57) 49 E2
Baudreix (64) 182 C3
Baudrémont (55) 47 F4
Baudres (36) 96 B3
Baudreville (28) 62 D3
Baudreville (50) 12 C5
Baudricourt (88) 69 F3
Baudrières (71) 101 H6
Bauduen (83) 177 F4
Baugé (49) 77 G4
Baugy (18) 98 B3
Baugy (60) 21 E4
Baugy (71) 115 E4
Baulay (70) 87 F2
Baule (45) 80 C2
la Baule-Escoublac (44) 73 F4
Baulme-la-Roche (21) 85 F6
Baulne (91) 63 G1
Baulne-en-Brie (02) 44 D3
Baulny (55) 24 C6
Baulon (35) 56 D4
Baulou (09) 185 G5
la Baume (74) 119 E4
la Baume-Cornillane (26) 144 C6
la Baume-de-Transit (26) 158 B4
la Baume-d'Hostun (26) 144 D4
Baume-les-Dames (25) 87 H5
Baume-les-Messieurs (39) 102 D6
Bauné (49) 77 F4
Baupte (50) 12 D5
Bauquay (14) 14 A6
Baurech (33) 135 F6
la Baussaine (35) 56 D1
Bauvin (59) 3 E6
les Baux-de-Breteuil (27) 40 B3
les Baux-de-Provence (13) 191 E2
les Baux-Sainte-Croix (27) 40 D3
Bauzemont (54) 49 E5
Bauzy (41) 80 B4
Bavans (25) 88 C4
Bavay (59) 9 H2
Bavelincourt (80) 7 H5
Bavent (14) 14 C4
Baverans (39) 102 D2
Bavilliers (90) 88 C3
Bavinchove (59) 2 C3
Bavincourt (62) 8 A3
Bax (31) 185 E3
Bay (70) 86 D6
Bay-sur-Aube (52) 85 H2
Bayac (24) 137 F6
Bayard-sur-Marne (52) 47 E6
Bayas (33) 135 H3
Baye (29) 54 B4
Baye (51) 44 D4
Bayecourt (88) 70 A3
Bayel (10) 67 F4
Bayencourt (80) 8 A4
Bayenghem-
-lès-Éperlecques (62) 2 A3
Bayenghem-
-lès-Seninghem (62) 1 H4
Bayers (16) 122 C1
Bayet (03) 113 H4
Bayeux (14) 13 H5
Bayon (54) 69 G1
Bayon-sur-Gironde (33) 135 E3
Bayonne (64) 164 B6
Bayons (04) 160 C4
Bayonville (08) 24 C4
Bayonville-sur-Mad (54) 26 A6
Bayonvillers (80) 8 A6
Bazac (16) 136 B2
Bazaiges (36) 111 E2
Bazailles (54) 25 H4
Bazainville (78) 41 G4
Bazancourt (51) 23 F5
Bazancourt (60) 19 G3
Bazarnes (89) 83 G3
Bazas (33) 149 H3
Bazauges (17) 121 H1
Bazegney (88) 69 G3
Bazeilles (08) 24 C2
Bazeilles-sur-Othain (55) 25 F3
Bazelat (23) 111 E3
Bazemont (78) 42 A3
Bazens (47) 150 D5
Bazentin (80) 8 B5
Bazenville (14) 14 A3
Bazet (65) 183 E2
la Bazeuge (87) 110 B4
Bazian (32) 167 F4
Bazicourt (60) 21 E5
Baziège (31) 185 H1
Bazien (88) 70 B2
Bazillac (65) 183 E2
Bazincourt-sur-Epte (27) 19 G5
Bazincourt-sur-Saulx (55) 47 E5
Bazinghen (62) 1 F3
Bazinval (76) 6 B5
la Bazoche-Gouet (28) 61 F4
Bazoches (58) 83 H6
Bazoches-au-Houlme (61) 38 D4
Bazoches-en-Dunois (28) 62 B5
Bazoches-lès-Bray (77) 64 D2
Bazoches-
-les-Gallerandes (45) 63 E4
Bazoches-les-Hautes (28) 62 C4
Bazoches-sur-Guyonne (78) 42 A4
Bazoches-sur-Hoëne (61) 39 H6
Bazoches-sur-le-Betz (45) 64 C5
Bazoches-sur-Vesles (02) 22 C5
la Bazoge (50) 37 G5
la Bazoge (72) 60 A5
la Bazoge-Montpinçon (53) 59 E3
Bazoges-en-Paillers (85) 92 A4
Bazoges-en-Pareds (85) 92 B6
Bazoilles-et-Ménil (88) 69 F3
Bazoilles-sur-Meuse (88) 68 D3
Bazolles (58) 99 G2
Bazoncourt (57) 26 D6
la Bazoque (14) 13 G6
la Bazoque (61) 38 B4
Bazoques (27) 15 H5
Bazordan (65) 183 H3
la Bazouge-de-Chemeré (53) 59 E5
la Bazouge-des-Alleux (53) 58 D4
la Bazouge-du-Désert (35) 58 B1
Bazougers (53) 59 E5
Bazouges-la-Pérouse (35) 35 F5
Bazouges-sur-le-Loir (72) 77 G2
Bazuel (59) 9 G4
Bazugues (32) 183 G1
Bazus (31) 169 F4
Bazus-Aure (65) 183 G6
Bazus-Neste (65) 183 G4
le Béage (07) 142 D5
Béalcourt (80) 7 F3
Béalencourt (62) 7 F1
Béard (58) 99 E5
Béard-Géovreissiat (01) 117 G5
Beaubec-la-Rosière (76) 19 F2
Beaubery (71) 115 G3
Beaubray (27) 40 C3
Beaucaire (30) 174 D3
Beaucaire (32) 167 G3
Beaucamps-le-Jeune (80) 19 G1
Beaucamps-le-Vieux (80) 6 D6
Beaucamps-Ligny (59) 3 E5
Beaucé (35) 58 A2
Beaucens (65) 182 D5
le Beaucet (84) 175 G2
Beauchalot (31) 184 C4
Beauchamp (95) 42 C2
Beauchamps (50) 35 H2
Beauchamps (80) 6 B5
Beauchamps-
-sur-Huillard (45) 63 G6
Beauchastel (07) 144 A6
Beauche (28) 40 C5
Beauchemin (52) 86 A1
Beauchêne (41) 61 F6
Beauchêne (61) 38 A5
Beauchery-Saint-Martin (77) 44 B6
Beauclair (55) 24 D4
Beaucoudray (50) 37 F2
Beaucourt (90) 88 D4
Beaucourt-en-Santerre (80) 20 D1
Beaucourt-sur-l'Ancre (80) 8 A4
Beaucourt-sur-l'Hallue (80) 7 H5
Beaucouzé (49) 76 D4
Beaucroissant (38) 145 E1
Beaudéan (65) 183 F4
Beaudéduit (60) 20 A2
Beaudignies (59) 9 G3
Beaudricourt (62) 7 G3
Beaufai (61) 39 H4
Beaufay (72) 60 C4
Beauficel (50) 37 G4
Beauficel-en-Lyons (27) 19 F4
Beaufin (38) 146 A6
Beaufort (31) 184 D1
Beaufort (34) 187 G2
Beaufort (38) 144 C1
Beaufort (39) 117 F1
Beaufort (59) 10 A3
Beaufort (73) 132 D3
Beaufort-Blavincourt (62) 7 H2
Beaufort-en-Argonne (55) 24 D4
Beaufort-en-Santerre (80) 21 E1
Beaufort-en-Vallée (49) 77 G5
Beaufort-sur-Gervanne (26) 144 C6
Beaufou (85) 91 F3
Beaufour-Druval (14) 15 E4
Beaufremont (88) 68 D3
Beaugas (47) 151 F3
Beaugeay (17) 120 C1
Beaugency (45) 80 B2
Beaugies-sous-Bois (60) 21 G2
Beaujeu (04) 160 D5
Beaujeu (69) 115 H5
Beaujeu-Saint-Vallier-
-Pierrejux-et-Quitteur (70) 86 D4
Beaulandais (61) 38 B6
Beaulencourt (62) 8 B4
Beaulieu (07) 157 F4
Beaulieu (14) 37 H3
Beaulieu (15) 126 B6
Beaulieu (21) 85 F2
Beaulieu (34) 173 G4
Beaulieu (36) 110 C3
Beaulieu (38) 145 E2
Beaulieu (43) 142 C3
Beaulieu (58) 99 G1
Beaulieu (61) 40 B5
Beaulieu (63) 127 G6
Beaulieu-en-Argonne (55) 46 D2
Beaulieu-les-Fontaines (60) 21 F2
Beaulieu-lès-Loches (37) 95 G2
Beaulieu-sous-la-Roche (85) 91 F4
Beaulieu-
-sous-Parthenay (79) 108 A1
Beaulieu-sur-Dordogne (19) 139 E4
Beaulieu-sur-Layon (49) 76 D6
Beaulieu-sur-Loire (45) 82 B4
Beaulieu-sur-Mer (06) 195 F3
Beaulieu-sur-Oudon (53) 58 B5
Beaulieu-sur-Sonnette (16) 122 D1
Beaulon (03) 114 C1
Beaumais (14) 39 E3
Beaumarchés (32) 167 E5
Beaumat (46) 152 D1
Beaumé (02) 10 B6
la Beaume (05) 159 G2
Beauménil (88) 70 B4
Beaumerie-Saint-Martin (62) 6 D1
Beaumes-de-Venise (84) 158 C6
Beaumesnil (14) 37 G3
Beaumesnil (27) 40 B2
Beaumettes (84) 175 G3
Beaumetz (80) 7 F4
Beaumetz-lès-Aire (62) 2 A6
Beaumetz-lès-Cambrai (62) 8 C4
Beaumetz-lès-Loges (62) 8 A3
Beaumont (07) 157 E3
Beaumont (19) 125 E6
Beaumont (32) 167 F2
Beaumont (43) 141 G1
Beaumont (54) 48 A4
Beaumont (63) 127 F3
Beaumont (74) 118 B5
Beaumont (86) 94 C5
Beaumont (89) 83 F1
Beaumont-
-de-Lomagne (82) 168 C3
Beaumont-de-Pertuis (84) 176 C4
Beaumont-du-Gâtinais (77) 63 H5
Beaumont-du-Lac (87) 125 E3
Beaumont-du-Périgord (24) 137 F6
Beaumont-du-Ventoux (84) 158 D6
Beaumont-en-Argonne (08) 24 C3
Beaumont-en-Auge (14) 15 E4
Beaumont-en-Beine (02) 21 H2
Beaumont-en-Cambrésis (59) 9 F4
Beaumont-en-Diois (26) 159 F2
Beaumont-
-en-Verdunois (55) 25 F6
Beaumont-en-Véron (37) 94 B1
Beaumont-Hague (50) 12 B1
Beaumont-Hamel (80) 8 A4
Beaumont-la-Ferrière (58) 99 E2
Beaumont-la-Ronce (37) 78 D4
Beaumont-le-Hareng (76) 17 H4
Beaumont-le-Roger (27) 40 B2
Beaumont-les-Autels (28) 61 F3
Beaumont-les-Nonains (60) 20 A5
Beaumont-lès-Randan (63) 127 G1
Beaumont-lès-Valence (26) 144 B5
Beaumont-Monteux (26) 144 B4
Beaumont-
-Pied-de-Boeuf (53) 59 E6
Beaumont-
-Pied-de-Bœuf (72) 78 C2
Beaumont-Sardolles (58) 99 F4
Beaumont-sur-Dême (72) 78 D3
Beaumont-sur-Grosne (71) 101 G6
Beaumont-sur-Lèze (31) 185 F2
Beaumont-sur-Oise (95) 42 C1
Beaumont-sur-Sarthe (72) 60 A3
Beaumont-sur-Vesle (51) 45 G1
Beaumont-
-sur-Vingeanne (21) 86 B5
Beaumont-Village (37) 95 H2
Beaumontel (27) 40 B1
Beaumotte-Aubertans (70) 87 G5
Beaumotte-lès-Pin (70) 87 E6
Beaunay (51) 45 E3
Beaune (21) 101 G3
Beaune-d'Allier (03) 113 E4
Beaune-la-Rolande (45) 63 G5
Beaune-sur-Arzon (43) 142 B2
Beaunotte (21) 85 F3
Beaupont (01) 117 E3
Beaupouyet (24) 136 C4
Beaupréau (49) 75 G5
Beaupuy (31) 169 F5
Beaupuy (32) 168 C5
Beaupuy (47) 150 C2
Beaupuy (82) 168 D3
Beauquesne (80) 7 G4
Beaurain (59) 9 F3
Beaurains (62) 8 B3
Beaurains-lès-Noyon (60) 21 G3
Beaurainville (62) 7 E1
Beaurecueil (13) 176 B6
Beauregard (01) 129 H1
Beauregard (46) 153 F4
Beauregard-Baret (26) 144 C4
Beauregard-
-de-Terrasson (24) 138 A3
Beauregard-et-Bassac (24) 137 E4
Beauregard-l'Évêque (63) 127 G3
Beauregard-Vendon (63) 127 F1
Beaurepaire (38) 144 C1
Beaurepaire (60) 20 D6
Beaurepaire (76) 16 B4

Beaurepaire (85) 92 A3
Beaurepaire-en-Bresse (71) 102 C6
Beaurepaire-sur-Sambre (59) 9 H4
Beaurevoir (02) 9 E5
Beaurières (26) 159 G2
Beaurieux (02) 22 C5
Beaurieux (59) 10 B3
Beauronne (24) 136 D3
Beausemblant (26) 144 A2
Beausite (55) 47 E3
Beausoleil (06) 195 G2
Beaussac (24) 123 E5
Beaussais (79) 108 B4
Beaussault (76) 19 F2
Beausse (49) 75 G4
le Beausset (83) 192 D4
Beauteville (31) 186 A2
Beautheil (77) 43 H5
Beautiran (33) 149 G1
Beautor (02) 22 A2
Beautot (76) 17 G4
Beauvain (61) 38 C6
Beauvais (60) 20 A4
Beauvais-sur-Matha (17) 121 H2
Beauvais-sur-Tescou (81) 169 G3
Beauval (80) 7 G4
Beauval-en-Caux (76) 17 G3
Beauvallon (26) 144 B5
Beauvau (49) 77 F3
Beauvène (07) 143 G5
Beauvernois (71) 102 C5
Beauvezer (04) 161 F6
Beauville (31) 186 A1
Beauville (47) 151 G5
Beauvilliers (28) 62 C3
Beauvilliers (41) 79 H1
Beauvilliers (89) 84 B5
Beauvoir (50) 35 G4
Beauvoir (60) 20 C3
Beauvoir (77) 43 G6
Beauvoir (89) 83 E2
Beauvoir-de-Marc (38) 130 C5
Beauvoir-en-Lyons (76) 19 F4
Beauvoir-en-Royans (38) 144 D3
Beauvoir-sur-Mer (85) 90 C2
Beauvoir-sur-Niort (79) 107 H5
Beauvoir-Wavans (62) 7 F3
Beauvois (62) 7 F1
Beauvois-en-Cambrésis (59) 9 E4
Beauvois-en-Vermandois (02) 8 D6
Beauvoisin (26) 159 E5
Beauvoisin (30) 174 A4
Beaux (43) 142 D2
Beauzac (43) 142 D2
Beauzelle (31) 169 E5
Beauziac (47) 150 B4
Bébing (57) 49 H4
Beblenheim (68) 71 F4
Bec-de-Mortagne (76) 16 C4
le Bec-Hellouin (27) 18 A6
le Bec-Thomas (27) 18 C6
Beccas (32) 183 F1
Béceleuf (79) 107 G2
Béchamps (54) 25 H6
Bécherel (35) 56 D1
Bécheresse (16) 122 B5
Béchy (57) 48 D2
Bécon-les-Granits (49) 75 H3
Bécordel-Bécourt (80) 8 A5
Bécourt (62) 1 G5
Becquigny (02) 9 F5
Becquigny (80) 21 E2
Bédarieux (34) 172 B5
Bédarrides (84) 175 E1
Beddes (18) 112 A1
Bédéchan (32) 168 B5
Bédée (35) 56 D2
Bédeilhac-et-Aynat (09) 185 G6
Bédeille (09) 184 D4
Bédeille (64) 182 D2
Bedenac (17) 135 G2
Bédoin (84) 158 D6
Bédouès (48) 156 B4
Bedous (64) 182 A5
Béduer (46) 153 G2
Beffes (18) 98 C3
Beffia (39) 117 F2
Beffu-et-le-Morthomme (08) 24 C5
Bégaar (40) 165 F3
Bégadan (33) 120 C6
Béganne (56) 73 G1
Bégard (22) 32 D3
Bègles (33) 135 E5
Begnécourt (88) 69 G4
Bégole (65) 183 G3
Bégrolles-en-Mauges (49) 75 G6
la Bégude-de-Mazenc (26) 158 C2
Bègues (03) 113 G5
Béguey (33) 149 G1
Béguios (64) 181 E1
Béhagnies (62) 8 B4
Béhasque-Lapiste (64) 181 F1
Béhen (80) 6 D4
Béhencourt (80) 7 H5
Béhéricourt (60) 21 G3
Behonne (55) 47 E4
Béhorléguy (64) 181 E3
Béhoust (78) 41 H4
Behren-lès-Forbach (57) 27 G5
Béhuard (49) 76 D5
Beignon (56) 56 C4
Beillé (72) 60 C5
Beine (89) 83 G2
Beine-Nauroy (51) 23 F6
Beinheim (67) 51 G3
Beire-le-Châtel (21) 86 A5
Beire-le-Fort (21) 102 B1
Beissat (23) 125 H3
Bélâbre (36) 110 B2
Belan-sur-Ource (21) 67 E6
Bélarga (34) 172 D6
Bélaye (46) 152 B3
Belberaud (31) 169 G6
Belbèse (82) 168 C3
Belbeuf (76) 18 D5
Belbèze-de-Lauragais (31) 185 G1
Belbèze-
-en-Comminges (31) 184 D4
Belcaire (11) 199 G1
Belcastel (12) 154 A4
Belcastel (81) 169 H5
Belcastel-et-Buc (11) 187 E5
Belcodène (13) 192 C2
Bélesta (09) 186 B6
Bélesta (66) 200 D2
Bélesta-en-Lauragais (31) 186 A1
Beleymas (24) 137 E4
Belfahy (70) 88 B1
Belfays (25) 88 D6
Belflou (11) 186 A2
Belfonds (61) 39 F6
Belfort (90) 88 C3
Belfort-du-Quercy (46) 152 D5
Belfort-sur-Rebenty (11) 199 H1
Belgeard (53) 59 E3
Belgentier (83) 193 F4
Belgodère (2B) 202 D5
Belhade (40) 149 E4
Belhomert-Guéhouville (28) 61 G1
le Bélieu (25) 104 C2
Béligneux (01) 130 C2
Belin-Béliet (33) 148 D2
Bélis (40) 166 A1
Bellac (87) 110 B5
Bellaffaire (04) 160 C3
Bellaing (59) 9 F2
Bellancourt (80) 7 E4
Bellange (57) 49 F3
Bellavilliers (61) 60 C2
le Bellay-en-Vexin (95) 42 A1
Belle-Église (60) 42 C1
Belle-et-Houllefort (62) 1 F4
Belle-Isle-en-Terre (22) 32 C4
Belleau (02) 44 B2
Belleau (54) 48 C4
Bellebat (33) 135 H6
Bellebrune (62) 1 G4
Bellechassagne (19) 125 H4
Bellechaume (89) 65 G5
Bellecombe (39) 118 A3
Bellecombe-
-en-Bauges (73) 132 B3
Bellecombe-Tarendol (26) 159 E4
Bellefond (21) 85 H5
Bellefond (33) 135 H6
Bellefonds (86) 94 D6
Bellefontaine (39) 118 B1
Bellefontaine (50) 37 G5
Bellefontaine (88) 69 H5
Bellefontaine (95) 42 D2
Bellefosse (67) 71 E1
Bellegarde (30) 174 C4
Bellegarde (32) 184 A1
Bellegarde (45) 63 G6
Bellegarde (81) 170 D3
Bellegarde-du-Razès (11) 186 C4
Bellegarde-en-Diois (26) 159 F2
Bellegarde-en-Forez (42) 129 E4
Bellegarde-en-Marche (23) 125 H1
Bellegarde-Poussieu (38) 130 B6
Bellegarde-
-Sainte-Marie (31) 168 D5
Bellegarde-
-sur-Valserine (01) 117 H5
Belleherbe (25) 88 B6
Bellemagny (68) 89 E2
Bellême (61) 60 D2
Bellenaves (03) 113 G5
Bellencombre (76) 17 H4
Belleneuve (21) 86 A6
Bellenglise (02) 9 E6
Bellengreville (14) 38 D1
Bellengreville (76) 17 H2
Bellenod-sur-Seine (21) 85 E3
Bellenot-sous-Pouilly (21) 101 E1
Bellentre (73) 133 E4
Belleray (55) 47 F1
Bellerive-sur-Allier (03) 114 A6
Belleroche (42) 115 G5
Belles-Forêts (57) 49 H4
Belleserre (81) 170 B6
Bellesserre (31) 168 D4
Belleu (02) 22 A5
Belleuse (80) 20 B2
Bellevaux (74) 119 E4
Bellevesvre (71) 102 C5
Belleville (54) 48 C4
Belleville (69) 116 B6
Belleville (79) 107 G5
Belleville-en-Caux (76) 17 G4
Belleville-
-et-Châtillon-sur-Bar (08) 24 B4
Belleville-sur-Loire (18) 82 B4
Belleville-sur-Mer (76) 17 H1
Belleville-sur-Meuse (55) 47 F1
Belleville-sur-Vie (85) 91 G3
Bellevue-la-Montagne (43) 142 B2
Belley (01) 131 F3
Belleydoux (01) 117 H4
Bellicourt (02) 9 E5
la Bellière (61) 39 E5
la Bellière (76) 19 F3
Bellignat (01) 117 G4
Belligné (44) 76 B4
Bellignies (59) 9 H2
la Belliole (89) 64 D4
Belloc (09) 186 B5
Belloc-Saint-Clamens (32) 183 H1
Bellocq (64) 165 F5
Bellon (16) 136 B1
Bellonne (62) 8 C2
Bellot (77) 44 B4
Bellou (14) 15 F6
Bellou-en-Houlme (61) 38 B5
Bellou-le-Trichard (61) 60 D3
Bellou-sur-Huisne (61) 61 E2
Belloy (60) 21 E3
Belloy-en-France (95) 42 D2
Belloy-en-Santerre (80) 8 B6
Belloy-Saint-Léonard (80) 6 D6
Belloy-sur-Somme (80) 7 F5
Belluire (17) 121 F5
Belmesnil (76) 17 G3
Belmont (25) 104 A1
Belmont (32) 167 F4
Belmont (38) 131 E5
Belmont (39) 102 D3
Belmont (52) 86 C2
Belmont (67) 71 E1
Belmont (70) 88 A1
Belmont-Bretenoux (46) 139 F5
Belmont-d'Azergues (69) 129 H2
Belmont-de-la-Loire (42) 115 G5
Belmont-lès-Darney (88) 69 F5
Belmont-Luthézieu (01) 131 F2
Belmont-Sainte-Foi (46) 153 E5
Belmont-sur-Buttant (88) 70 B3
Belmont-sur-Rance (12) 171 G3
Belmont-sur-Vair (88) 69 E3
Belmont-Tramonet (73) 131 F5
Belmontet (46) 152 A4
Belonchamp (70) 88 B2
Belpech (11) 186 A3
Belrain (55) 47 F3
Belrupt (88) 69 F5
Belrupt-en-Verdunois (55) 47 G1
Bélus (40) 165 E5
Belval (08) 24 A1
Belval (50) 37 E1
Belval (88) 70 D1
Belval-Bois-des-Dames (08) 24 C4
Belval-en-Argonne (51) 46 D3
Belval-sous-Châtillon (51) 45 E1
Belvédère (06) 179 E1
Belvédère-
-Campomoro (2A) 206 C3
Belverne (70) 88 B3
Belvès (24) 137 H6
Belvès-de-Castillon (33) 136 A5
Belvèze (82) 152 A4
Belvèze-du-Razès (11) 186 C4
Belvézet (30) 174 B1
Belvezet (48) 156 C2
Belvianes-et-Cavirac (11) 200 A1
Belvis (11) 199 H1
Belvoir (25) 88 B6
Belz (56) 54 D6
Bémécourt (27) 40 C4
Bénac (09) 185 G5
Bénac (65) 183 E3
Benagues (09) 185 H4
Benais (37) 78 A6
Bénaix (09) 186 B6
Bénaménil (54) 49 F6
Bénarville (76) 16 D4
Benassay (86) 108 C1
la Benâte (17) 107 G6
Benay (02) 22 A1
Benayes (19) 124 C5
Bendejun (06) 195 F2
Bendorf (68) 89 F4
Bénéjacq (64) 182 C3
Benerville-sur-Mer (14) 15 E3
Bénesse-lès-Dax (40) 165 E4
Bénesse-Maremne (40) 164 C4
Benest (16) 109 F6
Bénestroff (57) 49 G3
Bénesville (76) 17 F3
Benet (85) 107 G3
Beneuvre (21) 85 G3
Bénévent-et-Charbillac (05) 160 B1
Bénévent-l'Abbaye (23) 111 E5
Beney-en-Woëvre (55) 48 A3
Benfeld (67) 71 G2
Bengy-sur-Craon (18) 98 B3
Bénifontaine (62) 3 E6
Béning-lès-Saint-Avold (57) 49 G1
la Bénisson-Dieu (42) 115 E5
Bénivay-Ollon (26) 158 D5
Bennecourt (78) 41 G2
Bennetot (76) 16 D4
Benney (54) 69 G1
Bennwihr (68) 71 F4
Bénodet (29) 53 F4
Benoisey (21) 84 D4
Benoîtville (50) 12 B3
Benon (17) 107 E4
Bénonces (01) 131 E2
Bénouville (14) 14 C4
Bénouville (76) 16 B3
Benque (31) 184 C3
Benqué (65) 183 G4
Benque-
-Dessous-et-Dessus (31) 197 F1
Benquet (40) 166 A3
Bentayou-Sérée (64) 182 D1
Bény (01) 117 E4
le Bény-Bocage (14) 37 H2
Bény-sur-Mer (14) 14 B3
Béon (01) 131 G2
Béon (89) 65 E6
Béost (64) 182 B5
Bérat (31) 185 E2
Béraut (32) 167 G2
Berbérust-Lias (65) 182 D4
Berbezit (43) 142 A2
Berbiguières (24) 137 H6
Bercenay-en-Othe (10) 66 A4
Bercenay-le-Hayer (10) 65 G3
Berche (25) 88 C4
Berchères-les-Pierres (28) 62 B2
Berchères-
-Saint-Germain (28) 62 B1
Berchères-sur-Vesgre (28) 41 G4
Berck (62) 6 C1
Bercloux (17) 121 F2
Berd'huis (61) 61 E2
Berdoues (32) 167 G6
Bérelles (59) 10 B3
Bérengeville-
-la-Campagne (27) 40 D1
Berentzwiller (68) 89 G3
Bérenx (64) 165 F6
Béréziat (01) 116 C3
Berfay (72) 61 E6
Berg (67) 50 A3
Berg-sur-Moselle (57) 26 C2
Berganty (46) 153 E3
Bergbieten (67) 50 C6
Bergerac (24) 136 D5
Bergères (10) 67 E4
Bergères-lès-Vertus (51) 45 F4
Bergères-
-sous-Montmirail (51) 44 C4
Bergesserin (71) 115 H3
Bergheim (68) 71 F3
Bergholtz (68) 71 F6
Bergholtzzell (68) 71 E6
Bergicourt (80) 20 A1
Bergnicourt (08) 23 G4
Bergonne (63) 127 F5
Bergouey (40) 165 G4
Bergouey-Viellenave (64) 165 E6
Bergueneuse (62) 2 B6
Bergues (59) 2 C2
Bergues-sur-Sambre (02) 9 G5
Berhet (22) 32 D2
Bérig-Vintrange (57) 49 F2
Bérigny (50) 13 G6
Berjou (61) 38 B3
Berlaimont (59) 9 H3
Berlancourt (02) 22 D1
Berlancourt (60) 21 G2
Berlats (81) 171 E4
Berlencourt-le-Cauroy (62) 7 H2
Berles-au-Bois (62) 8 A3
Berles-Monchel (62) 7 H2
la Berlière (08) 24 C3
Berling (57) 50 B4
Berlise (02) 23 F2
Berlou (34) 188 A1
Bermerain (59) 9 F3
Berméricourt (51) 23 E5
Bermeries (59) 9 H2
Bermering (57) 49 F3
Bermesnil (80) 6 D6
Bermicourt (62) 7 F1
Bermont (90) 88 C3
Bermonville (76) 18 A2
Bernac (16) 108 D6
Bernac (47) 150 D2
Bernac (81) 170 B2
Bernac-Debat (65) 183 E3
Bernac-Dessus (65) 183 E3
Bernadets (64) 182 C1
Bernadets-Debat (65) 183 G2
Bernadets-Dessus (65) 183 G3
le Bernard (85) 91 F6
la Bernardière (85) 91 H1
Bernardswiller (67) 71 G1
Bernardvillé (67) 71 F2
Bernâtre (80) 7 F3
Bernaville (80) 7 F4
Bernay (27) 15 H5
Bernay-en-Champagne (72) 59 H5
Bernay-en-Ponthieu (80) 6 D2
Bernay-Saint-Martin (17) 107 G6
Bernay-Vilbert (77) 43 G5
Berné (56) 54 C3
Bernécourt (54) 48 A4
Bernède (32) 166 C4
la Bernerie-en-Retz (44) 73 H6
Bernes (80) 8 D6
Bernes-sur-Oise (95) 42 C1
Bernesq (14) 13 G5
Berneuil (16) 122 A6
Berneuil (17) 121 E4
Berneuil (80) 7 F4
Berneuil (87) 110 B6
Berneuil-en-Bray (60) 20 A5
Berneuil-sur-Aisne (60) 21 G4
Berneval-le-Grand (76) 17 H1
Berneville (62) 8 A2
Bernex (74) 119 F3
Bernienville (27) 40 D2
Bernières (76) 15 H1
Bernières-d'Ailly (14) 39 E2
Bernières-le-Patry (14) 38 A4
Bernières-sur-Mer (14) 14 B3
Bernières-sur-Seine (27) 19 E6
Bernieulles (62) 1 G6
Bernin (38) 145 H1
Bernis (30) 174 A4
Bernolsheim (67) 51 E4
Bernon (10) 66 A6
Bernos-Beaulac (33) 149 H4
Bernot (02) 9 F6
Bernouil (89) 84 A1
Bernouville (27) 19 G5
Bernwiller (68) 89 E2
Berny-en-Santerre (80) 8 B6
Berny-Rivière (02) 21 H5
Bérou-la-Mulotière (28) 40 D5
Berrac (32) 167 H1
Berre-les-Alpes (06) 195 F2
Berre-l'Étang (13) 175 G6
Berriac (11) 187 E3
Berrias-et-Casteljau (07) 157 F4
Berric (56) 73 F1
Berrie (86) 93 H2
Berrien (29) 32 A5
Berrieux (02) 22 D4
Berrogain-Laruns (64) 181 G2
Berru (51) 23 F6
Berrwiller (68) 89 E1
Berry-au-Bac (02) 22 D5
Berry-Bouy (18) 97 G2
le Bersac (05) 159 H3
Bersac-sur-Rivalier (87) 110 D6
Bersaillin (39) 102 D4
Bersée (59) 3 G6
Bersillies (59) 10 A2
Berson (33) 135 E3
Berstett (67) 50 D5
Berstheim (67) 51 E4
Bert (03) 114 C4
Bertangles (80) 7 G5
Bertaucourt-Epourdon (02) 22 A3
Berteaucourt-les-Dames (80) 7 F4
Berteaucourt-
-lès-Thennes (80) 20 D1
Bertheauville (76) 16 D3
Berthecourt (60) 20 B5
Berthegon (86) 94 B4
Berthelange (25) 103 E1
Berthelming (57) 49 H4
Berthen (59) 2 D4
Berthenay (37) 78 C6
Berthenicourt (02) 22 A1
Berthenonville (27) 41 G1
la Berthenoux (36) 97 E6
Berthez (33) 150 A3
Bertholène (12) 154 D4
Berthouville (27) 15 H5
Bertignat (63) 128 B4
Bertignolles (10) 66 D5
Bertincourt (62) 8 C4
Bertoncourt (08) 23 G3
Bertrambois (54) 49 H5
Bertrancourt (80) 7 H4
Bertrange (57) 26 B4
Bertre (81) 170 A5
Bertren (65) 184 A5
Bertreville (76) 16 D3
Bertreville-Saint-Ouen (76) 17 G3
Bertric-Burée (24) 136 D1
Bertrichamps (54) 70 C1
Bertricourt (02) 23 E5
Bertrimont (76) 17 G4
Bertrimoutier (88) 70 D3
Bertry (59) 9 F4
Béru (89) 84 A2
Béruges (86) 108 D1
Bérulle (10) 65 G4
Bérus (72) 60 A2
Berville (76) 17 F4
Berville (95) 42 B1
Berville-en-Roumois (27) 18 B5
Berville-la-Campagne (27) 40 C2
Berville-sur-Mer (27) 15 G2
Berville-sur-Seine (76) 17 F6
Berviller-en-Moselle (57) 27 E4
Berzé-la-Ville (71) 116 A3
Berzé-le-Châtel (71) 116 A3
Berzème (07) 157 H2
Berzieux (51) 46 C1
Berzy-le-Sec (02) 22 A5
la Besace (08) 24 C3
Besain (39) 103 E5
Besançon (25) 103 G1
Bésayes (26) 144 C4
Bescat (64) 182 B3
Bésignan (26) 159 E4
Bésingrand (64) 182 A1
Beslon (50) 37 F3
Besmé (02) 21 H3
Besmont (02) 10 B6
Besnans (70) 87 G5
Besné (44) 73 H3
Besneville (50) 12 C4
Besny-et-Loizy (02) 22 C3
Bessac (16) 122 A6
Bessais-le-Fromental (18) 98 B6
Bessamorel (43) 142 D3
Bessan (34) 188 D2
Bessancourt (95) 42 C2
Bessans (73) 147 G1
Bessas (07) 157 F4
le Bessat (42) 143 G1
Bessay (85) 106 C1
Bessay-sur-Allier (03) 113 H3
Besse (15) 140 A3
Bessé (16) 122 B1
Besse (24) 152 A1
Besse (38) 146 B3
Besse-
-et-Saint-Anastaise (63) 127 E5
Bessé-sur-Braye (72) 79 E1
Besse-sur-Issole (83) 193 G3
Bessède-de-Sault (11) 200 A1
Bessèges (30) 157 E5
Bessenay (69) 129 G3
Bessens (82) 169 E3
Besset (09) 186 A4
Bessey (42) 129 H6
Bessey-en-Chaume (21) 101 F2
Bessey-la-Cour (21) 101 F2
Bessey-lès-Cîteaux (21) 102 A2
la Besseyre-Saint-Mary (43) 141 H4
Bessières (31) 169 G3
Bessines (79) 107 G3
Bessines-sur-Gartempe (87) 110 D6
Bessins (38) 144 D2
Besson (03) 113 H2
Bessoncourt (90) 88 D3
Bessonies (46) 139 G6
les Bessons (48) 141 G6
Bessuéjouls (12) 154 D3
Bessy (10) 66 A1
Bessy-sur-Cure (89) 83 G3
Bestiac (09) 199 F1
Bétaille (46) 139 E5
Betaucourt (70) 87 E1
Betbèze (65) 184 A2
Betbezer-d'Armagnac (40) 166 C2
Betcave-Aguin (32) 184 B1
Betchat (09) 184 D4
Bétête (23) 111 H3
Béthancourt-en-Valois (60) 21 F6
Béthancourt-en-Vaux (02) 21 H3
Béthelainville (55) 47 E1
Béthemont-la-Forêt (95) 42 C2
Béthencourt (59) 9 F4
Béthencourt-sur-Mer (80) 6 B4
Béthencourt-
-sur-Somme (80) 21 G1
Bétheniville (51) 23 G5
Bétheny (51) 23 E6
Béthincourt (55) 25 E6
Béthines (86) 110 A2
Béthisy-Saint-Martin (60) 21 F6
Béthisy-Saint-Pierre (60) 21 F5
Bethmale (09) 184 D6
Bethon (51) 44 D6
Béthon (72) 60 A2
Bethoncourt (25) 88 C4
Béthonsart (62) 7 H1
Béthonvilliers (28) 61 F4
Bethonvilliers (90) 88 D2
Béthune (62) 2 D6
Bétignicourt (10) 66 D2
Beton-Bazoches (77) 44 A5
Betoncourt-lès-Brotte (70) 87 H2
Betoncourt-
-Saint-Pancras (70) 69 G6
Betoncourt-sur-Mance (70) 86 D1
Bétous (32) 166 D4
Betplan (32) 183 F1
Betpouey (65) 183 E6
Betpouy (65) 183 H2
Bétracq (64) 166 D6
Betschdorf (67) 51 F2
Bettainvillers (54) 26 A4
Bettancourt-la-Ferrée (52) 46 D5
Bettancourt-la-Longue (51) 46 C4
Bettange (57) 26 D4
Bettant (01) 130 D1
Bettborn (57) 50 A4
Bettegney-Saint-Brice (88) 69 G3
Bettelainville (57) 26 C4
Bettembos (80) 19 H1
Bettencourt-Rivière (80) 7 E5
Bettencourt-Saint-Ouen (80) 7 F5
Bettendorf (68) 89 F3
Bettes (65) 183 F4
Betteville (76) 17 E5
Bettignies (59) 10 A2
Betting (57) 49 G1
Bettlach (68) 89 G4
Betton (35) 57 F2
Betton-Bettonet (73) 132 B5
Bettoncourt (88) 69 G2
Bettrechies (59) 9 G2
Bettviller (57) 28 A5
Bettwiller (67) 50 B3
Betz (60) 43 G1
Betz-le-Château (37) 95 F3
Beugin (62) 7 H1
Beugnâtre (62) 8 B4
Beugneux (02) 22 B6
Beugnies (59) 10 A3
le Beugnon (79) 107 H1
Beugnon (89) 65 H6
Beugny (62) 8 C4
Beuil (06) 161 H6
le Beulay (88) 70 D2
Beulotte-Saint-Laurent (70) 88 B1
Beure (25) 103 F1
Beurey (10) 66 D4
Beurey-Bauguay (21) 100 D1
Beurey-sur-Saulx (55) 46 D4
Beurières (63) 128 B6
Beurizot (21) 84 D6
Beurlay (17) 120 D2
Beurville (52) 67 F3
Beussent (62) 1 G6
Beuste (64) 182 C3
Beutal (25) 88 B4
Beutin (62) 1 F6
Beuvardes (02) 44 C1
Beuveille (54) 25 G4
Beuvezin (54) 69 E2
Beuvillers (14) 15 F5
Beuvillers (54) 26 A3
Beuvrages (59) 9 F1
Beuvraignes (80) 21 F2
Beuvrequen (62) 1 F3
Beuvrigny (50) 37 G2
Beuvron (58) 83 F6
Beuvron-en-Auge (14) 14 D4
Beuvry (62) 2 D6
Beuvry-la-Forêt (59) 9 E1
Beux (57) 26 C6
Beuxes (86) 94 B2
Beuzec-Cap-Sizun (29) 52 D2
Beuzeville (27) 15 G3
Beuzeville-au-Plain (50) 13 E4
Beuzeville-la-Bastille (50) 12 D4
Beuzeville-la-Grenier (76) 15 G1
Beuzeville-la-Guérard (76) 16 D3
Beuzevillette (76) 15 H1
Bévenais (38) 131 E6
Beveuge (70) 88 A4
Béville-le-Comte (28) 62 C2
Bévillers (59) 9 E3
Bevons (04) 160 A6
Bévy (21) 101 G2
Bey (01) 116 B5
Bey (71) 101 H5
Bey-sur-Seille (54) 48 D4
Beychac-et-Caillau (33) 135 G5
Beylongue (40) 165 F2
Beynac (87) 124 A3
Beynac-et-Cazenac (24) 138 A5
Beynat (19) 139 E3
Beynes (04) 177 F1
Beynes (78) 42 A4

Beynost (01) 130 B2
Beyrède-Jumet (65) 183 G5
Beyren-lès-Sierck (57) 26 C2
Beyrie-en-Béarn (64) 182 B1
Beyrie-sur-Joyeuse (64) 181 E2
Beyries (40) 165 H5
Beyssac (19) 138 C1
Beyssenac (19) 124 B6
le Bez (81) 171 E5
Bez-et-Esparon (30) 172 D2
Bézac (09) 185 G4
Bezalles (77) 44 A5
Bézancourt (76) 19 F4
Bezange-la-Grande (54) 49 E4
Bezange-la-Petite (57) 49 F4
Bezannes (51) 23 E6
Bézaudun-les-Alpes (06) 195 E2
Bézaudun-sur-Bîne (26) 158 D2
Bezaumont (54) 48 C3
Bèze (21) 86 A5
Bézenac (24) 137 H5
Bézenet (03) 113 E4
Bézéril (32) 168 B6
Béziers (34) 188 C2
Bezinghem (62) 1 G5
Bezins-Garraux (31) 184 A5
la Bezole (11) 186 C5
Bezolles (32) 167 F3
Bezons (95) 42 C3
Bezonvaux (55) 25 F6
Bezouce (30) 174 C3
Bézouotte (21) 86 B5
Bézu-la-Forêt (27) 19 G4
Bézu-le-Guéry (02) 44 A2
Bézu-Saint-Éloi (27) 19 G5
Bézu-Saint-Germain (02) 44 B1
Bézues-Bajon (32) 184 A1
Biache-Saint-Vaast (62) 8 C2
Biaches (80) 8 C6
Bians-les-Usiers (25) 103 H3
Biard (86) 109 E1
Biarne (39) 102 C2
Biarre (80) 21 F2
Biarritz (64) 164 B6
Biarrotte (40) 164 C5
Biars-sur-Cère (46) 139 E5
Bias (40) 148 A5
Bias (47) 151 F4
Biaudos (40) 164 C5
Bibiche (57) 26 D3
Biblisheim (67) 51 E3
Bibost (69) 129 G3
Bichancourt (02) 21 H3
Biches (58) 99 G3
Bickenholtz (57) 50 B4
Bicqueley (54) 48 B6
Bidache (64) 164 D6
Bidarray (64) 180 D2
Bidart (64) 164 A6
Bidestroff (57) 49 G3
Biding (57) 49 G1
Bidon (07) 157 H4
Bidos (64) 182 A3
Biécourt (88) 69 E3
Biederthal (68) 89 G4
Bief (25) 88 C6
Bief-des-Maisons (39) 103 G6
Bief-du-Fourg (39) 103 G5
Biefmorin (39) 102 D4
Biefvillers-lès-Bapaume (62) 8 B4
Bielle (64) 182 B4
Biencourt (80) 6 C5
Biencourt-sur-Orge (55) 47 F6
Bienville (60) 21 F4
Bienville-la-Petite (54) 49 E5
Bienvillers-au-Bois (62) 8 A3
Biermes (08) 23 G4
Biermont (60) 21 E3
Bierné (53) 77 E1
Bierne (59) 2 C2
Bierre-lès-Semur (21) 84 C5
Bierry-
-les-Belles-Fontaines (89) 84 B4
Biert (09) 185 F6
Bierville (76) 17 H5
Biesheim (68) 71 G5
Biesles (52) 68 A5
Bietlenheim (67) 51 E4
Bieujac (33) 150 A2
Bieuxy (02) 22 A4
Bieuzy (56) 55 E3
Biéville (50) 37 H1
Biéville-Beuville (14) 14 C4
Biéville-Quétiéville (14) 39 E1
Bièvres (02) 22 C4
Bièvres (08) 25 E3
Bièvres (91) 42 C5
Biffontaine (88) 70 C3
Biganos (33) 148 C1
Bignac (16) 122 B3
Bignan (56) 55 G4
Bignay (17) 121 F1
la Bigne (14) 38 A2
Bignicourt (08) 23 H5
Bignicourt-sur-Marne (51) 46 B5
Bignicourt-sur-Saulx (51) 46 C4
le Bignon (44) 74 D6
le Bignon-du-Maine (53) 58 D6
le Bignon-Mirabeau (45) 64 C4
Bignoux (86) 109 F1
Bigorno (2B) 203 F5
la Bigottière (53) 58 C3
Biguglia (2B) 203 G4
Bihorel (76) 18 D4
Bihucourt (62) 8 B4
Bilhac (19) 139 E5
Bilhères (64) 182 B4
Bilia (2A) 206 D3
Bilieu (38) 131 F6
Billancelles (28) 61 H1
Billancourt (80) 21 F2
les Billanges (87) 124 D1
les Billaux (33) 135 G4
Billé (35) 57 H1
Billecul (39) 103 G5
Billère (64) 182 B2
Billey (21) 102 C2
Billezois (03) 114 B5
Billiat (01) 117 H6
Billième (73) 131 G3
Billière (31) 197 F1
Billiers (56) 73 F2
Billio (56) 55 G4
Billom (63) 127 G3
Billy (03) 114 A4
Billy (14) 38 D1
Billy (41) 80 B6
Billy-Berclau (62) 3 E6
Billy-Chevannes (58) 99 F3
Billy-le-Grand (51) 45 G1
Billy-lès-Chanceaux (21) 85 F4
Billy-Montigny (62) 8 C1
Billy-sous-Mangiennes (55) 25 G5
Billy-sur-Aisne (02) 22 A5
Billy-sur-Oisy (58) 83 F5
Billy-sur-Ourcq (02) 22 A6
Biltzheim (68) 71 F5
Bilwisheim (67) 50 D4
Bimont (62) 1 G6
Binarville (51) 24 C6
Binas (41) 80 A1
Bindernheim (67) 71 H2
Binges (21) 86 A6
Binic (22) 33 G3
Bining (57) 50 B1
Biniville (50) 12 D4
Binos (31) 184 A6
Binson-et-Orquigny (51) 45 E2
Bio (46) 139 E6
Biol (38) 131 E5
la Biolle (73) 131 H3
Biollet (63) 126 C1
Bion (50) 37 G5
Bioncourt (57) 48 D4
Bionville (54) 70 D1
Bionville-sur-Nied (57) 49 E1
Biot (06) 195 E4
le Biot (74) 119 F4
Bioule (82) 169 F1
Bioussac (16) 108 D6
Biozat (03) 113 H6
Birac (16) 122 A4
Birac (33) 150 A3
Birac-sur-Trec (47) 150 C3
Biran (32) 167 G4
Biras (24) 137 E1
Biriatou (64) 180 A1
Birieux (01) 130 B1
Birkenwald (67) 50 C5
Biron (17) 121 F4
Biron (24) 151 G2
Biron (64) 165 G6
Biscarrosse (40) 148 B3
Bischheim (67) 51 E5
Bischholtz (67) 50 D3
Bischoffsheim (67) 50 D6
Bischwihr (68) 71 G4
Bischwiller (67) 51 F4
Bisel (68) 89 F4
Bisinchi (2B) 203 F6
Bislée (55) 47 G3
Bissert (67) 49 H2
Bisseuil (51) 45 F2
Bissey-la-Côte (21) 85 F1
Bissey-la-Pierre (21) 84 D1
Bissey-sous-Cruchaud (71) 101 F6
Bissezeele (59) 2 C2
Bissières (14) 39 E1
Bissy-la-Mâconnaise (71) 116 B2
Bissy-sous-Uxelles (71) 116 A1
Bissy-sur-Fley (71) 101 F6
Bisten-en-Lorraine (57) 27 E5
Bistroff (57) 49 F2
Bitche (57) 50 C1
Bitry (58) 82 C5
Bitry (60) 21 G4
Bitschhoffen (67) 50 D3
Bitschwiller-lès-Thann (68) 89 E1
Bivès (32) 168 B3
Biviers (38) 145 G2
Biville (50) 12 B2
Biville-la-Baignarde (76) 17 G3
Biville-la-Rivière (76) 17 F3
Biville-sur-Mer (76) 17 H1
Bivilliers (61) 40 A6
Bizanet (11) 187 H4
Bizanos (64) 182 B2
Bize (52) 86 D1
Bize (65) 183 H4
Bize-Minervois (11) 187 H2
Bizeneuille (03) 112 D3
Biziat (01) 116 C5
Bizonnes (38) 131 E6
le Bizot (25) 104 C2
les Bizots (71) 100 D5
Bizou (61) 61 E1
Bizous (65) 183 H4
Blacé (69) 116 A6
Blacourt (60) 19 H4
Blacqueville (76) 17 F5
Blacy (51) 46 A5
Blacy (89) 84 B4
Blaesheim (67) 50 D6
Blagnac (31) 169 E5
Blagny (08) 24 D2
Blagny-sur-Vingeanne (21) 86 B5
Blaignac (33) 150 A2
Blaignan (33) 134 D1
Blain (44) 74 B3
Blaincourt-lès-Précy (60) 20 C6
Blaincourt-sur-Aube (10) 66 D2
Blainville-Crevon (76) 17 H5
Blainville-sur-l'Eau (54) 49 E6
Blainville-sur-Mer (50) 36 D1
Blainville-sur-Orne (14) 14 C4
Blairville (62) 8 B3
Blaise-sous-Arzillières (51) 46 B5
Blaison-Gohier (49) 77 F5
Blaisy (52) 67 G4
Blaisy-Bas (21) 85 F6
Blaisy-Haut (21) 85 F6
Blajan (31) 184 A2
Blamont (25) 88 C5
Blâmont (54) 49 G6
Blan (81) 170 B6
le Blanc (36) 110 B1
le Blanc-Mesnil (93) 42 D3
Blancafort (18) 81 H4
Blancey (21) 84 D6
Blancfossé (60) 20 B2
Blanche-Église (57) 49 F4
Blanchefosse-et-Bay (08) 23 F1
Blancherupt (67) 71 E1
Blandainville (28) 61 H3
Blandas (30) 172 D3
Blandin (38) 131 E5
Blandouet (53) 59 F5
Blandy (77) 64 B1
Blandy (91) 63 F3
Blangerval-Blangermont (62) 7 F2
Blangy-le-Château (14) 15 F4
Blangy-sous-Poix (80) 20 A1
Blangy-sur-Bresle (76) 6 C5
Blangy-sur-Ternoise (62) 7 F1
Blangy-Tronville (80) 7 H6
Blannay (89) 83 H4
Blanot (21) 100 C2
Blanot (71) 116 A2
Blanquefort (32) 168 B5
Blanquefort (33) 135 E4
Blanquefort-
-sur-Briolance (47) 151 H2
Blanzac (43) 142 C3
Blanzac (87) 110 B5
Blanzac-lès-Matha (17) 121 G2
Blanzac-Porcheresse (16) 122 B5
Blanzaguet-
-Saint-Cybard (16) 122 C5
Blanzat (63) 127 E2
Blanzay (86) 108 D5
Blanzay-sur-Boutonne (17) 107 H6
Blanzée (55) 47 G1
Blanzy (71) 100 D6
Blanzy-la-Salonnaise (08) 23 F4
Blanzy-lès-Fismes (02) 22 C5
Blargies (60) 19 G2
Blarians (25) 87 G5
Blaringhem (59) 2 B4
Blars (46) 153 E2
Blaru (78) 41 F2
Blasimon (33) 136 A6
Blaslay (86) 94 B5
Blassac (43) 141 H3
Blaudeix (23) 111 H5
Blausasc (06) 195 G2
Blauvac (84) 175 G1
Blauzac (30) 174 B2
Blavignac (48) 141 G5
Blavozy (43) 142 D4
Blay (14) 13 G5
Blaye (33) 135 E3
Blaye-les-Mines (81) 170 C1
Blaymont (47) 151 G5
Blaziert (32) 167 G2
Blécourt (52) 67 H2
Blécourt (59) 8 D3
Bleigny-le-Carreau (89) 83 G2
Blémerey (54) 49 G6
Blémerey (88) 69 F2
Blendecques (62) 2 B4
Bléneau (89) 82 C3
Blennes (77) 64 C3
Blénod-
-lès-Pont-à-Mousson (54) 48 C3
Blénod-lès-Toul (54) 48 A6
Bléquin (62) 1 H5
Blérancourt (02) 21 H4
Bléré (37) 79 F6
Bléruais (35) 56 C2
Blésignac (33) 135 G6
Blesle (43) 141 F1
Blesme (51) 46 C5
Blesmes (02) 44 C2
Blessac (23) 125 G1
Blessonville (52) 67 G5
Blessy (62) 2 B5
Blet (18) 98 B4
Bletterans (39) 102 C5
Bleurville (88) 69 E5
Bleury (28) 62 C1
Blevaincourt (88) 68 D4
Blèves (72) 60 C1
le Bleymard (48) 156 C3
Blicourt (60) 20 A3
Blienschwiller (67) 71 F2
Blies-Ébersing (57) 27 H5
Blies-Guersviller (57) 27 H5
Bliesbruck (57) 28 A5
Blieux (04) 177 G2
Blignicourt (10) 66 D2
Bligny (10) 67 E4
Bligny (51) 45 E1
Bligny-le-Sec (21) 85 F5
Bligny-lès-Beaune (21) 101 G3
Bligny-sur-Ouche (21) 101 F2
Blincourt (60) 21 E5
Blingel (62) 7 F1
Blis-et-Born (24) 137 G2
Blismes (58) 100 A2
Blodelsheim (68) 71 G6
Blois (41) 79 H4
Blois-sur-Seille (39) 102 D5
Blomac (11) 187 F3
Blomard (03) 113 F4
Blombay (08) 23 H1
Blond (87) 110 A6
Blondefontaine (70) 87 E1
Blonville-sur-Mer (14) 15 E3
Blosseville (76) 17 E2
Blosville (50) 13 E4
Blot-l'Église (63) 113 F6
Blotzheim (68) 89 G3
Blou (49) 77 H5
Blousson-Sérian (32) 167 E6
la Bloutière (50) 37 F3
Bloye (74) 131 H2
Bluffy (74) 132 B2
Blumeray (52) 67 F2
Blussangeaux (25) 88 B5
Blussans (25) 88 B5
Blye (39) 117 G1
Blyes (01) 130 D2
le Bô (14) 38 C3
Bobigny (93) 42 D3
Bobital (22) 34 C5
le Bocasse (76) 17 G5
Bocé (49) 77 G4
Bocognano (2A) 205 E4
Bocquegney (88) 69 G3
Bocquencé (61) 39 H4
le Bodéo (22) 33 F6
Bodilis (29) 31 G3
Boé (47) 151 F6
Boëcé (61) 60 C1
Boëge (74) 118 D4
Boeil-Bezing (64) 182 C3
Boën (42) 128 D3
Bœrsch (67) 71 F1
Boeschepe (59) 2 D3
Boëseghem (59) 2 C5
Bœsenbiesen (67) 71 G3
Boëssé-le-Sec (72) 60 D4
Boësses (45) 63 G4
Bœurs-en-Othe (89) 65 G4
Boffles (62) 7 F3
Boffres (07) 143 H5
Bogève (74) 118 D4
Bogny-sur-Meuse (08) 11 F6
Bogy (07) 144 A2
Bohain-en-Vermandois (02) 9 F5
Bohal (56) 56 A5
la Bohalle (49) 77 E5
Bohars (29) 30 D4
Bohas-Meyriat-Rignat (01) 117 F5
Boigneville (91) 63 G3
Boigny-sur-Bionne (45) 81 E1
Boinville-en-Mantois (78) 41 H3
Boinville-en-Woëvre (55) 25 G6
Boinville-le-Gaillard (78) 62 D1
Boinvilliers (78) 41 G3
Boiry-Becquerelle (62) 8 B3
Boiry-Notre-Dame (62) 8 C2
Boiry-Saint-Martin (62) 8 B3
Boiry-Sainte-Rictrude (62) 8 B3
Bois (17) 121 E5
le Bois (73) 132 D5
Bois-Anzeray (27) 40 B3
Bois-Arnault (27) 40 B4
Bois-Bernard (62) 8 C1
Bois-Colombes (92) 42 C3
Bois-d'Amont (39) 118 B1
Bois-d'Arcy (78) 42 B4
Bois-d'Arcy (89) 83 G4
Bois-de-Céné (85) 90 D2
Bois-de-Champ (88) 70 C3
Bois-de-Gand (39) 102 C5
Bois-de-la-Pierre (31) 185 E2
Bois-d'Ennebourg (76) 17 H6
le Bois-d'Oingt (69) 129 G2
Bois-Grenier (59) 3 E5
Bois-Guilbert (76) 19 E3
Bois-Guillaume (76) 17 G6
le Bois-Hellain (27) 15 G4
Bois-Héroult (76) 19 E3
Bois-Herpin (91) 63 F2
Bois-Himont (76) 17 E5
Bois-Jérôme-
-Saint-Ouen (27) 41 G1
Bois-le-Roi (27) 41 E4
Bois-le-Roi (77) 64 A1
Bois-lès-Pargny (02) 22 C2
Bois-l'Évêque (76) 17 H6
Bois-Normand-
-près-Lyre (27) 40 B3
le Bois-Plage-en-Ré (17) 106 B4
le Bois-Robert (76) 17 G2
Bois-Sainte-Marie (71) 115 G4
Boisbergues (80) 7 F3
Boisbreteau (16) 135 H1
Boiscommun (45) 63 G5
Boisdinghem (62) 2 A4
Boisdon (77) 44 A5
Boisemont (27) 19 F6
Boisemont (95) 42 B2
Boisgasson (28) 61 G5
Boisgervilly (35) 56 C2
Boisjean (62) 6 D1
le Boisle (80) 7 E2
Boisleux-au-Mont (62) 8 B3
Boisleux-Saint-Marc (62) 8 B3
Boismé (79) 93 E5
Boismont (54) 25 H4
Boismont (80) 6 C3
Boismorand (45) 82 A2
Boisney (27) 40 A1
Boisredon (17) 135 F1
Boisroger (50) 36 D1
Boissay (76) 19 E3
la Boisse (01) 130 B2
Boisse (24) 151 F1
Boisse-Penchot (12) 153 H2
Boisseau (41) 79 H2
Boisseaux (45) 63 E3
Boissède (31) 184 B1
Boissei-la-Lande (61) 39 F5
Boisserolles (79) 107 H5
Boisseron (34) 173 H4
Boisset (15) 139 H6
Boisset (34) 187 G1
Boisset (43) 142 D1
Boisset-et-Gaujac (30) 173 G1
Boisset-lès-Montrond (42) 129 E4
Boisset-les-Prévanches (27) 41 E3
Boisset-Saint-Priest (42) 128 D5
Boissets (78) 41 G4
Boissettes (77) 64 A1
Boisseuil (87) 124 B3
Boisseuilh (24) 138 A1
Boissey (01) 116 C3
Boissey (14) 15 E6
Boissey-le-Châtel (27) 18 B6
Boissezon (81) 170 D6
Boissia (39) 117 H1
la Boissière (14) 15 E5
la Boissière (27) 41 F3
la Boissière (34) 173 E5
la Boissière (39) 117 F3
la Boissière (53) 76 B1
la Boissière-d'Ans (24) 137 H2
la Boissière-
-de-Montaigu (85) 92 A3
la Boissière-
-des-Landes (85) 91 G5
la Boissière-du-Doré (44) 75 F5
la Boissière-École (78) 41 G5
la Boissière-en-Gâtine (79) 107 H1
la Boissière-sur-Èvre (49) 75 G4
Boissières (30) 174 A4
Boissières (46) 152 C2
Boissise-la-Bertrand (77) 63 H1
Boissise-le-Roi (77) 63 H1
Boissy-aux-Cailles (77) 63 H3
Boissy-en-Drouais (28) 41 E5
Boissy-Fresnoy (60) 43 G1
Boissy-la-Rivière (91) 63 F2
Boissy-l'Aillerie (95) 42 B2
Boissy-Lamberville (27) 15 H5
Boissy-le-Bois (60) 19 H6
Boissy-le-Châtel (77) 44 A4
Boissy-le-Cutté (91) 63 F2
Boissy-le-Repos (51) 44 D4
Boissy-le-Sec (91) 63 E1
Boissy-lès-Perche (28) 40 C5
Boissy-Maugis (61) 61 E2
Boissy-Mauvoisin (78) 41 G3
Boissy-Saint-Léger (94) 43 E5
Boissy-sans-Avoir (78) 41 H4
Boissy-sous-Saint-Yon (91) 63 F1
Boistrudan (35) 57 G4
Boisville-la-Saint-Père (28) 62 C3
Boisyvon (50) 37 F4
Boitron (61) 39 G6
Boitron (77) 44 A3
Bolandoz (25) 103 G3
Bolazec (29) 32 B4
Bolbec (76) 15 G1
Bollène (84) 158 B5
la Bollène-Vésubie (06) 179 F1
Bolleville (50) 12 C5
Bolleville (76) 15 H1
Bollezeele (59) 2 B3
Bollwiller (68) 71 F6
Bologne (52) 67 H4
Bolozon (01) 117 F5
Bolquère (66) 199 H4
Bolsenheim (67) 71 G1
Bombon (77) 43 G6
Bommes (33) 149 G2
Bommiers (36) 97 E5
Bompas (09) 185 H6
Bompas (66) 201 F2
Bomy (62) 2 A5
Bon-Encontre (47) 151 F6
Bona (58) 99 F3
Bonac-Irazein (09) 184 C6
Bonas (32) 167 G3
Bonboillon (70) 86 D6
Boncé (28) 62 B3
Bonchamp-lès-Laval (53) 58 D5
Boncourt (02) 23 E3
Boncourt (27) 41 E2
Boncourt (28) 41 F4
Boncourt (54) 48 A1
Boncourt-le-Bois (21) 101 H2
Boncourt-sur-Meuse (55) 47 G4
Bondaroy (45) 63 F4
Bondeval (25) 88 C4
Bondigoux (31) 169 F3
les Bondons (48) 156 B4
Bondoufle (91) 42 D6
Bondues (59) 3 F4
Bondy (93) 43 E3
Bongheat (63) 127 H3
le Bonhomme (68) 71 E4
Bonifacio (2A) 207 F5
Bonlier (60) 20 B4
Bonlieu (39) 117 H1
Bonlieu-sur-Roubion (26) 158 B2
Bonloc (64) 180 D1
Bonnac (09) 185 G4
Bonnac (15) 141 F2
Bonnac-la-Côte (87) 124 B1
Bonnal (25) 87 H4
Bonnard (89) 83 F1
Bonnat (23) 111 G4
Bonnaud (39) 117 F1
Bonnay (25) 87 F6
Bonnay (71) 116 A2
Bonnay (80) 7 H5
Bonne (74) 118 D5
Bonnebosq (14) 15 E4
Bonnecourt (52) 68 C6
Bonnée (45) 81 G2
Bonnefamille (38) 130 C4
Bonnefoi (61) 40 A5
Bonnefond (19) 125 F5
Bonnefont (65) 183 G3
Bonnefontaine (39) 103 E5
Bonnegarde (40) 165 G5
Bonneil (02) 44 B2
Bonnelles (78) 42 B6
Bonnemain (35) 35 E5
Bonnemaison (14) 14 A6
Bonnemazon (65) 183 F4
Bonnencontre (21) 102 A2
Bonnes (16) 136 B2
Bonnes (86) 109 G1
Bonnesvalyn (02) 44 B1
Bonnet (55) 68 B1
Bonnétable (72) 60 C4
Bonnétage (25) 104 C1
Bonnetan (33) 135 F5
Bonneuil (16) 121 H4
Bonneuil (36) 110 C3
Bonneuil-en-France (95) 42 D3
Bonneuil-en-Valois (60) 21 G6
Bonneuil-les-Eaux (60) 20 B2
Bonneuil-Matours (86) 94 D6
Bonneuil-sur-Marne (94) 43 E4
Bonneval (28) 62 A4
Bonneval (43) 142 B1
Bonneval (73) 132 D5
Bonneval-sur-Arc (73) 133 G6
Bonnevaux (25) 103 H5
Bonnevaux (30) 157 E4
Bonnevaux (74) 119 F3
Bonnevaux-le-Prieuré (25) 103 G2
Bonneveau (41) 79 E2
Bonnevent-Velloreille (70) 87 E5
Bonneville (16) 122 A2
la Bonneville (50) 12 D4
Bonneville (74) 118 D5
Bonneville (80) 7 G4
Bonneville-Aptot (27) 18 A6
Bonneville-et-Saint-Avit-
-de-Fumadières (24) 136 B5
Bonneville-la-Louvet (14) 15 G4
la Bonneville-sur-Iton (27) 40 D2
Bonneville-
-sur-Touques (14) 15 E3
Bonnières (60) 20 A4
Bonnières (62) 7 G3
Bonnières-sur-Seine (78) 41 G2
Bonnieux (84) 175 H3
Bonningues-lès-Ardres (62) 1 H3
Bonningues-lès-Calais (62) 1 G3
Bonnoeil (14) 38 C3
Bonnoeuvre (44) 75 F2
Bonnut (64) 165 G5
Bonny-sur-Loire (45) 82 B4
Bono (56) 55 E6
Bonrepos (65) 183 G3
Bonrepos-Riquet (31) 169 G5
Bonrepos-
-sur-Aussonnelle (31) 168 D6
Bons-en-Chablais (74) 118 D4
Bons-Tassilly (14) 38 D2
Bonsecours (76) 18 D4
Bonsmoulins (61) 39 H5
Bonson (06) 195 E1
Bonson (42) 129 E5
Bonvillard (73) 132 C4
Bonvillaret (73) 132 C4
Bonviller (54) 49 E5
Bonvillers (60) 20 C3
Bonvillet (88) 69 F5
Bony (02) 8 D5
Bonzac (33) 135 H4
Bonzée (55) 47 G1
Boô-Silhen (65) 182 D4
Boofzheim (67) 71 H2
Boos (40) 165 E2
Boos (76) 18 D5
Bootzheim (67) 71 G3
Boqueho (22) 33 F4
Bor-et-Bar (12) 153 G6
Boran-sur-Oise (60) 42 D1
Borce (64) 182 A5
Bord-Saint-Georges (23) 112 B4
Bordeaux (33) 135 E5
Bordeaux-en-Gâtinais (45) 63 H5
Bordeaux-Saint-Clair (76) 16 B4
Bordères (64) 182 C3
Bordères-
-et-Lamensans (40) 166 B3
Bordères-Louron (65) 183 G6
Bordères-sur-l'Échez (65) 183 E2
les Bordes (36) 97 E3
les Bordes (45) 81 G2
Bordes (64) 182 C2
Bordes (65) 183 F3
les Bordes (71) 101 H4
les Bordes (89) 65 E5
les Bordes-Aumont (10) 66 B4
Bordes-de-Rivière (31) 184 A4
les Bordes-sur-Arize (09) 185 F4
les Bordes-sur-Lez (09) 184 D6
Bordezac (30) 157 E5
Bords (17) 120 D1
Borée (07) 143 E5
Boresse-et-Martron (17) 136 A1
Borest (60) 43 F1
Borey (70) 87 H3
Borgo (2B) 203 G5
Bormes-
-les-Mimosas (83) 193 H5
le Born (31) 169 F3
le Born (48) 156 B2
Bornambusc (76) 16 C4
Bornay (39) 117 F1
Borne (07) 156 D2
Borne (43) 142 B3
Bornel (60) 42 C1
Boron (90) 88 D3
Borre (59) 2 D4
Borrèze (24) 138 B4

Bors (Canton de Baignes-
-Sainte-Radegonde) (16) 135 H1
Bors (Canton de Montmoreau-
-Saint-Cybard) (16) 136 B1
Bort-les-Orgues (19) 126 B6
Bort-l'Étang (63) 127 H3
Borville (54) 69 H1
le Bosc (09) 185 G5
le Bosc (34) 172 C4
Bosc-Bénard-Commin (27) 18 B5
Bosc-Bénard-Crescy (27) 18 B5
Bosc-Bérenger (76) 17 H4
Bosc-Bordel (76) 19 E3
Bosc-Édeline (76) 19 E3
Bosc-Guérard-
-Saint-Adrien (76) 18 D3
Bosc-Hyons (76) 19 G4
Bosc-le-Hard (76) 17 H4
Bosc-Mesnil (76) 19 E2
le Bosc-Renoult (61) 39 G3
Bosc-Renoult-en-Ouche (27) 40 B3
Bosc-Renoult-
-en-Roumois (27) 18 A5
le Bosc-Roger-
-en-Roumois (27) 18 B5
Bosc-Roger-sur-Buchy (76) 19 E3
Boscamnant (17) 136 A2
Bosdarros (64) 182 B3
Bosgouet (27) 18 B5
Bosguérard-
-de-Marcouville (27) 18 B5
Bosjean (71) 102 B5
Bosmie-l'Aiguille (87) 124 A3
Bosmont-sur-Serre (02) 22 D2
Bosmoreau-les-Mines (23) 125 E1
Bosnormand (27) 18 B5
Bosquel (80) 20 B1
Bosquentin (27) 19 F4
Bosrobert (27) 18 A6
Bosroger (23) 125 H1
Bossancourt (10) 67 E3
Bossay-sur-Claise (37) 95 F5
la Bosse (25) 104 C2
la Bosse (72) 60 D4
la Bosse-de-Bretagne (35) 57 F5
Bossée (37) 95 E2
Bosselshausen (67) 50 D3
Bossendorf (67) 50 D4
Bosset (24) 136 D4
Bosseval-et-Briancourt (08) 24 B1
Bossey (74) 118 C5
Bossieu (38) 130 C6
Bossugan (33) 136 A6
Bossus-lès-Rumigny (08) 10 C6
Bost (03) 114 B5
Bostens (40) 166 B2
Bosville (76) 17 E3
Botans (90) 88 C3
Botmeur (29) 31 H5
Botsorhel (29) 32 B4
les Bottereaux (27) 40 A3
Botz-en-Mauges (49) 75 G4
Bou (45) 81 E1
Bouafle (78) 42 A3
Bouafles (27) 19 E6
Bouan (09) 199 E1
Bouaye (44) 74 C6
Boubers-lès-Hesmond (62) 1 H6
Boubers-sur-Canche (62) 7 F2
Boubiers (60) 19 H6
Bouc-Bel-Air (13) 192 B2
Boucagnères (32) 167 H5
Boucau (64) 164 B5
Boucé (03) 114 A4
Boucé (61) 39 E5
le Bouchage (16) 109 E6
le Bouchage (38) 131 E4
Bouchain (59) 9 E2
Bouchamps-lès-Craon (53) 76 B1
le Bouchaud (03) 114 D4
Bouchavesnes-Bergen (80) 8 C5
Bouchemaine (49) 76 D5
Boucheporn (57) 49 F1
Bouchet (26) 158 B5
le Bouchet (74) 132 C2
le Bouchet-
-Saint-Nicolas (43) 142 B5
Bouchevilliers (27) 19 G4
Bouchoir (80) 21 E1
Bouchon (80) 7 E5
le Bouchon-sur-Saulx (55) 47 E6
les Bouchoux (39) 117 H4
Bouchy-Saint-Genest (51) 44 C6
Boucieu-le-Roi (07) 143 H4
Bouclans (25) 103 H1
Boucoiran-et-Nozières (30) 173 H2
Bouconville (08) 24 B6
Bouconville-sur-Madt (55) 47 H4
Bouconville-Vauclair (02) 22 D4
Bouconvillers (60) 42 A1
Boucq (54) 48 A4
Boudes (63) 127 F6
Boudeville (76) 17 F3
Boudou (82) 168 C1
Boudrac (31) 183 H3
Boudreville (21) 67 F6
Boudy-de-Beauregard (47) 151 F2
Boué (02) 9 G5
Bouée (44) 74 A4
Boueilh-
-Boueilho-Lasque (64) 166 B5
Bouelles (76) 19 F2
Bouër (72) 60 D5
Bouère (53) 77 E1
Bouessay (53) 77 F1
Bouesse (36) 111 F1
Bouëx (16) 122 D4
la Bouëxière (35) 57 G2
Bouffémont (95) 42 C2
Boufféré (85) 91 H2
Bouffignereux (02) 22 D5
Boufflers (80) 7 E2
Bouffry (41) 61 G6
Bougainville (80) 7 E6
Bougarber (64) 182 B1
Bougé-Chambalud (38) 144 B1
Bouges-le-Château (36) 96 C3
Bougey (70) 87 E2
Bougival (78) 42 B4
Bouglainval (28) 41 F6
Bougligny (77) 64 A4
Bouglon (47) 150 B4
Bougneau (17) 121 F4
Bougnon (70) 87 F2
Bougon (79) 108 B3
Bougue (40) 166 B2
Bouguenais (44) 74 C5
Bougy (14) 14 A5
Bougy-lez-Neuville (45) 63 E5
Bouhans (71) 102 B5
Bouhans-et-Feurg (70) 86 C4
Bouhans-lès-Lure (70) 87 H2
Bouhans-
-lès-Montbozon (70) 87 H4
Bouhet (17) 107 E5
Bouhey (21) 101 F1
Bouhy (58) 82 D5
Bouilh-devant (65) 183 F2
Bouilh-Péreuilh (65) 183 F2
Bouilhonnac (11) 187 E3
Bouillac (12) 153 H2
Bouillac (24) 137 G6
Bouillac (82) 168 D3
la Bouilladisse (13) 192 C3
Bouillancourt-en-Séry (80) 6 C5
Bouillancourt-
-la-Bataille (80) 20 D2
Bouillancy (60) 43 G1
Bouilland (21) 101 G2
Bouillargues (30) 174 B3
la Bouille (76) 18 B5
Bouillé-Courdault (85) 107 F3
Bouillé-Loretz (79) 93 F2
Bouillé-Ménard (49) 76 B2
Bouillé-Saint-Paul (79) 93 F3
la Bouillie (22) 34 A4
le Bouillon (61) 39 F6
Bouillon (64) 166 A6
Bouillonville (54) 48 A3
Bouilly (10) 66 A4
Bouilly (51) 45 E1
Bouilly-en-Gâtinais (45) 63 F5
Bouin (79) 108 C5
Bouin (85) 90 C1
Bouin-Plumoison (62) 7 E1
Bouisse (11) 187 E5
Bouix (21) 84 D1
Boujailles (25) 103 G4
Boujan-sur-Libron (34) 188 C2
Boulages (10) 45 E6
Boulaincourt (88) 69 F2
Boulancourt (77) 63 G3
Boulange (57) 26 A3
Boulaur (32) 168 A6
le Boulay (37) 79 E3
Boulay-les-Barres (45) 62 C6
Boulay-les-Ifs (53) 59 G2
le Boulay-Morin (27) 41 E2
Boulay-Moselle (57) 26 D5
la Boulaye (71) 100 C6
Boulazac (24) 137 F2
Boulbon (13) 174 D3
Boulc (26) 159 G1
Boule-d'Amont (66) 200 D3
Bouleternère (66) 200 D3
Bouleurs (77) 43 G4
Bouleuse (51) 22 D6
Bouliac (33) 135 F5
Boulieu-lès-Annonay (07) 143 H2
Bouligneux (01) 116 C6
Bouligney (70) 69 G6
Bouligny (55) 25 H5
Boulin (65) 183 F2
Boullarre (60) 43 H1
Boullay-
-les-Deux-Églises (28) 41 E6
Boullay-les-Troux (91) 42 B5
le Boullay-Mivoye (28) 41 F6
le Boullay-Thierry (28) 41 F6
Boulleret (18) 82 B5
Boulleville (27) 15 G3
Bouloc (31) 169 F4
Bouloc (82) 152 A5
Boulogne (85) 91 H3
Boulogne-Billancourt (92) 42 C4
Boulogne-la-Grasse (60) 21 E3
Boulogne-sur-Gesse (31) 184 A2
Boulogne-sur-Helpe (59) 9 H4
Boulogne-sur-Mer (62) 1 F4
Bouloire (72) 60 D6
Boulon (14) 14 B6
Boulot (70) 87 F6
le Boulou (66) 201 F4
Boult (70) 87 F5
Boult-aux-Bois (08) 24 B4
Boult-sur-Suippe (51) 23 F5
le Boulvé (46) 152 A4
Boulzicourt (08) 24 A2
Boumourt (64) 165 H6
Bouniagues (24) 137 E6
le Boupère (85) 92 B5
Bouquehault (62) 1 G3
Bouquelon (27) 16 D6
Bouquemaison (80) 7 G3
Bouquemont (55) 47 G2
Bouquet (30) 157 F6
Bouquetot (27) 18 B5
Bouqueval (95) 42 D2
Bouranton (10) 66 B3
Bouray-sur-Juine (91) 63 G1
Bourbach-le-Bas (68) 88 D1
Bourbach-le-Haut (68) 88 D1
Bourberain (21) 86 B4
Bourbévelle (70) 69 E6
Bourbon-Lancy (71) 114 C1
Bourbon-l'Archambault (03) 113 F1
Bourbonne-les-Bains (52) 68 D6
la Bourboule (63) 126 C5
Bourbourg (59) 2 A2
Bourbriac (22) 33 E4
Bourcefranc-
-le-Chapus (17) 120 B2
Bourcia (39) 117 F3
Bourcq (08) 24 A5
Bourdainville (76) 17 F4
Bourdalat (40) 166 C3
Bourdeau (73) 131 H3
Bourdeaux (26) 158 D2
Bourdeilles (24) 137 E1
le Bourdeix (24) 123 E4
Bourdelles (33) 150 B2
Bourdenay (10) 65 G3
le Bourdet (79) 107 G4
Bourdettes (64) 182 C3
Bourdic (30) 174 A2
la Bourdinière-
-Saint-Loup (28) 62 A3
Bourdon (80) 7 E5
Bourdonnay (57) 49 G4
Bourdonné (78) 41 G5
Bourdons-sur-Rognon (52) 68 B4
Bourecq (62) 2 C5
Bouresches (02) 44 B2
Bouresse (86) 109 G3
Bouret-sur-Canche (62) 7 G2
Boureuilles (55) 24 C6
Bourg (33) 135 E3
le Bourg (46) 153 F1
Bourg (52) 86 B2
Bourg-Achard (27) 18 B5
Bourg-Archambault (86) 110 A3
Bourg-Argental (42) 143 G1
Bourg-Beaudouin (27) 19 E5
Bourg-Blanc (29) 30 D4
Bourg-Bruche (67) 71 E2
Bourg-Charente (16) 121 H3
Bourg-de-Bigorre (65) 183 F4
Bourg-de-Péage (26) 144 C4
Bourg-de-Sirod (39) 103 F5
Bourg-de-Thizy (69) 115 G6
Bourg-de-Visa (82) 151 H5
Bourg-des-Comptes (35) 57 E4
Bourg-des-Maisons (24) 136 D1
le Bourg-d'Hem (23) 111 F4
le Bourg-d'Iré (49) 76 B2
le Bourg-d'Oisans (38) 146 A3
Bourg-d'Oueil (31) 183 H6
Bourg-du-Bost (24) 136 C1
le Bourg-Dun (76) 17 F2
Bourg-en-Bresse (01) 117 E5
Bourg-et-Comin (02) 22 C5
Bourg-Fidèle (08) 10 D6
Bourg-la-Reine (92) 42 D4
Bourg-Lastic (63) 126 B4
Bourg-le-Comte (71) 115 E4
Bourg-le-Roi (72) 60 A2
Bourg-lès-Valence (26) 144 B5
Bourg-l'Évêque (49) 76 B2
Bourg-Madame (66) 199 G4
Bourg-Saint-Andéol (07) 158 A4
Bourg-Saint-Bernard (31) 169 H5
Bourg-
-Saint-Christophe (01) 130 C2
le Bourg-Saint-Léonard (61) 39 F4
Bourg-Saint-Maurice (73) 133 F4
Bourg-Sainte-Marie (52) 68 C4
Bourg-sous-Châtelet (90) 88 D2
Bourgaltroff (57) 49 G3
Bourganeuf (23) 125 E1
Bourgbarré (35) 57 F4
Bourgeauville (14) 15 E4
Bourges (18) 97 G3
le Bourget (93) 42 D3
le Bourget-du-Lac (73) 131 H4
Bourget-en-Huile (73) 132 B5
Bourgheim (67) 71 G1
Bourghelles (59) 3 G5
Bourgnac (24) 136 D4
Bourgneuf (17) 106 D4
Bourgneuf (73) 132 B5
Bourgneuf-en-Mauges (49) 75 H4
Bourgneuf-en-Retz (44) 90 D1
le Bourgneuf-la-Forêt (53) 58 B4
Bourgogne (51) 23 E5
Bourgoin-Jallieu (38) 130 D4
Bourgon (53) 58 B4
la Bourgonce (88) 70 C2
Bourgougnague (47) 150 D2
Bourgtheroulde-
-Infreville (27) 18 B5
Bourguébus (14) 38 D1
Bourgueil (37) 78 A6
Bourguenolles (50) 35 H2
le Bourguet (83) 177 H3
Bourguignon (25) 88 C5
Bourguignon-
-lès-Conflans (70) 87 G1
Bourguignon-
-lès-la-Charité (70) 87 F4
Bourguignon-lès-Morey (70) 86 D2
Bourguignon-
-sous-Coucy (02) 21 H3
Bourguignon-
-sous-Montbavin (02) 22 B3
Bourguignons (10) 66 C5
Bourgvilain (71) 116 A3
Bourideys (33) 149 G4
Bouriège (11) 186 D5
Bourigeole (11) 186 C5
Bourisp (65) 183 G6
Bourlens (47) 151 H4
Bourlon (62) 8 D3
Bourmont (52) 68 C4
Bournainville-
-Faverolles (27) 15 G5
Bournan (37) 95 E3
Bournand (86) 94 A2
Bournazel (12) 154 A3
Bournazel (81) 170 B1
Bourneau (85) 107 F1
Bournel (47) 151 F2
Bourneville (27) 15 H3
Bournezeau (85) 92 A6
Bourniquel (24) 137 F6
Bournois (25) 88 A4
Bournoncle-
-Saint-Pierre (43) 141 G1
Bournonville (62) 1 G4
Bournos (64) 166 A6
Bourogne (90) 88 D3
Bourran (47) 150 D4
Bourré (41) 79 H6
Bourréac (65) 183 E4
Bourret (82) 168 D2
Bourriot-Bergonce (40) 149 H6
Bourron-Marlotte (77) 64 A3
Bourrou (24) 137 E4
Bourrouillan (32) 166 D3
Bours (62) 7 G1
Bours (65) 183 E2
Boursault (51) 45 E2
Boursay (41) 61 F5
Bourscheid (57) 50 B4
Bourseul (22) 34 B5
Bourseville (80) 6 B4
Boursières (70) 87 F3
Boursies (59) 8 C4
Boursin (62) 1 G4
Boursonne (60) 21 G6
Bourth (27) 40 B4
Bourthes (62) 1 G5
Bourville (76) 17 F3
Boury-en-Vexin (60) 19 G6
Bousbach (57) 27 G5
Bousbecque (59) 3 F4
le Bouscat (33) 135 E5
Bousies (59) 9 G3
Bousignies (59) 9 E1
Bousignies-sur-Roc (59) 10 B2
le Bousquet (11) 200 A2
le Bousquet-d'Orb (34) 172 B5
Boussac (12) 154 B5
Boussac (23) 112 A3
la Boussac (35) 35 F5
Boussac (46) 153 F2
Boussac-Bourg (23) 112 A3
Boussais (79) 93 F4
Boussan (31) 184 C3
Boussay (37) 95 F5
Boussay (44) 92 A2
Bousse (57) 26 C4
Bousse (72) 77 H2
Bousselange (21) 102 B3
Boussenac (09) 185 F6
Boussenois (21) 86 A3
Boussens (31) 184 C3
Bousseraucourt (70) 69 E6
Boussès (47) 150 B6
Bousseviller (57) 28 B5
Boussey (21) 85 E6
Boussicourt (80) 20 D2
Boussières (25) 103 F2
Boussières-
-en-Cambrésis (59) 9 E3
Boussières-sur-Sambre (59) 9 H3
Boussois (59) 10 A2
Boussy (74) 131 H2
Boussy-Saint-Antoine (91) 43 E5
Boust (57) 26 B2
Boustroff (57) 49 F2
Bout-du-Pont-de-Larn (81) 170 D6
Boutancourt (08) 24 B2
Boutavent (60) 19 G2
la Bouteille (02) 10 A6
Bouteilles-
-Saint-Sébastien (24) 136 C1
Boutenac (11) 187 H4
Boutenac-Touvent (17) 120 D5
Boutencourt (60) 19 H5
Boutervilliers (91) 63 E2
Bouteville (16) 121 H4
Boutiers-Saint-Trojan (16) 121 G3
Boutigny (77) 43 G3
Boutigny-Prouais (28) 41 G5
Boutigny-sur-Essonne (91) 63 G2
Bouttencourt (80) 6 C5
Boutteville (50) 13 E4
Boutx (31) 184 B6
Bouvaincourt-sur-Bresle (80) 6 B5
Bouvancourt (51) 22 D5
Bouvante (26) 144 D4
Bouvelinghem (62) 1 H4
Bouvellemont (08) 24 A3
Bouverans (25) 103 H4
Bouvesse-Quirieu (38) 131 E3
Bouvières (26) 158 D3
Bouvignies (59) 9 E1
Bouvigny-Boyeffles (62) 8 A1
Bouville (28) 62 A3
Bouville (76) 17 F5
Bouville (91) 63 F2
Bouvincourt-
-en-Vermandois (80) 8 C6
Bouvines (59) 3 G5
Bouvresse (60) 19 G2
Bouvron (44) 74 B3
Bouvron (54) 48 B4
Boux-sous-Salmaise (21) 85 E5
Bouxières-aux-Bois (88) 69 G3
Bouxières-aux-Chênes (54) 48 D4
Bouxières-aux-Dames (54) 48 C4
Bouxières-
-sous-Froidmont (54) 48 C3
Bouxurulles (88) 69 G2
Bouxwiller (67) 50 C3
Bouxwiller (68) 89 F4
Bouy (51) 45 H2
Bouy-Luxembourg (10) 66 C2
Bouy-sur-Orvin (10) 65 F2
Bouyon (06) 195 E2
le Bouyssou (46) 153 G1
Bouzais (18) 97 H6
Bouzancourt (52) 67 G3
Bouzanville (54) 69 F2
Bouze-lès-Beaune (21) 101 G3
Bouzel (63) 127 G3
Bouzemont (88) 69 G3
Bouzeron (71) 101 F4
Bouzic (24) 152 B1
Bouziès (46) 153 E3
Bouzigues (34) 189 F1
Bouzillé (49) 75 F4
Bouzin (31) 184 C3
Bouzincourt (80) 8 A5
Bouzon-Gellenave (32) 166 D4
Bouzonville (57) 27 E4
Bouzonville-aux-Bois (45) 63 F5
Bouzy (51) 45 G2
Bouzy-la-Forêt (45) 81 G1
Bovée-sur-Barboure (55) 47 G5
Bovel (35) 56 D4
Bovelles (80) 7 F6
Boves (80) 7 G6
Boviolles (55) 47 G5
Boyaval (62) 2 B6
Boyelles (62) 8 B3
Boyer (42) 115 F6
Boyer (71) 116 B1
Boyeux-Saint-Jérôme (01) 117 F6
Boynes (45) 63 G5
Boz (01) 116 C3
Bozas (07) 143 H4
Bozel (73) 133 E5
Bozouls (12) 154 D3
Brabant-en-Argonne (55) 47 E1
Brabant-le-Roi (55) 46 D4
Brabant-sur-Meuse (55) 25 E6
Brach (33) 134 C3
Brachay (52) 67 G2
Braches (80) 20 D2
Brachy (76) 17 F3
Bracieux (41) 80 B4
Bracon (39) 103 F4
Bracquemont (76) 17 G2
Bracquetuit (76) 17 H4
Bradiancourt (76) 19 E2
Braffais (50) 37 E4
Bragassargues (30) 173 G2
Bragayrac (31) 168 C6
Brageac (15) 139 H2
Bragelogne-Beauvoir (10) 66 C6
Bragny-sur-Saône (71) 101 H4
Braillans (25) 87 F6
Brailly-Cornehotte (80) 7 E3
Brain (21) 84 D5
Brain-sur-Allonnes (49) 77 H6
Brain-sur-l'Authion (49) 77 E5
Brain-sur-Longuenée (49) 76 C3
Brainans (39) 102 D4
Braine (02) 22 B5
Brains (44) 74 C5
Brains-sur-Gée (72) 59 H5
Brains-sur-les-Marches (53) 58 A6
Brainville (50) 36 D1
Brainville (54) 48 A1
Brainville-sur-Meuse (52) 68 C4
Braisnes (60) 21 F4
Braize (03) 98 A6
Bralleville (54) 69 G2
Bram (11) 186 C3
Bramans (73) 147 F2
Brametot (76) 17 F3
Bramevaque (65) 184 A5
Bran (17) 121 G6
Branceilles (19) 138 D4
Branches (89) 83 F1
Brancourt-en-Laonnois (02) 22 B4
Brancourt-le-Grand (02) 9 E5
Brandérion (56) 54 D5
Brandeville (55) 25 E4
Brandivy (56) 55 F5
Brando (2B) 203 G3
Brandon (71) 115 H3
Brandonnet (12) 153 H4
Brandonvillers (51) 46 A6
Branges (71) 102 A6
Brangues (38) 131 F3
Brannay (89) 64 D4
Branne (25) 88 A5
Branne (33) 135 H5
Brannens (33) 150 A2
Branoux-les-Taillades (30) 156 D5
Brans (39) 102 D1
Bransat (03) 113 H4
Branscourt (51) 22 D6
Bransles (77) 64 B4
Brantes (84) 159 E6
Brantigny (88) 69 G2
Brantôme (24) 137 F1
Branville (14) 15 E4
Branville-Hague (50) 12 B1
Braquis (55) 47 H1
Bras (83) 176 D6
Bras-d'Asse (04) 177 E2
Bras-sur-Meuse (55) 25 E6
Brasc (12) 171 E2
Brasles (02) 44 B2
Braslou (37) 94 C3
Brasparts (29) 31 H6
Brassac (09) 185 G5
Brassac (81) 171 E5
Brassac (82) 151 H5
Brassac-les-Mines (63) 127 G6
Brassempouy (40) 165 G5
Brasseuse (60) 21 E6
Brassy (58) 100 A1
Brassy (80) 20 A2
Bratte (54) 48 D4
Braud-et-Saint-Louis (33) 135 E1
Brauvilliers (55) 47 E6
Braux (04) 178 A1
Braux (10) 66 D1
Braux (21) 84 D5
Braux-le-Châtel (52) 67 G5
Braux-Saint-Remy (51) 46 C2
Braux-Sainte-Cohière (51) 46 C2
Brax (31) 168 D5
Brax (47) 151 E5
Bray (27) 40 C1
Bray (71) 116 A2
Bray-Dunes (59) 2 C1
Bray-en-Val (45) 81 G2
Bray-et-Lû (95) 41 G1
Bray-lès-Mareuil (80) 6 D4
Bray-Saint-Christophe (02) 21 H1
Bray-sur-Seine (77) 64 D2
Bray-sur-Somme (80) 8 B5
Braye (02) 22 A4
Braye-en-Laonnois (02) 22 C4
Braye-en-Thiérache (02) 23 E1
Braye-sous-Faye (37) 94 C3
Braye-sur-Maulne (37) 78 B4
Brazey-en-Morvan (21) 100 D2
Brazey-en-Plaine (21) 102 B2
Bréal-sous-Montfort (35) 56 D3
Bréal-sous-Vitré (35) 58 B4
Bréançon (95) 42 B1
Bréau (77) 64 B1
Bréau-et-Salagosse (30) 172 D2
Bréauté (76) 16 C4
Bréban (51) 45 H6
Brebières (62) 8 C2
Brebotte (90) 88 D3
Brécé (35) 57 G3
Brecé (53) 58 C2
Brécey (50) 37 F4
Brech (56) 55 E6
Brechainville (88) 68 B2
Bréchamps (28) 41 F5
Bréchaumont (68) 89 E2
Brèches (37) 78 C4
Breconchaux (25) 87 H6
Brectouville (50) 37 G2
Brécy (02) 44 B1
Brécy (18) 98 A2
Brécy-Brières (08) 24 B5
la Brède (33) 149 F1
Brée (53) 59 E4
la Brée-les-Bains (17) 106 B6
Bréel (61) 38 C4
Brégnier-Cordon (01) 131 F4
Brégy (60) 43 G2
Bréhain (57) 49 E3
Bréhain-la-Ville (54) 26 A2
Bréhal (50) 35 G1
Bréhan (56) 55 G3
Bréhand (22) 33 H5
Bréhémont (37) 78 B6
Bréhéville (55) 25 E5
Breidenbach (57) 28 B5
Breil (49) 78 A4
le Breil-sur-Mérize (72) 60 C5
Breil-sur-Roya (06) 179 G2
la Breille-les-Pins (49) 77 H6
Breilly (80) 7 F5
Breistroff-la-Grande (57) 26 C2
Breitenau (67) 71 F2
Breitenbach (67) 71 F2
Breitenbach-Haut-Rhin (68) 71 E5
Brélès (29) 30 C4
Brélidy (22) 33 E3
Brem-sur-Mer (85) 90 D5
Bréménil (54) 49 H6
Brêmes (62) 1 H3
Brémoncourt (54) 69 H1
Bremondans (25) 104 A1
Brémontier-Merval (76) 19 F4
Brémoy (14) 37 H2
Brémur-et-Vaurois (21) 85 E2
Bren (26) 144 B3
Brenac (11) 186 C6
Brenas (34) 172 B5
Brenat (63) 127 G5
Brénaz (01) 131 G1
Brenelle (02) 22 B5
Brengues (46) 153 F2
Brennes (52) 86 A2
Brennilis (29) 31 H5
Brénod (01) 117 G6
Brenon (83) 177 H3
Brenouille (60) 20 D5
Brenoux (48) 156 A3
Brens (01) 131 G3
Brens (81) 170 A3
Brenthonne (74) 118 D4
Breny (02) 44 B1
la Bréole (04) 160 D3
Brères (25) 103 F2
Bréry (39) 102 D5
Bresdon (17) 121 H2
les Bréseux (25) 88 C6
Bresilley (70) 102 D1
Bresle (80) 7 H5
Bresles (60) 20 B4
Bresnay (03) 113 H3
Bresolettes (61) 40 A6
la Bresse (88) 70 C5
Bresse-sur-Grosne (71) 116 A1
Bressey-sur-Tille (21) 86 A6
Bressieux (38) 144 D1
Bressolles (01) 130 C2
Bressolles (03) 113 H2
Bressols (82) 169 E2
Bresson (38) 145 G3
Bressuire (79) 93 E4
Brest (29) 30 D4

Brestot (27) 18 A5
Bretagne (36) 96 C3
Bretagne (90) 88 D3
Bretagne-d'Armagnac (32) 167 E2
Bretagne-de-Marsan (40) 166 A3
Bretagnolles (27) 41 F3
Breteau (45) 82 B3
Breteil (35) 56 D2
Bretenière (21) 102 A1
la Bretenière (25) 87 H5
la Bretenière (39) 102 D2
Bretenières (39) 102 D4
Bretenoux (46) 139 E5
Breteuil (27) 40 C4
Breteuil (60) 20 C2
Brethel (61) 40 A5
Brethenay (52) 67 H4
le Brethon (03) 112 D1
Bretigney (25) 88 B4
Bretigney-Notre-Dame (25) 87 H6
Bretignolles (79) 92 D4
Bretignolles-sur-Mer (85) 90 D4
Bretigny (21) 85 H5
Brétigny (27) 18 A6
Brétigny (60) 21 G3
Brétigny-sur-Orge (91) 42 C6
Bretoncelles (61) 61 F2
la Bretonnière-la-Claye (85) 91 H6
Bretonvillers (25) 104 C1
Brette (26) 159 E2
Brette-les-Pins (72) 60 B6
Bretten (68) 89 E2
Brettes (16) 108 C6
Bretteville (50) 12 D2
Bretteville-
-du-Grand-Caux (76) 16 C4
Bretteville-le-Rabet (14) 38 D2
Bretteville-
-l'Orgueilleuse (14) 14 B4
Bretteville-
-Saint-Laurent (76) 17 F3
Bretteville-sur-Ay (50) 12 C5
Bretteville-sur-Dives (14) 39 E2
Bretteville-sur-Laize (14) 14 C6
Bretteville-sur-Odon (14) 14 B5
Brettnach (57) 27 E4
Bretx (31) 168 D4
Breuches (70) 87 H1
Breuchotte (70) 88 A1
Breugnon (58) 83 F5
le Breuil (03) 114 B5
Breuil (51) 22 D5
le Breuil (51) 44 D3
le Breuil (69) 129 G2
le Breuil (71) 101 E5
Breuil (80) 21 G2
Breuil-Barret (85) 92 D6
le Breuil-Bernard (79) 93 E5
Breuil-Bois-Robert (78) 41 H3
le Breuil-en-Auge (14) 15 F4
le Breuil-en-Bessin (14) 13 G5
Breuil-la-Réorte (17) 107 F5
Breuil-le-Sec (60) 20 D5
Breuil-le-Vert (60) 20 D5
Breuil-Magné (17) 106 D6
le Breuil-sous-Argenton (79) 93 E3
le Breuil-sur-Couze (63) 127 G6
Breuilaufa (87) 110 B6
Breuilh (24) 137 F3
Breuillet (17) 120 C3
Breuillet (91) 42 C6
Breuilpont (27) 41 F3
Breurey-lès-Faverney (70) 87 G2
Breuschwickersheim (67) 50 D5
Breuvannes-
-en-Bassigny (52) 68 C5
Breuvery-sur-Coole (51) 45 H4
Breuville (50) 12 C3
Breux (55) 25 E3
Breux-Jouy (91) 63 F1
Breux-sur-Avre (27) 40 D4
Brévainville (41) 61 H6
Bréval (78) 41 G3
Brévands (50) 13 E5
Brevans (39) 102 C2
le Brévedent (14) 15 F4
Brèves (58) 83 G5
les Bréviaires (78) 41 H5
Bréviandes (10) 66 B3
la Brévière (14) 39 F2
Bréville (16) 121 H2
Bréville-les-Monts (14) 14 C4
Bréville-sur-Mer (50) 35 G2
Brévillers (62) 7 E2
Brévillers (80) 7 G3
Brevilliers (70) 88 C3
Brévilly (08) 24 D2
Brévonnes (10) 66 D2
Bréxent-Énocq (62) 1 F6
Brey-
-et-Maison-du-Bois (25) 103 H5
Brézé (49) 93 H1
Bréziers (05) 160 C3
Brézilhac (11) 186 C4
Brézins (38) 144 D1
Brezolles (28) 40 D5
Brezons (15) 140 D4
Briançon (05) 147 E5
Briançonnet (06) 178 B2
Brianny (21) 84 D5
Briant (71) 115 F4
Briantes (36) 111 H2
Briare (45) 82 A3
Briarres-sur-Essonne (45) 63 G4
Brias (62) 7 G1
Briastre (59) 9 F3
Briatexte (81) 170 A4
Briaucourt (52) 68 A4
Briaucourt (70) 87 G1
Bricon (52) 67 G5
Briconville (28) 62 A1
Bricquebec (50) 12 C3
Bricquebosq (50) 12 B3
Bricqueville (14) 13 G5
Bricqueville-la-Blouette (50) 36 D1
Bricqueville-sur-Mer (50) 35 G1
Bricy (45) 62 C6
Brides-les-Bains (73) 132 D5
la Bridoire (73) 131 G5
Bridoré (37) 95 G3
Brie (02) 22 B3
Brie (09) 185 G3
Brie (16) 122 C3
Brie (35) 57 F4
Brie (79) 93 H4
Brie (80) 8 C6
Brie-Comte-Robert (77) 43 E5
Brié-et-Angonnes (38) 145 G3
Brie-sous-Archiac (17) 121 G5
Brie-sous-Barbezieux (16) 122 A6
Brie-sous-Chalais (16) 136 A1
Brie-sous-Matha (17) 121 H2
Brie-sous-Mortagne (17) 120 D5
Briec (29) 53 G2
Briel-sur-Barse (10) 66 C4
Brielles (35) 58 A5
Brienne (71) 116 C1
Brienne-la-Vieille (10) 66 D2
Brienne-le-Château (10) 66 D2
Brienne-sur-Aisne (08) 23 E4
Briennon (42) 115 E5
Brienon-sur-Armançon (89) 65 G6
Brières-les-Scellés (91) 63 F2
Brieuil-sur-Chizé (79) 108 A5
Brieulles-sur-Bar (08) 24 B4
Brieulles-sur-Meuse (55) 24 D5
Brieux (61) 39 E4
Briey (54) 26 A4
Briffons (63) 126 C4
Brignac (34) 172 D5
Brignac (56) 56 A2
Brignac-la-Plaine (19) 138 B2
Brignais (69) 129 H4
Brignancourt (95) 42 A1
Brigné (49) 93 F1
Brignemont (31) 168 C4
Brignogan-Plage (29) 31 F2
Brignoles (83) 193 F2
Brignon (30) 174 A2
le Brignon (43) 142 C5
la Brigue (06) 163 F6
Brigueil-le-Chantre (86) 110 B3
Brigueuil (16) 123 G1
Briis-sous-Forges (91) 42 B6
Brillac (16) 109 H6
la Brillanne (04) 176 D2
Brillecourt (10) 66 C1
Brillevast (50) 12 D2
Brillon (59) 9 E1
Brillon-en-Barrois (55) 47 E5
Brimeux (62) 6 D1
Brimont (51) 23 E5
Brin-sur-Seille (54) 48 D4
Brinay (18) 97 F2
Brinay (58) 99 H3
Brinckheim (68) 89 G3
Brindas (69) 129 H3
Bringolo (22) 33 F4
Brinon-sur-Beuvron (58) 99 F1
Brinon-sur-Sauldre (18) 81 F4
Briod (39) 102 D6
Briollay (49) 77 E3
Brion (01) 117 G5
Brion (36) 96 C4
Brion (38) 144 D1
Brion (48) 155 F1
Brion (49) 77 G5
Brion (71) 100 C4
Brion (86) 109 F3
Brion (89) 65 F6
Brion-près-Thouet (79) 93 G2
Brion-sur-Ource (21) 85 E1
la Brionne (23) 111 F5
Brionne (27) 18 A6
Briord (01) 131 E3
Briosne-lès-Sables (72) 60 C4
Briot (60) 19 H2
Briou (41) 80 A2
Brioude (43) 141 G2
Brioux-sur-Boutonne (79) 108 A5
Briouze (61) 38 C5
Briquemesnil-Floxicourt (80) 7 F6
Briquenay (08) 24 B4
Briscous (64) 164 C6
Brison-Saint-Innocent (73) 131 H3
Brissac (34) 173 E3
Brissac-Quincé (49) 77 E5
Brissarthe (49) 77 E2
Brissay-Choigny (02) 22 A2
Brissy-Hamégicourt (02) 22 A1
Brive-la-Gaillarde (19) 138 C3
Brives (36) 97 E5
Brives-Charensac (43) 142 C4
Brives-sur-Charente (17) 121 F3
Brivezac (19) 139 E4
Brix (50) 12 C2
Brixey-aux-Chanoines (55) 68 D1
Brizambourg (17) 121 F2
Brizay (37) 94 C2
Brizeaux (55) 46 D2
Brizon (74) 119 E6
le Broc (06) 195 E2
Broc (49) 78 A4
le Broc (63) 127 G5
Brocas (40) 166 A1
Brochon (21) 101 H1
Brocourt (80) 6 D6
Brocourt-en-Argonne (55) 47 E1
Broglie (27) 15 H6
Brognard (25) 88 C4
Brognon (08) 10 C5
Brognon (21) 86 A5
Broin (21) 102 A2
Broindon (21) 101 H1
Broissia (39) 117 F3
Brombos (60) 19 H2
Bromeilles (45) 63 H4
Brommat (12) 140 C6
Bromont-Lamothe (63) 126 D2
Bron (69) 130 B3
Bronvaux (57) 26 B5
Broons (22) 34 B6
la Broque (67) 71 E1
Broquiers (60) 19 H2
Broquiès (12) 171 F2
Brossac (16) 136 A1
Brossainc (07) 143 H1
Brossay (49) 93 G1
la Brosse-Montceaux (77) 64 C3
Brosses (89) 83 G4
Brosville (27) 40 D1
Brotte-lès-Luxeuil (70) 87 H2
Brotte-lès-Ray (70) 86 D3
Brou (28) 61 G4
Brou-sur-Chantereine (77) 43 E4
Brouains (50) 37 G4
Broualan (35) 35 F5
Brouay (14) 14 A4
Brouchaud (24) 137 H2
Brouchy (80) 21 G2
Brouck (57) 49 E1
Brouckerque (59) 2 B2
Brouderdorff (57) 50 A5
Broué (28) 41 F5
Brouennes (55) 25 E3
le Brouilh-Monbert (32) 167 G4
Brouilla (66) 201 F3
Brouillet (51) 22 D6
Brouqueyran (33) 149 H3
la Brousse (17) 121 G1
Brousse (23) 126 B1
Brousse (63) 127 H4
Brousse (81) 170 B4
Brousse-le-Château (12) 171 F2
Brousses-et-Villaret (11) 186 D2
Brousseval (52) 67 G1
Broussey-en-Blois (55) 47 G5
Broussey-Raulecourt (55) 47 H4
Broussy-le-Grand (51) 45 E4
Broussy-le-Petit (51) 45 E4
Broût-Vernet (03) 113 H5
Brouvelieures (88) 70 B3
Brouville (54) 70 B1
Brouviller (57) 50 A4
Brouy (91) 63 F3
Brouzet-lès-Alès (30) 157 F6
Brouzet-lès-Quissac (30) 173 G3
les Brouzils (85) 91 H2
Broxeele (59) 2 B3
Broye (71) 100 D4
Broye-Aubigney-
-Montseugny (70) 86 C6
Broye-les-Loups-
-et-Verfontaine (70) 86 B5
Broyes (51) 44 D5
Broyes (60) 20 D3
Broze (81) 170 A2
Brû (88) 70 B2
Bruailles (71) 117 E1
Bruay-la-Buissière (62) 2 C6
Bruay-sur-l'Escaut (59) 9 F1
Bruc-sur-Aff (35) 56 C5
Brucamps (80) 7 E4
Bruch (47) 150 D5
Brucheville (50) 13 E4
Brucourt (14) 14 D4
Brue-Auriac (83) 193 E1
Bruebach (68) 89 F2
Brueil-en-Vexin (78) 41 H2
Bruère-Allichamps (18) 97 H5
la Bruère-sur-Loir (72) 78 B3
la Bruffière (85) 92 A3
Brugairolles (11) 186 C4
le Brugeron (63) 128 B3
Bruges (33) 135 E5
Bruges-Capbis-Mifaget (64) 182 C3
Brugheas (03) 114 A6
Brugnac (47) 151 E3
Brugnens (32) 168 A3
Brugny-Vaudancourt (51) 45 E2
la Bruguière (30) 174 B1
Bruguières (31) 169 F4
Bruille-lez-Marchiennes (59) 9 E2
Bruille-Saint-Amand (59) 4 B6
Bruis (05) 159 F3
Brûlain (79) 108 A4
les Brulais (35) 56 C4
Brulange (57) 49 E2
la Brûlatte (53) 58 B4
Bruley (54) 48 A5
Brullemail (61) 39 G5
Brullioles (69) 129 G3
Brûlon (72) 59 G6
Brumath (67) 51 E4
Brumetz (02) 44 A2
Brunehamel (02) 23 F1
Brunelles (28) 61 F3
les Brunels (11) 186 C1
Brunembert (62) 1 G4
Brunémont (59) 8 D2
Brunet (04) 177 E2
Bruniquel (82) 169 G1
Brunoy (91) 43 E5
Brunstatt (68) 89 F2
Brunville (76) 17 H1
Brunvillers-la-Motte (60) 20 D3
Brusque (12) 171 H4
le Brusquet (04) 160 D6
Brussey (70) 87 E6
Brussieu (69) 129 G3
Brusson (51) 46 B5
Brusvily (22) 34 C6
Brutelles (80) 6 B4
Bruville (54) 26 A5
Brux (86) 108 D4
la Bruyère (70) 88 A1
Bruyères (88) 70 B3
Bruyères-
-et-Montbérault (02) 22 C3
Bruyères-le-Châtel (91) 42 C6
Bruyères-sur-Fère (02) 44 B1
Bruyères-sur-Oise (95) 42 D1
Bruys (02) 22 B6
Bruz (35) 57 E3
Bry (59) 9 G2
Bry-sur-Marne (94) 43 E4
Bû (28) 41 F4
le Bû-sur-Rouvres (14) 38 D2
Buais (50) 37 G6
Buanes (40) 166 A4
Bubertré (61) 40 A6
Bubry (56) 54 D3
Buc (78) 42 B4
Buc (90) 88 C3
Bucamps (60) 20 C3
Bucéels (14) 14 A4
Bucey-en-Othe (10) 65 H3
Bucey-lès-Gy (70) 87 E5
Bucey-lès-Traves (70) 87 F3
Buchelay (78) 41 G3
Buchères (10) 66 B4
Buchy (57) 48 D2
Buchy (76) 19 E3
Bucilly (02) 10 B6
Bucquoy (62) 8 A4
Bucy-le-Long (02) 22 A5
Bucy-le-Roi (45) 62 D5
Bucy-lès-Cerny (02) 22 B3
Bucy-lès-Pierrepont (02) 22 D2
Bucy-Saint-Liphard (45) 62 C6
Budelière (23) 112 C5
Buding (57) 26 C3
Budling (57) 26 C3
Budos (33) 149 G2
Bué (18) 82 B6
Bueil (27) 41 F3
Bueil-en-Touraine (37) 78 D3
Buellas (01) 116 D5
Buethwiller (68) 89 E3
Buffard (25) 103 E3
Buffières (71) 115 H3
Buffignécourt (70) 87 F1
Buffon (21) 84 C3
Bugarach (11) 187 E6
Bugard (65) 183 G2
Bugeat (19) 125 F4
Bugnein (64) 181 G1
Bugnicourt (59) 8 D2
Bugnières (52) 67 H6
Bugny (25) 104 A3
le Bugue (24) 137 G5
Buhl (67) 51 F2
Buhl (68) 71 E6
Buhl-Lorraine (57) 50 A4
Buhy (95) 41 H1
Buicourt (60) 19 H3
Buigny-l'Abbé (80) 7 E4
Buigny-lès-Gamaches (80) 6 C5
Buigny-Saint-Maclou (80) 6 D3
Buire (02) 10 B6
Buire-au-Bois (62) 7 F2
Buire-Courcelles (80) 8 C6
Buire-le-Sec (62) 6 D1
Buire-sur-l'Ancre (80) 8 A5
Buironfosse (02) 9 H5
le Buis (87) 110 C6
Buis-les-Baronnies (26) 159 E5
Buis-sur-Damville (27) 40 D4
Buissard (05) 160 C1
la Buisse (38) 145 F1
la Buissière (38) 132 A6
le Buisson (48) 155 G2
le Buisson (51) 46 C4
Buisson (84) 158 C5
le Buisson-
-de-Cadouin (24) 137 G5
Buissoncourt (54) 48 D5
Buissy (62) 8 C3
Bujaleuf (87) 124 D3
Bulan (65) 183 F4
Bulat-Pestivien (22) 32 D5
Bulcy (58) 98 D1
Buléon (56) 55 G4
Bulgnéville (88) 69 E4
Bulhon (63) 127 G2
Bullainville (28) 62 B4
Bulle (25) 103 H4
Bullecourt (62) 8 C3
Bulles (60) 20 C4
Bulligny (54) 48 A6
Bullion (78) 42 B6
Bullou (28) 61 H3
Bully (42) 128 D2
Bully (69) 129 G2
Bully (76) 19 E2
Bully-les-Mines (62) 8 B1
Bulson (08) 24 C2
Bult (88) 70 B3
Bun (65) 182 D5
Buncey (21) 85 E2
Buneville (62) 7 G2
Buno-Bonnevaux (91) 63 G2
Bunus (64) 181 E2
Bunzac (16) 122 D3
Buoux (84) 175 H3
Burbach (67) 50 A3
la Burbanche (01) 131 F2
Burbure (62) 2 C6
Burcin (38) 131 E6
Burcy (14) 37 H3
Burcy (77) 63 H4
Burdignes (42) 143 G2
Burdignin (74) 118 D4
Bure (55) 68 B1
Buré (61) 60 C1
Bure-les-Templiers (21) 85 G2
Burelles (02) 22 D1
Bures (54) 49 F5
Bures (61) 39 G6
Bures-en-Bray (76) 19 E1
Bures-les-Monts (14) 37 G2
Bures-sur-Yvette (91) 42 C5
le Buret (53) 59 E6
Burey (27) 40 C2
Burey-en-Vaux (55) 47 H6
Burey-la-Côte (55) 68 D1
Burg (65) 183 G3
Burgalays (31) 184 A6
Burgaronne (64) 181 G1
le Burgaud (31) 168 D3
Burgille (25) 87 E6
Burgnac (87) 124 A3
Burgy (71) 116 B2
Burie (17) 121 G2
Buriville (54) 49 G6
Burlats (81) 170 D5
Burlioncourt (57) 49 F3
Burnand (71) 116 A1
Burnevillers (25) 88 D5
Burnhaupt-le-Bas (68) 89 E2
Burnhaupt-le-Haut (68) 89 E2
Buros (64) 182 C1
Burosse-Mendousse (64) 166 C6
Burret (09) 185 G5
Bursard (61) 39 F6
Burthecourt-
-aux-Chênes (54) 48 D6
Burtoncourt (57) 26 D4
Bury (60) 20 C5
Burzet (07) 157 F1
Burzy (71) 115 H1
Bus (62) 8 C4
Bus-la-Mésière (80) 21 E2
Bus-lès-Artois (80) 7 H4
Bus-Saint-Rémy (27) 41 G1
Buschwiller (68) 89 G3
Busigny (59) 9 F5
Busloup (41) 79 G1
Busnes (62) 2 C5
Busque (81) 170 A4
Bussac (24) 137 E2
Bussac-Forêt (17) 135 G2
Bussac-sur-Charente (17) 121 E2
Bussang (88) 70 C6
le Busseau (79) 107 G1
Busseaut (21) 85 E2
Busséol (63) 127 G4
Busserolles (24) 123 F4
Busserotte-
-et-Montenaille (21) 85 G3
Busset (03) 114 B6
Bussiares (02) 44 A2
la Bussière (45) 82 A2
la Bussière (86) 109 H1
Bussière-Badil (24) 123 E4
Bussière-Boffy (87) 109 H6
Bussière-Dunoise (23) 111 F4
Bussière-Galant (87) 123 H4
Bussière-Nouvelle (23) 126 A1
Bussière-Poitevine (87) 110 A4
Bussière-
-Saint-Georges (23) 112 A3
la Bussière-sur-Ouche (21) 101 F1
Bussières (21) 85 G3
Bussières (42) 129 E2
Bussières (63) 112 D6
Bussières (70) 87 F6
Bussières (71) 116 A3
Bussières (77) 44 A3
Bussières (89) 84 B5
Bussières-et-Pruns (63) 127 F1
Busson (52) 68 B3
Bussu (80) 8 C5
Bussunarits-
-Sarrasquette (64) 181 E3
Bussus-Bussuel (80) 7 E4
Bussy (18) 98 A4
Bussy (60) 21 G3
Bussy-Albieux (42) 128 D3
Bussy-en-Othe (89) 65 F6
Bussy-la-Pesle (21) 85 F6
Bussy-la-Pesle (58) 99 F1
Bussy-le-Château (51) 46 A2
Bussy-le-Grand (21) 85 E4
Bussy-le-Repos (51) 46 C3
Bussy-le-Repos (89) 64 D5
Bussy-lès-Daours (80) 7 H6
Bussy-lès-Poix (80) 20 A1
Bussy-Lettrée (51) 45 G4
Bussy-Saint-Georges (77) 43 F4
Bussy-Saint-Martin (77) 43 F4
Bust (67) 50 B3
Bustanico (2B) 205 F2
Bustince-Iriberry (64) 181 E3
Buswiller (67) 50 D3
Busy (25) 103 F1
Buthiers (70) 87 F6
Buthiers (77) 63 G3
Butot (76) 17 G4
Butot-Vénesville (76) 16 D3
Butry-sur-Oise (95) 42 C2
Butteaux (89) 65 H6
Butten (67) 28 A6
Buverchy (80) 21 G2
Buvilly (39) 103 E4
la Buxerette (36) 111 F2
Buxerolles (21) 85 G2
Buxerolles (86) 109 E1
Buxeuil (10) 66 D5
Buxeuil (36) 96 C2
Buxeuil (86) 95 E3
Buxières-d'Aillac (36) 111 F1
Buxières-lès-Clefmont (52) 68 B5
Buxières-les-Mines (03) 113 F2
Buxières-lès-Villiers (52) 67 H5
Buxières-
-sous-les-Côtes (55) 47 H3
Buxières-
-sous-Montaigut (63) 113 E5
Buxières-sur-Arce (10) 66 D5
Buxy (71) 101 F6
Buysscheure (59) 2 B3
Buzan (09) 184 C5
Buzançais (36) 96 A4
Buzancy (02) 22 A5
Buzancy (08) 24 C4
Buzeins (12) 155 E4
Buzet-sur-Baïse (47) 150 D5
Buzet-sur-Tarn (31) 169 G4
Buziet (64) 182 B3
Buzignargues (34) 173 G4
Buzon (65) 183 F1
Buzy (64) 182 B3
Buzy-Darmont (55) 47 H1
By (25) 103 F3
Byans-sur-Doubs (25) 103 E2

C

Cabanac (65) 183 F2
Cabanac-Cazaux (31) 184 B5
Cabanac-et-Villagrains (33) 149 F2
Cabanac-Séguenville (31) 168 C3
la Cabanasse (66) 200 A4
Cabanès (12) 154 A6
Cabanès (81) 170 A4
le Cabanial (31) 170 A6
les Cabannes (09) 199 F1
Cabannes (13) 175 F3
les Cabannes (81) 170 A1
Cabara (33) 135 H5
Cabariot (17) 120 D1
Cabas-Loumassès (32) 184 A2
Cabasse (83) 193 G2
Cabestany (66) 201 F2
Cabidos (64) 166 A5
Cabourg (14) 14 D4
Cabrerets (46) 153 E3
Cabrerolles (34) 172 A6
Cabrespine (11) 187 E2
Cabrières (30) 174 B3
Cabrières (34) 172 C6
Cabrières-d'Aigues (84) 176 A3
Cabrières-d'Avignon (84) 175 G3
Cabriès (13) 192 B2
Cabris (06) 178 C4
Cachan (94) 42 D4
Cachen (40) 166 A1
Cachy (80) 7 H6
Cadalen (81) 170 B3
Cadarcet (09) 185 G5
Cadarsac (33) 135 G5
Cadaujac (33) 135 F6
Cadéac (65) 183 G6
Cadeilhan (32) 168 A3
Cadeilhan-Trachère (65) 196 D1
Cadeillan (32) 184 C1
Cademène (25) 103 G2
Caden (56) 73 G1
Cadenet (84) 175 H4
Caderousse (84) 174 D1
la Cadière-d'Azur (83) 192 D4
la Cadière-et-Cambo (30) 173 F2
Cadillac (33) 149 G1
Cadillac-en-Fronsadais (33) 135 G4
Cadillon (64) 166 C6
Cadix (81) 171 E2
Cadolive (13) 192 C3
Cadours (31) 168 C4
Cadrieu (46) 153 F3
Caen (14) 14 B4
Caëstre (59) 2 D4
Caffiers (62) 1 G3
Cagnac-les-Mines (81) 170 C2
Cagnano (2B) 203 G2
Cagnes-sur-Mer (06) 195 E3
Cagnicourt (62) 8 C3
Cagnoncles (59) 9 E3
Cagnotte (40) 165 E5
Cagny (14) 38 D1
Cagny (80) 7 G6
Cahagnes (14) 38 A1
Cahagnolles (14) 13 H6
Cahaignes (27) 19 F6
Cahan (61) 38 C3
Caharet (65) 183 G3
Cahon (80) 6 C4
Cahors (46) 152 C3
Cahus (46) 139 F5
Cahuzac (11) 186 A3
Cahuzac (47) 151 E1
Cahuzac (81) 186 C1
Cahuzac-sur-Adour (32) 166 D5
Cahuzac-sur-Vère (81) 170 A2
Caignac (31) 185 H2
le Cailar (30) 174 A5
Cailhau (11) 186 C4
Cailhavel (11) 186 C4
Cailla (11) 200 A1
Caillac (46) 152 C3
Caillavet (32) 167 F4
Caille (06) 178 B3
la Caillère-Saint-Hilaire (85) 92 B6
Cailleville (76) 17 E2
Caillouël-Crépigny (02) 21 H3
Caillouet-Orgeville (27) 41 E2
Cailloux-sur-Fontaines (69) 130 A2
Cailly (76) 17 H5
Cailly-sur-Eure (27) 41 E1
la Caine (14) 14 A6
Cairanne (84) 158 C5
le Caire (04) 160 B4
Cairon (14) 14 B4

Caisnes (60) 21 G3
Caissargues (30) 174 B4
Caix (80) 21 E1
Caixas (66) 200 D3
Caixon (65) 183 E1
Cajarc (46) 153 F3
Calacuccia (2B) 204 D2
Calais (62) 1 G2
Calamane (46) 152 C3
Calan (56) 54 C4
Calanhel (22) 32 C5
Calavanté (65) 183 F3
Calcatoggio (2A) 204 C5
Calce (66) 201 E2
Calenzana (2B) 202 C6
Calès (24) 137 F5
Calès (46) 138 C6
Calignac (47) 150 D6
Caligny (61) 38 B4
Callac (22) 32 C5
Callas (83) 177 H5
Callen (40) 149 F4
Callengeville (76) 19 F1
Calleville (27) 18 A6
Calleville-
-les-Deux-Églises (76) 17 G4
Callian (32) 167 F5
Callian (83) 178 B5
Calmeilles (66) 200 D3
Calmels-et-le-Viala (12) 171 G2
la Calmette (30) 174 A2
Calmont (12) 154 B5
Calmont (31) 185 H2
Calmoutier (70) 87 G3
Caloire (42) 129 E6
Calonges (47) 150 C4
Calonne-Ricouart (62) 2 C6
Calonne-sur-la-Lys (62) 2 D5
Calorguen (22) 34 D5
la Calotterie (62) 1 F6
Caluire-et-Cuire (69) 130 A3
Calvi (2B) 202 B5
Calviac (46) 139 G5
Calviac-en-Périgord (24) 138 B5
Calvignac (46) 153 E3
Calvinet (15) 154 B1
Calvisson (30) 173 H4
Calzan (09) 186 A5
Camalès (65) 183 E1
Camarade (09) 185 E4
Camarès (12) 171 G3
Camaret-sur-Aigues (84) 158 B6
Camaret-sur-Mer (29) 30 D5
Camarsac (33) 135 G5
Cambayrac (46) 152 B4
la Cambe (14) 13 F4
Cambernard (31) 185 E1
Cambernon (50) 37 E1
Cambes (33) 135 F6
Cambes (46) 153 G2
Cambes (47) 150 D2
Cambes-en-Plaine (14) 14 B4
Cambia (2B) 205 F2
Cambiac (31) 169 H6
Cambieure (11) 186 C4
Camblain-Châtelain (62) 2 C6
Camblain-l'Abbé (62) 8 A1
Camblanes-et-Meynac (33) 135 F6
Cambligneul (62) 8 A1
Cambo-les-Bains (64) 180 C1
Cambon (81) 170 C3
Cambon-
-et-Salvergues (34) 171 G5
Cambon-lès-Lavaur (81) 170 A5
Camboulazet (12) 154 B5
Camboulit (46) 153 G2
Cambounès (81) 171 E5
Cambounet-sur-le-Sor (81) 170 B6
le Cambout (22) 55 H3
Cambrai (59) 8 D3
Cambremer (14) 15 E5
Cambrin (62) 2 D6
Cambron (80) 6 D4
Cambronne-
-lès-Clermont (60) 20 C5
Cambronne-
-lès-Ribécourt (60) 21 F4
Camburat (46) 153 G2
Came (64) 164 D6
Camélas (66) 200 D3
Camelin (02) 21 H3
Camembert (61) 39 F3
Cametours (50) 37 E1
Camiac-et-Saint-Denis (33) 135 G6
Camiers (62) 1 F5
Camiran (33) 150 A1
Camjac (12) 154 B6
Camlez (22) 32 D2
les Cammazes (81) 186 C1
Camoël (56) 73 F2
Camon (09) 186 B5
Camon (80) 7 G6
Camors (56) 55 E4
Camou-Cihigue (64) 181 F3
Camous (65) 183 G5
Campagna-de-Sault (11) 199 H1
Campagnac (12) 155 F4
Campagnac (81) 170 A1
Campagnac-
-lès-Quercy (24) 152 B1
Campagnan (34) 172 D6
Campagne (24) 137 G5
Campagne (34) 173 G4
Campagne (40) 165 H2
Campagne (60) 21 G2
Campagne-
-d'Armagnac (32) 166 D3
Campagne-
-lès-Boulonnais (62) 1 H5
Campagne-lès-Guines (62) 1 G3
Campagne-lès-Hesdin (62) 6 D1
Campagne-
-lès-Wardrecques (62) 2 B4
Campagne-sur-Arize (09) 185 F4
Campagne-sur-Aude (11) 186 D6
Campagnolles (14) 37 G3
Campan (65) 183 F5
Campana (2B) 205 F1
Campandré-
-Valcongrain (14) 14 A6
Camparan (65) 183 G6
Campbon (44) 74 A3
Campeaux (14) 37 G2
Campeaux (60) 19 G3
Campel (35) 56 D4
Campénéac (56) 56 B4
Campestre-et-Luc (30) 172 C2
Campet-et-Lamolère (40) 165 H2
Camphin-en-Carembault (59) 3 F6
Camphin-en-Pévèle (59) 3 G5
Campi (2B) 205 G2
Campigneulles-
-les-Grandes (62) 6 C1
Campigneulles-
-les-Petites (62) 6 D1
Campigny (14) 13 H5
Campigny (27) 15 H3
Campile (2B) 203 F6
Campistrous (65) 183 G3
Campitello (2B) 203 F5
Camplong (34) 172 A5
Camplong-d'Aude (11) 187 G4
Campneuseville (76) 6 C6
Campo (2A) 205 E6
Campôme (66) 200 B2
Campouriez (12) 154 C1
Campoussy (66) 200 C2
Campremy (60) 20 C3
Camprond (50) 37 E1
Camps-en-Amiénois (80) 7 E6
Camps-la-Source (83) 193 F3
Camps-Saint-Mathurin-
-Léobazel (19) 139 F4
Camps-sur-l'Agly (11) 187 E6
Camps-sur-l'Isle (33) 136 A4
Campsas (82) 169 E3
Campsegret (24) 137 E5
Campuac (12) 154 C2
Campugnan (33) 135 E2
Campuzan (65) 183 H2
Camurac (11) 199 G1
Canale-di-Verde (2B) 205 G2
Canals (82) 169 E3
Canaples (80) 7 F4
Canappeville (27) 40 D1
Canapville (14) 15 E3
Canapville (61) 39 G3
Canari (2B) 203 F2
Canaules-
-et-Argentières (30) 173 G2
Canavaggia (2B) 203 F6
Canaveilles (66) 200 B4
Cancale (35) 35 E3
Canchy (14) 13 G5
Canchy (80) 6 D3
Cancon (47) 151 F2
Candas (80) 7 G4
Candé (49) 76 B3
Candé-sur-Beuvron (41) 79 H4
Candes-Saint-Martin (37) 94 A1
Candillargues (34) 173 H5
Candor (60) 21 F3
Candresse (40) 165 E4
Canehan (76) 6 A5
Canéjan (33) 135 E6
Canens (31) 185 F3
Canenx-et-Réaut (40) 166 A1
Canet (11) 187 H3
Canet (34) 172 D5
Canet-de-Salars (12) 154 D5
Canet-en-Roussillon (66) 201 G2
Canettemont (62) 7 G2
Cangey (37) 79 G5
Caniac-du-Causse (46) 153 E2
Canihuel (22) 33 E6
Canilhac (48) 155 G4
Canisy (50) 37 F1
Canlers (62) 2 A6
Canly (60) 21 E5
Cannectancourt (60) 21 F3
Cannelle (2A) 204 C5
Cannes (06) 195 E4
Cannes-Écluse (77) 64 C2
Cannes-et-Clairan (30) 173 H3
Cannessières (80) 6 D5
le Cannet (06) 178 D5
Cannet (32) 166 D5
le Cannet-des-Maures (83) 193 H2
Canny-sur-Matz (60) 21 F3
Canny-sur-Thérain (60) 19 G3
Canohès (66) 201 E2
la Canourgue (48) 155 G4
Canouville (76) 16 D3
Cantaing-sur-Escaut (59) 8 D4
Cantaous (65) 183 H4
Cantaron (06) 195 F2
Canté (09) 185 G3
Canteleu (76) 17 G6
Canteleux (62) 7 G3
Canteloup (14) 39 E1
Canteloup (50) 13 E2
Cantenac (33) 135 E3
Cantenay-Épinard (49) 76 D4
Cantiers (27) 19 F6
Cantigny (80) 20 D2
Cantillac (24) 123 E6
Cantin (59) 8 D2
Cantoin (12) 140 D6
Cantois (33) 149 H1
Canville-la-Rocque (50) 12 C4
Canville-
-les-Deux-Églises (76) 17 F3
Cany-Barville (76) 18 A1
Caorches-Saint-Nicolas (27) 15 H5
Caouënnec-Lanvézéac (22) 32 D2
Caours (80) 6 D4
Cap-d'Ail (06) 179 F3
Capbreton (40) 164 B4
Capdenac (46) 153 G2
Capdenac-Gare (12) 153 G2
Capdrot (24) 151 H1
la Capelle (02) 10 A5
Capelle (59) 9 F3
la Capelle-Balaguier (12) 153 G4
la Capelle-Bleys (12) 153 H5
la Capelle-Bonance (12) 155 F4
la Capelle-
-et-Masmolène (30) 174 C1
Capelle-Fermont (62) 8 A2
la Capelle-lès-Boulogne (62) 1 F4
Capelle-les-Grands (27) 15 G6
Capelle-lès-Hesdin (62) 7 E2
Capendu (11) 187 F3
Capens (31) 185 E2
Capestang (34) 188 B2
Capian (33) 135 G6
Capinghem (59) 3 F5
Caplong (33) 136 B6
Capoulet-et-Junac (09) 199 E1
Cappel (57) 49 G1
Cappelle-Brouck (59) 2 A2
Cappelle-en-Pévèle (59) 3 G6
Cappelle-la-Grande (59) 2 B2
Cappy (80) 8 B6
Captieux (33) 149 H4
Capvern (65) 183 G4
Caragoudes (31) 169 G6
Caraman (31) 169 H6
Caramany (66) 200 D2
Carantec (29) 31 H2
Carantilly (50) 37 F1
Carayac (46) 153 F3
Carbay (49) 57 H6
Carbes (81) 170 C5
Carbini (2A) 207 F3
Carbon-Blanc (33) 135 F5
Carbonne (31) 185 E2
Carbuccia (2A) 204 D5
Carcagny (14) 14 A4
Carcanières (09) 200 A2
Carcans (33) 134 B3
Carcarès-Sainte-Croix (40) 165 G3
Carcassonne (11) 187 E3
Carcen-Ponson (40) 165 G2
Carcès (83) 177 F6
Carcheto-Brustico (2B) 205 G2
Cardaillac (46) 153 G1
Cardan (33) 149 G1
Cardeilhac (31) 184 B3
Cardesse (64) 182 A2
Cardet (30) 173 H1
Cardo-Torgia (2A) 204 D6
Cardonnette (80) 7 G5
le Cardonnois (80) 20 D3
Cardonville (14) 13 F4
Cardroc (35) 56 D1
Carelles (53) 58 C2
Carency (62) 8 A1
Carennac (46) 139 E5
Carentan (50) 13 E5
Carentoir (56) 56 C5
Cargèse (2A) 204 B4
Cargiaca (2A) 207 E2
Carhaix-Plouguer (29) 32 B6
Carignan (08) 24 D2
Carignan-de-Bordeaux (33) 135 F5
Carisey (89) 83 H1
Carla-Bayle (09) 185 F4
Carla-de-Roquefort (09) 186 A5
le Carlaret (09) 185 H4
Carlat (15) 140 B5
Carlencas-et-Levas (34) 172 B5
Carlepont (60) 21 G4
Carling (57) 27 F5
Carlipa (11) 186 C2
Carlucet (46) 152 D1
Carlus (81) 170 B3
Carlux (24) 138 B5
Carly (62) 1 F5
Carmaux (81) 170 C1
Carnac (56) 72 B1
Carnac-Rouffiac (46) 152 B4
Carnas (30) 173 G3
la Carneille (61) 38 C4
Carnet (50) 35 H5
Carnetin (77) 43 F3
Carneville (50) 12 D1
Carnières (59) 9 E3
Carnin (59) 3 F6
Carnoët (22) 32 B5
Carnoules (83) 193 G3
Carnoux-en-Provence (13) 192 C4
Carnoy (80) 8 B5
Caro (56) 56 B5
Caro (64) 180 D3
Carolles (50) 35 G3
Caromb (84) 158 D6
Carpentras (84) 175 F1
Carpineto (2B) 205 G2
Carpiquet (14) 14 B4
Carquebut (50) 13 E4
Carquefou (44) 74 D4
Carqueiranne (83) 193 F5
Carrépuis (80) 21 F2
Carrère (64) 166 B6
Carresse-Cassaber (64) 165 E6
Carrières-sous-Poissy (78) 42 B3
Carrières-sur-Seine (78) 42 C3
Carros (06) 195 E2
Carrouges (61) 38 D6
Carry-le-Rouet (13) 191 H5
Cars (33) 135 E3
les Cars (87) 123 H4
Carsac-Aillac (24) 138 B6
Carsac-de-Gurson (24) 136 B4
Carsan (30) 157 H5
Carsix (27) 40 B1
Carspach (68) 89 E3
Cartelègue (33) 135 E2
Carticasi (2B) 205 F2
Cartignies (59) 9 H4
Cartigny (80) 8 C6
Cartigny-l'Épinay (14) 13 F5
Carves (24) 137 H6
Carville (14) 37 H3
Carville-la-Folletière (76) 17 E5
Carville-Pot-de-Fer (76) 17 E3
Carvin (62) 3 F6
Casabianca (2B) 203 G6
Casaglione (2A) 204 C4
Casalabriva (2A) 206 D2
Casalta (2B) 203 G6
Casamaccioli (2B) 204 D2
Casanova (2B) 205 E3
Cascastel-
-des-Corbières (11) 187 G5
Casefabre (66) 200 D3
Caseneuve (84) 176 A3
Cases-de-Pène (66) 201 E1
Casevecchie (2B) 205 G3
Cassagnabère-
-Tournas (31) 184 B3
Cassagnas (48) 156 C5
la Cassagne (24) 138 B4
Cassagne (31) 184 C4
Cassagnes (46) 152 A2
Cassagnes (66) 200 D2
Cassagnes-Bégonhès (12) 154 C6
Cassagnoles (30) 173 H2
Cassagnoles (34) 187 G2
la Cassaigne (11) 186 B3
Cassaigne (32) 167 F2
Cassaignes (11) 186 D6
Cassaniouze (15) 154 B1
Cassel (59) 2 C3
Cassen (40) 165 F3
Casseneuil (47) 151 F3
les Cassés (11) 186 B1
Casseuil (33) 150 A2
Cassignas (47) 151 G5
Cassis (13) 192 C4
Casson (44) 74 D3
Cassuéjouls (12) 154 D1
Cast (29) 53 F1
Castagnac (31) 185 F3
Castagnède (31) 184 C4
Castagnède (64) 165 E6
Castagniers (06) 195 F2
Castaignos-Souslens (40) 165 G5
Castandet (40) 166 B3
Castanet (12) 154 A5
Castanet (81) 170 B2
Castanet (82) 153 G5
Castanet-le-Haut (34) 171 H5
Castanet-Tolosan (31) 169 F6
Castans (11) 187 F1
Casteide-Cami (64) 182 A1
Casteide-Candau (64) 165 H6
Casteide-Doat (64) 183 E1
Casteil (66) 200 C4
Castel-Sarrazin (40) 165 G5
Castelbajac (65) 183 G3
Castelbiague (31) 184 C5
Castelculier (47) 151 F6
Castelferrus (82) 168 D2
Castelfranc (46) 152 B3
Castelgaillard (31) 184 C2
Castelginest (31) 169 F4
Casteljaloux (47) 150 B4
Castella (47) 151 F4
Castellane (04) 177 H3
Castellar (06) 195 G2
le Castellard-Mélan (04) 160 C5
Castellare-di-Casinca (2B) 203 G6
Castellare-di-Mercurio (2B) 205 F2
le Castellet (04) 176 D2
le Castellet (83) 192 D4
Castellet (84) 176 A3
Castellet-lès-Sausses (04) 178 B1
Castello-di-Rostino (2B) 203 F6
Castelmary (12) 154 A6
Castelmaurou (31) 169 F5
Castelmayran (82) 168 C1
Castelmoron-d'Albret (33) 150 B1
Castelmoron-sur-Lot (47) 151 E4
Castelnau-Barbarens (32) 168 A5
Castelnau-Chalosse (40) 165 F4
Castelnau-d'Anglès (32) 167 F5
Castelnau-d'Arbieu (32) 168 A3
Castelnau-d'Aude (11) 187 G3
Castelnau-d'Auzan (32) 167 E2
Castelnau-de-Brassac (81) 171 E5
Castelnau-de-Guers (34) 188 D1
Castelnau-de-Lévis (81) 170 B2
Castelnau-
-de-Mandailles (12) 155 E3
Castelnau-de-Médoc (33) 134 D3
Castelnau-
-de-Montmiral (81) 169 H2
Castelnau-
-d'Estrétefonds (31) 169 E4
Castelnau-Durban (09) 185 F5
Castelnau-le-Lez (34) 173 F5
Castelnau-Magnoac (65) 183 H2
Castelnau-Montratier (46) 152 C5
Castelnau-Pégayrols (12) 155 E6
Castelnau-Picampeau (31) 184 D2
Castelnau-
-Rivière-Basse (65) 166 D5
Castelnau-sur-Gupie (47) 150 C2
Castelnau-
-sur-l'Auvignon (32) 167 G2
Castelnau-Tursan (40) 166 A4
Castelnau-Valence (30) 174 A2
Castelnaud-
-de-Gratecambe (47) 151 F3
Castelnaud-
-la-Chapelle (24) 138 A6
Castelnaudary (11) 186 B2
Castelnavet (32) 167 E4
Castelner (40) 165 H5
Castelnou (66) 201 E3
Castelreng (11) 186 C5
Castels (24) 137 H5
Castelsagrat (82) 151 H6
Castelsarrasin (82) 168 D1
Castelvieilh (65) 183 F2
Castelviel (33) 150 A1
le Castéra (31) 168 D5
Castéra-Bouzet (82) 168 B2
Castéra-Lanusse (65) 183 G3
Castéra-Lectourois (32) 167 H2
Castéra-Lou (65) 183 F2
Castéra-Loubix (64) 183 E1
Castéra-Verduzan (32) 167 G3
Castéra-Vignoles (31) 184 B2
Castéras (09) 185 F4
Casterets (65) 184 A2
Castéron (32) 168 B3
Castet (64) 182 B4
Castet-Arrouy (32) 168 A2
Castetbon (64) 181 G1
Castétis (64) 165 G6
Castetnau-Camblong (64) 181 G2
Castetner (64) 165 G6
Castetpugon (64) 166 C5
Castets (40) 164 D2
Castets-en-Dorthe (33) 150 A2
Castex (09) 185 F3
Castex (32) 183 G1
Castex-d'Armagnac (32) 166 C3
Casties-Labrande (31) 184 D2
Castifao (2B) 203 E6
Castiglione (2B) 205 E1
Castillon (06) 195 G2
Castillon (14) 13 H6
Castillon (65) 183 F4
Castillon (Canton d'Arthez-de-
-Béarn) (64) 165 H6
Castillon (Canton
de Lembeye) (64) 166 C6
Castillon-de-Castets (33) 150 A2
Castillon-de-Larboust (31) 197 F1
Castillon-
-de-Saint-Martory (31) 184 C4
Castillon-Debats (32) 167 E4
Castillon-du-Gard (30) 174 C2
Castillon-en-Auge (14) 15 E6
Castillon-
-en-Couserans (09) 184 D6
Castillon-la-Bataille (33) 136 A5
Castillon-Massas (32) 167 H4
Castillon-Savès (32) 168 C5
Castillonnès (47) 151 F1
Castilly (14) 13 F5
Castin (32) 167 H4
Castineta (2B) 203 F6
Castirla (2B) 205 E2
Castres (02) 21 H1
Castres (81) 170 C5
Castres-Gironde (33) 149 G1
Castries (34) 173 G5
le Cateau-Cambrésis (59) 9 F4
le Catelet (02) 9 E5
le Catelier (76) 18 D1
Catenay (76) 19 E3
Catenoy (60) 20 D5
Cateri (2B) 202 C5
Cathervielle (31) 197 F1
Catheux (60) 20 B2
Catigny (60) 21 F2
Catillon-Fumechon (60) 20 C4
Catillon-sur-Sambre (59) 9 G4
Catllar (66) 200 C3
Catonvielle (32) 168 C5
Cattenières (59) 9 E4
Cattenom (57) 26 C3
Catteville (50) 12 C4
Catus (46) 152 C2
Catz (50) 13 E5
Caubeyres (47) 150 C5
Caubiac (31) 168 C4
Caubios-Loos (64) 182 B1
Caubon-Saint-Sauveur (47) 150 C2
Caubous (31) 183 H6
Caubous (65) 183 H3
Caucalières (81) 170 D6
la Cauchie (62) 8 A3
Cauchy-à-la-Tour (62) 2 C6
Caucourt (62) 8 A1
Caudan (56) 54 C5
Caudebec-en-Caux (76) 17 E5
Caudebec-lès-Elbeuf (76) 18 C5
Caudebronde (11) 187 E2
Caudecoste (47) 151 F6
Caudeval (11) 186 B4
Caudiès-de-Conflent (66) 200 A3
Caudiès-
-de-Fenouillèdes (66) 200 B1
Caudrot (33) 150 A2
Caudry (59) 9 F4
Cauffry (60) 20 D5
Caugé (27) 40 D2
Caujac (31) 185 G2
Caulaincourt (02) 8 D6
le Caule-Sainte-Beuve (76) 19 F1
Caulières (80) 19 H1
Caullery (59) 9 E4
Caulnes (22) 56 C1
Caumont (02) 21 H2
Caumont (09) 184 D5
Caumont (27) 18 B5
Caumont (32) 166 C4
Caumont (33) 150 B1
Caumont (62) 7 E2
Caumont (82) 168 C1
Caumont-l'Éventé (14) 37 H1
Caumont-sur-Durance (84) 175 E3
Caumont-sur-Garonne (47) 150 C3
Caumont-sur-Orne (14) 38 B2
Cauna (40) 165 H3
Caunay (79) 108 C4
Cauneille (40) 165 E5
Caunes-Minervois (11) 187 F2
la Caunette (34) 187 H2
Caunette-sur-Lauquet (11) 187 E5
Caunettes-en-Val (11) 187 F4
Caupenne (40) 165 G4
Caupenne-
-d'Armagnac (32) 166 D3
la Caure (51) 45 E3
Caurel (22) 55 E1
Caurel (51) 23 F5
Cauro (2A) 204 D6
Cauroir (59) 9 E3
Cauroy (08) 23 H5
Cauroy-lès-Hermonville (51) 23 E5
le Causé (82) 168 C3
Cause-de-Clérans (24) 137 E5
Caussade (82) 152 D6
Caussade-Rivière (65) 166 D6
Causse-Bégon (30) 172 C1
Causse-de-la-Selle (34) 173 E4
Causse-et-Diège (12) 153 G3
Caussens (32) 167 G2
Causses-et-Veyran (34) 188 B1
Caussiniojouls (34) 172 B6
Caussols (06) 178 C3
Caussou (09) 199 F1
Cauterets (65) 182 D6
Cauverville-
-en-Roumois (27) 18 A5
Cauvicourt (14) 38 D2
Cauvignac (33) 150 A3
Cauvigny (60) 20 B5
Cauville (14) 38 B2
Cauville-sur-Mer (76) 15 E1
Caux (34) 172 C6
Caux-et-Sauzens (11) 186 D3
Cauzac (47) 151 G5
Cavagnac (46) 138 D4
Cavaillon (84) 175 F3
Cavalaire-sur-Mer (83) 194 A4
la Cavalerie (12) 172 B2
Cavan (22) 32 D3
Cavanac (11) 187 E4
Cavarc (47) 151 F1
Caveirac (30) 174 A3
Caves (11) 188 A6
Cavignac (33) 135 G3
Cavigny (50) 13 F6
Cavillargues (30) 174 C1
Cavillon (80) 7 F6
Cavron-Saint-Martin (62) 7 E1
Caychax (09) 199 F1
Cayeux-en-Santerre (80) 21 E1
Cayeux-sur-Mer (80) 6 B3
le Caylar (34) 172 C3
Caylus (82) 153 E5
Cayrac (82) 169 F1
Cayres (43) 142 B5
Cayriech (82) 152 D5
le Cayrol (12) 154 D2
Cayrols (15) 139 H6
Cazac (31) 184 C2
Cazalis (33) 149 G4
Cazalis (40) 165 G5
Cazalrenoux (11) 186 B3
Cazals (46) 152 B2
Cazals (82) 153 E6
Cazals-des-Baylès (09) 186 B4
Cazaril-Laspènes (31) 197 F1
Cazaril-Tambourès (31) 183 H3
Cazarilh (65) 184 A5
Cazats (33) 149 H3
Cazaubon (32) 166 D2
Cazaugitat (33) 150 B1
Cazaunous (31) 184 B5
Cazaux (09) 185 G4
Cazaux-d'Anglès (32) 167 F5
Cazaux-debat (65) 183 G6
Cazaux-Fréchet-
-Anéran-Camors (65) 183 G6
Cazaux-Layrisse (31) 184 A6
Cazaux-Savès (32) 168 C6
Cazaux-Villecomtal (32) 183 F1
Cazavet (09) 184 D5
Cazeaux-de-Larboust (31) 197 F1
Cazedarnes (34) 188 B1
Cazenave-Serres-
-et-Allens (09) 199 F1
Cazeneuve (32) 167 E2
Cazeneuve-Montaut (31) 184 C3
Cazères (31) 184 D3
Cazères-sur-l'Adour (40) 166 B3
Cazes-Mondenard (82) 152 B5
Cazevieille (34) 173 F4
Cazideroque (47) 151 H4
Cazilhac (11) 187 E3
Cazilhac (34) 173 E2
Cazillac (46) 138 D4
Cazoulès (24) 138 C5
Cazouls-d'Hérault (34) 172 D6
Cazouls-lès-Béziers (34) 188 B2
Caucé (61) 58 D1
Ceaulmont (36) 111 E2
Céaux (50) 35 H4
Céaux-d'Allègre (43) 142 B3
Ceaux-en-Couhé (86) 108 D3
Ceaux-en-Loudun (86) 94 B3
Cébazan (34) 188 A1
Cébazat (63) 127 F2
Ceffonds (52) 67 F1
Ceignes (01) 117 F5
Ceilhes-et-Rocozels (34) 172 A4
Ceillac (05) 161 G1

Ceilloux (63) 127 H4
Ceintrey (54) 69 F1
la Celette (18) 112 C1
la Celle (03) 113 E5
la Celle (18) 97 H5
Cellé (41) 79 E1
la Celle (63) 126 B2
la Celle (83) 193 F3
la Celle-Condé (18) 97 F5
la Celle-Dunoise (23) 111 F4
la Celle-en-Morvan (71) 100 C3
la Celle-Guenand (37) 95 F4
la Celle-les-Bordes (78) 42 A6
Celle-Lévescault (86) 108 D3
la Celle-Saint-Avant (37) 94 D3
la Celle-Saint-Cloud (78) 42 C4
la Celle-Saint-Cyr (89) 65 E6
la Celle-sous-Chantemerle (51) 44 D6
la Celle-sous-Gouzon (23) 112 A5
la Celle-sous-Montmirail (02) 44 C4
la Celle-sur-Loire (58) 82 C5
la Celle-sur-Morin (77) 43 G4
la Celle-sur-Nièvre (58) 99 E1
Cellefrouin (16) 122 D2
Celles (09) 185 H6
Celles (15) 141 E3
Celles (17) 121 G4
Celles (24) 136 D1
Celles (34) 172 C5
Celles-en-Bassigny (52) 68 C6
Celles-lès-Condé (02) 44 C2
Celles-sur-Aisne (02) 22 B5
Celles-sur-Belle (79) 108 A4
Celles-sur-Durolle (63) 128 A2
Celles-sur-Ource (10) 66 D5
Celles-sur-Plaine (88) 70 C1
la Cellette (23) 111 H3
la Cellette (63) 112 D6
Cellettes (16) 122 C2
Cellettes (41) 80 A4
le Cellier (44) 75 E4
Cellier-du-Luc (07) 156 D1
Cellieu (42) 129 G5
Cellule (63) 127 F1
Celon (36) 110 D2
Celoux (15) 141 G3
Celsoy (52) 86 C1
Cély (77) 63 H2
Cemboing (70) 87 E1
Cempuis (60) 20 A2
Cénac (33) 135 F6
Cénac-et-Saint-Julien (24) 138 A6
Cenans (70) 87 G5
Cendras (30) 157 E6
le Cendre (63) 127 F3
Cendrecourt (70) 87 E1
Cendrey (25) 87 G5
Cendrieux (24) 137 G4
Cénevières (46) 153 E3
Cenne-Monestiés (11) 186 C2
Cenon (33) 135 F5
Cenon-sur-Vienne (86) 94 D5
Censeau (39) 103 G5
Censerey (21) 100 D1
Censy (89) 84 B3
les Cent-Acres (76) 18 D1
Centrès (12) 154 B6
Centuri (2B) 203 F1
Cenves (69) 116 A4
Cépet (31) 169 F4
Cépie (11) 186 D4
Cepoy (45) 64 A5
Céran (32) 168 A3
Cérans-Foulletourte (72) 78 A1
Cerbère (66) 201 H4
Cerbois (18) 97 F2
Cercié (69) 116 A5
Cercier (74) 118 B6
Cercles (24) 136 D1
Cercottes (45) 62 D6
Cercoux (17) 135 H3
le Cercueil (61) 39 E6
Cercy-la-Tour (58) 99 G5
Cerdon (01) 117 F6
Cerdon (45) 81 G3
Cère (40) 166 A1
Céré-la-Ronde (37) 95 H1
Cerelles (37) 78 D4
Cérences (50) 35 H1
Céreste (04) 176 B3
Céret (66) 201 E4
Cerfontaine (59) 10 A2
le Cergne (42) 115 G5
Cergy (95) 42 B2
Cérilly (03) 113 E1
Cérilly (21) 84 D1
Cérilly (89) 65 G4
Cerisé (61) 60 A1
Cerisières (52) 67 H3
Cerisiers (89) 65 F5
Cerisy (80) 8 A6
Cerisy-Belle-Étoile (61) 38 A4
Cerisy-Buleux (80) 6 D5
Cerisy-la-Forêt (50) 13 G6
Cerisy-la-Salle (50) 37 E2
Cerizay (79) 92 D4
Cérizols (09) 184 D4
Cerizy (02) 22 A1
la Cerlangue (76) 15 G2
Cernans (39) 103 F4
Cernay (14) 15 F6
Cernay (28) 61 H2
Cernay (68) 89 E1
Cernay (86) 94 B5
Cernay-en-Dormois (51) 24 B6
Cernay-la-Ville (78) 42 A5
Cernay-l'Église (25) 88 C6
Cernay-lès-Reims (51) 23 F6
Cerneux (77) 44 B5
Cernex (74) 118 B6
Cerniébaud (39) 103 G5
Cernion (08) 23 G1
Cernon (39) 117 G3
Cernon (51) 45 H4
Cernoy (60) 20 D4
Cernoy-en-Berry (45) 82 A4
Cernusson (49) 93 E1
Cerny (91) 63 G1
Cerny-en-Laonnois (02) 22 C4
Cerny-lès-Bucy (02) 22 B3
Céron (71) 114 D4
Cérons (33) 149 G1
Cerqueux (14) 15 G6
les Cerqueux (49) 92 D3
les Cerqueux-sous-Passavant (49) 93 E2
Cerre-lès-Noroy (70) 87 H3
Cers (34) 188 C2
Cersay (79) 93 F2
Cerseuil (02) 22 B5
Cersot (71) 101 F6
Certilleux (88) 68 D3
Certines (01) 117 E5
Cervens (74) 118 D4
Cervières (05) 147 F5
Cervières (42) 128 B2
Cerville (54) 48 D5
Cervione (2B) 205 G2
Cervon (58) 99 H1
Cerzat (43) 141 H3
Cesancey (39) 117 F1
Césarches (73) 132 C3
Césarville-Dossainville (45) 63 F3
Cescau (09) 184 D6
Cescau (64) 182 B1
Cesny-aux-Vignes (14) 39 E1
Cesny-Bois-Halbout (14) 14 B6
Cessac (33) 135 H6
Cessales (31) 186 A1
Cesse (55) 24 D3
Cessenon-sur-Orb (34) 188 B1
Cessens (73) 131 H2
Cesseras (34) 187 G2
Cesset (03) 113 G4
Cesseville (27) 40 C1
Cessey (25) 103 F2
Cessey-sur-Tille (21) 86 A6
Cessières (02) 22 B3
Cessieu (38) 131 E5
Cesson (77) 63 H1
Cesson-Sévigné (35) 57 F3
Cessoy-en-Montois (77) 64 D1
Cessy (01) 118 B3
Cessy-les-Bois (58) 82 D6
Cestas (33) 135 E6
Cestayrols (81) 170 B2
Ceton (61) 61 E4
Cette-Eygun (64) 182 A5
Cevins (73) 132 D4
Ceyras (34) 172 D5
Ceyrat (63) 127 E3
Ceyreste (13) 192 C4
Ceyroux (23) 111 E6
Ceyssac (43) 142 C4
Ceyssat (63) 126 D3
Ceyzériat (01) 117 E5
Ceyzérieu (01) 131 G2
Cézac (33) 135 F3
Cézac (46) 152 C4
Cezais (85) 107 F1
Cézan (32) 167 G3
Cezay (42) 128 C3
Cézens (15) 140 D4
Cézia (39) 117 G3
Cézy (89) 65 E6
Chabanais (16) 123 F2
la Chabanne (03) 128 B1
Chabestan (05) 159 H3
Chabeuil (26) 144 B5
Chablis (89) 83 H2
Châbons (38) 131 E6
Chabottes (05) 160 C1
Chabournay (86) 94 B6
Chabrac (16) 123 F1
Chabreloche (63) 128 B2
Chabrignac (19) 138 B1
Chabrillan (26) 158 C1
Chabris (36) 96 C1
Chacé (49) 93 H1
Chacenay (10) 66 D5
Chacrise (02) 22 B5
Chadeleuf (63) 127 F5
Chadenac (17) 121 F5
Chadenet (48) 156 B3
Chadrac (43) 142 C4
Chadron (43) 142 C5
Chadurie (16) 122 B5
le Chaffal (26) 144 D5
le Chaffaut-Saint-Jurson (04) 177 F1
Chaffois (25) 103 H4
Chagey (70) 88 C3
Chagnon (42) 129 G5
Chagny (08) 24 A3
Chagny (71) 101 F4
Chahaignes (72) 78 C2
Chahains (61) 38 D6
Chaignay (21) 85 H5
Chaignes (27) 41 F2
Chail (79) 108 B4
Chaillac (36) 110 C3
Chaillac-sur-Vienne (87) 123 G2
Chailland (53) 58 C3
Chaillé-les-Marais (85) 106 D2
Chaillé-sous-les-Ormeaux (85) 91 G5
Chailles (41) 79 H4
Chaillevette (17) 120 C3
Chaillevois (02) 22 B4
Chailley (89) 65 G5
Chaillon (55) 47 H3
Chailloué (61) 39 F5
Chailly-en-Bière (77) 63 H2
Chailly-en-Brie (77) 43 H4
Chailly-en-Gâtinais (45) 63 H6
Chailly-lès-Ennery (57) 26 C4
Chailly-sur-Armançon (21) 101 E1
Chainaz-les-Frasses (74) 132 A3
Chaînée-des-Coupis (39) 102 C4
Chaingy (45) 80 C1
Chaintré (71) 116 B4
Chaintreaux (77) 64 B4
Chaintrix-Bierges (51) 45 F3
la Chaise (10) 67 E2
la Chaise-Baudouin (50) 37 F4
la Chaise-Dieu (43) 142 B1
Chaise-Dieu-du-Theil (27) 40 B4
Chaix (85) 107 E2
la Chaize-Giraud (85) 90 D4
la Chaize-le-Vicomte (85) 91 H4
Chalabre (11) 186 B5
Chalagnac (24) 137 F3
Chalain-d'Uzore (42) 128 D4
Chalain-le-Comtal (42) 129 E4
Chalaines (55) 47 H6
Chalais (16) 136 B1
Chalais (24) 123 G5
Chalais (36) 110 C2
Chalais (86) 94 A3
Chalamont (01) 130 C1
Chalampé (68) 89 G1
Chalancey (52) 85 H3
Chalancon (26) 159 E3
Chalandray (86) 93 H6
Chalandry (02) 22 C2
Chalandry-Elaire (08) 24 B2
le Chalange (61) 39 G6
le Chalard (87) 124 A5
Chalautre-la-Grande (77) 65 F1
Chalautre-la-Petite (77) 65 E1
Chalaux (58) 84 A6
Chaleins (01) 116 B6
Chalencon (07) 143 G5
les Chalesmes (39) 103 G6
Châlette-sur-Loing (45) 64 A6
Chalette-sur-Voire (10) 66 D2
Chaley (01) 131 E1
Chalèze (25) 87 F6
Chalezeule (25) 87 F6
Chaliers (15) 141 F5
Chalifert (77) 43 F3
Chaligny (54) 48 C5
Chalinargues (15) 141 E3
Chalindrey (52) 86 B2
Chalivoy-Milon (18) 98 B5
Challain-la-Potherie (49) 76 B3
Challans (85) 90 D2
Challement (58) 83 G6
Challerange (08) 24 B5
Challes (72) 60 C6
Challes-la-Montagne (01) 117 F5
Challes-les-Eaux (73) 132 A5
Challet (28) 62 A1
Challex (01) 118 B5
Challignac (16) 122 A6
Challonges (74) 118 A6
Challuy (58) 98 D4
Chalmaison (77) 64 D1
Chalmazel (42) 128 C4
Chalmoux (71) 114 D1
Chalo-Saint-Mars (91) 63 E2
le Chalon (26) 144 C3
Chalon-sur-Saône (71) 101 G5
Chalonnes-sous-le-Lude (49) 78 A4
Chalonnes-sur-Loire (49) 76 C5
Châlons (38) 130 B6
Châlons-du-Maine (53) 58 D4
Châlons-en-Champagne (51) 45 H3
Châlons-sur-Vesle (51) 23 E6
Châlonvillars (70) 88 C3
Chalou-Moulineux (91) 63 E2
Chaltrait (51) 45 E3
Chalus (63) 127 F6
Châlus (87) 123 H4
Chalvignac (15) 139 H2
Chalvraines (52) 68 B3
Chamadelle (33) 136 A3
Chamagne (88) 69 G2
Chamagnieu (38) 130 C4
Chamalières (63) 127 E3
Chamalières-sur-Loire (43) 142 D2
Chamaloc (26) 145 E6
Chamant (60) 21 E6
Chamarande (91) 63 F1
Chamarandes-Choignes (52) 68 A5
Chamaret (26) 158 B4
la Chamba (42) 128 B3
Chambain (21) 85 G2
Chambeire (21) 86 A6
Chambellay (49) 76 D2
Chambéon (42) 129 E4
Chambérat (03) 112 B3
Chamberaud (23) 111 H6
Chamberet (19) 125 E5
Chambéria (39) 117 G2
Chambéry (73) 131 H4
Chambeugle (89) 82 C1
Chambezon (43) 141 G1
Chambilly (71) 115 E4
Chamblac (27) 40 A2
Chamblanc (21) 102 A3
Chamblay (39) 103 E3
Chambles (42) 129 E6
Chamblet (03) 112 D4
Chambley-Bussières (54) 26 A6
Chambly (60) 42 C1
Chambœuf (21) 101 G1
Chambœuf (42) 129 F5
Chambois (61) 39 F4
Chambolle-Musigny (21) 101 H2
le Chambon (07) 143 F6
Chambon (17) 107 E5
Chambon (18) 97 G5
Chambon (30) 157 E5
Chambon (37) 95 E5
le Chambon-Feugerolles (42) 129 F6
Chambon-la-Forêt (45) 63 F5
Chambon-le-Château (48) 142 B5
Chambon-Sainte-Croix (23) 111 F3
Chambon-sur-Cisse (41) 79 H4
Chambon-sur-Dolore (63) 128 A5
Chambon-sur-Lac (63) 126 D5
le Chambon-sur-Lignon (43) 143 F4
Chambon-sur-Voueize (23) 112 C5
Chambonas (07) 157 E4
Chambonchard (23) 112 C5
la Chambonie (42) 128 B3
Chamborand (23) 111 E5
Chambord (27) 40 A3
Chambord (41) 80 B3
Chamboret (87) 124 A1
Chamborigaud (30) 156 D5
Chambornay-lès-Bellevaux (70) 87 G5
Chambornay-lès-Pin (70) 87 E6
Chambors (60) 19 H6
Chambost-Allières (69) 129 G1
Chambost-Longessaigne (69) 129 F3
Chamboulive (19) 125 E6
Chambourcy (78) 42 B3
Chambourg-sur-Indre (37) 95 F2
Chambray (27) 41 E2
Chambray-lès-Tours (37) 78 D6
la Chambre (73) 132 C6
Chambrecy (51) 45 E1
les Chambres (50) 35 H3
Chambretaud (85) 92 B3
Chambrey (57) 49 E4
Chambroncourt (52) 68 B2
Chambry (02) 22 C3
Chambry (77) 43 G2
Chaméane (63) 127 H5
Chamelet (69) 129 G1
Chamery (51) 45 E1
Chamesey (25) 104 C1
Chamesol (25) 88 C5
Chamesson (21) 85 E2
Chameyrat (19) 138 D2
Chamigny (77) 44 A3
Chamilly (71) 101 F4
Chammes (53) 59 F5
Chamole (39) 103 E4
Chamonix-Mont-Blanc (74) 133 F1
Chamouillac (17) 135 F1
Chamouille (02) 22 C4
Chamouilley (52) 46 D6
Chamousset (73) 132 B4
Chamoux (89) 83 G5
Chamoux-sur-Gelon (73) 132 B5
Chamoy (10) 66 A5
le Champ-de-la-Pierre (61) 38 D6
Champ-d'Oiseau (21) 84 C4
Champ-Dolent (27) 40 D3
Champ-du-Boult (14) 37 G4
Champ-Haut (61) 39 G5
Champ-Laurent (73) 132 B5
Champ-le-Duc (88) 70 B3
le Champ-près-Froges (38) 145 H1
le Champ-Saint-Père (85) 91 G6
Champ-sur-Barse (10) 66 D4
Champ-sur-Drac (38) 145 G3
Champ-sur-Layon (49) 76 D6
Champagnac (15) 140 A1
Champagnac (17) 121 G6
Champagnac-de-Belair (24) 123 F6
Champagnac-la-Noaille (19) 139 F1
Champagnac-la-Prune (19) 139 F2
Champagnac-la-Rivière (87) 123 G3
Champagnac-le-Vieux (43) 141 H1
Champagnat (23) 125 H1
Champagnat (71) 117 E2
Champagnat-le-Jeune (63) 127 H6
Champagne (07) 144 A2
Champagne (17) 120 D2
Champagne (28) 41 G5
Champagné (72) 60 B5
Champagne-au-Mont-d'Or (69) 130 A3
Champagne-en-Valromey (01) 131 F1
Champagne-et-Fontaine (24) 122 C6
Champagné-le-Sec (86) 108 D5
Champagné-les-Marais (85) 106 D3
Champagne-Mouton (16) 122 D1
Champagné-Saint-Hilaire (86) 109 E3
Champagne-sur-Loue (39) 103 E3
Champagne-sur-Oise (95) 42 C1
Champagne-sur-Seine (77) 64 B2
Champagne-sur-Vingeanne (21) 86 B5
Champagne-Vigny (16) 122 B5
Champagneux (73) 131 F4
Champagney (25) 103 F1
Champagney (39) 102 C1
Champagney (70) 88 B2
Champagnier (38) 145 G3
Champagnole (39) 103 F5
Champagnolles (17) 121 E5
Champagny (21) 85 F5
Champagny-en-Vanoise (73) 133 E5
Champagny-sous-Uxelles (71) 116 A1
Champallement (58) 99 F1
Champanges (74) 119 E3
Champaubert (51) 44 D4
Champcella (05) 147 E6
Champcenest (77) 44 B5
Champcerie (61) 38 D4
Champcervon (50) 35 H2
Champcevinel (24) 137 F2
Champcevrais (89) 82 C2
Champcey (50) 35 G3
Champclause (43) 143 E4
Champcueil (91) 63 G1
Champdeniers-Saint-Denis (79) 107 H2
Champdeuil (77) 43 F6
Champdieu (42) 128 D4
Champdivers (39) 102 C3
Champdolent (17) 120 D1
Champdor (01) 117 G6
Champdôtre (21) 102 B2
Champdray (88) 70 B4
Champeau-en-Morvan (21) 100 C1
Champeaux (35) 57 H2
Champeaux (50) 35 G3
les Champeaux (61) 39 F3
Champeaux (77) 43 F6
Champeaux-et-la-Chapelle-Pommier (24) 123 E5
Champeaux-sur-Sarthe (61) 39 H6
Champeix (63) 127 F5
Champenard (27) 41 E1
la Champenoise (36) 96 D4
Champenoux (54) 48 D4
Champéon (53) 59 E2
Champétières (63) 128 B5
Champey (70) 88 B3
Champey-sur-Moselle (54) 48 C3
Champfleur (72) 60 A2
Champfleury (10) 45 F6
Champfleury (51) 23 E6
Champforgeuil (71) 101 G5
Champfrémont (53) 59 H2
Champfromier (01) 117 H5
Champgenéteux (53) 59 F3
Champguyon (51) 44 C4
Champhol (28) 62 B1
Champien (80) 21 F2
Champier (38) 130 D6
Champigné (49) 76 D3
Champignelles (89) 82 C2
Champigneul-Champagne (51) 45 G3
Champigneul-sur-Vence (08) 24 A2
Champigneulle (08) 24 C5
Champigneulles (54) 48 C4
Champigneulles-en-Bassigny (52) 68 C4
Champignol-lez-Mondeville (10) 67 E4
Champignolles (21) 101 E3
Champignolles (27) 40 B3
Champigny (51) 23 E6
Champigny (89) 64 D3
Champigny-en-Beauce (41) 79 H3
Champigny-la-Futelaye (27) 41 E4
Champigny-le-Sec (86) 94 A6
Champigny-lès-Langres (52) 86 B1
Champigny-sous-Varennes (52) 86 D1
Champigny-sur-Aube (10) 66 B1
Champigny-sur-Marne (94) 43 E4
Champigny-sur-Veude (37) 94 B2
Champillet (36) 111 H2
Champillon (51) 45 F2
Champis (07) 143 H4
Champlan (91) 42 C5
Champlat-et-Boujacourt (51) 45 E1
Champlay (89) 65 F6
Champlecy (71) 115 F2
Champlemy (58) 99 F1
Champlin (08) 10 C6
Champlin (58) 99 F1
Champlitte (70) 86 C3
Champlive (25) 87 G6
Champlost (89) 65 G5
Champmillon (16) 122 B4
Champmotteux (91) 63 G3
Champnétery (87) 124 D2
Champneuville (55) 25 E6
Champniers (16) 122 C3
Champniers (86) 109 E4
Champniers-et-Reilhac (24) 123 F4
Champoléon (05) 146 C6
Champoly (42) 128 C2
Champosoult (61) 39 F3
Champougny (55) 47 H6
Champoulet (45) 82 C3
Champoux (25) 87 G6
Champrenault (21) 85 F5
Champrepus (50) 35 H2
Champrond (72) 61 E5
Champrond-en-Gâtine (28) 61 G2
Champrond-en-Perchet (28) 61 F3
Champrougier (39) 102 D4
Champs (02) 21 H3
Champs (61) 40 A6
Champs (63) 113 G6
les Champs-de-Losque (50) 13 E6
les Champs-Géraux (22) 34 D5
Champs-Romain (24) 123 F5
Champs-sur-Marne (77) 43 E4
Champs-sur-Tarentaine-Marchal (15) 126 B6
Champs-sur-Yonne (89) 83 G2
Champsac (87) 123 H3
Champsanglard (23) 111 G4
Champsecret (61) 38 B6
Champseru (28) 62 C1
Champsevraine (52) 86 C2
Champtercier (04) 160 C6
Champteussé-sur-Baconne (49) 76 D3
Champtocé-sur-Loire (49) 75 H3
Champtoceaux (49) 75 E4
Champtonnay (70) 86 D5
Champvallon (89) 65 E6
Champvans (39) 102 C2
Champvans (70) 86 C5
Champvans-les-Moulins (25) 103 F1
Champvert (58) 99 G5
Champvoisy (51) 44 D1
Champvoux (58) 98 D2
Chamrousse (38) 145 H3
Chamvres (89) 65 E6
Chanac (48) 155 H3
Chanac-les-Mines (19) 139 E2
Chanaleilles (43) 141 H5
Chanas (38) 144 A1
Chanat-la-Mouteyre (63) 127 E2
Chanay (01) 117 H6
Chanaz (73) 131 G2
Chançay (37) 79 E5
Chancé (35) 57 G3
Chanceaux (21) 85 F4
Chanceaux-près-Loches (37) 95 F2
Chanceaux-sur-Choisille (37) 78 D5
Chancelade (24) 137 F2
Chancenay (52) 46 D5
Chancey (70) 86 D6
Chancia (39) 117 G3
Chandai (61) 40 B4
Chandolas (07) 157 F4
Chandon (42) 115 F5
Chanéac (07) 143 F5
Chaneins (01) 116 B6
Chânes (71) 116 B4
le Change (24) 137 G2
Changé (53) 58 C4
Change (71) 101 F4
Changé (72) 60 B6
Changey (52) 68 B6
Changis-sur-Marne (77) 43 H3
Changy (42) 114 D5
Changy (51) 46 B4
Changy (71) 115 F3
Chaniat (43) 141 H1
Chaniers (17) 121 F3
Channay (21) 84 C1
Channay-sur-Lathan (37) 78 B4
Channes (10) 66 C6
Chanonat (63) 127 F4
Chanos-Curson (26) 144 B3
Chanousse (05) 159 G4
Chanoy (52) 68 A6
Chanoz-Châtenay (01) 116 C5
Chanteau (45) 62 D6
Chantecoq (45) 64 C5
Chantecorps (79) 108 B2
Chanteheux (54) 49 F6
Chanteix (19) 138 D1
Chantelle (03) 113 G4
Chanteloup (27) 40 D3
Chanteloup (35) 57 F4
Chanteloup (50) 35 G1
Chanteloup (79) 93 E5
Chanteloup-en-Brie (77) 43 F4
Chanteloup-les-Bois (49) 92 D2
Chanteloup-les-Vignes (78) 42 B3
Chantelouve (38) 146 A4
Chantemerle (51) 44 D6
Chantemerle-les-Blés (26) 144 B3
Chantemerle-lès-Grignan (26) 158 B4
Chantemerle-sur-la-Soie (17) 107 F6
Chantenay-Saint-Imbert (58) 99 E6
Chantenay-Villedieu (72) 59 G6
Chantepie (35) 57 F3
Chantérac (24) 136 D2
Chanteraine (55) 47 F5
Chanterelle (15) 140 D1
Chantes (70) 87 E3
Chantesse (38) 145 E2
Chanteuges (43) 142 A4
Chantillac (16) 135 H1
Chantilly (60) 42 D1
Chantonnay (85) 92 A6
Chantraine (88) 69 H4
Chantraines (52) 68 A4
Chantrans (25) 103 G3
Chantrigné (53) 59 E2
Chanu (61) 38 A4
Chanville (57) 49 E2
Chanzeaux (49) 76 D6
Chaon (41) 81 F4
Chaouilley (54) 69 F1
Chaource (10) 66 B5
Chaourse (02) 23 E2
Chapaize (71) 116 A1
Chapareillan (38) 132 A5
Chapdes-Beaufort (63) 126 D2
Chapdeuil (24) 136 D1
Chapeau (03) 114 B2
Chapeiry (74) 132 A2
Chapelaine (51) 46 A6
la Chapelaude (03) 112 C3
la Chapelle (03) 114 B6
la Chapelle (08) 24 C1
la Chapelle (16) 122 B2
la Chapelle (73) 132 C6
la Chapelle-Achard (85) 91 E5
la Chapelle-Agnon (63) 128 A4
la Chapelle-Anthenaise (53) 58 D4
la Chapelle-au-Mans (71) 114 D1
la Chapelle-au-Moine (61) 38 B5
la Chapelle-au-Riboul (53) 59 F2
la Chapelle-aux-Bois (88) 69 H5
la Chapelle-aux-Brocs (19) 138 D3
la Chapelle-aux-Chasses (03) 99 G6

la Chapelle-aux-Choux (72) 78 B3
la Chapelle-aux-Filtzméens (35) 35 E6
la Chapelle-aux-Lys (85) 92 D6
la Chapelle-aux-Naux (37) 78 C6
la Chapelle-aux-Saints (19) 139 E4
la Chapelle-Baloue (23) 111 E3
la Chapelle-Basse-Mer (44) 75 E5
la Chapelle-Bâton (79) 108 A2
la Chapelle-Bâton (86) 109 E5
la Chapelle-Bayvel (27) 15 G4
la Chapelle-Bertin (43) 142 A2
la Chapelle-Bertrand (79) 93 G6
la Chapelle-Biche (61) 38 A5
la Chapelle-Blanche (22) 56 C1
la Chapelle-Blanche (73) 132 A5
la Chapelle-Blanche-Saint-Martin (37) 95 E2
la Chapelle-Bouëxic (35) 56 D4
la Chapelle-Caro (56) 56 A5
la Chapelle-Cécelin (50) 37 F4
la Chapelle-Chaussée (35) 57 E1
la Chapelle-Craonnaise (53) 58 B6
la Chapelle-d'Abondance (74) 119 G3
la Chapelle-d'Alagnon (15) 140 D3
la Chapelle-d'Aligné (72) 77 F2
la Chapelle-d'Andaine (61) 38 B6
la Chapelle-d'Angillon (18) 81 G6
la Chapelle-d'Armentières (59) 3 E5
la Chapelle-d'Aunainville (28) 62 D2
la Chapelle-d'Aurec (43) 143 E1
la Chapelle-de-Bragny (71) 116 B1
la Chapelle-de-Brain (35) 56 D6
la Chapelle-de-Guinchay (71) 116 B5
la Chapelle-de-la-Tour (38) 131 E4
la Chapelle-de-Mardore (69) 115 G6
la Chapelle-de-Surieu (38) 130 B6
Chapelle-des-Bois (25) 118 B1
la Chapelle-des-Fougeretz (35) 57 E2
la Chapelle-des-Marais (44) 73 G3
la Chapelle-des-Pots (17) 121 F3
la Chapelle-devant-Bruyères (88) 70 C4
Chapelle-d'Huin (25) 103 G4
la Chapelle-du-Bard (38) 132 A6
la Chapelle-du-Bois (72) 60 D4
la Chapelle-du-Bois-des-Faulx (27) 40 D1
la Chapelle-du-Bourgay (76) 18 D1
la Chapelle-du-Châtelard (01) 116 C6
la Chapelle-du-Genêt (49) 75 G5
la Chapelle-du-Lou (35) 56 D2
la Chapelle-du-Mont-de-France (71) 115 H3
la Chapelle-du-Mont-du-Chat (73) 131 H3
la Chapelle-du-Noyer (28) 61 H5
la Chapelle-en-Juger (50) 37 F1
la Chapelle-en-Lafaye (42) 128 D6
la Chapelle-en-Serval (60) 43 E1
la Chapelle-en-Valgaudémar (05) 146 B5
la Chapelle-en-Vercors (26) 145 E4
la Chapelle-en-Vexin (95) 41 H1
la Chapelle-Enchérie (41) 79 H2
la Chapelle-Engerbold (14) 38 B3
la Chapelle-Erbrée (35) 58 A4
la Chapelle-Faucher (24) 137 F1
la Chapelle-Felcourt (51) 46 C2
la Chapelle-Forainvilliers (28) 41 F5
la Chapelle-Fortin (28) 40 C5
la Chapelle-Gaceline (56) 56 C5
la Chapelle-Gaudin (79) 93 F4
la Chapelle-Gaugain (72) 78 D2
la Chapelle-Gauthier (27) 39 H2
la Chapelle-Gauthier (77) 64 B1
la Chapelle-Geneste (43) 142 B1
la Chapelle-Glain (44) 75 F1
la Chapelle-Gonaguet (24) 137 E2
la Chapelle-Grésignac (24) 122 D6
Chapelle-Guillaume (28) 61 F5
la Chapelle-Hareng (27) 15 G5
la Chapelle-Haute-Grue (14) 39 F2
la Chapelle-Hermier (85) 91 E4
la Chapelle-Heulin (44) 75 E5
la Chapelle-Hugon (18) 98 C4
la Chapelle-Hullin (49) 76 A2
la Chapelle-Huon (72) 79 E1
la Chapelle-Iger (77) 43 H6
la Chapelle-Janson (35) 58 B2
la Chapelle-la-Reine (77) 63 H3
la Chapelle-Lasson (51) 45 E6
la Chapelle-Launay (44) 74 A3
la Chapelle-Laurent (15) 141 G3
la Chapelle-lès-Luxeuil (70) 87 H2
la Chapelle-Marcousse (63) 127 F6
la Chapelle-Montabourlet (24) 122 D6
la Chapelle-Montbrandeix (87) 123 G4
la Chapelle-Monthodon (02) 44 D2
la Chapelle-Montligeon (61) 60 D1
la Chapelle-Montlinard (18) 98 C2
la Chapelle-Montmartin (41) 96 C1
la Chapelle-Montmoreau (24) 123 F6
la Chapelle-Montreuil (86) 108 D1
la Chapelle-Moulière (86) 94 D6
la Chapelle-Moutils (77) 44 B4
la Chapelle-Naude (71) 116 D1
la Chapelle-Neuve (22) 32 C4
la Chapelle-Neuve (56) 55 F4
la Chapelle-Onzerain (45) 62 B5
la Chapelle-Orthemale (36) 96 B5
la Chapelle-Palluau (85) 91 F3
la Chapelle-Pouilloux (79) 108 C5
la Chapelle-près-Sées (61) 39 F6
la Chapelle-Rablais (77) 64 C1
la Chapelle-Rainsouin (53) 59 E4
la Chapelle-Rambaud (74) 118 C6
la Chapelle-Réanville (27) 41 F2
la Chapelle-Rousselin (49) 75 H5
Chapelle-Royale (28) 61 G4
la Chapelle-Saint-André (58) 83 E5
la Chapelle-Saint-Aubert (35) 57 H1
la Chapelle-Saint-Aubin (72) 60 A5
la Chapelle-Saint-Étienne (79) 92 D6
la Chapelle-Saint-Florent (49) 75 G4
la Chapelle-Saint-Fray (72) 60 A4
la Chapelle-Saint-Géraud (19) 139 F4
la Chapelle-Saint-Jean (24) 138 A2
la Chapelle-Saint-Laud (49) 77 F3
la Chapelle-Saint-Laurent (79) 93 E5
la Chapelle-Saint-Laurian (36) 96 D3
la Chapelle-Saint-Luc (10) 66 B3
la Chapelle-Saint-Martial (23) 111 G6
la Chapelle-Saint-Martin (73) 131 G4
la Chapelle-Saint-Martin-en-Plaine (41) 80 A3
la Chapelle-Saint-Maurice (74) 132 B3
la Chapelle-Saint-Mesmin (45) 80 D1
la Chapelle-Saint-Ouen (76) 19 E3
la Chapelle-Saint-Quillain (70) 87 E4
la Chapelle-Saint-Rémy (72) 60 C5
la Chapelle-Saint-Sauveur (44) 76 B4
la Chapelle-Saint-Sauveur (71) 102 B5
la Chapelle-Saint-Sépulcre (45) 64 B6
la Chapelle-Saint-Sulpice (77) 64 D1
la Chapelle-Saint-Ursin (18) 97 G3
la Chapelle-Souëf (61) 60 D3
la Chapelle-sous-Brancion (71) 116 B2
la Chapelle-sous-Dun (71) 115 F4
la Chapelle-sous-Orbais (51) 44 D3
la Chapelle-sous-Uchon (71) 100 C5
Chapelle-Spinasse (19) 139 G1
la Chapelle-sur-Aveyron (45) 82 B1
la Chapelle-sur-Chézy (02) 44 B3
la Chapelle-sur-Coise (69) 129 G4
la Chapelle-sur-Dun (76) 17 F2
la Chapelle-sur-Erdre (44) 74 D4
la Chapelle-sur-Furieuse (39) 103 F3
la Chapelle-sur-Loire (37) 94 B1
la Chapelle-sur-Oreuse (89) 65 E3
la Chapelle-sur-Oudon (49) 75 H1
la Chapelle-sur-Usson (63) 127 H6
la Chapelle-Taillefert (23) 111 G6
la Chapelle-Thècle (71) 116 D1
la Chapelle-Thémer (85) 107 E1
la Chapelle-Thireuil (79) 107 G1
la Chapelle-Thouarault (35) 57 E2
la Chapelle-Urée (50) 37 F5
Chapelle-Vallon (10) 66 B2
la Chapelle-Vaupelteigne (89) 83 H1
la Chapelle-Vendômoise (41) 79 H3
la Chapelle-Vicomtesse (41) 61 G6
la Chapelle-Viel (61) 40 A5
la Chapelle-Villars (42) 129 H6
Chapelle-Viviers (86) 109 G2
Chapelle-Voland (39) 102 C5
la Chapelle-Yvon (14) 15 G6
les Chapelles (73) 133 E4
les Chapelles-Bourbon (77) 43 G5
Chapelon (45) 63 H5
la Chapelotte (18) 81 H6
Chapet (78) 42 A3
Chapois (39) 103 F4
Chaponnay (69) 130 B4
Chaponost (69) 129 H3
Chappes (03) 113 F3
Chappes (08) 23 G3
Chappes (10) 66 C4
Chappes (63) 127 F2
Chaptelat (87) 124 B2
Chaptuzat (63) 113 G6
Charancieu (38) 131 F5
Charantonnay (38) 130 C5
Charavines (38) 131 E6
Charbogne (08) 24 A4
Charbonnat (71) 100 C5
Charbonnier-les-Mines (63) 127 G6
Charbonnières (28) 61 F4
Charbonnières (71) 116 B3
Charbonnières-les-Bains (69) 129 H3
Charbonnières-les-Sapins (25) 103 H2
Charbonnières-les-Varennes (63) 127 E2
Charbonnières-les-Vieilles (63) 127 E1
Charbuy (89) 83 F2
la Charce (26) 159 F3
Charcé-Saint-Ellier-sur-Aubance (49) 77 E5
Charcenne (70) 87 E5
Charchigné (53) 59 F2
Charchilla (39) 117 H2
Charcier (39) 117 H1
Chard (23) 126 B1
Chardeny (08) 24 A4
Chardogne (55) 47 E4
Chardonnay (71) 116 B2
Chareil-Cintrat (03) 113 G4
Charencey (21) 85 E5
Charency (39) 103 F5
Charency-Vezin (54) 25 F4
Charens (26) 159 F2
Charensat (63) 126 C1
Charentay (69) 116 A6
Charentenay (89) 83 F3
Charentilly (37) 78 D5
Charenton-du-Cher (18) 98 A6
Charenton-le-Pont (94) 42 D4
Charentonnay (18) 98 C2
Charette (38) 130 D2
Charette-Varennes (71) 102 B4
Charey (54) 48 B2
Charézier (39) 117 H1
Chargé (37) 79 F5
Chargey-lès-Gray (70) 86 C4
Chargey-lès-Port (70) 87 F2
Chariez (70) 87 F3
Charigny (21) 84 D5
la Charité-sur-Loire (58) 98 D2
Charix (01) 117 G5
Charlas (31) 184 B3
Charleval (13) 191 H2
Charleval (27) 19 E5
Charleville (51) 44 D4
Charleville-Mézières (08) 24 A1
Charleville-sous-Bois (57) 26 D5
Charlieu (42) 115 F5
Charly (18) 98 B4
Charly (69) 130 A4
Charly-Oradour (57) 26 C5
Charly-sur-Marne (02) 44 B3
Charmant (16) 122 C5
Charmauvillers (25) 88 D6
Charmé (16) 122 B1
la Charme (39) 102 D4
le Charme (45) 82 C2
la Charmée (71) 101 G6
Charmeil (03) 114 A5
le Charmel (02) 44 C1
Charmensac (15) 141 F2
Charmentray (77) 43 F3
Charmes (02) 22 A2
Charmes (03) 113 H6
Charmes (21) 86 B5
Charmes (52) 68 B6
Charmes (88) 69 G2
Charmes-en-l'Angle (52) 67 G2
Charmes-la-Côte (54) 48 A6
Charmes-la-Grande (52) 67 G2
Charmes-Saint-Valbert (70) 86 D2
Charmes-sur-l'Herbasse (26) 144 B3
Charmes-sur-Rhône (07) 144 A5
Charmoille (25) 88 B6
Charmoille (70) 87 F3
Charmois (54) 49 E6
Charmois (90) 88 D3
Charmois-devant-Bruyères (88) 70 A4
Charmois-l'Orgueilleux (88) 69 G4
Charmont (51) 46 C3
Charmont (95) 41 H1
Charmont-en-Beauce (45) 63 E4
Charmont-sous-Barbuise (10) 66 B2
les Charmontois (51) 46 D3
Charmoy (10) 65 G2
Charmoy (71) 100 D5
Charmoy (89) 65 F6
Charnas (07) 143 H1
Charnat (63) 127 H1
Charnay (25) 103 F2
Charnay (69) 129 H2
Charnay-lès-Chalon (71) 102 A4
Charnay-lès-Mâcon (71) 116 B4
Charnècles (38) 145 F1
Charnizay (37) 95 F4
Charnod (39) 117 F3
Charnois (08) 11 F4
Charnoz-sur-Ain (01) 130 D2
Charny (21) 84 D6
Charny (77) 43 F3
Charny (89) 82 D1
Charny-le-Bachot (10) 66 A1
Charny-sur-Meuse (55) 25 E6
Charolles (71) 115 F3
Charols (26) 158 C2
Charonville (28) 61 H3
Chârost (18) 97 F3
Charpentry (55) 24 C6
Charpey (26) 144 C5
Charpont (28) 41 F5
Charquemont (25) 104 D1
Charrais (86) 94 B6
Charraix (43) 142 A4
Charras (16) 122 D5
Charray (28) 61 H6
Charre (64) 181 G2
Charrecey (71) 101 F5
Charrey-sur-Saône (21) 102 A2
Charrey-sur-Seine (21) 66 D6
Charrin (58) 99 G5
Charritte-de-Bas (64) 181 G2
Charron (17) 106 D3
Charron (23) 112 C6
Charroux (03) 113 G5
Charroux (86) 109 E5
Chars (95) 42 A1
Charsonville (45) 62 B6
Chartainvilliers (28) 62 B1
Chartèves (02) 44 C2
la Chartre-sur-le-Loir (72) 78 D2
Chartrené (49) 77 G4
Chartres (28) 62 B2
Chartres-de-Bretagne (35) 57 E3
Chartrettes (77) 64 A1
Chartrier-Ferrière (19) 138 C3
Chartronges (77) 44 A5
Chartuzac (17) 135 F1
Charvieu-Chavagneux (38) 130 C3
Charvonnex (74) 132 B1
Chas (63) 127 G3
Chaserey (10) 66 B6
Chasnais (85) 91 H6
Chasnans (25) 103 H2
Chasnay (58) 99 E1
Chasné-sur-Illet (35) 57 F1
Chaspinhac (43) 142 C3
Chaspuzac (43) 142 B4
la Chassagne (39) 102 C4
Chassagne (63) 127 E5
Chassagne-Montrachet (21) 101 F4
Chassagne-Saint-Denis (25) 103 G2
Chassagnes (43) 142 A2
Chassagny (69) 129 H4
Chassaignes (24) 136 C2
Chassal (39) 117 H3
Chassant (28) 61 G3
Chassé (72) 60 B1
Chasse-sur-Rhône (38) 130 A5
Chasseguey (50) 37 F5
Chasselas (71) 116 A4
Chasselay (38) 144 D2
Chasselay (69) 130 A2
Chassemy (02) 22 B5
Chassenard (03) 114 D3
Chasseneuil (36) 110 D1
Chasseneuil-du-Poitou (86) 94 C6
Chasseneuil-sur-Bonnieure (16) 122 D2
Chassenon (16) 123 F2
Chasseradès (48) 156 C2
Chassey (21) 84 D5
Chassey-Beaupré (55) 68 B1
Chassey-le-Camp (71) 101 F4
Chassey-lès-Montbozon (70) 87 H4
Chassey-lès-Scey (70) 87 F3
Chassiecq (16) 122 D1
Chassiers (07) 157 F2
Chassieu (69) 130 B3
Chassignelles (89) 84 B2
Chassignieu (38) 131 E5
Chassignolles (36) 111 G2
Chassignolles (43) 127 H6
Chassigny (52) 86 B2
Chassigny-sous-Dun (71) 115 F4
Chassillé (72) 59 G5
Chassors (16) 121 H3
Chassy (18) 98 B3
Chassy (71) 115 E1
Chassy (89) 83 E1
le Chastang (19) 139 E3
Chastanier (48) 156 C1
Chasteaux (19) 138 C3
Chastel (43) 141 G3
Chastel-Arnaud (26) 158 D1
Chastel-Nouvel (48) 156 A2
Chastel-sur-Murat (15) 140 D3
Chastellux-sur-Cure (89) 84 A5
Chastreix (63) 126 C5
la Châtaigneraie (85) 92 C6
Chatain (86) 109 E6
Châtaincourt (28) 41 E5
Châtas (88) 70 D2
Château (71) 115 H3
Château-Arnoux-Saint-Auban (04) 160 B6
Château-Bernard (38) 145 F4
Château-Bréhain (57) 49 E3
Château-Chalon (39) 102 D5
Château-Chervix (87) 124 B4
Château-Chinon (Campagne) (58) 100 A3
Château-Chinon (Ville) (58) 100 A3
le Château-d'Almenêches (61) 39 F5
Château-des-Prés (39) 118 A2
le Château-d'Oléron (17) 120 B1
Château-d'Olonne (85) 91 E6
Château-du-Loir (72) 78 C3
Château-Gaillard (01) 130 D1
Château-Garnier (86) 109 E4
Château-Gontier (53) 76 D1
Château-Guibert (85) 91 H5
Château-la-Vallière (37) 78 B4
Château-l'Abbaye (59) 4 B6
Château-Landon (77) 64 A4
Château-Larcher (86) 109 E3
Château-l'Évêque (24) 137 F2
Château-l'Hermitage (72) 78 A2
Château-Porcien (08) 23 F3
Château-Renard (45) 64 C6
Château-Renault (37) 79 F4
Château-Rouge (57) 27 E4
Château-Salins (57) 49 E4
Château-sur-Allier (03) 98 D5
Château-sur-Cher (63) 112 C6
Château-sur-Epte (27) 19 G6
Château-Thébaud (44) 74 D6
Château-Thierry (02) 44 B2
Château-Verdun (09) 199 F1
Château-Ville-Vieille (05) 147 F6
Château-Voué (57) 49 F3
Châteaubernard (16) 121 G3
Châteaubleau (77) 43 H6
Châteaubourg (07) 144 A4
Châteaubourg (35) 57 G3
Châteaubriant (44) 57 G6
Châteaudouble (26) 144 C5
Châteaudouble (83) 177 H5
Châteaudun (28) 61 H5
Châteaufort (04) 160 B5
Châteaufort (78) 42 B5
Châteaugay (63) 127 F2
Châteaugiron (35) 57 G3
Châteaulin (29) 53 G1
Châteaumeillant (18) 112 A2
Châteauneuf (21) 101 F1
Châteauneuf (42) 129 H5
Châteauneuf (71) 115 F5
Châteauneuf (73) 132 B5
Châteauneuf (85) 90 D2
Châteauneuf-de-Bordette (26) 158 D4
Châteauneuf-de-Chabre (05) 160 A5
Châteauneuf-de-Gadagne (84) 175 E2
Châteauneuf-de-Galaure (26) 144 B2
Châteauneuf-de-Randon (48) 156 B2
Châteauneuf-de-Vernoux (07) 143 H5
Châteauneuf-d'Entraunes (06) 161 G6
Châteauneuf-d'Ille-et-Vilaine (35) 36 A5
Châteauneuf-d'Oze (05) 160 A3
Châteauneuf-du-Faou (29) 53 H1
Châteauneuf-du-Pape (84) 175 E1
Châteauneuf-du-Rhône (26) 158 A3
Châteauneuf-en-Thymerais (28) 41 E6
Châteauneuf-Grasse (06) 178 C4
Châteauneuf-la-Forêt (87) 124 D3
Châteauneuf-le-Rouge (13) 176 B6
Châteauneuf-les-Bains (63) 126 D1
Châteauneuf-les-Martigues (13) 191 H5
Châteauneuf-Miravail (04) 159 H6
Châteauneuf-sur-Charente (16) 122 A4
Châteauneuf-sur-Cher (18) 97 G5
Châteauneuf-sur-Isère (26) 144 B4
Châteauneuf-sur-Loire (45) 81 F1
Châteauneuf-sur-Sarthe (49) 77 E2
Châteauneuf-Val-de-Bargis (58) 99 E1
Châteauneuf-Val-Saint-Donat (04) 160 B6
Châteauneuf-Villevieille (06) 195 F2
Châteauponsac (87) 110 C5
Châteauredon (04) 177 F1
Châteaurenard (13) 175 E3
Châteauroux (36) 96 C5
Châteauroux-les-Alpes (05) 161 E1
Châteauvert (83) 177 E6
Châteauvieux (05) 160 B3
Châteauvieux (41) 96 A1
Châteauvieux (83) 178 A3
Châteauvieux-les-Fossés (25) 103 H2
Châteauvilain (38) 130 D5
Châteauvillain (52) 67 G5
le Châtel (73) 146 C1
Châtel (74) 119 G4
Châtel-Censoir (89) 83 G4
Chatel-Chéhéry (08) 24 C5
Châtel-de-Joux (39) 117 H2
Châtel-de-Neuvre (03) 113 H3
Châtel-Gérard (89) 84 B3
Châtel-Guyon (63) 127 E2
Châtel-Montagne (03) 114 C6
Châtel-Moron (71) 101 F5
Châtel-Saint-Germain (57) 26 B5
Châtel-sur-Moselle (88) 69 H2
Châtelaillon-Plage (17) 106 D5
Châtelain (53) 76 D1
la Châtelaine (39) 103 E4
Châtelais (49) 76 B2
Châtelard (23) 126 B1
le Châtelard (73) 132 B3
Châtelaudren (22) 33 F4
Chatelay (39) 103 E3
Châtelblanc (25) 103 G6
Châteldon (63) 127 H1
le Châtelet (18) 112 B1
le Châtelet-en-Brie (77) 64 B1
le Châtelet-sur-Meuse (52) 68 C6
le Châtelet-sur-Retourne (08) 23 G4
le Châtelet-sur-Sormonne (08) 10 D6
les Châtelets (28) 40 C5
le Chateley (39) 102 D4
le Châtelier (51) 46 C3
Châtellenot (21) 101 E1
Châtellerault (86) 94 D5
le Châtellier (35) 58 A1
le Châtellier (61) 38 B5
les Châtelliers-Châteaumur (85) 92 C4
les Châtelliers-Notre-Dame (28) 61 H2
Châtelneuf (39) 103 F6
Châtelneuf (42) 128 C4
Châtelperron (03) 114 B3
Châtelraould-Saint-Louvent (51) 46 A5
Châtelus (03) 114 C5
Châtelus (38) 145 E3
Châtelus (42) 129 G4
Châtelus-le-Marcheix (23) 124 D1
Châtelus-Malvaleix (23) 111 H4
Châtenay (01) 116 D6
Châtenay (28) 62 D2
Châtenay (38) 144 D1
Châtenay (71) 115 G4
Châtenay-en-France (95) 42 D2
Chatenay-Mâcheron (52) 86 B1
Châtenay-Malabry (92) 42 C5
Châtenay-sur-Seine (77) 64 D2
Chatenay-Vaudin (52) 86 B1
Chatenet (17) 135 G1
le Châtenet-en-Dognon (87) 124 C2
Châteney (70) 87 H2
Châtenois (39) 102 D2
Châtenois (67) 71 F3
Châtenois (70) 87 H2
Châtenois (88) 69 E3
Châtenois-les-Forges (90) 88 C3
Châtenoy (45) 81 G1
Châtenoy (77) 64 A4
Châtenoy-en-Bresse (71) 101 G5
Châtenoy-le-Royal (71) 101 G5
Châtignac (16) 136 A1
Chatignonville (91) 62 D2
Châtillon (03) 113 G2
Châtillon (39) 103 E6
Châtillon (69) 129 H2
Châtillon (86) 108 D3
Châtillon (92) 42 C4
Châtillon-Coligny (45) 82 B2
Châtillon-en-Bazois (58) 99 G3
Châtillon-en-Diois (26) 159 F1
Châtillon-en-Dunois (28) 61 G5
Châtillon-en-Michaille (01) 117 H5
Châtillon-en-Vendelais (35) 58 A3
Châtillon-Guyotte (25) 87 G6
Châtillon-la-Borde (77) 64 B1
Châtillon-la-Palud (01) 130 D1
Châtillon-le-Duc (25) 87 F6
Châtillon-le-Roi (45) 63 E4
Châtillon-lès-Sons (02) 22 C1
Châtillon-Saint-Jean (26) 144 C3
Châtillon-sous-les-Côtes (55) 47 G1
Châtillon-sur-Broué (51) 67 E1
Châtillon-sur-Chalaronne (01) 116 C5
Châtillon-sur-Cher (41) 96 B1
Châtillon-sur-Cluses (74) 119 E5
Châtillon-sur-Colmont (53) 58 D2
Châtillon-sur-Indre (36) 95 H3
Châtillon-sur-Lison (25) 103 F2
Châtillon-sur-Loire (45) 82 A4
Châtillon-sur-Marne (51) 44 D2
Châtillon-sur-Morin (51) 44 C5
Châtillon-sur-Oise (02) 22 B1
Châtillon-sur-Saône (88) 69 E6
Châtillon-sur-Seine (21) 85 E1
Châtillon-sur-Thouet (79) 93 G6
Châtin (58) 100 A2
Châtonnay (38) 130 D5
Chatonnay (39) 117 F3
Chatonrupt-Sommermont (52) 67 H1
Chatou (78) 42 C3
la Châtre (36) 111 H1
la Châtre-Langlin (36) 110 D3
Châtres (10) 65 H1
Châtres (24) 138 A2
Châtres (77) 43 F5
Châtres-la-Forêt (53) 59 E4
Châtres-sur-Cher (41) 96 D1
Châtrices (51) 46 D2
Chattancourt (55) 25 E6
Chatte (38) 144 D3
Chatuzange-le-Goubet (26) 144 C4
Chaucenne (25) 87 E6
Chauchailles (48) 141 F6
Chauché (85) 91 H3
le Chauchet (23) 112 B6
Chauchigny (10) 66 A2
Chauconin-Neufmontiers (77) 43 G3
Chaudardes (02) 22 D5
Chaudebonne (26) 159 E3
Chaudefonds-sur-Layon (49) 76 C6
Chaudefontaine (25) 87 G6
Chaudefontaine (51) 46 C1
Chaudenay (52) 86 C1
Chaudenay (71) 101 G4
Chaudenay-la-Ville (21) 101 F2
Chaudenay-le-Château (21) 101 F2
Chaudeney-sur-Moselle (54) 48 B5
Chaudes-Aigues (15) 141 E5
Chaudeyrac (48) 156 C2
Chaudeyrolles (43) 143 E5
la Chaudière (26) 158 D2
Chaudon (28) 41 F5
Chaudon-Norante (04) 177 G2
Chaudrey (10) 66 C1
Chaudron-en-Mauges (49) 76 B6
Chaudun (02) 22 A5
Chauffailles (71) 115 G5
Chauffayer (05) 146 A6
Chauffecourt (88) 69 F2
Chauffour-lès-Bailly (10) 66 C4
Chauffour-lès-Étréchy (91) 63 F1
Chauffour-sur-Vell (19) 138 D4
Chauffours (28) 62 A2
Chauffourt (52) 68 B6
Chauffry (77) 44 A4
Chaufour-lès-Bonnières (78) 41 F2
Chaufour-Notre-Dame (72) 60 A5
Chaugey (21) 85 G2
Chaulgnes (58) 98 D2
Chaulhac (48) 141 G5
Chaulieu (50) 37 H4
la Chaulme (63) 128 C6
Chaulnes (80) 21 F1
Chaum (31) 184 A5
Chaumard (58) 100 A2
la Chaume (21) 85 F1
Chaume-et-Courchamp (21) 86 B4
Chaume-lès-Baigneux (21) 85 E3
Chaumeil (19) 125 F6

Chaumercenne (70) 86 D6
Chaumergy (39) 102 C4
Chaumes-en-Brie (77) 43 G5
Chaumesnil (10) 67 E2
Chaumont (18) 98 B5
Chaumont (52) 67 H5
Chaumont (61) 39 G4
Chaumont (74) 118 A6
Chaumont (89) 64 D3
Chaumont-d'Anjou (49) 77 F4
Chaumont-
-devant-Damvillers (55) 25 F5
Chaumont-en-Vexin (60) 19 H6
Chaumont-la-Ville (52) 68 D4
Chaumont-le-Bois (21) 67 E6
Chaumont-le-Bourg (63) 128 B6
Chaumont-Porcien (08) 23 F2
Chaumont-sur-Aire (55) 47 F3
Chaumont-sur-Loire (41) 79 G5
Chaumont-
-sur-Tharonne (41) 80 D4
Chaumontel (95) 42 D1
Chaumot (58) 99 G1
Chaumot (89) 64 D5
Chaumousey (88) 69 H4
Chaumoux-Marcilly (18) 98 B2
Chaumussay (37) 95 F4
la Chaumusse (39) 118 A1
Chaumuzy (51) 45 E1
Chaunac (17) 121 G6
Chaunay (86) 108 D4
Chauny (02) 21 H3
Chauray (79) 107 H3
Chauriat (63) 127 G3
la Chaussade (23) 125 H1
la Chaussaire (49) 75 F5
Chaussan (69) 129 H4
la Chaussée (76) 17 G3
la Chaussée (86) 94 A4
la Chaussée-d'Ivry (28) 41 F3
la Chaussée-
-Saint-Victor (41) 80 A3
la Chaussée-sur-Marne (51) 46 A4
la Chaussée-Tirancourt (80) 7 F5
Chaussenac (15) 139 H3
Chaussenans (39) 103 E5
Chausseterre (42) 128 B2
Chaussin (39) 102 C3
Chaussoy-Epagny (80) 20 C2
Chaussy (45) 63 E4
Chaussy (95) 41 H1
le Chautay (18) 98 C4
Chauvac-
-Laux-Montaux (26) 159 G4
Chauvé (44) 74 A5
Chauvency-le-Château (55) 25 E3
Chauvency-
-Saint-Hubert (55) 25 E3
Chauvigné (35) 35 G6
Chauvigny (86) 109 G1
Chauvigny-du-Perche (41) 61 G6
Chauvincourt-
-Provemont (27) 19 G6
Chauvirey-le-Châtel (70) 86 D2
Chauvirey-le-Vieil (70) 86 D2
Chauvoncourt (55) 47 G3
Chauvry (95) 42 C2
Chaux (21) 101 G2
la Chaux (25) 104 A3
la Chaux (61) 38 D6
la Chaux (71) 102 B5
Chaux (90) 88 C2
Chaux-Champagny (39) 103 F4
Chaux-des-Crotenay (39) 103 F6
Chaux-des-Prés (39) 118 A2
la Chaux-du-Dombief (39) 118 A1
la Chaux-en-Bresse (39) 102 C5
Chaux-la-Lotière (70) 87 F5
Chaux-lès-Clerval (25) 88 A5
Chaux-lès-Passavant (25) 104 A1
Chaux-lès-Port (70) 87 F2
Chaux-Neuve (25) 103 G6
Chauzon (07) 157 G3
Chavagnac (15) 140 D3
Chavagnac (24) 138 B3
Chavagne (35) 57 E3
Chavagnes (49) 77 E6
Chavagnes-en-Paillers (85) 91 H2
Chavagnes-les-Redoux (85) 92 B5
Chavaignes (49) 77 H4
Chavanac (19) 125 G4
Chavanat (23) 125 F1
Chavanatte (90) 89 E3
Chavanay (42) 129 H6
Chavanges (10) 67 E1
Chavaniac-Lafayette (43) 142 A3
Chavannaz (74) 118 B6
Chavanne (70) 88 B4
la Chavanne (73) 132 A5
Chavannes (18) 97 G5
Chavannes (26) 144 B3
les Chavannes-
-en-Maurienne (73) 132 C6
Chavannes-les-Grands (90) 88 D3
Chavannes-sur-l'Étang (68) 88 D3
Chavannes-
-sur-Reyssouze (01) 116 C3
Chavannes-sur-Suran (01) 117 F4
Chavanod (74) 132 A2
Chavanoz (38) 130 C3
Chavaroux (63) 127 G2
la Chavatte (80) 21 E1
Chaveignes (37) 94 C3
Chavelot (88) 69 H3
Chavenat (16) 122 C5
Chavenay (78) 42 B4
Chavençon (60) 42 B1
Chavenon (03) 113 F3
Chavéria (39) 117 G2
Chaveroche (19) 125 H5
Chaveyriat (01) 116 D5
Chavignon (02) 22 B4
Chavigny (02) 22 A4
Chavigny (54) 48 C5
Chavigny-Bailleul (27) 41 E3
Chaville (92) 42 C4
Chavin (36) 111 E2
Chavonne (02) 22 C5
Chavornay (01) 131 G2
Chavot-Courcourt (51) 45 E2
Chavoy (50) 35 H3
Chavroches (03) 114 B3
le Chay (17) 120 D4
Chay (25) 103 F3
Chazay-d'Azergues (69) 129 H2
la Chaze-de-Peyre (48) 155 G1
Chazé-Henry (49) 76 A2
Chazé-sur-Argos (49) 76 B3
Chazeaux (07) 157 F2
Chazelet (36) 110 D2
Chazelles (15) 141 G3
Chazelles (16) 122 D4
Chazelles (39) 117 E3
Chazelles (43) 141 H4
Chazelles-sur-Albe (54) 49 G6
Chazelles-sur-Lavieu (42) 128 D5
Chazelles-sur-Lyon (42) 129 F4
Chazemais (03) 112 C2
Chazeuil (21) 86 A4
Chazeuil (58) 99 F1
Chazey-Bons (01) 131 F2
Chazey-sur-Ain (01) 130 D2
Chazilly (21) 101 E2
Chazot (25) 88 B6
Chécy (45) 81 E1
Chédigny (37) 95 G1
Chef-Boutonne (79) 108 B5
Chef-du-Pont (50) 12 D4
Chef-Haut (88) 69 F2
Cheffes (49) 77 E3
Cheffois (85) 92 C6
Cheffreville-
-Tonnencourt (14) 15 F6
le Chefresne (50) 37 F3
Chéhéry (08) 24 B2
Cheignieu-la-Balme (01) 131 F2
Cheillé (37) 94 C1
Cheilly-lès-Maranges (71) 101 F4
Chein-Dessus (31) 184 C5
Cheissoux (87) 124 D2
le Cheix (63) 127 F1
Cheix-en-Retz (44) 74 B5
Chélan (32) 184 A2
Chelers (62) 7 H1
Chélieu (38) 131 E5
Chelle-debat (65) 183 F2
Chelle-Spou (65) 183 F4
Chelles (60) 21 G5
Chelles (77) 43 E4
Chelun (35) 57 H5
Chemaudin (25) 103 F1
Chemazé (53) 76 C1
Chemellier (49) 77 F6
Chemenot (39) 102 D4
Chéméré (44) 74 A6
Chémeré-le-Roi (53) 59 E6
Chémery (41) 80 A6
Chémery-les-Deux (57) 26 D4
Chémery-sur-Bar (08) 24 B3
Chemilla (39) 117 G3
Chemillé (49) 92 D1
Chemillé-sur-Dême (37) 78 D3
Chemillé-sur-Indrois (37) 95 H2
Chemilli (61) 60 C2
Chemilly (03) 113 H2
Chemilly (70) 87 F3
Chemilly-sur-Serein (89) 83 H2
Chemilly-sur-Yonne (89) 83 F1
Chemin (39) 102 B3
le Chemin (51) 46 D2
Chemin-d'Aisey (21) 85 E2
Cheminas (07) 144 A3
Cheminon (51) 46 C5
Cheminot (57) 48 C3
Chemiré-en-Charnie (72) 59 G5
Chemiré-le-Gaudin (72) 59 H6
Chemiré-sur-Sarthe (49) 77 E2
Chemy (59) 3 F6
Chenac-Saint-Seurin-
-d'Uzet (17) 120 D5
Chenailler-Mascheix (19) 139 E4
la Chenalotte (25) 104 C2
Chénas (69) 116 A5
Chenaud (24) 136 B2
Chenay (51) 23 E5
Chenay (72) 60 A1
Chenay (79) 108 C3
Chenay-le-Châtel (71) 114 D5
le Chêne (10) 66 B1
Chêne-Arnoult (89) 82 C1
Chêne-Bernard (39) 102 C4
Chêne-en-Semine (74) 118 A6
Chêne-Sec (39) 102 C4
Chenebier (70) 88 B3
Chenecey-Buillon (25) 103 F2
Cheneché (86) 94 B5
Chênedollé (14) 38 A3
Chênedouit (61) 38 C4
Chênehutte-Trèves-
-Cunault (49) 77 G6
Chénelette (69) 115 H5
Chénérailles (23) 112 A6
Chenereilles (42) 128 D6
Chenereilles (43) 143 E3
Chenevelles (86) 94 D6
Chenevières (54) 49 F6
Chenevrey-et-Morogne (70) 86 D6
Chênex (74) 118 B5
Cheney (89) 84 A1
Chenicourt (54) 48 D3
Chenières (54) 25 H4
Chéniers (23) 111 F3
Cheniers (51) 45 G3
Chenillé-Changé (49) 76 D2
Cheniménil (88) 70 B4
Chennebrun (27) 40 B5
Chennegy (10) 65 H4
Chennevières-
-lès-Louvres (95) 43 E2
Chennevières-
-sur-Marne (94) 43 E4
Chenois (57) 49 E2
Chenoise (77) 44 A6
Chenommet (16) 122 C1
Chenon (16) 122 C1
Chenonceaux (37) 79 G6
Chenou (77) 64 A4
Chenôve (21) 85 H6
Chenôves (71) 101 F6
Chens-sur-Léman (74) 118 C3
Chenu (72) 78 B3
Cheny (89) 65 F6
Chepniers (17) 135 G1
Chepoix (60) 20 C3
la Cheppe (51) 46 A2
Cheppes-la-Prairie (51) 46 A4
Cheppy (55) 24 D6
Cheptainville (91) 63 F1
Chepy (51) 46 A3
Chépy (80) 6 C4
Chérac (17) 121 F3
Chérancé (53) 76 B1
Chérancé (72) 60 A3
Chéraute (64) 181 G2
Cherbonnières (17) 121 G1
Cherbourg-Octeville (50) 12 C2
Chérence (95) 41 G2
Chérencé-le-Héron (50) 37 F4
Chérencé-le-Roussel (50) 37 G4
Chéreng (59) 3 G5
les Chères (69) 129 H2
Chérêt (02) 22 C4
Chériennes (62) 7 E2
Cherier (42) 128 C1
Chérigné (79) 108 B5
les Chéris (50) 37 E5
Chérisay (72) 60 A2
Chérisey (57) 26 C6
Cherisy (28) 41 F5
Chérisy (62) 8 C3
Chérizet (71) 115 H2
Chermignac (17) 121 E3
Chermisey (88) 68 C2
Chermizy-Ailles (02) 22 C4
Chéronnac (87) 123 F3
Chéronvilliers (27) 40 B4
Chéroy (89) 64 C4
Cherré (49) 77 E2
Cherré (72) 60 D4
Cherreau (72) 60 D4
Cherrueix (35) 35 F4
Cherval (24) 122 D6
Cherveix-Cubas (24) 138 A1
Cherves (86) 93 H6
Cherves-Châtelars (16) 123 E2
Cherves-Richemont (16) 121 G3
Chervettes (17) 107 F6
Cherveux (79) 107 H2
Chervey (10) 66 D5
Cherville (51) 45 G2
Chéry (18) 97 E2
Chéry-Chartreuve (02) 22 C6
Chéry-lès-Pouilly (02) 22 C2
Chéry-lès-Rozoy (02) 23 F2
Chesley (10) 66 B6
le Chesnay (78) 42 B4
le Chesne (08) 24 B3
le Chesne (27) 40 C3
Chesnois-Auboncourt (08) 23 H3
Chesny (57) 26 C6
Chessenaz (74) 118 A6
Chessy (69) 129 G2
Chessy (77) 43 F4
Chessy-les-Prés (10) 66 A6
Chéu (89) 65 H6
Cheuge (21) 86 B5
Cheust (65) 183 E4
Cheux (14) 14 A5
Chevagnes (03) 114 B1
Chevagny-
-les-Chevrières (71) 116 B4
Chevagny-sur-Guye (71) 115 H2
Chevaigné (35) 57 F2
Chevaigné-du-Maine (53) 59 F1
le Chevain (72) 60 A2
Cheval-Blanc (84) 175 F3
Chevaline (74) 132 B3
la Chevallerais (44) 74 C3
Chevanceaux (17) 135 H1
Chevannay (21) 85 E5
Chevannes (21) 101 G2
Chevannes (45) 64 B5
Chevannes (89) 83 F2
Chevannes (91) 63 G1
Chevannes-Changy (58) 99 F1
Chevennes (02) 22 C1
Chevenon (58) 99 E4
Chevenoz (74) 119 F3
Cheverny (41) 80 A4
Cheveuges (08) 24 B2
Chevières (08) 24 C5
Chevigney (70) 86 C6
Chevigney-lès-Vercel (25) 104 A1
Chevigney-sur-l'Ognon (25) 87 E6
Chevigny (39) 102 C2
Chevigny-en-Valière (21) 101 H3
Chevigny-
-Saint-Sauveur (21) 85 H6
Chevillard (01) 117 G5
Chevillé (72) 59 G6
Chevillon (52) 67 H1
Chevillon (89) 82 D1
Chevillon-sur-Huillard (45) 64 A6
la Chevillotte (25) 103 G1
Chevilly (45) 62 D5
Chevilly-Larue (94) 42 D5
Chevinay (69) 129 G3
Chevincourt (60) 21 F4
Cheviré-le-Rouge (49) 77 G3
Chevrainvilliers (77) 64 A4
Chevreaux (39) 117 F2
Chevregny (02) 22 C4
Chèvremont (90) 88 D3
la Chèvrerie (16) 108 D6
Chevresis-Monceau (02) 22 B1
Chevreuse (78) 42 B5
Chèvreville (50) 37 G5
Chèvreville (60) 43 G1
Chevrier (74) 118 A5
Chevrières (38) 144 D2
Chevrières (42) 129 F5
Chevrières (60) 21 E5
Chevroches (58) 83 F5
la Chevrolière (44) 74 C6
Chevrotaine (39) 103 F6
Chevroux (01) 116 C3
Chevroz (25) 87 F6
Chevru (77) 44 A5
Chevry (01) 118 B4
Chevry (50) 37 F2
Chevry-Cossigny (77) 43 F5
Chevry-en-Sereine (77) 64 C3
Chevry-sous-le-Bignon (45) 64 B4
Chey (79) 108 C4
Cheylade (15) 140 C2
le Cheylard (07) 143 F5
Cheylard-l'Évêque (48) 156 C2
le Cheylas (38) 132 A6
Cheyssieu (38) 130 A6
Chezal-Benoît (18) 97 F5
la Chèze (22) 55 H2
Chèze (65) 182 D6
Chezelle (03) 113 G5
Chezelles (36) 96 B4
Chezelles (37) 94 C3
Chèzeneuve (38) 130 D5
Chézery-Forens (01) 118 A4
Chézy (03) 114 A1
Chézy-en-Orxois (02) 44 A1
Chézy-sur-Marne (02) 44 B3
Chiatra (2B) 205 G2
Chiché (79) 93 F5
Chicheboville (14) 38 D1
Chichée (89) 83 H2
Chichery (89) 83 F1
Chichey (51) 44 D5
Chichilianne (38) 145 F6
Chicourt (57) 49 E3
Chiddes (58) 100 A5
Chiddes (71) 115 H2
Chidrac (63) 127 F5
Chierry (02) 44 B2
Chieulles (57) 26 C5
Chigné (49) 78 A3
Chignin (73) 132 A5
Chigny (02) 9 H6
Chigny-les-Roses (51) 45 F1
Chigy (89) 65 F4
Chilhac (43) 141 H3
Chillac (16) 122 A6
Chille (39) 102 D6
Chilleurs-aux-Bois (45) 63 E5
le Chillou (79) 93 G5
Chilly (08) 10 D6
Chilly (74) 118 A6
Chilly (80) 21 E1
Chilly-le-Vignoble (39) 102 C6
Chilly-Mazarin (91) 42 D5
Chilly-sur-Salins (39) 103 F4
Chimilin (38) 131 F4
Chindrieux (73) 131 G2
Chinon (37) 94 B2
Chipilly (80) 8 A6
Chirac (16) 123 F1
Chirac (48) 155 G3
Chirac-Bellevue (19) 125 H6
Chirassimont (42) 129 E2
Chirat-l'Église (03) 113 F4
Chiré-en-Montreuil (86) 94 A6
Chirens (38) 131 F6
Chirmont (80) 20 C2
Chirols (07) 157 F1
Chiroubles (69) 116 A5
Chiry-Ourscamp (60) 21 G3
Chis (65) 183 F2
Chisa (2B) 205 F5
Chissay-en-Touraine (41) 79 G6
Chisseaux (37) 79 G6
Chisséria (39) 117 G3
Chissey-en-Morvan (71) 100 C2
Chissey-lès-Mâcon (71) 116 A2
Chissey-sur-Loue (39) 103 E3
Chitenay (41) 80 A4
Chitray (36) 110 D1
Chitry (89) 83 G2
Chitry-les-Mines (58) 99 G1
Chives (17) 122 A1
Chivres (21) 102 A3
Chivres-en-Laonnois (02) 22 D2
Chivres-Val (02) 22 B5
Chivy-lès-Étouvelles (02) 22 C3
Chizé (79) 107 H5
Chocques (62) 2 C6
Choilley-Dardenay (52) 86 B3
Choisel (78) 42 B5
Choiseul (52) 68 C5
Choisey (39) 102 C3
Choisies (59) 10 A3
Choisy (74) 118 B6
Choisy-au-Bac (60) 21 F4
Choisy-en-Brie (77) 44 A5
Choisy-la-Victoire (60) 20 D5
Choisy-le-Roi (94) 42 D5
Cholet (49) 92 C2
Cholonge (38) 145 G4
Choloy-Ménillot (54) 48 A5
Chomelix (43) 142 C2
Chomérac (07) 158 A1
la Chomette (43) 141 H2
Chonas-l'Amballan (38) 130 A6
Chonville-Malaumont (55) 47 G4
Chooz (08) 11 F4
Choqueuse-
-les-Bénards (60) 20 A2
Choranche (38) 145 E3
Chorey-les-Beaune (21) 101 G3
Chorges (05) 160 D2
Chouain (14) 14 A4
Chouday (36) 97 E4
Choue (41) 61 F6
Chougny (58) 99 H3
Chouilly (51) 45 F2
Chouppes (86) 94 A5
Chourgnac (24) 137 H2
Choussy (41) 79 H6
Chouvigny (03) 113 F5
Choux (39) 117 H4
les Choux (45) 82 A2
Chouy (02) 21 H6
Chouzé-sur-Loire (37) 94 A1
Chouzelot (25) 103 F2
Chouzy-sur-Cisse (41) 79 H4
Choye (70) 86 D5
Chozeau (38) 130 C3
Chuelles (45) 64 C6
Chuffilly-Roche (08) 24 A4
Chuignes (80) 8 B6
Chuignolles (80) 8 B6
Chuisnes (28) 61 H2
Chusclan (30) 158 A6
Chuyer (42) 129 H6
Chuzelles (38) 130 A4
Ciadoux (31) 184 B3
Ciamannacce (2A) 205 E5
Ciboure (64) 180 B1
Cideville (76) 17 F4
Ciel (71) 101 H4
Cier-de-Luchon (31) 184 A6
Cier-de-Rivière (31) 184 A4
Cierges (02) 44 C1
Cierges-
-sous-Montfaucon (55) 24 D5
Cierp-Gaud (31) 184 A6
Cierrey (27) 41 E2
Cierzac (17) 121 G4
Cieurac (46) 152 D4
Cieutat (65) 183 F4
Cieux (87) 123 H1
Ciez (58) 82 D5
Cigogné (37) 95 F1
Cilly (02) 22 D2
Cinais (37) 94 B2
Cindré (03) 114 B4
Cinq-Mars-la-Pile (37) 78 C6
Cinqueux (60) 20 D5
Cintegabelle (31) 185 G2
Cintheaux (14) 38 D2
Cintray (27) 40 C4
Cintray (28) 62 A2
Cintré (35) 56 D3
Cintrey (70) 86 D2
la Ciotat (13) 192 C5
Cipières (06) 178 C3
Ciral (61) 59 G1
Ciran (37) 95 F3
Circourt (88) 69 G3
Circourt-sur-Mouzon (88) 68 D3
Ciré-d'Aunis (17) 107 E6
Cirès (31) 183 H6
Cires-lès-Mello (60) 20 C6
Cirey (70) 87 G5
Cirey-lès-Mareilles (52) 68 A4
Cirey-lès-Pontailler (21) 86 B6
Cirey-sur-Blaise (52) 67 G3
Cirey-sur-Vezouze (54) 49 H6
Cirfontaines-en-Azois (52) 67 G5
Cirfontaines-en-Ornois (52) 68 B1
Cirières (79) 92 D4
Ciron (36) 110 C1
Ciry-le-Noble (71) 115 F1
Ciry-Salsogne (02) 22 B5
Cisai-Saint-Aubin (61) 39 G4
Cisery (89) 84 B4
Cissac-Médoc (33) 134 D2
Cissé (86) 94 B6
Cisternes-la-Forêt (63) 126 C3
Cistrières (43) 142 A1
Citerne (80) 6 D5
Citers (70) 87 H2
Citey (70) 87 E5
Citou (11) 187 F2
Citry (77) 44 A3
Civaux (86) 109 G2
Civens (42) 129 E3
Civières (27) 41 G1
Civrac-de-Blaye (33) 135 F3
Civrac-en-Médoc (33) 120 C6
Civrac-sur-Dordogne (33) 136 A5
Civray (18) 97 F4
Civray (86) 109 E5
Civray-de-Touraine (37) 79 F6
Civray-sur-Esves (37) 95 E3
Civrieux (01) 130 A1
Civrieux-d'Azergues (69) 129 H2
Civry (28) 62 B5
Civry-en-Montagne (21) 85 E6
Civry-la-Forêt (78) 41 G4
Cizancourt (80) 8 C6
Cizay-la-Madeleine (49) 93 G1
Cize (01) 117 F5
Cize (39) 103 F5
Cizely (58) 99 F3
Cizos (65) 183 H2
Clacy-et-Thierret (02) 22 B3
Cladech (24) 137 H6
Claira (66) 201 F2
Clairac (47) 150 D4
Clairavaux (23) 125 G3
Clairefontaine-
-en-Yvelines (78) 42 A6
Clairefougère (61) 38 A4
Clairegoutte (70) 88 B3
Clairfayts (59) 10 B3
Clairfontaine (02) 10 A5
Clairmarais (62) 2 B4
Clairoix (60) 21 F4
Clairvaux-d'Aveyron (12) 154 B4
Clairvaux-les-Lacs (39) 117 H1
Clairy-Saulchoix (80) 7 F6
Clais (76) 19 F1
Claix (16) 122 B5
Claix (38) 145 G3
Clam (17) 121 F5
Clamanges (51) 45 F4
Clamart (92) 42 C4
Clamecy (02) 22 A4
Clamecy (58) 83 F5
Clamensane (04) 160 B4
Clamerey (21) 84 D5
Clans (06) 178 D1
Clans (70) 87 F3
Clansayes (26) 158 B4
le Claon (55) 46 D1
le Clapier (12) 172 B3
Clapiers (34) 173 F5
Clara (66) 200 C3
Clarac (31) 184 A4
Clarac (65) 183 F3
Claracq (64) 166 B6
Clarafond-Arcine (74) 118 A6
Clarbec (14) 15 E4
Clarens (65) 183 G3
Clarensac (30) 174 A3
Claret (04) 160 B4
Claret (34) 173 F3
Clarques (62) 2 B5
Clary (59) 9 E4
Classun (40) 166 A4
Clastres (02) 21 H1
Clasville (76) 18 A1
le Clat (11) 200 A1
Claudon (88) 69 F5
le Claux (15) 140 C3
Clavans-
-en-Haut-Oisans (38) 146 B3
Clavé (79) 108 B2
Claveisolles (69) 115 H6
Clavette (17) 106 D5
Claveyson (26) 144 B2
Clavières (15) 141 G4
Claviers (83) 178 A5
Claville (27) 40 D2
Claville-Motteville (76) 17 H5
Clavy-Warby (08) 23 H1
Claye-Souilly (77) 43 F3
Clayes (35) 57 E2
les Clayes-sous-Bois (78) 42 B4
la Clayette (71) 115 G4
Clayeures (54) 69 H1
Clécy (14) 38 B3
Cléden-Cap-Sizun (29) 52 C2
Cléden-Poher (29) 32 B6
Cléder (29) 31 G2
Clèdes (40) 166 B5
Cleebourg (67) 51 F2
Clefmont (52) 68 C5
Clefs (49) 77 G3
les Clefs (74) 132 C2
Cléguer (56) 54 C4
Cléguérec (56) 55 E2
Clelles (38) 145 F5
Clémencey (21) 101 G1
Clémensat (63) 127 F5
Clémery (54) 48 C3
Clémont (18) 81 F4
Clénay (21) 85 H5
Clenleu (62) 1 G6
Cléon (76) 18 C5
Cléon-d'Andran (26) 158 C2
Cleppé (42) 129 E3
Clérac (17) 135 H2
Cléré-du-Bois (36) 95 G4
Cléré-les-Pins (37) 78 B5
Cléré-sur-Layon (49) 93 F2
Clères (76) 18 D3
Clérey (10) 66 B4
Clérey-la-Côte (88) 68 D1
Clérey-sur-Brenon (54) 69 F1
Clergoux (19) 139 F2
Clérieux (26) 144 B3
les Clérimois (89) 65 F4
le Clerjus (88) 69 H6
Clerlande (63) 127 F2
Clermain (71) 115 H3
Clermont (09) 185 F5
Clermont (40) 165 F4
Clermont (60) 20 C5
Clermont (74) 131 H1
Clermont-Créans (72) 77 H2
Clermont-
-de-Beauregard (24) 137 E4
Clermont-Dessous (47) 150 D5
Clermont-d'Excideuil (24) 137 H1
Clermont-en-Argonne (55) 46 D1
Clermont-Ferrand (63) 127 F3
Clermont-le-Fort (31) 185 F1
Clermont-les-Fermes (02) 23 E2
Clermont-l'Hérault (34) 172 C5
Clermont-Pouyguillès (32) 167 G6
Clermont-Savès (32) 168 C5
Clermont-Soubiran (47) 151 G6
Clermont-sur-Lauquet (11) 185 F5
Cléron (25) 103 G2
Clerques (62) 1 H3
Clerval (25) 88 A5
Cléry (21) 86 C6

Cléry (73) 132 C4
Cléry-en-Vexin (95) 42 A1
Cléry-le-Grand (55) 24 D5
Cléry-le-Petit (55) 24 D5
Cléry-Saint-André (45) 80 C2
Cléry-sur-Somme (80) 8 B5
Clesles (51) 65 H1
Clessé (71) 116 B3
Clessé (79) 93 E5
Clessy (71) 115 E2
Cléty (62) 2 A5
Cleurie (88) 70 B5
Cleuville (76) 18 A2
Cléville (14) 39 E1
Cléville (76) 15 H1
Clévilliers (28) 62 A1
Cleyrac (33) 136 A6
Cleyzieu (01) 131 E2
Clézentaine (88) 70 A2
Clichy (92) 42 C3
Clichy-sous-Bois (93) 43 E3
Climbach (67) 51 E1
Clinchamp (52) 68 B4
Clinchamps-sur-Orne (14) 14 B5
Clion (17) 121 F5
Clion (36) 95 H4
Cliousclat (26) 158 B1
Cliponville (76) 17 E4
Cliron (08) 24 A1
la Clisse (17) 120 D3
Clisson (44) 75 E6
Clitourps (50) 12 D2
Clohars-Carnoët (29) 54 B5
Clohars-Fouesnant (29) 53 G3
le Cloître-Pleyben (29) 31 H6
le Cloître-
-Saint-Thégonnec (29) 32 A4
Clomot (21) 101 E2
Clonas-sur-Varèze (38) 130 A6
Clos-Fontaine (77) 43 H6
la Clotte (17) 135 H3
Clouange (57) 26 B4
Cloué (86) 108 D2
les Clouzeaux (85) 91 F5
Cloyes-sur-le-Loir (28) 61 H6
Cloyes-sur-Marne (51) 46 B5
Clucy (39) 103 F3
Clugnat (23) 111 H4
Cluis (36) 111 F2
Clumanc (04) 177 G1
Cluny (71) 116 A3
la Clusaz (74) 132 C1
la Cluse (05) 160 A1
la Cluse-et-Mijoux (25) 104 A4
les Cluses (66) 201 F4
Cluses (74) 119 E6
Clussais-
-la-Pommeraie (79) 108 C5
Clux (71) 102 A4
Coadout (22) 33 E4
Coaraze (06) 195 F1
Coarraze (64) 182 C3
Coat-Méal (29) 30 D3
Coatascorn (22) 32 D3
Coatréven (22) 32 D2
Cobonne (26) 144 C6
Cobrieux (59) 3 G6
la Cochère (61) 39 F5
Cocherel (77) 43 H2
Cocheren (57) 27 F5
Coclois (10) 66 C1
Cocquerel (80) 7 E4
Cocumont (47) 150 B3
Cocurès (48) 156 B4
Codalet (66) 200 C3
Codognan (30) 174 A4
Codolet (30) 158 A6
Coësmes (35) 57 G5
Coëtlogon (22) 55 H2
Coëtmieux (22) 33 H5
Cœuvres-et-Valsery (02) 21 H5
Coëx (85) 91 E4
Coggia (2A) 204 C4
Coglès (35) 35 H5
Cogna (39) 117 H1
Cognac (16) 121 G3
Cognac-la-Forêt (87) 123 H2
Cognat-Lyonne (03) 113 H6
Cogners (72) 78 D1
Cognet (38) 145 G5
Cognières (70) 87 H4
Cognin (73) 131 H5
Cognin-les-Gorges (38) 145 E2
Cognocoli-Monticchi (2A) 206 D1
Cogny (18) 98 A5
Cogny (69) 129 G1
Cogolin (83) 194 A4
Cohade (43) 141 G1
Cohennoz (73) 132 D3
Cohiniac (22) 33 F5
Cohons (52) 86 B2
Coiffy-le-Bas (52) 68 D6
Coiffy-le-Haut (52) 68 D6
Coigneux (80) 7 H4
Coignières (78) 42 A5
Coigny (50) 12 D5
Coimères (33) 149 H3
Coin-lès-Cuvry (57) 26 B6
Coin-sur-Seille (57) 26 B6
Coinces (45) 62 C6
Coinches (88) 70 D3
Coincourt (54) 49 F5
Coincy (02) 44 B1
Coincy (57) 26 C5
Coings (36) 96 C4
Coingt (02) 23 F1
Coirac (33) 150 A1
Coise (69) 129 G4
Coise-Saint-Jean-
-Pied-Gauthier (73) 132 B5
Coiserette (39) 117 H3
Coisevaux (70) 88 B3
Coisia (39) 117 G4
Coisy (80) 7 G5
Coivert (17) 107 H6
Coivrel (60) 20 D3
Coizard-Joches (51) 45 E4
Colayrac-Saint-Cirq (47) 151 E5
Colembert (62) 1 G4
Coligny (01) 117 E3
Colincamps (80) 8 A4
Collan (89) 83 H1
la Collancelle (58) 99 G2
Collandres (15) 140 C2
Collandres-Quincarnon (27) 40 C2
Collanges (63) 127 F6
Collat (43) 142 A2
la Colle-sur-Loup (06) 195 E3
Collégien (77) 43 F4
Collemiers (89) 64 D4
Colleret (59) 10 B3
le Collet-de-Dèze (48) 156 D5
Colletot (27) 15 H3
Colleville (76) 16 C3
Colleville-Montgomery (14) 14 C4
Colleville-sur-Mer (14) 13 G4
Collias (30) 174 B2
Colligis-Crandelain (02) 22 C4
Colligny (57) 26 C5
Colline-Beaumont (62) 6 C2
Collinée (22) 34 A6
Collioure (66) 201 G4
Collobrières (83) 193 H4
Collonge-en-Charollais (71) 115 H1
Collonge-la-Madeleine (71) 101 E4
Collonges (01) 118 A5
Collonges-
-au-Mont-d'Or (69) 130 A2
Collonges-la-Rouge (19) 138 D4
Collonges-lès-Bévy (21) 101 G2
Collonges-
-lès-Premières (21) 102 B1
Collonges-
-sous-Salève (74) 118 C5
Collongues (06) 178 C2
Collongues (65) 183 F2
Collorec (29) 32 A6
Collorgues (30) 174 A2
Colmar (68) 71 F4
Colmars (04) 161 F5
Colmen (57) 27 E3
Colméry (58) 83 E6
Colmesnil-Manneville (76) 17 G2
Colmey (54) 25 F4
Colmier-le-Bas (52) 85 G2
Colmier-le-Haut (52) 85 G2
Colognac (30) 173 F1
Cologne (32) 168 C4
Colomars (06) 195 F2
Colombe (38) 131 E6
la Colombe (41) 80 A1
la Colombe (50) 37 F3
Colombé-la-Fosse (10) 67 F3
Colombé-le-Sec (10) 67 F3
Colombe-lès-Vesoul (70) 87 G3
Colombelles (14) 14 C4
Colombes (92) 42 C3
Colombey-les-Belles (54) 69 E1
Colombey-
-les-Deux-Églises (52) 67 G4
Colombier (03) 113 E4
Colombier (21) 101 F2
Colombier (24) 137 E6
Colombier (42) 143 G1
Colombier (70) 87 G3
Colombier-
-en-Brionnais (71) 115 G3
Colombier-Fontaine (25) 88 B4
Colombier-le-Cardinal (07) 143 H2
Colombier-le-Jeune (07) 143 H4
Colombier-le-Vieux (07) 143 H3
Colombier-Saugnieu (69) 130 C3
Colombières (14) 13 G5
Colombières-sur-Orb (34) 171 H6
Colombiers (17) 121 F4
Colombiers (18) 97 H6
Colombiers (34) 188 B2
Colombiers (61) 60 A1
Colombiers (86) 94 C5
Colombiers-du-Plessis (53) 58 C2
Colombiers-sur-Seulles (14) 14 B3
Colombiès (12) 154 A4
Colombotte (70) 87 H3
Colomby (50) 12 D3
Colomby-sur-Thaon (14) 14 B4
Colomiers (31) 169 E5
Colomieu (01) 131 F3
Colonard-Corubert (61) 60 D2
Colondannes (23) 111 E4
Colonfay (02) 9 G6
Colonne (39) 102 D4
Colonzelle (26) 158 B4
Colpo (56) 55 F5
Colroy-la-Grande (88) 71 E2
Colroy-la-Roche (67) 71 E2
Coltainville (28) 62 B1
Coltines (15) 141 E3
Coly (24) 138 B3
Combaillaux (34) 173 F5
Combas (30) 173 H3
la Combe-de-Lancey (38) 145 H2
Combeaufontaine (70) 87 E2
Combefa (81) 170 B1
Comberanche-
-et-Épeluche (24) 136 C1
Comberjon (70) 87 G3
Comberouger (82) 168 D3
Combertault (21) 101 G3
les Combes (25) 104 B2
Combes (34) 172 A5
Combiers (16) 122 D5
Comblanchien (21) 101 G2
Combles (80) 8 B5
Combles-en-Barrois (55) 47 E5
Comblessac (35) 56 C5
Combleux (45) 81 E1
Comblot (61) 60 D1
Combloux (74) 133 E1
Combon (27) 40 C1
Combourg (35) 35 E6
Combourtillé (35) 57 H1
Combovin (26) 144 C5
Combrailles (63) 126 C2
Combrand (79) 92 D4
Combray (14) 38 C2
Combre (42) 115 F6
Combrée (49) 76 B2
Combres (28) 61 G3
Combres-
-sous-les-Côtes (55) 47 H2
Combressol (19) 125 G6
Combret (12) 171 F3
Combreux (45) 63 F6
Combrimont (88) 70 D3
Combrit (29) 53 F3
Combronde (63) 127 F1
Combs-la-Ville (77) 43 E5
la Comelle (71) 100 C4
Comiac (46) 139 F5
Comigne (11) 187 F4
Comines (59) 3 F4
Commana (29) 31 H5
Commarin (21) 101 F1
Commeaux (61) 38 D4
Commelle (38) 130 D6
Commelle-Vernay (42) 128 D1
Commenailles (39) 102 C5
Commenchon (02) 21 H2
Commensacq (40) 148 D5
Commentry (03) 112 D4
Commeny (95) 42 A1
Commequiers (85) 90 D3
Commer (53) 58 D3
Commercy (55) 47 H4
Commerveil (72) 60 C3
Commes (14) 13 H5
Communailles-
-en-Montagne (39) 103 G5
Communay (69) 130 A4
Compains (63) 127 E6
Compainville (76) 19 F2
Compans (77) 43 F3
le Compas (23) 126 B1
Compertrix (51) 45 H3
Compeyre (12) 155 F6
Compiègne (60) 21 F4
Compigny (89) 65 E2
Compolibat (12) 153 H4
la Compôte (73) 132 B3
Comprégnac (12) 171 H1
Compreignac (87) 124 B1
Comps (26) 158 D2
Comps (30) 174 C3
Comps (33) 135 E3
Comps-la-Grand-Ville (12) 154 C5
Comps-sur-Artuby (83) 177 H4
la Comté (62) 7 H1
Comus (11) 199 G1
Conan (41) 79 H2
Conand (01) 131 E2
Conat (66) 200 B3
Conca (2A) 207 G2
Concarneau (29) 53 G4
Concevreux (02) 22 D5
Concèze (19) 138 B1
Conches-en-Ouche (27) 40 C3
Conches-sur-Gondoire (77) 43 F4
Conchez-de-Béarn (64) 166 C5
Conchil-le-Temple (62) 6 C1
Conchy-les-Pots (60) 21 E3
Conchy-sur-Canche (62) 7 F2
Concorès (46) 152 C1
Concoret (56) 56 B3
Concots (46) 153 E4
Concoules (30) 156 D4
Concourson-sur-Layon (49) 93 F1
Concremiers (36) 110 B1
Concressault (18) 81 H5
Concriers (41) 80 A2
Condac (16) 108 D6
Condal (71) 117 E2
Condamine (01) 117 G5
Condamine (39) 102 C6
la Condamine-
-Châtelard (04) 161 G3
Condat (15) 140 C1
Condat (46) 138 D4
Condat-en-Combraille (63) 126 B2
Condat-
-lès-Montboissier (63) 127 H5
Condat-sur-Ganaveix (19) 124 D6
Condat-sur-Trincou (24) 123 F6
Condat-sur-Vézère (24) 138 A3
Condat-sur-Vienne (87) 124 B3
Condé (36) 97 E4
Condé-en-Brie (02) 44 C2
Condé-Folie (80) 7 E5
Condé-lès-Autry (08) 24 B6
Condé-lès-Herpy (08) 23 F3
Condé-Northen (57) 26 D5
Condé-Sainte-Libiaire (77) 43 G3
Condé-sur-Aisne (02) 22 B5
Condé-sur-Huisne (61) 61 F2
Condé-sur-Ifs (14) 39 E2
Condé-sur-Iton (27) 40 C4
Condé-sur-l'Escaut (59) 9 G1
Condé-sur-Marne (51) 45 G2
Condé-sur-Noireau (14) 38 B3
Condé-sur-Risle (27) 15 H3
Condé-sur-Sarthe (61) 60 A2
Condé-sur-Seulles (14) 14 A4
Condé-sur-Suippe (02) 23 E4
Condé-sur-Vesgre (78) 41 G5
Condé-sur-Vire (50) 37 G1
Condeau (61) 61 E2
Condécourt (95) 42 A2
Condeissiat (01) 116 D5
Condéon (16) 121 H6
Condes (39) 117 G3
Condes (52) 67 H4
Condette (62) 1 F5
Condezaygues (47) 151 H3
Condillac (26) 158 B2
Condom (32) 167 G2
Condom-d'Aubrac (12) 155 E2
Condorcet (26) 158 D4
Condren (02) 22 A2
Condrieu (69) 130 A6
Conflandey (70) 87 F2
Conflans-en-Jarnisy (54) 48 A1
Conflans-
-Sainte-Honorine (78) 42 B3
Conflans-sur-Anille (72) 61 E6
Conflans-sur-Lanterne (70) 87 G1
Conflans-sur-Loing (45) 64 B6
Conflans-sur-Seine (51) 65 G1
Confolens (16) 109 G6
Confolent-Port-Dieu (19) 126 B5
Confort (01) 117 H5
Confort-Meilars (29) 53 E2
Confracourt (70) 87 E3
Confrançon (01) 116 D4
Congé-sur-Orne (72) 60 B4
Congénies (30) 173 H4
Congerville-Thionville (91) 63 E2
Congis-
-sur-Thérouanne (77) 43 G2
Congrier (53) 76 A1
Congy (51) 45 E4
Conie-Molitard (28) 62 A5
Conilhac-Corbières (11) 187 G3
Conilhac-
-de-la-Montagne (11) 186 D5
Conjux (73) 131 G2
Conlie (72) 59 H4
Conliège (39) 102 D6
Connac (12) 171 F2
Connangles (43) 142 A1
Connantray-Vaurefroy (51) 45 F5
Connantre (51) 45 E5
Connaux (30) 174 C1
Conne-de-Labarde (24) 137 E6
Connelles (27) 18 D6
Connerré (72) 60 C5
Connezac (24) 123 E5
Connigis (02) 44 C2
Conquereuil (44) 74 C1
Conques (12) 154 B2
Conques-sur-Orbiel (11) 187 E3
le Conquet (29) 30 C5
Conqueyrac (30) 173 F2
Cons-la-Grandville (54) 25 G4
Cons-Sainte-Colombe (74) 132 C3
Consac (17) 121 E6
Conségudes (06) 195 E2
Consenvoye (55) 25 E5
Consigny (52) 68 B4
Consolation-
-Maisonnettes (25) 104 B1
Contalmaison (80) 8 B5
Contamine-Sarzin (74) 118 B6
Contamine-sur-Arve (74) 118 D5
les Contamines-
-Montjoie (74) 133 E2
Contault (51) 46 C3
Contay (80) 7 H5
Conte (39) 103 G5
Contes (06) 195 F2
Contes (62) 7 E1
Contescourt (02) 21 H1
Contest (53) 58 D3
Conteville (14) 38 D1
Conteville (27) 15 G2
Conteville (60) 20 A2
Conteville (76) 19 G2
Conteville (80) 7 F3
Conteville-en-Ternois (62) 7 G1
Conteville-lès-Boulogne (62) 1 F4
Conthil (57) 49 F3
Contigné (49) 77 E2
Contigny (03) 113 H3
Contilly (72) 60 C2
Continvoir (37) 78 A5
Contoire (80) 20 D2
Contrazy (09) 185 E4
Contré (17) 108 A6
Contre (80) 20 B1
Contréglise (70) 87 F1
Contremoulins (76) 16 C3
Contres (18) 97 H5
Contres (41) 80 A5
Contreuve (08) 24 A5
Contrevoz (01) 131 F2
Contrexéville (88) 69 E4
Contrières (50) 36 D2
Contrisson (55) 46 D4
Conty (80) 20 B1
Contz-les-Bains (57) 26 C2
Conzieu (01) 131 F3
Coole (51) 45 H5
Coolus (51) 45 H3
la Copechagnière (85) 91 G3
Copponex (74) 118 B6
Coquainvilliers (14) 15 F4
Coquelles (62) 1 G2
la Coquille (24) 123 H5
Corancez (28) 62 B2
Corancy (58) 100 B2
Coray (29) 53 H2
Corbara (2B) 202 C5
Corbarieu (82) 169 E2
Corbas (69) 130 B4
Corbehem (62) 8 C2
Corbeil (51) 46 A6
Corbeil-Cerf (60) 20 B6
Corbeil-Essonnes (91) 43 E6
Corbeilles (45) 63 H5
Corbel (73) 131 G6
Corbelin (38) 131 F4
Corbenay (70) 69 H6
Corbeny (02) 22 D4
Corbère (66) 200 D2
Corbère-Abères (64) 166 C6
Corbère-les-Cabanes (66) 200 D2
Corberon (21) 101 H3
Corbès (30) 173 G1
Corbie (80) 7 H6
la Corbière (70) 88 A1
Corbières (04) 176 C4
Corbières (11) 186 B5
Corbigny (58) 99 H1
Corbon (14) 15 E5
Corbon (61) 60 D1
Corbonod (01) 131 G1
Corbreuse (91) 62 D1
Corcelle-Mieslot (25) 87 G5
Corcelles (01) 117 G6
Corcelles-
-en-Beaujolais (69) 116 A5
Corcelles-Ferrières (25) 103 E1
Corcelles-les-Arts (21) 101 G4
Corcelles-lès-Cîteaux (21) 102 A2
Corcelles-les-Monts (21) 85 G6
Corcieux (88) 70 C4
Corcondray (25) 103 E1
Corconne (30) 173 G3
Corcoué-sur-Logne (44) 91 F1
Corcy (02) 21 H6
Cordéac (38) 145 H5
Cordebugle (14) 15 G5
Cordelle (42) 128 D1
Cordemais (44) 74 B4
Cordes-sur-Ciel (81) 170 A1
Cordes-Tolosannes (82) 168 D2
Cordesse (71) 100 D3
Cordey (14) 38 D3
Cordon (74) 133 E1
Cordonnet (70) 87 F5
Coren (15) 141 F4
Corenc (38) 145 G2
Corent (63) 127 F4
Corfélix (51) 44 D4
Corgengoux (21) 101 H3
Corgnac-sur-l'Isle (24) 123 G6
Corgoloin (21) 101 G2
Corignac (17) 135 G2
Corlay (22) 33 E6
Corlier (01) 117 F6
Cormainville (28) 62 B4
Cormaranche-
-en-Bugey (01) 131 F1
Cormatin (71) 116 A2
Corme-Écluse (17) 120 D4
Corme-Royal (17) 120 D3
Cormeilles (27) 15 G4
Cormeilles (60) 20 B2
Cormeilles-en-Parisis (95) 42 C3
Cormeilles-en-Vexin (95) 42 B1
Cormelles-le-Royal (14) 14 C5
Cormenon (41) 61 F6
Cormeray (41) 80 A5
Cormery (37) 95 F1
Cormes (72) 61 E4
Cormicy (51) 22 D5
le Cormier (27) 41 E3
Cormolain (14) 37 H1
Cormont (62) 1 F5
Cormontreuil (51) 23 E6
Cormoranche-
-sur-Saône (01) 116 B4
Cormost (10) 66 B4
Cormot-le-Grand (21) 101 F4
Cormoyeux (51) 45 E1
Cormoz (01) 117 E2
Corn (46) 153 F2
Cornac (46) 139 F5
Cornant (89) 64 D5
Cornas (07) 144 A4
Cornay (08) 24 C5
Corné (49) 77 F4
Cornebarrieu (31) 169 E5
Corneilhan (34) 188 C1
Corneilla-de-Conflent (66) 200 B3
Corneilla-del-Vercol (66) 201 F3
Corneilla-la-Rivière (66) 201 E2
Corneillan (32) 166 C4
Corneuil (27) 40 D3
Corneville-
-la-Fouquetière (27) 40 B2
Corneville-sur-Risle (27) 15 H3
Cornier (74) 118 D5
Cornil (19) 138 D2
Cornillac (26) 159 F3
Cornille (24) 137 F2
Cornillé (35) 57 H3
Cornillé-les-Caves (49) 77 F4
Cornillon (30) 157 H5
Cornillon-Confoux (13) 191 G3
Cornillon-en-Trièves (38) 145 G5
Cornillon-sur-l'Oule (26) 159 E3
Cornimont (88) 70 C6
Cornod (39) 117 G4
Cornot (70) 87 E3
la Cornuaille (49) 76 B4
Cornus (12) 172 B3
Cornusse (18) 98 B4
Corny (27) 19 E6
Corny-Machéroménil (08) 23 H3
Corny-sur-Moselle (57) 26 B6
Coron (49) 92 D2
Corpe (85) 91 H6
Corpeau (21) 101 F4
Corpoyer-la-Chapelle (21) 85 E4
Corps (38) 146 A5
Corps-Nuds (35) 57 F4
Corquilleroy (45) 64 A5
Corquoy (18) 97 G4
Corrano (2A) 205 E6
Corravillers (70) 70 B6
Corre (70) 69 F6
Corrençon-en-Vercors (38) 145 F4
Correns (83) 177 E6
Corrèze (19) 139 F1
Corribert (51) 44 D3
Corrobert (51) 44 C3
Corrombles (21) 84 C4
Corronsac (31) 185 G1
Corroy (51) 45 E5
Corsaint (21) 84 C4
Corsavy (66) 200 D4
Corscia (2B) 204 D2
Corsept (44) 73 H4
Corseul (22) 34 C5
Cortambert (71) 116 A2
Corte (2B) 205 E2
Cortevaix (71) 116 A2
Cortrat (45) 82 B1
les Corvées-les-Yys (28) 61 G2
Corveissiat (01) 117 F4
Corvol-d'Embernard (58) 99 F1
Corvol-l'Orgueilleux (58) 83 E5
Corzé (49) 77 E4
Cos (09) 185 G5
Cosges (39) 102 C5
Coslédaà-Lube-Boast (64) 166 B6
Cosmes (53) 58 C6
Cosnac (19) 138 D3
Cosne-Cours-sur-Loire (58) 82 C5
Cosne-d'Allier (03) 113 E2
Cosnes-et-Romain (54) 25 G3
Cosqueville (50) 12 D1
Cossaye (58) 99 F6
Cossé-d'Anjou (49) 92 D1
Cossé-en-Champagne (53) 59 F6
Cossé-le-Vivien (53) 58 B6
Cossesseville (14) 38 C3
Cosswiller (67) 50 C5
Costa (2B) 202 D5
Costaros (43) 142 C5
les Costes (05) 146 A6
les Costes-Gozon (12) 171 G2
la Côte (70) 88 B2
la Côte-d'Aime (73) 133 E4
la Côte-d'Arbroz (74) 119 F4
la Côte-en-Couzan (42) 128 B3
la Côte-Saint-André (38) 130 D6
le Coteau (42) 115 E6
Côtebrune (25) 87 H6
les Côtes-d'Arey (38) 130 A6
les Côtes-de-Corps (38) 145 H5
Coti-Chiavari (2A) 206 C2
Cotignac (83) 193 G1
Cottance (42) 129 E3
Cottenchy (80) 20 C1
Cottévrard (76) 17 H4
Cottun (14) 13 H5
la Couarde (79) 108 B3
la Couarde-sur-Mer (17) 106 B4
Couargues (18) 98 C1
Coubert (77) 43 F5
Coubeyrac (33) 136 B6
Coubisou (12) 154 D3
Coubjours (24) 138 B2
Coublanc (52) 86 C3
Coublanc (71) 115 F5
Coublevie (38) 145 F1
Coublucq (64) 166 B6
Coubon (43) 142 C4
Coubron (93) 43 E3
Couches (71) 101 E4
Couchey (21) 101 H1
la Coucourde (26) 158 B2
Coucouron (07) 142 D6
Coucy (08) 23 H4
Coucy-la-Ville (02) 22 A3
Coucy-le-Château-
-Auffrique (02) 22 A4
Coucy-lès-Eppes (02) 22 D3
Couddes (41) 80 A6
Coudehard (61) 39 F4
Coudekerque-Branche (59) 2 B1
Coudekerque-Village (59) 2 C2
Coudes (63) 127 F4
Coudeville-sur-Mer (50) 35 G1
Coudons (11) 186 C6
Coudoux (13) 191 H3
Coudray (27) 19 F5
le Coudray (28) 62 B2
Coudray (45) 63 G3
Coudray (53) 76 D1
Coudray-au-Perche (28) 61 F3
le Coudray-Macouard (49) 93 G1
le Coudray-
-Montceaux (91) 63 H1
Coudray-Rabut (14) 15 F3
le Coudray-
-Saint-Germer (60) 19 H4
le Coudray-sur-Thelle (60) 20 B5
la Coudre (79) 93 E3
Coudreceau (28) 61 F2
Coudrecieux (72) 60 D6
Coudres (27) 41 E4
Coudroy (45) 81 G1
Coudun (60) 21 F4
Coudures (40) 166 A4
Coueilles (31) 184 C2
Couëron (44) 74 C5
Couesmes (37) 78 B4
Couesmes-Vaucé (53) 58 D1
Couffé (44) 75 E3
Couffoulens (11) 186 D4
Couffy (41) 96 B1
Couffy-sur-Sarsonne (19) 126 A4
Couflens (09) 198 B1
Coufouleux (81) 169 H3
Couhé (86) 108 D4

Couilly-Pont-aux-Dames (77) 43 G4
Couin (62) 7 H4
Couiza (11) 186 D6
Couladère (31) 184 D3
Coulaines (72) 60 B5
Coulandon (03) 113 H2
Coulangeron (89) 83 F3
Coulanges (03) 114 D2
Coulanges (41) 79 H4
Coulanges-la-Vineuse (89) 83 G3
Coulanges-lès-Nevers (58) 99 E3
Coulanges-sur-Yonne (89) 83 F4
Coulans-sur-Gée (72) 59 H5
Coulaures (24) 137 H1
Couleuvre (03) 98 C6
Coulevon (70) 87 G3
Coulgens (16) 122 C2
Coulimer (61) 60 C1
Coullemelle (80) 20 C2
Coullemont (62) 7 H3
Coullons (45) 81 H3
Coulmer (61) 39 G4
Coulmier-le-Sec (21) 84 D2
Coulmiers (45) 62 C6
Coulobres (34) 188 C1
Coulogne (62) 1 G2
Couloisy (60) 21 G5
Coulombiers (72) 60 A3
Coulombiers (86) 108 D2
Coulombs (14) 14 A4
Coulombs (28) 41 G6
Coulombs-en-Valois (77) 43 H2
Coulomby (62) 1 H4
Coulommes (77) 43 G3
Coulommes-et-Marqueny (08) 24 A4
Coulommes-la-Montagne (51) 23 E6
Coulommiers (77) 43 H4
Coulommiers-la-Tour (41) 79 G2
Coulon (79) 107 G3
Coulonces (14) 37 G3
Coulonces (61) 39 E4
la Coulonche (61) 38 B5
Coulongé (72) 78 A3
Coulonges (16) 122 B2
Coulonges (17) 121 G4
Coulonges (86) 110 B3
Coulonges-Cohan (02) 22 C6
Coulonges-les-Sablons (61) 61 F2
Coulonges-sur-l'Autize (79) 107 G2
Coulonges-sur-Sarthe (61) 60 C1
Coulonges-Thouarsais (79) 93 F4
Coulonvillers (80) 7 E4
Couloumé-Mondebat (32) 167 E5
Coulounieix-Chamiers (24) 137 F2
Coulours (89) 65 G4
Couloutre (58) 82 D5
Coulouvray-Boisbenâtre (50) 37 F4
Coulvain (14) 38 A2
Coulx (47) 151 E3
Coume (57) 27 E4
Counozouls (11) 200 A2
Coupelle-Neuve (62) 2 A6
Coupelle-Vieille (62) 2 A6
Coupesarte (14) 15 E6
Coupetz (51) 45 H4
Coupéville (51) 46 B3
Coupiac (12) 171 F2
Coupray (52) 67 G6
Coupru (02) 44 A2
Couptrain (53) 59 F1
Coupvray (77) 43 F3
Couquèques (33) 120 D6
Cour-Cheverny (41) 80 A4
Cour-et-Buis (38) 130 B6
Cour-l'Évêque (52) 67 G6
la Cour-Marigny (45) 81 H1
Cour-Saint-Maurice (25) 88 C6
Cour-sur-Loire (41) 80 A3
Courances (91) 63 H2
Courant (17) 107 G6
Courban (21) 85 F1
la Courbe (61) 38 D4
Courbehaye (28) 62 B4
Courbépine (27) 15 H5
Courbes (02) 22 B2
Courbesseaux (54) 49 E5
Courbette (39) 117 G1
Courbeveille (53) 58 C5
Courbevoie (92) 42 C3
Courbiac (47) 152 A4
Courbillac (16) 121 H3
Courboin (02) 44 C3
Courbouzon (39) 102 D6
Courbouzon (41) 80 B3
Courçais (03) 112 C2
Courçay (37) 95 F1
Courceboeufs (72) 60 B4
Courcelette (80) 8 B4
Courcelles (17) 121 F1
Courcelles (25) 103 F2
Courcelles (45) 63 G5
Courcelles (54) 69 F2
Courcelles (58) 83 E5
Courcelles (90) 89 E4
Courcelles-au-Bois (80) 8 A4
Courcelles-Chaussy (57) 49 E1
Courcelles-de-Touraine (37) 78 B4
Courcelles-en-Barrois (55) 47 G4
Courcelles-en-Bassée (77) 64 C2
Courcelles-en-Montagne (52) 86 A1
Courcelles-Epayelles (60) 21 E3
Courcelles-Frémoy (21) 84 B5
Courcelles-la-Forêt (72) 77 H2
Courcelles-le-Comte (62) 8 B3
Courcelles-lès-Gisors (60) 19 G6
Courcelles-lès-Lens (62) 8 C1
Courcelles-lès-Montbard (21) 84 D4
Courcelles-lès-Montbéliard (25) 88 C4
Courcelles-lès-Semur (21) 84 C5
Courcelles-Sapicourt (51) 22 D6
Courcelles-sous-Châtenois (88) 68 D3
Courcelles-sous-Moyencourt (80) 20 A1
Courcelles-sous-Thoix (80) 20 A2
Courcelles-sur-Aire (55) 47 E3
Courcelles-sur-Blaise (52) 67 G2
Courcelles-sur-Nied (57) 48 D1
Courcelles-sur-Seine (27) 41 F1
Courcelles-sur-Vesle (02) 22 C5
Courcelles-sur-Viosne (95) 42 B2
Courcelles-sur-Voire (10) 66 D1
Courcemain (51) 45 E6
Courcemont (72) 60 B4
Courcerac (17) 121 G2
Courcerault (61) 60 D2
Courceroy (10) 65 E2
Courchamp (77) 44 B6
Courchamps (02) 44 A1
Courchamps (49) 93 G1
Courchapon (25) 103 E1
Courchaton (70) 88 A4
Courchelettes (59) 8 C2
Courcité (53) 59 G3
Courcival (72) 60 C3
Courcôme (16) 122 B1
Courçon (17) 107 E4
Courcoué (37) 94 C3
Courcouronnes (91) 42 D6
Courcoury (17) 121 F3
Courcuire (70) 87 E6
Courcy (14) 39 E2
Courcy (50) 37 E1
Courcy (51) 23 E5
Courcy-aux-Loges (45) 63 F5
Courdemanche (27) 41 E4
Courdemanche (72) 78 D1
Courdemanges (51) 46 A5
Courdimanche (95) 42 B2
Courdimanche-sur-Essonne (91) 63 G2
Couret (31) 184 B4
Courgains (72) 60 B3
Courgeac (16) 122 B6
Courgenard (72) 61 E4
Courgenay (89) 65 F3
Courgent (78) 41 G3
Courgeon (61) 60 D1
Courgeoût (61) 60 C1
Courgis (89) 83 H2
Courgivaux (51) 44 C5
Courgoul (63) 127 E5
Courjeonnet (51) 45 E4
Courlac (16) 136 B1
Courlandon (51) 22 C5
Courlans (39) 102 C6
Courlaoux (39) 102 C6
Courlay (79) 93 E5
Courléon (49) 78 A5
Courlon (21) 85 G3
Courlon-sur-Yonne (89) 64 D3
Courmangoux (01) 117 E3
Courmas (51) 45 E1
Courmelles (02) 22 A5
Courmemin (41) 80 B5
Courménil (61) 39 G4
Courmes (06) 178 D3
Courmont (02) 44 C1
Courmont (70) 88 B3
la Courneuve (93) 42 D3
Courniou (34) 187 G1
Cournols (63) 127 E4
Cournon (56) 56 C6
Cournon-d'Auvergne (63) 127 F3
Cournonsec (34) 173 E6
Cournonterral (34) 173 E6
la Couronne (16) 122 B4
Courouvre (55) 47 F3
Courpalay (77) 43 G6
Courpiac (33) 135 H6
Courpière (63) 128 A3
Courpignac (17) 135 F1
Courquetaine (77) 43 F5
Courrensan (32) 167 F3
Courrières (62) 8 C1
Courris (81) 170 D2
Courry (30) 157 E5
Cours (46) 152 D3
Cours (47) 151 E4
le Cours (56) 55 H6
Cours (79) 107 H2
Cours-de-Monségur (33) 150 C1
Cours-de-Pile (24) 137 E5
Cours-la-Ville (69) 115 G6
Cours-les-Bains (33) 150 B4
Cours-les-Barres (18) 98 D3
Coursac (24) 137 E3
Coursan (11) 188 B3
Coursan-en-Othe (10) 65 H5
Coursegoules (06) 195 E2
Courset (62) 1 G5
Courseulles-sur-Mer (14) 14 B3
Courson (14) 37 F3
Courson-les-Carrières (89) 83 F4
Courson-Monteloup (91) 42 B6
Courtacon (77) 44 B5
Courtagnon (51) 45 E1
Courtalain (28) 61 G5
Courtaoult (10) 65 H6
Courtauly (11) 186 C5
Courtavon (68) 89 E4
Courtefontaine (25) 88 D6
Courtefontaine (39) 103 E2
Courteilles (27) 40 C5
Courteix (19) 126 A4
Courtelevant (90) 89 E4
Courtemanche (80) 20 D2
Courtemaux (45) 64 C5
Courtémont (51) 46 C1
Courtemont-Varennes (02) 44 C2
Courtempierre (45) 64 A5
Courtenay (38) 131 E3
Courtenay (45) 64 C5
Courtenot (10) 66 C4
Courteranges (10) 66 C3
Courteron (10) 66 D6
Courtes (01) 116 D2
Courtesoult-et-Gatey (70) 86 D3
Courtetain-et-Salans (25) 88 A6
la Courtète (11) 186 C4
Courteuil (60) 43 E1
Courthézon (84) 175 E1
Courthiézy (51) 44 C2
Courties (32) 167 E5
Courtieux (60) 21 G5
Courtillers (72) 77 F1
Courtils (50) 35 H4
la Courtine (23) 125 H4
Courtisols (51) 46 A2
Courtivron (21) 85 G4
Courtoin (89) 64 D5
Courtois-sur-Yonne (89) 65 E4
Courtomer (61) 39 G6
Courtomer (77) 43 G6
Courtonne-la-Meurdrac (14) 15 F5
Courtonne-les-Deux-Églises (14) 15 G5
Courtrizy-et-Fussigny (02) 22 D3
Courtry (77) 43 E3
Courvaudon (14) 14 A6
Courvières (25) 103 G4
Courville (51) 22 C6
Courville-sur-Eure (28) 61 H2
Courzieu (69) 129 G3
Cousance (39) 117 E2
Cousances-les-Forges (55) 47 E6
Cousances-lès-Triconville (55) 47 F4
Cousolre (59) 10 B3
Coussa (09) 185 H4
Coussac-Bonneval (87) 124 B5
Coussan (65) 183 F3
Coussay (86) 94 B4
Coussay-les-Bois (86) 95 E5
Coussegrey (10) 66 A6
Coussergues (12) 155 E4
Coussey (88) 68 D2
Coust (18) 98 A6
Coustaussa (11) 186 D6
Coustouge (11) 187 G5
Coustouges (66) 200 D5
Coutances (50) 36 D1
Coutansouze (03) 113 F5
Coutarnoux (89) 84 A4
Coutençon (77) 64 C2
Coutens (09) 186 A4
Couterne (61) 59 F1
Couternon (21) 86 A6
Couteuges (43) 141 H2
Coutevroult (77) 43 G4
Couthenans (70) 88 C3
Couthures-sur-Garonne (47) 150 B3
Coutiches (59) 8 D1
Coutières (79) 108 B2
Coutouvre (42) 115 F6
Coutras (33) 135 H3
Couture (16) 122 C1
la Couture (62) 2 D5
la Couture (85) 91 H6
la Couture-Boussey (27) 41 F3
Couture-d'Argenson (79) 108 B6
Couture-sur-Loir (41) 78 D2
Couturelle (62) 7 H3
Coutures (24) 136 D1
Coutures (33) 150 B1
Coutures (49) 77 F5
Coutures (57) 49 E3
Coutures (82) 168 C2
Couvains (50) 13 F6
Couvains (61) 40 A4
la Couvertoirade (12) 172 C3
Couvertpuis (55) 47 F6
Couvignon (10) 67 E4
Couville (50) 12 C2
Couvonges (55) 46 D4
Couvrelles (02) 22 B5
Couvron-et-Aumencourt (02) 22 B2
Couvrot (51) 46 B5
Coux (07) 157 H1
Coux (17) 135 G1
Coux-et-Bigaroque (24) 137 G6
Couy (18) 98 B2
la Couyère (35) 57 G5
Couze-et-Saint-Front (24) 137 F6
Couzeix (87) 124 B2
Couziers (37) 94 A2
Couzon (03) 113 G1
Couzon-au-Mont-d'Or (69) 130 A2
Couzou (46) 138 D6
Cox (31) 168 C4
Coye-la-Forêt (60) 42 D1
Coyecques (62) 2 A5
Coyolles (02) 21 G6
Coyrière (39) 118 A3
Coyron (39) 117 G2
Coyviller (54) 48 D6
Cozes (17) 120 D4
Cozzano (2A) 205 E5
Crach (56) 72 C1
Crachier (38) 130 D5
Crain (89) 83 F4
Craincourt (57) 48 D3
Craintilleux (42) 129 E5
Crainvilliers (88) 69 E4
Cramaille (02) 22 B6
Cramans (39) 103 E3
Cramant (51) 45 F3
Cramchaban (17) 107 F4
Craménil (61) 38 C4
Cramoisy (60) 20 C6
Cramont (80) 7 E4
Crampagna (09) 185 H5
Cran-Gevrier (74) 132 A1
Crancey (10) 65 G1
Crançot (39) 102 D6
Crandelles (15) 140 A5
Crannes-en-Champagne (72) 59 H6
Crans (01) 130 C1
Crans (39) 103 F6
Cransac (12) 154 A3
Crantenoy (54) 69 G1
Cranves-Sales (74) 118 D5
Craon (53) 76 B1
Craon (86) 93 H5
Craonne (02) 22 D4
Craonnelle (02) 22 D4
Crapeaumesnil (60) 21 F2
Craponne (69) 129 H3
Craponne-sur-Arzon (43) 142 C1
Cras (38) 145 E2
Cras (46) 152 D2
Cras-sur-Reyssouze (01) 116 D4
Crastatt (67) 50 C5
Crastes (32) 168 A4
Crasville (27) 18 C6
Crasville (50) 13 E3
Crasville-la-Mallet (76) 17 E3
Crasville-la-Rocquefort (76) 17 F3
la Crau (83) 193 F5
Cravanche (90) 88 C3
Cravans (17) 121 E4
Cravant (45) 80 B2
Cravant (89) 83 G3
Cravant-les-Côteaux (37) 94 C2
Cravencères (32) 166 D4
Cravent (78) 41 F2
Crayssac (46) 152 C3
Craywick (59) 2 B2
Crazannes (17) 121 E2
Cré (72) 77 G3
Créances (50) 12 C6
Créancey (21) 101 E1
Crécey-sur-Tille (21) 85 H4
la Crèche (79) 108 A3
Crêches-sur-Saône (71) 116 B4
Créchets (65) 184 A5
Créchy (03) 114 A4
Crécy-au-Mont (02) 22 A4
Crécy-Couvé (28) 41 E5
Crécy-en-Ponthieu (80) 6 D3
Crécy-la-Chapelle (77) 43 G4
Crécy-sur-Serre (02) 22 C2
Crédin (56) 55 G3
Crégols (46) 153 E3
Crégy-lès-Meaux (77) 43 G3
Créhange (57) 49 F1
Créhen (22) 34 C4
Creil (60) 20 D6
Creissan (34) 188 A2
Creissels (12) 172 A1
Crémarest (62) 1 G4
Cremeaux (42) 128 C2
Crémery (80) 21 F1
Crémieu (38) 130 D3
Crempigny-Bonneguête (74) 131 H1
Cremps (46) 152 D4
Crenans (39) 117 H2
Creney-près-Troyes (10) 66 B3
Crennes-sur-Fraubée (53) 59 F2
Créon (33) 135 G6
Créon-d'Armagnac (40) 166 C1
Créot (71) 101 F4
Crépand (21) 84 C3
Crépey (54) 69 E1
Crépol (26) 144 C2
Crépon (14) 14 A3
Crépy (02) 22 B3
Crépy (62) 2 A6
Crépy-en-Valois (60) 21 G6
Créquy (62) 1 H6
le Crès (34) 173 G5
Cresancey (70) 86 D5
Crésantignes (10) 66 A4
les Cresnays (50) 37 F4
Crespian (30) 173 H3
Crespières (78) 42 A3
Crespin (12) 154 A6
Crespin (59) 9 G1
Crespin (81) 170 D1
Crespinet (81) 170 D2
Crespy-le-Neuf (10) 67 E2
Cressac-Saint-Genis (16) 122 B6
Cressanges (03) 113 G2
Cressat (23) 111 H5
la Cresse (12) 155 F6
Cressé (17) 121 H1
Cressensac (46) 138 C4
Cresserons (14) 14 C3
Cresseveuille (14) 15 E4
Cressia (39) 117 F2
Cressin-Rochefort (01) 131 G3
Cressonsacq (60) 20 D4
Cressy (76) 17 H3
Cressy-Omencourt (80) 21 F2
Cressy-sur-Somme (71) 100 A6
Crest (26) 158 C1
le Crest (63) 127 F4
Crest-Voland (73) 132 D2
Creste (63) 127 E5
le Crestet (07) 143 H4
Crestet (84) 158 D5
Crestot (27) 18 C6
Créteil (94) 42 D4
Cretteville (50) 12 D4
Creully (14) 14 A3
la Creuse (70) 87 H3
Creuse (80) 7 F6
le Creusot (71) 101 E5
Creutzwald (57) 27 F4
Creuzier-le-Neuf (03) 114 A5
Creuzier-le-Vieux (03) 114 A5
Crevans-et-la-Chapelle-lès-Granges (70) 88 B4
Crevant (36) 111 G2
Crevant-Laveine (63) 127 G2
Crévéchamps (54) 48 D6
Crèvecœur-en-Auge (14) 15 E5
Crèvecoeur-en-Brie (77) 43 G5
Crèvecœur-le-Grand (60) 20 A3
Crèvecoeur-le-Petit (60) 20 D3
Crèvecœur-sur-l'Escaut (59) 9 E4
Creveney (70) 87 H2
Crévic (54) 49 E5
Crevin (35) 57 F4
Crévoux (05) 161 F2
Creys-Mépieu (38) 131 E3
Creyssac (24) 137 E1
Creysse (24) 137 E5
Creysse (46) 138 D5
Creysseilles (07) 143 G6
Creyssensac-et-Pissot (24) 137 F3
Crézançay-sur-Cher (18) 97 G5
Crézancy (02) 44 C2
Crézancy-en-Sancerre (18) 82 A6
Crézières (79) 108 B5
Crézilles (54) 48 B6
Cricquebœuf (14) 16 B6
Cricqueville-en-Auge (14) 14 D4
Cricqueville-en-Bessin (14) 13 F4
Criel-sur-Mer (76) 6 A5
Crillon (60) 19 H3
Crillon-le-Brave (84) 158 D6
Crimolois (21) 102 A1
Crion (54) 49 E5
la Crique (76) 17 H4
Criquebeuf-en-Caux (76) 16 C3
Criquebeuf-la-Campagne (27) 18 C6
Criquebeuf-sur-Seine (27) 18 C5
Criquetot-le-Mauconduit (76) 16 D3
Criquetot-l'Esneval (76) 16 B4
Criquetot-sur-Longueville (76) 17 G3
Criquetot-sur-Ouville (76) 17 F4
Criquiers (76) 19 G2
Crisenoy (77) 43 F6
Crisolles (60) 21 G3
Crissay-sur-Manse (37) 94 C2
Crissé (72) 59 H4
Crissey (39) 102 C2
Crissey (71) 101 G5
Cristinacce (2A) 204 C3
Cristot (14) 14 A4
Criteuil-la-Magdeleine (16) 121 H5
Critot (76) 17 H4
Croce (2B) 203 G6
Crochte (59) 2 B2
Crocicchia (2B) 203 F6
Crocq (23) 126 A2
le Crocq (60) 20 B3
Crocy (14) 39 E3
Crœttwiller (67) 51 G2
Croignon (33) 135 G5
Croisances (43) 142 A5
Croisette (62) 7 G2
le Croisic (44) 73 E4
la Croisille (27) 40 C2
la Croisille-sur-Briance (87) 124 D4
Croisilles (14) 14 B6
Croisilles (28) 41 F5
Croisilles (61) 39 G4
Croisilles (62) 8 B3
Croismare (54) 49 F6
Croissanville (14) 39 E1
Croissy-Beaubourg (77) 43 F4
Croissy-sur-Celle (60) 20 B2
Croissy-sur-Seine (78) 42 B4
le Croisty (56) 54 C2
Croisy (18) 98 B4
Croisy-sur-Andelle (76) 19 E4
Croisy-sur-Eure (27) 41 F2
Croix (59) 3 G4
Croix (90) 88 D4
la Croix-aux-Bois (08) 24 B4
la Croix-aux-Mines (88) 70 D3
la Croix-Avranchin (50) 35 H4
la Croix-Blanche (47) 151 F5
Croix-Caluyau (59) 9 G4
Croix-Chapeau (17) 106 D5
la Croix-Comtesse (17) 107 G5
la Croix-de-la-Rochette (73) 132 B5
la Croix-du-Perche (28) 61 G3
la Croix-en-Brie (77) 43 H6
la Croix-en-Champagne (51) 46 B2
Croix-en-Ternois (62) 7 G1
la Croix-en-Touraine (37) 79 F6
Croix-Fonsommes (02) 9 E6
la Croix-Helléan (56) 55 H4
Croix-Mare (76) 17 F5
Croix-Moligneaux (80) 21 G1
la Croix-Saint-Leufroy (27) 41 E1
la Croix-sur-Gartempe (87) 110 A5
la Croix-sur-Ourcq (02) 44 B1
la Croix-sur-Roudoule (06) 178 C1
la Croix-Valmer (83) 194 B4
Croixanvec (56) 55 F2
Croixdalle (76) 19 E1
la Croixille (53) 58 B3
Croixrault (80) 20 A1
Croizet-sur-Gand (42) 129 E2
Crolles (38) 145 H1
Crollon (50) 35 H4
Cromac (87) 110 C3
Cromary (70) 87 F5
Cronat (71) 99 H6
Cronce (43) 141 G3
la Cropte (53) 59 E6
Cropus (76) 18 D1
Cros (30) 173 F2
le Cros (34) 172 C3
Cros (63) 126 B6
Cros-de-Géorand (07) 142 D6
Cros-de-Montvert (15) 139 G4
Cros-de-Ronesque (15) 140 C5
Crosey-le-Grand (25) 88 A5
Crosey-le-Petit (25) 88 A5
Crosmières (72) 77 G2
Crosne (91) 42 D5
Crossac (44) 73 H3
Crosses (18) 98 A3
Crosville-la-Vieille (27) 40 C1
Crosville-sur-Douve (50) 12 D4
Crosville-sur-Scie (76) 17 G3
Crotelles (37) 79 E4
Crotenay (39) 103 E5
Croth (27) 41 F4
le Crotoy (80) 6 C3
Crots (05) 161 E2
Crottes-en-Pithiverais (45) 63 E5
Crottet (01) 116 B4
le Crouais (35) 56 C2
Crouay (14) 13 H5
la Croupte (14) 15 F6
Crouseilles (64) 166 C6
Croutelle (86) 109 E2
les Croûtes (10) 65 H6
Croutoy (60) 21 G5
Crouttes (61) 39 F3
Crouttes-sur-Marne (02) 44 A3
Crouy (02) 22 A5
Crouy-en-Thelle (60) 20 C6
Crouy-Saint-Pierre (80) 7 F5
Crouy-sur-Cosson (41) 80 B3
Crouy-sur-Ourcq (77) 43 H2
le Crouzet (25) 103 G6
Crouzet-Migette (25) 103 G3
la Crouzille (63) 112 D5
Crouzilles (37) 94 C2
Crozant (23) 111 E3
Croze (23) 125 G3
Crozes-Hermitage (26) 144 A3
Crozet (01) 118 B4
le Crozet (42) 114 D5
les Crozets (39) 117 H2
Crozon (29) 30 D6
Crozon-sur-Vauvre (36) 111 G2
Cruas (07) 158 B1
Crucey-Villages (28) 40 D5
Crucheray (41) 79 G2
Cruéjouls (12) 155 E3
Cruet (73) 132 A5
Crugey (21) 101 F2
Crugny (51) 22 D6
Cruguel (56) 55 H4
Cruis (04) 176 C1
Crulai (61) 40 A5
Crupies (26) 158 D2
Crupilly (02) 9 H6
Cruscades (11) 187 H3
Cruseilles (74) 118 B6
Crusnes (54) 26 A2
Cruviers-Lascours (30) 173 H2
Crux-la-Ville (58) 99 G2
Cruzille (71) 116 B2
Cruzilles-lès-Mépillat (01) 116 B4
Cruzy (34) 188 A2
Cruzy-le-Châtel (89) 84 C1
Cry (89) 84 C3
Cubelles (43) 142 A4
Cubières (48) 156 C3
Cubières-sur-Cinoble (11) 187 E6
Cubiérettes (48) 156 C3
Cubjac (24) 137 G2
Cublac (19) 138 B3
Cublize (69) 129 F1
Cubnezais (33) 135 F3
Cubrial (25) 87 H4
Cubry (25) 88 A4
Cubry-lès-Faverney (70) 87 G1
Cubzac-les-Ponts (33) 135 F4
Cucharmoy (77) 44 A6
Cuchery (51) 45 E1
Cucq (62) 1 F6
Cucugnan (11) 200 D1
Cucuron (84) 176 A4
Cudos (33) 149 H4
Cudot (89) 64 D6
Cuébris (06) 178 D2
Cuélas (32) 183 H2
Cuers (83) 193 F4
Cuffies (02) 22 A5
Cuffy (18) 98 D4
Cugand (85) 91 H1
Cuges-les-Pins (13) 192 D4
Cugnaux (31) 169 E6
Cugney (70) 86 D5
Cugny (02) 21 H2
Cuguen (35) 35 F5
Cuguron (31) 183 H4
Cuhon (86) 94 A5
Cuignières (60) 20 D4
Cuigy-en-Bray (60) 19 H4
Cuillé (53) 58 A5
Cuinchy (62) 2 D6
Cuincy (59) 8 C1
le Cuing (31) 184 A4
Cuinzier (42) 115 F5
Cuirieux (02) 22 D2
Cuiry-Housse (02) 22 B6
Cuiry-lès-Chaudardes (02) 22 D5
Cuiry-lès-Iviers (02) 23 F1
Cuis (51) 45 F2
Cuise-la-Motte (60) 21 G5

Cuiseaux (71) 117 E2
Cuiserey (21) 86 B5
Cuisery (71) 116 C1
Cuisia (39) 117 F2
Cuisles (51) 44 D1
Cuissai (61) 59 H1
Cuissy-et-Geny (02) 22 C4
Cuisy (55) 24 D6
Cuisy (77) 43 F2
Cuisy-en-Almont (02) 21 H4
Culan (18) 112 B2
Culètre (21) 101 E2
Culey-le-Patry (14) 38 B2
Culhat (63) 127 G2
Culin (38) 130 D5
Culles-les-Roches (71) 116 A1
Cully (14) 14 A4
Culmont (52) 86 B1
Culoz (01) 131 G2
Cult (70) 86 D6
Cultures (48) 155 H3
Cumières (51) 45 E2
Cumières-
-le-Mort-Homme (55) 25 E6
Cumiès (11) 186 A2
Cumont (82) 168 B3
Cunac (81) 170 C2
Cuncy-lès-Varzy (58) 83 F6
Cunèges (24) 136 D6
Cunel (55) 24 D5
Cunelières (90) 88 D3
Cunfin (10) 67 E5
Cunlhat (63) 128 A4
Cuon (49) 77 G4
Cuperly (51) 45 H2
Cuq (47) 168 A1
Cuq (81) 170 B5
Cuq-Toulza (81) 170 A6
Cuqueron (64) 182 A2
Curac (16) 136 B1
Curan (12) 155 E6
Curbans (04) 160 B3
Curbigny (71) 115 G4
Curçay-sur-Dive (86) 93 H3
Curchy (80) 21 F1
Curciat-Dongalon (01) 116 D2
Curcy-sur-Orne (14) 14 A6
Curdin (71) 115 E1
Curel (04) 159 G6
Curel (52) 67 H1
Curemonte (19) 139 E4
Cures (72) 59 H5
Curgies (59) 9 G2
Curgy (71) 100 D3
Curienne (73) 132 A4
Curières (12) 155 E2
Curis-au-Mont-d'Or (69) 130 A2
Curley (21) 101 G1
Curlu (80) 8 B5
Curmont (52) 67 G3
Curnier (26) 159 E4
Cursan (33) 135 G6
Curtafond (01) 116 D4
Curtil-Saint-Seine (21) 85 G5
Curtil-sous-Buffières (71) 115 H3
Curtil-sous-Burnand (71) 116 A1
Curtil-Vergy (21) 101 G2
Curvalle (81) 171 E2
Curzay-sur-Vonne (86) 108 C2
Curzon (85) 91 G6
Cusance (25) 88 A6
Cuse-et-Adrisans (25) 87 H4
Cusey (52) 86 B3
Cussac (15) 141 E4
Cussac (87) 123 G3
Cussac-Fort-Médoc (33) 134 D3
Cussac-sur-Loire (43) 142 C4
Cussangy (10) 66 B6
Cussay (37) 95 E3
Cusset (03) 114 A5
Cussey-les-Forges (21) 85 H3
Cussey-sur-Lison (25) 103 F2
Cussey-sur-l'Ognon (25) 87 F6
Cussy (14) 13 H5
Cussy-en-Morvan (71) 100 C2
Cussy-la-Colonne (21) 101 F3
Cussy-le-Châtel (21) 101 E2
Cussy-les-Forges (89) 84 B5
Custines (54) 48 C4
Cusy (74) 132 A3
Cutry (02) 21 H5
Cutry (54) 25 H4
Cuts (60) 21 G3
Cutting (57) 49 G3
Cuttoli-Corticchiato (2A) 204 D5
Cuttura (39) 117 H3
Cuvat (74) 132 A1
Cuve (70) 69 G6
Cuvergnon (60) 43 H1
Cuverville (14) 14 C4
Cuverville (27) 19 E5
Cuverville (76) 16 B4
Cuverville-sur-Yères (76) 6 B5
Cuves (50) 37 F4
Cuves (52) 68 B5
Cuvier (39) 103 G5
Cuvillers (59) 9 E3
Cuvilly (60) 21 E3
Cuvry (57) 26 B6
Cuxac-Cabardès (11) 186 D2
Cuxac-d'Aude (11) 188 A3
Cuy (60) 21 F3
Cuy (89) 65 E3
Cuy-Saint-Fiacre (76) 19 G3
Cuzac (46) 153 H2
Cuzance (46) 138 C4
Cuzieu (01) 131 F2
Cuzieu (42) 129 E4
Cuzion (36) 111 E2
Cuzorn (47) 151 H2
Cuzy (71) 100 B5
Cys-la-Commune (02) 22 C5
Cysoing (59) 3 G5

D

Dabo (57) 50 B5
Dachstein (67) 50 D6
Dadonville (45) 63 F4
Daglan (24) 152 B1
Dagneux (01) 130 C2
Dagny (77) 44 A5
Dagny-Lambercy (02) 23 E1
Dagonville (55) 47 F4
la Daguenière (49) 77 E5
Dahlenheim (67) 50 D5
Daignac (33) 135 G6
Daigny (08) 24 C2
Daillancourt (52) 67 G3
Daillecourt (52) 68 C5
Dainville (62) 8 B2
Dainville-Bertheléville (55) 68 C2
Daix (21) 85 G6
Dalem (57) 27 E4
Dalhain (57) 49 F3
Dalhunden (67) 51 F4
Dallet (63) 127 F3
Dallon (02) 21 H1
Dalou (09) 185 H5
Dalstein (57) 26 D3
Daluis (06) 178 B1
Damas-aux-Bois (88) 69 H2
Damas-et-Bettegney (88) 69 G3
Damazan (47) 150 C5
Dambach (67) 28 C6
Dambach-la-Ville (67) 71 F2
Dambelin (25) 88 B5
Dambenois (25) 88 C4
Dambenoît-
-lès-Colombe (70) 87 H2
Damblain (88) 68 D5
Damblainville (14) 39 E3
Dambron (28) 62 D5
Dame-Marie (27) 40 C4
Dame-Marie (61) 60 D2
Dame-Marie-les-Bois (37) 79 F4
Damelevières (54) 49 E6
Daméraucourt (60) 19 H2
Damerey (71) 101 H5
Damery (51) 45 E2
Damery (80) 21 E2
Damgan (56) 73 E2
Damiatte (81) 170 B5
Damigny (61) 60 A1
Damloup (55) 25 F6
Dammard (02) 44 A1
Dammarie (28) 62 B3
Dammarie-en-Puisaye (45) 82 B3
Dammarie-les-Lys (77) 64 A1
Dammarie-sur-Loing (45) 82 B2
Dammarie-sur-Saulx (55) 47 F6
Dammartin-en-Goële (77) 43 F2
Dammartin-en-Serve (78) 41 G3
Dammartin-
-les-Templiers (25) 87 H6
Dammartin-Marpain (39) 102 D1
Dammartin-sur-Meuse (52) 68 C6
Dammartin-sur-Tigeaux (77) 43 G4
Damousies (59) 10 A3
Damouzy (08) 24 A1
Damparis (39) 102 C2
Dampierre (10) 66 C1
Dampierre (14) 37 H2
Dampierre (39) 103 E2
Dampierre (52) 68 B6
Dampierre-au-Temple (51) 45 H2
Dampierre-en-Bray (76) 19 G3
Dampierre-en-Bresse (71) 102 B5
Dampierre-en-Burly (45) 81 H2
Dampierre-en-Crot (18) 81 H5
Dampierre-en-Graçay (18) 97 E2
Dampierre-
-en-Montagne (21) 85 E5
Dampierre-en-Yvelines (78) 42 B5
Dampierre-et-Flée (21) 86 B5
Dampierre-le-Château (51) 46 C2
Dampierre-les-Bois (25) 88 D4
Dampierre-lès-Conflans (70) 87 G1
Dampierre-
-Saint-Nicolas (76) 17 H2
Dampierre-sous-Bouhy (58) 82 D5
Dampierre-sous-Brou (28) 61 G4
Dampierre-sur-Avre (28) 40 D4
Dampierre-
-sur-Boutonne (17) 107 H6
Dampierre-sur-le-Doubs (25) 88 C4
Dampierre-sur-Linotte (70) 87 G4
Dampierre-sur-Moivre (51) 46 A3
Dampierre-sur-Salon (70) 86 D4
Dampjoux (25) 88 C5
Dampleux (02) 21 H6
Dampmart (77) 43 F3
Dampniat (19) 138 D3
Damprichard (25) 88 D6
les Damps (27) 18 D5
Dampsmesnil (27) 41 G1
Dampvalley-
-lès-Colombe (70) 87 G3
Dampvalley-
-Saint-Pancras (70) 69 G6
Dampvitoux (54) 48 A2
Damrémont (52) 68 D6
Damville (27) 40 D3
Damvillers (55) 25 F5
Damvix (85) 107 F3
Dancé (42) 128 D2
Dancé (61) 61 E2
Dancevoir (52) 67 G6
Dancourt (76) 6 B6
Dancourt-Popincourt (80) 21 E2
Dancy (28) 62 A4
Danestal (14) 15 E4
Dangé-Saint-Romain (86) 94 D4
Dangeau (28) 61 H4
Dangers (28) 62 A1
Dangeul (72) 60 B3
Dangolsheim (67) 50 C6
Dangu (27) 19 G6
Dangy (50) 37 F1
Danizy (02) 22 A2
Danjoutin (90) 88 C3
Danne-et-Quatre-Vents (57) 50 B4
Dannelbourg (57) 50 B4
Dannemarie (25) 88 D5
Dannemarie (68) 89 E3
Dannemarie (78) 41 G5
Dannemarie-sur-Crète (25) 103 F1
Dannemoine (89) 84 A1
Dannemois (91) 63 H2
Dannes (62) 1 F5
Dannevoux (55) 25 E5
Danvou-la-Ferrière (14) 38 A2
Danzé (41) 79 F1
Daon (53) 76 D2
Daoulas (29) 31 F5
Daours (80) 7 H6
Darazac (19) 139 G3
Darbonnay (39) 102 D5
Darbres (07) 157 H2
Darcey (21) 85 E4
Dardenac (33) 135 G6
Dardez (27) 41 E2
Dardilly (69) 129 H3
Dareizé (69) 129 G2
Dargies (60) 20 A2
Dargnies (80) 6 B4
Dargoire (42) 129 H5
Darmannes (52) 68 A4
Darnac (87) 110 A4
Darnétal (76) 18 D4
Darnets (19) 125 G6
Darney (88) 69 F5
Darney-aux-Chênes (88) 68 D3
Darnieulles (88) 69 H4
Darois (21) 85 G5
Darvault (77) 64 A3
Darvoy (45) 81 E1
Dasle (25) 88 D4
Daubensand (67) 71 H2
Daubeuf-la-Campagne (27) 18 C6
Daubeuf-près-Vatteville (27) 19 E6
Daubeuf-Serville (76) 16 D4
Daubèze (33) 150 A1
Dauendorf (67) 50 D3
Daumazan-sur-Arize (09) 185 F4
Daumeray (49) 77 F2
Dauphin (04) 176 C2
Dausse (47) 151 G4
Daux (31) 169 E4
Dauzat-sur-Vodable (63) 127 F6
Davayat (63) 127 F1
Davayé (71) 116 B4
Davejean (11) 187 F5
Davenescourt (80) 20 D2
Davézieux (07) 143 H2
Davignac (19) 125 G6
Davrey (10) 66 A5
Davron (78) 42 A4
Dax (40) 165 E4
Deauville (14) 15 E3
Deaux (30) 173 H1
Débats-
-Rivière-d'Orpra (42) 128 C3
Decazeville (12) 154 A2
Dechy (59) 8 D2
Décines-Charpieu (69) 130 B3
Decize (58) 99 F5
Dégagnac (46) 152 C1
Degré (72) 60 A5
Dehault (72) 60 D4
Dehéries (59) 9 E4
Dehlingen (67) 28 A6
Deinvillers (88) 70 A2
Delain (70) 86 D4
Delettes (62) 2 A5
Delincourt (60) 19 H6
Delle (90) 88 D4
Delme (57) 49 E3
Delouze-Rosières (55) 47 G6
le Déluge (60) 20 B5
Delut (55) 25 F4
Deluz (25) 87 G6
Demandolx (04) 178 A2
Demange-aux-Eaux (55) 47 G6
Demangevelle (70) 69 F6
Demi-Quartier (74) 133 E1
la Demie (70) 87 G3
Demigny (71) 101 G4
Démouville (14) 14 C4
Dému (32) 167 E4
Démuin (80) 20 D1
Denain (59) 9 E2
Dénat (81) 170 C3
Denazé (53) 58 C6
Denée (49) 76 D5
Dénestanville (76) 17 G3
Deneuille-lès-Chantelle (03) 113 G4
Deneuille-les-Mines (03) 113 E3
Deneuvre (54) 70 B1
Denèvre (70) 86 D4
Dénezé-sous-Doué (49) 93 F1
Dénezé-sous-le-Lude (49) 78 A4
Denezières (39) 117 H1
Denguin (64) 182 A1
Denicé (69) 129 H1
Denier (62) 7 H2
Denipaire (88) 70 D2
Dennebrœucq (62) 2 A5
Denneville (50) 12 C5
Dennevy (71) 101 F4
Denney (90) 88 D3
Denonville (28) 62 D2
Denting (57) 27 E4
Déols (36) 96 C5
Derbamont (88) 69 G3
Dercé (86) 94 B3
Derchigny (76) 17 H2
Dercy (02) 22 C2
Dernacueillette (11) 187 F6
Dernancourt (80) 8 A5
Derval (44) 74 C1
Désaignes (07) 143 G4
Désandans (25) 88 B4
Descartes (37) 95 E3
le Deschaux (39) 102 C4
le Désert (14) 37 H3
Désertines (03) 112 D3
Désertines (53) 58 C1
les Déserts (73) 132 A4
Déservillers (25) 103 G3
Desges (43) 141 H4
Desingy (74) 118 A6
Desmonts (45) 63 H4
Desnes (39) 102 C5
Desseling (57) 49 G4
Dessenheim (68) 71 G5
Dessia (39) 117 F3
Destord (88) 70 B3
la Destrousse (13) 192 C3
Destry (57) 49 F2
Desvres (62) 1 G5
Détain-et-Bruant (21) 101 G2
Détrier (73) 132 A6
le Détroit (14) 38 C3
Dettey (71) 100 C5
Dettwiller (67) 50 C4
Deuil-la-Barre (95) 42 D3
Deuillet (02) 22 A2
Deûlémont (59) 3 F4
Deux-Chaises (03) 113 F3
Deux-Évailles (53) 59 E4
les Deux-Fays (39) 102 C4
Deux-Jumeaux (14) 13 G4
Deux-Verges (15) 141 E6
les Deux-Villes (08) 24 D2
Deuxville (54) 49 E5
Devay (58) 99 G5
Devecey (25) 87 F6
Devesset (07) 143 F4
Devèze (65) 183 H2
Deviat (16) 122 A6
Dévillac (47) 151 G2
Deville (08) 11 E6
Déville-lès-Rouen (76) 17 G6
Devise (80) 8 C6
Devrouze (71) 102 A5
Deycimont (88) 70 B4
Deyme (31) 185 G1
Deyvillers (88) 70 A3
le Dézert (50) 13 E6
Dezize-lès-Maranges (71) 101 F4
D'Huison-Longueville (91) 63 G2
Dhuisy (77) 44 A2
Dhuizel (02) 22 C5
Dhuizon (41) 80 C4
Diancey (21) 100 D2
Diane-Capelle (57) 49 H4
Diant (77) 64 C3
Diarville (54) 69 F2
Diconne (71) 102 A5
Dicy (89) 82 D1
Didenheim (68) 89 F2
Die (26) 145 E6
Diebling (57) 49 H1
Diebolsheim (67) 71 H2
Diedendorf (67) 50 A3
Dieffenbach-au-Val (67) 71 F2
Dieffenbach-lès-Wœrth (67) 51 E2
Dieffenthal (67) 71 F2
Diefmatten (68) 89 E2
Dième (69) 129 F1
Diemeringen (67) 50 B2
Diémoz (38) 130 C4
Diénay (21) 85 H4
Dienne (15) 140 D3
Dienné (86) 109 F2
Diennes-Aubigny (58) 99 G4
Dienville (10) 66 D3
Dieppe (76) 17 G2
Dieppe-
-sous-Douaumont (55) 25 F6
Dierre (37) 79 F6
Dierrey-Saint-Julien (10) 65 H3
Dierrey-Saint-Pierre (10) 65 H3
Diesen (57) 27 E5
Dietwiller (68) 89 G2
Dieudonné (60) 20 B6
Dieue-sur-Meuse (55) 47 F2
Dieulefit (26) 158 D3
Dieulivol (33) 150 C1
Dieulouard (54) 48 C4
Dieupentale (82) 169 E3
Dieuze (57) 49 G4
Diéval (62) 7 H1
Diffembach-
-lès-Hellimer (57) 49 G2
Diges (89) 83 E2
Digna (39) 117 F2
Dignac (16) 122 C5
la Digne-d'Amont (11) 186 C5
la Digne-d'Aval (11) 186 D5
Digne-les-Bains (04) 160 C6
Dignonville (88) 70 A3
Digny (28) 61 G1
Digoin (71) 114 D2
Digosville (50) 12 D2
Digulleville (50) 12 B1
Dijon (21) 85 H6
Dimancheville (45) 63 G4
Dimbsthal (67) 50 C5
Dimechaux (59) 10 A3
Dimont (59) 10 A3
Dinan (22) 34 D5
Dinard (35) 34 D3
Dinéault (29) 31 F6
Dingé (35) 35 F6
Dingsheim (67) 51 E5
Dingy-en-Vuache (74) 118 A5
Dingy-Saint-Clair (74) 132 B1
Dinozé (88) 70 A4
Dinsac (87) 110 B4
Dinsheim-sur-Bruche (67) 50 C6
Dinteville (52) 67 F5
Dio-et-Valquières (34) 172 B5
Dionay (38) 144 D2
Dions (30) 174 A2
Diors (36) 96 D5
Diou (03) 114 C2
Diou (36) 97 E3
Dirac (16) 122 C4
Dirinon (29) 31 F5
Dirol (58) 83 G6
Dissangis (89) 84 A4
Dissay (86) 94 C6
Dissay-sous-Courcillon (72) 78 C3
Dissé-sous-Ballon (72) 60 B3
Dissé-sous-le-Lude (72) 78 A3
Distré (49) 93 G1
Distroff (57) 26 C3
Diusse (64) 166 C5
Divajeu (26) 158 C1
Dives (60) 21 F3
Dives-sur-Mer (14) 14 D4
Divion (62) 2 C6
Divonne-les-Bains (01) 118 C3
Dixmont (89) 65 E5
Dizimieu (38) 130 D3
Dizy (51) 45 F2
Dizy-le-Gros (02) 23 E2
Doazit (40) 165 H4
Doazon (64) 165 H6
Docelles (88) 70 B4
Dœuil-sur-le-Mignon (17) 107 G5
Dognen (64) 181 H2
Dogneville (88) 69 H3
Dohem (62) 2 A5
Dohis (02) 23 F1
Doignies (59) 8 C4
Doingt (80) 8 C6
Doissat (24) 152 A1
Doissin (38) 131 E5
Doix (85) 107 F3
Doizieux (42) 129 G6
Dol-de-Bretagne (35) 35 E4
Dolaincourt (88) 68 D2
Dolancourt (10) 67 E3
Dolcourt (54) 69 E1
Dole (39) 102 C2
Dolignon (02) 23 E2
Dolleren (68) 88 D1
Dollon (72) 60 D5
Dollot (89) 64 C4
Dolmayrac (47) 151 F4
Dolo (22) 34 B6
Dolomieu (38) 131 E4
Dolus-d'Oléron (17) 120 A1
Dolus-le-Sec (37) 95 F2
Dolving (57) 50 A4
Dom-le-Mesnil (08) 24 B2
Domagné (35) 57 G3
Domaize (63) 128 A4
Domalain (35) 57 H4
Domancy (74) 133 E1
Domarin (38) 130 D4
Domart-en-Ponthieu (80) 7 F4
Domart-sur-la-Luce (80) 20 D1
Domats (89) 64 C5
Domazan (30) 174 D2
Dombasle-
-devant-Darney (88) 69 F4
Dombasle-en-Argonne (55) 47 E1
Dombasle-en-Xaintois (88) 69 F3
Dombasle-sur-Meurthe (54) 48 D5
Domblain (52) 67 G1
Domblans (39) 102 D5
Dombras (55) 25 F4
Dombrot-le-Sec (88) 69 E4
Dombrot-sur-Vair (88) 69 E3
Domecy-sur-Cure (89) 83 H5
Domecy-sur-le-Vault (89) 83 H5
Doméliers (60) 20 B2
Domène (38) 145 H2
Domérat (03) 112 C3
Domesmont (80) 7 F4
Domessargues (30) 173 H2
Domessin (73) 131 G5
Domèvre-en-Haye (54) 48 B4
Domèvre-
-sous-Montfort (88) 69 F3
Domèvre-sur-Avière (88) 69 H3
Domèvre-sur-Durbion (88) 70 A3
Domèvre-sur-Vezouze (54) 49 G6
Domeyrat (43) 141 H2
Domeyrot (23) 112 A4
Domezain-Berraute (64) 181 F1
Domfaing (88) 70 B3
Domfessel (67) 50 A2
Domfront (60) 20 D3
Domfront (61) 38 A6
Domfront-
-en-Champagne (72) 59 H4
Domgermain (54) 48 A5
la Dominelais (35) 57 E6
Dominois (80) 6 D2
Domjean (50) 37 G2
Domjevin (54) 49 G6
Domjulien (88) 69 F3
Domléger-Longvillers (80) 7 F3
Domloup (35) 57 G3
Dommarie-Eulmont (54) 69 F2
Dommarien (52) 86 B3
Dommartemont (54) 48 D5
Dommartin (01) 116 C3
Dommartin (25) 103 H4
Dommartin (58) 100 A3
Dommartin (69) 129 H2
Dommartin (80) 20 C1
Dommartin-aux-Bois (88) 69 G4
Dommartin-Dampierre (51) 46 C2
Dommartin-
-la-Chaussée (54) 26 A6
Dommartin-
-la-Montagne (55) 47 H2
Dommartin-le-Coq (10) 66 C1
Dommartin-le-Franc (52) 67 G2
Dommartin-
-le-Saint-Père (52) 67 G2
Dommartin-
-lès-Cuiseaux (71) 117 E2
Dommartin-
-lès-Remiremont (88) 70 B5
Dommartin-lès-Toul (54) 48 B5
Dommartin-lès-Vallois (88) 69 F4
Dommartin-Lettrée (51) 45 H4
Dommartin-
-sous-Amance (54) 48 D4
Dommartin-sous-Hans (51) 46 C1
Dommartin-sur-Vraine (88) 69 E2
Dommartin-Varimont (51) 46 C3
Dommary-Baroncourt (55) 25 G5
Domme (24) 138 A6
Dommery (08) 23 H2
Dommiers (02) 21 H5
Domnom-lès-Dieuze (57) 49 G3
Domont (95) 42 D2
Dompaire (88) 69 G3
Dompcevrin (55) 47 G3
Dompierre (60) 20 D3
Dompierre (61) 38 B5
Dompierre (88) 70 A3
Dompierre-aux-Bois (55) 47 G2
Dompierre-Becquincourt (80) 8 B6
Dompierre-du-Chemin (35) 58 A3
Dompierre-en-Morvan (21) 84 C5
Dompierre-les-Églises (87) 110 C4
Dompierre-les-Ormes (71) 115 H3
Dompierre-les-Tilleuls (25) 103 H4
Dompierre-
-sous-Sanvignes (71) 115 F1
Dompierre-sur-Authie (80) 7 E2
Dompierre-sur-Besbre (03) 114 C2
Dompierre-
-sur-Chalaronne (01) 116 C5
Dompierre-
-sur-Charente (17) 121 F3
Dompierre-sur-Helpe (59) 9 H4
Dompierre-sur-Héry (58) 99 G1
Dompierre-sur-Mer (17) 106 D4
Dompierre-sur-Mont (39) 117 G1
Dompierre-sur-Nièvre (58) 99 E1
Dompierre-sur-Veyle (01) 116 D6
Dompierre-sur-Yon (85) 91 G4
Dompnac (07) 157 E2
Domprel (25) 104 B1
Dompremy (51) 46 C5
Domprix (54) 25 H5
Domps (87) 125 E4
Domptail (88) 70 B1
Domptail-en-l'Air (54) 69 G1
Domptin (02) 44 B2
Domqueur (80) 7 E4
Domremy-la-Canne (55) 25 G5
Domrémy-la-Pucelle (88) 68 D2
Domremy-Landéville (52) 68 A2
Domsure (01) 117 E3
Domvallier (88) 69 F3
Domvast (80) 7 E3
Don (59) 3 E6
Donazac (11) 186 C4
Donchery (08) 24 B2
Doncières (88) 70 B2
Doncourt-
-aux-Templiers (55) 47 H2
Doncourt-lès-Conflans (54) 26 A5
Doncourt-lès-Longuyon (54) 25 G4
Doncourt-sur-Meuse (52) 68 C4
Dondas (47) 151 G5
Donges (44) 73 H4
Donjeux (52) 67 H2
Donjeux (57) 49 E3
le Donjon (03) 114 C3
Donnay (14) 38 C2
Donnazac (81) 170 A2
Donnelay (57) 49 F4
Donnemain-
-Saint-Mamès (28) 62 A5
Donnemarie-Dontilly (77) 64 D1
Donnement (10) 66 D1
Donnenheim (67) 50 D4
Donnery (45) 81 E1
Donneville (31) 185 G1
Donnezac (33) 135 F1
Dontreix (23) 126 B1
Dontrien (51) 23 G6
Donville-les-Bains (50) 35 G2
Donzac (33) 149 H1
Donzac (82) 151 G6
Donzacq (40) 165 G4
le Donzeil (23) 111 G6
Donzenac (19) 138 C2
Donzère (26) 158 A3
Donzy (58) 82 D6
Donzy-le-National (71) 115 H2
Donzy-le-Pertuis (71) 116 A2
Doranges (63) 128 A6
Dorans (90) 88 C3
Dorat (63) 127 H2
le Dorat (87) 110 B5
Dorceau (61) 61 E2
Dordives (45) 64 B4
Dore-l'Église (63) 142 B1
la Dorée (53) 58 B1
Dorengt (02) 9 G5

Dorlisheim (67) 50 D6
Dormans (51) 44 D2
Dormelles (77) 64 B3
la Dornac (24) 138 B3
Dornas (07) 143 F5
Dornecy (58) 83 G5
Dornes (58) 99 F6
Dornot (57) 26 B6
Dorres (66) 199 G4
Dortan (01) 117 G3
Dosches (10) 66 C3
Dosnon (10) 45 G6
Dossenheim-Kochersberg (67) 50 D5
Dossenheim-sur-Zinsel (67) 50 C3
Douadic (36) 95 G6
Douai (59) 8 D2
Douains (27) 41 F2
Douarnenez (29) 53 E2
Douaumont (55) 25 F6
Doubs (25) 104 A4
Doucelles (72) 60 A3
Douchapt (24) 136 D2
Douchy (02) 21 H1
Douchy (45) 64 C6
Douchy-lès-Ayette (62) 8 B3
Douchy-les-Mines (59) 9 E2
Doucier (39) 103 E6
Doucy-en-Bauges (73) 132 B3
Doudeauville (62) 1 G5
Doudeauville (76) 19 G3
Doudeauville-en-Vexin (27) 19 F5
Doudelainville (80) 6 D5
Doudeville (76) 17 E3
Doudrac (47) 151 F1
Doue (77) 44 A4
Doué-la-Fontaine (49) 93 F1
Douelle (46) 152 C3
le Douhet (17) 121 F2
Douillet (72) 59 H3
Douilly (80) 21 G1
Doulaincourt-Saucourt (52) 68 A3
Doulcon (55) 24 D5
Doulevant-le-Château (52) 67 G2
Doulevant-le-Petit (52) 67 G2
Doulezon (33) 136 A6
le Doulieu (59) 2 D4
Doullens (80) 7 G3
Doumely-Bégny (08) 23 G2
Doumy (64) 166 B6
Dounoux (88) 69 H4
Dourbies (30) 172 C1
Dourdain (35) 57 H2
Dourdan (91) 63 E1
Dourges (62) 8 C1
Dourgne (81) 186 C1
Douriez (62) 6 D2
Dourlers (59) 10 A3
le Dourn (81) 171 E2
Dournazac (87) 123 G4
Dournon (39) 103 F4
Dours (65) 183 F2
Doussard (74) 132 B3
Doussay (86) 94 B4
Douvaine (74) 118 D3
Douville (24) 137 E4
Douville-en-Auge (14) 14 D4
Douville-sur-Andelle (27) 19 E5
Douvrend (76) 6 A6
Douvres (01) 130 D1
Douvres-la-Délivrande (14) 14 B3
Douvrin (62) 3 E6
Doux (08) 23 H4
Doux (79) 93 H5
Douy (28) 61 H5
Douy-la-Ramée (77) 43 G2
Douzains (47) 151 E2
Douzat (16) 122 B3
la Douze (24) 137 G3
Douzens (11) 187 F3
Douzillac (24) 136 D3
Douzy (08) 24 C2
Doville (50) 12 C4
Doye (39) 103 G5
Doyet (03) 113 E4
Dozulé (14) 14 D4
Dracé (69) 116 B5
Draché (37) 94 D3
Drachenbronn-Birlenbach (67) 51 F2
Dracy (89) 83 E2
Dracy-le-Fort (71) 101 G5
Dracy-lès-Couches (71) 101 E4
Dracy-Saint-Loup (71) 100 D3
Dragey-Ronthon (50) 35 G3
Draguignan (83) 177 H5
Draillant (74) 119 E3
Drain (49) 75 F4
Draix (04) 160 D6
Draize (08) 23 G2
Drambon (21) 86 B6
Dramelay (39) 117 F3
Drancy (93) 42 D3
Drap (06) 195 F2
Dravegny (02) 22 C6
Draveil (91) 42 D5
Drée (21) 85 F6
Drefféac (44) 74 A2
Drémil-Lafage (31) 169 G5
le Drennec (29) 31 E3
Dreuil-lès-Amiens (80) 7 F6
Dreuilhe (09) 186 B5
Dreux (28) 41 F5
Drevant (18) 97 H6
Dricourt (08) 23 H5
Driencourt (80) 8 C5
Drincham (59) 2 B2
Drocourt (62) 8 C1
Drocourt (78) 41 H2
Droisy (27) 40 D4
Droisy (74) 131 H1
Droiturier (03) 114 C5
Droizy (02) 22 A6
Drom (01) 117 E4
Dromesnil (80) 6 D6
Drosay (76) 17 E3
Drosnay (51) 46 B6
Droué (41) 61 G5
Droue-sur-Drouette (28) 41 H6
Drouges (35) 57 H5
Drouilly (51) 46 A4
Droupt-Saint-Basle (10) 66 A1
Droupt-Sainte-Marie (10) 66 A1
Drouville (54) 49 E5
Drouvin-le-Marais (62) 2 D6
Droux (87) 110 B5
Droyes (52) 67 E1
Drubec (14) 15 E4
Drucat (80) 6 D4
Drucourt (27) 15 G5
Drudas (31) 168 D4
Druelle (12) 154 B4
Drugeac (15) 140 A3
Druillat (01) 117 E6
Drulhe (12) 153 H3
Drulingen (67) 50 B3
Drumettaz-Clarafond (73) 131 H4
Drusenheim (67) 51 F4
Druy-Parigny (58) 99 F5
Druye (37) 78 C6
Druyes-les-Belles-Fontaines (89) 83 F4
Dry (45) 80 C2
Duault (22) 32 C5
Ducey (50) 35 H4
Duclair (76) 17 F6
Ducy-Sainte-Marguerite (14) 14 A4
Duerne (69) 129 G4
Duesme (21) 85 F3
Duffort (32) 183 G2
Dugny (93) 42 D3
Dugny-sur-Meuse (55) 47 F1
Duhort-Bachen (40) 166 B4
Duilhac-sous-Peyrepertuse (11) 187 F6
Duingt (74) 132 B2
Duisans (62) 8 A2
Dullin (73) 131 G5
Dumes (40) 165 H4
Dun (09) 186 A5
Dun-le-Palestel (23) 111 E4
Dun-le-Poëlier (36) 96 C1
Dun-les-Places (58) 100 B1
Dun-sur-Auron (18) 98 A4
Dun-sur-Grandry (58) 99 H3
Dun-sur-Meuse (55) 24 D5
Duneau (72) 60 C5
Dunes (82) 168 A1
Dunet (36) 110 C2
Dung (25) 88 C4
Dunière-sur-Eyrieux (07) 143 H6
Dunières (43) 143 F2
Dunkerque (59) 2 B1
Duntzenheim (67) 50 D4
Duppigheim (67) 50 D6
Duran (32) 167 H5
Durance (47) 150 C6
Duranus (06) 195 F1
Duranville (27) 15 H5
Duras (47) 150 C1
Duravel (46) 152 A3
Durban (32) 167 H6
Durban-Corbières (11) 187 H5
Durban-sur-Arize (09) 185 F5
Durbans (46) 153 E1
Durcet (61) 38 C4
Durdat-Larequille (03) 112 D4
Dureil (72) 77 G1
Durenque (12) 171 F1
Durfort (09) 185 G3
Durfort (81) 186 C1
Durfort-et-Saint-Martin-de-Sossenac (30) 173 G2
Durfort-Lacapelette (82) 152 A6
Durlinsdorf (68) 89 F4
Durmenach (68) 89 F4
Durmignat (63) 113 E5
Durnes (25) 103 H2
Durningen (67) 50 D5
Durrenbach (67) 51 E3
Durrenentzen (68) 71 G4
Durstel (67) 50 B3
Durtal (49) 77 F3
Durtol (63) 127 E3
Dury (02) 21 H1
Dury (62) 8 C3
Dury (80) 7 G6
Dussac (24) 123 H6
Duttlenheim (67) 50 D6
Duvy (60) 21 F6
Duzey (55) 25 G5
Dyé (89) 83 H1
Dyo (71) 115 F3

E

Eancé (35) 57 H5
Eaubonne (95) 42 C3
Eaucourt-sur-Somme (80) 6 D4
Eaunes (31) 185 F1
Eaux-Bonnes (64) 182 B5
Eaux-Puiseaux (10) 65 H5
Eauze (32) 167 E3
Ébaty (21) 101 G4
Ebblinghem (59) 2 C4
Eberbach-Seltz (67) 51 G2
Ebersheim (67) 71 G2
Ebersmunster (67) 71 G2
Ébersviller (57) 26 D4
Éblange (57) 26 D4
Ébouleau (02) 22 D2
Ébréon (16) 122 B1
Ébreuil (03) 113 G6
l'Écaille (08) 23 F4
Écaillon (59) 8 D2
Écalles-Alix (76) 17 F4
Écaquelon (27) 18 A5
Écardenville-la-Campagne (27) 40 C1
Écardenville-sur-Eure (27) 41 E1
Écausseville (50) 12 D3
Écauville (27) 40 C1
Eccica-Suarella (2A) 204 D6
Eccles (59) 10 B3
Échalas (69) 129 H5
Échallat (16) 122 A3
Échallon (01) 117 H4
Échalot (21) 85 F3
Échalou (61) 38 B4
Échandelys (63) 127 H5
Échannay (21) 101 F1
Écharcon (91) 42 D6
Échassières (03) 113 F5
Échauffour (61) 39 G5
Échavanne (70) 88 C3
Échay (25) 103 F3
Échebrune (17) 121 F4
l'Échelle (08) 23 H1
l'Échelle-Saint-Aurin (80) 21 E2
les Échelles (73) 131 G6
Échemines (10) 65 H2
Échemiré (49) 77 G4
Échenans (25) 88 B4
Échenans-sous-Mont-Vaudois (70) 88 C3
Échenay (52) 68 A1
Échenevex (01) 118 B3
Échenon (21) 102 B2
Échenoz-la-Méline (70) 87 G3
Échenoz-le-Sec (70) 87 G4
Échevannes (21) 86 A4
Échevannes (25) 103 H2
Échevis (26) 145 E4
Échevronne (21) 101 G2
Échigey (21) 102 A2
Échillais (17) 120 C1
Échilleuses (45) 63 G4
Echinghen (62) 1 F4
Échiré (79) 107 H3
Échirolles (38) 145 G3
Échouboulains (77) 64 C2
Échourgnac (24) 136 C3
Eckartswiller (67) 50 C4
Eckbolsheim (67) 51 E5
Eckwersheim (67) 51 E5
Éclaibes (59) 10 A3
Éclaires (51) 46 D2
Éclance (10) 67 E3
Éclans-Nenon (39) 102 D2
Éclaron-Braucourt-Sainte-Livière (52) 46 C6
Eclassan (07) 144 A3
Écleux (39) 103 E3
Éclimeux (62) 7 F1
Eclose (38) 130 D5
Éclusier-Vaux (80) 8 B5
Écluzelles (28) 41 F5
Écly (08) 23 G3
Écoche (42) 115 F5
Écoivres (62) 7 G2
École (73) 132 B4
École-Valentin (25) 87 F6
Écollemont (51) 46 C6
Écommoy (72) 78 B1
Écoquenéauville (50) 13 E4
Écorcei (61) 40 A5
les Écorces (25) 104 D1
Écorches (61) 39 F3
Écordal (08) 24 A3
Écorpain (72) 60 D6
Écos (27) 41 G1
Écot (25) 88 C5
Ecot-la-Combe (52) 68 B4
Écotay-l'Olme (42) 128 D5
Écouché (61) 38 D5
Écouen (95) 42 D2
Écouflant (49) 77 E4
Écouis (27) 19 E5
Écourt-Saint-Quentin (62) 8 D3
Écoust-Saint-Mein (62) 8 C3
Écouviez (55) 25 F3
l'Écouvotte (25) 87 G6
Écoyeux (17) 121 F2
Ecquedecques (62) 2 C6
Ecques (62) 2 B5
Ecquetot (27) 40 D1
Ecquevilly (78) 42 A3
Écrainville (76) 16 C4
Écrammeville (14) 13 G5
les Écrennes (77) 64 B1
Écretteville-lès-Baons (76) 17 E4
Écretteville-sur-Mer (76) 16 D3
Écriennes (51) 46 B5
Écrille (39) 117 G2
Écromagny (70) 88 A1
Écrosnes (28) 62 C1
Écrouves (54) 48 A5
Ectot-l'Auber (76) 17 F4
Ectot-lès-Baons (76) 17 E4
Écueil (51) 45 E1
Écueillé (36) 96 A2
Écuélin (59) 10 A3
Écuelle (70) 86 C4
Écuelles (71) 102 A4
Écuelles (77) 64 B3
Écuillé (49) 76 D3
Écuires (62) 6 D1
Écuisses (71) 101 E5
Éculleville (50) 12 B1
Écully (69) 130 A3
Écuras (16) 123 E4
Écurat (17) 121 E2
Écurcey (25) 88 C5
Écurey-en-Verdunois (55) 25 E5
Écurie (62) 8 B2
Écury-le-Repos (51) 45 F4
Écury-sur-Coole (51) 45 H3
Écutigny (21) 101 F2
Écuvilly (60) 21 F2
Edern (29) 53 G2
Édon (16) 122 D5
les Éduts (17) 108 A6
Eecke (59) 2 D4
Effiat (63) 113 H6
Effincourt (52) 68 A1
Effry (02) 10 A6
Égat (66) 199 H4
Égleny (89) 83 E2
Égletons (19) 125 G6
Égligny (77) 64 D2
Eglingen (68) 89 E2
l'Église-aux-Bois (19) 125 E4
Église-Neuve-de-Vergt (24) 137 F3
Église-Neuve-d'Issac (24) 136 D4
Égliseneuve-d'Entraigues (63) 126 D6
Égliseneuve-des-Liards (63) 127 H5
Égliseneuve-près-Billom (63) 127 G3
les Églises-d'Argenteuil (17) 121 G1
Églisolles (63) 128 C6
les Églisottes-et-Chalaures (33) 136 A3
Égly (91) 42 C6
Égreville (77) 64 B4
Égriselles-le-Bocage (89) 64 D5
Égry (45) 63 G5
Éguelshardt (57) 28 C6
Eguenigue (90) 88 D2
l'Éguille (17) 120 C3
Éguilles (13) 175 H5
Éguilly (21) 84 D6
Éguilly-sous-Bois (10) 67 E4
Eguisheim (68) 71 F5
Éguzon-Chantôme (36) 111 E3
Éhuns (70) 87 H2
Eichhoffen (67) 71 F2
Eincheville (57) 49 F2
Einvaux (54) 69 H1
Einville-au-Jard (54) 49 E5
Eix (55) 25 F6
Élan (08) 24 B2
Élancourt (78) 42 A4
Elbach (68) 89 E3
Elbeuf (76) 18 C5
Elbeuf-en-Bray (76) 19 G4
Elbeuf-sur-Andelle (76) 19 E4
Élencourt (60) 19 H2
Élesmes (59) 10 A2
Életot (76) 16 C3
Éleu-dit-Leauwette (62) 8 B1
Élincourt (59) 9 E4
Élincourt-Sainte-Marguerite (60) 21 F3
Élise-Daucourt (51) 46 C2
Ellecourt (76) 19 G1
Elliant (29) 53 H3
Ellon (14) 13 H6
Elne (66) 201 F3
Elnes (62) 2 A4
Éloie (90) 88 C2
Éloise (74) 118 A6
Éloyes (88) 70 B4
Elsenheim (67) 71 G4
Elvange (57) 49 E1
Elven (56) 55 H6
Elzange (57) 26 C3
Émagny (25) 87 E6
Émalleville (27) 40 D1
Émancé (78) 41 H6
Émanville (27) 40 C2
Émanville (76) 17 F4
Emberménil (54) 49 F5
Embres-et-Castelmaure (11) 187 H6
Embreville (80) 6 B5
Embrun (05) 161 E2
Embry (62) 1 H6
Émerainville (77) 43 E4
Émerchicourt (59) 9 E2
Émeringes (69) 116 A5
Éméville (60) 21 G6
Émiéville (14) 38 D1
Emlingen (68) 89 F3
Emmerin (59) 3 F5
Émondeville (50) 13 E3
Empeaux (31) 168 C6
Empurany (07) 143 H4
Empuré (16) 108 C6
Empury (58) 83 H6
Encausse (32) 168 C4
Encausse-les-Thermes (31) 184 B4
Enchastrayes (04) 161 F4
Enchenberg (57) 28 B6
Encourtiech (09) 185 E5
Endoufielle (32) 168 C6
Énencourt-le-Sec (60) 19 H5
Énencourt-Léage (60) 19 H5
Enfonvelle (52) 69 E6
Engayrac (47) 151 G5
Engente (10) 67 F3
Engenville (45) 63 F4
Enghien-les-Bains (95) 42 C3
Engins (38) 145 F2
Englancourt (02) 9 H6
Englebelmer (80) 8 A4
Englefontaine (59) 9 G3
Englesqueville-en-Auge (14) 15 E3
Englesqueville-la-Percée (14) 13 G4
Englos (59) 3 F5
Engomer (09) 184 D5
Enguinegatte (62) 2 B5
Engwiller (67) 50 D3
Ennemain (80) 8 C6
Ennery (57) 26 C4
Ennery (95) 42 B2
Ennetières-en-Weppes (59) 3 F5
Ennevelin (59) 3 G6
Ennezat (63) 127 F2
Ennordres (18) 81 G5
Enquin-les-Mines (62) 2 B5
Enquin-sur-Baillons (62) 1 G5
Ens (65) 196 D1
Ensigné (79) 108 A5
Ensisheim (68) 71 F6
Ensuès-la-Redonne (13) 191 H5
Entrages (04) 177 F1
Entraigues (38) 146 A5
Entraigues (63) 127 G2
Entraigues-sur-la-Sorgue (84) 175 E2
Entrains-sur-Nohain (58) 83 E5
Entrammes (53) 58 D5
Entrange (57) 26 B3
Entraunes (06) 161 G5
Entraygues-sur-Truyère (12) 154 C2
Entre-Deux-Eaux (88) 70 D3
Entre-deux-Guiers (38) 131 G6
Entre-deux-Monts (39) 103 F6
Entrecasteaux (83) 193 G1
Entrechaux (84) 158 D5
Entremont (74) 132 C1
Entremont-le-Vieux (73) 131 H6
Entrepierres (04) 160 B5
Entrevaux (04) 178 B2
Entrevennes (04) 177 E2
Entrevernes (74) 132 B2
Entzheim (67) 50 D6
Enval (63) 127 E2
Enveitg (66) 199 G4
Envermeu (76) 17 H2
Envronville (76) 17 E4
Éourres (05) 159 H5
Eoux (31) 184 C2
Épagne (10) 66 D2
Épagne-Épagnette (80) 6 D4
Épagny (02) 21 H4
Épagny (21) 85 H5
Épagny (74) 132 A1
Épaignes (27) 15 G4
Épaney (14) 38 D3
Épannes (79) 107 G4
Éparcy (02) 10 B6
les Éparges (55) 47 H2
Épargnes (17) 120 D4
les Éparres (38) 130 D5
Épaumesnil (80) 6 D6
Épaux-Bézu (02) 44 B1
Épeautrolles (28) 62 A3
Épécamps (80) 7 F4
Épégard (27) 40 C1
Épehy (80) 8 D5
Épeigné-les-Bois (37) 95 G1
Épeigné-sur-Dême (37) 78 D3
Épénancourt (80) 21 F1
Épenède (16) 109 F6
Épenouse (25) 104 A1
Épenoy (25) 104 A2
Épense (51) 46 C3
Épercieux-Saint-Paul (42) 129 E3
Éperlecques (62) 2 A3
Épernay (51) 45 F2
Épernay-sous-Gevrey (21) 101 H2
Épernon (28) 41 G6
Éperrais (61) 60 D2
Épersy (73) 131 H3
Épertully (71) 101 F4
Épervans (71) 101 G5
les Epesses (85) 92 C4
Épeugney (25) 103 G2
Epfig (67) 71 G2
Épiais (41) 79 H2
Épiais-lès-Louvres (95) 43 E2
Épiais-Rhus (95) 42 B1
Épieds (02) 44 B2
Épieds (27) 41 F3
Épieds (49) 93 H2
Épieds-en-Beauce (45) 62 B6
Épierre (73) 132 C5
Épiez-sur-Chiers (54) 25 F4
Épiez-sur-Meuse (55) 47 H6
Épinac (71) 101 E3
Épinal (88) 69 H4
Épinay (27) 40 A2
Épinay-Champlâtreux (95) 42 D2
l'Épinay-le-Comte (61) 58 C1
Épinay-sous-Sénart (91) 43 E5
Épinay-sur-Duclair (76) 17 F5
Épinay-sur-Odon (14) 14 A5
Épinay-sur-Orge (91) 42 D5
Épinay-sur-Seine (93) 42 D3
l'Épine (05) 159 G3
l'Épine (51) 46 A3
l'Épine (85) 90 B1
l'Épine-aux-Bois (02) 44 C3
Épineau-les-Voves (89) 65 F6
Épineu-le-Chevreuil (72) 59 G5
Épineuil (89) 84 A1
Épineuil-le-Fleuriel (18) 112 D2
Épineuse (60) 20 D5
Épineux-le-Seguin (53) 59 F6
Épiniac (35) 35 F5
Épinonville (55) 24 D6
Épinouze (26) 144 B1
Épinoy (62) 8 D3
Epiry (58) 99 H2
Épisy (77) 64 B3
Épizon (52) 68 B2
Éplessier (80) 20 A1
Éply (54) 48 C3
Époisses (21) 84 B4
Épône (78) 41 H3
Épothémont (10) 67 E2
Épouville (76) 15 F1
Époye (51) 23 F6
Eppe-Sauvage (59) 10 B4
Eppes (02) 22 C3
Eppeville (80) 21 G1
Epping (57) 28 B5
Épretot (76) 15 G1
Épreville (76) 16 C3
Épreville-en-Lieuvin (27) 15 H4
Épreville-en-Roumois (27) 18 A5
Épreville-près-le-Neubourg (27) 40 C1
Épron (14) 14 B4
Eps (62) 7 G1
Épuisay (41) 79 F1
Équancourt (80) 8 C5
Équemauville (14) 16 B6
Équennes-Éramecourt (80) 20 A2
Équeurdreville-Hainneville (50) 12 C2
Équevilley (70) 87 G2
Équevillon (39) 103 F5
Équihen-Plage (62) 1 E4
Équilly (50) 35 H2
Équirre (62) 2 A6
Éragny (95) 42 B2
Éragny-sur-Epte (60) 19 G5
Eraines (14) 38 D3
Éraville (16) 122 A4
Erbajolo (2B) 205 F2
Erbéviller-sur-Amezule (54) 49 E4
Erbray (44) 75 E1
Erbrée (35) 58 A4
Ercé (09) 185 E6
Ercé-en-Lamée (35) 57 F5
Ercé-près-Liffré (35) 57 G1
Erceville (45) 63 E4
Erches (80) 21 E2
Ercheu (80) 21 G2
Erchin (59) 8 D2
Erching (57) 28 A5
Erckartswiller (67) 50 C3
Ercourt (80) 6 C4
Ercuis (60) 20 C6
Erdeven (56) 54 D6
Éréac (22) 56 B1
Ergersheim (67) 50 D6
Ergnies (80) 7 E4
Ergny (62) 1 H5
Ergué-Gabéric (29) 53 G3
Érin (62) 7 F1
Éringes (21) 84 D4
Eringhem (59) 2 B2
Érize-la-Brûlée (55) 47 F4
Érize-la-Petite (55) 47 E3
Érize-Saint-Dizier (55) 47 F4
Erlon (02) 22 C2
Erloy (02) 9 H6
Ermenonville (60) 43 F1
Ermenonville-la-Grande (28) 62 A3
Ermenonville-la-Petite (28) 62 A3
Ermenouville (76) 17 E3
Ermont (95) 42 C3
Ernée (53) 58 C3
Ernemont-Boutavent (60) 19 H3
Ernemont-la-Villette (76) 19 G4
Ernemont-sur-Buchy (76) 19 E3
Ernes (14) 39 E2
Ernestviller (57) 49 H1
Erneville-aux-Bois (55) 47 G5
Ernolsheim-Bruche (67) 50 D6
Ernolsheim-lès-Saverne (67) 50 C4
Erny-Saint-Julien (62) 2 B5
Érôme (26) 144 A3
Érondelle (80) 6 D4
Érone (2B) 205 F1
Éroudeville (50) 12 D3
Erp (09) 185 E5
Erquery (60) 20 D4
Erquinghem-le-Sec (59) 3 E5
Erquinghem-Lys (59) 3 E4
Erquinvillers (60) 20 D4
Erquy (22) 34 A3
Err (66) 199 H4
Erre (59) 9 E2
Errevet (70) 88 C2
Errouville (54) 26 A3
Ersa (2B) 203 F1
Erstein (67) 71 H1
Erstroff (57) 49 G2
Ervauville (45) 64 C5
Ervillers (62) 8 B3
Ervy-le-Châtel (10) 66 A5
Esbareich (65) 183 H5
Esbarres (21) 102 B2
Esbly (77) 43 F3
Esboz-Brest (70) 88 A1
Escala (65) 183 G4
Escalans (40) 166 D2
l'Escale (04) 160 B6
Escales (11) 187 G3
Escalles (62) 1 F2
Escalquens (31) 169 G6
Escames (60) 19 H3
Escamps (46) 153 E4
Escamps (89) 83 F2
Escandolières (12) 154 A3
Escanecrabe (31) 184 B2
Escardes (51) 44 C5
l'Escarène (06) 195 G2
Escarmain (59) 9 F3
Escaro (66) 200 B4
Escassefort (47) 150 C2
Escatalens (82) 168 D2

Escaudain (59) 9 E2
Escaudes (33) 149 H4
Escaudœuvres (59) 9 E3
Escaunets (65) 182 D2
Escautpont (59) 9 F1
Escazeaux (82) 168 C3
Eschau (67) 51 E6
Eschbach (67) 51 E3
Eschbach-au-Val (68) 71 E5
Eschbourg (67) 50 B3
Eschentzwiller (68) 89 G2
Escherange (57) 26 B3
Esches (60) 20 B6
Eschwiller (67) 50 A3
Esclagne (09) 186 A5
Esclainvillers (80) 20 C2
Esclanèdes (48) 155 H3
Esclassan-Labastide (32) 184 A1
Esclauzels (46) 152 D4
Esclavelles (76) 19 E2
Esclavolles-Lurey (51) 65 G1
Escles (88) 69 G4
Escles-Saint-Pierre (60) 19 H1
Esclottes (47) 150 C1
Escobecques (59) 3 E5
Escœuilles (62) 1 G4
Escoire (24) 137 G2
Escolives-Sainte-Camille (89) 83 G3
Escombres-et-le-Chesnois (08) 24 D2
Escondeaux (65) 183 F2
Esconnets (65) 183 F4
Escorailles (15) 140 A3
Escorneboeuf (32) 168 B5
Escorpain (28) 41 E5
Escos (64) 165 E6
Escosse (09) 185 G4
Escot (64) 182 A4
Escots (65) 183 F4
Escou (64) 182 A3
Escoubès (64) 182 C1
Escoubès-Pouts (65) 183 E4
Escoulis (31) 184 D4
Escouloubre (11) 200 A2
Escource (40) 148 C5
Escoussans (33) 149 H1
Escoussens (81) 170 C6
Escout (64) 182 A3
Escoutoux (63) 128 A3
Escoville (14) 14 C4
Escragnolles (06) 178 B4
Escrennes (45) 63 F5
Escrignelles (45) 82 B3
Escroux (81) 171 F4
Escueillens-et-Saint-Just-de-Bélengard (11) 186 C4
Escurès (64) 166 C6
Escurolles (03) 113 H5
Eslettes (76) 17 G5
Esley (88) 69 F4
Eslourenties-Daban (64) 182 D2
Esmans (77) 64 C3
Esmery-Hallon (80) 21 G2
Esmoulières (70) 88 B1
Esmoulins (70) 86 C5
Esnandes (17) 106 D4
Esnans (25) 87 H6
Esnes (59) 9 E4
Esnes-en-Argonne (55) 24 D6
Esnon (89) 65 F6
Esnouveaux (52) 68 B4
Espagnac (19) 139 F2
Espagnac-Sainte-Eulalie (46) 153 F2
Espalais (82) 168 B1
Espalem (43) 141 F1
Espalion (12) 154 D3
Espaly-Saint-Marcel (43) 142 C4
Espanès (31) 185 G1
Espaon (32) 184 C1
Esparron (05) 160 A3
Esparron (31) 184 B2
Esparron (83) 193 E1
Esparron-de-Verdon (04) 176 D4
Esparros (65) 183 G4
Esparsac (82) 168 C2
Espartignac (19) 124 D6
Espas (32) 167 E3
Espaubourg (60) 19 H4
Espèche (65) 183 G4
Espéchède (64) 182 D2
Espédaillac (46) 153 E2
Espelette (64) 180 C1
Espeluche (26) 158 B3
Espenel (26) 159 E1
Espérausses (81) 171 E5
Espéraza (11) 186 D6
Esperce (31) 185 F2
Espère (46) 152 C3
Espès-Undurein (64) 181 G2
Espeyrac (12) 154 C2
Espeyroux (46) 139 F6
Espezel (11) 199 H1
Espieilh (65) 183 F4
Espiens (47) 150 D6
Espiet (33) 135 G6
Espinas (82) 153 F6
Espinasse (15) 141 E5
Espinasse (63) 112 D6
Espinasse-Vozelle (03) 113 H5
Espinasses (05) 160 C3
Espinchal (63) 140 D1
Espins (14) 14 B6
Espira-de-Conflent (66) 200 C3
Espira-de-l'Agly (66) 201 F1
Espirat (63) 127 G3
Espiute (64) 181 F1
Esplantas (43) 142 A5
Esplas (09) 185 G3
Esplas-de-Sérou (09) 185 F5
Espoey (64) 182 D2
Espondeilhan (34) 188 C1
Esprels (70) 87 H4
Esquay-Notre-Dame (14) 14 B5
Esquay-sur-Seulles (14) 14 A4
Esquéhéries (02) 9 G5
Esquelbecq (59) 2 C3
Esquennoy (60) 20 C2
Esquerchin (59) 8 C1
Esquerdes (62) 2 A4
Esquibien (29) 52 D2
Esquièze-Sère (65) 183 E6
Esquiule (64) 181 H3
les Essards (16) 136 B2
les Essards (17) 120 D2
les Essards (37) 78 B6
les Essards-Taignevaux (39) 102 C4
Essarois (21) 85 F2
Essars (62) 2 D6
les Essarts (27) 40 C3
les Essarts (41) 79 E2
les Essarts (85) 91 H3
les Essarts-le-Roi (78) 42 A5
les Essarts-le-Vicomte (51) 44 C6
les Essarts-lès-Sézanne (51) 44 D5
Essay (61) 39 G6
Esse (16) 109 G6
Essé (35) 57 G4
Essegney (88) 69 G2
les Esseintes (33) 150 A2
Essert (90) 88 C3
Essert-Romand (74) 119 F4
Essertaux (80) 20 B1
Essertenne (71) 101 E5
Essertenne-et-Cecey (70) 86 C5
Essertines-en-Châtelneuf (42) 128 D4
Essertines-en-Donzy (42) 129 F3
Esserts-Blay (73) 132 D4
Esserval-Combe (39) 103 G5
Esserval-Tartre (39) 103 G5
Essey (21) 101 E1
Essey-et-Maizerais (54) 48 A3
Essey-la-Côte (54) 69 H1
Essey-lès-Nancy (54) 48 D5
Essia (39) 117 F1
Essigny-le-Grand (02) 22 A1
Essigny-le-Petit (02) 9 E6
Essises (02) 44 B3
Essômes-sur-Marne (02) 44 B2
Esson (14) 14 B6
Essoyes (10) 67 E5
Essuiles (60) 20 C4
les Estables (43) 143 E5
Estables (48) 156 A1
Establet (26) 159 F3
Estadens (31) 184 C5
Estagel (66) 201 E1
Estaing (12) 154 D2
Estaing (65) 182 C5
Estaires (59) 2 D5
Estal (46) 139 F5
Estampes (32) 183 G1
Estampures (65) 183 G1
Estancarbon (31) 184 B4
Estandeuil (63) 127 H4
Estang (32) 166 C3
Estarvielle (65) 197 E1
Estavar (66) 199 H4
Esteil (63) 127 G6
Esténos (31) 184 A5
Estensan (65) 196 D1
Estérençuby (64) 181 E3
Esternay (51) 44 C5
Esterre (65) 183 E6
Estevelles (62) 3 E6
Esteville (76) 17 H5
Estézargues (30) 174 C2
Estialescq (64) 182 A3
Estibeaux (40) 165 F5
Estigarde (40) 166 C1
Estillac (47) 151 E6
Estipouy (32) 167 G6
Estirac (65) 166 D6
Estissac (10) 65 H3
Estivals (19) 138 C4
Estivareilles (03) 112 D3
Estivareilles (42) 128 D6
Estivaux (19) 138 C1
Estoher (66) 200 C3
Estos (64) 182 A3
Estoublon (04) 177 F2
Estouches (91) 63 F3
Estourmel (59) 9 E4
Estouteville-Écalles (76) 19 E3
Estouy (45) 63 G4
Estrablin (38) 130 B5
Estramiac (32) 168 B3
Estrebay (08) 10 C6
Estrébœuf (80) 6 C3
l'Estréchure (30) 173 F1
Estrée (62) 1 G6
Estrée-Blanche (62) 2 B5
Estrée-Cauchy (62) 8 A1
Estrée-Wamin (62) 7 G2
Estréelles (62) 1 G6
Estrées (02) 9 E5
Estrées (59) 8 D2
Estrées-Deniécourt (80) 8 B6
Estrées-la-Campagne (14) 38 D2
Estrées-lès-Crécy (80) 7 E3
Estrées-Mons (80) 8 C6
Estrées-Saint-Denis (60) 21 E4
Estrées-sur-Noye (80) 20 C1
Estrennes (88) 69 F3
Estreux (59) 9 G2
Estrun (59) 9 E3
Estry (14) 38 A3
Esves-le-Moutier (37) 95 F3
Esvres (37) 79 E6
Eswars (59) 9 E3
Étable (73) 132 B5
Étables (07) 143 H3
Étables-sur-Mer (22) 33 G3
Étagnac (16) 123 F2
Étaimpuis (76) 18 D2
Étain (55) 25 G6
Étaing (62) 8 C2
Étainhus (76) 15 G1
Étais (21) 84 D3
Étais-la-Sauvin (89) 83 E5
Étalans (25) 103 H2
Étalante (21) 85 F3
Étalle (08) 10 D6
Étalleville (76) 17 F3
Étalon (80) 21 F1
Étalondes (76) 6 B5
Étampes (91) 63 F2
Étampes-sur-Marne (02) 44 B2
l'Étang-Bertrand (50) 12 C3
l'Étang-la-Ville (78) 42 B4
Étang-sur-Arroux (71) 100 C4
l'Étang-Vergy (21) 101 G2
les Étangs (57) 26 D5
Étaples (62) 1 F6
Étaule (89) 84 A4
Étaules (17) 120 B3
Étaules (21) 85 G5
Étauliers (33) 135 E2
Etaux (74) 118 D6
Étaves-et-Bocquiaux (02) 9 F5
Étavigny (60) 43 G1
Etcharry (64) 181 F2
Etchebar (64) 181 G4
Éteignières (08) 10 D6
Eteimbes (68) 88 D2
Étel (56) 54 D6
Ételfay (80) 21 E2
Étercy (74) 132 A2
Éternoz (25) 103 G3
Éterpigny (62) 8 C3
Éterpigny (80) 8 C6
Éterville (14) 14 B5
Étevaux (21) 86 B6
Eth (59) 9 G2
Étienville (50) 12 D4
Étigny (89) 65 E5
les Étilleux (28) 61 E3
Étinehem (80) 8 A6
Étiolles (91) 42 D6
Étival (39) 117 H2
Étival-Clairefontaine (88) 70 C2
Étival-lès-le-Mans (72) 60 A6
Étivey (89) 84 B3
Étobon (70) 88 B3
Étoges (51) 45 E4
l'Étoile (39) 102 D6
l'Étoile (80) 7 E5
Étoile-Saint-Cyrice (05) 159 G4
Étoile-sur-Rhône (26) 144 B6
Éton (55) 25 G5
Étormay (21) 85 E4
Étouars (24) 123 E4
Étourvy (10) 66 B6
Étoutteville (76) 17 E4
Étouvans (25) 88 C4
Étouvelles (02) 22 C3
Étouvy (14) 37 H3
Étouy (60) 20 C4
Étrabonne (25) 103 E1
Étrappe (25) 88 B4
l'Étrat (42) 129 F5
Étray (25) 104 A2
Étraye (55) 25 E5
Étréaupont (02) 10 A6
Étrechet (36) 96 D5
Étréchy (18) 98 B2
Étréchy (51) 45 E3
Étréchy (91) 63 F1
Étréham (14) 13 H5
Étreillers (02) 21 H1
Étréjust (80) 6 D6
Étrelles (35) 58 A5
Étrelles-et-la-Montbleuse (70) 87 E5
Étrelles-sur-Aube (10) 65 H1
Étrembières (74) 118 C5
Étrépagny (27) 19 F5
Étrepigney (39) 102 D2
Étrépigny (08) 24 B2
Étrépilly (02) 44 B2
Étrépilly (77) 43 G2
Étrepy (51) 46 C4
Étretat (76) 16 B3
Étreux (02) 9 G5
Étreval (54) 69 F1
Étréville (27) 18 A5
Étrez (01) 116 D3
Étriac (16) 122 A5
Étriché (49) 77 E3
Étricourt-Manancourt (80) 8 C5
Étrigny (71) 116 B1
Étrochey (21) 85 E1
Étrœungt (59) 10 A4
Étroussat (03) 113 G5
Étrun (62) 8 A2
Etsaut (64) 182 A5
Ettendorf (67) 50 D3
Etting (57) 28 A6
Étueffont (90) 88 D2
Étupes (25) 88 C4
Éturqueraye (27) 18 A5
Étusson (79) 93 E3
Étuz (70) 87 F6
Etzling (57) 27 G4
Eu (76) 6 B4
Euffigneix (52) 67 H4
Eugénie-les-Bains (40) 166 B4
Euilly-et-Lombut (08) 24 D2
Eulmont (54) 48 D4
Eup (31) 184 A5
Eurre (26) 144 B6
Eurville-Bienville (52) 46 D6
Eus (66) 200 C3
Euvezin (54) 48 A3
Euville (55) 47 H4
Euvy (51) 45 F5
Euzet (30) 174 A1
Évaillé (72) 78 D1
Évans (39) 103 E1
Évaux-et-Ménil (88) 69 G2
Évaux-les-Bains (23) 112 C5
Ève (60) 43 F2
Évecquemont (78) 42 A2
Évenos (83) 193 E5
Évergnicourt (02) 23 E4
Everly (77) 64 D2
Évette-Salbert (90) 88 C2
Éveux (69) 129 G2
Évian-les-Bains (74) 119 E3
Évigny (08) 24 A1
Évillers (25) 103 H3
Évin-Malmaison (62) 8 C1
Évires (74) 118 C6
Évisa (2A) 204 C3
Évosges (01) 131 E1
Évran (22) 34 D6
Évrange (57) 26 B2
Évrecy (14) 14 B5
Èvres (55) 47 E2
Évreux (27) 40 D2
Évricourt (60) 21 F3
Évriguet (56) 56 A3
Évron (53) 59 F4
Évry (89) 65 E3
Évry (91) 42 D6
Évry-Grégy-sur-Yerre (77) 43 E6
Excenevex (74) 118 D3
Excideuil (24) 137 H1
Exermont (08) 24 C5
Exideuil (16) 123 F2
Exincourt (25) 88 C4
Exireuil (79) 108 B2
Exmes (61) 39 F4
Exoudun (79) 108 B3
Expiremont (17) 135 G1
Eybens (38) 145 G3
Eybouleuf (87) 124 C3
Eyburie (19) 124 D6
Eycheil (09) 185 E5
Eydoche (38) 130 D6
Eygalayes (26) 159 G5
Eygalières (13) 175 F4
Eygaliers (26) 159 E5
Eygliers (05) 161 F1
Eygluy-Escoulin (26) 144 D6
Eyguians (05) 159 H4
Eyguières (13) 191 G2
Eygurande (19) 126 B4
Eygurande-et-Gardedeuil (24) 136 B3
Eyjeaux (87) 124 C3
Eyliac (24) 137 G3
Eymet (24) 150 D1
Eymeux (26) 144 C3
Eymouthiers (16) 123 E4
Eymoutiers (87) 125 E3
Eyne (66) 199 H4
Eynesse (33) 136 B5
Eyragues (13) 175 E3
Eyrans (33) 135 E2
Eyrein (19) 139 F1
Eyres-Moncube (40) 165 H4
Eyroles (26) 159 E4
Eysines (33) 135 E5
Eysson (25) 104 A1
Eysus (64) 182 A3
Eyvirat (24) 137 F1
Eywiller (67) 50 A3
Eyzahut (26) 158 C2
Eyzerac (24) 123 G6
les Eyzies-de-Tayac-Sireuil (24) 137 H5
Eyzin-Pinet (38) 130 B5
Ézanville (95) 42 D2
Èze (06) 179 F3
Ézy-sur-Eure (27) 41 F4

F

Fa (11) 186 D6
Fabas (09) 184 D4
Fabas (31) 184 C2
Fabas (82) 169 E3
Fabras (07) 157 F2
Fabrègues (34) 173 F6
Fabrezan (11) 187 G4
Faches-Thumesnil (59) 3 F5
Fâchin (58) 100 B3
la Fage-Montivernoux (48) 155 G1
la Fage-Saint-Julien (48) 141 F6
le Faget (31) 169 H6
Faget-Abbatial (32) 168 A6
Fagnières (51) 45 H3
Fagnon (08) 24 A1
Fahy-lès-Autrey (70) 86 C4
Failly (57) 26 C5
Faimbe (25) 88 B4
Fain-lès-Montbard (21) 84 D4
Fain-lès-Moutiers (21) 84 C4
Fains (27) 41 F2
Fains-la-Folie (28) 62 C4
Fains-Véel (55) 47 E4
Faissault (08) 23 H3
Fajac-en-Val (11) 187 E4
Fajac-la-Relenque (11) 186 A2
Fajoles (46) 138 B6
la Fajolle (11) 199 G1
Fajolles (82) 168 C2
Falaise (08) 24 B5
Falaise (14) 38 D3
la Falaise (78) 42 A3
Falck (57) 27 E4
Faleyras (33) 135 G6
Falga (31) 186 B1
le Falgoux (15) 140 C3
Falicon (06) 195 F2
Falkwiller (68) 89 E2
Fallencourt (76) 6 C6
Fallerans (25) 103 H2
Falleron (85) 91 E2
Falletans (39) 102 D2
Fallon (70) 88 A4
la Faloise (80) 20 C2
Fals (47) 168 A1
Falvy (80) 21 G1
Famars (59) 9 F2
Famechon (62) 7 H4
Famechon (80) 20 A1
Fameck (57) 26 B4
Familly (14) 39 G3
Fampoux (62) 8 B2
Fanjeaux (11) 186 C3
Fanlac (24) 137 H3
le Faou (29) 31 F6
le Faouët (22) 33 E3
le Faouët (56) 54 B3
Faramans (01) 130 C2
Faramans (38) 130 C6
Farbus (62) 8 B2
Farceaux (27) 19 F5
la Fare-en-Champsaur (05) 160 B1
la Fare-les-Oliviers (13) 191 H3
Farébersviller (57) 49 G1
Fareins (01) 116 B6
Faremoutiers (77) 43 H4
Farges (01) 118 A5
les Farges (24) 138 A3
Farges-Allichamps (18) 97 G5
Farges-en-Septaine (18) 98 A3
Farges-lès-Chalon (71) 101 G5
Farges-lès-Mâcon (71) 116 B2
Fargues (33) 149 H2
Fargues (40) 166 A4
Fargues (46) 152 B4
Fargues-Saint-Hilaire (33) 135 F5
Fargues-sur-Ourbise (47) 150 C5
Farincourt (52) 86 D2
Farinole (2B) 203 F3
la Farlède (83) 193 F5
Farnay (42) 129 G5
Farschviller (57) 49 G1
Fatines (72) 60 B5
Fatouville-Grestain (27) 16 C6
le Fau (15) 140 B3
Fau-de-Peyre (48) 155 G1
Fauch (81) 170 C3
Faucigny (74) 118 D5
Faucogney-et-la-Mer (70) 88 A1
Faucompierre (88) 70 B4
Faucon (84) 158 D5
Faucon-de-Barcelonnette (04) 161 F3
Faucon-du-Caire (04) 160 B4
Fauconcourt (88) 70 A2
Faucoucourt (02) 22 B3
Faudoas (82) 168 C3
le Fauga (31) 185 F1
Faugères (07) 157 E3
Faugères (34) 172 B6
Fauguernon (14) 15 F4
Fauguerolles (47) 150 C3
Fauillet (47) 150 D3
le Faulq (14) 15 F4
Faulquemont (57) 49 F2
Faulx (54) 48 C4
Faumont (59) 8 D1
Fauquembergues (62) 2 A5
la Faurie (05) 159 H2
Faurilles (24) 151 F1
Fauroux (82) 151 H5
Faussergues (81) 171 E1
la Faute-sur-Mer (85) 106 B3
Fauverney (21) 102 A1
Fauville (27) 41 E2
Fauville-en-Caux (76) 16 D4
Faux (08) 23 H3
Faux (24) 137 E6
Faux-Fresnay (51) 45 E6
Faux-la-Montagne (23) 125 F3
Faux-Mazuras (23) 125 E2
Faux-Vésigneul (51) 45 H4
Faux-Villecerf (10) 65 G3
Favalello (2B) 205 F2
Favars (19) 138 D2
Faverange-Mâchelles (49) 93 E1
Faverdines (18) 112 C1
Faverelles (45) 82 C4
Faverges (74) 132 C3
Faverges-de-la-Tour (38) 131 E4
Faverney (70) 87 F2
Faverois (90) 88 D4
Faverolles (02) 21 H6
Faverolles (15) 141 F5
Faverolles (28) 41 G5
Faverolles (36) 96 A2
Faverolles (52) 68 A6
Faverolles (61) 38 C5
Faverolles (80) 21 E2
Faverolles-et-Coëmy (51) 22 D6
Faverolles-la-Campagne (27) 40 C2
Faverolles-lès-Lucey (21) 85 G1
Faverolles-sur-Cher (41) 79 G6
la Favière (39) 103 G5
Favières (28) 61 H1
Favières (54) 69 E1
Favières (77) 43 F5
Favières (80) 6 C3
Favresse (51) 46 B5
Favreuil (62) 8 B4
Favrieux (78) 41 G3
le Favril (27) 15 H5
le Favril (28) 61 G1
le Favril (59) 9 G4
Fay (61) 39 H5
le Fay (71) 102 B6
Fay (72) 60 A5
Fay (80) 8 B6
Fay-aux-Loges (45) 81 F1
Fay-de-Bretagne (44) 74 B3
Fay-en-Montagne (39) 103 E5
Fay-le-Clos (26) 144 B2
Fay-les-Étangs (60) 19 H6
Fay-lès-Marcilly (10) 65 G2
Faÿ-lès-Nemours (77) 64 A4
le Fay-Saint-Quentin (60) 20 B4
Fay-sur-Lignon (43) 143 E4
Faycelles (46) 153 G2
la Faye (16) 108 D6
Faye (41) 79 G2
Faye-d'Anjou (49) 77 E6
Faye-la-Vineuse (37) 94 B3
Faye-l'Abbesse (79) 93 F4
Faye-sur-Ardin (79) 107 G2
le Fayel (60) 21 E5
Fayence (83) 178 B5
Fayet (02) 9 E6
Fayet (12) 171 H4
Fayet-le-Château (63) 127 H4
Fayet-Ronaye (63) 128 A6
Fayl-Billot (52) 86 C2
Faymont (70) 88 B3
Faymoreau (85) 107 G1
Fays (52) 67 G1
Fays (88) 70 B3
Fays-la-Chapelle (10) 66 A5
Fayssac (81) 170 B2
Féas (64) 181 H3
Febvin-Palfart (62) 2 B6
Fécamp (76) 16 C3
Féchain (59) 8 D2
Fêche-l'Église (90) 88 D4
Fécocourt (54) 69 F2
Fédry (70) 87 E3
Fegersheim (67) 51 E6
Fégréac (44) 74 A1
Feigères (74) 118 B5
Feigneux (60) 21 F6
Feignies (59) 10 A2
Feillens (01) 116 B3
Feings (41) 80 A5
Feings (61) 40 A6
Feins (35) 57 F1
Feins-en-Gâtinais (45) 82 B2
Feissons-sur-Isère (73) 132 D4
Feissons-sur-Salins (73) 132 D5
le Fel (12) 154 B2
Fel (61) 39 F4
Felce (2B) 205 G2
Feldbach (68) 89 F4
Feldkirch (68) 71 F6
Feliceto (2B) 202 D5
Félines (07) 143 H1
Félines (43) 142 B2
Félines-Minervois (34) 187 F2
Félines-sur-Rimandoule (26) 158 C2
Félines-Termenès (11) 187 F5
Felleries (59) 10 A4
Fellering (68) 70 D6
Felletin (23) 125 H2
Felluns (66) 200 C2
Felon (90) 88 D2
Felzins (46) 153 H2
Fenain (59) 9 E2
Fénay (21) 101 H1
Fendeille (11) 186 B3
Fénery (79) 93 F6
Fénétrange (57) 49 H3
Feneu (49) 76 D3
Féneyrols (82) 153 F6
Féniers (23) 125 G3
Fenioux (17) 121 F1
Fenioux (79) 107 H1
Fenneviller (54) 70 C1
Fénols (81) 170 B3
le Fenouiller (85) 90 D4
Fenouillet (31) 169 E5
Fenouillet (66) 200 B1
Fenouillet-du-Razès (11) 186 C4
Fépin (08) 11 E5
Fercé (44) 57 G6
Fercé-sur-Sarthe (72) 59 H6
Ferdrupt (88) 70 B6
la Fère (02) 22 A2
Fère-Champenoise (51) 45 F5
Fère-en-Tardenois (02) 44 C1
Fèrebrianges (51) 45 E4
la Férée (08) 23 G1
Férel (56) 73 G2
Ferfay (62) 2 C6
Féricy (77) 64 B2
Férin (59) 8 D2
Fermanville (50) 12 D1
la Fermeté (58) 99 E4
Ferney-Voltaire (01) 118 B4
Fernoël (63) 126 A3
Férolles (45) 81 E2
Férolles-Attilly (77) 43 E5
Féron (59) 10 A4
Ferques (62) 1 G3
Ferrals-les-Corbières (11) 187 G4
Ferrals-les-Montagnes (34) 187 G1
Ferran (11) 186 C4
Ferrassières (26) 159 F6
le Ferré (35) 35 H5
Ferrensac (47) 151 F1
Ferrère (65) 183 H5
les Ferres (06) 195 E2
Ferrette (68) 89 F4

Ferreux-Quincey (10) 65 G2
la Ferrière (22) 55 H2
la Ferrière (37) 79 E3
la Ferrière (38) 146 A1
la Ferrière (85) 91 H4
la Ferrière-Airoux (86) 109 E3
la Ferrière-au-Doyen (61) 39 H5
la Ferrière-aux-Étangs (61) 38 B5
la Ferrière-Béchet (61) 39 F6
la Ferrière-Bochard (61) 59 H2
la Ferrière-de-Flée (49) 76 C2
la Ferrière-en-Parthenay (79) 93 G6
Ferrière-et-Lafolie (52) 67 H2
la Ferrière-Harang (14) 37 H2
Ferrière-la-Grande (59) 10 A3
Ferrière-la-Petite (59) 10 A3
Ferrière-Larçon (37) 95 F3
Ferrière-sur-Beaulieu (37) 95 G2
la Ferrière-sur-Risle (27) 40 B2
Ferrières (17) 107 E4
Ferrières (50) 37 G6
Ferrières (54) 48 D6
Ferrières (60) 20 D3
Ferrières (65) 182 C5
Ferrières (80) 7 F6
Ferrières (81) 171 E5
Ferrières-en-Bray (76) 19 G4
Ferrières-en-Brie (77) 43 F4
Ferrières-en-Gâtinais (45) 64 B5
Ferrières-Haut-Clocher (27) 40 C2
Ferrières-la-Verrerie (61) 39 G5
Ferrières-le-Lac (25) 88 D6
Ferrières-les-Bois (25) 103 E1
Ferrières-lès-Ray (70) 87 E4
Ferrières-lès-Scey (70) 87 F3
Ferrières-les-Verreries (34) 173 F3
Ferrières-Poussarou (34) 187 H1
Ferrières-Saint-Hilaire (27) 15 H6
Ferrières-Saint-Mary (15) 141 E3
Ferrières-sur-Ariège (09) 185 H6
Ferrières-sur-Sichon (03) 128 A1
Ferrussac (43) 141 H3
Fertans (25) 103 G3
la Ferté (39) 102 D4
la Ferté-Alais (91) 63 G1
la Ferté-Beauharnais (41) 80 D4
la Ferté-Bernard (72) 60 D4
la Ferté-Chevresis (02) 22 B2
la Ferté-Frênel (61) 39 H4
la Ferté-Gaucher (77) 44 B4
la Ferté-Hauterive (03) 113 H3
la Ferté-Imbault (41) 80 D6
la Ferté-Loupière (89) 82 D1
la Ferté-Macé (61) 38 C6
la Ferté-Milon (02) 43 H1
la Ferté-Saint-Aubin (45) 80 D3
la Ferté-Saint-Cyr (41) 80 C3
la Ferté-Saint-Samson (76) 19 F3
la Ferté-sous-Jouarre (77) 43 H3
la Ferté-sur-Chiers (08) 25 E3
la Ferté-Vidame (28) 40 C6
la Ferté-Villeneuil (28) 62 A6
Fertrève (58) 99 G4
Fervaches (50) 37 G2
Fervaques (14) 15 F6
Fescamps (80) 21 E2
Fesches-le-Châtel (25) 88 D4
Fesmy-le-Sart (02) 9 G4
Fesques (76) 19 F1
Fessanvilliers-Mattanvilliers (28) 40 D5
Fessenheim (68) 71 G6
Fessenheim-le-Bas (67) 50 D5
Fessevillers (25) 88 D6
les Fessey (70) 88 A1
Fessy (74) 118 D4
Festalemps (24) 136 C2
Festes-et-Saint-André (11) 186 C5
Festieux (02) 22 D3
Festigny (51) 44 D2
Festigny (89) 83 F4
Festubert (62) 2 D6
le Fête (21) 101 E2
Féternes (74) 119 E3
Fétigny (39) 117 G2
Feucherolles (78) 42 A4
Feuchy (62) 8 B2
Feugarolles (47) 150 D5
Feugères (50) 12 D6
Feuges (10) 66 B2
Feuguerolles (27) 40 D1
Feuguerolles-Bully (14) 14 B5
Feuilla (11) 188 A6
Feuillade (16) 122 D4
la Feuillade (24) 138 C3
la Feuillée (29) 31 H5
Feuillères (80) 8 B5
la Feuillie (50) 12 D6
la Feuillie (76) 19 F4
Feule (25) 88 C5
Feuquières (60) 19 H2
Feuquières-en-Vimeu (80) 6 C4
Feurs (42) 129 E3
Feusines (36) 111 H2
Feux (18) 98 C1
Fèves (57) 26 B5
Féy (57) 26 B6
Fey-en-Haye (54) 48 B3
Feyt (19) 126 B4
Feytiat (87) 124 B3
Feyzin (69) 130 A4
Fiac (81) 170 A4
Ficaja (2B) 203 G6
Ficheux (62) 8 B3
Fichous-Riumayou (64) 166 A6
le Fidelaire (27) 40 B3
le Fied (39) 103 E5
le Fief-Sauvin (49) 75 G5
Fieffes-Montrelet (80) 7 F4
Fiefs (62) 2 B6
Fiennes (62) 1 G3
Fienvillers (80) 7 F4
Fierville-Bray (14) 38 D1
Fierville-les-Mines (50) 12 C4
Fierville-les-Parcs (14) 15 F4
le Fieu (33) 136 A3
Fieulaine (02) 9 F6
Fieux (47) 167 G1
Figanières (83) 177 H5
Figari (2A) 207 F4
Figarol (31) 184 C4
Figeac (46) 153 G2
Fignévelle (88) 69 E6
Fignières (80) 20 D2
Filain (02) 22 B4
Filain (70) 87 G4
Fillé (72) 78 A1
Fillières (54) 25 H4
Fillièvres (62) 7 F2
Fillinges (74) 118 D5
Fillols (66) 200 C3
Filstroff (57) 27 E3
Fiménil (88) 70 B4
Finestret (66) 200 C3
Finhan (82) 168 D2
les Fins (25) 104 C2
Fins (80) 8 C5
Fiquefleur-Équainville (27) 16 B6
Firbeix (24) 123 H4
Firfol (14) 15 F5
Firmi (12) 154 A3
Firminy (42) 129 E6
Fislis (68) 89 G4
Fismes (51) 22 C5
Fitilieu (38) 131 F5
Fitou (11) 188 A6
Fitz-James (60) 20 D5
Fix-Saint-Geneys (43) 142 B3
Fixem (57) 26 C2
Fixin (21) 101 H1
Flacey (21) 86 A5
Flacey (28) 62 A4
Flacey-en-Bresse (71) 117 E1
la Flachère (38) 131 H6
Flachères (38) 130 D5
Flacourt (78) 41 G3
Flacy (89) 65 G4
Flagey (25) 103 G3
Flagey (52) 86 A2
Flagey-Echézeaux (21) 101 H2
Flagey-lès-Auxonne (21) 102 C2
Flagey-Rigney (25) 87 G5
Flagnac (12) 154 A2
Flagy (70) 87 G2
Flagy (71) 116 A2
Flagy (77) 64 C3
Flaignes-Havys (08) 23 G1
Flainval (54) 49 E5
Flamanville (50) 12 A3
Flamanville (76) 17 F4
Flamarens (32) 168 B1
la Flamengrie (02) 10 A5
la Flamengrie (59) 9 G2
Flamets-Frétils (76) 19 F2
Flammerans (21) 102 C1
Flammerécourt (52) 67 H2
Flancourt-Catelon (27) 18 A5
Flangebouche (25) 104 B2
Flassan (84) 175 G1
Flassans-sur-Issole (83) 193 G3
Flassigny (55) 25 F4
Flastroff (57) 26 D3
Flat (63) 127 G5
Flaucourt (80) 8 B6
Flaugeac (24) 136 D6
Flaugnac (46) 152 C5
Flaujac-Gare (46) 153 F1
Flaujac-Poujols (46) 152 D4
Flaujagues (33) 136 A5
Flaumont-Waudrechies (59) 10 A4
Flaux (30) 174 C2
Flavacourt (60) 19 H5
Flaviac (07) 143 H6
Flavignac (87) 124 A3
Flavignerot (21) 101 G1
Flavigny (18) 98 B4
Flavigny (51) 45 F3
Flavigny-le-Grand-et-Beaurain (02) 9 G6
Flavigny-sur-Moselle (54) 48 D6
Flavigny-sur-Ozerain (21) 85 E4
Flavin (12) 154 C5
Flavy-le-Martel (02) 21 H2
Flavy-le-Meldeux (60) 21 G2
Flaxieu (01) 131 G2
Flaxlanden (68) 89 F2
Flayat (23) 126 A3
Flayosc (83) 193 H1
Fléac (16) 122 B4
Fléac-sur-Seugne (17) 121 F5
la Flèche (72) 77 G2
Fléchin (62) 2 B6
Fléchy (60) 20 B2
Flée (21) 84 C5
Flée (72) 78 C2
Fleigneux (08) 24 C1
Fleisheim (57) 50 A4
le Fleix (24) 136 C5
Fleix (86) 109 H1
Fléré-la-Rivière (36) 95 G3
Flers (61) 38 B4
Flers (62) 7 G2
Flers (80) 8 B4
Flers-en-Escrebieux (59) 8 D1
Flers-sur-Noye (80) 20 C2
Flesquières (59) 8 D4
Flesselles (80) 7 G5
Flétrange (57) 49 F1
Flêtre (59) 2 D4
Fléty (58) 100 A5
Fleurac (16) 122 A3
Fleurac (24) 137 H4
Fleurance (32) 168 A3
Fleurat (23) 111 F4
Fleurbaix (62) 3 E5
Fleuré (61) 39 E5
Fleuré (86) 109 F2
Fleurey (25) 88 C6
Fleurey-lès-Faverney (70) 87 F2
Fleurey-lès-Lavoncourt (70) 86 D3
Fleurey-lès-Saint-Loup (70) 69 G6
Fleurey-sur-Ouche (21) 85 G6
Fleurie (69) 116 A5
Fleuriel (03) 113 G4
Fleurieu-sur-Saône (69) 130 A2
Fleurieux-sur-l'Arbresle (69) 129 H2
Fleurigné (35) 58 A2
Fleurines (60) 20 D6
Fleurville (71) 116 B2
Fleury (02) 21 H6
Fleury (11) 188 B3
Fleury (50) 37 E3
Fleury (57) 26 C6
Fleury (60) 20 A6
Fleury (62) 7 G1
Fleury (80) 20 B1
Fleury-devant-Douaumont (55) 25 F6
Fleury-en-Bière (77) 63 H2
Fleury-la-Forêt (27) 19 F4
Fleury-la-Montagne (71) 115 E5
Fleury-la-Rivière (51) 45 E2
Fleury-la-Vallée (89) 83 F1
Fleury-les-Aubrais (45) 62 D6
Fleury-Mérogis (91) 42 D6
Fleury-sur-Andelle (27) 19 E5
Fleury-sur-Loire (58) 99 E5
Fleury-sur-Orne (14) 14 B5
Fléville (08) 24 C5
Fléville-devant-Nancy (54) 48 D5
Fléville-Lixières (54) 25 H6
Flévy (57) 26 C4
Flexanville (78) 41 H4
Flexbourg (67) 50 C6
Fley (71) 101 F6
Fleys (89) 83 H2
Flez-Cuzy (58) 83 G6
Fligny (08) 10 C6
Flin (54) 70 B1
Flines-lès-Mortagne (59) 4 B6
Flines-lez-Raches (59) 8 D1
Flins-Neuve-Église (78) 41 G3
Flins-sur-Seine (78) 42 A3
Flipou (27) 18 D5
Flirey (54) 48 A3
Flixecourt (80) 7 F5
Flize (08) 24 B2
la Flocellière (85) 92 C4
Flocourt (57) 49 E2
Flocques (76) 6 A4
Flogny-la-Chapelle (89) 65 H6
Floing (08) 24 C2
Floirac (17) 120 D5
Floirac (33) 135 F5
Floirac (46) 138 D5
Florac (48) 156 B5
Florange (57) 26 B3
Florémont (88) 69 G2
Florensac (34) 188 D2
Florent-en-Argonne (51) 46 D1
Florentia (39) 117 F3
Florentin (81) 170 B3
Florentin-la-Capelle (12) 154 C2
Floressas (46) 152 A3
Florimont (90) 89 E4
Florimont-Gaumier (24) 152 B1
Floringhem (62) 2 C6
la Flotte (17) 106 B4
Flottemanville (50) 12 D3
Flottemanville-Hague (50) 12 B2
Floudès (33) 150 A2
Floure (11) 187 F3
Flourens (31) 169 G5
Floursies (59) 10 A3
Floyon (59) 9 H4
Flumet (73) 132 D2
Fluquières (02) 21 H1
Fluy (80) 7 F6
Foameix-Ornel (55) 25 G6
Foce (2A) 207 E3
Focicchia (2B) 205 F3
Foëcy (18) 97 F2
le Foeil (22) 33 F5
Foisches (08) 11 F4
Foissac (12) 153 G3
Foissac (30) 174 A1
Foissiat (01) 116 D3
Foissy (21) 101 E2
Foissy-lès-Vézelay (89) 83 H5
Foissy-sur-Vanne (89) 65 F4
Foix (09) 185 H5
Folcarde (31) 186 A1
Folembray (02) 22 A3
Folgensbourg (68) 89 G3
le Folgoët (29) 31 F3
la Folie (14) 13 G5
Folies (80) 21 E1
Folkling (57) 27 G5
Follainville-Dennemont (78) 41 H2
Folles (87) 110 D5
la Folletière (76) 17 E5
la Folletière-Abenon (14) 39 H2
Folleville (27) 15 H5
Folleville (80) 20 C2
Folligny (50) 35 H2
Folschviller (57) 49 F1
Fomerey (88) 69 H3
Fomperron (79) 108 B2
Fonbeauzard (31) 169 F5
Foncegrive (21) 86 A3
Fonches-Fonchette (80) 21 F1
Foncine-le-Bas (39) 103 G6
Foncine-le-Haut (39) 103 G6
Foncquevillers (62) 8 A4
Fondamente (12) 172 A3
Fondettes (37) 78 D5
Fondremand (70) 87 F4
Fongrave (47) 151 E4
Fongueusemare (76) 16 C4
Fonroque (24) 151 E1
Fons (07) 157 G2
Fons (30) 173 H3
Fons (46) 153 G1
Fons-sur-Lussan (30) 157 G6
Fonsommes (02) 9 E6
Fonsorbes (31) 168 D6
Font-Romeu-Odeillo-Via (66) 199 H4
Fontain (25) 103 G1
Fontaine (10) 67 F4
Fontaine (38) 145 G2
Fontaine (90) 88 D3
Fontaine-au-Bois (59) 9 G4
Fontaine-au-Pire (59) 9 E4
Fontaine-Bellenger (27) 41 E1
Fontaine-Bonneleau (60) 20 B2
Fontaine-Chaalis (60) 43 F1
Fontaine-Chalendray (17) 121 H1
Fontaine-Couverte (53) 58 A6
Fontaine-de-Vaucluse (84) 175 G2
Fontaine-Denis-Nuisy (51) 44 D6
Fontaine-en-Bray (76) 19 E2
Fontaine-en-Dormois (51) 24 B6
Fontaine-Étoupefour (14) 14 B5
Fontaine-Fourches (77) 65 E2
Fontaine-Française (21) 86 B4
Fontaine-Guérin (49) 77 G4
Fontaine-Henry (14) 14 B4
Fontaine-Heudebourg (27) 41 E1
Fontaine-la-Gaillarde (89) 65 E4
Fontaine-la-Guyon (28) 61 H1
Fontaine-la-Louvet (27) 15 G5
Fontaine-la-Mallet (76) 15 F1
Fontaine-la-Rivière (91) 63 F3
Fontaine-la-Soret (27) 40 B1
Fontaine-l'Abbé (27) 40 B1
Fontaine-Lavaganne (60) 20 A3
Fontaine-le-Bourg (76) 17 H5
Fontaine-le-Comte (86) 109 E1
Fontaine-le-Dun (76) 17 F3
Fontaine-le-Pin (14) 38 D2
Fontaine-le-Port (77) 64 B1
Fontaine-le-Puits (73) 132 D5
Fontaine-le-Sec (80) 6 D5
Fontaine-les-Bassets (61) 39 E3
Fontaine-lès-Boulans (62) 2 B6
Fontaine-lès-Cappy (80) 8 B6
Fontaine-lès-Clercs (02) 21 H1
Fontaine-lès-Clerval (25) 88 A5
Fontaine-les-Coteaux (41) 79 E2
Fontaine-lès-Croisilles (62) 8 C3
Fontaine-lès-Dijon (21) 85 H6
Fontaine-les-Grès (10) 66 A2
Fontaine-lès-Hermans (62) 2 B6
Fontaine-lès-Luxeuil (70) 87 H1
Fontaine-les-Ribouts (28) 41 E5
Fontaine-lès-Vervins (02) 10 A6
Fontaine-l'Étalon (62) 7 E2
Fontaine-Mâcon (10) 65 F2
Fontaine-Milon (49) 77 F4
Fontaine-Notre-Dame (02) 9 F6
Fontaine-Notre-Dame (59) 8 D3
Fontaine-Raoul (41) 61 G6
Fontaine-Saint-Lucien (60) 20 B4
la Fontaine-Saint-Martin (72) 77 H2
Fontaine-Simon (28) 61 G1
Fontaine-sous-Jouy (27) 41 E2
Fontaine-sous-Montdidier (80) 20 D2
Fontaine-sous-Préaux (76) 17 H6
Fontaine-sur-Ay (51) 45 F2
Fontaine-sur-Maye (80) 7 E3
Fontaine-sur-Somme (80) 7 E5
Fontaine-Uterte (02) 9 E6
Fontainebleau (77) 64 A2
Fontainebrux (39) 102 C6
Fontaines (71) 101 G5
Fontaines (85) 107 E2
Fontaines (89) 83 E3
Fontaines-d'Ozillac (17) 121 G6
Fontaines-en-Duesmois (21) 85 E3
Fontaines-en-Sologne (41) 80 B4
Fontaines-les-Sèches (21) 84 C2
Fontaines-Saint-Clair (55) 25 E5
Fontaines-Saint-Martin (69) 130 A2
Fontaines-sur-Marne (52) 67 H1
Fontaines-sur-Saône (69) 130 A2
Fontains (77) 64 C1
Fontan (06) 179 G1
Fontanès (30) 173 H3
Fontanès (34) 173 F4
Fontanès (42) 129 F5
Fontanes (46) 152 D5
Fontanes (48) 142 B6
Fontanès-de-Sault (11) 199 H1
Fontanes-du-Causse (46) 153 E1
Fontanges (15) 140 B3
Fontangy (21) 84 D6
Fontanières (23) 112 C6
Fontanil-Cornillon (38) 145 F2
Fontannes (43) 141 H2
Fontans (48) 155 H1
Fontarèches (30) 174 B1
Fontclaireau (16) 122 C2
Fontcouverte (11) 187 G4
Fontcouverte (17) 121 F2
Fontcouverte-la-Toussuire (73) 146 C2
la Fontelaye (76) 17 F4
Fontenai-les-Louvets (61) 59 H1
Fontenai-sur-Orne (61) 39 E5
Fontenailles (77) 64 C1
Fontenailles (89) 83 F3
Fontenay (27) 19 F6
Fontenay (36) 96 C3
Fontenay (50) 37 G5
Fontenay (71) 115 F2
Fontenay (76) 15 F1
Fontenay (88) 70 A3
Fontenay-aux-Roses (92) 42 C4
Fontenay-de-Bossery (10) 65 F2
Fontenay-en-Parisis (95) 42 D2
Fontenay-le-Comte (85) 107 F2
Fontenay-le-Fleury (78) 42 B4
Fontenay-le-Marmion (14) 14 B5
Fontenay-le-Pesnel (14) 14 A4
Fontenay-le-Vicomte (91) 63 G1
Fontenay-lès-Briis (91) 42 C6
Fontenay-Mauvoisin (78) 41 G3
Fontenay-près-Chablis (89) 83 H1
Fontenay-près-Vézelay (89) 83 G5
Fontenay-Saint-Père (78) 41 H2
Fontenay-sous-Bois (94) 42 D4
Fontenay-sous-Fouronnes (89) 83 G3
Fontenay-sur-Conie (28) 62 C4
Fontenay-sur-Eure (28) 62 A2
Fontenay-sur-Loing (45) 64 B5
Fontenay-sur-Mer (50) 13 E3
Fontenay-sur-Vègre (72) 59 G6
Fontenay-Torcy (60) 19 G3
Fontenay-Trésigny (77) 43 G5
Fontenelle (02) 9 H5
Fontenelle (21) 86 B4
la Fontenelle (35) 35 G5
la Fontenelle (41) 61 F5
Fontenelle (90) 88 D3
Fontenelle-en-Brie (02) 44 C3
Fontenelle-Montby (25) 88 A5
les Fontenelles (25) 104 C1
Fontenermont (14) 37 F3
Fontenet (17) 121 F1
Fontenille (16) 122 C1
Fontenille-Saint-Martin-d'Entraigues (79) 108 B5
Fontenilles (31) 168 D6
Fontenois-la-Ville (70) 69 G6
Fontenois-lès-Montbozon (70) 87 G4
Fontenotte (25) 87 H5
Fontenouilles (89) 82 C1
Fontenoy (02) 21 H5
Fontenoy (89) 83 E3
Fontenoy-la-Joûte (54) 70 B1
Fontenoy-le-Château (88) 69 G6
Fontenoy-sur-Moselle (54) 48 B5
Fontenu (39) 103 E6
Fonteny (57) 49 E3
Fonters-du-Razès (11) 186 B3
Fontès (34) 172 C6
Fontet (33) 150 B2
Fontette (10) 67 E5
Fontevraud-l'Abbaye (49) 94 A1
Fontgombault (36) 95 F6
Fontguenand (36) 96 B1
Fontienne (04) 176 C1
Fontiers-Cabardès (11) 186 D2
Fontiès-d'Aude (11) 187 E3
Fontjoncouse (11) 187 H5
Fontoy (57) 26 A3
Fontpédrouse (66) 200 A4
Fontrabiouse (66) 199 H3
Fontrailles (65) 183 G2
Fontvannes (10) 65 H3
Fontvieille (13) 191 E2
Forbach (57) 27 G4
Forcalqueiret (83) 193 F3
Forcalquier (04) 176 C2
la Force (11) 186 C3
la Force (24) 136 D5
Forcé (53) 58 D5
Forcelles-Saint-Gorgon (54) 69 F1
Forcelles-sous-Gugney (54) 69 F2
Forceville (80) 7 H4
Forceville-en-Vimeu (80) 6 D5
Forcey (52) 68 B4
Forciolo (2A) 205 E6
la Forclaz (74) 119 E3
Forest-en-Cambrésis (59) 9 F4
Forest-l'Abbaye (80) 6 D3
la Forest-Landerneau (29) 31 F4
Forest-Montiers (80) 6 D3
Forest-Saint-Julien (05) 160 C1
Forest-sur-Marque (59) 3 G5
Foreste (02) 21 G1
la Forestière (51) 44 C6
la Forêt-Auvray (61) 38 C4
la Forêt-de-Tessé (16) 108 C6
la Forêt-du-Parc (27) 41 E3
la Forêt-du-Temple (23) 111 G3
la Forêt-Fouesnant (29) 53 G3
Forêt-la-Folie (27) 19 F6
la Forêt-le-Roi (91) 63 E1
la Forêt-Sainte-Croix (91) 63 F2
la Forêt-sur-Sèvre (79) 92 D5
Forfry (77) 43 G2
la Forge (88) 70 B5
Forges (17) 107 E5
Forgès (19) 139 F3
Forges (49) 93 G1
les Forges (56) 55 G3
Forges (61) 60 A1
Forges (77) 64 C2
les Forges (79) 108 C1
les Forges (88) 69 H4
Forges-la-Forêt (35) 57 H5
Forges-les-Bains (91) 42 B6
Forges-les-Eaux (76) 19 F3
Forges-sur-Meuse (55) 25 E6
Forgues (31) 184 D1
la Forie (63) 128 B5
Forléans (21) 84 C5
Formentin (14) 15 E4
Formerie (60) 19 G2
Formigny (14) 13 G5
Formiguères (66) 199 H3
Fornex (09) 185 E3
Fors (79) 107 H4
Forstfeld (67) 51 G3
Forstheim (67) 51 E3
Fort-du-Plasne (39) 118 A1
Fort-Louis (67) 51 G3
Fort-Mahon-Plage (80) 6 C2
Fort-Mardyck (59) 2 B1
Fort-Moville (27) 15 G3
Fortan (41) 79 F1
Fortel-en-Artois (62) 7 F3
la Forteresse (38) 145 E1
Fortschwihr (68) 71 G4
Fos (31) 184 B6
Fos (34) 172 B6
Fos-sur-Mer (13) 191 F4
le Fossat (09) 185 F3
Fossé (08) 24 C4
Fossé (41) 79 H3
Fosse (66) 200 C1
le Fossé (76) 19 F3
la Fosse-Corduan (10) 65 G2
la Fosse-de-Tigné (49) 93 F1
Fossemagne (24) 137 H3
Fossemanant (80) 20 B1
les Fosses (79) 107 H5
Fosses (95) 43 E2
Fossès-et-Baleyssac (33) 150 B2
Fosseuse (60) 20 B6
Fosseux (62) 7 H3
Fossieux (57) 48 D3
Fossoy (02) 44 C2
Foucarmont (76) 6 C6
Foucart (76) 15 H1
Foucarville (50) 13 E4
Foucaucourt-en-Santerre (80) 8 B6
Foucaucourt-Hors-Nesle (80) 6 C6
Foucaucourt-sur-Thabas (55) 47 E2
Fouchécourt (70) 87 F2
Fouchécourt (88) 69 E5
Foucherans (25) 103 G2
Foucherans (39) 102 C2
Fouchères (10) 66 C4
Fouchères (89) 64 D4
Fouchères-aux-Bois (55) 47 F6
Foucherolles (45) 64 C5
Fouchy (67) 71 E2
Foucrainville (27) 41 E3
Fouday (67) 71 E1
Fouencamps (80) 20 C1
Fouesnant (29) 53 G4
Foufflin-Ricametz (62) 7 G2
Foug (54) 48 A5
Fougaron (31) 184 C5
Fougax-et-Barrineuf (09) 186 B6
Fougeré (49) 77 G3
Fougeré (85) 91 H4
Fougères (35) 58 A2
Fougères-sur-Bièvre (41) 79 H5
les Fougerêts (56) 56 B6
Fougerolles (36) 111 G2
Fougerolles (70) 69 H6
Fougerolles-du-Plessis (53) 58 B1
Fougueyrolles (24) 136 B5
la Fouillade (12) 153 G5
Fouilleuse (60) 20 D4
Fouillouse (05) 160 B3
la Fouillouse (42) 129 F5
le Fouilloux (17) 135 H2
Fouilloy (60) 19 H2
Fouilloy (80) 7 H6
Fouju (77) 43 F6
Foulain (52) 68 A5
Foulangues (60) 20 C6
Foulayronnes (47) 151 F5
Foulbec (27) 16 C6
Foulcrey (57) 49 G5
Fouleix (24) 137 F4
Foulenay (39) 102 C4
Fouligny (57) 49 E1
Foulognes (14) 13 G6
Fouquebrune (16) 122 C5
Fouquenies (60) 20 A4
Fouquereuil (62) 2 D6
Fouquerolles (60) 20 B4
Fouquescourt (80) 21 E1
Fouqueure (16) 122 B2
Fouqueville (27) 18 B6
Fouquières-lès-Béthune (62) 2 D6
Fouquières-lès-Lens (62) 8 C1
Four (38) 130 C4
Fouras (17) 106 D6
Fourbanne (25) 87 H6
Fourcatier-et-Maison-Neuve (25) 104 A5
Fourcès (32) 167 F2
Fourchambault (58) 98 D3
Fourches (14) 39 E3
Fourcigny (80) 19 H1
Fourdrain (02) 22 B3
Fourdrinoy (80) 7 F6
Fourg (25) 103 E2
Fourges (27) 41 G1
les Fourgs (25) 104 A4
Fourilles (03) 113 G4
Fourmagnac (46) 153 G1
Fourmetot (27) 15 H3
Fourmies (59) 10 B5
Fournaudin (89) 65 G4
Fourneaux (42) 129 E1
Fourneaux (50) 37 G2
Fourneaux (73) 147 E2
Fourneaux-le-Val (14) 38 D3
Fournels (48) 141 F6
Fournès (30) 174 C2

Fournes-Cabardès (11) 187 E2
Fournes-en-Weppes (59) 3 E5
le Fournet (14) 15 E4
Fournet-Blancheroche (25) 104 D1
Fournets-Luisans (25) 104 B2
Fourneville (14) 15 F3
Fournival (60) 20 C4
Fournols (63) 128 A5
Fournoulès (15) 154 A1
Fouronnes (89) 83 F4
Fourques (30) 174 C4
Fourques (66) 201 E3
Fourques-sur-Garonne (47) 150 C3
Fourqueux (78) 42 B3
Fourquevaux (31) 169 G6
Fours (33) 135 E2
Fours (58) 99 H5
Fours-en-Vexin (27) 41 G1
Fourtou (11) 187 E6
Foussais-Payré (85) 107 F1
Foussemagne (90) 88 D3
le Fousseret (31) 184 D2
Foussignac (16) 122 A3
Fouvent-Saint-Andoche (70) 86 D3
Fouzilhon (34) 172 B6
Foville (57) 48 D3
Fox-Amphoux (83) 193 F1
la Foye-Monjault (79) 107 G4
Fozières (34) 172 C4
Fozzano (2A) 207 E2
Fragnes (71) 101 G5
Frahier-et-Chatebier (70) 88 C3
Fraignot-et-Vesvrotte (21) 85 G3
Fraillicourt (08) 23 F2
Fraimbois (54) 49 F6
Frain (88) 69 E5
Frais (90) 88 D3
Fraisans (39) 103 E2
Fraisnes-en-Saintois (54) 69 F2
Fraisse (24) 136 C5
Fraisse-Cabardès (11) 186 D2
Fraissé-des-Corbières (11) 187 H5
Fraisse-sur-Agout (34) 171 G5
Fraisses (42) 129 E6
Fraissines (81) 171 E2
Fraissinet-
-de-Fourques (48) 156 A6
Fraissinet-de-Lozère (48) 156 B4
Fraize (88) 70 D3
Fralignes (10) 66 D4
la Framboisière (28) 40 C6
Frambouhans (25) 104 C1
Framecourt (62) 7 G2
Framerville-Rainecourt (80) 8 A6
Framicourt (80) 6 C5
Framont (70) 86 C4
Frampas (52) 67 F1
Francalmont (70) 87 G1
Francaltroff (57) 49 G2
Francarville (31) 169 H5
Francastel (60) 20 B3
Françay (41) 79 G4
Francazal (31) 184 D5
Francescas (47) 167 G1
Francheleins (01) 116 B6
Franchesse (03) 113 F1
Francheval (08) 24 C2
Franchevelle (70) 88 A2
la Francheville (08) 24 A1
Francheville (21) 85 G5
Francheville (27) 40 C4
Francheville (39) 102 C5
Francheville (51) 46 A3
Francheville (54) 48 B4
Francheville (61) 39 E5
Francheville (69) 130 A3
Francières (60) 21 E4
Francières (80) 7 E4
Francillon (36) 96 B4
Francillon-sur-Roubion (26) 158 D2
Francilly-Selency (02) 8 D6
Francin (73) 132 A5
Franclens (74) 118 A6
François (79) 108 A3
Francon (31) 184 C3
Franconville (54) 69 H1
Franconville (95) 42 C3
Francoulès (46) 152 D3
Francourt (70) 86 D3
Francourville (28) 62 C2
Francs (33) 136 A4
Francueil (37) 79 G6
Franey (25) 103 E1
Frangy (74) 118 A6
Frangy-en-Bresse (71) 102 B6
Franken (68) 89 F3
Franleu (80) 6 C4
Franois (25) 103 F1
Franquevielle (31) 183 H4
Franqueville (02) 22 D1
Franqueville (27) 40 B1
Franqueville (80) 7 F4
Franqueville-
-Saint-Pierre (76) 18 D4
Frans (01) 130 A1
Fransart (80) 21 F1
Fransèches (23) 125 G1
Fransu (80) 7 F4
Fransures (80) 20 B2
Franvillers (80) 7 H5
Franxault (21) 102 B3
Frapelle (88) 70 D2
Fraquelfing (57) 49 H5
Fraroz (39) 103 G5
Frasnay-Reugny (58) 99 G3
Frasne (25) 103 G4
Frasne-le-Château (70) 87 E5
Frasne-les-Meulières (39) 102 C1
la Frasnée (39) 117 H1
le Frasnois (39) 103 F6
Frasnoy (59) 9 G2
Frasseto (2A) 205 E6
Frauenberg (57) 27 H5
Frausseilles (81) 170 A1
Fravaux (10) 67 E4
le Fraysse (81) 170 D3
Frayssinet (46) 152 D1
Frayssinet-le-Gélat (46) 152 B2
Frayssinhes (46) 139 F5
Frazé (28) 61 G3
Fréauville (76) 19 E1
Frebécourt (88) 68 D2
Frébuans (39) 102 C6
le Frêche (40) 166 C2
Fréchède (65) 183 F1
Fréchencourt (80) 7 H5
Fréchendets (65) 183 F4
le Fréchet (31) 184 C3
Fréchet-Aure (65) 183 G5
Fréchou (47) 167 F1
Fréchou-Fréchet (65) 183 F3
Frécourt (52) 68 B6
Frédéric-Fontaine (70) 88 B3
la Frédière (17) 121 F2
Frédille (36) 96 B3
Frégimont (47) 151 E5
Frégouville (32) 168 C5
Fréhel (22) 34 B3
Freigné (49) 76 A3
Freissinières (05) 147 E6
la Freissinouse (05) 160 B2
Freistroff (57) 26 D4
Freix-Anglards (15) 140 A4
Fréjairolles (81) 170 C3
Fréjeville (81) 170 C5
Fréjus (83) 178 B6
Fréland (68) 71 E4
Frelinghien (59) 3 F4
Frémainville (95) 42 A2
Frémécourt (95) 42 B1
Fréménil (54) 49 G6
Frémeréville-
-sous-les-Côtes (55) 47 H4
Frémery (57) 49 E3
Frémestroff (57) 49 G2
Frémicourt (62) 8 C4
Fremifontaine (88) 70 B3
Frémontiers (80) 20 A1
Frémonville (54) 49 H6
la Frénaye (76) 15 H2
Frencq (62) 1 F5
Frenelle-la-Grande (88) 69 F2
Frenelle-la-Petite (88) 69 F2
Frênes (61) 38 A4
Freneuse (76) 18 C5
Freneuse (78) 41 G2
Freneuse-sur-Risle (27) 18 A6
Freney (73) 147 E2
le Freney-d'Oisans (38) 146 B3
Fréniches (60) 21 G2
Frénois (21) 85 G4
Frénois (88) 69 F4
Frénouville (14) 38 D1
Frépillon (95) 42 C2
Fresles (76) 19 E1
la Fresnaie-Fayel (61) 39 G4
la Fresnais (35) 35 E4
Fresnay (10) 67 F3
Fresnay-en-Retz (44) 90 D1
Fresnay-le-Comte (28) 62 B3
Fresnay-le-Gilmert (28) 62 A1
Fresnay-le-Long (76) 17 G4
Fresnay-le-Samson (61) 39 F3
Fresnay-l'Évêque (28) 62 D3
Fresnay-sur-Sarthe (72) 59 H3
la Fresnaye-
-au-Sauvage (61) 38 D4
la Fresnaye-
-sur-Chédouet (72) 60 B1
le Fresne (27) 40 C3
le Fresne (51) 46 B3
le Fresne-Camilly (14) 14 B4
Fresne-Cauverville (27) 15 G4
Fresné-la-Mère (14) 38 D3
Fresne-l'Archevêque (27) 19 E5
Fresne-le-Plan (76) 17 H6
Fresne-Léguillon (60) 20 A6
Fresne-lès-Reims (51) 23 F5
le Fresne-Poret (50) 37 H5
Fresne-Saint-Mamès (70) 87 E4
le Fresne-sur-Loire (44) 76 B5
Fresneaux-
-Montchevreuil (60) 20 A6
Fresnes (02) 22 A3
Fresnes (21) 84 D3
Fresnes (41) 80 A5
Fresnes (89) 84 A2
Fresnes (94) 42 D5
Fresnes-au-Mont (55) 47 G3
Fresnes-en-Saulnois (57) 49 E3
Fresnes-en-Tardenois (02) 44 C1
Fresnes-en-Woëvre (55) 47 H1
Fresnes-lès-Montauban (62) 8 C2
Fresnes-Mazancourt (80) 8 B6
Fresnes-sur-Apance (52) 69 E6
Fresnes-sur-Escaut (59) 9 F1
Fresnes-sur-Marne (77) 43 F3
Fresnes-Tilloloy (80) 6 D5
Fresneville (80) 6 D6
Fresney (27) 41 E3
Fresney-le-Puceux (14) 14 B5
Fresney-le-Vieux (14) 14 B6
Fresnicourt-le-Dolmen (62) 8 A1
Fresnières (60) 21 F3
Fresnois-la-Montagne (54) 25 G3
Fresnoy (62) 7 F2
Fresnoy-Andainville (80) 6 D6
Fresnoy-au-Val (80) 7 E6
Fresnoy-en-Chaussée (80) 20 D1
Fresnoy-en-Gohelle (62) 8 C2
Fresnoy-en-Thelle (60) 20 C6
Fresnoy-Folny (76) 6 B6
Fresnoy-la-Rivière (60) 21 F6
Fresnoy-le-Château (10) 66 C4
Fresnoy-le-Grand (02) 9 F5
Fresnoy-le-Luat (60) 21 E6
Fresnoy-lès-Roye (80) 21 F2
Frespech (47) 151 G5
Fresquiennes (76) 17 G5
Fressac (30) 173 G2
Fressain (59) 8 D2
Fressancourt (02) 22 B2
Fresse (70) 88 B2
Fresse-sur-Moselle (88) 70 C6
Fresselines (23) 111 F3
Fressenneville (80) 6 C4
Fressies (59) 8 D3
Fressin (62) 7 E1
Fressines (79) 108 A3
le Frestoy-Vaux (60) 21 E3
Fresville (50) 12 D4
Fréterive (73) 132 B4
Fréteval (41) 79 H1
Fréthun (62) 1 G2
Fretigney-et-Velloreille (70) 87 F4
Frétigny (28) 61 F2
Fretin (59) 3 G6
Frétoy (77) 44 A5
Frétoy-le-Château (60) 21 G2
la Frette (38) 131 E6
la Frette (71) 116 C1
la Frette-sur-Seine (95) 42 C3
Frettecuisse (80) 6 D6
Frettemeule (80) 6 C5
Fretterans (71) 102 B4
le Fréty (08) 23 G1
Freulleville (76) 17 H3
Frévent (62) 7 G2
Fréville (76) 17 F5
Fréville (88) 68 C3
Fréville-du-Gâtinais (45) 63 G6
Frévillers (62) 7 H1
Frévin-Capelle (62) 8 A2
Freybouse (57) 49 G2
Freycenet-la-Cuche (43) 142 D5
Freycenet-la-Tour (43) 142 D5
Freychenet (09) 185 H6
Freyming-Merlebach (57) 49 G1
Freyssenet (07) 157 H1
Friaize (28) 61 G2
Friardel (14) 15 G6
Friaucourt (80) 6 B4
Friauville (54) 48 A1
Fribourg (57) 49 G4
Fricamps (80) 20 A1
Frichemesnil (76) 18 D2
Fricourt (80) 8 B5
Fridefont (15) 141 F5
Friedolsheim (67) 50 C4
Frières-Faillouël (02) 21 H2
Friesen (68) 89 E3
Friesenheim (67) 71 H2
Frignicourt (51) 46 B5
Frise (80) 8 B5
Friville-Escarbotin (80) 6 B4
Frizon (88) 69 H3
Froberville (76) 16 C3
Frocourt (60) 20 A5
Frœningen (68) 89 F2
Frœschwiller (67) 51 E2
Froges (38) 145 H1
Frohen-sur-Authie (80) 7 F3
Frohmuhl (67) 50 B3
Froideconche (70) 87 H1
Froidefontaine (90) 88 D3
Froidestrées (02) 10 A5
Froideterre (70) 88 A2
Froidevaux (25) 88 B6
Froideville (39) 102 C5
Froidfond (85) 91 E2
Froidmont-Cohartille (02) 22 C2
Froidos (55) 47 E2
Froissy (60) 20 B3
Frôlois (21) 85 E4
Frolois (54) 48 C6
Fromelennes (08) 11 F4
Fromelles (59) 3 E5
Fromental (87) 110 D5
Fromentières (51) 44 D3
Fromentières (53) 76 D1
Fromeréville-
-les-Vallons (55) 47 F1
Fromezey (55) 25 G6
Fromont (77) 63 H3
Fromy (08) 25 E3
Froncles (52) 67 H3
Fronsac (31) 184 A5
Fronsac (33) 135 G4
Frontenac (33) 135 H6
Frontenac (46) 153 G3
Frontenard (71) 102 A4
Frontenas (69) 129 G1
Frontenaud (71) 117 E1
Frontenay (39) 102 D5
Frontenay-
-Rohan-Rohan (79) 107 G4
Frontenex (73) 132 C4
Frontignan (34) 189 F1
Frontignan-
-de-Comminges (31) 184 A5
Frontignan-Savès (31) 184 C1
Fronton (31) 169 E3
Frontonas (38) 130 C4
Fronville (52) 67 H2
Frossay (44) 74 A5
Frotey-lès-Lure (70) 88 A3
Frotey-lès-Vesoul (70) 87 G3
Frouard (54) 48 C4
Frouville (95) 42 C1
Frouzins (31) 169 E6
Froville (54) 69 H1
Froyelles (80) 7 E3
Frozes (86) 94 A6
Frucourt (80) 6 D5
Frugerès-les-Mines (43) 141 G1
Fruges (62) 2 A6
Frugières-le-Pin (43) 141 H2
Fruncé (28) 61 H2
Fry (76) 19 F3
Fuans (25) 104 B2
Fublaines (77) 43 G3
le Fugeret (04) 178 A1
le Fuilet (49) 75 F5
Fuilla (66) 200 B3
Fuissé (71) 116 B4
Fuligny (10) 67 F3
Fulleren (68) 89 E3
Fultot (76) 17 E3
Fulvy (89) 84 B2
Fumay (08) 11 E5
Fumel (47) 151 H3
Fumichon (14) 15 G5
Furchhausen (67) 50 C4
Furdenheim (67) 50 D5
Furiani (2B) 203 G4
Furmeyer (05) 160 A2
Fussey (21) 101 G2
Fussy (18) 97 H2
Fustérouau (32) 166 D4
Fustignac (31) 184 C2
Futeau (55) 46 D2
Fuveau (13) 192 C2
Fyé (72) 60 A3

G

Gaas (40) 165 E5
Gabarnac (33) 149 H2
Gabarret (40) 166 D2
Gabaston (64) 182 C1
Gabat (64) 181 F1
Gabian (34) 172 B6
Gabillou (24) 137 H2
Gabre (09) 185 F4
Gabriac (12) 154 D3
Gabriac (48) 156 C6
Gabrias (48) 155 H3
Gacé (61) 39 G4
la Gacilly (56) 56 C6
Gâcogne (58) 100 A1
Gadancourt (95) 42 A2
Gadencourt (27) 41 F3
Gaël (35) 56 B2
Gageac-et-Rouillac (24) 136 C6
Gagnac-sur-Cère (46) 139 F5
Gagnac-sur-Garonne (31) 169 E4
Gagnières (30) 157 E5
Gagny (93) 43 E4
Gahard (35) 57 G1
Gailhan (30) 173 G3
Gaillac (81) 170 A3
Gaillac-d'Aveyron (12) 155 E4
Gaillac-Toulza (31) 185 G3
Gaillagos (65) 182 C5
Gaillan-en-Médoc (33) 120 C6
Gaillard (74) 118 C5
Gaillardbois-
-Cressenville (27) 19 E5
la Gaillarde (76) 17 F2
Gaillefontaine (76) 19 F2
Gaillères (40) 166 B2
Gaillon (27) 41 E1
Gaillon-sur-Montcient (78) 42 A2
Gainneville (76) 15 F2
Gaja-et-Villedieu (11) 186 D4
Gaja-la-Selve (11) 186 B3
Gajac (33) 150 A3
Gajan (09) 184 D5
Gajan (30) 174 A3
Gajoubert (87) 109 H5
Galametz (62) 7 F2
Galan (65) 183 G3
Galapian (47) 150 D5
Galargues (34) 173 G4
Galéria (2B) 204 B1
Galey (09) 184 C5
Galez (65) 183 G3
Galfingue (68) 89 E2
Galgan (12) 153 H3
Galgon (33) 135 G4
Galiax (32) 166 D5
Galié (31) 184 A5
Galinagues (11) 199 H1
Gallardon (28) 62 C1
Gallargues-
-le-Montueux (30) 173 H4
le Gallet (60) 20 B3
Galluis (78) 41 H4
Gamaches (80) 6 B5
Gamaches-en-Vexin (27) 19 F6
Gamarde-les-Bains (40) 165 F4
Gamarthe (64) 181 E3
Gambais (78) 41 G4
Gambaiseuil (78) 41 H5
Gambsheim (67) 51 F4
Gan (64) 182 B3
Ganac (09) 185 G5
Ganagobie (04) 176 D1
Gancourt-Saint-Étienne (76) 19 G3
Gandelain (61) 59 H1
Gandelu (02) 44 A2
Gandrange (57) 26 B4
Ganges (34) 173 E2
Gannat (03) 113 G6
Gannay-sur-Loire (03) 99 G6
Gannes (60) 20 C3
Gans (33) 150 A3
Ganties (31) 184 B4
Ganzeville (76) 16 C3
Gap (05) 160 B2
Gapennes (80) 7 E3
Gâprée (61) 39 G6
Garac (31) 168 C4
Garancières (78) 41 H4
Garancières-en-Beauce (28) 62 D2
Garancières-
-en-Drouais (28) 41 E5
Garanou (09) 199 F1
Garat (16) 122 C4
Garcelles-Secqueville (14) 38 D1
Garches (92) 42 C4
Garchizy (58) 98 D3
Garchy (58) 98 D1
Gardanne (13) 192 B2
la Garde (04) 177 H3
la Garde (38) 146 A3
la Garde (83) 193 F5
la Garde-Adhémar (26) 158 B4
la Garde-Freinet (83) 194 A3
Gardefort (18) 98 B1
Gardegan-et-Tourtirac (33) 136 A5
Gardères (65) 182 D2
Gardes-le-Pontaroux (16) 122 C5
Gardie (11) 186 D4
Gardonne (24) 136 C5
Gardouch (31) 185 H1
Garein (40) 165 H1
Garencières (27) 41 E3
la Garenne-Colombes (92) 42 C3
Garennes-sur-Eure (27) 41 F3
Garentreville (77) 63 H4
Garéoult (83) 193 F3
Garganvillar (82) 168 C2
Gargas (31) 169 F4
Gargas (84) 175 H2
Gargenville (78) 41 H2
Garges-lès-Gonesse (95) 42 D3
Gargilesse-Dampierre (36) 111 E2
Garidech (31) 169 G4
Gariès (82) 168 C3
Garigny (18) 98 C3
Garin (31) 197 F1
Garindein (64) 181 F3
Garlan (29) 32 A3
Garlède-Mondebat (64) 166 B6
Garlin (64) 166 B5
le Garn (30) 157 G5
la Garnache (85) 90 D2
Garnat-sur-Engièvre (03) 114 B1
Garnay (28) 41 E5
Garnerans (01) 116 B5
Garons (30) 174 B4
Garos (64) 166 A6
Garravet (32) 184 C1
Garrebourg (57) 50 B4
Garrevaques (81) 170 B6
Garrey (40) 165 F4
le Garric (81) 170 C2
Garrigues (34) 173 G4
Garrigues (81) 169 H4
Garrigues-
-Sainte-Eulalie (30) 174 A2
Garris (64) 181 F1
Garrosse (40) 165 F1
Gars (06) 178 B2
Gartempe (23) 111 F5
Gas (28) 41 G6
Gasny (27) 41 G2
Gasques (82) 151 H6
Gassin (83) 194 B4
le Gast (14) 37 F4
Gastes (40) 148 B4
Gastines (53) 58 A6
Gastins (77) 43 H6
Gasville-Oisème (28) 62 B1
Gatey (39) 102 C4
Gathemo (50) 37 G4
Gatteville-le-Phare (50) 13 E1
Gattières (06) 195 E2
Gatuzières (48) 156 A6
Gaubertin (45) 63 G5
la Gaubretière (85) 92 B3
Gauchin-Légal (62) 8 A1
Gauchin-Verloingt (62) 7 G1
Gauchy (02) 22 A1
Gauciel (27) 41 E2
la Gaudaine (28) 61 F3
la Gaude (06) 195 E3
Gaudechart (60) 20 A3
Gaudent (65) 184 A5
Gaudiempré (62) 7 H3
Gaudiès (09) 186 A3
Gaudonville (32) 168 B3
Gaudreville-la-Rivière (27) 40 D3
Gaugeac (24) 151 G1
Gaujac (30) 174 C1
Gaujac (32) 168 B6
Gaujac (47) 150 B3
Gaujacq (40) 165 G4
Gaujan (32) 184 B1
le Gault-Perche (41) 61 F5
le Gault-Saint-Denis (28) 62 B3
le Gault-Soigny (51) 44 C4
Gauré (31) 169 G5
Gauriac (33) 135 E3
Gauriaguet (33) 135 G3
Gaussan (65) 183 H3
Gausson (22) 33 G6
Gauville (61) 40 A4
Gauville (80) 19 H1
Gauville-la-Campagne (27) 40 D2
Gavarnie (65) 196 B1
Gavarret-sur-Aulouste (32) 167 H4
Gavaudun (47) 151 G2
Gavignano (2B) 203 F6
Gavisse (57) 26 C2
Gavray (50) 35 H1
le Gâvre (44) 74 C2
Gavrelle (62) 8 C2
Gâvres (56) 54 C6
Gavrus (14) 14 B5
Gayan (65) 183 E2
Gaye (51) 45 E5
Gayon (64) 166 C6
Gazaupouy (32) 167 G1
Gazave (65) 183 G4
Gazax-et-Baccarisse (32) 167 E5
Gazeran (78) 41 H6
Gazost (65) 183 E4
Geaune (40) 166 B5
Geay (17) 120 D2
Geay (79) 93 F4
Gèdre (65) 196 B1
Gée (49) 77 F5
Gée-Rivière (32) 166 C4
Geffosses (50) 12 C6
Géfosse-Fontenay (14) 13 F4
Gehée (36) 96 B3
Geishouse (68) 70 D6
Geispitzen (68) 89 G2
Geispolsheim (67) 51 E6
Geiswasser (68) 71 H5
Geiswiller (67) 50 D4
Gélacourt (54) 70 B1
Gélannes (10) 65 G1
Gélaucourt (54) 69 E1
Gellainville (28) 62 B2
Gellenoncourt (54) 49 E5
Gelles (63) 126 D3
Gellin (25) 103 H5
Gelos (64) 182 B2
Geloux (40) 165 H1
Gelucourt (57) 49 G4
Gelvécourt-et-Adompt (88) 69 G4
Gémages (61) 60 D3
Gemaingoutte (88) 70 D3
Gembrie (65) 184 A5
Gemeaux (21) 85 H5
Gémenos (13) 192 C4
Gémigny (45) 62 C6
Gémil (31) 169 G4
Gemmelaincourt (88) 69 E3
Gémonval (25) 88 B4
Gémonville (54) 69 E2
Gémozac (17) 121 E4
Genac (16) 122 B2
Genainville (95) 41 H1
Genas (69) 130 B3
Génat (09) 199 E1
Genay (21) 84 C4
Genay (69) 130 A2
Gençay (86) 109 E3
Gendreville (88) 68 D3
Gendrey (39) 102 D1
Gené (49) 75 H1
Génébrières (82) 169 F2
Genech (59) 3 G6
Génelard (71) 115 F1
Générac (30) 174 B4
Générac (33) 135 F2
Générargues (30) 173 G1
Générest (65) 183 H5
Generville (11) 186 B3
Geneslay (61) 59 E1
le Genest-Saint-Isle (53) 58 C4
Genestelle (07) 157 G1
Geneston (44) 91 G1
la Genête (71) 116 C2
la Génétouze (17) 136 A2
la Génétouze (85) 91 F4
Genêts (50) 35 G3
les Genettes (61) 40 A5
Geneuille (25) 87 F6
la Genevraie (61) 39 G5
la Genevraye (77) 64 A3
Genevreuille (70) 87 H3
Genevrey (70) 87 H2
Genevrières (52) 86 C2
la Genevroye (52) 67 H3
Geney (25) 88 B4
la Geneytouse (87) 124 C3
Génicourt (95) 42 B2
Génicourt-sur-Meuse (55) 47 G2
Genilac (42) 129 G5
Genillé (37) 95 G2
Génis (24) 138 A1
Génissac (33) 135 G5
Génissieux (26) 144 C3
Genlis (21) 102 B1
Gennes (25) 103 G1
Gennes (49) 77 F6
Gennes-Ivergny (62) 7 E2
Gennes-sur-Glaize (53) 76 D1
Gennes-sur-Seiche (35) 58 A5
Genneteil (49) 77 H3
Gennetines (03) 114 A1
Genneton (79) 93 E2
Genneville (14) 15 F3
Gennevilliers (92) 42 C3
Genod (39) 117 F3
Génolhac (30) 156 D4
Génos (31) 184 A5
Génos (65) 197 E1
Genouillac (16) 123 E2
Genouillac (23) 111 H3
Genouillé (17) 107 F6
Genouillé (86) 109 E5
Genouilleux (01) 116 B5
Genouilly (18) 96 D2
Genouilly (71) 115 H1
Gensac (33) 136 B6
Gensac (65) 183 E1
Gensac (82) 168 C2
Gensac-de-Boulogne (31) 184 A3
Gensac-la-Pallue (16) 121 H4
Gensac-sur-Garonne (31) 184 D3
Genté (16) 121 G4
Gentelles (80) 7 H6
Gentilly (94) 42 D4
Gentioux-Pigerolles (23) 125 F3
Genvry (60) 21 G3
Georfans (70) 88 A4
Géovreisset (01) 117 G4

Ger (50) 37 H5
Ger (64) 182 D2
Ger (65) 182 D4
Geraise (39) 103 F3
Gérardmer (88) 70 C5
Géraudot (10) 66 C3
Gerbaix (73) 131 G4
Gerbamont (88) 70 C5
Gerbécourt (57) 49 E3
Gerbécourt-et-Haplemont (54) 69 F1
Gerbépal (88) 70 C4
Gerberoy (60) 19 H3
Gerbéviller (54) 70 A1
Gercourt-et-Drillancourt (55) 25 E5
Gercy (02) 22 D1
Gerde (65) 183 F4
Gerderest (64) 182 D1
Gère-Bélesten (64) 182 B4
Gergny (02) 10 A6
Gergueil (21) 101 G1
Gergy (71) 101 H4
Gerland (21) 101 H2
Germ (65) 197 E1
Germagnat (01) 117 F4
Germagny (71) 101 F6
Germaine (02) 21 H1
Germaine (51) 45 F1
Germaines (52) 85 H2
Germainville (28) 41 F5
Germainvilliers (52) 68 D4
Germay (52) 68 B2
Germéfontaine (25) 104 B1
Germenay (58) 99 G1
Germignac (17) 121 G4
Germigney (39) 103 E3
Germigney (70) 86 C5
Germignonville (28) 62 C4
Germigny (51) 22 D6
Germigny (89) 65 H6
Germigny-des-Prés (45) 81 F1
Germigny-l'Évêque (77) 43 G3
Germigny-l'Exempt (18) 98 C4
Germigny-sous-Coulombs (77) 44 A2
Germigny-sur-Loire (58) 98 D3
Germinon (51) 45 G4
Germiny (54) 48 B6
Germisay (52) 68 B2
Germolles-sur-Grosne (71) 115 H4
Germond-Rouvre (79) 107 H2
Germondans (25) 87 G5
Germont (08) 24 B4
Germonville (54) 69 G2
Germs-sur-l'Oussouet (65) 183 E4
Gernelle (08) 24 B1
Gernicourt (02) 22 D5
Géronce (64) 181 H2
Gerponville (76) 16 D3
Gerrots (14) 15 E4
Gerstheim (67) 71 H1
Gertwiller (67) 71 G1
Geruge (39) 117 F1
Gervans (26) 144 A3
Gerville (76) 16 C4
Géry (55) 47 F4
Gerzat (63) 127 F2
Gesnes (53) 59 E4
Gesnes-en-Argonne (55) 24 D5
Gesnes-le-Gandelin (72) 59 H2
Gespunsart (08) 24 B1
Gestas (64) 181 G1
Gesté (49) 75 F5
Gestel (56) 54 C5
Gestiès (09) 199 E1
Gesvres (53) 59 G2
Gesvres-le-Chapitre (77) 43 G2
Gétigné (44) 75 E6
les Gets (74) 119 F5
Geu (65) 182 D4
Geudertheim (67) 51 E4
Géus-d'Arzacq (64) 165 H6
Geüs-d'Oloron (64) 181 H2
Gévezé (35) 57 E2
Gevigney-et-Mercey (70) 87 E2
Geville (55) 47 H4
Gevingey (39) 117 F1
Gevresin (25) 103 G3
Gevrey-Chambertin (21) 101 H1
Gevrolles (21) 67 F6
Gevry (39) 102 C3
Gex (01) 118 B3
Geyssans (26) 144 C3
Gez (65) 182 D5
Gez-Ez-Angles (65) 183 E4
Gézaincourt (80) 7 G4
Gézier-et-Fontenelay (70) 87 E6
Gézoncourt (54) 48 B4
Ghisonaccia (2B) 205 G5
Ghisoni (2B) 205 F4
Ghissignies (59) 9 G3
Ghyvelde (59) 2 C1
Giat (63) 126 B3
Gibeaumeix (54) 48 A6
Gibel (31) 185 H2
Gibercourt (02) 22 A2
Giberville (14) 14 C4
Gibles (71) 115 G4
Gibourne (17) 121 G1
Gibret (40) 165 F4
le Gicq (17) 121 H1
Gidy (45) 62 D6
Giel-Courteilles (61) 38 D4
Gien (45) 82 A3
Gien-sur-Cure (58) 100 B2
Gières (38) 145 G2
la Giettaz (73) 132 D2
Giéville (50) 37 G2
Gièvres (41) 96 C1
Giey-sur-Aujon (52) 85 H1
Giez (74) 132 B3
Gif-sur-Yvette (91) 42 B5
Giffaumont-Champaubert (51) 67 F1
Gigean (34) 173 E6
Gignac (34) 172 D5
Gignac (46) 138 C4
Gignac (84) 176 B2
Gignac-la-Nerthe (13) 191 H5
Gignat (63) 127 F6
Gignéville (88) 69 E4
Gigney (88) 69 H3
Gigny (39) 117 F2
Gigny (89) 84 C2
Gigny-Bussy (51) 46 B6
Gigny-sur-Saône (71) 101 H6
Gigondas (84) 158 C6
Gigors (04) 160 C3
Gigors-et-Lozeron (26) 144 C6
Gigouzac (46) 152 C2
Gijounet (81) 171 F4
Gildwiller (68) 89 E2
Gilette (06) 195 E2
Gilhac-et-Bruzac (07) 143 H5
Gilhoc-sur-Ormèze (07) 143 H4
Gillancourt (52) 67 G4
Gillaumé (52) 68 B1
Gilles (28) 41 F3
Gilley (25) 104 B2
Gilley (52) 86 D3
Gillois (39) 103 G5
Gillonnay (38) 130 D6
Gilly-lès-Cîteaux (21) 101 H2
Gilly-sur-Isère (73) 132 C4
Gilly-sur-Loire (71) 114 C2
Gilocourt (60) 21 F6
Gimat (82) 168 C3
Gimbrède (32) 168 A1
Gimeaux (63) 127 F1
Gimécourt (55) 47 F4
Gimel-les-Cascades (19) 139 E1
Gimeux (16) 121 G4
la Gimond (42) 129 F5
Gimont (32) 168 B5
Gimouille (58) 98 D4
Ginai (61) 39 F4
Ginals (82) 153 F6
Ginasservis (83) 176 D4
Ginchy (80) 8 B5
Gincla (11) 200 B1
Gincrey (55) 25 G6
Gindou (46) 152 B2
Ginestas (11) 187 H3
Ginestet (24) 136 D5
Gingsheim (67) 50 D4
Ginoles (11) 186 C6
Ginouillac (46) 152 D1
Gintrac (46) 139 E5
Giocatojo (2B) 203 F6
Gionges (51) 45 F3
Giou-de-Mamou (15) 140 B5
Gioux (23) 125 G3
Gipcy (03) 113 F2
Girac (46) 139 E5
Girancourt (88) 69 G4
Giraumont (54) 26 A5
Giraumont (60) 21 F4
Girauvoisin (55) 47 H4
Gircourt-lès-Viéville (88) 69 G2
Girecourt-sur-Durbion (88) 70 A3
Girefontaine (70) 69 G6
Giremoutiers (77) 43 H4
Girgols (15) 140 B4
Giriviller (54) 70 A1
Girmont (88) 69 H3
Girmont-Val-d'Ajol (88) 70 A6
Girolles (45) 64 A5
Girolles (89) 83 H4
Giromagny (90) 88 C2
Giron (01) 117 H4
Gironcourt-sur-Vraine (88) 69 E3
Gironde-sur-Dropt (33) 150 A2
Girondelle (08) 10 D6
Gironville (77) 63 H4
Gironville-sur-Essonne (91) 63 G2
le Girouard (85) 91 F5
Giroussens (81) 169 H4
Giroux (36) 96 D3
Giry (58) 99 F1
Gisay-la-Coudre (27) 40 A3
Giscaro (32) 168 B5
Giscos (33) 149 H5
Gisors (27) 19 G6
Gissac (12) 171 H3
Gissey-le-Vieil (21) 84 D6
Gissey-sous-Flavigny (21) 85 E4
Gissey-sur-Ouche (21) 101 G1
Gisy-les-Nobles (89) 64 D3
Giuncaggio (2B) 205 G3
Giuncheto (2A) 206 D3
Givardon (18) 98 B5
Givarlais (03) 112 D2
Givenchy-en-Gohelle (62) 8 B1
Givenchy-le-Noble (62) 7 H2
Givenchy-lès-la-Bassée (62) 2 D6
Giverny (27) 41 G2
Giverville (27) 15 H4
Givet (08) 11 F4
Givonne (08) 24 C2
Givors (69) 130 A5
Givraines (45) 63 G4
Givrand (85) 90 D4
Givrauval (55) 47 F5
le Givre (85) 91 G6
Givrezac (17) 121 E4
Givron (08) 23 G2
Givry (08) 23 H4
Givry (71) 101 F5
Givry (89) 83 H4
Givry-en-Argonne (51) 46 C3
Givry-lès-Loisy (51) 45 E3
Givrycourt (57) 49 H3
Gizaucourt (51) 46 C2
Gizay (86) 109 F2
Gizeux (37) 78 A5
Gizia (39) 117 F2
Gizy (02) 22 D3
la Glacerie (50) 12 C2
Glageon (59) 10 B4
Glaignes (60) 21 F6
Glaine-Montaigut (63) 127 G3
Glaire (08) 24 C2
le Glaizil (05) 146 A6
Glamondans (25) 87 H6
Gland (02) 44 C2
Gland (89) 84 C2
Glandage (26) 159 G1
Glandon (87) 124 B5
Glanes (46) 139 F5
Glanges (87) 124 C4
Glannes (51) 46 A5
Glanon (21) 102 A3
Glanville (14) 15 E4
Glatens (82) 168 B3
Glatigny (50) 12 C5
Glatigny (57) 26 C5
Glatigny (60) 19 H4
Glay (25) 88 D5
Gleizé (69) 129 H1
Glénac (56) 56 C6
Glénat (15) 139 G5
Glénay (79) 93 F4
Glénic (23) 111 G5
Glennes (02) 22 C5
Glénouze (86) 93 H3
Glère (25) 88 D5
Glicourt (76) 17 H2
Glisolles (27) 40 D2
Glisy (80) 7 G6
Glomel (22) 54 C1
Glonville (54) 70 B1
Glorianes (66) 200 D3
Glos (14) 15 F5
Glos-la-Ferrière (61) 40 A4
Glos-sur-Risle (27) 18 A6
Gluiras (07) 143 G5
Glun (07) 144 A4
Glux-en-Glenne (58) 100 B4
Goas (82) 168 C3
la Godefroy (50) 35 H3
Godenvillers (60) 20 D3
Goderville (76) 16 C4
Godewaersvelde (59) 2 D3
Godisson (61) 39 G5
la Godivelle (63) 141 E1
Godoncourt (88) 69 E5
Gœrlingen (67) 50 A4
Goersdorf (67) 51 E2
Goès (64) 182 A3
Goetzenbruck (57) 50 C2
Goeulzin (59) 8 D2
Gogney (54) 49 G5
Gognies-Chaussée (59) 10 A2
la Gohannière (50) 37 E4
Gohory (28) 61 H4
Goin (57) 48 D2
Goincourt (60) 20 A4
Golancourt (60) 21 G2
Golbey (88) 69 H4
Goldbach-Altenbach (68) 71 E6
Golfech (82) 151 G6
Golinhac (12) 154 C2
Golleville (50) 12 C3
Gombergean (41) 79 G3
Gomelange (57) 26 D4
Gomené (22) 56 A2
Gomer (64) 182 C2
Gometz-la-Ville (91) 42 B5
Gometz-le-Châtel (91) 42 B5
Gomiécourt (62) 8 B4
Gommecourt (62) 8 A4
Gommecourt (78) 41 G2
Gommegnies (59) 9 G2
Gommenec'h (22) 33 E3
Gommersdorf (68) 89 E3
Gommerville (28) 62 D3
Gommerville (76) 15 G1
Gomméville (21) 66 D6
Gomont (08) 23 F4
Goncelin (38) 146 A1
Goncourt (52) 68 C3
Gond-Pontouvre (16) 122 C4
Gondecourt (59) 3 F6
Gondenans-les-Moulins (25) 87 H4
Gondenans-Montby (25) 88 A5
Gondeville (16) 121 H3
Gondrecourt-Aix (54) 25 H6
Gondrecourt-le-Château (55) 68 C1
Gondreville (45) 64 A5
Gondreville (54) 48 B5
Gondreville (60) 21 G6
Gondrexange (57) 49 H5
Gondrexon (54) 49 G5
Gondrin (32) 167 F2
les Gonds (17) 121 E3
Gonesse (95) 42 D3
Gonez (65) 183 F3
Gonfaron (83) 193 H3
Gonfreville (50) 12 D5
Gonfreville-Caillot (76) 16 C4
Gonfreville-l'Orcher (76) 15 F2
la Gonfrière (61) 39 H4
Gonnehem (62) 2 C5
Gonnelieu (59) 8 D4
Gonnetot (76) 17 F3
Gonneville (50) 12 D2
Gonneville-en-Auge (14) 14 C4
Gonneville-la-Mallet (76) 16 B4
Gonneville-sur-Honfleur (14) 15 F3
Gonneville-sur-Mer (14) 14 D4
Gonneville-sur-Scie (76) 17 G3
Gonsans (25) 103 H1
Gontaud-de-Nogaret (47) 150 D3
la Gonterie-Boulouneix (24) 123 E6
Gonzeville (76) 17 E3
Goos (40) 165 F4
Gorbio (06) 195 G2
Gorcy (54) 25 G3
Gordes (84) 175 G2
Gorenflos (80) 7 E4
Gorges (44) 75 E6
Gorges (50) 12 D5
Gorges (80) 7 F4
la Gorgue (59) 2 D5
Gorhey (88) 69 G4
Gornac (33) 150 A1
Gorniès (34) 173 E3
Gorre (87) 123 H3
Gorrevod (01) 116 C3
Gorron (53) 58 C2
Gorses (46) 139 F6
Gorze (57) 26 A6
Gosnay (62) 2 D6
Gosné (35) 57 G1
Gosselming (57) 49 H4
Gotein-Libarrenx (64) 181 G3
Gottenhouse (67) 50 C4
Gottesheim (67) 50 C4
Gouaix (77) 65 E1
Goualade (33) 150 A4
Gouarec (22) 54 D1
Gouaux (65) 183 G6
Gouaux-de-Larboust (31) 197 E1
Gouaux-de-Luchon (31) 184 A6
Gouberville (50) 13 E1
Gouchaupre (76) 6 A5
Goudargues (30) 157 G5
Goudelancourt-lès-Berrieux (02) 22 D4
Goudelancourt-lès-Pierrepont (02) 22 D2
Goudelin (22) 33 F3
Goudet (43) 142 C5
Goudex (31) 184 C2
Goudon (65) 183 F3
Goudourville (82) 151 H6
Gouesnach (29) 53 F3
la Gouesnière (35) 35 E4
Gouesnou (29) 31 E4
Gouex (86) 109 G3
Gouézec (29) 53 G1
Gougenheim (67) 50 D4
Gouhelans (25) 87 H5
Gouhenans (70) 88 A3
Gouillons (28) 62 D3
Gouise (03) 114 A3
Goujounac (46) 152 B2
la Goulafrière (27) 39 H3
Goulet (61) 39 E5
Goulien (29) 52 D2
Goulier (09) 198 D1
Goulles (19) 139 G4
les Goulles (21) 85 G1
Gouloux (58) 100 B1
Goult (84) 175 G3
Goulven (29) 31 F2
Goumois (25) 88 D6
Goupillières (14) 14 B6
Goupillières (27) 40 B1
Goupillières (76) 17 F5
Goupillières (78) 41 H3
Gouraincourt (55) 25 G5
le Gouray (22) 34 A6
Gourbera (40) 165 E3
Gourbesville (50) 12 D4
Gourbit (09) 199 E1
Gourchelles (60) 19 G2
Gourdan-Polignan (31) 184 A4
Gourdièges (15) 140 D5
Gourdon (06) 178 C4
Gourdon (07) 157 G1
Gourdon (46) 152 C1
Gourdon (71) 115 G1
Gourdon-Murat (19) 125 F5
Gourfaleur (50) 37 F1
Gourgançon (51) 45 F5
Gourgé (79) 93 G5
Gourgeon (70) 87 E2
Gourgue (65) 183 F4
Gourhel (56) 56 A4
Gourin (56) 54 B2
Gourlizon (29) 53 E2
Gournay (36) 111 F1
Gournay-en-Bray (76) 19 G4
Gournay-le-Guérin (27) 40 B5
Gournay-Loizé (79) 108 B5
Gournay-sur-Aronde (60) 21 E4
Gournay-sur-Marne (93) 43 E4
les Gours (16) 122 A1
Gours (33) 136 A4
Gourvieille (11) 186 A2
Gourville (16) 122 A2
Gourvillette (17) 121 H1
Goussaincourt (55) 68 D1
Goussainville (28) 41 G4
Goussainville (95) 42 D2
Goussancourt (02) 44 D1
Gousse (40) 165 F3
Goussonville (78) 41 H3
Goustranville (14) 14 D4
Gout-Rossignol (24) 122 D6
la Goutelle (63) 126 C2
Goutevernisse (31) 185 E3
Goutrens (12) 154 B3
Gouts (40) 165 G3
Gouttières (27) 40 B2
Gouttières (63) 113 E6
Goutz (32) 168 A3
Gouvernes (77) 43 F4
Gouves (62) 8 A2
Gouvets (50) 37 F2
Gouvieux (60) 42 D1
Gouville (27) 40 C4
Gouville-sur-Mer (50) 36 D1
Gouvix (14) 14 C6
Goux (32) 166 D5
Goux-lès-Dambelin (25) 88 B5
Goux-les-Usiers (25) 103 H3
Goux-sous-Landet (25) 103 F2
Gouy (02) 9 E5
Gouy (76) 18 D5
Gouy-en-Artois (62) 8 A3
Gouy-en-Ternois (62) 7 G2
Gouy-les-Groseillers (60) 20 B2
Gouy-Saint-André (62) 7 E1
Gouy-Servins (62) 8 A1
Gouy-sous-Bellonne (62) 8 C2
Gouzangrez (95) 42 A1
Gouzeaucourt (59) 8 D4
Gouzens (31) 185 E3
Gouzon (23) 112 A5
Goven (35) 57 E3
Goviller (54) 69 F1
Goxwiller (67) 71 G1
Goyencourt (80) 21 E2
Goyrans (31) 169 F6
Grabels (34) 173 F5
Graçay (18) 96 D2
Grâce-Uzel (22) 55 G1
Grâces (22) 33 E4
Gradignan (33) 135 E6
Graffigny-Chemin (52) 68 C4
Gragnague (31) 169 G5
Graignes-Mesnil-Angot (50) 13 E5
Grailhen (65) 183 G6
Graimbouville (76) 15 G1
Graincourt-lès-Havrincourt (62) 8 D4
Grainville (27) 19 E5
Grainville-la-Teinturière (76) 17 E3
Grainville-Langannerie (14) 38 D2
Grainville-sur-Odon (14) 14 A5
Grainville-sur-Ry (76) 17 H6
Grainville-Ymauville (76) 16 C4
le Grais (61) 38 C5
Graissac (12) 140 D6
Graissessac (34) 172 A5
Graix (42) 143 G1
Gramat (46) 139 E6
Gramazie (11) 186 C4
Grambois (84) 176 B4
Grammond (42) 129 F5
Grammont (70) 88 A4
Gramond (12) 154 B5
Gramont (82) 168 A2
Granace (2A) 207 E3
Grancey-le-Château-Neuvelle (21) 85 H3
Grancey-sur-Ource (21) 67 E6
Granchain (27) 40 A2
Grand (88) 68 B2
le Grand-Abergement (01) 117 G6
Grand-Auverné (44) 75 E2
le Grand-Bornand (74) 132 C1
le Grand-Bourg (23) 111 E5
Grand-Brassac (24) 136 D1
Grand-Camp (27) 15 H6
Grand-Camp (76) 15 H1
le Grand-Celland (50) 37 F5
Grand-Champ (56) 55 F5
Grand-Charmont (25) 88 C4
la Grand-Combe (30) 157 E6
Grand-Corent (01) 117 F5
Grand-Couronne (76) 18 C5
la Grand-Croix (42) 129 G5
Grand-Failly (54) 25 F4
Grand-Fayt (59) 9 H4
Grand-Fort-Philippe (59) 2 A2
Grand-Fougeray (35) 57 E6
Grand-Laviers (80) 6 D4
le Grand-Lemps (38) 131 E6
le Grand-Lucé (72) 78 C1
le Grand-Madieu (16) 122 D1
le Grand-Pressigny (37) 95 E4
le Grand-Quevilly (76) 17 G6
Grand-Rozoy (02) 22 A6
Grand-Rullecourt (62) 7 H3
le Grand-Serre (26) 144 C2
Grand-Vabre (12) 154 B2
Grand-Verly (02) 9 G5
le Grand-Village-Plage (17) 120 B1
Grandcamp-Maisy (14) 13 F4
Grandchamp (08) 23 G2
Grandchamp (52) 86 B2
Grandchamp (72) 60 B3
Grandchamp (78) 41 G5
Grandchamp (89) 82 D2
Grandchamp-le-Château (14) 15 E5
Grandchamps-des-Fontaines (44) 74 C4
Grand'Combe-Châteleu (25) 104 B3
Grand'Combe-des-Bois (25) 104 D2
Grandcourt (76) 6 B6
Grandcourt (80) 8 A4
la Grande-Fosse (88) 70 D2
la Grande-Motte (34) 173 H6
la Grande-Paroisse (77) 64 B2
la Grande-Résie (70) 86 C6
Grande-Rivière (39) 118 A1
Grande-Synthe (59) 2 B1
la Grande-Verrière (71) 100 C4
Grandecourt (70) 87 E3
les Grandes-Armoises (08) 24 C3
les Grandes-Chapelles (10) 66 A2
les Grandes-Loges (51) 45 H2
les Grandes-Ventes (76) 17 H3
Grandeyrolles (63) 127 E5
Grandfontaine (25) 103 F1
Grandfontaine (67) 71 E1
Grandfontaine-sur-Creuse (25) 104 A1
Grandfresnoy (60) 21 E5
Grandham (08) 24 B5
Grandjean (17) 121 E1
Grand'Landes (85) 91 F3
Grandlup-et-Fay (02) 22 C2
Grandpré (08) 24 B5
Grandpuits-Bailly-Carrois (77) 43 G6
Grandrieu (48) 142 A6
Grandrieux (02) 23 F2
Grandrif (63) 128 B5
Grandris (69) 115 H6
Grandrû (60) 21 G3
Grandrupt (88) 70 D2
Grandrupt-de-Bains (88) 69 G5
les Grands-Chézeaux (87) 110 D3
Grandsaigne (19) 125 F5
Grandval (63) 128 A5
Grandvals (48) 155 F1
Grandvaux (71) 115 F2
Grandvelle-et-le-Perrenot (70) 87 F4
Grandvillars (90) 88 D4
la Grandville (08) 24 B1
Grandville (10) 45 G6
Grandvillers (88) 70 B3
Grandvillers-aux-Bois (60) 21 E4
Grandvilliers (27) 40 D4
Grandvilliers (60) 20 A2
Grane (26) 158 C1
Granès (11) 186 D6
la Grange (25) 88 B6
Grange-de-Vaivre (39) 103 E3
Grangermont (45) 63 G4
les Granges (10) 66 B5
Granges (71) 101 F6
Granges-d'Ans (24) 138 A2
les Granges-Gontardes (26) 158 B4
Granges-la-Ville (70) 88 B3
Granges-le-Bourg (70) 88 B3
les Granges-le-Roi (91) 63 E1
Granges-les-Beaumont (26) 144 B4
Granges-Narboz (25) 104 A4
Granges-sur-Aube (51) 45 E6
Granges-sur-Baume (39) 102 D6
Granges-sur-Lot (47) 151 E4
Granges-sur-Vologne (88) 70 C4
les Grangettes (25) 104 A4
Grangues (14) 14 D4
Granier (73) 133 E4
Granieu (38) 131 F4
Grans (13) 191 G3
Granville (50) 35 G2
Granzay-Gript (79) 107 G4
Gras (07) 157 H3
les Gras (25) 104 B3
Grassac (16) 122 D4
Grasse (06) 178 C4
Grassendorf (67) 50 D3
Grateloup-Saint-Gayrand (47) 150 D3
Gratens (31) 184 D2
Gratentour (31) 169 F4
Gratibus (80) 20 D2
Gratot (50) 36 D1
Gratreuil (51) 24 A6
Grattepanche (80) 20 C1
le Gratteris (25) 103 G1
Grattery (70) 87 F3
le Grau-du-Roi (30) 173 H6
les Graulges (24) 122 D5
Graulhet (81) 170 B4
Grauves (51) 45 F3
Graval (76) 19 F2
la Grave (05) 146 C3
Gravelines (59) 2 A2
la Gravelle (53) 58 B4
Gravelotte (57) 26 B5
la Graverie (14) 37 H3
Graveron-Sémerville (27) 40 C1
Graves-Saint-Amant (16) 122 A4
Graveson (13) 174 D3
Gravières (07) 157 E4
Gravigny (27) 40 D2
Gravon (77) 64 D2
Gray (70) 86 C5
Gray-la-Ville (70) 86 C5
Grayan-et-l'Hôpital (33) 120 B5
Graye-et-Charnay (39) 117 F2
Graye-sur-Mer (14) 14 B3
Grayssas (47) 151 G6
Grazac (31) 185 G2
Grazac (43) 143 E2
Grazac (81) 169 G3
Grazay (53) 59 E3
Gréalou (46) 153 F3
Gréasque (13) 192 C2
Grébault-Mesnil (80) 6 C5
Grécourt (80) 21 G2
Gredisans (39) 102 C2
la Grée-Saint-Laurent (56) 56 A3
Gréez-sur-Roc (72) 61 E4
Greffeil (11) 187 E4
Grèges (76) 17 G2
Grémecey (57) 49 E4
Grémévillers (60) 19 H3
Gremilly (55) 25 F5
Grémonville (76) 17 F4
Grenade (31) 169 E4
Grenade-sur-l'Adour (40) 166 A3
Grenant (52) 86 C2
Grenant-lès-Sombernon (21) 101 F1
Grenay (38) 130 C4
Grenay (62) 8 B1

Grendelbruch (67) 50 C6
Greneville-en-Beauce (45) 63 E4
Grenier-Montgon (43) 141 F2
Gréning (57) 49 G2
Grenoble (38) 145 G2
Grenois (58) 83 F6
Grentheville (14) 38 D1
Grentzingen (68) 89 F3
Greny (76) 6 A5
Gréolières (06) 178 C3
Gréoux-les-Bains (04) 176 D4
Grépiac (31) 185 G1
le Grès (31) 168 D4
Grésigny-Sainte-Reine (21) 84 D4
Gresin (73) 131 F4
la Gresle (42) 115 F6
Gresse-en-Vercors (38) 145 F5
Gressey (78) 41 G4
Gresswiller (67) 50 C6
Gressy (77) 43 F3
Grésy-sur-Aix (73) 131 H3
Grésy-sur-Isère (73) 132 B4
Gretz-Armainvilliers (77) 43 F5
Greucourt (70) 87 E4
Greuville (76) 17 F3
Greux (88) 68 D1
la Grève-sur-Mignon (17) 107 F4
Gréville-Hague (50) 12 B1
Grévillers (62) 8 B4
Grevilly (71) 116 B2
Grez (60) 20 A2
le Grez (72) 59 G4
Grez-en-Bouère (53) 77 E1
Grez-Neuville (49) 76 D3
Grez-sur-Loing (77) 64 A3
Grézac (17) 120 D4
Grézels (46) 152 A3
Grèzes (24) 138 B3
Grèzes (43) 141 H5
Grèzes (46) 153 F2
Grèzes (48) 155 H3
Grézet-Cavagnan (47) 150 C4
Grézian (65) 183 G6
Grézieu-la-Varenne (69) 129 H3
Grézieu-le-Marché (69) 129 F4
Grézieux-le-Fromental (42) 129 E4
Grézillac (33) 135 H5
Grézillé (49) 77 F6
Grézolles (42) 128 C2
Gricourt (02) 9 E6
Grièges (01) 116 B4
Gries (67) 51 E4
Griesbach-au-Val (68) 71 E5
Griesheim-près-Molsheim (67) 50 D6
Griesheim-sur-Souffel (67) 51 E5
Grignan (26) 158 C4
Grigneuseville (76) 17 H4
Grignols (24) 137 E3
Grignols (33) 150 A4
Grignon (21) 84 D4
Grignon (73) 132 C4
Grignoncourt (88) 69 E6
Grigny (62) 7 E1
Grigny (69) 130 A4
Grigny (91) 42 D6
la Grigonnais (44) 74 C2
Grillon (84) 158 C4
Grilly (01) 118 B3
Grimaucourt-en-Woëvre (55) 47 G1
Grimaucourt-près-Sampigny (55) 47 G4
Grimaud (83) 194 A4
la Grimaudière (86) 93 H5
Grimault (89) 84 A3
Grimbosq (14) 14 B6
Grimesnil (50) 35 H1
Grimonviller (54) 69 F2
Grincourt-lès-Pas (62) 7 H3
Grindorff-Bizing (57) 26 D3
la Gripperie-Saint-Symphorien (17) 120 C2
Gripport (54) 69 G2
Griscourt (54) 48 B4
Griselles (21) 84 C1
Griselles (45) 64 B5
Grisolles (02) 44 B1
Grisolles (82) 169 E3
Grisy-les-Plâtres (95) 42 B1
Grisy-Suisnes (77) 43 F5
Grisy-sur-Seine (77) 65 E2
Grives (24) 137 H6
Grivesnes (80) 20 D2
Grivillers (80) 21 E2
Grivy-Loisy (08) 24 A4
Groffliers (62) 6 C1
la Groise (59) 9 G4
Groises (18) 98 B1
Groissiat (01) 117 G4
Groisy (74) 118 C6
Groix (56) 54 B6
Groléjac (24) 138 B6
Gron (18) 98 B2
Gron (89) 65 E4
Gronard (02) 22 D1
Gros-Chastang (19) 139 F2
Gros-Réderching (57) 28 A5
le Gros-Theil (27) 18 B6
Grosbliederstroff (57) 27 G5
Grosbois (25) 87 H6
Grosbois-en-Montagne (21) 85 E6
Grosbois-lès-Tichey (21) 102 B3
Grosbreuil (85) 91 F5
les Groseillers (79) 107 H1
Groslay (95) 42 D3
Groslée (01) 131 F3
Grosley-sur-Risle (27) 40 B2
Grosmagny (90) 88 C2
Grosne (90) 88 D3
Grospierres (07) 157 F4
Grosrouvre (78) 41 H4
Grosrouvres (54) 48 A4
Grossa (2A) 206 D3
Grosseto-Prugna (2A) 204 D6
Grossoeuvre (27) 41 E3
Grossouvre (18) 98 C4
Grostenquin (57) 49 G2
Grosville (50) 12 B3
Grouches-Luchuel (80) 7 G3
Grougis (02) 9 F5
la Groutte (18) 97 H6
Grozon (39) 103 E4
Gruchet-le-Valasse (76) 15 H1
Gruchet-Saint-Siméon (76) 17 F3
Grues (85) 106 B2
Gruey-lès-Surance (88) 69 G5
Gruffy (74) 132 A2
Grugé-l'Hôpital (49) 76 B2
Grugies (02) 22 A1
Grugny (76) 18 D2
Gruissan (11) 188 B4
Grumesnil (76) 19 G3
Grun-Bordas (24) 137 E4
Grundviller (57) 49 H1
Gruny (80) 21 F2
Grury (71) 100 A6
Gruson (59) 3 G5
Grusse (39) 117 F1
Grussenheim (68) 71 G4
Grust (65) 182 D6
Gruyères (08) 24 A2
le Gua (17) 120 C3
le Gua (38) 145 F4
Guagno (2A) 204 D3
Guainville (28) 41 F3
Guarbecque (62) 2 C5
Guargualé (2A) 206 D1
Guchan (65) 183 G6
Guchen (65) 183 G6
Gudas (09) 185 H5
Gudmont-Villiers (52) 67 H2
le Gué-d'Alleré (17) 107 E4
le Gué-de-la-Chaîne (61) 60 D2
le Gué-de-Longroi (28) 62 C1
le Gué-de-Velluire (85) 107 E3
Gué-d'Hossus (08) 10 D5
Guebenhouse (57) 49 H1
Gueberschwihr (68) 71 F5
Guébestroff (57) 49 F3
Guéblange-lès-Dieuze (57) 49 F4
Guébling (57) 49 G3
Guebwiller (68) 71 E6
Guécélard (72) 78 A1
le Guédéniau (49) 77 H4
Guégon (56) 55 H4
Guéhébert (50) 35 H1
Guéhenno (56) 55 G4
Gueltas (56) 55 G2
Guémappe (62) 8 C3
Guémar (68) 71 F3
Guémené-Penfao (44) 74 B1
Guémené-sur-Scorff (56) 54 D2
Guemps (62) 1 H2
Guénange (57) 26 C4
Guengat (29) 53 F2
Guénin (56) 55 E4
Guenroc (22) 34 C6
Guenrouet (44) 74 A2
Guenviller (57) 49 G1
Guêprei (61) 39 E4
Guer (56) 56 C4
Guérande (44) 73 F4
Guérard (77) 43 G4
Guerbigny (80) 21 E2
la Guerche (37) 95 E4
la Guerche-de-Bretagne (35) 57 H4
la Guerche-sur-l'Aubois (18) 98 C4
Guercheville (77) 63 H3
Guerchy (89) 83 F1
Guéreins (01) 116 B6
Guéret (23) 111 G5
Guerfand (71) 101 H5
Guérigny (58) 99 E3
Guérin (47) 150 B3
la Guérinière (85) 90 B1
Guerlesquin (29) 32 B4
Guermange (57) 49 G4
Guermantes (77) 43 F4
Guern (56) 55 E3
Guernanville (27) 40 B3
Guernes (78) 41 G2
le Guerno (56) 73 F1
Guerny (27) 19 G6
Guéron (14) 13 H5
la Guéroulde (27) 40 C4
Guerpont (55) 47 F5
Guerquesalles (61) 39 F3
les Guerreaux (71) 114 D2
Guerstling (57) 27 E3
Guerting (57) 27 E4
Guerville (76) 6 B5
Guerville (78) 41 H3
Gueschart (80) 7 E3
Guesnain (59) 8 D2
Guesnes (86) 94 A4
Guessling-Hémering (57) 49 F2
Guéthary (64) 164 A6
Gueudecourt (80) 8 B4
Gueugnon (71) 115 E1
Gueures (76) 17 F2
Gueutteville (76) 17 G4
Gueutteville-les-Grès (76) 17 E2
Gueux (51) 23 E6
Guevenatten (68) 89 E2
Guewenheim (68) 89 E2
Gueytes-et-Labastide (11) 186 B4
Gugnécourt (88) 70 B3
Gugney (54) 69 F2
Gugney-aux-Aulx (88) 69 G3
Guibeville (91) 42 C6
Guichainville (27) 41 E3
Guiche (64) 164 D5
la Guiche (71) 115 G2
Guichen (35) 57 E4
Guiclan (29) 31 H3
Guidel (56) 54 B5
la Guierche (72) 60 B4
Guignecourt (60) 20 B4
Guignemicourt (80) 7 F6
Guignen (35) 56 D4
Guignes (77) 43 F6
Guigneville (45) 63 F4
Guigneville-sur-Essonne (91) 63 G1
Guignicourt (02) 23 E4
Guignicourt-sur-Vence (08) 24 A2
Guigny (62) 7 E2
Guilberville (50) 37 G2
Guiler-sur-Goyen (29) 53 E2
Guilers (29) 30 D4
Guilherand-Granges (07) 144 B5
Guillac (33) 135 H6
Guillac (56) 56 A4
Guillaucourt (80) 8 A6
Guillaumes (06) 161 G6
Guillemont (80) 8 B5
la Guillermie (03) 128 A1
Guillerval (91) 63 E2
Guillestre (05) 161 F1
Guilleville (28) 62 D4
Guilliers (56) 56 A3
Guilligomarc'h (29) 54 C3
Guillon (89) 84 B4
Guillon-les-Bains (25) 87 H6
Guillonville (28) 62 C5
Guillos (33) 149 F2
Guilly (36) 96 C3
Guilly (45) 81 F2
Guilmécourt (76) 6 A5
Guilvinec (29) 53 E4
Guimaëc (29) 32 B2
Guimiliau (29) 31 G4
Guimps (16) 121 H5
Guinarthe-Parenties (64) 181 F1
Guincourt (08) 24 A3
Guindrecourt-aux-Ormes (52) 67 G1
Guindrecourt-sur-Blaise (52) 67 G3
Guinecourt (62) 7 F2
Guînes (62) 1 G3
Guingamp (22) 33 E4
Guinglange (57) 49 E1
Guinkirchen (57) 26 D4
Guinzeling (57) 49 G3
Guipavas (29) 31 E4
Guipel (35) 57 F1
Guipronvel (29) 30 D4
Guipry (35) 57 E5
Guipy (58) 99 G1
Guiry-en-Vexin (95) 42 A1
Guiscard (60) 21 G2
Guiscriff (56) 54 B2
Guise (02) 9 G6
Guiseniers (27) 19 F6
le Guislain (50) 37 F2
Guissény (29) 31 E2
Guisy (62) 7 E1
Guitalens-L'Albarède (81) 170 B5
Guitera-les-Bains (2A) 205 E6
Guitinières (17) 121 F5
Guitrancourt (78) 41 H2
Guîtres (33) 135 H3
Guitry (27) 19 F6
Guitté (22) 56 C1
Guivry (02) 21 H2
Guizancourt (80) 20 A2
Guizengeard (16) 136 A1
Guizerix (65) 183 H2
Gujan-Mestras (33) 148 C1
Gumbrechtshoffen (67) 50 D3
Gumery (10) 65 F2
Gumiane (26) 159 E3
Gumières (42) 128 D5
Gumond (19) 139 F2
Gundershoffen (67) 50 D3
Gundolsheim (68) 71 F6
Gungwiller (67) 50 A3
Gunsbach (68) 71 E5
Gunstett (67) 51 E2
Guntzviller (57) 50 B4
Guny (02) 22 A4
Guran (31) 184 A6
Gurat (16) 122 C6
Gurcy-le-Châtel (77) 64 D2
Gurgy (89) 83 F1
Gurgy-la-Ville (21) 85 G1
Gurgy-le-Château (21) 85 G1
Gurmençon (64) 182 A3
Gurs (64) 181 H2
Gurunhuel (22) 32 D4
Gury (60) 21 F3
Gussainville (55) 47 H1
Gussignies (59) 9 G2
Guyancourt (78) 42 B4
Guyans-Durnes (25) 103 H2
Guyans-Vennes (25) 104 B1
Guyencourt (02) 22 D5
Guyencourt-Saulcourt (80) 8 D5
Guyencourt-sur-Noye (80) 20 C1
la Guyonnière (85) 91 H2
Guyonvelle (52) 86 D1
Guzargues (34) 173 G4
Gy (70) 87 E5
Gy-en-Sologne (41) 80 B6
Gy-les-Nonains (45) 64 B6
Gy-l'Évêque (89) 83 F3
Gye (54) 48 B6
Gyé-sur-Seine (10) 66 D5

H

Habarcq (62) 8 A2
Habas (40) 165 F5
Habère-Lullin (74) 118 D4
Habère-Poche (74) 119 E4
l'Habit (27) 41 F4
Hablainville (54) 49 G6
Habloville (61) 38 D4
Haboudange (57) 49 F3
Habsheim (68) 89 G2
Hachan (65) 183 H2
Hâcourt (52) 68 C4
Hacqueville (27) 19 F6
Hadancourt-le-Haut-Clocher (60) 42 A1
Hadigny-les-Verrières (88) 69 H2
Hadol (88) 70 A4
Haegen (67) 50 C4
Hagécourt (88) 69 G3
Hagedet (65) 166 D6
Hagen (57) 26 B2
Hagenbach (68) 89 E3
Hagenthal-le-Bas (68) 89 G4
Hagenthal-le-Haut (68) 89 G4
Haget (32) 183 F1
Hagetaubin (64) 165 H6
Hagetmau (40) 165 H4
Hagéville (54) 26 A6
Hagnéville-et-Roncourt (88) 68 D3
Hagnicourt (08) 24 A3
Hagondange (57) 26 B4
Haguenau (67) 51 E3
la Haie-Fouassière (44) 74 D6
la Haie-Traversaine (53) 59 E2
les Haies (69) 129 H5
Haigneville (54) 69 H1
Haillainville (88) 70 A2
le Haillan (33) 135 E5
Hailles (80) 20 D1
Haillicourt (62) 2 C6
Haimps (17) 121 H2
Haims (86) 110 A2
Hainvillers (60) 21 E3
Haironville (55) 47 E5
Haisnes (62) 3 E6
Haleine (61) 59 F1
Halinghen (62) 1 F5
Hallencourt (80) 6 D5
Hallennes-lez-Haubourdin (59) 3 F5
Hallering (57) 27 E5
les Halles (69) 129 F3
Halles-sous-les-Côtes (55) 24 D4
Hallignicourt (52) 46 C6
Hallines (62) 2 A4
Hallivillers (80) 20 C2
la Hallotière (76) 19 F3
Halloville (54) 49 H6
Halloy (60) 20 A2
Halloy (62) 7 H3
Halloy-lès-Pernois (80) 7 F4
Hallu (80) 21 F1
Halluin (59) 3 G4
Halsou (64) 180 C1
Halstroff (57) 26 D3
le Ham (50) 12 D3
le Ham (53) 59 F2
Ham (80) 21 G1
Ham-en-Artois (62) 2 C5
Ham-les-Moines (08) 24 A1
Ham-sous-Varsberg (57) 27 E5
Ham-sur-Meuse (08) 11 F4
Hamars (14) 14 A6
Hambach (57) 49 H1
Hambers (53) 59 F3
Hamblain-les-Prés (62) 8 C2
Hambye (50) 37 E2
Hamel (59) 8 D2
le Hamel (60) 20 A2
le Hamel (80) 8 A6
Hamelet (80) 7 H6
Hamelin (50) 37 F6
Hamelincourt (62) 8 B3
Hames-Boucres (62) 1 G3
Hammeville (54) 69 F1
Hamonville (54) 48 A4
Hampigny (10) 67 E2
Hampont (57) 49 F3
Han-devant-Pierrepont (54) 25 G4
Han-lès-Juvigny (55) 25 E4
Han-sur-Meuse (55) 47 G3
Han-sur-Nied (57) 49 E2
Hanc (79) 108 C6
Hanches (28) 41 G6
Hancourt (80) 8 D6
Handschuheim (67) 50 D5
Hangard (80) 20 D1
Hangenbieten (67) 50 D6
Hangest-en-Santerre (80) 21 E1
Hangest-sur-Somme (80) 7 E5
Hangviller (57) 50 B4
Hannaches (60) 19 H4
Hannapes (02) 9 G5
Hannappes (08) 23 F1
Hannescamps (62) 8 A3
Hannocourt (57) 49 E3
Hannogne-Saint-Martin (08) 24 B2
Hannogne-Saint-Rémy (08) 23 F3
Hannonville-sous-les-Côtes (55) 47 H2
Hannonville-Suzémont (54) 48 A1
le Hanouard (76) 17 E3
Hans (51) 46 B1
Hantay (59) 3 E6
Hanvec (29) 31 F5
Hanviller (57) 50 C1
Hanvoile (60) 19 H4
Haplincourt (62) 8 C4
Happencourt (02) 21 H1
Happonvilliers (28) 61 G3
Haramont (02) 21 G6
Haraucourt (08) 24 C2
Haraucourt (54) 49 E5
Haraucourt-sur-Seille (57) 49 F4
Haravesnes (62) 7 F2
Haravilliers (95) 42 B1
Harbonnières (80) 8 A6
Harbouey (54) 49 H6
Harcanville (76) 17 E3
Harchéchamp (88) 68 D2
Harcigny (02) 23 E1
Harcourt (27) 40 B1
Harcy (08) 11 E6
Hardancourt (88) 70 A2
Hardanges (53) 59 F2
Hardecourt-aux-Bois (80) 8 B5
Hardencourt-Cocherel (27) 41 E2
Hardifort (59) 2 C3
Hardinghen (62) 1 G3
Hardinvast (50) 12 C2
Hardivillers (60) 20 B3
Hardivillers-en-Vexin (60) 19 H5
Hardricourt (78) 42 A2
la Harengère (27) 18 C6
Haréville (88) 69 F4
Harfleur (76) 15 F2
Hargarten-aux-Mines (57) 27 E4
Hargeville (78) 41 H3
Hargicourt (02) 8 D5
Hargicourt (80) 20 D2
Hargnies (08) 11 F5
Hargnies (59) 9 H3
Harly (02) 9 E6
Harmonville (88) 69 E1
la Harmoye (22) 33 F6
Harnes (62) 8 C1
Harol (88) 69 G4
Haroué (54) 69 G1
Harponville (80) 7 H5
Harprich (57) 49 F2
Harquency (27) 19 F6
Harreberg (57) 50 B5
Harréville-les-Chanteurs (52) 68 C3
Harricourt (08) 24 C4
Harsault (88) 69 G5
Harskirchen (67) 50 A2
Hartennes-et-Taux (02) 22 A6
Hartmannswiller (68) 71 E6
Hartzviller (57) 50 A5
Harville (55) 47 H1
Hary (02) 23 E1
Haselbourg (57) 50 B5
Hasnon (59) 9 E1
Hasparren (64) 180 D1
Haspelschiedt (57) 28 C5
Haspres (59) 9 F3
Hastingues (40) 164 D5
Hatrize (54) 26 A5
Hatten (67) 51 F2
Hattencourt (80) 21 F1
Hattenville (76) 16 D4
Hattigny (57) 49 H5
Hattmatt (67) 50 C4
Hattstatt (68) 71 F5
Hauban (65) 183 F4
Haubourdin (59) 3 F5
Hauconcourt (57) 26 C4
Haucourt (60) 19 H4
Haucourt (62) 8 C3
Haucourt (76) 19 G2
Haucourt-en-Cambrésis (59) 9 E4
Haucourt-Moulaine (54) 25 H3
Haudainville (55) 47 F1
Haudiomont (55) 47 G1
Haudivillers (60) 20 B4
Haudonville (54) 70 A1
Haudrecy (08) 24 A1
Haudricourt (76) 19 G2
Haulchin (59) 9 F2
Haulies (32) 168 A6
Haulmé (08) 11 F6
Haumont-près-Samogneux (55) 25 E6
Hauriet (40) 165 G4
Hausgauen (68) 89 F3
Haussez (76) 19 G3
Haussignémont (51) 46 C5
Haussimont (51) 45 G5
Haussonville (54) 48 D6
Haussy (59) 9 F3
Haut-Clocher (57) 49 H4
le Haut-Corlay (22) 33 E6
Haut-de-Bosdarros (64) 182 C3
Haut-du-Them-Château-Lambert (70) 88 B1
Haut-Lieu (59) 10 A4
Haut-Loquin (62) 1 H4
Haut-Mauco (40) 165 H3
Hautaget (65) 183 H4
Hautbos (60) 19 H2
Haute-Amance (52) 86 C1
Haute-Avesnes (62) 8 A2
la Haute-Beaume (05) 159 G2
la Haute-Chapelle (61) 38 A6
Haute-Épine (60) 20 A3
Haute-Goulaine (44) 74 D5
Haute-Isle (95) 41 G2
Haute-Kontz (57) 26 C2
la Haute-Maison (77) 43 H4
Haute-Rivoire (69) 129 F3
Haute-Vigneulles (57) 27 E5
Hautecloque (62) 7 G2
Hautecour (39) 117 H1
Hautecour (73) 132 D5
Hautecourt-Romanèche (01) 117 F5
Hautefage (19) 139 F3
Hautefage-la-Tour (47) 151 G4
Hautefaye (24) 123 E5
Hautefeuille (77) 43 G5
Hautefond (71) 115 F3
Hautefontaine (60) 21 G5
Hautefort (24) 138 A2
Hauteluce (73) 132 D3
Hautepierre-le-Châtelet (25) 103 H2
Hauterive (03) 114 A6
Hauterive (61) 60 B1
Hauterive (89) 83 G1
Hauterive-la-Fresse (25) 104 A3
Hauterives (26) 144 B2
Hauteroche (21) 85 E4
Hautes-Duyes (04) 160 C5
les Hautes-Rivières (08) 11 F6
Hautesvignes (47) 150 D3
Hautevelle (70) 87 G1
Hautevesnes (02) 44 A1
Hauteville (02) 9 F6
Hauteville (08) 23 G3
Hauteville (51) 46 C6
Hauteville (62) 8 A2
Hauteville (73) 132 B5
la Hauteville (78) 41 G5
Hauteville-la-Guichard (50) 13 E6
Hauteville-lès-Dijon (21) 85 G6
Hauteville-Lompnes (01) 131 F1
Hauteville-sur-Fier (74) 131 H1
Hauteville-sur-Mer (50) 36 D2
Haution (02) 9 H6
Hautmont (59) 10 A3
Hautmougey (88) 69 G5
Hautot-l'Auvray (76) 17 E3
Hautot-le-Vatois (76) 17 E4
Hautot-Saint-Sulpice (76) 17 E4
Hautot-sur-Mer (76) 17 G2
Hautot-sur-Seine (76) 18 C5
les Hauts-de-Chée (55) 47 E3
Hautteville-Bocage (50) 12 D4
Hautvillers (51) 45 E2
Hautvillers-Ouville (80) 6 D3
Hauville (27) 17 E6
Hauviné (08) 23 G5
Haux (33) 135 G6
Haux (64) 181 G4
Havange (57) 26 A3
Havelu (28) 41 G4
Haveluy (59) 9 E2
Havernas (80) 7 F5
Haverskerque (59) 2 C5
le Havre (76) 15 E2
Havrincourt (62) 8 D4
l'Haÿ-les-Roses (94) 42 D4
Hayange (57) 26 B3
Haybes (08) 11 E5
la Haye (76) 19 E4
la Haye (88) 69 G5
la Haye-Aubrée (27) 18 A4
la Haye-Bellefond (50) 37 F2
la Haye-de-Calleville (27) 18 B6
la Haye-de-Routot (27) 17 E6
la Haye-d'Ectot (50) 12 B4
la Haye-du-Puits (50) 12 C5
la Haye-du-Theil (27) 18 B6
la Haye-le-Comte (27) 18 D6
la Haye-Malherbe (27) 18 C6
la Haye-Pesnel (50) 35 H2
la Haye-Saint-Sylvestre (27) 40 A3
les Hayes (41) 79 E2
Hayes (57) 26 D5
Haynecourt (59) 8 D3
les Hays (39) 102 C4
Hazebrouck (59) 2 C4
Hazembourg (57) 49 H2
le Heaulme (95) 42 B1
Héauville (50) 12 B2
Hébécourt (27) 19 G5
Hébécourt (80) 20 C1
Hébécrevon (50) 37 F1
Héberville (76) 17 E3
Hébuterne (62) 8 A4
Hèches (65) 183 G5
Hecken (68) 89 E2
Hecmanville (27) 40 A1
Hécourt (27) 41 F3
Hécourt (60) 19 G3
Hecq (59) 9 G3
Hectomare (27) 18 B6
Hédauville (80) 8 A4
Hédé (35) 57 E1
Hédouville (95) 42 C1
Hegeney (67) 51 E3
Hégenheim (68) 89 G3
Heidolsheim (67) 71 G3
Heidwiller (68) 89 F2
Heiligenberg (67) 50 C6
Heiligenstein (67) 71 F1
Heillecourt (54) 48 C5
Heilles (60) 20 C5
Heilly (80) 7 H5
Heiltz-le-Hutier (51) 46 C5
Heiltz-le-Maurupt (51) 46 C4
Heiltz-l'Évêque (51) 46 C4
Heimersdorf (68) 89 F3
Heimsbrunn (68) 89 E2
Heining-lès-Bouzonville (57) 27 E3
Heippes (55) 47 F2
Heiteren (68) 71 G5
Heiwiller (68) 89 F3
Hélesmes (59) 9 E2
Hélette (64) 180 D2
Helfaut (62) 2 B4
Helfrantzkirch (68) 89 G3
Helléan (56) 56 A4
Hellering-lès-Fénétrange (57) 50 A4
Helleville (50) 12 B2
Hellimer (57) 49 G2
Héloup (61) 59 H2
Helstroff (57) 26 D5
Hem (59) 3 G5
Hem-Hardinval (80) 7 G3

Hem-Lenglet (59) 8 D3
Hem-Monacu (80) 8 B5
Hémevez (50) 12 D3
Hémévillers (60) 21 E4
Hémilly (57) 49 E1
Héming (57) 49 H5
Hémonstoir (22) 55 F2
Hénaménil (54) 49 F5
Hénanbihen (22) 34 B4
Hénansal (22) 34 A4
Hendaye (64) 180 A1
Hendecourt-
-lès-Cagnicourt (62) 8 C3
Hendecourt-lès-Ransart (62) 8 B3
Hénencourt (80) 7 H5
Henflingen (68) 89 F3
Hengoat (22) 33 E2
Hengwiller (67) 50 C5
Hénin-Beaumont (62) 8 C1
Hénin-sur-Cojeul (62) 8 B3
Héninel (62) 8 B3
Hennebont (56) 54 D5
Hennecourt (88) 69 G3
Hennemont (55) 47 H1
Henneveux (62) 1 G4
Hennezel (88) 69 F5
Hennezis (27) 19 F6
Hénon (22) 33 H5
Hénonville (60) 20 A6
Hénouville (76) 17 F6
Henrichemont (18) 81 H6
Henridorff (57) 50 B4
Henriville (57) 49 G1
Hénu (62) 7 H3
Henvic (29) 31 H3
Hérange (57) 50 B4
Herbault (41) 79 G3
Herbécourt (80) 8 B6
Herbelles (62) 2 A5
l'Herbergement (85) 91 G2
Herbeuval (08) 25 E3
Herbeuville (55) 47 H2
Herbeville (78) 42 A3
Herbéviller (54) 49 G6
Herbeys (38) 145 G3
les Herbiers (85) 92 B4
Herbignac (44) 73 G3
Herbinghen (62) 1 G4
Herbisse (10) 45 G6
Herbitzheim (67) 27 H6
Herblay (95) 42 C3
Herbsheim (67) 71 H2
Hercé (53) 58 C1
Herchies (60) 20 A4
la Hérelle (60) 20 C3
Hérenguerville (50) 36 D2
Hérépian (34) 172 A5
Hères (65) 166 D5
Hergnies (59) 4 B6
Hergugney (88) 69 G2
Héric (44) 74 C3
Héricourt (62) 7 G2
Héricourt (70) 88 C3
Héricourt-en-Caux (76) 17 E4
Héricourt-sur-Thérain (60) 19 G3
Héricy (77) 64 B2
la Hérie (02) 10 B6
le Hérie-la-Viéville (02) 22 C1
Hériménil (54) 49 E6
Hérimoncourt (25) 88 D5
Hérin (59) 9 F2
Hérissart (80) 7 G5
Hérisson (03) 112 D2
Herleville (80) 8 B6
la Herlière (62) 7 H3
Herlies (59) 3 E5
Herlin-le-Sec (62) 7 G2
Herlincourt (62) 7 G2
Herly (62) 1 H6
Herly (80) 21 F1
l'Herm (09) 185 H5
Herm (40) 164 D3
Hermanville (76) 17 G3
Hermanville-sur-Mer (14) 14 C4
les Hermaux (48) 155 F3
Hermaville (62) 8 A2
Hermé (77) 65 E1
Hermelange (57) 50 A5
Hermelinghen (62) 1 G3
l'Hermenault (85) 107 E1
Herment (63) 126 B3
Hermeray (78) 41 G6
Hermes (60) 20 B5
Hermeville (76) 15 F1
Herméville-en-Woëvre (55) 25 G6
Hermies (62) 8 C4
Hermillon (73) 146 C1
Hermin (62) 7 H1
l'Hermitage (35) 57 E2
l'Hermitage-Lorge (22) 33 G6
les Hermites (37) 79 E3
l'Hermitière (61) 60 D3
Hermival-les-Vaux (14) 15 F5
Hermonville (51) 23 E5
Hernicourt (62) 7 G1
Herny (57) 49 E2
le Héron (76) 19 E4
Héronchelles (76) 19 E3
Hérouville (95) 42 B2
Hérouville-Saint-Clair (14) 14 C4
Hérouvillette (14) 14 C4
Herpelmont (88) 70 B4
Herpont (51) 46 B2
Herpy-l'Arlésienne (08) 23 F3
Herqueville (27) 18 D6
Herqueville (50) 12 A1
Herran (31) 184 C5
Herré (40) 166 D1
Herrère (64) 182 A3
Herrin (59) 3 F6
Herrlisheim (67) 51 F4
Herrlisheim-
-près-Colmar (68) 71 F5
Herry (18) 98 C1
Herserange (54) 25 H3
Hersin-Coupigny (62) 8 A1
Hertzing (57) 49 H5
Hervelinghen (62) 1 F3
Hervilly (80) 8 D5
Héry (58) 99 G1
Héry (89) 83 G1
Héry-sur-Alby (74) 132 A2
Herzeele (59) 2 C3
Hesbécourt (80) 8 D5
Hescamps (80) 19 H2
Hesdigneul-lès-Béthune (62) 2 D6
Hesdigneul-
-lès-Boulogne (62) 1 F5
Hesdin (62) 7 E1
Hesdin-l'Abbé (62) 1 F4
Hésingue (68) 89 G3
Hesmond (62) 7 E1
Hesse (57) 50 A5
Hessenheim (67) 71 G3
Hestroff (57) 26 D4
Hestrud (59) 10 B3
Hestrus (62) 7 G1
Hétomesnil (60) 20 A3
Hettange-Grande (57) 26 B3
Hettenschlag (68) 71 G5
Heubécourt-Haricourt (27) 41 G1
Heuchin (62) 2 B6
Heucourt-Croquoison (80) 6 D5
Heudebouville (27) 18 D6
Heudicourt (27) 19 G5
Heudicourt (80) 8 D5
Heudicourt-
-sous-les-Côtes (55) 47 H3
Heudreville-en-Lieuvin (27) 15 H4
Heudreville-sur-Eure (27) 41 E1
Heugas (40) 165 E4
Heugleville-sur-Scie (76) 17 G3
Heugnes (36) 96 A3
Heugon (61) 39 H4
Heugueville-sur-Sienne (50) 36 D1
Heuilley-Cotton (52) 86 B2
Heuilley-le-Grand (52) 86 B2
Heuilley-sur-Saône (21) 86 C6
Heuland (14) 15 E4
Heume-l'Église (63) 126 C3
la Heunière (27) 41 F2
Heuqueville (27) 19 E5
Heuqueville (76) 16 B4
Heuringhem (62) 2 B4
Heurteauville (76) 17 E6
Heurtevent (14) 15 E6
Heussé (50) 37 G6
Heutrégiville (51) 23 G5
Heuzecourt (80) 7 F3
Hévilliers (55) 47 F6
Heyrieux (38) 130 C4
Hézecques (62) 2 A6
le Hézo (56) 73 E1
Hibarette (65) 183 E3
Hières-sur-Amby (38) 130 D3
Hierges (08) 11 F4
Hiermont (80) 7 F3
Hiers-Brouage (17) 120 C2
Hiersac (16) 122 B4
Hiesse (16) 109 F6
Hiesville (50) 13 E4
Hiéville (14) 39 E2
Higuères-Souye (64) 182 C1
Hiis (65) 183 E3
Hilbesheim (57) 50 A4
Hillion (22) 33 H4
Hilsenheim (67) 71 G2
Hilsprich (57) 49 H2
Hinacourt (02) 22 A1
Hinckange (57) 26 D5
Hindisheim (67) 71 H1
Hindlingen (68) 89 E3
Hinges (62) 2 D5
le Hinglé (22) 34 C6
Hinsbourg (67) 50 B3
Hinsingen (67) 49 H2
Hinx (40) 165 F4
Hipsheim (67) 71 H1
Hirel (35) 35 E4
Hirschland (67) 50 A3
Hirsingue (68) 89 F3
Hirson (02) 10 B6
Hirtzbach (68) 89 F3
Hirtzfelden (68) 71 G6
His (31) 184 C4
Hitte (65) 183 F3
Hochfelden (67) 50 D4
Hochstatt (68) 89 F2
Hochstett (67) 51 E4
Hocquigny (50) 35 H2
Hocquinghen (62) 1 H4
Hodenc-en-Bray (60) 19 H4
Hodenc-l'Évêque (60) 20 B5
Hodeng-au-Bosc (76) 6 C6
Hodeng-Hodenger (76) 19 F3
Hodent (95) 41 H1
Hœdic (56) 72 C3
Hoenheim (67) 51 E5
Hœrdt (67) 51 E4
Hoéville (54) 49 E5
Hoffen (67) 51 F2
les Hogues (27) 19 E4
la Hoguette (14) 38 D3
Hohatzenheim (67) 50 D4
Hohengœft (67) 50 C5
Hohfrankenheim (67) 50 D4
Hohrod (68) 71 E5
le Hohwald (67) 71 F1
Holacourt (57) 49 E2
Holling (57) 26 D4
Holnon (02) 8 D6
Holque (59) 2 A3
Holtzheim (67) 50 D6
Holtzwihr (68) 71 F4
Holving (57) 49 H2
Hombleux (80) 21 G2
Homblières (02) 9 E6
Hombourg (68) 89 G1
Hombourg-Budange (57) 26 C4
Hombourg-Haut (57) 49 G1
l'Hôme-Chamondot (61) 40 B6
Homécourt (54) 26 A4
Hommarting (57) 50 A4
Hommert (57) 50 B5
Hommes (37) 78 B5
le Hommet-d'Arthenay (50) 13 E6
Homps (11) 187 G3
Homps (32) 168 B3
Hon-Hergies (59) 9 H2
Hondainville (60) 20 C5
Hondeghem (59) 2 C4
Hondevilliers (77) 44 B3
Hondouville (27) 40 D1
Hondschoote (59) 2 D2
Honfleur (14) 15 F2
Honguemare-
-Guenouville (27) 18 B5
Honnechy (59) 9 F4
Honnecourt-sur-Escaut (59) 8 D5
l'Honor-de-Cos (82) 152 C6
Honskirch (57) 49 H2
Hontanx (40) 166 B3
l'Hôpital (57) 27 F5
Hôpital-Camfrout (29) 31 F5
l'Hôpital-d'Orion (64) 165 F6
l'Hôpital-du-Grosbois (25) 103 H1
l'Hôpital-le-Grand (42) 129 E5
l'Hôpital-le-Mercier (71) 115 E3
l'Hôpital-Saint-Blaise (64) 181 G2
l'Hôpital-Saint-Lieffroy (25) 88 A5
l'Hôpital-
-sous-Rochefort (42) 128 C3
les Hôpitaux-Neufs (25) 104 A5
les Hôpitaux-Vieux (25) 104 A5
Horbourg-Wihr (68) 71 F4
Hordain (59) 9 E3
la Horgne (08) 24 A2
Horgues (65) 183 E3
l'Horme (42) 129 G5
Hornaing (59) 9 E2
Hornoy-le-Bourg (80) 6 D6
le Horps (53) 59 E2
Horsarrieu (40) 165 H4
Horville-en-Ornois (55) 68 B1
l'Hosmes (27) 40 D4
l'Hospitalet (04) 176 C1
l'Hospitalet-du-Larzac (12) 172 B2
l'Hospitalet-
-près-l'Andorre (09) 199 F3
Hosta (64) 181 E3
Hoste (57) 49 G1
Hostens (33) 149 E3
Hostiaz (01) 131 E2
Hostun (26) 144 D4
l'Hôtellerie (14) 15 G5
l'Hôtellerie-de-Flée (49) 76 C2
Hotonnes (01) 117 H6
Hotot-en-Auge (14) 14 D5
Hottot-les-Bagues (14) 14 A5
Hottviller (57) 50 C1
la Houblonnière (14) 15 E5
les Houches (74) 133 F1
Houchin (62) 2 D6
Houdain (62) 7 H1
Houdain-lez-Bavay (59) 9 H2
Houdan (78) 41 G4
Houdancourt (60) 21 E5
Houdelaincourt (55) 47 G6
Houdelmont (54) 48 C6
Houdemont (54) 48 C5
Houdetot (76) 17 E3
Houdilcourt (08) 23 F4
Houdreville (54) 69 F1
Houécourt (88) 69 E3
Houeillès (47) 150 B5
Houesville (50) 13 E4
Houetteville (27) 40 D1
Houéville (88) 68 D2
Houeydets (65) 183 G3
le Houga (32) 166 C3
Houilles (78) 42 C3
Houlbec-Cocherel (27) 41 F2
Houlbec-
-près-le-Gros-Theil (27) 18 B6
Houldizy (08) 24 A1
Houlette (16) 121 H3
Houlgate (14) 14 D3
Houlle (62) 2 A3
le Houlme (76) 17 G5
l'Houmeau (17) 106 C4
Hounoux (11) 186 B4
Houplin-Ancoisne (59) 3 F5
Houplines (59) 3 E4
Houppeville (76) 17 G5
Houquetot (76) 15 G1
Hourc (65) 183 F2
Hourges (51) 22 D6
Hours (64) 182 D3
Hourtin (33) 134 B2
Houry (02) 22 D1
Houssay (41) 79 F2
Houssay (53) 58 D6
la Houssaye (27) 40 B2
la Houssaye-Béranger (76) 17 G4
la Houssaye-en-Brie (77) 43 G5
le Housseau-
-Brétignolles (53) 59 E1
Houssen (68) 71 F4
Housseras (88) 70 B2
Housset (02) 22 C1
Housséville (54) 69 F2
la Houssière (88) 70 C3
la Houssoye (60) 19 H5
Houtaud (25) 104 A4
Houtkerque (59) 2 D3
Houtteville (50) 12 D4
Houville-en-Vexin (27) 19 E5
Houville-la-Branche (28) 62 C2
Houvin-Houvigneul (62) 7 G2
Houx (28) 41 G6
Hoymille (59) 2 C2
Huanne-Montmartin (25) 87 H5
Hubersent (62) 1 F5
Hubert-Folie (14) 14 C5
Huberville (50) 12 D3
Huby-Saint-Leu (62) 7 E1
Huchenneville (80) 6 D4
Huclier (62) 7 G1
Hucqueliers (62) 1 G5
Hudimesnil (50) 35 G2
Hudiviller (54) 49 E6
Huelgoat (29) 32 A5
Huest (27) 41 E2
Huêtre (45) 62 C6
Huez (38) 146 A3
Hugier (70) 86 D6
Hugleville-en-Caux (76) 17 F4
Huillé (49) 77 F3
Huilliécourt (52) 68 C4
Huilly-sur-Seille (71) 116 C1
Huiron (51) 46 A5
Huismes (37) 94 B1
Huisnes-sur-Mer (50) 35 G4
Huisseau-en-Beauce (41) 79 F2
Huisseau-sur-Cosson (41) 80 A4
Huisseau-sur-Mauves (45) 80 C1
l'Huisserie (53) 58 C5
Hulluch (62) 3 E6
Hultehouse (57) 50 B4
Humbauville (51) 45 H5
Humbécourt (52) 46 C6
Humbercamps (62) 8 A3
Humbercourt (80) 7 H3
Humbert (62) 1 G6
Humberville (52) 68 B3
Humbligny (18) 98 A1
Humerœuille (62) 7 F1
Humes-Jorquenay (52) 86 A1
Humières (62) 7 F1
Hunawihr (68) 71 F3
Hundling (57) 49 H1
Hundsbach (68) 89 F3
Huningue (68) 89 H3
Hunspach (67) 51 F2
Hunting (57) 26 C3
Huos (31) 184 A4
Huparlac (12) 154 D1
Huppy (80) 6 D5
Hurbache (88) 70 C2
Hure (33) 150 B2
Hurecourt (70) 69 F6
Hures-la-Parade (48) 155 H5
Huriel (03) 112 C3
Hurigny (71) 116 B3
Hurtières (38) 146 A1
Hurtigheim (67) 50 D5
Husseren-les-Châteaux (68) 71 F5
Husseren-Wesserling (68) 70 D6
Hussigny-Godbrange (54) 25 H3
Husson (50) 37 G6
Huttendorf (67) 50 D3
Huttenheim (67) 71 G2
Hyds (03) 113 E4
Hyémondans (25) 88 B5
Hyencourt-le-Grand (80) 21 F1
Hyenville (50) 36 D2
Hyères (83) 193 G5
Hyet (70) 87 F4
Hyèvre-Magny (25) 88 A5
Hyèvre-Paroisse (25) 88 A5
Hymont (88) 69 F3

I

Ibarrolle (64) 181 E3
Ibigny (57) 49 H5
Ibos (65) 183 E3
Ichtratzheim (67) 51 E6
Ichy (77) 63 H4
Idaux-Mendy (64) 181 F3
Idrac-Respaillès (32) 167 G6
Idron (64) 182 C2
Ids-Saint-Roch (18) 97 F6
Iffendic (35) 56 D2
les Iffs (35) 57 E1
Ifs (14) 14 B5
les Ifs (76) 6 B6
Igé (61) 60 D3
Igé (71) 116 B3
Ignaucourt (80) 20 D1
Ignaux (09) 199 G2
Igney (54) 49 G5
Igney (88) 69 H3
Ignol (18) 98 B4
Igny (70) 86 D4
Igny (91) 42 C5
Igny-Comblizy (51) 44 D2
Igon (64) 182 C3
Igornay (71) 100 D3
Igoville (27) 18 D5
Iguerande (71) 115 E5
Iholdy (64) 181 E2
l'Île-Bouchard (37) 94 C2
Île-d'Aix (17) 106 C6
Île-d'Arz (56) 72 D1
Île-de-Batz (29) 31 H2
Île-de-Bréhat (22) 33 F1
Île-de-Sein (29) 52 B2
l'Île-d'Elle (85) 107 E3
Île-d'Houat (56) 72 C3
l'Île-d'Olonne (85) 91 E5
l'Île-d'Yeu (85) 90 A3
Île-Molène (29) 30 B4
l'Île-Rousse (2B) 202 D5
l'Île-Saint-Denis (93) 42 D3
Île-Tudy (29) 53 F4
Ilharre (64) 181 F1
Ilhat (09) 186 A5
les Ilhes (11) 187 E2
Ilhet (65) 183 G5
Ilheu (65) 184 A5
Illange (57) 26 B3
Illartein (09) 184 C5
Illats (33) 149 G2
Ille-sur-Têt (66) 200 D2
Illeville-sur-Montfort (27) 18 A5
Illfurth (68) 89 F2
Illhaeusern (68) 71 G3
Illiat (01) 116 B5
Illier-et-Laramade (09) 199 E1
Illiers-Combray (28) 61 H3
Illiers-l'Évêque (27) 41 E4
Illies (59) 3 E6
Illifaut (22) 56 B2
Illkirch-Graffenstaden (67) 51 E6
Illois (76) 19 G1
Illoud (52) 68 C4
Illy (08) 24 C1
Illzach (68) 89 F1
Ilonse (06) 178 D1
Imbleville (76) 17 F4
Imécourt (08) 24 C5
Imling (57) 50 A4
Imphy (58) 99 E4
Inaumont (08) 23 G3
Incarville (27) 18 D6
Incheville (76) 6 B5
Inchy (59) 9 F4
Inchy-en-Artois (62) 8 C3
Incourt (62) 7 F1
Indevillers (25) 88 D6
Indre (44) 74 C5
Ineuil (18) 97 G5
les Infournas (05) 160 B1
Ingenheim (67) 50 D4
Ingersheim (68) 71 F4
Inghem (62) 2 B5
Inglange (57) 26 C3
Ingolsheim (67) 51 F2
Ingouville (76) 17 E2
Ingrandes (36) 110 A1
Ingrandes (49) 75 H3
Ingrandes (86) 94 D4
Ingrandes-de-Touraine (37) 78 B6
Ingrannes (45) 63 F6
Ingré (45) 80 D1
Inguiniel (56) 54 D3
Ingwiller (67) 50 C3
Injoux-Génissiat (01) 117 H6
Innenheim (67) 50 D6
Innimond (01) 131 F3
Inor (55) 24 D3
Insming (57) 49 G2
Insviller (57) 49 H3
Intraville (76) 17 H2
Intres (07) 143 F4
Intréville (28) 62 D3
Intville-la-Guétard (45) 63 F3
Inval-Boiron (80) 6 D6
Inxent (62) 1 G6
Inzinzac-Lochrist (56) 54 D4
Ippécourt (55) 47 E2
Ippling (57) 49 H1
Irai (61) 40 B5
Irais (79) 93 G4
Irancy (89) 83 G3
Iré-le-Sec (55) 25 E4
Irigny (69) 130 A4
Irissarry (64) 180 D2
Irles (80) 8 B4
Irodouër (35) 56 D1
Iron (02) 9 G5
Irouléguy (64) 180 D3
Irreville (27) 41 E1
Irvillac (29) 31 F5
Is-en-Bassigny (52) 68 B5
Is-sur-Tille (21) 85 H4
Isbergues (62) 2 C5
Isches (88) 69 E5
Isdes (45) 81 F3
Isenay (58) 99 H4
Isigny-le-Buat (50) 37 F5
Isigny-sur-Mer (14) 13 F5
Island (89) 83 H5
Isle (87) 124 B3
l'Isle-Adam (95) 42 C1
l'Isle-Arné (32) 168 A5
Isle-Aubigny (10) 66 C1
Isle-Aumont (10) 66 B4
l'Isle-Bouzon (32) 168 A2
l'Isle-d'Abeau (38) 130 D4
l'Isle-de-Noé (32) 167 G5
l'Isle-d'Espagnac (16) 122 C4
l'Isle-en-Dodon (31) 184 C1
Isle-et-Bardais (03) 98 B6
l'Isle-Jourdain (32) 168 C5
l'Isle-Jourdain (86) 109 G4
Isle-Saint-Georges (33) 135 F6
l'Isle-sur-la-Sorgue (84) 175 F2
l'Isle-sur-le-Doubs (25) 88 B5
Isle-sur-Marne (51) 46 B6
l'Isle-sur-Serein (89) 84 A4
les Isles-Bardel (14) 38 C3
Isles-les-Meldeuses (77) 43 H2
Isles-lès-Villenoy (77) 43 G3
Isles-sur-Suippe (51) 23 F5
les Islettes (55) 46 D1
Isneauville (76) 18 D4
Isola (06) 162 B5
Isolaccio-di-Fiumorbo (2B) 205 F5
Isômes (52) 86 B3
Ispagnac (48) 156 A4
Ispoure (64) 180 D3
Isques (62) 1 F4
Issac (24) 136 D4
Issamoulenc (07) 143 G6
Issancourt-et-Rumel (08) 24 B1
Issanlas (07) 142 D6
Issans (25) 88 C4
les Issards (09) 186 A4
Issarlès (07) 142 D6
Issé (44) 74 D1
Isse (51) 45 G2
Issel (11) 186 B2
Issendolus (46) 153 F1
Issenhausen (67) 50 D3
Issenheim (68) 71 F6
Issepts (46) 153 F1
Isserpent (03) 114 B5
Isserteaux (63) 127 G4
Issigeac (24) 151 F1
Issirac (30) 157 G5
Issoire (63) 127 G5
Issor (64) 181 H4
Issou (78) 41 H3
Issoudun (36) 97 E4
Issoudun-Létrieix (23) 112 A6
Issus (31) 185 G1
Issy-les-Moulineaux (92) 42 C4
Issy-l'Évêque (71) 100 B6
Istres (13) 175 F6
les Istres-et-Bury (51) 45 F3
Isturits (64) 181 E1
Itancourt (02) 22 A1
Iteuil (86) 109 E2
Ittenheim (67) 50 D5
Itterswiller (67) 71 F2
Itteville (91) 63 G1
Itxassou (64) 180 C1
Itzac (81) 170 A1
Ivergny (62) 7 G3
Iverny (77) 43 F2
Iviers (02) 23 F1
Iville (27) 40 C1
Ivors (60) 43 H1
Ivory (39) 103 F4
Ivoy-le-Pré (18) 81 H6
Ivrey (39) 103 F3
Ivry-en-Montagne (21) 101 F3
Ivry-la-Bataille (27) 41 F3
Ivry-le-Temple (60) 20 A6
Ivry-sur-Seine (94) 42 D4
Iwuy (59) 9 E3
Izaourt (65) 184 A5
Izaut-de-l'Hôtel (31) 184 B5
Izaux (65) 183 G4
Izé (53) 59 F3
Izeaux (38) 145 E1
Izel-lès-Équerchin (62) 8 C2
Izel-lès-Hameau (62) 7 H2
Izenave (01) 117 F6
Izernore (01) 117 G4
Izeron (38) 145 E3
Izeste (64) 182 B4
Izeure (21) 102 A2
Izier (21) 86 A6
Izieu (01) 131 F4
Izon (33) 135 G4
Izon-la-Bruisse (26) 159 G5
Izotges (32) 166 D5

J

Jablines (77) 43 F3
Jabreilles-les-Bordes (87) 124 C1
Jabrun (15) 141 E6
Jacob-Bellecombette (73) 131 H5
Jacou (34) 173 F5
Jacque (65) 183 F2
Jagny-sous-Bois (95) 42 D2
Jaignes (77) 43 H3
Jaillans (26) 144 C4
la Jaille-Yvon (49) 76 D2
Jaillon (54) 48 B4
Jailly (58) 99 F2
Jailly-les-Moulins (21) 85 E5
Jainvillotte (88) 68 D3
Jalesches (23) 111 H4
Jaleyrac (15) 140 A2
Jaligny-sur-Besbre (03) 114 B3
Jallais (49) 75 H5
Jallanges (21) 102 A3
Jallans (28) 62 A5
Jallaucourt (57) 49 E3
Jallerange (25) 103 E1
Jalognes (18) 98 B1
Jalogny (71) 116 A3
Jâlons (51) 45 G2
Jambles (71) 101 F5
Jambville (78) 42 A2
Jaméricourt (60) 19 H5
Jametz (55) 25 E4
Janailhac (87) 124 B4
Janaillat (23) 111 F6
Jancigny (21) 86 B5
Jandun (08) 23 H2
Janneyrias (38) 130 C3
Jans (44) 74 C1
Janville (14) 14 D5
Janville (28) 62 D4
Janville (60) 21 F4
Janville-sur-Juine (91) 63 F1
Janvilliers (51) 44 D3
Janvry (51) 22 D6
Janvry (91) 42 C6
Janzé (35) 57 G4
Jarcieu (38) 144 B1
la Jard (17) 121 F4
Jard-sur-Mer (85) 106 A2

230

le Jardin (19) 139 G1
Jardin (38) 130 B5
Jardres (86) 109 F1
Jargeau (45) 81 E1
Jarjayes (05) 160 C3
Jarménil (88) 70 A4
Jarnac (16) 121 H3
Jarnac-Champagne (17) 121 G4
Jarnages (23) 111 H5
la Jarne (17) 106 D5
Jarnioux (69) 129 G1
Jarnosse (42) 115 F6
Jarny (54) 26 A5
Jarret (65) 183 E4
la Jarrie (17) 106 D5
Jarrie (38) 145 G3
la Jarrie-Audouin (17) 107 G6
Jarrier (73) 146 C1
Jars (18) 82 A5
Jarsy (73) 132 B4
Jarville-la-Malgrange (54) 48 D5
Jarzé (49) 77 F4
Jas (42) 129 F3
Jasney (70) 87 G1
Jassans-Riottier (01) 129 H1
Jasseines (10) 66 D1
Jasseron (01) 117 E4
Jasses (64) 181 H2
Jatxou (64) 180 C1
Jau-Dignac-et-Loirac (33) 120 C6
Jaucourt (10) 67 E3
la Jaudonnière (85) 92 B6
Jaudrais (28) 40 D6
Jaujac (07) 157 F2
Jauldes (16) 122 C3
Jaulges (89) 65 H6
Jaulgonne (02) 44 C2
Jaulnay (37) 94 C4
Jaulnes (77) 65 E2
Jaulny (54) 48 B2
Jaulzy (60) 21 G5
Jaunac (07) 143 F5
Jaunay-Clan (86) 94 C6
Jaure (24) 137 E3
Jausiers (04) 161 G3
Jaux (60) 21 F5
Jauzé (72) 60 C4
Javaugues (43) 141 H2
Javené (35) 58 A2
Javerdat (87) 123 H1
Javerlhac-et-la-Chapelle-
-Saint-Robert (24) 123 E5
Javernant (10) 66 A4
la Javie (04) 160 D5
Javols (48) 155 H1
Javrezac (16) 121 G3
Javron-les-Chapelles (53) 59 F2
Jax (43) 142 A3
Jaxu (64) 181 E3
Jayac (24) 138 B4
Jayat (01) 116 D3
Jazeneuil (86) 108 C2
Jazennes (17) 121 E4
Jeancourt (02) 8 D6
Jeandelaincourt (54) 48 D3
Jeandelize (54) 48 A1
Jeanménil (88) 70 B2
Jeansagnière (42) 128 C3
Jeantes (02) 23 E1
Jebsheim (68) 71 G4
Jegun (32) 167 G4
la Jemaye (24) 136 C2
Jenlain (59) 9 G2
Jenzat (03) 113 G5
Jésonville (88) 69 F4
Jessains (10) 67 E3
Jetterswiller (67) 50 C5
Jettingen (68) 89 F3
Jeu-les-Bois (36) 96 D6
Jeu-Maloches (36) 96 B3
Jeufosse (78) 41 G2
Jeugny (10) 66 B5
Jeumont (59) 10 B2
Jeurre (39) 117 H3
Jeux-lès-Bard (21) 84 C4
Jeuxey (88) 70 A3
Jevoncourt (54) 69 G2
Jezainville (54) 48 C3
Jézeau (65) 183 G6
Joannas (07) 157 F2
Job (63) 128 B4
Jobourg (50) 12 A1
Joch (66) 200 C3
Jœuf (54) 26 A4
Joganville (50) 12 D3
Joigny (89) 65 E6
Joigny-sur-Meuse (08) 11 F6
Joinville (52) 67 H2
Joinville-le-Pont (94) 42 D4
Joiselle (51) 44 C5
Jolimetz (59) 9 G3
Jolivet (54) 49 E6
Jonage (69) 130 B3
Joncels (34) 172 B4
la Jonchère (85) 91 G6
la Jonchère-
-Saint-Maurice (87) 124 C1
Jonchères (26) 159 F2
Joncherey (90) 88 D4
Jonchery (52) 67 H4
Jonchery-sur-Suippe (51) 46 A1
Jonchery-sur-Vesle (51) 22 D6
Joncourt (02) 9 E5
Joncreuil (10) 67 E1
Joncy (71) 115 H1
Jongieux (73) 131 G3
Jonquerets-de-Livet (27) 15 H6
Jonquerettes (84) 175 E2
Jonquery (51) 45 E1
Jonquières (11) 187 G5
Jonquières (34) 172 D5
Jonquières (60) 21 E5
Jonquières (81) 170 C5
Jonquières (84) 158 C6
Jonquières-
-Saint-Vincent (30) 174 C3
Jons (69) 130 C3
Jonval (08) 24 A3
Jonvelle (70) 69 E6
Jonville-en-Woëvre (55) 48 A2
Jonzac (17) 121 F5
Jonzier-Épagny (74) 118 B6
Jonzieux (42) 143 F1
Joppécourt (54) 25 H4
Jort (14) 39 E2
Jorxey (88) 69 G3
Josat (43) 142 A2
Josnes (41) 80 B2
Josse (40) 164 D4
Josselin (56) 55 H4
Jossigny (77) 43 F4
Jou-sous-Monjou (15) 140 C5
Jouac (87) 110 C3
Jouaignes (02) 22 B5
Jouancy (89) 84 B3
Jouarre (77) 44 A3
Jouars-Pontchartrain (78) 42 A4
Jouaville (54) 26 A5
Joucas (84) 175 G2
Joucou (11) 199 H1
Joudes (71) 117 E2
Joudreville (54) 25 H5
Joué-du-Bois (61) 38 D6
Joué-du-Plain (61) 38 D5
Joué-en-Charnie (72) 59 G5
Joué-l'Abbé (72) 60 B4
Joué-lès-Tours (37) 78 D6
Joué-sur-Erdre (44) 75 E3
Jouet-sur-l'Aubois (18) 98 C3
Jouey (21) 101 E2
Jougne (25) 104 A5
Jouhe (39) 102 C2
Jouhet (86) 109 H2
Jouillat (23) 111 G4
Jouques (13) 176 B5
Jouqueviel (81) 153 H6
Jourgnac (87) 124 A3
Journans (01) 117 E5
Journet (86) 110 A2
Journiac (24) 137 G4
Journy (62) 1 H4
Jours-en-Vaux (21) 101 E3
Jours-lès-Baigneux (21) 85 E3
Joursac (15) 141 E3
Joussé (86) 109 F4
Jouvençon (71) 116 C1
Joux (69) 129 F2
Joux-la-Ville (89) 83 H3
Jouy (28) 62 B1
Jouy (89) 64 C4
Jouy-aux-Arches (57) 26 B6
Jouy-en-Argonne (55) 47 E1
Jouy-en-Josas (78) 42 C5
Jouy-en-Pithiverais (45) 63 E4
Jouy-le-Châtel (77) 43 H5
Jouy-le-Moutier (95) 42 B2
Jouy-le-Potier (45) 80 C2
Jouy-lès-Reims (51) 23 E6
Jouy-Mauvoisin (78) 41 G3
Jouy-sous-Thelle (60) 20 A5
Jouy-sur-Eure (27) 41 E2
Jouy-sur-Morin (77) 44 B4
Joyeuse (07) 157 F3
Joyeux (01) 130 C1
Joze (63) 127 G2
Jozerand (63) 127 F1
Jû-Belloc (32) 166 D5
Juaye-Mondaye (14) 13 H6
Jubainville (88) 68 D1
la Jubaudière (49) 75 H6
Jublains (53) 59 E3
le Juch (29) 53 F2
Jugazan (33) 135 H6
Jugeals-Nazareth (19) 138 D3
Jugon-les-Lacs (22) 34 B5
Jugy (71) 116 B1
Juicq (17) 121 F2
Juif (71) 102 A6
Juignac (16) 122 B6
Juigné-des-Moutiers (44) 75 F1
Juigné-sur-Loire (49) 77 E5
Juigné-sur-Sarthe (72) 77 F1
Juignettes (27) 40 A4
Juillac (19) 138 B1
Juillac (32) 167 E6
Juillac (33) 136 A6
Juillac-le-Coq (16) 121 H4
Juillaguet (16) 122 C5
Juillan (65) 183 E3
Juillé (16) 122 C1
Juillé (72) 60 A3
Juillé (79) 108 A5
Juillenay (21) 84 C6
Juilles (32) 168 B5
Juilley (50) 35 H4
Juilly (21) 84 D5
Juilly (77) 43 F2
Jujols (66) 200 B3
Jujurieux (01) 117 F6
Julianges (48) 141 G5
Juliénas (69) 116 A4
Julienne (16) 121 H3
Jullianges (43) 142 B1
Jullié (69) 116 A4
Jullouville (50) 35 G2
Jully (89) 84 C2
Jully-lès-Buxy (71) 101 F6
Jully-sur-Sarce (10) 66 C5
Julos (65) 183 E4
Julvécourt (55) 47 E2
Jumeauville (78) 41 H3
Jumeaux (63) 127 G6
Jumel (80) 20 C1
Jumelles (27) 41 E3
la Jumellière (49) 76 C6
Jumencourt (02) 22 A4
Jumièges (76) 17 E6
Jumigny (02) 22 C4
Jumilhac-le-Grand (24) 123 H5
Junas (30) 173 H4
Junay (89) 84 A1
Juncalas (65) 183 E4
Jungholtz (68) 71 E6
Junhac (15) 154 B1
les Junies (46) 152 B3
Juniville (08) 23 G5
Jupilles (72) 78 C2
Jurançon (64) 182 B2
Juranville (45) 63 H5
Juré (42) 128 C2
Jurignac (16) 122 A5
Jurques (14) 38 A2
Jurvielle (31) 197 E1
Jury (57) 48 D1
Juscorps (79) 107 H4
Jusix (47) 150 B2
Jussac (15) 140 A4
Jussarupt (88) 70 B4
Jussas (17) 135 G1
Jussecourt-Minecourt (51) 46 C4
Jussey (70) 87 E1
Jussy (02) 21 H2
Jussy (57) 26 B5
Jussy (89) 83 G3
Jussy-Champagne (18) 98 A3
Jussy-le-Chaudrier (18) 98 C2
Justian (32) 167 F3
Justine-Herbigny (08) 23 G3
Justiniac (09) 185 G3
Jutigny (77) 64 D1
Juvaincourt (88) 69 F2
Juvancourt (10) 67 F5
Juvanzé (10) 67 E3
Juvardeil (49) 77 E3
Juvelize (57) 49 F4
Juvignac (34) 173 F5
Juvigné (53) 58 B3
Juvignies (60) 20 B3
Juvigny (02) 22 A4
Juvigny (51) 45 G2
Juvigny (74) 118 C4
Juvigny-en-Perthois (55) 47 E6
Juvigny-le-Tertre (50) 37 G5
Juvigny-sous-Andaine (61) 38 B6
Juvigny-sur-Loison (55) 25 E4
Juvigny-sur-Orne (61) 39 E5
Juvigny-sur-Seulles (14) 14 A5
Juville (57) 48 D3
Juvinas (07) 157 F1
Juvincourt-et-Damary (02) 22 D4
Juvisy-sur-Orge (91) 42 D5
Juvrecourt (54) 49 F4
Juxue (64) 181 F2
Juzanvigny (10) 67 E2
Juzennecourt (52) 67 G4
Juzes (31) 186 A1
Juzet-de-Luchon (31) 197 F1
Juzet-d'Izaut (31) 184 B5
Juziers (78) 42 A2

K

Kalhausen (57) 27 H6
Kaltenhouse (67) 51 E3
Kanfen (57) 26 B2
Kappelen (68) 89 G3
Kappelkinger (57) 49 H2
Katzenthal (68) 71 F4
Kauffenheim (67) 51 G3
Kaysersberg (68) 71 F4
Kédange-sur-Canner (57) 26 C3
Keffenach (67) 51 F2
Kembs (68) 89 G2
Kemplich (57) 26 D3
Kerbach (57) 27 G5
Kerbors (22) 33 E1
Kerfot (22) 33 F2
Kerfourn (56) 55 F3
Kergloff (29) 32 B6
Kergrist (56) 55 F2
Kergrist-Moëlou (22) 32 D6
Kerien (22) 32 D5
Kerlaz (29) 53 E2
Kerling-lès-Sierck (57) 26 C3
Kerlouan (29) 31 E2
Kermaria-Sulard (22) 32 D2
Kermoroc'h (22) 33 E3
Kernascléden (56) 54 C3
Kernilis (29) 31 E3
Kernouës (29) 31 E3
Kerpert (22) 33 E5
Kerprich-aux-Bois (57) 49 H4
Kersaint-Plabennec (29) 31 E4
Kertzfeld (67) 71 G2
Kervignac (56) 54 D5
Keskastel (67) 27 H6
Kesseldorf (67) 51 G3
Kienheim (67) 50 D4
Kientzheim (68) 71 F4
Kiffis (68) 89 F4
Killem (59) 2 C2
Kilstett (67) 51 F4
Kindwiller (67) 50 D3
Kingersheim (68) 89 F1
Kintzheim (67) 71 F3
Kirchberg (68) 88 D1
Kirchheim (67) 50 D5
Kirrberg (67) 50 A3
Kirrwiller (67) 50 D3
Kirsch-lès-Sierck (57) 26 D2
Kirschnaumen (57) 26 D3
Kirviller (57) 49 H2
Klang (57) 26 D3
Kleingœft (67) 50 C5
Knœringue (68) 89 G3
Knœrsheim (67) 50 C5
Knutange (57) 26 B3
Kœnigsmacker (57) 26 C3
Kœstlach (68) 89 F4
Kœtzingue (68) 89 G2
Kœur-la-Grande (55) 47 G4
Kœur-la-Petite (55) 47 G4
Kogenheim (67) 71 G2
Kolbsheim (67) 50 D6
Krautergersheim (67) 71 G1
Krautwiller (67) 51 E4
le Kremlin-Bicêtre (94) 42 D4
Kriegsheim (67) 51 E4
Kruth (68) 70 D6
Kunheim (68) 71 G4
Kuntzig (57) 26 C3
Kurtzenhouse (67) 51 E4
Kuttolsheim (67) 50 D5
Kutzenhausen (67) 51 F2

L

Laà-Mondrans (64) 165 G6
Laas (32) 167 F6
Laas (45) 63 F5
Laàs (64) 181 G1
Labalme (01) 117 F6
Labarde (33) 135 E4
Labaroche (68) 71 E4
Labarrère (32) 167 E2
Labarthe (32) 167 H6
Labarthe (82) 152 B5
Labarthe-Bleys (81) 170 A1
Labarthe-Inard (31) 184 C4
Labarthe-Rivière (31) 184 A4
Labarthe-sur-Lèze (31) 185 F1
Labarthète (32) 166 C5
Labassère (65) 183 E4
Labastide (65) 183 G4
Labastide-Beauvoir (31) 185 H1
Labastide-
-Castel-Amouroux (47) 150 C4
Labastide-Cézéracq (64) 182 A1
Labastide-Chalosse (40) 165 H5
Labastide-Clermont (31) 184 D2
Labastide-d'Anjou (11) 186 B2
Labastide-d'Armagnac (40) 166 C2
Labastide-de-Lévis (81) 170 B2
Labastide-de-Penne (82) 152 D5
Labastide-de-Virac (07) 157 G4
Labastide-Dénat (81) 170 C3
Labastide-
-du-Haut-Mont (46) 139 G6
Labastide-du-Temple (82) 168 D1
Labastide-du-Vert (46) 152 B3
Labastide-en-Val (11) 187 F4
Labastide-
-Esparbairenque (11) 187 E2
Labastide-Gabausse (81) 170 B1
Labastide-Marnhac (46) 152 C4
Labastide-Monréjeau (64) 182 A1
Labastide-Murat (46) 152 D2
Labastide-Paumès (31) 184 C2
Labastide-Rouairoux (81) 187 G1
Labastide-
-Saint-Georges (81) 170 A4
Labastide-Saint-Pierre (82) 169 E2
Labastide-
-Saint-Sernin (31) 169 F4
Labastide-Savès (32) 168 C6
Labastide-
-sur-Bésorgues (07) 157 F1
Labastide-Villefranche (64) 165 E6
Labastidette (31) 185 E1
Labathude (46) 153 G1
Labatie-d'Andaure (07) 143 G4
Labatmale (64) 182 D3
Labatut (09) 185 G3
Labatut (40) 165 E5
Labatut (64) 183 E1
Labatut-Rivière (65) 166 D6
Labbeville (95) 42 C1
Labeaume (07) 157 F3
Labécède-Lauragais (11) 186 C2
Labège (31) 169 F6
Labégude (07) 157 G2
Labéjan (32) 167 G6
Labenne (40) 164 B5
Labergement-
-du-Navois (25) 103 G3
Labergement-Foigney (21) 102 B1
Labergement-
-lès-Auxonne (21) 102 C2
Labergement-
-lès-Seurre (21) 102 A3
Labergement-
-Sainte-Marie (25) 103 H5
Laberlière (60) 21 E3
Labescau (33) 150 A3
Labesserette (15) 154 B1
Labessette (63) 126 B5
Labessière-Candeil (81) 170 B4
Labets-Biscay (64) 181 F1
Labeuville (55) 48 A1
Labeuvrière (62) 2 C6
Labeyrie (64) 165 H5
Lablachère (07) 157 F3
Laboissière-en-Santerre (80) 21 E2
Laboissière-en-Thelle (60) 20 B6
Laborde (65) 183 G4
Laborel (26) 159 G5
Labosse (60) 19 H5
Labouheyre (40) 148 C5
Laboulbène (81) 170 C5
Laboule (07) 157 E2
Labouquerie (24) 137 F6
Labourgade (82) 168 D2
Labourse (62) 2 D6
Laboutarie (81) 170 B4
Labretonie (47) 150 D3
Labrihe (32) 168 B4
Labrit (40) 149 F6
Labroquère (31) 184 A4
Labrosse (45) 63 G4
Labrousse (15) 140 B5
Labroye (62) 7 E2
Labruguière (81) 170 C6
Labruyère (21) 102 A3
Labruyère (60) 20 D5
Labruyère-Dorsa (31) 185 G1
Labry (54) 26 A5
Laburgade (46) 152 D4
Lac-des-Rouges-Truites (39) 118 B1
le Lac-d'Issarlès (07) 142 D6
Lacabarède (81) 187 F1
Lacadée (64) 165 G5
Lacajunte (40) 166 A5
Lacalm (12) 140 D6
Lacam-d'Ourcet (46) 139 F6
Lacanau (33) 134 B4
Lacanche (21) 101 E3
Lacapelle-Barrès (15) 140 C5
Lacapelle-Biron (47) 151 H2
Lacapelle-Cabanac (46) 152 A3
Lacapelle-del-Fraisse (15) 140 A6
Lacapelle-Livron (82) 153 E5
Lacapelle-Marival (46) 153 F1
Lacapelle-Pinet (81) 170 D1
Lacapelle-Ségalar (81) 170 B1
Lacapelle-Viescamp (15) 139 H5
Lacarre (64) 181 E3
Lacarry-Arhan-
-Charritte-de-Haut (64) 181 F4
Lacassagne (65) 183 F2
Lacaugne (31) 185 E2
Lacaune (81) 171 F4
Lacaussade (47) 151 G3
Lacave (09) 184 D5
Lacave (46) 138 C6
Lacaze (81) 171 E4
Lacelle (19) 125 E4
Lacenas (69) 129 H1
Lacépède (47) 151 E4
Lachaise (16) 121 H5
Lachalade (55) 46 D1
Lachambre (57) 49 G1
Lachamp (48) 155 H2
Lachamp-Raphaël (07) 143 F6
Lachapelle (47) 150 C2
Lachapelle (54) 70 C1
Lachapelle (80) 20 A1
Lachapelle (82) 168 B2
Lachapelle-aux-Pots (60) 19 H4
Lachapelle-Auzac (46) 138 C5
Lachapelle-en-Blaisy (52) 67 G4
Lachapelle-Graillouse (07) 142 D6
Lachapelle-Saint-Pierre (60) 20 B6
Lachapelle-
-sous-Aubenas (07) 157 G2
Lachapelle-
-sous-Chanéac (07) 143 F5
Lachapelle-sous-Chaux (90) 88 C2
Lachapelle-
-sous-Gerberoy (60) 19 H3
Lachapelle-
-sous-Rougemont (90) 88 D2
Lachassagne (69) 129 H1
Lachau (26) 159 G5
Lachaussée (55) 48 A2
Lachaussée-
-du-Bois-d'Écu (60) 20 B3
Lachaux (63) 128 A1
Lachelle (60) 21 E4
Lachy (51) 44 D5
Lacollonge (90) 88 D2
Lacombe (11) 186 D1
Lacommande (64) 182 A2
Lacoste (34) 172 C5
Lacoste (84) 175 H3
Lacougotte-Cadoul (81) 169 H5
Lacour (82) 151 H5
Lacour-d'Arcenay (21) 84 C6
Lacourt (09) 185 E5
Lacourt-Saint-Pierre (82) 169 E2
Lacq (64) 182 A1
Lacquy (40) 166 B2
Lacrabe (40) 165 H5
Lacres (62) 1 F5
Lacroisille (81) 170 A5
Lacroix-Barrez (12) 140 C6
Lacroix-Falgarde (31) 169 F6
Lacroix-Saint-Ouen (60) 21 F5
Lacroix-sur-Meuse (55) 47 G2
Lacropte (24) 137 G4
Lacrost (71) 116 C1
Lacrouzette (81) 170 D5
Lacs (36) 111 H1
Ladapeyre (23) 111 H4
Ladaux (33) 149 H1
Ladern-sur-Lauquet (11) 187 E4
Ladevèze-Rivière (32) 167 E5
Ladevèze-Ville (32) 166 D6
Ladignac-le-Long (87) 124 A5
Ladignac-sur-Rondelles (19) 139 E2
Ladinhac (15) 154 B1
Ladirat (46) 139 F6
Ladiville (16) 122 A5
Ladoix-Serrigny (21) 101 G3
Ladon (45) 63 H6
Lados (33) 150 A3
Ladoye-sur-Seille (39) 103 E5
Laduz (89) 83 E1
Lafage (11) 186 B3
Lafage-sur-Sombre (19) 139 G2
Lafare (84) 158 D6
Lafarre (07) 143 G3
Lafarre (43) 142 D6
Lafat (23) 111 E4
Lafauche (52) 68 C3
Laféline (03) 113 G3
Laferté-sur-Amance (52) 86 D1
Laferté-sur-Aube (52) 67 F5
Lafeuillade-en-Vézie (15) 140 B6
Laffaux (02) 22 B4
Laffite-Toupière (31) 184 C3
Laffrey (38) 145 G4
Lafitole (65) 183 E1
Lafitte (82) 168 D2
Lafitte-sur-Lot (47) 150 D4
Lafitte-Vigordane (31) 185 E2
Lafox (47) 151 F6
Lafrançaise (82) 152 B6
Lafraye (60) 20 B4
Lafresguimont-
-Saint-Martin (80) 19 H1
Lafrimbolle (57) 50 A6
Lagamas (34) 172 D5
Lagarde (09) 186 B5
Lagarde (31) 185 H2
Lagarde (32) 167 H2
Lagarde (57) 49 G5
Lagarde (65) 183 E2
Lagarde-d'Apt (84) 176 A2
Lagarde-Enval (19) 139 E2
Lagarde-Hachan (32) 183 H1
Lagarde-Paréol (84) 158 B5
Lagarde-sur-le-Né (16) 121 H5
Lagardelle (46) 152 B3
Lagardelle-sur-Lèze (31) 185 F1
Lagardère (32) 167 F3
Lagardiolle (81) 170 B6
Lagarrigue (47) 150 D5
Lagarrigue (81) 170 D6
Lageon (79) 93 G5
Lagery (51) 22 D6
Lagesse (10) 66 B6
Lagleygeolle (19) 138 D3
Laglorieuse (40) 166 B2
Lagnes (84) 175 G3
Lagney (54) 48 A5
Lagnicourt-Marcel (62) 8 C3
Lagnieu (01) 130 D2
Lagny (60) 21 F3
Lagny-le-Sec (60) 43 F2
Lagny-sur-Marne (77) 43 F4
Lagor (64) 181 H1
Lagorce (07) 157 G3
Lagorce (33) 135 H3
Lagord (17) 106 C4
Lagos (64) 182 C3
Lagrâce-Dieu (31) 185 F2
Lagrand (05) 159 H4
Lagrange (40) 166 D2
Lagrange (65) 183 G4
Lagrange (90) 88 D2
Lagrasse (11) 187 G4
Lagraulet-du-Gers (32) 167 F2
Lagraulet-
-Saint-Nicolas (31) 168 C3
Lagraulière (19) 138 D1
Lagrave (81) 170 B3
Lagruère (47) 150 C4
Laguenne (19) 139 E2
Laguépie (82) 153 G6
Laguian-Mazous (32) 183 F1
Laguinge-Restoue (64) 181 G4
Laguiole (12) 155 E1
Lagupie (47) 150 C2
Lahage (31) 184 D1
Lahas (32) 168 B6
Lahaymeix (55) 47 G3
Lahayville (55) 48 A3
Laheycourt (55) 46 D3
Lahitère (31) 185 E4
Lahitte (32) 168 A5
Lahitte-Toupière (65) 166 D6
Lahonce (64) 164 C6
Lahontan (64) 165 E5
Lahosse (40) 165 G4
Lahourcade (64) 182 A1
Lahoussoye (80) 7 H5
Laifour (08) 11 E6
la Laigne (17) 107 F4
Laigné (53) 76 C1
Laigné-en-Belin (72) 78 B1
Laignelet (35) 58 A2
Laignes (21) 84 D1
Laigneville (60) 20 D6
Laigny (02) 9 H6
Laillé (35) 57 E4
Lailly (89) 65 F4
Lailly-en-Val (45) 80 C2
Laimont (55) 46 D4
Lain (89) 83 E3
Laines-aux-Bois (10) 66 A4
Lains (39) 117 F3
Lainsecq (89) 83 E4
Lainville-en-Vexin (78) 41 H2
Laire (25) 88 C4
Laires (62) 2 B6
Lairière (11) 187 F5
Lairoux (85) 91 H6
Laissac (12) 155 E4
Laissaud (73) 132 A6
Laissey (25) 87 G6
Laître-sous-Amance (54) 48 D4
Laives (71) 116 B1
Laix (54) 25 H4
Laiz (01) 116 B4
Laizé (71) 116 B3
Laize-la-Ville (14) 14 B5
Laizy (71) 100 C4
Lajo (48) 141 H6
Lajoux (39) 118 A3
Lalacelle (61) 59 G1

Lalande (89) 83 E3
Lalande-de-Pomerol (33) 135 H4
Lalande-en-Son (60) 19 G5
Lalandelle (60) 19 H5
Lalandusse (47) 151 E1
Lalanne (32) 168 A3
Lalanne (65) 184 A2
Lalanne-Arqué (32) 184 A2
Lalanne-Trie (65) 183 G2
Lalaye (67) 71 E2
Lalbenque (46) 152 D4
Laleu (61) 39 G6
Laleu (80) 7 E5
Lalevade-d'Ardèche (07) 157 F2
Lalheue (71) 116 B1
Lalinde (24) 137 F5
Lalizolle (03) 113 F5
Lallaing (59) 8 D1
Lalleu (35) 57 G5
Lalley (38) 145 G6
Lalleyriat (01) 117 H5
Lalobbe (08) 23 G2
Lalœuf (54) 69 F1
Lalongue (64) 166 C6
Lalonquette (64) 166 B6
Laloubère (65) 183 E3
Lalouret-Laffiteau (31) 184 B3
Lalouvesc (07) 143 G3
Laluque (40) 165 E2
Lama (2B) 203 E5
Lamadeleine-
-Val-des-Anges (90) 88 D2
Lamagdelaine (46) 152 D3
Lamagistère (82) 151 G6
Lamaguère (32) 168 A6
Lamaids (03) 112 C4
Lamalou-les-Bains (34) 172 A5
Lamancine (52) 67 H4
Lamanère (66) 200 C5
Lamanon (13) 191 G2
Lamarche (88) 68 D5
Lamarche-sur-Saône (21) 102 C1
Lamargelle (21) 85 F4
Lamaronde (80) 19 H1
Lamarque (33) 134 D3
Lamarque-Pontacq (65) 182 D3
Lamarque-Rustaing (65) 183 G2
Lamasquère (31) 168 D6
Lamastre (07) 143 G4
Lamath (54) 49 E6
Lamativie (46) 139 G5
Lamayou (64) 183 E1
Lamazère (32) 167 G5
Lamazière-Basse (19) 139 G1
Lamazière-Haute (19) 126 A4
Lambach (57) 50 C1
Lamballe (22) 34 A5
Lambersart (59) 3 F5
Lamberville (50) 37 H1
Lamberville (76) 17 G3
Lambesc (13) 175 H5
Lamblore (28) 40 C6
Lambres (62) 2 B5
Lambres-lez-Douai (59) 8 D2
Lambrey (70) 87 E2
Lambruisse (04) 177 G1
Laméac (65) 183 F2
Lamécourt (60) 20 D4
Lamelouze (30) 156 D6
Lamenay-sur-Loire (58) 99 G5
Lamérac (16) 121 H6
Lametz (08) 24 A3
Lamillarié (81) 170 C3
Lammerville (76) 17 G3
Lamnay (72) 61 E5
Lamongerie (19) 124 D5
Lamontélarié (81) 171 F5
Lamontgie (63) 127 G6
Lamontjoie (47) 167 H1
Lamonzie-Montastruc (24) 137 E5
Lamonzie-
-Saint-Martin (24) 136 D5
Lamorlaye (60) 42 D1
Lamorville (55) 47 G3
Lamothe (40) 165 H3
Lamothe (43) 141 H1
Lamothe-Capdeville (82) 169 E1
Lamothe-Cassel (46) 152 D2
Lamothe-Cumont (82) 168 B3
Lamothe-en-Blaisy (52) 67 G3
Lamothe-Fénelon (46) 138 C6
Lamothe-Goas (32) 167 H3
Lamothe-Landerron (33) 150 B2
Lamothe-Montravel (24) 136 A5
Lamotte-Beuvron (41) 81 E4
Lamotte-Brebière (80) 7 G6
Lamotte-Buleux (80) 6 D3
Lamotte-du-Rhône (84) 158 A5
Lamotte-Warfusée (80) 8 A6
Lamouilly (55) 25 E3
Lamoura (39) 118 A3
Lampaul-Guimiliau (29) 31 G4
Lampaul-Plouarzel (29) 30 C4
Lampaul-
-Ploudalmézeau (29) 30 D3
Lampertheim (67) 51 E5
Lampertsloch (67) 29 E6
Lamure-sur-Azergues (69) 115 H6
Lanans (25) 88 A6
Lanarce (07) 156 D1
Lanarvily (29) 31 E3
Lanas (07) 157 G3
Lancé (41) 79 G3
Lanchères (80) 6 B3
Lanches-Saint-Hilaire (80) 7 F4
Lanchy (02) 21 G1
Lancié (69) 116 A5
Lancieux (22) 34 C4
Lancôme (41) 79 G3
Lançon (08) 24 B6
Lançon (65) 183 G6
Lançon-Provence (13) 191 H3
Lancrans (01) 118 A5
Landange (57) 49 H5
Landas (59) 3 H6
Landaul (56) 55 E5
Landaville (88) 68 D3
Landavran (35) 57 H2
la Lande-Chasles (49) 77 G4
la Lande-d'Airou (50) 37 E3
la Lande-de-Fronsac (33) 135 G4
la Lande-de-Goult (61) 39 E6
la Lande-de-Lougé (61) 38 D5
la Lande-Patry (61) 38 B4
la Lande-Saint-Léger (27) 15 G4
la Lande-Saint-Siméon (61) 38 C4
la Lande-sur-Drôme (14) 37 H1
la Lande-sur-Eure (61) 40 C6
Landéan (35) 58 A1
Landebaëron (22) 33 E3
Landébia (22) 34 B4
Landec (22) 34 C5
Landécourt (54) 69 H1
Landéda (29) 30 D3
Landéhen (22) 34 A5
Landeleau (29) 54 A1
Landelles (28) 61 H1
Landelles-et-Coupigny (14) 37 G3
Landemont (49) 75 F5
Landepéreuse (27) 15 H6
Landerneau (29) 31 F4
Landeronde (85) 91 F4
Landerrouat (33) 136 B6
Landerrouet-sur-Ségur (33) 150 B1
Landersheim (67) 50 D4
Landes (17) 107 G6
les Landes-Genusson (85) 92 A3
Landes-le-Gaulois (41) 79 G3
Landes-sur-Ajon (14) 14 A5
Landes-Vieilles-
-et-Neuves (76) 19 G1
Landévant (56) 54 D5
Landévennec (29) 31 F5
Landevieille (85) 90 D4
Landeyrat (15) 140 D2
Landifay-
-et-Bertaignemont (02) 22 C1
Landigou (61) 38 B4
le Landin (27) 17 E6
Landiras (33) 149 G2
Landisacq (61) 38 A4
Landivisiau (29) 31 G4
Landivy (53) 58 B1
Landogne (63) 126 C2
Landorthe (31) 184 B4
Landos (43) 142 C6
Landouzy-la-Cour (02) 10 A6
Landouzy-la-Ville (02) 10 B6
Landrais (17) 107 E5
le Landreau (44) 75 E5
Landrecies (59) 9 G4
Landrecourt-Lempire (55) 47 F1
Landremont (54) 48 C3
Landres (54) 25 H5
Landres-
-et-Saint-Georges (08) 24 C5
Landresse (25) 88 A6
Landrethun-le-Nord (62) 1 G3
Landrethun-lès-Ardres (62) 1 H3
Landrévarzec (29) 53 G2
Landreville (10) 66 D5
Landrichamps (08) 11 F4
Landricourt (02) 22 A4
Landricourt (51) 46 C6
Landroff (57) 49 F2
Landry (73) 133 E4
Landser (68) 89 G2
Landudal (29) 53 G2
Landudec (29) 53 E2
Landujan (35) 56 D1
Landunvez (29) 30 C3
Lanespède (65) 183 F3
Lanester (56) 54 C5
Lanet (11) 187 F5
Laneuvelle (52) 68 D6
Laneuvelotte (54) 48 D4
Laneuveville-aux-Bois (54) 49 F5
Laneuveville-
-derrière-Foug (54) 48 A5
Laneuveville-
-devant-Bayon (54) 69 G1
Laneuveville-
-devant-Nancy (54) 48 D5
Laneuveville-
-en-Saulnois (57) 49 E3
Laneuveville-
-lès-Lorquin (57) 49 H5
Laneuville-au-Pont (52) 46 C6
Laneuville-au-Rupt (55) 47 H5
Laneuville-sur-Meuse (55) 24 D4
Lanfains (22) 33 F6
Lanfroicourt (54) 48 D4
Langan (35) 57 E1
Langast (22) 55 H1
Langatte (57) 49 H4
Langé (36) 96 B3
Langeac (43) 141 H3
Langeais (37) 78 C6
Langensoultzbach (67) 51 E2
Langeron (58) 98 D5
Langesse (45) 82 A2
Langey (28) 61 G5
Langlade (30) 174 A3
Langley (88) 69 G2
Langoat (22) 32 D2
Langoëlan (56) 54 D2
Langogne (48) 156 C1
Langoiran (33) 135 F6
Langolen (29) 53 H2
Langon (33) 149 H2
Langon (35) 56 D6
Langon (41) 96 D1
le Langon (85) 107 E2
Langonnet (56) 54 B2
Langouet (35) 57 E1
Langourla (22) 56 A1
Langres (52) 86 B1
Langrolay-sur-Rance (22) 36 A6
Langrune-sur-Mer (14) 14 B3
Languédias (22) 34 C6
Languenan (22) 34 C5
Langueux (22) 33 G4
Languevoisin-Quiquery (80) 21 F1
Languidic (56) 54 D4
Languimberg (57) 49 G4
Langy (03) 114 A4
Lanhélin (35) 35 E5
Lanhères (55) 25 G6
Lanhouarneau (29) 31 F3
Lanildut (29) 30 C4
Laning (57) 49 G2
Laniscat (22) 55 E1
Laniscourt (02) 22 B3
Lanleff (22) 33 F3
Lanloup (22) 33 F2
Lanmérin (22) 32 D2
Lanmeur (29) 32 B3
Lanmodez (22) 33 E1
Lanne (65) 183 E3
Lanne-en-Barétous (64) 181 G3
Lanne-Soubiran (32) 166 C4
Lannéanou (29) 32 B4
Lannebert (22) 33 F3
Lannecaube (64) 166 C6
Lannédern (29) 31 H6
Lannemaignan (32) 166 C2
Lannemezan (65) 183 G4
Lannepax (32) 167 F3
Lanneplaà (64) 165 F6
Lanneray (28) 61 H5
Lannes (47) 167 F1
Lanneuffret (29) 31 F4
Lannilis (29) 30 D3
Lannion (22) 32 C2
Lannoy (59) 3 G5
Lannoy-Cuillère (60) 19 G2
Lannux (32) 166 C5
Lano (2B) 205 F1
Lanobre (15) 126 B6
Lanouaille (24) 124 A6
Lanouée (56) 55 H3
Lanoux (09) 185 F4
Lanquais (24) 137 F6
Lanques-sur-Rognon (52) 68 B5
Lanquetot (76) 15 H1
Lanrelas (22) 56 B1
Lanrigan (35) 35 F6
Lanrivain (22) 32 D6
Lanrivoaré (29) 30 D4
Lanrodec (22) 33 F4
Lans (71) 101 H5
Lans-en-Vercors (38) 145 F3
Lansac (33) 135 F3
Lansac (65) 183 F3
Lansac (66) 200 D1
Lansargues (34) 173 H5
Lanslebourg-
-Mont-Cenis (73) 147 F1
Lanslevillard (73) 147 G1
Lanta (31) 169 G6
Lantabat (64) 181 E2
Lantages (10) 66 C5
Lantan (18) 98 A4
Lantéfontaine (54) 26 A4
Lantenay (01) 117 G6
Lantenay (21) 85 G6
Lantenne-Vertière (25) 103 E1
Lantenot (70) 88 A2
la Lanterne-
-et-les-Armonts (70) 88 A1
Lanteuil (19) 138 D3
Lanthenans (25) 88 B5
Lanthes (21) 102 B3
Lantheuil (14) 14 B4
Lantic (22) 33 F3
Lantignié (69) 116 A5
Lantillac (56) 55 G4
Lantilly (21) 84 D4
Lanton (33) 134 B6
Lantosque (06) 179 E1
Lantriac (43) 142 D4
Lanty (58) 100 A5
Lanty-sur-Aube (52) 67 F5
Lanuéjols (30) 155 H6
Lanuéjols (48) 156 B3
Lanuéjouls (12) 153 H4
Lanvallay (22) 34 D5
Lanvaudan (56) 54 D4
Lanvellec (22) 32 C3
Lanvénégen (56) 54 B3
Lanvéoc (29) 31 E5
Lanvollon (22) 33 F3
Lanzac (46) 138 C5
Laon (02) 22 C3
Laons (28) 40 D5
Lapalisse (03) 114 B4
Lapalud (84) 158 A5
Lapan (18) 97 G4
Lapanouse (12) 155 F4
Lapanouse-de-Cernon (12) 172 A2
Laparade (47) 151 E4
Laparrouquial (81) 170 B1
Lapège (09) 199 E1
Lapenche (82) 152 D5
Lapenne (09) 186 A4
Lapenty (50) 37 G6
Laperche (47) 150 D2
Laperrière-sur-Saône (21) 102 B2
Lapeyre (65) 183 G2
Lapeyrère (31) 185 F3
Lapeyrouse (01) 130 B1
Lapeyrouse (63) 113 E5
Lapeyrouse-Fossat (31) 169 F4
Lapeyrouse-Mornay (26) 144 B1
Lapeyrugue (15) 154 C1
Lapleau (19) 139 G2
Laplume (47) 151 E6
Lapoutroie (68) 71 E4
Lapouyade (33) 135 G3
Lappion (02) 23 E3
Laprade (11) 186 D1
Laprade (16) 136 C1
Laprugne (03) 128 B1
Laps (63) 127 G4
Lapte (43) 143 E2
Lapugnoy (62) 2 C6
Laquenexy (57) 48 D1
Laqueuille (63) 126 C4
Laragne-Montéglin (05) 160 A4
Larajasse (69) 129 G4
Laramière (46) 153 F4
Laran (65) 183 H3
Larbey (40) 165 G4
Larbont (09) 185 F5
Larbroye (60) 21 G3
Larcan (31) 184 B3
Larcat (09) 199 E1
Larçay (37) 79 E6
Larceveau-
-Arros-Cibits (64) 181 E2
Larchamp (53) 58 B2
Larchamp (61) 38 A5
Larchant (77) 63 H3
Larche (04) 161 G3
Larche (19) 138 C3
le Larderet (39) 103 F5
Lardier-et-Valença (05) 160 B3
Lardiers (04) 176 C1
le Lardin-Saint-Lazare (24) 138 A3
Lardy (91) 63 F1
Larée (32) 166 D2
Laréole (31) 168 C4
Largeasse (79) 93 E6
Largentière (07) 157 F3
Largillay-Marsonnay (39) 117 G1
Largitzen (68) 89 E3
Largny-sur-Automne (02) 21 G6
Larians-et-Munans (70) 87 G5
Larivière (90) 88 D2
Larivière-Arnoncourt (52) 68 D5
Larmor-Baden (56) 72 C1
Larmor-Plage (56) 54 C5
Larnage (26) 144 A3
Larnagol (46) 153 E3
Larnas (07) 157 H3
Larnat (09) 199 E1
Larnaud (39) 102 C6
Larnod (25) 103 F1
Laroche-près-Feyt (19) 126 B4
Laroche-
-Saint-Cydroine (89) 65 F6
Larochemillay (58) 100 B4
Larodde (63) 126 B5
Laroin (64) 182 B2
Laronxe (54) 49 F6
Laroque (33) 149 H1
Laroque (34) 173 E2
Laroque-de-Fa (11) 187 F5
Laroque-des-Albères (66) 201 F4
Laroque-des-Arcs (46) 152 C3
Laroque-d'Olmes (09) 186 B5
Laroque-Timbaut (47) 151 G5
Laroquebrou (15) 139 H4
Laroquevieille (15) 140 B4
Larouillies (59) 10 A5
Larra (31) 168 D4
Larrau (64) 181 F4
Larrazet (82) 168 D2
Larré (56) 55 H6
Larré (61) 60 A1
Larressingle (32) 167 F2
Larressore (64) 180 C1
Larret (70) 86 D3
Larreule (64) 166 A6
Larreule (65) 183 E1
Larrey (21) 84 D1
Larribar-Sorhapuru (64) 181 F2
Larringes (74) 119 E3
Larrivière-Saint-Savin (40) 166 A3
Larrivoire (39) 117 H3
Larroque (31) 184 A3
Larroque (65) 183 H2
Larroque (81) 169 G2
Larroque-Engalin (32) 167 H2
Larroque-Saint-Sernin (32) 167 G3
Larroque-sur-l'Osse (32) 167 F2
Larroque-Toirac (46) 153 G3
Lartigue (32) 168 A6
Lartigue (33) 150 A5
Laruns (64) 182 B5
Laruscade (33) 135 G3
Larzac (24) 137 H6
Larzicourt (51) 46 B6
Lasalle (30) 173 F1
Lasbordes (11) 186 C2
Lascabanes (46) 152 B4
Lascaux (19) 138 B1
Lascazères (65) 166 D6
Lascelle (15) 140 B4
Lasclaveries (64) 182 C1
Lasfaillades (81) 171 E6
Lasgraisses (81) 170 B3
Laslades (65) 183 F3
Lassales (65) 183 H3
Lassay-les-Châteaux (53) 59 E1
Lassay-sur-Croisne (41) 80 B6
Lasse (49) 77 H4
Lasse (64) 180 D3
Lasserade (32) 166 D5
Lasséran (32) 167 H5
Lasserre (09) 185 E4
Lasserre (31) 168 D5
Lasserre (47) 167 G1
Lasserre (64) 166 C6
Lasserre-de-Prouille (11) 186 C3
Lasseube (64) 182 B3
Lasseube-Propre (32) 167 H5
Lasseubetat (64) 182 B3
Lassicourt (10) 66 D2
Lassigny (60) 21 F3
Lasson (14) 14 B4
Lasson (89) 65 H5
Lassouts (12) 155 E3
Lassur (09) 199 F1
Lassy (14) 38 A3
Lassy (35) 56 D4
Lassy (95) 42 D2
Lastic (15) 141 F3
Lastic (63) 126 B4
Lastours (11) 187 E2
Lataule (60) 21 E3
le Latet (39) 103 F5
la Latette (39) 103 G5
Lathuile (74) 132 B2
Lathus-Saint-Rémy (86) 110 A3
Latillé (86) 108 C1
Latilly (02) 44 B1
Latoue (31) 184 B3
Latouille-Lentillac (46) 139 F5
Latour (31) 185 E3
Latour-Bas-Elne (66) 201 G3
Latour-de-Carol (66) 199 G4
Latour-de-France (66) 200 D1
Latour-en-Woëvre (55) 48 A1
Latrape (31) 185 E3
Latrecey-
-Ormoy-sur-Aube (52) 67 F6
Latresne (33) 135 F6
Latrille (40) 166 B5
Latronche (19) 139 H2
Latronquière (46) 139 G6
Lattainville (60) 19 H6
Lattes (34) 173 F6
Lattre-Saint-Quentin (62) 8 A2
Lau-Balagnas (65) 182 D5
Laubach (67) 51 E3
Laubert (48) 156 B2
les Laubies (48) 156 A1
Laubressel (10) 66 C3
Laubrières (53) 58 A6
Laucourt (80) 21 E2
Laudrefang (57) 49 F1
Laudun-l'Ardoise (30) 174 D1
Laugnac (47) 151 F4
Laujuzan (32) 166 C3
Laulne (50) 12 D5
Laumesfeld (57) 26 D3
Launac (31) 168 D4
Launaguet (31) 169 F5
Launay (27) 40 B1
Launay-Villiers (53) 58 B4
Launois-sur-Vence (08) 23 H2
Launoy (02) 22 B6
Launstroff (57) 26 D2
la Laupie (26) 158 B2
Laurabuc (11) 186 B3
Laurac (11) 186 B3
Laurac-en-Vivarais (07) 157 F3
Lauraët (32) 167 F2
Lauraguel (11) 186 D4
Laure-Minervois (11) 187 F3
Laurède (40) 165 G3
Laurenan (22) 55 H1
Laurens (34) 172 B6
Lauresses (46) 139 G6
Lauret (34) 173 F3
Lauret (40) 166 B5
Laurie (15) 141 F2
Laurière (87) 110 D6
Lauris (84) 175 H4
Lauroux (34) 172 B4
Laussonne (43) 142 D4
Laussou (47) 151 G2
Lautenbach (68) 71 E6
Lautenbachzell (68) 71 E6
Lauterbourg (67) 51 G2
Lauthiers (86) 109 G1
Lautignac (31) 184 D1
Lautrec (81) 170 C4
Lauw (68) 88 D2
Lauwin-Planque (59) 8 C1
Lauzach (56) 73 E1
Lauzerte (82) 152 A5
Lauzerville (31) 169 G6
Lauzès (46) 152 D2
le Lauzet-Ubaye (04) 161 E3
Lauzun (47) 151 E2
Lavacquerie (60) 20 B2
Laval (38) 145 H2
Laval (53) 58 C5
Laval-Atger (48) 142 B6
Laval-d'Aix (26) 159 F1
Laval-d'Aurelle (07) 156 D2
Laval-de-Cère (46) 139 F5
Laval-du-Tarn (48) 155 H4
Laval-en-Brie (77) 64 C2
Laval-en-Laonnois (02) 22 C4
Laval-le-Prieuré (25) 104 B1
Laval-Morency (08) 10 D6
Laval-Pradel (30) 157 E6
Laval-Roquecezière (12) 171 F4
Laval-Saint-Roman (30) 157 H5
Laval-sur-Doulon (43) 142 A1
Laval-sur-Luzège (19) 139 G2
Laval-sur-Tourbe (51) 46 B1
Laval-sur-Vologne (88) 70 B4
Lavalade (24) 151 G1
Lavaldens (38) 145 H4
Lavalette (11) 186 D3
Lavalette (31) 169 G5
Lavalette (34) 172 B5
Lavallée (55) 47 F4
Lavancia-Epercy (39) 117 G3
le Lavandou (83) 193 H5
Lavangeot (39) 102 D2
Lavannes (51) 23 F5
Lavans-lès-Dole (39) 102 D2
Lavans-
-lès-Saint-Claude (39) 117 H3
Lavans-Quingey (25) 103 F2
Lavans-sur-Valouse (39) 117 G3
Lavans-Vuillafans (25) 103 H2
Lavaqueresse (02) 9 G5
Lavardac (47) 150 D6
Lavardens (32) 167 G4
Lavardin (41) 79 F2
Lavardin (72) 60 A5
Lavaré (72) 60 D5
Lavars (38) 145 G5
Lavastrie (15) 141 E5
Lavatoggio (2B) 202 C5
Lavau (10) 66 B3
Lavau (89) 82 C4
Lavau-sur-Loire (44) 74 A4
Lavaudieu (43) 141 H2
Lavaufranche (23) 112 B4
Lavault-de-Frétoy (58) 100 B2
Lavault-Sainte-Anne (03) 112 D4
Lavaur (24) 152 A2
Lavaur (81) 169 H4
Lavaurette (82) 153 E6
Lavausseau (86) 108 C1
Lavaveix-les-Mines (23) 111 H6
Lavazan (33) 150 A4
Laveissenet (15) 140 D3
Laveissière (15) 140 D3
Lavelanet (09) 186 A6
Lavelanet-
-de-Comminges (31) 184 D3
Laveline-
-devant-Bruyères (88) 70 B4
Laveline-du-Houx (88) 70 B4
Lavenay (72) 78 D2
Laventie (62) 3 E5
Laveraët (32) 167 E6
Lavercantière (46) 152 C2
Laverdines (18) 98 B3
Lavergne (46) 139 E6
Lavergne (47) 150 D2
Lavernat (72) 78 B2
Lavernay (25) 103 E1
Lavernhe (12) 155 F5
Lavernose-Lacasse (31) 185 E1
Lavernoy (52) 68 C6
Laverrière (60) 20 A2
Laversine (02) 21 H5
Laversines (60) 20 B4
Lavérune (34) 173 F5
Laveyron (26) 144 A2
Laveyrune (07) 156 D2
Laveyssière (24) 136 D4
Lavieu (42) 128 D5
Laviéville (80) 8 A5
Lavigerie (15) 140 C3
Lavignac (87) 124 A3
Lavigney (70) 87 E2
Lavigny (39) 102 D6
Lavillatte (07) 156 D1
Laville-aux-Bois (52) 68 A5
Lavilledieu (07) 157 G2
Lavilleneuve (52) 68 C5
Lavilletertre (60) 42 A1
Lavincourt (55) 47 E5
Laviolle (07) 143 F6
Laviron (25) 88 B6
Lavit (82) 168 B2
Lavoine (03) 128 B1
Lavoncourt (70) 87 E3
Lavours (01) 131 G2
Lavoûte-Chilhac (43) 141 H3
Lavoûte-sur-Loire (43) 142 C3
Lavoux (86) 109 F1
Lavoye (55) 47 E2
Lawarde-
-Mauger-l'Hortoy (80) 20 C2
Laxou (54) 48 C5
Lay (42) 129 E1
Lay-Lamidou (64) 181 H2
Lay-Saint-Christophe (54) 48 C4
Lay-Saint-Remy (54) 48 A5
Laye (05) 160 B1
Laymont (32) 184 D1
Layrac (47) 151 F6
Layrac-sur-Tarn (31) 169 G3
Layrisse (65) 183 E3
Lays-sur-le-Doubs (71) 102 B4
Laz (29) 53 H1
Lazenay (18) 97 E3
Lazer (05) 160 A4
Léalvillers (80) 7 H4
Léaupartie (14) 15 E4
Léaz (01) 118 A5
Lebetain (90) 88 D4
Lebeuville (54) 69 G1
Lebiez (62) 1 H6
Leboulin (32) 168 A5
Lebreil (46) 152 B4
Lebucquière (62) 8 C4
Lécaude (14) 15 E5
Lecci (2A) 207 G2
Lecelles (59) 4 A6
Lecey (52) 86 B1
Léchâtelet (21) 102 A3
Léchelle (62) 8 C4
Léchelle (77) 44 B6
la Léchère (73) 132 D5
les Lèches (24) 136 D4
Lécluse (59) 8 C2
Lécousse (35) 58 A2
Lecques (30) 173 G3
Lect (39) 117 G3
Lectoure (32) 167 H2
Lecumberry (64) 181 E3
Lécussan (31) 183 H3
Lédas-et-Penthiès (81) 170 D1
Lédat (47) 151 F3

Lédenon (30) 174 C2
Lédergues (12) 171 E1
Lederzeele (59) 2 B3
Ledeuix (64) 181 H3
Lédignan (30) 173 H2
Ledinghem (62) 1 H5
Ledringhem (59) 2 C3
Lée (64) 182 C2
Leers (59) 3 G4
Lées-Athas (64) 181 H5
Lefaux (62) 1 F6
Leffard (14) 38 C3
Leffincourt (08) 23 H5
Leffonds (52) 67 H6
Leffrinckoucke (59) 2 C1
Leforest (62) 8 D1
Lège (31) 184 A6
Legé (44) 91 F2
Lège-Cap-Ferret (33) 134 B5
Légéville-et-Bonfays (88) 69 G4
Léglantiers (60) 20 D4
Légna (39) 117 G3
Légny (69) 129 G2
Léguevin (31) 168 D5
Léguillac-de-Cercles (24) 123 E6
Léguillac-de-l'Auche (24) 137 E2
Lehaucourt (02) 9 E6
Léhon (22) 34 D5
Leigné-les-Bois (86) 95 E5
Leigné-sur-Usseau (86) 94 C4
Leignes-sur-Fontaine (86) 109 H2
Leigneux (42) 128 C3
Leimbach (68) 89 E1
Leintrey (54) 49 G5
Lélex (01) 118 A4
Lelin-Lapujolle (32) 166 C4
Lelling (57) 49 F2
Lemainville (54) 69 G1
Lembach (67) 51 E2
Lemberg (57) 50 C2
Lembeye (64) 166 C6
Lembras (24) 137 E5
Lemé (02) 9 H6
Lème (64) 166 B6
Leménil-Mitry (54) 69 G1
Lémeré (37) 94 B2
Lemmecourt (88) 68 D3
Lemmes (55) 47 F2
Lemoncourt (57) 49 E3
Lempaut (81) 170 B6
Lempdes (63) 127 F3
Lempdes-sur-Allagnon (43) 141 G1
Lempire (02) 8 D5
Lemps (07) 144 A3
Lemps (26) 159 F4
Lempty (63) 127 G2
Lempzours (24) 137 G1
Lemud (57) 26 D6
Lemuy (39) 103 F4
Lénault (14) 38 A3
Lenax (03) 114 C4
Lencloître (86) 94 B5
Lencouacq (40) 149 G6
Lengelsheim (57) 50 C1
Lengronne (50) 35 H1
Lenharrée (51) 45 G4
Léning (57) 49 G2
Lennon (29) 53 H1
Lenoncourt (54) 48 D5
Lens (62) 8 B1
Lens-Lestang (26) 144 C1
Lent (01) 116 D5
Lent (39) 103 F5
Lentigny (42) 128 C1
Lentillac-du-Causse (46) 153 E2
Lentillac-Saint-Blaise (46) 153 H2
Lentillères (07) 157 F2
Lentilles (10) 67 E1
Lentilly (69) 129 H2
Lentiol (38) 144 C1
Lento (2B) 203 F5
Léobard (46) 152 C1
Léogeats (33) 149 G2
Léognan (33) 135 E6
Léojac (82) 169 F2
Léon (40) 164 C2
Léoncel (26) 144 D5
Léotoing (43) 141 F1
Léouville (45) 63 E4
Léoville (17) 121 G6
Lépanges-sur-Vologne (88) 70 B4
Lépaud (23) 112 B4
Lépin-le-Lac (73) 131 G5
Lépinas (23) 111 G6
Lépine (62) 6 D1
Lépron-les-Vallées (08) 23 H1
Lepuix (90) 88 C2
Lepuix-Neuf (90) 89 E4
Léran (09) 186 B5
Lercoul (09) 199 E1
Léré (18) 82 B5
Léren (64) 165 E6
Lérigneux (42) 128 C4
Lerm-et-Musset (33) 150 A4
Lerné (37) 94 A2
Lérouville (55) 47 G4
Lerrain (88) 69 G4
Léry (21) 85 F4
Léry (27) 18 D5
Lerzy (02) 9 H5
Lesbœufs (80) 8 B4
Lesbois (53) 58 C1
Lescar (64) 182 B2
Leschaux (74) 132 B3
Leschelle (02) 9 H5
Lescheraines (73) 132 A3
Leschères (39) 117 H2
Leschères-
-sur-le-Blaiseron (52) 67 H3
Lescherolles (77) 44 B5
Lescheroux (01) 116 D3
Lesches (77) 43 F3
Lesches-en-Diois (26) 159 F2
Lescouët-Gouarec (22) 54 D2
Lescousse (09) 185 G4
Lescout (81) 170 B6
Lescun (64) 181 H5
Lescuns (31) 184 D3
Lescure (09) 185 E5
Lescure-d'Albigeois (81) 170 C2
Lescure-Jaoul (12) 153 H5
Lescurry (65) 183 F2
Lesdain (59) 9 E4
Lesdins (02) 9 E6
Lesges (02) 22 B5
Lesgor (40) 165 F2
Lésignac-Durand (16) 123 F2
Lésigny (77) 43 E5
Lésigny (86) 95 E5
le Leslay (22) 33 F5
Lesme (71) 114 C1
Lesménils (54) 48 C3
Lesmont (10) 66 D2
Lesneven (29) 31 F3
Lesparre-Médoc (33) 134 C1
Lesparrou (09) 186 B6
Lespéron (07) 156 D1
Lesperon (40) 165 E1
Lespesses (62) 2 C5
Lespielle (64) 166 C6
Lespignan (34) 188 B3
Lespinasse (31) 169 E4
Lespinassière (11) 187 F1
Lespinoy (62) 6 D1
Lespiteau (31) 184 B4
Lespouey (65) 183 F3
Lespourcy (64) 182 D1
Lespugue (31) 184 A3
Lesquerde (66) 200 C1
Lesquielles-
-Saint-Germain (02) 9 G5
Lesquin (59) 3 G5
Lessac (16) 109 G6
Lessard-en-Bresse (71) 102 A5
Lessard-et-le-Chêne (14) 15 E6
Lessard-le-National (71) 101 G4
Lessay (50) 12 C5
Lesse (57) 49 E2
Lesseux (88) 70 D3
Lessy (57) 26 B5
Lestanville (76) 17 F3
Lestards (19) 125 F5
Lestelle-Bétharram (64) 182 C3
Lestelle-
-de-Saint-Martory (31) 184 C4
Lesterps (16) 109 H6
Lestiac-sur-Garonne (33) 149 G1
Lestiou (41) 80 B2
Lestrade-et-Thouels (12) 171 F1
Lestre (50) 13 E3
Lestrem (62) 2 D5
Létanne (08) 24 D3
Lételon (03) 112 D1
Léthuin (28) 62 D2
Letia (2A) 204 C3
Létra (69) 129 G1
Létricourt (54) 48 D3
Letteguives (27) 19 E4
Lettret (05) 160 B3
Leubringhen (62) 1 F3
Leuc (11) 187 E4
Leucamp (15) 140 B6
Leucate (11) 188 B6
Leuchey (52) 86 A2
Leudeville (91) 63 G1
Leudon-en-Brie (77) 44 A5
Leuglay (21) 85 F2
Leugny (86) 95 E4
Leugny (89) 83 E3
Leuhan (29) 54 A2
Leuilly-sous-Coucy (02) 22 A4
Leulinghem (62) 2 A4
Leulinghen-Bernes (62) 1 F3
Leurville (52) 68 B3
Leury (02) 22 A4
Leutenheim (67) 51 G3
Leuville-sur-Orge (91) 42 C6
Leuvrigny (51) 44 D2
le Leuy (40) 165 H3
Leuze (02) 10 B6
Levainville (28) 62 C1
Leval (59) 9 H3
Leval (90) 88 D2
Levallois-Perret (92) 42 C3
Levaré (53) 58 C1
Levécourt (52) 68 C4
Levens (06) 195 F1
Levergies (02) 9 E6
Levernois (21) 101 G3
Lèves (28) 62 B1
les Lèves-
-et-Thoumeyragues (33) 136 B6
Levesville-la-Chenard (28) 62 D3
Levet (18) 97 G4
Levie (2A) 207 E2
Levier (25) 103 G3
Lévignac (31) 168 D5
Lévignac-de-Guyenne (47) 150 C2
Lévignacq (40) 164 D1
Lévignen (60) 43 G1
Lévigny (10) 67 F3
Levis (89) 83 E3
Lévis-Saint-Nom (78) 42 A5
Levoncourt (55) 47 F4
Levoncourt (68) 89 E4
Levroux (36) 96 C3
Lewarde (59) 8 D2
Lexy (54) 25 G3
Ley (57) 49 F4
Leychert (09) 185 H5
Leyme (46) 139 F6
Leymen (68) 89 G4
Leyment (01) 130 D1
Leynes (71) 116 A4
Leynhac (15) 154 A1
Leyr (54) 48 D4
Leyrat (23) 112 B3
Leyrieu (38) 130 D3
Leyritz-Moncassin (47) 150 C4
Leyssard (01) 117 F5
Leyvaux (15) 141 E1
Leyviller (57) 49 G2
Lez (31) 184 B6
lez-Fontaine (59) 10 B3
Lézan (30) 173 G2
Lézardrieux (22) 33 E2
Lézat (39) 118 A2
Lézat-sur-Lèze (09) 185 F2
Lezay (79) 108 C4
Lezennes (59) 3 G5
Lezéville (52) 68 B2
Lezey (57) 49 F4
Lézignan (65) 183 E4
Lézignan-Corbières (11) 187 G3
Lézignan-la-Cèbe (34) 172 C6
Lézigné (49) 77 F3
Lézigneux (42) 128 D5
Lézinnes (89) 84 B2
Lezoux (63) 127 G2
Lhéraule (60) 19 H4
Lherm (31) 185 E1
Lherm (46) 152 B2
Lhéry (51) 22 D6
Lhez (65) 183 F3
Lhommaizé (86) 109 G2
Lhomme (72) 78 D2
Lhôpital (01) 117 H6
Lhor (57) 49 G3
Lhospitalet (46) 152 C4
Lhoumois (79) 93 G6
Lhuis (01) 131 F3
Lhuître (10) 45 G6
Lhuys (02) 22 B6
Liac (65) 183 E1
Liancourt (60) 20 D5
Liancourt-Fosse (80) 21 F1
Liancourt-Saint-Pierre (60) 19 H6
Liart (08) 23 G1
Lias (32) 168 D6
Lias-d'Armagnac (32) 166 D3
Liausson (34) 172 C5
Libaros (65) 183 G3
Libercourt (62) 3 F6
Libermont (60) 21 G2
Libourne (33) 135 G5
Licey-sur-Vingeanne (21) 86 B4
Lichans-Sunhar (64) 181 G4
Lichères (16) 122 C1
Lichères-
-près-Aigremont (89) 83 H2
Lichères-sur-Yonne (89) 83 G4
Lichos (64) 181 G2
Lichtenberg (67) 50 C2
Licourt (80) 21 F1
Licq-Athérey (64) 181 G4
Licques (62) 1 H3
Licy-Clignon (02) 44 B2
Lidrezing (57) 49 F3
Liebenswiller (68) 89 G4
Liebsdorf (68) 89 F4
Liebvillers (25) 88 C5
Liederschiedt (57) 28 C5
Lieffrans (70) 87 F4
le Liège (37) 95 G1
Liéhon (57) 26 C6
Liencourt (62) 7 H2
Lieoux (31) 184 B3
Lièpvre (68) 71 F3
Liéramont (80) 8 C5
Liercourt (80) 6 D4
Lières (62) 2 C6
Liergues (69) 129 H1
Liernais (21) 100 D1
Liernolles (03) 114 C3
Lierval (02) 22 C4
Lierville (60) 42 A1
Lies (65) 183 F4
Liesle (25) 103 E2
Liesse-Notre-Dame (02) 22 D3
Liessies (59) 10 B4
Liesville-sur-Douve (50) 12 D4
Liettres (62) 2 B5
Lieu-Saint-Amand (59) 9 E2
Lieuche (06) 178 C1
Lieucourt (70) 86 D6
Lieudieu (38) 130 C6
Lieurac (09) 186 A5
Lieuran-Cabrières (34) 172 C5
Lieuran-lès-Béziers (34) 188 C1
Lieurey (27) 15 H4
Lieuron (35) 56 D5
Lieusaint (50) 12 D3
Lieusaint (77) 43 E6
Lieutadès (15) 140 D6
Lieuvillers (60) 20 D4
Liévans (70) 87 H3
Liévin (62) 8 B1
Liez (02) 22 A2
Liez (85) 107 F3
Liézey (88) 70 C4
Liffol-le-Grand (88) 68 C3
Liffol-le-Petit (52) 68 C3
Liffré (35) 57 G2
Ligardes (32) 167 G1
Ligescourt (80) 6 D2
Liginiac (19) 126 A6
Liglet (86) 110 B2
Lignac (36) 110 C2
Lignairolles (11) 186 B4
Lignan-de-Bazas (33) 149 H3
Lignan-de-Bordeaux (33) 135 F6
Lignan-sur-Orb (34) 188 B2
Lignareix (19) 125 H4
Ligné (16) 122 B1
Ligné (44) 75 E3
Lignères (61) 39 G5
Lignereuil (62) 7 H2
Lignerolles (03) 112 C4
Lignerolles (21) 85 G1
Lignerolles (27) 41 E4
Lignerolles (36) 112 A2
Lignerolles (61) 40 A6
Lignéville (88) 69 E4
Ligneyrac (19) 138 D4
Lignières (10) 66 A6
Lignières (18) 97 F6
Lignières (41) 79 G1
Lignières (80) 21 E2
Lignières-Châtelain (80) 19 H1
Lignières-de-Touraine (37) 78 C6
Lignières-en-Vimeu (80) 6 D6
Lignières-la-Carelle (72) 60 B2
Lignières-Orgères (53) 38 D6
Lignières-Sonneville (16) 121 H4
Lignières-sur-Aire (55) 47 F4
Lignol (56) 54 D3
Lignol-le-Château (10) 67 F4
Lignon (51) 46 A6
Lignorelles (89) 83 G1
Lignou (61) 38 C5
Ligny-en-Barrois (55) 47 F5
Ligny-en-Brionnais (71) 115 F4
Ligny-en-Cambrésis (59) 9 E4
Ligny-le-Châtel (89) 83 H1
Ligny-le-Ribault (45) 80 C3
Ligny-lès-Aire (62) 2 B6
Ligny-Saint-Flochel (62) 7 H2
Ligny-sur-Canche (62) 7 G2
Ligny-Thilloy (62) 8 B4
Ligré (37) 94 B2
Ligron (72) 77 H2
Ligsdorf (68) 89 F4
Ligueil (37) 95 E3
Ligueux (24) 137 G1
Ligueux (33) 136 C6
Ligugé (86) 109 E2
Lihons (80) 21 E1
Lihus (60) 20 A3
les Lilas (93) 42 D4
Lilhac (31) 184 B2
Lille (59) 3 F5
Lillebonne (76) 15 H2
Lillemer (35) 35 E4
Lillers (62) 2 C5
Lilly (27) 19 F4
Limalonges (79) 108 D5
Limans (04) 176 C2
Limanton (58) 99 H3
Limas (69) 129 H1
Limay (78) 41 H2
Limbrassac (09) 186 A5
Limé (02) 22 B5
Limeil-Brévannes (94) 43 E5
Limendous (64) 182 D2
Limeray (37) 79 F5
Limersheim (67) 71 H1
Limerzel (56) 73 G1
Limésy (76) 17 F4
Limetz-Villez (78) 41 G2
Limeuil (24) 137 G5
Limeux (18) 97 F3
Limeux (80) 6 D5
Limey-Remenauville (54) 48 B3
Limeyrat (24) 137 H3
Limoges (87) 124 B2
Limoges-Fourches (77) 43 F6
Limogne-en-Quercy (46) 153 E4
Limoise (03) 98 D6
Limon (58) 99 F4
Limonest (69) 130 A2
Limons (63) 127 H1
Limont-Fontaine (59) 10 A3
Limony (07) 144 A1
Limours (91) 42 B6
Limousis (11) 187 E2
Limoux (11) 186 D5
la Limouzinière (44) 91 F1
Limpiville (76) 16 D4
Linac (46) 153 H1
Linard (23) 111 G3
Linards (87) 124 C4
Linars (16) 122 B4
Linas (91) 42 C6
Linay (08) 24 D2
Linazay (86) 108 D5
Lindebeuf (76) 17 F4
le Lindois (16) 123 E3
Lindre-Basse (57) 49 G4
Lindre-Haute (57) 49 G4
Lindry (89) 83 F2
Linexert (70) 88 A2
Lingé (36) 95 G5
Lingeard (50) 37 G4
Lingèvres (14) 13 H6
Linghem (62) 2 B5
Lingolsheim (67) 51 E6
Lingreville (50) 35 G1
Linguizzetta (2B) 205 G2
Linières-Bouton (49) 77 H5
Liniers (86) 109 F1
Liniez (36) 96 C3
Linsdorf (68) 89 G4
Linselles (59) 3 F4
Linthal (68) 71 E6
Linthelles (51) 45 E5
Linthes (51) 45 E5
Lintot (76) 15 H1
Lintot-les-Bois (76) 17 G3
Linxe (40) 164 D2
Liny-devant-Dun (55) 24 D5
Linzeux (62) 7 F2
Liocourt (57) 48 D3
Liomer (80) 6 D6
le Lion-d'Angers (49) 76 D3
Lion-devant-Dun (55) 25 E4
Lion-en-Beauce (45) 62 D5
Lion-en-Sullias (45) 81 H3
Lion-sur-Mer (14) 14 C3
Liorac-sur-Louyre (24) 137 E5
Liouc (30) 173 G3
Liourdres (19) 139 E5
Lioux (84) 175 H2
Lioux-les-Monges (23) 126 B1
Liposthey (40) 148 D4
Lipsheim (67) 51 E6
Lirac (30) 174 D1
Liré (49) 75 F4
Lirey (10) 66 B4
Lironcourt (88) 69 E6
Lironville (54) 48 B3
Liry (08) 24 A5
Lisbourg (62) 2 A6
Lisieux (14) 15 F5
Lisle (24) 137 E1
Lisle (41) 79 G1
Lisle-en-Barrois (55) 47 E3
Lisle-en-Rigault (55) 46 D5
Lisle-sur-Tarn (81) 169 H3
Lislet (02) 23 E2
Lison (14) 13 F5
Lisores (14) 39 F3
Lisors (27) 19 F5
Lissac (09) 185 G3
Lissac (43) 142 B3
Lissac-et-Mouret (46) 153 G2
Lissac-sur-Couze (19) 138 C3
Lissay-Lochy (18) 97 G4
Lisse-en-Champagne (51) 46 B4
Lisses (91) 42 D6
Lisseuil (63) 113 F6
Lissey (55) 25 E5
Lissieu (69) 129 H2
Lissy (77) 43 F6
Listrac-de-Durèze (33) 136 A6
Listrac-Médoc (33) 134 D3
Lit-et-Mixe (40) 164 D1
Lithaire (50) 12 D5
Litteau (14) 13 G6
Littenheim (67) 50 C4
Litz (60) 20 C4
Livaie (61) 59 H1
Livarot (14) 15 E6
Liverdun (54) 48 C4
Liverdy-en-Brie (77) 43 F5
Livernon (46) 153 F2
Livers-Cazelles (81) 170 B1
Livet (53) 59 E4
Livet-en-Saosnois (72) 60 B2
Livet-et-Gavet (38) 145 H3
Livet-sur-Authou (27) 18 A6
Livilliers (95) 42 B2
Livinhac-le-Haut (12) 154 A2
la Livinière (34) 187 G2
Livré-la-Touche (53) 58 B6
Livré-sur-Changeon (35) 57 H2
Livron (64) 182 D3
Livron-sur-Drôme (26) 144 A6
Livry (14) 38 A1
Livry (58) 98 D5
Livry-Gargan (93) 43 E3
Livry-Louvercy (51) 45 H1
Livry-sur-Seine (77) 64 A1
Lixhausen (67) 50 D4
Lixheim (57) 50 A4
Lixing-lès-Rouhling (57) 27 G5
Lixing-lès-Saint-Avold (57) 49 G2
Lixy (89) 64 D4
Lizac (82) 168 D1
Lizant (86) 108 D6
Lizeray (36) 96 D3
Lizières (23) 111 E5
Lizine (25) 103 F2
Lizines (77) 64 D1
Lizio (56) 55 H4
Lizos (65) 183 F2
Lizy (02) 22 B4
Lizy-sur-Ourcq (77) 43 H2
la Llagonne (66) 200 A4
Llauro (66) 201 E3
Llo (66) 199 H4
Llupia (66) 201 E3
Lobsann (67) 29 E6
Loc-Brévalaire (29) 31 E3
Loc-Eguiner (29) 31 G4
Loc-Eguiner-
-Saint-Thégonnec (29) 31 H4
Loc-Envel (22) 32 C4
Locarn (22) 32 C6
Loché-sur-Indrois (37) 95 H2
Loches (37) 95 G2
Loches-sur-Ource (10) 66 D5
le Locheur (14) 14 A5
Lochieu (01) 131 G1
Lochwiller (67) 50 C4
Locmalo (56) 54 D2
Locmaria (56) 72 B4
Locmaria-Berrien (29) 32 A5
Locmaria-
-Grand-Champ (56) 55 F5
Locmaria-Plouzané (29) 30 D5
Locmariaquer (56) 72 C1
Locmélar (29) 31 G4
Locminé (56) 55 F4
Locmiquélic (56) 54 C5
Locoal-Mendon (56) 55 E6
Locon (62) 2 D5
Loconville (60) 19 H6
Locqueltas (56) 55 G5
Locquénolé (29) 32 A3
Locquignol (59) 9 G3
Locquirec (29) 32 B2
Locronan (29) 53 F2
Loctudy (29) 53 F4
Locunolé (29) 54 B3
Loddes (03) 114 C4
Lodes (31) 184 A3
Lodève (34) 172 C4
Lods (25) 103 H3
Loeuilley (70) 86 B5
Loeuilly (80) 20 B1
Loffre (59) 8 D2
la Loge (62) 7 E1
la Loge-aux-Chèvres (10) 66 D3
Loge-Fougereuse (85) 92 D6
la Loge-Pomblin (10) 66 B5
Logelheim (68) 71 F5
les Loges (14) 37 H2
les Loges (52) 86 C2
les Loges (76) 16 B4
les Loges-en-Josas (78) 42 B5
les Loges-Marchis (50) 37 F6
les Loges-Margueron (10) 66 B5
les Loges-Saulces (14) 38 C3
les Loges-sur-Brécey (50) 37 F4
Lognes (77) 43 E4
Logny-Bogny (08) 23 G1
Logny-lès-Aubenton (02) 23 F1
Logonna-Daoulas (29) 31 F5
Logrian-Florian (30) 173 G2
Logron (28) 61 H4
Loguivy-Plougras (22) 32 C4
Lohéac (35) 56 D5
Lohitzun-Oyhercq (64) 181 F2
Lohr (67) 50 B3
Lohuec (22) 32 C4
Loigné-sur-Mayenne (53) 76 C1
Loigny-la-Bataille (28) 62 C5
Loiré (49) 76 B3
Loire-les-Marais (17) 107 E6
Loiré-sur-Nie (17) 121 H1
Loire-sur-Rhône (69) 130 A5
Loiron (53) 58 B5
Loisail (61) 60 D1
Loisey-Culey (55) 47 F4
Loisia (39) 117 F2
Loisieux (73) 131 G4
Loisin (74) 118 D4
Loison (55) 25 G5
Loison-sous-Lens (62) 8 B1
Loison-sur-Créquoise (62) 7 E1
Loisy (54) 48 C3
Loisy (71) 116 C1
Loisy-en-Brie (51) 45 E3
Loisy-sur-Marne (51) 46 A5
Loivre (51) 23 E5
Loix (17) 106 B4
Lolif (50) 35 H3
Lolme (24) 151 G1
Lombard (25) 103 E2
Lombard (39) 102 C5
Lombers (81) 170 C4
Lombez (32) 168 B6
Lombia (64) 182 D2
Lombrès (65) 183 H4
Lombreuil (45) 64 A6
Lombron (72) 60 C5
Lommerange (57) 26 A3
Lommoye (78) 41 F2
Lomné (65) 183 G4
Lomont (70) 88 B3
Lomont-sur-Crête (25) 88 A6
Lompnas (01) 131 E2
Lompnieu (01) 131 F1
Lompret (59) 3 F5
Lonçon (64) 166 A6
la Londe (76) 18 C5
la Londe-les-Maures (83) 193 G5
Londigny (16) 108 D6
Londinières (76) 6 B6
Long (80) 7 E4
Longages (31) 185 E2
Longaulnay (35) 56 D1
Longavesnes (80) 8 D5
Longchamp (21) 102 B1
Longchamp (52) 68 B4
Longchamp (88) 70 A3
Longchamp-
-sous-Châtenois (88) 69 E3
Longchamp-sur-Aujon (10) 67 F4
Longchamps (27) 19 F5
Longchamps-sur-Aire (55) 47 F3
Longchaumois (39) 118 A2
Longcochon (39) 103 G5
Longeau-Percey (52) 86 B2
Longeault (21) 102 B1
Longeaux (55) 47 F5
Longechaux (25) 104 A1
Longechenal (38) 130 D6
Longecourt-en-Plaine (21) 102 A1
Longecourt-lès-Culêtre (21) 101 E2
Longemaison (25) 104 B2
Longepierre (71) 102 B4
le Longeron (49) 92 B3
Longes (69) 129 H5
Longessaigne (69) 129 F3
Longevelle (70) 88 A3
Longevelle-lès-Russey (25) 104 C1
Longevelle-sur-Doubs (25) 88 B4
Longèves (17) 106 D4
Longèves (85) 107 E2
Longeville (25) 103 H3
la Longeville (25) 104 B3
Longeville-en-Barrois (55) 47 E5
Longeville-lès-Metz (57) 26 B5
Longeville-
-lès-Saint-Avold (57) 49 F1
Longeville-sur-la-Laines (52) 67 E2
Longeville-sur-Mer (85) 106 A2
Longeville-sur-Mogne (10) 66 B4
Longevilles-Mont-d'Or (25) 104 A5
Longfossé (62) 1 G5
la Longine (70) 70 B6
Longjumeau (91) 42 C5
Longlaville (54) 25 H3
Longmesnil (76) 19 F3
Longnes (72) 59 H5

Longnes (78) 41 G3
Longny-au-Perche (61) 61 E1
Longperrier (77) 43 F2
Longpont (02) 21 H6
Longpont-sur-Orge (91) 42 C6
Longpré-le-Sec (10) 66 D4
Longpré-
-les-Corps-Saints (80) 7 E5
Longraye (14) 13 H6
Longré (16) 108 C6
Longroy (76) 6 B5
Longsols (10) 66 C2
Longué-Jumelles (49) 77 G5
Longueau (80) 7 G6
Longuefuye (53) 76 D1
Longueil (76) 17 F2
Longueil-Annel (60) 21 F4
Longueil-Sainte-Marie (60) 21 E5
Longuenesse (62) 2 B4
Longuenoë (61) 59 H1
Longuerue (76) 17 H5
Longues-sur-Mer (14) 13 H5
Longuesse (95) 42 A2
Longueval (80) 8 B5
Longueval-Barbonval (02) 22 C5
Longueville (14) 13 G5
Longueville (47) 150 C3
Longueville (50) 35 G2
la Longueville (59) 9 H2
Longueville (62) 1 G4
Longueville (77) 64 D1
Longueville-sur-Aube (10) 66 A1
Longueville-sur-Scie (76) 18 D1
Longuevillette (80) 7 G4
Longuyon (54) 25 G4
Longvic (21) 85 H6
Longvillers (14) 14 A6
Longvilliers (62) 1 F6
Longvilliers (78) 42 B6
Longwé (08) 24 B5
Longwy (54) 25 H3
Longwy-sur-le-Doubs (39) 102 C3
Lonlay-l'Abbaye (61) 38 A5
Lonlay-le-Tesson (61) 38 C5
Lonnes (16) 122 C1
Lonny (08) 24 A1
Lonrai (61) 60 A1
Lons (64) 182 B2
Lons-le-Saunier (39) 102 D6
Lonzac (17) 121 G4
le Lonzac (19) 125 E6
Looberghe (59) 2 B2
Loon-Plage (59) 2 A2
Loos (59) 3 F5
Loos-en-Gohelle (62) 8 B1
Looze (89) 65 F6
Lopérec (29) 31 G6
Loperhet (29) 31 F5
Lopigna (2A) 204 C4
Loqueffret (29) 31 H5
Lor (02) 23 E3
Loray (25) 104 B1
Lorcières (15) 141 G5
Lorcy (45) 63 H5
Lordat (09) 199 F1
Loré (61) 59 E1
Lorentzen (67) 50 A2
Loreto-di-Casinca (2B) 203 G6
Loreto-di-Tallano (2A) 207 E2
Lorette (42) 129 G5
le Loreur (50) 35 H2
Loreux (41) 80 D5
le Lorey (50) 37 E1
Lorey (54) 69 G1
Lorges (41) 80 B2
Lorgies (62) 3 E5
Lorgues (83) 177 G6
Lorient (56) 54 C5
Loriges (03) 113 H4
Lorignac (17) 121 E5
Lorigné (79) 108 C5
Loriol-du-Comtat (84) 175 F1
Loriol-sur-Drôme (26) 144 A6
Lorlanges (43) 141 G1
Lorleau (27) 19 F4
Lormaison (60) 20 B6
Lormaye (28) 41 G6
Lormes (58) 100 A1
Lormont (33) 135 F5
Lornay (74) 131 H1
Loromontzey (54) 69 H1
le Loroux (35) 58 B2
le Loroux-Bottereau (44) 75 E5
Lorp-Sentaraille (09) 184 D5
Lorquin (57) 49 H5
Lorrez-
-le-Bocage-Préaux (77) 64 B4
Lorris (45) 81 H1
Lorry-lès-Metz (57) 26 B5
Lorry-Mardigny (57) 48 C2
Lortet (65) 183 G4
Loscouët-sur-Meu (22) 56 B2
Losne (21) 102 B2
Losse (40) 150 A6
Lostanges (19) 139 E4
Lostroff (57) 49 G3
Lothey (29) 53 G1
Lottinghen (62) 1 G4
le Lou-du-Lac (35) 56 D2
Louailles (72) 77 F2
Louan-Villegruis-
-Fontaine (77) 44 C6
Louannec (22) 32 C1
Louans (37) 95 E1
Louargat (22) 32 D4
Louâtre (02) 21 H6
Loubajac (65) 182 D3
Loubaresse (07) 157 E2
Loubaresse (15) 141 F5
Loubaut (09) 185 E3
Loubédat (32) 166 D4
Loubejac (24) 152 A2
Loubens (09) 185 G5
Loubens (33) 150 B1
Loubens-Lauragais (31) 169 H6
Loubers (81) 170 A1
Loubersan (32) 167 G6
Loubès-Bernac (47) 136 C6
Loubeyrat (63) 127 E1
Loubieng (64) 165 G6
la Loubière (12) 154 C4
Loubières (09) 185 H5
Loubigné (79) 108 B6
Loubillé (79) 108 B6
Loubressac (46) 139 E5
Loucé (61) 39 E5
Loucelles (14) 14 A4
Louchats (33) 149 F2
Louches (62) 1 H3
Louchy-Montfand (03) 113 H4
Loucrup (65) 183 E4
Loudéac (22) 55 G2
Loudenvielle (65) 197 E1
Loudervielle (65) 197 E1
Loudes (43) 142 B3
Loudet (31) 184 A3
Loudrefing (57) 49 G3
Loudun (86) 94 A3
Loué (72) 59 G5
Louer (40) 165 F3
Louerre (49) 77 F6
Louesme (21) 85 F1
Louestault (37) 78 D3
Loueuse (60) 19 H3
Louey (65) 183 E3
Lougé-sur-Maire (61) 38 D5
Lougratte (47) 151 F2
Lougres (25) 88 B4
Louhans (71) 116 D1
Louhossoa (64) 180 D1
Louignac (19) 138 B2
Louin (79) 93 G5
Louisfert (44) 75 E1
Louit (65) 183 F2
Loulans-Verchamp (70) 87 G5
Loulay (17) 107 G6
Loulle (39) 103 F6
la Loupe (28) 61 G1
Loupeigne (02) 22 B6
Loupershouse (57) 49 H1
Loupes (33) 135 F5
Loupfougères (53) 59 F2
Loupia (11) 186 C4
Loupiac (33) 149 H1
Loupiac (46) 138 C6
Loupiac (81) 169 H3
Loupiac-de-la-Réole (33) 150 A2
Loupian (34) 189 E1
Louplande (72) 59 H6
Loupmont (55) 47 H3
Louppy-le-Château (55) 46 D4
Louppy-sur-Loison (55) 25 E4
la Louptière-Thénard (10) 65 F2
Lourches (59) 9 E2
Lourde (31) 184 A5
Lourdes (65) 182 D4
Lourdios-Ichère (64) 181 H4
Lourdoueix-
-Saint-Michel (36) 111 F3
Lourdoueix-
-Saint-Pierre (23) 111 F3
Lourenties (64) 182 D2
Loures-Barousse (65) 184 A5
Louresse-Rochemenier (49) 93 F1
Lourmais (35) 35 F5
Lourmarin (84) 175 H4
Lournand (71) 116 A2
Lourouer-
-Saint-Laurent (36) 111 H1
le Louroux (37) 95 E2
le Louroux-Béconnais (49) 75 H2
Louroux-Bourbonnais (03) 113 E2
Louroux-de-Beaune (03) 113 E4
Louroux-de-Bouble (03) 113 F5
Louroux-Hodement (03) 112 D2
Lourquen (40) 165 G4
Lourties-Monbrun (32) 183 H1
Loury (45) 63 E6
Louslitges (32) 167 E5
Loussous-Débat (32) 167 E5
Loutehel (35) 56 C4
Loutzviller (57) 28 B5
Louvagny (14) 39 E3
Louvaines (49) 76 C2
Louvatange (39) 103 E1
Louveciennes (78) 42 B4
Louvemont (52) 67 G1
Louvemont-
-Côte-du-Poivre (55) 25 F6
Louvencourt (80) 7 H4
Louvenne (39) 117 F3
Louvergny (08) 24 B3
Louverné (53) 58 D4
le Louverot (39) 102 D5
Louversey (27) 40 C2
Louvetot (76) 17 E5
Louvie-Juzon (64) 182 B4
Louvie-Soubiron (64) 182 B5
la Louvière-Lauragais (11) 186 A3
Louvières (14) 13 G4
Louvières (52) 68 A5
Louvières-en-Auge (61) 39 E3
Louviers (27) 18 D6
Louvigné (53) 58 D5
Louvigné-de-Bais (35) 57 H3
Louvigné-du-Désert (35) 58 A1
Louvignies-Quesnoy (59) 9 G3
Louvigny (14) 14 B5
Louvigny (57) 48 C2
Louvigny (64) 166 A6
Louvigny (72) 60 B2
Louvil (59) 3 G6
Louville-la-Chenard (28) 62 C3
Louvilliers-en-Drouais (28) 41 E5
Louvilliers-lès-Perche (28) 40 D6
Louvois (51) 45 F2
Louvrechy (80) 20 C2
Louvres (95) 43 E2
Louvroil (59) 10 A2
Louye (27) 41 E4
Louzac-Saint-André (16) 121 G3
Louze (52) 67 F2
Louzes (72) 60 B2
Louzignac (17) 121 H2
Louzouer (45) 64 B5
Louzy (79) 93 G3
Lovagny (74) 132 A1
Loyat (56) 56 A3
la Loye (39) 102 D3
Loye-sur-Arnon (18) 112 B1
la Loyère (71) 101 G5
Loyettes (01) 130 C3
Lozanne (69) 129 H2
Lozay (17) 107 G6
Loze (82) 153 F5
Lozinghem (62) 2 C6
Lozon (50) 13 E6
Lozzi (2B) 204 D2
Luant (36) 96 B6
le Luart (72) 60 D5
Lubbon (40) 150 A6
Lubécourt (57) 49 E3
Lubersac (19) 124 C6
Lubey (54) 25 H6
Lubilhac (43) 141 G2
Lubine (88) 71 E2
Lublé (37) 78 B4
Lubret-Saint-Luc (65) 183 G2
Luby-Betmont (65) 183 G2
Luc (48) 156 D2
Luc (65) 183 F3
le Luc (83) 193 H2
Luc-Armau (64) 182 D1
Luc-en-Diois (26) 159 F2
Luc-la-Primaube (12) 154 C5
Luc-sur-Aude (11) 186 D5
Luc-sur-Mer (14) 14 C3
Luc-sur-Orbieu (11) 187 H3
Lucarré (64) 182 D1
Luçay-le-Libre (36) 96 D3
Luçay-le-Mâle (36) 96 B2
Lucbardez-et-Bargues (40) 166 B2
Lucciana (2B) 203 G5
Lucé (28) 62 B2
Lucé (61) 38 B6
Lucé-sous-Ballon (72) 60 B4
Luceau (72) 78 C2
Lucelle (68) 89 F5
Lucenay (69) 129 H2
Lucenay-le-Duc (21) 85 E3
Lucenay-lès-Aix (58) 99 F6
Lucenay-l'Évêque (71) 100 C3
Lucéram (06) 195 G1
la Lucerne-d'Outremer (50) 35 H2
Lucey (21) 85 G1
Lucey (54) 48 A5
Lucey (73) 131 G3
Lucgarier (64) 182 C3
Luchapt (86) 109 H5
Luchat (17) 120 D3
Luché-Pringé (72) 78 A2
Luché-sur-Brioux (79) 108 B5
Luché-Thouarsais (79) 93 F4
Lucheux (80) 7 G3
Luchy (60) 20 B3
Lucinges (74) 118 D4
Lucmau (33) 149 G4
Luçon (85) 106 C2
Lucq-de-Béarn (64) 181 H2
Lucquy (08) 23 H3
les Lucs-sur-Boulogne (85) 91 G3
Lucy (57) 49 E3
Lucy (76) 19 F1
Lucy-le-Bocage (02) 44 B2
Lucy-le-Bois (89) 84 A4
Lucy-sur-Cure (89) 83 H3
Lucy-sur-Yonne (89) 83 G4
le Lude (72) 78 A3
Ludes (51) 45 F1
Ludesse (63) 127 F4
Ludiès (09) 185 H4
Ludon-Médoc (33) 135 E4
Ludres (54) 48 C5
Lüe (40) 148 C5
Lué-en-Baugeois (49) 77 F4
Luemschwiller (68) 89 F2
Lugagnac (46) 153 E4
Lugagnan (65) 182 D4
Lugaignac (33) 135 H5
Lugan (12) 154 A3
Lugan (81) 169 H4
Lugarde (15) 140 C2
Lugasson (33) 135 H6
Luglon (40) 149 E6
Lugny (02) 22 D1
Lugny (71) 116 B2
Lugny-Bourbonnais (18) 98 B4
Lugny-Champagne (18) 98 B2
Lugny-lès-Charolles (71) 115 F3
Lugo-di-Nazza (2B) 205 F4
Lugon-
-et-l'Île-du-Carnay (33) 135 G4
Lugos (33) 148 D3
Lugrin (74) 119 F2
Lugy (62) 2 A6
le Luhier (25) 104 C1
Luigné (49) 77 E6
Luigny (28) 61 G3
Luisant (28) 62 B2
Luisetaines (77) 64 D2
Luitré (35) 58 A3
Lullin (74) 119 E4
Lully (74) 118 D4
Lumbin (38) 145 H1
Lumbres (62) 2 A4
Lumeau (28) 62 C5
Lumes (08) 24 B1
Lumigny-
-Nesles-Ormeaux (77) 43 G5
Lumio (2B) 202 C5
Lunac (12) 153 H5
Lunan (46) 153 G2
Lunas (24) 136 D5
Lunas (34) 172 B4
Lunax (31) 184 B2
Lunay (41) 79 F2
Luneau (03) 114 D3
Lunegarde (46) 153 E1
Lunel (34) 173 H5
Lunel-Viel (34) 173 H5
Luneray (76) 17 F2
Lunery (18) 97 G4
Lunéville (54) 49 E6
le Luot (50) 35 H3
Lupcourt (54) 48 D6
Lupé (42) 143 H1
Lupersat (23) 126 A1
Lupiac (32) 167 E4
Luplanté (28) 62 A3
Luppé-Violles (32) 166 C4
Luppy (57) 48 D2
Lupsault (16) 122 A1
Lupstein (67) 50 C4
Luquet (65) 182 D2
Lurais (36) 95 F6
Luray (28) 41 F5
Lurbe-Saint-Christau (64) 182 A3
Lurcy (01) 116 B6
Lurcy-le-Bourg (58) 99 F2
Lurcy-Lévis (03) 98 C6
Luré (42) 128 C2
Lure (70) 88 A2
Lureuil (36) 95 G5
Luri (2B) 203 F2
Luriecq (42) 128 D6
Lurs (04) 176 D2
Lury-sur-Arnon (18) 97 E2
Lus-la-Croix-Haute (26) 159 H1
Lusanger (44) 74 D1
Luscan (31) 184 A5
Lusignac (24) 136 C1
Lusignan (86) 108 D2
Lusignan-Petit (47) 151 E5
Lusigny (03) 114 A1
Lusigny-sur-Barse (10) 66 C3
Lusigny-sur-Ouche (21) 101 F2
Lussac (16) 122 D2
Lussac (17) 121 F5
Lussac (33) 136 A4
Lussac-les-Châteaux (86) 109 G3
Lussac-les-Églises (87) 110 B3
Lussagnet (40) 166 C3
Lussagnet-Lusson (64) 182 D1
Lussan (30) 157 G6
Lussan (32) 168 A5
Lussan-Adeilhac (31) 184 C2
Lussant (17) 120 D1
Lussas (07) 157 G2
Lussas-
-et-Nontronneau (24) 123 E5
Lussat (23) 112 B5
Lussat (63) 127 F2
Lussault-sur-Loire (37) 79 F5
Lusse (88) 70 D2
Lusseray (79) 108 B5
Lustar (65) 183 G2
Luthenay-Uxeloup (58) 99 E5
Lutilhous (65) 183 G4
Luttange (57) 26 C4
Luttenbach-
-près-Munster (68) 71 E5
Lutter (68) 89 G4
Lutterbach (68) 89 F2
Lutz-en-Dunois (28) 62 A5
Lutzelbourg (57) 50 B4
Lutzelhouse (67) 50 B6
Luvigny (88) 50 A6
Lux (21) 86 A4
Lux (31) 186 A1
Lux (71) 101 G5
Luxé (16) 122 B2
Luxe-Sumberraute (64) 181 E1
Luxémont-et-Villotte (51) 46 B5
Luxeuil-les-Bains (70) 87 H1
Luxey (40) 149 F5
Luxiol (25) 87 H5
Luyères (10) 66 B2
Luynes (37) 78 C5
Luz-Saint-Sauveur (65) 183 E6
Luzancy (77) 44 A3
Luzarches (95) 42 D1
Luzay (79) 93 G4
Luzé (37) 94 C3
Luze (70) 88 C3
Luzech (46) 152 B3
Luzenac (09) 199 F1
Luzeret (36) 110 D2
la Luzerne (50) 13 F6
Luzillat (63) 127 G1
Luzillé (37) 95 G1
Luzinay (38) 130 B4
Luzoir (02) 10 A6
Luzy (58) 100 B5
Luzy-Saint-Martin (55) 24 D3
Luzy-sur-Marne (52) 68 A5
Ly-Fontaine (02) 22 A2
Lyas (07) 143 H6
Lyaud (74) 119 E3
Lye (36) 96 B1
Lynde (59) 2 C4
Lyoffans (70) 88 B3
Lyon (69) 130 A3
Lyons-la-Forêt (27) 19 F4
Lys (58) 83 G6
Lys (64) 182 B3
Lys-lez-Lannoy (59) 3 G5
Lys-Saint-Georges (36) 111 G1

M

Maast-et-Violaine (02) 22 B6
Maâtz (52) 86 B3
Mably (42) 115 E6
Macau (33) 135 E4
Macaye (64) 180 D1
Macé (61) 39 F5
Macey (10) 66 A3
Macey (50) 35 G4
Machault (08) 23 H5
Machault (77) 64 B2
Maché (85) 91 E3
Machecoul (44) 91 E1
Mâchecourt (02) 22 D2
Machemont (60) 21 F4
Macheren (57) 49 G1
Machézal (42) 129 E2
Machiel (80) 6 D2
Machilly (74) 118 D4
la Machine (58) 99 F4
Machy (10) 66 B4
Machy (80) 6 D2
Mackenheim (67) 71 G3
Mackwiller (67) 50 B2
Maclas (42) 143 H1
Macogny (02) 44 A1
Mâcon (71) 116 B4
Maconcourt (88) 69 E2
Maconge (21) 101 E1
Macornay (39) 102 D6
Mâcot-la-Plagne (73) 133 E4
Macqueville (17) 121 H2
Macquigny (02) 9 F6
Madaillan (47) 151 E5
Madecourt (88) 69 F3
Madegney (88) 69 G3
la Madelaine-
-sous-Montreuil (62) 1 F6
la Madeleine (59) 3 F5
la Madeleine-Bouvet (61) 61 F1
la Madeleine-
-de-Nonancourt (27) 41 E4
la Madeleine-sur-Loing (77) 64 A4
la Madeleine-Villefrouin (41) 80 A2
Madic (15) 140 B1
Madière (09) 185 G4
Madirac (33) 135 F6
Madiran (65) 166 D5
Madonne-et-Lamerey (88) 69 G3
Madranges (19) 125 E6
Madré (53) 59 F1
Madriat (63) 127 F6
Maël-Carhaix (22) 32 C6
Maël-Pestivien (22) 32 D5
Maennolsheim (67) 50 C4
Maffliers (95) 42 D2
Maffrécourt (51) 46 C1
Magalas (34) 188 C1
la Magdelaine-
-sur-Tarn (31) 169 F3
la Magdeleine (16) 108 C6
le Mage (61) 61 E1
Magenta (51) 45 F2
les Mages (30) 157 E5
Magescq (40) 164 D3
Magland (74) 119 F6
Magnac-Bourg (87) 124 C4
Magnac-Laval (87) 110 B5
Magnac-
-Lavalette-Villars (16) 122 C5
Magnac-sur-Touvre (16) 122 C4
Magnan (32) 166 C3
Magnant (10) 66 D4
Magnanville (78) 41 G3
Magnas (32) 168 A3
Magnat-l'Étrange (23) 125 H3
Magné (79) 107 G3
Magné (86) 109 E3
Magnet (03) 114 B5
Magneux (51) 22 C5
Magneux (52) 67 G1
Magneux-Haute-Rive (42) 129 E4
Magneville (50) 12 C3
Magnicourt (10) 66 D2
Magnicourt-en-Comte (62) 7 H1
Magnicourt-sur-Canche (62) 7 G2
Magnien (21) 101 E2
Magnières (54) 70 A1
Magnieu (01) 131 G3
les Magnils-Reigniers (85) 91 H6
Magnivray (70) 88 A2
Magnoncourt (70) 69 G6
le Magnoray (70) 87 F4
Magny (28) 61 H3
le Magny (36) 111 G1
Magny (68) 89 E3
les Magny (70) 88 A4
le Magny (88) 69 G6
Magny (89) 84 A5
Magny-Châtelard (25) 103 H1
Magny-Cours (58) 98 D4
Magny-Danigon (70) 88 B2
Magny-en-Bessin (14) 14 A3
Magny-en-Vexin (95) 41 H1
Magny-Fouchard (10) 67 E3
Magny-Jobert (70) 88 B3
Magny-la-Campagne (14) 39 E2
Magny-la-Fosse (02) 9 E5
Magny-la-Ville (21) 84 D5
Magny-Lambert (21) 85 E3
Magny-le-Désert (61) 38 C6
Magny-le-Freule (14) 39 E1
Magny-le-Hongre (77) 43 F4
Magny-lès-Aubigny (21) 102 A2
Magny-les-Hameaux (78) 42 B5
Magny-lès-Jussey (70) 87 F1
Magny-lès-Villers (21) 101 G2
Magny-Lormes (58) 83 H6
Magny-Montarlot (21) 102 B1
Magny-Saint-Médard (21) 86 A5
Magny-sur-Tille (21) 102 A1
Magny-Vernois (70) 88 A3
Magoar (22) 33 E5
Magrie (11) 186 D5
Magrin (81) 170 A5
Magstatt-le-Bas (68) 89 G3
Magstatt-le-Haut (68) 89 G3
Mahalon (29) 52 D2
Mahéru (61) 39 H5
Maîche (25) 88 C6
Maidières (54) 48 B3
Maignaut-Tauzia (32) 167 G2
Maigné (72) 59 H6
Maignelay-Montigny (60) 20 D3
Mailhac (11) 187 H2
Mailhac-sur-Benaize (87) 110 C4
Mailhoc (81) 170 B2
Mailholas (31) 185 E3
Maillane (13) 174 D3
Maillas (40) 149 H5
Maillat (01) 117 G5
Maillé (37) 94 D3
Maillé (85) 107 F3
Maillé (86) 94 A6
Maillebois (28) 40 D6
la Mailleraye-sur-Seine (76) 17 E6
Maillères (40) 166 A1
Mailleroncourt-Charette (70) 87 G2
Mailleroncourt-
-Saint-Pancras (70) 69 G6
Maillet (03) 112 D2
Maillet (36) 111 F1
Mailley-et-Chazelot (70) 87 F4
Maillezais (85) 107 F3
Maillot (89) 65 E4
Mailly (71) 115 E5
Mailly-Champagne (51) 45 F1
Mailly-la-Ville (89) 83 G4
Mailly-le-Camp (10) 45 G5
Mailly-le-Château (89) 83 G4
Mailly-Maillet (80) 8 A4
Mailly-Raineval (80) 20 D1
Mailly-sur-Seille (54) 48 D3
les Maillys (21) 102 B2
Maimbeville (60) 20 D4
Maincy (77) 64 A1
Maine-de-Boixe (16) 122 C2
Mainfonds (16) 122 B5
Maing (59) 9 F2
Mainneville (27) 19 G5
Mainsat (23) 112 B6
Maintenay (62) 6 D2
Maintenon (28) 41 G6
Mainvillers (57) 27 E6
Mainvilliers (28) 62 B2
Mainvilliers (45) 63 F3
Mainxe (16) 121 H4
Mainzac (16) 123 E5
Mairé (86) 95 E4
Mairé-Levescault (79) 108 C5
Mairieux (59) 10 A2
Mairy (08) 24 C2
Mairy-Mainville (54) 25 H5
Mairy-sur-Marne (51) 45 H3
Maisdon-sur-Sèvre (44) 75 E6
Maisey-le-Duc (21) 85 E1
Maisnières (80) 6 C5
le Maisnil (59) 3 E5
Maisnil (62) 7 G2
Maisnil-lès-Ruitz (62) 8 A1
Maisod (39) 117 G2
Maison-des-Champs (10) 67 E3
la Maison-Dieu (58) 83 G5
Maison-Feyne (23) 111 F3
Maison-Maugis (61) 61 E1
Maison-Ponthieu (80) 7 E3
Maison-Roland (80) 7 E4
Maison-Rouge (77) 64 D1
Maisoncelle (62) 7 F1
Maisoncelle-et-Villers (08) 24 C3
Maisoncelle-
-Saint-Pierre (60) 20 B4
Maisoncelle-Tuilerie (60) 20 B3
Maisoncelles (52) 68 C4
Maisoncelles (72) 60 D6
Maisoncelles-du-Maine (53) 58 D6
Maisoncelles-en-Brie (77) 43 H4
Maisoncelles-
-en-Gâtinais (77) 64 A4
Maisoncelles-
-la-Jourdan (14) 37 H4
Maisoncelles-Pelvey (14) 38 A1
Maisoncelles-sur-Ajon (14) 14 A6
Maisonnais (18) 112 A1
Maisonnais-
-sur-Tardoire (87) 123 F3
Maisonnay (79) 108 B5
Maisonneuve (86) 93 H5
Maisonnisses (23) 111 G6
Maisons (11) 187 G6
Maisons (14) 13 H5
Maisons (28) 62 D2
Maisons-Alfort (94) 42 D4
Maisons-du-Bois-
-Lièvremont (25) 104 A3
Maisons-
-en-Champagne (51) 46 A5
Maisons-Laffitte (78) 42 C3
Maisons-lès-Chaource (10) 66 B6
Maisons-lès-Soulaines (10) 67 F3
Maisonsgoutte (67) 71 E2
Maisontiers (79) 93 F5
Maisse (91) 63 G2
Maissemy (02) 8 D6

Maixe (54) 49 E5
Maizeray (55) 47 H1
Maizeroy (57) 49 E1
Maizery (57) 26 C5
Maizet (14) 14 B5
Maizey (55) 47 G3
Maizicourt (80) 7 F3
Maizières (14) 14 D6
Maizières (52) 67 H1
Maizières (54) 48 C6
Maizières (62) 7 H2
Maizières (70) 87 F4
Maizières-
-la-Grande-Paroisse (10) 65 H1
Maizières-lès-Brienne (10) 67 E2
Maizières-lès-Metz (57) 26 B4
Maizières-lès-Vic (57) 49 G4
Maizières-sur-Amance (52) 86 C1
Maizilly (42) 115 F5
Maizy (02) 22 C5
Majastres (04) 177 F2
Malabat (32) 183 F1
la Malachère (70) 87 F5
Malafretaz (01) 116 D4
Mâlain (21) 85 F6
Malaincourt (88) 68 D3
Malaincourt-sur-Meuse (52) 68 C4
Malakoff (92) 42 C4
Malancourt (55) 24 D6
Malandry (08) 24 D3
Malange (39) 102 D1
Malans (25) 103 G3
Malans (70) 102 D1
Malansac (56) 56 B6
Malarce-sur-la-Thines (07) 157 E3
Malataverne (26) 158 A3
Malaucène (84) 158 D6
Malaucourt-sur-Seille (57) 48 D3
Malaunay (76) 17 G5
Malause (82) 168 C1
Malaussanne (64) 166 A5
Malaussène (06) 195 E1
Malauzat (63) 127 E2
Malaville (16) 122 A5
Malavillers (54) 25 H5
Malay (71) 116 A1
Malay-le-Grand (89) 65 E4
Malay-le-Petit (89) 65 E4
Malbo (15) 140 C4
Malbosc (07) 157 E4
Malbouhans (70) 88 B2
Malbouzon (48) 155 G1
Malbrans (25) 103 G2
Malbuisson (25) 104 A5
Mâle (61) 61 E3
Malegoude (09) 186 B4
Malemort-du-Comtat (84) 175 G1
Malemort-sur-Corrèze (19) 138 D3
la Malène (48) 155 H5
Malesherbes (45) 63 G3
Malestroit (56) 56 A5
Malétable (61) 40 B6
Maleville (12) 153 H4
Malguénac (56) 55 E2
la Malhoure (22) 34 A5
Malicornay (36) 111 E1
Malicorne (03) 113 E4
Malicorne (89) 82 D2
Malicorne-sur-Sarthe (72) 77 G1
Maligny (21) 101 E2
Maligny (89) 83 H1
Malijai (04) 177 E1
Malincourt (59) 9 E4
Malintrat (63) 127 F3
Malissard (26) 144 B5
Mallefougasse-Augès (04) 176 D1
Malleloy (54) 48 C4
Mallemoisson (04) 177 E1
Mallemort (13) 191 H2
Malléon (09) 185 H5
Malleret (23) 126 A3
Malleret-Boussac (23) 112 A4
Mallerey (39) 117 F1
Malleval (42) 129 H6
Malleval-en-Vercors (38) 145 E3
Malleville-les-Grès (76) 16 D2
Malleville-sur-le-Bec (27) 18 A6
Mallièvre (85) 92 C4
Malling (57) 26 C2
Malloué (14) 37 G2
la Malmaison (02) 23 E3
Malmerspach (68) 88 D1
Malmy (51) 46 C1
Malons-et-Elze (30) 157 E4
Malouy (27) 15 H5
Malpart (80) 20 D2
Malpas (25) 103 H4
Malras (11) 186 D4
Malrevers (43) 142 C3
Malroy (57) 26 C5
Maltat (71) 100 A6
Maltot (14) 14 B5
Malval (23) 111 G3
Malvalette (43) 143 E1
Malves-en-Minervois (11) 187 E3
Malvezie (31) 184 A5
Malvières (43) 142 B1
Malviès (11) 186 D4
Malville (44) 74 B4
Malvillers (70) 86 D2
Malzéville (54) 48 C5
le Malzieu-Forain (48) 141 G5
le Malzieu-Ville (48) 141 G5
Malzy (02) 9 G6
Mamers (72) 60 C2
Mametz (62) 2 B5
Mametz (80) 8 B5
Mamey (54) 48 B3
Mamirolle (25) 103 G1
Manas (26) 158 C2
Manas-Bastanous (32) 183 G1
Manaurie (24) 137 H4
Mance (54) 26 A4
la Mancelière (28) 40 C5
la Mancellière-sur-Vire (50) 37 G1
Mancenans (25) 88 A4
Mancenans-Lizerne (25) 88 C6
Mancey (71) 116 B1
Manchecourt (45) 63 G4
Manciet (32) 166 D3
Mancieulles (54) 26 A4
Mancioux (31) 184 C3
Mancy (51) 45 E3
Mandagout (30) 173 E2
Mandailles-
-Saint-Julien (15) 140 C4
Mandelieu-la-Napoule (06) 178 C5
Manderen (57) 26 D2
Mandeure (25) 88 C4
Mandeville (27) 18 C6
Mandeville-en-Bessin (14) 13 G5
Mandray (88) 70 D3
Mandres (27) 40 C5
Mandres-
-aux-Quatre-Tours (54) 48 A4
Mandres-en-Barrois (55) 68 B1
Mandres-la-Côte (52) 68 B5
Mandres-les-Roses (94) 43 E5
Mandres-sur-Vair (88) 69 E3
Mandrevillars (70) 88 C3
Manduel (30) 174 B3
Mane (04) 176 C2
Mane (31) 184 C4
Manéglise (76) 15 F1
Manéhouville (76) 17 G2
Manent-Montané (32) 184 A2
Manerbe (14) 15 F5
Mangiennes (55) 25 F5
Manglieu (63) 127 G4
Mangonville (54) 69 G1
Manhac (12) 154 B5
Manheulles (55) 47 H1
Manhoué (57) 48 D4
Manicamp (02) 21 H3
Manigod (74) 132 C2
Manin (62) 7 H2
Maninghem (62) 1 G6
Maninghen-Henne (62) 1 F4
Maniquerville (76) 16 C4
Manlay (21) 100 D2
Manneville-ès-Plains (76) 17 E2
Manneville-la-Goupil (76) 15 G1
Manneville-la-Pipard (14) 15 F4
Manneville-la-Raoult (27) 15 F3
Manneville-sur-Risle (27) 15 H3
Mannevillette (76) 15 F1
Mano (40) 149 E3
le Manoir (14) 14 A3
le Manoir (27) 18 D5
Manois (52) 68 B3
Manom (57) 26 B3
Manoncourt-
-en-Vermois (54) 48 D6
Manoncourt-en-Woëvre (54) 48 B4
Manonville (54) 48 B4
Manonviller (54) 49 F6
Manosque (04) 176 C3
Manot (16) 123 F1
Manou (28) 61 F1
Manre (08) 24 A6
le Mans (72) 60 B5
Mansac (19) 138 B3
Mansan (65) 183 F2
Mansat-la-Courrière (23) 125 E1
Mansempuy (32) 168 B4
Mansencôme (32) 167 F3
Manses (09) 186 A4
Mansigné (72) 78 A2
Mansle (16) 122 C2
Manso (2B) 204 C2
Mansonville (82) 168 B1
Manspach (68) 89 E3
Mant (40) 166 A5
Mantallot (22) 32 D2
Mantenay-Montlin (01) 116 D3
Mantes-la-Jolie (78) 41 H2
Mantes-la-Ville (78) 41 H3
Mantet (66) 200 B4
Manteyer (05) 160 B2
Manthelan (37) 95 E2
Manthelon (27) 40 D3
Manthes (26) 144 B1
Mantilly (61) 37 H6
Mantoche (70) 86 C5
Mantry (39) 102 D5
Manvieux (14) 14 A3
Many (57) 27 E6
Manzac-sur-Vern (24) 137 E3
Manzat (63) 127 E1
Manziat (01) 116 C3
Marac (52) 68 A6
Marainville-sur-Madon (88) 69 G2
Marainviller (54) 49 F6
aux Marais (60) 20 A4
le Marais-la-Chapelle (14) 39 E3
Marais-Vernier (27) 15 G2
Marambat (32) 167 F3
Marandeuil (21) 86 B6
Marange-Silvange (57) 26 B4
Marange-Zondrange (57) 27 E5
Marans (17) 106 D3
Marans (49) 75 H1
Maransin (33) 135 G3
Marant (62) 1 G6
Maranville (52) 67 G4
Maranwez (08) 23 G2
Marast (70) 87 H4
Marat (63) 128 B4
Maraussan (34) 188 B2
Maravat (32) 168 A4
Maray (41) 96 D1
Maraye-en-Othe (10) 65 H4
Marbache (54) 48 C4
Marbaix (59) 9 H4
Marbeuf (27) 40 C1
Marbéville (52) 67 G3
Marboué (28) 62 A5
Marboz (01) 117 E3
Marby (08) 10 D6
Marc-la-Tour (19) 139 E2
Marçais (18) 97 G6
Marçay (37) 94 B2
Marçay (86) 108 D2
Marcé (49) 77 F3
Marcé-sur-Esves (37) 94 D3
Marcei (61) 39 E5
Marcelcave (80) 8 A6
Marcellaz (74) 118 D5
Marcellaz-Albanais (74) 132 A2
Marcellois (21) 85 E6
Marcellus (47) 150 B3
Marcenais (33) 135 G3
Marcenat (03) 114 A5
Marcenat (15) 140 D1
Marcenay (21) 84 D1
Marcenod (42) 129 G5
Marcey-les-Grèves (50) 35 H3
Marchainville (61) 40 B6
Marchais (02) 22 D3
Marchais-Beton (89) 82 C2
Marchais-en-Brie (02) 44 C4
Marchamp (01) 131 F3
Marchampt (69) 115 H6
Marchastel (15) 140 C2
Marchastel (48) 155 F2
Marchaux (25) 87 G6
la Marche (58) 98 D2
Marché-Allouarde (80) 21 F2
Marchélepot (80) 21 F1
Marchemaisons (61) 60 B1
Marchémoret (77) 43 F2
Marchenoir (41) 80 A2
Marcheprime (33) 148 D1
Marches (26) 144 C4
les Marches (73) 132 A5
Marcheseuil (21) 100 D2
Marchésieux (50) 13 E6
Marchéville (28) 61 H2
Marchéville-en-Woëvre (55) 47 H1
Marchezais (28) 41 F4
Marchiennes (59) 9 E1
Marciac (32) 167 E6
Marcieu (38) 145 G5
Marcieux (73) 131 G4
Marcigny (71) 115 E4
Marcigny-sous-Thil (21) 84 D5
Marcilhac-sur-Célé (46) 153 E2
Marcillac (33) 135 F1
Marcillac-la-Croisille (19) 139 G2
Marcillac-la-Croze (19) 139 E4
Marcillac-Lanville (16) 122 B2
Marcillac-
-Saint-Quentin (24) 138 A5
Marcillac-Vallon (12) 154 B3
Marcillat (63) 113 F6
Marcillat-
-en-Combraille (03) 112 D5
Marcillé-la-Ville (53) 59 E3
Marcillé-Raoul (35) 35 F6
Marcillé-Robert (35) 57 G4
Marcilloles (38) 144 C1
Marcilly (50) 37 E5
Marcilly (77) 43 G2
Marcilly-d'Azergues (69) 129 H2
Marcilly-en-Bassigny (52) 86 C1
Marcilly-en-Beauce (41) 79 F2
Marcilly-en-Gault (41) 80 D5
Marcilly-en-Villette (45) 81 E2
Marcilly-et-Dracy (21) 84 D5
Marcilly-la-Campagne (27) 41 E4
Marcilly-la-Gueurce (71) 115 F3
Marcilly-le-Châtel (42) 128 D4
Marcilly-le-Hayer (10) 65 G3
Marcilly-lès-Buxy (71) 101 F6
Marcilly-Ogny (21) 100 D1
Marcilly-sur-Eure (27) 41 E4
Marcilly-sur-Maulne (37) 78 B4
Marcilly-sur-Seine (51) 65 G1
Marcilly-sur-Tille (21) 85 H4
Marcilly-sur-Vienne (37) 94 D3
Marck (62) 1 H2
Marckolsheim (67) 71 G3
Marclopt (42) 129 E4
Marcoing (59) 8 D4
Marcolès (15) 140 A6
Marcollin (38) 144 C1
Marcols-les-Eaux (07) 143 F6
Marçon (72) 78 C2
Marconne (62) 7 E1
Marconnelle (62) 7 E1
Marcorignan (11) 188 A3
Marcoussis (91) 42 C6
Marcoux (04) 160 D6
Marcoux (42) 128 D3
Marcq (08) 24 C5
Marcq (78) 41 H4
Marcq-en-Barœul (59) 3 F5
Marcq-en-Ostrevent (59) 9 E2
Marcy (02) 9 F6
Marcy (58) 83 E6
Marcy (69) 129 H2
Marcy-l'Étoile (69) 129 H3
Marcy-sous-Marle (02) 22 C2
Mardeuil (51) 45 E2
Mardié (45) 81 E1
Mardilly (61) 39 G4
Mardor (52) 86 A1
Mardore (69) 115 G6
Mareau-aux-Bois (45) 63 F5
Mareau-aux-Prés (45) 80 C1
Mareil-en-Champagne (72) 59 G6
Mareil-en-France (95) 42 D2
Mareil-le-Guyon (78) 42 A4
Mareil-Marly (78) 42 B3
Mareil-sur-Loir (72) 77 H2
Mareil-sur-Mauldre (78) 42 A3
Mareilles (52) 68 A4
Marenla (62) 6 D1
Marennes (17) 120 B2
Marennes (69) 130 B4
Maresché (72) 60 A4
Maresches (59) 9 F2
Maresquel-
-Ecquemicourt (62) 7 E1
Marest (62) 7 G1
Marest-Dampcourt (02) 21 H3
Marest-sur-Matz (60) 21 F4
Marestaing (32) 168 C5
Marestmontiers (80) 20 D2
Maresville (62) 1 F6
les Marêts (77) 44 B5
Maretz (59) 9 F4
Mareugheol (63) 127 F6
Mareuil (16) 122 A3
Mareuil (24) 122 D6
Mareuil-Caubert (80) 6 D4
Mareuil-en-Brie (51) 44 D3
Mareuil-en-Dôle (02) 22 B6
Mareuil-la-Motte (60) 21 F3
Mareuil-le-Port (51) 44 D2
Mareuil-lès-Meaux (77) 43 G3
Mareuil-sur-Arnon (18) 97 F4
Mareuil-sur-Ay (51) 45 F2
Mareuil-sur-Cher (41) 79 H6
Mareuil-sur-Lay-Dissais (85) 91 H5
Mareuil-sur-Ourcq (60) 43 H1
Marey (88) 69 E5
Marey-lès-Fussey (21) 101 G2
Marey-sur-Tille (21) 85 H3
Marfaux (51) 45 E1
Marfontaine (02) 22 D1
Margaux (33) 135 E3
Margencel (74) 118 D3
Margency (95) 42 C2
Margerides (19) 126 A6
Margerie-Chantagret (42) 128 D5
Margerie-Hancourt (51) 66 D1
Margès (26) 144 C3
Margival (02) 22 B4
le Margnès (81) 171 F5
Margny (08) 25 E2
Margny (51) 44 D3
Margny-aux-Cerises (60) 21 F2
Margny-lès-Compiègne (60) 21 F4
Margny-sur-Matz (60) 21 F3
Margon (28) 61 E3
Margon (34) 188 C1
Margouët-Meymes (32) 167 E4
Margueray (50) 37 F3
Marguerittes (30) 174 B3
Margueron (33) 136 C6
Marguestau (32) 166 D2
Margut (08) 25 E3
Mariac (07) 143 F5
Maricourt (80) 8 B5
Marie (06) 178 D1
Marieulles (57) 26 B6
Marieux (80) 7 H4
Marigna-sur-Valouse (39) 117 F2
Marignac (17) 121 F5
Marignac (31) 184 A6
Marignac (82) 168 B3
Marignac-en-Diois (26) 145 E6
Marignac-Lasclares (31) 184 D2
Marignac-Laspeyres (31) 184 C3
Marignana (2A) 204 C3
Marignane (13) 191 H4
Marigné (49) 76 D2
Marigné-Laillé (72) 78 B1
Marigné-Peuton (53) 76 C1
Marignier (74) 119 E5
Marignieu (01) 131 G2
Marigny (03) 113 G1
Marigny (39) 103 E6
Marigny (50) 37 F1
Marigny (51) 45 E5
Marigny (71) 101 E6
Marigny (79) 107 H4
Marigny-Brizay (86) 94 C5
Marigny-Chemereau (86) 108 D2
Marigny-en-Orxois (02) 44 A2
Marigny-le-Cahouët (21) 84 D5
Marigny-le-Châtel (10) 65 G2
Marigny-l'Église (58) 84 A6
Marigny-lès-Reullée (21) 101 H3
Marigny-les-Usages (45) 63 E6
Marigny-Marmande (37) 94 C3
Marigny-Saint-Marcel (74) 131 H2
Marigny-sur-Yonne (58) 99 G1
Marillac-le-Franc (16) 122 D3
le Marillais (49) 75 G4
Marillet (85) 107 G1
Marimbault (33) 149 H3
Marimont-
-lès-Bénestroff (57) 49 G3
Marin (74) 119 E3
Marines (95) 42 B1
Maringes (42) 129 F4
Maringues (63) 127 G2
Mariol (03) 127 H1
Marions (33) 150 A4
Marizy (71) 115 G1
Marizy-Saint-Mard (02) 44 A1
Marizy-
-Sainte-Geneviève (02) 44 A1
Marle (02) 22 D1
Marlemont (08) 23 G1
Marlenheim (67) 50 D5
Marlens (74) 132 C3
Marlers (80) 19 H1
Marles-en-Brie (77) 43 G5
Marles-les-Mines (62) 2 C6
Marles-sur-Canche (62) 6 D1
Marlhes (42) 143 F2
Marliac (31) 185 G3
Marliens (21) 102 A1
Marlieux (01) 116 D6
Marlioz (74) 118 B6
Marly (57) 26 B6
Marly (59) 9 F2
Marly-Gomont (02) 9 H6
Marly-la-Ville (95) 43 E2
Marly-le-Roi (78) 42 B4
Marly-sous-Issy (71) 100 A6
Marly-sur-Arroux (71) 115 E1
Marmagne (18) 97 G2
Marmagne (21) 84 D3
Marmagne (71) 100 D5
Marmande (47) 150 C3
Marmanhac (15) 140 B4
Marmeaux (89) 84 B4
Marminiac (46) 152 B1
Marmont-Pachas (47) 167 H1
Marmouillé (61) 39 F5
Marmoutier (67) 50 C5
Marnac (24) 137 H6
Marnand (69) 115 G6
Marnans (38) 144 D1
Marnaves (81) 170 A1
Marnay (70) 87 E6
Marnay (71) 101 H6
Marnay (86) 109 E3
Marnay-sur-Marne (52) 68 A5
Marnay-sur-Seine (10) 65 F1
Marnaz (74) 119 E6
la Marne (44) 91 E1
Marnes (79) 93 H4
Marnes-la-Coquette (92) 42 C4
Marnézia (39) 117 G1
Marnhagues-et-Latour (12) 172 A3
Marnoz (39) 103 E3
Marœuil (62) 8 A2
Maroilles (59) 9 H4
la Marolle-en-Sologne (41) 80 C4
Marolles (14) 15 G5
Marolles (41) 79 H3
Marolles (51) 46 B5
Marolles (60) 43 H1
Marolles-en-Beauce (91) 63 F2
Marolles-en-Brie (77) 44 A4
Marolles-en-Brie (94) 43 E5
Marolles-en-Hurepoix (91) 63 G1
Marolles-lès-Bailly (10) 66 C4
Marolles-les-Braults (72) 60 B3
Marolles-les-Buis (28) 61 F2
Marolles-
-lès-Saint-Calais (72) 61 E6
Marolles-sous-Lignières (10) 66 A6
Marolles-sur-Seine (77) 64 C2
Marollette (72) 60 C2
Marols (42) 128 D6
Maromme (76) 17 G6
Mâron (36) 96 D5
Maron (54) 48 C5
Maroncourt (88) 69 G3
Marpaps (40) 165 G5
Marpent (59) 10 B2
Marpiré (35) 57 H2
Marquaix (80) 8 D5
Marquay (24) 138 A5
Marquay (62) 7 H1
Marquefave (31) 185 E2
Marquéglise (60) 21 E4
Marquein (11) 186 A2
Marquerie (65) 183 F2
Marques (76) 19 G1
Marquette-en-Ostrevent (59) 9 E2
Marquette-lez-Lille (59) 3 F4
Marquigny (08) 24 A3
Marquillies (59) 3 E6
Marquion (62) 8 D3
Marquise (62) 1 F3
Marquivillers (80) 21 E2
Marquixanes (66) 200 C3
Marray (37) 78 D3
la Marre (39) 103 E5
Marre (55) 25 E6
Mars (07) 143 F4
les Mars (23) 126 B1
Mars (30) 172 D2
Mars (42) 115 F5
Mars-la-Tour (54) 26 A5
Mars-sous-Bourcq (08) 24 A4
Mars-sur-Allier (58) 98 D5
Marsa (11) 200 A1
Marsac (16) 122 B3
Marsac (23) 111 E6
Marsac (65) 183 E2
Marsac (82) 168 B2
Marsac-en-Livradois (63) 128 B6
Marsac-sur-Don (44) 74 C2
Marsac-sur-l'Isle (24) 137 F2
Marsainvilliers (45) 63 F4
Marsais (17) 107 G5
Marsais-
-Sainte-Radégonde (85) 107 E1
Marsal (57) 49 F4
Marsal (81) 170 D2
Marsalès (24) 151 G1
Marsan (32) 168 A5
Marsaneix (24) 137 F3
Marsangis (51) 45 E6
Marsangy (89) 65 E5
Marsannay-la-Côte (21) 101 H1
Marsannay-le-Bois (21) 85 H5
Marsanne (26) 158 B2
Marsas (33) 135 G3
Marsas (65) 183 F4
Marsat (63) 127 F2
Marsaz (26) 144 B3
Marseillan (32) 167 F6
Marseillan (34) 189 E2
Marseillan (65) 183 F2
Marseille (13) 192 B4
Marseille-en-Beauvaisis (60) 20 A3
Marseilles-lès-Aubigny (18) 98 C3
Marseillette (11) 187 F3
Marsillargues (34) 173 H5
Marsilly (17) 106 C4
Marsilly (57) 26 C5
Marsolan (32) 167 H2
Marson (51) 46 A3
Marson-sur-Barboure (55) 47 G5
Marsonnas (01) 116 D3
Marsoulas (31) 184 D4
Marssac-sur-Tarn (81) 170 B2
Martagny (27) 19 G5
Martailly-lès-Brancion (71) 116 B2
Martainneville (80) 6 C5
Martainville (14) 38 C2
Martainville (27) 15 G3
Martainville-Épreville (76) 17 H6
Martaizé (86) 94 A4
Martel (46) 138 D5
Marthemont (54) 48 C6
Marthille (57) 49 F3
Marthod (73) 132 C3
Marthon (16) 122 D4
Martiel (12) 153 F4
Martigna (39) 117 G3
Martignargues (30) 173 H1
Martignas-sur-Jalle (33) 134 D5
Martignat (01) 117 G4
Martigné-Briand (49) 93 F1
Martigné-Ferchaud (35) 57 H5
Martigné-sur-Mayenne (53) 58 D3
Martigny (02) 10 B6
Martigny (50) 37 F5
Martigny (76) 17 H2
Martigny-Courpierre (02) 22 C4
Martigny-le-Comte (71) 115 G2
Martigny-les-Bains (88) 69 E4
Martigny-
-les-Gerbonvaux (88) 68 D1
Martigny-sur-l'Ante (14) 38 D3
Martigues (13) 191 G5
Martillac (33) 135 E6
Martin-Église (76) 17 G2
Martincourt (54) 48 B4
Martincourt (60) 19 H3
Martincourt-sur-Meuse (55) 24 D3
le Martinet (30) 157 E5
Martinet (85) 91 E4
Martinpuich (62) 8 B4
Martinvast (50) 12 C2
Martinvelle (88) 69 F6
Martisserre (31) 184 C1
Martizay (36) 95 G5
Martot (27) 18 C5
Martragny (14) 14 A4
la Martre (83) 178 A3
Martres (33) 150 A1
les Martres-d'Artière (63) 127 G2
Martres-de-Rivière (31) 184 A4
les Martres-de-Veyre (63) 127 F4
Martres-sur-Morge (63) 127 F1
Martres-Tolosane (31) 184 D3
Martrin (12) 171 F2
Martrois (21) 85 E6
la Martyre (29) 31 F4
les Martys (11) 186 D1
Maruéjols-lès-Gardon (30) 173 H2
Marval (87) 123 G4
Marvaux-Vieux (08) 24 A5
Marvejols (48) 155 H3
Marvelise (25) 88 B4
Marville (55) 25 F4
Marville-Moutiers-Brûlé (28) 41 F5
Mary (71) 115 H1
Mary-sur-Marne (77) 43 H2
Marzan (56) 73 G2
Marzens (81) 170 A5
Marzy (58) 98 D4
le Mas (06) 178 C3
Mas-Blanc-des-Alpilles (13) 191 E1
Mas-Cabardès (11) 187 E2
le Mas-d'Agenais (47) 150 C3
le Mas-d'Artige (23) 125 H3
Mas-d'Auvignon (32) 167 G3
le Mas-d'Azil (09) 185 F4
Mas-de-Londres (34) 173 E4
le Mas-de-Tence (43) 143 F3
Mas-des-Cours (11) 187 E4
Mas-d'Orcières (48) 156 B3
Mas-Grenier (82) 168 D3
Mas-Saint-Chély (48) 155 H5
Mas-Saintes-Puelles (11) 186 B2
Masbaraud-Mérignat (23) 125 E1
Mascaraàs-Haron (64) 166 C5
Mascaras (32) 167 F6
Mascaras (65) 183 F3
Mascarville (31) 169 H6
Masclat (46) 138 B6
Masevaux (68) 88 D1
Maslacq (64) 165 G6
Masléon (87) 124 D3
Maslives (41) 80 A3
le Masnau-
-Massuguiès (81) 171 E4
Masnières (59) 8 D4
Masny (59) 8 D2
Los Masos (66) 200 C3
Masparraute (64) 181 E1
Maspie-Lalonquère-
-Juillacq (64) 182 D1
Masquières (47) 152 A4
Massabrac (31) 185 F3
Massac (11) 187 F6
Massac (17) 121 H2
Massac-Séran (81) 170 A5
Massaguel (81) 170 C6
Massais (79) 93 F3
Massals (81) 171 E3
Massanes (30) 173 H2
Massangis (89) 84 A3
Massat (09) 185 F6

Massay (18) 97 E2
le Massegros (48) 155 G5
Masseilles (33) 150 A3
Massels (47) 151 G4
Massérac (44) 74 B1
Masseret (19) 124 C5
Masseube (32) 184 A1
Massiac (15) 141 F2
Massieu (38) 131 F6
Massieux (01) 130 A2
Massiges (51) 46 B1
Massignac (16) 123 F3
Massignieu-de-Rives (01) 131 G3
Massillargues-Attuech (30) 173 G2
Massilly (71) 116 A2
Massingy (21) 85 E1
Massingy (74) 131 H2
Massingy-lès-Semur (21) 84 D4
Massingy-lès-Vitteaux (21) 85 E5
Massognes (86) 94 A5
Massoins (06) 195 E1
Massongy (74) 118 D3
Massoulès (47) 151 G4
Massugas (33) 136 B6
Massy (71) 115 H2
Massy (76) 19 E2
Massy (91) 42 C5
Mastaing (59) 9 E2
Matafelon-Granges (01) 117 G4
les Matelles (34) 173 F4
Matemale (66) 200 A3
Matha (17) 121 G2
Mathaux (10) 66 D2
Mathay (25) 88 C5
Mathenay (39) 102 D4
les Mathes (17) 120 B3
Mathieu (14) 14 B4
Mathons (52) 67 H2
Mathonville (76) 19 E2
Matignicourt-Goncourt (51) 46 B5
Matignon (22) 34 B4
Matigny (80) 21 G1
Matougues (51) 45 G2
Matour (71) 115 H4
Matra (2B) 205 G2
Matringhem (62) 2 A6
Mattaincourt (88) 69 F3
Mattexey (54) 70 A1
Matton-et-Clémency (08) 24 D2
Matzenheim (67) 71 H1
Maubec (38) 130 D5
Maubec (82) 168 B3
Maubec (84) 175 G3
Maubert-Fontaine (08) 10 D6
Maubeuge (59) 10 A2
Maubourguet (65) 166 D6
Mauchamps (91) 63 F1
Maucomble (76) 19 E2
Maucor (64) 182 C1
Maucourt (60) 21 G2
Maucourt (80) 21 E1
Maucourt-sur-Orne (55) 25 F6
Maudétour-en-Vexin (95) 41 H2
Mauguio (34) 173 G5
Maulan (55) 47 F5
Maulay (86) 94 B3
Maulde (59) 4 A6
Maule (78) 42 A3
Mauléon (79) 92 C3
Mauléon-Barousse (65) 184 A5
Mauléon-d'Armagnac (32) 166 C2
Mauléon-Licharre (64) 181 G2
Maulers (60) 20 B3
Maulette (78) 41 G4
Maulévrier (49) 92 D3
Maulévrier-
-Sainte-Gertrude (76) 17 E5
Maulichères (32) 166 C4
Maumusson (44) 75 F3
Maumusson (82) 168 B2
Maumusson-Laguian (32) 166 C5
Mauny (76) 18 B5
Maupas (10) 66 B4
Maupas (32) 166 C3
Mauperthuis (77) 43 H5
Maupertuis (50) 37 F2
Maupertus-sur-Mer (50) 12 D2
Mauprévoir (86) 109 F5
Mauquenchy (76) 19 F3
Mauran (31) 184 D3
Maure (64) 182 D1
Maure-de-Bretagne (35) 56 D4
Maurecourt (78) 42 B2
Mauregard (77) 43 E2
Mauregny-en-Haye (02) 22 D3
Maureilhan (34) 188 B2
Maureillas-las-Illas (66) 201 E4
Mauremont (31) 185 H1
Maurens (24) 136 D5
Maurens (31) 186 A1
Maurens (32) 168 B5
Maurens-Scopont (81) 169 H5
Maurepas (78) 42 A5
Maurepas (80) 8 B5
Mauressac (31) 185 F2
Mauressargues (30) 173 H2
Maureville (31) 169 G6
Mauriac (15) 140 A2
Mauriac (33) 136 A6
Mauries (40) 166 B5
Maurines (15) 141 F5
Maurois (59) 9 F4
Mauron (56) 56 B3
Mauroux (32) 168 B2
Mauroux (46) 152 A3
Maurrin (40) 166 B3
Maurs (15) 153 H1
Maurupt-le-Montois (51) 46 C5
Maury (66) 200 D1
Mausoléo (2B) 202 D6
Maussac (19) 125 G6
Maussane-les-Alpilles (13) 191 E2
Maussans (70) 87 G5
Mautes (23) 126 A1
Mauvages (55) 47 G6
Mauvaisin (31) 185 G2
Mauves (07) 144 A4
Mauves-sur-Huisne (61) 60 D1
Mauves-sur-Loire (44) 75 E4
Mauvezin (31) 184 C1
Mauvezin (32) 168 B4
Mauvezin (65) 183 G4
Mauvezin-d'Armagnac (40) 166 C2
Mauvezin-de-Prat (09) 184 D5
Mauvezin-
-de-Sainte-Croix (09) 185 E4
Mauvezin-sur-Gupie (47) 150 C2
Mauvières (36) 110 B1
Mauvilly (21) 85 F3
Maux (58) 99 H3
Mauzac (31) 185 F2
Mauzac-
-et-Grand-Castang (24) 137 F5
Mauzé-sur-le-Mignon (79) 107 F4
Mauzé-Thouarsais (79) 93 F3
Mauzens-et-Miremont (24) 137 G4
Mauzun (63) 127 H4
Maves (41) 80 A2
Mavilly-Mandelot (21) 101 F3
la Maxe (57) 26 C5
Maxent (35) 56 C4
Maxéville (54) 48 C5
Maxey-sur-Meuse (88) 68 D1
Maxey-sur-Vaise (55) 68 D1
Maxilly-sur-Léman (74) 119 F3
Maxilly-sur-Saône (21) 86 B6
Maxou (46) 152 C3
Maxstadt (57) 49 G2
May-en-Multien (77) 43 H2
le May-sur-Èvre (49) 75 H6
May-sur-Orne (14) 14 B5
Mayac (24) 137 G2
Mayenne (53) 58 D3
Mayet (72) 78 B2
le Mayet-de-Montagne (03) 114 C6
le Mayet-d'École (03) 113 H5
Maylis (40) 165 G4
Maynal (39) 117 F1
les Mayons (83) 193 H3
Mayot (02) 22 A2
Mayrac (46) 138 C5
Mayran (12) 154 B4
Mayrègne (31) 183 H6
Mayres (07) 157 E1
Mayres (63) 142 B1
Mayres-Savel (38) 145 G5
Mayreville (11) 186 A3
Mayrinhac-Lentour (46) 139 E6
Mayronnes (11) 187 F5
Maysel (60) 20 C6
Mazamet (81) 170 D6
Mazan (84) 175 G1
Mazan-l'Abbaye (07) 157 E1
Mazangé (41) 79 F1
Mazaugues (83) 193 E3
Mazaye (63) 126 D3
Mazé (49) 77 F5
le Mazeau (85) 107 F3
Mazeirat (23) 111 G5
Mazeley (88) 69 H3
Mazerat-Aurouze (43) 142 A3
Mazeray (17) 121 F1
Mazères (09) 185 H3
Mazères (33) 149 H3
Mazères-de-Neste (65) 183 H4
Mazères-Lezons (64) 182 B2
Mazères-sur-Salat (31) 184 C4
Mazerier (03) 113 G5
Mazerny (08) 24 A3
Mazerolles (16) 123 E3
Mazerolles (17) 121 E4
Mazerolles (40) 166 A2
Mazerolles (64) 166 A6
Mazerolles (65) 183 G2
Mazerolles (86) 109 G3
Mazerolles-du-Razès (11) 186 C4
Mazerolles-le-Salin (25) 103 F1
Mazerulles (54) 49 E4
Mazet-Saint-Voy (43) 143 E4
Mazeuil (86) 94 A5
Mazeyrat-d'Allier (43) 142 A3
Mazeyrolles (24) 152 A1
la Mazière-
-aux-Bons-Hommes (23) 126 A2
Mazières (16) 123 E2
Mazières-de-Touraine (37) 78 C5
Mazières-en-Gâtine (79) 108 A1
Mazières-en-Mauges (49) 92 C2
Mazières-Naresse (47) 151 F1
Mazières-sur-Béronne (79) 108 B4
Mazille (71) 115 H3
Mazingarbe (62) 2 D6
Mazinghem (62) 2 B5
Mazinghien (59) 9 G4
Mazion (33) 135 E2
Mazirat (03) 112 C5
Mazirot (88) 69 F2
le Mazis (80) 6 D6
Mazoires (63) 127 E6
Mazouau (65) 183 G4
Mazuby (11) 199 H1
les Mazures (08) 11 E6
Mazzola (2B) 205 F2
Méailles (04) 178 A1
Méallet (15) 140 A2
Méasnes (23) 111 F3
Meaucé (28) 61 F1
Méaudre (38) 145 F3
la Meauffe (50) 13 F6
la Méaugon (22) 33 G4
Meaulne (03) 112 D1
Méaulte (80) 8 A5
Méautis (50) 13 E5
Meaux (77) 43 G3
Meaux-la-Montagne (69) 115 G6
Meauzac (82) 169 E1
Mecé (35) 57 H2
Mechmont (46) 152 C2
Mécleuves (57) 26 C6
Mecquignies (59) 9 H2
Mécrin (55) 47 G4
Mécringes (51) 44 C4
Médan (78) 42 B3
Médavy (61) 39 F5
Medeyrolles (63) 128 B6
Médière (25) 88 B4
Médillac (16) 136 B2
Médis (17) 120 C4
Médonville (88) 68 D4
Médréac (35) 56 C1
le Mée (28) 62 A6
Mée (53) 76 C1
le Mée-sur-Seine (77) 64 A1
les Mées (04) 176 D1
Mées (40) 165 E4
les Mées (72) 60 B3
Mégange (57) 26 D4
Megève (74) 133 E2
Mégevette (74) 119 E4
Mégrit (22) 34 B6
Méharicourt (80) 21 E1
Méharin (64) 181 E1
Méhers (41) 80 A6
Méhoncourt (54) 69 H1
Méhoudin (61) 59 F1
Mehun-sur-Yèvre (18) 97 F2
la Meignanne (49) 76 D4
Meigné (49) 93 G1
Meigné-le-Vicomte (49) 78 A4
Meigneux (77) 64 D1
Meigneux (80) 19 H1
Meilhac (87) 124 A3
Meilhan (32) 184 B1
Meilhan (40) 165 G2
Meilhan-sur-Garonne (47) 150 B2
Meilhards (19) 124 D5
Meilhaud (63) 127 F5
Meillac (35) 35 E6
Meillant (18) 97 H5
Meillard (03) 113 H3
le Meillard (80) 7 F3
la Meilleraie-Tillay (85) 92 C5
Meilleray (77) 44 B4
la Meilleraye-
-de-Bretagne (44) 75 E2
Meillerie (74) 119 F2
Meillers (03) 113 G2
Meillon (64) 182 C2
Meillonnas (01) 117 E4
Meilly-sur-Rouvres (21) 101 E1
Meisenthal (57) 50 C2
Meistratzheim (67) 71 G1
le Meix (21) 85 G3
le Meix-Saint-Epoing (51) 44 D5
le Meix-Tiercelin (51) 45 H6
Méjannes-le-Clap (30) 157 G5
Méjannes-lès-Alès (30) 173 H1
Mela (2A) 207 E2
Mélagues (12) 171 H4
Mélamare (76) 15 G1
Melay (49) 92 D1
Melay (52) 87 E1
Melay (71) 115 E5
le Mêle-sur-Sarthe (61) 60 C1
Mélecey (70) 88 A4
Melesse (35) 57 F2
Melgven (29) 53 H3
Mélicocq (60) 21 F4
Mélicourt (27) 39 H3
Méligny-le-Grand (55) 47 G5
Méligny-le-Petit (55) 47 G5
Melin (70) 87 E2
Melincourt (70) 87 F1
Mélisey (70) 88 B2
Mélisey (89) 84 B1
Meljac (12) 154 B6
Mellac (29) 54 B4
Mellé (35) 58 A1
Melle (79) 108 B4
Mellecey (71) 101 F5
Melleran (79) 108 C5
Melleray (72) 61 E5
Melleroy (45) 82 C1
Melles (31) 184 B6
Melleville (76) 6 B5
Mellionnec (22) 54 D1
Mello (60) 20 C6
Meloisey (21) 101 F3
Melrand (56) 55 E3
Melsheim (67) 50 D4
Melun (77) 64 A1
Melve (04) 160 B4
Melz-sur-Seine (77) 65 E1
Membrey (70) 86 D3
la Membrolle-
-sur-Choisille (37) 78 D5
la Membrolle-
-sur-Longuenée (49) 76 D3
Membrolles (41) 62 A6
Méménil (88) 70 B3
Memmelshoffen (67) 51 F2
le Mémont (25) 104 C1
Menades (89) 83 H5
Ménarmont (88) 70 B1
Menars (41) 80 A3
Menat (63) 113 E6
Menaucourt (55) 47 F5
Mencas (62) 2 A6
Menchhoffen (67) 50 C3
Mende (48) 156 A3
Mendionde (64) 180 D1
Menditte (64) 181 F3
Mendive (64) 181 E3
Ménéac (56) 56 A2
Ménerbes (84) 175 G3
Ménerval (76) 19 G3
Ménerville (78) 41 G3
Menesble (21) 85 G2
Méneslies (80) 6 B4
Ménesplet (24) 136 B4
Ménesqueville (27) 19 E5
Ménessaire (21) 100 C2
Menestreau (58) 83 E5
Ménestreau-en-Villette (45) 81 E3
Menet (15) 140 B2
Menetou-Couture (18) 98 C3
Menetou-Râtel (18) 82 B6
Menetou-Salon (18) 97 H1
Menetou-sur-Nahon (36) 96 C1
Ménétréol-
-sous-Sancerre (18) 82 B6
Ménétréol-sur-Sauldre (18) 81 F5
Ménétréols-sous-Vatan (36) 96 D3
Ménetreuil (71) 116 D1
Ménétreux-le-Pitois (21) 84 D4
Ménétrol (63) 127 F2
Ménétru-le-Vignoble (39) 102 D5
Ménétrux-en-Joux (39) 117 H1
Ménévillers (60) 21 E3
Menglon (26) 159 F1
Ménigoute (79) 108 C2
Ménil (53) 76 D2
le Ménil (88) 70 C6
Ménil-Annelles (08) 23 H4
Ménil-aux-Bois (55) 47 G4
le Ménil-Bérard (61) 39 H5
le Ménil-Broût (61) 60 B1
le Ménil-Ciboult (61) 37 H4
le Ménil-de-Briouze (61) 38 C5
Ménil-de-Senones (88) 70 D2
Ménil-en-Xaintois (88) 69 E3
Ménil-Erreux (61) 60 B1
Ménil-Froger (61) 39 G5
Ménil-Gondouin (61) 38 C4
le Ménil-Guyon (61) 39 G6
Ménil-Hermei (61) 38 C4
Ménil-Hubert-en-Exmes (61) 39 G4
Ménil-Hubert-sur-Orne (61) 38 C3
Ménil-Jean (61) 38 D4
Ménil-la-Horgne (55) 47 G5
Ménil-la-Tour (54) 48 A4
Ménil-Lépinois (08) 23 G5
le Ménil-Scelleur (61) 38 D6
Ménil-sur-Belvitte (88) 70 B2
Ménil-sur-Saulx (55) 47 E6
le Ménil-Vicomte (61) 39 G4
Ménil-Vin (61) 38 C3
Ménilles (27) 41 F2
la Ménitré (49) 77 F5
Mennecy (91) 63 G1
Mennessis (02) 22 A2
Mennetou-sur-Cher (41) 96 D1
Menneval (27) 15 H5
Menneville (02) 23 E4
Menneville (62) 1 G4
Mennevret (02) 9 F5
Mennouveaux (52) 68 B5
Ménoire (19) 139 E3
Menomblet (85) 92 D5
Menoncourt (90) 88 D2
Ménonval (76) 19 F1
Menotey (39) 102 C2
Menou (58) 83 E6
Menouville (95) 42 B1
le Menoux (36) 111 E2
Menoux (70) 87 F1
Mens (38) 145 G6
Mensignac (24) 137 E2
Menskirch (57) 26 D3
Mentheville (76) 16 C4
Menthon-
-Saint-Bernard (74) 132 B2
Menthonnex-
-en-Bornes (74) 118 C6
Menthonnex-
-sous-Clermont (74) 131 H1
Mentières (15) 141 F4
Menton (06) 195 H2
Mentque-Nortbécourt (62) 1 H3
Menucourt (95) 42 B2
les Menus (61) 61 F1
Menville (31) 168 D5
Méobecq (36) 96 A6
Méolans-Revel (04) 161 E3
Méon (49) 78 A4
Méounes-
-lès-Montrieux (83) 193 E4
Mer (41) 80 B3
Méracq (64) 166 A6
Méral (53) 58 B6
Méras (09) 185 F3
Mercatel (62) 8 B3
Mercenac (09) 184 D5
Merceuil (21) 101 G4
Mercey (27) 41 F2
Mercey-le-Grand (25) 103 E1
Mercey-sur-Saône (70) 86 D4
Mercin-et-Vaux (02) 22 A5
Merck-Saint-Liévin (62) 2 A5
Merckeghem (59) 2 B3
Mercœur (19) 139 F4
Mercoeur (43) 141 G2
Mercuer (07) 157 G2
Mercuès (46) 152 C3
Mercurey (71) 101 F5
Mercurol (26) 144 B3
Mercury (73) 132 C3
Mercus-Garrabet (09) 185 H6
Mercy (03) 114 B2
Mercy (89) 65 G5
Mercy-le-Bas (54) 25 H4
Mercy-le-Haut (54) 25 H5
Merdrignac (22) 56 A2
Méré (78) 41 H4
Méré (89) 83 H1
Méreau (18) 97 E2
Méréaucourt (80) 19 H2
Méréglise (28) 61 H3
Mérélessart (80) 6 D5
Mérens (32) 167 H4
Mérens-les-Vals (09) 199 G2
Mérenvielle (31) 168 D5
Méreuil (05) 159 H4
Méréville (54) 48 C6
Méréville (91) 63 E3
Merey (27) 41 F3
Mérey-sous-Montrond (25) 103 G2
Mérey-Vieilley (25) 87 F6
Merfy (51) 23 E5
Mergey (10) 66 A2
Meria (2B) 203 G2
Mérial (11) 199 H1
Méricourt (62) 8 B1
Méricourt (78) 41 G2
Méricourt-en-Vimeu (80) 7 E6
Méricourt-l'Abbé (80) 7 H5
Méricourt-sur-Somme (80) 8 A6
Mériel (95) 42 C2
Mérifons (34) 172 B5
Mérignac (16) 122 A3
Mérignac (17) 135 G1
Mérignac (33) 135 E5
Mérignas (33) 136 A6
Mérignat (01) 117 F6
Mérignies (59) 3 G6
Mérigny (36) 110 A1
Mérigon (09) 185 E4
Mérilheu (65) 183 F4
Mérillac (22) 56 A1
Mérinchal (23) 126 B2
Mérindol (84) 191 H1
Mérindol-les-Oliviers (26) 158 D5
Mérinville (45) 64 C5
le Mériot (10) 65 F1
Méritein (64) 181 G1
Merkwiller-Pechelbronn (67) 29 E6
Merlas (38) 131 F6
la Merlatière (85) 91 H3
Merlaut (51) 46 B5
Merle-Leignec (42) 128 D6
Merléac (22) 33 F6
le Merlerault (61) 39 G5
Merles (82) 168 C1
Merles-sur-Loison (55) 25 F5
Merlevenez (56) 54 D5
Merlieux-
-et-Fouquerolles (02) 22 B4
Merlimont (62) 6 C1
Merlines (19) 126 B4
Mernel (35) 56 D4
Mérobert (91) 63 E2
Mérona (39) 117 G1
Mérouville (28) 62 D3
Meroux (90) 88 D3
Merpins (16) 121 G3
Merrey (52) 68 C5
Merrey-sur-Arce (10) 66 D5
Merri (61) 39 E3
Merris (59) 2 D4
Merry-la-Vallée (89) 83 E2
Merry-Sec (89) 83 F3
Merry-sur-Yonne (89) 83 G4
Mers-les-Bains (80) 6 B4
Mers-sur-Indre (36) 111 G1
Merschweiller (57) 26 D2
Mersuay (70) 87 G2
Merten (57) 27 E4
Mertrud (52) 67 G2
Mertzen (68) 89 E3
Mertzwiller (67) 51 E3
Méru (60) 20 B6
Merval (02) 22 C5
Mervans (71) 102 A5
Mervent (85) 107 F1
Mervilla (31) 169 F6
Merville (31) 169 E4
Merville (59) 2 D5
Merville-
-Franceville-Plage (14) 14 C4
Merviller (54) 70 B1
Merxheim (68) 71 F6
Méry (73) 131 H4
Méry-Corbon (14) 39 E1
Méry-ès-Bois (18) 81 G6
Méry-la-Bataille (60) 21 E3
Méry-Prémecy (51) 22 D6
Méry-sur-Cher (18) 97 E1
Méry-sur-Marne (77) 44 A3
Méry-sur-Oise (95) 42 C2
Méry-sur-Seine (10) 65 H1
le Merzer (22) 33 E4
Mésandans (25) 87 H5
Mésanger (44) 75 F3
Mésangueville (76) 19 F3
Mesbrecourt-
-Richecourt (02) 22 B2
Meschers-sur-Gironde (17) 120 C4
Mescoules (24) 136 D6
le Mesge (80) 7 E5
Mesgrigny (10) 65 H1
Mésigny (74) 132 A1
Meslan (56) 54 C3
Mesland (41) 79 G4
Meslay (14) 38 C2
Meslay (41) 79 G2
Meslay-du-Maine (53) 59 E6
Meslay-le-Grenet (28) 62 A2
Meslay-le-Vidame (28) 62 A3
Meslières (25) 88 D5
Meslin (22) 33 H5
Mesmay (25) 103 E2
Mesmont (08) 23 G3
Mesmont (21) 85 F6
Mesnac (16) 121 G2
Mesnard-la-Barotière (85) 92 A4
Mesnay (39) 103 E4
les Mesneux (51) 23 E6
la Mesnière (61) 60 C1
Mesnières-en-Bray (76) 19 E1
le Mesnil (50) 12 B4
le Mesnil-Adelée (50) 37 F5
le Mesnil-Amand (50) 35 H1
le Mesnil-Amelot (77) 43 E2
le Mesnil-Amey (50) 37 F1
le Mesnil-au-Grain (14) 14 A6
le Mesnil-au-Val (50) 12 D2
le Mesnil-Aubert (50) 35 H1
le Mesnil-Aubry (95) 42 D2
le Mesnil-Auzouf (14) 38 A2
le Mesnil-Bacley (14) 15 E6
le Mesnil-Benoist (14) 37 G3
Mesnil-Bruntel (80) 8 C6
le Mesnil-Caussois (14) 37 G3
Mesnil-Clinchamps (14) 37 G3
le Mesnil-Conteville (60) 20 A2
Mesnil-Domqueur (80) 7 E4
le Mesnil-Durand (14) 15 E6
le Mesnil-Durdent (76) 17 E3
Mesnil-en-Arrouaise (80) 8 C4
le Mesnil-en-Thelle (60) 42 C1
le Mesnil-en-Vallée (49) 76 B5
le Mesnil-Esnard (76) 18 D4
le Mesnil-Eudes (14) 15 F5
le Mesnil-Eury (50) 13 E6
Mesnil-Follemprise (76) 17 H3
le Mesnil-Fuguet (27) 40 D2
le Mesnil-Garnier (50) 35 H2
le Mesnil-Germain (14) 15 F6
le Mesnil-Gilbert (50) 37 G4
le Mesnil-Guillaume (14) 15 F5
le Mesnil-Hardray (27) 40 C3
le Mesnil-Herman (50) 37 F2
le Mesnil-Jourdain (27) 40 D1
Mesnil-la-Comtesse (10) 66 B1
le Mesnil-le-Roi (78) 42 B3
Mesnil-Lettre (10) 66 C2
le Mesnil-Lieubray (76) 19 F3
Mesnil-Martinsart (80) 8 A4
le Mesnil-Mauger (14) 15 E5
Mesnil-Mauger (76) 19 F2
le Mesnil-Opac (50) 37 F2
le Mesnil-Ozenne (50) 37 F5
Mesnil-Panneville (76) 17 F5
le Mesnil-Patry (14) 14 A4
le Mesnil-Rainfray (50) 37 G5
Mesnil-Raoul (76) 18 D4
le Mesnil-Raoult (50) 37 G2
le Mesnil-Réaume (76) 6 B5
le Mesnil-Robert (14) 37 G3
le Mesnil-Rogues (50) 35 H2
le Mesnil-Rousset (27) 40 A3
le Mesnil-Rouxelin (50) 13 F6
le Mesnil-Saint-Denis (78) 42 A5
le Mesnil-Saint-Firmin (60) 20 C3
Mesnil-Saint-Georges (80) 20 D2
Mesnil-Saint-Laurent (02) 22 A1
Mesnil-Saint-Loup (10) 65 H3
Mesnil-Saint-Nicaise (80) 21 F1
Mesnil-Saint-Père (10) 66 C3
Mesnil-Sellières (10) 66 C3
le Mesnil-Simon (14) 15 E5
le Mesnil-Simon (28) 41 G3
le Mesnil-
-sous-Jumièges (76) 17 F6
Mesnil-sous-Vienne (27) 19 G5
le Mesnil-sur-Blangy (14) 15 F4
le Mesnil-sur-Bulles (60) 20 C4
Mesnil-sur-l'Estrée (27) 41 E4
le Mesnil-sur-Oger (51) 45 F3
le Mesnil-Théribus (60) 20 A5
le Mesnil-Thomas (28) 40 D6
le Mesnil-Tôve (50) 37 G5
le Mesnil-Véneron (50) 13 E5
Mesnil-Verclives (27) 19 F5
le Mesnil-Vigot (50) 13 E6
le Mesnil-Villeman (50) 35 H2
le Mesnil-Villement (14) 38 C3
le Mesnilbus (50) 12 D6
le Mesnillard (50) 37 F5
Mesnois (39) 117 G1
les Mesnuls (78) 42 A5
Mespaul (29) 31 G3
Mesplède (64) 165 G6
Mesples (03) 112 B3
Mespuits (91) 63 F3
Mesquer (44) 73 F3
Messac (17) 121 G6
Messac (35) 57 E5
Messanges (21) 101 G2
Messanges (40) 164 C3
Messas (45) 80 B2
Messé (79) 108 D4
Messei (61) 38 B5
Messein (54) 48 C6
Messeix (63) 126 B4
Messemé (86) 94 A3
Messery (74) 118 C3
Messey-sur-Grosne (71) 116 A1
Messia-sur-Sorne (39) 102 D6
Messigny-et-Vantoux (21) 85 H5
Messimy (69) 129 H4
Messimy-sur-Saône (01) 116 B6
Messincourt (08) 24 D2
Messon (10) 66 A3
Messy (77) 43 F3
Mesterrieux (33) 150 B1
Mestes (19) 126 A5
Mesves-sur-Loire (58) 98 C1
Mesvres (71) 100 C5
Métabief (25) 104 A5
les Métairies (16) 121 H3
Métairies-Saint-Quirin (57) 50 A5
Méteren (59) 2 D4
Méthamis (84) 175 G1
Métigny (80) 7 E5
Metting (57) 50 B3

Mettray (37) 78 D5
Metz (57) 26 B5
Metz-en-Couture (62) 8 D4
Metz-le-Comte (58) 83 G5
Metz-Robert (10) 66 B5
Metz-Tessy (74) 132 A1
Metzeral (68) 70 D5
Metzeresche (57) 26 C4
Metzervisse (57) 26 C3
Metzing (57) 49 H1
Meucon (56) 55 G6
Meudon (92) 42 C4
Meuilley (21) 101 G2
Meulan (78) 42 A2
Meulers (76) 17 H2
Meulles (14) 39 G2
Meulson (21) 85 F3
Meunet-Planches (36) 97 E5
Meunet-sur-Vatan (36) 96 D3
Meung-sur-Loire (45) 80 C2
Meurcé (72) 60 B3
Meurchin (62) 3 E6
Meurcourt (70) 87 G2
la Meurdraquière (50) 35 H2
Meures (52) 67 H4
Meurival (02) 22 D5
Meursac (17) 120 D3
Meursanges (21) 101 H3
Meursault (21) 101 G3
Meurville (10) 67 E4
Meusnes (41) 96 B1
Meussia (39) 117 H2
Meuvaines (14) 14 A3
Meux (17) 121 G5
le Meux (60) 21 E5
Meuzac (87) 124 C5
Mévoisins (28) 62 B1
Mévouillon (26) 159 F5
Meximieux (01) 130 C2
Mexy (54) 25 H3
Mey (57) 26 C5
Meyenheim (68) 71 F6
Meylan (38) 145 G2
Meymac (19) 125 G5
Meynes (30) 174 C3
Meyrals (24) 137 H5
Meyrannes (30) 157 E5
Meyrargues (13) 176 B5
Meyras (07) 157 F1
Meyreuil (13) 176 A6
Meyrié (38) 130 D5
Meyrieu-les-Étangs (38) 130 C5
Meyrieux-Trouet (73) 131 G4
Meyrignac-l'Église (19) 125 E6
Meyronne (46) 138 D5
Meyronnes (04) 161 G3
Meyrueis (48) 156 A6
Meys (69) 129 F4
Meyssac (19) 138 D4
Meysse (07) 158 A2
Meyssiès (38) 130 C6
Meythet (74) 132 A1
la Meyze (87) 124 A4
Meyzieu (69) 130 B3
Mézangers (53) 59 E4
Mèze (34) 189 E1
Mézel (04) 177 F1
Mezel (63) 127 G3
Mézens (81) 169 G4
Mézeray (72) 77 H1
Mézères (43) 142 D3
Mézériat (01) 116 C4
Mézerolles (80) 7 F3
Mézerville (11) 186 A3
Mézidon-Canon (14) 39 E1
la Mézière (35) 57 E2
Mézières-au-Perche (28) 61 H3
Mézières-en-Brenne (36) 95 H5
Mézières-en-Drouais (28) 41 F5
Mézières-en-Gâtinais (45) 63 H5
Mézières-en-Santerre (80) 20 D1
Mézières-en-Vexin (27) 41 F1
Mézières-lez-Cléry (45) 80 C2
Mézières-sous-Lavardin (72) 59 H4
Mézières-sur-Couesnon (35) 57 G1
Mézières-sur-Issoire (87) 110 A5
Mézières-sur-Oise (02) 22 A1
Mézières-sur-Ponthouin (72) 60 B4
Mézières-sur-Seine (78) 41 H3
Mézilhac (07) 143 F6
Mézilles (89) 82 D3
Mézin (47) 167 F1
Méziré (90) 88 D4
Mézos (40) 148 B6
Mézy-Moulins (02) 44 C2
Mézy-sur-Seine (78) 42 A2
Mhère (58) 100 A1
Mialet (24) 123 G5
Mialet (30) 173 G1
Mialos (64) 166 A6
Miannay (80) 6 C4
Michaugues (58) 99 G1
Michelbach (68) 89 E2
Michelbach-le-Bas (68) 89 G3
Michelbach-le-Haut (68) 89 G3
Michery (89) 64 D3
Midrevaux (88) 68 C2
Mièges (39) 103 G5
Miélan (32) 183 G1
Miellin (70) 88 C1
Miermaigne (28) 61 F3
Miers (46) 138 D5
Miéry (39) 102 D5
Mietesheim (67) 50 D3
Mieussy (74) 119 E5
Mieuxcé (61) 59 H2
Migé (89) 83 F3
Migennes (89) 65 F6
Miglos (09) 199 E1
Mignaloux-Beauvoir (86) 109 E1
Mignavillers (70) 88 A3
Migné (36) 96 A6
Migné-Auxances (86) 109 E1
Mignères (45) 64 A5
Mignerette (45) 63 H5
Mignéville (54) 49 G6
Mignières (28) 62 A2
Mignovillard (39) 103 G5
Migny (36) 97 E3
Migré (17) 107 G5
Migron (17) 121 G2
Mijanès (09) 199 H2
Mijoux (01) 118 B3
la Milesse (72) 60 A5
Milhac (46) 138 B6
Milhac-d'Auberoche (24) 137 G3
Milhac-de-Nontron (24) 123 F6
Milhars (81) 153 F6
Milhas (31) 184 B5
Milhaud (30) 174 A4
Milhavet (81) 170 B1
Milizac (29) 30 D4
Millac (86) 109 G5
Millam (59) 2 B3
Millançay (41) 80 C5
Millas (66) 201 E2
Millau (12) 172 A1
Millay (58) 100 B5
Millebosc (76) 6 B5
Millemont (78) 41 H4
Millencourt (80) 8 A5
Millencourt-en-Ponthieu (80) 7 E3
Millery (21) 84 C4
Millery (54) 48 C4
Millery (69) 130 A4
Millevaches (19) 125 G4
Millières (50) 12 D6
Millières (52) 68 B4
Millonfosse (59) 9 E1
Milly (50) 37 G5
Milly-la-Forêt (91) 63 H2
Milly-Lamartine (71) 116 A3
Milly-sur-Bradon (55) 24 D4
Milly-sur-Thérain (60) 20 A4
Milon-la-Chapelle (78) 42 B5
Mimbaste (40) 165 E4
Mimet (13) 192 B3
Mimeure (21) 101 E2
Mimizan (40) 148 A5
Minaucourt-
-le-Mesnil-lès-Hurlus (51) 46 B1
Minerve (34) 187 G2
Mingot (65) 183 F1
Mingoval (62) 8 A1
Miniac-Morvan (35) 35 E5
Miniac-sous-Bécherel (35) 56 D1
le Minihic-sur-Rance (35) 36 A5
Minihy-Tréguier (22) 33 E2
Minorville (54) 48 B4
Minot (21) 85 G3
Minversheim (67) 50 D4
Minzac (24) 136 B4
Minzier (74) 118 B6
Miolles (81) 171 E3
Mionnay (01) 130 B2
Mions (69) 130 B4
Mios (33) 148 C1
Miossens-Lanusse (64) 166 B6
Mirabeau (04) 177 E1
Mirabeau (84) 176 B4
Mirabel (07) 157 H2
Mirabel (82) 152 C6
Mirabel-aux-Baronnies (26) 158 D5
Mirabel-et-Blacons (26) 158 D1
Miradoux (32) 168 A2
Miramas (13) 191 G3
Mirambeau (17) 121 F6
Mirambeau (31) 184 C1
Miramont-d'Astarac (32) 167 G6
Miramont-
-de-Comminges (31) 184 B4
Miramont-
-de-Guyenne (47) 150 D2
Miramont-de-Quercy (82) 152 A5
Miramont-Latour (32) 168 A4
Miramont-Sensacq (40) 166 B5
Mirande (32) 167 G6
Mirandol-
-Bourgnounac (81) 153 H6
Mirannes (32) 167 G5
Miraumont (80) 8 B4
Miraval-Cabardès (11) 187 E2
Mirbel (52) 67 H3
Miré (49) 77 E2
Mirebeau (86) 94 A5
Mirebeau-sur-Bèze (21) 86 B5
Mirebel (39) 103 E6
Mirecourt (88) 69 F3
Mirefleurs (63) 127 F4
Miremont (31) 185 F2
Miremont (63) 126 C2
Mirepeisset (11) 188 A3
Mirepeix (64) 182 C3
Mirepoix (09) 186 B4
Mirepoix (32) 168 A4
Mirepoix-sur-Tarn (31) 169 G3
Mireval (34) 173 F6
Mireval-Lauragais (11) 186 B3
Miribel (01) 130 B2
Miribel (26) 144 C2
Miribel-Lanchâtre (38) 145 F4
Miribel-les-Échelles (38) 131 G6
Mirmande (26) 158 B1
le Miroir (71) 117 E2
Mirvaux (80) 7 G5
Mirville (76) 15 G1
Miscon (26) 159 F2
Miserey (27) 41 E2
Miserey-Salines (25) 87 F6
Misérieux (01) 130 A1
Misery (80) 8 B6
Mison (04) 160 A5
Missé (79) 93 G3
Missècle (81) 170 B4
Missègre (11) 187 E5
Missery (21) 84 D6
Missillac (44) 73 H2
Missiriac (56) 56 A5
Misson (40) 165 E5
Missy (14) 14 A5
Missy-aux-Bois (02) 21 H5
Missy-lès-Pierrepont (02) 22 D2
Missy-sur-Aisne (02) 22 B5
Misy-sur-Yonne (77) 64 D3
Mitry-Mory (77) 43 E3
Mittainville (78) 41 G5
Mittainvilliers (28) 61 H1
Mittelbergheim (67) 71 F1
Mittelbronn (57) 50 B4
Mittelhausbergen (67) 51 E5
Mittelhausen (67) 50 D4
Mittelschaeffolsheim (67) 50 D4
Mittelwihr (68) 71 F4
Mittersheim (57) 49 H3
Mittlach (68) 70 D5
Mittois (14) 15 E6
Mitzach (68) 70 D6
Mizérieux (42) 129 E3
Mizoën (38) 146 B3
Mobecq (50) 12 C5
Moca-Croce (2A) 207 E1
Modane (73) 147 E2
Modène (84) 175 G1
Moëlan-sur-Mer (29) 54 A4
les Moëres (59) 2 C1
Mœrnach (68) 89 F4
Moëslains (52) 46 C6
Moeurs-Verdey (51) 44 D5
Mœuvres (59) 8 D3
Moëze (17) 120 C1
Moffans-et-Vacheresse (70) 88 A3
Mogeville (55) 25 F6
Mognard (73) 131 H3
Mogneneins (01) 116 B5
Mognéville (55) 46 D4
Mogneville (60) 20 D5
Mogues (08) 25 E2
Mohon (56) 55 H3
Moidieu-Détourbe (38) 130 B5
Moigny-sur-École (91) 63 G2
Moimay (70) 87 H4
Moineville (54) 26 A4
Moings (17) 121 G5
Moinville-la-Jeulin (28) 62 C2
Moirans (38) 145 F1
Moirans-en-Montagne (39) 117 H2
Moirax (47) 151 F6
Moiré (69) 129 G1
Moiremont (51) 46 C1
Moirey-Flabas-Crépion (55) 25 F5
Moiron (39) 102 D6
Moiry (08) 25 E3
Moisdon-la-Rivière (44) 75 E1
Moisenay (77) 64 A1
Moislains (80) 8 C5
Moissac (82) 168 D1
Moissac-Bellevue (83) 177 F4
Moissac-Vallée-
-Française (48) 156 C6
Moissannes (87) 124 D2
Moissat (63) 127 G3
Moisselles (95) 42 D2
Moissey (39) 102 C1
Moissieu-sur-Dolon (38) 130 B6
Moisson (78) 41 G2
Moissy-Cramayel (77) 43 E6
Moissy-Moulinot (58) 83 G6
Moisville (27) 40 D4
Moisy (41) 79 H1
Moïta (2B) 205 G2
les Moitiers-d'Allonne (50) 12 B4
les Moitiers-
-en-Bauptois (50) 12 D4
Moitron (21) 85 F3
Moitron-sur-Sarthe (72) 59 H3
Moivre (51) 46 B3
Moivrons (54) 48 D4
Molac (56) 56 A6
Molagnies (76) 19 G3
Molain (02) 9 F5
Molain (39) 103 E5
Molamboz (39) 103 E4
Molandier (11) 185 H3
Molas (31) 184 B1
Molay (39) 102 C3
Molay (70) 86 D2
Môlay (89) 84 A2
le Molay-Littry (14) 13 G5
la Môle (83) 194 A4
Moléans (28) 62 A5
Molèdes (15) 141 E2
Molère (65) 183 G4
Molesme (21) 66 C6
Molesmes (89) 83 F3
Molezon (48) 156 B6
Moliens (60) 19 H2
Molières (24) 137 F6
Molières (46) 139 F6
Molières (82) 152 C6
les Molières (91) 42 B5
Molières-Cavaillac (30) 172 D2
Molières-Glandaz (26) 159 F1
Molières-sur-Cèze (30) 157 E5
Moliets-et-Maa (40) 164 C2
Molinchart (02) 22 B3
Molines-en-Queyras (05) 147 F6
Molinet (03) 114 D2
Molineuf (41) 79 H4
Molinges (39) 117 H3
Molinons (89) 65 F4
Molinot (21) 101 E3
Molins-sur-Aube (10) 66 D2
Molitg-les-Bains (66) 200 C2
Mollans (70) 87 H3
Mollans-sur-Ouvèze (26) 158 D5
Mollau (68) 70 D6
Mollégès (13) 175 F3
Molles (03) 114 B6
les Mollettes (73) 132 A5
Molleville (11) 186 A2
Molliens-au-Bois (80) 7 G5
Molliens-Dreuil (80) 7 E6
Mollkirch (67) 50 C6
Molompize (15) 141 F2
Molosmes (89) 84 B1
Moloy (21) 85 G4
Molphey (21) 84 C6
Molpré (39) 103 G5
Molring (57) 49 G3
Molsheim (67) 50 D6
Moltifao (2B) 203 E6
les Molunes (39) 118 A3
Momas (64) 166 A6
Mombrier (33) 135 E3
Momères (65) 183 E3
Momerstroff (57) 27 E5
Mommenheim (67) 50 D4
Momuy (40) 165 H5
Momy (64) 182 D1
Monacia-d'Aullène (2A) 207 E4
Monacia-d'Orezza (2B) 205 G1
Monampteuil (02) 22 C4
Monassut-Audiracq (64) 182 C1
le Monastère (12) 154 C4
le Monastier-
-Pin-Moriès (48) 155 G3
le Monastier-
-sur-Gazeille (43) 142 D5
Monay (39) 102 D5
Monbahus (47) 151 E2
Monbalen (47) 151 F5
Monbardon (32) 184 B1
Monbazillac (24) 136 D6
Monbéqui (82) 168 D3
Monblanc (32) 184 D1
Monbrun (32) 168 C5
Moncale (2B) 202 C6
Moncassin (32) 183 H1
Moncaup (31) 184 B5
Moncaup (64) 166 D6
Moncaut (47) 151 E6
Moncayolle-
-Larrory-Mendibieu (64) 181 G2
Moncé-en-Belin (72) 78 A1
Moncé-en-Saosnois (72) 60 C3
Monceau-le-Neuf-
-et-Faucouzy (02) 22 C1
Monceau-le-Waast (02) 22 C3
Monceau-lès-Leups (02) 22 B2
Monceau-Saint-Waast (59) 9 H3
Monceau-sur-Oise (02) 9 G6
les Monceaux (14) 15 E5
Monceaux (60) 20 D5
Monceaux-au-Perche (61) 61 E1
Monceaux-en-Bessin (14) 13 H5
Monceaux-l'Abbaye (60) 19 G2
Monceaux-le-Comte (58) 83 G6
Monceaux-
-sur-Dordogne (19) 139 F3
Moncel-lès-Lunéville (54) 49 F6
Moncel-sur-Seille (54) 49 E4
Moncel-sur-Vair (88) 68 D2
la Moncelle (08) 24 C2
Moncetz-l'Abbaye (51) 46 B6
Moncetz-Longevas (51) 45 H3
Moncey (25) 87 G5
Monchaux-Soreng (76) 6 C5
Monchaux-sur-Écaillon (59) 9 F2
Moncheaux (59) 8 D1
Moncheaux-lès-Frévent (62) 7 G2
Monchecourt (59) 8 D2
Monchel-sur-Canche (62) 7 F2
Moncheux (57) 48 D3
Monchiet (62) 8 A3
Monchy-au-Bois (62) 8 A3
Monchy-Breton (62) 7 H1
Monchy-Cayeux (62) 7 G1
Monchy-Humières (60) 21 E4
Monchy-Lagache (80) 8 C6
Monchy-le-Preux (62) 8 C2
Monchy-Saint-Éloi (60) 20 D6
Monchy-sur-Eu (76) 6 B5
Moncla (64) 166 C5
Monclar (32) 166 C2
Monclar (47) 151 E3
Monclar-de-Quercy (82) 169 G2
Monclar-sur-Losse (32) 167 F6
Moncley (25) 87 E6
Moncontour (22) 33 H6
Moncontour (86) 93 H4
Moncorneil-Grazan (32) 184 A1
Moncourt (57) 49 F5
Moncoutant (79) 92 D5
Moncrabeau (47) 167 G1
Moncy (61) 38 A4
Mondavezan (31) 184 D3
Mondelange (57) 26 B4
Mondement-
-Montgivroux (51) 45 E4
Mondescourt (60) 21 H3
Mondevert (35) 58 A4
Mondeville (14) 14 C4
Mondeville (91) 63 G1
Mondicourt (62) 7 H3
Mondigny (08) 24 A2
Mondilhan (31) 184 B2
Mondion (86) 94 C4
Mondon (25) 87 H5
Mondonville (31) 169 E5
Mondonville-Saint-Jean (28) 62 D2
Mondorff (57) 26 C2
Mondoubleau (41) 61 F6
Mondouzil (31) 169 G5
Mondragon (84) 158 A5
Mondrainville (14) 14 B5
Mondrepuis (02) 10 B5
Mondreville (77) 63 H4
Mondreville (78) 41 G3
Monein (64) 182 A2
Monès (31) 184 D1
Monesple (09) 185 G4
Monestier (03) 113 G4
Monestier (07) 143 G2
Monestier (24) 136 C6
le Monestier (63) 128 A5
Monestier-d'Ambel (38) 145 H6
Monestier-de-Clermont (38) 145 F5
le Monestier-du-Percy (38) 145 G6
Monestier-Merlines (19) 126 B4
Monestier-Port-Dieu (19) 126 B5
Monestiés (81) 170 B1
Monestrol (31) 185 H2
Monétay-sur-Allier (03) 113 H3
Monétay-sur-Loire (03) 114 C3
Monéteau (89) 83 F1
Monêtier-Allemont (05) 160 A4
le Monêtier-les-Bains (05) 146 D4
Monfaucon (24) 136 C5
Monfaucon (65) 183 F1
Monferran-Plavès (32) 167 H6
Monferran-Savès (32) 168 C5
Monflanquin (47) 151 G2
Monfort (32) 168 B3
Monfréville (14) 13 F5
Mongaillard (47) 150 D5
Mongausy (32) 168 B6
Mongauzy (33) 150 B2
Monget (40) 165 H5
Monguilhem (32) 166 C3
Monheurt (47) 150 D4
Monhoudou (72) 60 B3
Monieux (84) 175 H1
Monistrol-d'Allier (43) 142 A4
Monistrol-sur-Loire (43) 143 E2
Monlaur-Bernet (32) 183 H2
Monléon-Magnoac (65) 183 H3
Monlet (43) 142 B2
Monlezun (32) 167 E6
Monlezun-
-d'Armagnac (32) 166 C3
Monlong (65) 183 H3
Monmadalès (24) 137 E6
Monmarvès (24) 151 F1
Monnai (61) 39 H3
Monnaie (37) 79 E4
Monneren (57) 26 D3
la Monnerie-le-Montel (63) 128 A2
Monnerville (91) 63 E3
Monnes (02) 44 A1
Monnet-la-Ville (39) 103 E6
Monnetay (39) 117 F2
Monnetier-Mornex (74) 118 C5
Monneville (60) 20 A6
Monnières (39) 102 C2
Monnières (44) 75 E6
Monoblet (30) 173 F2
Monpardiac (32) 167 F6
Monpazier (24) 151 H1
Monpezat (64) 166 D6
Monplaisant (24) 137 H6
Monprimblanc (33) 149 H1
Mons (16) 122 A2
Mons (17) 121 G2
Mons (30) 173 H1
Mons (31) 169 G5
Mons (34) 171 H6
Mons (63) 127 H1
Mons (83) 178 B4
Mons-Boubert (80) 6 C4
Mons-en-Baroeul (59) 3 G5
Mons-en-Laonnois (02) 22 B3
Mons-en-Montois (77) 64 D1
Mons-en-Pévèle (59) 3 F6
Monsac (24) 137 F6
Monsaguel (24) 137 E6
Monsec (24) 123 E6
Monségur (33) 150 B1
Monségur (40) 165 H5
Monségur (47) 151 G3
Monségur (64) 183 E1
la Monselie (15) 140 B1
Monsempron-Libos (47) 151 H3
Monsireigne (85) 92 B5
Monsols (69) 115 H5
Monsteroux-Milieu (38) 130 B6
Monsures (80) 20 B2
Monswiller (67) 50 C4
Mont (64) 165 G6
Mont (65) 197 E1
Mont (71) 114 D1
le Mont (88) 70 D1
Mont-Bernanchon (62) 2 D5
Mont-Bertrand (14) 37 H2
Mont-Bonvillers (54) 25 H5
Mont-Cauvaire (76) 17 G5
Mont-d'Astarac (32) 184 A2
Mont-Dauphin (05) 161 F1
Mont-de-Galié (31) 184 A5
Mont-de-Lans (38) 146 B3
Mont-de-Laval (25) 104 C1
Mont-de-l'If (76) 17 F5
Mont-de-Marrast (32) 183 G1
Mont-de-Marsan (40) 166 A2
Mont-de-Vougney (25) 104 C1
Mont-devant-Sassey (55) 24 D4
le Mont-Dieu (08) 24 B3
Mont-Disse (64) 166 C5
Mont-Dol (35) 35 E4
Mont-Dore (63) 126 D5
Mont-d'Origny (02) 9 F6
Mont-et-Marré (58) 99 G3
Mont-Laurent (08) 23 H4
Mont-le-Vernois (70) 87 F3
Mont-le-Vignoble (54) 48 A6
Mont-lès-Lamarche (88) 69 E5
Mont-lès-Neufchâteau (88) 68 C2
Mont-lès-Seurre (71) 102 A4
Mont-l'Étroit (54) 68 D1
Mont-l'Évêque (60) 43 E1
Mont-Louis (66) 200 A4
Mont-Notre-Dame (02) 22 C5
Mont-Ormel (61) 39 F4
Mont-près-Chambord (41) 80 A4
Mont-Roc (81) 170 D4
le Mont-Saint-Adrien (60) 20 A4
Mont-Saint-Aignan (76) 17 G6
Mont-Saint-Éloi (62) 8 A2
Mont-Saint-Jean (02) 23 F1
Mont-Saint-Jean (21) 84 D6
Mont-Saint-Jean (72) 59 G3
Mont-Saint-Léger (70) 87 E3
Mont-Saint-Martin (02) 22 C6
Mont-Saint-Martin (08) 24 A5
Mont-Saint-Martin (38) 145 G1
Mont-Saint-Martin (54) 25 H3
le Mont-Saint-Michel (50) 35 G4
Mont-Saint-Père (02) 44 C2
Mont-Saint-Remy (08) 23 H5
Mont-Saint-Sulpice (89) 65 G6
Mont-Saint-Vincent (71) 115 H1
Mont-Saxonnex (74) 119 E6
Mont-sous-Vaudrey (39) 102 D3
Mont-sur-Courville (51) 22 C6
Mont-sur-Meurthe (54) 49 E6
Mont-sur-Monnet (39) 103 F6
Montabard (61) 39 E4
Montabon (72) 78 C3
Montabot (50) 37 F2
Montacher-Villegardin (89) 64 C4
Montadet (32) 184 C1
Montady (34) 188 B2
Montagagne (09) 185 F5
Montagna-
-le-Reconduit (39) 117 E2
Montagna-le-Templier (39) 117 F3
Montagnac (30) 173 H2
Montagnac (34) 188 D1
Montagnac-
-d'Auberoche (24) 137 G2
Montagnac-
-la-Crempse (24) 137 E4
Montagnac-Montpezat (04) 177 E3
Montagnac-
-sur-Auvignon (47) 151 E6
Montagnac-sur-Lède (47) 151 G2
Montagnat (01) 117 E5
Montagne (33) 135 H4
Montagne (38) 144 D3
la Montagne (44) 74 C5
la Montagne (70) 70 B6
Montagne-Fayel (80) 7 E6
Montagney (70) 86 D6
Montagney-Servigney (25) 87 H4
Montagnieu (01) 131 E3
Montagnieu (38) 131 E5
Montagnol (12) 171 H3
Montagnole (73) 131 H5
Montagny (42) 115 F6
Montagny (69) 129 H4
Montagny (73) 133 E5
Montagny-en-Vexin (60) 41 H1
Montagny-lès-Beaune (21) 101 G3
Montagny-lès-Buxy (71) 101 F6
Montagny-les-Lanches (74) 132 A2
Montagny-lès-Seurre (21) 102 B3
Montagny-
-près-Louhans (71) 102 B6
Montagny-
-Sainte-Félicité (60) 43 F1
Montagny-sur-Grosne (71) 115 H3
Montagoudin (33) 150 B2
Montagrier (24) 136 D2
Montagudet (82) 152 A5
Montagut (64) 166 A5
Montaignac-
-Saint-Hippolyte (19) 139 F1
Montaigu (02) 22 D3
Montaigu (39) 102 D6
Montaigu (85) 91 H2
Montaigu-de-Quercy (82) 151 H4
Montaigu-la-Brisette (50) 12 D2
Montaigu-le-Blin (03) 114 B4
Montaigu-les-Bois (50) 37 E3
Montaiguët-en-Forez (03) 114 C4
Montaigut (63) 113 E5
Montaigut-le-Blanc (23) 111 F5
Montaigut-le-Blanc (63) 127 F5
Montaigut-sur-Save (31) 168 D4
Montaillé (72) 61 E6
Montailleur (73) 132 C4
Montaillou (09) 199 G1
Montaimont (73) 132 C6
Montain (39) 102 D6
Montaïn (82) 168 D2
Montainville (28) 62 B3
Montainville (78) 42 A3
Montalba-le-Château (66) 200 D2
Montalembert (79) 108 D5
Montalet-le-Bois (78) 41 H2
Montalieu-Vercieu (38) 131 E2
Montalzat (82) 152 D6
Montamat (32) 168 B6
Montambert (58) 99 H5
Montamel (46) 152 C2
Montamisé (86) 109 F1
Montamy (14) 38 A2
Montanay (69) 130 A2
Montancy (25) 88 D5
Montandon (25) 88 C6
Montanel (50) 35 G5
Montaner (64) 183 E2
Montanges (01) 117 H5
Montans (81) 170 A3
Montapas (58) 99 G3
Montarcher (42) 128 D6
Montardit (09) 185 E4

Montardon (64) 182 C1
Montaren-
-et-Saint-Médiers (30) 174 B1
Montargis (45) 64 A6
Montarlot (77) 64 B3
Montarlot-lès-Rioz (70) 87 F5
Montarnaud (34) 173 E5
Montaron (58) 99 H4
Montastruc (47) 151 E3
Montastruc (65) 183 G3
Montastruc (82) 169 E1
Montastruc-de-Salies (31) 184 C5
Montastruc-
-la-Conseillère (31) 169 G4
Montastruc-Savès (31) 184 D2
le Montat (46) 152 C4
Montataire (60) 20 D6
Montauban (82) 169 E2
Montauban-
-de-Bretagne (35) 56 C2
Montauban-de-Luchon (31) 197 F1
Montauban-de-Picardie (80) 8 B5
Montauban-
-sur-l'Ouvèze (26) 159 F5
Montaud (34) 173 G4
Montaud (38) 145 F2
Montaudin (53) 58 B2
Montaulieu (26) 159 E4
Montaulin (10) 66 B3
Montaure (27) 18 C6
Montauriol (11) 186 A3
Montauriol (47) 151 F2
Montauriol (66) 201 E3
Montauriol (81) 170 D1
Montauroux (83) 178 B5
Montaut (09) 185 H3
Montaut (24) 137 E6
Montaut (31) 185 F2
Montaut (32) 183 H1
Montaut (40) 165 H4
Montaut (47) 151 F2
Montaut (64) 182 C3
Montaut-les-Créneaux (32) 167 H4
Montautour (35) 58 A3
Montauville (54) 48 B3
Montay (59) 9 F4
Montayral (47) 151 H3
Montazeau (24) 136 B5
Montazels (11) 186 D6
Montbard (21) 84 C3
Montbarla (82) 152 A5
Montbarrey (39) 102 D3
Montbarrois (45) 63 G5
Montbartier (82) 169 E2
Montbavin (02) 22 B3
Montbazens (12) 154 A3
Montbazin (34) 173 E6
Montbazon (37) 78 D6
Montbel (09) 186 B5
Montbel (48) 156 C2
Montbéliard (25) 88 C4
Montbéliardot (25) 104 C1
Montbellet (71) 116 B2
Montbenoît (25) 104 B3
Montberaud (31) 185 E4
Montbernard (31) 184 B2
Montberon (31) 169 F4
Montbert (44) 91 G1
Montberthault (21) 84 B5
Montbeton (82) 169 E2
Montbeugny (03) 114 A2
Montbizot (72) 60 A4
Montblainville (55) 24 C6
Montblanc (34) 188 D1
Montboillon (70) 87 E5
Montboissier (28) 62 A4
Montbolo (66) 200 D4
Montbonnot-
-Saint-Martin (38) 145 G2
Montboucher (23) 124 D1
Montboucher-
-sur-Jabron (26) 158 B2
Montboudif (15) 140 C1
Montbouton (90) 88 D4
Montbouy (45) 82 B1
Montboyer (16) 136 B1
Montbozon (70) 87 G4
Montbrand (05) 159 G2
Montbras (55) 68 D1
Montbray (50) 37 F3
Montbré (51) 45 F1
Montbrehain (02) 9 E5
Montbrison (42) 128 D4
Montbrison-sur-Lez (26) 158 C3
Montbron (16) 123 E4
Montbronn (57) 28 B6
Montbrun (46) 153 F3
Montbrun (48) 156 A4
Montbrun-Bocage (31) 185 E4
Montbrun-
-des-Corbières (11) 187 G3
Montbrun-Lauragais (31) 185 G1
Montbrun-les-Bains (26) 159 F6
Montcabrier (46) 152 A2
Montcabrier (81) 169 H5
Montcaret (24) 136 B5
Montcarra (38) 131 E4
Montcavrel (62) 1 G6
Montceau-et-Écharnant (21) 101 F3
Montceau-les-Mines (71) 100 D6
Montceaux (01) 116 B6
Montceaux-lès-Meaux (77) 43 H3
Montceaux-lès-Provins (77) 44 B5
Montceaux-lès-Vaudes (10) 66 B4
Montceaux-l'Étoile (71) 115 E3
Montceaux-Ragny (71) 116 B1
Montcel (63) 127 E1
Montcel (73) 131 H3
Montcenis (71) 100 D5
Montcet (01) 116 D5
Montcey (70) 87 G3
Montchaboud (38) 145 G3
Montchal (42) 129 F2
Montchâlons (02) 22 C4
Montchamp (14) 38 A3
Montchamp (15) 141 F4
Montchanin (71) 101 E6
Montcharvot (52) 86 D1
Montchaton (50) 36 D2
Montchaude (16) 121 H5
Montchauvet (14) 38 A2
Montchauvet (78) 41 G3
Montchenu (26) 144 B2
Montcheutin (08) 24 B5
Montchevrel (61) 39 G6
Montchevrier (36) 111 F2
Montclar (04) 160 D3
Montclar (11) 186 D4
Montclar (12) 171 F2
Montclar-
-de-Comminges (31) 184 D3
Montclar-Lauragais (31) 185 H2
Montclar-sur-Gervanne (26) 144 C6
Montclard (43) 142 A2
Montcléra (46) 152 B2
Montclus (05) 159 H3
Montclus (30) 157 G5
Montcombroux-
-les-Mines (03) 114 C3
Montcony (71) 102 B6
Montcorbon (45) 64 C6
Montcornet (02) 23 E2
Montcornet (08) 11 E6
Montcourt (70) 69 E6
Montcourt-Fromonville (77) 64 A3
Montcoy (71) 101 H5
Montcresson (45) 82 B1
Montcuit (50) 37 E1
Montcuq (46) 152 B4
Montcusel (39) 117 G3
Montcy-Notre-Dame (08) 24 B1
Montdardier (30) 172 D2
Montdauphin (77) 44 B4
Montdidier (57) 49 G3
Montdidier (80) 20 D2
Montdoré (70) 69 F6
Montdoumerc (46) 152 D5
Montdragon (81) 170 B4
Montdurausse (81) 169 G2
Monte (2B) 203 G6
Monteaux (41) 79 G5
Montebourg (50) 12 D3
Montech (82) 168 D2
Montécheroux (25) 88 C5
Montegrosso (2B) 202 C5
Montégut (32) 167 H5
Montégut (40) 166 C2
Montégut (65) 183 H4
Montégut-Arros (32) 183 F1
Montégut-Bourjac (31) 184 D2
Montégut-
-en-Couserans (09) 184 D5
Montégut-Lauragais (31) 186 B1
Montégut-Plantaurel (09) 185 G4
Montégut-Savès (32) 184 C1
Monteignet-
-sur-l'Andelot (03) 113 H6
le Monteil (15) 140 B2
le Monteil (43) 142 C4
le Monteil-au-Vicomte (23) 125 F1
Monteille (14) 15 E5
Monteils (12) 153 G5
Monteils (30) 173 H1
Monteils (82) 152 D6
Montel-de-Gelat (63) 126 B1
Montéléger (26) 144 B5
Montélier (26) 144 C5
Montélimar (26) 158 A2
le Montellier (01) 130 C1
Montels (09) 185 G5
Montels (34) 188 B2
Montels (81) 170 A2
Montembœuf (16) 123 E3
Montenach (57) 26 D2
Montenay (53) 58 C3
Montendre (17) 135 G1
Montendry (73) 132 B5
Montenescourt (62) 8 A2
Monteneuf (56) 56 B5
Montenils (77) 44 C4
Montenois (25) 88 B4
Montenoison (58) 99 F1
Montenoy (54) 48 D4
Montépilloy (60) 21 E6
Monteplain (39) 103 E2
Montépreux (51) 45 G5
Monterblanc (56) 55 G5
Montereau (45) 81 H1
Montereau-Fault-Yonne (77) 64 C2
Montereau-sur-le-Jard (77) 43 F6
Monterfil (35) 56 D3
Montérolier (76) 19 E2
Monterrein (56) 56 A4
Montertelot (56) 56 A4
Montescot (66) 201 F3
Montescourt-Lizerolles (02) 22 A2
Montespan (31) 184 C4
Montesquieu (34) 172 B6
Montesquieu (47) 150 D5
Montesquieu (82) 152 A6
Montesquieu-Avantès (09) 185 E5
Montesquieu-
-des-Albères (66) 201 F4
Montesquieu-Guittaut (31) 184 B2
Montesquieu-
-Lauragais (31) 185 H1
Montesquieu-
-Volvestre (31) 185 E3
Montesquiou (32) 167 F5
Montessaux (70) 88 A2
Montesson (78) 42 C3
Montestruc-sur-Gers (32) 167 H3
le Montet (03) 113 F3
Montet-et-Bouxal (46) 153 G1
Monteton (47) 150 C2
Monteux (84) 175 F1
Montévrain (77) 43 F4
Monteynard (38) 145 G4
Montézic (12) 154 C1
Montfa (09) 185 E4
Montfa (81) 170 C4
Montfalcon (38) 144 C2
Montfarville (50) 13 E2
Montfaucon (02) 44 B3
Montfaucon (25) 103 G1
Montfaucon (30) 174 D1
Montfaucon (46) 152 D1
Montfaucon-d'Argonne (55) 24 D6
Montfaucon-en-Velay (43) 143 F2
Montfaucon-Montigné (49) 75 F6
Montfermeil (93) 43 E3
Montfermier (82) 152 C5
Montfermy (63) 126 D2
Montferrand (11) 186 A2
Montferrand-
-du-Périgord (24) 137 G6
Montferrand-la-Fare (26) 159 F4
Montferrand-
-le-Château (25) 103 F1
Montferrat (38) 131 F5
Montferrat (83) 177 H5
Montferrer (66) 200 D4
Montferrier (09) 186 A6
Montferrier-sur-Lez (34) 173 F5
Montfey (10) 65 H5
Montfiquet (14) 13 G6
Montfleur (39) 117 F3
Montflours (53) 58 D4
Montflovin (25) 104 A3
Montfort (04) 176 D1
Montfort (25) 103 F2
Montfort (49) 93 G1
Montfort (64) 181 G1
Montfort-en-Chalosse (40) 165 F4
Montfort-l'Amaury (78) 41 H4
Montfort-le-Gesnois (72) 60 C5
Montfort-sur-Argens (83) 177 F6
Montfort-sur-Boulzane (11) 200 B2
Montfort-sur-Meu (35) 56 D2
Montfort-sur-Risle (27) 18 A5
Montfranc (12) 171 E3
Montfrin (30) 174 C3
Montfroc (26) 159 G6
Montfuron (04) 176 C3
Montgaillard (09) 185 H6
Montgaillard (11) 187 G6
Montgaillard (40) 166 A4
Montgaillard (65) 183 E4
Montgaillard (81) 169 G3
Montgaillard (82) 168 B2
Montgaillard-de-Salies (31) 184 C4
Montgaillard-
-Lauragais (31) 185 H1
Montgaillard-sur-Save (31) 184 B3
Montgardin (05) 160 C2
Montgardon (50) 12 C5
Montgaroult (61) 38 D4
Montgauch (09) 184 D5
Montgaudry (61) 60 C2
Montgazin (31) 185 F2
Montgé-en-Goële (77) 43 F2
Montgeard (31) 185 H2
Montgellafrey (73) 132 C6
Montgenèvre (05) 147 F4
Montgenost (51) 44 C6
Montgérain (60) 20 D3
Montgermont (35) 57 E2
Montgeron (91) 42 D5
Montgeroult (95) 42 B2
Montgesoye (25) 103 H2
Montgesty (46) 152 B2
Montgey (81) 170 A6
Montgibaud (19) 124 C5
Montgilbert (73) 132 C5
Montgirod (73) 132 D5
Montgiscard (31) 185 G1
Montgivray (36) 111 G1
Montgobert (02) 21 H5
Montgon (08) 24 A4
Montgradail (11) 186 C4
Montgras (31) 184 D1
Montgreleix (15) 140 D1
Montgru-Saint-Hilaire (02) 44 B1
Montguers (26) 159 F5
Montgueux (10) 66 A3
Montguillon (49) 76 C2
Montguyon (17) 135 H2
les Monthairons (55) 47 F2
Montharville (28) 62 A4
Monthault (35) 37 F6
Monthaut (11) 186 C4
Monthelie (21) 101 G3
Monthelon (51) 45 E2
Monthelon (71) 100 C4
Monthenault (02) 22 C4
Montheries (52) 67 G4
Montherlant (60) 20 A6
Monthermé (08) 11 E6
Monthiers (02) 44 B2
Monthieux (01) 130 B1
Monthion (73) 132 C4
Monthodon (37) 79 E3
Monthoiron (86) 94 D6
Monthois (08) 24 B5
Montholier (39) 102 D4
Monthou-sur-Bièvre (41) 79 H5
Monthou-sur-Cher (41) 79 H6
Monthuchon (50) 37 E1
Monthurel (02) 44 C2
Monthureux-le-Sec (88) 69 F4
Monthureux-sur-Saône (88) 69 E5
Monthyon (77) 43 G2
Monticello (2B) 202 D5
Montier-en-Der (52) 67 F1
Montier-en-l'Isle (10) 67 E3
Montiéramey (10) 66 C4
Montierchaume (36) 96 D5
Montiers (60) 20 D4
Montiers-sur-Saulx (55) 68 A1
Monties (32) 184 B1
Montignac (24) 138 A3
Montignac (33) 149 H1
Montignac (65) 183 F3
Montignac-Charente (16) 122 B3
Montignac-de-Lauzun (47) 151 E2
Montignac-le-Coq (16) 136 C1
Montignac-Toupinerie (47) 150 D2
Montignargues (30) 173 H2
Montigné (16) 122 A2
Montigné-le-Brillant (53) 58 C5
Montigné-lès-Rairies (49) 77 G3
Montigny (14) 14 A6
Montigny (18) 98 A1
Montigny (45) 63 E5
Montigny (54) 49 G6
Montigny (72) 60 B1
Montigny (76) 17 G6
Montigny-
-aux-Amognes (58) 99 E3
Montigny-
-devant-Sassey (55) 24 D4
Montigny-en-Arrouaise (02) 9 F6
Montigny-en-Cambrésis (59) 9 F4
Montigny-en-Gohelle (62) 8 C1
Montigny-en-Morvan (58) 100 A2
Montigny-en-Ostrevent (59) 8 D2
Montigny-la-Resle (89) 83 G1
Montigny-l'Allier (02) 43 H1
Montigny-
-le-Bretonneux (78) 42 B5
Montigny-le-Chartif (28) 61 G3
Montigny-le-Franc (02) 22 D2
Montigny-le-Gannelon (28) 61 H6
Montigny-le-Guesdier (77) 65 E2
Montigny-Lencoup (77) 64 C2
Montigny-Lengrain (02) 21 G5
Montigny-lès-Arsures (39) 103 E4
Montigny-lès-Cherlieu (70) 87 E2
Montigny-lès-Condé (02) 44 C3
Montigny-
-lès-Cormeilles (95) 42 C3
Montigny-les-Jongleurs (80) 7 F3
Montigny-lès-Metz (57) 26 B5
Montigny-les-Monts (10) 66 A5
Montigny-
-lès-Vaucouleurs (55) 47 H6
Montigny-lès-Vesoul (70) 87 F3
Montigny-Montfort (21) 84 C4
Montigny-Mornay-Villeneuve-
-sur-Vingeanne (21) 86 B4
Montigny-
-Saint-Barthélemy (21) 84 C5
Montigny-sous-Marle (02) 22 D1
Montigny-
-sur-Armançon (21) 84 D5
Montigny-sur-Aube (21) 67 F6
Montigny-sur-Avre (28) 40 D5
Montigny-sur-Canne (58) 99 G4
Montigny-sur-Chiers (54) 25 G4
Montigny-sur-Crécy (02) 22 C2
Montigny-sur-l'Ain (39) 103 E6
Montigny-sur-l'Hallue (80) 7 H5
Montigny-sur-Loing (77) 64 A3
Montigny-sur-Meuse (08) 11 E4
Montigny-sur-Vence (08) 24 A2
Montigny-sur-Vesle (51) 22 D5
Montilliers (49) 93 E1
Montillot (89) 83 G4
Montilly (03) 113 H1
Montilly-sur-Noireau (61) 38 B4
Montils (17) 121 F4
les Montils (41) 79 H4
Montipouret (36) 111 G1
Montirat (11) 187 E3
Montirat (81) 153 H6
Montireau (28) 61 G2
Montiron (32) 168 B5
Montivernage (25) 88 A6
Montivilliers (76) 15 F1
Montjardin (11) 186 C5
Montjaux (12) 171 H1
Montjavoult (60) 19 G6
Montjay (05) 159 G4
Montjay (71) 102 B5
Montjean (16) 108 C6
Montjean (53) 58 B5
Montjean-sur-Loire (49) 75 H4
Montjoi (11) 187 F5
Montjoi (82) 151 H6
Montjoie-
-en-Couserans (09) 185 E5
Montjoie-le-Château (25) 88 D5
Montjoie-Saint-Martin (50) 35 H5
Montjoire (31) 169 F4
Montjoux (26) 158 D3
Montjoyer (26) 158 B3
Montjustin (04) 176 B3
Montjustin-et-Velotte (70) 87 H3
Montlandon (28) 61 G2
Montlaur (11) 187 F4
Montlaur (12) 171 G3
Montlaur (31) 169 G6
Montlaur-en-Diois (26) 159 F2
Montlaux (04) 176 D1
Montlauzun (46) 152 B5
Montlay-en-Auxois (21) 84 C6
Montlebon (25) 104 B2
Montlevicq (36) 111 H1
Montlevon (02) 44 C3
Montlhéry (91) 42 C6
Montliard (45) 63 G6
Montlieu-la-Garde (17) 135 G2
Montlignon (95) 42 C2
Montliot-et-Courcelles (21) 85 E1
Montlivault (41) 80 A3
Montlognon (60) 43 F1
Montloué (02) 23 E2
Montlouis (18) 97 F5
Montlouis-sur-Loire (37) 79 E5
Montluçon (03) 112 D4
Montluel (01) 130 B2
Montmachoux (77) 64 C3
Montmacq (60) 21 F4
Montmagny (95) 42 D3
Montmahoux (25) 103 G3
Montmain (21) 102 A3
Montmain (76) 17 H6
Montmançon (21) 86 B6
Montmarault (03) 113 F4
Montmarlon (39) 103 F4
Montmartin (60) 21 E4
Montmartin-
-en-Graignes (50) 13 F5
Montmartin-le-Haut (10) 67 E4
Montmartin-sur-Mer (50) 36 D2
Montmaur (05) 160 A2
Montmaur (11) 186 A1
Montmaur-en-Diois (26) 159 E1
Montmaurin (31) 184 A3
Montmédy (55) 25 E3
Montmeillant (08) 23 G2
Montmelard (71) 115 G4
Montmelas-
-Saint-Sorlin (69) 129 G1
Montmélian (73) 132 A5
Montmerle-sur-Saône (01) 116 B6
Montmerrei (61) 39 E5
Montmeyan (83) 177 E5
Montmeyran (26) 144 B6
Montmin (74) 132 B2
Montmirail (51) 44 C4
Montmirail (72) 61 E5
Montmiral (26) 144 C3
Montmirat (30) 173 H3
Montmirey-la-Ville (39) 102 C1
Montmirey-le-Château (39) 102 D1
Montmoreau-
-Saint-Cybard (16) 122 B6
Montmorency (95) 42 D3
Montmorency-Beaufort (10) 67 E1
Montmorillon (86) 109 H3
Montmorin (05) 159 G3
Montmorin (63) 127 G4
Montmorot (39) 102 D6
Montmort (71) 100 B6
Montmort-Lucy (51) 45 E3
Montmotier (88) 69 G6
Montmoyen (21) 85 F2
Montmurat (15) 153 H2
Montner (66) 200 D2
Montoillot (21) 101 F1
Montoir-de-Bretagne (44) 73 H4
Montoire-sur-le-Loir (41) 79 E2
Montois-la-Montagne (57) 26 B4
Montoison (26) 144 B6
Montoldre (03) 114 A4
Montolieu (11) 186 D2
Montolivet (77) 44 B4
Montonvillers (80) 7 G5
Montord (03) 113 H4
Montory (64) 181 G4
Montot (21) 102 B2
Montot (70) 86 D4
Montot-sur-Rognon (52) 68 A3
Montouliers (34) 188 A2
Montoulieu (09) 185 H6
Montoulieu (34) 173 F2
Montoulieu-
-Saint-Bernard (31) 184 C3
Montournais (85) 92 C5
Montours (35) 35 H5
Montourtier (53) 59 E3
Montoussé (65) 183 G4
Montoussin (31) 184 D2
Montoy-Flanville (57) 26 C5
Montpellier (34) 173 F5
Montpellier-
-de-Médillan (17) 121 E4
Montpensier (63) 113 G6
Montperreux (25) 104 A4
Montpeyroux (12) 155 E2
Montpeyroux (24) 136 B5
Montpeyroux (34) 172 D5
Montpeyroux (63) 127 F4
Montpezat (30) 173 H3
Montpézat (32) 184 C1
Montpezat (47) 151 E4
Montpezat-de-Quercy (82) 152 D5
Montpezat-
-sous-Bauzon (07) 157 F1
Montpinchon (50) 37 E2
Montpinier (81) 170 C5
Montpitol (31) 169 G4
Montplonne (55) 47 E5
Montpollin (49) 77 G3
Montpon-Ménestérol (24) 136 B4
Montpont-en-Bresse (71) 116 D1
Montpothier (10) 44 C6
Montpouillan (47) 150 B3
Montrabé (31) 169 F5
Montrabot (50) 37 H1
Montracol (01) 116 D5
Montravers (79) 92 D4
Montréal (07) 157 F3
Montréal (11) 186 C3
Montréal (32) 167 E2
Montréal (89) 84 B4
Montréal-la-Cluse (01) 117 G5
Montréal-les-Sources (26) 159 E4
Montrécourt (59) 9 F3
Montredon (46) 153 H2
Montredon-
-des-Corbières (11) 188 A3
Montredon-
-Labessonnié (81) 170 D4
Montregard (43) 143 F3
Montréjeau (31) 184 A4
Montrelais (44) 76 B5
Montrem (24) 137 E3
Montrésor (37) 95 H2
Montret (71) 102 A6
Montreuil (28) 41 F4
Montreuil (62) 6 D1
Montreuil (85) 107 E2
Montreuil (93) 42 D4
Montreuil-au-Houlme (61) 38 D5
Montreuil-aux-Lions (02) 44 A2
Montreuil-Bellay (49) 93 G2
Montreuil-Bonnin (86) 108 D1
Montreuil-des-Landes (35) 58 A3
Montreuil-en-Auge (14) 15 E5
Montreuil-en-Caux (76) 18 D2
Montreuil-en-Touraine (37) 79 F5
Montreuil-Juigné (49) 76 D4
Montreuil-la-Cambe (61) 39 E3
Montreuil-l'Argillé (27) 39 H3
Montreuil-le-Chétif (72) 59 H3
Montreuil-le-Gast (35) 57 E1
Montreuil-le-Henri (72) 78 D1
Montreuil-Poulay (53) 59 E2
Montreuil-
-sous-Pérouse (35) 57 H2
Montreuil-sur-Barse (10) 66 C4
Montreuil-sur-Blaise (52) 67 G1
Montreuil-sur-Brêche (60) 20 C4
Montreuil-sur-Epte (95) 41 G1
Montreuil-sur-Ille (35) 57 F1
Montreuil-sur-Loir (49) 77 E3
Montreuil-sur-Lozon (50) 13 E6
Montreuil-sur-Maine (49) 76 D3
Montreuil-sur-Thérain (60) 20 B5
Montreuil-
-sur-Thonnance (52) 68 A1
Montreuillon (58) 99 H2
Montreux (54) 49 H6
Montreux-Château (90) 88 D3
Montreux-Jeune (68) 88 D3
Montreux-Vieux (68) 88 D3
Montrevault (49) 75 G5
Montrevel (38) 131 E5
Montrevel (39) 117 F3
Montrevel-en-Bresse (01) 116 D3
Montrichard (41) 79 G6
Montricher-Albanne (73) 146 C2
Montricoux (82) 169 G1
Montrieux-en-Sologne (41) 80 C4
Montrigaud (26) 144 C2
Montriond (74) 119 F4
Montrodat (48) 155 H3
Montrol-Sénard (87) 110 A6
Montrollet (16) 123 G1
Montromant (69) 129 G3
Montrond (05) 159 H4
Montrond (39) 103 E5
Montrond-le-Château (25) 103 G2
Montrond-les-Bains (42) 129 E4
Montrosier (81) 153 F6
Montrottier (69) 129 G3
Montroty (76) 19 G4
Montrouge (92) 42 D4
Montrouveau (41) 79 E2
Montroy (17) 106 D5
Montrozier (12) 154 D4
Montry (77) 43 G3
Monts (37) 78 D6
Monts (60) 20 A6
Monts-en-Bessin (14) 14 A5
Monts-en-Ternois (62) 7 G2
Monts-sur-Guesnes (86) 94 B4
les Monts-Verts (48) 141 F5
Montsalès (12) 153 G3
Montsalier (04) 176 B1
Montsalvy (15) 154 B1
Montsapey (73) 132 C5
Montsauche-
-les-Settons (58) 100 B1
Montsaugeon (52) 86 B3
Montsaunès (31) 184 C4
Montsec (55) 47 H3
Montsecret (61) 38 A4
Montségur (09) 186 A6
Montségur-sur-Lauzon (26) 158 B4
Montselgues (07) 156 D3
Montséret (11) 187 H4
Montsérié (65) 183 H4
Montseron (09) 185 F5
Montseveroux (38) 130 B6
Montsoreau (49) 94 A1
Montsoué (40) 166 A4
Montsoult (95) 42 D2
Montsûrs (53) 59 E4
Montsurvent (50) 36 D1
Montsuzain (10) 66 B2
Montureux-et-Prantigny (70) 86 D4
Montureux-lès-Baulay (70) 87 F1
Montusclat (43) 142 D4
Montussaint (25) 87 H5
Montussan (33) 135 F5
Montvalen (81) 169 G3
Montvalent (46) 138 D5
Montvalezan (73) 133 F4
Montvendre (26) 144 C5
Montverdun (42) 128 D3
Montvernier (73) 146 C1
Montvert (15) 139 G4
Montvicq (03) 113 E4
Montviette (14) 15 E6
Montville (76) 17 G5
Montviron (50) 35 H3
Montzéville (55) 25 E6
Monviel (47) 151 E2
Monze (11) 187 E4
Moon-sur-Elle (50) 13 F6
Moosch (68) 88 D1
Mooslargue (68) 89 F4
Moraches (58) 99 G1

Moragne (17) 107 E6
Morainville (28) 62 D2
Morainville-Jouveaux (27) 15 G4
Morainvilliers (78) 42 A3
Morancé (69) 129 H2
Morancez (28) 62 B2
Morancourt (52) 67 G2
Morand (37) 79 F4
Morangis (51) 45 E3
Morangis (91) 42 D5
Morangles (60) 42 C1
Morannes (49) 77 E2
Moranville (55) 47 G1
Moras (38) 130 D4
Moras-en-Valloire (26) 144 B1
Morbecque (59) 2 C4
Morbier (39) 118 B1
Morcenx (40) 165 F1
Morchain (80) 21 F1
Morchies (62) 8 C4
Morcourt (02) 9 E6
Morcourt (80) 8 A6
Mordelles (35) 57 E3
Moréac (56) 55 F4
Morée (41) 79 H1
Moreilles (85) 106 D2
Morelmaison (88) 69 E3
Morembert (10) 66 C1
Morestel (38) 131 E4
Moret-sur-Loing (77) 64 B2
Morêtel-de-Mailles (38) 132 A6
Morette (38) 145 E1
Moreuil (80) 20 D1
Morey (71) 101 F5
Morey-Saint-Denis (21) 101 H1
Morez (39) 118 B2
Morfontaine (54) 25 H4
Morganx (40) 165 H5
Morgemoulin (55) 25 G6
Morgny (27) 19 F5
Morgny-en-Thiérache (02) 23 E1
Morgny-la-Pommeraye (76) 17 H5
Morhange (57) 49 F3
Moriat (63) 127 G6
Morienne (76) 19 G1
Morienval (60) 21 F5
Morières-lès-Avignon (84) 175 E2
Moriers (28) 62 A4
Morieux (22) 33 H4
Moriez (04) 177 H2
Morigny (50) 37 G3
Morigny-Champigny (91) 63 F2
Morillon (74) 119 F5
Moringhem (62) 2 A4
Morionvilliers (52) 68 B2
Morisel (80) 20 D1
Moriville (88) 69 H2
Moriviller (54) 69 H1
Morizécourt (88) 69 E5
Morizès (33) 150 A2
Morlaàs (64) 182 C2
Morlac (18) 97 G6
Morlaix (29) 32 A3
Morlancourt (80) 8 A5
Morlanne (64) 165 H6
Morlet (71) 101 E4
Morley (55) 47 F6
Morlhon-le-Haut (12) 153 G5
Morlincourt (60) 21 G3
Mormaison (85) 91 G2
Mormant (77) 43 G6
Mormant-
-sur-Vernisson (45) 64 A6
Mormès (32) 166 C3
Mormoiron (84) 175 G1
Mornac (16) 122 C3
Mornac-sur-Seudre (17) 120 C3
Mornand-en-Forez (42) 128 D4
Mornans (26) 158 D2
Mornant (69) 129 H4
Mornas (84) 158 A6
Mornay (71) 115 G2
Mornay-Berry (18) 98 C3
Mornay-sur-Allier (18) 98 D5
Moroges (71) 101 F5
Morogues (18) 98 A1
Morosaglia (2B) 203 F6
Morre (25) 103 G1
Morsain (02) 21 H4
Morsains (51) 44 C4
Morsalines (50) 13 E2
Morsan (27) 15 H5
Morsang-sur-Orge (91) 42 D5
Morsang-sur-Seine (91) 43 E6
Morsbach (57) 27 G5
Morsbronn-les-Bains (67) 51 E3
Morschwiller (67) 50 D3
Morschwiller-le-Bas (68) 89 F2
Morsiglia (2B) 203 F2
Mortagne (88) 70 B3
Mortagne-au-Perche (61) 60 D1
Mortagne-du-Nord (59) 4 A6
Mortagne-
-sur-Gironde (17) 120 D5
Mortagne-sur-Sèvre (85) 92 B3
Mortain (50) 37 G5
Mortcerf (77) 43 G4
la Morte (38) 145 H4
Morteau (25) 104 B2
Morteaux-Couliboeuf (14) 39 E3
Mortefontaine (02) 21 G5
Mortefontaine (60) 43 E1
Mortefontaine-
-en-Thelle (60) 20 B6
Mortemart (87) 110 A6
Mortemer (60) 21 E3
Mortemer (76) 19 F1
Mortery (77) 44 A6
Morthomiers (18) 97 G3
Mortiers (02) 22 C2
Mortiers (17) 121 G6
Morton (86) 93 H2
Mortrée (61) 39 F5
Mortroux (23) 111 G3
Mortzwiller (68) 88 D2
Morval (62) 8 B5
Morvillars (90) 88 D4
Morville (50) 12 D3
Morville (88) 68 D3
Morville-en-Beauce (45) 63 F3
Morville-lès-Vic (57) 49 F4
Morville-sur-Andelle (76) 19 E4
Morville-sur-Nied (57) 49 E2
Morville-sur-Seille (54) 48 C3
Morvillers (60) 19 H3
Morvillers-
-Saint-Saturnin (80) 19 H1
Morvilliers (10) 67 E2
Morvilliers (28) 40 C6
Mory (62) 8 B3
Mory-Montcrux (60) 20 C3
Morzine (74) 119 F4
Mosles (14) 13 H5
Moslins (51) 45 E3
Mosnac (16) 122 A4
Mosnac (17) 121 F5
Mosnay (36) 111 E1
Mosnes (37) 79 G5
Mosset (66) 200 B2
Mosson (21) 85 E1
Mostuéjouls (12) 155 G6
Motey-Besuche (70) 86 D6
Motey-sur-Saône (70) 86 D4
la Mothe-Achard (85) 91 E5
la Mothe-Saint-Héray (79) 108 B3
Mothern (67) 51 G2
Motreff (29) 54 B1
la Motte (22) 55 G1
la Motte (83) 177 H6
la Motte-Chalancon (26) 159 F3
la Motte-d'Aigues (84) 176 B4
la Motte-d'Aveillans (38) 145 G4
la Motte-de-Galaure (26) 144 B2
la Motte-du-Caire (04) 160 B4
la Motte-en-Bauges (73) 132 B3
la Motte-
-en-Champsaur (05) 146 B6
la Motte-Fanjas (26) 144 D4
la Motte-Feuilly (36) 111 H2
la Motte-Fouquet (61) 38 C6
la Motte-Saint-Jean (71) 114 D2
la Motte-Saint-Martin (38) 145 G4
la Motte-Servolex (73) 131 H4
la Motte-Ternant (21) 84 C6
la Motte-Tilly (10) 65 F1
Mottereau (28) 61 G3
Motteville (76) 17 F4
Mottier (38) 130 D6
Motz (73) 131 G1
Mouacourt (54) 49 F5
Mouais (44) 57 F6
Mouans-Sartoux (06) 178 C5
Mouaville (54) 25 H6
Mouazé (35) 57 F2
Mouchamps (85) 92 A5
Mouchan (32) 167 F2
Mouchard (39) 103 E3
la Mouche (50) 35 H2
Mouchès (32) 167 G5
Mouchin (59) 3 H6
Mouchy-le-Châtel (60) 20 B5
Moudeyres (43) 142 D5
Mouen (14) 14 B5
Mouettes (27) 41 F3
Mouffy (89) 83 F3
Moufflaines (27) 19 F6
Mouflers (80) 7 E4
Mouflières (80) 6 D6
Mougins (06) 178 D5
Mougon (79) 108 A4
Mouguerre (64) 164 B6
Mouhers (36) 111 F1
Mouhet (36) 110 D3
Mouhous (64) 166 B6
Mouillac (33) 135 G4
Mouillac (82) 153 E5
la Mouille (39) 118 A2
Mouilleron (52) 85 H3
Mouilleron-en-Pareds (85) 92 C6
Mouilleron-le-Captif (85) 91 G4
Mouilly (55) 47 G2
Moulainville (55) 47 G1
Moularès (81) 170 D1
Moulay (53) 58 D3
Moulayrès (81) 170 B4
Moulédous (65) 183 F3
Moulès-et-Baucels (34) 173 E2
Mouleydier (24) 137 E5
Moulézan (30) 173 H2
Moulhard (28) 61 G4
Moulicent (61) 40 B6
Moulidars (16) 122 A4
Mouliets-
-et-Villemartin (33) 136 A5
Mouliherne (49) 77 H4
Moulin-Mage (81) 171 G4
Moulin-Neuf (09) 186 B4
Moulin-Neuf (24) 136 B4
Moulin-sous-Touvent (60) 21 G4
Moulineaux (76) 18 C5
Moulines (14) 14 C6
Moulines (50) 37 G6
Moulinet (06) 179 F2
Moulinet (47) 151 F2
le Moulinet-sur-Solin (45) 82 A2
Moulins (02) 22 C4
Moulins (03) 113 H2
Moulins (35) 57 G4
Moulins-en-Tonnerrois (89) 84 B2
Moulins-Engilbert (58) 100 A3
Moulins-la-Marche (61) 39 H5
Moulins-le-Carbonnel (72) 59 H2
Moulins-lès-Metz (57) 26 B5
Moulins-Saint-Hubert (55) 24 D3
Moulins-sur-Céphons (36) 96 B3
Moulins-sur-Orne (61) 39 E4
Moulins-sur-Ouanne (89) 83 E3
Moulins-sur-Yèvre (18) 97 H3
Moulis (09) 184 D5
Moulis-en-Médoc (33) 134 D3
Moulismes (86) 109 H3
Moulle (62) 2 A3
Moulon (33) 135 H5
Moulon (45) 63 H6
Moulotte (55) 48 A1
Moult (14) 14 D5
Moumoulous (65) 183 F2
Moumour (64) 181 H3
Mounes-Prohencoux (12) 171 G4
Mourède (32) 167 F3
Mourens (33) 149 H1
Mourenx (64) 182 A1
Mouret (12) 154 C3
Moureuille (63) 113 F5
Mourèze (34) 172 C5
Mouriès (13) 191 F2
Mouriez (62) 7 E2
Mourioux-Vieilleville (23) 111 E6
Mourjou (15) 154 A1
Mourmelon-le-Grand (51) 45 H1
Mourmelon-le-Petit (51) 45 H1
Mournans-Charbonny (39) 103 G5
Mouron (08) 24 B5
Mouron-sur-Yonne (58) 99 H2
Mouroux (77) 43 H4
Mours (95) 42 C1
Mours-Saint-Eusèbe (26) 144 C3
Mourvilles-Basses (31) 169 G6
Mourvilles-Hautes (31) 186 A1
Mouscardès (40) 165 F5
Moussac (30) 174 A2
Moussac (86) 109 G4
Moussages (15) 140 B2
Moussan (11) 188 A3
Moussé (35) 57 H4
Mousseaux-lès-Bray (77) 64 D2
Mousseaux-Neuville (27) 41 E3
Mousseaux-sur-Seine (78) 41 G2
Moussey (10) 66 B4
Moussey (57) 49 G5
Moussey (88) 70 D1
les Moussières (39) 118 A3
Mousson (54) 48 C3
Moussonvilliers (61) 40 B6
Moussoulens (11) 186 D3
Moussy (51) 45 E2
Moussy (58) 99 F2
Moussy (95) 42 A1
Moussy-le-Neuf (77) 43 E2
Moussy-le-Vieux (77) 43 E2
Moussy-Verneuil (02) 22 C4
Moustajon (31) 197 F1
Moustéru (22) 32 D4
Moustey (40) 149 E4
Moustier (47) 150 D1
Moustier-en-Fagne (59) 10 B4
Moustier-Ventadour (19) 125 G6
Moustiers-
-Sainte-Marie (04) 177 F3
le Moustoir (22) 32 C6
Moustoir-Ac (56) 55 F4
Moustoir-Remungol (56) 55 F3
la Moutade (63) 127 F1
le Moutaret (38) 132 A6
Mouterhouse (57) 50 C2
Mouterre-Silly (86) 93 H3
Mouterre-sur-Blourde (86) 109 G5
Mouthe (25) 103 H6
le Moutherot (25) 103 E1
Mouthier-en-Bresse (71) 102 C4
Mouthier-Haute-Pierre (25) 103 H3
Mouthiers-sur-Boëme (16) 122 B5
Mouthoumet (11) 187 F5
Moutier-d'Ahun (23) 111 H6
Moutier-Malcard (23) 111 G3
Moutier-Rozeille (23) 125 H2
Moutiers (28) 62 C3
Moutiers (35) 58 A5
Moutiers (54) 26 A4
Moûtiers (73) 132 D5
Moutiers-au-Perche (61) 61 F1
les Moutiers-en-Auge (14) 39 E3
les Moutiers-
-en-Cinglais (14) 14 B6
Moutiers-en-Puisaye (89) 82 D4
les Moutiers-en-Retz (44) 74 A6
les Moutiers-Hubert (14) 39 G2
Moutiers-
-les-Mauxfaits (85) 91 G6
Moutiers-Saint-Jean (21) 84 C4
Moutiers-
-sous-Argenton (79) 93 F3
Moutiers-
-sous-Chantemerle (79) 92 D6
Moutiers-sur-le-Lay (85) 106 C1
Mouton (16) 122 C2
Moutonne (39) 117 G2
Moutonneau (16) 122 C1
Moutoux (39) 103 F5
Moutrot (54) 48 B6
Mouvaux (59) 3 G4
Moux (11) 187 G3
Moux-en-Morvan (58) 100 C2
Mouxy (73) 131 H3
Mouy (60) 20 C5
Mouy-sur-Seine (77) 64 D2
Mouzay (37) 95 F2
Mouzay (55) 24 D4
Mouzeil (44) 75 E3
Mouzens (24) 137 H5
Mouzens (81) 170 A6
Mouzeuil-
-Saint-Martin (85) 106 D2
Mouzieys-Panens (81) 170 A1
Mouzieys-Teulet (81) 170 D3
Mouzillon (44) 75 E6
Mouzon (08) 24 D3
Mouzon (16) 123 E2
Moval (90) 88 C3
Moÿ-de-l'Aisne (02) 22 A1
Moyaux (14) 15 G4
Moydans (05) 159 F4
Moye (74) 131 H2
Moyemont (88) 70 A2
Moyen (54) 70 A1
Moyencourt (80) 21 G2
Moyencourt-lès-Poix (80) 20 A1
Moyenmoutier (88) 70 C2
Moyenneville (60) 21 E4
Moyenneville (62) 8 B3
Moyenneville (80) 6 D4
Moyenvic (57) 49 F4
Moyeuvre-Grande (57) 26 B4
Moyeuvre-Petite (57) 26 B4
Moyon (50) 37 F2
Moyrazès (12) 154 B4
Moyvillers (60) 21 E4
Mozac (63) 127 F2
Mozé-sur-Louet (49) 76 D5
Muchedent (76) 17 H3
Mudaison (34) 173 G5
Muel (35) 56 C2
Muespach (68) 89 G3
Muespach-le-Haut (68) 89 G3
Mugron (40) 165 G3
Muhlbach-sur-Bruche (67) 50 B6
Muhlbach-sur-Munster (68) 70 D5
Muides-sur-Loire (41) 80 B3
Muidorge (60) 20 B3
Muids (27) 18 D6
Muille-Villette (80) 21 G2
Muirancourt (60) 21 G2
Muizon (51) 22 D6
les Mujouls (06) 178 C2
la Mulatière (69) 130 A3
Mulcent (78) 41 G3
Mulcey (57) 49 F4
Mulhausen (67) 50 D3
Mulhouse (68) 89 F2
Mulsanne (72) 60 B6
Mulsans (41) 80 A3
Mun (65) 183 G2
Munchhausen (67) 51 G2
Munchhouse (68) 71 G6
Muncq-Nieurlet (62) 2 A3
Mundolsheim (67) 51 E5
Muneville-le-Bingard (50) 12 D6
Muneville-sur-Mer (50) 35 G1
le Mung (17) 121 E1
Munster (57) 49 H3
Munster (68) 71 E5
Muntzenheim (68) 71 G4
Munwiller (68) 71 F6
Mur-de-Barrez (12) 140 C6
Mûr-de-Bretagne (22) 55 F1
Mur-de-Sologne (41) 80 B5
Muracciole (2B) 205 F3
Murasson (12) 171 G4
Murat (03) 113 F3
Murat (15) 140 D3
Murat-le-Quaire (63) 126 C5
Murat-sur-Vèbre (81) 171 G5
Murato (2B) 203 F5
la Muraz (74) 118 C5
Murbach (68) 71 E6
la Mure (38) 145 G5
la Mure-Argens (04) 177 H1
Mureaumont (60) 19 G2
les Mureaux (78) 42 A2
Mureils (26) 144 B2
Mûres (74) 132 A2
Muret (31) 185 F1
Muret-et-Crouttes (02) 22 B6
Muret-le-Château (12) 154 C3
la Murette (38) 131 F6
Murianette (38) 145 G2
Murinais (38) 144 D2
Murles (34) 173 E5
Murlin (58) 99 E2
Muro (2B) 202 C5
Murol (63) 127 E5
Murols (12) 154 C1
Muron (17) 107 E6
Murs (36) 95 G4
Murs (84) 175 G2
Mûrs-Erigné (49) 76 D5
Murs-et-Gélignieux (01) 131 F4
Murtin-et-Bogny (08) 23 H1
Murvaux (55) 25 E4
Murviel-lès-Béziers (34) 188 B1
Murviel-
-lès-Montpellier (34) 173 E5
Murville (54) 25 H5
Murzo (2A) 204 C4
Mus (30) 174 A4
Muscourt (02) 22 D5
Musculdy (64) 181 F3
Musièges (74) 118 A6
Musigny (21) 101 E2
Mussey-sur-Marne (52) 67 H2
Mussidan (24) 136 D4
Mussig (67) 71 G3
Mussy-la-Fosse (21) 84 D4
Mussy-sous-Dun (71) 115 G4
Mussy-sur-Seine (10) 66 D6
Mutigney (39) 86 C6
Mutigny (51) 45 F2
Mutrécy (14) 14 B5
Muttersholtz (67) 71 G3
Mutzenhouse (67) 50 D4
Mutzig (67) 50 C6
le Muy (83) 178 A6
Muzeray (55) 25 G5
Muzillac (56) 73 F2
Muzy (27) 41 E4
Myans (73) 132 A5
Myennes (58) 82 C5
Myon (25) 103 F3

N

Nabas (64) 181 G1
Nabinaud (16) 136 C1
Nabirat (24) 138 B6
Nabringhen (62) 1 G4
Nachamps (17) 107 G6
Nadaillac (24) 138 B4
Nadaillac-de-Rouge (46) 138 C5
Nades (03) 113 F5
Nadillac (46) 152 D2
Nagel-Séez-Mesnil (27) 40 C3
Nages (81) 171 G5
Nages-et-Solorgues (30) 174 A4
Nahuja (66) 199 H4
Nailhac (24) 138 A2
Naillat (23) 111 E4
Nailloux (31) 185 H2
Nailly (89) 64 D4
Naintré (86) 94 C5
Nainville-les-Roches (91) 63 H1
Naisey-les-Granges (25) 103 H1
Naives-en-Blois (55) 47 G5
Naives-Rosières (55) 47 E4
Naix-aux-Forges (55) 47 F6
Naizin (56) 55 F3
Najac (12) 153 G5
Nalliers (85) 106 D2
Nalliers (86) 109 H1
Nalzen (09) 186 A6
Nambsheim (68) 71 G6
Nampcel (60) 21 G4
Nampcelles-la-Cour (02) 23 E1
Nampont (80) 6 D2
Namps-Maisnil (80) 20 B1
Nampteuil-sous-Muret (02) 22 B5
Nampty (80) 20 B1
Nan-sous-Thil (21) 84 D6
Nanc-lès-Saint-Amour (39) 117 E3
Nançay (18) 81 F6
Nance (39) 102 C5
Nances (73) 131 G4
Nanclars (16) 122 C2
Nançois-le-Grand (55) 47 F5
Nançois-sur-Ornain (55) 47 F5
Nancras (17) 120 D3
Nancray (25) 103 G1
Nancray-sur-Rimarde (45) 63 G5
Nancuise (39) 117 F2
Nancy (54) 48 C5
Nancy-sur-Cluses (74) 119 E6
Nandax (42) 115 F6
Nandy (77) 43 E6
Nangeville (45) 63 G3
Nangis (77) 64 C1
Nangy (74) 118 D5
Nannay (58) 99 E1
Nans (25) 88 A4
les Nans (39) 103 F5
Nans-les-Pins (83) 192 D3
Nans-sous-
-Sainte-Anne (25) 103 F3
Nant (12) 172 B2
Nant-le-Grand (55) 47 E5
Nant-le-Petit (55) 47 E5
Nanteau-sur-Essonne (77) 63 G3
Nanteau-sur-Lunain (77) 64 B3
Nanterre (92) 42 C3
Nantes (44) 74 D5
Nantes-en-Ratier (38) 145 H4
Nanteuil (79) 108 B3
Nanteuil-Auriac-
-de-Bourzac (24) 122 C6
Nanteuil-en-Vallée (16) 109 E6
Nanteuil-la-Forêt (51) 45 E1
Nanteuil-la-Fosse (02) 22 B4
Nanteuil-le-Haudouin (60) 43 F1
Nanteuil-lès-Meaux (77) 43 G3
Nanteuil-Notre-Dame (02) 44 B1
Nanteuil-sur-Aisne (08) 23 G3
Nanteuil-sur-Marne (77) 44 A3
Nantey (39) 117 F3
Nantheuil (24) 123 G6
Nanthiat (24) 123 H6
Nantiat (87) 124 A1
Nantillé (17) 121 F2
Nantillois (55) 24 D5
Nantilly (70) 86 C5
Nantoin (38) 130 D6
Nantois (55) 47 F6
Nanton (71) 116 B1
Nantouillet (77) 43 F2
Nantoux (21) 101 G3
Nantua (01) 117 G5
Naours (80) 7 G5
Narbéfontaine (57) 27 E5
Narbief (25) 104 C2
Narbonne (11) 188 A3
Narcastet (64) 182 C2
Narcy (52) 47 E6
Narcy (58) 98 D1
Nargis (45) 64 B5
Narnhac (15) 140 D5
Narp (64) 181 G1
Narrosse (40) 165 E4
Nasbinals (48) 155 F2
Nassandres (27) 40 B1
Nassiet (40) 165 G5
Nassigny (03) 112 D2
Nastringues (24) 136 B5
Nattages (01) 131 G3
Natzwiller (67) 71 E1
Naucelle (12) 154 A6
Naucelles (15) 140 A5
Naujac-sur-Mer (33) 134 C1
Naujan-et-Postiac (33) 135 H6
Nauroy (02) 9 E5
Naussac (12) 153 H3
Naussac (48) 156 C1
Naussannes (24) 137 F6
Nauvay (72) 60 C3
Nauviale (12) 154 B3
Navacelles (30) 157 F6
Navailles-Angos (64) 182 C1
Navarrenx (64) 181 G2
Naveil (41) 79 F2
Navenne (70) 87 G3
Naves (03) 113 G5
Naves (19) 139 E1
Naves (59) 9 E3
Navès (81) 170 C6
Nâves-Parmelan (74) 132 B1
Navilly (71) 102 A4
Nay (50) 12 D5
Nay (64) 182 C3
Nayemont-les-Fosses (88) 70 D2
le Nayrac (12) 154 C2
Nazelles-Négron (37) 79 F5
Néac (33) 135 H4
Néant-sur-Yvel (56) 56 B3
Neau (53) 59 E4
Neaufles-Auvergny (27) 40 B3
Neaufles-Saint-Martin (27) 19 G6
Neauphe-sous-Essai (61) 39 F6
Neauphe-sur-Dive (61) 39 F4
Neauphle-le-Château (78) 42 A4
Neauphle-le-Vieux (78) 42 A4
Neauphlette (78) 41 G3
Neaux (42) 129 E1
Nébian (34) 172 C5
Nébias (11) 186 C6
Nébing (57) 49 G3
Nébouzat (63) 126 D3
Nécy (61) 39 E4
Nedde (87) 125 E3
Nédon (62) 2 B6
Nédonchel (62) 2 B6
Neewiller-
-près-Lauterbourg (67) 51 G2
Neffes (05) 160 B3
Neffiès (34) 172 C6
Néfiach (66) 200 D2
Nègrepelisse (82) 169 F1
Négreville (50) 12 C3
Négrondes (24) 137 G1
Néhou (50) 12 C4
Nelling (57) 49 G2
Nemours (77) 64 A3
Nempont-Saint-Firmin (62) 6 D2
Nénigan (31) 184 B2
Néons-sur-Creuse (36) 95 F5
Néoules (83) 193 F3
Néoux (23) 125 H2
Nepvant (55) 24 D3
Nérac (47) 150 D6
Nerbis (40) 165 G3
Nercillac (16) 121 H3
Néré (17) 121 H1
Néret (36) 112 A1
Nérigean (33) 135 G5
Nérignac (86) 109 G4
Néris-les-Bains (03) 112 D4
Nernier (74) 118 D3
Néron (28) 41 F6
Néronde (42) 129 E2
Néronde-sur-Dore (63) 127 H3
Nérondes (18) 98 B3
Ners (30) 173 H1
Nersac (16) 122 B4
Nervieux (42) 129 E3
Nerville-la-Forêt (95) 42 C2
Néry (60) 21 F6
Neschers (63) 127 F5
Nescus (09) 185 F5
Nesle (80) 21 F1
Nesle-et-Massoult (21) 84 D2
Nesle-Hodeng (76) 19 F2
Nesle-la-Reposte (51) 44 C6
Nesle-le-Repons (51) 44 D2
Nesle-l'Hôpital (80) 6 C6
Nesle-Normandeuse (76) 6 C6
Nesles (62) 1 F5
Nesles-la-Montagne (02) 44 B2
Nesles-la-Vallée (95) 42 C1
Neslette (80) 6 C5
Nesmy (85) 91 G5
Nesploy (45) 63 G6
Nespouls (19) 138 C4
Nessa (2B) 202 D5
Nestier (65) 183 H4
Nettancourt (55) 46 D3
Neublans-Abergement (39) 102 B4
Neubois (67) 71 F2
le Neubourg (27) 40 C1
Neuchâtel-Urtière (25) 88 C5
Neuf-Berquin (59) 2 D5
Neuf-Brisach (68) 71 G5
Neuf-Église (63) 113 E6
Neuf-Marché (76) 19 G4
Neuf-Mesnil (59) 10 A2
Neufbosc (76) 19 E2
le Neufbourg (50) 37 G5
Neufchâteau (88) 68 D2
Neufchâtel-en-Bray (76) 19 E2
Neufchâtel-en-Saosnois (72) 60 B2
Neufchâtel-Hardelot (62) 1 F5
Neufchâtel-sur-Aisne (02) 23 E4
Neufchef (57) 26 B3
Neufchelles (60) 43 H1
Neuffons (33) 150 B1
Neuffontaines (58) 83 H6
Neufgrange (57) 27 H5
Neuflieux (02) 21 H3
Neuflize (08) 23 G4

Neufmaison (08) 23 H1
Neufmaisons (54) 70 C1
Neufmanil (08) 24 B1
Neufmesnil (50) 12 C5
Neufmoulin (80) 7 E4
Neufmoulins (57) 49 H5
Neufmoutiers-en-Brie (77) 43 G5
le Neufour (55) 46 D1
Neufvillage (57) 49 G2
Neufvy-sur-Aronde (60) 21 E4
Neugartheim-Ittlenheim (67) 50 D5
Neuhaeusel (67) 51 G3
Neuil (37) 94 D2
Neuilh (65) 183 E4
Neuillac (17) 121 G5
Neuillay-les-Bois (36) 96 B5
Neuillé (49) 77 H6
Neuillé-le-Lierre (37) 79 F4
Neuillé-Pont-Pierre (37) 78 C4
Neuilly (27) 41 F3
Neuilly (58) 99 F1
Neuilly (89) 83 F1
Neuilly-en-Donjon (03) 114 D3
Neuilly-en-Dun (18) 98 B5
Neuilly-en-Sancerre (18) 82 A6
Neuilly-en-Thelle (60) 20 C6
Neuilly-en-Vexin (95) 42 B1
Neuilly-la-Forêt (14) 13 F5
Neuilly-le-Bisson (61) 60 B1
Neuilly-le-Brignon (37) 95 E3
Neuilly-le-Dien (80) 7 E3
Neuilly-le-Réal (03) 114 A2
Neuilly-le-Vendin (53) 59 F1
Neuilly-lès-Dijon (21) 102 A1
Neuilly-l'Évêque (52) 68 B6
Neuilly-l'Hôpital (80) 6 D3
Neuilly-Plaisance (93) 43 E4
Neuilly-Saint-Front (02) 44 A1
Neuilly-sous-Clermont (60) 20 C5
Neuilly-sur-Eure (61) 61 F1
Neuilly-sur-Marne (93) 43 E4
Neuilly-sur-Seine (92) 42 C3
Neuilly-sur-Suize (52) 67 H5
Neulette (62) 7 F1
Neulise (42) 129 E2
Neulles (17) 121 G5
Neulliac (56) 55 F2
Neung-sur-Beuvron (41) 80 C4
Neunkirchen-
-lès-Bouzonville (57) 27 E3
Neure (03) 98 C6
Neurey-en-Vaux (70) 87 G2
Neurey-lès-la-Demie (70) 87 G3
Neussargues-Moissac (15) 141 E3
Neuve-Chapelle (62) 3 E5
Neuve-Église (67) 71 F2
la Neuve-Grange (27) 19 F5
la Neuve-Lyre (27) 40 B3
Neuve-Maison (02) 10 A5
Neuvecelle (74) 119 E3
Neuvéglise (15) 141 E5
Neuvelle-lès-Cromary (70) 87 F5
Neuvelle-lès-la-Charité (70) 87 F4
la Neuvelle-lès-Lure (70) 88 A2
la Neuvelle-lès-Scey (70) 87 E2
Neuvelle-lès-Voisey (52) 86 D1
Neuves-Maisons (54) 48 C6
la Neuveville-
-devant-Lépanges (88) 70 B4
la Neuveville-
-sous-Châtenois (88) 69 E3
la Neuveville-
-sous-Montfort (88) 69 F3
Neuvic (19) 139 H1
Neuvic (24) 136 D3
Neuvic-Entier (87) 124 D3
Neuvicq (17) 135 H2
Neuvicq-le-Château (17) 121 H2
Neuvillalais (72) 59 H4
Neuville (19) 139 E3
la Neuville (59) 3 F6
Neuville (63) 127 H3
la Neuville-à-Maire (08) 24 B3
Neuville-au-Bois (80) 6 D5
Neuville-au-Cornet (62) 7 G2
Neuville-au-Plain (50) 13 E4
la Neuville-au-Pont (51) 46 C1
Neuville-aux-Bois (45) 63 E5
la Neuville-aux-Bois (51) 46 C3
la Neuville-aux-Joûtes (08) 10 C6
la Neuville-aux-Larris (51) 45 E1
Neuville-Bosc (60) 20 A6
la Neuville-Bosmont (02) 22 D2
Neuville-Bourjonval (62) 8 C4
la Neuville-
-Chant-d'Oisel (76) 18 D5
Neuville-Coppegueule (80) 6 D6
la Neuville-d'Aumont (60) 20 B5
Neuville-Day (08) 24 A4
Neuville-de-Poitou (86) 94 B6
la Neuville-du-Bosc (27) 18 B6
Neuville-en-Avesnois (59) 9 G3
Neuville-en-Beaumont (50) 12 C4
la Neuville-en-Beine (02) 21 H2
Neuville-en-Ferrain (59) 3 G4
la Neuville-en-Hez (60) 20 C5
la Neuville-
-en-Tourne-à-Fuy (08) 23 G5
Neuville-en-Verdunois (55) 47 F3
Neuville-Ferrières (76) 19 F2
la Neuville-Garnier (60) 20 A5
la Neuville-Housset (02) 22 C1
la Neuville-lès-Bray (80) 8 B5
Neuville-les-Dames (01) 116 C5
Neuville-lès-Decize (58) 99 E5
la Neuville-lès-Dorengt (02) 9 G5
Neuville-lès-Loeuilly (80) 20 B1
Neuville-lès-This (08) 24 A1
Neuville-
-lès-Vaucouleurs (55) 47 H6
la Neuville-lès-Wasigny (08) 23 G2
Neuville-lez-Beaulieu (08) 10 C6
Neuville-près-Sées (61) 39 F5
la Neuville-Roy (60) 20 D4
Neuville-Saint-Amand (02) 22 A1
la Neuville-Saint-Pierre (60) 20 B3
Neuville-Saint-Rémy (59) 8 D3
Neuville-Saint-Vaast (62) 8 B2
la Neuville-
-Sire-Bernard (80) 20 D1
Neuville-sous-Montreuil (62) 1 G6
Neuville-sur-Ailette (02) 22 C4
Neuville-sur-Ain (01) 117 F6
Neuville-sur-Authou (27) 15 H4
Neuville-sur-Brenne (37) 79 F3
Neuville-sur-Escaut (59) 9 E2
la Neuville-sur-Essonne (45) 63 G4
Neuville-sur-Margival (02) 22 B4
Neuville-sur-Oise (95) 42 B2
Neuville-sur-Ornain (55) 46 D4
la Neuville-sur-Oudeuil (60) 20 A3
la Neuville-sur-Ressons (60) 21 E3
Neuville-sur-Saône (69) 130 A2
Neuville-sur-Sarthe (72) 60 A5
Neuville-sur-Seine (10) 66 D5
Neuville-sur-Touques (61) 39 G3
Neuville-sur-Vanne (10) 65 H3
la Neuville-Vault (60) 20 A4
Neuville-Vitasse (62) 8 B3
Neuviller-la-Roche (67) 71 E1
Neuviller-
-lès-Badonviller (54) 49 H6
Neuviller-sur-Moselle (54) 69 G1
Neuvillers-sur-Fave (88) 70 D3
Neuvillette (02) 9 F6
Neuvillette (80) 7 G3
Neuvillette-en-Charnie (72) 59 G5
Neuvilley (39) 102 D4
Neuvilly (59) 9 F4
Neuvilly-en-Argonne (55) 46 D1
Neuvireuil (62) 8 C2
Neuvizy (08) 23 H2
Neuvy (03) 113 H2
Neuvy (41) 80 B4
Neuvy (51) 44 C5
Neuvy-au-Houlme (61) 38 D4
Neuvy-Bouin (79) 93 E6
Neuvy-Deux-Clochers (18) 98 B1
Neuvy-en-Beauce (28) 62 D3
Neuvy-en-Champagne (72) 59 H5
Neuvy-en-Dunois (28) 62 B4
Neuvy-en-Mauges (49) 75 H5
Neuvy-en-Sullias (45) 81 F2
Neuvy-Grandchamp (71) 114 D1
Neuvy-le-Barrois (18) 98 D5
Neuvy-le-Roi (37) 78 D3
Neuvy-Pailloux (36) 96 D4
Neuvy-Saint-Sépulchre (36) 111 F1
Neuvy-Sautour (89) 65 H5
Neuvy-sur-Barangeon (18) 81 F6
Neuvy-sur-Loire (58) 82 B4
Neuwiller (68) 89 G4
Neuwiller-lès-Saverne (67) 50 C3
Névache (05) 147 E3
Nevers (58) 98 D3
Névez (29) 53 H4
Névian (11) 188 A3
Néville (76) 17 E2
Néville-sur-Mer (50) 13 E1
Nevoy (45) 81 H3
Nevy-lès-Dole (39) 102 C3
Nevy-sur-Seille (39) 102 D5
Nexon (87) 124 A4
Ney (39) 103 F5
Neydens (74) 118 B5
les Neyrolles (01) 117 G5
Neyron (01) 130 B2
Nézel (78) 42 A3
Nézignan-l'Évêque (34) 188 D1
Niafles (53) 76 B1
Niaux (09) 199 E1
Nibas (80) 6 C4
Nibelle (45) 63 G6
Nibles (04) 160 B5
Nice (06) 195 F3
Nicey (21) 84 C1
Nicey-sur-Aire (55) 47 F3
Nicole (47) 150 D4
Nicorps (50) 37 E1
Niderhoff (57) 49 H5
Niderviller (57) 50 A4
Niederbronn-les-Bains (67) 28 D6
Niederbruck (68) 88 D1
Niederentzen (68) 71 F5
Niederhaslach (67) 50 C6
Niederhausbergen (67) 51 E5
Niederhergheim (68) 71 F5
Niederlauterbach (67) 51 G2
Niedermodern (67) 50 D3
Niedermorschwihr (68) 71 F4
Niedernai (67) 71 G1
Niederrœdern (67) 51 G2
Niederschaeffolsheim (67) 51 E4
Niedersoultzbach (67) 50 C3
Niedersteinbach (67) 51 E1
Niederstinzel (57) 50 A3
Niedervisse (57) 27 E5
Nielles-lès-Ardres (62) 1 H3
Nielles-lès-Bléquin (62) 1 H4
Nielles-lès-Calais (62) 1 G2
Nieppe (59) 3 E4
Niergnies (59) 9 E4
Nieudan (15) 139 H4
Nieuil (16) 123 E2
Nieuil-l'Espoir (86) 109 F2
Nieul (87) 124 A1
Nieul-le-Dolent (85) 91 F5
Nieul-le-Virouil (17) 121 F6
Nieul-lès-Saintes (17) 121 E3
Nieul-sur-l'Autise (85) 107 F2
Nieul-sur-Mer (17) 106 C4
Nieulle-sur-Seudre (17) 120 C3
Nieurlet (59) 2 B3
Niévroz (01) 130 C2
Niffer (68) 89 G2
Niherne (36) 96 B5
Nijon (52) 68 C4
Nilvange (57) 26 B3
Nîmes (30) 174 B3
Ninville (52) 68 B5
Niort (79) 107 H3
Niort-de-Sault (11) 199 H1
Niozelles (04) 176 D2
Nissan-lez-Enserune (34) 188 B2
Nistos (65) 183 H5
Nitry (89) 83 H3
Nitting (57) 50 A5
Nivelle (59) 9 F1
Nivillac (56) 73 G2
Nivillers (60) 20 B4
Nivolas-Vermelle (38) 130 D5
Nivollet-Montgriffon (01) 117 F6
Nixéville-Blercourt (55) 47 F1
le Nizan (33) 149 H3
Nizan-Gesse (31) 184 A3
Nizas (32) 168 C6
Nizas (34) 172 C6
Nizerolles (03) 114 B6
Nizy-le-Comte (02) 23 E3
Noailhac (12) 154 B2
Noailhac (19) 138 D3
Noailhac (81) 170 D6
Noaillac (33) 150 B2
Noaillan (33) 149 G3
Noailles (19) 138 C3
Noailles (60) 20 B5
Noailles (81) 170 B2
Noailly (42) 115 E5
Noalhac (48) 141 F6
Noalhat (63) 127 H2
Noards (27) 15 H4
Nocario (2B) 205 F1
Nocé (61) 61 E2
Noceta (2B) 205 F3
Nochize (71) 115 F3
la Nocle-Maulaix (58) 99 H5
Nod-sur-Seine (21) 85 E2
Nods (25) 104 A2
Noé (31) 185 E2
Noé (89) 65 E4
la Noë-Blanche (35) 57 E5
Noë-les-Mallets (10) 67 E5
la Noë-Poulain (27) 15 H4
Noël-Cerneux (25) 104 C2
Noëllet (49) 75 G1
les Noës (42) 114 D6
les Noës-près-Troyes (10) 66 B3
Nœux-lès-Auxi (62) 7 F3
Nœux-les-Mines (62) 2 D6
Nogaret (31) 170 A6
Nogaro (32) 166 D4
Nogent (52) 68 B5
Nogent-en-Othe (10) 65 H4
Nogent-l'Abbesse (51) 23 F6
Nogent-l'Artaud (02) 44 B3
Nogent-le-Bernard (72) 60 C3
Nogent-le-Phaye (28) 62 B2
Nogent-le-Roi (28) 41 G6
Nogent-le-Rotrou (28) 61 E3
Nogent-le-Sec (27) 40 C3
Nogent-lès-Montbard (21) 84 D4
Nogent-sur-Aube (10) 66 C1
Nogent-sur-Eure (28) 62 A2
Nogent-sur-Loir (72) 78 C3
Nogent-sur-Marne (94) 43 E4
Nogent-sur-Oise (60) 20 D6
Nogent-sur-Seine (10) 65 F1
Nogent-sur-Vernisson (45) 82 A1
Nogentel (02) 44 B2
Nogna (39) 117 G1
Noguères (64) 182 A1
Nohanent (63) 127 E3
Nohant-en-Goût (18) 98 A2
Nohant-en-Graçay (18) 96 D2
Nohant-Vic (36) 111 G1
Nohèdes (66) 200 B3
Nohic (82) 169 F3
Noidan (21) 84 D6
Noidans-le-Ferroux (70) 87 F4
Noidans-lès-Vesoul (70) 87 G3
Noidant-Chatenoy (52) 86 B2
Noidant-le-Rocheux (52) 86 A1
Noilhan (32) 168 B6
Nointel (60) 20 D5
Nointel (95) 42 C1
Nointot (76) 15 H1
Noircourt (02) 23 F2
Noirefontaine (25) 88 C5
Noirémont (60) 20 B3
Noirétable (42) 128 B3
Noirlieu (51) 46 C3
Noirmoutier-en-l'Île (85) 90 B1
Noiron (70) 86 D5
Noiron-sous-Gevrey (21) 102 A1
Noiron-sur-Bèze (21) 86 B5
Noiron-sur-Seine (21) 66 D6
Noironte (25) 87 E6
Noirval (08) 24 B4
Noiseau (94) 43 E4
Noisiel (77) 43 E4
Noisseville (57) 26 C5
Noisy-le-Grand (93) 43 E4
Noisy-le-Roi (78) 42 B4
Noisy-le-Sec (93) 42 D3
Noisy-Rudignon (77) 64 C3
Noisy-sur-École (77) 63 H2
Noisy-sur-Oise (95) 42 D1
Noizay (37) 79 F5
Nojals-et-Clotte (24) 151 G1
Nojeon-en-Vexin (27) 19 F5
Nolay (21) 101 F4
Nolay (58) 99 E2
Nolléval (76) 19 F4
Nollieux (42) 128 D3
Nomain (59) 3 G6
Nomdieu (47) 167 G1
Nomécourt (52) 67 H2
Nomeny (54) 48 D3
Nomexy (88) 69 H3
Nommay (25) 88 C4
Nompatelize (88) 70 C2
Nonac (16) 122 B6
Nonancourt (27) 41 E4
Nonant (14) 14 A4
Nonant-le-Pin (61) 39 F5
Nonards (19) 139 E4
Nonaville (16) 122 A5
Noncourt-
-sur-le-Rongeant (52) 68 A2
Nonette (63) 127 G6
Nonglard (74) 132 A1
Nonhigny (54) 49 H6
Nonières (07) 143 G5
Nonsard-Lamarche (55) 48 A3
Nontron (24) 123 F5
Nonville (77) 64 B3
Nonville (88) 69 F5
Nonvilliers-Grandhoux (28) 61 G3
Nonza (2B) 203 F3
Nonzeville (88) 70 B3
Noordpeene (59) 2 B3
Nordausques (62) 1 H3
Nordheim (67) 50 D5
Nordhouse (67) 71 H1
Noreuil (62) 8 C3
Norges-la-Ville (21) 85 H5
Normandel (61) 40 B5
Normanville (27) 40 D2
Normanville (76) 16 D4
Normier (21) 84 D6
Norolles (14) 15 F4
Noron-la-Poterie (14) 13 H6
Noron-l'Abbaye (14) 38 D3
Noroy (60) 20 D4
Noroy-le-Bourg (70) 87 H3
Noroy-sur-Ourcq (02) 21 H6
Norrent-Fontes (62) 2 B5
Norrey-en-Auge (14) 39 E3
Norrois (51) 46 B5
Norroy (88) 69 E3
Norroy-le-Sec (54) 25 H5
Norroy-le-Veneur (57) 26 B5
Norroy-
-lès-Pont-à-Mousson (54) 48 B3
Nort-Leulinghem (62) 2 A3
Nort-sur-Erdre (44) 74 D3
Nortkerque (62) 1 H3
Norville (76) 18 A4
la Norville (91) 42 C6
Nossage-et-Bénévent (05) 159 H4
Nossoncourt (88) 70 B2
Nostang (56) 54 D5
Noth (23) 111 E4
Nothalten (67) 71 F2
Notre-Dame-d'Aliermont (76) 17 H2
Notre-Dame-d'Allençon (49) 77 E6
Notre-Dame-
-de-Bellecombe (73) 132 D2
Notre-Dame-
-de-Bliquetuit (76) 17 E5
Notre-Dame-
-de-Boisset (42) 128 D1
Notre-Dame-
-de-Bondeville (76) 17 G6
Notre-Dame-de-Cenilly (50) 37 F2
Notre-Dame-
-de-Commiers (38) 145 G4
Notre-Dame-
-de-Courson (14) 15 F6
Notre-Dame-
-de-Gravenchon (76) 15 H2
Notre-Dame-
-de-la-Rouvière (30) 173 E1
Notre-Dame-de-l'Isle (27) 41 F1
Notre-Dame-de-Livaye (14) 15 E5
Notre-Dame-de-Livoye (50) 37 F4
Notre-Dame-
-de-Londres (34) 173 F3
Notre-Dame-de-l'Osier (38) 145 E2
Notre-Dame-
-de-Mésage (38) 145 G3
Notre-Dame-de-Monts (85) 90 C2
Notre-Dame-de-Riez (85) 90 D3
Notre-Dame-
-de-Sanilhac (24) 137 F3
Notre-Dame-de-Vaulx (38) 145 G4
Notre-Dame-d'Elle (50) 37 G1
Notre-Dame-d'Épine (27) 15 H4
Notre-Dame-
-des-Landes (44) 74 C3
Notre-Dame-
-des-Millières (73) 132 C4
Notre-Dame-d'Estrées (14) 15 E5
Notre-Dame-d'Oé (37) 78 D5
Notre-Dame-du-Bec (76) 15 F1
Notre-Dame-du-Cruet (73) 132 C6
Notre-Dame-du-Hamel (27) 39 H3
Notre-Dame-du-Parc (76) 18 D1
Notre-Dame-du-Pé (72) 77 F2
Notre-Dame-du-Pré (73) 133 E5
Notre-Dame-du-Rocher (61) 38 C4
Notre-Dame-
-du-Touchet (50) 37 G6
Nottonville (28) 62 B5
la Nouaille (23) 125 G2
Nouaillé-Maupertuis (86) 109 E2
Nouainville (50) 12 C2
Nouan-le-Fuzelier (41) 81 E4
Nouans (72) 60 B3
Nouans-les-Fontaines (37) 96 A2
Nouart (08) 24 C4
Nouâtre (37) 94 D3
la Nouaye (35) 56 D2
la Noue (51) 44 D5
Noueilles (31) 185 G1
Nougaroulet (32) 168 A4
Nouhant (23) 112 B4
Nouic (87) 110 A6
Nouilhan (65) 183 E1
les Nouillers (17) 121 E1
Nouillonpont (55) 25 G5
Nouilly (57) 26 C5
Noulens (32) 167 E3
Nourard-le-Franc (60) 20 C4
Nourray (41) 79 G2
Nousse (40) 165 F4
Nousseviller-lès-Bitche (57) 50 C1
Nousseviller-
-Saint-Nabor (57) 49 H1
Nousty (64) 182 C2
Nouvelle-Église (62) 1 H2
Nouvion (80) 6 D3
le Nouvion-en-Thiérache (02) 9 H5
Nouvion-et-Catillon (02) 22 B2
Nouvion-le-Comte (02) 22 B2
Nouvion-le-Vineux (02) 22 C4
Nouvion-sur-Meuse (08) 24 B2
Nouvoitou (35) 57 F3
Nouvron-Vingré (02) 21 H4
Nouzerines (23) 111 H3
Nouzerolles (23) 111 F3
Nouziers (23) 111 G3
Nouzilly (37) 79 E4
Nouzonville (08) 24 B1
Novacelles (63) 128 A6
Novalaise (73) 131 G4
Novale (2B) 205 G2
Novéant-sur-Moselle (57) 26 B6
Novel (74) 119 G3
Novella (2B) 203 E5
Noves (13) 175 E3
Noviant-aux-Prés (54) 48 B4
Novillard (90) 88 D3
Novillars (25) 87 G6
Novillers (60) 20 B6
Novion-Porcien (08) 23 G3
Novy-Chevrières (08) 23 H3
Noyal (22) 34 A5
Noyal-Châtillon-
-sur-Seiche (35) 57 F3
Noyal-Muzillac (56) 73 F1
Noyal-Pontivy (56) 55 F2
Noyal-sous-Bazouges (35) 35 F6
Noyal-sur-Brutz (44) 57 G6
Noyal-sur-Vilaine (35) 57 G3
Noyales (02) 9 F6
Noyalo (56) 73 E1
Noyant (49) 78 A4
Noyant-d'Allier (03) 113 G2
Noyant-de-Touraine (37) 94 D2
Noyant-et-Aconin (02) 22 A5
Noyant-la-Gravoyère (49) 76 B2
Noyant-la-Plaine (49) 77 F6
Noyarey (38) 145 F2
Noyelle-Vion (62) 7 H2
Noyelles-en-Chaussée (80) 7 E3
Noyelles-Godault (62) 8 C1
Noyelles-lès-Humières (62) 7 F1
Noyelles-lès-Seclin (59) 3 F5
Noyelles-lès-Vermelles (62) 2 D6
Noyelles-sous-Bellonne (62) 8 C2
Noyelles-sous-Lens (62) 8 B1
Noyelles-sur-Escaut (59) 8 D4
Noyelles-sur-Mer (80) 6 C3
Noyelles-sur-Sambre (59) 9 H3
Noyelles-sur-Selle (59) 9 E2
Noyellette (62) 8 A2
Noyen-sur-Sarthe (72) 77 G1
Noyen-sur-Seine (77) 65 E2
le Noyer (05) 160 B1
le Noyer (18) 82 A6
le Noyer (73) 132 A3
le Noyer-en-Ouche (27) 40 B2
Noyers (27) 19 G6
Noyers (45) 81 H1
Noyers (52) 68 C5
Noyers (89) 84 A3
Noyers-Auzécourt (55) 46 D3
Noyers-Bocage (14) 14 A5
Noyers-Pont-Maugis (08) 24 C2
Noyers-Saint-Martin (60) 20 C3
Noyers-sur-Cher (41) 96 A1
Noyers-sur-Jabron (04) 160 A6
Noyon (60) 21 G3
Nozay (10) 66 B1
Nozay (44) 74 C2
Nozay (91) 42 C5
Nozeroy (39) 103 G5
Nozières (07) 143 G4
Nozières (18) 97 H6
Nuaillé (49) 75 H6
Nuaillé-d'Aunis (17) 107 E4
Nuaillé-sur-Boutonne (17) 107 H6
Nuars (58) 83 G6
Nubécourt (55) 47 E2
Nucourt (95) 42 A1
Nueil-les-Aubiers (79) 92 D3
Nueil-sous-Faye (86) 94 B3
Nueil-sur-Layon (49) 93 F2
Nuelles (69) 129 G2
Nuillé-le-Jalais (72) 60 C5
Nuillé-sur-Vicoin (53) 58 C5
Nuisement-sur-Coole (51) 45 H4
Nuits (89) 84 C2
Nuits-Saint-Georges (21) 101 H2
Nullemont (76) 19 G1
Nully (52) 67 F2
Nuncq-Hautecôte (62) 7 G2
Nuret-le-Ferron (36) 96 A6
Nurieux-Volognat (01) 117 F5
Nurlu (80) 8 C5
Nuzéjouls (46) 152 C3
Nyer (66) 200 B4
Nyoiseau (49) 75 H1
Nyons (26) 158 D4

O

Obenheim (67) 71 H2
Oberbronn (67) 50 D2
Oberbruck (68) 88 D1
Oberdorf (68) 89 F3
Oberdorf-Spachbach (67) 51 E2
Oberdorff (57) 27 E4
Oberentzen (68) 71 F6
Obergailbach (57) 28 A5
Oberhaslach (67) 50 C6
Oberhausbergen (67) 51 E5
Oberhergheim (68) 71 F5
Oberhoffen-
-lès-Wissembourg (67) 51 F1
Oberhoffen-sur-Moder (67) 51 F4
Oberlarg (68) 89 F4
Oberlauterbach (67) 51 G2
Obermodern-
-Zutzendorf (67) 50 D3
Obermorschwihr (68) 71 F5
Obermorschwiller (68) 89 F3
Obernai (67) 71 G1
Oberrœdern (67) 51 F2
Obersaasheim (68) 71 G5
Oberschaeffolsheim (67) 50 D5
Obersoultzbach (67) 50 C3
Obersteinbach (67) 50 D1
Oberstinzel (57) 50 A4
Obervisse (57) 27 E5
Obies (59) 9 H2
Objat (19) 138 C2
Oblinghem (62) 2 D6
Obrechies (59) 10 A3
Obreck (57) 49 F3
Obsonville (77) 63 H4
Obterre (36) 95 G4
Obtrée (21) 85 E1
Ocana (2A) 204 D5
Occagnes (61) 39 E4
Occey (52) 86 A3
Occhiatana (2B) 202 D5
Occoches (80) 7 G3
Ochancourt (80) 6 C4
Oches (08) 24 C3
Ochey (54) 48 B6
Ochtezeele (59) 2 B3
Ocquerre (77) 43 H2
Ocqueville (76) 17 E3
Octeville-l'Avenel (50) 12 D3
Octeville-sur-Mer (76) 15 E1
Octon (34) 172 C5
Odars (31) 169 G6
Odenas (69) 116 A6
Oderen (68) 70 D6
Odomez (59) 9 F1
Odos (65) 183 E3
Odratzheim (67) 50 D5
Oëlleville (88) 69 F2
Oermingen (67) 27 H6
Oeting (57) 27 G5
Œuf-en-Ternois (62) 7 F2
Œuilly (02) 22 C5
Œuilly (51) 45 E2
Oeyregave (40) 165 E5
Oeyreluy (40) 165 E4
Offekerque (62) 1 H2
Offemont (90) 88 C3
Offendorf (67) 51 F4
Offignies (80) 19 H1
Offin (62) 7 E1
Offlanges (39) 102 D1
Offoy (60) 20 A2
Offoy (80) 21 G1
Offranville (76) 17 G2
Offrethun (62) 1 F3
Offroicourt (88) 69 F3
Offwiller (67) 50 D3
Ogenne-Camptort (64) 181 H2
Oger (51) 45 F3
Ogeu-les-Bains (64) 182 A3
Ogéviller (54) 49 G6
Ogliastro (2B) 203 F3
Ognes (02) 21 H3
Ognes (51) 45 E5
Ognes (60) 43 G2
Ognéville (54) 69 F1
Ognolles (60) 21 F2
Ognon (60) 21 E6
Ogy (57) 26 C5
Ohain (59) 10 B4
Oherville (76) 17 E3
Ohis (02) 10 A5
Ohlungen (67) 51 E3
Ohnenheim (67) 71 G3
l'Oie (85) 92 A4
Oigney (70) 87 E2
Oignies (62) 3 F6
Oigny (21) 85 F4
Oigny (41) 61 F5
Oigny-en-Valois (02) 21 H6
Oingt (69) 129 G1
Oinville-Saint-Liphard (28) 62 D4
Oinville-sous-Auneau (28) 62 C2
Oinville-sur-Montcient (78) 42 A2
Oiron (79) 93 H3
Oiry (51) 45 F2
Oiselay-et-Grachaux (70) 87 E5
Oisemont (80) 6 D5
Oisilly (21) 86 B5
Oisly (41) 80 A5
Oison (45) 62 D4
Oisseau (53) 58 D2
Oisseau-le-Petit (72) 60 A2
Oissel (76) 18 C5
Oissery (77) 43 F2
Oissy (80) 7 E6
Oisy (02) 9 G5
Oisy (58) 83 F5

Oisy (59) 9 F2
Oisy-le-Verger (62) 8 D3
Oizé (72) 78 A1
Oizon (18) 81 H5
Olargues (34) 171 H6
Olby (63) 126 D3
Olcani (2B) 203 F3
Oléac-debat (65) 183 F2
Oléac-Dessus (65) 183 F3
Olemps (12) 154 C4
Olendon (14) 38 D2
Oletta (2B) 203 F4
Olette (66) 200 B3
Olivese (2A) 205 E6
Olivet (45) 80 D1
Olivet (53) 58 C4
Olizy (51) 44 D1
Olizy-Primat (08) 24 B5
Olizy-sur-Chiers (55) 24 D3
Ollainville (88) 68 D3
Ollainville (91) 42 C6
Ollans (25) 87 G5
Ollé (28) 61 H2
Olley (54) 48 A1
Ollezy (02) 21 H2
les Ollières (74) 132 B1
Ollières (83) 176 D6
les Ollières-sur-Eyrieux (07) 143 H6
Olliergues (63) 128 A4
Ollioules (83) 193 E5
Olloix (63) 127 E4
les Olmes (69) 129 G2
Olmet (63) 128 A4
Olmet-et-Villecun (34) 172 B4
Olmeta-di-Capocorso (2B) 203 F3
Olmeta-di-Tuda (2B) 203 F5
Olmeto (2A) 206 D2
Olmi-Cappella (2B) 202 D5
Olmiccia (2A) 207 E2
Olmo (2B) 203 G6
Olonne-sur-Mer (85) 91 E5
Olonzac (34) 187 G3
Oloron-Sainte-Marie (64) 182 A3
Ols-et-Rinhodes (12) 153 G3
Oltingue (68) 89 G4
Olwisheim (67) 51 E4
Omblèze (26) 144 D5
Omécourt (60) 19 H3
Omelmont (54) 69 F1
les Omergues (04) 159 G6
Omerville (95) 41 H1
Omessa (2B) 205 E2
Omet (33) 149 H1
Omex (65) 182 D4
Omey (51) 46 A4
Omicourt (08) 24 B2
Omiécourt (80) 21 F1
Omissy (02) 9 E6
Omméel (61) 39 F4
Ommeray (57) 49 F4
Ommoy (61) 39 E3
Omont (08) 24 B3
Omonville (76) 17 G3
Omonville-la-Petite (50) 12 A1
Omonville-la-Rogue (50) 12 B1
Omps (15) 139 H5
Oms (66) 201 E3
Onans (25) 88 B4
Onard (40) 165 F3
Onay (70) 86 D5
Oncieu (01) 131 E1
Oncourt (88) 69 H3
Oncy-sur-École (91) 63 H2
Ondefontaine (14) 38 A2
Ondes (31) 169 E4
Ondres (40) 164 B5
Ondreville-sur-Essonne (45) 63 G4
Onesse-et-Laharie (40) 148 B6
Onet-le-Château (12) 154 C4
Oneux (80) 7 E4
Ongles (04) 176 C1
Onglières (39) 103 G5
Onjon (10) 66 C2
Onlay (58) 100 A4
Onnaing (59) 9 G1
Onnion (74) 119 E5
Onoz (39) 117 G2
Ons-en-Bray (60) 19 H4
Ontex (73) 131 G3
Onville (54) 26 A6
Onzain (41) 79 G4
Oô (31) 197 E1
Oost-Cappel (59) 2 D2
Opio (06) 178 C4
Opoul-Périllos (66) 187 H6
Oppède (84) 175 G3
Oppedette (04) 176 B2
Oppenans (70) 87 H3
Oppy (62) 8 C2
Optevoz (38) 130 D3
Oraàs (64) 165 E6
Oradour (15) 141 E5
Oradour (16) 122 A1
Oradour-Fanais (16) 109 H5
Oradour-Saint-Genest (87) 110 B4
Oradour-sur-Glane (87) 123 H1
Oradour-sur-Vayres (87) 123 G3
Orain (21) 86 B3
Orainville (02) 23 E5
Oraison (04) 176 D2
Orange (84) 158 B6
Orbagna (39) 117 F1
Orbais-l'Abbaye (51) 44 D3
Orban (81) 170 B3
Orbec (14) 15 G6
Orbeil (63) 127 G5
Orbessan (32) 167 H6
Orbey (68) 71 E4
Orbigny (37) 95 H1
Orbigny-au-Mont (52) 86 B1
Orbigny-au-Val (52) 86 B1
l'Orbrie (85) 107 F2
Orçay (41) 97 F1
Orcemont (78) 41 H6
Orcenais (18) 97 H6
Orcet (63) 127 F4
Orcevaux (52) 86 A2
Orchaise (41) 79 G4
Orchamps (39) 102 D2
Orchamps-Vennes (25) 104 B2
Orches (86) 94 B4
Orchies (59) 3 G6
Orcier (74) 119 E3
Orcières (05) 160 D1
Orcinas (26) 158 D2
Orcines (63) 127 E3
Orcival (63) 126 D4
Orconte (51) 46 C5
Ordan-Larroque (32) 167 G4
Ordiarp (64) 181 F3
Ordizan (65) 183 F4
Ordonnac (33) 134 D1
Ordonnaz (01) 131 F2
Ore (31) 184 A5
Orègue (64) 181 E1
Oreilla (66) 200 B3
Orelle (73) 146 D2
Oresmaux (80) 20 C1
Organ (65) 183 H2
Orgeans-
-Blanchefontaine (25) 88 C6
Orgedeuil (16) 123 E3
Orgeix (09) 199 G2
Orgelet (39) 117 G2
Orgères (35) 57 F4
Orgères (61) 39 G4
Orgères-en-Beauce (28) 62 C4
Orgerus (78) 41 H4
Orges (52) 67 G5
Orgeux (21) 86 A6
Orgeval (02) 22 C4
Orgeval (78) 42 B3
Orgibet (09) 184 C5
Orglandes (50) 12 D4
Orgnac-l'Aven (07) 157 G5
Orgnac-sur-Vézère (19) 138 C1
Orgon (13) 175 F3
Orgueil (82) 169 F3
Oricourt (70) 87 H3
Orieux (65) 183 G3
Orignac (65) 183 F4
Origne (33) 149 F3
Origné (53) 58 D6
Orignolles (17) 135 H2
Origny (21) 85 E3
Origny-en-Thiérache (02) 10 A6
Origny-le-Butin (61) 60 C2
Origny-le-Roux (61) 60 C2
Origny-le-Sec (10) 65 H2
Origny-Sainte-Benoite (02) 9 F6
Orin (64) 181 H2
Orincles (65) 183 E4
Oriocourt (57) 49 E3
Oriol-en-Royans (26) 144 D4
Oriolles (16) 121 H6
Orion (64) 181 G1
Oris-en-Rattier (38) 145 H5
Orist (40) 164 D4
Orival (16) 136 B1
Orival (76) 18 C5
Orléans (45) 80 D1
Orléat (63) 127 H2
Orleix (65) 183 F2
Orliac (24) 152 A1
Orliac-de-Bar (19) 139 E1
Orliaguet (24) 138 B5
Orliénas (69) 129 H4
Orlu (09) 199 G2
Orlu (28) 62 D2
Orly (94) 42 D5
Orly-sur-Morin (77) 44 A3
Ormancey (52) 86 A1
Ormenans (70) 87 G5
Ormersviller (57) 28 B5
Ormes (10) 66 B1
Ormes (27) 40 C2
Ormes (45) 62 D6
Ormes (51) 23 E6
Ormes (71) 116 C1
les Ormes (86) 94 D3
les Ormes (89) 83 E1
Ormes-et-Ville (54) 69 G1
les Ormes-sur-Voulzie (77) 64 D2
Ormesson (77) 64 A4
Ormesson-sur-Marne (94) 43 E4
Ormoiche (70) 87 H1
Ormoy (28) 41 F6
Ormoy (70) 87 F1
Ormoy (89) 65 F6
Ormoy (91) 42 D6
Ormoy-la-Rivière (91) 63 F2
Ormoy-le-Davien (60) 43 G1
Ormoy-
-lès-Sexfontaines (52) 67 H4
Ormoy-Villers (60) 43 G1
Ornacieux (38) 130 D6
Ornaisons (11) 187 H3
Ornans (25) 103 G2
Ornes (55) 25 F6
Ornex (01) 118 B4
Ornézan (32) 167 H6
Orniac (46) 153 E3
Ornolac-
-Ussat-les-Bains (09) 199 E1
Ornon (38) 146 A3
Orny (57) 26 C6
Oroër (60) 20 B4
Oroix (65) 183 E2
Oron (57) 49 E3
Oroux (79) 93 G6
Orphin (78) 41 H6
Orpierre (05) 159 H4
Orquevaux (52) 68 B3
les Orres (05) 161 E2
Orret (21) 85 F4
Orriule (64) 181 G1
Orrouer (28) 61 H2
Orrouy (60) 21 F6
Orry-la-Ville (60) 43 E1
Ors (59) 9 G4
Orsan (30) 158 A6
Orsanco (64) 181 E2
Orsans (11) 186 B4
Orsans (25) 104 A1
Orsay (91) 42 C5
Orschwihr (68) 71 E6
Orschwiller (67) 71 F3
Orsennes (36) 111 F2
Orsinval (59) 9 G2
Orsonnette (63) 127 G6
Orsonville (78) 62 D1
Ortaffa (66) 201 F3
Ortale (2B) 205 G2
Orthevielle (40) 164 D5
Orthez (64) 165 G6
Orthoux-Sérignac-
-Quilhan (30) 173 G3
Ortillon (10) 66 C1
Ortiporio (2B) 203 F6
Orto (2A) 204 D3
Ortoncourt (88) 70 A2
Orus (09) 198 D1
Orval (18) 97 H6
Orval (50) 36 D2
Orvault (44) 74 C4
Orvaux (27) 40 D3
Orve (25) 88 B6
Orveau (91) 63 F2
Orveau-Bellesauve (45) 63 G3
Orville (21) 86 A4
Orville (36) 96 D2
Orville (45) 63 G4
Orville (61) 39 G3
Orville (62) 7 G4
Orvillers-Sorel (60) 21 E3
Orvilliers (78) 41 G4
Orvilliers-Saint-Julien (10) 65 H2
Orx (40) 164 C5
Os-Marsillon (64) 182 A1
Osani (2A) 204 B2
Osches (55) 47 E2
Osenbach (68) 71 E5
Oslon (71) 101 H5
Osly-Courtil (02) 21 H5
Osmanville (14) 13 F5
Osmery (18) 98 A4
Osmets (65) 183 F2
Osmoy (18) 97 H3
Osmoy (78) 41 H4
Osmoy-Saint-Valery (76) 19 E1
Osne-le-Val (52) 68 A1
Osnes (08) 24 D2
Osny (95) 42 B2
Ossages (40) 165 F5
Ossas-Suhare (64) 181 G3
Osse (25) 87 G6
Ossé (35) 57 G3
Osse-en-Aspe (64) 181 H5
Osséja (66) 199 H5
Osselle (25) 103 E2
Ossen (65) 182 D4
Ossenx (64) 181 G1
Osserain-Rivareyte (64) 181 F1
Ossès (64) 180 D2
Ossey-
-les-Trois-Maisons (10) 65 G2
Ossun (65) 183 E3
Ossun-Ez-Angles (65) 183 E4
Ostabat-Asme (64) 181 E2
Ostel (02) 22 B4
Ostheim (68) 71 F4
Osthoffen (67) 50 D5
Osthouse (67) 71 H1
Ostreville (62) 7 G1
Ostricourt (59) 8 C1
Ostwald (67) 51 E6
Ota (2A) 204 C3
Othe (54) 25 F3
Othis (77) 43 F2
Ottange (57) 26 A2
Ottersthal (67) 50 C4
Otterswiller (67) 50 C4
Ottmarsheim (68) 89 G1
Ottonville (57) 26 D4
Ottrott (67) 71 F1
Ottwiller (67) 50 B3
Ouagne (58) 83 F5
Ouainville (76) 16 D3
Ouanne (89) 83 F3
Ouarville (28) 62 C3
les Oubeaux (14) 13 F5
Ouchamps (41) 79 H5
Ouches (42) 128 C1
Oucques (41) 79 H2
Oudalle (76) 15 F2
Oudan (58) 83 E6
Oudeuil (60) 20 A3
Oudezeele (59) 2 C3
Oudincourt (52) 67 H4
l'Oudon (14) 39 E2
Oudon (44) 75 E4
Oudrenne (57) 26 C3
Oudry (71) 115 F1
Oueilloux (65) 183 F3
Ouerre (28) 41 F5
Ouessant (29) 30 A4
Ouézy (14) 39 E1
Ouffières (14) 14 B6
Ouge (70) 86 D2
Ouges (21) 102 A1
Ougney (39) 102 D1
Ougney-Douvot (25) 87 G6
Ougny (58) 99 H3
Ouhans (25) 103 H3
Ouides (43) 142 B5
Ouillon (64) 182 C2
Ouilly-du-Houley (14) 15 G5
Ouilly-le-Tesson (14) 38 D2
Ouilly-le-Vicomte (14) 15 F5
Ouistreham (14) 14 C4
Oulches (36) 110 C1
Oulches-
-la-Vallée-Foulon (02) 22 D4
Oulchy-la-Ville (02) 22 A6
Oulchy-le-Château (02) 22 A6
Oulins (28) 41 F4
Oulles (38) 146 A3
Oullins (69) 130 A3
Oulmes (85) 107 F2
Oulon (58) 99 F2
Ounans (39) 102 D3
Oupia (34) 187 H2
Our (39) 102 D2
Ourches (26) 144 C6
Ourches-sur-Meuse (55) 47 H5
Ourde (65) 183 H5
Ourdis-Cotdoussan (65) 183 E4
Ourdon (65) 183 E4
Ourouër (58) 99 E3
Ourouer-les-Bourdelins (18) 98 B4
Ouroux (69) 115 H4
Ouroux-en-Morvan (58) 100 A2
Ouroux-sous-le-Bois-
-Sainte-Marie (71) 115 G3
Ouroux-sur-Saône (71) 101 H6
Oursbelille (65) 183 E2
Oursel-Maison (60) 20 B3
Ourton (62) 7 H1
Ourville-en-Caux (76) 16 D3
Ousse (64) 182 C2
Ousse-Suzan (40) 165 G2
Oussières (39) 102 D4
Ousson-sur-Loire (45) 82 B4
Oussoy-en-Gâtinais (45) 82 A1
Oust (09) 185 E6
Oust-Marest (80) 6 B4
Ousté (65) 183 E4
Outarville (45) 63 E4
Outines (51) 67 E1
Outreau (62) 1 F4
Outrebois (80) 7 G3
Outremécourt (52) 68 D3
Outrepont (51) 46 B4
Outriaz (01) 117 G6
Ouvans (25) 88 A6
Ouve-Wirquin (62) 2 A5
Ouveillan (11) 188 A2
Ouville (50) 37 E2
Ouville-la-Bien-Tournée (14) 39 E2
Ouville-la-Rivière (76) 17 F2
Ouville-l'Abbaye (76) 17 F4
Ouvrouer-les-Champs (45) 81 F2
Ouzilly (86) 94 C5
Ouzouer-des-Champs (45) 82 A1
Ouzouer-le-Doyen (41) 62 A6
Ouzouer-le-Marché (41) 80 B1
Ouzouer-
-sous-Bellegarde (45) 63 G6
Ouzouer-sur-Loire (45) 81 H2
Ouzouer-sur-Trézée (45) 82 B3
Ouzous (65) 182 D4
Ovanches (70) 87 F3
Ovillers-la-Boisselle (80) 8 A5
Oxelaëre (59) 2 C3
Oyé (71) 115 F4
Oye-et-Pallet (25) 104 A4
Oye-Plage (62) 1 H2
Oyes (51) 45 E4
Oyeu (38) 131 E6
Oyonnax (01) 117 G4
Oyré (86) 94 D4
Oyrières (70) 86 C4
Oysonville (28) 62 D2
Oytier-Saint-Oblas (38) 130 B5
Oz (38) 146 A3
Ozan (01) 116 C3
Oze (05) 159 H3
Ozenay (71) 116 B2
Ozenx-Montestrucq (64) 165 F6
Ozerailles (54) 25 H6
Ozeville (50) 13 E3
Ozières (52) 68 B4
Ozillac (17) 121 G6
Ozoir-la-Ferrière (77) 43 F5
Ozoir-le-Breuil (28) 62 B6
Ozolles (71) 115 G3
Ozon (07) 144 A3
Ozon (65) 183 F3
Ozouer-le-Voulgis (77) 43 F5
Ozourt (40) 165 F4

P

Paars (02) 22 C5
Pabu (22) 33 E3
la Pacaudière (42) 114 D5
Pacé (35) 57 E2
Pacé (61) 59 H1
Pact (38) 144 B1
Pacy-sur-Armançon (89) 84 B2
Pacy-sur-Eure (27) 41 F2
Padern (11) 187 G6
Padiès (81) 170 D1
Padirac (46) 139 E6
Padoux (88) 70 A3
Pageas (87) 123 H4
Pagney (39) 103 E1
Pagney-derrière-Barine (54) 48 A5
Pagnoz (39) 103 E3
Pagny-la-Blanche-Côte (55) 48 A6
Pagny-la-Ville (21) 102 A3
Pagny-le-Château (21) 102 A3
Pagny-lès-Goin (57) 48 D2
Pagny-sur-Meuse (55) 48 A5
Pagny-sur-Moselle (54) 48 B2
Pagolle (64) 181 F2
Pailhac (65) 183 G6
Pailharès (07) 143 G3
Pailherols (15) 140 C5
Pailhès (09) 185 F4
Pailhès (34) 188 C1
Paillart (60) 20 C2
Paillé (17) 107 H6
Paillencourt (59) 9 E3
Paillet (33) 149 G1
Pailloles (47) 151 F3
le Pailly (52) 86 B2
Pailly (89) 65 E3
Paimbœuf (44) 74 A4
Paimpol (22) 33 F2
Paimpont (35) 56 C3
Painblanc (21) 101 F2
Pair-et-Grandrupt (88) 70 D3
Paissy (02) 22 C4
Paisy-Cosdon (10) 65 G4
Paizay-le-Chapt (79) 108 B5
Paizay-le-Sec (86) 109 H1
Paizay-le-Tort (79) 108 B5
Paizay-Naudouin-
-Embourie (16) 108 C6
Pajay (38) 144 C1
Paladru (38) 131 F5
Palairac (11) 187 G5
le Palais (56) 72 B3
le Palais-sur-Vienne (87) 124 B2
Palaiseau (91) 42 C5
Palaiseul (52) 86 B2
Palaja (11) 187 E3
Palaminy (31) 184 D3
Palante (70) 88 B3
Palantine (25) 103 F2
Palasca (2B) 202 D5
Palau-de-Cerdagne (66) 199 G5
Palau-del-Vidre (66) 201 F3
Palavas-les-Flots (34) 173 G6
Palazinges (19) 138 D3
Paley (77) 64 B4
Palhers (48) 155 H3
Palinges (71) 115 F2
Palis (10) 65 G3
Palise (25) 87 F5
Palisse (19) 125 H6
Palladuc (63) 128 A2
Pallanne (32) 167 F6
Palleau (71) 101 H4
Pallegney (88) 69 H3
le Pallet (44) 75 E6
Palleville (81) 170 B6
la Pallu (53) 59 F1
Palluau (85) 91 F3
Palluau-sur-Indre (36) 96 A4
Palluaud (16) 136 C1
Pallud (73) 132 C3
Palluel (62) 8 D2
Palmas (12) 155 E4
la Palme (11) 188 A5
Palneca (2A) 205 F5
Palogneux (42) 128 C3
la Palud-sur-Verdon (04) 177 G3
Paluel (76) 16 D2
Pamfou (77) 64 B2
Pamiers (09) 185 H4
Pampelonne (81) 154 A6
Pamplie (79) 107 H1
Pamproux (79) 108 C3
Panassac (32) 184 A1
Panazol (87) 124 B2
Pancé (35) 57 F5
Pancey (52) 68 A1
Pancheraccia (2B) 205 G3
Pancy-Courtecon (02) 22 C4
Pandrignes (19) 139 E2
Pange (57) 26 D5
Panges (21) 85 F6
Panilleuse (27) 41 F1
Panissage (38) 131 E5
Panissières (42) 129 F3
Panjas (32) 166 D3
Pannecé (44) 75 F3
Pannecières (45) 63 F3
Pannes (45) 64 A6
Pannes (54) 48 A3
Pannessières (39) 102 D6
Panon (72) 60 B2
Panossas (38) 130 C4
la Panouse (48) 156 B1
Pantin (93) 42 D3
Panzoult (37) 94 C2
Papleux (02) 9 H5
Paradou (13) 191 E2
Parassy (18) 97 H1
Parata (2B) 205 G1
Paray-Douaville (78) 62 D2
Paray-le-Frésil (03) 114 B1
Paray-le-Monial (71) 115 E3
Paray-sous-Briailles (03) 114 A4
Paray-Vieille-Poste (91) 42 D5
Paraza (11) 187 H3
Parbayse (64) 182 A2
Parc-d'Anxtot (76) 15 G1
Parçay-les-Pins (49) 78 A5
Parçay-Meslay (37) 79 E5
Parçay-sur-Vienne (37) 94 C2
Parcé (35) 58 A3
Parcé-sur-Sarthe (72) 77 G1
Parcey (39) 102 C3
Parcieux (01) 130 A2
Parcoul (24) 136 B2
le Parcq (62) 7 F1
Parcy-et-Tigny (02) 22 A6
Pardaillan (34) 187 H1
Pardaillan (47) 150 D1
Pardies (64) 182 A1
Pardies-Piétat (64) 182 C3
Pardines (63) 127 F5
Paréac (65) 183 E4
Pareid (55) 47 H1
Parempuyre (33) 135 E4
Parennes (72) 59 G4
Parent (63) 127 F4
Parentignat (63) 127 G5
Parentis-en-Born (40) 148 B4
Parenty (62) 1 G5
Parey-Saint-Césaire (54) 48 C6
Parey-sous-Montfort (88) 69 E3
Parfondeval (02) 23 F1
Parfondeval (61) 60 D1
Parfondru (02) 22 C3
Parfondrupt (55) 47 H1
Parfouru-sur-Odon (14) 14 A5
Pargnan (02) 22 C5
Pargny (80) 21 G1
Pargny-Filain (02) 22 B4
Pargny-la-Dhuys (02) 44 C3
Pargny-les-Bois (02) 22 C2
Pargny-lès-Reims (51) 23 E6
Pargny-sous-Mureau (88) 68 C2
Pargny-sur-Saulx (51) 46 C4
Pargues (10) 66 C5
Parignargues (30) 174 A3
Parigné (35) 58 A1
Parigné-le-Pôlin (72) 78 A1
Parigné-l'Évêque (72) 60 B6
Parigné-sur-Braye (53) 58 D2
Parigny (42) 128 D1
Parigny (50) 37 F5
Parigny-la-Rose (58) 83 F6
Parigny-les-Vaux (58) 98 D3
Paris (75) 42 D4
Paris-l'Hôpital (71) 101 F4
Parisot (81) 169 H4
Parisot (82) 153 F5
Parlan (15) 139 G6
Parleboscq (40) 166 D2
Parly (89) 83 E2
Parmain (95) 42 C1
Parmilieu (38) 130 D2
Parnac (36) 110 D2
Parnac (46) 152 B3
Parnans (26) 144 C3
Parnay (18) 98 A5
Parnay (49) 93 H1
Parné-sur-Roc (53) 58 D5
Parnes (60) 19 G6
Parnoy-en-Bassigny (52) 68 D5
les Paroches (55) 47 G3
Paron (89) 64 D4
Paroy (25) 103 F3
Paroy (77) 64 D1
Paroy-en-Othe (89) 65 F5
Paroy-sur-Saulx (52) 68 A1
Paroy-sur-Tholon (89) 65 E6
Parpeçay (36) 96 C1
Parpeville (02) 22 B1
Parranquet (47) 151 G1
Parroy (54) 49 F5
Pars-lès-Chavanges (10) 66 D1
Pars-lès-Romilly (10) 65 G1
Parsac (23) 112 A5
Parthenay (79) 93 F6
Parthenay-de-Bretagne (35) 57 E2
Partinello (2A) 204 B2
Parux (54) 49 H6
Parves (01) 131 G3
Parville (27) 40 D2
Parvillers-le-Quesnoy (80) 21 E1
Parzac (16) 122 D1
le Pas (53) 58 D1
Pas-de-Jeu (79) 93 H3
Pas-en-Artois (62) 7 H3
le Pas-Saint-l'Homer (61) 61 F1
Pasilly (89) 84 B3
Paslières (63) 127 H2
Pasly (02) 22 A5
Pasques (21) 85 G6
le Pasquier (39) 103 F5
Passa (66) 201 E3
le Passage (38) 131 E5
le Passage (47) 151 F5
Passais (61) 37 H6
Passavant (25) 87 H6
Passavant-en-Argonne (51) 46 D2
Passavant-la-Rochère (70) 69 F6
Passavant-sur-Layon (49) 93 F2
Passel (60) 21 G3
Passenans (39) 102 D5
Passins (38) 131 E3
Passirac (16) 136 A1
Passonfontaine (25) 104 A2
Passy (71) 115 H2
Passy (74) 133 E1
Passy (89) 65 E5
Passy-en-Valois (02) 44 A1
Passy-Grigny (51) 44 D1
Passy-sur-Marne (02) 44 C2
Passy-sur-Seine (77) 65 E2
Pastricciola (2A) 204 D4
Patay (45) 62 C5
Patornay (39) 117 G1
Patrimonio (2B) 203 F4
Pau (64) 182 B2
Paucourt (45) 64 B5
Paudy (36) 96 D3
Pauilhac (32) 167 H3
Pauillac (33) 134 D2
Paule (22) 54 C1
Paulhac (15) 140 D4
Paulhac (31) 169 G4
Paulhac (43) 141 G1
Paulhac-en-Margeride (48) 141 G5
Paulhaguet (43) 141 H2
Paulhan (34) 172 D6
Paulhe (12) 155 F6

Paulhenc (15) 140 D5
Paulhiac (47) 151 G2
Pauligne (11) 186 D4
Paulin (24) 138 B4
Paulinet (81) 171 E3
Paulmy (37) 95 F3
Paulnay (36) 95 G5
Paulx (44) 91 E1
Paunat (24) 137 G5
Paussac-
-et-Saint-Vivien (24) 137 E1
Pautaines-Augeville (52) 68 A2
Pauvres (08) 23 H4
Pavant (02) 44 B3
Pavezin (42) 129 H6
Pavie (32) 167 H5
le Pavillon-Sainte-Julie (10) 66 A2
les Pavillons-sous-Bois (93) 43 E3
Pavilly (76) 17 F5
Payns (10) 66 A2
Payra-sur-l'Hers (11) 186 B3
Payrac (46) 138 C6
Payré (86) 108 D3
Payrignac (46) 138 B6
Payrin-Augmontel (81) 170 D6
Payros-Cazautets (40) 166 B5
Payroux (86) 109 F4
Payssous (31) 184 B5
Payzac (07) 157 E3
Payzac (24) 124 A6
Pazayac (24) 138 B3
Paziols (11) 187 G6
Pazy (58) 99 G1
le Péage-de-Roussillon (38) 144 A1
Péas (51) 45 E5
Peaugres (07) 143 H2
Péaule (56) 73 G1
Péault (85) 91 H6
Pébées (32) 184 D1
Pébrac (43) 141 H4
Pech (09) 199 F1
Pech-Luna (11) 186 A3
Péchabou (31) 169 F6
Pécharic-et-le-Py (11) 186 A3
Péchaudier (81) 170 A6
Pechbonnieu (31) 169 F4
Pechbusque (31) 169 F6
le Pêchereau (36) 111 E1
Pécorade (40) 166 B4
le Pecq (78) 42 B3
Pecquencourt (59) 8 D1
Pecqueuse (91) 42 B6
Pécy (77) 43 H6
Pédernec (22) 32 D3
Pégairolles-de-Buèges (34) 172 D4
Pégairolles-
-de-l'Escalette (34) 172 C4
Pégomas (06) 178 C5
le Pègue (26) 158 C3
Péguilhan (31) 184 B2
Peigney (52) 86 B1
Peillac (56) 56 B6
Peille (06) 195 G2
Peillon (06) 195 G2
Peillonnex (74) 118 D5
Peintre (39) 102 C1
les Peintures (33) 136 A3
Peipin (04) 160 B6
Peisey-Nancroix (73) 133 F4
Pel-et-Der (10) 66 D2
Pélissanne (13) 191 H3
Pellafol (38) 145 H6
Pelleautier (05) 160 B2
Pellefigue (32) 168 A6
Pellegrue (33) 136 B6
Pelleport (31) 168 D4
Pellerey (21) 85 F4
le Pellerin (44) 74 B5
la Pellerine (49) 78 A5
la Pellerine (53) 58 B2
Pellevoisin (36) 96 A3
Pellouailles-les-Vignes (49) 77 E4
Pelonne (26) 159 F4
Pelouse (48) 156 B2
Pelousey (25) 87 E6
Peltre (57) 48 D1
Pélussin (42) 129 H6
Pelves (62) 8 C2
Pelvoux (05) 146 D5
Penchard (77) 43 G3
Pencran (29) 31 F4
Pendé (80) 6 C3
Pénestin (56) 73 F2
Penguily (22) 34 A6
Penin (62) 7 H2
Penly (76) 17 H1
Penmarc'h (29) 53 E4
Pennautier (11) 187 E3
la Penne (06) 178 C2
Penne (81) 169 H1
Penne-d'Agenais (47) 151 G4
la Penne-sur-Huveaune (13) 192 B4
la Penne-sur-l'Ouvèze (26) 159 E5
Pennedepie (14) 16 B6
Pennes-le-Sec (26) 159 E2
les Pennes-Mirabeau (13) 192 A3
Pennesières (70) 87 F4
Penol (38) 130 C6
Pensol (87) 123 G4
Penta-Acquatella (2B) 203 F6
Penta-di-Casinca (2B) 203 G6
Penvénan (22) 32 D1
Péone (06) 161 H6
Pépieux (11) 187 G2
Pérassay (36) 112 A2
Peray (72) 60 C3
Perceneige (89) 65 E3
Percey (89) 65 H6
Percey-le-Grand (70) 86 B3
le Perchay (95) 42 A1
la Perche (18) 112 C1
Perchède (32) 166 C3
Percy (38) 145 G6
Percy (50) 37 F3
Percy-en-Auge (14) 39 E2
Perdreauville (78) 41 G3
Péré (17) 107 E5
Péré (65) 183 G4
Péreille (09) 186 A6
Perelli (2B) 205 G2
Pérenchies (59) 3 F5
Péret (34) 172 C6
Péret-Bel-Air (19) 125 G6
Péreuil (16) 122 A5
Péreyres (07) 143 E6
Pergain-Taillac (32) 167 H1
Peri (2A) 204 D5
le Périer (38) 146 A4
Périers (50) 12 D6
Périers-en-Auge (14) 14 D4
Périers-sur-le-Dan (14) 14 C4
Pérignac (16) 122 B5
Pérignac (17) 121 F4
Pérignat-lès-Sarliève (63) 127 F3
Pérignat-sur-Allier (63) 127 F3
Périgné (79) 108 A5
Périgneux (42) 129 E6
Périgny (03) 114 B4
Périgny (14) 38 B3
Périgny (17) 106 D5
Périgny (41) 79 G2
Périgny (94) 43 E5
Périgny-la-Rose (10) 65 G1
Périgueux (24) 137 F2
Périssac (33) 135 G4
Perles (02) 22 C5
Perles-et-Castelet (09) 199 F2
Pern (46) 152 C4
Pernand-Vergelesses (21) 101 G2
Pernant (02) 21 H5
Pernay (37) 78 C5
la Pernelle (50) 13 E2
Pernes (62) 2 B6
Pernes-lès-Boulogne (62) 1 F4
Pernes-les-Fontaines (84) 175 F2
Pernois (80) 7 F4
Pero-Casevecchie (2B) 203 G6
Pérols (34) 173 G6
Pérols-sur-Vézère (19) 125 F5
Péron (01) 118 A5
Péronnas (01) 116 D5
Péronne (71) 116 B3
Péronne (80) 8 C6
Péronne-en-Mélantois (59) 3 G5
Péronville (28) 62 B5
Pérouges (01) 130 C2
la Pérouille (36) 96 B6
Pérouse (90) 88 D3
Péroy-les-Gombries (60) 43 G1
Perpezac-le-Blanc (19) 138 B2
Perpezac-le-Noir (19) 138 D1
Perpezat (63) 126 D4
Perpignan (66) 201 F2
les Perques (50) 12 C3
Perquie (40) 166 B2
Perrancey-
-les-Vieux-Moulins (52) 86 A1
le Perray-en-Yvelines (78) 42 A5
Perrecy-les-Forges (71) 115 F1
le Perréon (69) 116 A6
Perret (22) 55 E1
Perreuil (71) 101 E5
Perreux (42) 115 E6
Perreux (89) 82 D1
le Perreux-sur-Marne (94) 43 E4
Perrex (01) 116 C4
Perrier (63) 127 F5
le Perrier (85) 90 C3
la Perrière (61) 60 C2
la Perrière (73) 133 E5
Perrières (14) 38 D2
Perriers-en-Beauficel (50) 37 G4
Perriers-la-Campagne (27) 40 B1
Perriers-sur-Andelle (27) 19 E4
Perrignier (74) 118 D3
Perrigny (39) 102 D6
Perrigny (89) 83 F2
Perrigny-lès-Dijon (21) 101 H1
Perrigny-sur-Armançon (89) 84 C3
Perrigny-sur-l'Ognon (21) 86 C6
Perrigny-sur-Loire (71) 114 D2
Perrogney-
-les-Fontaines (52) 86 A2
le Perron (50) 37 H1
Perros-Guirec (22) 32 C1
Perrou (61) 38 B6
Perrouse (70) 87 F5
Perroy (58) 82 D5
Perruel (27) 19 E4
Perrusse (52) 68 C5
Perrusson (37) 95 G2
Pers (15) 139 H5
Pers (79) 108 C4
Pers-en-Gâtinais (45) 64 B5
Pers-Jussy (74) 118 C5
Persac (86) 109 G3
Persan (95) 42 C1
Persquen (56) 54 D3
Pertain (80) 21 F1
Perthes (08) 23 G4
Perthes (52) 46 C5
Perthes (77) 63 H1
Perthes-lès-Brienne (10) 67 E2
Pertheville-Ners (14) 39 E3
le Perthus (66) 201 F4
le Pertre (35) 58 B5
le Pertuis (43) 142 D3
Pertuis (84) 176 A4
la Péruse (16) 123 E2
Pervenchères (61) 60 C2
Perville (82) 151 G6
Pescadoires (46) 152 B3
Peschadoires (63) 127 H2
le Pescher (19) 139 E4
Péseux (25) 88 B6
Peseux (39) 102 C3
Peslières (63) 127 H6
Pesmes (70) 86 C6
Pessac (33) 135 E5
Pessac-sur-Dordogne (33) 136 B5
Pessan (32) 167 H5
Pessans (25) 103 F2
Pessat-Villeneuve (63) 127 F2
la Pesse (39) 118 A4
Pessines (17) 121 E3
Pessoulens (32) 168 B3
Petersbach (67) 50 B3
le Petit-Abergement (01) 117 G6
Petit-Auverné (44) 75 E2
Petit-Bersac (24) 136 C1
le Petit-Bornand-
-les-Glières (74) 118 D6
le Petit-Celland (50) 37 F5
Petit-Couronne (76) 18 C5
Petit-Croix (90) 88 D3
Petit-Failly (54) 25 F4
Petit-Fayt (59) 9 H4
le Petit-Fougeray (35) 57 F4
Petit-Landau (68) 89 G2
Petit-Mars (44) 74 D3
le Petit-Mercey (39) 103 E1
Petit-Mesnil (10) 67 E3
Petit-Noir (39) 102 B4
Petit-Palais-
-et-Cornemps (33) 136 A4
le Petit-Pressigny (37) 95 F4
le Petit-Quevilly (76) 17 G6
Petit-Réderching (57) 28 A5
Petit-Tenquin (57) 49 G2
Petit-Verly (02) 9 F5
la Petite-Boissière (79) 92 C4
Petite-Chaux (25) 103 H6
Petite-Forêt (59) 9 F2
la Petite-Fosse (88) 70 D2
la Petite-Marche (03) 112 C5
la Petite-Pierre (67) 50 B3
la Petite-Raon (88) 70 D1
Petite-Rosselle (57) 27 F4
la Petite-Verrière (71) 100 C3
Petitefontaine (90) 88 D2
les Petites-Armoises (08) 24 B4
les Petites-Loges (51) 45 G1
Petitmagny (90) 88 D2
Petitmont (54) 49 H6
Petiville (14) 14 D4
Petiville (76) 15 H2
Petosse (85) 107 E2
Petreto-Bicchisano (2A) 206 D2
Pettoncourt (57) 49 E4
Pettonville (54) 49 G6
Peujard (33) 135 F3
Peumérit (29) 53 E3
Peumerit-Quintin (22) 32 D5
Peuplingues (62) 1 G2
Peuton (53) 58 C6
Peuvillers (55) 25 F5
Peux-et-Couffouleux (12) 171 G4
Pévange (57) 49 F3
Pévy (51) 22 D5
Pexiora (11) 186 C3
Pexonne (54) 70 C1
Pey (40) 164 D4
Peymeinade (06) 178 C4
Peynier (13) 192 C2
Peypin (13) 192 C3
Peypin-d'Aigues (84) 176 B3
Peyrabout (23) 111 G6
le Peyrat (09) 186 B5
Peyrat-de-Bellac (87) 110 B5
Peyrat-la-Nonière (23) 112 A6
Peyrat-le-Château (87) 125 E3
la Peyratte (79) 93 G6
Peyraube (65) 183 F3
Peyraud (07) 144 A1
Peyre (40) 165 H5
Peyrecave (32) 168 B2
Peyrefitte-du-Razès (11) 186 C4
Peyrefitte-sur-l'Hers (11) 186 A3
Peyregoux (81) 170 C4
Peyrehorade (40) 165 E5
Peyreleau (12) 155 G6
Peyrelevade (19) 125 G4
Peyrelongue-Abos (64) 182 D1
Peyremale (30) 157 E5
Peyrens (11) 186 B2
Peyrestortes (66) 201 F2
Peyret-Saint-André (65) 183 H2
Peyriac-de-Mer (11) 188 A4
Peyriac-Minervois (11) 187 F2
Peyriat (01) 117 F5
Peyrière (47) 150 D2
Peyrieu (01) 131 F4
Peyrignac (24) 138 A3
Peyriguère (65) 183 F2
Peyrilhac (87) 124 A1
Peyrillac-et-Millac (24) 138 C5
Peyrilles (46) 152 C2
Peyrins (26) 144 C3
Peyrissac (19) 124 D5
Peyrissas (31) 184 C2
Peyrole (81) 170 A3
Peyrolles (11) 187 E5
Peyrolles (30) 173 F1
Peyrolles-en-Provence (13) 176 B5
Peyroules (04) 178 A3
Peyrouse (65) 182 D4
Peyrouzet (31) 184 B3
Peyruis (04) 176 D1
Peyrun (65) 183 F2
Peyrus (26) 144 C5
Peyrusse (15) 141 E2
Peyrusse-Grande (32) 167 E5
Peyrusse-le-Roc (12) 153 H3
Peyrusse-Massas (32) 167 H4
Peyrusse-Vieille (32) 167 E5
Peyssies (31) 185 E2
Peyzac-le-Moustier (24) 137 H4
Peyzieux-sur-Saône (01) 116 B5
Pézarches (77) 43 H5
Pezé-le-Robert (72) 59 H4
Pézenas (34) 188 D1
Pézènes-les-Mines (34) 172 B5
Pezens (11) 186 D3
Pézilla-de-Conflent (66) 200 C2
Pézilla-la-Rivière (66) 201 E2
Pezou (41) 79 G1
Pezuls (24) 137 F5
Pézy (28) 62 B3
Pfaffenheim (68) 71 F5
Pfaffenhoffen (67) 50 D3
Pfalzweyer (67) 50 B4
Pfastatt (68) 89 F1
Pfetterhouse (68) 89 E4
Pfettisheim (67) 50 D5
Pfulgriesheim (67) 51 E5
Phaffans (90) 88 D3
Phalempin (59) 3 F6
Phalsbourg (57) 50 B4
Philippsbourg (57) 28 C6
Philondenx (40) 166 A5
Phlin (54) 48 D3
Pia (66) 201 F2
Piacé (72) 60 A3
le Pian-Médoc (33) 135 E4
le Pian-sur-Garonne (33) 149 H2
Piana (2A) 204 B3
Pianello (2B) 205 G2
Piano (2B) 203 G6
Pianottoli-Caldarello (2A) 207 E4
les Piards (39) 117 H2
la Piarre (05) 159 G3
Piazzali (2B) 205 G2
Piazzole (2B) 205 G1
Piblange (57) 26 D4
Pibrac (31) 169 E5
Picarreau (39) 103 E5
Picauville (50) 12 D4
Pichanges (21) 86 A5
Picherande (63) 126 D6
Picquigny (80) 7 F5
Pie-d'Orezza (2B) 205 G1
Pied-de-Borne (48) 156 D3
Piedicorte-di-Gaggio (2B) 205 F3
Piedicroce (2B) 205 G1
Piedigriggio (2B) 203 E6
Piedipartino (2B) 205 G1
Piégon (26) 158 D5
Piégros-la-Clastre (26) 158 D1
Piégut (04) 160 C3
Piégut-Pluviers (24) 123 F4
Piencourt (27) 15 G5
Piennes (54) 25 H5
Piennes-Onvillers (80) 21 E2
Pierlas (06) 178 D1
la Pierre (38) 145 H1
Pierre-Bénite (69) 130 A3
Pierre-Buffière (87) 124 B4
Pierre-Châtel (38) 145 G4
Pierre-de-Bresse (71) 102 B4
Pierre-la-Treiche (54) 48 B5
Pierre-Levée (77) 43 H3
Pierre-Morains (51) 45 F4
Pierre-Percée (54) 70 C1
Pierre-Perthuis (89) 83 H5
Pierreclos (71) 116 A4
Pierrecourt (70) 86 C3
Pierrecourt (76) 6 C6
Pierrefeu (06) 195 E1
Pierrefeu-du-Var (83) 193 G4
Pierrefiche (12) 155 E3
Pierrefiche (48) 156 C1
Pierrefiques (76) 16 B4
Pierrefitte (19) 124 D6
Pierrefitte (23) 112 A5
Pierrefitte (79) 93 F4
Pierrefitte (88) 69 G4
Pierrefitte-en-Auge (14) 15 F4
Pierrefitte-
-en-Beauvaisis (60) 20 A4
Pierrefitte-en-Cinglais (14) 38 C3
Pierrefitte-ès-Bois (45) 82 A4
Pierrefitte-Nestalas (65) 182 D5
Pierrefitte-sur-Aire (55) 47 F3
Pierrefitte-sur-Loire (03) 114 C2
Pierrefitte-sur-Sauldre (41) 81 F4
Pierrefitte-sur-Seine (93) 42 D3
Pierrefonds (60) 21 G5
Pierrefontaine-
-lès-Blamont (25) 88 C5
Pierrefontaine-
-les-Varans (25) 104 B1
Pierrefort (15) 140 D5
Pierregot (80) 7 G5
Pierrelatte (26) 158 A4
Pierrelaye (95) 42 C2
Pierrelongue (26) 159 E5
Pierremande (02) 21 H3
Pierremont (62) 7 G1
Pierremont-sur-Amance (52) 86 D2
Pierrepont (02) 22 D2
Pierrepont (14) 38 C3
Pierrepont (54) 25 G4
Pierrepont-sur-Avre (80) 20 D2
Pierrepont-
-sur-l'Arentèle (88) 70 B3
Pierrerue (04) 176 D2
Pierrerue (34) 188 A1
Pierres (14) 38 A3
Pierres (28) 41 G6
Pierreval (76) 17 H5
Pierrevert (04) 176 C3
Pierreville (50) 12 B3
Pierreville (54) 48 C6
Pierrevillers (57) 26 B4
Pierric (44) 74 C1
Pierry (51) 45 E2
Pietra-di-Verde (2B) 205 G2
Pietracorbara (2B) 203 G2
Pietralba (2B) 203 E5
Pietraserena (2B) 205 G3
Pietricaggio (2B) 205 G2
Pietrosella (2A) 206 C1
Pietroso (2B) 205 F3
Piets-Plasence-
-Moustrou (64) 166 A6
Pieusse (11) 186 D4
les Pieux (50) 12 B3
Piève (2B) 203 F5
Piffonds (89) 64 D5
Pigna (2B) 202 C5
Pignan (34) 173 F5
Pignans (83) 193 G3
Pignicourt (02) 23 E4
Pignols (63) 127 G4
Pigny (18) 97 H2
Pihem (62) 2 A4
Pihen-lès-Guînes (62) 1 G3
Pila-Canale (2A) 206 D1
Pillac (16) 136 C1
Pillemoine (39) 103 F6
les Pilles (26) 158 D4
Pillon (55) 25 G5
Pimbo (40) 166 B5
Pimelles (89) 84 B1
Pimorin (39) 117 F2
Pimprez (60) 21 G4
le Pin (03) 114 D3
le Pin (14) 15 G4
le Pin (17) 135 G1
le Pin (30) 174 C1
le Pin (38) 131 E6
le Pin (39) 102 D6
le Pin (44) 76 A3
Pin (70) 87 E6
le Pin (77) 43 E3
le Pin (79) 92 D4
le Pin (82) 168 C1
le Pin-au-Haras (61) 39 F4
Pin-Balma (31) 169 F5
le Pin-en-Mauges (49) 75 H5
le Pin-la-Garenne (61) 60 D2
le Pin-Murelet (31) 184 D1
Pinas (65) 183 H4
Pinay (42) 128 D2
Pincé (72) 77 F1
Pindères (47) 150 B5
Pindray (86) 109 H2
les Pineaux (85) 91 H5
Pinel-Hauterive (47) 151 E3
Pinet (34) 189 E1
Pineuilh (33) 136 C5
Piney (10) 66 C2
Pino (2B) 203 F2
Pinols (43) 141 H4
Pinon (02) 22 B4
les Pins (16) 122 D2
Pins-Justaret (31) 169 E6
Pinsac (46) 138 C5
Pinsaguel (31) 169 E6
Pinsot (38) 132 B6
Pintac (65) 183 E2
Pinterville (27) 18 D6
Pintheville (55) 47 H1
les Pinthières (28) 41 G5
Piobetta (2B) 205 G2
Pioggiola (2B) 202 D5
Piolenc (84) 158 B6
Pionnat (23) 111 H5
Pionsat (63) 112 D6
Pioussay (79) 108 C6
Pipriac (35) 56 D5
Piquecos (82) 169 E1
Pirajoux (01) 117 E3
Piré-sur-Seiche (35) 57 G4
Pirey (25) 87 F6
Piriac-sur-Mer (44) 73 E3
Pirmil (72) 59 G6
Pirou (50) 12 C6
Pis (32) 168 A3
Pisany (17) 120 D3
Piscop (95) 42 D2
Piseux (27) 40 C4
Pisieu (38) 130 C6
Pisseleu (60) 20 A3
Pisseloup (52) 86 D1
la Pisseure (70) 87 G1
Pissos (40) 148 D4
Pissotte (85) 107 F2
Pissy (80) 7 F6
Pissy-Pôville (76) 17 G5
Pisy (89) 84 B4
Pitgam (59) 2 B2
Pithiviers (45) 63 F4
Pithiviers-le-Vieil (45) 63 F4
Pithon (02) 21 G1
Pîtres (27) 18 D5
Pittefaux (62) 1 F4
Pizay (01) 130 C2
Pizieux (72) 60 B3
le Pizou (24) 136 B4
le Pla (09) 199 H2
Plabennec (29) 31 E4
Placé (53) 58 C3
les Places (27) 15 G5
Placey (25) 103 E1
Plachy-Buyon (80) 20 B1
Placy (14) 14 B6
Placy-Montaigu (50) 37 H2
le Plagnal (07) 156 D1
Plagne (01) 117 H5
Plagne (31) 184 D3
Plagnole (31) 184 D1
Plaigne (11) 186 A3
Plailly (60) 43 E2
Plaimbois-du-Miroir (25) 104 C1
Plaimbois-Vennes (25) 104 B1
Plaimpied-Givaudins (18) 97 H3
la Plaine (49) 92 D2
Plaine (67) 71 E1
Plaine-de-Walsch (57) 50 A5
Plaine-Haute (22) 33 G5
la Plaine-sur-Mer (44) 73 G5
Plainemont (70) 87 G1
Plaines-Saint-Lange (10) 66 D6
Plainfaing (88) 70 D4
Plainoiseau (39) 102 D6
les Plains-
-et-Grands-Essarts (25) 88 D6
Plaintel (22) 33 G5
Plainval (60) 20 D3
Plainville (27) 15 G5
Plainville (60) 20 D3
Plaisance (12) 171 E2
Plaisance (24) 151 E1
Plaisance (32) 166 D5
Plaisance (86) 109 H3
Plaisance-du-Touch (31) 169 E6
Plaisia (39) 117 G2
Plaisians (26) 159 E5
Plaisir (78) 42 A4
Plaissan (34) 172 D6
Plaizac (16) 122 A3
le Plan (31) 184 D3
Plan (38) 145 E1
Plan-d'Aups-
-Sainte-Baume (83) 192 D3
Plan-de-Baix (26) 144 C6
Plan-de-Cuques (13) 192 B3
le Plan-de-la-Tour (83) 194 A3
Plan-d'Orgon (13) 175 F3
Planaise (73) 132 A5
Planay (21) 84 D2
Planay (73) 133 E6
la Planche (44) 91 G1
Plancher-Bas (70) 88 C2
Plancher-les-Mines (70) 88 C2
Plancherine (73) 132 C3
Planches (61) 39 G5
les Planches-
-en-Montagne (39) 103 G6
les Planches-
-près-Arbois (39) 103 E4
Planchez (58) 100 B2
Plancoët (22) 34 C4
Plancy-l'Abbaye (10) 45 F6
la Planée (25) 103 H4
Planès (66) 200 A4
Planèzes (66) 200 D1
Planfoy (42) 143 F1
Planguenoual (22) 33 H4
Planioles (46) 153 G2
le Planois (71) 102 B5
le Planquay (27) 15 G5
Planquery (14) 13 G6
Planques (62) 7 F1
Planrupt (52) 67 F1
les Plans (30) 157 F6
les Plans (34) 172 B4
le Plantay (01) 116 D6
les Plantiers (30) 173 E1
le Plantis (61) 39 G6
Planty (10) 65 G3
Planzolles (07) 157 E3
Plappeville (57) 26 B5
Plasne (39) 103 E5
Plasnes (27) 15 H5
Plassac (17) 121 F5
Plassac (33) 135 E3
Plassac-Rouffiac (16) 122 B5
Plassay (17) 121 E2
Plats (07) 144 A4
Plaudren (56) 55 G5
Plauzat (63) 127 F4
Plavilla (11) 186 B4
Plazac (24) 137 H4
Pleaux (15) 139 H3
Pléboulle (22) 34 B4
Pléchâtel (35) 57 E5
Plédéliac (22) 34 B5
Plédran (22) 33 G5
Pléguien (22) 33 F3
Pléhédel (22) 33 F3
Pleine-Fougères (35) 35 G5
Pleine-Selve (02) 22 B1
Pleine-Selve (33) 135 E1
Pleine-Sève (76) 17 E3
Plélan-le-Grand (35) 56 C3
Plélan-le-Petit (22) 34 C5
Plélauff (22) 54 D1
Plélo (22) 33 F4
Plémet (22) 55 H2
Plémy (22) 33 G6
Plénée-Jugon (22) 34 A6
Pléneuf-Val-André (22) 34 A4
Plénise (39) 103 G5
Plénisette (39) 103 G5
Plerguer (35) 35 E5
Plérin (22) 33 G4
Plerneuf (22) 33 F4
Plescop (56) 55 F6
Plesder (35) 34 D5
Plésidy (22) 33 E5
Pleslin-Trigavou (22) 34 D4
Plesnois (57) 26 B5
Plesnoy (52) 86 C1
Plessala (22) 55 H1
Plessé (44) 74 B2
le Plessier-Huleu (02) 22 A6
le Plessier-Rozainvillers (80) 20 D1
le Plessier-sur-Bulles (60) 20 C4
le Plessier-
-sur-Saint-Just (60) 20 D4
le Plessis-aux-Bois (77) 43 F2
Plessis-Barbuise (10) 44 C6
le Plessis-Belleville (60) 43 F2
le Plessis-Bouchard (95) 42 C2

le Plessis-Brion (60) 21 F4
Plessis-de-Roye (60) 21 F3
le Plessis-Dorin (41) 61 F5
le Plessis-Feu-Aussoux (77) 43 H5
le Plessis-Gassot (95) 42 D2
le Plessis-Grammoire (49) 77 E4
le Plessis-Grimoult (14) 14 A6
le Plessis-Grohan (27) 40 D3
le Plessis-Hébert (27) 41 F2
le Plessis-Lastelle (50) 12 D5
le Plessis-l'Échelle (41) 80 A2
le Plessis-l'Évêque (77) 43 F2
le Plessis-Luzarches (95) 42 D2
le Plessis-Macé (49) 76 D4
le Plessis-Pâté (91) 42 D6
le Plessis-Patte-d'Oie (60) 21 G2
le Plessis-Placy (77) 43 H2
le Plessis-Robinson (92) 42 C4
Plessis-Saint-Benoist (91) 63 E2
Plessis-Saint-Jean (89) 65 E3
le Plessis-
-Sainte-Opportune (27) 40 C2
le Plessis-Trévise (94) 43 E4
Plessix-Balisson (22) 34 C4
Plestan (22) 34 A5
Plestin-les-Grèves (22) 32 B3
Pleubian (22) 33 E1
Pleucadeuc (56) 56 A5
Pleudaniel (22) 33 E2
Pleudihen-sur-Rance (22) 36 A6
Pleugriffet (56) 55 G3
Pleugueneuc (35) 34 D6
Pleumartin (86) 95 E5
Pleumeleuc (35) 56 D2
Pleumeur-Bodou (22) 32 C2
Pleumeur-Gautier (22) 33 E1
Pleure (39) 102 C4
Pleurs (51) 45 E5
Pleurtuit (35) 34 D4
Pleuven (29) 53 G3
Pleuvezain (88) 69 E2
Pleuville (16) 109 F6
Pléven (22) 34 B5
Plévenon (22) 34 B3
Plévin (22) 54 B1
Pleyben (29) 31 G6
Pleyber-Christ (29) 31 H4
Pliboux (79) 108 D5
Plichancourt (51) 46 B5
Plieux (32) 168 A2
Plivot (51) 45 F2
Plobannalec-Lesconil (29) 53 F4
Plobsheim (67) 71 H1
Ploemel (56) 55 E6
Ploemeur (56) 54 C5
Ploërdut (56) 54 D2
Ploeren (56) 55 F6
Ploërmel (56) 56 A4
Ploeuc-sur-Lié (22) 33 G6
Ploéven (29) 53 F1
Ploëzal (22) 33 E2
Plogastel-
-Saint-Germain (29) 53 E3
Plogoff (29) 52 C2
Plogonnec (29) 53 F2
Ploisy (02) 22 A5
Plomb (50) 35 H3
Plombières-les-Bains (88) 70 A6
Plombières-lès-Dijon (21) 85 G6
Plomelin (29) 53 F3
Plomeur (29) 53 E4
Plomion (02) 23 E1
Plomodiern (29) 53 F1
Plonéis (29) 53 F2
Plonéour-Lanvern (29) 53 E3
Plonévez-du-Faou (29) 31 H6
Plonévez-Porzay (29) 53 F1
Plorec-sur-Arguenon (22) 34 B5
Plottes (71) 116 B2
Plou (18) 97 F3
Plouagat (22) 33 F4
Plouaret (22) 32 C3
Plouarzel (29) 30 C4
Plouasne (22) 56 D1
Plouay (56) 54 C4
Ploubalay (22) 34 C4
Ploubazlanec (22) 33 F2
Ploubezre (22) 32 C2
Ploudalmézeau (29) 30 D3
Ploudaniel (29) 31 F3
Ploudiry (29) 31 G4
Plouëc-du-Trieux (22) 33 E3
Plouédern (29) 31 F4
Plouégat-Guérand (29) 32 B3
Plouégat-Moysan (29) 32 B3
Plouénan (29) 31 H3
Plouër-sur-Rance (22) 36 A6
Plouescat (29) 31 G2
Plouézec (22) 33 F2
Plouezoc'h (29) 32 A3
Ploufragan (22) 33 G4
Plougar (29) 31 G3
Plougasnou (29) 32 A2
Plougastel-Daoulas (29) 31 E5
Plougonvelin (29) 30 C5
Plougonven (29) 32 A4
Plougonver (22) 32 C4
Plougoulm (29) 31 G2
Plougoumelen (56) 55 F6
Plougourvest (29) 31 G3
Plougras (22) 32 B4
Plougrescant (22) 33 E1
Plouguenast (22) 55 G1
Plouguerneau (29) 31 E3
Plouguernével (22) 54 D1
Plouguiel (22) 32 D1
Plouguin (29) 30 D3
Plouha (22) 33 F3
Plouharnel (56) 72 B1
Plouhinec (29) 52 D2
Plouhinec (56) 54 D6
Plouider (29) 31 F3
Plouigneau (29) 32 B3
Plouisy (22) 33 E3
Ploulec'h (22) 32 C2
Ploumagoar (22) 33 E4
Ploumilliau (22) 32 C2
Ploumoguer (29) 30 C4
Plounéour-Ménez (29) 31 H4
Plounéour-Trez (29) 31 F2
Plounérin (22) 32 C3
Plounéventer (29) 31 F4
Plounévez-Lochrist (29) 31 F3
Plounévez-Moëdec (22) 32 C4
Plounévez-Quintin (22) 32 D6
Plounévézel (29) 32 B6
Plourac'h (22) 32 B5
Plouray (56) 54 C2
Plourhan (22) 33 G3
Plourin (29) 30 C3
Plourin-lès-Morlaix (29) 32 A4
Plourivo (22) 33 E2
Plouvain (62) 8 C2
Plouvara (22) 33 F4
Plouvien (29) 31 E3
Plouvorn (29) 31 G3
Plouyé (29) 32 A6
Plouzané (29) 30 D4
Plouzélambre (22) 32 C3
Plouzévédé (29) 31 G3
Plovan (29) 53 E3
Ployart-et-Vaurseine (02) 22 D4
le Ployron (60) 20 D3
Plozévet (29) 52 D2
Pludual (22) 33 F3
Pluduno (22) 34 B4
Plufur (22) 32 B3
Pluguffan (29) 53 F3
Pluherlin (56) 56 A6
Plumaudan (22) 34 C6
Plumaugat (22) 56 B1
Plumelec (56) 55 G5
Pluméliau (56) 55 E3
Plumelin (56) 55 F4
Plumergat (56) 55 F5
Plumetot (14) 14 C4
Plumieux (22) 55 H2
Plumont (39) 103 E2
Pluneret (56) 55 E6
Plurien (22) 34 B3
Plusquellec (22) 32 C5
Plussulien (22) 33 E6
Pluvault (21) 102 B1
Pluvet (21) 102 B1
Pluvigner (56) 55 E5
Pluzunet (22) 32 D3
Pocancy (51) 45 G3
Pocé-les-Bois (35) 57 H3
Pocé-sur-Cisse (37) 79 F5
Podensac (33) 149 G1
le Poët (05) 160 A5
le Poët-Célard (26) 158 D2
le Poët-en-Percip (26) 159 F5
le Poët-Laval (26) 158 C3
le Poët-Sigillat (26) 159 E4
Poeuilly (80) 8 D6
Poey-de-Lescar (64) 182 B1
Poey-d'Oloron (64) 181 H2
Poëzat (03) 113 G6
Poggio-di-Nazza (2B) 205 F4
Poggio-di-Venaco (2B) 205 E3
Poggio-d'Oletta (2B) 203 F4
Poggio-Marinaccio (2B) 203 F6
Poggio-Mezzana (2B) 205 G1
Poggiolo (2A) 204 D3
Pogny (51) 46 A4
Poids-de-Fiole (39) 117 G1
Poigny (77) 65 E1
Poigny-la-Forêt (78) 41 H5
Poil (58) 100 B4
Poilcourt-Sydney (08) 23 F4
Poilhes (34) 188 B2
Poillé-sur-Vègre (72) 59 F6
Poilley (35) 35 H5
Poilley (50) 35 H4
Poilly (51) 22 D6
Poilly-lez-Gien (45) 81 H3
Poilly-sur-Serein (89) 84 A2
Poilly-sur-Tholon (89) 83 E1
Poinçon-lès-Larrey (21) 84 D1
le Poinçonnet (36) 96 C5
Poincy (77) 43 G3
Poinsenot (52) 85 G2
Poinson-lès-Fayl (52) 86 C2
Poinson-lès-Grancey (52) 85 G3
Poinson-lès-Nogent (52) 68 B6
Pointel (61) 38 C5
Pointis-de-Rivière (31) 184 A4
Pointis-Inard (31) 184 B4
Pointre (39) 102 C1
Pointvillers (25) 103 F2
Poinville (28) 62 D4
le Poiré-sur-Velluire (85) 107 E2
le Poiré-sur-Vie (85) 91 F3
Poiroux (85) 91 F6
Poisat (38) 145 G2
Poiseul (52) 68 C6
Poiseul-la-Grange (21) 85 F4
Poiseul-la-Ville-
-et-Laperrière (21) 85 E4
Poiseul-lès-Saulx (21) 85 G4
Poiseux (58) 99 E2
Poisieux (18) 97 F3
le Poislay (41) 61 G5
Poisson (71) 115 E3
Poissons (52) 68 A2
Poissy (78) 42 B3
Poisvilliers (28) 62 B1
Poisy (74) 132 A1
la Poitevinière (49) 75 H5
Poitiers (86) 109 E1
Poivres (10) 45 G5
Poix (51) 46 B3
Poix-de-Picardie (80) 20 A1
Poix-du-Nord (59) 9 G3
Poix-Terron (08) 24 A2
le Poizat (01) 117 H5
Polaincourt-
-et-Clairefontaine (70) 87 F1
Polastron (31) 184 C2
Polastron (32) 168 B6
Poleymieux-
-au-Mont-d'Or (69) 130 A2
Poliénas (38) 145 E2
Polignac (17) 135 G1
Polignac (43) 142 C4
Poligné (35) 57 E5
Poligny (05) 160 B1
Poligny (10) 66 C4
Poligny (39) 103 E5
Poligny (77) 64 A4
Polincove (62) 2 A3
Polisot (10) 66 D5
Polisy (10) 66 D5
Pollestres (66) 201 F3
Polliat (01) 116 D4
Pollieu (01) 131 G2
Pollionnay (69) 129 H3
Polminhac (15) 140 B5
Polveroso (2B) 205 G1
Pomacle (51) 23 F5
la Pomarède (11) 186 B1
Pomarède (46) 152 B2
Pomarez (40) 165 F4
Pomas (11) 186 D4
Pomayrols (12) 155 F3
Pomerol (33) 135 H4
Pomérols (34) 189 E2
Pomeys (69) 129 F4
Pommard (21) 101 G3
Pommera (62) 7 H3
la Pommeraie-
-sur-Sèvre (85) 92 C4
la Pommeraye (14) 38 C3
la Pommeraye (49) 75 H4
Pommeret (22) 33 H5
Pommereuil (59) 9 G4
Pommereux (76) 19 G3
Pommeréval (76) 19 E1
Pommerieux (53) 76 C1
Pommérieux (57) 26 C6
Pommerit-Jaudy (22) 32 D2
Pommerit-le-Vicomte (22) 33 E3
Pommerol (26) 159 F3
Pommeuse (77) 43 H4
Pommevic (82) 168 C1
Pommier (62) 8 A3
Pommier-
-de-Beaurepaire (38) 130 C6
Pommiers (02) 22 A5
Pommiers (30) 172 D2
Pommiers (36) 111 E2
Pommiers (42) 128 D2
Pommiers (69) 129 H1
Pommiers-la-Placette (38) 145 F1
Pommiers-Moulons (17) 135 G1
Pomoy (70) 87 H3
Pompaire (79) 108 A1
Pompéjac (33) 149 H3
Pompertuzat (31) 169 F6
Pompey (54) 48 C4
Pompiac (32) 168 C6
le Pompidou (48) 156 B6
Pompierre (88) 68 D3
Pompierre-sur-Doubs (25) 88 A5
Pompiey (47) 150 C5
Pompignac (33) 135 F5
Pompignan (30) 173 F3
Pompignan (82) 169 E3
Pompogne (47) 150 B5
Pomponne (77) 43 F4
Pomport (24) 136 D6
Pomps (64) 165 H6
Pomy (11) 186 C4
Poncé-sur-le-Loir (72) 78 D2
Poncey-lès-Athée (21) 102 C1
Poncey-sur-l'Ignon (21) 85 F4
le Ponchel (62) 7 F3
Ponches-Estruval (80) 6 D2
Ponchon (60) 20 B5
Poncin (01) 117 F6
Poncins (42) 129 E3
Pondaurat (33) 150 A2
le Pondy (18) 98 A5
Ponet-et-Saint-Auban (26) 144 D6
Ponlat-Taillebourg (31) 184 A4
Pons (17) 121 F4
Ponsampère (32) 183 G1
Ponsan-Soubiran (32) 183 H2
Ponsas (26) 144 A3
Ponson-Debat-Pouts (64) 182 D2
Ponson-Dessus (64) 182 D2
Ponsonnas (38) 145 G5
Pont (21) 102 B2
Pont-à-Marcq (59) 3 G6
Pont-à-Mousson (54) 48 C3
Pont-à-Vendin (62) 3 E6
Pont-Arcy (02) 22 C5
Pont-Audemer (27) 15 H3
Pont-Authou (27) 18 A6
Pont-Aven (29) 54 A4
Pont-Bellanger (14) 37 G2
le Pont-Chrétien-
-Chabenet (36) 110 D1
Pont-Croix (29) 52 D2
Pont-d'Ain (01) 117 E6
Pont-de-Barret (26) 158 C2
le Pont-de-Beauvoisin (38) 131 F5
le Pont-de-Beauvoisin (73) 131 F5
Pont-de-Buis-
-lès-Quimerch (29) 31 G6
Pont-de-Chéruy (38) 130 C3
le Pont-de-Claix (38) 145 G3
Pont-de-Labeaume (07) 157 F1
Pont-de-l'Arche (27) 18 D5
Pont-de-Larn (81) 170 D6
Pont-de-l'Isère (26) 144 A4
Pont-de-Metz (80) 7 F6
le Pont-de-Montvert (48) 156 C4
le Pont-de-Planches (70) 87 E4
Pont-de-Poitte (39) 117 G1
Pont-de-Roide (25) 88 C5
Pont-de-Ruan (37) 94 D1
Pont-de-Salars (12) 154 D5
Pont-de-Vaux (01) 116 C3
Pont-de-Veyle (01) 116 B4
Pont-d'Héry (39) 103 F4
Pont-d'Ouilly (14) 38 C3
Pont-du-Bois (70) 69 F6
Pont-du-Casse (47) 151 F5
Pont-du-Château (63) 127 G3
Pont-du-Navoy (39) 103 E6
Pont-en-Royans (38) 144 D3
Pont-et-Massène (21) 84 D5
Pont-Évêque (38) 130 B5
Pont-Farcy (14) 37 G2
Pont-Hébert (50) 13 F6
Pont-la-Ville (52) 67 G5
Pont-l'Abbé (29) 53 F4
Pont-l'Abbé-d'Arnoult (17) 120 D2
Pont-lès-Bonfays (88) 69 F4
Pont-les-Moulins (25) 87 H6
Pont-l'Évêque (14) 15 F4
Pont-l'Évêque (60) 21 G3
Pont-Melvez (22) 32 D4
Pont-Noyelles (80) 7 H5
Pont-Péan (35) 57 E3
Pont-Remy (80) 6 D4
Pont-Saint-Esprit (30) 158 A5
Pont-Saint-Mard (02) 22 A4
Pont-Saint-Martin (44) 74 C6
Pont-Saint-Pierre (27) 18 D5
Pont-Saint-Vincent (54) 48 C6
Pont-Sainte-Marie (10) 66 B3
Pont-Sainte-Maxence (60) 21 E5
Pont-Salomon (43) 143 E1
Pont-Scorff (56) 54 C4
Pont-sur-l'Ognon (70) 87 H4
Pont-sur-Madon (88) 69 F2
Pont-sur-Meuse (55) 47 G4
Pont-sur-Sambre (59) 9 H3
Pont-sur-Seine (10) 65 G1
Pont-sur-Vanne (89) 65 F4
Pont-sur-Yonne (89) 64 D3
Pont-Trambouze (69) 115 G6
Pontacq (64) 182 D3
Pontailler-sur-Saône (21) 86 B6
Pontaix (26) 144 D6
Pontamafrey-
-Montpascal (73) 146 C1
Pontarion (23) 125 E1
Pontarlier (25) 104 A4
Pontarmé (60) 43 E1
Pontaubault (50) 35 H4
Pontaubert (89) 83 H5
Pontault-Combault (77) 43 E4
Pontaumur (63) 126 C2
Pontavert (02) 22 D4
Pontcarré (77) 43 F4
Pontcey (70) 87 F3
Pontchardon (61) 39 G3
Pontcharra (38) 132 A6
Pontcharra-sur-Turdine (69) 129 G2
Pontcharraud (23) 125 H2
Pontchâteau (44) 73 H3
Pontcirq (46) 152 B2
Pontécoulant (14) 38 B3
Ponteilla (66) 201 E3
Ponteils-et-Brésis (30) 156 D4
Pontenx-les-Forges (40) 148 B5
le Pontet (73) 132 B5
le Pontet (84) 175 E2
les Pontets (25) 103 H5
Pontevès (83) 193 F1
Ponteyraud (24) 136 C2
Pontfaverger-
-Moronvilliers (51) 23 G5
Pontgibaud (63) 126 D2
Pontgouin (28) 61 G1
Ponthévrard (78) 62 D1
Ponthion (51) 46 B5
Ponthoile (80) 6 C3
le Ponthou (29) 32 B3
Ponthoux (39) 117 H3
Pontiacq-Viellepinte (64) 182 D1
Pontigné (49) 77 H4
Pontigny (89) 83 G1
Pontis (04) 160 D2
Pontivy (56) 55 F2
Pontlevoy (41) 79 H5
Pontmain (53) 58 B1
Pontoise (95) 42 B2
Pontoise-lès-Noyon (60) 21 G3
Pontonx-sur-l'Adour (40) 165 F3
Pontorson (50) 35 G4
Pontours (24) 137 F5
Pontoux (71) 102 A4
Pontoy (57) 26 C6
Pontpierre (57) 49 F2
Pontpoint (60) 21 E5
Pontrieux (22) 33 E2
Pontru (02) 8 D6
Pontruet (02) 8 D6
Ponts (50) 35 H3
les Ponts-de-Cé (49) 77 E5
Ponts-et-Marais (76) 6 B4
Pontvallain (72) 78 A2
Popian (34) 172 D5
Popolasca (2B) 203 E6
Porcaro (56) 56 B4
Porcelette (57) 27 E5
Porchères (33) 136 A4
la Porcherie (87) 124 D5
Porcheux (60) 19 H5
Porcheville (78) 41 H3
Porcieu-Amblagnieu (38) 131 E2
Pordic (22) 33 G4
le Porge (33) 134 B5
Pornic (44) 73 H6
Pornichet (44) 73 G4
Porquéricourt (60) 21 G3
Porri (2B) 203 G6
Porspoder (29) 30 C3
Port (01) 117 G5
le Port (09) 185 F6
Port-Brillet (53) 58 B4
Port-de-Bouc (13) 191 G5
Port-de-Lanne (40) 164 D5
Port-de-Piles (86) 94 D3
Port-d'Envaux (17) 121 E2
Port-des-Barques (17) 120 C1
Port-en-Bessin-Huppain (14) 13 H5
Port-la-Nouvelle (11) 188 B5
Port-Launay (29) 31 G6
Port-le-Grand (80) 6 D3
Port-Lesney (39) 103 E3
Port-Louis (56) 54 C6
le Port-Marly (78) 42 B4
Port-Mort (27) 41 F1
Port-Saint-Louis-
-du-Rhône (13) 191 E5
Port-Saint-Père (44) 74 B6
Port-Sainte-Foy-
-et-Ponchapt (24) 136 C5
Port-Sainte-Marie (47) 150 D5
Port-sur-Saône (70) 87 F3
Port-sur-Seille (54) 48 C3
Port-Vendres (66) 201 G4
Port-Villez (78) 41 G2
la Porta (2B) 203 F6
Porta (66) 199 F4
Portbail (50) 12 B4
Porte-Joie (27) 18 D6
Porté-Puymorens (66) 199 G3
le Portel (62) 1 F4
Portel-des-Corbières (11) 188 A5
Portes (27) 40 C2
Portes (30) 157 E5
les Portes-en-Ré (17) 106 A4
Portes-en-Valdaine (26) 158 C3
Portes-lès-Valence (26) 144 B5
Portet (64) 166 C5
Portet-d'Aspet (31) 184 C5
Portet-de-Luchon (31) 197 E1
Portet-sur-Garonne (31) 169 F6
Portets (33) 149 G1
Portieux (88) 69 H2
Portiragnes (34) 188 D2
Porto-Vecchio (2A) 207 G3
Ports (37) 94 D3
Posanges (21) 85 E5
Poses (27) 18 D5
Possesse (51) 46 C3
la Possonnière (49) 76 D5
la Postolle (89) 65 F3
Postroff (57) 50 A3
Potangis (51) 44 D6
Potelières (30) 157 F5
Potelle (59) 9 G3
la Poterie-au-Perche (61) 40 B6
la Poterie-Cap-d'Antifer (76) 16 B4
la Poterie-Mathieu (27) 15 H4
Pothières (21) 84 D1
Potigny (14) 38 D2
Potte (80) 21 F1
Pouan-les-Vallées (10) 66 B1
Pouançay (86) 93 H2
Pouancé (49) 76 A2
Pouant (86) 94 B3
Poubeau (31) 197 E1
Poucharramet (31) 185 E1
Poudenas (47) 167 F1
Poudenx (40) 165 H5
Poudis (81) 170 B6
Poueyferré (65) 182 D4
la Pouëze (49) 75 H2
Pouffonds (79) 108 B4
la Pouge (23) 125 F1
le Pouget (34) 172 D5
Pougnadoresse (30) 174 C1
Pougne-Hérisson (79) 93 E6
Pougny (01) 118 A5
Pougny (58) 82 C6
Pougues-les-Eaux (58) 98 D3
Pougy (10) 66 C2
Pouillac (17) 135 G1
Pouillat (01) 117 F3
Pouillé (41) 79 H6
Pouillé (85) 107 E1
Pouillé (86) 109 F2
Pouillé-les-Côteaux (44) 75 F3
Pouillenay (21) 84 D4
Pouilley-Français (25) 103 E1
Pouilley-les-Vignes (25) 103 F1
Pouillon (40) 165 E5
Pouillon (51) 23 E5
Pouilloux (71) 115 G1
Pouilly (57) 26 C6
Pouilly (60) 20 A6
Pouilly-en-Auxois (21) 101 E1
Pouilly-le-Monial (69) 129 H1
Pouilly-lès-Feurs (42) 129 E3
Pouilly-les-Nonains (42) 115 E6
Pouilly-sous-Charlieu (42) 115 E5
Pouilly-sur-Loire (58) 98 C1
Pouilly-sur-Meuse (55) 24 D3
Pouilly-sur-Saône (21) 102 A3
Pouilly-sur-Serre (02) 22 C2
Pouilly-sur-Vingeanne (21) 86 B4
le Poujol-sur-Orb (34) 172 A6
Poujols (34) 172 C4
Poulaines (36) 96 C2
Poulainville (80) 7 G5
Poulan-Pouzols (81) 170 B3
Poulangy (52) 68 A5
Pouldergat (29) 53 E2
Pouldouran (22) 33 E2
Pouldreuzic (29) 53 E3
Poule-les-Écharmeaux (69) 115 G5
Pouliacq (64) 166 B6
les Poulières (88) 70 C3
Pouligney-Lusans (25) 87 G6
Pouligny-Notre-Dame (36) 111 H2
Pouligny-Saint-Martin (36) 111 H2
Pouligny-Saint-Pierre (36) 95 G6
le Pouliguen (44) 73 F4
Poullan-sur-Mer (29) 53 E2
Poullaouen (29) 32 B5
Poullignac (16) 122 A6
Poulx (30) 174 B2
Poumarous (65) 183 F3
Poupas (82) 168 B2
Poupry (28) 62 D5
Pouques-Lormes (58) 83 H6
Pourcharesses (48) 156 D3
Pourchères (07) 157 H1
Pourcieux (83) 176 C6
Pourcy (51) 45 E1
Pourlans (71) 102 B4
Pournoy-la-Chétive (57) 26 B6
Pournoy-la-Grasse (57) 26 C6
Pourrain (89) 83 E2
Pourrières (83) 176 C6
Poursac (16) 122 C1
Poursay-Garnaud (17) 121 F1
Poursiugues-Boucoue (64) 166 B5
Pouru-aux-Bois (08) 24 D2
Pouru-Saint-Remy (08) 24 D2
Poussan (34) 189 F1
Poussanges (23) 125 H2
Poussay (88) 69 F3
Pousseaux (58) 83 F4
Poussignac (47) 150 B4
Poussy-la-Campagne (14) 38 D1
Pousthomy (12) 171 F3
le Pout (33) 135 G6
Pouvrai (61) 60 D3
Pouxeux (88) 70 A4
Pouy (65) 184 A2
Pouy-de-Touges (31) 184 D2
Pouy-Loubrin (32) 167 H6
Pouy-Roquelaure (32) 167 H1
Pouy-sur-Vannes (10) 65 G3
Pouyastruc (65) 183 F2
Pouydesseaux (40) 166 B2
Pouydraguin (32) 166 D4
Pouylebon (32) 167 F6
Pouzac (65) 183 F4
Pouzauges (85) 92 C5
Pouzay (37) 94 D2
Pouze (31) 185 G1
Pouzilhac (30) 174 C1
le Pouzin (07) 144 A6
Pouzol (63) 113 F6
Pouzolles (34) 188 C1
Pouzols (34) 172 D5
Pouzols-Minervois (11) 187 H2
Pouzy-Mésangy (03) 98 C6
Poyanne (40) 165 F3
Poyans (70) 86 C5
Poyartin (40) 165 F4
Poyols (26) 159 F2
Pozières (80) 8 B5
le Pradal (34) 172 A5
les Pradeaux (63) 127 G5
Pradelle (26) 159 E2
Pradelles (43) 142 C6
Pradelles (59) 2 D4
Pradelles-Cabardès (11) 187 E1
Pradelles-en-Val (11) 187 F4
Pradère-les-Bourguets (31) 168 D5
Prades (07) 157 F2
Prades (09) 199 G1
Prades (43) 142 A4
Prades (66) 200 C3
Prades (81) 170 B5
Prades-d'Aubrac (12) 155 E3
Prades-le-Lez (34) 173 F4
Prades-Salars (12) 154 D5
Prades-sur-Vernazobre (34) 188 A1
le Pradet (83) 193 F5
Pradettes (09) 186 A5
Pradières (09) 185 H5
Pradiers (15) 141 E2
Pradinas (12) 154 A5
Pradines (19) 125 F5
Pradines (42) 129 E1
Pradines (46) 152 C3
Pradons (07) 157 G3
Prads-Haute-Bléone (04) 161 E5
Prahecq (79) 108 A4
Prailles (79) 108 A3
Pralognan-la-Vanoise (73) 133 E6
Prâlon (21) 85 F6
Pralong (42) 128 D4
Pranles (07) 143 G6
Pranzac (16) 122 D4
Praslay (52) 85 H2
Praslin (10) 66 C5
Prasville (28) 62 C3
Prat (22) 32 D3
Prat-Bonrepaux (09) 184 D5
Prato-di-Giovellina (2B) 203 E6
Prats-de-Carlux (24) 138 B5
Prats-de-Mollo-
-la-Preste (66) 200 C5
Prats-de-Sournia (66) 200 C2
Prats-du-Périgord (24) 152 A1
Pratviel (81) 170 A5
Pratz (39) 117 H3
Prauthoy (52) 86 A3
Pray (41) 79 G3
Praye (54) 69 F1
Prayols (09) 185 H6
Prayssac (46) 152 B3
Prayssas (47) 151 E5

73 64 Pornichet

Praz-sur-Arly (74) 132 D2
le Pré-d'Auge (14) 15 E5
Pré-en-Pail (53) 59 G1
Pré-Saint-Évroult (28) 62 A4
le Pré-Saint-Gervais (93) 42 D3
Pré-Saint-Martin (28) 62 A4
Préaux (07) 143 H3
les Préaux (27) 15 G3
Préaux (36) 95 H3
Préaux (53) 59 E6
Préaux (76) 17 H6
Préaux-Bocage (14) 14 B6
Préaux-du-Perche (61) 61 E3
Préaux-Saint-Sébastien (14) 15 F6
Prébois (38) 145 G6
Précey (50) 35 H4
Préchac (32) 167 H3
Préchac (33) 149 G3
Préchac (65) 182 D5
Préchac-sur-Adour (32) 166 D5
Préchacq-Josbaig (64) 181 H2
Préchacq-les-Bains (40) 165 F3
Préchacq-Navarrenx (64) 181 H2
Précieux (42) 129 E5
Précigné (72) 77 F2
Précilhon (64) 182 A3
Précorbin (50) 37 G1
Précy (18) 98 C2
Précy-le-Sec (89) 83 H4
Précy-Notre-Dame (10) 66 D2
Précy-Saint-Martin (10) 66 D2
Précy-sous-Thil (21) 84 C5
Précy-sur-Marne (77) 43 F3
Précy-sur-Oise (60) 20 C6
Précy-sur-Vrin (89) 64 D6
Prédefin (62) 2 B6
Préfailles (44) 73 G5
Préfontaines (45) 64 A5
Prégilbert (89) 83 G3
Préguillac (17) 121 E3
Préhy (89) 83 H2
Preignac (33) 149 H2
Preignan (32) 167 H4
Preigney (70) 86 D2
Preixan (11) 186 D4
Prémanon (39) 118 B2
Premeaux-Prissey (21) 101 H2
Prémery (58) 99 E2
Prémesques (59) 3 F5
Prémeyzel (01) 131 F3
Prémian (34) 171 G6
Premières (21) 102 B1
Prémierfait (10) 66 A1
Prémilhat (03) 112 C4
Prémillieu (01) 131 F2
Prémont (02) 9 E5
Prémontré (02) 22 B3
Prendeignes (46) 153 H1
Préneron (32) 167 F4
la Prénessaye (22) 55 H2
Prenois (21) 85 G6
Prénouvellon (41) 62 B6
Prénovel (39) 117 H2
Prény (54) 48 B2
Préporché (58) 100 A4
Prépotin (61) 40 A6
les Prés (26) 159 G2
Présailles (43) 142 D5
Préseau (59) 9 F2
Présentevillers (25) 88 C4
Préserville (31) 169 G6
Présilly (39) 117 G1
Présilly (74) 118 B5
Presle (73) 132 B5
Presles (14) 37 H3
Presles (38) 145 E3
Presles (95) 42 C1
Presles-en-Brie (77) 43 F5
Presles-et-Boves (02) 22 B5
Presles-et-Thierny (02) 22 C4
Presly (18) 81 G6
Presnoy (45) 63 H6
Pressac (86) 109 F5
Pressagny-l'Orgueilleux (27) 41 F1
Pressiat (01) 117 F3
Pressignac (16) 123 F2
Pressignac-Vicq (24) 137 F5
Pressigny (52) 86 D2
Pressigny (79) 93 G5
Pressigny-les-Pins (45) 82 A1
Pressins (38) 131 F5
Pressy (62) 2 B6
Pressy-sous-Dondin (71) 115 H2
la Prétière (25) 88 B5
Pretin (39) 103 E4
Prétot-Sainte-Suzanne (50) 12 D5
Prétot-Vicquemare (76) 17 F3
Prêtreville (14) 15 F6
Préty (71) 116 C2
Pretz-en-Argonne (55) 47 E3
Preuilly (18) 97 F2
Preuilly-la-Ville (36) 95 F6
Preuilly-sur-Claise (37) 95 F4
Preures (62) 1 G5
Preuschdorf (67) 51 E2
Preuseville (76) 6 B6
Preutin-Higny (54) 25 H5
Preux-au-Bois (59) 9 G3
Preux-au-Sart (59) 9 G2
Préval (72) 60 D3
Prévelles (72) 60 C4
Prévenchères (48) 156 D3
Préveranges (18) 112 A3
Prévessin-Moëns (01) 118 B4
la Prévière (49) 76 A2
Prévillers (60) 20 A3
Prévinquières (12) 154 A4
Prévocourt (57) 49 E3
Prey (27) 41 E3
Prey (88) 70 B4
Preyssac-d'Excideuil (24) 138 A1
Prez (08) 23 G1
Prez-sous-Lafauche (52) 68 C3
Priaires (79) 107 G5
Priay (01) 130 D1
Priez (02) 44 A1
Prignac (17) 121 G2
Prignac-en-Médoc (33) 120 C6
Prignac-et-Marcamps (33) 135 F3
Prigonrieux (24) 136 D5
Primarette (38) 130 B6
Primelin (29) 52 C2
Primelles (18) 97 F4
Prin-Deyrançon (79) 107 G4
Prinçay (86) 94 B4
Princé (35) 58 B3
Pringy (51) 46 A4
Pringy (74) 132 A1
Pringy (77) 63 H1
Prinquiau (44) 74 A3
Prinsuéjols (48) 155 G1
Printzheim (67) 50 C4
Prisces (02) 22 D1
Prisches (59) 9 H4
Prissac (36) 110 C2
Prissé (71) 116 B4
Prissé-la-Charrière (79) 107 G5
Privas (07) 157 H1
Privezac (12) 153 H4
Prix-lès-Mézières (08) 24 A1
Priziac (56) 54 C2
Prizy (71) 115 F3
la Proiselière-et-Langle (70) 88 A1
Proissans (24) 138 B5
Proisy (02) 9 G6
Proix (02) 9 F6
Projan (32) 166 B5
Promilhanes (46) 153 F4
Prompsat (63) 127 E1
Prondines (63) 126 C3
Pronleroy (60) 20 D4
Pronville (62) 8 C3
Propiac (26) 158 D5
Propières (69) 115 G5
Propriano (2A) 206 D3
Prosnes (51) 45 G1
Prouilly (51) 22 D5
Proupiary (31) 184 C3
Proussy (14) 38 B3
Prouvais (02) 23 E4
Prouville (80) 7 F4
Prouvy (59) 9 F2
Prouzel (80) 20 B1
Provenchère (25) 88 B6
Provenchère (70) 87 G2
Provenchères-
-lès-Darney (88) 69 E4
Provenchères-sur-Fave (88) 70 D2
Provency (89) 84 A4
Proverville (10) 67 E4
Proveysieux (38) 145 G2
Proville (59) 8 D3
Provin (59) 3 E6
Provins (77) 65 E1
Proviseux-et-Plesnoy (02) 23 E4
Proyart (80) 8 A6
Prudemanche (28) 40 D5
Prudhomat (46) 139 E5
Prugnanes (66) 200 C1
Prugny (10) 66 A4
Pruillé (49) 76 D3
Pruillé-le-Chétif (72) 60 A6
Pruillé-l'Éguillé (72) 78 C1
Pruines (12) 154 B3
Prunay (51) 23 F6
Prunay-Belleville (10) 65 H2
Prunay-Cassereau (41) 79 F3
Prunay-en-Yvelines (78) 62 D1
Prunay-le-Gillon (28) 62 C2
Prunay-le-Temple (78) 41 G4
Prunay-sur-Essonne (91) 63 G3
Prunelli-di-Casacconi (2B) 203 G5
Prunelli-di-Fiumorbo (2B) 205 G5
Prunet (07) 157 F2
Prunet (15) 140 B6
Prunet (31) 169 H6
Prunet-et-Belpuig (66) 200 D3
Prunières (05) 160 D2
Prunières (38) 145 G5
Prunières (48) 141 G6
Pruniers (36) 97 E5
Pruniers-en-Sologne (41) 80 C6
Pruno (2B) 203 G6
Prunoy (89) 82 D1
Prusly-sur-Ource (21) 85 E1
Prusy (10) 66 B6
Pruzilly (71) 116 A4
Puberg (67) 50 B3
Publier (74) 119 E3
Publy (39) 117 G1
Puceul (44) 74 C2
le Puch (09) 199 H2
Puch-d'Agenais (47) 150 C4
Puchay (27) 19 F5
Puchevillers (80) 7 G4
le Puech (34) 172 C5
Puéchabon (34) 173 E4
Puéchoursi (81) 170 A6
Puechredon (30) 173 G2
Puellemontier (52) 67 E1
Puessans (25) 87 H5
Puget (84) 175 H4
Puget-Rostang (06) 178 C1
Puget-sur-Argens (83) 178 B6
Puget-Théniers (06) 178 C2
Puget-Ville (83) 193 G3
Pugey (25) 103 F1
Pugieu (01) 131 F2
Puginier (11) 186 B2
Pugnac (33) 135 F3
Pugny (79) 93 E5
Pugny-Chatenod (73) 131 H3
Puichéric (11) 187 G3
le Puid (88) 70 D2
Puihardy (79) 107 G1
Puilacher (34) 172 D6
Puilaurens (11) 200 B1
Puilboreau (17) 106 D4
Puilly-et-Charbeaux (08) 25 E2
Puimichel (04) 177 E2
Puimisson (34) 188 C1
Puimoisson (04) 177 E3
la Puisaye (28) 40 C6
Puiseaux (45) 63 H4
Puiselet-le-Marais (91) 63 F2
Puisenval (76) 6 B6
le Puiset (28) 62 D4
le Puiset-Doré (49) 75 F5
Puiseux (08) 23 H3
Puiseux (28) 41 F6
Puiseux-en-Bray (60) 19 G4
Puiseux-en-France (95) 43 E2
Puiseux-en-Retz (02) 21 H5
Puiseux-le-Hauberger (60) 20 B6
Puiseux-Pontoise (95) 42 B2
Puisieulx (51) 45 F1
Puisieux (62) 8 A4
Puisieux (77) 43 G2
Puisieux-et-Clanlieu (02) 9 G6
Puissalicon (34) 188 C1
Puisseguin (33) 136 A4
Puisserguier (34) 188 B2
Puits (21) 84 D2
Puits-et-Nuisement (10) 66 D4
Puits-la-Vallée (60) 20 B3
Puivert (11) 186 C6
Pujaudran (32) 168 D5
Pujaut (30) 174 D2
Pujo (65) 183 E2
Pujo-le-Plan (40) 166 B3
les Pujols (09) 185 H4
Pujols (33) 136 A6
Pujols (47) 151 F4
Pujols-sur-Ciron (33) 149 G2
le Puley (71) 101 E6
Puligny-Montrachet (21) 101 F4
Pullay (27) 40 C5
Pulligny (54) 48 C6
Pulney (54) 69 F2
Pulnoy (54) 48 D5
Pulvérières (63) 126 D2
Pulversheim (68) 89 F1
Punchy (80) 21 F1
Punerot (88) 68 D1
Puntous (65) 183 H2
Pupillin (39) 103 E4
Pure (08) 24 D2
Purgerot (70) 87 F2
Pusey (70) 87 G3
Pusignan (69) 130 C3
Pussay (91) 63 E3
Pussigny (37) 94 D3
Pusy-et-Épenoux (70) 87 G3
Putanges-Pont-Écrepin (61) 38 D4
Puteaux (92) 42 C4
Putot-en-Auge (14) 14 D4
Putot-en-Bessin (14) 14 A4
Puttelange-aux-Lacs (57) 49 H1
Puttelange-
-lès-Thionville (57) 26 C2
Puttigny (57) 49 F3
Puxe (54) 48 A1
Puxieux (54) 48 B1
le Puy (25) 87 G6
le Puy (33) 150 B1
Puy-d'Arnac (19) 139 E4
Puy-de-Serre (85) 107 F1
Puy-du-Lac (17) 121 E1
le Puy-en-Velay (43) 142 C4
Puy-Guillaume (63) 127 H1
Puy-l'Évêque (46) 152 A3
Puy-Malsignat (23) 112 A6
le Puy-Notre-Dame (49) 93 G2
Puy-Saint-André (05) 147 E5
Puy-Saint-Eusèbe (05) 160 D2
Puy-Saint-Gulmier (63) 126 C3
Puy-Saint-Martin (26) 158 C2
Puy-Saint-Pierre (05) 147 E5
Puy-Saint-Vincent (05) 146 D5
le Puy-Sainte-Réparade (13) 176 A5
Puy-Sanières (05) 161 E2
Puybarban (33) 150 A2
Puybegon (81) 170 A4
Puybrun (46) 139 E5
Puycalvel (81) 170 B5
Puycasquier (32) 168 A4
Puycelci (81) 169 H2
Puycornet (82) 152 B6
Puydaniel (31) 185 F2
Puydarrieux (65) 183 G2
la Puye (86) 109 H1
Puygaillard-
-de-Lomagne (82) 168 B2
Puygaillard-de-Quercy (82) 169 G1
Puygiron (26) 158 B2
Puygouzon (81) 170 C3
Puygros (73) 132 A4
Puyjourdes (46) 153 F4
Puylagarde (82) 153 F5
Puylaroque (82) 152 D5
Puylaurens (81) 170 B6
Puylausic (32) 184 C1
Puyloubier (13) 176 C6
Puymangou (24) 136 B2
Puymaurin (31) 184 B2
Puyméras (84) 158 D5
Puymiclan (47) 150 D3
Puymirol (47) 151 G6
Puymoyen (16) 122 C4
Puynormand (33) 136 A4
Puyol-Cazalet (40) 166 A5
Puyoô (64) 165 F5
Puyravault (17) 107 E5
Puyravault (85) 106 D3
Puyréaux (16) 122 C2
Puyrenier (24) 122 D5
Puyrolland (17) 107 G6
Puységur (32) 167 H4
Puysségur (31) 168 C4
Puysserampion (47) 150 D2
Puyvalador (66) 200 A3
Puyvert (84) 175 H4
Puzeaux (80) 21 F1
Puzieux (57) 48 D3
Puzieux (88) 69 F2
Py (66) 200 B4
la Pyle (27) 18 B6
Pys (80) 8 B4

Q

Quaëdypre (59) 2 C2
Quaix-en-Chartreuse (38) 145 G2
Quantilly (18) 97 H1
Quarante (34) 188 A2
Quarouble (59) 9 G1
Quarré-les-Tombes (89) 84 A6
la Quarte (70) 86 D2
le Quartier (63) 113 E6
Quasquara (2A) 205 E6
Quatre-Champs (08) 24 B4
les Quatre-Routes-
-du-Lot (46) 138 D4
Quatremare (27) 40 D1
Quatzenheim (67) 50 D5
Quéant (62) 8 C3
Queaux (86) 109 G3
Québriac (35) 35 E6
Quédillac (35) 56 C1
Queige (73) 132 D3
Quelaines-Saint-Gault (53) 58 C6
Quelmes (62) 2 A4
Quelneuc (56) 56 C5
Quéménéven (29) 53 F1
Quemigny-Poisot (21) 101 G1
Quemigny-sur-Seine (21) 85 E3
Quemper-Guézennec (22) 33 E2
Quemperven (22) 32 D2
Quend (80) 6 C2
Quenne (89) 83 G2
Quenoche (70) 87 F4
Quenza (2A) 207 E2
Quercamps (62) 1 H4
Quercitello (2B) 203 F6
Quérénaing (59) 9 F2
Quérigut (09) 199 H2
Quernes (62) 2 B5
Querqueville (50) 12 C1
Querré (49) 76 D2
Querrien (29) 54 B3
Querrieu (80) 7 H5
Quers (70) 87 H2
Quesmy (60) 21 G2
le Quesne (80) 6 D6
le Quesnel (80) 21 E1
le Quesnel-Aubry (60) 20 C4
le Quesnoy (59) 9 G3
le Quesnoy-en-Artois (62) 7 E2
Quesnoy-le-Montant (80) 6 C4
Quesnoy-sur-Airaines (80) 7 E5
Quesnoy-sur-Deûle (59) 3 F4
Quesques (62) 1 G4
Quessigny (27) 41 E3
Quessoy (22) 33 H5
Questembert (56) 56 A6
Questrecques (62) 1 F5
Quet-en-Beaumont (38) 145 H5
Quetigny (21) 85 H6
Quettehou (50) 13 E2
Quettetot (50) 12 C3
Quetteville (14) 15 F3
Quettreville-
-sur-Sienne (50) 35 G1
Queudes (51) 44 D6
la Queue-en-Brie (94) 43 E4
la Queue-les-Yvelines (78) 41 H4
Queuille (63) 126 D1
Quevauvillers (80) 20 B1
Quéven (56) 54 C5
Quévert (22) 34 C5
Quevillon (76) 17 F6
Quevilloncourt (54) 69 F1
Quévreville-la-Poterie (76) 18 D5
Queyrac (33) 120 C6
Queyrières (43) 142 D3
Queyssac (24) 137 E5
Queyssac-les-Vignes (19) 139 E4
Quézac (15) 153 H1
Quézac (48) 156 A4
Quiberon (56) 72 B2
Quiberville (76) 17 F2
Quibou (50) 37 F1
Quié (09) 199 E1
Quiers (77) 43 G6
Quiers-sur-Bézonde (45) 63 G6
Quiéry-la-Motte (62) 8 C2
Quierzy (02) 21 H3
Quiestède (62) 2 B4
Quiévelon (59) 10 B3
Quiévrechain (59) 9 G1
Quièvrecourt (76) 19 E1
Quiévy (59) 9 F3
Quilen (62) 1 G6
Quillan (11) 186 D6
Quillebeuf-sur-Seine (27) 15 H2
le Quillio (22) 55 F1
Quilly (08) 24 A4
Quilly (44) 74 A3
Quily (56) 56 A4
Quimper (29) 53 F3
Quimperlé (29) 54 B4
Quincampoix (76) 17 H5
Quincampoix-Fleuzy (60) 19 G1
Quinçay (86) 108 D1
Quincerot (21) 84 C3
Quincerot (89) 66 B6
Quincey (21) 101 H2
Quincey (70) 87 G3
Quincié-en-Beaujolais (69) 116 A5
Quincieu (38) 145 E1
Quincieux (69) 130 A2
Quincy (18) 97 F2
Quincy-Basse (02) 22 A4
Quincy-Landzécourt (55) 25 E4
Quincy-le-Vicomte (21) 84 C4
Quincy-sous-le-Mont (02) 22 B5
Quincy-sous-Sénart (91) 43 E5
Quincy-Voisins (77) 43 G3
Quinéville (50) 13 E3
Quingey (25) 103 F2
Quinquempoix (60) 20 C3
Quins (12) 154 B5
Quinsac (24) 123 F6
Quinsac (33) 135 F6
Quinson (04) 177 E4
Quinssaines (03) 112 C4
Quint-Fonsegrives (31) 169 F5
Quintal (74) 132 A2
la Quinte (72) 59 H5
Quintenas (07) 143 H2
Quintenic (22) 34 A4
Quintigny (39) 102 D5
Quintillan (11) 187 G5
Quintin (22) 33 F5
le Quiou (22) 34 D6
Quirbajou (11) 200 A1
Quiry-le-Sec (80) 20 C2
Quissac (30) 173 G3
Quissac (46) 153 E2
Quistinic (56) 54 D4
Quittebeuf (27) 40 D1
Quivières (80) 21 G1
Quœux-Haut-Maînil (62) 7 F2

R

Rabastens (81) 169 H3
Rabastens-de-Bigorre (65) 183 F1
Rabat-
-les-Trois-Seigneurs (09) 185 G6
la Rabatelière (85) 91 H3
Rablay-sur-Layon (49) 76 D6
Rabodanges (61) 38 C4
Rabou (05) 160 B2
Rabouillet (66) 200 C2
Racécourt (88) 69 G3
Rachecourt-sur-Marne (52) 67 H1
Rachecourt-Suzémont (52) 67 G2
Râches (59) 8 D1
Racines (10) 65 H5
la Racineuse (71) 102 A5
Racquinghem (62) 2 B4
Racrange (57) 49 F3
Raddon-et-Chapendu (70) 88 A1
Radenac (56) 55 G4
Radepont (27) 19 E5
Radinghem (62) 2 A6
Radinghem-en-Weppes (59) 3 E5
Radon (61) 60 A1
Radonvilliers (10) 66 D2
Raedersdorf (68) 89 F4
Raedersheim (68) 71 F6
Raffetot (76) 15 H1
Rageade (15) 141 G3
Rahart (41) 79 G1
Rahay (72) 61 E6
Rahling (57) 28 A6
Rahon (25) 88 B6
Rahon (39) 102 C3
Rai (61) 40 A4
Raids (50) 12 D6
Raillencourt-Sainte-Olle (59) 8 D3
Railleu (66) 200 A3
Raillicourt (08) 24 A2
Raillimont (02) 23 F2
Raimbeaucourt (59) 8 D1
Rainans (39) 102 C2
Raincheval (80) 7 H4
Raincourt (70) 87 E1
le Raincy (93) 43 E3
Rainfreville (76) 17 F3
Rainneville (80) 7 G5
Rainsars (59) 10 A4
Rainville (88) 69 E2
Rainvillers (60) 20 A4
les Rairies (49) 77 G3
Raismes (59) 9 F1
Raissac (09) 186 A6
Raissac-d'Aude (11) 187 H3
Raissac-sur-Lampy (11) 186 D3
Raival (55) 47 F3
Raix (16) 108 C6
Raizeux (78) 41 G6
Ramasse (01) 117 E5
Ramatuelle (83) 194 B4
Rambaud (05) 160 C2
Rambervillers (88) 70 B2
Rambluzin-
-et-Benoite-Vaux (55) 47 F2
Rambouillet (78) 41 H6
Rambucourt (55) 48 A4
Ramburelles (80) 6 C5
Rambures (80) 6 C5
Ramecourt (62) 7 G2
Ramecourt (88) 69 F3
Ramerupt (10) 66 C1
Ramicourt (02) 9 E5
Ramillies (59) 9 E3
Rammersmatt (68) 89 E1
Ramonchamp (88) 70 B6
Ramonville-
-Saint-Agne (31) 169 F6
Ramoulu (45) 63 F4
Ramous (64) 165 F5
Ramousies (59) 10 A4
Ramouzens (32) 167 E3
Rampan (50) 13 F6
Rampieux (24) 151 G1
Rampillon (77) 64 C1
Rampoux (46) 152 C2
Rancé (01) 130 A1
Rancenay (25) 103 F1
Rancennes (08) 11 F4
Rances (10) 67 E1
Ranchal (69) 115 G5
Ranchot (39) 103 E2
Ranchy (14) 13 H5
Rancogne (16) 122 D3
Rancon (87) 110 B5
Rançonnières (52) 68 C6
Rancourt (80) 8 C5
Rancourt (88) 69 F3
Rancourt-sur-Ornain (55) 46 D4
Rancy (71) 116 D1
Randan (63) 127 G1
Randens (73) 132 C5
Randevillers (25) 88 A6
Randonnai (61) 40 A5
Rânes (61) 38 D5
Rang (25) 88 B5
Rang-du-Fliers (62) 6 C1
Rangecourt (52) 68 C5
Rangen (67) 50 C5
Ranguevaux (57) 26 B4
Rannée (35) 57 H4
Ranrupt (67) 71 E2
Rans (39) 103 E2
Ransart (62) 8 A3
Ranspach (68) 70 D6
Ranspach-le-Bas (68) 89 G3
Ranspach-le-Haut (68) 89 G3
Rantechaux (25) 104 A2
Rantigny (60) 20 D5
Ranton (86) 93 H3
Rantzwiller (68) 89 F2
Ranville (14) 14 C4
Ranville-Breuillaud (16) 122 A1
Ranzevelle (70) 69 F6
Ranzières (55) 47 G2
Raon-aux-Bois (88) 70 A5
Raon-lès-Leau (54) 50 A6
Raon-l'Étape (88) 70 C2
Raon-sur-Plaine (88) 50 A6
Rapaggio (2B) 205 G1
Rapale (2B) 203 F5
Rapey (88) 69 G3
Rapilly (14) 38 C3
Rapsécourt (51) 46 C2
Raray (60) 21 E6
Rarécourt (55) 47 E2
Rasiguères (66) 200 D1
Raslay (86) 93 H2
Rasteau (84) 158 C5
Ratenelle (71) 116 C2
Ratières (26) 144 B2
Ratte (71) 102 B6
Ratzwiller (67) 50 B2
Raucoules (43) 143 F2
Raucourt (54) 48 D3
Raucourt-au-Bois (59) 9 G3
Raucourt-et-Flaba (08) 24 C3
Raulhac (15) 140 C5
Rauret (43) 142 B6
Rauville-la-Bigot (50) 12 C3
Rauville-la-Place (50) 12 D4
Rauwiller (67) 50 A4
Rauzan (33) 135 H6
Raveau (58) 98 D2
Ravel (63) 127 G3
Ravenel (60) 20 D4
Ravenoville (50) 13 E3
Raves (88) 70 D3
Ravières (89) 84 C2
Ravigny (53) 59 H1
Raville (57) 49 E1
Raville-sur-Sânon (54) 49 E5
Ravilloles (39) 117 H2
la Ravoire (73) 131 H5
Ray-sur-Saône (70) 87 E3
Raye-sur-Authie (62) 7 E2
Rayet (47) 151 G1
Raymond (18) 98 A4
Raynans (25) 88 C4
Rayol-Canadel-sur-Mer (83) 194 A5
Rayssac (81) 170 D3
Razac-de-Saussignac (24) 136 C6
Razac-d'Eymet (24) 151 E1
Razac-sur-l'Isle (24) 137 E2
Raze (70) 87 F3
Razecueillé (31) 184 B5
Razengues (32) 168 C5
Razès (87) 110 C6
Razimet (47) 150 C4
Razines (37) 94 C3
Réal (66) 200 A3
Réalcamp (76) 6 C6
Réallon (05) 160 D2
Réalmont (81) 170 C4
Réalville (82) 169 F1
Réans (32) 166 D3
Réau (77) 43 E6
Réaumont (38) 131 F6
Réaumur (85) 92 C5
Réaup-Lisse (47) 150 C6
Réauville (26) 158 B3
Réaux (17) 121 G5
Rebais (77) 44 A4
Rebecques (62) 2 B5
Rébénacq (64) 182 B3
Rebergues (62) 1 H4

243

Rebets (76) 19 E3
Rebeuville (88) 68 D2
Rebigue (31) 169 F6
Rebourguil (12) 171 G3
Reboursin (36) 96 D2
Rebréchien (45) 63 E6
Rebreuve-Ranchicourt (62) 7 H1
Rebreuve-sur-Canche (62) 7 G2
Rebreuviette (62) 7 G2
Recanoz (39) 102 C5
Recey-sur-Ource (21) 85 G2
Réchésy (90) 89 E4
Réchicourt-la-Petite (54) 49 F5
Réchicourt-le-Château (57) 49 G5
Récicourt (55) 47 E1
Réclainville (28) 62 C3
Reclesne (71) 100 C3
Reclinghem (62) 2 A5
Réclonville (54) 49 G6
Recloses (77) 64 A3
Recologne (25) 87 E6
Recologne (70) 86 D4
Recologne-lès-Rioz (70) 87 F4
Recoubeau-Jansac (26) 159 F1
Recoules-d'Aubrac (48) 155 F1
Recoules-de-Fumas (48) 155 H2
Recoules-
-Prévinquières (12) 155 E4
Récourt (62) 8 C3
Récourt-le-Creux (55) 47 F2
Recouvrance (90) 88 D3
le Recoux (48) 155 G4
Recques-sur-Course (62) 1 G6
Recques-sur-Hem (62) 2 A3
Recquignies (59) 10 A2
le Reculey (14) 37 H3
Reculfoz (25) 103 G6
Recurt (65) 183 H3
Recy (51) 45 H3
Rédange (57) 26 A2
Rédené (29) 54 B4
Redessan (30) 174 C3
Réding (57) 50 A4
Redon (35) 73 H1
la Redorte (11) 187 G3
Redortiers (04) 159 G6
Réez-Fosse-Martin (60) 43 G1
Reffannes (79) 108 B1
Reffroy (55) 47 G6
Reffuveille (50) 37 F5
Régades (31) 184 B4
Régat (09) 186 B5
Regnauville (62) 7 E2
Regnévelle (88) 69 F6
Regnéville-sur-Mer (50) 36 D2
Regnéville-sur-Meuse (55) 25 E6
Regney (88) 69 G3
Régnié-Durette (69) 116 A5
Regnière-Écluse (80) 6 D2
Regniowez (08) 10 D5
Regny (02) 22 B1
Régny (42) 129 E1
la Regrippière (44) 75 F5
Réguiny (56) 55 G3
Réguisheim (68) 71 F6
Régusse (83) 177 F4
Rehaincourt (88) 70 A2
Rehainviller (54) 49 E6
Rehaupal (88) 70 B4
Reherrey (54) 49 G6
Réhon (54) 25 H3
Reichsfeld (67) 71 F2
Reichshoffen (67) 50 D2
Reichstett (67) 51 E5
Reignac (16) 121 H6
Reignac (33) 135 F2
Reignac-sur-Indre (37) 95 F1
Reignat (63) 127 G3
Reigneville-Bocage (50) 12 D4
Reignier-Ésery (74) 118 C5
Reigny (18) 112 B1
Reilhac (15) 140 A4
Reilhac (46) 153 E1
Reilhaguet (46) 138 C6
Reilhanette (26) 159 F6
Reillanne (04) 176 B3
Reillon (54) 49 G6
Reilly (60) 19 H6
Reims (51) 23 E6
Reims-la-Brûlée (51) 46 B5
Reinhardsmunster (67) 50 B5
Reiningue (68) 89 F2
Reipertswiller (67) 50 C2
Reithouse (39) 117 G1
Réjaumont (32) 167 H3
Réjaumont (65) 183 H3
Rejet-de-Beaulieu (59) 9 G4
Relanges (88) 69 F4
Relans (39) 102 C5
le Relecq-Kerhuon (29) 31 E4
Relevant (01) 116 C6
Rely (62) 2 B5
Remaisnil (80) 7 F3
Rémalard (61) 61 E2
Remaucourt (02) 9 E6
Remaucourt (08) 23 F3
la Remaudière (44) 75 E5
Remaugies (80) 21 E3
Remauville (77) 64 B4
Rembercourt-
-Sommaisne (55) 47 E3
Rembercourt-sur-Mad (54) 48 B2
Rémécourt (60) 20 D4
Rémelfang (57) 26 D4
Rémelfing (57) 27 H5
Rémeling (57) 26 D3
Remennecourt (55) 46 D4
Remenoville (54) 69 H1
Rémérangles (60) 20 C4
Réméréville (54) 49 E5
Rémering (57) 27 E4
Rémering-
-lès-Puttelange (57) 49 H2
Remicourt (51) 46 C3
Remicourt (88) 69 F3
Remiencourt (80) 20 C1
Remies (02) 22 B2
Remigny (02) 22 A2
Remigny (71) 101 F4
Rémilly (57) 49 E2
Rémilly (58) 100 A5
Remilly-Aillicourt (08) 24 C2
Remilly-en-Montagne (21) 85 F6
Remilly-les-Pothées (08) 23 H1
Remilly-sur-Lozon (50) 13 E6
Remilly-sur-Tille (21) 86 A6
Remilly-Wirquin (62) 2 A5
Réminiac (56) 56 B5
Remiremont (88) 70 B5
Remoiville (55) 25 E4
Remollon (05) 160 C3
Remomeix (88) 70 D3
Remoncourt (54) 49 G5
Remoncourt (88) 69 F3
Rémondans-Vaivre (25) 88 C5
Remoray-Boujeons (25) 103 H5
Remouillé (44) 91 G1
Remoulins (30) 174 C2
Removille (88) 69 E2
Rempnat (87) 125 F4
la Remuée (76) 15 G1
Remungol (56) 55 F4
Rémuzat (26) 159 E4
Remy (60) 21 E4
Rémy (62) 8 C3
Renac (35) 56 D6
Renage (38) 145 E1
Renaison (42) 114 D6
Renansart (02) 22 B2
Renaucourt (70) 86 D3
la Renaudie (63) 128 B3
la Renaudière (49) 75 G6
Renauvoid (88) 69 H4
Renay (41) 79 G1
Renazé (53) 76 B1
Rencurel (38) 145 E3
René (72) 60 B3
Renédale (25) 103 H3
Renescure (59) 2 B4
Renève (21) 86 B5
Réning (57) 49 G2
Rennemoulin (78) 42 B4
Rennepont (52) 67 F4
Rennes (35) 57 F3
Rennes-en-Grenouilles (53) 59 E1
Rennes-le-Château (11) 186 D6
Rennes-les-Bains (11) 187 E6
Rennes-sur-Loue (25) 103 F3
Renneval (02) 23 E1
Renneville (08) 23 F2
Renneville (27) 19 E4
Renneville (31) 186 A2
Renno (2A) 204 C3
le Renouard (61) 39 F3
Rentières (63) 127 F6
Renty (62) 1 H5
Renung (40) 166 B4
Renwez (08) 11 E6
la Réole (33) 150 B2
la Réorthe (85) 92 A6
Réotier (05) 161 F1
Repaix (54) 49 G5
la Répara-Auriples (26) 158 C1
Réparsac (16) 121 H3
Repel (88) 69 E2
Repentigny (14) 15 E4
Replonges (01) 116 B4
le Reposoir (74) 119 E6
les Repôts (39) 102 C6
Reppe (90) 88 D2
Requeil (72) 78 A2
Réquista (12) 171 E1
Résenlieu (61) 39 G4
la Résie-Saint-Martin (70) 86 D6
Résigny (02) 23 F1
Resson (55) 47 E4
Ressons-l'Abbaye (60) 20 A5
Ressons-le-Long (02) 21 H5
Ressons-sur-Matz (60) 21 E3
les Ressuintes (28) 40 C6
Restigné (37) 78 A6
Restinclières (34) 173 G4
le Retail (79) 107 H1
Rétaud (17) 121 E3
Reterre (23) 112 C6
Rethel (08) 23 G4
Retheuil (02) 21 G5
Rethondes (60) 21 G4
Rethonvillers (80) 21 F2
Réthoville (50) 13 E1
Retiers (35) 57 G4
Retjons (40) 149 G6
Retonfey (57) 26 C5
Rétonval (76) 19 F1
Retournac (43) 142 D2
Retschwiller (67) 51 F2
Rettel (57) 26 C2
Rety (62) 1 G3
Retzwiller (68) 89 E3
Reugney (25) 103 G3
Reugny (03) 112 D2
Reugny (37) 79 F5
Reuil (51) 45 E2
Reuil-en-Brie (77) 44 A3
Reuil-sur-Brêche (60) 20 B3
Reuilly (27) 41 E2
Reuilly (36) 97 E3
Reuilly-Sauvigny (02) 44 C2
Reulle-Vergy (21) 101 G2
Reumont (59) 9 F4
la Réunion (47) 150 B4
Reutenbourg (67) 50 C5
Reuves (51) 45 E4
Reuville (76) 17 F3
Reux (14) 15 E4
Réveillon (51) 44 C5
Réveillon (61) 60 D1
Revel (31) 186 C1
Revel (38) 145 H2
Revel-Tourdan (38) 130 B6
Revelles (80) 7 F6
Revens (30) 172 B1
Reventin-Vaugris (38) 130 A6
Revercourt (28) 40 D5
Revest-des-Brousses (04) 176 B2
Revest-du-Bion (04) 176 B1
le Revest-les-Eaux (83) 193 E5
Revest-les-Roches (06) 195 E1
Revest-Saint-Martin (04) 176 C1
Reviers (14) 14 B3
Revigny (39) 102 D6
Revigny-sur-Ornain (55) 46 D4
Réville (50) 13 E2
Réville-aux-Bois (55) 25 E5
Révillon (02) 22 C5
Revin (08) 11 E5
Revonnas (01) 117 E5
Rexingen (67) 50 B3
Rexpoëde (59) 2 C2
Reyersviller (57) 50 C1
Reygade (19) 139 F4
Reynel (52) 68 B3
Reynès (66) 201 E4
Reyniès (82) 169 F2
Reyrevignes (46) 153 F2
Reyrieux (01) 130 A1
Reyssouze (01) 116 C3
Reyvroz (74) 119 E3
Rezay (18) 97 F6
Rezé (44) 74 C5
Rézentières (15) 141 F3
Rezonville (57) 26 A5
Rezza (2A) 204 D4
Rhèges (10) 66 A1
le Rheu (35) 57 E3
Rhinau (67) 71 H2
Rhodes (57) 49 H4
Rhodon (41) 79 H2
Rhuis (60) 21 E5
Ri (61) 38 D4
Ria-Sirach (66) 200 C3
Riaillé (44) 75 E2
le Rialet (81) 171 E6
Rians (18) 98 A2
Rians (83) 192 D1
Riantec (56) 54 C5
Riaucourt (52) 67 H4
Riaville (55) 47 H1
Ribagnac (24) 136 D6
Ribarrouy (64) 166 B6
Ribaute (11) 187 G4
Ribaute-les-Tavernes (30) 173 H1
le Ribay (53) 59 F2
Ribeaucourt (55) 68 B1
Ribeaucourt (80) 7 F4
Ribeauville (02) 9 G4
Ribeauvillé (68) 71 F3
Ribécourt-Dreslincourt (60) 21 F4
Ribécourt-la-Tour (59) 8 D4
Ribemont (02) 22 B1
Ribemont-sur-Ancre (80) 7 H5
Ribennes (48) 155 H2
Ribérac (24) 136 D2
Ribes (07) 157 F3
Ribeyret (05) 159 G3
Ribiers (05) 160 A5
Ribouisse (11) 186 B3
Riboux (83) 192 D3
la Ricamarie (42) 129 F6
Ricarville (76) 16 D4
Ricarville-du-Val (76) 17 H3
Ricaud (11) 186 B2
Ricaud (65) 183 F3
les Riceys (10) 66 D6
la Richardais (35) 36 A5
Richardménil (54) 48 C6
Richarville (91) 63 E1
la Riche (37) 78 D5
Riche (57) 49 F3
Richebourg (52) 67 H5
Richebourg (62) 2 D5
Richebourg (78) 41 G4
Richecourt (55) 48 A3
Richelieu (37) 94 B3
Richeling (57) 49 H2
Richemont (57) 26 B4
Richemont (76) 19 G1
Richerenches (84) 158 C4
Richeval (57) 49 H5
Richeville (27) 19 F6
Richtolsheim (67) 71 G3
Richwiller (68) 89 F1
Ricourt (32) 167 E6
Ricquebourg (60) 21 E3
Riec-sur-Belon (29) 54 A4
Riedisheim (68) 89 F2
Riedseltz (67) 51 F2
Riedwihr (68) 71 G4
Riel-les-Eaux (21) 67 E6
Riencourt (80) 7 E6
Riencourt-lès-Bapaume (62) 8 B4
Riencourt-
-lès-Cagnicourt (62) 8 C3
Riervescemont (90) 88 C2
Riespach (68) 89 F3
Rieucazé (31) 184 B4
Rieucros (09) 186 A4
Rieulay (59) 9 E1
Rieumajou (31) 186 A1
Rieumes (31) 184 D1
Rieupeyroux (12) 154 A5
Rieussec (34) 187 G1
Rieutort-de-Randon (48) 156 A2
Rieux (51) 44 C4
Rieux (56) 73 H1
Rieux (60) 20 D5
Rieux (76) 6 C5
Rieux-de-Pelleport (09) 185 H4
Rieux-en-Cambrésis (59) 9 E3
Rieux-en-Val (11) 187 F4
Rieux-Minervois (11) 187 F3
Rieux-Volvestre (31) 185 E3
Riez (04) 177 E3
Rigarda (66) 200 C3
Rigaud (06) 178 C1
Rignac (12) 154 A4
Rignac (46) 138 D6
Rigney (25) 87 G5
Rignieux-le-Franc (01) 130 C1
Rignosot (25) 87 G5
Rignovelle (70) 88 A2
Rigny (70) 86 D5
Rigny-la-Nonneuse (10) 65 G2
Rigny-la-Salle (55) 47 H6
Rigny-le-Ferron (10) 65 G4
Rigny-Saint-Martin (55) 48 A6
Rigny-sur-Arroux (71) 115 E2
Rigny-Ussé (37) 94 B1
Riguepeu (32) 167 F5
Rilhac-Lastours (87) 124 A4
Rilhac-Rancon (87) 124 B2
Rilhac-Treignac (19) 124 D5
Rilhac-Xaintrie (19) 139 H3
Rillans (25) 87 H5
Rillé (37) 78 B5
Rillieux-la-Pape (69) 130 B2
Rilly-la-Montagne (51) 45 F1
Rilly-Sainte-Syre (10) 66 A2
Rilly-sur-Aisne (08) 24 A4
Rilly-sur-Loire (41) 79 G5
Rilly-sur-Vienne (37) 94 C3
Rimaucourt (52) 68 B3
Rimbach-
-près-Guebwiller (68) 71 E6
Rimbach-
-près-Masevaux (68) 88 D1
Rimbachzell (68) 71 E6
Rimbez-et-Baudiets (40) 167 E1
Rimboval (62) 1 H6
Rimeize (48) 141 G6
Rimling (57) 28 A5
Rimogne (08) 10 D6
Rimon-et-Savel (26) 159 E1
Rimondeix (23) 111 H5
Rimons (33) 150 B1
Rimont (09) 185 E5
Rimou (35) 35 G6
Rimplas (06) 162 C6
Rimsdorf (67) 50 A2
Ringeldorf (67) 50 D3
Ringendorf (67) 50 D3
Rinxent (62) 1 F3
Riocaud (33) 136 C6
Riolas (31) 184 C2
Riols (34) 171 G6
le Riols (81) 153 F6
Riom (63) 127 F2
Riom-ès-Montagnes (15) 140 C2
Rioms (26) 159 F5
Rion-des-Landes (40) 165 F2
Rions (33) 149 G1
Riorges (42) 115 E6
Riotord (43) 143 F2
Rioux (17) 121 E4
Rioux-Martin (16) 136 A2
Rioz (70) 87 F5
Riquewihr (68) 71 F4
Ris (63) 127 H1
Ris (65) 183 G6
Ris-Orangis (91) 42 D6
Riscle (32) 166 C4
Risoul (05) 161 F1
Ristolas (05) 147 G6
Rittershoffen (67) 51 F2
Ritzing (57) 26 D2
Riupeyrous (64) 182 C1
Rivarennes (36) 110 D1
Rivarennes (37) 94 C1
Rivas (42) 129 E5
Rive-de-Gier (42) 129 G5
Rivecourt (60) 21 E5
Rivedoux-Plage (17) 106 C4
Rivehaute (64) 181 G1
Rivel (11) 186 B6
Riventosa (2B) 205 E3
Rivèrenert (09) 185 E5
Riverie (69) 129 G4
Rivery (80) 7 G6
les Rives (34) 172 B3
Rives (38) 145 E1
Rives (47) 151 G1
Rivesaltes (66) 201 F1
la Rivière (33) 135 G4
Rivière (37) 94 B2
la Rivière (38) 145 F2
Rivière (62) 8 A3
la Rivière-de-Corps (10) 66 A3
la Rivière-Drugeon (25) 103 H4
la Rivière-Enverse (74) 119 F5
Rivière-les-Fosses (52) 86 A3
Rivière-Saas-
-et-Gourby (40) 164 D4
la Rivière-
-Saint-Sauveur (14) 16 B6
Rivière-sur-Tarn (12) 155 F6
Rivières (16) 122 D3
Rivières (30) 157 F5
Rivières (81) 170 A3
les Rivières-Henruel (51) 46 A5
Rivières-le-Bois (52) 86 B2
Riville (76) 16 D3
Rivolet (69) 129 G1
Rix (39) 103 G5
Rix (58) 83 F5
Rixheim (68) 89 G2
la Rixouse (39) 118 A2
Rizaucourt-Buchey (52) 67 F3
Roaillan (33) 149 H3
Roaix (84) 158 C5
Roanne (42) 115 E6
Roannes-Saint-Mary (15) 140 A5
Robécourt (88) 68 D4
Robecq (62) 2 C5
Robersart (59) 9 G3
Robert-Espagne (55) 46 D5
Robert-Magny-
-Laneuville-à-Rémy (52) 67 F1
Robertot (76) 17 E3
Roberval (60) 21 E6
Robiac-Rochessadoule (30) 157 E5
la Robine-sur-Galabre (04) 160 C6
Robion (84) 175 G3
le Roc (46) 138 C5
le Roc-Saint-André (56) 56 A5
Rocamadour (46) 138 D6
Rocbaron (83) 193 F3
Rocé (41) 79 G2
Roche (38) 130 C4
Roche (42) 128 C4
la Roche-Bernard (56) 73 G2
la Roche-Blanche (44) 75 F3
la Roche-Blanche (63) 127 F4
la Roche-Canillac (19) 139 F2
la Roche-Chalais (24) 136 A2
Roche-Charles-
-la-Mayrand (63) 127 E6
la Roche-Clermault (37) 94 B2
Roche-d'Agoux (63) 112 D6
la Roche-de-Glun (26) 144 A4
la Roche-de-Rame (05) 147 E6
la Roche-Derrien (22) 32 D2
la Roche-des-Arnauds (05) 160 B2
la Roche-en-Brenil (21) 84 B6
Roche-en-Régnier (43) 142 C2
Roche-et-Raucourt (70) 86 D3
la Roche-Guyon (95) 41 G2
Roche-la-Molière (42) 129 F6
la Roche-l'Abeille (87) 124 B4
Roche-le-Peyroux (19) 126 A6
Roche-lès-Clerval (25) 88 A5
Roche-lez-Beaupré (25) 87 G6
la Roche-Mabile (61) 59 H1
la Roche-Maurice (29) 31 F4
la Roche-Morey (70) 86 D2
la Roche-Noire (63) 127 F4
la Roche-Posay (86) 95 E5
la Roche-Rigault (86) 94 A3
Roche-Saint-
-Secret-Béconne (26) 158 C3
la Roche-sur-Foron (74) 118 D6
la Roche-sur-Grane (26) 158 C1
la Roche-sur-le-Buis (26) 159 E5
Roche-sur-Linotte-et-Sorans-
-les-Cordiers (70) 87 G4
la Roche-sur-Yon (85) 91 G4
la Roche-Vanneau (21) 85 E5
la Roche-Vineuse (71) 116 A3
Rochebaudin (26) 158 C2
la Rochebeaucourt-
-et-Argentine (24) 122 D5
Rochebrune (05) 160 C3
Rochebrune (26) 159 E4
Rochechinard (26) 144 D4
Rochechouart (87) 123 G2
Rochecolombe (07) 157 G3
Rochecorbon (37) 79 E5
Rochefort (17) 120 C1
Rochefort (73) 131 G4
Rochefort-du-Gard (30) 174 D2
Rochefort-en-Terre (56) 56 A6
Rochefort-en-Valdaine (26) 158 B3
Rochefort-en-Yvelines (78) 42 B6
Rochefort-Montagne (63) 126 D4
Rochefort-Samson (26) 144 C4
Rochefort-sur-Brévon (21) 85 F2
Rochefort-sur-la-Côte (52) 68 A4
Rochefort-sur-Loire (49) 76 D5
Rochefort-sur-Nenon (39) 102 D2
la Rochefoucauld (16) 122 D3
Rochefourchat (26) 159 E2
la Rochegiron (04) 176 B1
Rochegude (26) 158 B5
Rochegude (30) 157 F5
Rochejean (25) 103 H5
la Rochelle (17) 106 C4
la Rochelle (70) 86 D2
la Rochelle-Normande (50) 35 G3
Rochemaure (07) 158 A2
la Rochénard (79) 107 G4
Rochepaule (07) 143 G3
la Rochepot (21) 101 F4
Rocher (07) 157 F2
le Rochereau (86) 94 A6
Roches (23) 111 H4
Roches (41) 80 A2
Roches-Bettaincourt (52) 68 A3
les Roches-
-de-Condrieu (38) 130 A6
Roches-lès-Blamont (25) 88 C5
les Roches-l'Évêque (41) 79 F2
Roches-Prémarie-
-Andillé (86) 109 E2
Roches-sur-Marne (52) 46 D6
Rocheservière (85) 91 F2
Rochessauve (07) 158 A1
Rochesson (88) 70 C5
Rochetaillée (52) 85 H1
Rochetaillée-
-sur-Saône (69) 130 A2
Rochetoirin (38) 131 E4
Rochetrejoux (85) 92 B5
la Rochette (04) 178 C2
la Rochette (05) 160 C2
la Rochette (07) 143 E5
la Rochette (16) 122 D2
la Rochette (73) 132 B5
la Rochette (77) 64 A1
la Rochette-du-Buis (26) 159 F5
Rocheville (50) 12 C3
Rochonvillers (57) 26 B3
Rochy-Condé (60) 20 B5
Rocles (03) 113 F3
Rocles (07) 157 F2
Rocles (48) 156 C1
Roclincourt (62) 8 B2
Rocourt (88) 68 D5
Rocourt-Saint-Martin (02) 44 B1
Rocquancourt (14) 14 C5
la Rocque (14) 38 A3
Rocquefort (76) 17 E4
Rocquemont (60) 21 F6
Rocquemont (76) 17 H5
Rocquencourt (60) 20 C2
Rocquencourt (78) 42 B4
Rocques (14) 15 F5
Rocquigny (02) 10 A5
Rocquigny (08) 23 F2
Rocquigny (62) 8 C4
Rocroi (08) 10 D5
Rodalbe (57) 49 F3
Rodelinghem (62) 1 G3
Rodelle (12) 154 C3
Rodemack (57) 26 C2
Roderen (68) 89 E1
Rodern (68) 71 F3
Rodès (66) 200 D2
Rodez (12) 154 C4
Rodilhan (30) 174 B3
Rodome (11) 199 H1
la Roë (53) 58 A6
Roëllecourt (62) 7 G2
Rœschwoog (67) 51 G3
Rœulx (59) 9 E2
Rœux (62) 8 C2
Roézé-sur-Sarthe (72) 78 A1
Roffey (89) 84 A1
Roffiac (15) 141 E4
Rogécourt (02) 22 B2
Rogerville (76) 15 F2
Rogéville (54) 48 B4
Roggenhouse (68) 71 G6
Rogliano (2B) 203 F1
Rogna (39) 117 H3
Rognac (13) 175 G6
Rognaix (73) 132 D4
Rognes (13) 175 H5
Rognon (25) 87 H5
Rognonas (13) 175 E3
Rogny (02) 22 D1
Rogny-les-Sept-Écluses (89) 82 B2
Rogues (30) 172 D3
Rogy (80) 20 B2
Rohaire (28) 40 B5
Rohan (56) 55 G3
Rohr (67) 50 D4
Rohrbach-lès-Bitche (57) 50 B1
Rohrwiller (67) 51 F4
Roiffé (86) 94 A2
Roiffieux (07) 143 H2
Roiglise (80) 21 F2
Roilly (21) 84 C5
Roinville (28) 62 C2
Roinville (91) 63 E1
Roinvilliers (91) 63 F3
Roisel (80) 8 D5
les Roises (55) 68 C1
Roisey (42) 129 H6
Roissard (38) 145 F5
Roissy-en-Brie (77) 43 F4
Roissy-en-France (95) 43 E2
Roiville (61) 39 G3
Roizy (08) 23 F4
Rolampont (52) 68 A6
Rolbing (57) 28 B4
Rollainville (88) 68 D2
Rollancourt (62) 7 F1
Rolleboise (78) 41 G2
Rolleville (76) 15 F1
Rollot (80) 21 E3
Rom (79) 108 D4
Romagnat (63) 127 F3
la Romagne (08) 23 G2
Romagne (33) 135 H6
Romagné (35) 57 H1
la Romagne (49) 92 B2
Romagne (86) 109 E4
Romagne-
-sous-les-Côtes (55) 25 F5
Romagne-
-sous-Montfaucon (55) 24 D5
Romagnieu (38) 131 F5
Romagny (50) 37 G5
Romagny (68) 89 E3
Romagny-
-sous-Rougemont (90) 88 D2
Romain (25) 87 H5
Romain (39) 103 E1
Romain (51) 22 D5
Romain (54) 69 H1
Romain-aux-Bois (88) 68 D5
Romain-sur-Meuse (52) 68 C4
Romainville (93) 42 D4
Roman (27) 40 D4
Romanèche-Thorins (71) 116 B5
Romange (39) 102 D2
Romans (01) 116 C5
Romans (79) 108 A3
Romans-sur-Isère (26) 144 C4
Romanswiller (67) 50 C5
Romazières (17) 108 B6
Romazy (35) 35 G6
Rombach-le-Franc (68) 71 E3
Rombas (57) 26 B4
Rombies-et-Marchipont (59) 9 G2
Rombly (62) 2 B5
Romegoux (17) 120 D1

Romelfing (57) 50 A3
Romenay (71) 116 D2
Romeny-sur-Marne (02) 44 B3
Romeries (59) 9 F3
Romery (02) 9 G6
Romery (51) 45 E2
Romescamps (60) 19 H2
Romestaing (47) 150 B3
Romeyer (26) 145 E6
la Romieu (32) 167 G2
Romigny (51) 44 D1
Romiguières (34) 172 B3
Romillé (35) 56 D2
Romilly (41) 61 G6
Romilly-la-Puthenaye (27) 40 C2
Romilly-sur-Aigre (28) 61 H6
Romilly-sur-Andelle (27) 18 D5
Romilly-sur-Seine (10) 65 G1
Romont (88) 70 A2
Romorantin-Lanthenay (41) 80 C6
Rompon (07) 144 A6
Rônai (61) 38 D4
Roncenay (10) 66 B4
le Roncenay-Authenay (27) 40 D4
Roncey (50) 37 E2
Ronchamp (70) 88 B2
Ronchaux (25) 103 F3
Ronchères (02) 44 C1
Ronchères (89) 82 D3
Roncherolles-en-Bray (76) 19 F3
Roncherolles-sur-le-Vivier (76) 17 H6
Ronchin (59) 3 F5
Ronchois (76) 19 G2
Roncourt (57) 26 B5
Roncq (59) 3 G4
la Ronde (17) 107 F3
la Ronde-Haye (50) 12 D6
Rondefontaine (25) 103 H5
Ronel (81) 170 C3
Ronfeugerai (61) 38 B4
Rongères (03) 114 A4
Ronnet (03) 112 D5
Ronno (69) 129 F1
Ronquerolles (95) 42 C1
Ronsenac (16) 122 C5
Ronssoy (80) 8 D5
Rontalon (69) 129 H4
Rontignon (64) 182 C2
Ronvaux (55) 47 G1
Roost-Warendin (59) 8 D1
Roppe (90) 88 D2
Roppenheim (67) 51 G3
Roppentzwiller (68) 89 F3
Roppeviller (57) 28 C5
la Roque-Alric (84) 158 D6
la Roque-Baignard (14) 15 E5
la Roque-d'Anthéron (13) 175 H4
la Roque-Esclapon (83) 178 A4
la Roque-Gageac (24) 138 A6
la Roque-Sainte-Marguerite (12) 172 B1
la Roque-sur-Cèze (30) 157 H6
la Roque-sur-Pernes (84) 175 G2
Roquebillière (06) 179 E1
Roquebrun (34) 172 A6
Roquebrune (32) 167 F4
Roquebrune (33) 150 B1
Roquebrune-Cap-Martin (06) 195 G2
Roquebrune-sur-Argens (83) 178 A6
la Roquebrussanne (83) 193 E3
Roquecor (82) 151 H4
Roquecourbe (81) 170 D5
Roquecourbe-Minervois (11) 187 G3
Roquedur (30) 173 E2
Roquefère (11) 187 E2
Roquefeuil (11) 199 H1
Roquefixade (09) 186 A6
Roquefort (32) 167 H4
Roquefort (40) 166 B1
Roquefort (47) 151 E6
Roquefort-de-Sault (11) 200 A2
Roquefort-des-Corbières (11) 188 A5
Roquefort-la-Bédoule (13) 192 C4
Roquefort-les-Cascades (09) 186 A5
Roquefort-les-Pins (06) 195 E3
Roquefort-sur-Garonne (31) 184 C3
Roquefort-sur-Soulzon (12) 171 H2
Roquelaure (32) 167 H4
Roquelaure-Saint-Aubin (32) 168 C5
Roquemaure (30) 174 D1
Roquemaure (81) 169 G3
Roquepine (32) 167 G2
Roqueredonde (34) 172 B4
Roques (31) 169 E6
Roques (32) 167 F3
Roquesérière (31) 169 G4
Roquessels (34) 172 B6
Roquesteron (06) 178 C2
Roquestéron-Grasse (06) 178 C2
Roquetaillade (11) 186 D5
Roquetoire (62) 2 B5
la Roquette (27) 19 E6
la Roquette-sur-Siagne (06) 178 C5
la Roquette-sur-Var (06) 195 F2
Roquettes (31) 169 E6
Roquevaire (13) 192 C3
Roquevidal (81) 170 A5
Roquiague (64) 181 G3
la Roquille (33) 136 C6
Rorbach-lès-Dieuze (57) 49 G3
Rorschwihr (68) 71 F3
Rosans (05) 159 F4
Rosay (39) 117 F2
Rosay (76) 17 H4
Rosay (78) 41 G3
Rosay-sur-Lieure (27) 19 E5
Rosazia (2A) 204 C4
Rosbruck (57) 27 F5
Roscanvel (29) 30 D5
Roscoff (29) 31 H2
Rosel (14) 14 B4
Rosenau (68) 89 G3
Rosenwiller (67) 50 C6
Roset-Fluans (25) 103 E2
Rosey (70) 87 F4
Rosey (71) 101 F6
Rosheim (67) 50 C6
la Rosière (70) 70 B6
Rosières (07) 157 F3
Rosières (43) 142 D3
Rosières (60) 43 F1
Rosières (81) 170 C1
Rosières-aux-Salines (54) 48 D6
Rosières-en-Haye (54) 48 B4
Rosières-en-Santerre (80) 21 E1
Rosières-près-Troyes (10) 66 B3
Rosières-sur-Barbèche (25) 88 B6
Rosières-sur-Mance (70) 87 E1
Rosiers-de-Juillac (19) 138 B1
Rosiers-d'Égletons (19) 139 F1
les Rosiers-sur-Loire (49) 77 F5
Rosis (34) 171 H5
Rosnay (36) 95 H6
Rosnay (51) 22 D6
Rosnay (85) 91 H5
Rosnay-l'Hôpital (10) 66 D2
Rosnoën (29) 31 F6
Rosny-sous-Bois (93) 43 E4
Rosny-sur-Seine (78) 41 G2
Rosoy (60) 20 D5
Rosoy (89) 65 E4
Rosoy-en-Multien (60) 43 H2
Rospez (22) 32 D2
Rospigliani (2B) 205 F3
Rosporden (29) 53 H3
Rosselange (57) 26 B4
Rossfeld (67) 71 H2
Rossillon (01) 131 F2
Rosteig (67) 50 B2
Rostrenen (22) 54 D1
Rosult (59) 9 E1
Rosureux (25) 104 C1
Rotalier (39) 117 F1
Rotangy (60) 20 A3
Rothau (67) 71 E1
Rothbach (67) 50 D3
Rotherens (73) 132 B5
la Rothière (10) 67 E3
Rothois (60) 20 A3
Rothonay (39) 117 F2
les Rotours (61) 38 D4
Rots (14) 14 B4
Rott (67) 51 F1
Rottelsheim (67) 51 E4
Rottier (26) 159 F3
Rou-Marson (49) 93 G1
Rouairoux (81) 171 E6
Rouans (44) 74 B5
la Rouaudière (53) 76 A1
Roubaix (59) 3 G4
Roubia (11) 187 H3
Roubion (06) 162 B6
Roucamps (14) 14 A6
Roucourt (59) 8 D2
Roucy (02) 22 D5
Roudouallec (56) 54 A2
Rouécourt (52) 67 H3
Rouède (31) 184 C4
Rouellé (61) 38 A6
Rouelles (52) 85 H2
Rouen (76) 17 G6
Rouessé-Fontaine (72) 60 A3
Rouessé-Vassé (72) 59 G4
Rouet (34) 173 F3
Rouez (72) 59 G4
Rouffach (68) 71 F5
Rouffange (39) 103 E1
Rouffiac (15) 139 G4
Rouffiac (16) 136 B1
Rouffiac (17) 121 F3
Rouffiac (81) 170 B3
Rouffiac-d'Aude (11) 186 D4
Rouffiac-des-Corbières (11) 187 F6
Rouffiac-Tolosan (31) 169 F5
Rouffignac (17) 135 F1
Rouffignac-de-Sigoulès (24) 136 D6
Rouffignac-Saint-Cernin-de-Reilhac (24) 137 H4
Rouffigny (50) 37 E4
Rouffilhac (46) 138 C6
Rouffy (51) 45 F3
Rougé (44) 57 G6
la Rouge (61) 61 E3
Rouge-Perriers (27) 40 C1
Rougefay (62) 7 F2
Rougegoutte (90) 88 C2
Rougemont (21) 84 C3
Rougemont (25) 87 H4
Rougemont-le-Château (90) 88 D2
Rougemontiers (27) 18 A5
Rougemontot (25) 87 G5
Rougeou (41) 80 B6
Rougeries (02) 22 D1
les Rouges-Eaux (88) 70 C3
le Rouget (15) 139 H5
Rougeux (52) 86 C2
Rougiers (83) 193 E3
Rougnac (16) 122 D5
Rougnat (23) 112 C6
Rougon (04) 177 G3
Rouhe (25) 103 F2
Rouhling (57) 27 G5
Rouillac (16) 122 A3
Rouillac (22) 34 B6
Rouillé (86) 108 C2
Rouillon (72) 60 A5
Rouilly (77) 44 B6
Rouilly-Sacey (10) 66 C3
Rouilly-Saint-Loup (10) 66 B3
Roujan (34) 172 C6
Roulans (25) 87 G6
le Roulier (88) 70 B4
Roullée (72) 60 B1
Roullens (11) 186 D4
Roullet-Saint-Estèphe (16) 122 B4
Roullours (14) 37 H3
Roumagne (47) 150 D2
Roumare (76) 17 F5
Roumazières-Loubert (16) 123 E2
Roumégoux (15) 139 H5
Roumégoux (81) 170 C4
Roumengoux (09) 186 B4
Roumens (31) 186 B1
Roumoules (04) 177 E3
Rountzenheim (67) 51 F3
Roupeldange (57) 26 D4
Rouperroux (61) 39 E6
Rouperroux-le-Coquet (72) 60 C3
Roupy (02) 21 H1
la Rouquette (12) 153 G5
Roure (06) 162 C6
le Rouret (06) 178 D4
Rousies (59) 10 A2
Roussac (87) 110 C6
Roussas (26) 158 B3
Roussay (49) 75 G6
Roussayrolles (81) 170 A1
Rousseloy (60) 20 C5
Roussennac (12) 154 A3
Roussent (62) 6 D2
les Rousses (39) 118 B2
Rousses (48) 156 B6
Rousset (05) 160 C3
Rousset (13) 176 B6
le Rousset (71) 115 G1
Rousset-les-Vignes (26) 158 D4
la Roussière (27) 40 A3
Roussieux (26) 159 F4
Roussillon (38) 144 A1
Roussillon (84) 175 H2
Roussillon-en-Morvan (71) 100 C3
Roussines (16) 123 E3
Roussines (36) 110 D2
Rousson (30) 157 E6
Rousson (89) 65 E5
Roussy-le-Village (57) 26 B2
Routelle (25) 103 E2
Routes (76) 17 E3
Routier (11) 186 C4
Routot (27) 18 A5
Rouvenac (11) 186 C6
Rouves (54) 48 C3
la Rouvière (30) 174 A2
Rouvignies (59) 9 F2
Rouville (60) 21 F6
Rouville (76) 15 H1
Rouvillers (60) 21 E4
Rouvray (21) 84 B5
Rouvray (27) 41 E2
Rouvray (89) 83 G1
Rouvray-Catillon (76) 19 F3
Rouvray-Saint-Denis (28) 62 D3
Rouvray-Saint-Florentin (28) 62 B3
Rouvray-Sainte-Croix (45) 62 C5
Rouvrel (80) 20 C1
Rouvres (14) 38 D2
Rouvres (28) 41 F4
Rouvres (77) 43 F2
Rouvres-en-Multien (60) 43 H1
Rouvres-en-Plaine (21) 102 A1
Rouvres-en-Woëvre (55) 25 G6
Rouvres-en-Xaintois (88) 69 F3
Rouvres-la-Chétive (88) 68 D3
Rouvres-les-Bois (36) 96 C3
Rouvres-les-Vignes (10) 67 F3
Rouvres-Saint-Jean (45) 63 F3
Rouvres-sous-Meilly (21) 101 E1
Rouvres-sur-Aube (52) 85 G1
Rouvrois-sur-Meuse (55) 47 G3
Rouvrois-sur-Othain (55) 25 G5
Rouvroy (02) 9 E6
Rouvroy (62) 8 C1
Rouvroy-en-Santerre (80) 21 E1
Rouvroy-les-Merles (60) 20 C2
Rouvroy-Ripont (51) 24 B6
Rouvroy-sur-Audry (08) 23 H1
Rouvroy-sur-Marne (52) 67 H2
Rouvroy-sur-Serre (02) 23 F2
le Roux (07) 157 E1
Rouxeville (50) 37 G1
la Rouxière (44) 75 G3
Rouxmesnil-Bouteilles (76) 17 G2
Rouy (58) 99 G3
Rouy-le-Grand (80) 21 G1
Rouy-le-Petit (80) 21 G1
Rouze (09) 199 H2
Rouzède (16) 123 E3
Rouziers (15) 139 H6
Rouziers-de-Touraine (37) 78 D4
le Rove (13) 192 A3
Roville-aux-Chênes (88) 70 A2
Roville-devant-Bayon (54) 69 G1
Rovon (38) 145 E2
Roy-Boissy (60) 19 H3
Royan (17) 120 C4
Royas (38) 130 C5
Royat (63) 127 E3
Royaucourt (60) 20 D3
Royaucourt-et-Chailvet (02) 22 B3
Royaumeix (54) 48 B4
Roybon (38) 144 D2
Roye (70) 88 A3
Roye (80) 21 F2
Roye-sur-Matz (60) 21 F3
Royer (71) 116 B1
Royère-de-Vassivière (23) 125 F2
Royères (87) 124 C2
Roynac (26) 158 C2
Royon (62) 1 H6
Royville (76) 17 F3
Roz-Landrieux (35) 35 E4
Roz-sur-Couesnon (35) 35 F4
Rozay-en-Brie (77) 43 G5
le Rozel (50) 12 B3
Rozelieures (54) 69 H1
Rozérieulles (57) 26 B5
Rozerotte (88) 69 F3
Rozès (32) 167 G3
Rozet-Saint-Albin (02) 44 B1
le Rozier (48) 155 G6
Rozier-Côtes-d'Aurec (42) 142 D1
Rozier-en-Donzy (42) 129 E3
Rozières-en-Beauce (45) 62 C6
Rozières-sur-Crise (02) 22 A5
Rozières-sur-Mouzon (88) 68 D4
Roziers-Saint-Georges (87) 124 D3
Rozoy-Bellevalle (02) 44 C3
Rozoy-le-Vieil (45) 64 C5
Rozoy-sur-Serre (02) 23 F2
Ruages (58) 83 G6
Ruan (45) 62 D5
Ruan-sur-Egvonne (41) 61 G6
Ruaudin (72) 60 B6
Rubécourt-et-Lamécourt (08) 24 C2
Rubelles (77) 64 A1
Rubempré (80) 7 G5
Rubercy (14) 13 G5
Rubescourt (80) 20 D3
Rubigny (08) 23 F2
Rubrouck (59) 2 B3
Ruca (22) 34 B4
Ruch (33) 136 A6
Rucqueville (14) 14 A4
Rudeau-Ladosse (24) 123 E5
Rudelle (46) 153 F1
Rue (80) 6 C2
la Rue-Saint-Pierre (60) 20 C4
la Rue-Saint-Pierre (76) 17 H5
Ruederbach (68) 89 F3
Rueil-la-Gadelière (28) 40 C5
Rueil-Malmaison (92) 42 C4
Ruelisheim (68) 89 F1
Ruelle-sur-Touvre (16) 122 C3
les Rues-des-Vignes (59) 9 E4
Ruesnes (59) 9 G3
Rueyres (46) 153 F1
Ruffec (16) 108 D6
Ruffec (36) 110 B1
Ruffey-le-Château (25) 87 E6
Ruffey-lès-Beaune (21) 101 G3
Ruffey-lès-Echirey (21) 85 H6
Ruffey-sur-Seille (39) 102 C5
Ruffiac (47) 150 B4
Ruffiac (56) 56 B5
Ruffieu (01) 131 F1
Ruffieux (73) 131 G2
Ruffigné (44) 57 G6
Rugles (27) 40 B4
Rugney (88) 69 G2
Rugny (89) 84 B1
Ruhans (70) 87 G5
Ruillé-en-Champagne (72) 59 H5
Ruillé-Froid-Fonds (53) 58 D6
Ruillé-le-Gravelais (53) 58 B5
Ruillé-sur-Loir (72) 78 D2
Ruisseauville (62) 2 A6
Ruitz (62) 8 A1
Rullac-Saint-Cirq (12) 154 B6
Rully (14) 38 A4
Rully (60) 21 E6
Rully (71) 101 F4
Rumaucourt (62) 8 C3
Rumegies (59) 4 A6
Rumersheim-le-Haut (68) 71 G6
Rumesnil (14) 15 E4
Rumigny (08) 23 G1
Rumigny (80) 20 C1
Rumilly (62) 1 H5
Rumilly (74) 131 H2
Rumilly-en-Cambrésis (59) 8 D4
Rumilly-lès-Vaudes (10) 66 C4
Ruminghem (62) 2 A3
Rumont (55) 47 F4
Rumont (77) 63 H3
Runan (22) 33 E2
Rungis (94) 42 D5
Ruoms (07) 157 G3
Rupéreux (77) 44 B6
Ruppes (88) 68 D1
Rupt (52) 67 H2
Rupt-aux-Nonains (55) 47 E5
Rupt-devant-Saint-Mihiel (55) 47 F3
Rupt-en-Woëvre (55) 47 G2
Rupt-sur-Moselle (88) 70 B6
Rupt-sur-Othain (55) 25 F4
Rupt-sur-Saône (70) 87 E3
Rurange-lès-Thionville (57) 26 C4
Rurey (25) 103 F2
Rusio (2B) 205 F2
Russ (67) 50 B6
Russange (57) 26 A2
le Russey (25) 104 C1
Russy (14) 13 H5
Russy-Bémont (60) 21 G6
Rustenhart (68) 71 G6
Rustiques (11) 187 E3
Rustrel (84) 176 A2
Rustroff (57) 26 D2
Rutali (2B) 203 F5
Ruvigny (10) 66 B3
Ruy (38) 130 D4
Ruyaulcourt (62) 8 C4
Ruynes-en-Margeride (15) 141 F4
Ry (76) 19 E4
Rye (39) 102 C4
Ryes (14) 14 A3

S

Saâcy-sur-Marne (77) 44 A3
Saales (67) 70 D2
Saâne-Saint-Just (76) 17 F3
Saasenheim (67) 71 H3
Sabadel-Latronquière (46) 153 G1
Sabadel-Lauzès (46) 152 D2
Sabaillan (32) 184 B1
Sabalos (65) 183 F2
Sabarat (09) 185 F4
Sabarros (65) 183 H3
Sabazan (32) 166 D4
Sablé-sur-Sarthe (72) 77 F1
les Sables-d'Olonne (85) 91 E6
Sablet (84) 158 C6
Sablières (07) 157 E3
Sablonceaux (17) 120 D3
Sablonnières (77) 44 B4
Sablons (33) 135 H4
Sablons (38) 144 A1
Sabonnères (31) 184 D1
la Sabotterie (08) 24 A3
Sabran (30) 157 H6
Sabres (40) 149 E6
Saccourvielle (31) 197 F1
Sacé (53) 58 D4
Sacey (50) 35 G5
Saché (37) 94 D1
Sachin (62) 2 B6
Sachy (08) 24 D2
Sacierges-Saint-Martin (36) 110 D2
Saclas (91) 63 E2
Saclay (91) 42 C5
Saconin-et-Breuil (02) 21 H5
Sacoué (65) 184 A5
le Sacq (27) 40 D3
Sacquenay (21) 86 B4
Sacquenville (27) 40 D2
Sacy (51) 45 E1
Sacy (89) 83 H3
Sacy-le-Grand (60) 20 D5
Sacy-le-Petit (60) 21 E5
Sadeillan (32) 183 G1
Sadillac (24) 136 D6
Sadirac (33) 135 F6
Sadournin (65) 183 G2
Sadroc (19) 138 D2
Saessolsheim (67) 50 D4
Saffais (54) 48 D6
Saffloz (39) 103 F6
Saffré (44) 74 D2
Saffres (21) 85 E6
Sagelat (24) 137 H6
Sagnat (23) 111 E4
Sagnes-et-Goudoulet (07) 143 E6
Sagonne (18) 98 B5
Sagy (71) 117 E1
Sagy (95) 42 A2
Sahorre (66) 200 B4
Sahune (26) 159 E4
Sahurs (76) 18 B5
Sai (61) 39 E4
Saignes (15) 140 B1
Saignes (46) 139 E6
Saigneville (80) 6 C4
Saignon (84) 176 A3
Saiguède (31) 168 D6
Sail-les-Bains (42) 114 D4
Sail-sous-Couzan (42) 128 C3
Sailhan (65) 196 D1
Saillac (19) 138 D4
Saillac (46) 153 E4
Saillagouse (66) 199 H4
Saillans (26) 158 D1
Saillans (33) 135 G4
Saillant (63) 128 C6
Saillat-sur-Vienne (87) 123 G2
Saillenard (71) 102 C6
Sailly (08) 24 D2
Sailly (52) 68 A2
Sailly (71) 115 H2
Sailly (78) 41 H2
Sailly-Achâtel (57) 48 D3
Sailly-au-Bois (62) 8 A4
Sailly-en-Ostrevent (62) 8 C2
Sailly-Flibeaucourt (80) 6 D3
Sailly-Labourse (62) 2 D6
Sailly-Laurette (80) 8 A6
Sailly-le-Sec (80) 8 A6
Sailly-lez-Cambrai (59) 8 D3
Sailly-lez-Lannoy (59) 3 G5
Sailly-Saillisel (80) 8 C5
Sailly-sur-la-Lys (62) 3 E5
Sain-Bel (69) 129 G3
Saincaize-Meauce (58) 98 D4
Sainghin-en-Mélantois (59) 3 G5
Sainghin-en-Weppes (59) 3 E6
Sainneville (76) 15 F1
Sainpuits (89) 83 E4
Sains (35) 35 F4
Sains-du-Nord (59) 10 A4
Sains-en-Amiénois (80) 20 C1
Sains-en-Gohelle (62) 8 A1
Sains-lès-Fressin (62) 1 H6
Sains-lès-Marquion (62) 8 D3
Sains-lès-Pernes (62) 2 B6
Sains-Morainvillers (60) 20 D3
Sains-Richaumont (02) 22 C1
le Saint (56) 54 B2
Saint-Abit (64) 182 C3
Saint-Abraham (56) 56 A5
Saint-Acheul (80) 7 F3
Saint-Adjutory (16) 123 E3
Saint-Adrien (22) 33 E4
Saint-Affrique (12) 171 G2
Saint-Affrique-les-Montagnes (81) 170 C6
Saint-Agathon (22) 33 E4
Saint-Agil (41) 61 F5
Saint-Agnan (02) 44 C2
Saint-Agnan (58) 84 B6
Saint-Agnan (71) 114 D2
Saint-Agnan (81) 169 H4
Saint-Agnan (89) 64 C3
Saint-Agnan-de-Cernières (27) 39 H3
Saint-Agnan-en-Vercors (26) 145 E5
Saint-Agnan-le-Malherbe (14) 14 A6
Saint-Agnan-sur-Erre (61) 61 E3
Saint-Agnan-sur-Sarthe (61) 39 H6
Saint-Agnant (17) 120 C1
Saint-Agnant-de-Versillat (23) 111 E4
Saint-Agnant-près-Crocq (23) 126 A3
Saint-Agne (24) 137 E5
Saint-Agnet (40) 166 B5
Saint-Agnin-sur-Bion (38) 130 D5
Saint-Agoulin (63) 113 G6
Saint-Agrève (07) 143 F4
Saint-Aignan (08) 24 B2
Saint-Aignan (33) 135 G4
Saint-Aignan (41) 96 A1
Saint-Aignan (56) 55 E1
Saint-Aignan (72) 60 B4
Saint-Aignan (82) 168 C1
Saint-Aignan-de-Couptrain (53) 59 F1
Saint-Aignan-de-Cramesnil (14) 38 D1
Saint-Aignan-des-Gués (45) 81 G1
Saint-Aignan-des-Noyers (18) 98 B5
Saint-Aignan-Grandlieu (44) 74 C6
Saint-Aignan-le-Jaillard (45) 81 G2
Saint-Aignan-sur-Roë (53) 76 A1
Saint-Aignan-sur-Ry (76) 19 E4
Saint-Aigny (36) 110 B1
Saint-Aigulin (17) 136 A2
Saint-Ail (54) 26 A5
Saint-Albain (71) 116 B3
Saint-Alban (01) 117 F6
Saint-Alban (22) 34 A4
Saint-Alban (31) 169 F4
Saint-Alban-Auriolles (07) 157 F4
Saint-Alban-d'Ay (07) 143 H2
Saint-Alban-de-Montbel (73) 131 G5
Saint-Alban-de-Roche (38) 130 D4
Saint-Alban-des-Hurtières (73) 132 C5
Saint-Alban-des-Villards (73) 146 B1
Saint-Alban-du-Rhône (38) 130 A6
Saint-Alban-en-Montagne (07) 156 D1
Saint-Alban-les-Eaux (42) 128 C1
Saint-Alban-Leysse (73) 131 H4
Saint-Alban-sur-Limagnole (48) 141 G6
Saint-Albin-de-Vaulserre (38) 131 G5
Saint-Alexandre (30) 158 A5
Saint-Algis (02) 9 H6
Saint-Allouestre (56) 55 G4
Saint-Alpinien (23) 125 H1
Saint-Alyre-d'Arlanc (63) 142 A1
Saint-Alyre-ès-Montagne (63) 141 E1
Saint-Amadou (09) 185 H4
Saint-Amancet (81) 186 C1
Saint-Amand (23) 125 H1
Saint-Amand (50) 37 G1
Saint-Amand (62) 7 H3
Saint-Amand-de-Belvès (24) 137 H6
Saint-Amand-de-Coly (24) 138 B4
Saint-Amand-de-Vergt (24) 137 F4
Saint-Amand-des-Hautes-Terres (27) 18 B6
Saint-Amand-en-Puisaye (58) 82 C4
Saint-Amand-Jartoudeix (23) 124 D2
Saint-Amand-le-Petit (87) 125 E3
Saint-Amand-les-Eaux (59) 9 F1
Saint-Amand-Longpré (41) 79 F3
Saint-Amand-Magnazeix (87) 110 D5
Saint-Amand-Montrond (18) 97 H6
Saint-Amand-sur-Fion (51) 46 B4
Saint-Amand-sur-Ornain (55) 47 F6
Saint-Amand-sur-Sèvre (79) 92 C4
Saint-Amandin (15) 140 C1
Saint-Amans (09) 185 G4
Saint-Amans (11) 186 B3
Saint-Amans (48) 156 A2
Saint-Amans-de-Pellagal (82) 152 A5
Saint-Amans-des-Cots (12) 154 C1
Saint-Amans-du-Pech (82) 151 G4
Saint-Amans-Soult (81) 187 F1
Saint-Amans-Valtoret (81) 187 F1
Saint-Amant (16) 122 B6
Saint-Amant-de-Boixe (16) 122 B2
Saint-Amant-de-Bonnieure (16) 122 C2

Saint-Amant-de-Nouère (16) 122 B3
Saint-Amant-Roche-Savine (63) 128 A5
Saint-Amant-Tallende (63) 127 F4
Saint-Amarin (68) 70 D6
Saint-Ambreuil (71) 101 G6
Saint-Ambroix (18) 97 F4
Saint-Ambroix (30) 157 F5
Saint-Amé (88) 70 B5
Saint-Amour (39) 117 E2
Saint-Amour-Bellevue (71) 116 B4
Saint-Andelain (58) 82 C6
Saint-Andéol (26) 144 D6
Saint-Andéol (38) 145 F4
Saint-Andéol-de-Berg (07) 157 H3
Saint-Andéol-de-Clerguemort (48) 156 D5
Saint-Andéol-de-Fourchades (07) 143 F5
Saint-Andéol-de-Vals (07) 157 G1
Saint-Andéol-le-Château (69) 129 H5
Saint-Andeux (21) 84 B5
Saint-Andiol (13) 175 E3
Saint-André (31) 184 C2
Saint-André (32) 168 B6
Saint-André (66) 201 F3
Saint-André (73) 147 E2
Saint-André (81) 171 E2
Saint-André-Capcèze (48) 156 D4
Saint-André-d'Allas (24) 138 A5
Saint-André-d'Apchon (42) 114 D6
Saint-André-de-Bâgé (01) 116 C4
Saint-André-de-Boëge (74) 118 D4
Saint-André-de-Bohon (50) 13 E5
Saint-André-de-Briouze (61) 38 C4
Saint-André-de-Buèges (34) 173 E3
Saint-André-de-Chalencon (43) 142 C2
Saint-André-de-Corcy (01) 130 B1
Saint-André-de-Cruzières (07) 157 F5
Saint-André-de-Cubzac (33) 135 F4
Saint-André-de-Double (24) 136 C3
Saint-André-de-la-Marche (49) 75 G6
Saint-André-de-la-Roche (06) 195 F2
Saint-André-de-Lancize (48) 156 C5
Saint-André-de-l'Épine (50) 13 F6
Saint-André-de-l'Eure (27) 41 E3
Saint-André-de-Lidon (17) 120 D4
Saint-André-de-Majencoules (30) 173 E2
Saint-André-de-Messei (61) 38 B5
Saint-André-de-Najac (12) 153 G6
Saint-André-de-Roquelongue (11) 187 H4
Saint-André-de-Roquepertuis (30) 157 G5
Saint-André-de-Rosans (05) 159 F4
Saint-André-de-Sangonis (34) 172 D5
Saint-André-de-Seignanx (40) 164 C5
Saint-André-de-Valborgne (30) 156 B6
Saint-André-de-Vézines (12) 155 G6
Saint-André-d'Embrun (05) 161 E2
Saint-André-des-Eaux (22) 34 D6
Saint-André-des-Eaux (44) 73 G4
Saint-André-d'Hébertot (14) 15 F3
Saint-André-d'Huiriat (01) 116 C5
Saint-André-d'Olérargues (30) 157 H6
Saint-André-du-Bois (33) 149 H2
Saint-André-en-Barrois (55) 47 E2
Saint-André-en-Bresse (71) 102 A6
Saint-André-en-Morvan (58) 83 H5
Saint-André-en-Royans (38) 144 D3
Saint-André-en-Terre-Plaine (89) 84 B5
Saint-André-en-Vivarais (07) 143 F3
Saint-André-et-Appelles (33) 136 C6
Saint-André-Farivillers (60) 20 C3
Saint-André-Goule-d'Oie (85) 92 A4
Saint-André-la-Côte (69) 129 G4
Saint-André-Lachamp (07) 157 E3
Saint-André-le-Bouchoux (01) 116 D5
Saint-André-le-Coq (63) 127 G1
Saint-André-le-Désert (71) 115 H2
Saint-André-le-Gaz (38) 131 F5
Saint-André-le-Puy (42) 129 E4
Saint-André-les-Alpes (04) 177 H2
Saint-André-les-Vergers (10) 66 B3
Saint-André-lez-Lille (59) 3 F5
Saint-André-sur-Cailly (76) 17 H5
Saint-André-sur-Orne (14) 14 B5
Saint-André-sur-Sèvre (79) 92 D5
Saint-André-sur-Vieux-Jonc (01) 116 D5
Saint-André-Treize-Voies (85) 91 G2
Saint-Androny (33) 135 E2
Saint-Ange-et-Torçay (28) 41 E6
Saint-Ange-le-Viel (77) 64 B3
Saint-Angeau (16) 122 C2
Saint-Angel (03) 112 D3
Saint-Angel (19) 125 H5
Saint-Angel (63) 127 E1
Saint-Anthème (63) 128 C5
Saint-Anthot (21) 85 E6
Saint-Antoine (15) 154 A1
Saint-Antoine (25) 104 A5
Saint-Antoine (32) 168 B1
Saint-Antoine (33) 135 F4
Saint-Antoine-Cumond (24) 136 C2
Saint-Antoine-d'Auberoche (24) 137 G3
Saint-Antoine-de-Breuilh (24) 136 B5
Saint-Antoine-de-Ficalba (47) 151 F4
Saint-Antoine-du-Queyret (33) 136 A6
Saint-Antoine-du-Rocher (37) 78 D4
Saint-Antoine-la-Forêt (76) 15 G1
Saint-Antoine-l'Abbaye (38) 144 D2
Saint-Antoine-sur-l'Isle (33) 136 B4
Saint-Antonin (06) 178 C2
Saint-Antonin (32) 168 B4
Saint-Antonin-de-Lacalm (81) 170 D4
Saint-Antonin-de-Sommaire (27) 40 A4
Saint-Antonin-du-Var (83) 193 G1
Saint-Antonin-Noble-Val (82) 153 E6
Saint-Antonin-sur-Bayon (13) 176 B6
Saint-Aoustrille (36) 96 D4
Saint-Août (36) 97 E6
Saint-Apollinaire (05) 160 D2
Saint-Apollinaire (21) 85 H6
Saint-Apollinaire-de-Rias (07) 143 G5
Saint-Appolinaire (69) 129 F1
Saint-Appolinard (38) 144 D2
Saint-Appolinard (42) 143 H1
Saint-Aquilin (24) 136 D2
Saint-Aquilin-de-Corbion (61) 39 H6
Saint-Aquilin-de-Pacy (27) 41 F2
Saint-Araille (31) 184 D2
Saint-Arailles (32) 167 F5
Saint-Arcons-d'Allier (43) 142 A4
Saint-Arcons-de-Barges (43) 142 C6
Saint-Arey (38) 145 G5
Saint-Armel (35) 57 F4
Saint-Armel (56) 72 D1
Saint-Armou (64) 182 C1
Saint-Arnac (66) 200 C1
Saint-Arnoult (14) 15 E3
Saint-Arnoult (41) 79 F3
Saint-Arnoult (60) 19 H2
Saint-Arnoult (76) 17 E5
Saint-Arnoult-des-Bois (28) 61 H1
Saint-Arnoult-en-Yvelines (78) 42 A6
Saint-Arroman (32) 183 H1
Saint-Arroman (65) 183 G4
Saint-Arroumex (82) 168 C2
Saint-Astier (24) 137 E3
Saint-Astier (47) 136 C6
Saint-Auban (06) 178 B3
Saint-Auban-d'Oze (05) 160 A3
Saint-Auban-sur-l'Ouvèze (26) 159 F5
Saint-Aubert (59) 9 F3
Saint-Aubert-sur-Orne (61) 38 C4
Saint-Aubin (02) 21 H4
Saint-Aubin (10) 65 F1
Saint-Aubin (21) 101 F4
Saint-Aubin (36) 97 E5
Saint-Aubin (39) 102 B3
Saint-Aubin (40) 165 G4
Saint-Aubin (47) 151 G3
Saint-Aubin (59) 10 A3
Saint-Aubin (62) 6 C1
Saint-Aubin (91) 42 B5
Saint-Aubin-Celloville (76) 18 D5
Saint-Aubin-Château-Neuf (89) 83 E2
Saint-Aubin-d'Appenai (61) 60 C1
Saint-Aubin-d'Arquenay (14) 14 C4
Saint-Aubin-d'Aubigné (35) 57 F1
Saint-Aubin-de-Blaye (33) 135 F1
Saint-Aubin-de-Bonneval (61) 39 G3
Saint-Aubin-de-Branne (33) 135 H6
Saint-Aubin-de-Cadelech (24) 151 E1
Saint-Aubin-de-Courteraie (61) 39 H6
Saint-Aubin-de-Crétot (76) 18 A3
Saint-Aubin-de-Lanquais (24) 137 E6
Saint-Aubin-de-Locquenay (72) 59 H3
Saint-Aubin-de-Luigné (49) 76 D6
Saint-Aubin-de-Médoc (33) 134 D4
Saint-Aubin-de-Nabirat (24) 152 B1
Saint-Aubin-de-Scellon (27) 15 G5
Saint-Aubin-de-Terregatte (50) 35 H4
Saint-Aubin-d'Écrosville (27) 40 C1
Saint-Aubin-des-Bois (14) 37 F3
Saint-Aubin-des-Bois (28) 62 A1
Saint-Aubin-des-Châteaux (44) 57 G6
Saint-Aubin-des-Chaumes (58) 83 H5
Saint-Aubin-des-Coudrais (72) 60 D4
Saint-Aubin-des-Grois (61) 60 D2
Saint-Aubin-des-Hayes (27) 40 B2
Saint-Aubin-des-Landes (35) 57 H3
Saint-Aubin-des-Ormeaux (85) 92 B3
Saint-Aubin-des-Préaux (50) 35 G2
Saint-Aubin-du-Cormier (35) 57 G1
Saint-Aubin-du-Désert (53) 59 G3
Saint-Aubin-du-Pavail (35) 57 G3
Saint-Aubin-du-Perron (50) 12 D6
Saint-Aubin-du-Plain (79) 93 E4
Saint-Aubin-du-Thenney (27) 15 G6
Saint-Aubin-en-Bray (60) 19 H4
Saint-Aubin-en-Charollais (71) 115 F2
Saint-Aubin-Épinay (76) 17 H6
Saint-Aubin-Fosse-Louvain (53) 58 C1
Saint-Aubin-la-Plaine (85) 106 D1
Saint-Aubin-le-Cauf (76) 17 H2
Saint-Aubin-le-Cloud (79) 93 F6
Saint-Aubin-le-Dépeint (37) 78 C3
Saint-Aubin-le-Guichard (27) 40 B2
Saint-Aubin-le-Monial (03) 113 F2
Saint-Aubin-le-Vertueux (27) 15 H6
Saint-Aubin-lès-Elbeuf (76) 18 C5
Saint-Aubin-les-Forges (58) 99 E2
Saint-Aubin-Montenoy (80) 7 E6
Saint-Aubin-Rivière (80) 6 D6
Saint-Aubin-Routot (76) 15 G2
Saint-Aubin-sous-Erquery (60) 20 D4
Saint-Aubin-sur-Aire (55) 47 G5
Saint-Aubin-sur-Gaillon (27) 41 E1
Saint-Aubin-sur-Loire (71) 114 C1
Saint-Aubin-sur-Mer (14) 14 B3
Saint-Aubin-sur-Mer (76) 17 F2
Saint-Aubin-sur-Quillebeuf (27) 15 H2
Saint-Aubin-sur-Scie (76) 17 G2
Saint-Aubin-sur-Yonne (89) 65 E6
Saint-Augustin (17) 120 B3
Saint-Augustin (19) 125 E6
Saint-Augustin (77) 43 H4
Saint-Augustin-des-Bois (49) 75 H3
Saint-Aulaire (19) 138 B2
Saint-Aulais-la-Chapelle (16) 122 A6
Saint-Aulaye (24) 136 B2
Saint-Aunès (34) 173 G5
Saint-Aunix-Lengros (32) 166 D5
Saint-Aupre (38) 131 F6
Saint-Austremoine (43) 141 G3
Saint-Auvent (87) 123 G2
Saint-Avaugourd-des-Landes (85) 91 F6
Saint-Avé (56) 55 G6
Saint-Aventin (31) 197 F1
Saint-Avertin (37) 79 E6
Saint-Avit (16) 136 B2
Saint-Avit (26) 144 B2
Saint-Avit (40) 166 A2
Saint-Avit (41) 61 F5
Saint-Avit (47) 150 C2
Saint-Avit (63) 126 B2
Saint-Avit (81) 170 B6
Saint-Avit-de-Soulège (33) 136 B6
Saint-Avit-de-Tardes (23) 125 H2
Saint-Avit-de-Vialard (24) 137 G5
Saint-Avit-Frandat (32) 168 A2
Saint-Avit-le-Pauvre (23) 125 G1
Saint-Avit-les-Guespières (28) 61 H3
Saint-Avit-Rivière (24) 137 G6
Saint-Avit-Saint-Nazaire (33) 136 C5
Saint-Avit-Sénieur (24) 137 F6
Saint-Avold (57) 49 F1
Saint-Avre (73) 132 C6
Saint-Ay (45) 80 C1
Saint-Aybert (59) 9 G1
Saint-Babel (63) 127 G5
Saint-Baldoph (73) 131 H5
Saint-Bandry (02) 21 H5
Saint-Baraing (39) 102 C3
Saint-Barbant (87) 109 H5
Saint-Bard (23) 126 A2
Saint-Bardoux (26) 144 B3
Saint-Barnabé (22) 55 G2
Saint-Barthélemy (38) 144 C1
Saint-Barthélemy (40) 164 C5
Saint-Barthélemy (50) 37 G5
Saint-Barthélemy (56) 55 E4
Saint-Barthélemy (70) 88 B2
Saint-Barthélemy (77) 44 B4
Saint-Barthélemy-d'Agenais (47) 150 D3
Saint-Barthélemy-d'Anjou (49) 77 E4
Saint-Barthélemy-de-Bellegarde (24) 136 C3
Saint-Barthélemy-de-Bussière (24) 123 F4
Saint-Barthélemy-de-Séchilienne (38) 145 H3
Saint-Barthélemy-de-Vals (26) 144 A3
Saint-Barthélemy-Grozon (07) 143 H4
Saint-Barthélemy-le-Meil (07) 143 G5
Saint-Barthélemy-le-Plain (07) 144 A4
Saint-Barthélemy-Lestra (42) 129 F3
Saint-Basile (07) 143 G4
Saint-Baslemont (88) 69 F4
Saint-Baudel (18) 97 F5
Saint-Baudelle (53) 58 D3
Saint-Baudille-de-la-Tour (38) 130 D3
Saint-Baudille-et-Pipet (38) 145 G6
Saint-Bauld (37) 95 F2
Saint-Baussant (54) 48 A3
Saint-Bauzeil (09) 185 G4
Saint-Bauzély (30) 173 H2
Saint-Bauzile (07) 158 A1
Saint-Bauzile (48) 156 A3
Saint-Bauzille-de-la-Sylve (34) 172 D5
Saint-Bauzille-de-Montmel (34) 173 G4
Saint-Bauzille-de-Putois (34) 173 E3
Saint-Bazile (87) 123 G3
Saint-Bazile-de-la-Roche (19) 139 F3
Saint-Bazile-de-Meyssac (19) 139 E4
Saint-Béat (31) 184 A6
Saint-Beaulize (12) 172 A3
Saint-Beauzeil (82) 151 H4
Saint-Beauzély (12) 155 E6
Saint-Beauzile (81) 169 H2
Saint-Beauzire (43) 141 G2
Saint-Beauzire (63) 127 F2
Saint-Bénézet (30) 173 H2
Saint-Bénigne (01) 116 C3
Saint-Benin (59) 9 F4
Saint-Benin-d'Azy (58) 99 F3
Saint-Benin-des-Bois (58) 99 F2
Saint-Benoist-sur-Mer (85) 106 B2
Saint-Benoist-sur-Vanne (10) 65 G4
Saint-Benoît (01) 131 F3
Saint-Benoît (04) 178 B2
Saint-Benoît (11) 186 C5
Saint-Benoît (86) 109 E1
Saint-Benoît-de-Carmaux (81) 170 C1
Saint-Benoît-des-Ombres (27) 15 H4
Saint-Benoît-des-Ondes (35) 35 E4
Saint-Benoît-d'Hébertot (14) 15 F3
Saint-Benoît-du-Sault (36) 110 D3
Saint-Benoit-en-Diois (26) 159 E1
Saint-Benoît-la-Chipotte (88) 70 B2
Saint-Benoît-la-Forêt (37) 94 B1
Saint-Benoît-sur-Loire (45) 81 F2
Saint-Benoît-sur-Seine (10) 66 A2
Saint-Bérain (43) 142 A4
Saint-Berain-sous-Sanvignes (71) 100 D6
Saint-Bérain-sur-Dheune (71) 101 F5
Saint-Bernard (01) 129 H1
Saint-Bernard (21) 101 H2
Saint-Bernard (38) 145 H1
Saint-Bernard (68) 89 E2
Saint-Béron (73) 131 G5
Saint-Berthevin (53) 58 C5
Saint-Berthevin-la-Tannière (53) 58 B2
Saint-Bertrand-de-Comminges (31) 184 A5
Saint-Biez-en-Belin (72) 78 B1
Saint-Bihy (22) 33 F5
Saint-Blaise (06) 195 F2
Saint-Blaise (74) 118 B6
Saint-Blaise-du-Buis (38) 131 F6
Saint-Blaise-la-Roche (67) 71 E1
Saint-Blancard (32) 184 A2
Saint-Blimont (80) 6 C4
Saint-Blin (52) 68 B3
Saint-Boès (64) 165 F5
Saint-Bohaire (41) 79 H3
Saint-Boil (71) 101 F6
Saint-Boingt (54) 69 H1
Saint-Bois (01) 131 F3
Saint-Bomer (28) 61 E4
Saint-Bômer-les-Forges (61) 38 A5
Saint-Bon (51) 44 C5
Saint-Bon-Tarentaise (73) 133 E5
Saint-Bonnet (16) 122 A5
Saint-Bonnet-Avalouze (19) 139 E2
Saint-Bonnet-Briance (87) 124 C3
Saint-Bonnet-de-Bellac (87) 110 A5
Saint-Bonnet-de-Chavagne (38) 144 D3
Saint-Bonnet-de-Chirac (48) 155 G3
Saint-Bonnet-de-Condat (15) 140 D2
Saint-Bonnet-de-Cray (71) 115 E5
Saint-Bonnet-de-Four (03) 113 F4
Saint-Bonnet-de-Joux (71) 115 G2
Saint-Bonnet-de-Montauroux (48) 142 B6
Saint-Bonnet-de-Mure (69) 130 B4
Saint-Bonnet-de-Rochefort (03) 113 G5
Saint-Bonnet-de-Salendrinque (30) 173 F1
Saint-Bonnet-de-Salers (15) 140 B3
Saint-Bonnet-de-Valclérieux (26) 144 C2
Saint-Bonnet-de-Vieille-Vigne (71) 115 F2
Saint-Bonnet-des-Bruyères (69) 115 H4
Saint-Bonnet-des-Quarts (42) 114 D5
Saint-Bonnet-du-Gard (30) 174 C2
Saint-Bonnet-Elvert (19) 139 F3
Saint-Bonnet-en-Bresse (71) 102 A4
Saint-Bonnet-en-Champsaur (05) 160 B1
Saint-Bonnet-la-Rivière (19) 138 B1
Saint-Bonnet-le-Bourg (63) 128 A6
Saint-Bonnet-le-Chastel (63) 128 A6
Saint-Bonnet-le-Château (42) 128 D6
Saint-Bonnet-le-Courreau (42) 128 C4
Saint-Bonnet-le-Froid (43) 143 F3
Saint-Bonnet-le-Troncy (69) 115 G6
Saint-Bonnet-l'Enfantier (19) 138 C1
Saint-Bonnet-lès-Allier (63) 127 G3
Saint-Bonnet-les-Oules (42) 129 F5
Saint-Bonnet-les-Tours-de-Merle (19) 139 G4
Saint-Bonnet-près-Bort (19) 126 A5
Saint-Bonnet-près-Orcival (63) 126 D4
Saint-Bonnet-près-Riom (63) 127 F2
Saint-Bonnet-sur-Gironde (17) 121 E6
Saint-Bonnet-Tronçais (03) 112 D1
Saint-Bonnot (58) 99 E1
Saint-Bouize (18) 98 C1
Saint-Brancher (89) 84 A5
Saint-Branchs (37) 95 E1
Saint-Brandan (22) 33 F5
Saint-Brès (30) 157 F5
Saint-Brès (32) 168 A4
Saint-Brès (34) 173 G5
Saint-Bresson (30) 173 E2
Saint-Bresson (70) 88 A1
Saint-Bressou (46) 153 G1
Saint-Brevin-les-Pins (44) 73 H4
Saint-Briac-sur-Mer (35) 34 C4
Saint-Brice (16) 121 G3
Saint-Brice (33) 150 A1
Saint-Brice (50) 35 H3
Saint-Brice (53) 77 E1
Saint-Brice (61) 38 A6
Saint-Brice (77) 65 E1
Saint-Brice-Courcelles (51) 23 E6
Saint-Brice-de-Landelles (50) 37 F6
Saint-Brice-en-Coglès (35) 35 H6
Saint-Brice-sous-Forêt (95) 42 D2
Saint-Brice-sous-Rânes (61) 38 D5
Saint-Brice-sur-Vienne (87) 123 H2
Saint-Brieuc (22) 33 G4
Saint-Brieuc-de-Mauron (56) 56 B3
Saint-Brieuc-des-Iffs (35) 57 E1
Saint-Bris-des-Bois (17) 121 F3
Saint-Bris-le-Vineux (89) 83 G2
Saint-Brisson (58) 100 B1
Saint-Brisson-sur-Loire (45) 82 A3
Saint-Broing (70) 86 D5
Saint-Broing-les-Moines (21) 85 F3
Saint-Broingt-le-Bois (52) 86 B2
Saint-Broingt-les-Fosses (52) 86 A2
Saint-Broladre (35) 35 F4
Saint-Bueil (38) 131 G5
Saint-Calais (72) 61 E6
Saint-Calais-du-Désert (53) 59 G1
Saint-Calez-en-Saosnois (72) 60 B3
Saint-Cannat (13) 175 H5
Saint-Caprais (03) 112 D2
Saint-Caprais (18) 97 G4
Saint-Caprais (32) 168 A5
Saint-Caprais (46) 152 B2
Saint-Caprais-de-Blaye (33) 135 F1
Saint-Caprais-de-Bordeaux (33) 135 F6
Saint-Caprais-de-Lerm (47) 151 F5
Saint-Capraise-de-Lalinde (24) 137 E5
Saint-Capraise-d'Eymet (24) 151 E1
Saint-Caradec (22) 55 F1
Saint-Caradec-Trégomel (56) 54 C3
Saint-Carné (22) 34 D5
Saint-Carreuc (22) 33 G5
Saint-Cassien (24) 151 G1
Saint-Cassien (38) 145 F1
Saint-Cassin (73) 131 H5
Saint-Cast-le-Guildo (22) 34 B3
Saint-Castin (64) 182 C1
Saint-Célerin (72) 60 C4
Saint-Céneré (53) 58 D4
Saint-Céneri-le-Gérei (61) 59 H2
Saint-Céols (18) 98 A1
Saint-Céré (46) 139 F5
Saint-Cergues (74) 118 D4
Saint-Cernin (15) 140 A4
Saint-Cernin (46) 152 D2
Saint-Cernin-de-Labarde (24) 137 E6
Saint-Cernin-de-Larche (19) 138 C3
Saint-Cernin-de-l'Herm (24) 152 A2
Saint-Césaire (17) 121 F3
Saint-Césaire-de-Gauzignan (30) 173 H1
Saint-Cézaire-sur-Siagne (06) 178 B4
Saint-Cézert (31) 168 D4
Saint-Chabrais (23) 112 A5
Saint-Chaffrey (05) 147 E4
Saint-Chamant (15) 140 A3
Saint-Chamant (19) 139 F3
Saint-Chamarand (46) 152 C1
Saint-Chamas (13) 191 G3
Saint-Chamassy (24) 137 G5
Saint-Chamond (42) 129 G6
Saint-Champ (01) 131 G3
Saint-Chaptes (30) 174 A2
Saint-Charles-de-Percy (14) 37 H3
Saint-Charles-la-Forêt (53) 59 E6
Saint-Chartier (36) 111 G1
Saint-Chef (38) 130 D4
Saint-Chels (46) 153 F3
Saint-Chély-d'Apcher (48) 141 G6
Saint-Chély-d'Aubrac (12) 155 E2
Saint-Chéron (51) 46 A6
Saint-Chéron (91) 63 E1
Saint-Chinian (34) 188 A1
Saint-Christ-Briost (80) 8 C6
Saint-Christaud (31) 184 D3
Saint-Christaud (32) 167 F6
Saint-Christo-en-Jarez (42) 129 G5
Saint-Christol (07) 143 F5
Saint-Christol (34) 173 H4
Saint-Christol (84) 176 A1
Saint-Christol-de-Rodières (30) 157 H5
Saint-Christol-lès-Alès (30) 173 H1
Saint-Christoly-de-Blaye (33) 135 F3
Saint-Christoly-Médoc (33) 120 D6
Saint-Christophe (03) 114 B5
Saint-Christophe (16) 123 G1
Saint-Christophe (17) 107 E5
Saint-Christophe (23) 111 G6
Saint-Christophe (28) 62 A5
Saint-Christophe (69) 115 H4
Saint-Christophe (73) 131 G6
Saint-Christophe (81) 153 G6
Saint-Christophe (86) 94 C4
Saint-Christophe-à-Berry (02) 21 H4
Saint-Christophe-d'Allier (43) 142 B5
Saint-Christophe-de-Chaulieu (61) 37 H4
Saint-Christophe-de-Double (33) 136 A3
Saint-Christophe-de-Valains (35) 35 G6
Saint-Christophe-des-Bardes (33) 135 H5
Saint-Christophe-des-Bois (35) 57 H2
Saint-Christophe-Dodinicourt (10) 66 D2
Saint-Christophe-du-Bois (49) 92 B2
Saint-Christophe-du-Foc (50) 12 B2
Saint-Christophe-du-Jambet (72) 59 H3
Saint-Christophe-du-Ligneron (85) 91 E3
Saint-Christophe-du-Luat (53) 59 E4
Saint-Christophe-en-Bazelle (36) 96 C2
Saint-Christophe-en-Boucherie (36) 97 F6
Saint-Christophe-en-Bresse (71) 101 H5
Saint-Christophe-en-Brionnais (71) 115 F4
Saint-Christophe-en-Champagne (72) 59 G6
Saint-Christophe-en-Oisans (38) 146 B4
Saint-Christophe-et-le-Laris (26) 144 C2
Saint-Christophe-la-Couperie (49) 75 F5
Saint-Christophe-le-Chaudry (18) 112 B1
Saint-Christophe-le-Jajolet (61) 39 E5
Saint-Christophe-sur-Avre (27) 40 B5
Saint-Christophe-sur-Condé (27) 15 H4
Saint-Christophe-sur-Dolaison (43) 142 C4
Saint-Christophe-sur-Guiers (38) 131 G6
Saint-Christophe-sur-le-Nais (37) 78 C3
Saint-Christophe-sur-Roc (79) 108 A2
Saint-Christophe-Vallon (12) 154 B3
Saint-Cibard (33) 136 A4
Saint-Cierge-la-Serre (07) 143 H6
Saint-Cierge-sous-le-Cheylard (07) 143 G5
Saint-Ciergues (52) 86 A1
Saint-Ciers-Champagne (17) 121 G5
Saint-Ciers-d'Abzac (33) 135 G3
Saint-Ciers-de-Canesse (33) 135 E3
Saint-Ciers-du-Taillon (17) 121 E6
Saint-Ciers-sur-Bonnieure (16) 122 C2
Saint-Ciers-sur-Gironde (33) 135 E1
Saint-Cirgue (81) 170 D2
Saint-Cirgues (43) 141 H3
Saint-Cirgues (46) 153 H1
Saint-Cirgues-de-Jordanne (15) 140 B4
Saint-Cirgues-de-Malbert (15) 140 A4
Saint-Cirgues-de-Prades (07) 157 F2

Saint-Cirgues-en-Montagne (07) 142 D6
Saint-Cirgues-la-Loutre (19) 139 G3
Saint-Cirgues-sur-Couze (63) 127 F5
Saint-Cirice (82) 168 B1
Saint-Cirq (24) 137 G5
Saint-Cirq (82) 152 D6
Saint-Cirq-Lapopie (46) 153 E3
Saint-Cirq-Madelon (46) 138 B6
Saint-Cirq-Souillaguet (46) 152 C1
Saint-Civran (36) 110 D2
Saint-Clair (07) 143 H2
Saint-Clair (46) 152 C1
Saint-Clair (82) 151 H6
Saint-Clair (86) 94 A4
Saint-Clair-d'Arcey (27) 40 A2
Saint-Clair-de-Halouze (61) 38 A5
Saint-Clair-de-la-Tour (38) 131 E4
Saint-Clair-du-Rhône (38) 130 A6
Saint-Clair-sur-Epte (95) 19 G6
Saint-Clair-sur-Galaure (38) 144 C2
Saint-Clair-sur-l'Elle (50) 13 F6
Saint-Clair-sur-les-Monts (76) 17 E4
Saint-Clar (32) 168 A3
Saint-Clar-de-Rivière (31) 185 E1
Saint-Claud (16) 123 E2
Saint-Claude (39) 118 A3
Saint-Claude-de-Diray (41) 80 A3
Saint-Clément (02) 23 E1
Saint-Clément (03) 114 C6
Saint-Clément (07) 143 E5
Saint-Clément (15) 140 C4
Saint-Clément (19) 138 D1
Saint-Clément (30) 173 G3
Saint-Clément (54) 49 F6
Saint-Clément (89) 65 E4
Saint-Clément-à-Arnes (08) 23 H5
Saint-Clément-de-la-Place (49) 76 C4
Saint-Clément-de-Régnat (63) 127 G1
Saint-Clément-de-Rivière (34) 173 F5
Saint-Clément-de-Valorgue (63) 128 C5
Saint-Clément-de-Vers (69) 115 G5
Saint-Clément-des-Baleines (17) 106 A4
Saint-Clément-des-Levées (49) 77 G6
Saint-Clément-les-Places (69) 129 F3
Saint-Clément-Rancoudray (50) 37 H5
Saint-Clément-sur-Durance (05) 161 E1
Saint-Clément-sur-Guye (71) 115 H1
Saint-Clément-sur-Valsonne (69) 129 F2
Saint-Clémentin (79) 93 E3
Saint-Clet (22) 33 E3
Saint-Cloud (92) 42 C4
Saint-Cloud-en-Dunois (28) 62 A5
Saint-Colomb-de-Lauzun (47) 151 E2
Saint-Colomban (44) 91 F1
Saint-Colomban-des-Villards (73) 146 B1
Saint-Côme (33) 149 H3
Saint-Côme-de-Fresné (14) 14 A3
Saint-Côme-d'Olt (12) 154 D3
Saint-Côme-du-Mont (50) 13 E4
Saint-Côme-et-Maruéjols (30) 173 H3
Saint-Congard (56) 56 B5
Saint-Connan (22) 33 E5
Saint-Connec (22) 55 F1
Saint-Constant (15) 154 A1
Saint-Contest (14) 14 B4
Saint-Corneille (72) 60 B5
Saint-Cornier-des-Landes (61) 38 A4
Saint-Cosme (68) 89 E2
Saint-Cosme-en-Vairais (72) 60 C3
Saint-Couat-d'Aude (11) 187 G3
Saint-Couat-du-Razès (11) 186 C5
Saint-Coulitz (29) 53 G1
Saint-Coulomb (35) 35 E3
Saint-Coutant (16) 109 F6
Saint-Coutant (79) 108 C4
Saint-Coutant-le-Grand (17) 121 E1
Saint-Créac (32) 168 B2
Saint-Créac (65) 183 E4
Saint-Crépin (05) 147 E6
Saint-Crépin (17) 107 F6
Saint-Crépin-aux-Bois (60) 21 G4
Saint-Crépin-d'Auberoche (24) 137 G3
Saint-Crépin-de-Richemont (24) 123 E6
Saint-Crépin-et-Carlucet (24) 138 B4
Saint-Crépin-Ibouvillers (60) 20 A6
Saint-Crespin (76) 18 D1
Saint-Crespin-sur-Moine (49) 75 F6
Saint-Cricq (32) 168 C4
Saint-Cricq-Chalosse (40) 165 G4
Saint-Cricq-du-Gave (40) 165 E5
Saint-Cricq-Villeneuve (40) 166 B2
Saint-Cybardeaux (16) 122 A3
Saint-Cybranet (24) 138 A6
Saint-Cyprien (19) 138 B2
Saint-Cyprien (24) 137 H5
Saint-Cyprien (42) 129 E5
Saint-Cyprien (46) 152 B5
Saint-Cyprien (66) 201 G3
Saint-Cyprien-sur-Dourdou (12) 154 B3
Saint-Cyr (07) 143 H2
Saint-Cyr (50) 12 D3
Saint-Cyr (71) 101 G6
Saint-Cyr (86) 94 C6
Saint-Cyr (87) 123 H3
Saint-Cyr-au-Mont-d'Or (69) 130 A2
Saint-Cyr-de-Favières (42) 128 D1
Saint-Cyr-de-Salerne (27) 18 A6
Saint-Cyr-de-Valorges (42) 129 E2
Saint-Cyr-des-Gâts (85) 107 E1
Saint-Cyr-du-Bailleul (50) 37 H6
Saint-Cyr-du-Doret (17) 107 E4
Saint-Cyr-du-Gault (41) 79 F3
Saint-Cyr-du-Ronceray (14) 15 F6
Saint-Cyr-en-Arthies (95) 41 H2
Saint-Cyr-en-Bourg (49) 93 H1
Saint-Cyr-en-Pail (53) 59 G1
Saint-Cyr-en-Talmondais (85) 91 G6
Saint-Cyr-en-Val (45) 80 D2
Saint-Cyr-la-Campagne (27) 18 C6
Saint-Cyr-la-Lande (79) 93 G2
Saint-Cyr-la-Rivière (91) 63 F3
Saint-Cyr-la-Roche (19) 138 B2
Saint-Cyr-la-Rosière (61) 60 D3
Saint-Cyr-le-Chatoux (69) 115 H6
Saint-Cyr-le-Gravelais (53) 58 B5
Saint-Cyr-l'École (78) 42 B4
Saint-Cyr-les-Champagnes (24) 138 B1
Saint-Cyr-les-Colons (89) 83 G2
Saint-Cyr-les-Vignes (42) 129 E4
Saint-Cyr-Montmalin (39) 103 E4
Saint-Cyr-sous-Dourdan (91) 42 B6
Saint-Cyr-sur-le-Rhône (69) 130 A5
Saint-Cyr-sur-Loire (37) 78 D5
Saint-Cyr-sur-Menthon (01) 116 C4
Saint-Cyr-sur-Mer (83) 192 D5
Saint-Cyr-sur-Morin (77) 44 A3
Saint-Cyran-du-Jambot (36) 95 G3
Saint-Dalmas-le-Selvage (06) 161 G4
Saint-Daunès (46) 152 B4
Saint-Denis (11) 186 D2
Saint-Denis (30) 157 F5
Saint-Denis (89) 65 E4
Saint-Denis (93) 42 D3
Saint-Denis-Catus (46) 152 C2
Saint-Denis-Combarnazat (63) 127 G1
Saint-Denis-d'Aclon (76) 17 F2
Saint-Denis-d'Anjou (53) 77 E1
Saint-Denis-d'Augerons (27) 39 H3
Saint-Denis-d'Authou (28) 61 F3
Saint-Denis-de-Cabanne (42) 115 F5
Saint-Denis-de-Gastines (53) 58 C2
Saint-Denis-de-Jouhet (36) 111 G2
Saint-Denis-de-l'Hôtel (45) 81 E1
Saint-Denis-de-Mailloc (14) 15 F5
Saint-Denis-de-Méré (14) 38 B3
Saint-Denis-de-Palin (18) 97 H4
Saint-Denis-de-Pile (33) 135 H4
Saint-Denis-de-Vaux (71) 101 F5
Saint-Denis-de-Villenette (61) 59 E1
Saint-Denis-des-Coudrais (72) 60 C4
Saint-Denis-des-Monts (27) 18 B6
Saint-Denis-des-Murs (87) 124 D3
Saint-Denis-des-Puits (28) 61 G2
Saint-Denis-d'Oléron (17) 106 B6
Saint-Denis-d'Orques (72) 59 F5
Saint-Denis-du-Béhélan (27) 40 C3
Saint-Denis-du-Maine (53) 59 E6
Saint-Denis-du-Payré (85) 106 C2
Saint-Denis-du-Pin (17) 107 G6
Saint-Denis-en-Bugey (01) 130 D1
Saint-Denis-en-Margeride (48) 156 A1
Saint-Denis-en-Val (45) 80 D1
Saint-Denis-la-Chevasse (85) 91 G3
Saint-Denis-le-Ferment (27) 19 G5
Saint-Denis-le-Gast (50) 35 H1
Saint-Denis-le-Thiboult (76) 19 E4
Saint-Denis-le-Vêtu (50) 37 E2
Saint-Denis-lès-Bourg (01) 116 D5
Saint-Denis-lès-Martel (46) 138 D5
Saint-Denis-les-Ponts (28) 61 H5
Saint-Denis-lès-Rebais (77) 44 A4
Saint-Denis-Maisoncelles (14) 37 H2
Saint-Denis-sur-Coise (42) 129 F4
Saint-Denis-sur-Huisne (61) 60 D1
Saint-Denis-sur-Loire (41) 80 A3
Saint-Denis-sur-Ouanne (89) 82 D2
Saint-Denis-sur-Sarthon (61) 59 H1
Saint-Denis-sur-Scie (76) 17 G4
Saint-Deniscourt (60) 19 H3
Saint-Denœux (62) 1 G6
Saint-Denoual (22) 34 B4
Saint-Derrien (29) 31 F3
Saint-Désert (71) 101 F5
Saint-Désir (14) 15 F5
Saint-Désirat (07) 144 A2
Saint-Désiré (03) 112 C2
Saint-Dézéry (30) 174 A2
Saint-Didier (21) 84 C6
Saint-Didier (35) 57 G3
Saint-Didier (39) 102 C6
Saint-Didier (58) 83 G6
Saint-Didier (84) 175 G2
Saint-Didier-au-Mont-d'Or (69) 130 A2
Saint-Didier-d'Allier (43) 142 B4
Saint-Didier-d'Aussiat (01) 116 D4
Saint-Didier-de-Bizonnes (38) 130 D5
Saint-Didier-de-Formans (01) 130 A1
Saint-Didier-de-la-Tour (38) 131 E5
Saint-Didier-des-Bois (27) 18 C6
Saint-Didier-en-Bresse (71) 102 A4
Saint-Didier-en-Brionnais (71) 115 E4
Saint-Didier-en-Donjon (03) 114 D3
Saint-Didier-en-Velay (43) 143 E1
Saint-Didier-la-Forêt (03) 113 H5
Saint-Didier-sous-Aubenas (07) 157 G2
Saint-Didier-sous-Écouves (61) 39 E6
Saint-Didier-sous-Riverie (69) 129 G4
Saint-Didier-sur-Arroux (71) 100 C5
Saint-Didier-sur-Beaujeu (69) 115 H5
Saint-Didier-sur-Chalaronne (01) 116 B5
Saint-Didier-sur-Doulon (43) 142 A1
Saint-Didier-sur-Rochefort (42) 128 C3
Saint-Dié-des-Vosges (88) 70 D3
Saint-Dier-d'Auvergne (63) 127 H4
Saint-Diéry (63) 127 E5
Saint-Dionizy (30) 174 A3
Saint-Disdier (05) 145 H6
Saint-Divy (29) 31 E4
Saint-Dizant-du-Bois (17) 121 F6
Saint-Dizant-du-Gua (17) 121 E5
Saint-Dizier (52) 46 D6
Saint-Dizier-en-Diois (26) 159 F3
Saint-Dizier-la-Tour (23) 112 A5
Saint-Dizier-les-Domaines (23) 111 H4
Saint-Dizier-l'Évêque (90) 88 D4
Saint-Dizier-Leyrenne (23) 111 F6
Saint-Dolay (56) 73 H2
Saint-Domet (23) 112 B6
Saint-Domineuc (35) 35 E6
Saint-Donan (22) 33 F5
Saint-Donat (63) 126 C6
Saint-Donat-sur-l'Herbasse (26) 144 B3
Saint-Dos (64) 165 E6
Saint-Doulchard (18) 97 G2
Saint-Drézéry (34) 173 G4
Saint-Dyé-sur-Loire (41) 80 B3
Saint-Ébremond-de-Bonfossé (50) 37 F1
Saint-Edmond (71) 115 F5
Saint-Égrève (38) 145 G2
Saint-Élier (27) 40 C3
Saint-Éliph (28) 61 G2
Saint-Élix (32) 168 A6
Saint-Élix-le-Château (31) 185 E2
Saint-Élix-Séglan (31) 184 C3
Saint-Élix-Theux (32) 183 H1
Saint-Ellier-du-Maine (53) 58 B2
Saint-Ellier-les-Bois (61) 59 H1
Saint-Éloi (01) 130 C1
Saint-Éloi (23) 111 F6
Saint-Éloi (58) 99 E4
Saint-Éloi-de-Fourques (27) 18 B6
Saint-Eloy (29) 31 G5
Saint-Éloy-d'Allier (03) 112 B2
Saint-Éloy-de-Gy (18) 97 G2
Saint-Éloy-la-Glacière (63) 128 A5
Saint-Éloy-les-Mines (63) 113 E5
Saint-Éloy-les-Tuileries (19) 124 B6
Saint-Éman (28) 61 H3
Saint-Émiland (71) 101 E4
Saint-Émilion (33) 135 H5
Saint-Ennemond (03) 99 F6
Saint-Épain (37) 94 D2
Saint-Epvre (57) 49 E2
Saint-Erblon (35) 57 F3
Saint-Erblon (53) 76 A1
Saint-Erme-Outre-et-Ramecourt (02) 22 D4
Saint-Escobille (91) 63 E2
Saint-Esteben (64) 181 E1
Saint-Estèphe (24) 123 F4
Saint-Estèphe (33) 134 D1
Saint-Estève (66) 201 F2
Saint-Estève-Janson (13) 176 A4
Saint-Étienne (42) 129 F6
Saint-Étienne-à-Arnes (08) 23 H5
Saint-Étienne-au-Mont (62) 1 F4
Saint-Étienne-au-Temple (51) 45 H2
Saint-Étienne-aux-Clos (19) 126 B5
Saint-Étienne-Cantalès (15) 139 H5
Saint-Étienne-d'Albagnan (34) 171 G6
Saint-Étienne-de-Baïgorry (64) 180 D3
Saint-Étienne-de-Boulogne (07) 157 G1
Saint-Étienne-de-Brillouet (85) 106 D1
Saint-Étienne-de-Carlat (15) 140 B5
Saint-Étienne-de-Chigny (37) 78 C5
Saint-Étienne-de-Chomeil (15) 140 B1
Saint-Étienne-de-Crossey (38) 131 F6
Saint-Étienne-de-Cuines (73) 146 C1
Saint-Étienne-de-Fontbellon (07) 157 G2
Saint-Étienne-de-Fougères (47) 151 E3
Saint-Étienne-de-Fursac (23) 111 E5
Saint-Étienne-de-Gourgas (34) 172 C4
Saint-Étienne-de-Lisse (33) 135 H5
Saint-Étienne-de-l'Olm (30) 173 H1
Saint-Étienne-de-Lugdarès (07) 156 D2
Saint-Étienne-de-Maurs (15) 153 H1
Saint-Étienne-de-Mer-Morte (44) 91 E2
Saint-Étienne-de-Montluc (44) 74 B4
Saint-Étienne-de-Puycorbier (24) 136 C3
Saint-Étienne-de-Saint-Geoirs (38) 144 D1
Saint-Étienne-de-Serre (07) 143 G6
Saint-Étienne-de-Tinée (06) 161 H5
Saint-Étienne-de-Tulmont (82) 169 F1
Saint-Étienne-de-Valoux (07) 144 A2
Saint-Étienne-de-Vicq (03) 114 B5
Saint-Étienne-de-Villeréal (47) 151 G2
Saint-Étienne-des-Champs (63) 126 B2
Saint-Étienne-des-Guérets (41) 79 G4
Saint-Étienne-des-Oullières (69) 116 A6
Saint-Étienne-des-Sorts (30) 158 A6
Saint-Étienne-d'Orthe (40) 164 D5
Saint-Étienne-du-Bois (01) 117 E4
Saint-Étienne-du-Bois (85) 91 F3
Saint-Étienne-du-Grès (13) 191 E1
Saint-Étienne-du-Gué-de-l'Isle (22) 55 H2
Saint-Étienne-du-Rouvray (76) 18 C5
Saint-Étienne-du-Valdonnez (48) 156 B3
Saint-Étienne-du-Vauvray (27) 18 D6
Saint-Étienne-du-Vigan (43) 142 C6
Saint-Étienne-en-Bresse (71) 102 A6
Saint-Étienne-en-Coglès (35) 35 H6
Saint-Étienne-en-Dévoluy (05) 160 A1
Saint-Étienne-Estréchoux (34) 172 A5
Saint-Étienne-la-Cigogne (79) 107 G5
Saint-Étienne-la-Geneste (19) 126 A6
Saint-Étienne-la-Thillaye (14) 15 E4
Saint-Étienne-la-Varenne (69) 116 A6
Saint-Étienne-l'Allier (27) 15 H4
Saint-Étienne-Lardeyrol (43) 142 D4
Saint-Étienne-le-Laus (05) 160 C3
Saint-Étienne-le-Molard (42) 128 D3
Saint-Étienne-les-Orgues (04) 176 C1
Saint-Étienne-lès-Remiremont (88) 70 B5
Saint-Étienne-Roilaye (60) 21 G5
Saint-Étienne-sous-Bailleul (27) 41 F1
Saint-Étienne-sous-Barbuise (10) 66 B1
Saint-Étienne-sur-Blesle (43) 141 F1
Saint-Étienne-sur-Chalaronne (01) 116 B5
Saint-Étienne-sur-Reyssouze (01) 116 C3
Saint-Étienne-sur-Suippe (51) 23 F5
Saint-Étienne-sur-Usson (63) 127 H5
Saint-Étienne-Vallée-Française (48) 156 C6
Saint-Eugène (02) 44 C2
Saint-Eugène (17) 121 G5
Saint-Eugène (71) 100 C6
Saint-Eulien (51) 46 C5
Saint-Euphraise-et-Clairizet (51) 22 D6
Saint-Euphrône (21) 84 D5
Saint-Eusèbe (71) 101 E6
Saint-Eusèbe (74) 131 H1
Saint-Eusèbe-en-Champsaur (05) 146 A6
Saint-Eustache (74) 132 B2
Saint-Eustache-la-Forêt (76) 15 G1
Saint-Eutrope (16) 122 B6
Saint-Eutrope-de-Born (47) 151 F2
Saint-Évarzec (29) 53 G3
Saint-Evroult-de-Montfort (61) 39 G4
Saint-Evroult-Notre-Dame-du-Bois (61) 39 H4
Saint-Exupéry (33) 150 A1
Saint-Exupéry-les-Roches (19) 126 A5
Saint-Fargeau (89) 82 C3
Saint-Fargeau-Ponthierry (77) 63 H1
Saint-Fargeol (03) 112 D5
Saint-Faust (64) 182 B2
Saint-Félicien (07) 143 H3
Saint-Féliu-d'Amont (66) 201 E2
Saint-Féliu-d'Avall (66) 201 E2
Saint-Félix (03) 114 A5
Saint-Félix (16) 122 A6
Saint-Félix (17) 107 G5
Saint-Félix (46) 153 H2
Saint-Félix (60) 20 C5
Saint-Félix (74) 131 H2
Saint-Félix-de-Bourdeilles (24) 123 E6
Saint-Félix-de-Foncaude (33) 150 A1
Saint-Félix-de-l'Héras (34) 172 B3
Saint-Félix-de-Lodez (34) 172 D5
Saint-Félix-de-Lunel (12) 154 C2
Saint-Félix-de-Pallières (30) 173 G2
Saint-Félix-de-Reillac-et-Mortemart (24) 137 G4
Saint-Félix-de-Rieutord (09) 185 H5
Saint-Félix-de-Sorgues (12) 171 H3
Saint-Félix-de-Tournegat (09) 186 A4
Saint-Félix-de-Villadeix (24) 137 F5
Saint-Félix-Lauragais (31) 186 B1
Saint-Fergeux (08) 23 F3
Saint-Ferjeux (70) 88 A4
Saint-Ferme (33) 150 B1
Saint-Ferréol (74) 132 C3
Saint-Ferréol-d'Auroure (43) 143 E1
Saint-Ferréol-de-Comminges (31) 184 B2
Saint-Ferréol-des-Côtes (63) 128 B5
Saint-Ferréol-Trente-Pas (26) 159 E3
Saint-Ferriol (11) 186 D6
Saint-Fiacre (22) 33 E5
Saint-Fiacre (77) 43 G3
Saint-Fiacre-sur-Maine (44) 74 D6
Saint-Fiel (23) 111 G5
Saint-Firmin (05) 146 A6
Saint-Firmin (54) 69 F2
Saint-Firmin (58) 99 F3
Saint-Firmin (71) 101 E5
Saint-Firmin-des-Bois (45) 64 B6
Saint-Firmin-des-Prés (41) 79 G1
Saint-Firmin-sur-Loire (45) 82 A3
Saint-Flavy (10) 65 H2
Saint-Florent (2B) 203 F4
Saint-Florent (45) 81 H3
Saint-Florent-des-Bois (85) 91 H5
Saint-Florent-le-Vieil (49) 76 B5
Saint-Florent-sur-Auzonnet (30) 157 E5
Saint-Florent-sur-Cher (18) 97 G3
Saint-Florentin (36) 96 D3
Saint-Florentin (89) 65 G6
Saint-Floret (63) 127 F5
Saint-Floris (62) 2 C5
Saint-Flour (15) 141 F4
Saint-Flour (63) 127 H4
Saint-Flour-de-Mercoire (48) 156 C1
Saint-Flovier (37) 95 G3
Saint-Floxel (50) 12 D3
Saint-Folquin (62) 2 A2
Saint-Fons (69) 130 A3
Saint-Forgeot (71) 100 D3
Saint-Forget (78) 42 B5
Saint-Forgeux (69) 129 G2
Saint-Forgeux-Lespinasse (42) 114 D5
Saint-Fort (53) 76 D1
Saint-Fort-sur-Gironde (17) 121 E5
Saint-Fort-sur-le-Né (16) 121 G4
Saint-Fortunat-sur-Eyrieux (07) 143 H6
Saint-Fraigne (16) 122 B1
Saint-Fraimbault (61) 58 D1
Saint-Fraimbault-de-Prières (53) 59 E2
Saint-Frajou (31) 184 C2
Saint-Franc (73) 131 G5
Saint-Franchy (58) 99 F2
Saint-François-de-Sales (73) 132 A3
Saint-François-Lacroix (57) 26 D3
Saint-François-Longchamp (73) 132 C6
Saint-Frégant (29) 31 E3
Saint-Fréjoux (19) 126 A5
Saint-Frézal-d'Albuges (48) 156 C2
Saint-Frézal-de-Ventalon (48) 156 C5
Saint-Frichoux (11) 187 F3
Saint-Frion (23) 125 H2
Saint-Fromond (50) 13 F6
Saint-Front (16) 122 C2
Saint-Front (43) 143 E4
Saint-Front-d'Alemps (24) 137 F1
Saint-Front-de-Pradoux (24) 136 D3
Saint-Front-la-Rivière (24) 123 F5
Saint-Front-sur-Lémance (47) 151 H2
Saint-Front-sur-Nizonne (24) 123 E5
Saint-Froult (17) 120 C1
Saint-Fulgent (85) 92 A4
Saint-Fulgent-des-Ormes (61) 60 C3
Saint-Fuscien (80) 7 G6
Saint-Gabriel-Brécy (14) 14 A3
Saint-Gal (48) 156 A1
Saint-Gal-sur-Sioule (63) 113 F6
Saint-Galmier (42) 129 F5
Saint-Gand (70) 87 E4
Saint-Ganton (35) 56 D6
Saint-Gatien-des-Bois (14) 15 F3
Saint-Gaudens (31) 184 B4
Saint-Gaudent (86) 109 E5
Saint-Gaudéric (11) 186 B4
Saint-Gaultier (36) 110 D1
Saint-Gauzens (81) 170 A4
Saint-Gein (40) 166 B3
Saint-Gelais (79) 107 H3
Saint-Gelven (22) 55 E1
Saint-Gély-du-Fesc (34) 173 F5
Saint-Génard (79) 108 B5
Saint-Gence (87) 124 A1
Saint-Généroux (79) 93 G4
Saint-Genès-Champanelle (63) 127 E3
Saint-Genès-Champespe (63) 126 C6
Saint-Genès-de-Blaye (33) 135 E2
Saint-Genès-de-Castillon (33) 136 A5
Saint-Genès-de-Fronsac (33) 135 G4
Saint-Genès-de-Lombaud (33) 135 F6
Saint-Genès-du-Retz (63) 113 G6
Saint-Genès-la-Tourette (63) 127 H5
Saint-Genest (03) 112 D4
Saint-Genest (88) 70 A2
Saint-Genest-d'Ambière (86) 94 C5
Saint-Genest-de-Beauzon (07) 157 F3
Saint-Genest-de-Contest (81) 170 C4
Saint-Genest-Lachamp (07) 143 F5
Saint-Genest-Lerpt (42) 129 F6
Saint-Genest-Malifaux (42) 143 F1
Saint-Genest-sur-Roselle (87) 124 C3
Saint-Geneys-près-Saint-Paulien (43) 142 C3
Saint-Gengoulph (02) 44 A1
Saint-Gengoux-de-Scissé (71) 116 B2
Saint-Gengoux-le-National (71) 116 A1
Saint-Geniès (24) 138 B4
Saint-Geniès-Bellevue (31) 169 F5
Saint-Geniès-de-Comolas (30) 174 D1
Saint-Geniès-de-Fontedit (34) 188 C1
Saint-Geniès-de-Malgoirès (30) 174 A2
Saint-Geniès-de-Varensal (34) 171 H5
Saint-Geniès-des-Mourgues (34) 173 G4
Saint-Geniez (04) 160 B5
Saint-Geniez-d'Olt (12) 155 E3
Saint-Geniez-ô-Merle (19) 139 G3
Saint-Genis (05) 159 H4
Saint-Genis-de-Saintonge (17) 121 F5
Saint-Génis-des-Fontaines (66) 201 F3
Saint-Genis-d'Hiersac (16) 122 B3
Saint-Genis-du-Bois (33) 150 A1
Saint-Genis-l'Argentière (69) 129 G3
Saint-Genis-Laval (69) 130 A4
Saint-Genis-les-Ollières (69) 129 H3
Saint-Genis-Pouilly (01) 118 B4
Saint-Genis-sur-Menthon (01) 116 C4
Saint-Genix-sur-Guiers (73) 131 F4
Saint-Genou (36) 96 A4
Saint-Genouph (37) 78 D5
Saint-Geoire-en-Valdaine (38) 131 F6
Saint-Geoirs (38) 145 E1
Saint-Georges (15) 141 F4
Saint-Georges (16) 122 C1
Saint-Georges (32) 168 B4
Saint-Georges (47) 151 H3
Saint-Georges (57) 49 H5
Saint-Georges (62) 7 F2
Saint-Georges (82) 153 E5
Saint-Georges-Antignac (17) 121 F5
Saint-Georges-Armont (25) 88 B5
Saint-Georges-Blancaneix (24) 136 C5
Saint-Georges-Buttavent (53) 58 D2
Saint-Georges-d'Annebecq (61) 38 D5
Saint-Georges-d'Aunay (14) 38 A2
Saint-Georges-d'Aurac (43) 142 A3
Saint-Georges-de-Baroille (42) 128 D2
Saint-Georges-de-Bohon (50) 13 E5
Saint-Georges-de-Chesné (35) 57 H1
Saint-Georges-de-Commiers (38) 145 G4
Saint-Georges-de-Didonne (17) 120 C4
Saint-Georges-de-Gréhaigne (35) 35 G4
Saint-Georges-de-la-Couée (72) 78 D1
Saint-Georges-de-la-Rivière (50) 12 B4
Saint-Georges-de-Lévéjac (48) 155 G5

Saint-Georges-de-Livoye (50) ... 37 F4
Saint-Georges-de-Longuepierre (17) ... 107 H6
Saint-Georges-de-Luzençon (12) ... 171 H1
Saint-Georges-de-Mons (63) ... 126 D1
Saint-Georges-de-Montaigu (85) ... 91 H2
Saint-Georges-de-Montclard (24) ... 137 E5
Saint-Georges-de-Noisné (79) ... 108 A2
Saint-Georges-de-Pointindoux (85) ... 91 F4
Saint-Georges-de-Poisieux (18) ... 97 H6
Saint-Georges-de-Reintembault (35) ... 37 E6
Saint-Georges-de-Reneins (69) ... 116 A6
Saint-Georges-de-Rex (79) ... 107 F4
Saint-Georges-de-Rouelley (50) ... 37 H5
Saint-Georges-d'Elle (50) ... 13 G6
Saint-Georges-des-Agoûts (17) ... 121 E6
Saint-Georges-des-Coteaux (17) ... 121 E2
Saint-Georges-des-Gardes (49) ... 92 C1
Saint-Georges-des-Groseillers (61) ... 38 B4
Saint-Georges-des-Hurtières (73) ... 132 C5
Saint-Georges-des-Sept-Voies (49) ... 77 F5
Saint-Georges-d'Espéranche (38) ... 130 C5
Saint-Georges-d'Oléron (17) ... 106 B6
Saint-Georges-d'Orques (34) ... 173 F5
Saint-Georges-du-Bois (17) ... 107 F5
Saint-Georges-du-Bois (49) ... 77 F4
Saint-Georges-du-Bois (72) ... 60 A6
Saint-Georges-du-Mesnil (27) ... 15 H4
Saint-Georges-du-Rosay (72) ... 60 C4
Saint-Georges-du-Vièvre (27) ... 15 H4
Saint-Georges-en-Auge (14) ... 15 E6
Saint-Georges-en-Couzan (42) ... 128 C4
Saint-Georges-Haute-Ville (42) ... 128 D5
Saint-Georges-la-Pouge (23) ... 125 F1
Saint-Georges-Lagricol (43) ... 142 C1
Saint-Georges-le-Fléchard (53) ... 59 E5
Saint-Georges-le-Gaultier (72) ... 59 G3
Saint-Georges-lès-Baillargeaux (86) ... 94 C6
Saint-Georges-les-Bains (07) ... 144 A5
Saint-Georges-les-Landes (87) ... 110 C3
Saint-Georges-Montcocq (50) ... 37 G1
Saint-Georges-Motel (27) ... 41 F4
Saint-Georges-Nigremont (23) ... 125 H2
Saint-Georges-sur-Allier (63) ... 127 G4
Saint-Georges-sur-Arnon (36) ... 97 F3
Saint-Georges-sur-Baulche (89) ... 83 F2
Saint-Georges-sur-Cher (41) ... 79 G6
Saint-Georges-sur-Erve (53) ... 59 F4
Saint-Georges-sur-Eure (28) ... 62 A2
Saint-Georges-sur-Fontaine (76) ... 17 H5
Saint-Georges-sur-la-Prée (18) ... 97 E1
Saint-Georges-sur-l'Aa (59) ... 2 A2
Saint-Georges-sur-Layon (49) ... 93 F1
Saint-Georges-sur-Loire (49) ... 76 C5
Saint-Georges-sur-Moulon (18) ... 97 H2
Saint-Georges-sur-Renon (01) ... 116 C6
Saint-Geours-d'Auribat (40) ... 165 F3
Saint-Geours-de-Maremne (40) ... 164 D4
Saint-Gérand (56) ... 55 F2
Saint-Gérand-de-Vaux (03) ... 114 A3
Saint-Gérand-le-Puy (03) ... 114 B4
Saint-Géraud (47) ... 150 C2
Saint-Géraud-de-Corps (24) ... 136 C4
Saint-Géréon (44) ... 75 F4
Saint-Germain (07) ... 157 G2
Saint-Germain (10) ... 66 A3
Saint-Germain (54) ... 69 H1
Saint-Germain (70) ... 88 A2
Saint-Germain (86) ... 109 H1
Saint-Germain-au-Mont-d'Or (69) ... 130 A2
Saint-Germain-Beaupré (23) ... 111 E4
Saint-Germain-Chassenay (58) ... 99 F5
Saint-Germain-d'Anxure (53) ... 58 D3
Saint-Germain-d'Arcé (72) ... 78 B3
Saint-Germain-d'Aunay (61) ... 39 G3
Saint-Germain-de-Belvès (24) ... 137 H6
Saint-Germain-de-Calberte (48) ... 156 C5
Saint-Germain-de-Clairefeuille (61) ... 39 G5
Saint-Germain-de-Confolens (16) ... 109 G6
Saint-Germain-de-Coulamer (53) ... 59 G3
Saint-Germain-de-Fresney (27) ... 41 E3
Saint-Germain-de-Grave (33) ... 149 H1
Saint-Germain-de-Joux (01) ... 117 H5
Saint-Germain-de-la-Coudre (61) ... 60 D3
Saint-Germain-de-la-Grange (78) ... 42 A4
Saint-Germain-de-la-Rivière (33) ... 135 G4
Saint-Germain-de-Livet (14) ... 15 F6
Saint-Germain-de-Longue-Chaume (79) ... 93 F5
Saint-Germain-de-Lusignan (17) ... 121 F5
Saint-Germain-de-Marencennes (17) ... 107 F5
Saint-Germain-de-Martigny (61) ... 39 H6
Saint-Germain-de-Modéon (21) ... 84 B6
Saint-Germain-de-Montbron (16) ... 122 D4
Saint-Germain-de-Montgommery (14) ... 39 F3
Saint-Germain-de-Pasquier (27) ... 18 C6
Saint-Germain-de-Prinçay (85) ... 92 B5
Saint-Germain-de-Salles (03) ... 113 G5
Saint-Germain-de-Tallevende-la-Lande-Vaumont (14) ... 37 H4
Saint-Germain-de-Tournebut (50) ... 12 D3
Saint-Germain-de-Varreville (50) ... 13 E4
Saint-Germain-de-Vibrac (17) ... 121 G6
Saint-Germain-d'Ectot (14) ... 38 A1
Saint-Germain-d'Elle (50) ... 37 H1
Saint-Germain-des-Angles (27) ... 40 D2
Saint-Germain-des-Bois (18) ... 97 H4
Saint-Germain-des-Bois (58) ... 83 F6
Saint-Germain-des-Champs (89) ... 84 A5
Saint-Germain-des-Essourts (76) ... 19 E3
Saint-Germain-des-Fossés (03) ... 114 A5
Saint-Germain-des-Grois (61) ... 61 E2
Saint-Germain-des-Prés (24) ... 137 H1
Saint-Germain-des-Prés (45) ... 64 B6
Saint-Germain-des-Prés (49) ... 75 H3
Saint-Germain-des-Prés (81) ... 170 B6
Saint-Germain-des-Vaux (50) ... 12 A1
Saint-Germain-d'Esteuil (33) ... 134 D1
Saint-Germain-d'Étables (76) ... 17 H2
Saint-Germain-du-Bel-Air (46) ... 152 C2
Saint-Germain-du-Bois (71) ... 102 B5
Saint-Germain-du-Corbéis (61) ... 60 A2
Saint-Germain-du-Crioult (14) ... 38 B3
Saint-Germain-du-Pert (14) ... 13 F5
Saint-Germain-du-Pinel (35) ... 58 A5
Saint-Germain-du-Plain (71) ... 101 H6
Saint-Germain-du-Puch (33) ... 135 G5
Saint-Germain-du-Puy (18) ... 97 H2
Saint-Germain-du-Salembre (24) ... 136 D3
Saint-Germain-du-Seudre (17) ... 121 E5
Saint-Germain-du-Teil (48) ... 155 G3
Saint-Germain-en-Brionnais (71) ... 115 F3
Saint-Germain-en-Coglès (35) ... 35 H6
Saint-Germain-en-Laye (78) ... 42 B3
Saint-Germain-en-Montagne (39) ... 103 F5
Saint-Germain-et-Mons (24) ... 137 E5
Saint-Germain-la-Blanche-Herbe (14) ... 14 B4
Saint-Germain-la-Campagne (27) ... 15 G6
Saint-Germain-la-Chambotte (73) ... 131 H3
Saint-Germain-la-Montagne (42) ... 115 G5
Saint-Germain-la-Poterie (60) ... 20 A4
Saint-Germain-la-Ville (51) ... 46 A3
Saint-Germain-l'Aiguiller (85) ... 92 C6
Saint-Germain-Langot (14) ... 38 C3
Saint-Germain-Laprade (43) ... 142 C4
Saint-Germain-Laval (42) ... 128 D2
Saint-Germain-Laval (77) ... 64 C2
Saint-Germain-Lavolps (19) ... 125 H4
Saint-Germain-Laxis (77) ... 43 F6
Saint-Germain-le-Châtelet (90) ... 88 D2
Saint-Germain-le-Fouilloux (53) ... 58 C4
Saint-Germain-le-Gaillard (28) ... 61 H2
Saint-Germain-le-Gaillard (50) ... 12 B3
Saint-Germain-le-Guillaume (53) ... 58 C3
Saint-Germain-le-Rocheux (21) ... 85 E2
Saint-Germain-le-Vasson (14) ... 14 C6
Saint-Germain-le-Vieux (61) ... 39 G6
Saint-Germain-Lembron (63) ... 127 G6
Saint-Germain-lès-Arlay (39) ... 102 D5
Saint-Germain-lès-Arpajon (91) ... 42 C6
Saint-Germain-les-Belles (87) ... 124 C4
Saint-Germain-lès-Buxy (71) ... 101 G6
Saint-Germain-lès-Corbeil (91) ... 43 E6
Saint-Germain-les-Paroisses (01) ... 131 F3
Saint-Germain-lès-Senailly (21) ... 84 C4
Saint-Germain-les-Vergnes (19) ... 138 D2
Saint-Germain-Lespinasse (42) ... 114 D6
Saint-Germain-l'Herm (63) ... 128 A6
Saint-Germain-près-Herment (63) ... 126 B3
Saint-Germain-sous-Cailly (76) ... 17 H5
Saint-Germain-sous-Doue (77) ... 44 A4
Saint-Germain-sur-Avre (27) ... 41 E4
Saint-Germain-sur-Ay (50) ... 12 C5
Saint-Germain-sur-Bresle (80) ... 6 C6
Saint-Germain-sur-Eaulne (76) ... 19 F1
Saint-Germain-sur-École (77) ... 63 H1
Saint-Germain-sur-Ille (35) ... 57 F1
Saint-Germain-sur-l'Arbresle (69) ... 129 G2
Saint-Germain-sur-Meuse (55) ... 47 H5
Saint-Germain-sur-Moine (49) ... 75 F6
Saint-Germain-sur-Morin (77) ... 43 G4
Saint-Germain-sur-Renon (01) ... 116 D6
Saint-Germain-sur-Rhône (74) ... 117 H6
Saint-Germain-sur-Sarthe (72) ... 60 A3
Saint-Germain-sur-Sèves (50) ... 12 D5
Saint-Germain-sur-Vienne (37) ... 94 A1
Saint-Germain-Village (27) ... 15 H3
Saint-Germainmont (08) ... 23 F4
Saint-Germé (32) ... 166 C4
Saint-Germer-de-Fly (60) ... 19 G4
Saint-Germier (31) ... 186 A1
Saint-Germier (32) ... 168 C5
Saint-Germier (79) ... 108 C2
Saint-Germier (81) ... 170 C5
Saint-Géron (43) ... 141 G1
Saint-Gérons (15) ... 139 H5
Saint-Gervais (30) ... 157 H6
Saint-Gervais (33) ... 135 F4
Saint-Gervais (38) ... 145 E2
Saint-Gervais (85) ... 90 C2
Saint-Gervais (95) ... 41 H1
Saint-Gervais-d'Auvergne (63) ... 126 D1
Saint-Gervais-de-Vic (72) ... 79 E1
Saint-Gervais-des-Sablons (61) ... 39 F3
Saint-Gervais-du-Perron (61) ... 39 F6
Saint-Gervais-en-Belin (72) ... 78 B1
Saint-Gervais-en-Vallière (71) ... 101 H4
Saint-Gervais-la-Forêt (41) ... 80 A4
Saint-Gervais-les-Bains (74) ... 133 E1
Saint-Gervais-les-Trois-Clochers (86) ... 94 C4
Saint-Gervais-sous-Meymont (63) ... 128 A4
Saint-Gervais-sur-Couches (71) ... 101 E4
Saint-Gervais-sur-Mare (34) ... 172 A5
Saint-Gervais-sur-Roubion (26) ... 158 B2
Saint-Gervasy (30) ... 174 B3
Saint-Gervazy (63) ... 127 F6
Saint-Géry (24) ... 136 C4
Saint-Géry (46) ... 152 D3
Saint-Geyrac (24) ... 137 G3
Saint-Gibrien (51) ... 45 H3
Saint-Gildas (22) ... 33 F5
Saint-Gildas-de-Rhuys (56) ... 72 D2
Saint-Gildas-des-Bois (44) ... 74 A2
Saint-Gilles (30) ... 174 B5
Saint-Gilles (35) ... 57 E2
Saint-Gilles (36) ... 110 D2
Saint-Gilles (50) ... 37 F1
Saint-Gilles (51) ... 22 C6
Saint-Gilles (71) ... 101 F4
Saint-Gilles-Croix-de-Vie (85) ... 90 D4
Saint-Gilles-de-Crétot (76) ... 18 A3
Saint-Gilles-de-la-Neuville (76) ... 15 G1
Saint-Gilles-des-Marais (61) ... 38 A6
Saint-Gilles-du-Mené (22) ... 55 H1
Saint-Gilles-les-Bois (22) ... 33 E3
Saint-Gilles-les-Forêts (87) ... 124 D4
Saint-Gilles-Pligeaux (22) ... 33 E5
Saint-Gilles-Vieux-Marché (22) ... 55 F1
Saint-Gineis-en-Coiron (07) ... 157 H2
Saint-Gingolph (74) ... 119 G3
Saint-Girod (73) ... 131 H3
Saint-Girons (09) ... 185 E5
Saint-Girons-d'Aiguevives (33) ... 135 F2
Saint-Girons-en-Béarn (64) ... 165 F5
Saint-Gladie-Arrive-Munein (64) ... 181 F1
Saint-Glen (22) ... 34 A6
Saint-Goazec (29) ... 54 A1
Saint-Gobain (02) ... 22 A3
Saint-Gobert (02) ... 22 D1
Saint-Goin (64) ... 181 H2
Saint-Gondon (45) ... 81 H3
Saint-Gondran (35) ... 57 E1
Saint-Gonlay (35) ... 56 C2
Saint-Gonnery (56) ... 55 G2
Saint-Gor (40) ... 166 C1
Saint-Gorgon (56) ... 73 G1
Saint-Gorgon (88) ... 70 B2
Saint-Gorgon-Main (25) ... 104 A3
Saint-Gouéno (22) ... 55 H1
Saint-Gourgon (41) ... 79 F3
Saint-Gourson (16) ... 122 D1
Saint-Goussaud (23) ... 111 E6
Saint-Gratien (80) ... 7 G5
Saint-Gratien (95) ... 42 C3
Saint-Gratien-Savigny (58) ... 99 H4
Saint-Gravé (56) ... 56 B6
Saint-Grégoire (35) ... 57 F2
Saint-Grégoire (81) ... 170 C2
Saint-Grégoire-d'Ardennes (17) ... 121 F5
Saint-Grégoire-du-Vièvre (27) ... 15 H4
Saint-Griède (32) ... 166 C4
Saint-Groux (16) ... 122 C2
Saint-Guen (22) ... 55 F1
Saint-Guilhem-le-Désert (34) ... 172 D4
Saint-Guillaume (38) ... 145 F4
Saint-Guinoux (35) ... 35 E4
Saint-Guiraud (34) ... 172 C5
Saint-Guyomard (56) ... 55 H5
Saint-Haon (43) ... 142 B6
Saint-Haon-le-Châtel (42) ... 114 D6
Saint-Haon-le-Vieux (42) ... 114 D6
Saint-Héand (42) ... 129 F5
Saint-Hélen (22) ... 36 A6
Saint-Hélier (21) ... 85 F5
Saint-Hellier (76) ... 17 H3
Saint-HERBLAIN (44) ... 74 C5
Saint-Herblon (44) ... 75 F3
Saint-Hérent (63) ... 127 F6
Saint-Hernin (29) ... 54 B1
Saint-Hervé (22) ... 33 G6
Saint-Hilaire (03) ... 113 F2
Saint-Hilaire (11) ... 186 D4
Saint-Hilaire (25) ... 87 G6
Saint-Hilaire (31) ... 185 E1
Saint-Hilaire (38) ... 145 H1
Saint-Hilaire (43) ... 141 H1
Saint-Hilaire (46) ... 139 G6
Saint-Hilaire (63) ... 112 D6
Saint-Hilaire (91) ... 63 E2
Saint-Hilaire-au-Temple (51) ... 45 H2
Saint-Hilaire-Bonneval (87) ... 124 B3
Saint-Hilaire-Cottes (62) ... 2 C5
Saint-Hilaire-Cusson-la-Valmitte (42) ... 142 D1
Saint-Hilaire-de-Beauvoir (34) ... 173 G4
Saint-Hilaire-de-Brens (38) ... 130 D4
Saint-Hilaire-de-Brethmas (30) ... 173 H1
Saint-Hilaire-de-Briouze (61) ... 38 C5
Saint-Hilaire-de-Chaléons (44) ... 74 B6
Saint-Hilaire-de-Clisson (44) ... 91 H1
Saint-Hilaire-de-Court (18) ... 97 E1
Saint-Hilaire-de-Gondilly (18) ... 98 C3
Saint-Hilaire-de-la-Côte (38) ... 130 D6
Saint-Hilaire-de-la-Noaille (33) ... 150 B2
Saint-Hilaire-de-Lavit (48) ... 156 D5
Saint-Hilaire-de-Loulay (85) ... 91 H1
Saint-Hilaire-de-Lusignan (47) ... 151 E5
Saint-Hilaire-de-Riez (85) ... 90 D4
Saint-Hilaire-de-Villefranche (17) ... 121 F2
Saint-Hilaire-de-Voust (85) ... 107 G1
Saint-Hilaire-des-Landes (35) ... 35 H6
Saint-Hilaire-des-Loges (85) ... 107 F2
Saint-Hilaire-d'Estissac (24) ... 137 E4
Saint-Hilaire-d'Ozilhan (30) ... 174 C2
Saint-Hilaire-du-Bois (17) ... 121 F6
Saint-Hilaire-du-Bois (33) ... 150 A1
Saint-Hilaire-du-Harcouët (50) ... 37 F6
Saint-Hilaire-du-Maine (53) ... 58 C3
Saint-Hilaire-du-Rosier (38) ... 144 D3
Saint-Hilaire-en-Lignières (18) ... 97 F6
Saint-Hilaire-en-Morvan (58) ... 100 A3
Saint-Hilaire-en-Woëvre (55) ... 47 H1
Saint-Hilaire-Foissac (19) ... 139 G1
Saint-Hilaire-Fontaine (58) ... 99 G5
Saint-Hilaire-la-Croix (63) ... 113 F6
Saint-Hilaire-la-Forêt (85) ... 91 F6
Saint-Hilaire-la-Gérard (61) ... 39 E6
Saint-Hilaire-la-Gravelle (41) ... 61 H6
Saint-Hilaire-la-Palud (79) ... 107 F4
Saint-Hilaire-la-Plaine (23) ... 111 G5
Saint-Hilaire-la-Treille (87) ... 110 C4
Saint-Hilaire-le-Château (23) ... 125 F1
Saint-Hilaire-le-Châtel (61) ... 39 H6
Saint-Hilaire-le-Grand (51) ... 46 A1
Saint-Hilaire-le-Lierru (72) ... 60 D5
Saint-Hilaire-le-Petit (51) ... 23 G6
Saint-Hilaire-le-Vouhis (85) ... 92 A5
Saint-Hilaire-les-Andrésis (45) ... 64 C5
Saint-Hilaire-les-Courbes (19) ... 125 E4
Saint-Hilaire-les-Monges (63) ... 126 C3
Saint-Hilaire-les-Places (87) ... 124 A4
Saint-Hilaire-lez-Cambrai (59) ... 9 F3
Saint-Hilaire-Luc (19) ... 139 H1
Saint-Hilaire-Petitville (50) ... 13 E5
Saint-Hilaire-Peyroux (19) ... 138 D2
Saint-Hilaire-Saint-Mesmin (45) ... 80 D1
Saint-Hilaire-sous-Charlieu (42) ... 115 F5
Saint-Hilaire-sous-Romilly (10) ... 65 G1
Saint-Hilaire-sur-Benaize (36) ... 110 B1
Saint-Hilaire-sur-Erre (61) ... 61 E3
Saint-Hilaire-sur-Helpe (59) ... 10 A4
Saint-Hilaire-sur-Puiseaux (45) ... 82 A1
Saint-Hilaire-sur-Risle (61) ... 39 H5
Saint-Hilaire-sur-Yerre (28) ... 61 H5
Saint-Hilaire-Taurieux (19) ... 139 E4
Saint-Hilarion (78) ... 41 H6
Saint-Hilliers (77) ... 44 A6
Saint-Hippolyte (12) ... 154 C1
Saint-Hippolyte (15) ... 140 C2
Saint-Hippolyte (17) ... 120 D1
Saint-Hippolyte (25) ... 88 C6
Saint-Hippolyte (33) ... 135 H5
Saint-Hippolyte (37) ... 95 G3
Saint-Hippolyte (66) ... 201 F1
Saint-Hippolyte (68) ... 71 F3
Saint-Hippolyte-de-Caton (30) ... 173 H1
Saint-Hippolyte-de-Montaigu (30) ... 174 C1
Saint-Hippolyte-du-Fort (30) ... 173 F2
Saint-Hippolyte-le-Graveyron (84) ... 158 D6
Saint-Honoré (38) ... 145 H4
Saint-Honoré (76) ... 17 H3
Saint-Honoré-les-Bains (58) ... 100 A4
Saint-Hostien (43) ... 142 D4
Saint-Hubert (57) ... 26 C4
Saint-Huruge (71) ... 115 H1
Saint-Hymer (14) ... 15 F4
Saint-Hymetière (39) ... 117 G3
Saint-Igeaux (22) ... 33 E6
Saint-Igest (12) ... 153 G4
Saint-Ignan (31) ... 184 B3
Saint-Ignat (63) ... 127 G2
Saint-Igny-de-Roche (71) ... 115 F5
Saint-Igny-de-Vers (69) ... 115 G4
Saint-Illide (15) ... 139 H4
Saint-Illiers-la-Ville (78) ... 41 G3
Saint-Illiers-le-Bois (78) ... 41 F3
Saint-Ilpize (43) ... 141 G2
Saint-Imoges (51) ... 45 F1
Saint-Inglevert (62) ... 1 F3
Saint-Ismier (38) ... 145 H2
Saint-Izaire (12) ... 171 F2
Saint-Jacques (04) ... 177 G2
Saint-Jacques-d'Aliermont (76) ... 17 H2
Saint-Jacques-d'Ambur (63) ... 126 D2
Saint-Jacques-d'Atticieux (07) ... 143 H1
Saint-Jacques-de-la-Lande (35) ... 57 E3
Saint-Jacques-de-Néhou (50) ... 12 C4
Saint-Jacques-de-Thouars (79) ... 93 G3
Saint-Jacques-des-Arrêts (69) ... 115 H4
Saint-Jacques-des-Blats (15) ... 140 C4
Saint-Jacques-des-Guérets (41) ... 79 E2
Saint-Jacques-en-Valgodemard (05) ... 146 A6
Saint-Jacques-sur-Darnétal (76) ... 17 H6
Saint-Jacut-de-la-Mer (22) ... 34 C4
Saint-Jacut-du-Mené (22) ... 56 A1
Saint-Jacut-les-Pins (56) ... 56 B6
Saint-Jal (19) ... 124 D6
Saint-James (50) ... 35 H5
Saint-Jammes (64) ... 182 C1
Saint-Jans-Cappel (59) ... 2 D4
Saint-Jean (31) ... 169 F5
Saint-Jean-aux-Amognes (58) ... 99 E3
Saint-Jean-aux-Bois (08) ... 23 G2
Saint-Jean-aux-Bois (60) ... 21 F5
Saint-Jean-Bonnefonds (42) ... 129 F6
Saint-Jean-Brévelay (56) ... 55 G5
Saint-Jean-Cap-Ferrat (06) ... 195 F3
Saint-Jean-Chambre (07) ... 143 G5
Saint-Jean-d'Aigues-Vives (09) ... 186 B6
Saint-Jean-d'Alcapiès (12) ... 171 H2
Saint-Jean-d'Angély (17) ... 121 F1
Saint-Jean-d'Angle (17) ... 120 C2
Saint-Jean-d'Ardières (69) ... 116 B5
Saint-Jean-d'Arves (73) ... 146 C2
Saint-Jean-d'Arvey (73) ... 132 A4
Saint-Jean-d'Assé (72) ... 60 A4
Saint-Jean-d'Ataux (24) ... 136 D3
Saint-Jean-d'Aubrigoux (43) ... 142 B1
Saint-Jean-d'Aulps (74) ... 119 F4
Saint-Jean-d'Avelanne (38) ... 131 F5
Saint-Jean-de-Barrou (11) ... 187 H5
Saint-Jean-de-Bassel (57) ... 49 H4
Saint-Jean-de-Beauregard (91) ... 42 C5
Saint-Jean-de-Belleville (73) ... 132 D6
Saint-Jean-de-Beugné (85) ... 106 D1
Saint-Jean-de-Blaignac (33) ... 135 H6
Saint-Jean-de-Bœuf (21) ... 101 F1
Saint-Jean-de-Boiseau (44) ... 74 C5
Saint-Jean-de-Bonneval (10) ... 66 B4
Saint-Jean-de-Bournay (38) ... 130 C5
Saint-Jean-de-Braye (45) ... 80 D1
Saint-Jean-de-Buèges (34) ... 173 E3
Saint-Jean-de-Ceyrargues (30) ... 174 A1
Saint-Jean-de-Chevelu (73) ... 131 G3
Saint-Jean-de-Côle (24) ... 123 G6
Saint-Jean-de-Cornies (34) ... 173 G4
Saint-Jean-de-Couz (73) ... 131 G5
Saint-Jean-de-Crieulon (30) ... 173 G2
Saint-Jean-de-Cuculles (34) ... 173 F4
Saint-Jean-de-Daye (50) ... 13 F5
Saint-Jean-de-Duras (47) ... 150 D1
Saint-Jean-de-Folleville (76) ... 15 H2
Saint-Jean-de-Fos (34) ... 172 D4
Saint-Jean-de-Gonville (01) ... 118 A4
Saint-Jean-de-la-Blaquière (34) ... 172 C4
Saint-Jean-de-la-Croix (49) ... 76 D5
Saint-Jean-de-la-Forêt (61) ... 60 D2
Saint-Jean-de-la-Haize (50) ... 35 H3
Saint-Jean-de-la-Léqueraye (27) ... 15 H4
Saint-Jean-de-la-Motte (72) ... 77 H2
Saint-Jean-de-la-Neuville (76) ... 15 G1
Saint-Jean-de-la-Porte (73) ... 132 B5
Saint-Jean-de-la-Rivière (50) ... 12 B4
Saint-Jean-de-la-Ruelle (45) ... 80 D1
Saint-Jean-de-Laur (46) ... 153 F4
Saint-Jean-de-Lier (40) ... 165 F3
Saint-Jean-de-Linières (49) ... 76 D4
Saint-Jean-de-Liversay (17) ... 107 E4
Saint-Jean-de-Livet (14) ... 15 F5
Saint-Jean-de-Losne (21) ... 102 B2
Saint-Jean-de-Luz (64) ... 180 B1
Saint-Jean-de-Marcel (81) ... 170 C1
Saint-Jean-de-Marsacq (40) ... 164 D4
Saint-Jean-de-Maruéjols-et-Avéjan (30) ... 157 F5
Saint-Jean-de-Maurienne (73) ... 146 C1
Saint-Jean-de-Minervois (34) ... 187 H2
Saint-Jean-de-Moirans (38) ... 145 F1
Saint-Jean-de-Monts (85) ... 90 C3
Saint-Jean-de-Muzols (07) ... 144 A3
Saint-Jean-de-Nay (43) ... 142 B4
Saint-Jean-de-Niost (01) ... 130 D2
Saint-Jean-de-Paracol (11) ... 186 C6
Saint-Jean-de-Rebervilliers (28) ... 41 E6
Saint-Jean-de-Rives (81) ... 169 H4
Saint-Jean-de-Sauves (86) ... 94 A4
Saint-Jean-de-Savigny (50) ... 13 F6
Saint-Jean-de-Serres (30) ... 173 G2
Saint-Jean-de-Sixt (74) ... 132 C1
Saint-Jean-de-Soudain (38) ... 131 E5
Saint-Jean-de-Tholome (74) ... 118 D5
Saint-Jean-de-Thouars (79) ... 93 G3
Saint-Jean-de-Thurac (47) ... 151 F6
Saint-Jean-de-Thurigneux (01) ... 130 A1
Saint-Jean-de-Touslas (69) ... 129 H5
Saint-Jean-de-Trézy (71) ... 101 E5
Saint-Jean-de-Valériscle (30) ... 157 E5
Saint-Jean-de-Vals (81) ... 170 C5
Saint-Jean-de-Vaulx (38) ... 145 G4
Saint-Jean-de-Vaux (71) ... 101 F5
Saint-Jean-de-Védas (34) ... 173 F6
Saint-Jean-de-Verges (09) ... 185 H5

Saint-Jean-Delnous (12) 171 E1
Saint-Jean-des-Baisants (50) 37 G1
Saint-Jean-des-Bois (61) 37 H4
Saint-Jean-des-Champs (50) 35 G2
Saint-Jean-des-Échelles (72) 61 E4
Saint-Jean-des-Essartiers (14) 37 H2
Saint-Jean-des-Mauvrets (49) 77 E5
Saint-Jean-des-Ollières (63) 127 H4
Saint-Jean-des-Vignes (69) 129 H2
Saint-Jean-d'Estissac (24) 137 E4
Saint-Jean-d'Étreux (39) 117 E3
Saint-Jean-devant-Possesse (51) 46 C4
Saint-Jean-d'Eyraud (24) 136 D4
Saint-Jean-d'Hérans (38) 145 G5
Saint-Jean-d'Heurs (63) 127 H3
Saint-Jean-d'Illac (33) 134 D5
Saint-Jean-d'Ormont (88) 70 D2
Saint-Jean-du-Bois (72) 77 H1
Saint-Jean-du-Bouzet (82) 168 B2
Saint-Jean-du-Bruel (12) 172 C2
Saint-Jean-du-Cardonnay (76) 17 G5
Saint-Jean-du-Castillonnais (09) 184 C5
Saint-Jean-du-Corail (50) 37 G5
Saint-Jean-du-Corail-des-Bois (50) 37 F4
Saint-Jean-du-Doigt (29) 32 A2
Saint-Jean-du-Falga (09) 185 H4
Saint-Jean-du-Gard (30) 173 F1
Saint-Jean-du-Pin (30) 173 G1
Saint-Jean-du-Thenney (27) 15 G6
Saint-Jean-en-Royans (26) 144 D4
Saint-Jean-en-Val (63) 127 G5
Saint-Jean-et-Saint-Paul (12) 171 H2
Saint-Jean-Froidmentel (41) 61 H6
Saint-Jean-Kerdaniel (22) 33 F4
Saint-Jean-Kourtzerode (57) 50 B4
Saint-Jean-la-Bussière (69) 129 F1
Saint-Jean-la-Fouillouse (48) 156 B1
Saint-Jean-la-Poterie (56) 73 H1
Saint-Jean-la-Vêtre (42) 128 B3
Saint-Jean-Lachalm (43) 142 B5
Saint-Jean-Lagineste (46) 139 E6
Saint-Jean-Lasseille (66) 201 F3
Saint-Jean-le-Blanc (14) 38 A3
Saint-Jean-le-Blanc (45) 80 D1
Saint-Jean-le-Centenier (07) 157 H2
Saint-Jean-le-Comtal (32) 167 G5
Saint-Jean-le-Thomas (50) 35 G3
Saint-Jean-le-Vieux (01) 117 F6
Saint-Jean-le-Vieux (38) 145 H2
Saint-Jean-le-Vieux (64) 181 E3
Saint-Jean-lès-Buzy (55) 47 H1
Saint-Jean-les-Deux-Jumeaux (77) 43 H3
Saint-Jean-lès-Longuyon (54) 25 F4
Saint-Jean-Lespinasse (46) 139 E5
Saint-Jean-Lherm (31) 169 G4
Saint-Jean-Ligoure (87) 124 B4
Saint-Jean-Mirabel (46) 153 H2
Saint-Jean-Pied-de-Port (64) 180 D3
Saint-Jean-Pierre-Fixte (28) 61 E3
Saint-Jean-Pla-de-Corts (66) 201 E4
Saint-Jean-Poudge (64) 166 C6
Saint-Jean-Poutge (32) 167 G4
Saint-Jean-Rohrbach (57) 49 G2
Saint-Jean-Roure (07) 143 F5
Saint-Jean-Saint-Germain (37) 95 G2
Saint-Jean-Saint-Gervais (63) 127 G6
Saint-Jean-Saint-Maurice-sur-Loire (42) 128 D1
Saint-Jean-Saint-Nicolas (05) 160 C1
Saint-Jean-Saverne (67) 50 C4
Saint-Jean-Soleymieux (42) 128 D5
Saint-Jean-sur-Couesnon (35) 57 H1
Saint-Jean-sur-Erve (53) 59 F5
Saint-Jean-sur-Mayenne (53) 58 D4
Saint-Jean-sur-Moivre (51) 46 B3
Saint-Jean-sur-Reyssouze (01) 116 C3
Saint-Jean-sur-Tourbe (51) 46 B1
Saint-Jean-sur-Veyle (01) 116 C4
Saint-Jean-sur-Vilaine (35) 57 H3
Saint-Jean-Trolimon (29) 53 E4
Saint-Jeannet (04) 177 E2
Saint-Jeannet (06) 195 E2
Saint-Jeanvrin (18) 112 A1
Saint-Jeoire (74) 119 E5
Saint-Jeoire-Prieuré (73) 132 A5
Saint-Jeure-d'Andaure (07) 143 G4
Saint-Jeure-d'Ay (07) 143 H3
Saint-Jeures (43) 143 E3
Saint-Joachim (44) 73 G3
Saint-Jodard (42) 128 D2
Saint-Joire (55) 47 G6
Saint-Jores (50) 12 D5
Saint-Jorioz (74) 132 B2
Saint-Jory (31) 169 E4
Saint-Jory-de-Chalais (24) 123 G5
Saint-Jory-las-Bloux (24) 137 H1
Saint-Joseph (42) 129 G5
Saint-Joseph (50) 12 C3
Saint-Joseph-de-Rivière (38) 131 G6
Saint-Joseph-des-Bancs (07) 157 G1
Saint-Josse (62) 1 F6
Saint-Jouan-de-l'Isle (22) 56 C1
Saint-Jouan-des-Guérets (35) 36 A5
Saint-Jouin (14) 14 D4
Saint-Jouin-Bruneval (76) 16 B4
Saint-Jouin-de-Blavou (61) 60 C1
Saint-Jouin-de-Marnes (79) 93 H4
Saint-Jouin-de-Milly (79) 92 D5
Saint-Jouvent (87) 124 A1
Saint-Juan (25) 87 H6
Saint-Judoce (22) 34 D6
Saint-Juéry (12) 171 F3
Saint-Juéry (48) 141 F6
Saint-Juéry (81) 170 C2
Saint-Juire-Champgillon (85) 106 D1
Saint-Julia (31) 170 A6
Saint-Julia-de-Bec (11) 186 D6
Saint-Julien (21) 86 A5
Saint-Julien (22) 33 G5
Saint-Julien (34) 171 H6
Saint-Julien (39) 117 F3
Saint-Julien (69) 116 A6
Saint-Julien (83) 176 D4
Saint-Julien (88) 69 E5
Saint-Julien-aux-Bois (19) 139 G3
Saint-Julien-Beychevelle (33) 134 D2
Saint-Julien-Boutières (07) 143 F4
Saint-Julien-Chapteuil (43) 142 D4
Saint-Julien-d'Ance (43) 142 C1
Saint-Julien-d'Armagnac (40) 166 C2
Saint-Julien-d'Arpaon (48) 156 B5
Saint-Julien-d'Asse (04) 177 E2
Saint-Julien-de-Bourdeilles (24) 137 E1
Saint-Julien-de-Briola (11) 186 B4
Saint-Julien-de-Cassagnas (30) 157 F6
Saint-Julien-de-Chédon (41) 79 G6
Saint-Julien-de-Civry (71) 115 F3
Saint-Julien-de-Concelles (44) 75 E5
Saint-Julien-de-Coppel (63) 127 G4
Saint-Julien-de-Crempse (24) 137 E4
Saint-Julien-de-Gras-Capou (09) 186 A5
Saint-Julien-de-Jonzy (71) 115 F4
Saint-Julien-de-la-Liègue (27) 41 E1
Saint-Julien-de-la-Nef (30) 173 E2
Saint-Julien-de-Lampon (24) 138 B5
Saint-Julien-de-l'Escap (17) 121 F1
Saint-Julien-de-l'Herms (38) 130 C6
Saint-Julien-de-Mailloc (14) 15 F5
Saint-Julien-de-Peyrolas (30) 157 H5
Saint-Julien-de-Raz (38) 145 F1
Saint-Julien-de-Toursac (15) 139 H6
Saint-Julien-de-Vouvantes (44) 75 F1
Saint-Julien-des-Chazes (43) 142 A4
Saint-Julien-des-Landes (85) 91 E4
Saint-Julien-des-Points (48) 156 D5
Saint-Julien-d'Eymet (24) 151 E1
Saint-Julien-d'Oddes (42) 128 D2
Saint-Julien-du-Gua (07) 143 G6
Saint-Julien-du-Pinet (43) 142 D3
Saint-Julien-du-Puy (81) 170 B4
Saint-Julien-du-Sault (89) 65 E5
Saint-Julien-du-Serre (07) 157 G1
Saint-Julien-du-Terroux (53) 59 F1
Saint-Julien-du-Tournel (48) 156 B3
Saint-Julien-du-Verdon (04) 177 H2
Saint-Julien-en-Beauchêne (05) 159 H2
Saint-Julien-en-Born (40) 148 A6
Saint-Julien-en-Champsaur (05) 160 C1
Saint-Julien-en-Genevois (74) 118 B5
Saint-Julien-en-Quint (26) 144 D5
Saint-Julien-en-Saint-Alban (07) 143 H6
Saint-Julien-en-Vercors (26) 145 E4
Saint-Julien-Gaulène (81) 170 D2
Saint-Julien-la-Geneste (63) 112 D6
Saint-Julien-la-Genête (23) 112 C5
Saint-Julien-la-Vêtre (42) 128 B3
Saint-Julien-Labrousse (07) 143 G5
Saint-Julien-l'Ars (86) 109 F1
Saint-Julien-le-Châtel (23) 112 B6
Saint-Julien-le-Faucon (14) 15 E6
Saint-Julien-le-Pèlerin (19) 139 G4
Saint-Julien-le-Petit (87) 125 E2
Saint-Julien-le-Roux (07) 143 H5
Saint-Julien-le-Vendômois (19) 124 B6
Saint-Julien-lès-Gorze (54) 26 A6
Saint-Julien-lès-Metz (57) 26 C5
Saint-Julien-lès-Montbéliard (25) 88 B4
Saint-Julien-les-Rosiers (30) 157 E6
Saint-Julien-lès-Russey (25) 104 C1
Saint-Julien-les-Villas (10) 66 B3
Saint-Julien-Maumont (19) 138 D4
Saint-Julien-Molhesabate (43) 143 F2
Saint-Julien-Molin-Molette (42) 143 H1
Saint-Julien-Mont-Denis (73) 146 C1
Saint-Julien-près-Bort (19) 126 A6
Saint-Julien-Puy-Lavèze (63) 126 C4
Saint-Julien-sous-les-Côtes (55) 47 H4
Saint-Julien-sur-Bibost (69) 129 G3
Saint-Julien-sur-Calonne (14) 15 F4
Saint-Julien-sur-Cher (41) 96 D1
Saint-Julien-sur-Dheune (71) 101 E5
Saint-Julien-sur-Garonne (31) 185 E3
Saint-Julien-sur-Reyssouze (01) 116 D3
Saint-Julien-sur-Sarthe (61) 60 C1
Saint-Julien-sur-Veyle (01) 116 C5
Saint-Julien-Vocance (07) 143 G3
Saint-Junien (87) 123 G2
Saint-Junien-la-Bregère (23) 125 E2
Saint-Junien-les-Combes (87) 110 B6
Saint-Jure (57) 48 D3
Saint-Jurs (04) 177 F2
Saint-Just (01) 117 E5
Saint-Just (07) 157 H5
Saint-Just (15) 141 F5
Saint-Just (18) 97 H3
Saint-Just (24) 137 E1
Saint-Just (27) 41 F1
Saint-Just (34) 173 H5
Saint-Just (35) 56 D6
Saint-Just (63) 128 B6
Saint-Just-Chaleyssin (38) 130 B4
Saint-Just-d'Avray (69) 129 F1
Saint-Just-de-Claix (38) 144 D3
Saint-Just-en-Bas (42) 128 C3
Saint-Just-en-Brie (77) 43 H6
Saint-Just-en-Chaussée (60) 20 D4
Saint-Just-en-Chevalet (42) 128 C2
Saint-Just-et-le-Bézu (11) 186 D6
Saint-Just-et-Vacquières (30) 174 A1
Saint-Just-Ibarre (64) 181 E3
Saint-Just-la-Pendue (42) 129 E2
Saint-Just-le-Martel (87) 124 C2
Saint-Just-Luzac (17) 120 C2
Saint-Just-Malmont (43) 143 F1
Saint-Just-près-Brioude (43) 141 G2
Saint-Just-Saint-Rambert (42) 129 E5
Saint-Just-Sauvage (51) 65 H1
Saint-Just-sur-Dive (49) 93 H1
Saint-Just-sur-Viaur (12) 154 B6
Saint-Justin (32) 167 E6
Saint-Justin (40) 166 C2
Saint-Juvat (22) 34 D6
Saint-Juvin (08) 24 C5
Saint-Lactencin (36) 96 B4
Saint-Lager (69) 116 A6
Saint-Lager-Bressac (07) 158 A1
Saint-Lamain (39) 102 D5
Saint-Lambert (14) 38 B3
Saint-Lambert (78) 42 B5
Saint-Lambert-du-Lattay (49) 76 D6
Saint-Lambert-et-Mont-de-Jeux (08) 24 A4
Saint-Lambert-la-Potherie (49) 76 D4
Saint-Lambert-sur-Dive (61) 39 F4
Saint-Langis-lès-Mortagne (61) 60 D1
Saint-Lanne (65) 166 D5
Saint-Laon (86) 93 H3
Saint-Lary (09) 184 C6
Saint-Lary (32) 167 G4
Saint-Lary-Boujean (31) 184 B3
Saint-Lary-Soulan (65) 196 D1
Saint-Lattier (38) 144 D3
Saint-Launeuc (22) 56 B1
Saint-Laure (63) 127 G2
Saint-Laurent (08) 24 B1
Saint-Laurent (18) 97 F1
Saint-Laurent (22) 32 D3
Saint-Laurent (23) 111 G5
Saint-Laurent (31) 184 B2
Saint-Laurent (47) 150 D5
Saint-Laurent (74) 118 D6
Saint-Laurent-Blangy (62) 8 B2
Saint-Laurent-Bretagne (64) 182 C1
Saint-Laurent-Chabreuges (43) 141 G2
Saint-Laurent-d'Agny (69) 129 H4
Saint-Laurent-d'Aigouze (30) 173 H5
Saint-Laurent-d'Andenay (71) 101 E6
Saint-Laurent-d'Arce (33) 135 F3
Saint-Laurent-de-Belzagot (16) 122 B6
Saint-Laurent-de-Brèvedent (76) 15 F1
Saint-Laurent-de-Carnols (30) 157 H5
Saint-Laurent-de-Cerdans (66) 200 D5
Saint-Laurent-de-Céris (16) 123 E1
Saint-Laurent-de-Chamousset (69) 129 F3
Saint-Laurent-de-Cognac (16) 121 G3
Saint-Laurent-de-Condel (14) 14 B6
Saint-Laurent-de-Cuves (50) 37 F4
Saint-Laurent-de-Gosse (40) 164 C5
Saint-Laurent-de-Jourdes (86) 109 F3
Saint-Laurent-de-la-Barrière (17) 107 F6
Saint-Laurent-de-la-Cabrerisse (11) 187 G4
Saint-Laurent-de-la-Plaine (49) 75 H4
Saint-Laurent-de-la-Prée (17) 106 D6
Saint-Laurent-de-la-Salanque (66) 201 G1
Saint-Laurent-de-la-Salle (85) 107 E1
Saint-Laurent-de-Lévézou (12) 155 E6
Saint-Laurent-de-Lin (37) 78 B4
Saint-Laurent-de-Mure (69) 130 B4
Saint-Laurent-de-Muret (48) 155 G2
Saint-Laurent-de-Neste (65) 183 H4
Saint-Laurent-de-Terregatte (50) 37 E6
Saint-Laurent-de-Trèves (48) 156 B5
Saint-Laurent-de-Vaux (69) 129 H3
Saint-Laurent-de-Veyrès (48) 141 F6
Saint-Laurent-des-Arbres (30) 174 D1
Saint-Laurent-des-Autels (49) 75 F4
Saint-Laurent-des-Bâtons (24) 137 F4
Saint-Laurent-des-Bois (27) 41 E4
Saint-Laurent-des-Bois (41) 80 A1
Saint-Laurent-des-Combes (16) 136 B1
Saint-Laurent-des-Combes (33) 135 H5
Saint-Laurent-des-Hommes (24) 136 C4
Saint-Laurent-des-Mortiers (53) 77 E2
Saint-Laurent-des-Vignes (24) 136 D6
Saint-Laurent-d'Oingt (69) 129 G1
Saint-Laurent-d'Olt (12) 155 F3
Saint-Laurent-d'Onay (26) 144 C2
Saint-Laurent-du-Bois (33) 150 A1
Saint-Laurent-du-Cros (05) 160 B1
Saint-Laurent-du-Mont (14) 15 E5
Saint-Laurent-du-Mottay (49) 76 B5
Saint-Laurent-du-Pape (07) 144 A6
Saint-Laurent-du-Plan (33) 150 A1
Saint-Laurent-du-Pont (38) 131 G6
Saint-Laurent-du-Tencement (27) 39 H3
Saint-Laurent-du-Var (06) 195 F3
Saint-Laurent-du-Verdon (04) 177 E4
Saint-Laurent-en-Beaumont (38) 145 H5
Saint-Laurent-en-Brionnais (71) 115 F4
Saint-Laurent-en-Caux (76) 17 F3
Saint-Laurent-en-Gâtines (37) 79 E4
Saint-Laurent-en-Grandvaux (39) 118 A1
Saint-Laurent-en-Royans (26) 144 D4
Saint-Laurent-la-Conche (42) 129 E4
Saint-Laurent-la-Gâtine (28) 41 G5
Saint-Laurent-la-Roche (39) 117 F1
Saint-Laurent-la-Vallée (24) 137 H6
Saint-Laurent-la-Vernède (30) 174 B1
Saint-Laurent-l'Abbaye (58) 82 C6
Saint-Laurent-le-Minier (30) 173 E2
Saint-Laurent-les-Bains (07) 156 D2
Saint-Laurent-les-Églises (87) 124 C1
Saint-Laurent-les-Tours (46) 139 F5
Saint-Laurent-Lolmie (46) 152 B5
Saint-Laurent-Médoc (33) 134 D2
Saint-Laurent-Nouan (41) 80 B3
Saint-Laurent-Rochefort (42) 128 C3
Saint-Laurent-sous-Coiron (07) 157 G2
Saint-Laurent-sur-Gorre (87) 123 H3
Saint-Laurent-sur-Manoire (24) 137 F3
Saint-Laurent-sur-Mer (14) 13 G4
Saint-Laurent-sur-Othain (55) 25 F4
Saint-Laurent-sur-Oust (56) 56 B5
Saint-Laurent-sur-Saône (01) 116 B4
Saint-Laurent-sur-Sèvre (85) 92 C3
Saint-Laurs (79) 107 G1
Saint-Léger (06) 178 B1
Saint-Léger (16) 122 B5
Saint-Léger (17) 121 F4
Saint-Léger (47) 150 D5
Saint-Léger (53) 59 E5
Saint-Léger (62) 8 B3
Saint-Léger (73) 132 C6
Saint-Léger (77) 44 A4
Saint-Léger-aux-Bois (60) 21 G4
Saint-Léger-aux-Bois (76) 6 C6
Saint-Léger-Bridereix (23) 111 E4
Saint-Léger-de-Balson (33) 149 F3
Saint-Léger-de-Fougeret (58) 100 A3
Saint-Léger-de-la-Martinière (79) 108 B4
Saint-Léger-de-Montbrillais (86) 93 H2
Saint-Léger-de-Montbrun (79) 93 G3
Saint-Léger-de-Peyre (48) 155 H2
Saint-Léger-de-Rôtes (27) 40 A1
Saint-Léger-des-Aubées (28) 62 C2
Saint-Léger-des-Bois (49) 76 D4
Saint-Léger-des-Prés (35) 35 F6
Saint-Léger-des-Vignes (58) 99 F5
Saint-Léger-du-Bois (71) 101 E3
Saint-Léger-du-Bourg-Denis (76) 18 D4
Saint-Léger-du-Gennetey (27) 18 A5
Saint-Léger-du-Malzieu (48) 141 G5
Saint-Léger-du-Ventoux (84) 159 E5
Saint-Léger-Dubosq (14) 14 D4
Saint-Léger-en-Bray (60) 20 A5
Saint-Léger-en-Yvelines (78) 41 H5
Saint-Léger-la-Montagne (87) 110 D6
Saint-Léger-le-Guérétois (23) 111 F5
Saint-Léger-le-Petit (18) 98 C2
Saint-Léger-lès-Authie (80) 7 H4
Saint-Léger-lès-Domart (80) 7 F4
Saint-Léger-les-Mélèzes (05) 160 C1
Saint-Léger-lès-Paray (71) 115 E2
Saint-Léger-les-Vignes (44) 74 B6
Saint-Léger-Magnazeix (87) 110 C4
Saint-Léger-près-Troyes (10) 66 B4
Saint-Léger-sous-Beuvray (71) 100 B4
Saint-Léger-sous-Brienne (10) 66 D2
Saint-Léger-sous-Cholet (49) 92 C2
Saint-Léger-sous-la-Bussière (71) 115 H4
Saint-Léger-sous-Margerie (10) 66 D1
Saint-Léger-sur-Bresle (80) 6 C6
Saint-Léger-sur-Dheune (71) 101 F5
Saint-Léger-sur-Roanne (42) 115 E6
Saint-Léger-sur-Sarthe (61) 60 C1
Saint-Léger-sur-Vouzance (03) 114 D3
Saint-Léger-Triey (21) 86 B6
Saint-Léger-Vauban (89) 84 B6
Saint-Léomer (86) 110 A3
Saint-Léon (03) 114 C3
Saint-Léon (31) 185 G1
Saint-Léon (33) 135 G6
Saint-Léon (47) 150 C5
Saint-Léon-d'Issigeac (24) 151 F1
Saint-Léon-sur-l'Isle (24) 137 E3
Saint-Léon-sur-Vézère (24) 137 H4
Saint-Léonard (32) 168 A3
Saint-Léonard (51) 23 F6
Saint-Léonard (62) 1 F4
Saint-Léonard (76) 16 C3
Saint-Léonard (88) 70 D3
Saint-Léonard-de-Noblat (87) 124 C2
Saint-Léonard-des-Bois (72) 59 H2
Saint-Léonard-des-Parcs (61) 39 G5
Saint-Léonard-en-Beauce (41) 80 A1
Saint-Léons (12) 155 F6
Saint-Léopardin-d'Augy (03) 98 D6
Saint-Léry (56) 56 B3
Saint-Leu-d'Esserent (60) 20 C6
Saint-Leu-la-Forêt (95) 42 C2
Saint-Lézer (65) 183 E1
Saint-Lézin (49) 76 C6
Saint-Lieux-Lafenasse (81) 170 C4
Saint-Lieux-lès-Lavaur (81) 169 H4
Saint-Lin (79) 108 A1
Saint-Lions (04) 177 G1
Saint-Lizier (09) 184 D5
Saint-Lizier-du-Planté (32) 184 C1
Saint-Lô (50) 37 G1
Saint-Lô-d'Ourville (50) 12 C4
Saint-Lon-les-Mines (40) 164 D5
Saint-Longis (72) 60 C2
Saint-Lormel (22) 34 C4
Saint-Lothain (39) 102 D5
Saint-Loube (32) 184 D1
Saint-Loubert (33) 150 A2
Saint-Loubès (33) 135 F4
Saint-Loubouer (40) 166 A4
Saint-Louet-sur-Seulles (14) 38 A1
Saint-Louet-sur-Vire (50) 37 G2
Saint-Louis (57) 50 B4
Saint-Louis (68) 89 H3
Saint-Louis-de-Montferrand (33) 135 F4
Saint-Louis-en-l'Isle (24) 136 D3
Saint-Louis-et-Parahou (11) 200 B1
Saint-Louis-lès-Bitche (57) 50 C2
Saint-Loup (03) 114 A3
Saint-Loup (17) 107 G6
Saint-Loup (23) 112 B5
Saint-Loup (39) 102 B3
Saint-Loup (41) 96 D1
Saint-Loup (50) 35 H3
Saint-Loup (51) 45 E5
Saint-Loup (58) 82 C5
Saint-Loup (69) 129 G2
Saint-Loup (82) 168 B1
Saint-Loup-Cammas (31) 169 F4
Saint-Loup-de-Buffigny (10) 65 G2
Saint-Loup-de-Fribois (14) 15 E5
Saint-Loup-de-Gonois (45) 64 C5
Saint-Loup-de-Naud (77) 64 D1
Saint-Loup-de-Varennes (71) 101 G6
Saint-Loup-des-Chaumes (18) 97 G5
Saint-Loup-des-Vignes (45) 63 G5
Saint-Loup-d'Ordon (89) 64 D6
Saint-Loup-du-Dorat (53) 59 E6
Saint-Loup-du-Gast (53) 59 E2
Saint-Loup-en-Champagne (08) 23 F4
Saint-Loup-en-Comminges (31) 184 A3
Saint-Loup-Géanges (71) 101 G4
Saint-Loup-Hors (14) 13 H5
Saint-Loup-Lamairé (79) 93 G5
Saint-Loup-Nantouard (70) 86 D5
Saint-Loup-sur-Aujon (52) 85 H1
Saint-Loup-sur-Semouse (70) 87 G1
Saint-Loup-Terrier (08) 24 A3
Saint-Loyer-des-Champs (61) 39 E5
Saint-Lubin-de-Cravant (28) 40 D5
Saint-Lubin-de-la-Haye (28) 41 G4
Saint-Lubin-des-Joncherets (28) 41 E4
Saint-Lubin-en-Vergonnois (41) 79 H3
Saint-Luc (27) 41 E3
Saint-Lucien (28) 41 G6
Saint-Lumier-en-Champagne (51) 46 B4
Saint-Lumier-la-Populeuse (51) 46 C5
Saint-Lumine-de-Clisson (44) 75 E6
Saint-Lumine-de-Coutais (44) 74 B6
Saint-Lunaire (35) 34 C3
Saint-Luperce (28) 61 H2
Saint-Lupicin (39) 117 H3
Saint-Lupien (10) 65 G2
Saint-Lyé (10) 66 A2
Saint-Lyé-la-Forêt (45) 63 E5
Saint-Lyphard (44) 73 G3
Saint-Lys (31) 168 D6
Saint-Macaire (33) 149 H2
Saint-Macaire-du-Bois (49) 93 F2
Saint-Macaire-en-Mauges (49) 75 G6
Saint-Maclou (27) 15 G3
Saint-Maclou-de-Folleville (76) 18 D2
Saint-Maclou-la-Brière (76) 16 C4
Saint-Macoux (86) 108 D5
Saint-Maden (22) 34 C6
Saint-Magne (33) 149 E2
Saint-Magne-de-Castillon (33) 136 A5
Saint-Maigner (63) 112 D6
Saint-Maigrin (17) 121 G6
Saint-Maime (04) 176 C2
Saint-Maime-de-Péreyrol (24) 137 E4
Saint-Maixant (23) 125 H1
Saint-Maixant (33) 149 H2
Saint-Maixent (72) 60 D5
Saint-Maixent-de-Beugné (79) 107 G2
Saint-Maixent-l'École (79) 108 B3
Saint-Maixent-sur-Vie (85) 90 D3
Saint-Maixme-Hauterive (28) 40 D6
Saint-Malo (35) 36 A5
Saint-Malo-de-Beignon (56) 56 C4
Saint-Malo-de-Guersac (44) 73 H4
Saint-Malo-de-la-Lande (50) 36 D1
Saint-Malo-de-Phily (35) 57 E5
Saint-Malo-des-Trois-Fontaines (56) 56 A3
Saint-Malô-du-Bois (85) 92 C3
Saint-Malo-en-Donziois (58) 83 E6
Saint-Malon-sur-Mel (35) 56 C3
Saint-Mamert (69) 115 H4
Saint-Mamert-du-Gard (30) 173 H3
Saint-Mamet (31) 197 F1
Saint-Mamet-la-Salvetat (15) 139 H5
Saint-Mammès (77) 64 B2
Saint-Mandé (94) 42 D4
Saint-Mandé-sur-Brédoire (17) 108 A6
Saint-Mandrier-sur-Mer (83) 193 E5
Saint-Manvieu-Bocage (14) 37 G3
Saint-Manvieu-Norrey (14) 14 B4
Saint-Marc (15) 141 F5
Saint-Marc-à-Frongier (23) 125 G2
Saint-Marc-à-Loubaud (23) 125 F2
Saint-Marc-du-Cor (41) 61 F6
Saint-Marc-Jaumegarde (13) 176 B6
Saint-Marc-la-Lande (79) 107 H2
Saint-Marc-le-Blanc (35) 35 G6
Saint-Marc-sur-Couesnon (35) 57 H1
Saint-Marc-sur-Seine (21) 85 E3
Saint-Marcan (35) 35 F4
Saint-Marceau (08) 24 A2
Saint-Marceau (72) 60 A4
Saint-Marcel (01) 130 B1
Saint-Marcel (08) 23 H1
Saint-Marcel (27) 41 F2

Saint-Marcel (36) 111 E1
Saint-Marcel (54) 26 A5
Saint-Marcel (56) 56 A5
Saint-Marcel (70) 87 E1
Saint-Marcel (71) 101 G5
Saint-Marcel (73) 132 D5
Saint-Marcel-Bel-Accueil (38) 130 D4
Saint-Marcel-Campes (81) 170 B1
Saint-Marcel-d'Ardèche (07) 158 A4
Saint-Marcel-de-Careiret (30) 157 H6
Saint-Marcel-de-Félines (42) 129 E2
Saint-Marcel-du-Périgord (24) 137 F5
Saint-Marcel-d'Urfé (42) 128 C2
Saint-Marcel-en-Marcillat (03) 112 D5
Saint-Marcel-en-Murat (03) 113 F4
Saint-Marcel-l'Éclairé (69) 129 F2
Saint-Marcel-lès-Annonay (07) 143 H2
Saint-Marcel-lès-Sauzet (26) 158 B2
Saint-Marcel-lès-Valence (26) 144 B4
Saint-Marcel-Paulel (31) 169 G5
Saint-Marcel-sur-Aude (11) 188 A3
Saint-Marcelin-de-Cray (71) 115 H2
Saint-Marcellin (38) 144 D3
Saint-Marcellin-en-Forez (42) 129 E5
Saint-Marcellin-lès-Vaison (84) 158 D5
Saint-Marcet (31) 184 B3
Saint-Marcory (24) 151 H1
Saint-Marcouf (14) 13 F5
Saint-Marcouf (50) 13 E3
Saint-Mard (02) 22 C5
Saint-Mard (17) 107 F5
Saint-Mard (54) 69 G1
Saint-Mard (77) 43 F2
Saint-Mard (80) 21 E2
Saint-Mard-de-Réno (61) 60 D1
Saint-Mard-de-Vaux (71) 101 F5
Saint-Mard-lès-Rouffy (51) 45 F3
Saint-Mard-sur-Auve (51) 46 B2
Saint-Mard-sur-le-Mont (51) 46 C3
Saint-Mards (76) 17 G3
Saint-Mards-de-Blacarville (27) 15 H3
Saint-Mards-de-Fresne (27) 15 G6
Saint-Mards-en-Othe (10) 65 H4
Saint-Marien (23) 112 A3
Saint-Mariens (33) 135 F3
Saint-Mars-de-Coutais (44) 74 B6
Saint-Mars-de-Locquenay (72) 60 C6
Saint-Mars-d'Égrenne (61) 38 A6
Saint-Mars-d'Outillé (72) 78 B1
Saint-Mars-du-Désert (44) 75 E4
Saint-Mars-du-Désert (53) 59 G3
Saint-Mars-la-Brière (72) 60 C5
Saint-Mars-la-Jaille (44) 75 F2
Saint-Mars-la-Réorthe (85) 92 B4
Saint-Mars-sous-Ballon (72) 60 B4
Saint-Mars-sur-Colmont (53) 58 D2
Saint-Mars-sur-la-Futaie (53) 58 B1
Saint-Mars-Vieux-Maisons (77) 44 B5
Saint-Marsal (66) 200 D4
Saint-Martial (07) 143 E5
Saint-Martial (15) 141 E5
Saint-Martial (16) 122 B6
Saint-Martial (17) 107 H6
Saint-Martial (30) 173 E1
Saint-Martial (33) 150 A1
Saint-Martial-d'Albarède (24) 137 H1
Saint-Martial-d'Artenset (24) 136 C4
Saint-Martial-de-Gimel (19) 139 F2
Saint-Martial-de-Mirambeau (17) 121 E6
Saint-Martial-de-Nabirat (24) 152 B1
Saint-Martial-de-Valette (24) 123 F5
Saint-Martial-de-Vitaterne (17) 121 F5
Saint-Martial-Entraygues (19) 139 F3
Saint-Martial-le-Mont (23) 111 H6
Saint-Martial-le-Vieux (23) 125 H4
Saint-Martial-sur-Isop (87) 109 H5
Saint-Martial-sur-Né (17) 121 G4
Saint-Martial-Viveyrol (24) 136 D1
Saint-Martin (32) 167 F6
Saint-Martin (54) 49 G6
Saint-Martin (65) 183 E3
Saint-Martin (66) 200 C1
Saint-Martin (67) 71 F2
Saint-Martin (83) 193 E1
Saint-Martin-au-Bosc (76) 6 C6
Saint-Martin-au-Laërt (62) 2 B4
Saint-Martin-aux-Arbres (76) 17 F4
Saint-Martin-aux-Bois (60) 20 D3
Saint-Martin-aux-Buneaux (76) 16 D2
Saint-Martin-aux-Champs (51) 46 A4
Saint-Martin-aux-Chartrains (14) 15 F3
Saint-Martin-Belle-Roche (71) 116 B3
Saint-Martin-Bellevue (74) 132 B1
Saint-Martin-Boulogne (62) 1 F4
Saint-Martin-Cantalès (15) 139 H3
Saint-Martin-Château (23) 125 E2
Saint-Martin-Choquel (62) 1 G4
Saint-Martin-Curton (47) 150 B4
Saint-Martin-d'Abbat (45) 81 F1
Saint-Martin-d'Ablois (51) 45 E2
Saint-Martin-d'Août (26) 144 B2
Saint-Martin-d'Arberoue (64) 181 E1
Saint-Martin-d'Arc (73) 146 D2
Saint-Martin-d'Arcé (49) 77 G4
Saint-Martin-d'Ardèche (07) 157 H5
Saint-Martin-d'Armagnac (32) 166 D4
Saint-Martin-d'Arrossa (64) 180 D2
Saint-Martin-d'Ary (17) 135 H2
Saint-Martin-d'Aubigny (50) 12 D6
Saint-Martin-d'Audouville (50) 12 D3
Saint-Martin-d'Auxigny (18) 97 H1
Saint-Martin-d'Auxy (71) 101 E6
Saint-Martin-de-Bavel (01) 131 F2
Saint-Martin-de-Beauville (47) 151 G5
Saint-Martin-de-Belleville (73) 132 D6
Saint-Martin-de-Bernegoue (79) 107 H4
Saint-Martin-de-Bienfaite-la-Cressonnière (14) 15 G6
Saint-Martin-de-Blagny (14) 13 G5
Saint-Martin-de-Bonfossé (50) 37 F1
Saint-Martin-de-Boscherville (76) 17 F6
Saint-Martin-de-Bossenay (10) 65 G2
Saint-Martin-de-Boubaux (48) 156 D6
Saint-Martin-de-Bréthencourt (78) 62 D1
Saint-Martin-de-Brômes (04) 176 D3
Saint-Martin-de-Caralp (09) 185 G5
Saint-Martin-de-Castillon (84) 176 A3
Saint-Martin-de-Cenilly (50) 37 E2
Saint-Martin-de-Clelles (38) 145 F5
Saint-Martin-de-Commune (71) 101 E4
Saint-Martin-de-Connée (53) 59 G3
Saint-Martin-de-Coux (17) 135 H3
Saint-Martin-de-Crau (13) 191 E2
Saint-Martin-de-Fontenay (14) 14 B5
Saint-Martin-de-Fraigneau (85) 107 F2
Saint-Martin-de-Fressengeas (24) 123 G6
Saint-Martin-de-Fugères (43) 142 C5
Saint-Martin-de-Goyne (32) 167 H2
Saint-Martin-de-Gurson (24) 136 B4
Saint-Martin-de-Hinx (40) 164 C5
Saint-Martin-de-Juillers (17) 121 G1
Saint-Martin-de-Jussac (87) 123 G2
Saint-Martin-de-la-Brasque (84) 176 B4
Saint-Martin-de-la-Cluze (38) 145 G4
Saint-Martin-de-la-Lieue (14) 15 F5
Saint-Martin-de-la-Mer (21) 100 C1
Saint-Martin-de-la-Place (49) 77 G6
Saint-Martin-de-la-Porte (73) 146 D2
Saint-Martin-de-Lamps (36) 96 B3
Saint-Martin-de-Landelles (50) 37 F6
Saint-Martin-de-Lansuscle (48) 156 C6
Saint-Martin-de-l'Arçon (34) 171 H6
Saint-Martin-de-Laye (33) 135 H3
Saint-Martin-de-Lenne (12) 155 E4
Saint-Martin-de-Lerm (33) 150 B1
Saint-Martin-de-Lixy (71) 115 F5
Saint-Martin-de-Londres (34) 173 E4
Saint-Martin-de-Mâcon (79) 93 G3
Saint-Martin-de-Mailloc (14) 15 F5
Saint-Martin-de-Mieux (14) 38 D3
Saint-Martin-de-Nigelles (28) 41 G6
Saint-Martin-de-Queyrières (05) 147 E5
Saint-Martin-de-Ré (17) 106 B4
Saint-Martin-de-Ribérac (24) 136 D2
Saint-Martin-de-Saint-Maixent (79) 108 B3
Saint-Martin-de-Salencey (71) 115 H2
Saint-Martin-de-Sallen (14) 14 A6
Saint-Martin-de-Sanzay (79) 93 G2
Saint-Martin-de-Seignanx (40) 164 C5
Saint-Martin-de-Sescas (33) 150 A2
Saint-Martin-de-Valamas (07) 143 F5
Saint-Martin-de-Valgalgues (30) 157 E6
Saint-Martin-de-Varreville (50) 13 E4
Saint-Martin-de-Vaulserre (38) 131 G5
Saint-Martin-de-Vers (46) 152 D2
Saint-Martin-de-Villeréal (47) 151 G2
Saint-Martin-de-Villereglan (11) 186 D4
Saint-Martin-d'Écublei (61) 40 A4
Saint-Martin-d'Entraunes (06) 161 G6
Saint-Martin-des-Besaces (14) 37 H2
Saint-Martin-des-Bois (41) 79 E2
Saint-Martin-des-Champs (18) 98 C2
Saint-Martin-des-Champs (29) 32 A3
Saint-Martin-des-Champs (50) 35 H3
Saint-Martin-des-Champs (77) 44 B4
Saint-Martin-des-Champs (78) 41 H3
Saint-Martin-des-Champs (89) 82 C3
Saint-Martin-des-Combes (24) 137 E4
Saint-Martin-des-Entrées (14) 14 A4
Saint-Martin-des-Fontaines (85) 107 E1
Saint-Martin-des-Lais (03) 99 G6
Saint-Martin-des-Landes (61) 38 D6
Saint-Martin-des-Monts (72) 60 D4
Saint-Martin-des-Noyers (85) 92 A5
Saint-Martin-des-Olmes (63) 128 B5
Saint-Martin-des-Pézerits (61) 39 H6
Saint-Martin-des-Plains (63) 127 G5
Saint-Martin-des-Prés (22) 33 F6
Saint-Martin-des-Puits (11) 187 F5
Saint-Martin-des-Tilleuls (85) 92 B3
Saint-Martin-d'Estréaux (42) 114 C5
Saint-Martin-d'Hardinghem (62) 2 A5
Saint-Martin-d'Hères (38) 145 G2
Saint-Martin-d'Heuille (58) 99 E3
Saint-Martin-d'Ollières (63) 127 H6
Saint-Martin-Don (14) 37 G3
Saint-Martin-d'Oney (40) 165 H2
Saint-Martin-d'Ordon (89) 64 D6
Saint-Martin-d'Oydes (09) 185 G3
Saint-Martin-du-Bec (76) 15 F1
Saint-Martin-du-Bois (33) 135 G4
Saint-Martin-du-Bois (49) 76 C2
Saint-Martin-du-Boschet (77) 44 B5
Saint-Martin-du-Clocher (16) 108 D6
Saint-Martin-du-Fouilloux (49) 76 D5
Saint-Martin-du-Fouilloux (79) 108 B1
Saint-Martin-du-Frêne (01) 117 G5
Saint-Martin-du-Lac (71) 115 E4
Saint-Martin-du-Limet (53) 76 B1
Saint-Martin-du-Manoir (76) 15 F1
Saint-Martin-du-Mesnil-Oury (14) 15 E6
Saint-Martin-du-Mont (01) 117 E5
Saint-Martin-du-Mont (21) 85 F5
Saint-Martin-du-Mont (71) 117 E1
Saint-Martin-du-Puy (33) 150 B1
Saint-Martin-du-Puy (58) 83 H6
Saint-Martin-du-Tartre (71) 116 A1
Saint-Martin-du-Tertre (89) 65 E4
Saint-Martin-du-Tertre (95) 42 D1
Saint-Martin-du-Tilleul (27) 15 H5
Saint-Martin-du-Var (06) 195 E2
Saint-Martin-du-Vieux-Bellême (61) 60 D2
Saint-Martin-du-Vivier (76) 18 D4
Saint-Martin-d'Uriage (38) 145 H3
Saint-Martin-en-Bière (77) 63 H2
Saint-Martin-en-Bresse (71) 102 A5
Saint-Martin-en-Campagne (76) 17 H1
Saint-Martin-en-Gâtinois (71) 101 H4
Saint-Martin-en-Haut (69) 129 G4
Saint-Martin-en-Vercors (26) 145 E4
Saint-Martin-Gimois (32) 168 B6
Saint-Martin-la-Campagne (27) 40 D2
Saint-Martin-la-Garenne (78) 41 H2
Saint-Martin-la-Méanne (19) 139 F3
Saint-Martin-la-Patrouille (71) 115 H1
Saint-Martin-la-Plaine (42) 129 G5
Saint-Martin-la-Sauveté (42) 128 C2
Saint-Martin-Labouval (46) 153 E3
Saint-Martin-Lacaussade (33) 135 E2
Saint-Martin-Laguépie (81) 153 G6
Saint-Martin-l'Aiguillon (61) 38 D6
Saint-Martin-Lalande (11) 186 C2
Saint-Martin-l'Ars (86) 109 F4
Saint-Martin-Lars-en-Sainte-Hermine (85) 107 E1
Saint-Martin-l'Astier (24) 136 C3
Saint-Martin-le-Beau (37) 79 F6
Saint-Martin-le-Bouillant (50) 37 F4
Saint-Martin-le-Châtel (01) 116 D4
Saint-Martin-le-Colonel (26) 144 D4
Saint-Martin-le-Gaillard (76) 6 A5
Saint-Martin-le-Gréard (50) 12 C2
Saint-Martin-le-Hébert (50) 12 C3
Saint-Martin-le-Mault (87) 110 C3
Saint-Martin-le-Noeud (60) 20 A5
Saint-Martin-le-Pin (24) 123 E5
Saint-Martin-le-Redon (46) 152 A3
Saint-Martin-le-Vieil (11) 186 C2
Saint-Martin-le-Vieux (87) 124 A3
Saint-Martin-le-Vinoux (38) 145 G2
Saint-Martin-les-Eaux (04) 176 C3
Saint-Martin-lès-Langres (52) 86 A1
Saint-Martin-lès-Melle (79) 108 B4
Saint-Martin-lès-Seyne (04) 160 D4
Saint-Martin-Lestra (42) 129 F3
Saint-Martin-l'Heureux (51) 23 G6
Saint-Martin-l'Hortier (76) 19 E1
Saint-Martin-Longueau (60) 21 E5
Saint-Martin-Lys (11) 200 A1
Saint-Martin-Osmonville (76) 17 H4
Saint-Martin-Petit (47) 150 B2
Saint-Martin-Rivière (02) 9 F4
Saint-Martin-Saint-Firmin (27) 15 H4
Saint-Martin-Sainte-Catherine (23) 124 D1
Saint-Martin-Sepert (19) 124 C6
Saint-Martin-sous-Montaigu (71) 101 F5
Saint-Martin-sous-Vigouroux (15) 140 D5
Saint-Martin-sur-Armançon (89) 84 B1
Saint-Martin-sur-Cojeul (62) 8 B3
Saint-Martin-sur-Écaillon (59) 9 F3
Saint-Martin-sur-la-Chambre (73) 132 C6
Saint-Martin-sur-Lavezon (07) 158 A2
Saint-Martin-sur-le-Pré (51) 45 H3
Saint-Martin-sur-Nohain (58) 82 C6
Saint-Martin-sur-Ocre (45) 82 A3
Saint-Martin-sur-Ocre (89) 83 E2
Saint-Martin-sur-Ouanne (89) 82 D1
Saint-Martin-sur-Oust (56) 56 B6
Saint-Martin-Terressus (87) 124 C2
Saint-Martin-Valmeroux (15) 140 A3
Saint-Martin-Vésubie (06) 162 D6
Saint-Martinien (03) 112 C4
Saint-Martory (31) 184 C4
Saint-Mary (16) 122 D2
Saint-Mary-le-Plain (15) 141 F3
Saint-Masmes (51) 23 G5
Saint-Mathieu (87) 123 F3
Saint-Mathieu-de-Tréviers (34) 173 F4
Saint-Mathurin (85) 91 E5
Saint-Mathurin-sur-Loire (49) 77 F5
Saint-Matré (46) 152 A4
Saint-Maudan (22) 55 G2
Saint-Maudez (22) 34 C5
Saint-Maugan (35) 56 C2
Saint-Maulvis (80) 6 D6
Saint-Maur (18) 112 B1
Saint-Maur (32) 167 F6
Saint-Maur (36) 96 C5
Saint-Maur (39) 117 G1
Saint-Maur (60) 19 H3
Saint-Maur-des-Bois (50) 37 F3
Saint-Maur-des-Fossés (94) 43 E4
Saint-Maur-sur-le-Loir (28) 62 A4
Saint-Maurice (52) 86 B1
Saint-Maurice (58) 99 G2
Saint-Maurice (63) 127 F4
Saint-Maurice (67) 71 F2
Saint-Maurice (94) 42 D4
Saint-Maurice-aux-Forges (54) 49 G6
Saint-Maurice-aux-Riches-Hommes (89) 65 F3
Saint-Maurice-Colombier (25) 88 B5
Saint-Maurice-Crillat (39) 117 H1
Saint-Maurice-d'Ardèche (07) 157 G3
Saint-Maurice-de-Beynost (01) 130 B2
Saint-Maurice-de-Cazevieille (30) 174 A1
Saint-Maurice-de-Gourdans (01) 130 C2
Saint-Maurice-de-Lestapel (47) 151 E2
Saint-Maurice-de-Lignon (43) 143 E2
Saint-Maurice-de-Rémens (01) 130 D1
Saint-Maurice-de-Rotherens (73) 131 G4
Saint-Maurice-de-Satonnay (71) 116 B3
Saint-Maurice-de-Tavernole (17) 121 G5
Saint-Maurice-de-Ventalon (48) 156 C5
Saint-Maurice-des-Champs (71) 116 A1
Saint-Maurice-des-Lions (16) 123 F1
Saint-Maurice-des-Noues (85) 107 F1
Saint-Maurice-d'Ételan (76) 15 H2
Saint-Maurice-d'Ibie (07) 157 G3
Saint-Maurice-du-Désert (61) 38 C6
Saint-Maurice-en-Chalencon (07) 143 G5
Saint-Maurice-en-Cotentin (50) 12 B4
Saint-Maurice-en-Gourgois (42) 129 E6
Saint-Maurice-en-Quercy (46) 153 G1
Saint-Maurice-en-Rivière (71) 101 H5
Saint-Maurice-en-Trièves (38) 145 G6
Saint-Maurice-en-Valgodemard (05) 146 B6
Saint-Maurice-la-Clouère (86) 109 E3
Saint-Maurice-la-Fougereuse (79) 93 E3
Saint-Maurice-la-Souterraine (23) 110 D5
Saint-Maurice-le-Girard (85) 92 C6
Saint-Maurice-le-Vieil (89) 83 E2
Saint-Maurice-les-Brousses (87) 124 B3
Saint-Maurice-lès-Charencey (61) 40 B5
Saint-Maurice-lès-Châteauneuf (71) 115 F5
Saint-Maurice-lès-Couches (71) 101 F4
Saint-Maurice-l'Exil (38) 130 A6
Saint-Maurice-Montcouronne (91) 42 B6
Saint-Maurice-Navacelles (34) 172 D3
Saint-Maurice-près-Crocq (23) 126 A2
Saint-Maurice-près-Pionsat (63) 112 D6
Saint-Maurice-Saint-Germain (28) 61 G1
Saint-Maurice-sous-les-Côtes (55) 47 H2
Saint-Maurice-sur-Adour (40) 166 A3
Saint-Maurice-sur-Aveyron (45) 82 C1
Saint-Maurice-sur-Dargoire (69) 129 H5
Saint-Maurice-sur-Eygues (26) 158 C5
Saint-Maurice-sur-Fessard (45) 64 A6
Saint-Maurice-sur-Huisne (61) 61 E2
Saint-Maurice-sur-Mortagne (88) 70 A2
Saint-Maurice-sur-Moselle (88) 88 C1
Saint-Maurice-sur-Vingeanne (21) 86 B4
Saint-Maurice-Thizouaille (89) 83 E2
Saint-Maurin (47) 151 G5
Saint-Max (54) 48 D5
Saint-Maxent (80) 6 C5
Saint-Maximin (30) 174 B2
Saint-Maximin (38) 132 A6
Saint-Maximin (60) 20 D6
Saint-Maximin-la-Sainte-Baume (83) 193 E2
Saint-Maxire (79) 107 H3
Saint-May (26) 159 E3
Saint-Mayeux (22) 55 E1
Saint-Méard (87) 124 D4
Saint-Méard-de-Drône (24) 136 D2
Saint-Méard-de-Gurçon (24) 136 B5
Saint-Médard (16) 121 H5
Saint-Médard (17) 121 G6
Saint-Médard (31) 184 B4
Saint-Médard (32) 167 G6
Saint-Médard (36) 95 H3
Saint-Médard (46) 152 B3
Saint-Médard (57) 49 F4
Saint-Médard (64) 165 H5
Saint-Médard (79) 108 A4
Saint-Médard-d'Aunis (17) 106 D5
Saint-Médard-de-Guizières (33) 136 A4
Saint-Médard-de-Mussidan (24) 136 D4
Saint-Médard-de-Presque (46) 139 E5
Saint-Médard-d'Excideuil (24) 137 H1
Saint-Médard-d'Eyrans (33) 135 F6
Saint-Médard-en-Forez (42) 129 F4
Saint-Médard-en-Jalles (33) 134 D5
Saint-Médard-la-Rochette (23) 112 A6
Saint-Médard-Nicourby (46) 139 F6
Saint-Médard-sur-Ille (35) 57 F1
Saint-Méen (29) 31 F3
Saint-Méen-le-Grand (35) 56 C2
Saint-Melaine-sur-Aubance (49) 77 E5
Saint-Mélany (07) 157 E3
Saint-Méloir-des-Bois (22) 34 B5
Saint-Méloir-des-Ondes (35) 35 E3
Saint-Même-le-Tenu (44) 91 E1
Saint-Même-les-Carrières (16) 121 H4
Saint-Memmie (51) 45 H3
Saint-Menge (88) 69 E3
Saint-Menges (08) 24 C1
Saint-Menoux (03) 113 G1
Saint-Merd-de-Lapleau (19) 139 G2
Saint-Merd-la-Breuille (23) 126 A3
Saint-Merd-les-Oussines (19) 125 G4
Saint-Méry (77) 43 G6
Saint-Meslin-du-Bosc (27) 18 B6
Saint-Mesmes (77) 43 F3
Saint-Mesmin (10) 66 A2
Saint-Mesmin (21) 85 E6
Saint-Mesmin (24) 138 A1
Saint-Mesmin (85) 92 C5
Saint-Mexant (19) 138 D2
Saint-Mézard (32) 167 H1
Saint-M'Hervé (35) 58 A4
Saint-M'Hervon (35) 56 C1
Saint-Micaud (71) 101 E6
Saint-Michel (02) 10 B6
Saint-Michel (09) 185 G4
Saint-Michel (16) 122 B4
Saint-Michel (31) 184 D3
Saint-Michel (32) 183 H1
Saint-Michel (34) 172 C3
Saint-Michel (45) 63 G5
Saint-Michel (64) 180 D3
Saint-Michel (82) 168 C1
Saint-Michel-Chef-Chef (44) 73 H5
Saint-Michel-d'Aurance (07) 143 G5
Saint-Michel-de-Bannières (46) 138 D4
Saint-Michel-de-Boulogne (07) 157 G1
Saint-Michel-de-Castelnau (33) 150 A5
Saint-Michel-de-Chabrillanoux (07) 143 H6
Saint-Michel-de-Chaillol (05) 160 C1
Saint-Michel-de-Chavaignes (72) 60 D5
Saint-Michel-de-Dèze (48) 156 D5
Saint-Michel-de-Double (24) 136 C3
Saint-Michel-de-Feins (53) 76 D2
Saint-Michel-de-Fronsac (33) 135 G4
Saint-Michel-de-la-Pierre (50) 12 D6
Saint-Michel-de-la-Roë (53) 58 A6
Saint-Michel-de-Lanès (11) 186 A2
Saint-Michel-de-Lapujade (33) 150 B2
Saint-Michel-de-Livet (14) 15 E6
Saint-Michel-de-Llotes (66) 200 D3
Saint-Michel-de-Maurienne (73) 146 D2
Saint-Michel-de-Montaigne (24) 136 A5
Saint-Michel-de-Montjoie (50) 37 G4
Saint-Michel-de-Plélan (22) 34 C5
Saint-Michel-de-Rieufret (33) 149 G1
Saint-Michel-de-Saint-Geoirs (38) 145 E1
Saint-Michel-de-Vax (81) 169 H1
Saint-Michel-de-Veisse (23) 125 G1
Saint-Michel-de-Villadeix (24) 137 F4
Saint-Michel-de-Volangis (18) 97 H2
Saint-Michel-des-Andaines (61) 38 C6
Saint-Michel-d'Euzet (30) 157 H6
Saint-Michel-d'Halescourt (76) 19 G3
Saint-Michel-en-Beaumont (38) 145 H5
Saint-Michel-en-Brenne (36) 95 G5
Saint-Michel-en-Grève (22) 32 B2
Saint-Michel-en-l'Herm (85) 106 C3
Saint-Michel-Escalus (40) 164 D2
Saint-Michel-et-Chanveaux (49) 75 F1
Saint-Michel-Labadié (81) 171 E2
Saint-Michel-le-Cloucq (85) 107 F2
Saint-Michel-les-Portes (38) 145 F5
Saint-Michel-l'Observatoire (04) 176 C2
Saint-Michel-Loubéjou (46) 139 E5
Saint-Michel-Mont-Mercure (85) 92 C4
Saint-Michel-sous-Bois (62) 1 G6
Saint-Michel-sur-Loire (37) 78 B6
Saint-Michel-sur-Meurthe (88) 70 C2
Saint-Michel-sur-Orge (91) 42 C6
Saint-Michel-sur-Rhône (42) 129 H6
Saint-Michel-sur-Savasse (26) 144 C3
Saint-Michel-sur-Ternoise (62) 7 G1
Saint-Michel-Tuboeuf (61) 40 B4
Saint-Mihiel (55) 47 G3
Saint-Mitre-les-Remparts (13) 191 G4
Saint-Molf (44) 73 F3
Saint-Momelin (59) 2 B3
Saint-Mont (32) 166 C4
Saint-Montan (07) 158 A3
Saint-Moré (89) 83 H4

Saint-Moreil (23) 124 D2
Saint-Morel (08) 24 A5
Saint-Morillon (33) 149 F1
Saint-Mury-Monteymond (38) 145 H2
Saint-Myon (63) 127 F1
Saint-Nabor (67) 71 F1
Saint-Nabord (88) 70 A5
Saint-Nabord-sur-Aube (10) 66 C1
Saint-Nauphary (82) 169 F2
Saint-Nazaire (30) 158 A6
Saint-Nazaire (44) 73 G4
Saint-Nazaire (66) 201 G2
Saint-Nazaire-d'Aude (11) 187 H3
Saint-Nazaire-de-Ladarez (34) 172 A6
Saint-Nazaire-de-Pézan (34) 173 H5
Saint-Nazaire-de-Valentane (82) 151 H5
Saint-Nazaire-des-Gardies (30) 173 G2
Saint-Nazaire-en-Royans (26) 144 D3
Saint-Nazaire-le-Désert (26) 159 E2
Saint-Nazaire-les-Eymes (38) 145 H2
Saint-Nazaire-sur-Charente (17) 120 C1
Saint-Nectaire (63) 127 E5
Saint-Nexans (24) 137 E6
Saint-Nic (29) 31 F6
Saint-Nicodème (22) 32 D6
Saint-Nicolas (62) 8 B2
Saint-Nicolas-aux-Bois (02) 22 B3
Saint-Nicolas-d'Aliermont (76) 17 H2
Saint-Nicolas-d'Attez (27) 40 C4
Saint-Nicolas-de-Bliquetuit (76) 17 E5
Saint-Nicolas-de-Bourgueil (37) 78 A6
Saint-Nicolas-de-la-Balerme (47) 151 G6
Saint-Nicolas-de-la-Grave (82) 168 C1
Saint-Nicolas-de-la-Haie (76) 15 H1
Saint-Nicolas-de-la-Taille (76) 15 G2
Saint-Nicolas-de-Macherin (38) 131 F6
Saint-Nicolas-de-Pierrepont (50) 12 C4
Saint-Nicolas-de-Port (54) 48 D5
Saint-Nicolas-de-Redon (44) 74 A1
Saint-Nicolas-de-Sommaire (61) 40 A4
Saint-Nicolas-des-Biefs (03) 114 C6
Saint-Nicolas-des-Bois (50) 37 F4
Saint-Nicolas-des-Bois (61) 59 H1
Saint-Nicolas-des-Laitiers (61) 39 H4
Saint-Nicolas-des-Motets (37) 79 F4
Saint-Nicolas-du-Bosc (27) 18 B6
Saint-Nicolas-du-Pélem (22) 33 E6
Saint-Nicolas-du-Tertre (56) 56 B5
Saint-Nicolas-la-Chapelle (10) 65 F1
Saint-Nicolas-la-Chapelle (73) 132 D2
Saint-Nicolas-lès-Cîteaux (21) 101 H2
Saint-Nizier-d'Azergues (69) 115 H6
Saint-Nizier-de-Fornas (42) 128 D6
Saint-Nizier-du-Moucherotte (38) 145 F2
Saint-Nizier-le-Bouchoux (01) 116 D2
Saint-Nizier-le-Désert (01) 116 D6
Saint-Nizier-sous-Charlieu (42) 115 E5
Saint-Nizier-sur-Arroux (71) 100 C5
Saint-Nolff (56) 55 G6
Saint-Nom-la-Bretèche (78) 42 B4
Saint-Offenge-Dessous (73) 132 A3
Saint-Offenge-Dessus (73) 132 A3
Saint-Omer (14) 38 C3
Saint-Omer (62) 2 B4
Saint-Omer-Capelle (62) 2 A2
Saint-Omer-en-Chaussée (60) 20 A3
Saint-Ondras (38) 131 F5
Saint-Onen-la-Chapelle (35) 56 C2
Saint-Oradoux-de-Chirouze (23) 126 A3
Saint-Oradoux-près-Crocq (23) 126 A2
Saint-Orens (32) 168 B4
Saint-Orens-de-Gameville (31) 169 F6
Saint-Orens-Pouy-Petit (32) 167 G2
Saint-Ost (32) 183 H1
Saint-Ouen (17) 121 H2
Saint-Ouen (41) 79 G2
Saint-Ouen (80) 7 F5
Saint-Ouen (93) 42 D3
Saint-Ouen-d'Attez (27) 40 C4
Saint-Ouen-d'Aunis (17) 106 D4
Saint-Ouen-de-la-Cour (61) 60 D2
Saint-Ouen-de-Mimbré (72) 60 A3
Saint-Ouen-de-Pontcheuil (27) 18 C6
Saint-Ouen-de-Sécherouvre (61) 39 H6
Saint-Ouen-de-Thouberville (27) 18 B5
Saint-Ouen-des-Alleux (35) 57 G1
Saint-Ouen-des-Besaces (14) 37 H2
Saint-Ouen-des-Champs (27) 15 H3
Saint-Ouën-des-Toits (53) 58 C4
Saint-Ouën-des-Vallons (53) 59 E4
Saint-Ouen-Domprot (51) 45 H6
Saint-Ouen-du-Breuil (76) 17 G4
Saint-Ouen-du-Mesnil-Oger (14) 39 E1
Saint-Ouen-du-Tilleul (27) 18 B5
Saint-Ouen-en-Belin (72) 78 B1
Saint-Ouen-en-Brie (77) 64 C1
Saint-Ouen-en-Champagne (72) 59 G6
Saint-Ouen-la-Rouërie (35) 35 G5
Saint-Ouen-l'Aumône (95) 42 B2
Saint-Ouen-le-Brisoult (61) 59 F1
Saint-Ouen-le-Houx (14) 39 F2
Saint-Ouen-le-Mauger (76) 17 F3
Saint-Ouen-le-Pin (14) 15 E5
Saint-Ouen-lès-Parey (88) 68 D4
Saint-Ouen-les-Vignes (37) 79 F5
Saint-Ouen-Marchefroy (28) 41 G4
Saint-Ouen-sous-Bailly (76) 6 A6
Saint-Ouen-sur-Gartempe (87) 110 B5
Saint-Ouen-sur-Iton (61) 40 B5
Saint-Ouen-sur-Loire (58) 99 E4
Saint-Ouen-sur-Maire (61) 38 D5
Saint-Ouen-sur-Morin (77) 44 A3
Saint-Oulph (10) 65 H1
Saint-Ours (63) 126 D2
Saint-Ours (73) 132 A3
Saint-Outrille (18) 96 D2
Saint-Ovin (50) 37 E5
Saint-Oyen (73) 132 D5
Saint-Pabu (29) 30 D3
Saint-Paër (76) 17 F5
Saint-Pair (14) 14 C5
Saint-Pair-sur-Mer (50) 35 G2
Saint-Pal-de-Chalencon (43) 142 C1
Saint-Pal-de-Mons (43) 143 E2
Saint-Pal-de-Senouire (43) 142 A2
Saint-Palais (03) 112 B3
Saint-Palais (18) 97 H1
Saint-Palais (33) 135 E1
Saint-Palais (64) 181 F1
Saint-Palais-de-Négrignac (17) 135 H1
Saint-Palais-de-Phiolin (17) 121 E5
Saint-Palais-du-Né (16) 121 G5
Saint-Palais-sur-Mer (17) 120 B3
Saint-Pancrace (24) 123 F6
Saint-Pancrace (73) 146 C1
Saint-Pancrasse (38) 145 H1
Saint-Pancré (54) 25 G3
Saint-Pandelon (40) 165 E4
Saint-Pantaléon (46) 152 B4
Saint-Pantaléon (84) 175 G3
Saint-Pantaléon-de-Lapleau (19) 139 H1
Saint-Pantaléon-de-Larche (19) 138 C3
Saint-Pantaléon-les-Vignes (26) 158 C4
Saint-Pantaly-d'Ans (24) 137 H2
Saint-Pantaly-d'Excideuil (24) 137 H1
Saint-Papoul (11) 186 C2
Saint-Pardon-de-Conques (33) 149 H2
Saint-Pardoult (17) 107 H6
Saint-Pardoux (63) 113 F6
Saint-Pardoux (79) 108 A1
Saint-Pardoux (87) 110 C6
Saint-Pardoux-Corbier (19) 124 C6
Saint-Pardoux-d'Arnet (23) 126 A2
Saint-Pardoux-de-Drône (24) 136 D2
Saint-Pardoux-du-Breuil (47) 150 C3
Saint-Pardoux-et-Vielvic (24) 137 H6
Saint-Pardoux-Isaac (47) 150 D2
Saint-Pardoux-la-Croisille (19) 139 F2
Saint-Pardoux-la-Rivière (24) 123 F5
Saint-Pardoux-le-Neuf (19) 126 A4
Saint-Pardoux-le-Neuf (23) 125 H2
Saint-Pardoux-le-Vieux (19) 125 H4
Saint-Pardoux-les-Cards (23) 111 H6
Saint-Pardoux-l'Ortigier (19) 138 D1
Saint-Pardoux-Morterolles (23) 125 E2
Saint-Pargoire (34) 172 D6
Saint-Parize-en-Viry (58) 99 F6
Saint-Parize-le-Châtel (58) 99 E5
Saint-Parres-aux-Tertres (10) 66 B3
Saint-Parres-lès-Vaudes (10) 66 C4
Saint-Parthem (12) 154 A2
Saint-Pastour (47) 151 F3
Saint-Pastous (65) 182 D5
Saint-Paterne (72) 60 A2
Saint-Paterne-Racan (37) 78 C3
Saint-Pathus (77) 43 F2
Saint-Patrice (37) 78 B6
Saint-Patrice-de-Claids (50) 12 D5
Saint-Patrice-du-Désert (61) 38 C6
Saint-Paul (06) 195 E3
Saint-Paul (19) 139 F2
Saint-Paul (33) 135 E2
Saint-Paul (60) 20 A4
Saint-Paul (61) 38 A4
Saint-Paul (65) 183 H4
Saint-Paul (73) 131 G4
Saint-Paul (87) 124 D1
Saint-Paul (88) 69 E2
Saint-Paul-aux-Bois (02) 21 H3
Saint-Paul-Cap-de-Joux (81) 170 B5
Saint-Paul-de-Baïse (32) 167 G4
Saint-Paul-de-Fenouillet (66) 200 C1
Saint-Paul-de-Fourques (27) 18 B6
Saint-Paul-de-Jarrat (09) 185 H6
Saint-Paul-de-Loubressac (46) 152 C5
Saint-Paul-de-Salers (15) 140 B3
Saint-Paul-de-Serre (24) 137 E3
Saint-Paul-de-Tartas (43) 142 C6
Saint-Paul-de-Varax (01) 116 D6
Saint-Paul-de-Varces (38) 145 F3
Saint-Paul-de-Vern (46) 139 F6
Saint-Paul-de-Vézelin (42) 128 D2
Saint-Paul-des-Landes (15) 139 H5
Saint-Paul-d'Espis (82) 151 H6
Saint-Paul-d'Izeaux (38) 145 E1
Saint-Paul-d'Oueil (31) 197 F1
Saint-Paul-du-Bois (49) 93 E2
Saint-Paul-du-Vernay (14) 13 H6
Saint-Paul-d'Uzore (42) 128 D4
Saint-Paul-en-Born (40) 148 B5
Saint-Paul-en-Chablais (74) 119 F3
Saint-Paul-en-Cornillon (42) 129 E6
Saint-Paul-en-Forêt (83) 178 B5
Saint-Paul-en-Gâtine (79) 92 D6
Saint-Paul-en-Jarez (42) 129 G5
Saint-Paul-en-Pareds (85) 92 B4
Saint-Paul-et-Valmalle (34) 173 E5
Saint-Paul-la-Coste (30) 156 D6
Saint-Paul-la-Roche (24) 123 H5
Saint-Paul-le-Froid (48) 142 A6
Saint-Paul-le-Gaultier (72) 59 G3
Saint-Paul-le-Jeune (07) 157 E4
Saint-Paul-lès-Dax (40) 165 E4
Saint-Paul-lès-Durance (13) 176 C4
Saint-Paul-les-Fonts (30) 174 C1
Saint-Paul-lès-Monestier (38) 145 F5
Saint-Paul-lès-Romans (26) 144 C3
Saint-Paul-Lizonne (24) 136 C1
Saint-Paul-Mont-Penit (85) 91 E3
Saint-Paul-sur-Isère (73) 132 D4
Saint-Paul-sur-Save (31) 168 D4
Saint-Paul-sur-Ubaye (04) 161 G2
Saint-Paul-Trois-Châteaux (26) 158 B4
Saint-Paulet (11) 186 B1
Saint-Paulet-de-Caisson (30) 157 H5
Saint-Paulien (43) 142 B3
Saint-Pavace (72) 60 A5
Saint-Pé-d'Ardet (31) 184 A5
Saint-Pé-de-Bigorre (65) 182 D4
Saint-Pé-de-Léren (64) 165 E6
Saint-Pé-Delbosc (31) 184 B2
Saint-Pé-Saint-Simon (47) 167 E1
Saint-Pée-sur-Nivelle (64) 180 B1
Saint-Pellerin (28) 61 G5
Saint-Pellerin (50) 13 E5
Saint-Péran (35) 56 C3
Saint-Péravy-la-Colombe (45) 62 C6
Saint-Péray (07) 144 A5
Saint-Perdon (40) 165 H2
Saint-Perdoux (24) 137 E6
Saint-Perdoux (46) 153 G1
Saint-Père (35) 36 A5
Saint-Père (58) 82 C5
Saint-Père (89) 83 H5
Saint-Père-en-Retz (44) 73 H5
Saint-Père-sur-Loire (45) 81 G2
Saint-Péreuse (58) 99 H3
Saint-Pern (35) 56 D1
Saint-Perreux (56) 73 H1
Saint-Péver (22) 33 E4
Saint-Pey-d'Armens (33) 135 H5
Saint-Pey-de-Castets (33) 136 A6
Saint-Phal (10) 66 A5
Saint-Philbert-de-Bouaine (85) 91 F1
Saint-Philbert-de-Grand-Lieu (44) 91 F1
Saint-Philbert-des-Champs (14) 15 F4
Saint-Philbert-du-Peuple (49) 77 H5
Saint-Philbert-en-Mauges (49) 75 G6
Saint-Philbert-sur-Boissey (27) 18 B6
Saint-Philbert-sur-Orne (61) 38 C3
Saint-Philbert-sur-Risle (27) 18 A5
Saint-Philibert (21) 101 H1
Saint-Philibert (56) 72 C1
Saint-Philippe-d'Aiguille (33) 136 A5
Saint-Philippe-du-Seignal (33) 136 C5
Saint-Piat (28) 62 B1
Saint-Pierre (04) 178 C2
Saint-Pierre (15) 140 A1
Saint-Pierre (31) 169 G5
Saint-Pierre (39) 118 A1
Saint-Pierre (51) 45 G3
Saint-Pierre (67) 71 G2
Saint-Pierre-à-Arnes (08) 23 H5
Saint-Pierre-Aigle (02) 21 H5
Saint-Pierre-Avez (05) 159 H5
Saint-Pierre-Azif (14) 15 E3
Saint-Pierre-Bellevue (23) 125 G2
Saint-Pierre-Bénouville (76) 17 F3
Saint-Pierre-Bois (67) 71 F2
Saint-Pierre-Brouck (59) 2 A2
Saint-Pierre-Canivet (14) 38 D3
Saint-Pierre-Chérignat (23) 124 D1
Saint-Pierre-Colamine (63) 127 E5
Saint-Pierre-d'Albigny (73) 132 B4
Saint-Pierre-d'Allevard (38) 132 A6
Saint-Pierre-d'Alvey (73) 131 G4
Saint-Pierre-d'Amilly (17) 107 F5
Saint-Pierre-d'Argençon (05) 159 H3
Saint-Pierre-d'Arthéglise (50) 12 B4
Saint-Pierre-d'Aubézies (32) 167 E5
Saint-Pierre-d'Aurillac (33) 149 H2
Saint-Pierre-d'Autils (27) 41 F1
Saint-Pierre-de-Bailleul (27) 41 F1
Saint-Pierre-de-Bat (33) 149 H1
Saint-Pierre-de-Belleville (73) 132 C5
Saint-Pierre-de-Bœuf (42) 130 A6
Saint-Pierre-de-Bressieux (38) 144 D1
Saint-Pierre-de-Buzet (47) 150 C5
Saint-Pierre-de-Cernières (27) 39 H3
Saint-Pierre-de-Chandieu (69) 130 B4
Saint-Pierre-de-Chartreuse (38) 145 G1
Saint-Pierre-de-Chérennes (38) 145 E3
Saint-Pierre-de-Chevillé (72) 78 C3
Saint-Pierre-de-Chignac (24) 137 G3
Saint-Pierre-de-Clairac (47) 151 G6
Saint-Pierre-de-Côle (24) 137 F1
Saint-Pierre-de-Colombier (07) 157 F1
Saint-Pierre-de-Cormeilles (27) 15 G4
Saint-Pierre-de-Coutances (50) 36 D1
Saint-Pierre-de-Curtille (73) 131 G3
Saint-Pierre-de-Frugie (24) 123 H5
Saint-Pierre-de-Fursac (23) 111 E5
Saint-Pierre-de-Genebroz (73) 131 G6
Saint-Pierre-de-Jards (36) 97 E2
Saint-Pierre-de-Juillers (17) 121 G1
Saint-Pierre-de-la-Fage (34) 172 C4
Saint-Pierre-de-Lages (31) 169 G6
Saint-Pierre-de-Lamps (36) 96 B4
Saint-Pierre-de-l'Île (17) 107 H6
Saint-Pierre-de-Maillé (86) 95 E6
Saint-Pierre-de-Mailloc (14) 15 F6
Saint-Pierre-de-Manneville (76) 18 B4
Saint-Pierre-de-Méaroz (38) 145 H5
Saint-Pierre-de-Mésage (38) 145 G3
Saint-Pierre-de-Mézoargues (13) 174 D3
Saint-Pierre-de-Mons (33) 149 H2
Saint-Pierre-de-Nogaret (48) 155 G3
Saint-Pierre-de-Plesguen (35) 34 D5
Saint-Pierre-de-Rivière (09) 185 G5
Saint-Pierre-de-Salerne (27) 18 A6
Saint-Pierre-de-Semilly (50) 37 G1
Saint-Pierre-de-Soucy (73) 132 B5
Saint-Pierre-de-Trivisy (81) 171 E4
Saint-Pierre-de-Varengeville (76) 17 F5
Saint-Pierre-de-Varennes (71) 101 E5
Saint-Pierre-de-Vassols (84) 175 G1
Saint-Pierre-dels-Forcats (66) 200 A4
Saint-Pierre-d'Entremont (38) 131 H6
Saint-Pierre-d'Entremont (61) 38 A4
Saint-Pierre-d'Entremont (73) 131 H6
Saint-Pierre-des-Bois (72) 59 G6
Saint-Pierre-des-Champs (11) 187 F5
Saint-Pierre-des-Corps (37) 79 E5
Saint-Pierre-des-Échaubrognes (79) 92 D3
Saint-Pierre-des-Fleurs (27) 18 C6
Saint-Pierre-des-Ifs (14) 15 E5
Saint-Pierre-des-Ifs (27) 15 H4
Saint-Pierre-des-Jonquières (76) 6 B6
Saint-Pierre-des-Landes (53) 58 B3
Saint-Pierre-des-Loges (61) 39 H4
Saint-Pierre-des-Nids (53) 59 H2
Saint-Pierre-des-Ormes (72) 60 C3
Saint-Pierre-des-Tripiers (48) 155 G5
Saint-Pierre-d'Exideuil (86) 108 D5
Saint-Pierre-d'Eyraud (24) 136 C5
Saint-Pierre-d'Irube (64) 164 B6
Saint-Pierre-d'Oléron (17) 120 A1
Saint-Pierre-du-Bosguérard (27) 18 B6
Saint-Pierre-du-Bû (14) 38 D3
Saint-Pierre-du-Champ (43) 142 C2
Saint-Pierre-du-Chemin (85) 92 D6
Saint-Pierre-du-Fresne (14) 38 A2
Saint-Pierre-du-Jonquet (14) 14 D5
Saint-Pierre-du-Lorouër (72) 78 C2
Saint-Pierre-du-Mesnil (27) 40 A3
Saint-Pierre-du-Mont (14) 13 G4
Saint-Pierre-du-Mont (40) 166 A2
Saint-Pierre-du-Mont (58) 83 F6
Saint-Pierre-du-Palais (17) 135 H2
Saint-Pierre-du-Perray (91) 43 E6
Saint-Pierre-du-Regard (61) 38 B3
Saint-Pierre-du-Val (27) 16 C6
Saint-Pierre-du-Vauvray (27) 18 D6
Saint-Pierre-Église (50) 12 D1
Saint-Pierre-en-Faucigny (74) 118 D6
Saint-Pierre-en-Port (76) 16 D3
Saint-Pierre-en-Val (76) 6 B5
Saint-Pierre-en-Vaux (21) 101 E3
Saint-Pierre-es-Champs (60) 19 G4
Saint-Pierre-Eynac (43) 142 D4
Saint-Pierre-la-Bourlhonne (63) 128 B4
Saint-Pierre-la-Bruyère (61) 61 E2
Saint-Pierre-la-Cour (53) 58 B4
Saint-Pierre-la-Garenne (27) 41 F1
Saint-Pierre-la-Noaille (42) 115 E5
Saint-Pierre-la-Palud (69) 129 G3
Saint-Pierre-la-Rivière (61) 39 F4
Saint-Pierre-la-Roche (07) 158 A2
Saint-Pierre-la-Vieille (14) 38 B3
Saint-Pierre-Lafeuille (46) 152 C3
Saint-Pierre-Langers (50) 35 G2
Saint-Pierre-Laval (03) 114 C5
Saint-Pierre-Lavis (76) 18 A2
Saint-Pierre-le-Bost (23) 112 A3
Saint-Pierre-le-Chastel (63) 126 D3
Saint-Pierre-le-Moûtier (58) 98 D5
Saint-Pierre-le-Vieux (48) 141 G6
Saint-Pierre-le-Vieux (71) 115 H4
Saint-Pierre-le-Vieux (76) 17 F2
Saint-Pierre-le-Vieux (85) 107 F3
Saint-Pierre-le-Viger (76) 17 F3
Saint-Pierre-lès-Bitry (60) 21 G4
Saint-Pierre-les-Bois (18) 97 G6
Saint-Pierre-lès-Elbeuf (76) 18 C6
Saint-Pierre-les-Étieux (18) 98 A6
Saint-Pierre-lès-Franqueville (02) 22 D1
Saint-Pierre-lès-Nemours (77) 64 A3
Saint-Pierre-Montlimart (49) 75 G5
Saint-Pierre-Quiberon (56) 72 B2
Saint-Pierre-Roche (63) 126 D3
Saint-Pierre-Saint-Jean (07) 157 E3
Saint-Pierre-sur-Dives (14) 39 E2
Saint-Pierre-sur-Doux (07) 143 G3
Saint-Pierre-sur-Dropt (47) 150 C1
Saint-Pierre-sur-Erve (53) 59 F5
Saint-Pierre-sur-Orthe (53) 59 G3
Saint-Pierre-sur-Vence (08) 24 A2
Saint-Pierre-Tarentaine (14) 37 H2
Saint-Pierre-Toirac (46) 153 G3
Saint-Pierremont (02) 22 D2
Saint-Pierremont (08) 24 C4
Saint-Pierremont (88) 70 A1
Saint-Pierreville (07) 143 G6
Saint-Pierrevillers (55) 25 G4
Saint-Plaisir (03) 113 F1
Saint-Plancard (31) 184 A3
Saint-Planchers (50) 35 G2
Saint-Plantaire (36) 111 F2
Saint-Point (71) 116 A3
Saint-Point-Lac (25) 103 H5
Saint-Pois (50) 37 G4
Saint-Poix (53) 58 B5
Saint-Pol-de-Léon (29) 31 H2
Saint-Pol-sur-Mer (59) 2 B1
Saint-Pol-sur-Ternoise (62) 7 G1
Saint-Polgues (42) 128 C2
Saint-Polycarpe (11) 186 D5
Saint-Pompain (79) 107 G2
Saint-Pompont (24) 152 A1
Saint-Poncy (15) 141 F3
Saint-Pons (04) 161 F3
Saint-Pons (07) 157 H2
Saint-Pons-de-Mauchiens (34) 172 D6
Saint-Pons-de-Thomières (34) 187 G1
Saint-Pons-la-Calm (30) 174 C1
Saint-Pont (03) 113 H5
Saint-Porchaire (17) 120 D2
Saint-Porquier (82) 168 D2
Saint-Pôtan (22) 34 B4
Saint-Pouange (10) 66 B4
Saint-Pourçain-sur-Besbre (03) 114 B2
Saint-Pourçain-sur-Sioule (03) 113 H4
Saint-Prancher (88) 69 E2
Saint-Préjet-Armandon (43) 142 A2
Saint-Préjet-d'Allier (43) 142 A5
Saint-Prest (28) 62 B1
Saint-Preuil (16) 121 H4
Saint-Priest (07) 157 H1
Saint-Priest (23) 112 B6
Saint-Priest (69) 130 B3
Saint-Priest-Bramefant (63) 127 H1
Saint-Priest-d'Andelot (03) 113 G6
Saint-Priest-de-Gimel (19) 139 F1
Saint-Priest-des-Champs (63) 126 D1
Saint-Priest-en-Jarez (42) 129 F6
Saint-Priest-en-Murat (03) 113 F3
Saint-Priest-la-Feuille (23) 111 E5
Saint-Priest-la-Marche (18) 112 A3
Saint-Priest-la-Plaine (23) 111 E5
Saint-Priest-la-Prugne (42) 128 B1
Saint-Priest-la-Roche (42) 128 D2
Saint-Priest-la-Vêtre (42) 128 B3
Saint-Priest-les-Fougères (24) 123 H5
Saint-Priest-Ligoure (87) 124 B4
Saint-Priest-Palus (23) 124 D2
Saint-Priest-sous-Aixe (87) 124 A2
Saint-Priest-Taurion (87) 124 C2
Saint-Prim (38) 130 A6
Saint-Privat (07) 157 G2
Saint-Privat (19) 139 G3
Saint-Privat (34) 172 C4
Saint-Privat-d'Allier (43) 142 B4
Saint-Privat-de-Champclos (30) 157 G5
Saint-Privat-de-Vallongue (48) 156 C5
Saint-Privat-des-Prés (24) 136 C2
Saint-Privat-des-Vieux (30) 157 E6
Saint-Privat-du-Dragon (43) 141 H2
Saint-Privat-du-Fau (48) 141 G5
Saint-Privat-la-Montagne (57) 26 B5
Saint-Privé (71) 101 E6
Saint-Privé (89) 82 C3
Saint-Prix (03) 114 B5
Saint-Prix (07) 143 G5
Saint-Prix (71) 100 B4
Saint-Prix (95) 42 C2
Saint-Prix-lès-Arnay (21) 101 E2
Saint-Projet (46) 152 D1
Saint-Projet (82) 153 F5
Saint-Projet-de-Salers (15) 140 B3
Saint-Projet-Saint-Constant (16) 122 D3
Saint-Prouant (85) 92 B5
Saint-Pryvé-Saint-Mesmin (45) 80 D1
Saint-Puy (32) 167 G3
Saint-Python (59) 9 F3
Saint-Quantin-de-Rançanne (17) 121 E5
Saint-Quay-Perros (22) 32 C1
Saint-Quay-Portrieux (22) 33 G3
Saint-Quentin (02) 9 E6
Saint-Quentin-au-Bosc (76) 6 A5
Saint-Quentin-de-Baron (33) 135 G5
Saint-Quentin-de-Blavou (61) 60 C1
Saint-Quentin-de-Caplong (33) 136 B6
Saint-Quentin-de-Chalais (16) 136 B2
Saint-Quentin-des-Isles (27) 15 H6
Saint-Quentin-des-Prés (60) 19 G3
Saint-Quentin-du-Dropt (47) 151 F1
Saint-Quentin-en-Mauges (49) 75 H4
Saint-Quentin-en-Tourmont (80) 6 C2
Saint-Quentin-Fallavier (38) 130 C4
Saint-Quentin-la-Chabanne (23) 125 G2
Saint-Quentin-la-Motte-Croix-au-Bailly (80) 6 B4
Saint-Quentin-la-Poterie (30) 174 B1
Saint-Quentin-la-Tour (09) 186 B5
Saint-Quentin-le-Petit (08) 23 E3
Saint-Quentin-le-Verger (51) 44 D6
Saint-Quentin-les-Anges (53) 76 C2
Saint-Quentin-lès-Beaurepaire (49) 77 G3
Saint-Quentin-les-Chardonnets (61) 38 A4
Saint-Quentin-les-Marais (51) 46 B4
Saint-Quentin-sur-Charente (16) 123 F2
Saint-Quentin-sur-Coole (51) 45 H4
Saint-Quentin-sur-Indrois (37) 95 G1
Saint-Quentin-sur-Isère (38) 145 F1
Saint-Quentin-sur-le-Homme (50) 35 H4
Saint-Quentin-sur-Nohain (58) 82 C6
Saint-Quentin-sur-Sauxillanges (63) 127 G5
Saint-Quintin-sur-Sioule (63) 113 G6
Saint-Quirc (09) 185 G2
Saint-Quirin (57) 50 A5
Saint-Rabier (24) 138 A3
Saint-Racho (71) 115 G4
Saint-Rambert-d'Albon (26) 144 A1
Saint-Rambert-en-Bugey (01) 131 E1
Saint-Raphaël (24) 137 H1
Saint-Raphaël (83) 194 C2
Saint-Régis-du-Coin (42) 143 F2
Saint-Règle (37) 79 G5
Saint-Remèze (07) 157 H4
Saint-Remimont (54) 69 G1
Saint-Remimont (88) 69 E3
Saint-Rémy (01) 116 D5
Saint-Rémy (12) 153 G4
Saint-Rémy (14) 38 B3
Saint-Rémy (19) 125 H4
Saint-Rémy (21) 84 C3
Saint-Rémy (24) 136 B4
Saint-Remy (70) 87 F1
Saint-Rémy (71) 101 G5
Saint-Rémy (79) 107 G3
Saint-Remy (88) 70 C2
Saint-Rémy-au-Bois (62) 6 D2
Saint-Rémy-aux-Bois (54) 69 H2
Saint-Rémy-Blanzy (02) 22 A6
Saint-Rémy-Boscrocourt (76) 6 B5
Saint-Rémy-Chaussée (59) 9 H3
Saint-Rémy-de-Blot (63) 113 F6
Saint-Rémy-de-Chargnat (63) 127 G5
Saint-Rémy-de-Chaudes-Aigues (15) 141 E6
Saint-Rémy-de-Maurienne (73) 132 C6
Saint-Rémy-de-Provence (13) 191 F1
Saint-Rémy-de-Sillé (72) 59 H4

Saint-Rémy-des-Landes (50) 12 C5
Saint-Rémy-des-Monts (72) 60 C3
Saint-Remy-du-Nord (59) 10 A3
Saint-Rémy-du-Plain (35) 35 F6
Saint-Rémy-du-Val (72) 60 B2
Saint-Remy-en-Bouzemont-Saint-Genest-et-Isson (51) 46 B6
Saint-Remy-en-l'Eau (60) 20 D4
Saint-Rémy-en-Mauges (49) 75 G5
Saint-Rémy-en-Rollat (03) 114 A5
Saint-Remy-la-Calonne (55) 47 H2
Saint-Rémy-la-Vanne (77) 44 A4
Saint-Rémy-la-Varenne (49) 77 F5
Saint-Remy-le-Petit (08) 23 F4
Saint-Rémy-lès-Chevreuse (78) 42 B5
Saint-Rémy-l'Honoré (78) 42 A5
Saint-Remy-sous-Barbuise (10) 66 B1
Saint-Remy-sous-Broyes (51) 44 D5
Saint-Rémy-sur-Avre (28) 41 E4
Saint-Remy-sur-Bussy (51) 46 B2
Saint-Rémy-sur-Creuse (86) 95 E4
Saint-Rémy-sur-Durolle (63) 128 A2
Saint-Renan (29) 30 D4
Saint-Restitut (26) 158 B4
Saint-Révérend (85) 90 D4
Saint-Révérien (58) 99 F1
Saint-Rieul (22) 34 A5
Saint-Rigomer-des-Bois (72) 60 A2
Saint-Rimay (41) 79 F2
Saint-Riquier (80) 7 E4
Saint-Riquier-en-Rivière (76) 6 B6
Saint-Riquier-ès-Plains (76) 17 E2
Saint-Rirand (42) 114 D6
Saint-Rivoal (29) 31 G5
Saint-Robert (19) 138 B2
Saint-Robert (47) 151 G5
Saint-Roch (37) 78 D5
Saint-Roch-sur-Égrenne (61) 38 A6
Saint-Rogatien (17) 106 D5
Saint-Romain (16) 136 B1
Saint-Romain (21) 101 F3
Saint-Romain (63) 128 C5
Saint-Romain (86) 109 E4
Saint-Romain-au-Mont-d'Or (69) 130 A2
Saint-Romain-d'Ay (07) 143 H3
Saint-Romain-de-Benet (17) 120 D3
Saint-Romain-de-Colbosc (76) 15 G1
Saint-Romain-de-Jalionas (38) 130 D3
Saint-Romain-de-Lerps (07) 144 A4
Saint-Romain-de-Monpazier (24) 151 G1
Saint-Romain-de-Popey (69) 129 G2
Saint-Romain-de-Surieu (38) 130 B6
Saint-Romain-d'Urfé (42) 128 B2
Saint-Romain-en-Gal (69) 130 A5
Saint-Romain-en-Gier (69) 129 H5
Saint-Romain-en-Jarez (42) 129 G5
Saint-Romain-en-Viennois (84) 158 D5
Saint-Romain-et-Saint-Clément (24) 123 G6
Saint-Romain-la-Motte (42) 115 E6
Saint-Romain-la-Virvée (33) 135 F4
Saint-Romain-Lachalm (43) 143 F2
Saint-Romain-le-Noble (47) 151 G6
Saint-Romain-le-Preux (89) 64 D6
Saint-Romain-le-Puy (42) 128 D5
Saint-Romain-les-Atheux (42) 143 F1
Saint-Romain-sous-Gourdon (71) 115 G1
Saint-Romain-sous-Versigny (71) 115 F1
Saint-Romain-sur-Cher (41) 80 A6
Saint-Romain-sur-Gironde (17) 120 D5
Saint-Roman (26) 159 F1
Saint-Roman-de-Codières (30) 173 F2
Saint-Roman-de-Malegarde (84) 158 C5
Saint-Romans (38) 144 D3
Saint-Romans-des-Champs (79) 107 H4
Saint-Romans-lès-Melle (79) 108 B4
Saint-Rome (31) 185 H1
Saint-Rome-de-Cernon (12) 171 H2
Saint-Rome-de-Dolan (48) 155 G5
Saint-Rome-de-Tarn (12) 171 H1
Saint-Romphaire (50) 37 F1
Saint-Rustice (31) 169 E3
Saint-Saëns (76) 17 H4
Saint-Saire (76) 19 F2
Saint-Salvadou (12) 153 H5
Saint-Salvadour (19) 125 E6
Saint-Salvi-de-Carcavès (81) 171 F4
Saint-Salvy (47) 151 E5
Saint-Salvy-de-la-Balme (81) 170 D5
Saint-Samson (14) 14 D4
Saint-Samson (53) 59 G1
Saint-Samson-de-Bonfossé (50) 37 F1
Saint-Samson-de-la-Roque (27) 15 G2
Saint-Samson-la-Poterie (60) 19 G3
Saint-Samson-sur-Rance (22) 36 A6
Saint-Sandoux (63) 127 F4
Saint-Santin (12) 153 H2
Saint-Santin-Cantalès (15) 139 H4
Saint-Santin-de-Maurs (15) 153 H2
Saint-Sardos (47) 151 E4
Saint-Sardos (82) 168 D3
Saint-Satur (18) 82 B6
Saint-Saturnin (15) 140 D2
Saint-Saturnin (16) 122 B4
Saint-Saturnin (18) 112 A2
Saint-Saturnin (48) 155 G4
Saint-Saturnin (51) 45 E6
Saint-Saturnin (63) 127 F4
Saint-Saturnin (72) 60 A5
Saint-Saturnin-de-Lenne (12) 155 F4
Saint-Saturnin-de-Lucian (34) 172 D5
Saint-Saturnin-du-Bois (17) 107 F5
Saint-Saturnin-du-Limet (53) 76 A1
Saint-Saturnin-lès-Apt (84) 175 H2
Saint-Saturnin-lès-Avignon (84) 175 E2
Saint-Saturnin-sur-Loire (49) 77 E5
Saint-Saud-Lacoussière (24) 123 G5
Saint-Sauflieu (80) 20 C1
Saint-Saulge (58) 99 G2
Saint-Saulve (59) 9 F2
Saint-Saury (15) 139 G5
Saint-Sauvant (17) 121 F3
Saint-Sauvant (86) 108 C3
Saint-Sauves-d'Auvergne (63) 126 C4
Saint-Sauveur (05) 161 E2
Saint-Sauveur (21) 86 B6
Saint-Sauveur (24) 137 E5
Saint-Sauveur (29) 31 G4
Saint-Sauveur (31) 169 F4
Saint-Sauveur (33) 134 D2
Saint-Sauveur (38) 144 D3
Saint-Sauveur (54) 49 H6
Saint-Sauveur (60) 21 F5
Saint-Sauveur (70) 87 H1
Saint-Sauveur (80) 7 F5
Saint-Sauveur (86) 94 D5
Saint-Sauveur-Camprieu (30) 172 D1
Saint-Sauveur-d'Aunis (17) 107 E4
Saint-Sauveur-de-Carrouges (61) 38 D6
Saint-Sauveur-de-Cruzières (07) 157 F5
Saint-Sauveur-de-Flée (49) 76 C2
Saint-Sauveur-de-Ginestoux (48) 156 B1
Saint-Sauveur-de-Landemont (49) 75 E4
Saint-Sauveur-de-Meilhan (47) 150 B3
Saint-Sauveur-de-Montagut (07) 143 G6
Saint-Sauveur-de-Peyre (48) 155 G2
Saint-Sauveur-de-Pierrepont (50) 12 C4
Saint-Sauveur-de-Puynormand (33) 136 A4
Saint-Sauveur-d'Émalleville (76) 15 F1
Saint-Sauveur-des-Landes (35) 35 H6
Saint-Sauveur-en-Diois (26) 158 D1
Saint-Sauveur-en-Puisaye (89) 82 D3
Saint-Sauveur-en-Rue (42) 143 G2
Saint-Sauveur-Gouvernet (26) 159 E4
Saint-Sauveur-la-Pommeraye (50) 35 G2
Saint-Sauveur-la-Sagne (63) 128 B6
Saint-Sauveur-la-Vallée (46) 152 D2
Saint-Sauveur-Lalande (24) 136 C4
Saint-Sauveur-le-Vicomte (50) 12 C4
Saint-Sauveur-Lendelin (50) 12 D6
Saint-Sauveur-lès-Bray (77) 64 D2
Saint-Sauveur-Marville (28) 41 E6
Saint-Sauveur-sur-École (77) 63 H1
Saint-Sauveur-sur-Tinée (06) 162 C6
Saint-Sauvier (03) 112 B3
Saint-Sauvy (32) 168 B4
Saint-Savin (33) 135 F2
Saint-Savin (38) 130 D4
Saint-Savin (65) 182 D5
Saint-Savin (86) 109 H1
Saint-Savinien (17) 121 E1
Saint-Saviol (86) 108 D5
Saint-Savournin (13) 192 B3
Saint-Sébastien (23) 111 E3
Saint-Sébastien (38) 145 G5
Saint-Sébastien-d'Aigrefeuille (30) 173 G1
Saint-Sébastien-de-Morsent (27) 40 D2
Saint-Sébastien-de-Raids (50) 12 D6
Saint-Sébastien-sur-Loire (44) 74 D5
Saint-Secondin (86) 109 F3
Saint-Ségal (29) 31 G6
Saint-Séglin (35) 56 D5
Saint-Seine (58) 100 A6
Saint-Seine-en-Bâche (21) 102 C2
Saint-Seine-l'Abbaye (21) 85 F5
Saint-Seine-sur-Vingeanne (21) 86 B4
Saint-Selve (33) 149 F1
Saint-Senier-de-Beuvron (50) 35 H4
Saint-Senier-sous-Avranches (50) 35 H3
Saint-Senoch (37) 95 F3
Saint-Senoux (35) 57 E4
Saint-Sériès (34) 173 H4
Saint-Sernin (07) 157 G2
Saint-Sernin (11) 186 A3
Saint-Sernin (47) 150 C1
Saint-Sernin-du-Bois (71) 101 E5
Saint-Sernin-du-Plain (71) 101 F4
Saint-Sernin-lès-Lavaur (81) 170 B6
Saint-Sernin-sur-Rance (12) 171 F3
Saint-Sérotin (89) 64 D4
Saint-Servais (22) 32 C5
Saint-Servais (29) 31 G4
Saint-Servant (56) 55 H4
Saint-Setiers (19) 125 G4
Saint-Seurin-de-Bourg (33) 135 E3
Saint-Seurin-de-Cadourne (33) 134 D1
Saint-Seurin-de-Cursac (33) 135 E2
Saint-Seurin-de-Palenne (17) 121 F4
Saint-Seurin-de-Prats (24) 136 B5
Saint-Seurin-sur-l'Isle (33) 136 A4
Saint-Sève (33) 150 B2
Saint-Sever (40) 165 H3
Saint-Sever-Calvados (14) 37 G3
Saint-Sever-de-Rustan (65) 183 F2
Saint-Sever-de-Saintonge (17) 121 F3
Saint-Sever-du-Moustier (12) 171 F4
Saint-Séverin (16) 136 C1
Saint-Séverin-d'Estissac (24) 136 D3
Saint-Séverin-sur-Boutonne (17) 107 H5
Saint-Siffret (30) 174 B2
Saint-Sigismond (45) 62 C6
Saint-Sigismond (49) 76 B4
Saint-Sigismond (74) 119 F5
Saint-Sigismond (85) 107 F3
Saint-Sigismond-de-Clermont (17) 121 F5
Saint-Silvain-Bas-le-Roc (23) 112 A4
Saint-Silvain-Bellegarde (23) 125 H1
Saint-Silvain-Montaigut (23) 111 F5
Saint-Silvain-sous-Toulx (23) 112 A4
Saint-Siméon (27) 15 H4
Saint-Siméon (61) 58 D1
Saint-Siméon (77) 44 A4
Saint-Siméon-de-Bressieux (38) 144 D1
Saint-Simeux (16) 122 A4
Saint-Simon (02) 21 H1
Saint-Simon (15) 140 B5
Saint-Simon (16) 122 A4
Saint-Simon (46) 153 F1
Saint-Simon-de-Bordes (17) 121 F6
Saint-Simon-de-Pellouaille (17) 121 E4
Saint-Sixt (74) 118 D6
Saint-Sixte (42) 128 C3
Saint-Sixte (47) 151 G6
Saint-Solve (19) 138 C1
Saint-Sorlin (69) 129 H4
Saint-Sorlin-d'Arves (73) 146 B2
Saint-Sorlin-de-Conac (17) 121 E6
Saint-Sorlin-de-Morestel (38) 131 E4
Saint-Sorlin-de-Vienne (38) 130 B6
Saint-Sorlin-en-Bugey (01) 130 D2
Saint-Sorlin-en-Valloire (26) 144 B1
Saint-Sornin (03) 113 F3
Saint-Sornin (16) 122 D3
Saint-Sornin (17) 120 C2
Saint-Sornin-la-Marche (87) 110 A5
Saint-Sornin-Lavolps (19) 138 B1
Saint-Sornin-Leulac (87) 110 C5
Saint-Soulan (32) 168 B6
Saint-Souplet (59) 9 F4
Saint-Souplet-sur-Py (51) 23 H6
Saint-Soupplets (77) 43 F2
Saint-Sozy (46) 138 D5
Saint-Stail (88) 70 D2
Saint-Suliac (35) 36 A5
Saint-Sulpice (01) 116 C4
Saint-Sulpice (46) 153 F2
Saint-Sulpice (49) 77 E5
Saint-Sulpice (53) 58 D6
Saint-Sulpice (58) 99 F3
Saint-Sulpice (60) 20 B5
Saint-Sulpice (63) 126 C4
Saint-Sulpice (70) 88 A3
Saint-Sulpice (73) 131 H4
Saint-Sulpice (81) 169 G4
Saint-Sulpice-d'Arnoult (17) 120 D2
Saint-Sulpice-de-Cognac (16) 121 G3
Saint-Sulpice-de-Faleyrens (33) 135 H5
Saint-Sulpice-de-Favières (91) 63 F1
Saint-Sulpice-de-Grimbouville (27) 15 G3
Saint-Sulpice-de-Guilleragues (33) 150 B1
Saint-Sulpice-de-Mareuil (24) 123 E5
Saint-Sulpice-de-Pommeray (41) 79 H3
Saint-Sulpice-de-Pommiers (33) 150 A1
Saint-Sulpice-de-Roumagnac (24) 136 D2
Saint-Sulpice-de-Royan (17) 120 C3
Saint-Sulpice-de-Ruffec (16) 122 D1
Saint-Sulpice-des-Landes (35) 57 F6
Saint-Sulpice-des-Landes (44) 75 F2
Saint-Sulpice-des-Rivoires (38) 131 F5
Saint-Sulpice-d'Excideuil (24) 123 H6
Saint-Sulpice-en-Pareds (85) 92 C6
Saint-Sulpice-et-Cameyrac (33) 135 F5
Saint-Sulpice-la-Forêt (35) 57 F2
Saint-Sulpice-Laurière (87) 110 D6
Saint-Sulpice-le-Dunois (23) 111 F4
Saint-Sulpice-le-Guérétois (23) 111 F5
Saint-Sulpice-le-Verdon (85) 91 G2
Saint-Sulpice-les-Bois (19) 125 G4
Saint-Sulpice-les-Champs (23) 125 G1
Saint-Sulpice-les-Feuilles (87) 110 D4
Saint-Sulpice-sur-Lèze (31) 185 F2
Saint-Sulpice-sur-Risle (61) 40 A4
Saint-Supplet (54) 25 H4
Saint-Sylvain (14) 38 D2
Saint-Sylvain (19) 139 F3
Saint-Sylvain (76) 17 E2
Saint-Sylvain-d'Anjou (49) 77 E4
Saint-Sylvestre (07) 144 A4
Saint-Sylvestre (74) 132 A2
Saint-Sylvestre (87) 124 C1
Saint-Sylvestre-Cappel (59) 2 C4
Saint-Sylvestre-de-Cormeilles (27) 15 G4
Saint-Sylvestre-Pragoulin (63) 114 A6
Saint-Sylvestre-sur-Lot (47) 151 G4
Saint-Symphorien (18) 97 G5
Saint-Symphorien (27) 15 G3
Saint-Symphorien (33) 149 F3
Saint-Symphorien (35) 57 E1
Saint-Symphorien (48) 142 A6
Saint-Symphorien (72) 59 G5
Saint-Symphorien (79) 107 G4
Saint-Symphorien-d'Ancelles (71) 116 B5
Saint-Symphorien-de-Lay (42) 129 E1
Saint-Symphorien-de-Mahun (07) 143 G3
Saint-Symphorien-de-Marmagne (71) 100 D5
Saint-Symphorien-de-Thénières (12) 154 D1
Saint-Symphorien-des-Bois (71) 115 F4
Saint-Symphorien-des-Bruyères (61) 40 A4
Saint-Symphorien-des-Monts (50) 37 G6
Saint-Symphorien-d'Ozon (69) 130 A4
Saint-Symphorien-le-Château (28) 62 C1
Saint-Symphorien-le-Valois (50) 12 C5
Saint-Symphorien-sous-Chomérac (07) 158 A1
Saint-Symphorien-sur-Coise (69) 129 F4
Saint-Symphorien-sur-Couze (87) 110 C6
Saint-Symphorien-sur-Saône (21) 102 B2
Saint-Thégonnec (29) 31 H4
Saint-Thélo (22) 55 F1
Saint-Théodorit (30) 173 H2
Saint-Théoffrey (38) 145 G4
Saint-Thibaud-de-Couz (73) 131 H5
Saint-Thibault (10) 66 B4
Saint-Thibault (21) 84 D6
Saint-Thibault (60) 19 H2
Saint-Thibault-des-Vignes (77) 43 F4
Saint-Thibaut (02) 22 C5
Saint-Thibéry (34) 188 D1
Saint-Thiébaud (39) 103 F3
Saint-Thiébault (52) 68 C4
Saint-Thierry (51) 23 E5
Saint-Thois (29) 53 H1
Saint-Thomas (02) 22 D4
Saint-Thomas (31) 168 C6
Saint-Thomas-de-Conac (17) 121 E6
Saint-Thomas-de-Courceriers (53) 59 G3
Saint-Thomas-en-Argonne (51) 46 C1
Saint-Thomas-en-Royans (26) 144 D4
Saint-Thomas-la-Garde (42) 128 D5
Saint-Thomé (07) 158 A3
Saint-Thonan (29) 31 E4
Saint-Thual (35) 34 D6
Saint-Thurial (35) 56 D3
Saint-Thuriau (56) 55 F3
Saint-Thurien (27) 16 D6
Saint-Thurien (29) 54 B3
Saint-Thurin (42) 128 C3
Saint-Tricat (62) 1 G2
Saint-Trimoël (22) 33 H5
Saint-Trinit (84) 159 F6
Saint-Trivier-de-Courtes (01) 116 D2
Saint-Trivier-sur-Moignans (01) 116 C6
Saint-Trojan (33) 135 E3
Saint-Trojan-les-Bains (17) 120 B2
Saint-Tropez (83) 194 B4
Saint-Tugdual (56) 54 C2
Saint-Ulphace (72) 61 E4
Saint-Ulrich (68) 89 E3
Saint-Uniac (35) 56 D2
Saint-Urbain (29) 31 F5
Saint-Urbain (85) 90 C2
Saint-Urbain-Maconcourt (52) 68 A2
Saint-Urcisse (47) 151 G6
Saint-Urcisse (81) 169 G2
Saint-Urcize (15) 155 F1
Saint-Usage (10) 67 E5
Saint-Usage (21) 102 B2
Saint-Usuge (71) 102 B6
Saint-Utin (51) 66 D1
Saint-Uze (26) 144 A2
Saint-Vaast-de-Longmont (60) 21 E5
Saint-Vaast-d'Équiqueville (76) 17 H3
Saint-Vaast-Dieppedalle (76) 17 E3
Saint-Vaast-du-Val (76) 17 G4
Saint-Vaast-en-Auge (14) 15 E4
Saint-Vaast-en-Cambrésis (59) 9 F3
Saint-Vaast-en-Chaussée (80) 7 F5
Saint-Vaast-la-Hougue (50) 13 E2
Saint-Vaast-lès-Mello (60) 20 C6
Saint-Vaast-sur-Seulles (14) 14 A5
Saint-Vaize (17) 121 E2
Saint-Valbert (70) 87 H1
Saint-Valentin (36) 96 D4
Saint-Valérien (85) 107 E1
Saint-Valérien (89) 64 D4
Saint-Valery (60) 19 G2
Saint-Valery-en-Caux (76) 17 E2
Saint-Valery-sur-Somme (80) 6 C3
Saint-Vallerin (71) 101 F6
Saint-Vallier (16) 136 A1
Saint-Vallier (26) 144 A2
Saint-Vallier (71) 115 G1
Saint-Vallier (88) 69 G3
Saint-Vallier-de-Thiey (06) 178 C4
Saint-Vallier-sur-Marne (52) 86 B1
Saint-Varent (79) 93 G4
Saint-Vaury (23) 111 F5
Saint-Venant (62) 2 C5
Saint-Vénérand (43) 142 B5
Saint-Vérain (58) 82 C5
Saint-Véran (05) 147 G6
Saint-Vérand (38) 144 D2
Saint-Vérand (69) 129 G2
Saint-Vérand (71) 116 A4
Saint-Vert (43) 142 A1
Saint-Viance (19) 138 C2
Saint-Viâtre (41) 80 D4
Saint-Viaud (44) 74 A4
Saint-Victeur (72) 60 A3
Saint-Victor (03) 112 D3
Saint-Victor (07) 143 H3
Saint-Victor (15) 139 H4
Saint-Victor (24) 136 D1
Saint-Victor-de-Buthon (28) 61 F2
Saint-Victor-de-Cessieu (38) 131 E5
Saint-Victor-de-Chrétienville (27) 15 H6
Saint-Victor-de-Malcap (30) 157 F5
Saint-Victor-de-Morestel (38) 131 E3
Saint-Victor-de-Réno (61) 61 E1
Saint-Victor-d'Épine (27) 15 H4
Saint-Victor-des-Oules (30) 174 B1
Saint-Victor-en-Marche (23) 111 F5
Saint-Victor-et-Melvieu (12) 171 G1
Saint-Victor-la-Coste (30) 174 C1
Saint-Victor-la-Rivière (63) 127 E5
Saint-Victor-l'Abbaye (76) 18 D2
Saint-Victor-Malescours (43) 143 F2
Saint-Victor-Montvianeix (63) 128 A1
Saint-Victor-Rouzaud (09) 185 G3
Saint-Victor-sur-Arlanc (43) 142 B1
Saint-Victor-sur-Avre (27) 40 C5
Saint-Victor-sur-Ouche (21) 101 F1
Saint-Victor-sur-Rhins (42) 129 E1
Saint-Victoret (13) 191 H4
Saint-Victour (19) 126 A6
Saint-Victurnien (87) 123 H2
Saint-Vidal (43) 142 B3
Saint-Vigor (27) 41 E2
Saint-Vigor-des-Mézerets (14) 38 A3
Saint-Vigor-des-Monts (50) 37 F3
Saint-Vigor-d'Ymonville (76) 15 G2
Saint-Vigor-le-Grand (14) 13 H5
Saint-Vincent (31) 186 A1
Saint-Vincent (43) 142 C3
Saint-Vincent (63) 127 F5
Saint-Vincent (64) 182 D3
Saint-Vincent (82) 152 C6
Saint-Vincent-Bragny (71) 115 E2
Saint-Vincent-Cramesnil (76) 15 G2
Saint-Vincent-de-Barbeyrargues (34) 173 F4
Saint-Vincent-de-Barrès (07) 158 A1
Saint-Vincent-de-Boisset (42) 128 D1
Saint-Vincent-de-Connezac (24) 136 D2
Saint-Vincent-de-Cosse (24) 138 A5
Saint-Vincent-de-Durfort (07) 143 H6
Saint-Vincent-de-Lamontjoie (47) 167 H1
Saint-Vincent-de-Mercuze (38) 131 H6
Saint-Vincent-de-Paul (33) 135 F4
Saint-Vincent-de-Paul (40) 165 E3
Saint-Vincent-de-Pertignas (33) 135 H6
Saint-Vincent-de-Reins (69) 115 G6
Saint-Vincent-de-Salers (15) 140 B2
Saint-Vincent-de-Tyrosse (40) 164 C4
Saint-Vincent-des-Bois (27) 41 F2
Saint-Vincent-des-Landes (44) 74 D1
Saint-Vincent-des-Prés (71) 115 H2
Saint-Vincent-des-Prés (72) 60 C3
Saint-Vincent-d'Olargues (34) 171 G6
Saint-Vincent-du-Boulay (27) 15 G5
Saint-Vincent-du-Lorouër (72) 78 C1
Saint-Vincent-du-Pendit (46) 139 F6
Saint-Vincent-en-Bresse (71) 102 A6
Saint-Vincent-Jalmoutiers (24) 136 C2
Saint-Vincent-la-Châtre (79) 108 C4
Saint-Vincent-la-Commanderie (26) 144 C5
Saint-Vincent-le-Paluel (24) 138 B5
Saint-Vincent-les-Forts (04) 160 D3
Saint-Vincent-Lespinasse (82) 151 H6
Saint-Vincent-Rive-d'Olt (46) 152 B3
Saint-Vincent-Sterlanges (85) 92 A5
Saint-Vincent-sur-Graon (85) 91 G6
Saint-Vincent-sur-Jabron (04) 159 H6
Saint-Vincent-sur-Jard (85) 106 A2
Saint-Vincent-sur-l'Isle (24) 137 G2
Saint-Vincent-sur-Oust (56) 56 C6
Saint-Vit (25) 103 E1
Saint-Vital (73) 132 C4
Saint-Vite (47) 151 H3
Saint-Vitte (18) 112 C2
Saint-Vitte-sur-Briance (87) 124 D4
Saint-Vivien (17) 106 D5
Saint-Vivien (24) 136 B5
Saint-Vivien-de-Blaye (33) 135 F3
Saint-Vivien-de-Médoc (33) 120 C5
Saint-Vivien-de-Monségur (33) 150 B2
Saint-Voir (03) 114 B3
Saint-Vougay (29) 31 G3
Saint-Vrain (51) 46 C5
Saint-Vrain (91) 63 G1
Saint-Vran (22) 56 A1
Saint-Vulbas (01) 130 D2
Saint-Waast (59) 9 G2
Saint-Wandrille-Rançon (76) 17 E5
Saint-Witz (95) 43 E2
Saint-Xandre (17) 106 D4
Saint-Yaguen (40) 165 G2
Saint-Yan (71) 115 E3
Saint-Ybard (19) 124 C6
Saint-Ybars (09) 185 F3
Saint-Yon (91) 63 F1
Saint-Yorre (03) 114 A6
Saint-Yrieix-la-Montagne (23) 125 G2
Saint-Yrieix-la-Perche (87) 124 A5
Saint-Yrieix-le-Déjalat (19) 125 F6
Saint-Yrieix-les-Bois (23) 111 G6
Saint-Yrieix-sous-Aixe (87) 123 H2
Saint-Yrieix-sur-Charente (16) 122 B3
Saint-Ythaire (71) 116 A1
Saint-Yvi (29) 53 G3
Saint-Yvoine (63) 127 G5
Saint-Yzan-de-Soudiac (33) 135 F2
Saint-Yzans-de-Médoc (33) 134 D1
Saint-Zacharie (83) 192 D3
Sainte-Adresse (76) 15 E2
Sainte-Agathe (63) 128 A3
Sainte-Agathe-d'Aliermont (76) 6 A6
Sainte-Agathe-en-Donzy (42) 129 E2
Sainte-Agathe-la-Bouteresse (42) 128 D3
Sainte-Agnès (06) 195 G2
Sainte-Agnès (38) 145 H2
Sainte-Agnès (39) 117 F1
Sainte-Alauzie (46) 152 B5
Sainte-Alvère (24) 137 F4
Sainte-Anastasie (15) 141 E3
Sainte-Anastasie (30) 174 A2
Sainte-Anastasie-sur-Issole (83) 193 F3

Sainte-Anne (25) 103 F3
Sainte-Anne (32) 168 C4
Sainte-Anne (41) 79 G2
Sainte-Anne-d'Auray (56) 55 E6
Sainte-Anne-Saint-Priest (87) 124 D3
Sainte-Anne-sur-Brivet (44) 74 A3
Sainte-Anne-sur-Gervonde (38) 130 D5
Sainte-Anne-sur-Vilaine (35) 57 E6
Sainte-Aulde (77) 44 A3
Sainte-Aurence-Cazaux (32) 183 H1
Sainte-Austreberthe (62) 7 E2
Sainte-Austreberthe (76) 17 F5
Sainte-Barbe (57) 26 C5
Sainte-Barbe (88) 70 B2
Sainte-Barbe-sur-Gaillon (27) 41 E1
Sainte-Bazeille (47) 150 B2
Sainte-Beuve-en-Rivière (76) 19 F1
Sainte-Blandine (38) 131 E5
Sainte-Blandine (79) 108 A4
Sainte-Brigitte (56) 55 E2
Sainte-Camelle (11) 186 A3
Sainte-Catherine (62) 8 B2
Sainte-Catherine (63) 127 H6
Sainte-Catherine (69) 129 G4
Sainte-Catherine-de-Fierbois (37) 94 D2
Sainte-Cécile (36) 96 C2
Sainte-Cécile (50) 37 F3
Sainte-Cécile (71) 116 A3
Sainte-Cécile (85) 92 A5
Sainte-Cécile-d'Andorge (30) 156 D5
Sainte-Cécile-du-Cayrou (81) 169 H2
Sainte-Cécile-les-Vignes (84) 158 B5
Sainte-Céronne-lès-Mortagne (61) 39 H6
Sainte-Cérotte (72) 78 D1
Sainte-Christie (32) 167 H4
Sainte-Christie-d'Armagnac (32) 166 D3
Sainte-Christine (49) 75 H5
Sainte-Christine (63) 113 E6
Sainte-Colombe (05) 159 G5
Sainte-Colombe (16) 122 D2
Sainte-Colombe (17) 135 G1
Sainte-Colombe (21) 84 D5
Sainte-Colombe (25) 103 H4
Sainte-Colombe (33) 136 A5
Sainte-Colombe (35) 57 G5
Sainte-Colombe (40) 165 H4
Sainte-Colombe (46) 153 G1
Sainte-Colombe (50) 12 C4
Sainte-Colombe (69) 130 A5
Sainte-Colombe (76) 17 E3
Sainte-Colombe (77) 65 E1
Sainte-Colombe (89) 84 A4
Sainte-Colombe-de-Duras (47) 150 C1
Sainte-Colombe-de-la-Commanderie (66) 201 E3
Sainte-Colombe-de-Peyre (48) 155 G1
Sainte-Colombe-de-Villeneuve (47) 151 F4
Sainte-Colombe-des-Bois (58) 82 D6
Sainte-Colombe-en-Bruilhois (47) 151 E6
Sainte-Colombe-la-Commanderie (27) 40 C1
Sainte-Colombe-près-Vernon (27) 41 E1
Sainte-Colombe-sur-Gand (42) 129 E2
Sainte-Colombe-sur-Guette (11) 200 B2
Sainte-Colombe-sur-l'Hers (11) 186 B5
Sainte-Colombe-sur-Loing (89) 82 D4
Sainte-Colombe-sur-Seine (21) 85 E1
Sainte-Colome (64) 182 B4
Sainte-Consorce (69) 129 H3
Sainte-Croix (01) 130 B2
Sainte-Croix (02) 22 D4
Sainte-Croix (12) 153 G4
Sainte-Croix (24) 137 G6
Sainte-Croix (26) 144 D6
Sainte-Croix (46) 152 B4
Sainte-Croix (71) 117 E1
Sainte-Croix (81) 170 B2
Sainte-Croix-à-Lauze (04) 176 B2
Sainte-Croix-aux-Mines (68) 71 E3
Sainte-Croix-de-Caderle (30) 173 F1
Sainte-Croix-de-Mareuil (24) 122 D5
Sainte-Croix-de-Quintillargues (34) 173 F4
Sainte-Croix-du-Mont (33) 149 H2
Sainte-Croix-du-Verdon (04) 177 F4
Sainte-Croix-en-Jarez (42) 129 H5
Sainte-Croix-en-Plaine (68) 71 F5
Sainte-Croix-Grand-Tonne (14) 14 A4
Sainte-Croix-Hague (50) 12 B2
Sainte-Croix-sur-Aizier (27) 16 D6
Sainte-Croix-sur-Buchy (76) 19 E3
Sainte-Croix-sur-Mer (14) 14 B3
Sainte-Croix-sur-Orne (61) 38 C4
Sainte-Croix-Vallée-Française (48) 156 C6
Sainte-Croix-Volvestre (09) 185 E4
Sainte-Dode (32) 183 G1
Sainte-Eanne (79) 108 B3
Sainte-Engrâce (64) 181 G4
Sainte-Enimie (48) 155 H4
Sainte-Eugénie-de-Villeneuve (43) 142 A3
Sainte-Eulalie (07) 143 E6
Sainte-Eulalie (11) 186 D3
Sainte-Eulalie (15) 140 A3
Sainte-Eulalie (33) 135 F5
Sainte-Eulalie (48) 141 H6
Sainte-Eulalie-d'Ans (24) 137 H2
Sainte-Eulalie-de-Cernon (12) 172 A2
Sainte-Eulalie-d'Eymet (24) 150 D1
Sainte-Eulalie-d'Olt (12) 155 E3
Sainte-Eulalie-en-Born (40) 148 B4
Sainte-Eulalie-en-Royans (26) 144 D4
Sainte-Euphémie (01) 130 A1
Sainte-Euphémie-sur-Ouvèze (26) 159 F5
Sainte-Eusoye (60) 20 B3
Sainte-Fauste (36) 96 D5
Sainte-Féréole (19) 138 D2
Sainte-Feyre (23) 111 G5
Sainte-Feyre-la-Montagne (23) 125 H2
Sainte-Flaive-des-Loups (85) 91 F5
Sainte-Florence (33) 135 H5
Sainte-Florence (85) 92 A4
Sainte-Florine (43) 127 G6
Sainte-Foi (09) 186 B4
Sainte-Fortunade (19) 139 E2
Sainte-Foy (40) 166 B2
Sainte-Foy (71) 115 E4
Sainte-Foy (76) 18 D1
Sainte-Foy (85) 91 E5
Sainte-Foy-d'Aigrefeuille (31) 169 G6
Sainte-Foy-de-Belvès (24) 152 A1
Sainte-Foy-de-Longas (24) 137 F5
Sainte-Foy-de-Montgommery (14) 39 F3
Sainte-Foy-de-Peyrolières (31) 168 D6
Sainte-Foy-la-Grande (33) 136 C5
Sainte-Foy-la-Longue (33) 150 A2
Sainte-Foy-l'Argentière (69) 129 G3
Sainte-Foy-lès-Lyon (69) 130 A3
Sainte-Foy-Saint-Sulpice (42) 128 D3
Sainte-Foy-Tarentaise (73) 133 F4
Sainte-Gauburge-Sainte-Colombe (61) 39 H5
Sainte-Gemme (17) 120 D2
Sainte-Gemme (32) 168 B4
Sainte-Gemme (33) 150 B2
Sainte-Gemme (36) 96 A5
Sainte-Gemme (51) 44 D1
Sainte-Gemme (79) 93 F4
Sainte-Gemme (81) 170 C1
Sainte-Gemme-en-Sancerrois (18) 82 B5
Sainte-Gemme-la-Plaine (85) 106 D2
Sainte-Gemme-Martaillac (47) 150 C4
Sainte-Gemme-Moronval (28) 41 F5
Sainte-Gemmes (41) 79 H2
Sainte-Gemmes-d'Andigné (49) 75 H1
Sainte-Gemmes-le-Robert (53) 59 F4
Sainte-Gemmes-sur-Loire (49) 76 D5
Sainte-Geneviève (02) 23 E2
Sainte-Geneviève (50) 13 E2
Sainte-Geneviève (54) 48 C3
Sainte-Geneviève (60) 20 B6
Sainte-Geneviève (76) 19 E2
Sainte-Geneviève-des-Bois (45) 82 B2
Sainte-Geneviève-des-Bois (91) 42 D6
Sainte-Geneviève-lès-Gasny (27) 41 G2
Sainte-Geneviève-sur-Argence (12) 140 C6
Sainte-Hélène (33) 134 C4
Sainte-Hélène (48) 156 B3
Sainte-Hélène (56) 54 D5
Sainte-Hélène (71) 101 F5
Sainte-Hélène (88) 70 B3
Sainte-Hélène-Bondeville (76) 16 C3
Sainte-Hélène-du-Lac (73) 132 A5
Sainte-Hélène-sur-Isère (73) 132 C4
Sainte-Hermine (85) 106 D1
Sainte-Honorine-de-Ducy (14) 13 H6
Sainte-Honorine-des-Pertes (14) 13 H5
Sainte-Honorine-du-Fay (14) 14 B5
Sainte-Honorine-la-Chardonne (61) 38 B4
Sainte-Honorine-la-Guillaume (61) 38 C4
Sainte-Innocence (24) 150 D1
Sainte-Jalle (26) 159 E4
Sainte-Jamme-sur-Sarthe (72) 60 A4
Sainte-Julie (01) 130 D2
Sainte-Juliette (82) 152 B5
Sainte-Juliette-sur-Viaur (12) 154 C6
Sainte-Léocadie (66) 199 H4
Sainte-Lheurine (17) 121 G5
Sainte-Livrade (31) 168 D5
Sainte-Livrade-sur-Lot (47) 151 E4
Sainte-Lizaigne (36) 97 E3
Sainte-Luce (38) 145 H5
Sainte-Luce-sur-Loire (44) 74 D5
Sainte-Lucie-de-Tallano (2A) 207 E2
Sainte-Lunaise (18) 97 G4
Sainte-Magnance (89) 84 B5
Sainte-Marguerite (43) 142 A2
Sainte-Marguerite (88) 70 D3
Sainte-Marguerite-de-Carrouges (61) 38 D6
Sainte-Marguerite-de-l'Autel (27) 40 C3
Sainte-Marguerite-de-Viette (14) 15 E6
Sainte-Marguerite-d'Elle (14) 13 F6
Sainte-Marguerite-des-Loges (14) 15 F6
Sainte-Marguerite-en-Ouche (27) 40 A2
Sainte-Marguerite-Lafigère (07) 156 D3
Sainte-Marguerite-sur-Duclair (76) 17 F5
Sainte-Marguerite-sur-Fauville (76) 16 D4
Sainte-Marguerite-sur-Mer (76) 17 F2
Sainte-Marie (05) 159 F3
Sainte-Marie (08) 24 A5
Sainte-Marie (15) 140 D5
Sainte-Marie (25) 88 B4
Sainte-Marie (32) 168 B5
Sainte-Marie (35) 56 C6
Sainte-Marie (58) 99 F2
Sainte-Marie (65) 184 A5
Sainte-Marie (66) 201 G2
Sainte-Marie-à-Py (51) 23 H6
Sainte-Marie-au-Bosc (76) 16 B4
Sainte-Marie-aux-Chênes (57) 26 A5
Sainte-Marie-aux-Mines (68) 71 E3
Sainte-Marie-Cappel (59) 2 C3
Sainte-Marie-d'Alloix (38) 132 A6
Sainte-Marie-d'Alvey (73) 131 G4
Sainte-Marie-de-Chignac (24) 137 G3
Sainte-Marie-de-Cuines (73) 146 C1
Sainte-Marie-de-Gosse (40) 164 D5
Sainte-Marie-de-Ré (17) 106 B5
Sainte-Marie-de-Vatimesnil (27) 19 F6
Sainte-Marie-de-Vaux (87) 123 H2
Sainte-Marie-des-Champs (76) 17 E4
Sainte-Marie-du-Bois (50) 37 G6
Sainte-Marie-du-Bois (53) 59 E1
Sainte-Marie-du-Lac-Nuisement (51) 46 C6
Sainte-Marie-du-Mont (38) 131 H6
Sainte-Marie-du-Mont (50) 13 E4
Sainte-Marie-en-Chanois (70) 88 A1
Sainte-Marie-en-Chaux (70) 87 H2
Sainte-Marie-Kerque (62) 2 A2
Sainte-Marie-la-Blanche (21) 101 G3
Sainte-Marie-la-Robert (61) 38 D5
Sainte-Marie-Lapanouze (19) 126 A6
Sainte-Marie-Laumont (14) 37 H3
Sainte-Marie-Outre-l'Eau (14) 37 G2
Sainte-Marie-sur-Ouche (21) 85 F6
Sainte-Marthe (27) 40 C3
Sainte-Marthe (47) 150 C3
Sainte-Maure (10) 66 B3
Sainte-Maure-de-Peyriac (47) 167 E1
Sainte-Maure-de-Touraine (37) 94 D2
Sainte-Maxime (83) 194 B3
Sainte-Même (17) 121 F2
Sainte-Menehould (51) 46 C2
Sainte-Mère (32) 168 A2
Sainte-Mère-Église (50) 13 E4
Sainte-Mesme (78) 62 D1
Sainte-Mondane (24) 138 B5
Sainte-Montaine (18) 81 G5
Sainte-Nathalène (24) 138 B5
Sainte-Néomaye (79) 108 A3
Sainte-Olive (01) 116 C6
Sainte-Opportune (61) 38 C4
Sainte-Opportune-du-Bosc (27) 40 C1
Sainte-Opportune-la-Mare (27) 15 H2
Sainte-Orse (24) 137 H2
Sainte-Osmane (72) 78 D1
Sainte-Ouenne (79) 107 H2
Sainte-Pallaye (89) 83 G3
Sainte-Paule (69) 129 G1
Sainte-Pazanne (44) 74 B6
Sainte-Pexine (85) 106 D1
Sainte-Pience (50) 35 H3
Sainte-Pôle (54) 49 G6
Sainte-Preuve (02) 22 D3
Sainte-Radegonde (12) 154 C4
Sainte-Radegonde (17) 120 D2
Sainte-Radegonde (24) 151 F1
Sainte-Radegonde (32) 167 H3
Sainte-Radegonde (33) 136 A6
Sainte-Radegonde (71) 100 B6
Sainte-Radegonde (79) 93 G3
Sainte-Radégonde (86) 109 G1
Sainte-Radégonde-des-Noyers (85) 106 D3
Sainte-Ramée (17) 121 E6
Sainte-Reine (70) 87 E4
Sainte-Reine (73) 132 B4
Sainte-Reine-de-Bretagne (44) 73 H3
Sainte-Ruffine (57) 26 B5
Sainte-Sabine (21) 101 F2
Sainte-Sabine-Born (24) 151 G1
Sainte-Sabine-sur-Longève (72) 60 A4
Sainte-Savine (10) 66 B3
Sainte-Scolasse-sur-Sarthe (61) 39 G6
Sainte-Segrée (80) 19 H1
Sainte-Sève (29) 31 H3
Sainte-Sévère (16) 121 H3
Sainte-Sévère-sur-Indre (36) 111 H2
Sainte-Sigolène (43) 143 E2
Sainte-Solange (18) 97 H2
Sainte-Soline (79) 108 C4
Sainte-Souline (16) 122 A6
Sainte-Soulle (17) 106 D4
Sainte-Suzanne (09) 185 F3
Sainte-Suzanne (25) 88 C4
Sainte-Suzanne (53) 59 F4
Sainte-Suzanne-sur-Vire (50) 37 G1
Sainte-Terre (33) 135 H5
Sainte-Thérence (03) 112 C4
Sainte-Thorette (18) 97 F3
Sainte-Tréphine (22) 33 E6
Sainte-Trie (24) 138 A1
Sainte-Tulle (04) 176 C3
Sainte-Valière (11) 187 H3
Sainte-Vaubourg (08) 24 A4
Sainte-Verge (79) 93 G3
Sainte-Vertu (89) 84 A2
Sainteny (50) 13 E5
Saintes (17) 121 E3
Saintes-Maries-de-la-Mer (13) 190 C4
Saintines (60) 21 E5
Saintry-sur-Seine (91) 43 E6
Saints (77) 43 H5
Saints (89) 83 E3
Saints-Geosmes (52) 86 B1
Sainville (28) 62 D2
Saires (86) 94 B4
Saires-la-Verrerie (61) 38 B5
Saissac (11) 186 D2
Saisseval (80) 7 F6
Saisy (71) 101 E4
Saivres (79) 108 A2
le Saix (05) 160 A3
Saïx (81) 170 C6
Saix (86) 93 H2
Saizenay (39) 103 F3
Saizerais (54) 48 C4
Saizy (58) 83 G6
Sajas (31) 184 D2
Salagnac (24) 138 A1
Salagnon (38) 130 D4
Salaise-sur-Sanne (38) 144 A1
Salans (39) 103 E2
Salasc (34) 172 C5
Salaunes (33) 134 D4
Salavas (07) 157 G4
Salavre (01) 117 E3
Salazac (30) 157 H5
Salbris (41) 81 E5
les Salces (48) 155 G3
Saléchan (65) 184 A5
Saleich (31) 184 C5
Saleignes (17) 108 B6
Saleilles (66) 201 F2
les Salelles (07) 157 E4
les Salelles (48) 155 G3
Salency (60) 21 G3
Salenthal (67) 50 C5
Saléon (05) 159 H4
Salérans (05) 159 H5
Salerm (31) 184 B2
Salernes (83) 193 G1
Salers (15) 140 B3
Sales (74) 131 H2
Salesches (59) 9 G3
la Salette-Fallavaux (38) 146 A5
Salettes (26) 158 C2
Salettes (43) 142 C5
Saleux (80) 7 F6
Salice (2A) 204 D4
Saliceto (2B) 205 F1
Saliès (81) 170 C3
Salies-de-Béarn (64) 165 F6
Salies-du-Salat (31) 184 C4
Salignac (04) 160 B6
Salignac (33) 135 G4
Salignac-de-Mirambeau (17) 121 F6
Salignac-Eyvigues (24) 138 B4
Salignac-sur-Charente (17) 121 G3
Saligney (39) 102 D1
Saligny (85) 91 G3
Saligny (89) 65 E4
Saligny-le-Vif (18) 98 B3
Saligny-sur-Roudon (03) 114 C2
Saligos (65) 182 D6
Salindres (30) 157 E6
Salinelles (30) 173 G3
Salins (15) 140 A2
Salins (77) 64 C2
Salins-les-Bains (39) 103 F4
Salins-les-Thermes (73) 132 D5
Salives (21) 85 G3
Sallagriffon (06) 178 C2
Sallanches (74) 133 E1
Sallaumines (62) 8 B1
la Salle (71) 116 B3
la Salle (88) 70 C2
la Salle-de-Vihiers (49) 92 D1
la Salle-en-Beaumont (38) 145 H5
la Salle-et-Chapelle-Aubry (49) 76 B6
la Salle-les-Alpes (05) 147 E4
la Salle-Prunet (48) 156 B5
Salleboeuf (33) 135 F5
Sallèdes (63) 127 G4
Sallèles-Cabardès (11) 187 E2
Sallèles-d'Aude (11) 188 A3
Sallen (14) 37 H1
Sallenelles (14) 14 C4
Sallenôves (74) 118 B6
Sallertaine (85) 90 D2
Salles (33) 148 D2
les Salles (42) 128 B2
Salles (47) 151 G2
Salles (65) 182 D4
Salles (79) 108 B3
Salles (81) 170 B1
Salles-Adour (65) 183 E3
Salles-Arbuissonnas-en-Beaujolais (69) 116 A6
Salles-Courbatiès (12) 153 G3
Salles-Curan (12) 154 D6
Salles-d'Angles (16) 121 G4
Salles-d'Armagnac (32) 166 D3
Salles-d'Aude (11) 188 B3
Salles-de-Barbezieux (16) 121 H5
Salles-de-Belvès (24) 151 H1
les Salles-de-Castillon (33) 136 A5
Salles-de-Villefagnan (16) 122 C1
les Salles-du-Gardon (30) 157 E6
Salles-et-Pratviel (31) 197 F1
Salles-la-Source (12) 154 C4
Salles-Lavalette (16) 122 C6
les Salles-Lavauguyon (87) 123 F3
Salles-Mongiscard (64) 165 F6
Salles-sous-Bois (26) 158 C3
Salles-sur-Garonne (31) 185 E2
Salles-sur-l'Hers (11) 186 A2
Salles-sur-Mer (17) 106 D5
les Salles-sur-Verdon (83) 177 F3
Sallespisse (64) 165 G5
Salmagne (55) 47 F4
Salmaise (21) 85 E5
Salmbach (67) 51 G2
Salmiech (12) 154 C6
Salomé (59) 3 E6
Salon (10) 45 F6
Salon (24) 137 F4
Salon-de-Provence (13) 191 G2
Salon-la-Tour (19) 124 C5
Salonnes (57) 49 E4
Salornay-sur-Guye (71) 115 H2
Salouël (80) 7 F6
Salperwick (62) 2 B4
Salsein (09) 184 D6
Salses-le-Château (66) 201 F1
Salsigne (11) 187 E2
Salt-en-Donzy (42) 129 E3
Salvagnac (81) 169 G3
Salvagnac-Cajarc (12) 153 F3
la Salvetat-Belmontet (82) 169 F2
la Salvetat-Lauragais (31) 169 H6
la Salvetat-Peyralès (12) 153 H5
la Salvetat-Saint-Gilles (31) 169 E5
la Salvetat-sur-Agout (34) 171 F5
Salvezines (11) 200 B1
Salviac (46) 152 B1
Salvizinet (42) 129 E3
Salza (11) 187 F5
Salzuit (43) 141 H2
Samadet (40) 166 A5
Saman (31) 184 B3
Samaran (32) 183 H1
Samatan (32) 168 B6
Samazan (47) 150 B3
Sambin (41) 79 H5
Sambourg (89) 84 A2
Saméon (59) 4 A6
Samer (62) 1 F5
Samerey (21) 102 B2
Sames (64) 164 D5
Sammarçolles (86) 94 A3
Sammeron (77) 43 H3
Samoëns (74) 119 F5
Samognat (01) 117 G4
Samogneux (55) 25 E6
Samois-sur-Seine (77) 64 B2
Samonac (33) 135 E3
Samoreau (77) 64 B2
Samouillan (31) 184 C3
Samoussy (02) 22 C3
Sampans (39) 102 C2
Sampigny (55) 47 G4
Sampigny-lès-Maranges (71) 101 F4
Sampolo (2A) 205 E5
Sampzon (07) 157 G4
Samson (25) 103 F3
Samsons-Lion (64) 182 D1
Samuran (65) 184 A5
San-Damiano (2B) 203 G6
San-Gavino-d'Ampugnani (2B) 203 G6
San-Gavino-di-Carbini (2A) 207 F2
San-Gavino-di-Fiumorbo (2B) 205 F5
San-Gavino-di-Tenda (2B) 203 F5
San-Giovanni-di-Moriani (2B) 205 G1
San-Giuliano (2B) 205 G2
San-Lorenzo (2B) 205 F1
San-Martino-di-Lota (2B) 203 G3
San-Nicolao (2B) 205 G1
Sana (31) 184 D3
Sanary-sur-Mer (83) 192 D5
Sancé (71) 116 B3
Sancergues (18) 98 C2
Sancerre (18) 82 B6
Sancey-le-Grand (25) 88 B6
Sancey-le-Long (25) 88 B6
Sancheville (28) 62 B4
Sanchey (88) 69 H4
Sancoins (18) 98 C5
Sancourt (27) 19 G5
Sancourt (59) 8 D3
Sancourt (80) 21 G1
Sancy (54) 26 A3
Sancy (77) 43 G3
Sancy-les-Cheminots (02) 22 B4
Sancy-lès-Provins (77) 44 B5
Sand (67) 71 G2
Sandarville (28) 62 A3
Sandaucourt (88) 69 E3
Sandillon (45) 81 E1
Sandouville (76) 15 G2
Sandrans (01) 116 C6
Sangatte (62) 1 G2
Sanghen (62) 1 G4
Sanguinet (40) 148 C2
Sanilhac (07) 157 F3
Sanilhac-Sagriès (30) 174 B2
Sannat (23) 112 B6
Sannerville (14) 14 C4
Sannes (84) 176 A4
Sannois (95) 42 C3
Sanous (65) 183 E1
Sanry-lès-Vigy (57) 26 C5
Sanry-sur-Nied (57) 26 D6
Sans-Vallois (88) 69 F4
Sansa (66) 200 A3
Sansac-de-Marmiesse (15) 140 A5
Sansac-Veinazès (15) 154 B1
Sansais (79) 107 G4
Sansan (32) 167 H6
Sanssac-l'Église (43) 142 B4
Sanssat (03) 114 A4
Santa-Lucia-di-Mercurio (2B) 205 F2
Santa-Lucia-di-Moriani (2B) 205 H1
Santa-Maria-di-Lota (2B) 203 G3
Santa-Maria-Figaniella (2A) 207 E2
Santa-Maria-Poggio (2B) 205 G2
Santa-Maria-Siché (2A) 204 D6
Santa-Reparata-di-Balagna (2B) 202 D5
Santa-Reparata-di-Moriani (2B) 205 G2
Sant'Andréa-di-Bozio (2B) 205 F2
Sant'Andréa-di-Cotone (2B) 205 G2
Sant'Andréa-d'Orcino (2A) 204 C5
Santans (39) 102 D3
Sant'Antonino (2B) 202 C5
Santeau (45) 63 F5
Santec (29) 31 G2
Santenay (21) 101 F4
Santenay (41) 79 G4
Santeny (94) 43 E5
Santes (59) 3 F5
Santeuil (28) 62 C2
Santeuil (95) 42 A1
Santigny (89) 84 B4
Santilly (28) 62 D4
Santilly (71) 116 A1
Santo-Pietro-di-Tenda (2B) 203 F5
Santo-Pietro-di-Venaco (2B) 205 E3
Santoche (25) 88 A5
Santosse (21) 101 F3
Santranges (18) 82 B5
Sanvensa (12) 153 G5
Sanvignes-les-Mines (71) 100 D6
Sanxay (86) 108 C2
Sanzey (54) 48 A4
Saon (14) 13 G5
Saône (25) 103 G1
Saonnet (14) 13 G5
Saorge (06) 179 G1
Saosnes (72) 60 B3
Saou (26) 158 C2
le Sap (61) 39 G3
le Sap-André (61) 39 G4
Sapignicourt (51) 46 C5
Sapignies (62) 8 B4
Sapogne-et-Feuchères (08) 24 B2
Sapogne-sur-Marche (08) 25 E3
Sapois (39) 103 F5
Sapois (88) 70 B5
Saponay (02) 22 B6
Saponcourt (70) 87 F1
le Sappey (74) 118 C5
le Sappey-en-Chartreuse (38) 145 G2
Saramon (32) 168 A6
Saran (45) 62 D6
Saraz (25) 103 F3
Sarbazan (40) 166 B1
Sarcé (72) 78 B2
Sarceaux (61) 39 E5
Sarcelles (95) 42 D3
Sarcenas (38) 145 G1
Sarcey (52) 68 A5
Sarcey (69) 129 G2
Sarcos (32) 184 B1
Sarcus (60) 19 H2
Sarcy (51) 22 D6
Sardan (30) 173 G3
Sardent (23) 111 G6
Sardieu (38) 144 D1
Sardon (63) 127 F1
Sardy-lès-Épiry (58) 99 H2
Sare (64) 180 B1
Sargé-lès-le-Mans (72) 60 B5

Sargé-sur-Braye (41) 61 E6
Sari-d'Orcino (2A) 204 C5
Sari-Solenzara (2A) 205 G6
Sariac-Magnoac (65) 183 H2
Sarlabous (65) 183 F4
Sarlande (24) 124 A6
Sarlat-la-Canéda (24) 138 A5
Sarliac-sur-l'Isle (24) 137 G2
Sarniguet (65) 183 E2
Sarnois (60) 19 H2
Saron-sur-Aube (51) 44 D6
Sarp (65) 184 A5
Sarpourenx (64) 165 G6
Sarragachies (32) 166 D4
Sarrageois (25) 103 H5
Sarraguzan (32) 183 G2
Sarralbe (57) 49 H2
Sarraltroff (57) 50 A4
Sarran (19) 125 F6
Sarrance (64) 182 A4
Sarrancolin (65) 183 G5
Sarrant (32) 168 B4
Sarras (07) 144 A2
Sarrazac (24) 123 H6
Sarrazac (46) 138 D4
Sarraziet (40) 166 A4
Sarre-Union (67) 50 A2
Sarrebourg (57) 50 A4
Sarrecave (31) 184 A3
Sarreguemines (57) 27 H5
Sarreinsming (57) 27 H5
Sarremezan (31) 184 A3
Sarrewerden (67) 50 A3
Sarrey (52) 68 B5
Sarriac-Bigorre (65) 183 F1
Sarrians (84) 175 F1
Sarrigné (49) 77 E4
Sarrogna (39) 117 G2
Sarrola-Carcopino (2A) 204 C5
Sarron (40) 166 B5
Sarrouilles (65) 183 F3
Sarroux (19) 126 A6
Sarry (51) 45 H3
Sarry (71) 115 E4
Sarry (89) 84 B3
le Sars (62) 8 B4
Sars-et-Rosières (59) 9 E1
Sars-le-Bois (62) 7 H2
Sars-Poteries (59) 10 A3
Sartène (2A) 206 D3
Sartes (88) 68 D3
Sartilly (50) 35 G3
Sarton (62) 7 H4
Sartrouville (78) 42 C3
Sarzay (36) 111 G1
Sarzeau (56) 72 D2
Sasnières (41) 79 F2
Sassangy (71) 101 F6
Sassay (41) 80 A5
Sassegnies (59) 9 H3
Sassenage (38) 145 G2
Sassenay (71) 101 H5
Sassetot-le-Malgardé (76) 17 F3
Sassetot-le-Mauconduit (76) 16 D3
Sasseville (76) 17 E3
Sassey (27) 41 E2
Sassey-sur-Meuse (55) 24 D4
Sassierges-
-Saint-Germain (36) 96 D5
Sassis (65) 182 D6
Sassy (14) 14 D6
Sathonay-Camp (69) 130 A2
Sathonay-Village (69) 130 A2
Satillieu (07) 143 H3
Satolas-et-Bonce (38) 130 C3
Saturargues (34) 173 H4
Saubens (31) 169 E6
Saubion (40) 164 C4
Saubole (64) 182 D2
Saubrigues (40) 164 C5
Saubusse (40) 164 D4
Saucats (33) 149 F1
Saucède (64) 181 H2
la Saucelle (28) 40 D6
Sauchay (76) 17 H2
Sauchy-Cauchy (62) 8 D3
Sauchy-Lestrée (62) 8 D3
Sauclières (12) 172 C2
Saudemont (62) 8 C3
Saudoy (51) 44 D5
Saudron (52) 68 B1
Saudrupt (55) 46 D5
Saugeot (39) 117 H1
Saugnac-et-Cambran (40) 165 E4
Saugnacq-et-Muret (40) 148 D3
Saugon (33) 135 F2
Saugues (43) 142 A5
Sauguis-Saint-Étienne (64) 181 G3
Saugy (18) 97 F4
Saujac (12) 153 F3
Saujon (17) 120 C3
la Saulce (05) 160 B3
Saulce-sur-Rhône (26) 158 B1
Saulces-Champenoises (08) 23 H4
Saulces-Monclin (08) 23 H3
Saulcet (03) 113 H4
Saulchery (02) 44 B3
le Saulchoy (60) 20 B2
Saulchoy (62) 6 D2
Saulchoy-sous-Poix (80) 20 A1
Saulcy (10) 67 F3
le Saulcy (88) 70 D1
Saulcy-sur-Meurthe (88) 70 D3
Saules (25) 103 H2
Saules (71) 101 F6
Saulgé (86) 109 H3
Saulgé-l'Hôpital (49) 77 E6
Saulges (53) 59 F5
Saulgond (16) 123 G1
Sauliac-sur-Célé (46) 153 E3
Saulieu (21) 100 C1
Saulles (52) 86 C2
Saulmory-
-et-Villefranche (55) 24 D4
Saulnay (36) 95 H4
Saulnes (54) 25 H3
Saulnières (28) 41 E5
Saulnières (35) 57 F4
Saulnot (70) 88 B3
Saulny (57) 26 B5
Saulon-la-Chapelle (21) 102 A1
Saulon-la-Rue (21) 101 H1
la Saulsotte (10) 65 F1
Sault (84) 176 A1
Sault-Brénaz (01) 131 E2
Sault-de-Navailles (64) 165 G5
Sault-lès-Rethel (08) 23 G4
Sault-Saint-Remy (08) 23 F4
Saultain (59) 9 F2
Saulty (62) 7 H3
Saulvaux (55) 47 G5
Saulx (70) 87 G2
Saulx-le-Duc (21) 85 H4
Saulx-lès-Champlon (55) 47 H2
Saulx-les-Chartreux (91) 42 C5
Saulx-Marchais (78) 42 A4
Saulxerotte (54) 69 E1
Saulxures (67) 71 E2
Saulxures-
-lès-Bulgnéville (88) 68 D4
Saulxures-lès-Nancy (54) 48 D5
Saulxures-lès-Vannes (54) 68 D1
Saulxures-
-sur-Moselotte (88) 70 C6
Saulzais-le-Potier (18) 112 C1
Saulzet (03) 113 G5
Saulzet-le-Froid (63) 126 D4
Saulzoir (59) 9 F3
Saumane (04) 176 C1
Saumane (30) 173 E1
Saumane-de-Vaucluse (84) 175 F2
Sauméjan (47) 150 B5
Saumeray (28) 61 H3
Saumont (47) 151 E6
Saumont-la-Poterie (76) 19 F3
Saumos (33) 134 C4
Saumur (49) 77 G6
Saunay (37) 79 F3
la Saunière (23) 111 G5
Saunières (71) 102 A4
Sauqueville (76) 17 G2
Saurais (79) 108 B1
Saurat (09) 185 G6
Sauret-Besserve (63) 126 D1
Saurier (63) 127 E5
Sausheim (68) 89 F1
Saussan (34) 173 F6
Saussay (28) 41 F4
Saussay (76) 17 F4
Saussay-la-Campagne (27) 19 F5
la Saussaye (27) 18 C6
Saussemesnil (50) 12 D2
Saussenac (81) 170 D2
Saussens (31) 169 H5
Sausses (04) 178 B1
Sausset-les-Pins (13) 191 H5
Sausseuzemare-
-en-Caux (76) 16 C4
Saussey (21) 101 F3
Saussey (50) 36 D2
Saussignac (24) 136 C6
Saussines (34) 173 G4
Saussy (21) 85 G5
Sautel (09) 186 A5
Sauternes (33) 149 G2
Sauteyrargues (34) 173 G3
Sauto (66) 200 A4
Sautron (44) 74 C4
la Sauvagère (61) 38 C5
les Sauvages (69) 129 F2
Sauvagnac (16) 123 F3
Sauvagnas (47) 151 F5
Sauvagnat (63) 126 C3
Sauvagnat-
-Sainte-Marthe (63) 127 F5
Sauvagney (25) 87 E6
Sauvagnon (64) 182 B1
Sauvagny (03) 113 E3
Sauvain (42) 128 C4
Sauvat (15) 140 A1
Sauve (30) 173 G2
la Sauve (33) 135 G6
Sauvelade (64) 181 H1
Sauverny (01) 118 B3
Sauvessanges (63) 128 C6
la Sauvetat (32) 167 H3
la Sauvetat (63) 127 F4
la Sauvetat-
-de-Savères (47) 151 G5
la Sauvetat-du-Dropt (47) 150 D1
la Sauvetat-sur-Lède (47) 151 F3
Sauveterre (30) 174 D1
Sauveterre (32) 184 C1
Sauveterre (65) 167 E6
Sauveterre (81) 187 F1
Sauveterre (82) 152 B5
Sauveterre-de-Béarn (64) 181 F1
Sauveterre-
-de-Comminges (31) 184 A5
Sauveterre-
-de-Guyenne (33) 150 A1
Sauveterre-
-de-Rouergue (12) 154 A5
Sauveterre-
-la-Lémance (47) 151 H2
Sauveterre-
-Saint-Denis (47) 151 F6
Sauviac (32) 183 H1
Sauviac (33) 149 H3
Sauvian (34) 188 C2
Sauviat (63) 128 A3
Sauviat-sur-Vige (87) 124 D2
Sauvignac (16) 136 A2
Sauvigney-lès-Gray (70) 86 D5
Sauvigney-lès-Pesmes (70) 86 C6
Sauvigny (55) 68 D1
Sauvigny-le-Beuréal (89) 84 B5
Sauvigny-le-Bois (89) 84 A4
Sauvigny-les-Bois (58) 99 E4
Sauville (08) 24 B3
Sauville (88) 68 D4
Sauvillers-Mongival (80) 20 D2
Sauvimont (32) 184 C1
Sauvoy (55) 47 H5
Saux (46) 152 A4
Saux-et-Pomarède (31) 184 B3
Sauxillanges (63) 127 G5
Sauze (06) 161 G6
le Sauze-du-Lac (05) 160 D3
Sauzé-Vaussais (79) 108 C5
Sauzelles (36) 95 F6
Sauzet (26) 158 B2
Sauzet (30) 174 A2
Sauzet (46) 152 B4
la Sauzière-Saint-Jean (81) 169 G2
Sauzon (56) 72 A3
Savarthès (31) 184 B4
Savas (07) 143 H1
Savas-Mépin (38) 130 C5
Savasse (26) 158 B2
Savenay (44) 74 A4
Savenès (82) 168 D3
Savennes (23) 111 G6
Savennes (63) 126 B5
Savennières (49) 76 D5
Saverdun (09) 185 G3
Savères (31) 184 D2
Saverne (67) 50 C4
Saveuse (80) 7 F6
Savianges (71) 101 F6
Savières (10) 66 A2
Savigna (39) 117 G2
Savignac (12) 153 G4
Savignac (33) 150 A2
Savignac-de-Duras (47) 150 C1
Savignac-de-l'Isle (33) 135 G4
Savignac-
-de-Miremont (24) 137 G4
Savignac-de-Nontron (24) 123 F5
Savignac-Lédrier (24) 138 A1
Savignac-les-Églises (24) 137 G2
Savignac-les-Ormeaux (09) 199 F2
Savignac-Mona (32) 168 C6
Savignac-sur-Leyze (47) 151 G3
Savignargues (30) 173 H2
Savigné (86) 109 E5
Savigné-l'Évêque (72) 60 B5
Savigné-sous-le-Lude (72) 77 H3
Savigné-sur-Lathan (37) 78 B5
Savigneux (01) 130 A1
Savigneux (42) 128 D4
Savignies (60) 20 A4
Savigny (50) 37 E1
Savigny (52) 86 D2
Savigny (69) 129 G2
Savigny (74) 118 A6
Savigny (88) 69 G2
Savigny-en-Revermont (71) 117 F1
Savigny-en-Sancerre (18) 82 B5
Savigny-en-Septaine (18) 98 A3
Savigny-
-en-Terre-Plaine (89) 84 B5
Savigny-en-Véron (37) 94 A1
Savigny-le-Sec (21) 85 H5
Savigny-le-Temple (77) 43 E6
Savigny-le-Vieux (50) 37 G6
Savigny-lès-Beaune (21) 101 G3
Savigny-Lévescault (86) 109 F2
Savigny-Poil-Fol (58) 100 A5
Savigny-sous-Faye (86) 94 B4
Savigny-sous-Mâlain (21) 85 F6
Savigny-sur-Aisne (08) 24 B5
Savigny-sur-Ardres (51) 22 D6
Savigny-sur-Braye (41) 79 E1
Savigny-sur-Clairis (89) 64 D5
Savigny-sur-Grosne (71) 116 A1
Savigny-sur-Orge (91) 42 D5
Savigny-sur-Seille (71) 116 D1
Savilly (21) 100 D2
Savines-le-Lac (05) 160 D2
Savins (77) 64 D1
Savoillan (84) 159 F6
Savoisy (21) 84 D2
Savolles (21) 86 A5
Savonnières (37) 78 C6
Savonnières-
-devant-Bar (55) 47 E4
Savonnières-
-en-Perthois (55) 47 E6
Savouges (21) 101 H2
Savournon (05) 159 H3
Savoyeux (70) 86 D4
Savy (02) 21 H1
Savy-Berlette (62) 8 A2
Saxel (74) 118 D4
Saxi-Bourdon (58) 99 F3
Saxon-Sion (54) 69 F2
Sayat (63) 127 E2
Saze (30) 174 D2
Sazeray (36) 111 H3
Sazeret (03) 113 F4
Sazilly (37) 94 C2
Sazos (65) 182 D6
Scaër (29) 54 A2
Scata (2B) 203 G6
Sceau-Saint-Angel (24) 123 F5
Sceautres (07) 157 H2
Sceaux (89) 84 B4
Sceaux (92) 42 C4
Sceaux-d'Anjou (49) 76 D3
Sceaux-du-Gâtinais (45) 63 H5
Sceaux-sur-Huisne (72) 60 D5
Scey-Maisières (25) 103 G2
Scey-sur-Saône-
-et-Saint-Albin (70) 87 F3
Schaeffersheim (67) 71 H1
Schaffhouse-près-Seltz (67) 51 G2
Schaffhouse-sur-Zorn (67) 50 D4
Schalbach (57) 50 B3
Schalkendorf (67) 50 D3
Scharrachbergheim-
-Irmstett (67) 50 D5
Scheibenhard (67) 51 G2
Scherlenheim (67) 50 D4
Scherwiller (67) 71 F2
Schillersdorf (67) 50 D3
Schiltigheim (67) 51 E5
Schirmeck (67) 71 E1
Schirrhein (67) 51 F3
Schirrhoffen (67) 51 F3
Schleithal (67) 51 G2
Schlierbach (68) 89 G2
Schmittviller (57) 28 A6
Schneckenbusch (57) 50 A5
Schnersheim (67) 50 D5
Schœnau (67) 71 H3
Schœnbourg (67) 50 B3
Schœneck (57) 27 G4
Schœnenbourg (67) 51 F2
Schopperten (67) 50 A2
Schorbach (57) 50 C1
Schweighouse-
-sur-Moder (67) 51 E3
Schweighouse-Thann (68) 89 E2
Schwenheim (67) 50 C4
Schwerdorff (57) 27 E3
Schweyen (57) 28 B5
Schwindratzheim (67) 50 D4
Schwoben (68) 89 F3
Schwobsheim (67) 71 G3
Sciecq (79) 107 H3
Scientrier (74) 118 D5
Scieurac-et-Flourès (32) 167 E5
Sciez (74) 118 D3
Scillé (79) 107 G1
Scionzier (74) 119 E6
Scolca (2B) 203 F5
Scorbé-Clairvaux (86) 94 C5
Scrignac (29) 32 B5
Scrupt (51) 46 C5
Scy-Chazelles (57) 26 B5
Scye (70) 87 F3
Séailles (32) 167 E4
la Séauve-sur-Semène (43) 143 E1
Sébazac-Concourès (12) 154 C4
Sébécourt (27) 40 B3
Sébeville (50) 13 E4
Seboncourt (02) 9 F5
Sebourg (59) 9 G2
Sébrazac (12) 154 C3
Séby (64) 166 A6
Secenans (70) 88 B4
Séchault (08) 24 B6
Sécheras (07) 144 A3
Sécheval (08) 11 E6
Séchilienne (38) 145 H3
Séchin (25) 87 H6
Seclin (59) 3 F6
Secondigné-sur-Belle (79) 108 A5
Secondigny (79) 107 H1
Secourt (57) 48 D3
Secqueville-en-Bessin (14) 14 B4
Sedan (08) 24 C2
Sédeilhac (31) 184 A3
Séderon (26) 159 G5
Sedze-Maubecq (64) 182 D1
Sedzère (64) 182 D2
Seebach (67) 51 F2
Sées (61) 39 F6
Séez (73) 133 F4
Ségalas (47) 151 E2
Ségalas (65) 183 F1
la Ségalassière (15) 139 H5
Séglien (56) 54 D2
Ségny (01) 118 B4
Segonzac (16) 121 H4
Segonzac (19) 138 B2
Segonzac (24) 136 D2
Ségos (32) 166 B5
Ségoufielle (32) 168 D5
Segré (49) 75 H1
Ségreville (31) 169 H6
Ségrie (72) 59 H4
Ségrie-Fontaine (61) 38 C4
Segrois (21) 101 G2
Ségry (36) 97 E4
la Séguinière (49) 92 B2
Ségur (12) 155 E5
le Ségur (81) 170 B1
Ségur-le-Château (19) 124 B6
Ségur-les-Villas (15) 140 D2
Ségura (09) 185 H5
Séguret (84) 158 C5
Ségus (65) 182 D4
Seich (65) 183 H5
Seichamps (54) 48 D5
Seichebrières (45) 63 F6
Seicheprey (54) 48 A3
Seiches-sur-le-Loir (49) 77 F3
Seignalens (11) 186 B4
Seigné (17) 121 H1
Seignelay (89) 83 G1
Seigneulles (55) 47 E4
Seignosse (40) 164 C4
Seigny (21) 84 D4
Seigy (41) 96 A1
Seilh (31) 169 E4
Seilhac (19) 139 E1
Seilhan (31) 184 A4
Seillac (41) 79 G4
Seillans (83) 178 A4
Seillonnaz (01) 131 E2
Seillons-Source-
-d'Argens (83) 176 D6
Seine-Port (77) 63 H1
Seingbouse (57) 49 G1
Seissan (32) 167 H6
Seix (09) 185 E6
le Sel-de-Bretagne (35) 57 F5
Selaincourt (54) 69 E1
Selens (02) 21 H4
Sélestat (67) 71 G3
Séligné (79) 108 A5
Séligney (39) 102 D4
la Selle-Craonnaise (53) 76 B1
la Selle-en-Coglès (35) 35 H5
la Selle-en-Hermoy (45) 64 B6
la Selle-en-Luitré (35) 58 A2
la Selle-Guerchaise (35) 58 A6
la Selle-la-Forge (61) 38 B4
la Selle-sur-le-Bied (45) 64 B5
Selles (27) 15 H4
Selles (51) 23 G5
Selles (62) 1 G4
Selles (70) 69 F6
Selles-Saint-Denis (41) 80 D6
Selles-sur-Cher (41) 96 B1
Selles-sur-Nahon (36) 96 B3
Sellières (39) 102 D5
Selommes (41) 79 G2
Seloncourt (25) 88 C4
Selongey (21) 86 A4
Selonnet (04) 160 D4
Seltz (67) 51 G2
la Selve (02) 23 E3
la Selve (12) 171 E1
Sem (09) 198 D1
Sémalens (81) 170 B5
Semallé (61) 60 A1
Semarey (21) 101 F1
Sembadel (43) 142 B2
Sembas (47) 151 F4
Semblançay (37) 78 D4
Sembleçay (36) 96 C1
Sembouès (32) 167 E6
Séméac (65) 183 E3
Séméacq-Blachon (64) 166 C6
Semécourt (57) 26 B5
Sémelay (58) 100 A5
Semens (33) 149 H2
Sementron (89) 83 E3
Sémeries (59) 10 A4
Semerville (41) 62 A6
Semezanges (21) 101 G1
Sémézies-Cachan (32) 168 A6
Semide (08) 24 A5
Semillac (17) 121 E6
Semilly (52) 68 B3
Semmadon (70) 87 E2
Semoine (10) 45 F5
Semond (21) 85 E2
Semondans (25) 88 B4
Semons (38) 130 C6
Semousies (59) 10 A3
Semoussac (17) 121 E6
Semoutiers-Montsaon (52) 67 H5
Semoy (45) 62 D6
Sempesserre (32) 168 A1
Sempigny (60) 21 G3
Sempy (62) 1 G6
Semur-en-Auxois (21) 84 C5
Semur-en-Brionnais (71) 115 E4
Semur-en-Vallon (72) 60 D5
Semussac (17) 120 C4
Semuy (08) 24 A4
le Sen (40) 149 F6
Sénac (65) 183 F2
Senaide (88) 69 E6
Sénaillac-Latronquière (46) 139 G6
Sénaillac-Lauzès (46) 153 E2
Senailly (21) 84 C4
Senan (89) 83 E1
Senantes (28) 41 G5
Senantes (60) 19 H4
Sénarens (31) 184 C2
Senargent-Mignafans (70) 88 A3
Senarpont (80) 6 C6
Sénas (13) 191 G2
Senaud (39) 117 E3
Senaux (81) 171 F4
Sencenac-Puy-
-de-Fourches (24) 137 F1
Senconac (09) 199 F1
Sendets (33) 150 A3
Sendets (64) 182 C2
Séné (56) 72 D1
Sénéchas (30) 157 E5
Sénergues (12) 154 B2
Sénestis (47) 150 C3
Séneujols (43) 142 B5
Senez (04) 177 G2
Sénezergues (15) 154 B1
Sengouagnet (31) 184 B5
Séniergues (46) 152 D1
Senillé (86) 94 D5
Seninghem (62) 1 H4
Senlecques (62) 1 G5
Senlis (60) 20 D6
Senlis (62) 2 A6
Senlis-le-Sec (80) 8 A5
Senlisse (78) 42 B5
Senneçay (18) 97 H4
Sennecey-le-Grand (71) 116 B1
Sennecey-lès-Dijon (21) 85 H6
Sennely (45) 81 F3
Sennevières (37) 95 G2
Senneville-sur-Fécamp (76) 16 C3
Sennevoy-le-Bas (89) 84 C2
Sennevoy-le-Haut (89) 84 C2
Senon (55) 25 G5
Senonches (28) 40 D6
Senoncourt (70) 87 F1
Senoncourt-
-les-Maujouy (55) 47 F2
Senones (88) 70 D2
Senonges (88) 69 F4
Senonnes (53) 76 A1
Senots (60) 20 A6
Senouillac (81) 170 A2
Sénoville (50) 12 B3
Senozan (71) 116 B3
Sens (89) 65 E4
Sens-Beaujeu (18) 82 A6
Sens-de-Bretagne (35) 35 G6
Sens-sur-Seille (71) 102 B5
Sentein (09) 184 C6
Sentelie (80) 20 A2
Sentenac-de-Sérou (09) 185 F5
Sentenac-d'Oust (09) 185 E6
Sentheim (68) 88 D2
Sentilly (61) 38 D4
la Sentinelle (59) 9 F2
Sentous (65) 183 G2
Senuc (08) 24 B5
Senven-Léhart (22) 33 E5
Sépeaux (89) 64 D6
Sepmeries (59) 9 F2
Sepmes (37) 95 E3
Seppois-le-Bas (68) 89 E4
Seppois-le-Haut (68) 89 E4
Sept-Forges (61) 59 E1
Sept-Frères (14) 37 G3
Sept-Meules (76) 6 B5
Sept-Saulx (51) 45 G1
Sept-Sorts (77) 43 H3
Sept-Vents (14) 37 H1
Septème (38) 130 B5
Septèmes-les-Vallons (13) 192 A3
Septeuil (78) 41 G3
Septfonds (82) 152 D6
Septfontaines (25) 103 H3
Septmoncel (39) 118 A3
Septmonts (02) 22 A5
Septsarges (55) 24 D5
Septvaux (02) 22 A3
Sepvigny (55) 47 H6
Sepvret (79) 108 B4
Sepx (31) 184 C3
Sequedin (59) 3 F5
Sequehart (02) 9 E6
le Sequestre (81) 170 B2
Serain (02) 9 E5
Seraincourt (08) 23 F3
Seraincourt (95) 42 A2
Sérandon (19) 140 A1
Séranon (06) 178 B3
Serans (60) 42 A1
Serans (61) 38 D5
Seranville (54) 70 A1
Séranvillers-Forenville (59) 9 E4
Seraucourt-le-Grand (02) 21 H1
Seraumont (88) 68 C2
Serazereux (28) 41 F6
Serbannes (03) 113 H6
Serbonnes (89) 64 D3
Serches (02) 22 B5
Sercœur (88) 70 A3
Sercus (59) 2 C4
Sercy (71) 116 A1
Serdinya (66) 200 B3
Sère (32) 184 A1
Sère-en-Lavedan (65) 182 D4
Sère-Lanso (65) 183 E4
Sère-Rustaing (65) 183 G2
Serécourt (88) 69 E5
Séreilhac (87) 123 H3
Serémange-Erzange (57) 26 B3
Sérempuy (32) 168 B4
Sérénac (81) 170 D2
Sérent (56) 55 H5
Sérévillers (60) 20 D2
Serez (27) 41 F3
Sérézin-de-la-Tour (38) 130 D5
Sérézin-du-Rhône (69) 130 A4
Sergeac (24) 137 H4
Sergenaux (39) 102 C4
Sergenon (39) 102 C4
Sergines (89) 65 E3
Sergy (01) 118 B4
Sergy (02) 44 C1
Séricourt (62) 7 G2
Sériers (15) 141 E4
Sérifontaine (60) 19 G5
Sérignac (46) 152 A3
Sérignac (82) 168 C2
Sérignac-Péboudou (47) 151 E2
Sérignac-sur-Garonne (47) 151 E5
Sérignan (34) 188 C3
Sérignan-du-Comtat (84) 158 B6
Sérigné (85) 107 E2
Sérigny (61) 60 D2
Sérigny (86) 94 B4
Sérilhac (19) 139 E3
Seringes-et-Nesles (02) 22 B6
Séris (41) 80 B2
Serley (71) 102 B5
Sermages (58) 100 A3
Sermaise (49) 77 G4
Sermaise (91) 63 E1
Sermaises (45) 63 F3
Sermaize (60) 21 G3
Sermaize-les-Bains (51) 46 D4
Sermamagny (90) 88 C2
Sermange (39) 102 D1
Sermano (2B) 205 F2
Sermentizon (63) 127 H3
Sermérieu (38) 131 E4
Sermersheim (67) 71 G2
Sermesse (71) 102 A4
Sermiers (51) 45 F1
Sermizelles (89) 83 H4
Sermoise (02) 22 B5
Sermoise-sur-Loire (58) 99 E4
Sermoyer (01) 116 C2
Sermur (23) 126 A1
Sernhac (30) 174 C2

Serocourt (88) 69 E5
Séron (65) 182 D2
Serpaize (38) 130 B5
la Serpent (11) 186 D5
Serques (62) 2 A3
Serqueux (52) 68 D6
Serqueux (76) 19 F2
Serquigny (27) 40 B1
Serra-di-Ferro (2A) 206 C2
Serra-di-Fiumorbo (2B) 205 G5
Serra-di-Scopamène (2A) 207 E2
Serralongue (66) 200 D5
Serraval (74) 132 C2
la Serre (12) 171 F3
la Serre-Bussière-Vieille (23) 112 B6
Serre-les-Moulières (39) 102 D1
Serre-les-Sapins (25) 103 F1
Serre-Nerpol (38) 145 E2
Serres (05) 159 H3
Serres (11) 187 E6
Serres (54) 49 E5
Serres-Castet (64) 182 B1
Serres-et-Montguyard (24) 151 E1
Serres-Gaston (40) 166 A4
Serres-Morlaàs (64) 182 C2
Serres-Sainte-Marie (64) 182 A1
Serres-sur-Arget (09) 185 G5
Serreslous-et-Arribans (40) 165 H4
Serriera (2A) 204 B2
Serrières (07) 144 A1
Serrières (71) 116 A4
Serrières-de-Briord (01) 131 E2
Serrières-en-Chautagne (73) 131 G2
Serrières-sur-Ain (01) 117 F5
Serrigny (89) 84 A2
Serrigny-en-Bresse (71) 102 A5
Serris (77) 43 F4
Serrouville (54) 26 A3
Serruelles (18) 97 G4
Sers (16) 122 D4
Sers (65) 183 E6
Servais (02) 22 A3
Serval (02) 22 C5
Servance (70) 88 B1
Servanches (24) 136 B3
Servant (63) 113 F5
Servas (01) 116 D5
Servas (30) 157 F6
Servaville-Salmonville (76) 17 H6
Serverette (48) 155 H1
Serves-sur-Rhône (26) 144 A3
Servian (34) 188 C1
Servières (48) 155 H2
Servières-le-Château (19) 139 F3
Serviers-et-Labaume (30) 174 B1
Serviès (81) 170 B5
Serviès-en-Val (11) 187 F4
Servignat (01) 116 D3
Servigney (70) 87 H2
Servigny (50) 36 D1
Servigny-lès-Raville (57) 49 E1
Servigny-lès-Sainte-Barbe (57) 26 C5
Serville (28) 41 F4
Servilly (03) 114 B4
Servin (25) 88 A6
Servins (62) 8 A1
Servon (50) 35 G4
Servon (77) 43 E5
Servon-Melzicourt (51) 24 B6
Servon-sur-Vilaine (35) 57 G3
Servoz (74) 133 E1
Sery (08) 23 G3
Sery (89) 83 G3
Séry-lès-Mézières (02) 22 B1
Séry-Magneval (60) 21 F6
Serzy-et-Prin (51) 22 D6
Sessenheim (67) 51 F3
Sète (34) 189 F1
Setques (62) 2 A4
Seugy (95) 42 D1
Seuil (08) 23 H4
Seuil-d'Argonne (55) 46 D2
Seuillet (03) 114 A5
Seuilly (37) 94 A2
Seur (41) 79 H4
le Seure (17) 121 G2
Seurre (21) 102 A3
Seux (80) 7 F6
Seuzey (55) 47 G2
Sevelinges (42) 115 F6
Sevenans (90) 88 C3
Sévérac (44) 73 H2
Sévérac-le-Château (12) 155 F5
Sévérac-l'Église (12) 155 E4
Seveux (70) 86 D4
Sévignac (22) 34 B6
Sévignacq (64) 182 C1
Sévignacq-Meyracq (64) 182 B4
Sévigny (61) 39 E4
Sévigny-la-Forêt (08) 10 D6
Sévigny-Waleppe (08) 23 E3
Sévis (76) 17 H4
Sevrai (61) 38 D5
Sevran (93) 43 E3
Sèvres (92) 42 C4
Sèvres-Anxaumont (86) 109 F1
Sevrey (71) 101 G6
Sévrier (74) 132 B2
Sévry (18) 98 B2
Sewen (68) 88 D1
Sexcles (19) 139 F4
Sexey-aux-Forges (54) 48 C6
Sexey-les-Bois (54) 48 B5
Sexfontaines (52) 67 H4
Seychalles (63) 127 G3
Seyches (47) 150 D2
Seyne (04) 160 D4
la Seyne-sur-Mer (83) 193 E5
Seynes (30) 174 A1
Seynod (74) 132 A2
Seyre (31) 185 H2
Seyresse (40) 165 E4
Seyssel (01) 131 G1
Seyssel (74) 131 G1
Seysses (31) 169 E6
Seysses-Savès (32) 168 C6
Seyssinet-Pariset (38) 145 G2
Seyssins (38) 145 G2
Seyssuel (38) 130 A5
Seythenex (74) 132 C3
Seytroux (74) 119 F4
Sézanne (51) 44 D5
Siarrouy (65) 183 E2
Siaugues-Sainte-Marie (43) 142 A3
Sibiril (29) 31 G2
Sibiville (62) 7 G2
Siccieu-Saint-Julien-et-Carisieu (38) 130 D3
Sichamps (58) 99 E2
Sickert (68) 88 D1
Sideville (50) 12 C2
Sidiailles (18) 112 B2
Siecq (17) 121 H2
Siegen (67) 51 G2
les Sièges (89) 65 F4
Sierck-les-Bains (57) 26 C2
Sierentz (68) 89 G2
Siersthal (57) 50 B1
Sierville (76) 17 G5
Siest (40) 164 D4
Sieurac (81) 170 B3
Sieuras (09) 185 F3
Siévoz (38) 145 H5
Siewiller (67) 50 B3
Sigale (06) 178 C2
Sigalens (33) 150 A3
Sigean (11) 188 A5
Sigloy (45) 81 F2
Signac (31) 184 A6
Signes (83) 193 E4
Signéville (52) 68 A3
Signy-l'Abbaye (08) 23 G2
Signy-le-Petit (08) 10 C6
Signy-Montlibert (08) 25 E3
Signy-Signets (77) 43 H3
Sigogne (16) 121 H3
Sigolsheim (68) 71 F4
Sigonce (04) 176 D1
Sigottier (05) 159 H3
Sigoulès (24) 136 D6
Sigournais (85) 92 B5
Sigoyer (04) 160 B4
Sigoyer (05) 160 B3
Siguer (09) 199 E1
Sigy (77) 64 D1
Sigy-en-Bray (76) 19 F3
Sigy-le-Châtel (71) 115 H2
Silfiac (56) 55 E2
Silhac (07) 143 H5
Sillans (38) 145 E1
Sillans-la-Cascade (83) 193 G1
Sillars (86) 109 H3
Sillas (33) 150 A4
Sillé-le-Guillaume (72) 59 G4
Sillé-le-Philippe (72) 60 B5
Sillegny (57) 48 C2
Sillery (51) 23 F6
Silley-Amancey (25) 103 G3
Silley-Bléfond (25) 87 H6
Sillingy (74) 132 A1
Silly-en-Gouffern (61) 39 F4
Silly-en-Saulnois (57) 48 D2
Silly-la-Poterie (02) 44 A1
Silly-le-Long (60) 43 F2
Silly-sur-Nied (57) 26 D5
Silly-Tillard (60) 20 B5
Silmont (55) 47 F5
Siltzheim (67) 27 H5
Silvareccio (2B) 203 G6
Silvarouvres (52) 67 F5
Simacourbe (64) 182 D1
Simandre (71) 116 C1
Simandre-sur-Suran (01) 117 F4
Simandres (69) 130 A4
Simard (71) 102 A6
Simencourt (62) 8 A3
Simeyrols (24) 138 B5
Simiane-Collongue (13) 192 B2
Simiane-la-Rotonde (04) 176 B2
Simorre (32) 184 B1
Simplé (53) 58 C6
Sin-le-Noble (59) 8 D2
Sinard (38) 145 G4
Sinceny (02) 21 H3
Sincey-lès-Rouvray (21) 84 B5
Sindères (40) 165 F1
Singles (63) 126 B5
Singleyrac (24) 136 D6
Singly (08) 24 A2
Singrist (67) 50 C5
Sinsat (09) 199 E1
Sinzos (65) 183 F3
Sion (32) 166 D4
Sion-les-Mines (44) 57 F6
Sioniac (19) 139 E4
Sionne (88) 68 C2
Sionviller (54) 49 F5
Siorac-de-Ribérac (24) 136 D2
Siorac-en-Périgord (24) 137 H6
Siouville-Hague (50) 12 B2
Sirac (32) 168 C4
Siracourt (62) 7 G1
Siradan (65) 184 A5
Siran (15) 139 G5
Siran (34) 187 G2
Sireix (65) 182 D5
Sireuil (16) 122 B4
Sirod (39) 103 F5
Siros (64) 182 B1
Sisco (2B) 203 G3
Sissonne (02) 22 D3
Sissy (02) 22 B1
Sistels (82) 168 B1
Sisteron (04) 160 B5
Sivergues (84) 176 A3
Sivignon (71) 115 H3
Sivry (54) 48 C4
Sivry-Ante (51) 46 C2
Sivry-Courtry (77) 64 B1
Sivry-la-Perche (55) 47 E1
Sivry-sur-Meuse (55) 25 E5
Six-Fours-les-Plages (83) 193 E5
Sixt-Fer-à-Cheval (74) 119 G6
Sixt-sur-Aff (35) 56 C5
Sizun (29) 31 G5
Smarves (86) 109 E2
Smermesnil (76) 6 B6
Soccia (2A) 204 D3
Sochaux (25) 88 C4
Socourt (88) 69 G2
Socx (59) 2 C2
Sode (31) 197 F1
Sœurdres (49) 76 D2
Sognolles-en-Montois (77) 64 D1
Sogny-aux-Moulins (51) 45 H3
Sogny-en-l'Angle (51) 46 C4
Soignolles (14) 38 D2
Soignolles-en-Brie (77) 43 F6
Soindres (78) 41 G3
Soing-Cubry-Charentenay (70) 87 E3
Soings-en-Sologne (41) 80 B5
Soirans (21) 102 B1
Soissons (02) 22 A5
Soissons-sur-Nacey (21) 102 C1
Soisy-Bouy (77) 65 E1
Soisy-sous-Montmorency (95) 42 C3
Soisy-sur-École (91) 63 H1
Soisy-sur-Seine (91) 42 D6
Soize (02) 23 E2
Soizé (28) 61 F4
Soizy-aux-Bois (51) 44 D4
Solaize (69) 130 A4
Solaro (2B) 205 G6
Solbach (67) 71 E1
Soleilhas (04) 178 A3
Solemont (25) 88 B5
Solente (60) 21 F2
le Soler (66) 201 E2
Solérieux (26) 158 B4
Solers (77) 43 F6
Solesmes (59) 9 F3
Solesmes (72) 77 F1
Soleymieu (38) 130 D3
Soleymieux (42) 128 D5
Solférino (40) 148 C6
Solgne (57) 48 D2
Soliers (14) 38 D1
Solignac (87) 124 B3
Solignac-sous-Roche (43) 142 D2
Solignac-sur-Loire (43) 142 C4
Solignat (63) 127 F5
Soligny-la-Trappe (61) 39 H6
Soligny-les-Étangs (10) 65 F2
Sollacaro (2A) 206 D2
Sollières-Sardières (73) 147 F1
Solliès-Pont (83) 193 F4
Solliès-Toucas (83) 193 F4
Solliès-Ville (83) 193 F4
Sologny (71) 116 A3
Solomiac (32) 168 B3
Solre-le-Château (59) 10 B3
Solrinnes (59) 10 B3
Solterre (45) 82 A1
Solutré-Pouilly (71) 116 A4
Somain (59) 9 E2
Sombacour (25) 103 H3
Sombernon (21) 85 F6
Sombrin (62) 7 H3
Sombrun (65) 166 D6
Somloire (49) 92 D3
Sommaing (59) 9 F2
Sommancourt (52) 67 G1
Sommant (71) 100 C3
Sommauthe (08) 24 C4
Somme-Bionne (51) 46 B2
Somme-Suippe (51) 46 B1
Somme-Tourbe (51) 46 B1
Somme-Vesle (51) 46 B3
Somme-Yèvre (51) 46 C3
Sommecaise (89) 82 D1
Sommedieue (55) 47 G1
Sommeilles (55) 46 D3
Sommelans (02) 44 B1
Sommelonne (55) 46 D5
Sommepy-Tahure (51) 23 H6
Sommerance (08) 24 C5
Sommerécourt (52) 68 D3
Sommereux (60) 20 A2
Sommeron (02) 10 A5
Sommervieu (14) 14 A3
Sommerviller (54) 49 E5
Sommery (76) 19 E2
Sommesnil (76) 17 E4
Sommesous (51) 45 G5
la Sommette (25) 104 B1
Sommette-Eaucourt (02) 21 H2
Sommeval (10) 66 A4
Sommevoire (52) 67 F2
Sommières (30) 173 H4
Sommières-du-Clain (86) 109 E4
Sompt (79) 108 B5
Sompuis (51) 45 H5
Somsois (51) 46 A6
Son (08) 23 G3
Sonac (46) 153 F1
Sonchamp (78) 42 A6
Soncourt (88) 69 E2
Soncourt-sur-Marne (52) 67 H3
Sondernach (68) 70 D5
Sondersdorf (68) 89 F4
la Sône (38) 144 D3
Songeons (60) 19 H3
Songeson (39) 103 E6
Songieu (01) 131 G1
Songy (51) 46 A4
Sonnac (12) 153 H3
Sonnac (17) 121 H2
Sonnac-sur-l'Hers (11) 186 B5
Sonnay (38) 144 B1
Sonnaz (73) 131 H4
Sonneville (16) 122 A2
Sons-et-Ronchères (02) 22 C1
Sonthonnax-la-Montagne (01) 117 F4
Sonzay (37) 78 C4
Soorts-Hossegor (40) 164 B4
Soppe-le-Bas (68) 89 E2
Soppe-le-Haut (68) 88 D2
Sor (09) 184 D6
Sorans-lès-Breurey (70) 87 F5
Sorbais (02) 10 A6
Sorbets (32) 166 D4
Sorbets (40) 166 B5
Sorbey (55) 25 G4
Sorbey (57) 26 C6
Sorbier (03) 114 B3
Sorbiers (05) 159 G4
Sorbiers (42) 129 F5
Sorbo-Ocagnano (2B) 203 G6
Sorbollano (2A) 207 E2
Sorbon (08) 23 G3
Sorbs (34) 172 C3
Sorcy-Bauthémont (08) 23 H3
Sorcy-Saint-Martin (55) 47 H5
Sorde-l'Abbaye (40) 165 E5
Sore (40) 149 F4
Soréac (65) 183 F2
Sorède (66) 201 F4
Sorel (80) 8 C5
Sorel-en-Vimeu (80) 7 E5
Sorel-Moussel (28) 41 F4
Sorèze (81) 186 C1
Sorgeat (09) 199 G2
Sorges (24) 137 G1
Sorgues (84) 175 E2
Sorigny (37) 95 E1
les Sorinières (44) 74 D6
Sorio (2B) 203 F5
Sormery (89) 65 H5
Sormonne (08) 23 H1
Sornac (19) 125 H4
Sornay (70) 86 D6
Sornay (71) 116 D1
Sornéville (54) 49 E4
Sorquainville (76) 16 D4
Sorrus (62) 6 D1
Sort-en-Chalosse (40) 165 F4
Sortosville (50) 12 D3
Sortosville-en-Beaumont (50) 12 B4
Sos (47) 167 E1
Sospel (06) 195 G1
Sossais (86) 94 C4
Sost (65) 183 H5
Sotta (2A) 207 F4
Sottevast (50) 12 C3
Sotteville (50) 12 B2
Sotteville-lès-Rouen (76) 17 G6
Sotteville-sous-le-Val (76) 18 D5
Sotteville-sur-Mer (76) 17 F2
Soturac (46) 151 H3
Sotzeling (57) 49 F3
Souain-Perthes-lès-Hurlus (51) 46 A1
Soual (81) 170 B6
Souancé-au-Perche (28) 61 F3
Souanyas (66) 200 B3
Souastre (62) 7 H3
Soubès (34) 172 C4
Soubise (17) 120 C1
Soublecause (65) 166 D6
Soubran (17) 121 F6
Soubrebost (23) 125 E1
Soucé (53) 58 D1
Soucelles (49) 77 E3
la Souche (07) 157 F2
Souchez (62) 8 B1
Soucht (57) 28 B6
Soucia (39) 117 H1
Soucieu-en-Jarrest (69) 129 H4
Soucirac (46) 152 D1
Souclin (01) 131 E2
Soucy (02) 21 H5
Soucy (89) 65 E4
Soudaine-Lavinadière (19) 125 E5
Soudan (44) 57 H6
Soudan (79) 108 B2
Soudat (24) 123 E4
Souday (41) 61 F5
Soudé (51) 45 H5
Soudeilles (19) 125 G6
Soudorgues (30) 173 F1
Soudron (51) 45 G4
Soueich (31) 184 B4
Soueix-Rogalle (09) 185 E6
Souel (81) 170 A1
Soues (65) 183 E3
Soues (80) 7 E5
Souesmes (41) 81 F5
Souffelweyersheim (67) 51 E5
Soufflenheim (67) 51 F3
Souffrignac (16) 123 E4
Sougé (36) 96 B4
Sougé (41) 79 E2
Sougé-le-Ganelon (72) 59 H3
Sougéal (35) 35 G5
Sougères-en-Puisaye (89) 83 E4
Sougraigne (11) 187 E6
Sougy (45) 62 C5
Sougy-sur-Loire (58) 99 F5
les Souhesmes-Rampont (55) 47 E2
Souhey (21) 84 D5
le Souich (62) 7 G3
Souilhanels (11) 186 B2
Souilhe (11) 186 B2
Souillac (46) 138 C5
Souillé (72) 60 A4
Souilly (55) 47 F2
Soula (09) 185 H6
Soulac-sur-Mer (33) 120 B5
Soulages (15) 141 G3
Soulages-Bonneval (12) 154 D1
Soulaines-Dhuys (10) 67 F2
Soulaines-sur-Aubance (49) 77 E5
Soulaire-et-Bourg (49) 77 E3
Soulaires (28) 62 B1
Soulan (09) 185 E6
Soulanges (51) 46 A4
Soulangis (18) 97 H2
Soulangy (14) 38 D3
Soulatgé (11) 187 F6
Soulaucourt-sur-Mouzon (52) 68 D4
Soulaures (24) 151 H1
Soulce-Cernay (25) 88 C6
Soulgé-sur-Ouette (53) 59 E5
le Soulié (34) 171 F6
Soulières (51) 45 E3
Soulignac (33) 149 H1
Souligné-Flacé (72) 59 H6
Souligné-sous-Ballon (72) 60 B4
Soulignonne (17) 120 D2
Souligny (10) 66 A4
Soulitré (72) 60 C5
Soullans (85) 90 D3
Soulles (50) 37 F2
Soulom (65) 182 D5
Soulomès (46) 152 D2
Soulosse-sous-Saint-Élophe (88) 68 D2
Soultz-Haut-Rhin (68) 71 E6
Soultz-les-Bains (67) 50 D6
Soultz-sous-Forêts (67) 51 F2
Soultzbach-les-Bains (68) 71 E5
Soultzeren (68) 71 E5
Soultzmatt (68) 71 E5
Soulvache (44) 57 G5
Soumaintrain (89) 65 H6
Soumans (23) 112 B4
Soumensac (47) 150 D1
Souméras (17) 135 F1
Soumont (34) 172 C4
Soumont-Saint-Quentin (14) 38 D2
Soumoulou (64) 182 C2
Soupex (11) 186 B2
Soupir (02) 22 C4
Souppes-sur-Loing (77) 64 A4
Souprosse (40) 165 G3
Souraïde (64) 180 C1
Sourans (25) 88 B5
Source Seine (21) 85 F5
Sourcieux-les-Mines (69) 129 G3
le Sourd (02) 9 H6
Sourdeval (50) 37 G4
Sourdeval-les-Bois (50) 37 E3
Sourdon (80) 20 C2
Sourdun (77) 65 E1
le Sourn (56) 55 E3
Sournia (66) 200 C2
Sourniac (15) 140 A2
Sourribes (04) 160 B6
Sours (28) 62 B2
Soursac (19) 139 H2
Sourzac (24) 136 D3
sous-Parsat (23) 111 G6
Sousceyrac (46) 139 G5
Sousmoulins (17) 135 G1
Souspierre (26) 158 C2
Soussac (33) 136 A6
Soussans (33) 135 E3
Soussey-sur-Brionne (21) 85 E6
Soustelle (30) 156 D6
Soustons (40) 164 C3
Sousville (38) 145 H5
Souternon (42) 128 C2
la Souterraine (23) 110 D4
Soutiers (79) 108 A1
Souvans (39) 102 D3
Souvignargues (30) 173 H3
Souvigné (16) 122 B1
Souvigné (37) 78 C4
Souvigné (79) 108 B3
Souvigné-sur-Même (72) 60 D4
Souvigné-sur-Sarthe (72) 77 F1
Souvigny (03) 113 G2
Souvigny-de-Touraine (37) 79 G5
Souvigny-en-Sologne (41) 81 F3
Souyeaux (65) 183 F3
Souzay-Champigny (49) 93 H1
Souzy (69) 129 F3
Souzy-la-Briche (91) 63 F1
Soveria (2B) 205 E2
Soyans (26) 158 C2
Soyaux (16) 122 C4
Soye (25) 88 A5
Soye-en-Septaine (18) 97 H3
Soyécourt (80) 8 B6
Soyers (52) 86 D1
Soyons (07) 144 A5
Sparsbach (67) 50 C3
Spay (72) 60 A6
Spechbach-le-Bas (68) 89 F2
Spechbach-le-Haut (68) 89 E2
Speloncato (2B) 202 D5
Spéracèdes (06) 178 C4
Spézet (29) 54 A1
Spicheren (57) 27 G4
Spincourt (55) 25 G5
Sponville (54) 48 A2
Spoy (10) 67 E4
Spoy (21) 86 A5
Spycker (59) 2 B2
Squiffiec (22) 33 E3
Staffelfelden (68) 89 F1
Stains (93) 42 D3
Stainville (55) 47 E5
Staple (59) 2 C4
Stattmatten (67) 51 F3
Stazzona (2B) 205 G1
Steenbecque (59) 2 C4
Steene (59) 2 B2
Steenvoorde (59) 2 D3
Steenwerck (59) 3 E4
Steige (67) 71 E2
Steinbach (68) 89 E1
Steinbourg (67) 50 C4
Steinbrunn-le-Bas (68) 89 F2
Steinbrunn-le-Haut (68) 89 F2
Steinseltz (67) 51 F1
Steinsoultz (68) 89 F3
Stenay (55) 24 D4
Sternenberg (68) 89 E2
Stetten (68) 89 G3
Stigny (89) 84 C2
Still (67) 50 C6
Stiring-Wendel (57) 27 G4
Stonne (08) 24 C3
Storckensohn (68) 70 D6
Stosswihr (68) 71 E5
Stotzheim (67) 71 G2
Strasbourg (67) 51 E5
Strazeele (59) 2 D4
Strenquels (46) 138 D4
Strueth (68) 89 E3
Struth (67) 50 B3
Stuckange (57) 26 C3
Stundwiller (67) 51 F2
Sturzelbronn (57) 28 C5
Stutzheim-Offenheim (67) 50 D5
Suarce (90) 89 E3
Suaux (16) 123 E2
le Subdray (18) 97 G3
Sublaines (37) 95 G1
Subles (14) 13 H5
Subligny (18) 82 B5
Subligny (50) 35 H3
Subligny (89) 64 D4
Suc-et-Sentenac (09) 198 D1
Succieu (38) 130 D5
Sucé-sur-Erdre (44) 74 D4
Sucy-en-Brie (94) 43 E5
Suèvres (41) 80 A3
Sugères (63) 127 H4
Sugny (08) 24 A5
Suhescun (64) 181 E2
Suilly-la-Tour (58) 82 C6
Suin (71) 115 H3
Suippes (51) 46 A1
Suisse (57) 49 F2
Suizy-le-Franc (51) 44 D3
Sulignat (01) 116 C5
Sully (14) 13 H5
Sully (60) 19 G3
Sully (71) 101 E3
Sully-la-Chapelle (45) 63 F6
Sully-sur-Loire (45) 81 G2
Sulniac (56) 55 H6
Sumène (30) 173 E2
Sundhoffen (68) 71 F5
Sundhouse (67) 71 G3
Supt (39) 103 F4
Surat (63) 127 G1
Surba (09) 185 G6
Surbourg (67) 51 E2
Surcamps (80) 7 E4
Surdoux (87) 124 D4
Suré (61) 60 C2
Suresnes (92) 42 C4
Surfonds (72) 60 C6
Surfontaine (02) 22 B1
Surgères (17) 107 F5
Surgy (58) 83 F4
Suriauville (88) 69 E4
Surin (79) 107 H2
Surin (86) 109 E6
Suris (16) 123 F2
Surjoux (01) 117 H6
Surmont (25) 88 B6
Surques (62) 1 G4
Surrain (14) 13 G5
Surtainville (50) 12 B3
Surtauville (27) 18 C6
Survie (61) 39 F4
Surville (14) 15 F3
Surville (27) 18 C6
Surville (50) 12 C5
Survilliers (95) 43 E2
Sury (08) 24 A1
Sury-aux-Bois (45) 63 G6
Sury-en-Vaux (18) 82 B6
Sury-ès-Bois (18) 82 A5
Sury-le-Comtal (42) 129 E5
Sury-près-Léré (18) 82 B5
Surzur (56) 73 E1
Sus (64) 181 G2
Sus-Saint-Léger (62) 7 H3
Susmiou (64) 181 G2
Sussac (87) 124 D4
Sussargues (34) 173 G4
Sussat (03) 113 F5
Sussey (21) 100 D1
Susville (38) 145 G5
Sutrieu (01) 131 F1
Suzan (09) 185 F5
Suzanne (08) 24 A3
Suzanne (80) 8 B5
Suzannecourt (52) 67 H2
Suzay (27) 19 F6
Suze (26) 144 C6
Suze-la-Rousse (26) 158 B5
la Suze-sur-Sarthe (72) 77 H1

Suzette (84) 158 D6
Suzoy (60) 21 G3
Suzy (02) 22 B3
Sy (08) 24 B3
Syam (39) 103 F6
Sylvains-les-Moulins (27) 40 D3
Sylvanès (12) 171 H3
le Syndicat (88) 70 B5

T

Tabaille-Usquain (64) 181 G1
Tabanac (33) 135 F6
la Table (73) 132 B5
le Tablier (85) 91 G5
Tabre (09) 186 B5
la Tâche (16) 122 D2
Tachoires (32) 167 H6
Tacoignières (78) 41 G4
Taconnay (58) 83 F6
Taden (22) 36 A6
Tadousse-Ussau (64) 166 C5
Taglio-Isolaccio (2B) 203 G6
la Tagnière (71) 100 C5
Tagnon (08) 23 G4
Tagolsheim (68) 89 F2
Tagsdorf (68) 89 F3
Tailhac (43) 141 H4
Taillades (84) 175 F3
le Taillan-Médoc (33) 135 E5
Taillancourt (55) 68 D1
Taillant (17) 121 E1
Taillebois (61) 38 C4
Taillebourg (17) 121 E2
Taillebourg (47) 150 C3
Taillecavat (33) 150 C1
Taillecourt (25) 88 C4
la Taillée (85) 107 E3
Taillefontaine (02) 21 G5
Taillepied (50) 12 C4
Taillet (66) 200 D4
Taillette (08) 10 D5
Taillis (35) 57 H2
Tailly (08) 24 D4
Tailly (21) 101 G3
Tailly (80) 7 E5
Tain-l'Hermitage (26) 144 A3
Taingy (89) 83 E3
Taintrux (88) 70 C3
Taisnières-en-Thiérache (59) 9 H4
Taisnières-sur-Hon (59) 9 H2
Taissy (51) 23 F6
Taïx (81) 170 C2
Taizé (71) 116 A2
Taizé (79) 93 G4
Taizé-Aizie (16) 108 D6
Taizy (08) 23 G3
Tajan (65) 183 H3
Talairan (11) 187 G5
Talais (33) 120 B5
Talange (57) 26 B4
Talant (21) 85 H6
Talasani (2B) 203 G6
la Talaudière (42) 129 F5
Talazac (65) 183 E2
Talcy (41) 80 A2
Talcy (89) 84 B4
Talence (33) 135 E5
Talencieux (07) 144 A2
Talensac (35) 56 D3
Talissieu (01) 131 G2
Talizat (15) 141 E3
Tallans (25) 87 H5
Tallard (05) 160 B3
Tallenay (25) 87 F6
Tallende (63) 127 F4
Taller (40) 165 E2
Talloires (74) 132 B2
Tallone (2B) 205 G3
le Tallud (79) 93 F6
Tallud-Sainte-Gemme (85) 92 C6
Talmas (80) 7 G5
Talmay (21) 86 B6
Talmont-Saint-Hilaire (85) 91 F6
Talmont-sur-Gironde (17) 120 C4
Talmontiers (60) 19 G5
Talon (58) 83 F6
Talus-Saint-Prix (51) 44 D4
Taluyers (69) 129 H4
Tamerville (50) 12 D3
Tamnay-en-Bazois (58) 99 H3
Tamniès (24) 138 A4
Tanavelle (15) 141 E4
Tanay (21) 86 A5
Tancarville (76) 15 G2
Tancoigné (49) 93 F1
Tancon (71) 115 F5
Tanconville (54) 49 H5
Tancrou (77) 43 H2
Tangry (62) 7 G1
Taninges (74) 119 E5
Tanis (50) 35 G4
Tanlay (89) 84 B1
Tannay (08) 24 B3
Tannay (58) 83 G6
Tanneron (83) 178 C5
Tannerre-en-Puisaye (89) 82 D2
Tannières (02) 22 B6
Tannois (55) 47 E5
Tanques (61) 39 E5
Tantonville (54) 69 F1
le Tanu (50) 35 H2
Tanus (81) 170 D1
Tanville (61) 39 E6
Tanzac (17) 121 E4
Taponas (69) 116 B5
Taponnat-Fleurignac (16) 122 D3
Tarabel (31) 169 G6
Taradeau (83) 177 H6
Tarare (69) 129 F2
Tarascon (13) 174 D3
Tarascon-sur-Ariège (09) 199 E1
Tarasteix (65) 183 E2
Tarbes (65) 183 E3
Tarcenay (25) 103 G2
Tardes (23) 112 B5
Tardets-Sorholus (64) 181 G3
la Tardière (85) 92 C6
Tardinghen (62) 1 F3
Tarentaise (42) 143 G1
Tarerach (66) 200 C2
Targassonne (66) 199 H4
Target (03) 113 F4
Targon (33) 135 G6
Tarnac (19) 125 F4
Tarnès (33) 135 G4
Tarnos (40) 164 B5
Taron-Sadirac-
-Viellenave (64) 166 B6
Tarquimpol (57) 49 G4
Tarrano (2B) 205 G2
Tarsac (32) 166 C4
Tarsacq (64) 182 A1
Tarsul (21) 85 G4
Tart-l'Abbaye (21) 102 B1
Tart-le-Bas (21) 102 B1
Tart-le-Haut (21) 102 A1
Tartaras (42) 129 H5
Tartas (40) 165 G3
Tartécourt (70) 87 F1
Tartiers (02) 21 H4
Tartigny (60) 20 C2
Tartonne (04) 177 G1
le Tartre (71) 102 C5
le Tartre-Gaudran (78) 41 G5
Tarzy (08) 10 C6
Tasque (32) 166 D5
Tassé (72) 77 G1
Tassenières (39) 102 C4
Tassillé (72) 59 G5
Tassin-la-Demi-Lune (69) 130 A3
Tasso (2A) 205 E5
Tatinghem (62) 2 A4
le Tâtre (16) 121 H6
Taugon (17) 107 E3
Taulé (29) 31 H3
Taulignan (26) 158 C3
Taulis (66) 200 D4
Taupont (56) 56 A4
Tauriac (33) 135 F3
Tauriac (46) 139 E5
Tauriac (81) 169 G3
Tauriac-de-Camarès (12) 172 A4
Tauriac-de-Naucelle (12) 154 A6
Tauriers (07) 157 F2
Taurignan-Castet (09) 184 D5
Taurignan-Vieux (09) 184 D5
Taurinya (66) 200 C3
Taurize (11) 187 F4
Taussac (12) 140 C6
Taussac-la-Billière (34) 172 A5
Tautavel (66) 201 E1
Tauves (63) 126 C5
Tauxières-Mutry (51) 45 F2
Tauxigny (37) 95 F1
Tavaco (2A) 204 D5
Tavant (37) 94 C2
Tavaux (39) 102 C3
Tavaux-et-Pontséricourt (02) 22 D2
Tavel (30) 174 D2
Tavera (2A) 204 D4
Tavernay (71) 100 C3
Tavernes (83) 193 F1
Taverny (95) 42 C2
Tavers (45) 80 B2
Tavey (70) 88 C3
Taxat-Senat (03) 113 G5
Taxenne (39) 102 D1
Tayac (33) 136 A4
Taybosc (32) 168 A4
Tayrac (12) 154 A6
Tayrac (47) 151 G6
Tazilly (58) 100 A5
le Tech (66) 200 D5
Têche (38) 145 E2
Técou (81) 170 A3
le Teich (33) 148 C1
Teigny (58) 83 G6
le Teil (07) 158 A2
Teilhède (63) 127 E1
Teilhet (09) 186 A4
Teilhet (63) 113 E6
Teillay (35) 57 F5
Teillé (44) 75 E3
Teillé (72) 60 B4
Teillet (81) 170 D3
Teillet-Argenty (03) 112 C4
le Teilleul (50) 37 H6
Teillots (24) 138 A2
Teissières-de-Cornet (15) 140 A4
Teissières-lès-Bouliès (15) 140 B6
Telgruc-sur-Mer (29) 31 E6
Tellancourt (54) 25 G3
Tellecey (21) 86 B6
Tellières-le-Plessis (61) 39 G6
Teloché (72) 78 B1
le Temple (33) 134 C5
le Temple (41) 61 F6
le Temple-de-Bretagne (44) 74 B4
Temple-Laguyon (24) 137 H2
le Temple-sur-Lot (47) 151 E4
Templemars (59) 3 F5
Templeuve (59) 3 G6
Templeux-la-Fosse (80) 8 C5
Templeux-le-Guérard (80) 8 D5
Tenay (01) 131 E1
Tence (43) 143 F3
Tencin (38) 145 H1
Tende (06) 163 F6
Tendon (88) 70 B4
Tendron (18) 98 B4
Tendu (36) 111 E1
Teneur (62) 7 F1
Tennie (72) 59 H4
Tenteling (57) 49 H1
Tercé (86) 109 F2
Tercillat (23) 111 H3
Tercis-les-Bains (40) 165 E4
Terdeghem (59) 2 C3
Tergnier (02) 22 A2
Terjat (03) 112 D5
Termes (08) 24 B5
Termes (11) 187 F5
Termes (48) 141 F6
Termes-d'Armagnac (32) 166 D4
Termignon (73) 147 F1
Terminiers (28) 62 C5
Ternand (69) 129 G1
Ternant (17) 121 F1
Ternant (21) 101 G1
Ternant (58) 100 A6
Ternant-les-Eaux (63) 127 F6
Ternas (62) 7 G2
Ternat (52) 85 H1
Ternay (41) 79 E2
Ternay (69) 130 A4
Ternay (86) 93 H3
les Ternes (15) 141 E4
Ternuay-Melay-
-et-Saint-Hilaire (70) 88 B1
Terny-Sorny (02) 22 A4
Terramesnil (80) 7 G4
la Terrasse (38) 145 H1
la Terrasse-sur-Dorlay (42) 129 G6
Terrasson-Lavilledieu (24) 138 B3
Terrats (66) 201 E3
Terraube (32) 167 H2
Terre-Clapier (81) 170 D3
Terre-Natale (52) 86 C1
Terrebasse (31) 184 C3
Terrefondrée (21) 85 G2
Terrehault (72) 60 C4
les Terres-de-Chaux (25) 88 C6
la Terrisse (12) 154 D1
Terroles (11) 187 E5
Terron-sur-Aisne (08) 24 A4
Terrou (46) 139 F6
Tersanne (26) 144 B2
Tersannes (87) 110 B4
Terssac (81) 170 B2
le Tertre-Saint-Denis (78) 41 G3
Tertry (80) 8 D6
Terville (57) 26 B3
Tessancourt-
-sur-Aubette (78) 42 A2
Tessé-Froulay (61) 38 C6
Tessel (14) 14 A5
Tesson (17) 121 E4
Tessonnière (79) 93 G5
la Tessoualle (49) 92 C3
Tessy-sur-Vire (50) 37 G2
la Teste-de-Buch (33) 148 B1
Tétaigne (08) 24 D2
Téteghem (59) 2 C1
Téterchen (57) 27 E4
Téthieu (40) 165 E3
Teting-sur-Nied (57) 49 F1
Teuillac (33) 135 F3
Teulat (81) 169 G5
Teurthéville-Bocage (50) 12 D2
Teurthéville-Hague (50) 12 B2
Teyjat (24) 123 E4
Teyran (34) 173 G5
Teyssières (26) 158 D3
Teyssieu (46) 139 F5
Teyssode (81) 170 A5
Thaas (51) 45 E6
Thaims (17) 120 D4
Thairé (17) 106 D5
Thaix (58) 99 H5
Thal-Drulingen (67) 50 A3
Thal-Marmoutier (67) 50 C4
Thalamy (19) 126 B5
Thann (68) 89 E1
Thannenkirch (68) 71 F3
Thanvillé (67) 71 F2
Thaon (14) 14 B4
Thaon-les-Vosges (88) 69 H3
Tharaux (30) 157 F5
Tharoiseau (89) 83 H5
Tharot (89) 83 H4
Thaumiers (18) 98 A5
Thauron (23) 125 E1
Thauvenay (18) 82 B6
Thèbe (65) 184 A5
Théding (57) 49 G1
Thédirac (46) 152 C2
Thégra (46) 139 E6
Théhillac (56) 73 H2
le Theil (03) 113 G3
le Theil (50) 12 D2
le Theil (61) 61 E3
le Theil-Bocage (14) 38 A3
le Theil-de-Bretagne (35) 57 G4
le Theil-en-Auge (14) 15 F3
le Theil-Nolent (27) 15 H5
Theil-Rabier (16) 108 C6
Theil-sur-Vanne (89) 65 F4
Theillay (41) 81 E6
Theillement (27) 18 B5
Theix (56) 73 E1
Theizé (69) 129 G1
Thel (69) 115 G6
Théligny (72) 61 E4
Thélis-la-Combe (42) 143 G1
Thélod (54) 48 C6
Thelonne (08) 24 C2
Thélus (62) 8 B2
Théméricourt (95) 42 A2
Thémines (46) 153 F1
Théminettes (46) 153 F1
Thénac (17) 121 E3
Thénac (24) 136 C6
Thenailles (02) 23 E1
Thenay (36) 110 D1
Thenay (41) 79 H5
Thenelles (02) 22 B1
Thénésol (73) 132 C3
Theneuil (37) 94 C2
Theneuille (03) 113 E1
Thénezay (79) 93 H5
Thénioux (18) 97 E1
Thenissey (21) 85 E4
Thénisy (77) 64 D1
Thennelières (10) 66 B3
Thennes (80) 20 D1
Thenon (24) 137 H3
Thénorgues (08) 24 C4
Théoule-sur-Mer (06) 178 C6
Therdonne (60) 20 B4
Thérines (60) 19 H3
Thermes-Magnoac (65) 184 A2
Thérondels (12) 140 C5
Thérouanne (62) 2 B5
Thérouldeville (76) 16 D3
Thervay (39) 102 D1
Thésée (41) 79 H6
Thésy (39) 103 F4
Theuley (70) 87 E3
Théus (05) 160 C3
Theuville (28) 62 B3
Theuville (95) 42 B1
Theuville-aux-Maillots (76) 16 D3
Thevet-Saint-Julien (36) 111 H1
Théville (50) 12 D2
Thevray (27) 40 B2
They-sous-Montfort (88) 69 E3
They-sous-Vaudemont (54) 69 F2
Theys (38) 146 A1
Théza (66) 201 F3
Thézac (17) 120 D3
Thézac (47) 151 H3
Thézan-des-Corbières (11) 187 H4
Thézan-lès-Béziers (34) 188 B1
Thèze (04) 160 A4
Thèze (64) 166 B6
Thézey-Saint-Martin (54) 48 D3
Théziers (30) 174 C3
Thézillieu (01) 131 F2
Thézy-Glimont (80) 20 D1
Thiais (94) 42 D5
Thiancourt (90) 88 D4
Thianges (58) 99 F4
Thiant (59) 9 F2
Thiat (87) 110 A4
Thiaucourt-Regniéville (54) 48 A3
Thiaville-sur-Meurthe (54) 70 C2
Thiberville (27) 15 G5
Thibie (51) 45 G3
Thibivillers (60) 19 H5
Thibouville (27) 40 B1
Thicourt (57) 49 F2
Thiébauménil (54) 49 F6
Thiéblemont-Farémont (51) 46 B5
Thiébouhans (25) 88 C6
Thieffrain (10) 66 D4
Thieffrans (70) 87 H4
Thiéfosse (88) 70 B5
Thiel-sur-Acolin (03) 114 B2
Thiembronne (62) 1 H5
Thiénans (70) 87 H4
Thiennes (59) 2 C5
Thiepval (80) 8 A4
Thiergeville (76) 16 D3
Thiernu (02) 22 D1
Thiers (63) 128 A2
Thiers-sur-Thève (60) 43 E1
Thierville (27) 18 A6
Thierville-sur-Meuse (55) 47 F1
Thiéry (06) 178 D1
Thiescourt (60) 21 F3
Thiétreville (76) 16 D3
le Thieulin (28) 61 G2
Thieulloy-la-Ville (80) 19 H1
Thieulloy-l'Abbaye (80) 20 A1
Thieuloy-Saint-Antoine (60) 20 A2
la Thieuloye (62) 7 H1
Thieux (60) 20 C3
Thieux (77) 43 F2
Thiéville (14) 39 E2
Thièvres (62) 7 H4
Thièvres (80) 7 H4
Thiézac (15) 140 C4
Thignonville (45) 63 F3
Thil (01) 130 B2
Thil (10) 67 F2
le Thil (27) 19 F5
Thil (31) 168 D4
Thil (51) 23 E5
Thil (54) 26 A2
Thil-Manneville (76) 17 G2
le Thil-Riberpré (76) 19 F2
Thil-sur-Arroux (71) 100 B5
Thilay (08) 11 F6
le Thillay (95) 42 D2
Thilleux (52) 67 F2
les Thilliers-en-Vexin (27) 19 F6
Thillois (51) 23 E6
Thillombois (55) 47 F3
Thillot (55) 47 H2
le Thillot (88) 70 C6
Thilouze (37) 94 D1
Thimert-Gâtelles (28) 41 E6
Thimonville (57) 49 E2
Thimory (45) 81 H1
Thin-le-Moutier (08) 23 H2
Thiolières (63) 128 B5
Thionne (03) 114 B3
Thionville (57) 26 B3
Thiouville (76) 18 A2
Thiraucourt (88) 69 F3
Thiré (85) 106 D1
Thiron-Gardais (28) 61 F3
This (08) 24 A1
Thise (25) 87 F6
Thivars (28) 62 A2
Thivencelle (59) 9 G1
Thiverny (60) 20 D6
Thiverval-Grignon (78) 42 A4
Thivet (52) 68 A6
Thiviers (24) 123 G6
Thiville (28) 62 A5
Thizay (36) 96 D4
Thizay (37) 94 A2
Thizy (69) 115 G6
Thizy (89) 84 B4
Thoard (04) 160 C6
Thodure (38) 144 C1
Thoigné (72) 60 B3
Thoiras (30) 173 G1
Thoiré-sous-Contensor (72) 60 B3
Thoiré-sur-Dinan (72) 78 C2
Thoires (21) 67 E6
Thoirette (39) 117 F4
Thoiria (39) 117 H2
Thoiry (01) 118 B4
Thoiry (73) 132 A4
Thoiry (78) 41 H4
Thoissey (01) 116 B5
Thoissia (39) 117 F3
Thoisy-la-Berchère (21) 100 D1
Thoisy-le-Désert (21) 101 E1
Thoix (80) 20 A2
Thol-lès-Millières (52) 68 C4
Thollet (86) 110 B3
Thollon-les-Mémises (74) 119 F3
le Tholonet (13) 176 B6
le Tholy (88) 70 B4
Thomer-la-Sôgne (27) 40 D3
Thomery (77) 64 B2
Thomirey (21) 101 E3
Thonac (24) 138 A4
Thônes (74) 132 C2
Thonnance-lès-Joinville (52) 67 H1
Thonnance-les-Moulins (52) 68 A2
Thonne-la-Long (55) 25 F3
Thonne-le-Thil (55) 25 E3
Thonne-les-Prés (55) 25 E3
Thonnelle (55) 25 E3
Thonon-les-Bains (74) 119 E3
les Thons (88) 69 E6
Thonville (57) 49 F2
le Thor (84) 175 F2
Thorailles (45) 64 B6
Thoraise (25) 103 F1
Thorame-Basse (04) 161 E6
Thorame-Haute (04) 161 F6
Thoras (43) 142 A5
Thoré-la-Rochette (41) 79 F2
Thorée-les-Pins (72) 77 H3
Thorens-Glières (74) 118 C6
Thorey (89) 84 B1
Thorey-en-Plaine (21) 102 A1
Thorey-Lyautey (54) 69 F1
Thorey-sous-Charny (21) 84 D6
Thorey-sur-Ouche (21) 101 F2
Thorigné (79) 108 A4
Thorigné-d'Anjou (49) 76 D3
Thorigné-en-Charnie (53) 59 F5
Thorigné-Fouillard (35) 57 F2
Thorigné-sur-Dué (72) 60 D5
Thorigny (85) 91 H5
Thorigny-
-sur-le-Mignon (79) 107 G5
Thorigny-sur-Marne (77) 43 F4
Thorigny-sur-Oreuse (89) 65 E3
le Thoronet (83) 177 G6
Thorrenc (07) 144 A2
Thors (10) 67 F3
Thors (17) 121 G2
Thory (80) 20 D2
Thory (89) 84 A4
Thoste (21) 84 C5
le Thou (17) 107 E5
Thou (18) 82 A5
Thou (45) 82 B4
Thouarcé (49) 77 E6
Thouaré-sur-Loire (44) 74 D5
Thouars (79) 93 G3
Thouars-sur-Arize (09) 185 E3
Thouars-sur-Garonne (47) 150 D5
Thouarsais-Bouildroux (85) 92 C6
le Thoult-Trosnay (51) 44 D4
le Thour (08) 23 F3
le Thoureil (49) 77 F5
Thourie (35) 57 G5
Thouron (87) 124 B1
Thourotte (60) 21 F4
Thoury (41) 80 B3
Thoury-Férottes (77) 64 C3
Thoux (32) 168 C4
Thubœuf (53) 59 E1
le Thuel (02) 23 E2
Thuès-entre-Valls (66) 200 A4
Thueyts (07) 157 F1
Thugny-Trugny (08) 23 H4
la Thuile (73) 132 A5
les Thuiles (04) 161 F3
Thuilley-aux-Groseilles (54) 48 B6
Thuillières (88) 69 F4
Thuir (66) 201 E3
le Thuit (27) 19 E6
le Thuit-Anger (27) 18 C6
Thuit-Hébert (27) 18 B5
le Thuit-Signol (27) 18 B6
le Thuit-Simer (27) 18 B6
Thulay (25) 88 C5
Thumeréville (54) 25 H6
Thumeries (59) 3 F6
Thun-l'Évêque (59) 9 E3
Thun-Saint-Amand (59) 4 A6
Thun-Saint-Martin (59) 9 E3
Thurageau (86) 94 B5
Thuré (86) 94 C5
Thuret (63) 127 G1
Thurey (71) 102 A5
Thurey-le-Mont (25) 87 G5
Thurins (69) 129 H4
Thury (21) 101 E3
Thury (89) 83 E4
Thury-en-Valois (60) 43 H1
Thury-Harcourt (14) 14 B6
Thury-sous-Clermont (60) 20 C5
Thusy (74) 131 H1
Thuy (65) 183 F2
Thyez (74) 119 E5
Tibiran-Jaunac (65) 183 H4
Ticheville (61) 39 G3
Tichey (21) 102 B3
Tieffenbach (67) 50 B3
Tiercé (49) 77 E3
Tiercelet (54) 26 A2
le Tiercent (35) 35 G6
Tierceville (14) 14 A3
Tieste-Uragnoux (32) 166 D5
la Tieule (48) 155 G4
Tiffauges (85) 92 A3
Tigeaux (77) 43 G4
Tigery (91) 43 E6
Tignac (09) 199 F2
Tigné (49) 93 F1
Tignécourt (88) 69 E5
Tignes (73) 133 G5
le Tignet (06) 178 C4
Tignieu-Jameyzieu (38) 130 C3
Tigny-Noyelle (62) 6 C2
Tigy (45) 81 F2
Til-Châtel (21) 86 A4
Tilh (40) 165 F5
Tilhouse (65) 183 G4
Tillac (32) 167 F6
Tillay-le-Péneux (28) 62 C4
Tillé (60) 20 B4
Tillenay (21) 102 B2
le Tilleul (76) 16 B4
Tilleul-Dame-Agnès (27) 40 C2
le Tilleul-Lambert (27) 40 C2
le Tilleul-Othon (27) 40 B1
Tilleux (88) 68 D3
Tillières (49) 75 F6
Tillières-sur-Avre (27) 40 D5
Tilloloy (80) 21 E2
Tillou (79) 108 B5
Tilloy-et-Bellay (51) 46 B2
Tilloy-Floriville (80) 6 C5
Tilloy-lès-Conty (80) 20 B1
Tilloy-lès-Hermaville (62) 7 H2
Tilloy-lès-Mofflaines (62) 8 B2
Tilloy-lez-Cambrai (59) 8 D3
Tilloy-lez-Marchiennes (59) 9 E1
Tilly (27) 41 G1
Tilly (36) 110 C3
Tilly (78) 41 G3
Tilly-Capelle (62) 7 F1
Tilly-la-Campagne (14) 14 C5
Tilly-sur-Meuse (55) 47 G2
Tilly-sur-Seulles (14) 14 A4
Tilques (62) 2 A4
Tincey-et-Pontrebeau (70) 87 E3
Tinchebray (61) 38 A4
Tincourt-Boucly (80) 8 C5
Tincques (62) 7 H2
Tincry (57) 49 E3
Tingry (62) 1 F5
Tinqueux (51) 23 E6
Tinténiac (35) 35 E6
Tintry (71) 101 E4
Tintury (58) 99 G3
Tiranges (43) 142 D1
Tirent-Pontéjac (32) 168 B6
Tirepied (50) 37 E4
Tissey (89) 84 A1
le Titre (80) 6 D3
Tivernon (45) 62 D4
Tiviers (15) 141 F4
Tizac-de-Curton (33) 135 G5
Tizac-de-Lapouyade (33) 135 G3
Tocane-Saint-Apre (24) 137 E2
Tocqueville (27) 16 D6
Tocqueville (50) 13 E1
Tocqueville-en-Caux (76) 17 F3
Tocqueville-les-Murs (76) 16 D4
Tocqueville-sur-Eu (76) 17 H1
Toeufles (80) 6 C4
Toges (08) 24 B4
Togny-aux-Bœufs (51) 46 A4
Tolla (2A) 204 D5
Tollaincourt (88) 68 D5
Tollent (62) 7 E2
Tollevast (50) 12 C2
la Tombe (77) 64 D2
Tombeboeuf (47) 151 E3
Tomblaine (54) 48 D5
Tomino (2B) 203 G2
les Tonils (26) 158 D2
Tonnac (81) 170 A1
Tonnay-Boutonne (17) 121 E1
Tonnay-Charente (17) 120 D1
Tonneins (47) 150 D4
Tonnerre (89) 84 A1
Tonneville (50) 12 B2
Tonnoy (54) 48 D6
Tonquédec (22) 32 C3
Torcé (35) 57 H3
Torcé-en-Vallée (72) 60 C4
Torcé-Viviers-
-en-Charnie (53) 59 F4
Torcenay (52) 86 C1
Torchamp (61) 38 A6
Torchefelon (38) 131 E5
Torcheville (57) 49 G3
Torcieu (01) 131 E1
Torcy (62) 1 H6

Torcy (71) 101 E5
Torcy (77) 43 F4
Torcy-en-Valois (02) 44 B2
Torcy-et-Pouligny (21) 84 C5
Torcy-le-Grand (10) 66 B1
Torcy-le-Grand (76) 17 H3
Torcy-le-Petit (10) 66 B1
Torcy-le-Petit (76) 17 H3
Tordères (66) 201 E3
Tordouet (14) 15 F6
Torfou (49) 92 A2
Torfou (91) 63 F1
Torigni-sur-Vire (50) 37 G2
Tornac (30) 173 G2
Tornay (52) 86 C2
le Torp-Mesnil (76) 17 F3
Torpes (25) 103 F1
Torpes (71) 102 B5
le Torpt (27) 15 G3
le Torquesne (14) 15 F4
Torreilles (66) 201 G2
Torsac (16) 122 C5
Torsiac (43) 141 F1
Tortebesse (63) 126 C3
Tortefontaine (62) 7 E2
Tortequesne (62) 8 C2
Torteron (18) 98 C3
Torteval-Quesnay (14) 38 A1
Tortezais (03) 113 E3
Tortisambert (14) 39 F2
Torvilliers (10) 66 A3
Torxé (17) 121 E1
Tosny (27) 19 E6
Tosse (40) 164 C4
Tossiat (01) 117 E5
Tostat (65) 183 E2
Tostes (27) 18 C6
Totainville (88) 69 E2
Tôtes (76) 17 G4
Touchay (18) 97 F6
la Touche (26) 158 B3
les Touches (44) 74 D3
les Touches-de-Périgny (17) 121 H1
Toucy (89) 83 E2
Toudon (06) 195 E1
Touët-de-l'Escarène (06) 195 G1
Touët-sur-Var (06) 178 C2
Touffailles (82) 152 A5
Toufflers (59) 3 G5
Touffréville (14) 14 C4
Touffreville (27) 19 E5
Touffreville-la-Cable (76) 15 H2
Touffreville-la-Corbeline (76) 17 E5
Touffreville-sur-Eu (76) 6 A5
Touget (32) 168 B4
Touille (31) 184 C4
Touillon (21) 84 D3
Touillon-et-Loutelet (25) 104 A5
Toujouse (32) 166 C3
Toul (54) 48 B5
Toulaud (07) 144 A5
Toulenne (33) 149 H2
Touligny (08) 24 A2
Toulis-et-Attencourt (02) 22 C2
Toulon (83) 193 E5
Toulon-sur-Allier (03) 113 H2
Toulon-sur-Arroux (71) 100 C6
Toulonjac (12) 153 G4
Toulouges (66) 201 E2
Toulouse (31) 169 F5
Toulouse-le-Château (39) 102 D5
Toulouzette (40) 165 G3
Toulx-Sainte-Croix (23) 112 A4
Touques (14) 15 E3
le Touquet-Paris-Plage (62) 1 E6
Touquettes (61) 39 H4
Touquin (77) 43 H5
la Tour (06) 179 E2
la Tour (74) 118 D5
la Tour-Blanche (24) 122 D6
la Tour-d'Aigues (84) 176 B4
la Tour-d'Auvergne (63) 126 C5
Tour-de-Faure (46) 153 E3
la Tour-de-Salvagny (69) 129 H2
la Tour-de-Sçay (25) 87 G5
la Tour-du-Crieu (09) 185 H4
la Tour-du-Meix (39) 117 G2
le Tour-du-Parc (56) 73 E2
la Tour-du-Pin (38) 131 E5
Tour-en-Bessin (14) 13 H5
la Tour-en-Jarez (42) 129 F5
Tour-en-Sologne (41) 80 B4
la Tour-Saint-Gelin (37) 94 C3
la Tour-sur-Orb (34) 172 B5
Tourailles (41) 79 G3
les Tourailles (61) 38 C4
Tourbes (34) 188 D1
Tourcelles-Chaumont (08) 24 A4
Tourch (29) 53 H2
Tourcoing (59) 3 G4
Tourdun (32) 167 E5
la Tourette (42) 128 D6
la Tourette-Cabardès (11) 187 E2
Tourette-du-Château (06) 195 E1
Tourgéville (14) 15 E3
la Tourlandry (49) 92 D2
Tourlaville (50) 12 C2
Tourliac (47) 151 G1
Tourly (60) 20 A6
Tourmignies (59) 3 F6
Tourmont (39) 103 E4
Tournai-sur-Dive (61) 39 E4
Tournan (32) 184 B1
Tournan-en-Brie (77) 43 F5
Tournans (25) 87 H5
Tournavaux (08) 11 F6
Tournay (65) 183 F3
Tournay-sur-Odon (14) 14 A5
le Tourne (33) 135 F6
Tournebu (14) 14 B6
Tournecoupe (32) 168 B3
Tournedos-Bois-Hubert (27) 40 C2
Tournedos-sur-Seine (27) 18 D6
Tournefeuille (31) 169 E5
Tournefort (06) 178 D2
Tournehem-sur-la-Hem (62) 1 H3
Tournemire (12) 172 A2
Tournemire (15) 140 B4
Tournes (08) 24 A1
le Tourneur (14) 37 H2
Tourneville (27) 40 D1
Tournières (14) 13 G5
Tournissan (11) 187 G4
Tournoisis (45) 62 B6
Tournon (73) 132 C4
Tournon-d'Agenais (47) 151 H4
Tournon-Saint-Martin (36) 95 F6
Tournon-Saint-Pierre (37) 95 F6
Tournon-sur-Rhône (07) 144 A3
Tournous-darré (65) 183 G2
Tournous-devant (65) 183 G3
Tournus (71) 116 C1
Tourny (27) 41 G1
Tourouvre (61) 40 A6
Tourouzelle (11) 187 G3
Tourreilles (11) 186 D5
les Tourreilles (31) 183 H4
Tourrenquets (32) 168 A4
Tourrette-Levens (06) 195 F2
les Tourrettes (26) 158 B1
Tourrettes (83) 178 B5
Tourrettes-sur-Loup (06) 195 E3
Tourriers (16) 122 C2
Tours (37) 78 D5
Tours-en-Savoie (73) 132 D4
Tours-en-Vimeu (80) 6 C4
Tours-sur-Marne (51) 45 F2
Tours-sur-Meymont (63) 128 A4
Tourtenay (79) 93 G3
Tourteron (08) 24 A3
Tourtoirac (24) 137 H2
Tourtour (83) 193 G1
Tourtouse (09) 184 D4
Tourtrès (47) 151 E3
Tourtrol (09) 186 A4
Tourves (83) 193 E2
Tourville-en-Auge (14) 15 F3
Tourville-la-Campagne (27) 18 B6
Tourville-la-Chapelle (76) 17 H2
Tourville-la-Rivière (76) 18 C5
Tourville-les-Ifs (76) 16 C3
Tourville-sur-Arques (76) 17 G2
Tourville-sur-Odon (14) 14 B5
Tourville-
-sur-Pont-Audemer (27) 15 H3
Tourville-sur-Sienne (50) 36 D1
Toury (28) 62 D4
Toury-Lurcy (58) 99 F6
Toury-sur-Jour (58) 99 E6
Tourzel-Ronzières (63) 127 F5
Toussaint (76) 16 C3
Toussieu (69) 130 B4
Toussieux (01) 130 A1
Tousson (77) 63 G3
Toussus-le-Noble (78) 42 B5
Toutainville (27) 15 G3
Toutenant (71) 102 A4
Toutencourt (80) 7 H5
Toutens (31) 186 A1
Toutlemonde (49) 92 C2
Toutry (21) 84 B4
Touvérac (16) 121 H6
le Touvet (38) 131 H6
Touville (27) 18 A5
Touvois (44) 91 E2
Touvre (16) 122 C4
Touzac (16) 121 H5
Touzac (46) 152 A3
Tox (2B) 205 G2
Toy-Viam (19) 125 F4
Tracy-Bocage (14) 38 A1
Tracy-le-Mont (60) 21 G4
Tracy-le-Val (60) 21 G4
Tracy-sur-Loire (58) 82 B6
Tracy-sur-Mer (14) 14 A3
Trades (69) 115 H4
Traenheim (67) 50 C5
Tragny (57) 48 D2
Traînel (10) 65 F2
Traînou (45) 63 E6
le Trait (76) 17 E6
Traitiéfontaine (70) 87 F5
Traize (73) 131 G4
Tralaigues (63) 126 B2
Tralonca (2B) 205 F2
Tramain (22) 34 A5
Tramayes (71) 116 A4
Trambly (71) 115 H4
Tramecourt (62) 7 F1
Tramery (51) 22 D6
Tramezaïgues (65) 196 D1
Tramolé (38) 130 D5
Tramont-Émy (54) 69 E2
Tramont-Lassus (54) 69 E2
Tramont-Saint-André (54) 69 E2
Tramoyes (01) 130 B2
Trampot (88) 68 B2
Trancault (10) 65 F2
la Tranche-sur-Mer (85) 106 B3
la Tranclière (01) 117 E5
Trancrainville (28) 62 D4
Trangé (72) 60 A5
le Tranger (36) 95 H4
Trannes (10) 67 E3
Tranqueville-Graux (88) 69 E2
Trans (53) 59 F3
Trans-en-Provence (83) 177 H6
Trans-la-Forêt (35) 35 F5
Trans-sur-Erdre (44) 75 E3
le Translay (80) 6 C5
le Transloy (62) 8 C4
Tranzault (36) 111 G1
Trappes (78) 42 B4
Trassanel (11) 187 E2
Traubach-le-Bas (68) 89 E3
Traubach-le-Haut (68) 89 E2
Trausse (11) 187 F2
Travaillan (84) 158 C6
Travecy (02) 22 A2
Traversères (32) 167 H6
Traves (70) 87 F3
le Travet (81) 170 D3
Trayes (79) 93 E6
Tréal (56) 56 B5
Tréauville (50) 12 B3
Trébabu (29) 30 C5
Treban (03) 113 G3
Tréban (81) 170 D1
Trébas (81) 171 E2
Trébédan (22) 34 C6
Trèbes (11) 187 E3
Trébeurden (22) 32 C2
Trébons (65) 183 E4
Trébons-de-Luchon (31) 197 F1
Trébons-sur-la-Grasse (31) 186 A1
Trébrivan (22) 32 C6
Trébry (22) 33 H6
Tréclun (21) 102 B1
Trécon (51) 45 F4
Trédaniel (22) 33 H6
Trédarzec (22) 33 E2
Trédias (22) 34 B6
Trédion (56) 55 H5
Trédrez-Locquémeau (22) 32 B2
Tréduder (22) 32 B3
Trefcon (02) 8 D6
Treffendel (35) 56 D3
Treffiagat (29) 53 E4
Treffieux (44) 74 D1
Treffléan (56) 55 G6
Treffort (38) 145 G5
Treffort-Cuisiat (01) 117 E4
Treffrin (22) 32 B6
Tréflaouénan (29) 31 G3
Tréflévénez (29) 31 F4
Tréflez (29) 31 F3
Tréfols (51) 44 C4
Tréfumel (22) 34 D6
Trégarantec (29) 31 F3
Trégarvan (29) 31 F6
Trégastel (22) 32 C1
Tréglamus (22) 32 D4
Tréglonou (29) 30 D3
Trégomeur (22) 33 F4
Trégon (22) 34 C4
Trégonneau (22) 33 E3
Trégourez (29) 53 H2
Trégrom (22) 32 C3
Tréguennec (29) 53 E3
Trégueux (22) 33 G4
Tréguidel (22) 33 F3
Tréguier (22) 33 E2
Trégunc (29) 53 H4
Tréhet (41) 78 D2
Tréhorenteuc (56) 56 B3
le Tréhou (29) 31 G5
Treignac (19) 125 E5
Treignat (03) 112 B3
Treigny (89) 82 D4
Treilles (11) 188 A6
Treilles-en-Gâtinais (45) 64 A5
Treillières (44) 74 C4
Treix (52) 68 A4
Treize-Septiers (85) 91 H1
Treize-Vents (85) 92 C3
Tréjouls (82) 152 B5
Trélans (48) 155 F3
Trélazé (49) 77 E5
Trélévern (22) 32 D1
Trelins (42) 128 D3
Trélissac (24) 137 F2
Trélivan (22) 34 C5
Trelly (50) 35 H1
Trélon (59) 10 B4
Trélou-sur-Marne (02) 44 C2
Trémaouézan (29) 31 F4
Trémargat (22) 32 D6
Trémauville (76) 16 D4
la Tremblade (17) 120 B2
Tremblay (35) 35 G6
le Tremblay (49) 76 B2
Tremblay-en-France (93) 43 E3
Tremblay-les-Villages (28) 41 F6
le Tremblay-Omonville (27) 40 C1
le Tremblay-
-sur-Mauldre (78) 42 A4
Tremblecourt (54) 48 B4
le Tremblois (70) 86 C5
Tremblois-lès-Carignan (08) 25 E2
Tremblois-lès-Rocroi (08) 10 D6
Trémeheuc (35) 35 F5
Trémel (22) 32 B3
Tréméloir (22) 33 G4
Trémentines (49) 75 H6
Tréméoc (29) 53 F3
Tréméreuc (22) 34 D4
Trémery (57) 26 C4
Trémeur (22) 34 B6
Tréméven (22) 33 F3
Tréméven (29) 54 B4
Trémilly (52) 67 F2
Tréminis (38) 145 G6
Trémoins (70) 88 B3
Trémolat (24) 137 G5
Trémons (47) 151 H4
Trémont (49) 93 E1
Trémont (61) 39 G6
Trémont-sur-Saulx (55) 46 D5
Trémonzey (88) 69 G6
Trémorel (22) 56 B2
Trémouille (15) 140 C1
Trémouille-Saint-Loup (63) 126 B5
Trémouilles (12) 154 C5
Trémoulet (09) 185 H4
Trémuson (22) 33 G4
Trenal (39) 102 C6
Trensacq (40) 149 E5
Trentels (47) 151 G3
Tréogan (22) 54 B1
Tréogat (29) 53 E3
Tréon (28) 41 E5
Tréouergat (29) 30 D3
Trépail (51) 45 G1
le Tréport (76) 6 A4
Trépot (25) 103 G1
Tréprel (14) 38 C3
Trept (38) 130 D4
Trésauvaux (55) 47 H2
Tresboeuf (35) 57 F5
Trescault (62) 8 D4
Treschenu-Creyers (26) 145 F6
Trescléoux (05) 159 H4
Trésilley (70) 87 F5
Treslon (51) 22 D6
Tresnay (58) 99 E6
Trespoux-Rassiels (46) 152 C4
Tresques (30) 174 C1
Tressan (34) 172 D6
Tressandans (25) 87 H4
Tressange (57) 26 A3
Tressé (35) 35 E5
Tresserre (66) 201 E3
Tresserve (73) 131 H4
Tresses (33) 135 F5
Tressignaux (22) 33 F3
Tressin (59) 3 G5
Tresson (72) 78 D1
Treteau (03) 114 B3
la Trétoire (77) 44 A4
Trets (13) 192 D2
Treux (80) 8 A5
Treuzy-Levelay (77) 64 B3
Trévé (22) 55 G1
Trévenans (90) 88 C3
Tréveneuc (22) 33 G3
Tréveray (55) 47 F6
Trévérec (22) 33 E3
Trévérien (35) 34 D6
Trèves (30) 172 C1
Trèves (69) 129 H5
Trévien (81) 170 C1
Trévières (14) 13 G5
Trévignin (73) 131 H3
Trévillach (66) 200 C2
Tréville (11) 186 B2
Trévillers (25) 88 D6
Trévilly (89) 84 B4
Trévol (03) 113 H1
Trévou-Tréguignec (22) 32 D1
Trévoux (01) 130 A1
le Trévoux (29) 54 A4
Trévron (22) 34 D6
Trézelles (03) 114 B4
Trézény (22) 32 D2
Tréziers (11) 186 B5
Trézilidé (29) 31 G3
Trézioux (63) 127 H3
Triac-Lautrait (16) 122 A3
le Triadou (34) 173 F4
Triaize (85) 106 C2
Tribehou (50) 13 E6
Trichey (89) 66 B6
Tricot (60) 20 D3
Trie-Château (60) 19 H6
Trie-la-Ville (60) 19 H6
Trie-sur-Baïse (65) 183 G2
Triel-sur-Seine (78) 42 B3
Triembach-au-Val (67) 71 F2
Trieux (54) 26 A3
Trigance (83) 177 H3
Trignac (44) 73 G4
Trigny (51) 22 D5
Triguères (45) 64 C6
Trilbardou (77) 43 F3
Trilla (66) 200 C2
Trilport (77) 43 G3
Trimbach (67) 51 G2
Trimer (35) 34 D6
la Trimouille (86) 110 B2
Trinay (45) 62 D5
la Trinitat (15) 155 E1
la Trinité (06) 195 F2
la Trinité (27) 41 E2
la Trinité (50) 37 F4
la Trinité (73) 132 B5
la Trinité-de-Réville (27) 39 H3
la Trinité-
-de-Thouberville (27) 18 B5
la Trinité-des-Laitiers (61) 39 G4
la Trinité-du-Mont (76) 15 H1
la Trinité-Porhoët (56) 55 H2
la Trinité-sur-Mer (56) 72 C1
la Trinité-Surzur (56) 73 E1
Triors (26) 144 C3
le Trioulou (15) 153 H1
Tripleville (41) 62 B6
Triquerville (76) 18 A3
Triqueville (27) 15 G3
Trith-Saint-Léger (59) 9 F2
Tritteling-Redlach (57) 49 F1
Trivy (71) 115 H3
Trizac (15) 140 B2
Trizay (17) 120 D1
Trizay-Coutretot-
-Saint-Serge (28) 61 F3
Trizay-lès-Bonneval (28) 62 A4
Troarn (14) 14 C4
Troche (19) 124 C6
Trochères (21) 86 B6
Trocy-en-Multien (77) 43 G2
Troësnes (02) 44 A1
Troguéry (22) 33 E2
Trogues (37) 94 C2
les Trois-Domaines (55) 47 F3
Trois-Fonds (23) 112 A4
Trois-Fontaines-
-l'Abbaye (51) 46 D5
Trois-Monts (14) 14 B6
les Trois-Moutiers (86) 93 H2
Trois-Palis (16) 122 B4
les Trois-Pierres (76) 15 G1
Trois-Puits (51) 23 E6
Trois-Vèvres (58) 99 F4
Trois-Villes (64) 181 G3
Troisfontaines (57) 50 A5
Troisfontaines-la-Ville (52) 67 G1
Troisgots (50) 37 G2
Troissereux (60) 20 A4
Troissy (51) 44 D2
Troisvaux (62) 7 G1
Troisvilles (59) 9 F4
Tromarey (70) 86 D6
Tromborn (57) 27 E4
Troncens (32) 167 E6
la Tronche (38) 145 G2
le Tronchet (35) 35 E5
le Tronchet (72) 60 A4
Tronchoy (89) 84 A1
Tronchy (71) 102 A6
le Troncq (27) 18 B6
Trondes (54) 48 A5
Tronget (03) 113 G3
le Tronquay (14) 13 G6
le Tronquay (27) 19 F4
Tronsanges (58) 98 D2
Tronville (54) 48 B1
Tronville-en-Barrois (55) 47 F5
Troo (41) 79 E2
Trosly-Breuil (60) 21 G5
Trosly-Loire (02) 21 H4
Trouans (10) 45 G6
Troubat (65) 184 A5
Trouhans (21) 102 B2
Trouhaut (21) 85 F5
Trouillas (66) 201 E3
Trouley-Labarthe (65) 183 F2
Troussencourt (60) 20 B3
Troussey (55) 47 H5
Troussures (60) 20 A5
Trouvans (25) 87 H5
Trouville (76) 15 H1
Trouville-la-Haule (27) 15 H2
Trouville-sur-Mer (14) 15 E3
Trouy (18) 97 G3
Troye-d'Ariège (09) 186 B5
Troyes (10) 66 B3
Troyon (55) 47 G2
la Truchère (71) 116 C2
Truchtersheim (67) 50 D5
Trucy (02) 22 C4
Trucy-l'Orgueilleux (58) 83 F5
Trucy-sur-Yonne (89) 83 G3
le Truel (12) 171 G1
Trugny (21) 102 A3
Truinas (26) 158 D2
Trumilly (60) 21 F6
Trun (61) 39 E4
Trungy (14) 13 H6
Truttemer-le-Grand (14) 37 H4
Truttemer-le-Petit (14) 37 H4
Truyes (37) 95 F1
Tubersent (62) 1 F6
Tuchan (11) 187 G6
Tucquegnieux (54) 26 A4
Tudeils (19) 139 E4
Tudelle (32) 167 F4
Tuffé (72) 60 C5
Tugéras-Saint-Maurice (17) 121 G6
Tugny-et-Pont (02) 21 H1
la Tuilière (42) 128 B1
Tulette (26) 158 C5
Tulle (19) 139 E2
Tullins (38) 145 E1
Tully (80) 6 B4
Tupigny (02) 9 G5
Tupin-et-Semons (69) 130 A5
la Turballe (44) 73 F3
la Turbie (06) 195 G2
Turcey (21) 85 F5
Turckheim (68) 71 F4
Turenne (19) 138 D4
Turgon (16) 122 D1
Turgy (10) 66 B5
Turny (89) 65 G5
Turquant (49) 93 H1
Turquestein-Blancrupt (57) 50 A6
Turqueville (50) 13 E4
Turretot (76) 15 F1
Turriers (04) 160 C3
Tursac (24) 137 H4
Tusson (16) 122 B1
Tuzaguet (65) 183 H4
le Tuzan (33) 149 F3
Tuzie (16) 122 C1

U

Uberach (67) 50 D3
Ubexy (88) 69 G2
Ubraye (04) 178 A2
Ucciani (2A) 204 D5
Ucel (07) 157 G2
Uchacq-et-Parentis (40) 165 H2
Uchaud (30) 174 A4
Uchaux (84) 158 B5
Uchentein (09) 184 D6
Uchizy (71) 116 B2
Uchon (71) 100 C5
Uckange (57) 26 B4
Ueberstrass (68) 89 E3
Uffheim (68) 89 G2
Uffholtz (68) 89 E1
Ugine (73) 132 C3
Uglas (65) 183 H4
Ugnouas (65) 183 E2
Ugny (54) 25 G4
Ugny-le-Gay (02) 21 H2
Ugny-l'Équipée (80) 21 G1
Ugny-sur-Meuse (55) 47 H5
Uhart-Cize (64) 180 D3
Uhart-Mixe (64) 181 F2
Uhlwiller (67) 51 E3
Uhrwiller (67) 50 D3
Ulcot (79) 93 F3
les Ulis (91) 42 C5
Ully-Saint-Georges (60) 20 C6
les Ulmes (49) 93 G1
Umpeau (28) 62 C1
Unac (09) 199 F1
Uncey-le-Franc (21) 85 E6
Unchair (51) 22 D6
Ungersheim (68) 71 F6
Unias (42) 129 E4
Unienville (10) 67 E3
Unieux (42) 129 E6
l'Union (31) 169 F5
Unverre (28) 61 G4
Unzent (09) 185 G3
Upaix (05) 160 A4
Upie (26) 144 B6
Ur (66) 199 G4
Urau (31) 184 C5
Urbalacone (2A) 206 D1
Urbanya (66) 200 B3
Urbeis (67) 71 E2
Urbès (68) 70 D6
Urbise (42) 114 D4
Urçay (03) 112 D1
Urcel (02) 22 B4
Urcerey (90) 88 C3
Urciers (36) 112 A2
Urcuit (64) 164 C6
Urcy (21) 101 G1
Urdens (32) 168 A3
Urdès (64) 165 H6
Urdos (64) 182 A6
Urepel (64) 180 C4
Urgons (40) 166 A4
Urgosse (32) 166 D4
Uriménil (88) 69 H4
Urmatt (67) 50 C6
Urost (64) 182 D2
Urou-et-Crennes (61) 39 E4
Urrugne (64) 180 A1
Urs (09) 199 F1
Urschenheim (68) 71 G4
Urt (64) 164 C6
Urtaca (2B) 203 E5
Urtière (25) 88 D6
Uruffe (54) 48 A6
Urval (24) 137 G6
Urville (10) 67 E4
Urville (14) 14 C6
Urville (50) 12 D3
Urville (88) 68 D4
Urville-Nacqueville (50) 12 B1
Urvillers (02) 22 A1
Ury (77) 63 H3
Urzy (58) 99 E3
Us (95) 42 A2
Usclades-et-Rieutord (07) 143 E6
Usclas-d'Hérault (34) 172 D6
Usclas-du-Bosc (34) 172 C4
Usinens (74) 118 A6
Ussac (19) 138 C2
Ussat (09) 199 E1
Usseau (79) 107 G5
Usseau (86) 94 C4
Ussel (15) 141 E3
Ussel (19) 125 H5
Ussel (46) 152 D2
Ussel-d'Allier (03) 113 G5
Usson (63) 127 G5
Usson-du-Poitou (86) 109 F4
Usson-en-Forez (42) 142 C1
Ussy (14) 38 D3
Ussy-sur-Marne (77) 43 H3
Ustaritz (64) 180 C1
Ustou (09) 198 C1
Utelle (06) 195 F1
Uttenheim (67) 71 G1
Uttenhoffen (67) 50 D3
Uttwiller (67) 50 C3
Uvernet-Fours (04) 161 F4
Uxeau (71) 100 B6
Uxegney (88) 69 H4
Uxelles (39) 117 H1
Uxem (59) 2 C1
Uz (65) 182 D5
Uza (40) 164 D1
Uzan (64) 166 A6
Uzay-le-Venon (18) 97 H5
Uzech (46) 152 C2
Uzein (64) 182 B1
Uzel (22) 33 F6
Uzelle (25) 88 A4
Uzemain (88) 69 H5
Uzer (07) 157 F3
Uzer (65) 183 F4
Uzerche (19) 124 D6
Uzès (30) 174 B2
Uzeste (33) 149 G3
Uzos (64) 182 B2

V

Vaas (72) 78 B3
Vabre (81) 170 D5
Vabre-Tizac (12) 153 H5
Vabres (15) 141 F4

Vabres (30) 173 F1
Vabres-l'Abbaye (12) 171 G2
Vacherauville (55) 25 E6
Vachères (04) 176 B2
Vachères-en-Quint (26) 144 D6
Vacheresse (74) 119 F3
la Vacheresse-et-la-Rouillie (88) 68 D4
la Vacherie (27) 40 D1
Vacognes-Neuilly (14) 14 A5
la Vacquerie (14) 37 H1
la Vacquerie-et-Saint-Martin-de-Castries (34) 172 D4
Vacquerie-le-Boucq (62) 7 F2
Vacqueriette-Erquières (62) 7 F2
Vacqueville (54) 70 C1
Vacqueyras (84) 158 C6
Vacquières (34) 173 G3
Vacquiers (31) 169 F4
Vadans (39) 103 E4
Vadans (70) 86 C6
Vadelaincourt (55) 47 F2
Vadenay (51) 45 H2
Vadencourt (02) 9 G5
Vadencourt (80) 7 H5
Vadonville (55) 47 G4
Vagnas (07) 157 G4
Vagney (88) 70 B5
Vahl-Ebersing (57) 49 G1
Vahl-lès-Bénestroff (57) 49 G3
Vahl-lès-Faulquemont (57) 49 F2
Vaiges (53) 59 E5
Vailhan (34) 172 C6
Vailhauquès (34) 173 E5
Vailhourles (12) 153 F5
Vaillac (46) 152 D1
Vaillant (52) 85 H2
Vailly (10) 66 B3
Vailly (74) 119 E3
Vailly-sur-Aisne (02) 22 B4
Vailly-sur-Sauldre (18) 82 A5
Vains (50) 35 H3
Vairé (85) 91 E5
Vaire-Arcier (25) 87 G6
Vaire-le-Petit (25) 87 G6
Vaire-sous-Corbie (80) 7 H6
Vaires-sur-Marne (77) 43 E4
Vaison-la-Romaine (84) 158 D5
Vaïssac (82) 169 G1
Vaite (70) 86 D3
la Vaivre (70) 69 H6
Vaivre-et-Montoille (70) 87 F3
le Val (83) 193 F2
le Val-d'Ajol (88) 70 A6
Val-d'Auzon (10) 66 C2
le Val-David (27) 41 E2
Val-de-Bride (57) 49 F4
Val-de-Chalvagne (04) 178 B2
Val-de-Fier (74) 131 H1
le Val-de-Gouhenans (70) 88 A3
le Val-de-Guéblange (57) 49 H2
Val-de-la-Haye (76) 18 C5
Val-de-Mercy (89) 83 G3
Val-de-Meuse (52) 68 C6
Val-de-Reuil (27) 18 D6
Val-de-Roulans (25) 87 H5
Val-de-Saâne (76) 17 F4
Val-de-Vesle (51) 45 G1
Val-de-Vière (51) 46 B4
Val-d'Épy (39) 117 F3
Val-des-Marais (51) 45 F4
Val-des-Prés (05) 147 E4
le Val-d'Esnoms (52) 86 A3
Val-d'Isère (73) 133 G5
Val-d'Izé (35) 57 H2
Val-d'Ornain (55) 46 D4
Val-et-Châtillon (54) 49 H6
Val-Maravel (26) 159 G2
Val-Saint-Éloi (70) 87 G2
le Val-Saint-Germain (91) 42 B6
le Val-Saint-Père (50) 35 H3
Val-Suzon (21) 85 G5
Valady (12) 154 B3
Valailles (27) 15 H5
Valaire (41) 79 H5
Valanjou (49) 93 E1
Valaurie (26) 158 B4
Valavoire (04) 160 B5
Valay (70) 86 D6
Valbeleix (63) 127 E6
Valbelle (04) 160 A6
Valbois (55) 47 H3
Valbonnais (38) 145 H5
Valbonne (06) 178 D4
Valcabrère (31) 184 A5
Valcanville (50) 13 E2
Valcebollère (66) 199 H5
Valcivières (63) 128 B5
Valcourt (52) 46 D6
Valdahon (25) 104 A2
Valdampierre (60) 20 A5
Valdeblore (06) 162 C6
le Valdécie (50) 12 C4
Valderiès (81) 170 C2
Valderoure (06) 178 B3
Valdieu-Lutran (68) 89 E3
Valdivienne (86) 109 G2
Valdoie (90) 88 C2
Valdrôme (26) 159 G3
Valdurenque (81) 170 D6
Valeille (42) 129 F3
Valeilles (82) 151 H4
Valeins (01) 116 B5
Valempoulières (39) 103 F5
Valençay (36) 96 B2
Valence (16) 122 D2
Valence (26) 144 B5
Valence (82) 151 G6
Valence-d'Albigeois (81) 170 D2
Valence-en-Brie (77) 64 B2
Valence-sur-Baïse (32) 167 G3
Valenciennes (59) 9 F2
Valencin (38) 130 B4
Valencogne (38) 131 F5
Valennes (72) 61 E6
Valensole (04) 177 E3
Valentigney (25) 88 C4
Valentine (31) 184 B4
Valenton (94) 42 D5
Valergues (34) 173 G5
Valernes (04) 160 B5
Valescourt (60) 20 D4
Valette (15) 140 B2
la Valette (38) 145 H4
la Valette-du-Var (83) 193 F5
Valeuil (24) 137 E1
Valeyrac (33) 120 C6
Valezan (73) 133 E4
Valff (67) 71 G1
Valfin-sur-Valouse (39) 117 F3
Valflaunès (34) 173 F4
Valfleury (42) 129 G5
Valframbert (61) 60 A1
Valfroicourt (88) 69 F4
Valgorge (07) 157 E2
Valhey (54) 49 E5
Valhuon (62) 7 G1
Valiergues (19) 125 H6
Valignat (03) 113 G5
Valigny (03) 98 B6
Valines (80) 6 C4
Valjouffrey (38) 146 A5
Valjouze (15) 141 E3
la Valla-en-Gier (42) 129 G6
la Valla-sur-Rochefort (42) 128 C3
Vallabrègues (30) 174 C3
Vallabrix (30) 174 B1
Vallan (89) 83 F2
Vallangoujard (95) 42 B1
Vallans (79) 107 G4
Vallant-Saint-Georges (10) 66 A2
Vallauris (06) 195 E4
Valle-d'Alesani (2B) 205 G2
Valle-di-Campoloro (2B) 205 G2
Valle-di-Mezzana (2A) 204 C5
Valle-di-Rostino (2B) 203 F6
Valle-d'Orezza (2B) 205 G1
Vallecalle (2B) 203 F5
la Vallée (17) 120 D1
la Vallée-au-Blé (02) 9 H6
la Vallée-Mulâtre (02) 9 F5
Vallègue (31) 186 A1
Valleiry (74) 118 B5
Vallenay (18) 97 G5
Vallentigny (10) 67 E2
Vallerange (57) 49 F2
Vallérargues (30) 157 G6
Valleraugue (30) 173 E1
Vallères (37) 78 C6
Valleret (52) 67 G1
Vallereuil (24) 137 E3
Vallerois-le-Bois (70) 87 H4
Vallerois-Lorioz (70) 87 G4
Valleroy (25) 87 G5
Valleroy (52) 86 D2
Valleroy (54) 26 A4
Valleroy-aux-Saules (88) 69 F3
Valleroy-le-Sec (88) 69 F4
Vallery (89) 64 C4
Vallesvilles (31) 169 G5
Vallet (44) 75 E6
Valletot (27) 15 H3
Vallica (2B) 202 D6
Vallière (23) 125 G2
Vallières (10) 66 B6
Vallières (74) 131 H1
Vallières-les-Grandes (41) 79 G5
Valliguières (30) 174 C2
Valliquerville (76) 17 E4
Valloire (73) 146 D2
Vallois (54) 70 A1
les Vallois (88) 69 F4
Vallon-en-Sully (03) 112 D2
Vallon-Pont-d'Arc (07) 157 G4
Vallon-sur-Gée (72) 59 H6
Vallorcine (74) 119 H6
Vallouise (05) 146 D5
Valmanya (66) 200 C4
Valmascle (34) 172 B5
Valmeinier (73) 146 D2
Valmestroff (57) 26 C3
Valmigère (11) 187 E5
Valmondois (95) 42 C2
Valmont (57) 49 F1
Valmont (76) 16 D3
Valmunster (57) 26 D4
Valmy (51) 46 C2
Valognes (50) 12 D3
Valojoulx (24) 138 A4
Valonne (25) 88 B5
Valoreille (25) 88 C6
Valouse (26) 158 D3
Valprionde (46) 152 A4
Valprivas (43) 142 D1
Valpuiseaux (91) 63 G2
Valras-Plage (34) 188 C3
Valréas (84) 158 C4
Valros (34) 188 D1
Valroufié (46) 152 D3
Vals (09) 186 A4
Vals-des-Tilles (52) 85 H3
Vals-le-Chastel (43) 141 H2
Vals-les-Bains (07) 157 G1
Vals-près-le-Puy (43) 142 C4
Valsemé (14) 15 E4
Valserres (05) 160 C3
Valsonne (69) 129 F1
le Valtin (88) 70 D4
Valuéjols (15) 141 E4
Valvignères (07) 157 H3
Valz-sous-Châteauneuf (63) 127 H6
Valzergues (12) 153 H3
Vanault-le-Châtel (51) 46 B4
Vanault-les-Dames (51) 46 C4
Vançais (79) 108 C4
Vancé (72) 78 D1
la Vancelle (67) 71 F2
Vanclans (25) 104 A2
Vandeins (01) 116 D4
Vandelainville (54) 26 A6
Vandelans (70) 87 G5
Vandeléville (54) 69 E2
Vandélicourt (60) 21 F4
Vandenesse (58) 99 H4
Vandenesse-en-Auxois (21) 101 F1
Vandeuil (51) 22 D6
Vandières (51) 44 D1
Vandières (54) 48 B3
Vandœuvre-lès-Nancy (54) 48 C5
Vandoncourt (25) 88 D4
Vandré (17) 107 F6
Vandrimare (27) 19 E5
Vandy (08) 24 A4
Vanlay (10) 66 A5
Vannaire (21) 85 E1
Vanne (70) 87 E3
le Vanneau-Irleau (79) 107 G3
Vannecourt (57) 49 F3
Vannecrocq (27) 15 G3
Vannes (56) 55 G6
Vannes-le-Châtel (54) 48 A6
Vannes-sur-Cosson (45) 81 F3
Vannoz (39) 103 F5
Vanosc (07) 143 G2
les Vans (07) 157 E4
Vantoux (57) 26 C5
Vantoux-et-Longevelle (70) 87 E5
Vanves (92) 42 C4
Vanvey (21) 85 F1
Vanvillé (77) 64 D1
Vanxains (24) 136 C2
Vany (57) 26 C5
Vanzac (17) 121 G6
Vanzay (79) 108 C4
Vanzy (74) 118 A6
Vaour (81) 169 H1
Varacieux (38) 144 D2
Varades (44) 76 B5
Varages (83) 193 E1
Varaignes (24) 123 E4
Varaire (46) 153 E4
Varaize (17) 121 G1
Varambon (01) 117 E6
Varanges (21) 102 A1
Varangéville (54) 48 D5
Varaville (14) 14 D4
Varces-Allières-et-Risset (38) 145 G3
Vareilles (23) 110 D4
Vareilles (71) 115 F4
Vareilles (89) 65 F4
Varen (82) 153 F6
Varengeville-sur-Mer (76) 17 G2
Varenguebec (50) 12 D4
la Varenne (49) 75 E4
Varenne-l'Arconce (71) 115 F4
Varenne-Saint-Germain (71) 115 E3
Varennes (24) 137 F5
Varennes (31) 185 H1
Varennes (37) 95 F3
Varennes (80) 7 H4
Varennes (82) 169 F3
Varennes (86) 94 B5
Varennes (89) 83 H1
Varennes-Changy (45) 82 A1
Varennes-en-Argonne (55) 24 C6
Varennes-Jarcy (91) 43 E5
Varennes-le-Grand (71) 101 G6
Varennes-lès-Mâcon (71) 116 B4
Varennes-lès-Narcy (58) 98 D1
Varennes-Saint-Honorat (43) 142 A3
Varennes-Saint-Sauveur (71) 117 E2
Varennes-sous-Dun (71) 115 G4
Varennes-sur-Allier (03) 114 A4
Varennes-sur-Fouzon (36) 96 C1
Varennes-sur-Loire (49) 94 A1
Varennes-sur-Morge (63) 127 F1
Varennes-sur-Seine (77) 64 C2
Varennes-sur-Tèche (03) 114 B4
Varennes-sur-Usson (63) 127 G5
Varennes-Vauzelles (58) 98 D3
Varès (47) 150 D3
Varesnes (60) 21 G3
Varessia (39) 117 F1
Varetz (19) 138 C2
Varilhes (09) 185 H5
Varinfroy (60) 43 H2
Variscourt (02) 23 E4
Varize (28) 62 B5
Varize (57) 49 E1
Varmonzey (88) 69 G2
Varnéville (55) 47 H3
Varneville-Bretteville (76) 17 G4
Varogne (70) 87 G2
Varois-et-Chaignot (21) 85 H6
Varouville (50) 12 D1
Varrains (49) 93 H1
Varreddes (77) 43 G2
Vars (05) 161 F2
Vars (16) 122 B3
Vars (70) 86 C4
Vars-sur-Roseix (19) 138 B2
Varsberg (57) 27 E5
Varzay (17) 121 E3
Varzy (58) 83 E6
Vascœuil (27) 19 E4
Vasles (79) 108 C1
Vasperviller (57) 50 A5
Vassel (63) 127 G3
Vasselay (18) 97 G2
Vasselin (38) 131 E4
Vassens (02) 21 H4
Vasseny (02) 22 B5
Vassieux-en-Vercors (26) 145 E5
Vassimont-et-Chapelaine (51) 45 G5
Vassincourt (55) 46 D4
Vassogne (02) 22 C4
Vassonville (76) 17 G4
Vassy (14) 38 A3
Vassy (89) 84 B4
le Vast (50) 13 E2
Vasteville (50) 12 B2
les Vastres (43) 143 E4
Vatan (36) 96 D3
Vathiménil (54) 70 B1
Vatierville (76) 19 F1
Vatilieu (38) 145 E2
Vatimont (57) 49 E2
Vatry (51) 45 G4
Vattetot-sous-Beaumont (76) 16 C4
Vattetot-sur-Mer (76) 16 B3
Vatteville (27) 19 E6
Vatteville-la-Rue (76) 17 E6
Vaubadon (14) 13 G6
Vauban (71) 115 F4
Vaubecourt (55) 47 E3
Vaubexy (88) 69 G3
Vaucelles (14) 13 H5
Vaucelles-et-Beffecourt (02) 22 B3
Vauchamps (25) 87 G6
Vauchamps (51) 44 D4
Vauchassis (10) 66 A4
Vauchelles (60) 21 G3
Vauchelles-lès-Authie (80) 7 H4
Vauchelles-lès-Domart (80) 7 E4
Vauchelles-les-Quesnoy (80) 6 D4
Vauchignon (21) 101 F3
Vauchonvilliers (10) 66 D3
Vauchoux (70) 87 F3
Vauchrétien (49) 77 E6
Vauciennes (51) 45 E2
Vauciennes (60) 21 G6
Vauclaix (58) 100 A1
Vauclerc (51) 46 B5
Vaucluse (25) 88 B6
Vauclusotte (25) 88 C6
Vaucogne (10) 66 C1
Vauconcourt-Nervezain (70) 87 E3
Vaucouleurs (55) 47 H6
Vaucourt (54) 49 F5
Vaucourtois (77) 43 G3
Vaucresson (92) 42 C4
Vaudancourt (60) 19 G6
Vaudebarrier (71) 115 G3
Vaudelnay (49) 93 G2
Vaudeloges (14) 39 E3
Vaudemange (51) 45 G2
Vaudémont (54) 69 F2
Vaudes (10) 66 B4
Vaudesincourt (51) 23 G6
Vaudesson (02) 22 B4
Vaudeurs (89) 65 F5
Vaudevant (07) 143 H3
Vaudeville (54) 69 G1
Vaudéville (88) 70 A3
Vaudeville-le-Haut (55) 68 C1
Vaudherland (95) 43 E2
Vaudigny (54) 69 G1
le Vaudioux (39) 103 F6
Vaudoncourt (55) 25 G5
Vaudoncourt (88) 68 D3
le Vaudoué (77) 63 H3
Vaudoy-en-Brie (77) 43 H5
Vaudreching (57) 26 D4
Vaudrecourt (52) 68 D4
Vaudrémont (52) 67 G4
le Vaudreuil (27) 18 D6
Vaudreuille (31) 186 B1
Vaudreville (50) 12 D3
Vaudrey (39) 102 D3
Vaudricourt (62) 2 D6
Vaudricourt (80) 6 B4
Vaudrimesnil (50) 12 D6
Vaudringhem (62) 1 H5
Vaudrivillers (25) 88 A6
Vaudry (14) 37 H3
Vaufrey (25) 88 D5
Vaugines (84) 176 A4
Vaugneray (69) 129 H3
Vaugrigneuse (91) 42 B6
Vauhallan (91) 42 C5
Vaujany (38) 146 A2
Vaujours (93) 43 E3
Vaulandry (49) 77 H3
le Vaulmier (15) 140 B2
Vaulnaveys-le-Bas (38) 145 G3
Vaulnaveys-le-Haut (38) 145 G3
Vaulry (87) 110 B6
Vault-de-Lugny (89) 83 H5
Vaulx (62) 7 F2
Vaulx (74) 132 A1
Vaulx-en-Velin (69) 130 B3
Vaulx-Milieu (38) 130 C4
Vaulx-Vraucourt (62) 8 C4
le Vaumain (60) 19 H5
Vaumas (03) 114 B3
Vaumeilh (04) 160 B5
Vaumoise (60) 21 G6
Vaumort (89) 65 F4
Vaunac (24) 137 G1
Vaunaveys-la-Rochette (26) 144 C6
Vaunoise (61) 60 C2
la Vaupalière (76) 17 G6
Vaupillon (28) 61 F1
Vaupoisson (10) 66 C1
Vauquois (55) 24 D6
Vauréal (95) 42 B2
Vaureilles (12) 153 H3
le Vauroux (60) 19 H5
Vausseroux (79) 108 B1
Vautebis (79) 108 B1
Vauthiermont (90) 88 D2
Vautorte (53) 58 C3
Vauvenargues (13) 176 B5
Vauvert (30) 174 A4
Vauville (14) 15 E3
Vauville (50) 12 B2
Vauvillers (70) 69 F6
Vauvillers (80) 8 A6
Vaux (03) 112 D3
Vaux (31) 186 A1
Vaux (57) 26 B5
Vaux (86) 108 D4
Vaux-Andigny (02) 9 F5
Vaux-Champagne (08) 23 H4
Vaux-devant-Damloup (55) 25 F6
Vaux-en-Amiénois (80) 7 F5
Vaux-en-Beaujolais (69) 115 H6
Vaux-en-Bugey (01) 130 D1
Vaux-en-Dieulet (08) 24 C4
Vaux-en-Pré (71) 115 H1
Vaux-en-Vermandois (02) 21 H1
Vaux-et-Chantegrue (25) 103 H5
Vaux-Lavalette (16) 122 C6
Vaux-le-Moncelot (70) 87 E4
Vaux-le-Pénil (77) 64 A1
Vaux-lès-Mouron (08) 24 B5
Vaux-lès-Mouzon (08) 24 D3
Vaux-lès-Palameix (55) 47 G2
Vaux-les-Prés (25) 103 F1
Vaux-lès-Rubigny (08) 23 F2
Vaux-lès-Saint-Claude (39) 117 H3
Vaux-Marquenneville (80) 6 D5
Vaux-Montreuil (08) 23 H3
Vaux-Rouillac (16) 122 A3
Vaux-Saules (21) 85 F5
Vaux-sous-Aubigny (52) 86 A3
Vaux-sur-Aure (14) 13 H5
Vaux-sur-Blaise (52) 67 G1
Vaux-sur-Eure (27) 41 E2
Vaux-sur-Lunain (77) 64 C4
Vaux-sur-Mer (17) 120 C3
Vaux-sur-Poligny (39) 103 E5
Vaux-sur-Saint-Urbain (52) 68 A2
Vaux-sur-Seine (78) 42 A2
Vaux-sur-Seulles (14) 14 A4
Vaux-sur-Somme (80) 7 H6
Vaux-sur-Vienne (86) 94 D4
Vaux-Villaine (08) 23 H1
Vauxaillon (02) 22 B4
Vauxbons (52) 85 H1
Vauxbuin (02) 22 A5
Vauxcéré (02) 22 C5
Vauxrenard (69) 116 A5
Vauxrezis (02) 22 A4
Vauxtin (02) 22 C5
Vavincourt (55) 47 E4
Vavray-le-Grand (51) 46 B4
Vavray-le-Petit (51) 46 B4
Vaxainville (54) 49 G6
Vaxoncourt (88) 69 H3
Vaxy (57) 49 E3
Vay (44) 74 C2
Vaychis (09) 199 F2
Vaylats (46) 153 E4
Vayrac (46) 138 D5
Vayres (33) 135 G5
Vayres (87) 123 G3
Vayres-sur-Essonne (91) 63 G2
Vazeilles-Limandre (43) 142 B3
Vazeilles-près-Saugues (43) 142 A5
Vazerac (82) 152 B6
Veauce (03) 113 F5
Veauche (42) 129 E5
Veauchette (42) 129 E5
Veaugues (18) 98 B1
Veaunes (26) 144 B3
Veauville-lès-Baons (76) 17 E4
Veauville-lès-Quelles (76) 17 E3
Vèbre (09) 199 F1
Vebret (15) 140 B1
Vebron (48) 156 B5
Veckersviller (57) 50 B3
Veckring (57) 26 D3
Vecoux (88) 70 B5
Vecquemont (80) 7 H6
Vecqueville (52) 67 H1
Vedène (84) 175 E2
Védrines-Saint-Loup (15) 141 G4
Végennes (19) 139 E4
Vého (54) 49 G6
Veigné (37) 79 E6
Veigy-Foncenex (74) 118 C4
Veilhes (81) 169 H5
Veilleins (41) 80 C5
Veilly (21) 101 E2
Veix (19) 125 E5
Velaine-en-Haye (54) 48 B5
Velaine-sous-Amance (54) 48 D5
Velaines (55) 47 F5
Velanne (38) 131 F5
Velars-sur-Ouche (21) 85 G6
Velaux (13) 175 H6
Velennes (60) 20 B4
Velennes (80) 20 B1
Velesmes-Échevanne (70) 86 D5
Velesmes-Essarts (25) 103 F1
Velet (70) 86 C5
Vélieux (34) 187 G2
Vélines (24) 136 B5
Vélizy-Villacoublay (78) 42 C4
Velle-le-Châtel (70) 87 F3
Velle-sur-Moselle (54) 48 D6
Vellèches (86) 94 D4
Vellechevreux-et-Courbenans (70) 88 A4
Velleclaire (70) 87 E5
Vellefaux (70) 87 G4
Vellefrey-et-Vellefrange (70) 87 E5
Vellefrie (70) 87 G2
Velleguindry-et-Levrecey (70) 87 F4
Velleminfroy (70) 87 H3
Vellemoz (70) 87 E4
Velleron (84) 175 F2
Vellerot-lès-Belvoir (25) 88 B5
Vellerot-lès-Vercel (25) 104 A1
Velles (36) 96 C6
Velles (52) 86 D1
Vellescot (90) 88 D3
Vellevans (25) 88 A6
Vellexon-Queutrey-et-Vaudey (70) 87 E4
Velloreille-lès-Choye (70) 86 D5
Velluire (85) 107 E2
Velogny (21) 85 E5
Velone-Orneto (2B) 205 G1
Velorcey (70) 87 G2
Velosnes (55) 25 F3
Velotte-et-Tatignécourt (88) 69 G3
Vélu (62) 8 C4
Velving (57) 27 E4
Vélye (51) 45 G3
Velzic (15) 140 B4
Vémars (95) 43 E2
Venables (27) 19 E6
Venaco (2B) 205 E3
Venansault (85) 91 F4
Venanson (06) 162 D6
Venarey-les-Laumes (21) 84 D4
Venarsal (19) 138 D2
Venas (03) 113 E2
Venasque (84) 175 G2
Vence (06) 195 E3
Vendargues (34) 173 G5
Vendat (03) 113 H5
Vendays-Montalivet (33) 120 B6
Vendegies-au-Bois (59) 9 G3
Vendegies-sur-Écaillon (59) 9 F3
Vendel (35) 57 H1
la Vendelée (50) 36 D1
Vendelles (02) 8 D6
Vendémian (34) 172 D6
Vendenesse-lès-Charolles (71) 115 G3
Vendenesse-sur-Arroux (71) 115 E1
Vendenheim (67) 51 E5
Vendes (14) 14 A5
Vendeuil (02) 22 A2
Vendeuil-Caply (60) 20 C3
Vendeuvre (14) 39 E2
Vendeuvre-du-Poitou (86) 94 B5
Vendeuvre-sur-Barse (10) 66 D4
Vendeville (59) 3 F5
Vendhuile (02) 8 D5
Vendières (02) 44 C4
Vendin-le-Vieil (62) 3 E6
Vendin-lès-Béthune (62) 2 D6
Vendine (31) 169 H5
Vendœuvres (36) 96 A5
Vendoire (24) 122 C6
Vendôme (41) 79 G2
Vendranges (42) 128 D1
Vendrennes (85) 92 A4
Vendres (34) 188 C3
Vendresse (08) 24 B3
Vendresse-Beaulne (02) 22 C4
Vendrest (77) 43 H2
la Vendue-Mignot (10) 66 B4
Vénéjan (30) 158 A6
Venelles (13) 176 A5
Vénérand (17) 121 F2
Venère (70) 86 D6
Vénérieu (38) 130 D4
Vénérolles (02) 9 G5
Venerque (31) 185 G1
Vénès (81) 170 C4
Venesmes (18) 97 G5
Vénestanville (76) 17 F3
Venette (60) 21 F4
Veneux-les-Sablons (77) 64 B2
Veney (54) 70 C1
Vengeons (50) 37 G4
Venise (25) 87 G6
Venisey (70) 87 F1
Vénissieux (69) 130 A3
Venizel (02) 22 A5
Venizy (89) 65 G5
Vennans (25) 87 G6
Vennecy (45) 63 E6
Vennes (25) 104 B1
Vennezey (54) 69 H1
Venon (27) 40 D1
Venon (38) 145 G2
Vénosc (38) 146 B4
Venouse (89) 83 G1
Venoy (89) 83 G2
Vensac (33) 120 C6
Vensat (63) 113 G6
Ventabren (13) 175 H6
Ventavon (05) 160 A4
Ventelay (51) 22 D5
Ventenac (09) 186 A5
Ventenac-Cabardès (11) 186 D3
Ventenac-en-Minervois (11) 187 H3
Venterol (04) 160 B3
Venterol (26) 158 D4
les Ventes (27) 40 D3
les Ventes-de-Bourse (61) 60 B1
Ventes-Saint-Rémy (76) 19 E2
Venteuges (43) 141 H4
Venteuil (51) 45 E2
Venthon (73) 132 C3
Ventiseri (2B) 205 G5
Ventouse (16) 122 D2
Ventron (88) 70 C6
la Ventrouze (61) 40 B6
Venzolasca (2B) 203 G6
Ver (50) 35 H1
Ver-lès-Chartres (28) 62 B2

Ver-sur-Launette (60) 43 F2
Ver-sur-Mer (14) 14 B3
Vérac (33) 135 G4
Véranne (42) 143 H1
Vérargues (34) 173 H4
Véraza (11) 186 D5
Verberie (60) 21 E5
Verbiesles (52) 68 A5
Vercel-Villedieu-le-Camp (25) 104 A1
Verchain-Maugré (59) 9 F2
Verchaix (74) 119 F5
Vercheny (26) 159 E1
les Verchers-sur-Layon (49) 93 F2
Verchin (62) 2 A6
Verchocq (62) 1 H5
Vercia (39) 117 F1
Verclause (26) 159 F4
Vercoiran (26) 159 E5
Vercourt (80) 6 C2
Verdaches (04) 160 D5
Verdalle (81) 170 C6
Verdelais (33) 149 H2
Verdelot (77) 44 B4
Verdenal (54) 49 G6
Verderel-lès-Sauqueuse (60) 20 B4
Verderonne (60) 20 D5
Verdes (41) 62 A6
Verdèse (2B) 205 G1
Verdets (64) 181 H2
le Verdier (81) 170 A2
la Verdière (83) 176 D5
Verdigny (18) 82 B6
Verdille (16) 122 A2
Verdilly (02) 44 B2
Verdon (24) 137 E6
Verdon (51) 44 D3
le Verdon-sur-Mer (33) 120 B4
Verdonnet (21) 84 C2
Verdun (09) 199 F1
Verdun (55) 47 F1
Verdun-en-Lauragais (11) 186 C2
Verdun-sur-Garonne (82) 168 D3
Verdun-sur-le-Doubs (71) 101 H4
Vereaux (18) 98 C4
Verel-de-Montbel (73) 131 G5
Verel-Pragondran (73) 131 H4
Véretz (37) 79 E6
Vereux (70) 86 D4
Verfeil (31) 169 G5
Verfeil (82) 153 F6
Verfeuil (30) 157 G6
Vergaville (57) 49 G3
Vergéal (35) 57 H3
la Vergenne (70) 88 A3
le Verger (35) 56 D3
Vergeroux (17) 106 D6
Verges (39) 103 E6
Vergetot (76) 16 B4
Vergezac (43) 142 B4
Vergèze (30) 174 A4
Vergheas (63) 112 D6
Vergies (80) 6 D5
Vergigny (89) 65 G6
Vergisson (71) 116 A4
Vergné (17) 107 G5
la Vergne (17) 121 F1
Vergoignan (32) 166 C4
Vergoncey (50) 35 H4
Vergongheon (43) 141 G1
Vergonnes (49) 76 A2
Vergons (04) 178 A2
Vergranne (25) 87 H5
Vergt (24) 137 F4
Vergt-de-Biron (24) 151 G2
le Verguier (02) 8 D6
Véria (39) 117 F2
Vérignon (83) 177 F4
Vérigny (28) 62 A1
Vérin (42) 130 A6
Vérines (17) 106 D4
Vérissey (71) 102 A6
Verjon (01) 117 E3
Verjux (71) 101 H4
Verlans (70) 88 C3
Verlhac-Tescou (82) 169 F2
Verlin (89) 64 D6
Verlincthun (62) 1 F5
Verlinghem (59) 3 F4
Verlus (32) 166 C5
Vermand (02) 8 D6
Vermandovillers (80) 8 B6
Vermelles (62) 2 D6
Vermenton (89) 83 G3
le Vermont (88) 70 D2
Vern-d'Anjou (49) 76 C3
Vern-sur-Seiche (35) 57 F3
Vernais (18) 98 B5
Vernaison (69) 130 A4
Vernajoul (09) 185 H5
Vernancourt (51) 46 C4
Vernantes (49) 77 H5
Vernantois (39) 117 G1
la Vernarède (30) 156 D5
Vernas (38) 130 D3
Vernassal (43) 142 B3
Vernaux (09) 199 F1
Vernay (69) 115 H5
la Vernaz (74) 119 E3
Verne (25) 87 H5
Vernègues (13) 191 H2
Verneiges (23) 112 B4
le Verneil (73) 132 B5
Verneil-le-Chétif (72) 78 B2
Verneix (03) 112 D3
la Vernelle (36) 96 B1
le Vernet (03) 114 A6
le Vernet (04) 160 D5
le Vernet (09) 185 H3
Vernet (31) 185 F1
le Vernet (43) 142 B4
Vernet-la-Varenne (63) 127 H6
Vernet-les-Bains (66) 200 C3
le Vernet-Sainte-Marguerite (63) 127 E4
Verneugheol (63) 126 B3
Verneuil (16) 123 F3
Verneuil (18) 98 A5
Verneuil (51) 44 D2
Verneuil (58) 99 G5
Verneuil-en-Bourbonnais (03) 113 H4
Verneuil-en-Halatte (60) 20 D6
Verneuil-Grand (55) 25 F3
Verneuil-le-Château (37) 94 C3
Verneuil-l'Étang (77) 43 G6
Verneuil-Moustiers (87) 110 B3
Verneuil-Petit (55) 25 F3
Verneuil-sous-Coucy (02) 22 A3
Verneuil-sur-Avre (27) 40 C5
Verneuil-sur-Igneraie (36) 111 H1
Verneuil-sur-Indre (37) 95 G3
Verneuil-sur-Seine (78) 42 B3
Verneuil-sur-Serre (02) 22 C2
Verneuil-sur-Vienne (87) 124 A2
Verneusses (27) 39 H3
Vernéville (57) 26 A5
Vernie (72) 59 H4
Vernierfontaine (25) 103 H2
Vernines (63) 126 D4
Verniolle (09) 185 H4
Vernioz (38) 130 A6
Vernix (50) 37 F4
Vernoil-le-Fourrier (49) 77 H6
le Vernois (39) 102 D5
Vernois-lès-Belvoir (25) 88 B6
Vernois-lès-Vesvres (21) 85 H3
Vernois-sur-Mance (70) 86 D1
Vernols (15) 140 D2
Vernon (07) 157 F3
Vernon (27) 41 F2
Vernon (86) 109 F2
Vernonvilliers (10) 67 E3
Vernosc-lès-Annonay (07) 143 H2
Vernot (21) 85 G4
la Vernotte (70) 87 E4
Vernou-en-Sologne (41) 80 C4
Vernou-la-Celle-sur-Seine (77) 64 B2
Vernou-sur-Brenne (37) 79 E5
Vernouillet (28) 41 F5
Vernouillet (78) 42 B3
Vernoux (01) 116 D2
Vernoux-en-Gâtine (79) 93 E6
Vernoux-en-Vivarais (07) 143 H5
Vernoux-sur-Boutonne (79) 108 A5
le Vernoy (25) 88 B3
Vernoy (89) 64 D5
Vernusse (03) 113 F4
Verny (57) 26 C6
Vero (2A) 204 D4
Véron (89) 65 E5
Véronne (26) 158 D1
Véronnes (21) 86 A4
Verosvres (71) 115 G3
Verpel (08) 24 C5
la Verpillière (38) 130 C4
Verpillières (80) 21 F2
Verpillières-sur-Ource (10) 67 E5
Verquières (13) 175 E3
Verquigneul (62) 2 D6
Verquin (62) 2 D6
Verrens-Arvey (73) 132 C4
Verreries-de-Moussans (34) 187 G1
Verrey-sous-Drée (21) 85 F6
Verrey-sous-Salmaise (21) 85 E5
Verricourt (10) 66 C2
Verrie (49) 77 G6
la Verrie (85) 92 B3
la Verrière (78) 42 A5
Verrières (08) 24 B4
Verrières (10) 66 B4
Verrières (12) 155 F6
Verrières (16) 121 H4
Verrières (51) 46 C2
Verrières (61) 61 E2
Verrières (63) 127 E5
Verrières (86) 109 G3
Verrières-de-Joux (25) 104 B4
Verrières-du-Grosbois (25) 103 H1
Verrières-en-Forez (42) 128 D5
Verrières-le-Buisson (91) 42 C5
Verrue (86) 94 A4
Verruyes (79) 108 A2
Vers (46) 152 D3
Vers (71) 116 B1
Vers (74) 118 B5
vers-en-Montagne (39) 103 F5
Vers-Pont-du-Gard (30) 174 C2
vers-sous-Sellières (39) 102 D5
Vers-sur-Méouge (26) 159 G5
vers-sur-Selles (80) 7 F6
Versailles (78) 42 B4
Versailleux (01) 130 C1
Versainville (14) 38 D3
la Versanne (42) 143 G1
Versaugues (71) 115 E3
Verseilles-le-Bas (52) 86 A2
Verseilles-le-Haut (52) 86 B2
Versigny (02) 22 B2
Versigny (60) 43 F1
Versols-et-Lapeyre (12) 171 H3
Verson (14) 14 B5
Versonnex (01) 118 B4
Versonnex (74) 131 H1
le Versoud (38) 145 H2
Vert (40) 149 F6
Vert (78) 41 H3
le Vert (79) 107 H5
Vert-en-Drouais (28) 41 E5
Vert-le-Grand (91) 42 D6
Vert-le-Petit (91) 63 G1
Vert-Saint-Denis (77) 64 A1
Vert-Toulon (51) 45 E4
Vertain (59) 9 F3
Vertaizon (63) 127 G3
Vertamboz (39) 117 H1
Vertault (21) 84 C1
Verteillac (24) 136 D1
Verteuil-d'Agenais (47) 150 D3
Verteuil-sur-Charente (16) 122 C1
Verthemex (73) 131 G4
Vertheuil (33) 134 D1
Vertolaye (63) 128 B4
Verton (62) 6 C1
Vertou (44) 74 D5
Vertrieu (38) 130 D2
Vertus (51) 45 F3
Vervant (16) 122 B2
Vervant (17) 121 F1
Vervezelle (88) 70 B3
Vervins (02) 10 A6
Véry (55) 24 D6
Verzé (71) 116 A3
Verzeille (11) 187 E4
Verzenay (51) 45 G1
Verzy (51) 45 G1
Vesaignes-sous-Lafauche (52) 68 B3
Vesaignes-sur-Marne (52) 68 A6
Vesancy (01) 118 B3
Vesc (26) 158 D3
Vescemont (90) 88 C2
Vescheim (57) 50 B4
Vescles (39) 117 G3
Vescours (01) 116 C2
Vescovato (2B) 203 G6
Vesdun (18) 112 C2
Vésigneul-sur-Marne (51) 46 A4
Vésines (01) 116 B3
le Vésinet (78) 42 B3
Vesles-et-Caumont (02) 22 D2
Veslud (02) 22 C3
Vesly (27) 19 G6
Vesly (50) 12 C5
Vesoul (70) 87 G3
la Vespière (14) 15 G6
Vesseaux (07) 157 G2
Vessey (50) 35 G5
Vestric-et-Candiac (30) 174 A4
Vesvres (21) 85 E6
Vesvres-sous-Chalancey (52) 86 A3
Vétheuil (95) 41 H2
Vétraz-Monthoux (74) 118 C5
Vétrigne (90) 88 D2
Veuil (36) 96 B2
Veuilly-la-Poterie (02) 44 A2
Veules-les-Roses (76) 17 E2
Veulettes-sur-Mer (76) 16 D2
le Veurdre (03) 98 D6
Veurey-Voroize (38) 145 F1
la Veuve (51) 45 H2
Veuves (41) 79 G5
Veuvey-sur-Ouche (21) 101 F2
Veuxhaulles-sur-Aube (21) 67 F6
Vevy (39) 102 D6
Vexaincourt (88) 70 D1
le Vey (14) 38 B3
Veynes (05) 160 A2
Veyrac (87) 124 A2
Veyras (07) 157 H1
Veyre-Monton (63) 127 F4
Veyreau (12) 155 H6
Veyrier-du-Lac (74) 132 B2
Veyrières (15) 140 A1
Veyrières (19) 126 A5
Veyrignac (24) 138 B6
Veyrines-de-Domme (24) 137 H6
Veyrines-de-Vergt (24) 137 F4
Veyrins-Thuellin (38) 131 F4
les Veys (50) 13 F5
Veyssilieu (38) 130 D4
Vez (60) 21 G6
Vézac (15) 140 B5
Vézac (24) 138 A6
Vézannes (89) 83 H1
Vézaponin (02) 21 H4
Vèze (15) 141 E2
la Vèze (25) 103 G1
Vézelay (89) 83 H5
Vézelise (54) 69 F1
Vézelois (90) 88 D3
Vezels-Roussy (15) 140 B6
Vézénobres (30) 173 H1
Vézeronce-Curtin (38) 131 E4
Vezet (70) 87 E4
Vézézoux (43) 127 G6
le Vézier (51) 44 C4
Vézières (86) 94 A2
Vézillon (27) 19 E6
Vézilly (02) 44 D1
Vezin-le-Coquet (35) 57 E2
Vézinnes (89) 84 A1
Vezins (49) 92 D2
Vézins-de-Lévézou (12) 155 E5
Vezot (72) 60 B2
Vezzani (2B) 205 F3
Viabon (28) 62 C4
Viala-du-Pas-de-Jaux (12) 172 A2
Viala-du-Tarn (12) 171 G1
Vialas (48) 156 D4
Vialer (64) 166 C6
Viam (19) 125 F4
Viane (81) 171 F4
Vianges (21) 100 D2
Vianne (47) 150 D5
Viâpres-le-Petit (10) 66 B1
Viarmes (95) 42 D1
Vias (34) 188 D2
Viazac (46) 153 G2
le Vibal (12) 154 D5
Vibersviller (57) 49 H3
Vibeuf (76) 17 F4
Vibrac (16) 122 A4
Vibrac (17) 121 G6
Vibraye (72) 61 E5
Vic-de-Chassenay (21) 84 C5
Vic-des-Prés (21) 101 F2
Vic-en-Bigorre (65) 183 E1
Vic-Fezensac (32) 167 F4
Vic-la-Gardiole (34) 173 F6
Vic-le-Comte (63) 127 G4
Vic-le-Fesq (30) 173 H3
Vic-sous-Thil (21) 84 C6
Vic-sur-Aisne (02) 21 H5
Vic-sur-Cère (15) 140 C4
Vic-sur-Seille (57) 49 E4
Vicdessos (09) 198 D1
le Vicel (50) 13 E2
Vichel (63) 127 G6
Vichel-Nanteuil (02) 44 B1
Vichères (28) 61 F3
Vicherey (88) 69 E2
Vichy (03) 114 A5
Vico (2A) 204 C4
la Vicogne (80) 7 G4
la Vicomté-sur-Rance (22) 36 A6
Vicq (03) 113 G5
Vicq (52) 68 C6
Vicq (59) 9 G1
Vicq (78) 42 A4
Vicq-d'Auribat (40) 165 F3
Vicq-Exemplet (36) 112 A1
Vicq-sur-Breuilh (87) 124 C4
Vicq-sur-Gartempe (86) 95 F6
Vicq-sur-Nahon (36) 96 B2
Vicques (14) 39 E3
Victot-Pontfol (14) 39 E1
Vidai (61) 60 C1
Vidaillac (46) 153 F4
Vidaillat (23) 125 F1
Vidauban (83) 194 A2
Videcosville (50) 12 D2
Videix (87) 123 F3
Videlles (91) 63 G2
Vidou (65) 183 G2
Vidouville (50) 37 H1
Vidouze (65) 182 D1
Viefvillers (60) 20 B3
le Vieil-Baugé (49) 77 G4
le Vieil-Dampierre (51) 46 C3
le Vieil-Évreux (27) 41 E2
Vieil-Hesdin (62) 7 F2
Vieil-Moutier (62) 1 G4
Vieille-Brioude (43) 141 H2
Vieille-Chapelle (62) 2 D5
Vieille-Église (62) 1 H2
Vieille-Église-en-Yvelines (78) 42 A5
la Vieille-Loye (39) 102 D3
la Vieille-Lyre (27) 40 B3
Vieille-Toulouse (31) 169 F6
Vieilles-Maisons-sur-Joudry (45) 81 G1
Vieillespesse (15) 141 F3
Vieillevie (15) 154 B2
Vieillevigne (31) 185 H1
Vieillevigne (44) 91 G1
Vieilley (25) 87 F6
Vieilmoulin (21) 85 F6
Viel-Arcy (02) 22 C5
Viel-Saint-Remy (08) 23 H2
Viella (32) 166 C5
Viella (65) 183 E6
Vielle-Adour (65) 183 E3
Vielle-Aure (65) 183 G6
Vielle-Louron (65) 183 G6
Vielle-Saint-Girons (40) 164 C1
Vielle-Soubiran (40) 166 C1
Vielle-Tursan (40) 166 A4
Viellenave-d'Arthez (64) 182 B1
Viellenave-de-Navarrenx (64) 181 G1
Vielleségure (64) 181 H1
Vielmanay (58) 98 D1
Vielmur-sur-Agout (81) 170 B5
Vielprat (43) 142 C5
Viels-Maisons (02) 44 B3
Vielverge (21) 102 C1
Viennay (79) 93 F6
Vienne (38) 130 A5
Vienne-en-Arthies (95) 41 H2
Vienne-en-Bessin (14) 14 A3
Vienne-en-Val (45) 81 E2
Vienne-la-Ville (51) 46 C1
Vienne-le-Château (51) 24 C6
Viens (84) 176 B2
Vienville (88) 70 C4
Vier-Bordes (65) 182 D5
Viersat (23) 112 C4
Vierville (28) 62 D2
Vierville (50) 13 E4
Vierville-sur-Mer (14) 13 G4
Vierzon (18) 97 E1
Vierzy (02) 22 A6
Viesly (59) 9 F3
Viessoix (14) 37 H3
Viéthorey (25) 88 A5
Vieu (01) 131 F2
Vieu-d'Izenave (01) 117 F6
Vieure (03) 113 E2
Vieussan (34) 171 H6
Vieuvicq (28) 61 H3
Vieuvy (53) 58 C1
Vieux (14) 14 B5
Vieux (81) 170 A2
Vieux-Berquin (59) 2 D4
Vieux-Boucau-les-Bains (40) 164 C3
Vieux-Bourg (14) 15 F3
le Vieux-Bourg (22) 33 F5
le Vieux-Cérier (16) 122 D1
Vieux-Champagne (77) 44 A6
Vieux-Charmont (25) 88 C4
Vieux-Château (21) 84 B5
Vieux-Condé (59) 9 F1
Vieux-Ferrette (68) 89 F4
Vieux-Fumé (14) 39 E2
Vieux-lès-Asfeld (08) 23 F4
Vieux-Lixheim (57) 50 A4
Vieux-Manoir (76) 17 H5
le Vieux-Marché (22) 32 C3
Vieux-Mareuil (24) 123 E6
Vieux-Mesnil (59) 9 H3
Vieux-Moulin (60) 21 F5
Vieux-Moulin (88) 70 D2
Vieux-Pont (61) 38 D5
Vieux-Pont-en-Auge (14) 15 E6
Vieux-Port (27) 15 H2
Vieux-Reng (59) 10 A2
Vieux-Rouen-sur-Bresle (76) 6 C6
la Vieux-Rue (76) 17 H6
Vieux-Ruffec (16) 109 E6
Vieux-Thann (68) 89 E1
Vieux-Viel (35) 35 G5
Vieux-Villez (27) 41 E1
Vieux-Vy-sur-Couesnon (35) 35 G6
Vieuzos (65) 183 H2
Viévigne (21) 86 A5
Viéville (52) 67 H3
Viéville-en-Haye (54) 48 B3
Viévy (21) 101 E3
Vievy-le-Rayé (41) 79 H1
Viey (65) 183 E6
Vif (38) 145 G3
Viffort (02) 44 C3
le Vigan (30) 172 D2
le Vigan (46) 152 C1
le Vigean (15) 140 A2
le Vigeant (86) 109 G4
le Vigen (87) 124 B3
Vigeois (19) 138 C1
Viger (65) 182 D4
Vigeville (23) 111 H5
Viggianello (2A) 206 D3
Viglain (45) 81 F2
Vignacourt (80) 7 F5
Vignale (2B) 203 G5
Vignats (14) 39 E3
le Vignau (40) 166 B3
Vignaux (31) 168 C4
les Vigneaux (05) 147 E5
Vignec (65) 183 G6
Vignely (77) 43 F3
Vignemont (60) 21 F4
les Vignes (48) 155 G5
Vignes (64) 166 A6
Vignes (89) 84 B4
Vignes-la-Côte (52) 68 A3
Vigneul-sous-Montmédy (55) 25 E3
Vigneulles (54) 48 D6
Vigneulles-lès-Hattonchâtel (55) 47 H2
Vigneux-de-Bretagne (44) 74 C4
Vigneux-Hocquet (02) 23 E1
Vigneux-sur-Seine (91) 42 D5
Vignevieille (11) 187 F5
Vignieu (38) 131 E4
Vignoc (35) 57 E1
Vignol (58) 83 G6
Vignoles (21) 101 G3
Vignolles (16) 122 A5
Vignols (19) 138 B1
Vignonet (33) 135 H5
Vignory (52) 67 H3
Vignot (55) 47 H4
Vignoux-sous-les-Aix (18) 97 H2
Vignoux-sur-Barangeon (18) 97 F2
Vigny (57) 48 D2
Vigny (95) 42 A2
Vigoulant (36) 111 H3
Vigoulet-Auzil (31) 169 F6
Vigoux (36) 110 D2
Vigueron (82) 168 C3
Vigy (57) 26 C4
Vihiers (49) 93 E2
Vijon (36) 111 H3
Vilcey-sur-Trey (54) 48 B3
Vildé-Guingalan (22) 34 C5
le Vilhain (03) 113 E2
Vilhonneur (16) 122 D4
Villabé (91) 42 D6
Villabon (18) 98 A2
Villac (24) 138 B2
Villacerf (10) 66 A2
Villacourt (54) 69 H1
Villadin (10) 65 G3
Villafans (70) 88 A3
Village-Neuf (68) 89 H3
Villaines-en-Duesmois (21) 85 E3
Villaines-la-Carelle (72) 60 B2
Villaines-la-Gonais (72) 60 D4
Villaines-la-Juhel (53) 59 F2
Villaines-les-Prévôtes (21) 84 C4
Villaines-les-Rochers (37) 94 C1
Villaines-sous-Bois (95) 42 D2
Villaines-sous-Lucé (72) 78 C1
Villaines-sous-Malicorne (72) 77 G2
Villainville (76) 16 B4
Villalet (27) 40 D3
Villalier (11) 187 E3
Villamblain (45) 62 B6
Villamblard (24) 137 E4
Villamée (35) 58 A1
Villampuy (28) 62 B5
Villandraut (33) 149 G3
Villandry (37) 78 C6
Villanière (11) 187 E2
Villanova (2A) 204 B5
Villapourçon (58) 100 B4
Villar-d'Arêne (05) 146 C3
Villar-en-Val (11) 187 E4
Villar-Loubière (05) 146 B5
Villar-Saint-Anselme (11) 186 D5
Villar-Saint-Pancrace (05) 147 E5
Villard (23) 111 F4
Villard (74) 118 D4
Villard-Bonnot (38) 145 H2
Villard-de-Lans (38) 145 F3
Villard-d'Héry (73) 132 B5
Villard-Léger (73) 132 B5
Villard-Notre-Dame (38) 146 A4
Villard-Reculas (38) 146 A3
Villard-Reymond (38) 146 A4
Villard-Saint-Christophe (38) 145 G4
Villard-Saint-Sauveur (39) 118 A3
Villard-Sallet (73) 132 B5
Villard-sur-Bienne (39) 118 A2
Villard-sur-Doron (73) 132 D3
Villardebelle (11) 187 E5
Villardonnel (11) 187 E2
Villards-d'Héria (39) 117 H3
les Villards-sur-Thônes (74) 132 C1
Villarembert (73) 146 C2
Villargent (70) 88 A4
Villargoix (21) 84 C6
Villargondran (73) 146 C1
Villariès (31) 169 F4
Villarlurin (73) 132 D5
Villarodin-Bourget (73) 147 E2
Villaroger (73) 133 F4
Villaroux (73) 132 A5
Villars (24) 123 F6
Villars (28) 62 B4
Villars (42) 129 F6
le Villars (71) 116 C2
Villars (84) 176 A2
Villars-Colmars (04) 161 F5
Villars-en-Azois (52) 67 F5
Villars-en-Pons (17) 121 E4
Villars-et-Villenotte (21) 84 D4
Villars-Fontaine (21) 101 G2
Villars-le-Pautel (70) 87 E1
Villars-le-Sec (90) 88 D4
Villars-lès-Blamont (25) 88 D5
Villars-les-Bois (17) 121 G2
Villars-les-Dombes (01) 130 B1
Villars-Saint-Georges (25) 103 E2
Villars-Santenoge (52) 85 G2
Villars-sous-Dampjoux (25) 88 C5
Villars-sous-Écot (25) 88 B5
Villars-sur-Var (06) 195 E1
Villarzel-Cabardès (11) 187 E3
Villarzel-du-Razès (11) 186 D4
Villasavary (11) 186 C3
Villate (31) 185 F1
Villaudric (31) 169 F3
Villautou (11) 186 A4
Villavard (41) 79 F2
Villaz (74) 132 B1
Ville (60) 21 G3
Villé (67) 71 F2
Ville-au-Montois (54) 25 H4
Ville-au-Val (54) 48 C3
la Ville-aux-Bois (10) 67 E2
la Ville-aux-Bois-lès-Dizy (02) 23 E2
la Ville-aux-Bois-lès-Pontavert (02) 22 D4
la Ville-aux-Clercs (41) 61 G6
la Ville-aux-Dames (37) 79 E5
Ville-d'Avray (92) 42 C4
Ville-devant-Belrain (55) 47 F3
Ville-devant-Chaumont (55) 25 F5
Ville-di-Paraso (2B) 202 D5
Ville-di-Pietrabugno (2B) 203 G4
la Ville-Dieu-du-Temple (82) 168 D1
Ville-Dommange (51) 23 E6
la Ville-du-Bois (91) 42 C5
Ville-du-Pont (25) 104 B3
Ville-en-Blaisois (52) 67 G2
Ville-en-Sallaz (74) 118 D5
Ville-en-Selve (51) 45 F1
Ville-en-Tardenois (51) 45 E1
Ville-en-Vermois (54) 48 D6
Ville-en-Woëvre (55) 47 H1
la Ville-ès-Nonais (35) 36 A6
Ville-Houdlémont (54) 25 G3
Ville-la-Grand (74) 118 C4
Ville-Langy (58) 99 F4
Ville-le-Marclet (80) 7 F5
Ville-Saint-Jacques (77) 64 B3
Ville-Savoye (02) 22 C6
Ville-sous-Anjou (38) 144 A1
Ville-sous-la-Ferté (10) 67 F5
la Ville-sous-Orbais (51) 44 D3
Ville-sur-Ancre (80) 8 A5
Ville-sur-Arce (10) 66 D5
Ville-sur-Cousances (55) 47 E2
Ville-sur-Illon (88) 69 G4
Ville-sur-Jarnioux (69) 129 G1
Ville-sur-Lumes (08) 24 B1
Ville-sur-Retourne (08) 23 H5
Ville-sur-Saulx (55) 46 D5
Ville-sur-Terre (10) 67 F3
Ville-sur-Tourbe (51) 46 C1
Ville-sur-Yron (54) 26 A5
Villeau (28) 62 B4
Villebadin (61) 39 F4
Villebarou (41) 79 H3
Villebaudon (50) 37 F2
Villebazy (11) 187 E4
Villebéon (77) 64 C4
Villebernier (49) 93 H1
Villeberny (21) 85 E5
Villebichot (21) 101 H2
Villeblevin (89) 64 C3
Villebois (01) 131 E2
Villebois-Lavalette (16) 122 C5
Villebois-les-Pins (26) 159 G4

Villebon (28) 61 H2
Villebon-sur-Yvette (91) 42 C5
Villebougis (89) 64 D4
Villebourg (37) 78 C3
Villebout (41) 61 G6
Villebramar (47) 151 E2
Villebret (03) 112 D4
Villebrumier (82) 169 F3
Villecelin (18) 97 F5
Villecerf (77) 64 B3
Villecey-sur-Mad (54) 26 A6
Villechantria (39) 117 F3
Villechauve (41) 79 F3
Villechenève (69) 129 F3
Villechétif (10) 66 B3
Villechétive (89) 65 F5
Villechien (50) 37 G6
Villecien (89) 65 E6
Villécloye (55) 25 E3
Villecomtal (12) 154 C3
Villecomtal-sur-Arros (32) 183 F1
Villecomte (21) 85 H4
Villeconin (91) 63 E1
Villecourt (80) 21 G1
Villecresnes (94) 43 E5
Villecroze (83) 193 G1
Villedaigne (11) 187 H3
Villedieu (15) 141 E4
la Villedieu (17) 108 A6
Villedieu (21) 84 D1
la Villedieu (23) 125 F3
les Villedieu (25) 103 H5
la Villedieu (48) 156 A1
Villedieu (84) 158 C5
la Villedieu-du-Clain (86) 109 E2
la Villedieu-
-en-Fontenette (70) 87 G2
Villedieu-la-Blouère (49) 75 G6
Villedieu-le-Château (41) 78 D2
Villedieu-lès-Bailleul (61) 39 E4
Villedieu-les-Poêles (50) 37 F3
Villedieu-sur-Indre (36) 96 B5
Villedômain (37) 95 H3
Villedômer (37) 79 F4
Villedoux (17) 106 D4
Villedubert (11) 187 E3
Villefagnan (16) 108 C6
Villefargeau (89) 83 F2
Villefavard (87) 110 C5
Villeferry (21) 85 E5
Villefloure (11) 187 E4
Villefollet (79) 108 A5
Villefontaine (38) 130 C4
Villefort (11) 186 C5
Villefort (48) 156 D3
Villefranche (32) 184 B1
Villefranche (89) 64 D6
Villefranche-
-d'Albigeois (81) 170 D3
Villefranche-d'Allier (03) 113 E3
Villefranche-
-de-Conflent (66) 200 B3
Villefranche-
-de-Lauragais (31) 185 H1
Villefranche-
-de-Lonchat (24) 136 B4
Villefranche-de-Panat (12) 171 F1
Villefranche-
-de-Rouergue (12) 153 G4
Villefranche-
-du-Périgord (24) 152 A2
Villefranche-
-du-Queyran (47) 150 C4
Villefranche-
-le-Château (26) 159 G5
Villefranche-sur-Cher (41) 96 D1
Villefranche-sur-Mer (06) 195 F3
Villefranche-sur-Saône (69) 129 H1
Villefrancoeur (41) 79 H3
Villefrancon (70) 86 D5
Villefranque (64) 164 B6
Villefranque (65) 166 D6
Villegailhenc (11) 187 E3
Villegats (16) 122 C1
Villegats (27) 41 F2
Villegaudin (71) 102 A5
Villegenon (18) 81 H5
Villegly (11) 187 E2
Villegongis (36) 96 B4
Villegouge (33) 135 G4
Villegouin (36) 96 A4
Villegusien-le-Lac (52) 86 B2
Villeherviers (41) 80 C6
Villejésus (16) 122 B2
Villejoubert (16) 122 C2
Villejuif (94) 42 D4
Villejust (91) 42 C5
Villelaure (84) 176 A4
Villeloin-Coulangé (37) 95 H2
Villelongue (65) 182 D5
Villelongue-d'Aude (11) 186 C5
Villelongue-
-de-la-Salanque (66) 201 F2
Villelongue-dels-Monts (66) 201 F4
Villeloup (10) 65 H2
Villemade (82) 169 E1
Villemagne (11) 186 C2
Villemagne-
-l'Argentière (34) 172 A5
Villemain (79) 108 B6
Villemandeur (45) 64 A6
Villemanoche (89) 64 D3
Villemardy (41) 79 G2
Villemaréchal (77) 64 B3
Villemareuil (77) 43 G3
Villematier (31) 169 F3
Villemaur-sur-Vanne (10) 65 G3
Villembits (65) 183 G2
Villembray (60) 19 H4
Villemer (77) 64 B3
Villemer (89) 83 F1
Villemereuil (10) 66 B4
Villemeux-sur-Eure (28) 41 F5
Villemoirieu (38) 130 D3
Villemoiron-en-Othe (10) 65 H4
Villemoisan (49) 75 H3
Villemoisson-sur-Orge (91) 42 D5
Villemolaque (66) 201 F3
Villemomble (93) 43 E3
Villemontais (42) 128 C1
Villemontoire (02) 22 A5
Villemorien (10) 66 C5
Villemorin (17) 108 A6
Villemort (86) 110 A1
Villemotier (01) 117 E3
Villemoustaussou (11) 187 E3
Villemoutiers (45) 63 H6
Villemoyenne (10) 66 C4
Villemur (65) 183 H3
Villemur-sur-Tarn (31) 169 F3
Villemurlin (45) 81 G3
Villemus (04) 176 C3
Villenauxe-la-Grande (10) 44 C6
Villenauxe-la-Petite (77) 65 E2
Villenave (40) 165 G1
Villenave-de-Rions (33) 149 G1
Villenave-d'Ornon (33) 135 E6
Villenave-près-Béarn (65) 182 D1
Villenave-
-près-Marsac (65) 183 E2
Villenavotte (89) 64 D4
Villeneuve (01) 116 B6
Villeneuve (04) 176 D2
Villeneuve (09) 184 C5
Villeneuve (12) 153 G4
la Villeneuve (23) 126 A2
Villeneuve (33) 135 E3
Villeneuve (63) 127 F6
la Villeneuve (71) 102 A4
la Villeneuve-
-au-Châtelot (10) 65 G1
Villeneuve-au-Chemin (10) 65 H5
la Villeneuve-au-Chêne (10) 66 D4
la Villeneuve-Bellenoye-
-et-la-Maize (70) 87 G2
Villeneuve-d'Allier (43) 141 G2
Villeneuve-d'Amont (25) 103 G4
Villeneuve-d'Ascq (59) 3 G5
Villeneuve-d'Aval (39) 103 E3
Villeneuve-de-Berg (07) 157 H2
Villeneuve-de-Duras (47) 136 C6
Villeneuve-de-la-Raho (66) 201 F3
Villeneuve-de-Marc (38) 130 C5
Villeneuve-de-Marsan (40) 166 B2
Villeneuve-de-Rivière (31) 184 A4
Villeneuve-
-d'Entraunes (06) 161 G6
Villeneuve-d'Olmes (09) 186 A6
Villeneuve-du-Latou (09) 185 F3
Villeneuve-du-Paréage (09) 185 H4
la Villeneuve-
-en-Chevrie (78) 41 G2
Villeneuve-
-en-Montagne (71) 101 F5
Villeneuve-Frouville (41) 79 H2
Villeneuve-la-Comptal (11) 186 B2
Villeneuve-
-la-Comtesse (17) 107 G5
Villeneuve-la-Dondagre (89) 64 D5
Villeneuve-la-Garenne (92) 42 D3
Villeneuve-la-Guyard (89) 64 C3
Villeneuve-la-Lionne (51) 44 C5
Villeneuve-la-Rivière (66) 201 E2
Villeneuve-l'Archevêque (89) 65 F4
Villeneuve-le-Comte (77) 43 G4
Villeneuve-le-Roi (94) 42 D5
Villeneuve-Lécussan (31) 183 H3
Villeneuve-
-lès-Avignon (30) 174 D2
Villeneuve-lès-Béziers (34) 188 C2
Villeneuve-les-Bordes (77) 64 C1
Villeneuve-lès-Bouloc (31) 169 F4
Villeneuve-les-Cerfs (63) 127 G1
la Villeneuve-
-lès-Charleville (51) 44 D4
Villeneuve-lès-Charnod (39) 117 F3
la Villeneuve-
-les-Convers (21) 85 E4
Villeneuve-
-les-Corbières (11) 187 H5
Villeneuve-les-Genêts (89) 82 D2
Villeneuve-lès-Lavaur (81) 169 H5
Villeneuve-
-lès-Maguelone (34) 173 F6
Villeneuve-
-lès-Montréal (11) 186 C3
Villeneuve-les-Sablons (60) 20 A6
Villeneuve-Loubet (06) 195 E3
Villeneuve-Minervois (11) 187 F2
Villeneuve-Renneville-
-Chevigny (51) 45 F3
Villeneuve-Saint-Denis (77) 43 F4
Villeneuve-
-Saint-Georges (94) 42 D5
Villeneuve-
-Saint-Germain (02) 22 A5
Villeneuve-
-Saint-Nicolas (28) 62 B3
Villeneuve-Saint-Salves (89) 83 G1
Villeneuve-Saint-
-Vistre-et-Villevotte (51) 44 D6
Villeneuve-
-sous-Charigny (21) 84 D5
Villeneuve-
-sous-Dammartin (77) 43 E2
Villeneuve-
-sous-Pymont (39) 102 D6
la Villeneuve-
-sous-Thury (60) 43 H1
Villeneuve-sur-Allier (03) 113 H1
Villeneuve-sur-Auvers (91) 63 F1
Villeneuve-sur-Bellot (77) 44 B4
Villeneuve-sur-Cher (18) 97 F3
Villeneuve-sur-Conie (45) 62 C5
Villeneuve-sur-Fère (02) 44 C1
Villeneuve-sur-Lot (47) 151 F4
Villeneuve-sur-Verberie (60) 21 E6
Villeneuve-sur-Vère (81) 170 B2
Villeneuve-sur-Yonne (89) 65 E5
Villeneuve-Tolosane (31) 169 E6
Villeneuvette (34) 172 C5
Villennes-sur-Seine (78) 42 B3
Villenouvelle (31) 185 H1
Villenoy (77) 43 G3
Villentrois (36) 96 B2
Villeny (41) 80 C3
Villepail (53) 59 G2
Villeparisis (77) 43 E3
Villeparois (70) 87 G3
Villeperdrix (26) 159 E3
Villeperdue (37) 94 D1
Villeperrot (89) 64 D3
Villepinte (11) 186 C2
Villepinte (93) 43 E3
Villeporcher (41) 79 F3
Villepot (44) 57 H6
Villepreux (78) 42 B4
Villequier (76) 17 E5
Villequier-Aumont (02) 21 H2
Villequiers (18) 98 B3
Viller (57) 49 F2
Villerable (41) 79 F2
Villerbon (41) 80 A3
Villeréal (47) 151 G2
Villereau (45) 63 E5
Villereau (59) 9 G3
Villerest (42) 128 D1
Villeret (02) 8 D5
Villeret (10) 67 E1
Villereversure (01) 117 F5
Villermain (41) 80 B1
Villeromain (41) 79 G2
Villeron (95) 43 E2
Villerouge-Termenès (11) 187 G5
Villeroy (77) 43 F3
Villeroy (80) 6 C5
Villeroy (89) 64 D4
Villeroy-sur-Méholle (55) 47 H6
Villers (42) 115 F5
Villers (88) 69 G3
Villers-Agron-Aiguizy (02) 44 D1
Villers-Allerand (51) 45 F1
Villers-au-Bois (62) 8 A2
Villers-au-Flos (62) 8 C4
Villers-au-Tertre (59) 8 D2
Villers-aux-Bois (51) 45 E3
Villers-aux-Érables (80) 20 D1
Villers-aux-Nœuds (51) 45 F1
Villers-aux-Vents (55) 46 D4
Villers-Bocage (14) 14 A5
Villers-Bocage (80) 7 G5
Villers-Bouton (70) 87 F5
Villers-Bretonneux (80) 7 H6
Villers-Brûlin (62) 7 H2
Villers-Buzon (25) 103 E1
Villers-Campsart (80) 6 D6
Villers-Canivet (14) 38 D3
Villers-Carbonnel (80) 8 C6
Villers-Cernay (08) 24 C2
Villers-Châtel (62) 8 A1
Villers-Chemin-et-Mont-
-lès-Étrelles (70) 87 E5
Villers-Chief (25) 104 A1
Villers-Cotterêts (02) 21 G6
Villers-devant-Dun (55) 24 D4
Villers-devant-le-Thour (08) 23 F4
Villers-devant-Mouzon (08) 24 C2
Villers-Écalles (76) 17 F5
Villers-en-Argonne (51) 46 D2
Villers-en-Arthies (95) 41 H2
Villers-en-Cauchies (59) 9 E3
Villers-en-Haye (54) 48 B4
Villers-en-Ouche (61) 39 H3
Villers-en-Prayères (02) 22 C5
Villers-en-Vexin (27) 19 F6
Villers-Farlay (39) 103 E3
Villers-Faucon (80) 8 D5
Villers-Franqueux (51) 23 E5
Villers-Grélot (25) 87 G5
Villers-Guislain (59) 8 D5
Villers-Hélon (02) 22 A6
Villers-la-Chèvre (54) 25 G3
Villers-la-Combe (25) 104 A1
Villers-la-Faye (21) 101 G2
Villers-la-Montagne (54) 25 H4
Villers-la-Ville (70) 88 A4
Villers-le-Château (51) 45 G3
Villers-le-Lac (25) 104 C2
Villers-le-Rond (54) 25 F4
Villers-le-Sec (02) 22 B1
Villers-le-Sec (51) 46 C4
Villers-le-Sec (55) 47 F6
Villers-le-Sec (70) 87 G3
Villers-le-Tilleul (08) 24 B2
Villers-le-Tourneur (08) 23 H2
Villers-les-Bois (39) 102 D4
Villers-lès-Cagnicourt (62) 8 C3
Villers-lès-Guise (02) 9 G6
Villers-lès-Luxeuil (70) 87 G2
Villers-lès-Mangiennes (55) 25 F5
Villers-lès-Moivrons (54) 48 D4
Villers-lès-Nancy (54) 48 C5
Villers-les-Ormes (36) 96 C4
Villers-les-Pots (21) 102 B1
Villers-lès-Roye (80) 21 E2
Villers-l'Hôpital (62) 7 F3
Villers-Marmery (51) 45 G1
Villers-Outréaux (59) 9 E5
Villers-Pater (70) 87 G4
Villers-Patras (21) 67 E6
Villers-Plouich (59) 8 D4
Villers-Pol (59) 9 G2
Villers-Robert (39) 102 C4
Villers-Rotin (21) 102 C2
Villers-Saint-
-Barthélemy (60) 20 A5
Villers-Saint-Christophe (02) 21 G1
Villers-Saint-
-Frambourg (60) 21 E6
Villers-Saint-Genest (60) 43 G1
Villers-Saint-Martin (25) 88 A6
Villers-Saint-Paul (60) 20 D6
Villers-Saint-Sépulcre (60) 20 B5
Villers-Semeuse (08) 24 B1
Villers-Sir-Simon (62) 7 H2
Villers-Sire-Nicole (59) 10 A2
Villers-sous-Ailly (80) 7 E4
Villers-sous-Chalamont (25) 103 G4
Villers-sous-Châtillon (51) 45 E2
Villers-sous-Foucarmont (76) 6 B6
Villers-sous-Montrond (25) 103 G2
Villers-sous-Pareid (55) 47 H1
Villers-sous-Prény (54) 48 B3
Villers-sous-Saint-Leu (60) 20 C6
Villers-Stoncourt (57) 49 E2
Villers-sur-Auchy (60) 19 G4
Villers-sur-Authie (80) 6 C2
Villers-sur-Bar (08) 24 B2
Villers-sur-Bonnières (60) 20 A3
Villers-sur-Coudun (60) 21 F4
Villers-sur-Fère (02) 44 C1
Villers-sur-le-Mont (08) 24 A2
Villers-sur-le-Roule (27) 19 E6
Villers-sur-Mer (14) 15 E3
Villers-sur-Meuse (55) 47 F2
Villers-sur-Nied (57) 49 E3
Villers-sur-Port (70) 87 F2
Villers-sur-Saulnot (70) 88 B4
Villers-sur-Trie (60) 19 H5
Villers-Tournelle (80) 20 D2
Villers-Vaudey (70) 86 D3
Villers-Vermont (60) 19 G3
Villers-Vicomte (60) 20 B2
Villerserine (39) 102 D4
Villersexel (70) 88 A4
Villerupt (54) 26 A2
Villerville (14) 16 A6
Villery (10) 66 A4
Villes (01) 117 H6
Villes-sur-Auzon (84) 175 G1
Villeselve (60) 21 G2
Villeseneux (51) 45 G4
Villesèque (46) 152 C4
Villesèque-
-des-Corbières (11) 187 H5
Villesèquelande (11) 186 D3
Villesiscle (11) 186 C3
Villespassans (34) 188 A2
Villespy (11) 186 C2
Villetaneuse (93) 42 D3
la Villetelle (23) 126 A2
Villetelle (34) 173 H4
Villethierry (89) 64 C3
Villeton (47) 150 C4
Villetoureix (24) 136 D2
Villetritouls (11) 187 F4
Villetrun (41) 79 G2
la Villette (14) 38 B3
Villette (54) 25 F4
Villette (78) 41 H3
Villette-d'Anthon (38) 130 C3
Villette-de-Vienne (38) 130 B4
Villette-lès-Arbois (39) 103 E4
Villette-lès-Dole (39) 102 C3
Villette-sur-Ain (01) 130 D1
Villette-sur-Aube (10) 66 B1
Villettes (27) 40 D1
les Villettes (43) 143 E2
Villeurbanne (69) 130 A3
Villevallier (89) 65 E6
Villevaudé (77) 43 F3
Villevenard (51) 45 E4
Villevêque (49) 77 E4
Villeveyrac (34) 173 E6
Villevieille (30) 173 H4
Villevieux (39) 102 C5
Villevocance (07) 143 G2
Villevoques (45) 64 A5
Villexanton (41) 80 A2
Villexavier (17) 121 F6
le Villey (39) 102 C4
Villey-le-Sec (54) 48 B5
Villey-Saint-Étienne (54) 48 B5
Villey-sur-Tille (21) 85 H4
Villez-sous-Bailleul (27) 41 F1
Villez-sur-le-Neubourg (27) 40 C1
Villié-Morgon (69) 116 A5
Villiers (36) 95 H4
Villiers (86) 94 A6
Villiers-Adam (95) 42 C2
Villiers-au-Bouin (37) 78 B4
Villiers-aux-Corneilles (51) 44 D6
Villiers-Charlemagne (53) 58 D6
Villiers-Couture (17) 122 A1
Villiers-en-Bière (77) 63 H1
Villiers-en-Bois (79) 107 H5
Villiers-en-Désœuvre (27) 41 F3
Villiers-en-Lieu (52) 46 C5
Villiers-en-Morvan (21) 100 C2
Villiers-en-Plaine (79) 107 G2
Villiers-Fossard (50) 13 F6
Villiers-Herbisse (10) 45 G6
Villiers-le-Bâcle (91) 42 B5
Villiers-le-Bel (95) 42 D2
Villiers-le-Bois (10) 66 B6
Villiers-le-Duc (21) 85 F2
Villiers-le-Mahieu (78) 41 H4
Villiers-le-Morhier (28) 41 G6
Villiers-le-Pré (50) 35 H5
Villiers-le-Roux (16) 108 C6
Villiers-le-Sec (14) 14 A3
Villiers-le-Sec (52) 67 H5
Villiers-le-Sec (58) 83 F6
Villiers-le-Sec (95) 42 D2
Villiers-lès-Aprey (52) 86 A2
Villiers-les-Hauts (89) 84 B2
Villiers-Louis (89) 65 E4
Villiers-Saint-Benoît (89) 82 D2
Villiers-Saint-Denis (02) 44 A3
Villiers-Saint-Fréderic (78) 42 A4
Villiers-Saint-Georges (77) 44 B6
Villiers-Saint-Orien (28) 62 B4
Villiers-sous-Grez (77) 64 A3
Villiers-sous-Mortagne (61) 60 D1
Villiers-sous-Praslin (10) 66 C5
Villiers-sur-Chizé (79) 108 A5
Villiers-sur-Loir (41) 79 F2
Villiers-sur-Marne (94) 43 E4
Villiers-sur-Morin (77) 43 G4
Villiers-sur-Orge (91) 42 C6
Villiers-sur-Seine (77) 65 E2
Villiers-sur-Suize (52) 68 A6
Villiers-sur-Tholon (89) 83 E1
Villiers-sur-Yonne (58) 83 G5
Villiers-Vineux (89) 65 H6
Villiersfaux (41) 79 F2
Villieu-Loyes-Mollon (01) 130 D1
Villing (57) 27 E4
Villognon (16) 122 B2
Villon (89) 84 B1
Villoncourt (88) 70 A3
Villons-les-Buissons (14) 14 B4
Villorceau (45) 80 B2
Villosanges (63) 126 C2
Villotran (60) 20 A5
Villotte (88) 68 D5
Villotte-devant-Louppy (55) 46 D3
Villotte-Saint-Seine (21) 85 F5
Villotte-sur-Aire (55) 47 F4
Villotte-sur-Ource (21) 85 E1
Villouxel (88) 68 C2
Villuis (77) 65 E2
Villy (08) 24 D3
Villy (89) 83 H1
Villy-Bocage (14) 14 A5
Villy-en-Auxois (21) 85 E5
Villy-en-Trodes (10) 66 D4
Villy-le-Bois (10) 66 B4
Villy-le-Bouveret (74) 118 C6
Villy-le-Maréchal (10) 66 B4
Villy-le-Moutier (21) 101 H3
Villy-le-Pelloux (74) 118 C6
Villy-lez-Falaise (14) 38 D3
Villy-sur-Yères (76) 6 B5
Vilory (70) 87 G2
Vilosnes-Haraumont (55) 25 E5
Vilsberg (57) 50 B4
Vimarcé (53) 59 G4
Vimenet (12) 155 E4
Viménil (88) 70 B3
Vimines (73) 131 H5
Vimont (14) 38 D1
Vimory (45) 64 A6
Vimoutiers (61) 39 F3
Vimpelles (77) 64 D2
Vimy (62) 8 B2
Vinantes (77) 43 F2
Vinassan (11) 188 B3
Vinax (17) 108 A6
Vinay (38) 145 E2
Vinay (51) 45 E2
Vinça (66) 200 C3
Vincelles (39) 117 F1
Vincelles (51) 44 D2
Vincelles (71) 102 B6
Vincelles (89) 83 F3
Vincelottes (89) 83 G3
Vincennes (94) 42 D4
Vincent (39) 102 C5
Vincey (88) 69 H2
Vincly (62) 2 A6
Vincy-Manœuvre (77) 43 G2
Vincy-Reuil-et-Magny (02) 23 E2
Vindecy (71) 115 E3
Vindefontaine (50) 12 D4
Vindelle (16) 122 B3
Vindey (51) 44 D5
Vindrac-Alayrac (81) 170 A1
Vinets (10) 66 C1
Vineuil (36) 96 C4
Vineuil (41) 80 A4
Vineuil-Saint-Firmin (60) 43 E1
la Vineuse (71) 115 H2
Vinezac (07) 157 F3
Vingrau (66) 201 E1
Vingt-Hanaps (61) 60 A1
Vinnemerville (76) 16 D3
Vinneuf (89) 64 D3
Vinon (18) 98 B1
Vinon-sur-Verdon (83) 176 C4
Vins-sur-Caramy (83) 193 G2
Vinsobres (26) 158 D4
le Vintrou (81) 171 E6
Vinzelles (63) 127 G2
Vinzelles (71) 116 B4
Vinzier (74) 119 E3
Vinzieux (07) 143 H1
Viocourt (88) 69 E3
Viodos-Abense-de-Bas (64) 181 G2
Violaines (62) 3 E6
Violay (42) 129 F2
Violès (84) 158 C6
Violot (52) 86 B2
Viols-en-Laval (34) 173 E4
Viols-le-Fort (34) 173 E4
Vioménil (88) 69 G5
Vion (07) 144 A3
Vion (72) 77 G1
Vions (73) 131 G2
Vionville (57) 48 B1
Viozan (32) 183 H1
Viplaix (03) 112 B2
Vira (09) 186 A5
Vira (66) 200 C1
Virac (81) 170 B1
Virandeville (50) 12 B2
Virargues (15) 140 D3
Virazeil (47) 150 C3
Vire (14) 37 H3
Viré (71) 116 B2
Viré-en-Champagne (72) 59 F5
Vire-sur-Lot (46) 152 A3
Vireaux (89) 84 B2
Virecourt (54) 69 G1
Virelade (33) 149 G1
Vireux-Molhain (08) 11 E4
Vireux-Wallerand (08) 11 E4
Virey (50) 37 F6
Virey-le-Grand (71) 101 G5
Virey-sous-Bar (10) 66 C4
Virginy (51) 46 C1
Viriat (01) 116 D4
Viricelles (42) 129 F4
Virieu (38) 131 E5
Virieu-le-Grand (01) 131 F2
Virieu-le-Petit (01) 131 G1
Virigneux (42) 129 F4
Virignin (01) 131 G3
Viriville (38) 144 D1
Virlet (63) 112 D5
Virming (57) 49 G2
Viroflay (78) 42 C4
Virollet (17) 121 E4
Vironchaux (80) 6 D2
Vironvay (27) 18 D6
Virsac (33) 135 F3
Virson (17) 107 E5
Virville (76) 15 G1
Viry (39) 117 H4
Viry (71) 115 G2
Viry (74) 118 B5
Viry-Châtillon (91) 42 D5
Viry-Noureuil (02) 21 H2
Vis-en-Artois (62) 8 C3
Visan (84) 158 C4
Viscomtat (63) 128 B2
Viscos (65) 182 D5
Viserny (21) 84 C4
Visker (65) 183 E3
Vismes (80) 6 C5
Visoncourt (70) 87 H2
Vissac-Auteyrac (43) 142 A3
Vissec (30) 172 D3
Visseiche (35) 57 H4
Viterbe (81) 170 A5
Viterne (54) 48 C6
Vitot (27) 40 C1
Vitrac (15) 139 H6
Vitrac (24) 138 A6
Vitrac (63) 126 D1
Vitrac-en-Viadène (12) 140 D6
Vitrac-Saint-Vincent (16) 123 E3
Vitrac-sur-Montane (19) 139 F1
Vitrai-sous-Laigle (61) 40 B5
Vitray (03) 112 D1
Vitray-en-Beauce (28) 62 A3
Vitré (35) 58 A4
Vitré (79) 108 B4
Vitreux (39) 102 D1
Vitrey (54) 69 F1
Vitrey-sur-Mance (70) 86 D1
Vitrimont (54) 49 E6
Vitrolles (05) 160 B3
Vitrolles (13) 192 A2
Vitrolles-en-Luberon (84) 176 B3
Vitry-aux-Loges (45) 63 F6
Vitry-en-Artois (62) 8 C2
Vitry-en-Charollais (71) 115 E2
Vitry-en-Montagne (52) 85 H1
Vitry-en-Perthois (51) 46 B5
Vitry-la-Ville (51) 46 A4
Vitry-Laché (58) 99 G2
Vitry-le-Croisé (10) 67 E4
Vitry-le-François (51) 46 B5
Vitry-lès-Cluny (71) 115 H2
Vitry-lès-Nogent (52) 68 B6
Vitry-sur-Loire (71) 99 H6
Vitry-sur-Orne (57) 26 B4
Vitry-sur-Seine (94) 42 D4
Vittarville (55) 25 F4
Vitteaux (21) 85 E5
Vittefleur (76) 17 E3
Vittel (88) 69 E4
Vittersbourg (57) 49 H2
Vittoncourt (57) 49 E2
Vittonville (54) 48 C2
Vitz-sur-Authie (80) 7 E3
Viuz-en-Sallaz (74) 118 D5
Viuz-la-Chiésaz (74) 132 A2
Vivaise (02) 22 B3
Vivans (42) 114 D5
Vivario (2B) 205 E3
Viven (64) 166 B6
Viverols (63) 128 C6
Vivès (66) 201 E4
Vivey (52) 85 H2
le Vivier (66) 200 C1
Vivier-au-Court (08) 24 B1
le Vivier-sur-Mer (35) 35 E4
Vivières (02) 21 G5
Viviers (07) 158 A3
Viviers (57) 49 E3
Viviers (89) 84 A2
Viviers-du-Lac (73) 131 H4
Viviers-le-Gras (88) 69 E4
Viviers-lès-Lavaur (81) 169 H5
Viviers-lès-Montagnes (81) 170 C6
Viviers-lès-Offroicourt (88) 69 F3
Viviers-sur-Artaut (10) 66 D5
Viviers-sur-Chiers (54) 25 G4
Viviès (09) 186 A4
Viviez (12) 153 H2
Viville (16) 122 A5
Vivoin (72) 60 A3
Vivonne (86) 109 E2
Vivy (49) 77 G6

Vix (21) 85 E1
Vix (85) 107 E3
Vizille (38) 145 G3
Vizos (65) 183 E6
Vocance (07) 143 G2
Vodable (63) 127 F5
Voegtlinshoffen (68) 71 F5
Voelfling-lès-Bouzonville (57) 27 E4
Vœllerdingen (67) 50 A2
Vœuil-et-Giget (16) 122 B4
Vogelgrun (68) 71 G5
Voglans (73) 131 H4
Vogüé (07) 157 G2
Voharies (02) 22 D1
Void-Vacon (55) 47 H5
Voigny (10) 67 F3
Voilemont (51) 46 C2
Voillans (25) 88 A5
Voillecomte (52) 67 F1
Voimhaut (57) 49 E2
Voinémont (54) 69 F1
Voingt (63) 126 B3
Voinsles (77) 43 H5
Voipreux (51) 45 F3
Voires (25) 103 H2
Voiron (38) 145 F1
Voiscreville (27) 18 A5
Voise (28) 62 C2
Voisenon (77) 43 F6
Voisey (52) 86 D1
Voisines (52) 86 A1
Voisines (89) 65 E3
Voisins-le-Bretonneux (78) 42 B5
Voissant (38) 131 G5
Voissay (17) 121 F1
Voiteur (39) 102 D5
la Voivre (70) 88 A1
la Voivre (88) 70 C2
les Voivres (88) 69 G5
Voivres-lès-le-Mans (72) 60 A6
Volckerinckhove (59) 2 B3
Volesvres (71) 115 F2
Volgelsheim (68) 71 G5
Volgré (89) 83 E1
Volksberg (67) 50 B2
Vollore-Montagne (63) 128 B3
Vollore-Ville (63) 128 A3
Volmerange-lès-Boulay (57) 26 D5
Volmerange-les-Mines (57) 26 B2
Volmunster (57) 28 B5
Volnay (21) 101 G3
Volnay (72) 60 C6
Volon (70) 86 D3
Volonne (04) 160 B6
Volpajola (2B) 203 F5
Volstroff (57) 26 C3
Volvent (26) 159 E2
Volvic (63) 127 E2
Volx (04) 176 D3
Vomécourt (88) 70 B2
Vomécourt-sur-Madon (88) 69 G2
Voncourt (52) 86 D2
Voncq (08) 24 A4
Vonges (21) 86 B6
Vongnes (01) 131 G2
Vonnas (01) 116 C4
Voray-sur-l'Ognon (70) 87 F6
Voreppe (38) 145 F1
Vorey (43) 142 C2
Vorges (02) 22 C4
Vorges-les-Pins (25) 103 F2
Vorly (18) 97 H4
Vornay (18) 98 A4
Vosbles (39) 117 F3
Vosne-Romanée (21) 101 H2
Vosnon (10) 65 H5
Vou (37) 95 F2
Vouarces (51) 45 E6
Voudenay (21) 100 D2
Voué (10) 66 B2
Vouécourt (52) 67 H3
Vougécourt (70) 69 F6
Vougeot (21) 101 H2
Vougrey (10) 66 C5
Vougy (42) 115 E6
Vougy (74) 119 E6
Vouharte (16) 122 B2
Vouhé (17) 107 E5
Vouhé (79) 108 A1
Vouhenans (70) 88 A3
Vouillé (79) 107 H3
Vouillé (86) 94 A6
Vouillé-les-Marais (85) 107 E3
Vouillers (51) 46 C5
Vouillon (36) 96 D5
Vouilly (14) 13 F5
Voujeaucourt (25) 88 C4
Voulaines-les-Templiers (21) 85 F2
Voulangis (77) 43 G4
Voulême (86) 108 D5
Voulgézac (16) 122 B5
Voulon (86) 108 D3
Voulpaix (02) 9 H6
la Voulte-sur-Rhône (07) 144 A6
Voultegon (79) 93 E3
Voulton (77) 44 B6
Voulx (77) 64 C3
Vouneuil-sous-Biard (86) 109 E1
Vouneuil-sur-Vienne (86) 94 D6
Vourey (38) 145 F1
Vourles (69) 130 A4
Voussac (03) 113 F4
Voutenay-sur-Cure (89) 83 H4
Voutezac (19) 138 C1
Vouthon (16) 122 D4
Vouthon-Bas (55) 68 C1
Vouthon-Haut (55) 68 C1
Voutré (53) 59 F4
Vouvant (85) 107 F1
Vouvray (37) 79 E5
Vouvray-sur-Huisne (72) 60 D5
Vouvray-sur-Loir (72) 78 C3
Vouxey (88) 69 E2
Vouzailles (86) 94 A6
Vouzan (16) 122 D4
Vouzeron (18) 97 F1
Vouziers (08) 24 A4
Vouzon (41) 81 E3
Vouzy (51) 45 F3
Voves (28) 62 B3
Vovray-en-Bornes (74) 118 C6
Voyenne (02) 22 C2
Voyennes (80) 21 G1
Voyer (57) 50 A5
la Vraie-Croix (56) 55 H6
Vraignes-en-Vermandois (80) 8 D6
Vraignes-lès-Hornoy (80) 19 H1
Vraincourt (52) 67 H3
Vraiville (27) 18 C6
Vraux (51) 45 G2
Vrécourt (88) 68 D4
Vred (59) 8 D1
Vregille (70) 87 E6
Vregny (02) 22 B5
Vrély (80) 21 E1
le Vrétot (50) 12 B3
Vriange (39) 102 D1
Vrigne-aux-Bois (08) 24 B1
Vrigne-Meuse (08) 24 B2
Vrigny (45) 63 F5
Vrigny (51) 23 E6
Vrigny (61) 39 E5
Vritz (44) 76 A3
Vrizy (08) 24 A4
Vrocourt (60) 19 H3
Vroil (51) 46 D4
Vron (80) 6 D2
Vroncourt (54) 69 F1
Vroncourt-la-Côte (52) 68 C4
Vroville (88) 69 G3
Vry (57) 26 C5
Vue (44) 74 B5
Vuillafans (25) 103 H2
Vuillecin (25) 104 A3
Vuillery (02) 22 A4
Vulaines (10) 65 G4
Vulaines-lès-Provins (77) 64 D1
Vulaines-sur-Seine (77) 64 B2
Vulbens (74) 118 A5
Vulmont (57) 48 D3
Vulvoz (39) 117 H3
Vy-le-Ferroux (70) 87 F3
Vy-lès-Filain (70) 87 G4
Vy-lès-Lure (70) 88 A3
Vy-lès-Rupt (70) 87 E3
Vyans-le-Val (70) 88 C4
Vyt-lès-Belvoir (25) 88 B5

W

Waben (62) 6 C1
Wacquemoulin (60) 21 E4
Wacquinghen (62) 1 F3
Wadelincourt (08) 24 C2
Wagnon (08) 23 H2
Wahagnies (59) 3 F6
Wahlbach (68) 89 F3
Wahlenheim (67) 51 E4
Wail (62) 7 F2
Wailly (62) 8 B3
Wailly-Beaucamp (62) 6 D1
Walbach (68) 71 E5
Walbourg (67) 51 E3
la Walck (67) 50 D3
Waldersbach (67) 71 E1
Waldhambach (67) 50 B2
Waldhouse (57) 28 B5
Waldighofen (68) 89 F3
Waldolwisheim (67) 50 C4
Waldweistroff (57) 26 D3
Waldwisse (57) 26 D2
Walheim (68) 89 F3
Walincourt-Selvigny (59) 9 E4
Wallers (59) 9 E1
Wallers-en-Fagne (59) 10 B4
Wallon-Cappel (59) 2 C4
Walschbronn (57) 28 B5
Walscheid (57) 50 A5
Waltembourg (57) 50 B4
Waltenheim (68) 89 G2
Waltenheim-sur-Zorn (67) 50 D4
Waly (55) 47 E2
Wambaix (59) 9 E4
Wambercourt (62) 7 E1
Wambez (60) 19 H3
Wambrechies (59) 3 F4
Wamin (62) 7 E1
Wanchy-Capval (76) 6 A6
Wancourt (62) 8 B3
Wandignies-Hamage (59) 9 E1
Wangen (67) 50 C5
Wangenbourg-Engenthal (67) 50 B5
Wannehain (59) 3 G5
Wanquetin (62) 8 A2
la Wantzenau (67) 51 F5
Warcq (08) 24 A1
Warcq (55) 25 G6
Wardrecques (62) 2 B4
Wargemoulin-Hurlus (51) 46 B1
Wargnies (80) 7 G5
Wargnies-le-Grand (59) 9 G2
Wargnies-le-Petit (59) 9 G2
Warhem (59) 2 C2
Warlaing (59) 9 E1
Warlencourt-Eaucourt (62) 8 B4
Warlincourt-lès-Pas (62) 7 H3
Warloy-Baillon (80) 7 H5
Warluis (60) 20 B5
Warlus (62) 8 A2
Warlus (80) 7 E6
Warluzel (62) 7 H3
Warmeriville (51) 23 F5
Warnécourt (08) 24 A1
Warneton (59) 3 F4
Warsy (80) 21 E2
Warvillers (80) 21 E1
Wasigny (08) 23 G2
Wasnes-au-Bac (59) 9 E2
Wasquehal (59) 3 G5
Wasselonne (67) 50 C5
Wasserbourg (68) 71 E5
Wassigny (02) 9 G5
Wassy (52) 67 G1
le Wast (62) 1 G4
Watigny (02) 10 B6
Watronville (55) 47 G1
Watten (59) 2 A3
Wattignies (59) 3 F5
Wattignies-la-Victoire (59) 10 A3
Wattrelos (59) 3 G4
Wattwiller (68) 89 E1
Wavignies (60) 20 C3
Waville (54) 26 A6
Wavrans-sur-l'Aa (62) 2 A4
Wavrans-sur-Ternoise (62) 7 G1
Wavrechain-sous-Denain (59) 9 F2
Wavrechain-sous-Faulx (59) 9 E2
Wavrille (55) 25 E5
Wavrin (59) 3 F5
Waziers (59) 8 D1
Weckolsheim (68) 71 G5
Wegscheid (68) 88 D1
Weinbourg (67) 50 C3
Weislingen (67) 50 B3
Weitbruch (67) 51 E4
Weiterswiller (67) 50 C3
Welles-Pérennes (60) 20 D3
Wemaers-Cappel (59) 2 C3
Wentzwiller (68) 89 G3
Werentzhouse (68) 89 F4
Wervicq-Sud (59) 3 F4
West-Cappel (59) 2 C2
Westhalten (68) 71 F5
Westhoffen (67) 50 C5
Westhouse (67) 71 G1
Westhouse-Marmoutier (67) 50 C5
Westrehem (62) 2 B6
Wettolsheim (68) 71 F5
Weyer (67) 50 A3
Weyersheim (67) 51 E4
Wickerschwihr (68) 71 G4
Wickersheim-Wilshausen (67) 50 D4
Wicquinghem (62) 1 H5
Wicres (59) 3 E5
Widehem (62) 1 F5
Widensolen (68) 71 G4
Wiège-Faty (02) 9 G6
Wiencourt-l'Équipée (80) 8 A6
Wierre-au-Bois (62) 1 F5
Wierre-Effroy (62) 1 F4
Wiesviller (57) 27 H5
Wignehies (59) 10 A5
Wignicourt (08) 24 A3
Wihr-au-Val (68) 71 E5
Wildenstein (68) 70 D5
Wildersbach (67) 71 E1
Willeman (62) 7 F2
Willems (59) 3 G5
Willencourt (62) 7 F3
Willer (68) 89 F3
Willer-sur-Thur (68) 89 E1
Willeroncourt (55) 47 F5
Willerval (62) 8 B2
Willerwald (57) 49 H2
Willgottheim (67) 50 D5
Williers (08) 25 E2
Willies (59) 10 B4
Wilwisheim (67) 50 D4
Wimereux (62) 1 F4
Wimille (62) 1 F4
Wimmenau (67) 50 C3
Wimy (02) 10 A5
Windstein (67) 28 D6
Wingen (67) 51 E1
Wingen-sur-Moder (67) 50 C2
Wingersheim (67) 50 D4
Wingles (62) 3 E6
Winkel (68) 89 F4
Winnezeele (59) 2 C3
Wintersbourg (57) 50 B4
Wintershouse (67) 51 E4
Wintzenbach (67) 51 G2
Wintzenheim (68) 71 F4
Wintzenheim-Kochersberg (67) 50 D5
Wirwignes (62) 1 F4
Wiry-au-Mont (80) 6 D5
Wisches (67) 50 B6
Wisembach (88) 71 E3
Wiseppe (55) 24 D4
Wismes (62) 1 H5
Wisques (62) 2 A4
Wissant (62) 1 F3
Wissembourg (67) 51 F1
Wissignicourt (02) 22 B3
Wissous (91) 42 D5
Witry-lès-Reims (51) 23 F5
Wittelsheim (68) 89 F1
Wittenheim (68) 89 F1
Witternesse (62) 2 B5
Witternheim (67) 71 H2
Wittersdorf (68) 89 F3
Wittersheim (67) 50 D4
Wittes (62) 2 B5
Wittisheim (67) 71 G3
Wittring (57) 50 A1
Wiwersheim (67) 50 D5
Wizernes (62) 2 A4
Woël (55) 47 H2
Woelfling-lès-Sarreguemines (57) 28 A5
Wœrth (67) 51 E2
Woignarue (80) 6 B4
Woimbey (55) 47 G2
Woincourt (80) 6 B4
Woippy (57) 26 B5
Woirel (80) 6 D5
Wolfersdorf (68) 89 E3
Wolfgantzen (68) 71 G5
Wolfisheim (67) 51 E5
Wolfskirchen (67) 50 A3
Wolschheim (67) 50 C4
Wolschwiller (68) 89 G4
Wolxheim (67) 50 D6
Wormhout (59) 2 C3
Woustviller (57) 49 H1
Wuenheim (68) 71 E6
Wuisse (57) 49 F3
Wulverdinghe (59) 2 B3
Wy-Dit-Joli-Village (95) 42 A1
Wylder (59) 2 C2

X

Xaffévillers (88) 70 A2
Xaintrailles (47) 150 C5
Xaintray (79) 107 H2
Xambes (16) 122 B2
Xammes (54) 48 A2
Xamontarupt (88) 70 B4
Xanrey (57) 49 F4
Xanton-Chassenon (85) 107 F2
Xaronval (88) 69 G2
Xermaménil (54) 49 E6
Xertigny (88) 69 H5
Xeuilley (54) 48 C6
Xirocourt (54) 69 G2
Xivray-et-Marvoisin (55) 48 A3
Xivry-Circourt (54) 25 H5
Xocourt (57) 48 D3
Xonrupt-Longemer (88) 70 D4
Xonville (54) 48 A2
Xouaxange (57) 49 H5
Xousse (54) 49 G5
Xures (54) 49 F5

Y

Y (80) 21 G1
Yainville (76) 17 F6
Yaucourt-Bussus (80) 7 E4
Ychoux (40) 148 C4
Ydes (15) 140 A1
Yébleron (76) 16 D4
Yèbles (77) 43 F6
Yenne (73) 131 G3
Yermenonville (28) 62 B1
Yerres (91) 43 E5
Yerville (76) 17 F4
Yèvre-la-Ville (45) 63 G4
Yèvres (28) 61 H4
Yèvres-le-Petit (10) 66 D1
Yffiniac (22) 33 H5
Ygos-Saint-Saturnin (40) 165 G1
Ygrande (03) 113 F2
Ymare (76) 18 D5
Ymeray (28) 62 C1
Ymonville (28) 62 C3
Yolet (15) 140 B5
Yoncq (08) 24 C3
Yonval (80) 6 D4
Youx (63) 113 E5
Yport (76) 16 C3
Ypreville-Biville (76) 16 D4
Yquebeuf (76) 17 H5
Yquelon (50) 35 G2
Yronde-et-Buron (63) 127 G4
Yrouerre (89) 84 A2
Yssac-la-Tourette (63) 127 F2
Yssandon (19) 138 B2
Yssingeaux (43) 142 D3
Ytrac (15) 140 A5
Ytres (62) 8 C4
Yutz (57) 26 B3
Yvecrique (76) 17 E4
Yvernaumont (08) 24 A2
Yversay (86) 94 B6
Yves (17) 106 D6
les Yveteaux (61) 38 D5
Yvetot (76) 17 E4
Yvetot-Bocage (50) 12 D3
Yvias (22) 33 F2
Yviers (16) 136 A1
Yvignac-la-Tour (22) 34 C6
Yville-sur-Seine (76) 17 F6
Yvoire (74) 118 D3
Yvoy-le-Marron (41) 80 D3
Yvrac (33) 135 F5
Yvrac-et-Malleyrand (16) 122 D3
Yvrandes (61) 38 A4
Yvré-le-Pôlin (72) 78 A1
Yvré-l'Évêque (72) 60 B5
Yvrench (80) 7 E3
Yvrencheux (80) 7 E3
Yzengremer (80) 6 B4
Yzernay (49) 92 D3
Yzeron (69) 129 G3
Yzeure (03) 113 H2
Yzeures-sur-Creuse (37) 95 F5
Yzeux (80) 7 F5
Yzosse (40) 165 E4

Z

Zaessingue (68) 89 F3
Zalana (2B) 205 G2
Zarbeling (57) 49 F3
Zegerscappel (59) 2 B3
Zehnacker (67) 50 C5
Zeinheim (67) 50 C5
Zellenberg (68) 71 F4
Zellwiller (67) 71 G1
Zermezeele (59) 2 C3
Zérubia (2A) 207 E2
Zetting (57) 27 H5
Zévaco (2A) 205 E6
Zicavo (2A) 205 E6
Zigliara (2A) 204 D6
Zilia (2B) 202 C6
Zilling (57) 50 B4
Zillisheim (68) 89 F2
Zimmerbach (68) 71 E4
Zimmersheim (68) 89 F2
Zimming (57) 49 F1
Zincourt (88) 69 H3
Zinswiller (67) 50 D2
Zittersheim (67) 50 C3
Zœbersdorf (67) 50 D4
Zommange (57) 49 G4
Zonza (2A) 207 F2
Zoteux (62) 1 G5
Zouafques (62) 1 H3
Zoufftgen (57) 26 B2
Zoza (2A) 207 E2
Zuani (2B) 205 G2
Zudausques (62) 2 A4
Zutkerque (62) 1 H3
Zuydcoote (59) 2 C1
Zuytpeene (59) 2 C3

France administrative (F)

(NL) Overzicht departementen
(D) Departementskarte
(GB) Département map
Mapa departamental (E)
Carta dipartimentale (I)

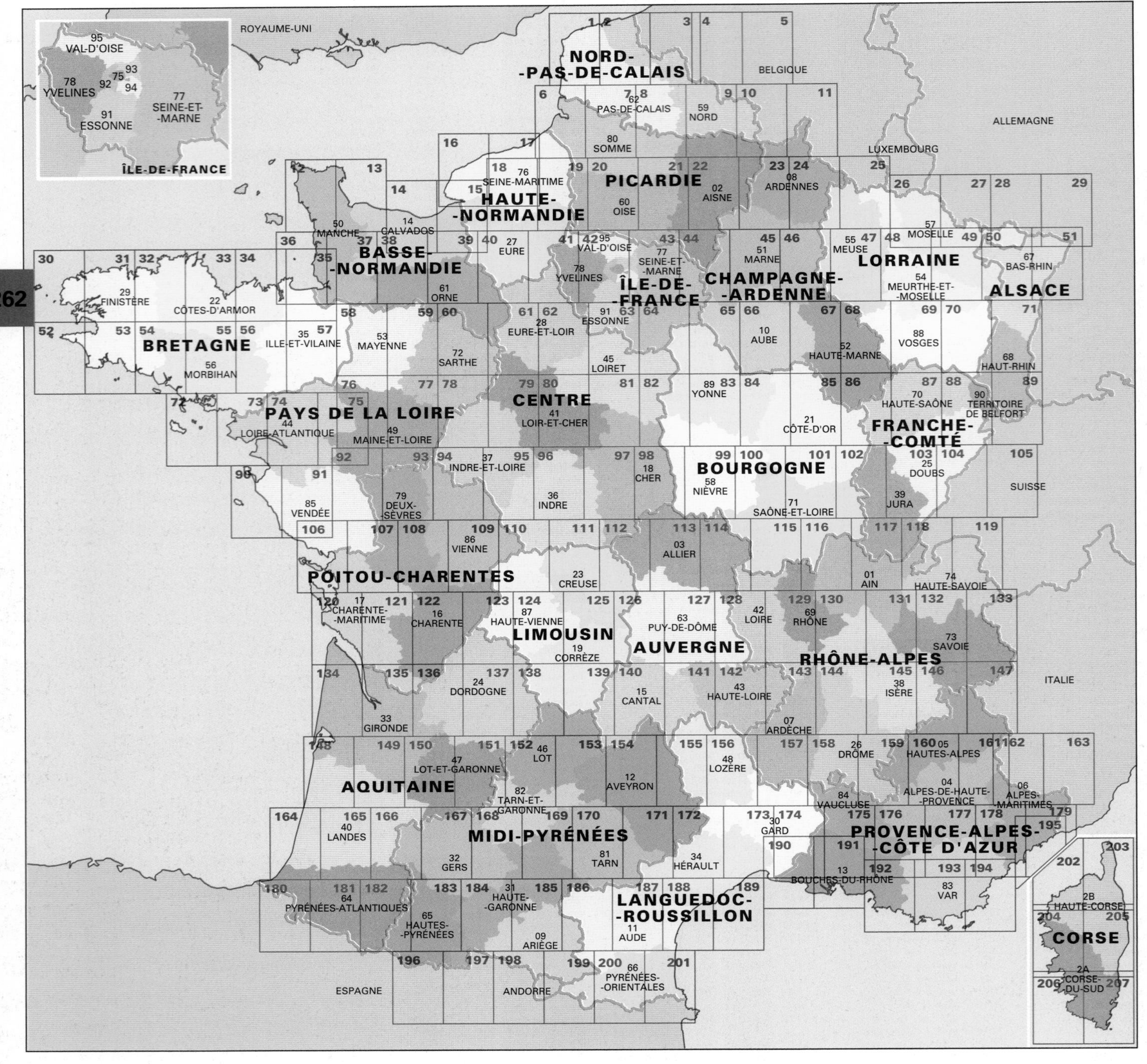

01 Ain
02 Aisne
03 Allier
04 Alpes-de-Haute-Provence
05 Hautes-Alpes
06 Alpes-Maritimes
07 Ardèche
08 Ardennes
09 Ariège
10 Aube
11 Aude
12 Aveyron
13 Bouches-du-Rhône
14 Calvados
15 Cantal
16 Charente
17 Charente-Maritime
18 Cher
19 Corrèze
2A Corse-du-Sud
2B Haute-Corse
21 Côte-d'Or
22 Côtes-d'Armor
23 Creuse
24 Dordogne
25 Doubs
26 Drôme
27 Eure
28 Eure-et-Loir
29 Finistère
30 Gard
31 Haute-Garonne
32 Gers
33 Gironde
34 Hérault
35 Ille-et-Vilaine
36 Indre
37 Indre-et-Loire
38 Isère
39 Jura
40 Landes
41 Loir-et-Cher
42 Loire
43 Haute-Loire
44 Loire-Atlantique
45 Loiret
46 Lot
47 Lot-et-Garonne
48 Lozère
49 Maine-et-Loire
50 Manche
51 Marne
52 Haute-Marne
53 Mayenne
54 Meurthe-et-Moselle
55 Meuse
56 Morbihan
57 Moselle
58 Nièvre
59 Nord
60 Oise
61 Orne
62 Pas-de-Calais
63 Puy-de-Dôme
64 Pyrénées-Atlantiques
65 Hautes-Pyrénées
66 Pyrénées-Orientales
67 Bas-Rhin
68 Haut-Rhin
69 Rhône
70 Haute-Saône
71 Saône-et-Loire
72 Sarthe
73 Savoie
74 Haute-Savoie
75 Paris
76 Seine-Maritime
77 Seine-et-Marne
78 Yvelines
79 Deux-Sèvres
80 Somme
81 Tarn
82 Tarn-et-Garonne
83 Var
84 Vaucluse
85 Vendée
86 Vienne
87 Haute-Vienne
88 Vosges
89 Yonne
90 Territoire de Belfort
91 Essonne
92 Hauts-de-Seine
93 Seine-Saint-Denis
94 Val-de-Marne
95 Val-d'Oise

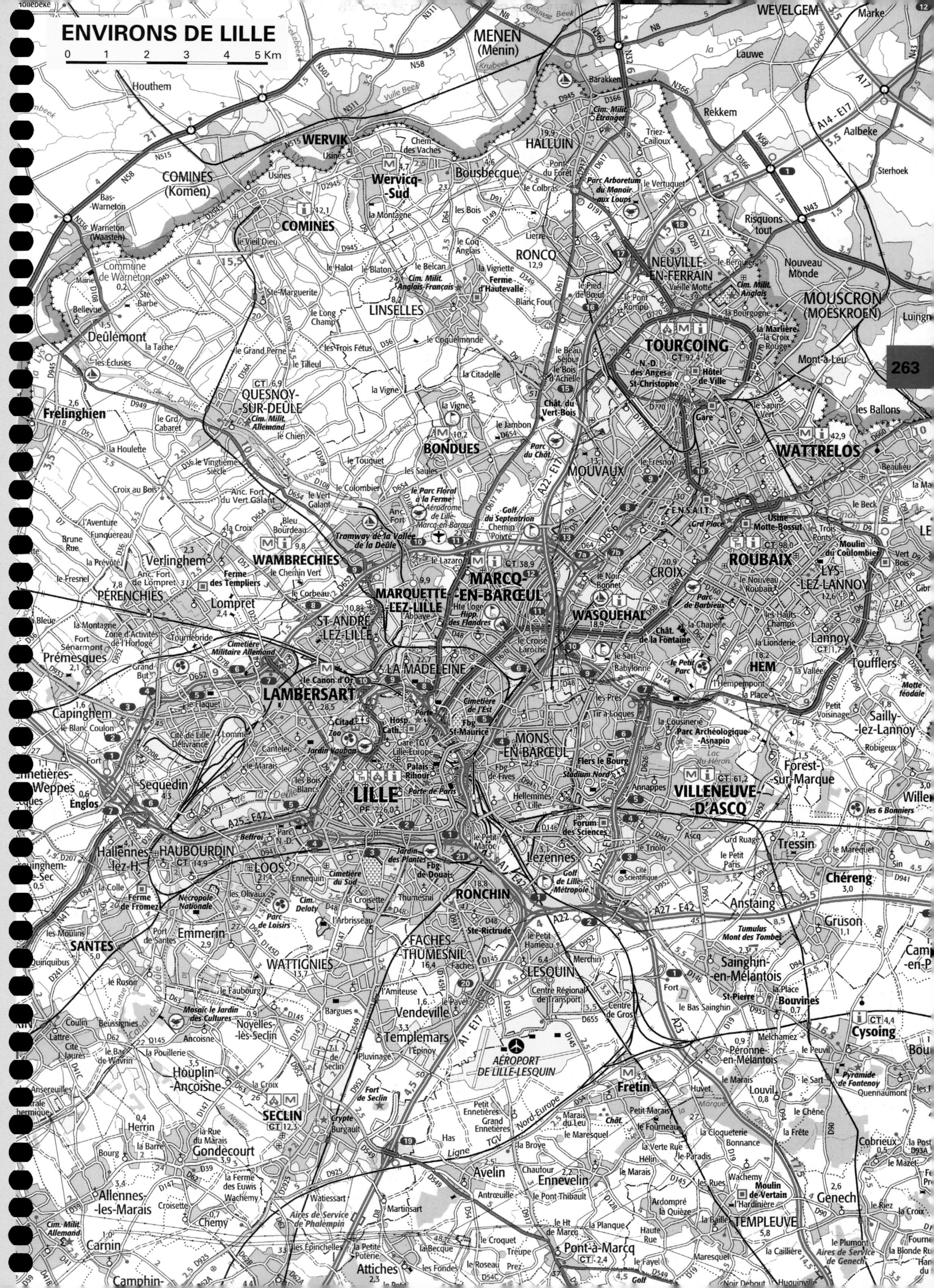

ENVIRONS DE LILLE
0 1 2 3 4 5 Km
263
MENEN (Menin)
WEVELGEM
Marke
Lauwe
Rekkem
Aalbeke
Sterhoek
Houthem
WERVIK
COMINES (Komen)
Bas-Warneton
Warneton (Waasten)
Commune de Warneton
Wervicq-Sud
Bousbecque
HALLUIN
Barakken
RONCO
NEUVILLE-EN-FERRAIN
Risquons-tout
Nouveau Monde
MOUSCRON (MOESKROEN)
Luingne
Mont-à-Leu
TOURCOING
Hôtel de Ville
N.-D. des Anges
St-Christophe
Gare
les Ballons
WATTRELOS
Beaulieu
LINSELLES
Deûlémont
Frelinghien
QUESNOY-SUR-DEÛLE
BONDUES
MOUVAUX
Parc du Chât.
Golf du Septentrion
Aérodrome de Lille-Marcq-en-Barœul
WAMBRECHIES
Verlinghem
PÉRENCHIES
Lompret
Ferme des Templiers
MARQUETTE-LEZ-LILLE
MARCQ-EN-BARŒUL
ST-ANDRÉ-LEZ-LILLE
CROIX
ROUBAIX
WASQUEHAL
LYS-LEZ-LANNOY
Lannoy
Toufflers
HEM
Prémesques
Capinghem
LAMBERSART
LA MADELEINE
Cimetière Militaire Allemand
Lomme
Sequedin
Englos
LILLE
Porte de Paris
Palais Rihour
Citad.
Zoo
Jardin Vauban
Gare TGV Lille-Europe
MONS-EN-BARŒUL
Flers le Bourg
Stadium Nord
Hellemmes-Lille
VILLENEUVE-D'ASCQ
Parc Archéologique Asnapio
Forest-sur-Marque
Sailly-lez-Lannoy
Willems
les 6 Bonniers
Tressin
Chéreng
Gruson
Anstaing
Hallennes-lez-H.
HAUBOURDIN
LOOS
Lezennes
RONCHIN
Forum des Sciences
Golf de Lille-Métropole
SANTES
Emmerin
WATTIGNIES
FACHES-THUMESNIL
LESQUIN
Sainghin-en-Mélantois
Bouvines
Cysoing
Vendeville
Templemars
Noyelles-lès-Seclin
Houplin-Ancoisne
SECLIN
AÉROPORT DE LILLE-LESQUIN
Fretin
Péronne-en-Mélantois
Louvil
Herrin
Gondecourt
Avelin
Ennevelin
Allennes-les-Marais
Chemy
Carnin
Attiches
Pont-à-Marcq
TEMPLEUVE
Genech
Cobrieux
Camphin-

ENVIRONS DE PARIS
0 1 2 3 4 5 Km
264
PONTOISE
MÉRY-SUR-OISE
Butry-s.-Oise
Mériel
Mafliers
Montsoult
Villiers-Adam
Baillet-en-France
Béthemont-la-Forêt
Chauvry
Attainville
Moisselles
Frépillon
ST-OUEN-L'AUMÔNE
BESSANCOURT
BOUFFEMONT
ÉZANVILLE
DOMONT
PIERRELAYE
TAVERNY
ST-LEU-LA-FORÊT
ÉRAGNY
BEAUCHAMP
ST-PRIX
Montlignon
Forêt Dom. de Montmorency
CONFLANS-STE-HONORINE
MONTIGNY-LES-CORMEILLES
LE PLESSIS-BOUCHARD
Andilly
Margency
MONTMORENCY
ST-BRICE-SOUS-FORÊT
HERBLAY
FRANCONVILLE
ERMONT
EAUBONNE
SOISY-SOUS-M.
GROSLAY
DEUIL-LA-BARRE
SANNOIS
CORMEILLES-EN-PARISIS
ST-GRATIEN
ENGHIEN-LES-BAINS
MONTMAGNY
VILLETANEUSE
La Frette-sur-Seine
Forêt Dom. de St-Germain-en-Laye
MAISONS-LAFFITTE
ARGENTEUIL
EPINAY-SUR-SEINE
PIERREFITTE-SUR-SEINE
SARTROUVILLE
VILLENEUVE-LA-GARENNE
ST-DENIS
LE MESNIL-LE-ROI
HOUILLES
BEZONS
GENNEVILLIERS
L'ÎLE-ST-DENIS
COLOMBES
BOIS-COLOMBES
ASNIÈRES-S.-S.
ST-GERMAIN-EN-LAYE
MONTESSON
CARRIÈRES-S.-S.
LA GARENNE-COLOMBES
CLICHY
ST-OUEN
AUBERVILLIERS
LE VÉSINET
CHATOU
COURBEVOIE
LEVALLOIS-PERRET
LE PECQ
NANTERRE
la Défense
PUTEAUX
NEUILLY-S.-S.
CROISSY-S.-S.
SURESNES
PARIS
MARLY-LE-ROI
BOUGIVAL
RUEIL-MALMAISON
Bois de Boulogne
LOUVECIENNES
LA CELLE-ST-CLOUD
GARCHES
ST-CLOUD
VAUCRESSON
BOULOGNE-BILLANCOURT
Rocquencourt
LE CHESNAY
Marnes-la-Coquette
VILLE-D'AVRAY
SÈVRES
ISSY-LES-M.
VANVES
VERSAILLES
CHAVILLE
MEUDON
CLAMART
MALAKOFF
MONTROUGE
CHÂTILLON
GENTILLY
LE KREMLIN-BICÊTRE
VILLEJUIF
ARCUEIL

Epinay-Champlâtreux
Luzarches
Golf de Plessis-Bellefontaine
Châl. de Montmélian
Enclave de Mortefontaine
Bois de St-Laurent
Jagny-sous-Bois
MARLY-LA-VILLE
Vémars
Moussy-le-Neuf
Villiers-le-Sec
Mareil-en-France
St-Léger
St-Martin
Châtenay-en-Fr.
Puiseux-en-France
Villeron
St Germain d'Auxerre
Grange des Dîmières
Le Mesnil-Aubry
Fontenay-en-Parisis
St-Aquilin
Moussy-le-Vieux
Longperrier
St-Leu-St-Gilles
Chennevières-lès-Louvres
Aire de Repos de Chennevières
Le Plessis-Gassot
GOUSSAINVILLE
LOUVRES
Notre Dame de l'Assomption
Mauregard
Villeneuve-sous-Dammartin
Epiais-lès-L.
ÉCOUEN
Bouqueval
Le Mesnil-Amelot
VILLIERS-LE-BEL
Roissy-en-France
AÉROPORT DE PARIS-CHARLES DE GAULLE
Le Thillay
Vaudherland
St Eloi
Gare TGV
SARCELLES
Golf de Gonesse
ARNOUVILLE-LÈS-G.
GONESSE
MITRY-MORY
GARGES-LÈS-G.
St-Médard
Le Petit Tremblay
Parc des Expositions de Paris Nord
Bonneuil-en-France
AÉROPORT DE PARIS-LE BOURGET
STAINS
DUGNY
VILLEPINTE
TREMBLAY-EN-FRANCE
Mitry le Neuf
LE BLANC-MESNIL
SEVRAN
VILLEPARISIS
LE BOURGET
LA COURNEUVE
VAUJOURS
AULNAY-SOUS-BOIS
DRANCY
LIVRY-GARGAN
Coubron
COURTRY
Le Pin
Villevaudé
AUBERVILLIERS
CLICHY-SOUS-BOIS
MONTFERMEIL
Aires de Service de Villevaudé
PANTIN
BOBIGNY
BONDY
NOISY-LE-SEC
LE RAINCY
CHELLES
Bois de Brou
Brou-sur-Chantereine
VILLEMOMBLE
LES LILAS
ROMAINVILLE
GAGNY
VAIRES-SUR-MARNE
BAGNOLET
NEUILLY-S.-M.
ROSNY-SOUS-BOIS
NEUILLY-PLAISANCE
MONTREUIL
FONTENAY-SOUS-BOIS
GOURNAY-SUR-MARNE
CHAMPS-S.-M.
NOISIEL
TORCY
VINCENNES
BRY-S.-M.
NOISY-LE-GRAND
ST-MANDÉ
NOGENT-S.-M.
LE PERREUX-S.-MARNE
LOGNES
CHARENTON-LE-PONT
ST-MAURICE
JOINVILLE-LE-PONT
VILLIERS-S.-M.
Croissy-Beaubou
IVRY-S.-SEINE
MAISONS-ALFORT
CHAMPIGNY-SUR-MARNE
LE PLESSIS-TRÉVISE
ÉMERAINVILLE
ALFORTVILLE
Forêt
265

266
MEUDON
CLAMART
CHÂTILLON
ARCUEIL
VILLEJUIF
VIROFLAY
VÉLIZY-VILLACOUBLAY
BAGNEUX
CACHAN
FONTENAY-AUX-ROSES
LE PLESSIS-ROBINSON
SCEAUX
BOURG-LA-REINE
L'HAY-LES-ROSES
CHEVILLY-LARUE
CHÂTENAY-MALABRY
BUC
JOUY-EN-JOSAS
BIÈVRES
Les Loges-en-Josas
Toussus-le-Noble
ANTONY
FRESNES
RUNGIS
IGNY
VERRIÈRES-LE-BUISSON
Saclay
Vauhallan
MASSY
WISSOUS
AÉROPORT DE PARIS-ORLY
Villiers-le-Bâcle
PALAISEAU
PARAY-VIEILLE-POSTE
CHILLY-MAZARIN
St-Aubin
ORSAY
BURES-SUR-YVETTE
GIF-SUR-YVETTE
Champlan
MORANGIS
VILLEBON-S.-YVETTE
LONGJUMEAU
Villejust
Saulx-les-Chartreux
SAVIGNY-SUR-ORGE
Gometz-le-Châtel
LES ULIS
Ballainvilliers
ÉPINAY-SUR-ORGE
Molières
Gometz-la-Ville
St-Jean-de-Beauregard
VIRY-CHÂTILLON
LA VILLE-DU-BOIS
VILLEMOISSON-SUR-ORGE
MORSANG-SUR-ORGE
Nozay
Villiers-s.-O.
LIMOURS
Janvry
LONGPONT-SUR-ORGE
STE-GENEVIÈVE-DES-BOIS
MONTLHÉRY
MARCOUSSIS
Forges-les-Bains
Briis-sous-Forges
LINAS
ST-MICHEL-SUR-ORGE
FLEURY-MÉROGIS
Fontenay-lès-Briis
Leuville-sur-Orge
BRÉTIGNY-SUR-ORGE
Le Plessis-Pâté
BONDOUFLE
Vaugrigneuse
Bruyères-le-Châtel
ST-GERMAIN-LÈS-A.
Ollainville
St-Maurice-Montcouronne
La Norville
ARPAJON
ÉGLY
BREUILLET
Marolles-en-Hurepoix
Vert-le-Grand
St-Chéron
Jouy
Avrainville
Leudeville
Boissy-sous-St-Yon
Vert-le-Petit
St-Vrain
Cheptainville
Sermaise
St-Sulpice-de-Favières
Torfou
Mauchamps
LARDY
Chamarande
Autodrome de Linas-Montlhéry
Bois de la Forêt

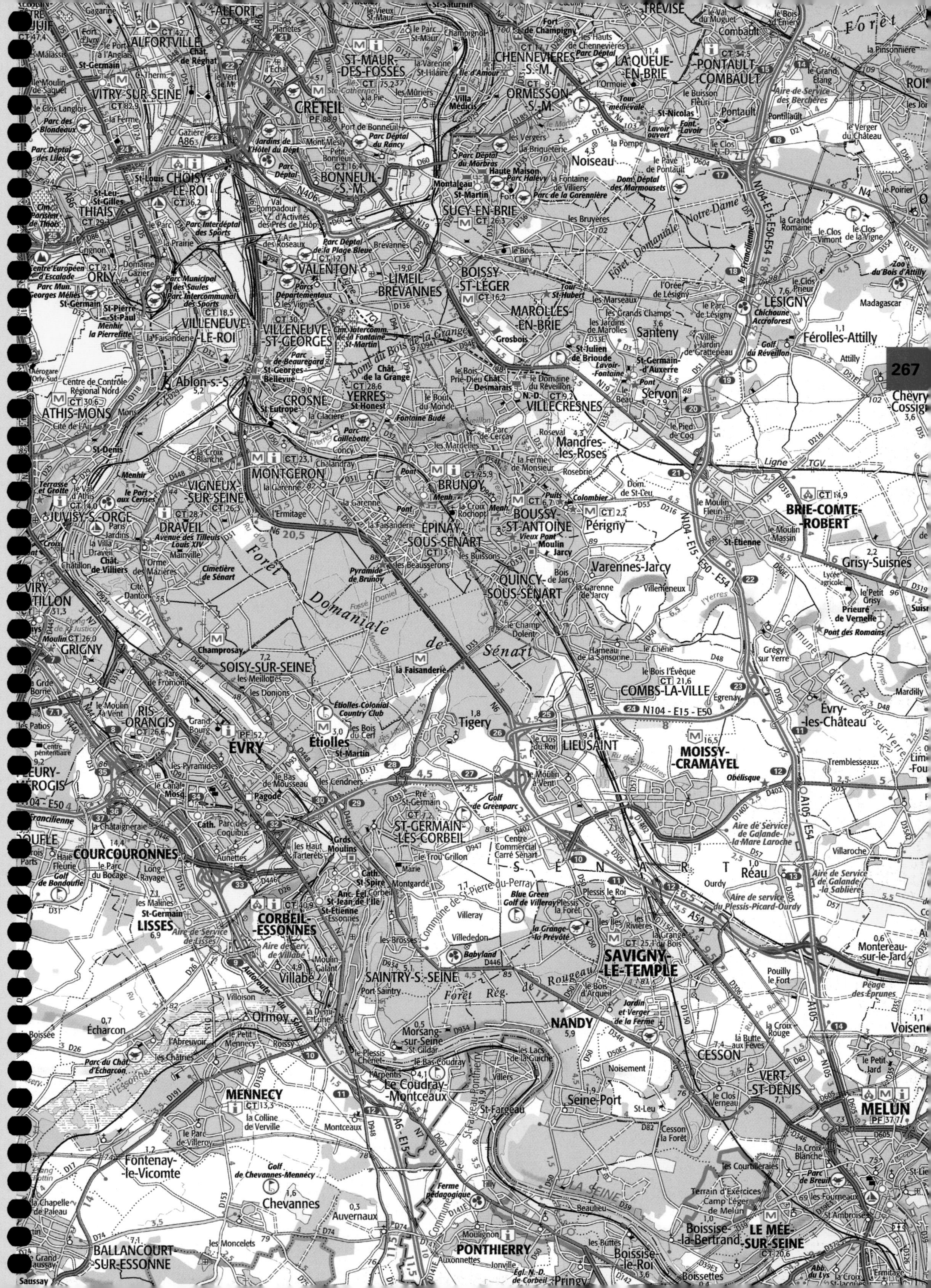

ALFORTVILLE
VITRY-SUR-SEINE
ST-MAUR-DES-FOSSÉS
CRÉTEIL
CHENNEVIÈRES-S.-M.
LA QUEUE-EN-BRIE
PONTAULT-COMBAULT
ORMESSON-S.-M.
Noiseau
BONNEUIL-S.-M.
CHOISY-LE-ROI
THIAIS
SUCY-EN-BRIE
VALENTON
LIMEIL-BRÉVANNES
BOISSY-ST-LÉGER
ORLY
MAROLLES-EN-BRIE
Santeny
LÉSIGNY
Férolles-Attilly
VILLENEUVE-LE-ROI
VILLENEUVE-ST-GEORGES
Ablon-s.-S.
YERRES
CROSNE
VILLECRESNES
Servon
267
ATHIS-MONS
Mandres-les-Roses
MONTGERON
BRUNOY
VIGNEUX-SUR-SEINE
DRAVEIL
JUVISY-S.-ORGE
BOUSSY-ST-ANTOINE
Périgny
BRIE-COMTE-ROBERT
ÉPINAY-SOUS-SÉNART
Varennes-Jarcy
Grisy-Suisnes
QUINCY-SOUS-SÉNART
Forêt Domaniale de Sénart
GRIGNY
SOISY-SUR-SEINE
COMBS-LA-VILLE
RIS-ORANGIS
ÉVRY
Étiolles
Tigery
LIEUSAINT
MOISSY-CRAMAYEL
Évry-les-Châteaux
COURCOURONNES
ST-GERMAIN-LES-CORBEIL
Réau
CORBEIL-ESSONNES
LISSES
SAVIGNY-LE-TEMPLE
Villabé
SAINTRY-S.-SEINE
Montereau-sur-le-Jard
Écharcon
Ormoy
NANDY
CESSON
VERT-ST-DENIS
MENNECY
Le Coudray-Montceaux
Seine-Port
MELUN
Fontenay-le-Vicomte
Chevannes
BALLANCOURT-SUR-ESSONNE
PONTHIERRY
Boissise-le-Roi
Boissise-la-Bertrand
LE MÉE-SUR-SEINE

PARIS

1 : 37 500

0 500 1000 1500 m

N 310 vers Cergy, Pontoise

A 14 vers Rouen, Cergy-Pontoise

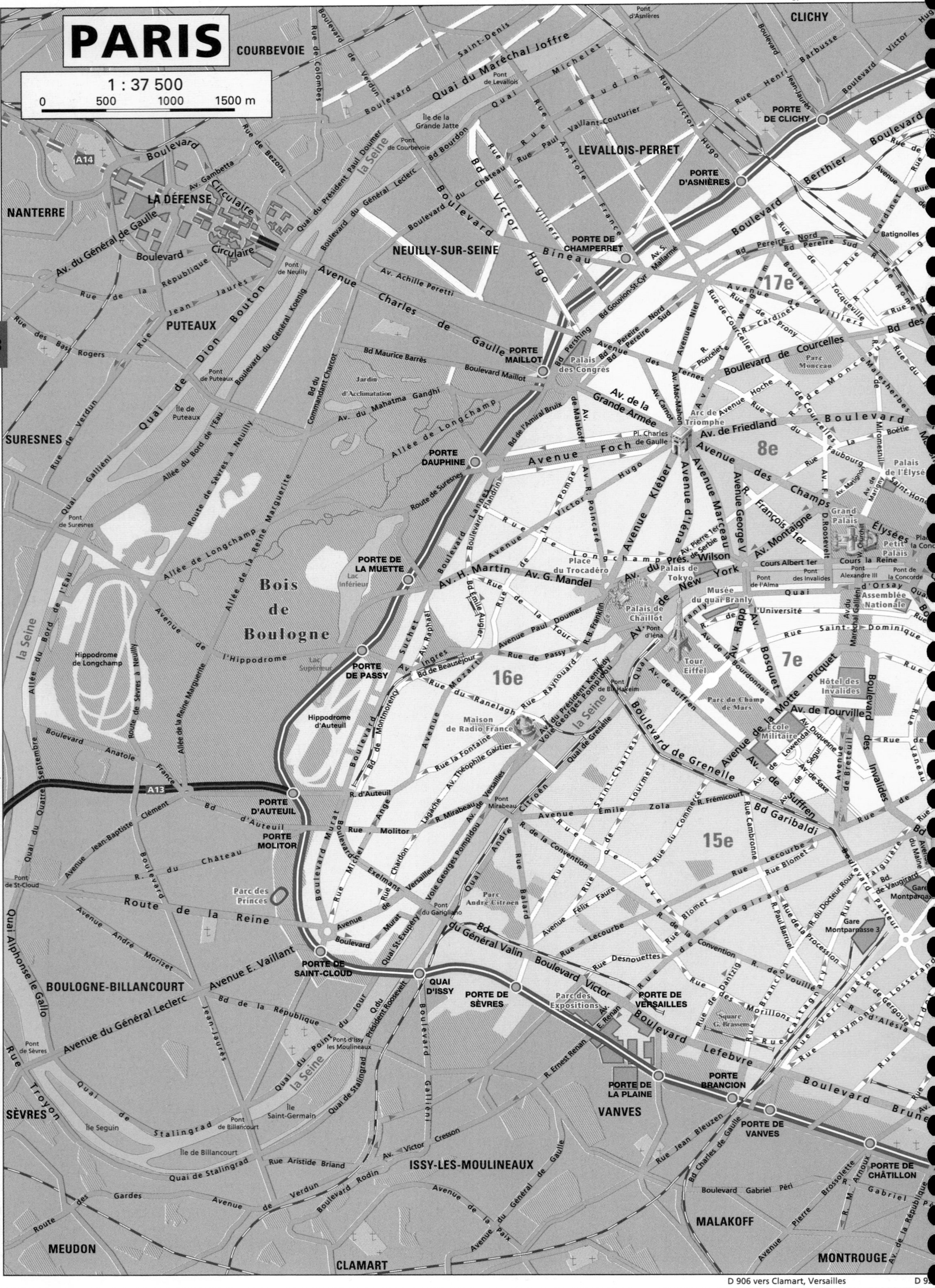

A 13 vers Rouen, Versailles

D 910 vers Versailles

D 906 vers Clamart, Versailles

COURBEVOIE
CLICHY
LEVALLOIS-PERRET
NANTERRE
LA DÉFENSE
NEUILLY-SUR-SEINE
PUTEAUX
SURESNES
Bois de Boulogne
Hippodrome de Longchamp
Hippodrome d'Auteuil
Parc des Princes
BOULOGNE-BILLANCOURT
SÈVRES
MEUDON
ISSY-LES-MOULINEAUX
CLAMART
VANVES
MALAKOFF
MONTROUGE

17e
8e
16e
7e
15e

PORTE DE CLICHY
PORTE D'ASNIÈRES
PORTE DE CHAMPERRET
PORTE MAILLOT
PORTE DAUPHINE
PORTE DE LA MUETTE
PORTE DE PASSY
PORTE D'AUTEUIL
PORTE MOLITOR
PORTE DE SAINT-CLOUD
QUAI D'ISSY
PORTE DE SÈVRES
PORTE DE VERSAILLES
PORTE DE LA PLAINE
PORTE BRANCION
PORTE DE VANVES
PORTE DE CHÂTILLON

Arc de Triomphe
Palais des Congrès
Palais de Chaillot
Tour Eiffel
Hôtel des Invalides
École Militaire
Grand Palais
Petit Palais
Assemblée Nationale
Maison de Radio France
Parc Monceau
Parc du Champ de Mars
Parc André Citroën
Parc des Expositions
Gare Montparnasse

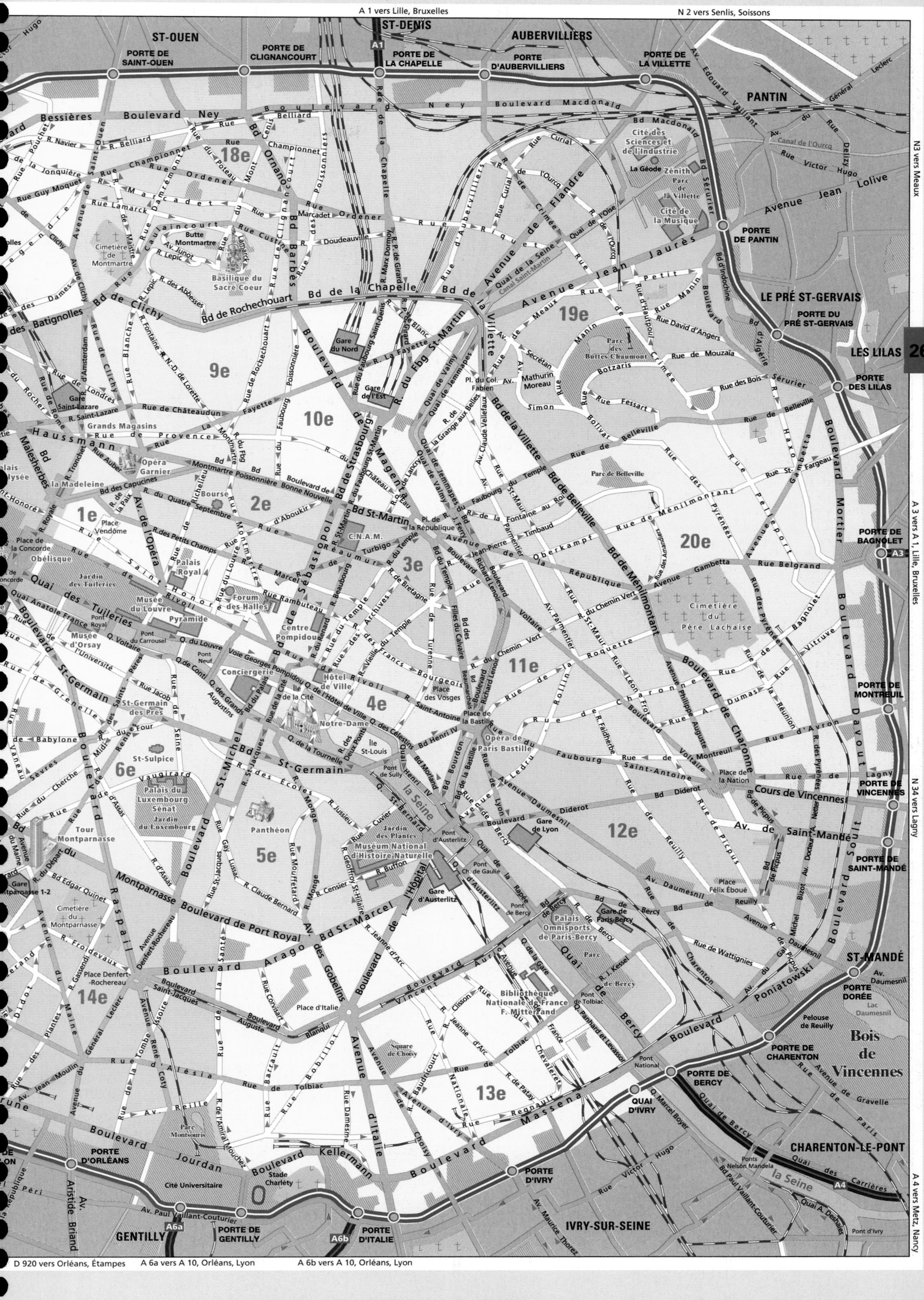

A 1 vers Lille, Bruxelles

N 2 vers Senlis, Soissons

ST-DENIS

ST-OUEN

AUBERVILLIERS

PANTIN

LES LILAS

LE PRÉ ST-GERVAIS

PORTE DE SAINT-OUEN

PORTE DE CLIGNANCOURT

PORTE DE LA CHAPELLE

PORTE D'AUBERVILLIERS

PORTE DE LA VILLETTE

PORTE DE PANTIN

PORTE DU PRÉ ST-GERVAIS

PORTE DES LILAS

PORTE DE BAGNOLET

PORTE DE MONTREUIL

PORTE DE VINCENNES

PORTE DE SAINT-MANDÉ

ST-MANDÉ

PORTE DORÉE

PORTE DE CHARENTON

PORTE DE BERCY

QUAI D'IVRY

PORTE D'IVRY

PORTE D'ITALIE

PORTE DE GENTILLY

PORTE D'ORLÉANS

GENTILLY

IVRY-SUR-SEINE

CHARENTON-LE-PONT

Bois de Vincennes

N3 vers Meaux

A 3 vers A 1, Lille, Bruxelles

N 34 vers Lagny

A 4 vers Metz, Nancy

D 920 vers Orléans, Étampes

A 6a vers A 10, Orléans, Lyon

A 6b vers A 10, Orléans, Lyon

1e 2e 3e 4e 5e 6e 9e 10e 11e 12e 13e 14e 18e 19e 20e

Cité des Sciences et de l'Industrie

La Géode

Zénith

Parc de la Villette

Cité de la Musique

Parc des Buttes Chaumont

Parc de Belleville

Cimetière du Père Lachaise

Butte Montmartre

Basilique du Sacré Coeur

Cimetière de Montmartre

Gare du Nord

Gare de l'Est

Gare Saint-Lazare

Grands Magasins

Opéra Garnier

la Madeleine

Bourse

Place Vendôme

Place de la Concorde

Obélisque

Jardin des Tuileries

Musée du Louvre

Pyramide

Palais Royal

Forum des Halles

Centre Pompidou

C.N.A.M.

Pl. de la République

Hôtel de Ville

Conciergerie

Île de la Cité

Notre-Dame

Île St-Louis

Place des Vosges

Place de la Bastille

Opéra de Paris Bastille

Musée d'Orsay

St-Germain des Prés

St-Sulpice

Palais du Luxembourg Sénat

Jardin du Luxembourg

Tour Montparnasse

Gare Montparnasse 1-2

Cimetière du Montparnasse

Panthéon

Jardin des Plantes

Muséum National d'Histoire Naturelle

Gare d'Austerlitz

Gare de Lyon

Place de la Nation

Place Félix Éboué

Palais Omnisports de Paris-Bercy

Gare de Paris-Bercy

Parc de Bercy

Bibliothèque Nationale de France F. Mitterrand

Place d'Italie

Square de Choisy

Place Denfert-Rochereau

Parc Montsouris

Cité Universitaire

Stade Charléty

Pelouse de Reuilly

Lac Daumesnil

la Seine

ENVIRONS DE LYON
0 1 2 3 4 5 Km
270
Chasselay
Neuville-sur-Saône
Poleymieux-au-Mont-d'Or
Albigny-sur-Saône
Fleurieu-sur-Saône
Cailloux-sur-Fontaines
Lissieu
Couzon-au-Mont-d'Or
Fontaines-St-Martin
Massif du Mont d'Or
Lozanne
Civrieux-d'Azergues
Rochetaillée-sur-Saône
Sathonay-Village
Fleurieux-sur-l'Arbresle
Dommartin
Limonest
Fontaines-sur-Saône
St-Romain-au-Mont-d'Or
Rillieux-la-Pape
Sathonay-Camp
Collonges-au-Mont-d'Or
Lentilly
St-Didier-au-Mont-d'Or
St-Cyr-au-Mont-d'Or
Caluire-et-Cuire
Sourcieux-les-Mines
La Tour-de-Salvagny
Dardilly
Champagne-au-Mont-d'Or
Marcy-l'Étoile
Charbonnières-les-Bains
Écully
Villeurbanne
Ste-Consorce
St-Genis-les-Ollières
Pollionnay
Tassin-la-Demi-Lune
Lyon
Grézieu-la-Varenne
Vaugneray
Craponne
Francheville
Ste-Foy-lès-Lyon
Brindas
La Mulatière
Chaponost
Oullins
St-Fons
St-Laurent-de-Vaux
Messimy
Pierre-Bénite
Vénissieux
St-Genis-Laval
Thurins
Soucieu-en-Jarrest
Brignais
Irigny
Feyzin
Rontalon
Orliénas
Vourles
Corbas
Vernaison
Charly
St-Laurent-d'Agny
Taluyers
Solaize
Chaussan
Montagny
Millery
St-Symphorien-d'Ozon
Mornant
Sérezin-du-Rhône
Simandres
St-Sorlin
Grigny
Chassagny
Ternay
Communay
St-Andéol-le-Château
Givors
Chuzelles

271
MONTLUEL
Dagneux
Bressolles
Balan
Camp de la
La Boisse
Beynost
St-Maurice-de-Beynost
MIRIBEL
Neyron
Sathonay-Village
Cailloux-sur-Fontaines
RILLIEUX-LA-PAPE
Thil
Niévroz
Jons
Villette-d'Anthon
JONAGE
Grand Parc de Miribel-Jonage
Plan d'Eau du Grand Large
VAULX-EN-VELIN
MEYZIEU
DÉCINES-CHARPIEU
Janneyrias
Pusignan
CHASSIEU
BRON
GENAS
CHARVIEU-CHAVAGNEUX
AÉROPORT DE LYON-ST-EXUPÉRY
Colombier-Saugnieu
ST-PRIEST
ST-BONNET-DE-MURE
Satolas-et-Bonce
VÉNISSIEUX
St-Laurent-de-Mure
Grenay
CORBAS
MIONS
Toussieu
St-Pierre-de-Chandieu
LA VERPILLIÈRE
Chaponnay
Heyrieux
ST-QUENTIN-FALLAVIER
Simandres
Marennes
Valencin
VILLEFONTAINE
Bonnefamille
Villette-de-Vienne
Luzinay
St-Just-Chaleyssin
Chuzelles
Diémoz

ENVIRONS
DE MARSEILLE
0 1 2 3 4 5 Km
272
GARDANNE
CABRIÈS
SIMIANE-COLLONGUE
Mimet
LES PENNES-MIRABEAU
SEPTÈMES-LES-VALLONS
CHAÎNE DE L'ÉTOILE
Pilon du Roi
PLAN-DE-CUQUES
MARSEILLE
ALLAUCH
LA PENNE-SUR-HUVEAUNE
CASSIS
RADE DE MARSEILLE
Anse de l'Estaque
Port de Corbière
l'Estaque
Phare Ste-Marie
Fort St-Jean
Jardin du Pharo
Fort St-Nicolas
N.-D. de la Garde
Île Ratonneau
Fort Ratonneau
Château d'If
Port du Frioul
Île Pomègues
Îles du Frioul
Cap Caveaux
Stade Vélodrome
Cité Le Corbusier
Parc Borély
Hipp. Borély-Marseille
Montredon
Marseilleveyre
Massif de Marseilleveyre
CAP CROISETTE
Île Maire
Les Goudes
Callelongue
Sormiou
Morgiou
Col de la Gineste
Forêt Domaniale de la Gardiole
Mont Puget
Mont Carpiagne
Monts de la Gineste
Quartier Maréchal des Logis
Calanque de l'Oule
Port-Miou
Île de Jarre
Île Plane
Île de Riou
RÉSERVE NATURELLE DE L'ARCHIPEL DE RIOU
LES CALANQUES
Porto-Torres (Sardegna) - 13h45
Porto-Vecchio - 14h
l'Île Rousse - 11h30
Calvi - 11h30
Ajaccio - 12h
Propriano - 12h30
Bastia - 13h

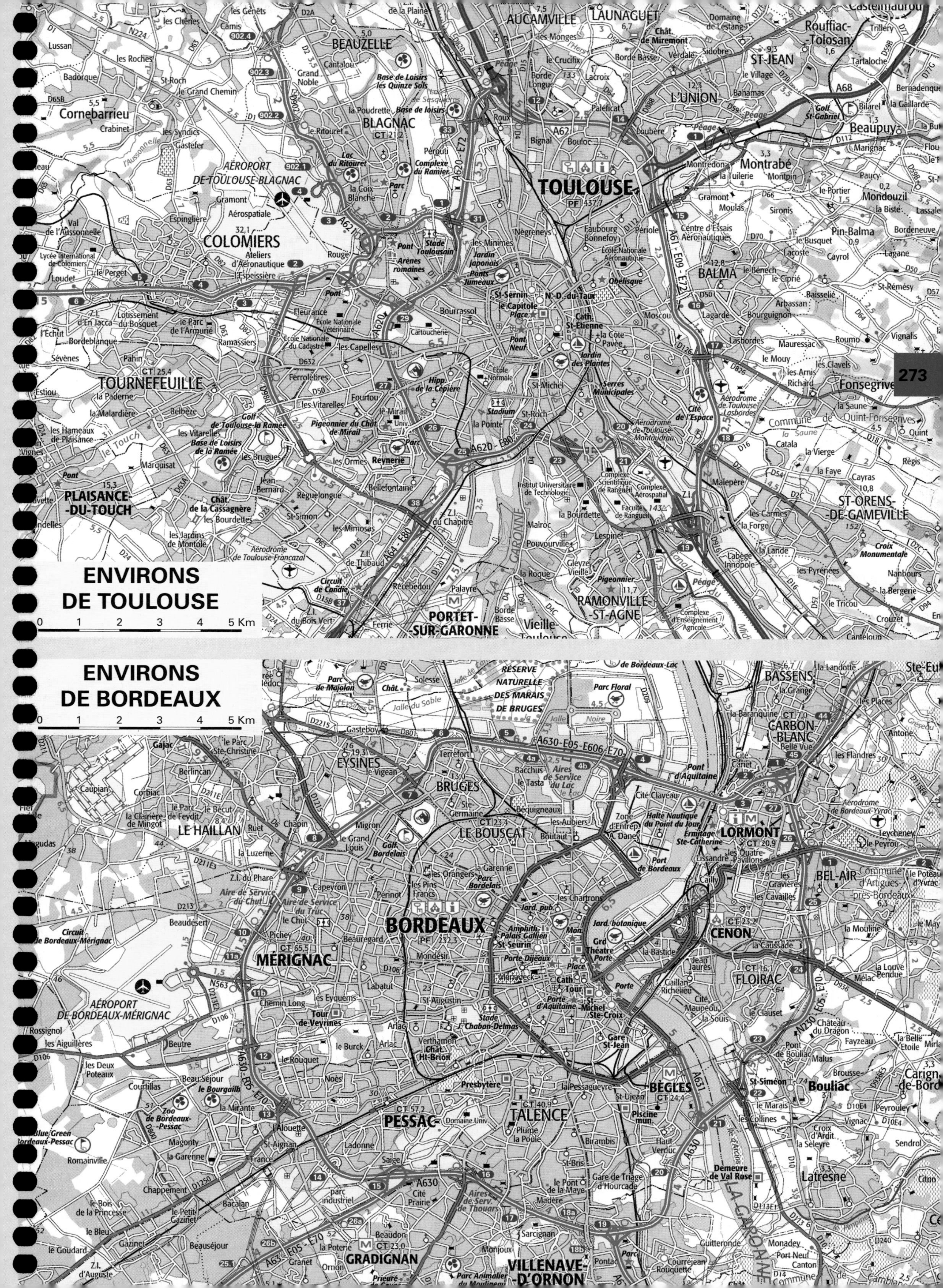

ENVIRONS DE TOULOUSE
0 1 2 3 4 5 Km
273
TOULOUSE
BLAGNAC
COLOMIERS
TOURNEFEUILLE
PLAISANCE-DU-TOUCH
L'UNION
BALMA
ST-JEAN
AUCAMVILLE
LAUNAGUET
BEAUZELLE
Cornebarrieu
AÉROPORT DE TOULOUSE-BLAGNAC
ST-ORENS-DE-GAMEVILLE
RAMONVILLE-ST-AGNE
PORTET-SUR-GARONNE
Fonsegrives
Montrabé
Beaupuy
Rouffiac-Tolosan
ENVIRONS DE BORDEAUX
0 1 2 3 4 5 Km
BORDEAUX
MÉRIGNAC
LE HAILLAN
EYSINES
BRUGES
LE BOUSCAT
LORMONT
CENON
FLOIRAC
BEL-AIR
BASSENS
CARBON-BLANC
TALENCE
PESSAC
BÈGLES
GRADIGNAN
VILLENAVE-D'ORNON
AÉROPORT DE BORDEAUX-MÉRIGNAC
Bouliac
Latresne

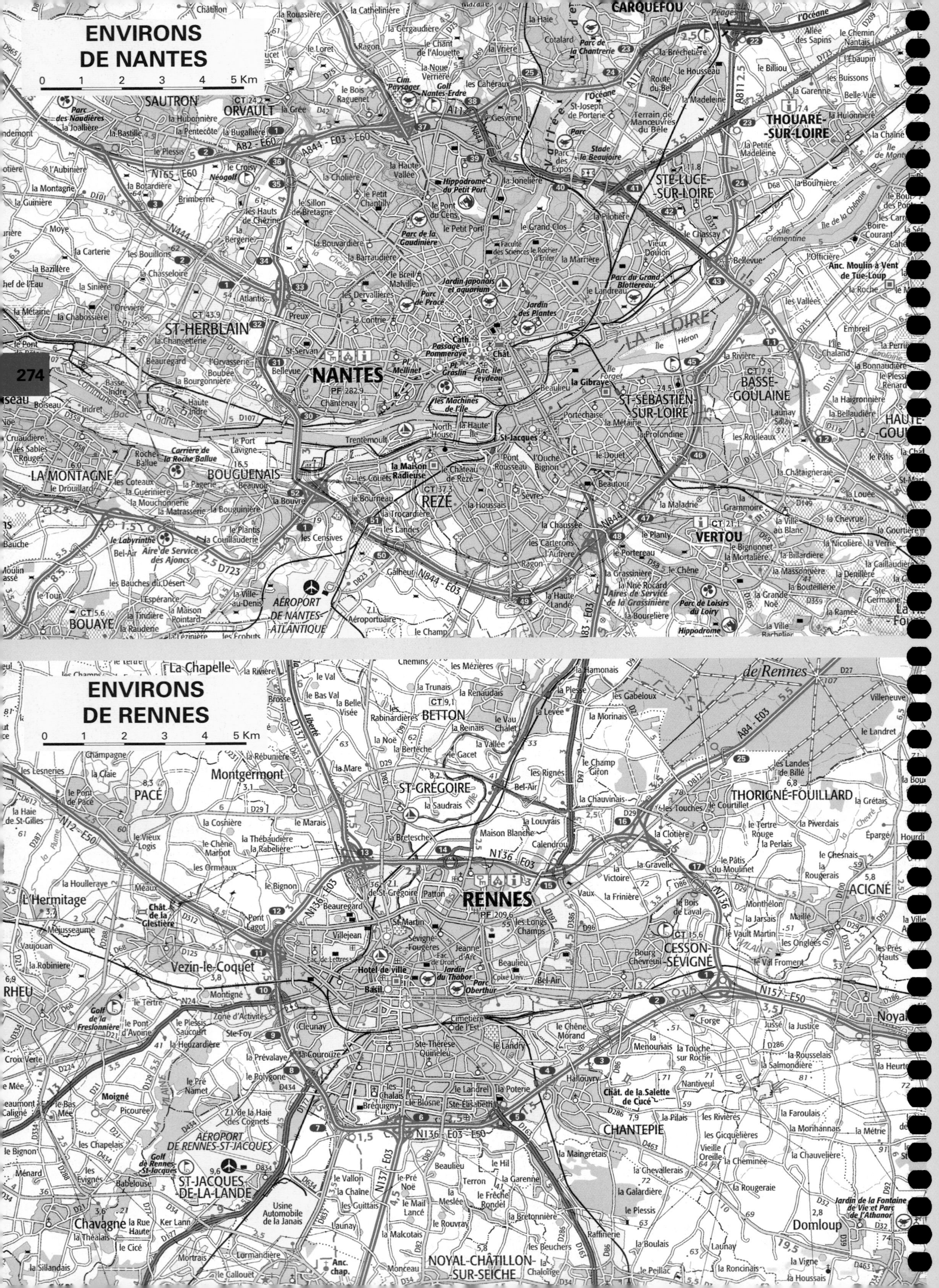

ENVIRONS DE NANTES
0 1 2 3 4 5 Km
274
CARQUEFOU
SAUTRON
ORVAULT
THOUARÉ-SUR-LOIRE
STE-LUCE-SUR-LOIRE
ST-HERBLAIN
NANTES
BASSE-GOULAINE
ST-SÉBASTIEN-SUR-LOIRE
LA MONTAGNE
BOUGUENAIS
REZÉ
VERTOU
BOUAYE
AÉROPORT DE NANTES-ATLANTIQUE
LA LOIRE
Hippodrome du Petit Port
Jardin japonais et aquarium
Jardin des Plantes
Parc de Procé
Parc de la Gaudinière
Cath.
Passage Pommeraye
Château
Pl. Graslin
Anc. Île Feydeau
Les Machines de l'Île
Trentemoult
la Maison Radieuse
le Château de Rezé
Parc de Loisirs du Loiry
Anc. Moulin à Vent de Tue-Loup
Carrière de la Roche Ballue
Aire de Service des Ajoncs
Aires de Service de la Grassinière
ENVIRONS DE RENNES
0 1 2 3 4 5 Km
La Chapelle-
BETTON
Montgermont
PACÉ
ST-GRÉGOIRE
THORIGNÉ-FOUILLARD
L'Hermitage
RENNES
ACIGNÉ
Vezin-le-Coquet
CESSON-SÉVIGNÉ
RHEU
Noyal
CHANTEPIE
AÉROPORT DE RENNES-ST-JACQUES
ST-JACQUES-DE-LA-LANDE
Chavagne
Domloup
NOYAL-CHÂTILLON-SUR-SEICHE
Hotel de ville
Jardin du Thabor
Parc Oberthur
Basil.
Cimetière de l'Est
Ste-Thérèse
Châ. de la Salette de Cucé
Usine Automobile de la Janais
Golf de Rennes-St-Jacques
Jardin de la Fontaine de Vie et Parc de l'Athanor

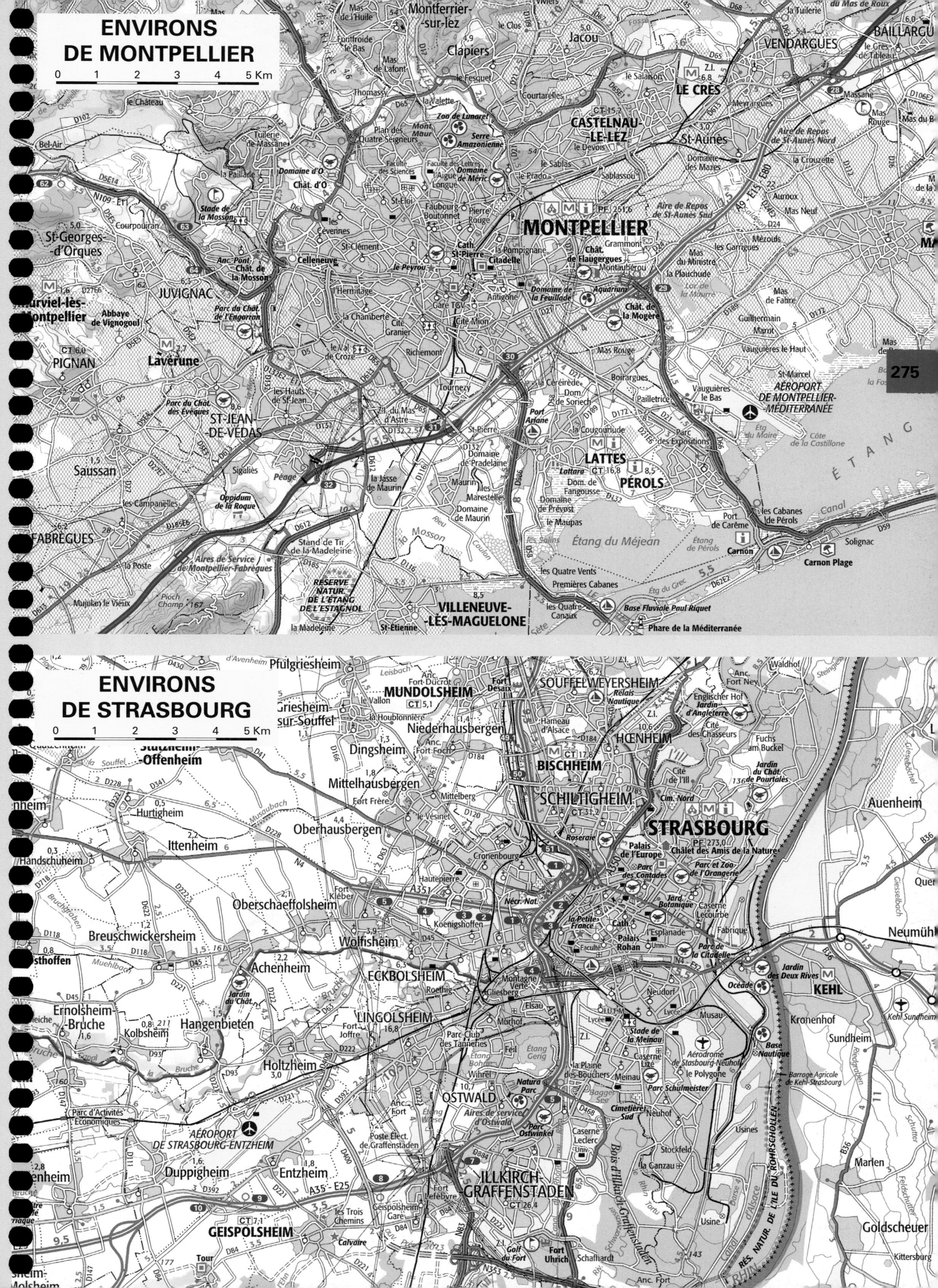
ENVIRONS DE MONTPELLIER
0 1 2 3 4 5 Km
Montferrier-sur-lez
Clapiers
Jacou
VENDARGUES
BAILLARGUES
LE CRÈS
CASTELNAU-LE-LEZ
St-Aunès
Zoo de Lunaret
Serre Amazonienne
Domaine d'O
Chât. d'O
Stade de la Mosson
St-Georges-d'Orques
Celleneuve
Anc. Pont Chât. de la Mosson
JUVIGNAC
Murviel-lès-Montpellier
Abbaye de Vignogoul
PIGNAN
Lavérune
Parc du Chât. de l'Engarran
MONTPELLIER
Cath. St-Pierre
Citadelle
Le Peyrou
Chât. de Flaugergues
Domaine de la Feuillade
Aquarium
Chât. de la Mogère
Gare TGV
Aire de Repos de St-Aunès Nord
Aire de Repos de St-Aunès Sud
Mas Rouge
AÉROPORT DE MONTPELLIER-MÉDITERRANÉE
Parc du Chât. des Évêques
ST-JEAN-DE-VÉDAS
Saussan
Port Ariane
Domaine de Pradelaine
LATTES
Lattara
PÉROLS
Oppidum de la Roque
FABRÈGUES
Aires de Service de Montpellier-Fabrègues
Stand de Tir de la Madeleine
RÉSERVE NATUR. DE L'ÉTANG DE L'ESTAGNOL
VILLENEUVE-LÈS-MAGUELONE
Étang du Méjean
Étang de Pérols
ÉTANG
Les Cabanes de Pérols
Carnon
Carnon Plage
Solignac
Base Fluviale Paul Riquet
Phare de la Méditerranée
275
ENVIRONS DE STRASBOURG
0 1 2 3 4 5 Km
Pfulgriesheim
MUNDOLSHEIM
SOUFFELWEYERSHEIM
Griesheim-sur-Souffel
Niederhausbergen
Dingsheim
Stutzheim-Offenheim
Mittelhausbergen
BISCHHEIM
HŒNHEIM
SCHILTIGHEIM
Oberhausbergen
Hurtigheim
Ittenheim
Handschuheim
STRASBOURG
Palais de l'Europe
Châlet des Amis de la Nature
Parc de l'Orangerie
Parc des Contades
Cath.
Palais Rohan
La Petite France
Jard. Botanique
Parc de la Citadelle
Jardin des Deux Rives
Oberschaeffolsheim
Breuschwickersheim
Wolfisheim
Achenheim
ECKBOLSHEIM
Osthoffen
Ernolsheim-Bruche
Kolbsheim
Hangenbieten
LINGOLSHEIM
Holtzheim
OSTWALD
Natura Parc
Aires de service d'Ostwald
Parc Ostwinkel
Stade de la Meinau
Aérodrome de Strasbourg-Neuhof
Parc Schulmeister
Cimetière Sud
Auenheim
KEHL
Kehl Sundheim
Kronenhof
Sundheim
Neumühl
Barrage Agricole de Kehl-Strasbourg
Parc d'Activités Économiques
AÉROPORT DE STRASBOURG-ENTZHEIM
Duppigheim
Entzheim
ILLKIRCH-GRAFFENSTADEN
GEISPOLSHEIM
Calvaire
Golf du Fort
Fort Uhrich
Marlen
Goldscheuer
Kittersburg
RÉS. NATUR. DE L'ILE DU ROHRSCHOLLEN
A35-E25

AIX-EN-PROVENCE

ADANSON (Rue) ... B3
AGARD (Passage) ... C3
AIGLE D'OR (Traverse de l') ... C1
ALBERT CHARRIER (Boulevard) ... D2
ALBERTAS (Place d') ... C3
ALLUMETTES (Rue des) ... D1
ANATOLE FRANCE (Avenue) ... D3
ANCIENNE MADELEINE (Rue de l') ... C3
ANCIENS COMBATTANTS D'A.F.N. (Place des) ... C2
ANDRE LEFEVRE (Rue) ... D2-D3
ANNONCIADE (Rue de l') ... C2
ANNONERIE VIEILLE (Rue) ... C3
ANOUAR EL SADATE (Square) ... D1
ARISTIDE BRIAND (Boulevard) ... A2-A3
ARMAND LUNEL (Avenue) ... C1
ARMENIE (Place d') ... D4
ARPILLE (Rue d') ... B4
ARTS ET METIERS (Cours des) ... B4
AUDE (Rue) ... C3
AUGUSTINS (Place des) ... C2
AUMONE VIEILLE (Rue) ... C2
BAGNIERS (Rue des) ... C3
BARATANQUE (Rue de la) ... B3
BARTHELEMY NIOLLON (Place) ... C2
BATH (Avenue de) ... C1
BEAUFORT (Traverse) ... B4
BEAUSOLEIL (Allée) ... A3
BEDARRIDES (Rue) ... C3
BELGES (Avenue des) ... D1-C2
BELLEGARDE (Impasse) ... A3
BELLEGARDE (Place) ... A3
BENJAMIN ABRAM (Avenue) ... D3
BERNARDINES (Rue des) ... C2
BON PASTEUR (Rue du) ... B2
BONIFACE LAURENT (Rue) ... D3
BOULEGON (Rue) ... B3
BOUTEILLES (Rue des) ... B3
BRAS D'OR (Rue du) ... C1-C2
BREMONDIS (Rue) ... B2-B3
BRESSIER (Traverse) ... B4
BRETONS (Rue des) ... B4
BRUEYS (Rue) ... C2
BUENO CARRIERO (Rue) ... C3
BUSCAILLE (Rue) ... B3
BUTTE DES TROIS MOULINS (Avenue de la) ... A3-A4
CAMPRA (Rue) ... B3
CANCEL (Rue du) ... B2
CARDEURS (Forum des) ... B2
CARDINALE (Rue) ... D2-C4
CARMES (Petite rue des) ... C3-C4
CARNOT (Boulevard) ... B4-D4
CASCADE (Avenue de la) ... A4
CELONY (Rue) ... B1-B2
CHABRIER (Rue) ... B3
CHAPELIERS (Place des) ... C3
CHAPELIERS (Rue des) ... B3-C3
CHAPITRE (Rue du) ... A2
CHARTREUX (Impasse des) ... B1-C1
CHARTREUX (Rue des) ... B1-C1
CHASTEL (Rue) ... B3-C4
CHAUDRONNIERS (Rue des) ... B3
CIRQUE (Traverse du) ... D1
CLAUDE FORBIN (Allée) ... D4
CLEMENCEAU (Rue) ... C3
CLOVIS HUGUES (Rue) ... C4
CONSTANTIN (Rue) ... B3
CORDELIERS (Rue des) ... B2-B3
COURONNE (Rue de la) ... C2
COURTEISSADE (Rue) ... C3
CRAPONNE (Avenue de) ... D4
DOCTEUR DARGELOS (Rue du) ... C1
DOCTEUR RENEE ANTOINE (Avenue) ... C1
DOMINICAINES (Traverse des) ... A4
DUPERRIER (Rue) ... B1-B2
ECOLE (Rue de l') ... B2
EMERIC DAVID (Rue) ... C3-C4
EMILE GAUJOUX (Avenue) ... A4
EMILE TAVAN (Rue) ... B1
EMMANUEL SIGNORET (Rue) ... A3
ENTRECASTEAUX (Rue d') ... C2
ENTREPOT (Rue de l') ... C1
EPINAUX (Rue des) ... B3
ESPARIAT (Rue) ... C2-C3
ESQUICHO COUDE (Rue) ... B3
ETUVES (Rue des) ... A2-B2
EUROPE (Avenue de l') ... D1
EYGUESIERS (Impasse des) ... B3
FABROT (Rue) ... C3
FAUCHIER (Rue) ... B3-C3
FELIBRE GAUT (Rue) ... B2-C2
FELICIEN DAVID (Rue) ... B4
FERMEE (Rue) ... C2
FERNAND DOL (Rue) ... C3-C4
FINSONIUS (Rue) ... B4
FONDERIE (Rue) ... B4
FONTAINE (Rue de la) ... C2
FONTAINE D'ARGENT (Rue) ... C4
FONTAINE GIANOTTI (Allée) ... A2-A3
FONTETES (Place des) ... B2
FORBIN (Place) ... C4
FRANÇOIS ET EMILE ZOLA (Bd) ... A3-A4
FRANÇOIS MITTERRAND (Place) ... C1
FRATERNITE (Rue de la) ... A1-A2
FREDERIC MISTRAL (Rue) ... C3-D3
GAMBETTA (Cours) ... D4
GANAY (Place) ... C4
GANAY (Rue) ... C4
GARE (Place de la) ... D2
GASTON DE SAPORTA (Rue) ... B2-B3
GAUFFREDY (Rue) ... B1
GENERAL DE GAULLE (Place du) ... C2
GEORGES POMPIDOU (Avenue) ... C1
GIANOTTI (Rue) ... A3
GIBELIN (Rue) ... B3
GLACIERE (Rue de la) ... C3
GONDRAUX (Rue des) ... B3
GONTARD (Rue) ... C2-D2
GOYRAND (Rue) ... C3-D3
GRANET (Impasse) ... B3
GRANET (Rue) ... B3
GRASSI (Avenue de) ... A2-B2
GRASSI (Impasse de) ... A2
GRIFFON (Rue du) ... B3
GUERRIERS (Rue des) ... A2-B2
GUSTAVE DESPLACES (Impasse) ... D2
GUSTAVE DESPLACES (Rue) ... D2
HANOI (Rue d') ... B1
HAUT DU COURS MIRABEAU (Place) ... C3
HENRI PONTIER (Avenue) ... A1-A2
HOTEL DE VILLE (Place de l') ... B3
INDOCHINE (Avenue d') ... A1-B1
IRMA MOREAU (Rue) ... C1
ISOLETTE (Rue) ... C2
ITALIE (Rue d') ... C4-D4
JACQUES DE LAROQUE (Rue) ... A2-B2
JAUBERT (Rue) ... B3
JEAN DE LA FONTAINE (Allée) ... D1
JEAN JAURES (Avenue) ... A2-B2
JEAN MOULIN (Avenue) ... A4
JEAN PEYTRAL (Rue) ... A4
JEAN-MICHEL JARRET (Place) ... D1
JEANNE D'ARC (Place) ... C2
JERUSALEM (Rue) ... D2
JOANNON MARCEL PROVENCE (Rue) ... B1
JOHN REWALD (Place) ... D4
JOSEPH CABASSOL (Rue) ... C3-D3
JOSEPH RAVAISOU (Rue) ... C1
JOSEPH VILLEVIEILLE (Avenue) ... D1-C2
JOUQUES (Rue de) ... A2-B2
JULES FERRY (Avenue) ... D3
JULES ISAAC (Avenue) ... A3
LACEPEDE (Rue) ... B4-C4
LAPIERRE (Rue) ... D1-D2
LAROQUE (Rue) ... C3-D3
LIBERTE (Rue de la) ... A1-A2
LIEUTAUD (Rue) ... B2-C2
LISSE BELLEGARDE (Rue) ... A3-B3
LISSE DES CORDELIERS (Rue) ... B2-C2
LISSE SAINT-LOUIS (Rue) ... B3-B4
LITTERA (Rue) ... B3
LOUBET (Rue) ... A3-B3
LOUBON (Rue) ... B3
LOUVIERE (Rue de la) ... B3
MADELEINE (Allée) ... A1
MAGNANS (Rue des) ... B2-C2
MALAKOFF (Traverse) ... A4
MALHERBE (Avenue) ... D3
MANUEL (Rue) ... B3-C4
MARCEL GUILLAUME (Rue) ... D2-D3
MARECHAL DE LATTRE DE TASSIGNY (Avenue) ... B1
MARECHAL FOCH (Rue) ... B3-C3
MARECHAL JOFFRE (Rue) ... C4
MARECHAL LYAUTEY (Avenue du) ... D3
MARIE ET PIERRE CURIE (Rue) ... A3-B3
MARIUS REYNAUD (Rue) ... C3
MARSEILLAIS (Rue des) ... B2-B3
MARTYRS DE LA RESISTANCE (Place) ... B3
MASSE (Rue de la) ... C2-C3
MATHERON (Rue) ... B3
MAURICE BLONDEL (Avenue) ... D2
MAX JUVENAL (Avenue) ... C1-D1
MAZARINE (Rue) ... C2-C3
MEJANES (Rue) ... B3-C3
MENUDIERES (Rue des) ... A2-A3
MERINDOL (Rue) ... B2
MIGNET (Rue) ... A3-B3
MIOLLIS (Place) ... C4
MIRABEAU (Cours) ... C2-C3
MOLLE (Rue de la) ... B1-B2
MONCLAR (Rue) ... B3-C3
MONTIGNY (Rue de) ... B3
MULE NOIRE (Rue de la) ... C4
MULETIERS (Rue des) ... B2
MURIERS (Allée des) ... A1
MUSICIENS (Avenue des) ... A1
NAPOLEON BONAPARTE (Avenue) ... C2
NARVIK (Place de) ... D2
NATIONS (Rue des) ... A2
NAZARETH (Rue) ... C3
NELSON MANDELA (Place) ... B1
NOBLES (Rue des) ... A2
NOSTRADAMUS (Rue) ... A4-B4
NOSTRE SEIGNE (Rue) ... B2
NOTRE-DAME (Traverse) ... A2
11 NOVEMBRE (Rue du) ... B1-C2
OPERA (Rue de l') ... C4
ORAISON (Avenue d') ... D4
ORBITELLE (Cours d') ... D3
PAIX (Rue de la) ... B1-B2
PAPASSAUDI (Rue) ... C3
PARADIS (Impasse du) ... C2
PARC (Avenue du) ... D3
PASTEUR (Avenue) ... A2
PAUL BERT (Rue) ... B3
PAUL CEZANNE (Avenue) ... A2
PAUL D'OLLONE (Boulevard) ... D2
PAUL DOUMER (Rue) ... C2
PAUL ROUX (Rue) ... C1
PAVILLON (Rue) ... C4-D4
PETIT BARTHELEMY (Avenue du) ... D1
PETIT SAINT-ESPRIT (Rue du) ... C4-D4
PETRARQUE (Rue) ... A4
PEYRESC (Rue) ... B3
PEYSSONNEL (Rue) ... C4-D4
PHILIPPE SOLARI (Avenue) ... A2
PIERRE BROSSOLETTE (Avenue) ... D1
PLAN (Rue du) ... B2-B3
POILUS (Boulevard des) ... C4
PORTALIS (Rue) ... B3-B4
PRECHEURS (Place des) ... B3
PUITS JUIF (Rue du) ... B3
PUITS NEUF (Rue du) ... A3-B3
QUATRE DAUPHINS (Place des) ... D3
4 SEPTEMBRE (Rue du) ... C3-D3
RAMUS (Place) ... C3
REINE JEANNE (Rue) ... D3
REPUBLIQUE (Boulevard de la) ... C1-C2
REYNAUD (Impasse) ... D4
RICHELME (Place) ... B3
RIFLE RAFLE (Rue) ... B3
RIQUIER (Rue) ... A2
ROBERT (Chemin) ... D4
ROI RENE (Boulevard du) ... D2-D4
ROUX ALPHERAN (Rue) ... D3-D4
SAINT-ELOI (Avenue) ... A3
SAINT-HENRI (Rue) ... A3-B3
SAINT-HONORE (Place) ... C3
SAINT-JEAN (Petite rue) ... C3-C4
SAINT-JEROME (Avenue) ... D3
SAINT-JOSEPH (Rue) ... C4
SAINT-LOUIS (Boulevard) ... A3-B4
SAINTE-MAGDELEINE (Allée) ... D4
SAINTE-VICTOIRE (Avenue) ... A3-A4
SAINTE-VICTOIRE (Parc de) ... D4
SALLIER (Rue) ... D3-D4
SERAPHIN GILLY (Place) ... C2
SEXTIUS (Cours) ... B2-C2
SILVACANNE (Traverse) ... A1-B2
SONTAY (Rue de) ... A1-B1
SUFFREN (Rue de) ... B3-B4
TAMARIS (Avenue des) ... A1
TAMARIS (Impasse des) ... A1
TANNEURS (Place des) ... C2
TANNEURS (Rue des) ... C2
THERMES (Avenue des) ... B2
THIBAUT (Passage) ... C1
THIERS (Rue) ... C3-C4
TOURNEFORT (Rue) ... C3-C4
TREILLE (Rue de la) ... B2
TRINITE (Cours de la) ... A3-A4
TROIS ORMEAUX (Place des) ... B3
UNIVERSITE (Place de l') ... B2
VAN LOO (Rue) ... B2
VAUBLANC (Allée de) ... D4
VAUVENARGUES (Rue) ... B3
VENDOME (Impasse) ... B1
VENDOME (Rue) ... B1-B2
VENEL (Rue) ... B2
VERDUN (Place de) ... C3
VERRERIE (Rue de la) ... B2-C3
VICTOR COQ (Boulevard) ... D1
VICTOR HUGO (Avenue) ... C2-D2
VICTOR LEYDET (Rue) ... C2
VILLARS (Rue) ... C2-D3
VIOLETTE (Avenue de la) ... A2-A3
WOLFGANG-AMADEUS MOZART (Avenue) ... C1-D1
YITZHAK RABIN (Rue) ... D1-D2
YVES MONTAND (Allées) ... D1

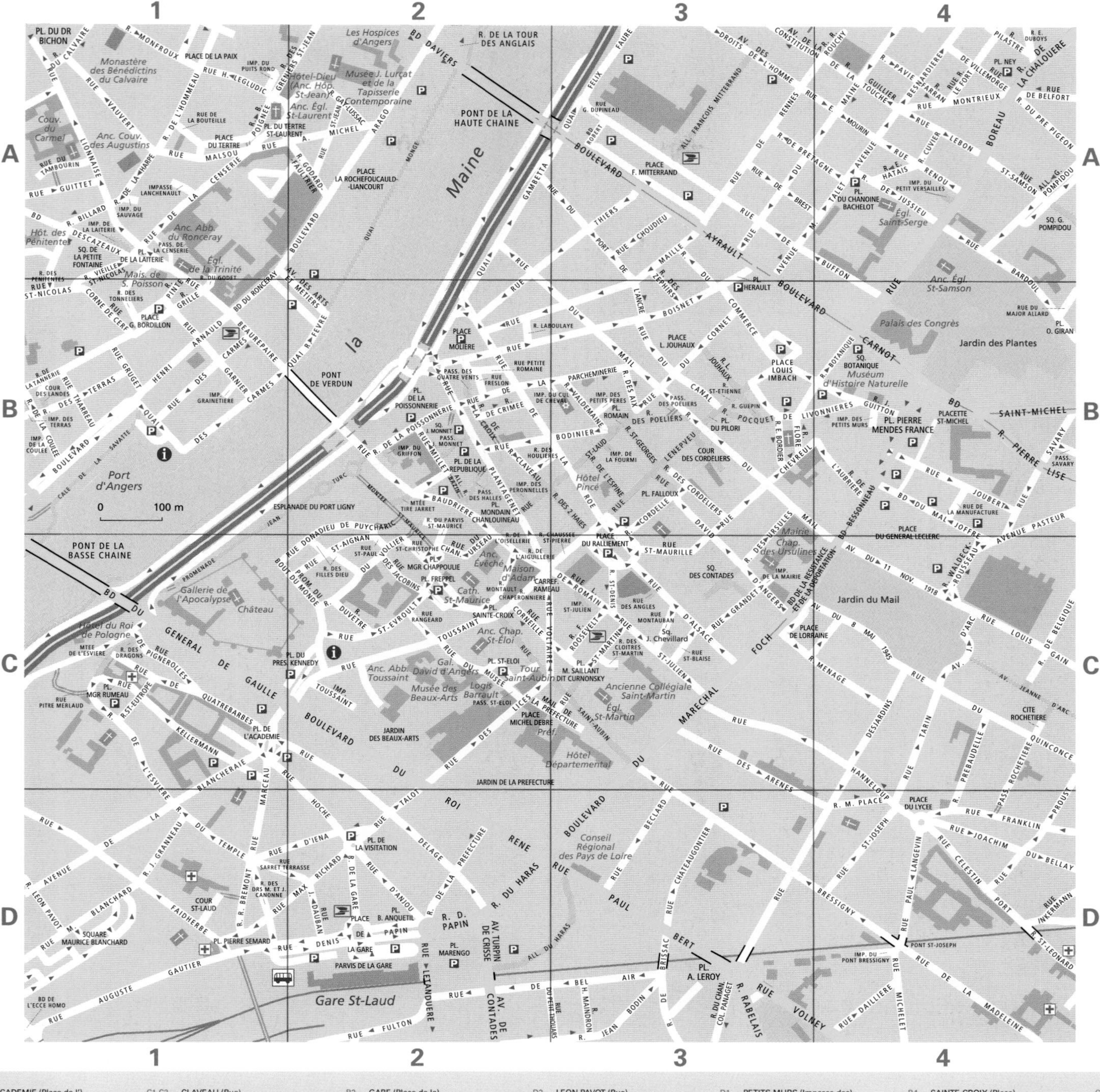

ACADEMIE (Place de l') C1-C2
AIGUILLERIE (Rue de l') C2
AIX (Rue des) B3
ALSACE (Rue d') C3
ANDRE LEROY (Place) D3
ANGLES (Rue des) C3
ANJOU (Rue d'). D2
ARAGO (Boulevard) A1-A2
ARENES (Rue des) C3-D4
ARTS ET METIERS (Avenue des). A1-B2
AUBRIERE (Rue de l') B4
AUGUSTE GAUTIER (Rue). D1
AUGUSTE MICHEL (Rue) A1-A2
AYRAULT (Boulevard). A3
BARDOUL (Rue) A4-B4
BASSE CHAINE (Pont de la). C1
BAUDRIERE (Rue). B2
BEAUREPAIRE (Rue). A1-B1
BEAUX-ARTS (Jardin des) C2
BECLARD (Rue). D3
BEL AIR (Rue de). D2-D3
BELFORT (Rue de). A4
BELGIQUE (Rue de) C4
BELLE POIGNEE (Rue) A1
BERNARD ANQUETIL (Place). D2
BESNARDIERE (Avenue) A4
BESSONNEAU (Boulevard) B4-C4
BILLARD (Rue). A1
BLANCHERAIE (Avenue de la). C1-D1
BODINIER (Rue) B2-B3
BOISNET (Rue) B2-B3
BOREAU (Rue). A4-B4
BOTANIQUE (Rue). B4
BOTANIQUE (Square). B4
BOUT DU MONDE (Promenade du) C1-C2
BOUTEILLE (Rue de la). A1
BRESSIGNY (Rue). C3-D4
BREST (Rue de). A3-A4
BRETAGNE (Rue de) A3-A4
BRISSAC (Rue de). D3
BUFFON (Rue de) A3-B4
CALVAIRE (Rue du) A1
CANAL (Rue du) B3
CARMES (Quai des) B1
CARMES (Rue des) B1
CARNOT (Boulevard) A3-B4
CELESTIN PORT (Rue) D4
CENSERIE (Passage de la) A1
CENSERIE (Rue de la). A1
CHALOUERE (Rue de la). A4
CHANOINE BACHELOT (Place du). A4
CHANOINE COLONEL PANAGET (Rue du) . D3
CHANOINE URSEAU (Rue du). B2-C2
CHAPERONNIERE (Rue). C2
CHATEAUGONTIER (Rue). D3
CHAUSSEE SAINT-PIERRE (Rue) C2-C3
CHEVREUL (Rue). B3-B4
CHOUDIEU (Rue) A3
CLAVEAU (Rue). B2
CLOITRES SAINT-MARTIN (Rue des). C3
COMMERCE (Rue du). A3-B3
CONSTITUTION (Avenue de la). A3-A4
CONTADES (Avenue de). D2
CONTADES (Square des) C3
CORDELIERS (Cour des). B3
CORDELIERS (Rue des) B3
CORDELLE (Rue). B3-C3
CORNE DE CERF (Rue). B1
CORNEILLE (Rue) C2-C3
CORNET (Rue du) B3
COULEE (Impasse de la) B1
COULEE (Rue de la) B1
CRIMEE (Rue de). B2
CROIX (Rue de la) B2
CUL DE CHEVAL (Impasse du). B2-B3
CUVIER (Rue) A4
DAILLIERE (Rue) D4
DAVID D'ANGERS (Rue). B3-C3
DAVIERS (Boulevard) A2
DELAGE (Rue). C1-D2
DENIS PAPIN (Rue). D1-D2
DESCAZEAUX (Boulevard) A1
DESJARDINS (Rue). D3-C4
DEUX HAIES (Rue des). B2-B3
DOCTEUR BICHON (Place du) A1
DOCTEURS M. ET J. CANONNE (Rue des). D1
DONADIEU DE PUYCHARIC (Rue). C1-B2
DRAGONS (Rue des) C1
DROITS DE L'HOMME (Avenue des) A3
DU PETIT THOUARS (Rue) D2-D3
DUVETRE (Rue). C2
ECCE HOMO (Boulevard de l'). D1
EMILE BORDIER (Rue) B3
EMILE HATAIS (Rue). A4
ERNEST DUBOYS (Rue). A4
ERNEST MOURIN (Rue). A3-A4
ESPINE (Rue de l'). B3
ESVIERE (Montée de l') C1
ESVIERE (Rue de l'). C1-D1
FAIDHERBE (Rue) D1
FALLOUX (Place). B3
FARRAN (Rue). A4
FELIX FAURE (Quai) A3
FILLES DIEU (Rue des) C2
FLORE (Rue) B3
FOURMI (Impasse de la) B3
FRANCOIS MITTERRAND (Allée) A3
FRANCOIS MITTERRAND (Place) A3
FRANKLIN (Rue) D4
FRANKLIN ROOSEVELT (Rue) C3
FREPPEL (Place) C2
FRESLON (Rue). B2
FULTON (Rue) D2
GABRIEL DUPINEAU (Rue) A3
GAMBETTA (Quai) B2-A3
GARE (Parvis de la). D2
GARE (Place de la) D2
GARE (Rue de la) D2
GARNIER (Rue). B1
GAY-LUSSAC (Rue). A1-A2
GENERAL DE GAULLE (Boulevard du) . .C1-C2
GENERAL LECLERC (Place du) B4-C4
GEORGES POMPIDOU (Allée). A4
GEORGES POMPIDOU (Square) A4
GODARD-FAULTRIER (Rue) A2
GODET (Rue du) A1-B1
GRAINETIERE (Impasse) B1
GRANDET (Rue) C3
GREGOIRE BORDILLON (Place). B1
GRENIERS SAINT-JEAN (Rue des) A1-A2
GRIFFON (Impasse du). B2
GRILLE (Rue). B1
GRUGET (Rue) B1
GUEPIN (Rue) B3
GUILLIER DE LA TOUCHE (Rue). A4
GUITTET (Rue) A1
HALLES (Passage des) B2
HANNELOUP (Rue). C3-D4
HARAS (Allée du) D2-D3
HARAS (Rue du) D2
HARPE (Rue de la) A1
HAUTE CHAINE (Pont de la) A2
HENRI ARNAULD (Boulevard). B1
HENRI LEGLUDIC (Rue) A1
HERAULT (Place). A3-B3
HIPPOLYTE MAINDRON (Rue). D3
HOCHE (Rue). C1-D2
HOMMEAU (Rue de l') A1
HOULIERES (Rue des) B2-B3
8 MAI 1945 (Avenue du). C3-C4
IENA (Rue d'). D1-D2
INKERMANN (Rue). D4
JACOBINS (Rue des). C2
JACQUES GRANNEAU (Rue). D1
JEAN BODIN (Rue) D3
JEAN MONNET (Passage) B2
JEAN MONNET (Square). B2
JEAN TURC (Promenade) C1-B2
JEANNE D'ARC (Avenue). C4
JOACHIM DU BELLAY (Rue). D4
JOUBERT (Rue). B4
JULES DAUBAN (Rue) D2
JULES GUITTON (Rue). B4
JUSSIEU (Rue de). A4
KELLERMANN (Rue). C1
LABOULAYE (Rue) B2
LAITERIE (Impasse de la). A1
LAITERIE (Place de la) A1
LANCHENAULT (Impasse) A1
LANDES (Cour des) B1
LEBON (Rue) A4
LENEPVEU (Rue). B3
LEON JOUHAUX (Place) B3
LEON JOUHAUX (Rue). B3
LEON PAVOT (Rue) D1
LETANDUERE (Rue) D2
LICES (Rue des). C2-C3
LIONNAISE (Rue) A1
LORRAINE (Place de) C3-C4
LOUIS DE ROMAIN (Rue). C2-C3
LOUIS GAIN (Rue). C4
LOUIS IMBACH (Place). B3-B4
LYCEE (Place du). D4
MADELEINE (Rue de la) D4
MAIL (Rue du). A2-C4
MAILLE (Rue) B2-A3
MAINE (Rue du) A3-A4
MAIRIE (Impasse de la) C3
MAJOR ALLARD (Rue du) B4
MALSOU (Rue) A1
MANUFACTURE (Rue de la). B4
MARCEAU (Rue). C1-D1
MARECHAL FOCH (Boulevard du) D2-C3
MARECHAL JOFFRE (Boulevard du). . . B4-C4
MARENGO (Place) D2
MARIE PLACE (Rue) D4
MARIE TALET (Avenue) A3-A4
MAURICE BLANCHARD (Rue) D1
MAURICE BLANCHARD (Square) D1
MAURICE SAILLANT DIT CURNONSKY (Place). C3
MAX RICHARD (Rue) D1-D2
MENAGE (Rue) C3-C4
MICHEL DEBRE (Place). C2
MICHELET (Rue) D4
MILLET (Rue). B2
MOLIERE (Place) B2
MONDAIN CHANLOUINEAU (Place). B2
MONFROUX (Rue) A1
MONGE (Quai) A2-B2
MONSEIGNEUR CHAPPOULIE (Place) C2
MONSEIGNEUR RUMEAU (Place). C1
MONTAUBAN (Rue) C3
MONTAULT (Rue) C2
MONTRIEUX (Rue) A4
MUSEE (Rue du). C2
NEY (Place) A4
OISELLERIE (Rue de l'). B2-C2
OLIVIER GIRAN (Place). B4
11 NOVEMBRE 1918 (Avenue du) C4
PAIX (Place de la) A1
PARCHEMINERIE (Rue de la) B2-B3
PARVIS SAINT-MAURICE (Rue du). B2-C2
PASTEUR (Avenue). B4-C4
PAUL BERT (Rue) D2-D3
PAUL LANGEVIN (Rue). D4
PAVIE (Rue) A4
PENITENTES (Rue des). A1-B1
PERONNELLES (Impasse des). B2
PETIT VERSAILLES (Impasse du). A4
PETITE FONTAINE (Square de la) A1
PETITE ROMAINE (Rue) B2
PETITS MURS (Impasse des). B4
PETITS PERES (Impasse des) B3
PIERRE LISE (Rue). B4
PIERRE MENDES FRANCE (Place). B4
PIERRE SEMARD (Place) D1
PIGNEROLLES (Rue de) C1
PILASTRE (Rue). A4
PILORI (Place du). B3
PINTE (Rue) A1-B1
PITRE MERLAUD (Rue). C1
PLANTAGENET (Rue) B2-C2
POCQUET DE LIVONNIERES (Rue) B3-B4
POELIERS (Passage des) B3
POELIERS (Rue des) B3
POISSONNERIE (Place de la). B2
POISSONNERIE (Rue de la) B2
PONT BRESSIGNY (Impasse du). D4
PORT DE L'ANCRE (Rue du) A2-B3
PORT LIGNY (Esplanade du) C1-B2
PRE PIGEON (Rue du). A4
PREBAUDELLE (Rue) C4-D4
PREFECTURE (Jardin de la). D2
PREFECTURE (Mail de la). C2-C3
PREFECTURE (Rue de la) D2
PRESIDENT KENNEDY (Place du) C1-C2
PROUST (Rue). C4-D4
PUITS ROND (Impasse du) A1
QUATRE VENTS (Passage des) B2
QUATREBARBES (Rue de). C1
QUINCONCE (Rue du) C4
RABELAIS (Rue) D3
RALLIEMENT (Place du). B3-C3
RAMEAU (Carrefour) C2
RANGEARD (Rue). C2
RENE BAZIN (Allée) B2
RENE BREMONT (Rue). D1
RENE ROUCHY (Rue) A4
RENNES (Rue de) A3-A4
RENOU (Rue). A4
REPUBLIQUE (Place de la) B2
RESISTANCE ET DE LA DEPORTATION (Boulevard de la). C3-C4
ROBERT (Boulevard). A3
ROBERT FEVRE (Quai) B1-B2
ROBERT LE FORT (Rue) A4
ROCHEFOUCAULD-LIANCOURT (Place la). A1-B2
ROCHETIERE (Cité). C4
ROCHETIERE (Passage) C4-D4
ROE (Rue de la). B2-B3
ROI RENE (Boulevard du). C1-D2
ROMAIN (Place) B3
RONCERAY (Boulevard du) A1-B1
SAINT-AIGNAN (Rue). C2
SAINT-AUBIN (Rue). C2-C3
SAINT-BLAISE (Rue) C3
SAINT-CHRISTOPHE (Rue) C2
SAINT-DENIS (Rue). C3
SAINTE-CROIX (Place) C2
SAINT-ELOI (Passage). C2
SAINT-ELOI (Place) C2
SAINT-ETIENNE (Rue). B3
SAINT-EUTROPE (Rue) C1
SAINT-EVROULT (Rue) C2
SAINT-GEORGES (Rue). B3
SAINT-JEAN (Rue). A2
SAINT-JOSEPH (Rue) D4
SAINT-JULIEN (Impasse) C3
SAINT-JULIEN (Rue) C3
SAINT-LAUD (Cour). D1
SAINT-LAUD (Rue) B2-B3
SAINT-LEONARD (Rue). D4
SAINT-MARTIN (Rue) C3
SAINT-MAURICE (Montée). B2-C2
SAINT-MAURILLE (Rue) B3-C3
SAINT-MICHEL (Boulevard) B4
SAINT-MICHEL (Placette) B4
SAINT-NICOLAS (Rue) B1
SAINT-PAUL (Rue). B2-C2
SAINT-SAMSON (Rue) A4
SARRET TERRASSE (Rue) D1-D2
SAUVAGE (Impasse du). A1
SAVARY (Passage) B4
SAVARY (Rue) B4-C4
SAVATTE (Cale de la) B1
ST-JOSEPH (Pont). D4
TALOT (Rue) C2-D2
TAMBOURIN (Rue du) A1
TANNERIE (Rue de la). B1
TARIN (Rue). C4-D4
TEMPLE (Rue du) D1
TERRAS (Impasse des). B1
TERRAS (Rue des). B1
TERTRE (Place du) A1
TERTRE SAINT-LAURENT (Place du). . . A1-A2
THARREAU (Rue) B1
THIERS (Rue). B2-A3
TIRE JARRET (Montée). B2
TONNELIERS (Rue des) A1-B1
TOUR DES ANGLAIS (Rue de la). A2
TOUSSAINT (Impasse). C2
TOUSSAINT (Rue). C2
TURPIN DE CRISSE (Avenue) D2
URSULES (Rue des) B3-C3
VALDEMAINE (Rue) B3
VAUVERT (Rue). A1
VERDUN (Pont de) B1-B2
VIEILLE SAINT-NICOLAS (Rue). A1-B1
VILLEMORGE (Rue de). A4
VISITATION (Place de la) D2
VOLLIER (Rue du) B2-C2
VOLNEY (Rue). D3-D4
VOLTAIRE (Rue). C2-C3
WALDECK-ROUSSEAU (Rue). C4
ZEPHIRS (Rue des) A3-B3

AVIGNON

ABBE GEORGES DURAND (Allée) A2
AGRICOL MOUREAU (Passage) B2
AGRICOLE PERDIGUIER (Rue) D2
AGRICOLE PERDIGUIER (Square) C2
AIGARDEN (Rue de l') C3-D3
AMELIER (Rue de l') B3
AMIRANDE (Place de l') B2
AMOUYER (Rue de l') A4
AMPHOUX (Rue) B3-C3
ANNANELLE (Rue d') C1
ANSELME MATHIEU (Avenue) D4
ANTOINE PINAY (Allée) A1
ARCADE DE L'AGNEAU (Rue) B2
ARGENTIERE (Rue) B2
ARMAND DE PONTMARTIN (Rue) B3
ARROUSAIRE (Avenue de l') D3
ARTAUD (Rue) C3
BAINS (Rue des) B3
BALANCE (Rue de la) A2-B2
BANASTERIE (Rue) B2-A3
BANCASSE (Rue) B2-C2
BARACANE (Rue) D2-C3
BARAILLERIE (Rue) B4
BASILE (Rue) C1-C2
BASSINET (Rue) C1
BELLAUD DE LA BELLANDIERE (Rue) B4
BERNHEIM LYON (Rue) B3-C3
BERTRAND (Rue) A3
BLANCHISSAGE (Avenue du) D1
BON MARTINET (Rue) D3-C4
BON PASTEUR (Rue) C3-C4
BONNETERIE (Rue) B2-C3
BOUQUERIE (Rue) B2-C2
BOURGNEUF (Rue) C3
BOURGUET (Rue) A4-B4
BOURSE (Rue de la) D2
BOUSSINGAULT (Rue) C1
BROUETTE (Rue) C3
BUFFON (Rue) B4-C4
BULLE (Place de la) B3
CABASSOLE (Rue) A4-B4
CAMPANA (Place) B2
CAMPANE (Rue) A3-B3
CANONS (Montée des) A2
CARMES (Place des) A3
CARNOT (Place) B2
CARNOT (Rue) B3
CARRETERIE (Rue) B3-A4
CASSAN (Rue) C3
CHANGE (Place du) B2
CHANGE (Rue du) B2
CHAPEAU ROUGE (Rue) B3
CHARRUE (Rue) A4-B4
CHAT (Rue du) C2
CHATAIGNES (Place des) B2
CHATEAUBRIAND (Rue) C4
CHIRON (Rue) B2
58EME R.I. (Rue du) C4-D4
CISEAUX D'OR (Rue des) B2
CLOITRE SAINT-PIERRE (Place) B2
COLLEGE D'ANNECY (Rue) C2
COLLEGE DE LA CROIX (Rue) C3
COLLEGE DU ROURE (Rue) B2
CONDUIT PERROT (Rue) A4
COQ (Rue du) C2
CORDERIE (Rue) B2
CORNEILLE (Rue) B2
CORNUE (Rue) C3-C4
CORPS SAINTS (Place des) D2
COSTEBELLE (Place) B3
COURTE LIMAS (Rue) A2
CREMADE (Rue) A4
CRILLON (Place) B1
CROIX (Rue de la) B3
DAMETTE (Rue) C2-C3
DANIEL SORANO (Place) B2
DOCTEUR PONS (Route touristique du) A4
DOREE (Rue) B2-C2
CRUCIFIX (Rue du) C3
ECOLES (Rue des) C4
EDMOND HALLEY (Rue) B2
EDOUARD DALADIER (Pont) A1-B1
EISENHOWER (Avenue) D1
EMILE DESFONS (Boulevard) D3
EMILE ESPERANDIEU (Rue) B2
ESCALIERS SAINTE-ANNE (Rue des) A2-A3
ETROITE (Rue) B2
ETUDES (Rue des) C2-C3
FAVART (Rue) B2
FELICIEN DAVID (Rue) B2
FELIX GRAS (Rue) C1-B2
FER A CHEVAL (Rue du) A4
FERRUCE (Rue) A2
FIGUIERE (Rue) C2
FLORENCE (Rue) B3
FOLCO DE BARONCELLI (Rue) B1
FORET (Rue de la) A3
FOUR (Rue du) A3-B3
FOUR DE LA TERRE (Rue) B3-C3
FOURBISSEURS (Rue des) B2-C2
FRANCHE (Rue) C3-C4
FREDERIC MISTRAL (Rue) C2
GAL (Rue du) B3
GALANTE (Rue) B2-C2
GALOUBET (Impasse du) C1-C2
GEORGES POMPIDOU (Place) A2
GENERAL LECLERC (Rue du) B3
GEORGES TAULIER (Rue) A4-B4
GERARD PHILIPE (Rue) B2
GRAND PARADIS (Place du) A3
GRAND PARADIS (Rue) A3
GRANDE FUSTERIE (Rue) B1-A2
GRANDE MEUSE (Rue) C3
GRANDE MONNAIE (Rue) C3-D3
GRENIER (Galerie) C2-C3
GRIFFONS (Rue des) C3
GRIVOLAS (Rue) C3
GROTTES (Rue des) A2-B2
GUILLAUME PUY (Rue) B4-D4
HENRI BOUVET (Rue) B4
HENRI FABRE (Rue) C2
HENRI MANGUIN (Place) B3
HONORE D'URFE (Rue) B4
HORACE VERNET (Rue) C1-C2
HORLOGE (Place de l') B2
INFIRMIERES (Rue des) A3-A4
JACOB (Rue) B3
JACQUES TATI (Rue) C4
JEAN XXIII (Montée) A2-B2
JEAN DES FIGUES (Rue) D4
JEAN JAURES (Cours) C2-D2
JEAN VILAR (Rue) B2
JEAN-PIERRE GRAS (Impasse) B3
JERUSALEM (Place) B3
JOSEPH VERNET (Rue) C1-B2
JOYEUSE (Rue) C3
JUIVERIE (Rue) A2
JULES FLOUR (Rue) C3
JUVER (Rue) A4
LABOUREUR (Rue) C2
LAFARE (Rue) A3
LAGNES (Rue) D2-C3
LANTERNE (Rue) C1
LEDRU ROLLIN (Rue) A3-B3
LIBERTE (Boulevard de la) D4
LICES (Rue des) C2-C3
LIGNE (Boulevard de la) A2-A3
LIGNE (Porte de la) A3
LIMAS (Rue) B1-A2
LIMASSET (Rue) A1-A2
LIMBERT (Boulevard) C4-D4
LIMBERT (Porte) D4
LONDE (Rue) C3-C4
LOUIS GASTIN (Place) A4
LOUIS LE CARDONNEL (Place) B2
LOUIS PASTEUR (Place) B4
LOUIS PASTEUR (Rue) B3-B4
LT MARCEL SOULIER (Rue) D4
LUCHET (Rue) A4-B4
LUNEL (Place de) C2
MADELEINE (Place de la) B2
MAGNANEN (Porte) D3
MAGNOLIAS (Rue des) D4
MAIL (Rue du) B1
MARCHANDS (Rue des) B2
MARECHAL DE LATTRE DE TASSIGNY (Avenue) D2
MASSE (Rue de la) C3
MAURICE BONNARD (Place) B1
MAZAN (Rue) B1
MIGNARD (Rue) C2
MIGRENIER (Rue) A3
MIJEANNE (Rue) A4-B4
MOLIERE (Rue) B2
MONCLAR (Avenue) D2
MONNAIE (Rue de la) B2
MONS (Rue de) B2
MONT DE PIETE (Rue du) B3
MONTFAVET (Route de) C4
MOULINS (Montée des) A2
MUGUET (Rue) A4-B4
NEUVE SAINT-CHARLES (Rue) C1-D1
NICOLAS (Impasse) D3
NICOLAS LESCUYER (Rue) B1
NICOLAS SABOLY (Place) B2
NINON VALLIN (Rue) D3-D4
NOEL BIRET (Rue) C3
NOTRE-DAME DES SEPT DOULEURS (Impasse) B4
NOTRE-DAME DES SEPT DOULEURS (Rue) B4-C4
OBSERVANCE (Rue de l') C1-D1
OFFICIALITE (Rue de l') B3
OLIVIER (Rue de l') B3-C3
ORATOIRE (Passage de l') B1
ORIFLAMME (Rue de l') B3
ORTOLANS (Rue des) C2
OULLE (Boulevard de l') B1-C1
OULLE (Porte de l') B1
PAILLASSERIE (Rue) C4
PALAIS (Place du) A2
PALAPHARNERIE (Rue) A3
PAUL MANIVET (Rue) D2-D3
PAUL PUAUX (Montée) B2
PAUL SAIN (Rue) B3-C3
PAVOT (Rue) C2
PENTE RAPIDE (Rue) A2
PERSIL (Rue) A4
PETIT AMOUYER (Rue) A4
PETIT CHANGE (Rue) B2
PETIT GRENIER (Rue) C3
PETIT LIMAS (Rue du) A1-B2
PETIT MUGUET (Rue) B4
PETIT SAINT-JEAN (Impasse) B3
PETITE CALADE (Rue) C1-C2
PETITE CREMADE (Rue) A4
PETITE FRANCHE (Rue) C3-C4
PETITE FUSTERIE (Rue) B2
PETITE LANTERNE (Rue de la) C1
PETITE MEUSE (Rue) B3-C3
PETITE MONNAIE (Rue) C3-D3
PETITE REILLE (Rue) A2
PETITE REPUBLIQUE (Impasse) C4-D4
PETITE SAUNERIE (Rue) B2-B3
PETRAMALE (Rue) C3
PEYROLLERIE (Rue) B2
PHILONARDE (Rue) C3
PICPUS (Rue) B3
PIE (Place) B3
PIERRE SEMARD (Avenue) D4
PIGNOTTE (Impasse) B3
PIGNOTTE (Place) B3
PLAISANCE (Rue) B1
POMMIER (Rue) B4
PONT (Rue du) A2
PONT FLEURI (Rue) B2
PONT TROUCA (Rue) B3-C4
PORTAIL BIENSON (Rue) C1
PORTAIL BOQUIER (Rue du) C2-D2
PORTAIL MAGNANEN (Rue) C3-D3
PORTAIL MATHERON (Rue) B3
PORTAIL PEINT (Place du) C3
PORTE EVEQUE (Rue) C1
POURQUERY BOISSERIN (Rue) C2
POUZARAQUE (Rue) A4
PRESIDENT KENNEDY (Cours) D1-D2
PREVOT (Rue) C2
PRINCIPALE (Place de la) B2
PRINCIPALE (Rue de la) B2-C2
PRIVADE (Rue) A4-B4
PUITS (Rue du) A4
PUITS DE LA REILLE (Rue) A2
PUITS DE LA TARASQUE (Rue) C4-D4
PUITS DES ALLEMANDS (Rue) B4
PUITS DES BOEUFS (Place) B2
PUITS DES TOUMES (Rue) B4
PYRAMIDE (Place de la) C3
RACINE (Rue) B2
RAPPE (Rue) B2
RASCAS (Rue) B4
RASPAIL (Boulevard) C1-D2
RATEAU (Rue) C3-C4
REMPART DE LA LIGNE (Rue) A3
REMPART DE L'OULLE (Rue) B1-C1
REMPART DU RHONE (Rue) B1-A2
REMPART SAINT-LAZARE (Rue) A3-A4
REMPART SAINT-MICHEL (Rue) D3
REMPART SAINT-ROCH (Rue) D1
REMPART ST-DOMINIQUE (Rue) C1
REPUBLIQUE (Porte de la) D2
REPUBLIQUE (Rue de la) B2-C2
REYNAUD (Impasse) A4-B4
RHONE (Boulevard du) B1-A2
RHONE (Porte du) A2
ROCHER (Porte du) A2
ROI RENE (Rue du) C2-C3
ROLEUR (Rue) D2-D3
ROQUETTE (Rue) C4
ROQUILLE (Rue) C4
ROUGE (Rue) B2
SABOLY (Rue) B2
SAINT-AGRICOLE (Passage) B2
SAINT-AGRICOLE (Rue) B1-B2
SAINT-ANDRE (Impasse) D3-D4
SAINT-ANDRE (Rue) B1-C1
SAINT-ANTOINE (Rue) C2
SAINT-BERNARD (Rue) B4
SAINT-CHARLES (Porte) D1
SAINT-CHARLES (Rue) C1-D1
SAINT-CHRISTOPHE (Rue) C3-C4
SAINT-DIDIER (Place) C2
SAINT-DOMINIQUE (Porte) C1
SAINT-ETIENNE (Rue) B1-B2
SAINT-GUILLAUME (Rue) A4
SAINT-JEAN LE VIEUX (Place) B3
SAINT-JEAN LE VIEUX (Rue) B3
SAINT-JOSEPH (Place) A3
SAINT-JOSEPH (Porte) A4
SAINT-JOSEPH (Rue) A3-A4
SAINT-LAZARE (Boulevard) A3-A4
SAINT-MICHEL (Boulevard) D3-D4
SAINT-MICHEL (Porte) D3
SAINT-MICHEL (Rue) C2-D3
SAINT-PIERRE (Place) B2
SAINT-PIERRE (Rue) B2
SAINT-ROCH (Boulevard) D1-D3
SAINT-ROCH (Porte) D1
SAINT-RUF (Avenue) D3
SAINT-SEBASTIEN (Rue) A4
SAINT-THOMAS D'AQUIN (Rue) B1-C1
SAINTE-CATHERINE (Rue) A3-B3
SAINTE-PERPETUE (Rue) B3
SAINTE-THERESE (Impasse) D4
SALUCES (Rue) B3
SAMBUC (Rue) B4
SARAILLERIE (Rue de la) C2
SAULES (Impasse des) D3
7EME GENIE (Avenue du) D2-D3
SEVERINE (Rue) C4
SORGUETTE (Rue) A3-B3
SOURCES (Avenue des) D3-D4
TARASQUE (Rue) C4-D4
TAULIGNAN (Rue) B2
TEINTURIERS (Rue des) C3-C4
THEODORE AUBANEL (Rue) C2
THEOPHILE GAUTHIER (Rue) C2
THIERS (Porte) C4
THIERS (Rue) B3-C4
THOULOUSE (Rue) D1
TOUR (Rue de la) A4
TREMOULET (Rue) B2
TRIAL (Rue) B3-B4
TRILLADE (Avenue de la) D4
TROIS CARREAUX (Rue des) B2
TROIS COLOMBES (Rue des) A3
TROIS FAUCONS (Rue des) C2
TROIS PILATS (Rue des) A3
TROIS TESTONS (Rue des) D3
TROIS-PILATS (Place des) A3
VELOUTERIE (Rue) C1-D1
VIALA (Rue) B2
VICE LEGAT (Rue du) B2-B3
VICTOR HUGO (Rue) C1
VIEILLE POSTE (Rue) A2
VIENEUVE (Rue) A3-B3
VIEUX SEXTIER (Rue) B2-B3
VILLAS ST-MICHEL (Impasse des) D3
VIOLETTE (Rue) C1-C2

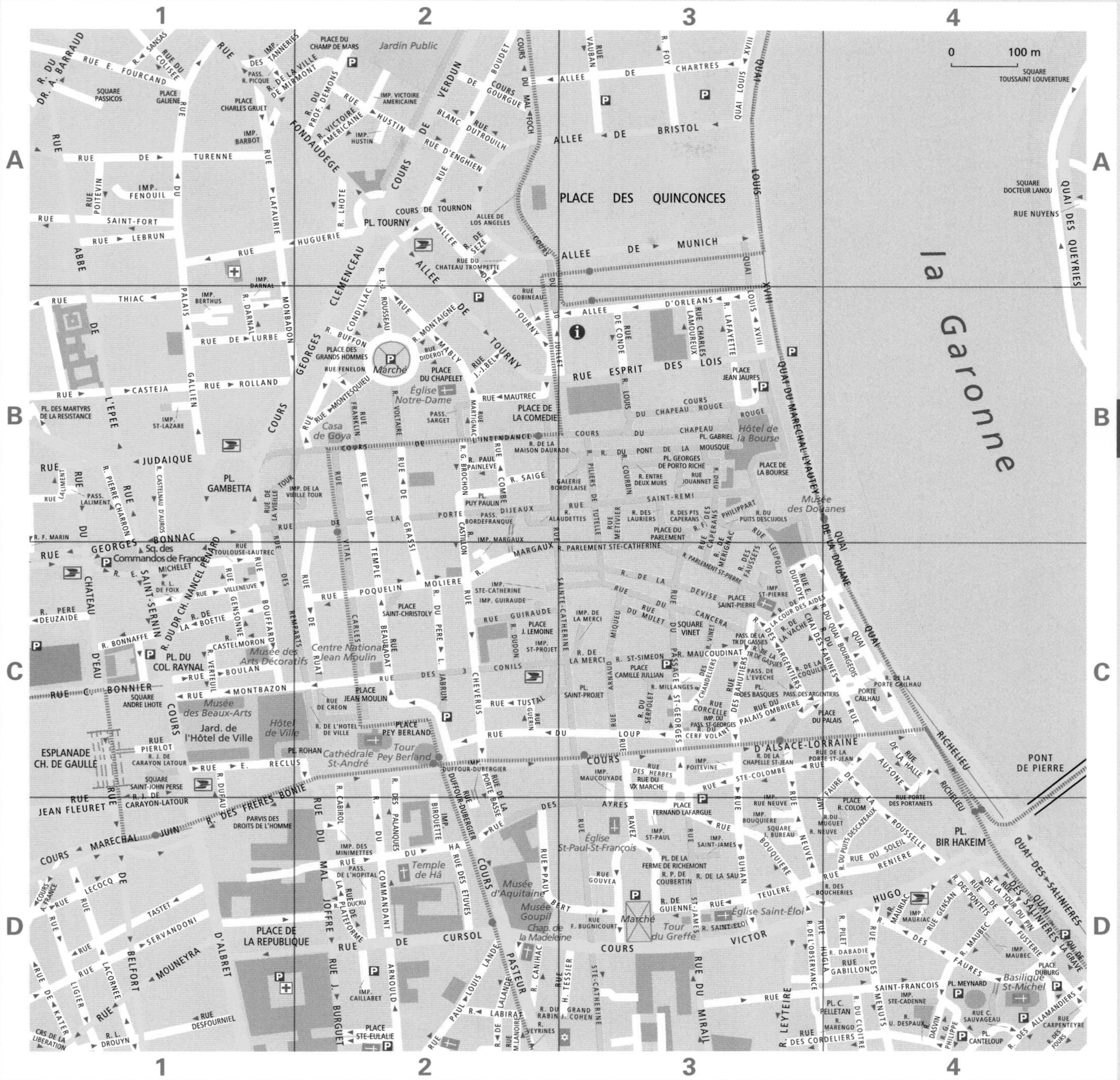

ABBE DE L'EPEE (Rue) A1-B1
ALAUDETTES (Rue) B2
ALBRET (Cours d') C1-D1
ALLAMANDIERS (Rue des) D4
ALSACE LORRAINE (Cours d') C2-C4
ANATOLE FRANCE (Cours) D1
ANDRE LHOTE (Square) C1
ARGENTIERS (Passage des) C3
ARGENTIERS (Rue des) C3
ARNAUD MIQUEU (Rue) C3
AUSONE (Rue) C4
AYRES (Rue des) D2-D3
BAHUTIERS (Rue des) C3
BARBOT (Impasse) A1
BASQUES (Place des) C3
BEAUBADAT (Rue) C2
BELFORT (Rue de) C1-D1
BERTHUS (Impasse) B1
BIR HAKEIM (Place) D4
BIROUETTE (Impasse) C2-D2
BLANC DUTROUILH (Rue) A2
BOETIE (Rue de la) C1
BONNAFFE (Rue) C1
BORDEFRANQUE (Passage) B2
BORDELAISE (Galerie) B2-B3
BOUCHERIES (Rue des) D3-D4
BOUDET (Rue) A2
BOUFFARD (Rue) B1-C1
BOULAN (Rue) C1
BOUQUIERE (Impasse) D3
BOUQUIERE (Rue) D3
BOURSE (Place de la) B3
BRISTOL (Allée de) A2-A3
BUFFON (Rue) B2
BUHAN (Rue) C3-D3
CABIROL (Rue) C2-D2
CAILHAU (Porte) C4
CAILLABET (Impasse) D2
CAMILLE JULLIAN (Place) C3
CAMILLE PELLETAN (Place) D3
CAMILLE SAUVAGEAU (Rue) D4
CANCERA (Rue du) C3
CANIHAC (Rue) D2
CANTELOUP (Place) D4
CAPERANS (Rue des) B3-C3
CARPENTEYRE (Rue) D4
CASTEJA (Rue) B1
CASTELMORON (Rue) C1
CASTELNAU D'AUROS (Rue) B1
CASTILLON (Rue) B2-C2
CERF VOLANT (Rue du) C3
CHAI DES FARINES (Rue du) C3-C4
CHAMP DE MARS (Place du) A2
CHAPEAU ROUGE (Cours du) B2-B3
CHAPELET (Place du) B2
CHAPELLE SAINT-JEAN (Rue de la) C3
CHARLES DE GAULLE (Esplanade) C1-D1
CHARLES GRUET (Place) A1
CHARLES LAMOUREUX (Rue) B3
CHARTRES (Allée de) A2-A3
CHATEAU D'EAU (Rue du) B1-C1
CHATEAU TROMPETTE (Rue du) A2
CHEVERUS (Rue) C2
CLAUDE BONNIER (Rue) C1
CLOITRE (Rue du) D4
COLISEE (Rue du) A1
COLONEL RAYNAL (Place du) C1
COMBE (Rue) B2
COMEDIE (Place de la) B2-B3
COMMANDANT ARNOULD (Rue du) C2-D2
CONDE (Rue de) B3
CONDILLAC (Rue) A2-B2
COQUILLE (Rue de la) C3-C4
CORCELLE (Rue) C3
CORDELIERS (Rue des) D3-D4
COUR DES AIDES (Rue de la) C3-C4
COURBIN (Rue) B3
CREON (Rue de) C2
CURSOL (Rue de) D2
DABADIE (Rue) D4
DARNAL (Impasse) B1
DARNAL (Rue) B1
DASVIN (Rue) D4
DESFOURNIEL (Rue) D1
DEVISE (Rue de la) C3
DIDEROT (Rue) B2
DIEU (Rue) B3
DOCTEUR ALBERT BARRAUD (Rue du) A1
DOCTEUR CHARLES NANCEL PENARD (Rue du) B1-C1
DOCTEUR LANOU (Square) A4
DOUANE (Quai de la) B4-C4
DROITS DE L'HOMME (Parvis des) D1
DUBURG (Place) D4
DUCRU (Rue) D2
DUDON (Rue) C2
DUFAU (Rue) C1-D1
DUFFOUR-DUBERGIER (Impasse) C2-D2
DUFFOUR-DUBERGIER (Rue) C2-D2
EDMOND MICHELET (Rue) C1
ELISEE RECLUS (Rue) C1-C2
EMILE DUPLOYE (Rue) C3
EMILE FOURCAND (Rue) A1
ENGHIEN (Rue d') A2
ENTRE 2 MURS (Rue) B3
ESPRIT DES LOIS (Rue) B3
ETUVES (Rue des) D2
EVECHE (Passage de l') C3
FAURE (Impasse) D3-C4
FAURES (Rue des) D4
FAUSSETS (Rue des) B3-C3
FENELON (Rue) B2
FENOUIL (Impasse) A1
FERME DE RICHEMONT (Place de la) D3
FERNAND LAFARGUE (Place) C3-D3
FERNAND MARIN (Rue) B1-C1
FERNAND PHILIPPART (Rue) B3
FONDAUDEGE (Rue) A1-A2
FOURS (Rue des) D4
FOY (Rue) A3
FRANCOIS BUGNICOURT (Rue) D3
FRANKLIN (Rue) B2
FRERES BONIE (Rue des) D1-C2
FUSTERIE (Rue de la) D4
GABILLON (Rue) D4
GABRIEL (Place) B3
GALIENE (Place) A1
GAMBETTA (Place) B1
GASPARD PHILIPPE (Rue) D4
GENSAN (Rue) D4
GENSONNE (Rue) C1
GEORGES BONNAC (Rue) B1-C1
GEORGES CLEMENCEAU (Cours) B1-A2
GEORGES DE PORTO RICHE (Place) B3
GOBINEAU (Rue) B2
GOURGUE (Cours de) A2
GOUVEA (Rue) D3
GRAND RABIN JOSEPH COHEN (Rue du) D2-D3
GRANDS HOMMES (Place des) B2
GRASSI (Rue de) B2-C2
GRAVE (Quai de la) D4
GUERIN (Rue) C2
GUIENNE (Rue de) D3
GUILLAUME BROCHON (Rue) B2
GUIRAUDE (Impasse) C2
GUIRAUDE (Rue) C2-C3
HA (Rue du) D2
HALLE (Rue de la) C4
HERBES (Rue des) C3
HONORE TESSIER (Rue) D3
HOPITAL (Passage de l') D2
HOTEL DE VILLE (Rue de l') C2
HUGLA (Rue) D3-D4
HUGUERIE (Rue) A1-A2
HUSTIN (Impasse) A2
HUSTIN (Rue) A2
INTENDANCE (Cours de l') B1-B2
JACQUES LEMOINE (Place) C2
JEAN BUREAU (Square) D3
JEAN BURGUET (Rue) D2
JEAN FLEURET (Rue) D1
JEAN JAURES (Place) B3
JEAN MOULIN (Place) C2
JEAN-JACQUES BEL (Rue) B2
JEAN-JACQUES ROUSSEAU (Rue) A2-B2
JOSEPH DE CARAYON LATOUR (Rue) C1-D1
JOUANNET (Rue) B3
JUDAIQUE (Rue) B1
KATER (Rue de) D1
LABIRAT (Rue) D2
LACORNEE (Rue) D1
LAFAURIE MONBADON (Rue) A1-B2
LAFAYETTE (Rue) B3
LALANDE (Rue de) D2
LALIMENT (Passage) B1
LALIMENT (Rue) B1
LAURIERS (Rue des) B3
LEBRUN (Rue) A1
LECOCQ (Rue) D1
LEO DROUYN (Rue) D1
LEUPOLD (Rue) B3-C3
LEYTEIRE (Rue) D3
LHOTE (Rue) A2
LIBERATION (Cours de la) D1
LIGIER (Rue) D1
LOS ANGELES (Allée de) A2
LOUIS (Rue) B3
LOUIS DE FOIX (Rue) C1
LOUIS XVIII (Quai) A3-B3
LOUP (Rue du) C2-C3
LURBE (Rue de) B1
MABLY (Rue) A2-B2
MAISON DAURADE (Rue de la) B2-B3
MARECHAL FOCH (Cours du) A2
MARECHAL JOFFRE (Rue du) C2-D2
MARECHAL JUIN (Cours) D1
MARECHAL LYAUTEY (Quai du) B3-B4
MARENGO (Rue) D3-D4
MARGAUX (Impasse) C2
MARGAUX (Rue) C2
MARTIGNAC (Rue) B2
MARTYRS DE LA RESISTANCE (Place des) B1
MAUBEC (Impasse) D4
MAUBEC (Rue) D4
MAUCOUDINAT (Rue) C3
MAUCOUYADE (Impasse) C3-D3
MAURIAC (Impasse) D4
MAURIAC (Rue) D4
MAURICE LANOIRE (Rue) D2
MAUTREC (Rue) B2
MENUTS (Rue des) D4
MERCI (Impasse de la) C3
MERCI (Rue de la) C3
MERIGNAC (Rue de) B3-C3
METIVIER (Rue) B3-C3
MEYNARD (Place) D4
MILLANGES (Rue) C3
MINIMETTES (Impasse des) D2
MIRAIL (Rue du) D3
MONTAIGNE (Rue) B2
MONTBAZON (Rue) C1-C2
MONTESQUIEU (Rue) B1-B2
MOUNEYRA (Rue) D1
MUGUET (Rue du) C4-D4
MULET (Rue du) C3
MUNICH (Allée de) A2-A3
NEUVE (Rue) C3-D4
NUYENS (Rue) A4
OBSERVANCE (Rue de l') D3
ORLEANS (Allée d') B2-B3
PALAIS (Place du) C3-C4
PALAIS GALLIEN (Rue du) A1-B1
PALAIS OMBRIERE (Rue du) C3
PALANQUES (Rue des) C2-D2
PARLEMENT (Place du) B3-C3
PARLEMENT SAINTE-CATHERINE (Rue) C2-C3
PARLEMENT SAINT-PIERRE (Rue) C3
PASSAGE SAINT-GEORGES (Impasse du) C3
PASSAGE SAINT-GEORGES (Rue du) C3
PASSICOS (Square) A1
PASTEUR (Cours) D2
PAUL BERT (Rue) D2-D3
PAUL LOUIS LANDE (Rue) D2
PAUL PAINLEVE (Rue) B2
PERE DEUZAIDE (Rue) C1
PERE LOUIS JABRUN (Rue du) C2
PETITS CAPERANS (Rue des) B3
PEY BERLAND (Place) C2
PIERLOT (Rue) C1
PIERRE (Pont de) C4-D4
PIERRE CHARRON (Rue) B1-C1
PIERRE DE COUBERTIN (Rue) D3
PILET (Rue) D4
PILIERS DE TUTELLE (Rue) B3-C3
PLATEFORME (Rue de la) D2
POITEVIN (Rue) A1
POITEVINE (Impasse) C3
PONT DE LA MOUSQUE (Rue du) B3
PONTETS (Rue des) D4
POQUELIN MOLIERE (Rue) C2
PORTE BASSE (Rue de la) C2-D2
PORTE CAILHAU (Rue de la) C4
PORTE DES PORTANETS (Rue) C4
PORTE DIJEAUX (Rue de la) B1-B2
PORTE SAINT-JEAN (Rue de la) C4
PROFESSEUR DEMONS (Rue du) A2
PUITS DESCAZEAUX (Rue du) D4
PUITS DESCUJOLS (Rue du) B3
PUY PAULIN (Place) B2
QUAI BOURGEOIS (Rue du) C3-C4
QUEYRIES (Quai des) A4-B4
QUINCONCES (Place des) A2-A3
RAVEZ (Rue du) C3-D3
RAYMOND COLOM (Place) D4
REMPARTS (Rue des) B1-C2
RENIERE (Rue) D3-D4
REPUBLIQUE (Place de la) D1-D2
RICHELIEU (Quai) C4-D4
ROBERT PICQUE (Passage) A1
ROHAN (Place) C2
ROLLAND (Rue) B1-B2
ROUSSELLE (Rue de la) C3-D4
RUAT (Rue de) B2-C2
RUE NEUVE (Impasse) C3
SAIGE (Rue) B2
SAINT-CHRISTOLY (Place) C2
SAINTE-CADENNE (Impasse) D4
SAINTE-CATHERINE (Impasse) C2-C3
SAINTE-CATHERINE (Rue) B2-D3
SAINTE-EULALIE (Place) D2
SAINT-ELOI (Rue) D3
SAINT-FORT (Rue) A1
SAINT-FRANCOIS (Rue) D3-D4
SAINT-JAMES (Impasse) D3
SAINT-JAMES (Rue) D3
SAINT-JOHN PERSE (Square) C1-D1
SAINT-LAZARE (Impasse) B1
SAINT-PAUL (Impasse) D3
SAINT-PIERRE (Impasse) C3
SAINT-PIERRE (Place) C3
SAINT-PROJET (Impasse) C2
SAINT-PROJET (Place) C2-C3
SAINT-REMI (Rue) B2-B3
SAINT-SERNIN (Rue) B1-C1
SAINT-SIMEON (Rue) C3
SALINIERES (Quai des) D4
SANSAS (Rue) A1
SARGET (Passage) B2
SAU (Rue de la) D3
SERPOLET (Rue du) C3
SERVANDONI (Rue) D1
SEZE (Rue de) A2
SOLEIL (Rue du) D4
TANNERIES (Impasse des) A1
TASTET (Rue) D1
TEMPLE (Rue du) B2-C2
TEULERE (Rue) D3
THIAC (Rue) B1
TOULOUSE-LAUTREC (Rue) C1
TOUR DE GASSIES (Passage de la) C3
TOUR DE GASSIES (Rue de la) C3
TOUR DU PIN (Rue de la) D4
TOURNON (Cours de) A2
TOURNY (Allée de) A2-B2
TOURNY (Place) A2
TOUSSAINT LOUVERTURE (Square) A4
30 JUILLET (Cours du) A2-B3
3 CHANDELIERS (Rue des) C3
3 CONILS (Rue des) C2
TURENNE (Rue de) A1
TUSTAL (Rue) C2
ULYSSE DESPAUX (Rue) D4
VACHE (Rue de la) C3
VAUBAN (Rue) A3
VERDUN (Cours de) A2
VERTEUIL (Rue) C1
VEYRINES (Rue) D2
VICTOIRE AMERICAINE (Impasse) A2
VICTOIRE AMERICAINE (Rue) A2
VICTOR HUGO (Cours) D2-D4
VIEILLE TOUR (Impasse de la) B1-B2
VIEILLE TOUR (Rue de la) B1-B2
VIEUX MARCHE (Rue du) C3
VILLE DE MIRMONT (Rue de la) A1-A2
VILLENEUVE (Rue) C1
VINET (Rue) C3
VINET (Square) C3
VITAL CARLES (Rue) B2-C2
VOLTAIRE (Rue) B2

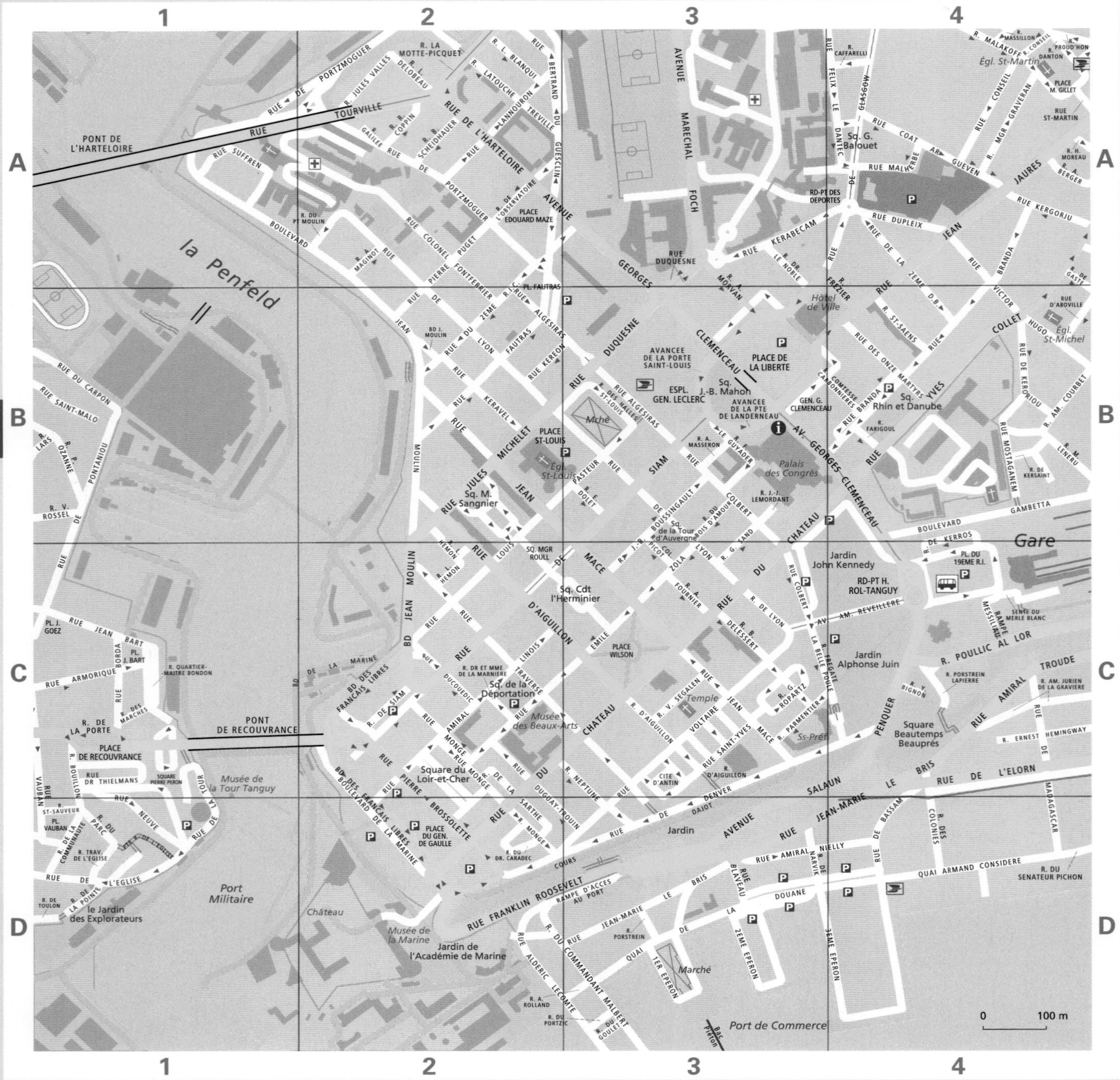

BREST

ABOVILLE (Rue d') B4
ACCES AU PORT (Rampe d') D2-D3
AIGUILLON (Rue d') B2-C3
ALAIN FOURNIER (Rue) C3
ALBERT ROLLAND (Rue) D3
ALDERIC LECOMTE (Rue) D2-D3
ALEXANDRE MASSERON (Rue) B3
ALGESIRAS (Rue).................B2-B3
AMIRAL COURBET (Rue) B4
AMIRAL JURIEN DE LA GRAVIERE (Rue) C4
AMIRAL LINOIS (Rue)............. C2-D2
AMIRAL NIELLY (Rue)............. D3-D4
AMIRAL REVEILLERE (Avenue) C3-C4
AMIRAL RONARC'H (Rue) D1
AMIRAL TROUDE (Rue) C4
ANDRE BERGER (Rue) A4
ANDRE MAGINOT (Rue)............... A2
ANTIN (Cité d') C3-D3
ARMAND CONSIDERE (Quai) D4
ARMORIQUE (Rue)..................... C1
AUGUSTIN MORVAN (Rue) A3-B3
BAC PIETON D3
BASSAM (Rue de)................. C4-D4
BENJAMIN DELESSERT (Rue).......... C3
BERNARD SCHEIDHAUER (Rue) A2
BERTRAND DU GUESCLIN (Rue) A2
BLAVEAU (Rue)........................ D3
BOIS D'AMOUR (Rue du) B3
BORDA (Rue).......................... C1
BOUILLON (Rue).................. C1-D1
BRANDA (Rue) A4-B4
CAFFARELLI (Rue).................... A4
CARPON (Rue du)..................... B1
CHATEAU (Rue du)................ D2-B4
COAT AR GUEVEN (Rue) A4
COLBERT (Rue)...................B3-C3
COLONEL FONTFERRIER (Rue) A2-B2
COLONEL PICOT (Rue) B3-C3
COLONIES (Rue des) C4-D4
COMMANDANT MALBERT (Rue du). D2-D3
COMMUNAUTE (Rue de la)............ D1
COMTESSE CARBONNIERES (Rue) . .B3-B4
CONSEIL (Rue) A4
DAJOT (Cours) D2-C3
DANTON (Rue) A4
DENVER (Rue de) D2-C4
DEPORTES (Rond-point des).......... A4
2EME D.B. (Rue de la)............ A4-B4
2EME EPERON D3
2EME R.I.C. (Rue du)............. B2-A3
19EME R.I. (Place du) C4
DOCTEUR CARADEC (Rue du).......... D2
DOCTEUR ET MADAME DE LA MARNIERE (Rue) C2
DOCTEUR LE NOBLE (Rue) A3-B3
DOCTEUR THIELMANS (Rue) C1
DOUANE (Quai de la)............. D3-D4
DUCOUEDIC (Rue) C2
DUGUAY-TROUIN (Rue) C2-D3
DUPLEIX (Rue) A4
DUQUESNE (Rue).................. B2-A3
EDOUARD MAZE (Place) A2
EGLISE (Petite rue de l') D1
EGLISE (Rue de l').................... D1
ELORN (Rue de l').................... C4
EMILE ZOLA (Rue) C2-C3
ERNEST HEMINGWAY (Rue) C4
ETIENNE DOLET (Rue)................. B3
FARIGOUL (Rue) B4
FAUTRAS (Place) A2-B2
FAUTRAS (Rue)........................ B2
FELIX LE DANTEC (Rue)............... A4
FRANCAIS LIBRES (Boulevard des) . C2-D2
FRANKLIN ROOSEVELT (Rue) D2-D3
FREDERIC LE GUYADER (Rue).......... B3
FREGATE LA BELLE POULE (Rue)....C3-C4
FREZIER (Rue) A3-B4
GALILEE (Rue)......................... A2
GAMBETTA (Boulevard)................ B4
GASTE (Rue de) A4
GENERAL DE GAULLE (Place du) D2
GENERAL GEORGES CLEMENCEAU ... B3
GENERAL LECLERC (Esplanade)....... B3
GEORGE SAND (Rue)..............B3-C3
GEORGES CLEMENCEAU (Avenue) . A2-C4
GLASGOW (Rue de) A3-A4
GOULET (Rue du) D3
GUY ROPARTZ (Rue) C3
HALLES SAINT-LOUIS (Rue des) B2-B3
HARTELOIRE (Pont de l') A1
HARTELOIRE (Rue de l')............... A2
HENRI MOREAU (Rue).................. A4
HENRI ROL-TANGUY (Rond-point) C4
JEAN BART (Place).................... C1
JEAN BART (Rue) C1
JEAN JAURES (Rue)............... B3-A4
JEAN MACE (Rue).................B2-C3
JEAN MOULIN (Boulevard) A1-C2
JEAN-BAPTISTE BOUSSINGAULT (Rue) B3-C3
JEAN-JULIEN LEMORDANT (Rue) B3
JEAN-MARIE LE BRIS (Rue)........ D3-C4
JOSEPH GOEZ (Place) C1
JULES MICHELET (Rue)................ B2
JULES VALLES (Rue) A2
KERABECAM (Rue)................. A3-A4
KERAVEL (Rue) B2
KEREON (Rue)....................B2-B3
KERGORJU (Rue) A4
KERORIOU (Rue de) B4
KERROS (Rue de) B4-C4
KERSAINT (Rue de)................... B4
LANNOURON (Rue) A2
LARS (Rue) B1
LATOUCHE TREVILLE (Rue)............ A2
LIBERTE (Place de la) B3
LOIR ET CHER (Square du).......... C2-D2
LOUIS BLANQUI (Rue) A2
LOUIS DELOBEAU (Rue)............... A2
LOUIS HEMON (Rue) B2-C2
LOUIS PASTEUR (Rue) C2-B3
LYON (Rue de).................... A2-C3
MADAGASCAR (Rue de) C4-D4
MALAKOFF (Rue) A4
MALHERBE (Rue) A4
MARCHES (Rue des)................... C1
MARECHAL FOCH (Avenue) A3
MARENGO (Rue)....................... A4
MARIE LENERU (Rue).................. B4
MARINE (Boulevard de la).......... C1-D2
MASSILLON (Rue)..................... A4
MAURICE GILLET (Place).............. A4
MERLE BLANC (Sente du) C4
MESSILIAU (Rampe).................. C4
MONGE (Rue) C2-D2
MONSEIGNEUR GRAVERAN (Rue)..... A4
MONSEIGNEUR ROULL (Square) B2-C2
MOSTAGANEM (Rue)................... B4
MOTTE PICQUET (Rue la)............. A2
NARVIK (Rue de)...................... D3
NEPTUNE (Rue) C2-D3
NEUVE (Rue)..................... C1-D1
OBSERVATOIRE (Rue de l') A2
11 MARTYRS (Rue des) B4
PARC (Rue du)........................ D1
PARMENTIER (Rue)................C3-C4
PETIT MOULIN (Rue du)............... A2
PIERRE BROSSOLETTE (Rue) C2-D2
PIERRE OZANNE (Rue)................. B1
PIERRE PERON (Square) C1
PIERRE PUGET (Rue) A2-B2
POINTE (Rue de la) D1
PONTANIOU (Rue de)..............B1-C1
PORSTREIN (Rue)..................... D3
PORSTREIN LAPIERRE (Rue)........... C4
PORTE (Rue de la).................... C1
PORTE DE LANDERNEAU (Avancée de la) B3
PORTE SAINT-LOUIS (Avancée de la) ... B3
PORTZIC (Rue du)..................... D3
PORTZMOGUER (Rue de) A1-A2
POULLIC AL LOR (Rue)................. C4
1ER EPERON D3
PROUD'HON (Rue) A4
QUARTIER MAITRE BONDON (Rue) C1
RECOUVRANCE (Place de la)........... C1
RECOUVRANCE (Pont de) C2
REMY COPPIN (Rue).................... A2
REPUBLIQUE (Rue de la) B4
SAINT-LOUIS (Place)................... B3
SAINT-MALO (Rue) B1
SAINT-MARTIN (Rue) A4
SAINT-SAENS (Rue) B4
SAINT-SAUVEUR (Rue).................. D1
SAINT-YVES (Rue)...................... C3
SALAUN PENQUER (Avenue) D3-C4
SARTHE (Rue de la) C2-D2
SENATEUR PICHON (Rue du) D4
SIAM (Rue de)....................C2-B3
SUFFREN (Rue)......................... A1
TOULON (Rue de)...................... D1
TOUR (Rue de la) C1-D1
TOURVILLE (Rue) A1-A2
TRAVERSE (Rue).................. C2-D3
TRAVERSE DE L'EGLISE (Rue) D1
3EME EPERON D3-D4
VAUBAN (Place) D1
VAUBAN (Rue) C1-D1
VICTOR HUGO (Rue)............... A4-B4
VICTOR ROSSEL (Rue) B1
VICTOR SEGALEN (Rue)................. C3
VOLTAIRE (Rue)................... D2-C3
WILSON (Place)......................... C3
YVES BIGNON (Rue)..................... C4
YVES COLLET (Rue) A4-B4

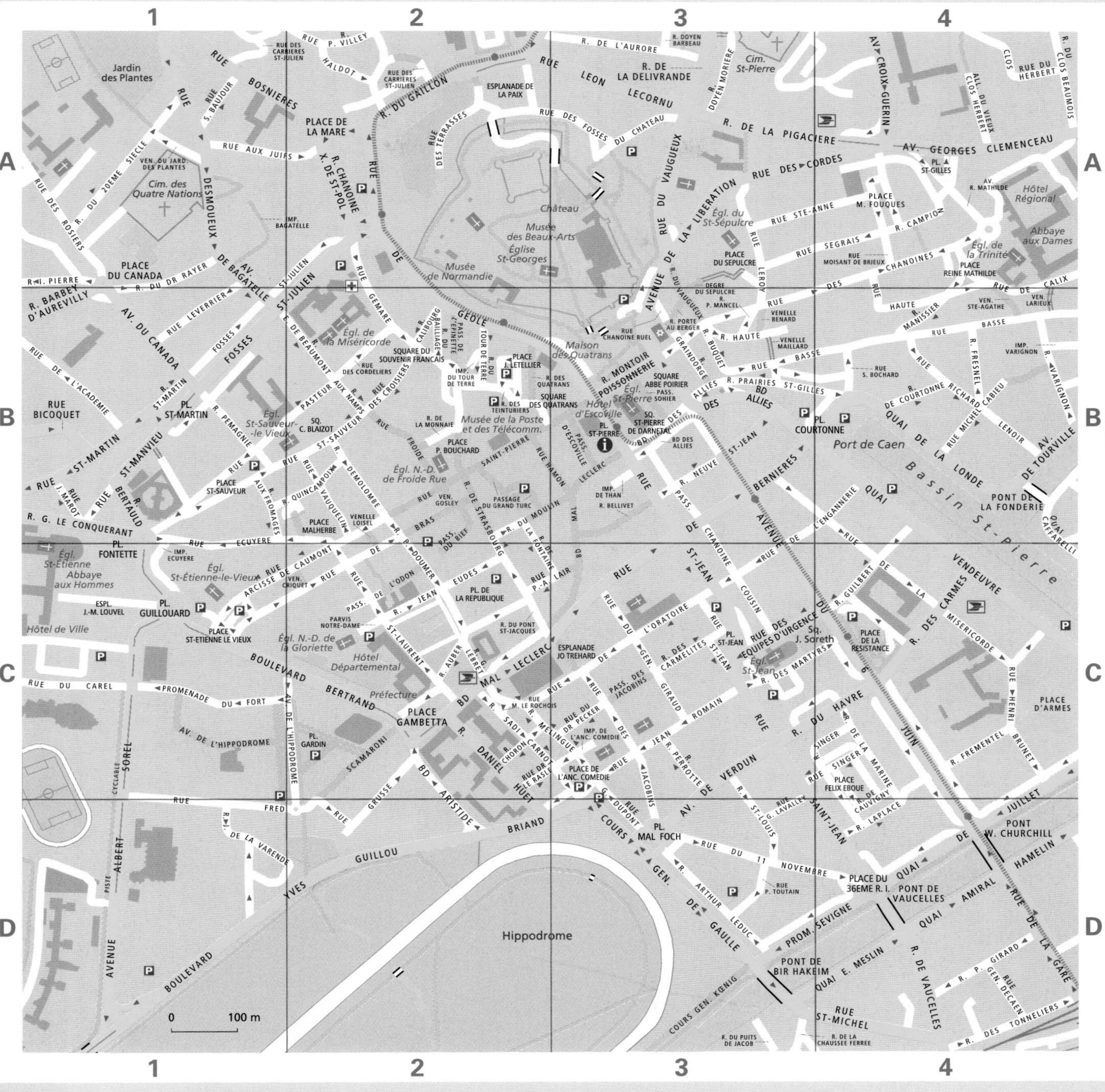
1
2
3
4
A
B
C
D
Jardin des Plantes
Cim. des Quatre Nations
PLACE DE LA MARE
ESPLANADE DE LA PAIX
Château
Musée des Beaux-Arts
Église St-Georges
Musée de Normandie
Cim. St-Pierre
Égl. du St-Sépulcre
PLACE DU SEPULCRE
PLACE M. FOUQUES
Hôtel Régional
Abbaye aux Dames
Égl. de la Trinité
PLACE REINE MATHILDE
PLACE DU CANADA
Égl. de la Miséricorde
SQUARE DU SOUVENIR FRANÇAIS
PLACE J. LETELLIER
Maison des Quatrans
SQUARE DES QUATRANS
SQUARE ABBE POIRIER
Égl. St-Pierre
Hôtel d'Escoville
PL. ST-PIERRE
SQ. ST-PIERRE DE DARNETAL
PL. COURTONNE
Port de Caen
Bassin St-Pierre
PONT DE LA FONDERIE
RUE BICOQUET
PL. ST-MARTIN
Égl. St-Sauveur-le-Vieux
SQ. C. BLAIZOT
Musée de la Poste et des Télécomm.
PLACE P. BOUCHARD
Égl. N.-D. de Froide Rue
PLACE ST-SAUVEUR
PLACE MALHERBE
PASSAGE DU GRAND TURC
PL. FONTETTE
Égl. St-Étienne
Abbaye aux Hommes
Égl. St-Étienne-le-Vieux
ESPL. J.-M. LOUVEL
PL. GUILLOUARD
Hôtel de Ville
PLACE ST-ETIENNE LE VIEUX
PL. DE LA REPUBLIQUE
PARVIS NOTRE-DAME
Égl. N.-D. de la Gloriette
Hôtel Départemental
Préfecture
ESPLANADE JO TREHARD
PLACE GAMBETTA
PL. ST-JEAN
Égl. St-Jean
Sq. J. Soreth
PLACE DE LA RESISTANCE
PLACE D'ARMES
PL. GARDIN
PLACE DE L'ANC. COMEDIE
PL. MAL FOCH
PLACE FELIX EBOUE
PONT W. CHURCHILL
PLACE DU 36EME R. I.
PONT DE VAUCELLES
PONT DE BIR HAKEIM
Hippodrome
BOULEVARD YVES GUILLOU
COURS GEN. KŒNIG
PROM. SEVIGNE
QUAI E. MESLIN
RUE ST-MICHEL
R. DU PUITS DE JACOB
R. DE LA CHAUSSEE FERREE
0
100 m

ABBE POIRIER (Square) B3
ACADEMIE (Rue de l') B1
ALBERT SOREL (Avenue) C1-D1
ALLIES (Boulevard des) B3
AMIRAL HAMELIN (Quai) D4
ANCIENNE COMEDIE (Impasse de l') . . . C3
ANCIENNE COMEDIE (Place de l') C2-C3
ARCISSE DE CAUMONT (Rue) C1-C2
ARISTIDE BRIAND (Boulevard) C2-D3
ARMES (Place d') C4
ARTHUR LEDUC (Rue) D3
AUBER (Rue) C2
AURORE (Rue de l') A2-A3
BAGATELLE (Avenue de) A1-B1
BAGATELLE (Impasse) A1
BAILLIAGE (Rue du) B2
BARBEY D'AUREVILLY (Rue) A1-B1
BASSE (Rue) B3-B4
BELLIVET (Rue) B3
BENARD (Venelle) B3
BERNIERES (Rue de) B3-C3
BERTAULD (Rue) B1
BERTRAND (Boulevard) C1-C2
BICOQUET (Rue) B1
BIEF (Passage du) B2-C2
BIR HAKEIM (Pont de) D3
BOSNIERES (Rue) A1-A2
BRAS (Rue de) C1-B2
BUQUET (Rue) B3
CAFFARELLI (Quai) B4-C4
CALIBOURG (Rue) B2
CALIX (Rue de) A4-B4
CAMILLE BLAIZOT (Square) B1
CAMPION (Rue) A4
CANADA (Avenue du) A1-B1
CANADA (Place du) A1
CAREL (Rue du) C1
CARMELITES (Rue des) C3
CARMES (Rue des) C4
CARRIERES SAINT-JULIEN
(Rue des) A1-A2
CAUVIGNY (Rue de) C4-D4
CHANOINE COUSIN (Passage) B3-C3
CHANOINE RUEL (Rue) B3
CHANOINE XAVIER DE SAINT-POL
(Rue) A2
CHANOINES (Rue des) B3-A4
CHAUSSEE FERREE (Rue de la) D3
CHORON (Rue) C2
CLOS BEAUMOIS (Rue du) A4
CLOS HERBERT (Rue du) A4
CORDELIERS (Rue des) B2
CORDES (Rue des) A3-A4
COURTONNE (Place) B3-B4
COURTONNE (Rue de) B4
CRIQUET (Venelle) C2
CROISIERS (Rue des) B2
CROIX GUERIN (Avenue) A4
DANIEL HUET (Rue) C2-D2
DELIVRANDE (Rue de la) A3
DEMOLOMBE (Rue) B2
DESMOUEUX (Rue) A1
DOCTEUR LE RASLE (Rue) C2-C3
DOCTEUR PECKER (Rue du) C3
DOCTEUR RAYER (Rue du) A1-B1
DOYEN BARBEAU (Rue) A3
DOYEN MORIERE (Rue) A3
ECUYERE (Impasse) B1-C1
ECUYERE (Rue) B1-C2
ELIE DE BEAUMONT (Rue) B1-B2
ENGANNERIE (Rue de l') C3-B4
EPINETTE (Passage de l') B2
EQUIPES D'URGENCE (Rue des) C3-C4
ESCOVILLE (Passage d') B3
EUGENE MESLIN (Quai) D3-D4
FELIX EBOUE (Place) C4-D4
FONDERIE (Pont de la) B4
FONTAINE (Rue de la) B2-C3
FONTETTE (Place) B1
FORT (Promenade du) C1-C2
FOSSES DU CHATEAU (Rue des) A2-A3
FRED SCAMARONI (Rue) D1-C2
FREMENTEL (Rue) C4
FRESNEL (Rue) B4
FROIDE (Rue) B2
FROMAGES (Rue aux) B1
GABRIEL DUPONT (Rue) C3-D3
GAILLON (Rue du) A2
GAMBETTA (Place) C2
GARDIN (Place) C2
GARE (Rue de la) D4
GASTON LAVALLEY (Rue) C3-D3
GEMARE (Rue) A2-B2
GENERAL DE GAULLE (Cours) D3
GENERAL DECAEN (Rue) D4
GENERAL GIRAUD (Rue du) C3
GENERAL KŒNIG (Cours) D3
GEOLE (Rue de) A2-B3
GEORGES CLEMENCEAU (Avenue) A4
GEORGES LEBRET (Rue) C2
GOSLEY (Venelle) B2
GRAINDORGE (Rue) B3
GRAND TURC (Passage du) B2
GRUSSE (Rue) C2-D2
GUILBERT (Rue) B4-C4
GUILLAUME LE CONQUERANT (Rue) . . . B1
GUILLOUARD (Place) C1
HALDOT (Rue) A2
HAMON (Rue) B2-B3
HAUTE (Rue) B3-A4
HAVRE (Rue du) C3-C4
HENRI BRUNET (Rue) C4
HIPPODROME (Avenue de l') D1-C2
ISIDORE PIERRE (Rue) A1
JACOBINS (Passage des) C3
JACOBINS (Rue des) C3-D3
JARDIN DES PLANTES (Venelle du) A1
JEAN DE LA VARENDE (Rue) D1-D2
JEAN EUDES (Rue) C2
JEAN LETELLIER (Place) B2
JEAN MAROT (Rue) B1
JEAN ROMAIN (Rue) C3
JEAN-MARIE LOUVEL (Esplanade) C1
JO TREHARD (Esplanade) C3
JUIFS (Rue aux) A1-A2
JUILLET (Quai de) C4-D4
LAPLACE (Rue) C4-D4
LARIEUX (Venelle) A4-B4
LEON LECORNU (Rue) A2-A3
LEROY (Rue) A3-B3
LEVERRIER (Rue) A1-B1
LIBERATION (Avenue de la) A3-B3
LOISEL (Venelle) B2-C2
LONDE (Quai de la) B4
MAILLARD (Venelle) B3
MALHERBE (Place) C2
MANISSIER (Rue) B4
MARE (Place de la) A2
MARECHAL FOCH (Place) D3
MARECHAL LECLERC (Boulevard) C2-B3
MARINE (Rue de la) C4-D4
MARTHE LE ROCHOIS (Rue) C2
MARTYRS (Rue des) C3-C4
MAURICE FOUQUES (Place) A4
MELINGUE (Rue) C2-C3
MICHEL CABIEU (Rue) B4
MISERICORDE (Rue de la) B3-C4
MOISANT DE BRIEUX (Rue) A4
MONNAIE (Rue de la) B2
MONTOIR POISSONNERIE (Rue) B3
MOULIN (Rue du) B2-B3
NAMPS (Rue aux) B2
NEUVE SAINT-JEAN (Rue) B3
NOTRE-DAME (Parvis) C2
ODON (Passage de l') C2
11 NOVEMBRE (Rue du) D3-D4
ORATOIRE (Rue de l') C2-C3
PAIX (Esplanade de la) A2
PASTEUR (Rue) B1-B2
PAUL DOUMER (Rue) B2-C2
PAUL TOUTAIN (Rue) D3
PEMAGNIE (Rue) B1
PIERRE AIME LAIR (Rue) C2-C3
PIERRE BOUCHARD (Place) B2
PIERRE GIRARD (Rue) D4
PIERRE MANCEL (Rue) B3
PIERRE VILLEY (Rue) A2
PIGACIERE (Rue de la) A3-A4
PISTE CYCLABLE C1-D1
PONT SAINT-JACQUES (Rue du) C2-C3
PORTE AU BERGER (Rue) B3
PRAIRIES SAINT-GILLES (Rue) B3-B4
PUITS DE JACOB (Rue du) D3
QUATRANS (Rue des) B2
QUATRANS (Square des) B2
QUINCAMPOIX (Rue) B1-B2
REINE MATHILDE (Avenue) A4
REINE MATHILDE (Place) A4
RENE PERROTTE (Rue) C3
REPUBLIQUE (Place de la) C2
RESISTANCE (Place de la) C4
RICHARD LENOIR (Rue) B4
ROSIERS (Rue des) A1
SADI CARNOT (Rue) C2-C3
SAINT-ETIENNE LE VIEUX (Place) C1
SAINT-GILLES (Place) A4
SAINT-JEAN (Place) C3
SAINT-JEAN (Rue) B3-D4
SAINT-JULIEN (Fossés) B1-A2
SAINT-LAURENT (Rue) C2
SAINT-LOUIS (Rue) C3-D3
SAINT-MANVIEU (Rue) B1
SAINT-MARTIN (Place) B1
SAINT-MARTIN (Rue) B1
SAINT-MICHEL (Rue) D3-D4
SAINT-PIERRE (Place) B3
SAINT-PIERRE (Rue) B2-B3
SAINT-PIERRE DE DARNETAL (Square) . B3
SAINT-SAUVEUR (Place) B1
SAINT-SAUVEUR (Rue) B1-B2
SAINTE-AGATHE (Venelle) B4
SAINTE-ANNE (Rue) A3-A4
SAMUEL BOCHARD (Rue) B4
SEGRAIS (Rue) A3-A4
SEPULCRE (Degré du) A3-B3
SEPULCRE (Place du) A3
SEVIGNE (Promenade) D3-D4
SINGER (Rue) .C3-C4
6 JUIN (Avenue du) B3-D4
SOHIER (Passage) B3
SOPHRONYME BAUJOUR (Rue) A1
SOUVENIR FRANCAIS(Square du) B2
STRASBOURG (Rue de) B2-C2
TEINTURIERS (Rue des) B2
TERRASSES (Rue des) A2
THAN (Impasse de) B3
TONNELIERS (Rue des) D4
TOUR DE TERRE (Impasse du) B2
TOUR DE TERRE (Rue du) B2
TOURVILLE (Avenue de) B4
36EME REGIMENT D'INFANTERIE
(Place du) D4
VARIGNON (Impasse) B4
VARIGNON (Rue) B4
VAUCELLES (Pont de) D4
VAUCELLES (Rue de) D4
VAUGUEUX (Rue du) A3-B3
VAUQUELIN (Rue) B2
VENDEUVRE (Quai) B3-C4
VERDUN (Avenue de) C3-D3
VIEUX CLOS HERBERT (Allée du) A4
20EME SIECLE (Rue du) A1
WINSTON CHURCHILL (Pont) D4
YVES GUILLOU (Boulevard) D1-D2

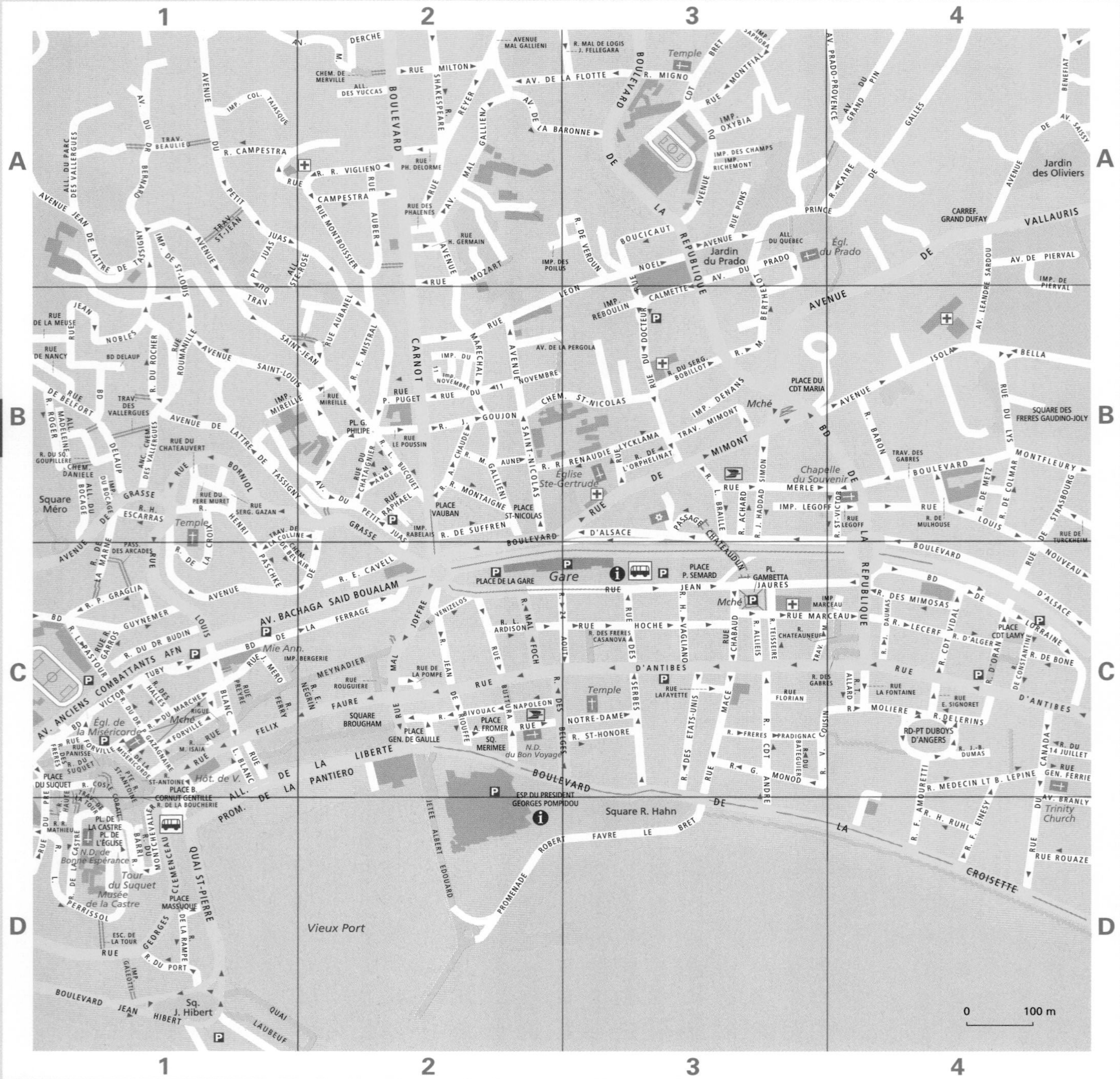

CANNES

ACHARD (Rue) B3
ALBERT EDOUARD (Jetée) C2-D2
ALBERT FROMER (Place) C2
ALGER (Rue d') C4
ALLIEIS (Rue) C3
ALSACE (Boulevard d') C2-B4
ANCIENS COMBATTANTS A F N (Avenue) C1
ANDRE CHAUDE (Rue) B2
ANTIBES (Rue d') C2-C4
ARCADES (Passage des) C1
AUBANEL (Rue) B2
AUBER (Rue) A2-B2
B. CORNUT GENTILLE (Place) D1
BACHAGA SAID BOUALAM (Avenue) C1-C2
BARON (Rue) B4
BARONNE (Avenue de la) A2-A3
BARRI (Rue du) D1
BATEGUIER (Rue du) C3
BEAULIEU (Traverse) A1
BEL AIR (Chemin de) B1-C2
BELFORT (Rue de) B1
BELGES (Rue des) C2-C3
BENEFIAT (Avenue de) A4
BERGERIE (Impasse) C1
BIVOUAC NAPOLEON (Rue) C2
BOCAGE (Allée du) B1-C1
BOCAGE (Impasse du) B1
BONE (Rue de) C4
BORNIOL (Rue) B1-B2
BOUCHERIE (Rue de la) C1-D1
BOUCICAUT (Rue) A3-B3
BRANLY (Avenue) C4-D4
BROUGHAM (Square) C2
BUTTURA (Rue) C2
CAIRE (Rue) A3-A4
CAMPESTRA (Rue) A1-A2
CANADA (Rue du) C4-D4
CARNOT (Boulevard) A2-C2
CASTRE (Place de la) D1
CASTRE (Rue de la) D1
CHABAUD (Rue) C3
CHAMPS (Impasse des) A3
CHATAIGNIER (Rue du) B2
CHATEAUDUN (Passage) B3-C3
CHATEAUNEUF (Rue) C3-C4
CHATEAUVERT (Rue du) B1
COLLINE (Traverse de la) C1-B2
COLMAR (Rue de) B4
COLONEL TAJASQUE (Impasse) A1
COMMANDANT ANDRE (Rue) C3-D3
COMMANDANT BRET (Avenue du) A3
COMMANDANT LAMY (Place) C4
COMMANDANT MARIA (Place du) B3
COMMANDANT VIDAL (Rue) C4
CONSTANTINE (Rue de) C4
COSTE CORAIL (Rue) C1-D1
CROISETTE (Boulevard de la) C2-D4
CROIX (Rue de la) B1-C1
DANIELE (Chemin) B1
DELAUP (Boulevard) B1
DENANS (Impasse) B3
DIX-HUIT JUIN (Place du) C2
DOCTEUR BERNARD (Avenue du) A1
DOCTEUR BUDIN (Rue du) C1
DOCTEUR CALMETTE (Rue du) A3-B3
DOCTEUR P GAZAGNAIRE (Rue du) C1
DUBOYS D'ANGERS (Rond-point) C4
EDITH CAVELL (Rue) C2
ÉGLISE (Place de l') D1
EMILE NEGRIN (Rue) C2
EMMANUEL SIGNORET (Rue) C4
ETATS-UNIS (Rue des) C3
FELIX FAURE (Rue) C1-C2
FERRAGE (Boulevard de la) C1-C2
FERRY (Rue) C1
FLORIAN (Rue) C3
FLOTTE (Avenue de la) A2-A3
FONTAINE (Rue la) C4
FORVILLE (Rue) C1
FRANCOIS EINESY (Rue) C4-D4
FREDERIC AMOURETTI (Rue) C4-D4
FREDERIC MISTRAL (Rue) B2
FRERES (Rue des) C1
FRERES CASANOVA (Rue des) C3
FRERES GAUDINO-JOLY (Square des) B4
FRERES PRADIGNAC (Rue) C3
GABRES (Rue des) C4
GABRES (Traverse des) B4
GALEOTTI (Impasse) D1
GAMBETTA (Place) C3
GARE (Place de la) C2
GENERAL DE GAULLE (Place) C2
GENERAL FERRIE (Rue) C4
GEORGES CLEMENCEAU (Rue) D1
GEORGES POMPIDOU (Esplanade) C2
GERARD MONOD (Rue) C3
GERARD PHILIPE (Place) B2
GRAND DUFAY (Carrefour) A4
GRAND PIN (Avenue du) A4
GRASSE (Avenue de) C1-B2
GUYNEMER (Boulevard) C1
HALLES (Rue des) C1
HAUTE (Rue) C1-D1
HELENE VAGLIANO (Rue) C3
HENRI GERMAIN (Rue) A2
HENRI PASCHKE (Rue) B1-C1
HENRI RUHL (Rue) D4
HOCHE (Rue) C2-C3
HONORE ESCARRAS (Rue) B1
HOTEL DE VILLE (Place de l') C1-D1
ISOLA BELLA (Avenue) B3-B4
JEAN DAUMAS (Rue) C4
JEAN DE LATTRE DE TASSIGNY (Avenue) A1-B1
JEAN DE RIOUFFE (Rue) C2
JEAN GOUJON (Rue) B2
JEAN HADDAD SIMON (Rue) B3
JEAN HIBERT (Boulevard) D1
JEAN JAURES (Rue) C2-C4
JEAN MERO (Rue) C1
JEAN NOBLES (Rue) B1
JEAN-BAPTISTE DUMAS (Rue) C4
LAFAYETTE (Rue) C3
LATTRE DE TASSIGNY (Avenue de) B1-B2
LAUBEUF (Quai) D1-D2
LEANDRE SARDOU (Avenue) A4-B4
LECERF (Rue) C4
LEGOFF (Impasse) B3-B4
LEGOFF (Rue) B4
LEON NOEL (Rue) B2-A3
LEOPOLD BUCQUET (Rue) B2
LERINS (Rue de) C4
LIBERTE (Allée de la) D1-C2
LORRAINE (Boulevard de) C4
LOUIS ARDISON (Rue) C2
LOUIS BLANC (Rue) B1-C1
LOUIS BRAILLE (Rue) B3
LOUIS NOUVEAU (Rue) B4-C4
LOUIS PASTOUR (Rue) C1
LOUIS PERRISSOL (Rue) D1
LYCKLAMA (Rue) B3
LYS (Rue du) B4
MACE (Rue) C3-D3
MADELEINE (Allée) B1
MAL DE LOGIS J FELLEGARA (Rue) A3
MARCEAU (Impasse) C4
MARCEAU (Rue) C3-C4
MARCEAU (Traverse) C3
MARCELLIN BERTHELOT (Rue) A3-B3
MARCHE FORVILLE (Rue du) C1
MARECHAL FOCH (Rue) C2
MARECHAL GALLIENI (Avenue) A2-C2
MARECHAL JOFFRE (Rue) C2
MARIUS AUNE (Rue) B2
MARIUS ISAIA (Rue) C1
MARNE (Rue de la) B1-C1
MASSUQUE (Place) D1
MAURICE DERCHE (Avenue) A1-A2
MEDECIN LT B. LEPINE (Rue) C4
MERIMEE (Square) C2
MERLE (Rue) B3-B4
MERVILLE (Chemin de) A2
METZ (Rue de) B4
MEUSE (Rue de la) B1
MEYNADIER (Rue) C1-C2
MICHEL ANGE (Rue) B2
MIGNO (Rue) A3
MILTON (Rue) A2
MIMONT (Rue de) B2-B3
MIMONT (Traverse) B3
MIMOSAS (Rue des) C4
MIREILLE (Impasse) B1-B2
MIREILLE (Rue) B2
MISERICORDE (Rue de la) C1
MOLIERE (Rue) C4
MONTAIGNE (Rue) B2
MONTBOISSIER (Rue) A2
MONTCHEVALIER (Rue) D1
MONTFIAL (Rue) A3
MONTFLEURY (Boulevard) B4
MOZART (Rue) A2
MULHOUSE (Rue de) B4
NANCY (Rue de) B1
NOTRE-DAME (Rue) C2-C3
ONZE NOVEMBRE (Impasse du) B2
ONZE NOVEMBRE (Rue du) B2
ORAN (Rue d') C4
ORPHELINAT (Rue de l') B3
OXYBIA (Impasse) A3
PANISSE (Rue) C1
PANTIERO (Promenade de la) D1-C2
PARC DES VALLERGUES (Allée du) A1
PAUL MERO (Square) B1-C1
PERE MURET (Rue du) B1
PERGOLA (Avenue de la) B2-B3
PETIT JUAS (Avenue du) A1-C2
PETIT JUAS (Traverse du) A1-B1
PHALENES (Rue des) A2
PHILIBERT DELORME (Rue) A2
PIERRE GRAGLIA (Rue) C1
PIERRE PUGET (Rue) B2
PIERRE SEMARD (Place) C3
PIERVAL (Avenue de) A4
PIERVAL (Impasse de) A4-B4
POILUS (Impasse des) A2-A3
POMPE (Rue de la) C2
PONS (Rue) A3
PORT (Rue du) D1
POUSSIN (Rue le) B2
PRADO (Avenue du) A3
PRADO-PROVENCE (Avenue) A4
PRE (Rue du) C1-D1
PREYRE (Rue) C1
PRINCE DE GALLES (Avenue) A3-A4
QUATORZE JUILLET (Rue du) C4
QUEBEC (Allée du) A3
RABELAIS (Impasse) B2
RAMPE (Rue de la) D1
RAPHAEL (Rue) B2
RAYMOND MATHIEU (Rue) C1-D1
REBOULIN (Impasse) B3
RENE VIGLIENO (Rue) A2
REPUBLIQUE (Boulevard de la) A3-C4
REYER (Rue) A2
RICHEMONT (Impasse) A3
RIGUE (Rue) C1
ROBERT FAVRE LE BRET (Promenade) D2-D3
ROCHER (Rue du) B1
ROGER (Rue) B1
ROGER RENAUDIE (Rue) B2-B3
ROLAND GARROS (Rue) C1
ROUAZE (Rue) D4
ROUGUIERE (Rue) C2
ROUMANILLE (Rue) B1
SAINT-ANTOINE (Petite rue) C1-D1
SAINT-ANTOINE (Rue) C1
SAINTE-ROSE (Allée) B1-A2
SAINT-HONORE (Rue) C3
SAINT-JEAN (Avenue) A1-B2
SAINT-JEAN (Traverse) A1
SAINT-LOUIS (Avenue) B1-B2
SAINT-LOUIS (Impasse de) A1-B1
SAINT-NICOLAS (Avenue) B2
SAINT-NICOLAS (Chemin) B2-B3
SAINT-PIERRE (Quai) D1
SAINT-VICTOR (Rue) B4
SAISSY (Avenue) A4
SAPHORA (Impasse) A3
SERBES (Rue des) C3
SERGENT BOBILLOT (Rue du) B3
SERGENT GAZAN (Rue) B1
SHAKESPEARE (Rue) A2
SQUARE GOUPILLERE (Rue du) B1
ST-NICOLAS (Place) B2
STRASBOURG (Rue de) B4-C4
SUFFREN (Rue de) B2
SUQUET (Place du) C1
SUQUET (Rue du) C1
TEISSEIRE (Rue) C3
TONY ALLARD (Rue) C4
TOUR (Escalier de la) D1
TOUR (Traverse de la) C1-D1
TURCKHEIM (Rue de) B4
VALLAURIS (Avenue de) B3-A4
VALLERGUES (Ancien chemin des) B1
VALLERGUES (Traverse des) B1
VAUBAN (Place) B2
VENIZELOS (Rue) C2
VERDUN (Rue de) A2-A3
VICTOR COUSIN (Rue) C3-C4
VICTOR TUBY (Boulevard) C1
VINGT-QUATRE AOUT (Rue) C2-C3
YUCCAS (Allée des) A2

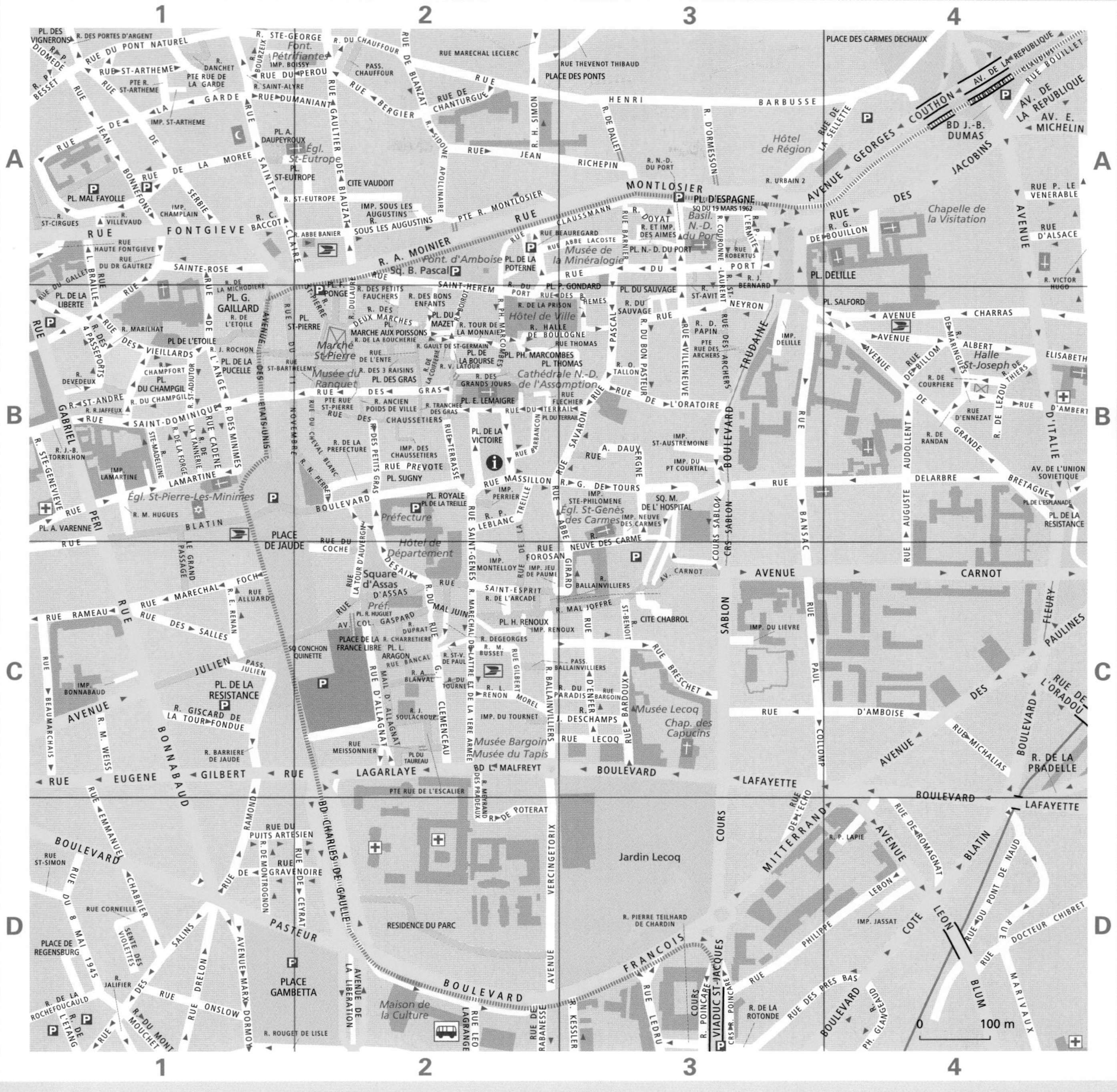

ABBE BANIER (Rue)	A1-A2
ABBE DAUPEYROUX (Place)	A1
ABBE GIRARD (Rue)	B2-C3
ABBE LACOSTE (Rue)	A2-A3
AIMES (Rue des)	A3
ALBERT ELISABETH (Avenue)	B4
ALEXANDRE VARENNE (Place)	B1
ALLAGNAT (Mail d')	C2
ALLAGNAT (Rue d')	C2
ALLUARD (Rue)	C1
ALSACE (Rue d')	A4
AMBERT (Rue d')	B4
AMBOISE (Rue d')	C3-C4
ANCIEN POIDS DE VILLE (Rue)	B2
ANDRE MOINIER (Rue)	A2-A3
ANGE (Rue de l')	A1-B1
ANTOINE DAUVERGNE (Rue)	B3
ARCADE (Rue de l')	C2
ARCHERS (Petite rue des)	B3
ARCHERS (Rue des)	B3
ARTAUD BLANVAL (Rue)	C2
ASSAS (Rue d')	C2
AUGUSTE AUDOLLENT (Rue)	B4-C4
BALLAINVILLIERS (Passage)	C2
BALLAINVILLIERS (Rue)	C2-C3
BANCAL (Rue)	C2
BANSAC (Rue)	B3-C3
BARBANCON (Rue)	B2
BARDOUX (Rue)	C3
BARGOIN (Rue)	C3
BARNIER (Rue)	A3
BARRIERE DE JAUDE (Rue)	C1
BEAUMARCHAIS (Rue)	C1
BEAUREGARD (Rue)	A2
BERGIER (Rue)	A2
BILLOM (Rue de)	B4
BLANZAT (Rue de)	A2
BLATIN (Rue)	B1-C1
BOHEMES (Rue des)	B2-B3
BOIROT (Rue)	B2
BOISSY (Impasse)	A1
BON PASTEUR (Rue du)	B3
BONNABAUD (Impasse)	C1
BONNABAUD (Rue)	B1-D1
BONS ENFANTS (Rue des)	A2-B2
BOUCHERIE (Rue de la)	B2
BOUILLET (Rue)	A4
BOURSE (Place de la)	B2
BOURZEIX (Rue)	A1
BRESCHET (Rue)	C3
CADENE (Rue)	B1
CARMES DECHAUX (Place des)	A4
CARNOT (Avenue)	C3-C4
CEYRAT (Rue de)	D2
CHABROL (Cité)	C3
CHAMPFORT (Rue)	B1
CHAMPGIL (Place du)	B1
CHAMPGIL (Rue du)	B1
CHAMPLAIN (Impasse)	A1
CHANTURGUE (Rue de)	A2
CHARLES DE GAULLE (Boulevard)	C2-D2
CHARRAS (Avenue)	B3-B4
CHARRETIERE (Rue)	C2
CHAUFFOUR (Passage)	A2
CHAUFFOUR (Rue du)	A2
CHAUSSETIERS (Impasse des)	B2
CHAUSSETIERS (Rue des)	B2
CHEVAL BLANC (Rue du)	B2
CLAUDE BACCOT (Rue)	A1
CLAUDIUS (Chaussée)	A4
CLAUSSMANN (Rue)	B2-A3
COCHE (Rue du)	C2
COIFFERIE (Rue de la)	B2
COLONEL GASPARD (Avenue)	C2
CONCHON QUINETTE (Square)	C2
CORNEILLE (Rue)	D1
COTE BLATIN (Boulevard)	D3-D4
COURONNE (Rue)	A3
COURPIERE (Rue de)	B4
DALLET (Rue de)	A3
DANCHET (Rue)	A1
DEGEORGES (Rue)	C2
DELARBRE (Rue)	B3-B4
DELILLE (Impasse)	B3
DELILLE (Place)	A3
DENIS PAPIN (Rue)	B3
DESAIX (Boulevard)	B2-C2
DEUX MARCHES (Rue des)	B2
DEVEDEUX (Rue)	B1
19 MARS 1962 (Square du)	A3
DOCTEUR CHIBRET (Rue)	D4
DOCTEUR GAUTREZ (Rue du)	A1
DOYAT (Rue)	A3
DRELON (Rue)	D1
DULAURE (Rue)	A2-B2
DUMANIANT (Rue)	A1-A2
DUPRAT (Rue)	C2
ECHO (Rue de l')	C3-D3
EDMOND LEMAIGRE (Place)	B2
EDOUARD MICHELIN (Avenue)	A4
EMMANUEL CHABRIER (Rue)	C1-D1
ENFER (Rue d')	C3
ENNEZAT (Rue d')	B4
ENTE (Rue de l')	B2
ERNEST RENAN (Rue)	C1
ESCALIER (Petite rue de l')	C2
ESPAGNE (Place d')	A3
ESPLANADE (Place de l')	B4
ETANG (Rue de l')	D1
ETATS UNIS (Avenue des)	B1
ETOILE (Place de l')	B1
ETOILE (Rue de l')	B1
EUGENE GILBERT (Rue)	C1
FLECHIER (Rue)	B2
FLEURY (Boulevard)	B4-D4
FONTGIEVE (Rue)	A1
FORGE (Rue de la)	B1
FOROSAN (Rue)	C2-C3
FRANCE LIBRE (Place de la)	C2
FRANCIS PONGE (Place)	A2
FRANCOIS MITTERRAND (Bd)	D2-D4
GABRIEL PERI (Rue)	B1
GALLET (Rue du)	A1-B1
GAMBETTA (Place)	D1
GARDE (Petite rue de la)	A1
GARDE (Rue de la)	A1
GAULT DE ST-GERMAIN (Rue)	B2
GAULTIER DE BIAUZAT (Rue)	A2
GEORGES CLEMENCEAU (Rue)	C2
GEORGES COUTHON (Avenue)	A3-A4
GILBERT GAILLARD (Place)	A1
GILBERT MOREL (Rue)	C2
GISCARD DE LA TOUR FONDUE (Rue)	C1
GODEFROY DE BOUILLON (Rue)	A3-A4
GRANDE BRETAGNE (Avenue de)	B4
GRANDS JOURS (Rue des)	B2
GRAS (Place des)	B2
GRAS (Rue des)	B1-B2
GRAVENOIRE (Rue de)	D1-D2
GREGOIRE DE TOURS (Rue)	B2-B3
HALLE DE BOULOGNE (Rue)	B2-B3
HAUTE FONTGIEVE (Rue)	A1
HENRI BARBUSSE (Rue)	A2-A4
HENRI SIMON (Rue)	A2
HIPPOLYTE RENOUX (Place)	C2
8 MAI 1945 (Rue du)	D1
ITALIE (Avenue d')	A4-B4
JEAN-BAPTISTE TORRILHON (Rue)	B1
JACOBINS (Rue des)	A3-A4
JACQUES BERNARD (Rue)	A3
JALIFIER (Rue)	D1
JASSAT (Impasse)	D4
JAUDE (Place de)	C2
JEAN BONNEFONS (Rue)	A1
JEAN DESCHAMPS (Rue)	C2-C3
JEAN RICHEPIN (Rue)	A2-A3
JEAN ROCHON (Rue)	B1
JEAN SOULACROUP (Rue)	C2
JEAN-BAPTISTE DUMAS (Boulevard)	A4
JEU DE PAUME (Impasse)	C2
JULIEN (Avenue)	C1
JULIEN (Passage)	C1
KESSLER (Rue)	D3
LAFAYETTE (Boulevard)	C2-D4
LAGARLAYE (Rue)	C1-C2
LAMARTINE (Impasse)	B1
LAMARTINE (Rue)	B1
LE GRAND PASSAGE	B1-C1
LECOQ (Rue)	C2-C3
LEDRU (Rue)	D3
LEO LAGRANGE (Rue)	D2
LEON BLUM (Avenue)	C4-D4
LEON MALFREYT (Boulevard)	C2
LEZOUX (Rue de)	B4
LIBERATION (Avenue de la)	D2
LIBERTE (Place de la)	B1
LIEVRE (Impasse du)	C3
LOUIS ARAGON (Place)	C2
LOUIS BRAILLE (Rue)	A1-B1
LOUIS RENON (Rue)	C2
MARCHE AUX POISSONS (Place)	B2
MARECHAL DE LATTRE ET DE LA 1ERE ARMEE (Rue)	C2
MARECHAL FAYOLLE (Place)	A1
MARECHAL FOCH (Rue)	C1
MARECHAL JOFFRE (Rue)	C2-C3
MARECHAL JUIN (Rue du)	C2
MARECHAL LECLERC (Rue)	A2
MARILHAT (Rue)	B1
MARINGUES (Rue de)	B4
MARIVAUX (Rue)	D4
MARX DORMOY (Avenue)	D1
MASSILLON (Rue)	B2
MAURICE BUSSET (Rue)	C2
MAURICE WEISS (Rue)	C1
MAZET (Place du)	B2
MEISSONNIER (Rue)	C2
MEYRAND DES PRADEAUX (Rue)	C2-D2
MICHALIAS (Rue)	C4
MICHEL DE L'HOSPITAL (Square)	B3
MICHEL HUGUES (Rue)	B1
MICHODIERE (Rue de la)	A1-B1
MINIMES (Rue des)	B1
MONT MOUCHET (Rue du)	D1
MONTELLOY (Impasse)	C2
MONTLOSIER (Petite rue)	A2-A3
MONTLOSIER (Rue)	A2-A3
MONTROGNON (Rue de)	D1
MOREE (Rue de la)	A1
NESTOR PERRET (Rue)	B2
NEUVE DES CARMES (Impasse)	B3-C3
NEUVE DES CARMES (Rue)	B3-C3
NEYRON (Rue)	B3
NOTRE DAME DU PORT (Place)	A3
NOTRE DAME DU PORT (Rue)	A3
OMER TALLON (Rue)	B3
ONSLOW (Rue)	D1
11 NOVEMBRE (Rue du)	A1-B2
ORADOU (Rue de l')	C4
ORATOIRE (Rue de l')	B3
ORMESSON (Rue d')	A3
PARADIS (Rue du)	C2-C3
PARC (Résidence du)	D2
PASCAL (Rue)	A3-B3
PASTEUR (Boulevard)	D1-D2
PAUL COLLOMP (Rue)	C3
PAUL DIOMEDE (Rue)	A1
PAUL GONDARD (Place)	B2
PAUL LAPIE (Rue)	D4
PAUL LEBLANC (Rue)	B2
PAULINES (Avenue des)	C4
PEROU (Rue du)	A1-A2
PERRIER (Impasse)	B2
PETIT COURTIAL (Impasse du)	B3
PETITS FAUCHERS (Rue des)	A2-B2
PETITS GRAS (Rue des)	B2
PHILIPPE GLANGEAUD (Rue)	D4
PHILIPPE LEBON (Rue)	D3-D4
PHILIPPE MARCOMBES (Place)	B2
PHILIPPE MARCOMBES (Rue)	B2
PIERRE BESSET (Rue)	A1
PIERRE LE VENERABLE (Rue)	A4
PIERRE L'ERMITE (Rue)	A3
PIERRE TEILHARD DE CHARDIN (Rue)	D3
PONT DE NAUD (Rue du)	D4
PONT NATUREL (Rue du)	A1
PONTS (Place des)	A2
PORT (Rue du)	B2-A3
PORTES D'ARGENT (Rue des)	A1
POTERAT (Rue de)	D2
POTERNE (Place de la)	A2
PRADELLE (Rue de la)	D4
PREFECTURE (Rue de la)	B2
PRES BAS (Rue des)	D3-D4
PREVOTE (Rue)	B2
PRISON (Rue de la)	B3
PUCELLE (Place de la)	B1
PUITS ARTESIEN (Rue du)	D1-D2
4 PASSEPORTS (Rue des)	B1
RABANESSE (Rue de)	D2
RAMEAU (Rue)	C1
RAMOND (Rue)	C1-D1
RANDAN (Rue de)	B4
RAYMOND POINCARE (Cours)	D3
REGENSBURG (Place de)	D1
RENOUX (Impasse)	C2
REPUBLIQUE (Avenue de la)	A4
RESISTANCE (Place de la)	C2-B4
RIBEYRE JAFFEUX (Rue)	B1
ROBERT HUGUET (Place)	C2
ROBERTUS (Rue)	A3
ROCHEFOUCAULD (Rue de la)	D1
ROMAGNAT (Rue de)	C4-D4
ROTONDE (Rue de la)	D3
ROUGET DE LISLE (Rue)	D1-D2
ROYALE (Place)	B2
SABLON (Cours)	B3-D3
SAINT-ADJUTOR (Rue)	B1
SAINT-ALYRE (Rue)	A1
SAINT-ANDRE (Rue)	B1
SAINT-ARTHEME (Impasse)	A1
SAINT-ARTHEME (Petite rue)	A1
SAINT-ARTHEME (Rue)	A1
SAINT-AUSTREMOINE (Impasse)	B3
SAINT-AVIT (Rue)	A3-B3
SAINT-BARTHELEMY (Rue)	B2
SAINT-BENOIT (Rue)	C3
SAINT-CIRGUES (Rue)	A1
SAINT-DOMINIQUE (Rue)	B1
SAINT-ESPRIT (Rue)	C2
SAINT-EUTROPE (Place)	A2
SAINT-EUTROPE (Rue)	A1-A2
SAINT-GENES (Rue)	B2-C2
SAINT-HEREM (Rue)	A2-B2
SAINT-LAURENT (Rue)	A3-B3
SAINT-PIERRE (Petite rue)	B2
SAINT-PIERRE (Place)	B2
SAINT-PIERRE (Rue)	A2-B2
SAINT-SIMON (Rue)	D1
SAINT-VINCENT DE PAUL (Rue)	C2
SAINTE-CLAIRE (Rue)	A1-A2
SAINTE-GENEVIEVE (Rue)	B1
SAINTE-GEORGE (Rue)	A1-A2
SAINTE-MADELEINE (Rue)	B1
SAINTE-PHILOMENE (Impasse)	B3
SAINTE-ROSE (Rue)	A1-B1
SAVARON (Rue)	B2-B3
SELLETTE (Rue de la)	A3-A4
SERBIE (Rue de)	A1
SIDOINE APOLLINAIRE (Rue)	A2
SOUS LES AUGUSTINS (Impasse)	A2
SOUS LES AUGUSTINS (Rue)	A2
SUGNY (Place)	B2
TANNERIE (Rue de la)	B1
TAUREAU (Place du)	C2
TERRAIL (Place du)	B3
TERRAIL (Rue du)	B2-B3
TERRASSE (Rue)	B2
THEVENOT THIBAUD (Rue)	A2-A3
THIERS (Rue de)	B4
THOMAS (Place)	B2
THOMAS (Rue)	B2-B3
TOUR D'AUVERGNE (Rue la)	B2-C2
TOUR DE LA MONNAIE (Rue)	B2
TOURNET (Impasse du)	C2
TOURNET (Rue du)	C2
TRANCHEE DES GRAS (Rue)	B2
TREILLE (Rue de la)	B2-C2
3 RAISINS (Rue des)	B2
TRUDAINE (Boulevard)	B3
UNION SOVIETIQUE (Avenue de l')	B4
URBAIN 2 (Rue)	A3
VAUDOIT (Cité)	A2
VERCINGETORIX (Avenue)	C2-D2
VERDIER LATOUR (Rue)	B2
VIADUC SAINT-JACQUES	D3
VICTOIRE (Place de la)	B2
VICTOR HUGO (Rue)	A4
VIEILLARDS (Rue des)	B1
VIGNERONS (Place des)	A1
VILLENEUVE (Rue)	A3-B3
VILLEVAUD (Rue)	A1
VIOLETTES (Sente des)	D1

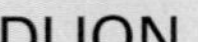

DIJON

AHUY (Rue d') A2
ALFRED DE MUSSET (Rue) D4
ALISE (Rue d') C4
ALPHONSE MAIREY (Rue) D2
AMIRAL ROUSSIN (Rue) C2-C3
ANCIENNES FACULTES (Rue des) D1
ANDRE COLOMBAN (Rue) D4
ANDRE MALRAUX (Rue) A4
ASSAS (Rue d') B2-B3
AUDRA (Rue) B1
AUGUSTE COMTE (Rue) B3
AUGUSTE DUBOIS (Place) B1
AUGUSTE PERDRIX (Rue) A1-B1
AUXONNE (Rue d') D3
BANNELIER (Rue) B1-B2
BANQUE (Place de la) B2
BARBE (Place) A2
BELLE RUELLE (Rue) C1
BENEDICTINS (Square des) C1
BERBISEY (Rue) D1-C2
BERLIER (Rue) D3-C4
BERNARD COURTOIS (Rue) A1
BONS ENFANTS (Rue des) C2-C3
BORDOT (Rue) D2
BOSSACK (Rue) B1
BOSSUET (Place) C1-C2
BOSSUET (Rue) C2
BOUHIER (Rue) C2
BOURG (Rue du) C2
BRAISNE (Impasse de) B2
BROSSES (Boulevard de) B1-B2
BRULARD (Rue) C1-C2
BUFFON (Rue) C3-D3
CAPUCINES (Rue des) A1
CARDINAL DE GIVRY (Allée) A4
CARNOT (Boulevard) D3-C4
CARON (Cour de) A3-B3
CARRELET DE LOISY (Square) C3
CAZOTTE (Rue) C1
CHABOT CHARNY (Rue) C3-D3
CHAIGNOT (Rue du) D1-D2
CHAMP DE MARS (Rue du) B2-B3
CHAMPAGNE (Boulevard de) A4
CHANCELIER DE L'HOSPITAL (Rue) . . C3-C4
CHAPEAU ROUGE (Rue du) B1-C1
CHARLES DE VERGENNES (Rue) A2
CHARLES DUMONT (Rue) D3
CHARLES FRANCOIS DUPUIS (Place) . . A2
CHARRUE (Rue) C2
CHATEAU (Rue du) B1-B2
CHAUDRONNERIE (Rue) B3
CHEVAL BLANC (Cour du) B3
CHOUETTE (Rue de la) B2-B3
CLAUDE BASIRE (Rue) D3
CLAUDE BERNARD (Rue) A2-B2
CLAUDE RAMEY (Rue) B2
CLAUS SLUTER (Rue) A3
COLMAR (Rue de) A4
COLONEL DE GRANCEY (Rue) B4-C4
COLONEL MARCHAND (Rue) A1-A2
COLSON (Rue) D1-D2
CONDORCET (Rue) C1-D1
CONSTANTINE (Rue de) A1
CORDELIERS (Place des) C2
CORROYEURS (Rue des) D1
COTE D'OR (Passage de la) A1
COUPEE DE LONGVIC (Rue) D3
COURTEPEE (Rue) A2
CREBILLON (Rue) C1-D1
DANTON (Rue) C1
DARCY (Passage) B1
DARCY (Place) B1
DAUPHINE (Rue) C2
DAVOUT (Rue) B4
DEVANT LES HALLES CHAMPEAUX
(Rue) B3
DEVOSGE (Rue) B1-A3
DIDEROT (Rue) A3-C4
DIETSCH (Rue) B3
DOCTEUR CHAUSSIER (Rue) B1-C1
DOCTEUR DURANDE (Rue) A1
DOCTEUR MARET (Rue) B1-C1
DUBOIS (Rue) C3
DUCS DE BOURGOGNE
(Place des) B2-C3
ECOLE DE DROIT (Rue de l') C2-C3
EGALITE (Rue de l') A1
EMILE ZOLA (Place) C1
EUGENE GUILLAUME (Rue) B1
FAIENCERIE (Cour de la) C1
FELIX TRUTAT (Rue) B4
FERDINAND DE LESSEPS (Rue) A2
FEVRET (Rue) D2-D3
FLEURS (Rue des) A1
FLEURY (Cours) A2-A3
FORGES (Rue des) B2-C2
FRANCOIS BAUDOT (Rue) C4
FRANCOIS JOUFFROY (Rue) C1-D1
FRANCOIS MAURIAC (Rue) A3-A4
FRANCOIS RUDE (Place) B2-C2
FRANCOIS RUDE (Rue) B2
FRANKLIN (Rue) D2
FRERES (Cour des) D1
GABRIEL PEIGNOT (Rue) A3
GAGNEREAUX (Impasse) A2
GAGNEREAUX (Rue) A2
GALOCHE (Rue) B4
GARIBALDI (Avenue) A3
GASTON PARIS (Rue) D3-D4
GENERAL DE GAULLE (Cours) D3
GEORGES CLEMENCEAU
(Boulevard) A3-A4
GODRANS (Rue des) B2-C2
GRANGIER (Place) B1-B2
GRAY (Rue de) B4-C4
GUILLAUME (Porte) B1
GUISE (Montée de) D1
GUYTON DE MORVEAU (Rue) B3-C3
GYMNASE (Rue du) D1-C2
HENRI BAUDOT (Rue) C4
HENRI CHABEUF (Cour) C3
HENRY CHAMBELLAND (Rue) A1
HERNOUX (Rue) C2
HEUDELET (Rue) A4-B4
JACOTOT (Rue) D3
JACQUES CELLERIER (Rue) A1-B1
JAMES DEMONTRY (Rue) B2
JEAN BOUHEY (Place) A4
JEAN DE CIREY (Rue) A4
JEAN MACE (Place) C2
JEAN RENAUD (Rue) B1
JEAN-BAPTISTE BAUDIN (Rue) D3-C4
JEAN-BAPTISTE LALLEMAND (Rue). B3-A4
JEAN-BAPTISTE LIEGEARD (Rue) C2
JEAN-JACQUES ROUSSEAU (Rue) . . A3-B3
JEANNIN (Rue) B3-C4
JOSEPH TISSOT (Rue) A2
JOUVENCE (Impasse de) A2
JOUVENCE (Rue de) A2
JULES MERCIER (Rue) C2
LACORDAIRE (Rue) A1
LAGNY (Rue) D1
LAMONNOYE (Rue) B3-C3
LEDRU ROLLIN (Rue) A4-B4
LEGOUZ GERLAND (Rue) C3
LIBERATION (Place de la) C2
LIBERTE (Rue de la) B1-C2
LIONS (Cour aux) B3
LONGEPIERRE (Rue) C3
LONGVIC (Rue de) D3
LORRAINE (Rue de) A1-A2
LOUIS BLANC (Rue) A4
LYCEE (Rue du) B3-C4
MABLY (Rue) B1
MADELELINE (Cour) C1
MANUTENTION (Rue de la) D1
MARCEAU (Rue) A3
MARECHAL FOCH (Avenue) B1
MARIOTTE (Rue) C1
MARNE (Boulevard de la) A4
MAURICE CHAUME (Rue) C4
MERE JAVOUHEY (Rue) A2-B3
METZ (Rue de) B4
MICHEL SERVET (Rue) B1-B2
MICHELET (Rue) C1-C2
MIRANDE (Rue de) C4
MISERICORDE (Rempart de la) C1-D1
MONGE (Rue) C1-D1
MONNAIE (Petite rue de la) C3
MONTCHAPET (Rue de) A1-A2
MONTIGNY (Rue) B1-B2
MONTMARTRE (Rue) A1
MOUTON (Cour du) A3-B3
MOUTON (Rue du) C1
MUET (Rue le) A1-B1
MULHOUSE (Rue de) A3-B4
MUSETTE (Rue) B2
NEUVE DAUPHINE (Rue) C2
NICOLAS BERTHOT (Rue) A1
NORD (Rue du) A3-B3
NOTRE DAME (Place) B2-C2
ODEBERT (Rue) B2
PALAIS (Place du) C2
PALAIS (Rue du) C2-C3
PARMENTIER (Rue) A3
PASTEUR (Rue) C2-D3
PAUL CABET (Rue) C4
PELLETIER DE CHAMBURE (Rue) C4
PERRIERES (Rue des) B1
PERSPECTIVE (Place de la) D1
PETIT CITEAUX (Rue du) D1
PETIT POTET (Rue du) C2-C3
PHILIBERT PAPILLON (Rue) A3-A4
PHILIPPE POT (Rue) C2-C3
PIERRE CURIE (Rue) D2
PIERRE FLEUROT (Rue) A1
PIERRE PRUD'HON (Rue) A2
PIRON (Rue) C2
PORTE AUX LIONS (Rue) C2
POSTE (Rue de la) B1
POUFFIER (Petite rue) B3
POUILLY (Petite rue de) A3
POULETTY (Impasse) D4
PREFECTURE (Rue de la) B2-A3
1ERE ARMEE FRANCAISE
(Avenue de la) B1
PRESIDENT WILSON (Place du) D3
PREVOTE (Rue de la) C1
PRIEUR DE LA COTE D'OR (Rue) C3-D4
PROUDHON (Rue) B3
QUENTIN (Rue) B2
RABOT (Rue du) B2
RAMEAU (Rue) C2-C3
RANFER DE BRETENIERE (Rue) D1-D2
REMPART (Rue du) D2-D3
REPUBLIQUE (Place de la) A3
ROSIERS (Rue des) A1-B1
SAINT-BENIGNE (Place) C1
SAINT-BERNARD (Place) B2
SAINTE-ANNE (Rue) C2-D2
SAINTE-CHAPELLE (Place de la) C3
SAINTE-MARIE (Cour) B3
SAINT-FIACRE (Place) C2
SAINT-MICHEL (Place) C3
SAINT-NICOLAS (Allée) A4
SAINT-NICOLAS (Cour) B3
SAINT-PHILIBERT (Parvis) C1
SAMBIN (Rue) B2-A3
SAUMAISE (Rue) C3
SERRIGNY (Rue de) D1-D2
SEVIGNE (Boulevard) B1
SISLEY (Rue) D2-D3
SOISSONS (Rue de) B2
STEPHEN LIEGEARD (Rue) C2
SUQUET (Place) D1
SUZON (Petite rue de) B2
SUZON (Rue de) B2
SUZON (Ruelle du) B2
SYNAGOGUE (Rue de la) D3
TABOUROT DES ACCORDS (Impasse) . . D2
TABOUROT DES ACCORDS (Rue) D2
TEMPLE (Rue du) B1-B2
THEATRE (Place du) C3
THIERS (Boulevard) A3-C4
TILLOT (Rue du) C1
TIVOLI (Rempart) D1
TIVOLI (Rue de) D1-D3
TOUR FONDOIRE (Rue de la) D2
TRANSVAAL (Rue du) D1-D3
TREMOUILLE (Boulevard de la) B2-A3
30 OCTOBRE ET DE LA LEGION
D'HONNEUR (Place du) C4
TURGOT (Rue) C2-D2
VAILLANT (Rue) C3
VANNERIE (Rue) B3-C3
VAUBAN (Rue) C2
VERCINGETORIX (Rue) C4
VERDUN (Boulevard de) A4-B4
VERRERIE (Rue) B3-C3
VICTOR DUMAY (Rue) C2
VIEILLES ETUVES (Rue des) C1
VIEUX COLLEGE (Rue du) C3
VIEUX PRIEURE (Petite rue du) D3
27EME REGIMENT D'INFANTERIE
(Esplanade du) A4
23 JANVIER (Rue du) A1-A2
VIVANT CARION (Rue) D2
VOLTAIRE (Boulevard) C4-D4

ABBE DE LA SALLE (Rue) . . . B4
ABEL SERVIEN (Rue) . . . A4
ABREUVOIR (Rue de l') . . . B3
AGIER (Rue d') . . . A3
AGUTTE SEMBAT (Boulevard) . . . B3-C3
AIGLE (Rue de l') . . . D2
ALBERT 1ER DE BELGIQUE (Avenue) . . . D3-D4
ALEXANDRE 1ER DE YOUGOSLAVIE (Rue) . . . B2-B3
ALMA (Rue de l') . . . A4-B4
ALPHAND (Rue) . . . B4
ALPHONSE TERRAY (Rue) . . . C1
ALSACE (Rue d') . . . B2
ALSACE LORRAINE (Avenue) . . . B1-B2
AMIRAL COURBET (Rue) . . . B1
AMOUREUX (Cour des) . . . D3
ANCIEN CHAMP DE MARS (Rue de l') . . . B2
ANDRE MAGINOT (Rue) . . . D2-D3
ANDRE MALRAUX (Place) . . . C3-C4
ANDRE REAL (Rue) . . . B1
APVRIL (Place d') . . . C4
ARAGO (Rue) . . . A1
ARISTIDE BERGES (Rue) . . . A1-B1
ARISTIDE BRIAND (Place) . . . A1
ARSONVAL (Rue d') . . . A1-B1
ARTS (Rue des) . . . C1
AUBERT DUBAYET (Rue) . . . C2-C3
AUGEREAU (Rue) . . . D2
AUGUSTE GACHE (Rue) . . . A4-B4
AUGUSTINS (Rue des) . . . A3
BAINS (Rue des) . . . C1-C2
BARBILLON (Rue) . . . B1
BARNAVE (Rue) . . . A4
BARRAL (Rue) . . . D2
BAYARD (Rue) . . . A4-B4
BEAUBLACHE (Rue) . . . B1
BEAUREGARD (Chemin) . . . C2
BEAUX TAILLEURS (Rue des) . . . A4
BECCARIA (Rue) . . . C4
BEETHOVEN (Rue) . . . D1
BELGRADE (Rue de) . . . A3-B3
BERANGER (Rue) . . . C2-B3
BERGERS (Rue des) . . . C2
BERRIAT (Cours) . . . B1-C2
BERTHE DE BOISSIEUX (Rue) . . . D2-C3
BERULLE (Place de) . . . A3
BEYLE STENDHAL (Rue) . . . B4-C4
BILLEREY (Rue) . . . B2
BLANC FONTAINE (Rue) . . . B3
BOIS D'ARTAS (Chemin) . . . D2
BOISSET (Rue) . . . C2
BONNE (Rue de) . . . B3
BONS ENFANTS (Rue des) . . . C2
BOSSUS (Cour des) . . . C3
BRESSIEUX (Rue) . . . B3
BROCHERIE (Impasse) . . . A4
BROCHERIE (Rue) . . . A4
CAMILLE DESMOULINS (Rue) . . . D1
CAPUCHE (Chemin de la) . . . D3
CASIMIR BRENIER (Rue) . . . B1-A2
CASIMIR PERIER (Rue) . . . B4-C4
CHALEMONT (Montée) . . . A3
CHAMPIONNET (Place) . . . C2
CHAMPOLLION (Rue) . . . B4-C4
CHARLES GOUNOD (Rue) . . . D1
CHARLES MICHELS (Square) . . . D1
CHARLES TARTARI (Rue) . . . C3-C4
CHARLES TESTOUD (Rue) . . . D1-D2
CHARREL (Rue) . . . D1
CHAULNES (Cour de) . . . A3
CHENOISE (Rue) . . . A4
CITADELLE (Pont de la) . . . A4
CLAUDE BERNARD (Quai) . . . A1-A2
CLAUDE BROSSE (Quai) . . . A4
CLAVEYSON (Place) . . . A3
CLEMENT (Rue) . . . C1
CLERCS (Rue des) . . . A3-A4
CLOT BEY (Rue) . . . B2-B3
COLBERT (Rue) . . . C1
COLONEL BOUGAULT (Rue) . . . D4
COLONEL DENFERT ROCHEREAU (Rue) . . . B1
COLONEL DUMONT (Rue) . . . D2
COLONEL LANOYERIE (Rue) . . . D1-D2
COMBATTANTS D'AFRIQUE DU NORD (Allée des) . . . C4-D4
COMMANDANT GILOT (Rue) . . . D2
COMMANDANT ROZAN (Rue) . . . D1
CONDILLAC (Rue) . . . B3-B4
CONDORCET (Place) . . . C2
CONDORCET (Rue) . . . C1-C2
CORATO (Voie de) . . . A1-A4
CORNEILLE (Rue) . . . B3
CORNELIE GEMOND (Rue) . . . B4
CREPU (Rue) . . . B1-C1
CREQUI (Quai) . . . A2
CUJAS (Rue) . . . A3
CYMAISE (Place de la) . . . A3
DAUPHINE (Rue du) . . . C1
DAUPHINS (Passage des) . . . B3
DESAIX (Rue) . . . D2
DIABLES BLEUS (Boulevard des) . . . D4
DIODORE RAHOULT (Rue) . . . A3
DOCTEUR BALLY (Rue du) . . . B3
DOCTEUR HERMITE (Rue) . . . D1
DOCTEUR LEON MARTIN (Place du) . . . B3-C3
DOCTEUR MAZET (Rue du) . . . A2-B2
DOCTEUR VALOIS (Square du) . . . B3
DOMINIQUE VILLARS (Rue) . . . B4
DOUDART DE LAGREE (Rue) . . . C2-D2
DOYEN GOSSE (Place) . . . A1-B1
DROITS DE L'HOMME (Parvis des) . . . A3
EDGAR QUINET (Rue) . . . B1-C1
EDOUARD BRANLY (Rue) . . . A1
EDOUARD REY (Boulevard) . . . A2-B3
ELISEE RECLUS (Rue) . . . D3
EMILE AUGIER (Rue) . . . B2
EMILE GUEYMARD (Rue) . . . A1-B1
ESPLANADE (Boulevard de l') . . . A1
ESTOC (Rue de l') . . . A1
ETIENNE FOREST (Rue) . . . B1-B2
ETIENNE MARCEL (Rue) . . . C1
ETOILE (Place de l') . . . B3-C3
EUGENE FAURE (Rue) . . . B4
EXPILLY (Rue) . . . B3
EYMARD (Impasse) . . . D1
FANTIN LATOUR (Rue) . . . B4-C4
FELIX POULAT (Rue) . . . B3
FELIX VIALLET (Avenue) . . . B1-A3
FER A CHEVAL (Rue du) . . . A4
FONTAINE (Cours la) . . . C2-B3
FRANCE (Quai de) . . . A2
FRANCOIS MITTERRAND (Esplanade) . . . A4
FRANCOIS RAOULT (Rue) . . . C3
FREDERIC TAULIER (Rue) . . . A4
GABRIEL PERI (Rue) . . . B1-C1
GALILEE (Rue) . . . C1
GAMBETTA (Boulevard) . . . A2-D3
GARE (Place de la) . . . B1
GENERAL CHAMPON (Avenue) . . . D4
GENERAL DE BEYLIE (Rue) . . . B4
GENERAL DURAND (Rue) . . . D4
GENERAL JANSSEN (Rue) . . . D1
GENERAL MARCHAND (Rue) . . . B4
GENERAL RAMBEAUD (Rue) . . . D2
GENISSIEU (Rue) . . . C2
GENTIL BERNARD (Rue) . . . B3
GODEFROY SILVESTRI (Square) . . . C3
GORDES (Place de) . . . A3
GRAILLE (Quai de la) . . . A1
GRANDE RUE . . . A3-B3
GRENETTE (Place) . . . B3
GUETAL (Rue) . . . B3
GUSTAVE RIVET (Place) . . . D3
GUY ALLARD (Rue) . . . D2
GUY PAPE (Rue) . . . A3
HAUQUELIN (Rue) . . . A4
HAXO (Rue) . . . B4-C4
HEBERT (Rue) . . . B4
HECTOR BERLIOZ (Rue) . . . A3
HENRI DING (Rue) . . . D3
HERBES (Place aux) . . . A3-A4
HIPPOLYTE BOUVIER (Rue) . . . C1
HOCHE (Rue) . . . C3
HUBERT DUBEDOUT (Place) . . . A2
HUMBERT II (Rue) . . . C2-C3
IRVOY (Rue) . . . D1
ISERE (Rue de l') . . . A1
JACQUELINE MARVAL (Place) . . . C2-D2
JARDIN HOCHE (Allée du) . . . C3-D4
JAY (Rue) . . . B2
JEAN ACHARD (Place) . . . B3-B4
JEAN BISTESI (Rue) . . . C4-D4
JEAN BOCQ (Rue) . . . C4
JEAN JAURES (Cours) . . . D1-A2
JEAN MACE (Rue) . . . A1-B1
JEAN PAIN (Boulevard) . . . C4
JEAN PERROT (Avenue) . . . D4
JEAN PREVOST (Rue) . . . C1-D1
JEAN-BAPTISTE PRADEL (Rue) . . . C2
JEAN-FRANCOIS HACHE (Rue) . . . A4
JEAN-JACQUES ROUSSEAU (Rue) . . . A3-B4
JESUS (Chemin) . . . C2
JOSEPH REY (Rue) . . . B1-D1
JULES VIOLLE (Rue) . . . A2
KLEBER (Rue) . . . D2
LAFAYETTE (Rue) . . . B3-A4
LAKANAL (Rue) . . . C2-C3
LAMARTINE (Rue) . . . B3-C3
LAVALETTE (Place de) . . . A4
LAZARE CARNOT (Rue) . . . C2-D2
LESDIGUIERES (Rue) . . . C2-B4
LIBERTE (Rue de la) . . . B3-B4
LIEUTENANT CHANARON (Rue du) . . . C2
LIEUTENANT DE QUINSONAS (Rue) . . . D1
LIEUTENANT-COLONEL TROCARD (Rue) . . . D2
LIONNE (Rue de) . . . A4
LONDRES (Rue de) . . . D1
LORRAINE (Rue de) . . . A4
LOUIS VALLIER (Impasse) . . . D1
LYCEE (Passage du) . . . B4
LYON (Route de) . . . A1
MABLY (Rue) . . . B4
MADELEINE (Rue) . . . A3-A4
MALLIFAUD (Rue) . . . D3-D4
MANEGE (Rue du) . . . C4
MARCEAU (Rue) . . . D2
MARCEL BENOIT (Rue) . . . B4
MARCEL DEPREZ (Rue) . . . A2
MARCEL PORTE (Rue) . . . D3-D4
MARCEL REYMOND (Cour) . . . A4
MARECHAL DODE (Rue) . . . B2
MARECHAL FOCH (Boulevard) . . . D2-D3
MARECHAL JOFFRE (Boulevard) . . . D3-C4
MARECHAL LYAUTEY (Boulevard) . . . C3-C4
MARECHAL RANDON (Avenue) . . . A4
MARIUS GONTARD (Pont) . . . A2
MARIUS GONTARD (Rue) . . . A2-A3
MAURICE GIGNOUX (Rue) . . . A2-A3
MEGISSERIE (Rue de la) . . . C1
METZ (Place de) . . . C4
MICHELET (Rue) . . . C1
MIKADO (Cour du) . . . D4
MILLET (Rue) . . . B3
MINIMES (Rue des) . . . A4
MIRIBEL (Rue de) . . . B3
MOIDIEU (Rue) . . . A2-A3
MOLIERE (Rue) . . . B3
MOMES (Cour des) . . . C4
MONTAGNES RUSSES (Chemin des) . . . C1-C2
MONTORGE (Rue) . . . B3
MOULIN DE CANEL (Rue du) . . . B1
MOUNIER (Quai) . . . A3
NARVIK (Rue de) . . . D3
NESTOR CORNIER (Rue) . . . D3
NEW YORK (Rue de) . . . D1
NICOLAS CHORIER (Rue) . . . C1
NOTRE-DAME (Place) . . . A4
NURSERY (Rue de la) . . . B1-C1
PAIX (Rue de la) . . . A4-B4
PALAIS (Rue du) . . . A3-A4
PALAIS DE JUSTICE (Passage du) . . . A3
PALANKA (Rue de) . . . A2-B3
PAPET (Rue) . . . D1
PARIS (Rue de) . . . C1-D1
PASTEUR (Place) . . . D4
PAUL BERT (Rue) . . . B3-C3
PAUL DIJON (Rue) . . . C2
PAUL JANET (Rue) . . . D4
PAUL MISTRAL (Place) . . . C4-D4
PAUL VALLIER (Place) . . . C4
PERE MARION (Rue) . . . B3
PERRIERE (Quai) . . . A2-A3
PHALANSTERE (Rue du) . . . C2
PHILIS DE LA CHARCE (Rue) . . . B3
PIERRE ARTHAUD (Rue) . . . C2
PIERRE DUCLOT (Rue) . . . A4
PIERRE DUPONT (Rue) . . . D1
PIERRE LOTI (Rue) . . . D4
PIERRE SEMARD (Rue) . . . B1
PIERRE TERMIER (Rue) . . . D1
PINAL (Rue) . . . B1-B2
PONT SAINT-JAIME (Rue du) . . . A4
PORTE DE FRANCE (Pont de la) . . . A2
POSTE (Rue de la) . . . B3
PRESIDENT CARNOT (Rue) . . . A4
400 COUVERTS (Rue des) . . . B1-C1
4 SEPTEMBRE (Rue du) . . . B1-C1
4EME REGIMENT DU GENIE (Rue du) . . . C4-D4
400 COUVERTS (Traverse des) . . . B1
RAOUL BLANCHARD (Rue) . . . B3-B4
RAYMOND BANK (Rue) . . . B1
RENAULDON (Rue) . . . A4
REPUBLIQUE (Rue de la) . . . B3-B4
ROBERT DUBARLE (Rue) . . . D3
SAINT-ANDRE (Place) . . . A3
SAINT-BRUNO (Place) . . . C1
SAINTE-CLAIRE (Place) . . . A4-B4
SAINTE-URSULE (Rue) . . . A4
SAINT-FRANCOIS (Rue) . . . B3
SAINT-HUGUES (Rue) . . . A4
SAINT-JACQUES (Rue) . . . B3
SAINT-JOSEPH (Rue) . . . C3-C4
SAINT-LAURENT (Pont) . . . A3-A4
SAINT-NICOLAS (Rue) . . . A2
SAULT (Rue de) . . . B3
SERGENT BOBILLOT (Rue) . . . D2
SERVAN (Rue) . . . A4-B4
STALINGRAD (Rue de) . . . D3
STEPHANE JAY (Quai) . . . A2-A4
STRASBOURG (Rue de) . . . C3-C4
SUEDE (Avenue de) . . . C1
TEMPLE (Place du) . . . A4
THIERS (Rue) . . . D1-B2
TILLEULS (Place des) . . . A4
TRES CLOITRES (Rue) . . . A4
TROCADERO (Rue du) . . . C1
TURENNE (Rue de) . . . D1-C2
VALBONNAIS (Rue du) . . . A4
VALENTIN HAUY (Place) . . . C4
VAUBAN (Rue) . . . B2-B3
VAUCANSON (Place) . . . B3
VERDUN (Place) . . . B4
VICAT (Rue) . . . B3
VICTOR HUGO (Place) . . . B2-B3
VIEUX TEMPLE (Rue du) . . . A4
VIZILLE (Avenue de) . . . B1-D1
VIZILLE (Impasse de) . . . C1
VOLTAIRE (Rue) . . . B4

ABLOIS (Rue d') C3
ABREUVOIR (Rue de l') B2
ADMYRAULT (Rue) B2
AIMABLE NANETTE (Rue de l') C3
AIME BONPLAND (Allée) A1
ALBERT 1ER (Rue) A3
ALCIDE D'ORBIGNY (Rue) A3-A4
ALIENOR D'AQUITAINE (Rue) A1
AMELOT (Rue) B3-B4
AMERIGO VESPUCCI (Avenue) D2
AMERIQUES (Avenue) D2
AMIRAL MEYER (Quai) C3
AMOS BARBOT (Rue) A3
ANGLAIS (Cour des) A3
ARCERE (Rue) A3
ARCHIMEDE (Rue de l') C3
ARMIDE (Rue de l') D2-C3
ARSENAL (Rue de l') B3
AUFREDY (Rue) B2
AUGUSTINS (Rue des) B2-B3
BALANCE (Impasse de la) C3
BALANGERIE (Rue) C1-C2
BARENTIN (Place) C2
BASTION SAINT-NICOLAS (Rue du) C3-D4
BAZOGES (Rue) B2-B3
BEARNOISE (Rue de la) A2
BELIER (Impasse du) A3
BEURRE (Rue du) B3
BLETTERIE (Rue) B3
BONNES FEMMES (Rue des) A3
BONPLAND (Impasse) B4
BONPLAND (Rue) A4-B4
BRAVE RONDEAU (Rue du) B3-A4
BRIQUETTERIE (Rue de la) A1
BUFFETERIE (Rue) A3-A4
BUJAUD (Rue) B3
CAILLE (Palce de la) B3
CANARDS (Rue des) C3
CAP OUEST (Place) C4
CAPRICORNE (Impasse du) A3
CARDINAL (Rue) D2
CARENAGE (Quai du) C3
CARMES (Rue des) C2
123EME REGIMENT D'INFANTERIE (Avenue du) C3-D3
CHAINE (Rue de la) C2
CHALOUPE (Rue de la) C3
CHARLES PROU (Allée) A1
CHARRUYER (Résidence) B1
CHATEAU VAUCLERC (Rue du) A2
CHAUDRIER (Rue) B2-A3
CHEF DE VILLE (Rue) B2
CIMETIERE (Rue du) C2
CLAUDE MASSE (Rue) A1
CLOCHE (Rue de la) C2
CLOUTIERS (Rue des) A3
COLLEGE (Impasse du) A3
COLLEGE (Rue du) A3
COLMAR (Avenue de) D3-D4
COMMANDANT DE LA MOTTE ROUGE (Place du) C3
COMMANDERIE (Cour de la) B2
COMTESSE (Rue de la) C3-C4
CORDELIERS (Avenue des) A4
CORDELIERS (Place des) A4
CORDERIES (Rue des) A4-B4
CORDOUAN (Rue du) A3
COUREAULEURS (Place des) C3
COTRE (Passage du) C3
CREPEAU (Avenue) D1-D2
DAMES (Cours des) C2
DAMES (Rue des) B3
DANEMARK (Rue du) A1
DANIEL MASSIOU (Rue) A3-A4
DELAYANT (Rue) A2-A3
DESIREE (Rue la) D1-D2
2 MOULINS (Rue des) C1
DOCTEUR SCHWEITZER (Rue du) B4
DRAKKAR (Passage du) C3
DUC (Rue du) B3-C3
DUPATY (Rue) B2-B3
DUPERRE (Passage) B2-C2
DUPERRE (Quai) C2-C3
ECHELLE CHAUVIN (Rue) A3-A4
ECHELLE DE LA COURONNE (Rue) A4
ECLUSE (Terre plein de l') C2-D2
ECOLES (Rue des) A2
ECREVISSE (Impasse de l') C2
ESCALE (Rue de l') B2
EUGENE FROMENTIN (Rue) B2
EUGENE THOMAS (Rue) C4
EVESCOT (Rue de l') A3-A4
FABRIQUE (Rue de la) C3
FAGOTS (Rue des) C1
FERDINAND FAIDEAU (Allée) A1-C1
FERNAND BRAUDEL (Parvis) D2
FERTE (Rue de la) B3
FLEURIAU (Rue) A2-B3
FONDERIES (Rue des) A4-B4
FORME (Rue de la) A3-B3
FOURCHE (Place de la) C3
FOURCHE (Rue de la) C3
FRANÇOIS MITTERRAND (Esplanade) D2
FREGATE (Passage de la) C3
FRERES PRECHEURS (Rue des) A4
GABUT (Quai du) C3
GAMBETTA (Rue) A3-A4
GARGOULLEAU (Rue) A2-A3
GEMEAUX (Impasse des) B3
GENERAL DE GAULLE (Avenue du) C3-D4
GENERAL GALLIENI (Rue du) B3
GENERAL LECLERC (Avenue du) A1-A2
GENTILSHOMMES (Rue des) B3
GEORGES SIMENON (Quai) C3
GEORGETTE (Quai de la) C3-D3
GOELETTE (Passage de la) C3
GRILLE (Rue de la) B3
GROLLES (Cour de) A3
GROSSE HORLOGE (Rue de la) B2-C2
GUIGNETTE (Rue de la) C3-D4
HONNEUR (Quai d') D3
HORLOGE (Pont de l') B3
HOTEL DE VILLE (Place de l') B3
HOTEL DE VILLE (Rue de l') B3
8 MAI (Place du) C1
ITOUT Y FAUT (Impasse) A3
JAILLOT (Rue) A3
JARS (Rue des) D4
JEAN BAPTISTE MARCET (Place) B4
JEAN GUITON (Avenue) B1
JEAN GUITON (Impasse) B1
JEAN MOULIN (Pont) C4
JEAN-BAPTISTE MARCET (Place) B3
JOFFRE (Boulevard) D3-C4
JOURDAN (Rue) A1
LA ROCHELLE (Rue de) B3
LADAUGE (Cours) C3
LEONCE VIELJEUX (Rue) B1-C2
LOUIS ARAGON (Rue) D2
LOUIS DURAND (Quai) C3-B4
LOUIS PRUNIER (Quai) D3
LOUIS SUIRE (Pont) B3
LOUP MARIN (Rue le) D1-D2
MAIL (Allée du) C1
MARANS (Quai de) C3-C4
MARECHAL FOCH (Place du) C2
MARIETTES (Rue des) B3
MARIONNETTES (Rue des) C3
MAUBEC (Quai) C3-B4
MAURICE DELMAS (Avenue) B1-C1
MERCIERS (Rue des) A3-B3
MERVAULT (Rue) A3
METZ (Avenue de) A1
MICHEL CREPEAU (Avenue) D1-D2
MINAGE (Passage du) A3
MINAGE (Rue du) A3
MOLIERE (Impasse) A1
MOLIERE (Rue) A1
MONNAIE (Avenue de la) C1
MONTAIGNE (Rue) D2
MOUREILLES (Rue des) B3
MULHOUSE (Avenue de) C4-D4
MURAILLES (Rue des) A3
NICOLAS VENETTE (Rue) B2
NORVEGE (Rue de) B1
NOTRE (Allée le) B1-C1
NOUE (Rue la) A2-B2
OUVRAGE A CORNES (Rue de l') C4-D4
PALAIS (Rue du) B2
PARADIS (Rue du) C3
PARC (Rue du) A1
PAUL BONNARME (Allée) B1-C1
PAUL GARREAU (Rue) B1
PAULEON (Rue) A3
PERNELLE (Rue) A2-B2
PETITE SIRENE (Place de la) C3
PIERRE SEMARD (Place) D4
POISSONS (Impasse des) A4
PORT (Petite rue du) C2-B3
PORT (Rue du) B3-C3
PORTE NEUVE (Avenue de la) A1-B2
PORTE NEUVE (Rue de la) B1-B2
PORTE ROYALE (Avenue de la) A4
PRECHE (Rue du) B3-B4
PRES (Rue des) A1
4 SERGENTS (Rue des) A1
QUINTINIE (Allée la) C1
RAMBAUD (Rue) A2-A3
RASTEAU (Square) B2
REAUMUR (Rue) C1-B2
REIMS (Place de) A2
REMPART DES VOILIERS (Rue du) A4
REMPART SAINT-CLAUDE (Rue du) C3-C4
REMPARTS (Chemin des) C1-A2
RENE GAUTIER (Rue) B2
SAINT-CLAUDE (Rue) C3-B4
SAINT-COME (Rue) A2-B2
SAINT-DOMINIQUE (Rue) A4
SAINT-FRANCOIS (Rue) A4
SAINT-JEAN D'ACRE (Esplanade) D1-C2
SAINT-JEAN DU PEROT (Rue) C1-C2
SAINT-LEONARD (Rue) B2
SAINT-LOUIS (Rue) A4-B4
SAINT-MICHEL (Cour) B3
SAINT-MICHEL (Place) B3
SAINT-MICHEL (Rue) B3
SAINT-NICOLAS (Passerelle) B3
SAINT-NICOLAS (Rue) B3-C3
SAINTS (Cour des) A3
SAINTS PERES (Rue des) C1-C2
SAINT-SAUVEUR (Rue) B3
SAINT-YON (Rue) A3-B3
SAINTES CLAIRES (Rue des) A2-A3
SARDINERIE (Rue) B3-C3
SENAC DE MEILHAN (Rue) D2
SOLETTE (Rue de la) B3-C3
SUEDE (Rue de) A1-B1
SUR LES MURS (Rue) C1-C2
TALLEMANT DES REAUX (Rue) B2
TAMARIS (Allée des) D1
TEMPLE (Cour du) B2
TEMPLE (Rue du) B2-B3
TEMPLIERS (Rue des) B2
THEOPHRASTE RENAUDOT (Rue) C1
THIERS (Impasse) B4
THIERS (Rue) A3-B4
3 FUSEAUX (Rue des) B3
VALIN (Quai) C3
VERDIERE (Rue) B2-C2
VERDUN (Place de) A2
VIERGE (Impasse de la) A3-A4
VILLENEUVE (Rue) B3-A4
VOILIERS (Rue des) A4

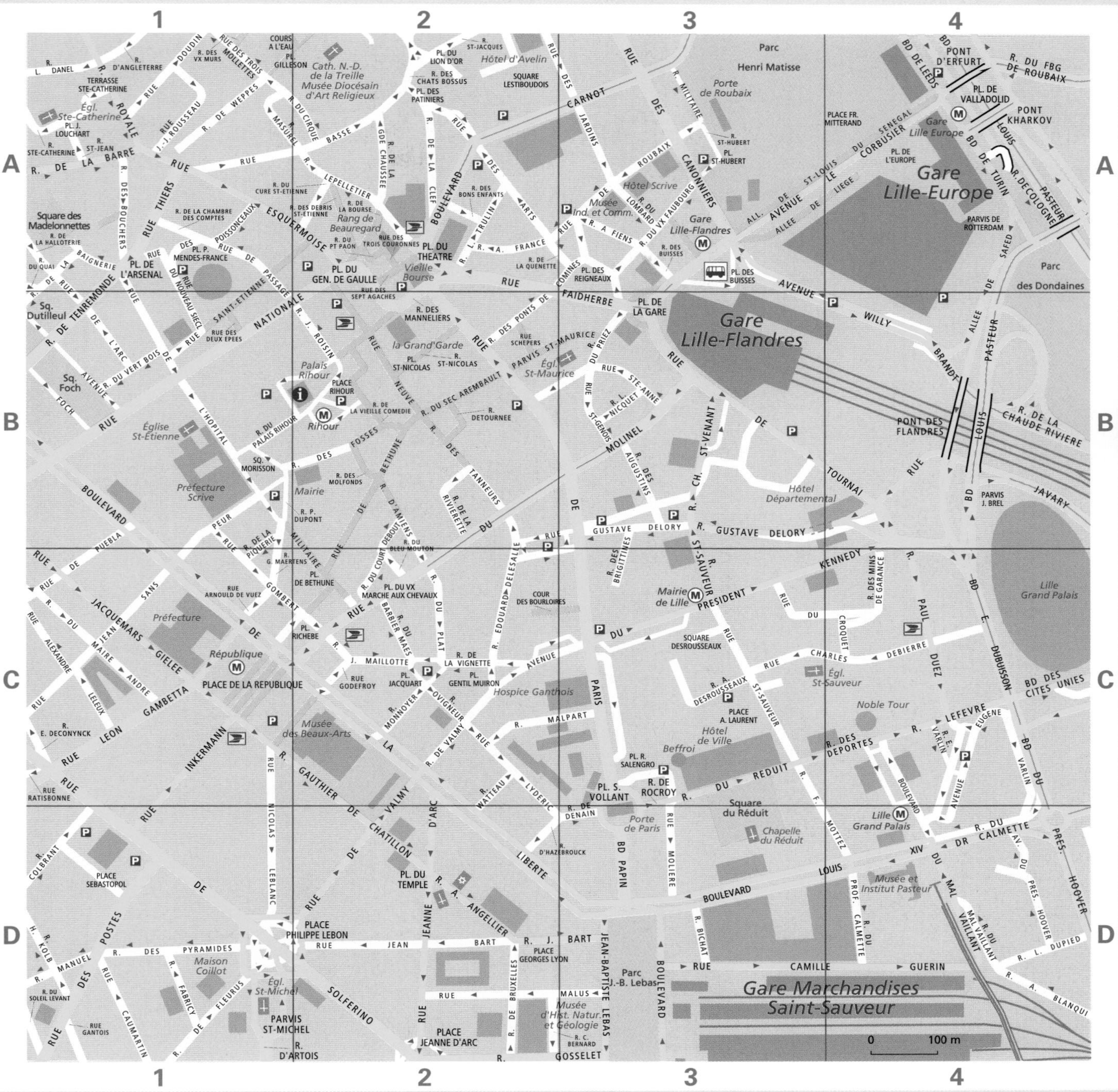

1
2
3
4
A
B
C
D
Gare Lille-Europe
Gare Lille-Flandres
Parc Henri Matisse
Porte de Roubaix
Parc des Dondaines
Lille Grand Palais
Cath. N.-D. de la Treille Musée Diocésain d'Art Religieux
Hôtel d'Avelin
Vieille Bourse
PL. DU THEATRE
PL. DU GEN. DE GAULLE
Hôtel Scrive
Musée Ind. et Comm.
Palais Rihour
Rihour
Église St-Étienne
Préfecture Scrive
Mairie
Hôtel Départemental
Mairie de Lille
Préfecture
République
PLACE DE LA REPUBLIQUE
Musée des Beaux-Arts
Hospice Gantois
Noble Tour
Égl. St-Sauveur
Hôtel de Ville
Beffroi
Square du Réduit
Chapelle du Réduit
Porte de Paris
Musée et Institut Pasteur
PLACE PHILIPPE LEBON
Maison Coillot
Égl. St-Michel
PARVIS ST-MICHEL
PLACE JEANNE D'ARC
Musée d'Hist. Natur. et Géologie
Parc J.-B. Lebas
Gare Marchandises Saint-Sauveur
BOULEVARD DE LA LIBERTE
BOULEVARD LOUIS XIV
AVENUE WILLY BRANDT
RUE NATIONALE
RUE FAIDHERBE
RUE SOLFERINO
0
100 m

A FIENS (Rue) A3
A L'EAU (Cours) A2
ALEXANDRE DESROUSSEAUX (Rue) . . . C3
ALEXANDRE LELEUX (Rue) C1
AMIENS (Rue d') B2-C2
ANATOLE FRANCE (Rue) A2
ANGLETERRE (Rue d') A1
ARC (Rue de l') A1-B1
ARNOULD DE VUEZ (Rue) C1
ARSENAL (Place de l') A1
ARTOIS (Rue d') D1
ARTS (Rue des) A2
AUGUSTE ANGELLIER (Rue) D2
AUGUSTE BLANQUI (Rue) D4
AUGUSTIN LAURENT (Place) C3
AUGUSTINS (Rue des) B3
BAIGNERIE (Rue de la) A1-B1
BARBIER MAES (Rue du) C2
BARRE (Rue de la) A1
BASSE (Rue) A1-A2
BETHUNE (Place de) C2
BETHUNE (Rue de) B2-C2
BICHAT (Rue) D3
BLEU MOUTON (Rue du) C2
BONS ENFANTS (Rue des) A2
BOUCHERS (Rue des) A1
BOURLOIRES (Cour des) C2-C3
BOURSE (Rue de la) A2
BRIGITTINES (Rue des) B3-C3
BRUXELLES (Rue de) D2
BUISSES (Place des) A3
BUISSES (Rue des) A3
CAMILLE GUERIN (Rue) D3-D4
CANONNIERS (Rue des) A3
CARNOT (Boulevard) A2-A3
CAUMARTIN (Rue) D1
CHAMBRE DES COMPTES (Rue de la) . . A1
CHARLES DEBIERRE (Rue) C3-C4
CHARLES ST-VENANT (Rue) B3
CHATS BOSSUS (Rue des) A2
CHAUDE RIVIERE (Rue de la) B4
CIRQUE (Rue du) A1-A2
CITES UNIES (Boulevard des) C4
CLAUDE BERNARD (Rue) D2
CLEF (Rue de la) A2
COLBRANT (Rue) D1
COLOGNE (Rue de) A4
COURT DEBOUT (Rue du) B2-C2
CROQUET (Rue du) C3-C4
CURE ST-ETIENNE (Rue du) A2
DEBRIS ST-ETIENNE (Rue des) A2
DENAIN (Rue de) D3
DEPORTES (Rue des) C3-C4
DESROUSSEAUX (Square) C3
DETOURNEE (Rue) B2
DEUX EPEES (Rue des) B1
DOCTEUR CALMETTE (Rue du) D4
DOUDIN (Rue) A1
EDOUARD DELESALLE (Rue) B2-C2
EMILE DUBUISSON (Boulevard) . . . B4-C4
ERFURT (Pont d') A4
ERNEST DECONYNCK (Rue) C1
ESQUERMOISE (Rue) A1-A2
EUGENE VARLIN (Avenue) C4-D4
EUGENE VARLIN (Rue) C4
EUROPE (Place de l') A4
FABRICY (Rue) D1
FAIDHERBE (Rue) A2-B3
FAUBOURG DE ROUBAIX (Rue du) A4
FLANDRES (Pont des) B4
FLEURUS (Rue de) D1
FOCH (Avenue) B1
FOSSES (Rue des) B1-B2
FRANÇOIS MITTERAND (Place) A4
FREDERIC MOTTEZ (Rue) C3-D4
GANTOIS (Rue) D1
GARE (Place de la) B3
GAUTHIER DE CHATILLON (Rue) . . . C1-D2
GENERAL DE GAULLE (Place du) . . . A2-B2
GENTIL MUIRON (Place) C2
GEORGES LYON (Place) D2
GEORGES MAERTENS (Rue) B1-C1
GILLESON (Place) A1-A2
GODEFROY (Rue) C2
GOMBERT (Rue) B1-C2
GOSSELET (Rue) D2-D3
GRANDE CHAUSSEE (Rue de la) A2
GUSTAVE DELORY (Rue) B2-B4
HALLOTERIE (Rue de la) A1
HAZEBROUCK (Rue d') D2-D3
HENRI KOLB (Rue) D1
HOPITAL MILITAIRE (Rue de l') . . . A1-C2
INKERMANN (Rue) C1-D1
JACQUART (Place) C2
JACQUEMARS GIELEE (Rue) B1-C1
JACQUES BREL (Parvis) B4
JACQUES LOUCHART (Place) A1
JARDINS (Rue des) A2-A3
JAVARY (Rue) B4
JEAN BART (Rue) D2-D3
JEAN ROISIN (Rue) B2
JEAN SANS PEUR (Rue) B1-C1
JEAN-BAPTISTE LEBAS (Boulevard) . . . D3
JEAN-JACQUES ROUSSEAU (Rue) A1
JEANNE D'ARC (Place) D2
JEANNE D'ARC (Rue) C2-D2
JEANNE MAILLOTTE (Rue) C2
KHARKOV (Pont) A4
LE CORBUSIER (Avenue) B3-A4
LEEDS (Boulevard de) A4
LEFEVRE (Rue) C4
LEON GAMBETTA (Rue) C1
LEON TRULIN (Rue) A2
LEONARD DANEL (Rue) A1
LEPELLETIER (Rue) A2
LESTIBOUDOIS (Square) A2
LIBERTE (Boulevard de la) B1-D3
LIEGE (Allée de) A3-A4
LION D'OR (Place du) A2
LOMBARD (Rue du) A3
LOUIS DUPIED (Rue) D4
LOUIS NICQUET (Rue) B3
LOUIS PASTEUR (Boulevard) A4-B4
LOUIS XIV (Boulevard) D3-D4
LYDERIC (Rue) C2-D3
MAIRE ANDRE (Rue du) C1
MALPART (Rue) C2-C3
MALUS (Rue) D2-D3
MANNELIERS (Rue des) A2-B2
MANUEL (Rue) D1
MARECHAL VAILLANT (Bd du) C4-D4
MARECHAL VAILLANT (Rue du) D4
MASUREL (Rue) A1-A2
MILITAIRE (Rue) A3
MOLFONDS (Rue des) B2
MOLIERE (Rue) C3-D3
MOLINEL (Rue du) C2-B3
MONNOYER (Rue) C2
MORISSON (Square) B1
MOULINS DE GARANCE (Rue des) . . . B4-C4
NATIONALE (Rue) B1-A2
NEUVE (Rue) B2
NICOLAS LEBLANC (Rue) C1-D1
NOUVEAU SIECLE (Rue du) A1-B1
OVIGNEUR (Rue) C2
PALAIS RIHOUR (Rue du) B1-B2
PAPIN (Boulevard) D3
PARIS (Rue de) B2-C3
PASSAGE (Rue de) A1-B2
PATINIERS (Place des) A2
PAUL DUEZ (Rue) B4-C4
PETIT PAON (Rue du) A2
PHILIPPE LEBON (Place) D1
PIERRE DUPONT (Rue) B1
PIERRE MENDES-FRANCE (Place) A1
PIQUERIE (Rue de la) B1-C1
PLAT (Rue du) C2
POISSONCEAUX (Rue des) A1
PONTS DE COMINES (Rue des) B2-A3
POSTES (Rue des) D1
PRESIDENT HOOVER (Avenue du) D4
PRESIDENT HOOVER (Bd du) C4-D4
PRESIDENT KENNEDY (Avenue du) . . C2-B4
PRIEZ (Rue du) B3
PROFESSEUR CALMETTE (Rue du) D4
PUEBLA (Rue de) B1-C1
PYRAMIDES (Rue des) D1
QUAI (Rue du) A1
QUENETTE (Rue de la) A2-A3
RATISBONNE (Rue) C1
REDUIT (Rue du) C3
REIGNEAUX (Place des) A3
REPUBLIQUE (Place de la) C1-C2
RICHEBE (Place) C1-C2
RIHOUR (Place) B2
RIVIERETTE (Rue de la) B2
ROCROY (Rue de) C3-D3
ROGER SALENGRO (Place) C3-D3
ROTTERDAM (Parvis de) A4
ROUBAIX (Rue de) A2-A3
ROYALE (Rue) A1
SAFED (Allée de) A4-B4
SAINT-ETIENNE (Rue) B1-A2
SAINT-GENOIS (Rue) B3
SAINT-HUBERT (Place) A3
SAINT-HUBERT (Rue) A3
SAINT-JACQUES (Rue) A2
SAINT-JEAN (Rue) A1
SAINT-LOUIS DU SENEGAL (All. de) . A3-A4
SAINT-MAURICE (Parvis) B2-B3
SAINT-MICHEL (Parvis) D1
SAINT-NICOLAS (Place) B2
SAINT-NICOLAS (Rue) B2
SAINT-SAUVEUR (Rue) B3-C3
SAINTE-ANNE (Rue) B3
SAINTE-CATHERINE (Rue) A1
SAINTE-CATHERINE (Terrasse) A1
SCHEPERS (Rue) B2
SEBASTOPOL (Place) C1-D1
SEC AREMBAULT (Rue du) B2
SEPT AGACHES (Rue des) A2
SIMON VOLLANT (Place) C3-D3
SOLEIL LEVANT (Rue du) D1
SOLFERINO (Rue de) C1-D2
TANNEURS (Rue des) B2
TEMPLE (Place du) D2
TENREMONDE (Rue de) A1-B1
THEATRE (Place du) A2-B2
THIERS (Rue) A1
TOURNAI (Rue de) B3-B4
TROIS COURONNES (Rue des) A2
TROIS MOLLETTES (Rue des) A1
TURIN (Boulevard de) A4
VALLADOLID (Place de) A4
VALMY (Rue de) C2-D2
VERT BOIS (Rue du) B1
VIEILLE COMEDIE (Rue de la) B2
VIEUX FAUBOURG (Rue du) A3
VIEUX MARCHE AUX CHEVAUX (Place du) . . . C2
VIEUX MURS (Rue des) A1
VIGNETTE (Rue de la) C2
WATTEAU (Rue) C2-D2
WEPPES (Rue de) A1
WILLY BRANDT (Avenue) A3-B4

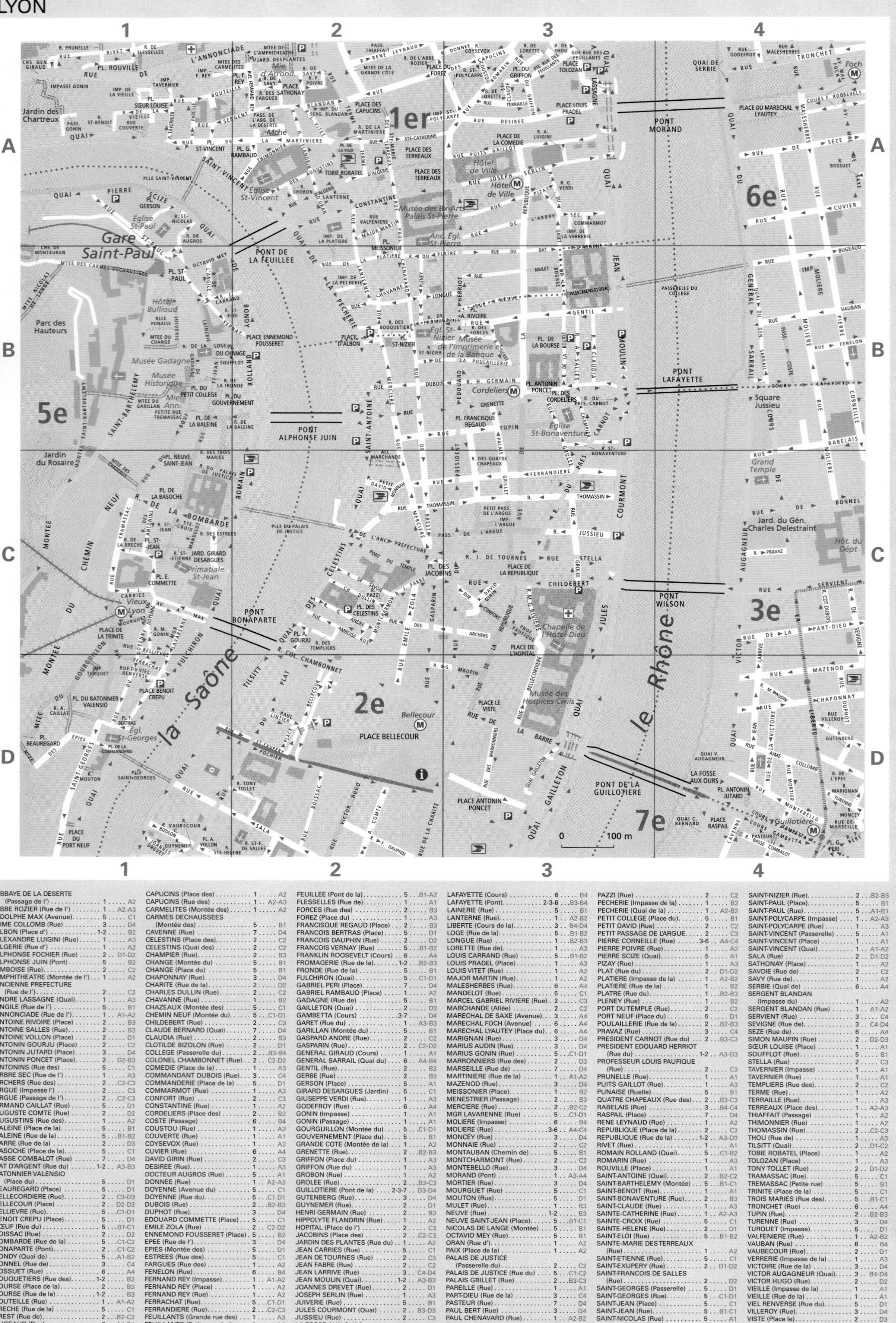
1
2
3
4
A
B
C
D
1er
2e
3e
5e
6e
7e
Gare Saint-Paul
PONT DE LA FEUILLEE
PONT ALPHONSE JUIN
PONT BONAPARTE
PONT MORAND
PONT LAFAYETTE
PONT WILSON
PONT DE LA GUILLOTIERE
PASSERELLE DU COLLEGE
la Saône
le Rhône
PLACE BELLECOUR
Bellecour
Hôtel de Ville
Musée des Bx-Arts Palais St-Pierre
Musée Gadagne
Musée Historique
Musée de l'Imprimerie et de la Banque
Cordeliers
Église St-Bonaventure
Chapelle de l'Hôtel-Dieu
Musée des Hospices Civils
Primatiale St-Jean
Vieux Lyon
Jardin des Chartreux
Parc des Hauteurs
Jardin du Rosaire
Hôtel Bullioud
Église St-Paul
Église St-Vincent
Égl. St-Georges
Égl. St-Nizier
PLACE DES TERREAUX
PLACE DE LA REPUBLIQUE
PLACE DES JACOBINS
PLACE DES CELESTINS
PLACE DU MARECHAL LYAUTEY
Square Jussieu
Grand Temple
Jard. du Gén. Charles Delestraint
Hôt. du Dépt
Foch
Guillotière
PLACE ANTONIN PONCET
0
100 m

ABBAYE DE LA DESERTE (Passage de l') ..... 1 ..... A2
ABBE ROZIER (Rue de l') ..... 1 .. A2-A3
ADOLPHE MAX (Avenue) ..... 5 ..... C1
AIME COLLOMB (Rue) ..... 3 ..... D4
ALBON (Place d') ..... 1-2 ..... B2
ALEXANDRE LUIGINI (Rue) ..... 1 ..... A3
ALGERIE (Rue d') ..... 1 ..... A2
ALPHONSE FOCHIER (Rue) ..... 2 .. D1-D2
ALPHONSE JUIN (Pont) ..... 5 ..... B2
AMBOISE (Rue) ..... 2 ..... C2
AMPHITHEATRE (Montée de l') ..... 1 ..... A2
ANCIENNE PREFECTURE (Rue de l') ..... 2 ..... C2
ANDRE LASSAGNE (Quai) ..... 1 ..... A3
ANGILE (Rue de l') ..... 5 ..... B1
ANNONCIADE (Rue de l') ..... 1 .. A1-A2
ANTOINE RIVOIRE (Place) ..... 2 ..... B3
ANTOINE SALLES (Rue) ..... 2 ..... B3
ANTOINE VOLLON (Place) ..... 2 ..... D1
ANTONIN GOURJU (Place) ..... 2 ..... C2
ANTONIN JUTARD (Place) ..... 3 ..... D4
ANTONIN PONCET (Place) ..... 2 .. D2-B3
ANTONINS (Rue des) ..... 5 ..... C1
ARBRE SEC (Rue de l') ..... 1 ..... A3
ARCHERS (Rue des) ..... 2 ... C2-C3
ARGUE (Impasse l') ..... 2 ..... C3
ARGUE (Passage de l') ..... 2 ... C2-C3
ARMAND CAILLAT (Rue) ..... 5 ..... D1
AUGUSTE COMTE (Rue) ..... 2 ..... D2
AUGUSTINS (Rue des) ..... 1 ..... A2
BALEINE (Place de la) ..... 5 ..... B1
BALEINE (Rue de la) ..... 5 ... B1-B2
BARRE (Rue de la) ..... 2 ..... D3
BASOCHE (Place de la) ..... 5 ..... C1
BASSE COMBALOT (Rue) ..... 7 ..... D4
BAT D'ARGENT (Rue du) ..... 1-2 .. A3-B3
BATONNIER VALENSIO (Place du) ..... 5 ..... D1
BEAUREGARD (Place) ..... 5 ..... D1
BELLECORDIERE (Rue) ..... 2 .. C3-D3
BELLECOUR (Place) ..... 2 .. D2-D3
BELLIEVRE (Rue) ..... 5 ... C1-D1
BENOIT CREPU (Place) ..... 5 ..... D1
BŒUF (Rue du) ..... 5 ... B1-C1
BOISSAC (Rue) ..... 2 ..... D2
BOMBARDE (Rue de la) ..... 5 ... C1-C2
BONAPARTE (Pont) ..... 2 ... C1-C2
BONDY (Quai de) ..... 5 ... A1-B2
BONNEL (Rue de) ..... 3 ..... C4
BOSSUET (Rue) ..... 6 ..... A4
BOUQUETIERS (Rue des) ..... 1-2 ..... B2
BOURSE (Place de la) ..... 2 ..... B3
BOURSE (Rue de la) ..... 1-2 ..... B3
BOUTEILLE (Rue) ..... 1 .. A1-A2
BRECHE (Rue de la) ..... 5 ..... C1
BREST (Rue de) ..... 2 ... B2-C2
BUGEAUD (Rue) ..... 6 .. A4-B4
CAPUCINS (Place des) ..... 1 ..... A2
CAPUCINS (Rue des) ..... 1 .. A2-A3
CARMELITES (Montée des) ..... 1 ..... A2
CARMES DECHAUSSEES (Montée des) ..... 5 ..... B1
CAVENNE (Rue) ..... 7 ..... D4
CELESTINS (Place des) ..... 2 ..... C2
CELESTINS (Quai des) ..... 2 ..... C2
CHAMPIER (Rue) ..... 2 ..... B3
CHANGE (Montée du) ..... 5 ..... B1
CHANGE (Place du) ..... 5 ..... B1
CHAPONNAY (Rue) ..... 3 ..... D4
CHARITE (Rue de la) ..... 2 ..... D2
CHARLES DULLIN (Rue) ..... 2 ..... C2
CHAVANNE (Rue) ..... 1 ..... B2
CHAZEAUX (Montée des) ..... 5 ..... C1
CHEMIN NEUF (Montée du) ..... 5 ... C1-D1
CHILDEBERT (Rue) ..... 2 ..... C3
CLAUDE BERNARD (Quai) ..... 7 ..... D4
CLAUDIA (Rue) ..... 2 ..... B3
CLOTILDE BIZOLON (Rue) ..... 2 ..... D1
COLLEGE (Passerelle du) ..... 2 ... B3-B4
COLONEL CHAMBONNET (Rue) ..... 2 .. C2-D2
COMEDIE (Place de la) ..... 1 ..... A3
COMMANDANT DUBOIS (Rue) ..... 3 ..... C4
COMMANDERIE (Place de la) ..... 5 ..... D1
COMMARMOT (Rue) ..... 1 ..... A3
CONFORT (Rue) ..... 2 ..... C3
CONSTANTINE (Rue) ..... 1 ..... A2
CORDELIERS (Place des) ..... 2 ..... B3
COSTE (Passage) ..... 6 ..... B4
COUSTOU (Rue) ..... 1 ..... A3
COUVERTE (Rue) ..... 1 ..... A1
COYSEVOX (Rue) ..... 1 ..... A3
CUVIER (Rue) ..... 6 ..... A4
DAVID GIRIN (Rue) ..... 2 ..... C3
DESIREE (Rue) ..... 1 ..... A3
DOCTEUR AUGROS (Rue) ..... 5 ..... A1
DONNEE (Rue) ..... 1 .. A2-A3
DOYENNE (Avenue du) ..... 5 ..... C1
DOYENNE (Rue du) ..... 5 ... C1-D1
DUBOIS (Rue) ..... 2 ... B2-B3
DUPHOT (Rue) ..... 3 ..... D4
EDOUARD COMMETTE (Place) ..... 5 ..... C1
EMILE ZOLA (Rue) ..... 2 .. C2-D2
ENNEMOND FOUSSERET (Place) ..... 5 ..... B2
EPEE (Rue de l') ..... 3 ..... D4
EPIES (Montée des) ..... 5 ..... D1
ESTREES (Rue des) ..... 5 ..... C1
FARGUES (Rue des) ..... 1 ..... A2
FENELON (Rue) ..... 6 ..... B4
FERNAND REY (Impasse) ..... 1 .. A1-A2
FERNAND REY (Place) ..... 1 ..... A2
FERNAND REY (Rue) ..... 1 ..... A2
FERRACHAT (Rue) ..... 5 ... C1-D1
FERRANDIERE (Rue) ..... 2 ... C2-C3
FEUILLANTS (Grande rue des) ..... 1 ..... A3
FEUILLANTS (Petite rue des) ..... 1 ..... A3
FEUILLEE (Pont de la) ..... 5 ... B1-A2
FLESSELLES (Rue de) ..... 1 ..... A1
FORCES (Rue des) ..... 2 ..... B3
FOREZ (Place du) ..... 1 ..... A3
FRANCISQUE REGAUD (Place) ..... 2 ..... B3
FRANCOIS BERTRAS (Place) ..... 5 ..... D1
FRANCOIS DAUPHIN (Rue) ..... 2 ..... D2
FRANCOIS VERNAY (Rue) ..... 5 ... B1-B2
FRANKLIN ROOSEVELT (Cours) ..... 6 ..... A4
FROMAGERIE (Rue de la) ..... 1-2 ... B2-B3
FRONDE (Rue de la) ..... 5 ..... B1
FULCHIRON (Quai) ..... 5 ... C1-D1
GABRIEL PERI (Place) ..... 7 ..... D4
GABRIEL RAMBAUD (Place) ..... 1 ..... A2
GADAGNE (Rue de) ..... 5 ..... B1
GAILLETON (Quai) ..... 2 ..... D3
GAMBETTA (Cours) ..... 3-7 ..... D4
GARET (Rue du) ..... 1 .. A3-B3
GARILLAN (Montée du) ..... 5 ..... B1
GASPARD ANDRE (Rue) ..... 2 ..... C2
GASPARIN (Rue) ..... 2 .. C2-D2
GENERAL GIRAUD (Cours) ..... 1 ..... A1
GENERAL SARRAIL (Quai du) ..... 6 .. A4-B4
GENTIL (Rue) ..... 2 ..... B3
GERBE (Rue) ..... 2 ..... B3
GERSON (Place) ..... 5 ..... A1
GIRARD DESARGUES (Jardin) ..... 5 ..... C1
GIUSEPPE VERDI (Rue) ..... 1 ..... A3
GODEFROY (Rue) ..... 6 ..... A4
GONIN (Impasse) ..... 1 ..... A1
GONIN (Passage) ..... 1 ..... A1
GOURGUILLON (Montée du) ..... 5 ... C1-D1
GOUVERNEMENT (Place du) ..... 5 ..... B1
GRANDE COTE (Montée de la) ..... 1 ..... A2
GRENETTE (Rue) ..... 2 ... B2-B3
GRIFFON (Place du) ..... 1 ..... A3
GRIFFON (Rue du) ..... 1 ..... A3
GROBON (Rue) ..... 1 ..... A2
GROLEE (Rue) ..... 2 ... B3-C3
GUILLOTIERE (Pont de la) ..... 2-3-7 .. D3-D4
GUTENBERG (Rue) ..... 3 ..... D4
GUYNEMER (Rue) ..... 2 ..... D1
HENRI GERMAIN (Rue) ..... 2 ..... B3
HIPPOLYTE FLANDRIN (Rue) ..... 1 ..... A2
HOPITAL (Place de l') ..... 2 ..... C3
JACOBINS (Place des) ..... 2 ... C2-C3
JARDIN DES PLANTES (Rue du) ..... 1 ..... A2
JEAN CARRIES (Rue) ..... 5 ..... C1
JEAN DE TOURNES (Rue) ..... 2 ..... C3
JEAN FABRE (Rue) ..... 2 ..... C2
JEAN LARRIVE (Rue) ..... 3 .. C4-D4
JEAN MOULIN (Quai) ..... 1-2 .. A3-B3
JOANNES DREVET (Rue) ..... 2 ..... D1
JOSEPH SERLIN (Rue) ..... 1 ..... A3
JUIVERIE (Rue) ..... 5 ..... B1
JULES COURMONT (Quai) ..... 2 .. B3-D3
JUSSIEU (Rue) ..... 2 ..... C3
LA FOSSE AUX OURS ..... 3 ..... D4
LAFAYETTE (Cours) ..... 6 ..... B4
LAFAYETTE (Pont) ..... 2-3-6 ... B3-B4
LAINERIE (Rue) ..... 5 ..... B1
LANTERNE (Rue) ..... 1 .. A2-B2
LIBERTE (Cours de la) ..... 3 .. B4-D4
LOGE (Rue de la) ..... 5 ... B1-B2
LONGUE (Rue) ..... 1 ... B2-B3
LORETTE (Rue de) ..... 1 ..... A3
LOUIS CARRAND (Rue) ..... 5 ... B1-B2
LOUIS PRADEL (Place) ..... 1 ..... A3
LOUIS VITET (Rue) ..... 1 ..... A2
MAJOR MARTIN (Rue) ..... 1 ..... A2
MALESHERBES (Rue) ..... 6 ..... A4
MANDELOT (Rue) ..... 5 ..... C1
MARCEL GABRIEL RIVIERE (Rue) ..... 2 ..... C3
MARCHANDE (Allée) ..... 2 ..... C2
MARECHAL DE SAXE (Avenue) ..... 3 ..... A4
MARECHAL FOCH (Avenue) ..... 6 ..... A4
MARECHAL LYAUTEY (Place du) ..... 6 ..... A4
MARIGNAN (Rue) ..... 3 ..... D4
MARIUS AUDIN (Rue) ..... 3 ..... D4
MARIUS GONIN (Rue) ..... 5 ... C1-D1
MARRONNIERS (Rue des) ..... 2 ..... D3
MARSEILLE (Rue de) ..... 7 ..... D4
MARTINIERE (Rue de la) ..... 1 .. A1-A2
MAZENOD (Rue) ..... 3 ..... D4
MEISSONIER (Place) ..... 1 ..... B2
MENESTRIER (Passage) ..... 2 ..... B3
MERCIERE (Rue) ..... 2 ... B2-C2
MGR LAVARENNE (Rue) ..... 5 ... C1-D1
MOLIERE (Impasse) ..... 6 ..... B4
MOLIERE (Rue) ..... 3-6 .. A4-C4
MONCEY (Rue) ..... 3 ..... D4
MONNAIE (Rue) ..... 2 ..... C2
MONTAUBAN (Chemin de) ..... 5 ..... B1
MONTCHARMONT (Rue) ..... 2 ..... C2
MONTEBELLO (Rue) ..... 3 ..... D4
MORAND (Pont) ..... 1 .. A3-A4
MORTIER (Rue) ..... 3 ..... D4
MOURGUET (Rue) ..... 5 ..... C1
MOUTON (Rue) ..... 5 ..... D1
MULET (Rue) ..... 1 ..... B3
NEUVE (Rue) ..... 1-2 ..... B3
NEUVE SAINT-JEAN (Place) ..... 5 ... B1-C1
NICOLAS DE LANGE (Montée) ..... 5 ..... B1
OCTAVIO MEY (Rue) ..... 5 ..... B1
ORAN (Rue d') ..... 1 ..... A2
PAIX (Place de la) ..... 1 ..... A2
PALAIS DE JUSTICE (Passerelle du) ..... 2 ..... C2
PALAIS DE JUSTICE (Rue du) ..... 5 ... C1-C2
PALAIS GRILLET (Rue) ..... 2 ... B3-C3
PAREILLE (Rue) ..... 1 ..... A1
PART-DIEU (Rue de la) ..... 3 ..... C4
PASTEUR (Rue) ..... 7 ..... D4
PAUL BERT (Rue) ..... 3 ..... D4
PAUL CHENAVARD (Rue) ..... 1 .. A2-B2
PAUL LINTIER (Rue) ..... 2 ..... D2
PAZZI (Rue) ..... 2 ..... C2
PECHERIE (Impasse de la) ..... 1 ..... B2
PECHERIE (Quai de la) ..... 1 .. A2-B2
PETIT COLLEGE (Place du) ..... 5 ..... B1
PETIT DAVID (Rue) ..... 2 ..... C2
PETIT PASSAGE DE L'ARGUE ..... 2 ..... C3
PIERRE CORNEILLE (Rue) ..... 3-6 .. A4-C4
PIERRE POIVRE (Rue) ..... 1 ..... A2
PIERRE SCIZE (Quai) ..... 5 ..... A1
PIZAY (Rue) ..... 1 ..... A3
PLAT (Rue du) ..... 2 .. D1-D2
PLATIERE (Impasse de la) ..... 1 .. A2-B2
PLATIERE (Rue de la) ..... 1 ..... B2
PLATRE (Rue du) ..... 1 ... B2-B3
PLENEY (Rue) ..... 1 ..... B2
PORT DU TEMPLE (Rue) ..... 2 ..... C2
PORT NEUF (Place du) ..... 5 ..... D1
POULAILLERIE (Rue de la) ..... 2 ... B2-B3
PRAVAZ (Rue) ..... 3 ..... C4
PRESIDENT CARNOT (Rue du) ..... 2 ... B3-C3
PRESIDENT EDOUARD HERRIOT (Rue du) ..... 1-2 .. A3-D3
PROFESSEUR LOUIS PAUFIQUE (Rue) ..... 2 ..... C3
PRUNELLE (Rue) ..... 1 ..... A1
PUITS GAILLOT (Rue) ..... 1 ..... A3
PUNAISE (Ruelle) ..... 5 ..... B1
QUATRE CHAPEAUX (Rue des) ..... 2 ... B3-C3
RABELAIS (Rue) ..... 3 ... B4-C4
RASPAIL (Place) ..... 7 ..... D4
RENE LEYNAUD (Rue) ..... 1 ..... A2
REPUBLIQUE (Place de la) ..... 2 ..... C3
REPUBLIQUE (Rue de la) ..... 1-2 .. A3-D3
RIVET (Rue) ..... 1 ..... A1
ROMAIN ROLLAND (Quai) ..... 5 ... C1-B2
ROMARIN (Rue) ..... 1 ..... A3
ROUVILLE (Place) ..... 1 ..... A1
SAINT-ANTOINE (Quai) ..... 2 ... B2-C2
SAINT-BARTHELEMY (Montée) ..... 5 ... B1-C1
SAINT-BENOIT (Rue) ..... 1 ..... A1
SAINT-BONAVENTURE (Rue) ..... 2 ..... B3
SAINT-CLAUDE (Rue) ..... 1 ..... A3
SAINTE-CATHERINE (Rue) ..... 1 .. A2-A3
SAINTE-CROIX (Rue) ..... 5 ..... C1
SAINTE-HELENE (Rue) ..... 2 ..... D1
SAINT-ELOI (Rue) ..... 5 ... B1-B2
SAINTE-MARIE DES TERREAUX (Rue) ..... 1 ..... A2
SAINT-ETIENNE (Rue) ..... 5 ..... C1
SAINT-EXUPERY (Rue) ..... 2 .. D1-D2
SAINT-FRANCOIS DE SALLES (Rue) ..... 2 ..... D2
SAINT-GEORGES (Passerelle) ..... 5 ..... D1
SAINT-GEORGES (Rue) ..... 5 ... C1-D1
SAINT-JEAN (Place) ..... 5 ..... C1
SAINT-JEAN (Rue) ..... 5 ... B1-C1
SAINT-NICOLAS (Rue) ..... 5 ..... A1
SAINT-NIZIER (Place) ..... 1-2 ..... B2
SAINT-NIZIER (Rue) ..... 2 ... B2-B3
SAINT-PAUL (Place) ..... 5 ..... B1
SAINT-PAUL (Rue) ..... 5 ... A1-B1
SAINT-POLYCARPE (Impasse) ..... 1 .. A2-A3
SAINT-POLYCARPE (Rue) ..... 1 ..... A3
SAINT-VINCENT (Passerelle) ..... 5 ..... A1
SAINT-VINCENT (Place) ..... 1 ..... A1
SAINT-VINCENT (Quai) ..... 1 .. A1-A2
SALA (Rue) ..... 2 .. D1-D2
SATHONAY (Place) ..... 1 ..... A2
SAVOIE (Rue de) ..... 2 ..... C2
SAVY (Rue de) ..... 1 ..... A2
SERBIE (Quai de) ..... 6 ..... A4
SERGENT BLANDAN (Impasse du) ..... 1 ..... A2
SERGENT BLANDAN (Rue) ..... 1 .. A1-A2
SERVIENT (Rue) ..... 3 ..... C4
SEVIGNE (Rue de) ..... 3 .. C4-D4
SEZE (Rue de) ..... 6 ..... A4
SIMON MAUPIN (Rue) ..... 2 .. D2-D3
SŒUR LOUISE (Place) ..... 1 ..... A1
SOUFFLOT (Rue) ..... 5 ..... B1
STELLA (Rue) ..... 2 ..... C3
TAVERNIER (Impasse) ..... 1 ..... A1
TAVERNIER (Rue) ..... 1 ..... A1
TEMPLIERS (Rue des) ..... 2 ..... C2
TERME (Rue) ..... 1 ..... A2
TERRAILLE (Rue) ..... 1 ..... A3
TERREAUX (Place des) ..... 1 .. A2-A3
THIAFFAIT (Passage) ..... 1 ..... A2
THIMONNIER (Rue) ..... 1 ..... A2
THOMASSIN (Rue) ..... 2 ... C2-C3
THOU (Rue de) ..... 1 ..... A3
TILSITT (Quai) ..... 2 ... D1-C2
TOBIE ROBATEL (Place) ..... 1 ..... A2
TOLOZAN (Place) ..... 1 ..... A3
TONY TOLLET (Rue) ..... 2 .. D1-D2
TRAMASSAC (Rue) ..... 5 ..... C1
TREMASSAC (Petite rue) ..... 5 ..... B1
TRINITE (Place de la) ..... 5 ..... C1
TROIS MARIES (Rue des) ..... 5 ... B1-C1
TRONCHET (Rue) ..... 6 ..... A4
TUPIN (Rue) ..... 2 ... B2-B3
TURENNE (Rue) ..... 3 ..... D4
TURQUET (Impasse) ..... 5 ..... D1
VALFENIERE (Rue) ..... 1 .. A2-B2
VAUBAN (Rue) ..... 6 ..... B4
VAUBECOUR (Rue) ..... 2 ..... D1
VERRERIE (Impasse de la) ..... 1 ..... A3
VICTOIRE (Rue de la) ..... 3 ..... D4
VICTOR AUGAGNEUR (Quai) ..... 3 .. B4-D4
VICTOR HUGO (Rue) ..... 2 ..... D2
VIEILLE (Impasse de la) ..... 1 ..... A1
VIEILLE (Rue de la) ..... 1 ..... A1
VIEL RENVERSE (Rue du) ..... 5 ..... D1
VILLEROY (Rue) ..... 3 ..... D4
VISTE (Place le) ..... 2 ..... D3
WILSON (Pont) ..... 2 ... C3-C4

Nom	Arr.	Carré
ABADIE (Rue de l')	2	B2
ACADEMIE (Rue de l')	1	C4
ACCOULES (Montée des)	2	C1-C2
AIX (Porte d')	3	A3
AIX (Rue d')	1	A3-B3
ALBERT 1ER (Rue)	1	C3
ANTOINE BECKER (Rue)	2	B1
ANTOINE ZATTARA (Rue)	3	A3
ARC (Rue de l')	1	C4
ARGENTIERE (Rue de l')	2	C1
ARMAND BEDARRIDES (Rue)	6	C4
ARMENY (Rue)	6	D4
ATHENES (Boulevard d')	1	A4-B4
AUBAGNE (Rue d')	1	C4-D4
AUDIBERT (Jardin)	7	D1
AUGUSTE ET FRANCOIS CARLI (Place)	1-6	C4
AUGUSTINES (Place des)	2	C2
AUGUSTINS (Rue des)	1	C3
BAIGNOIR (Rue du)	1	B3
BAILLI DE SUFFREN (Rue)	1	C3
BALLARD (Rue)	2	B1
BANNIERES (Rue des)	2	B2-C2
BAUSSENQUE (Rue)	2	B1-C1
BAUSSENQUE (Traverse)	2	B1
BEAUREGARD (Rue)	2	C1
BEAUSSET (Rue de)	1	C3
BEAUVAU (Rue)	1	C3-D3
BELGES (Quai des)	1-2	C3
BELLES ECUELLES (Rue des)	2	B2
BELLES MARINIERES (Impasse des)	2	C1
BELSUNCE (Cours)	1	B3-C4
BELSUNCE (Square)	1	C3
BERNARD DU BOIS (Place)	1	A4
BERNARD DU BOIS (Rue)	1	A3-A4
BIR HAKEIM (Rue)	1	C3
BLIDAH (Rue de)	3	A3
BON JESUS (Rue du)	2	B2
BON PASTEUR (Rue du)	2	A2-A3
BONNETERIE (Rue)	2	C2
BOULEAU (Rue du)	2	B1
BRETEUIL (Rue)	1-6	D3
BUTTE (Rue de la)	2	A3
CAISSERIE (Rue)	2	C1-C2
CAMILLE PELLETAN (Avenue)	2-3	A2-A3
CANEBIERE (la)	1-2	C3-C4
CAPUCINES (Place des)	1	B4
CARMELINS (Rue des)	2	B2
CARTIERS (Rue des)	2	B2
CARTIERS (Traverse des)	2	B2
CATHEDRALE (Esplanade de la)	2	B1
CATHEDRALE (Rue de la)	2	B1-C1
CHANTIER (Rue du)	7	D2
CHAPELIERS (Rue des)	1	B3
CHARITE (Rue de la)	2	B1-B2
CHARITE (Traverse de la)	2	B1
CHARLES LIVON (Boulevard)	7	D1
CHARLES NEDELEC (Boulevard)	1-3	A3-A4
CHATEAU JOLY (Place du)	2	C1
CHATEAU JOLY (Rue)	2	C1
CHATEAUREDON (Rue)	1	C4
CHEVALIER ROZE (Rue du)	2	B2-C2
CLOVISSE (Rue de la)	2	B2-B3
COLBERT (Rue)	1-2	B2-B3
COLONEL J.-B. PETRE (Rue)	1	B2-B3
CONSULS (Rue des)	2	C2
CONVALESCENTS (Rue des)	1	B3-B4
CORDELLES (Rue des)	2	B2
CORDERIE HENRY BERGASSE (Place de la)	6-7	D2
CORNEILLE (Rue)	1	D3
COUTELLERIE (Rue)	2	C2-C3
CROIX (Rue de la)	7	D2
DAMES (Boulevard des)	2	A1-A3
DAVIEL (Place)	2	C2
DELILLE (Rue)	1	A4-B4
DELUI (Rue)	2	B2
DIEUDE (Rue)	6	D4
DOCTEUR DENIS AVIERINOS (Rue)	1	C3
DOMINICAINES (Rue des)	1	B3-B4
DUGOMMIER (Boulevard)	1	B4-C4
DUMARSAIS (Rue)	1	D3
DUVERGER (Rue)	2	A2
ECHELLE (Résidence l')	2	B3
EMILE POLLAK (Rue)	6	D3
ENDOUME (Rue d')	7	D1
ERNEST REYER (Place)	1	C3-D3
ESTELLE (Rue)	1-6	D4
ESTRANGIN PASTRE (Place)	6	D3
ETOILE (Rue de l')	1	B3
EUTHYMENES (Rue)	1	D2-D3
EVECHE (Rue de l')	2	A1-C1
FABRES (Rue des)	1	C3
FARE (Rue de la)	1	A3-B4
FAUCHIER (Rue)	2	A1-A2
FELIX BARET (Place)	6	D4
FELIX EBOUE (Rue)	2	B2
FERRATS (Rue des)	2	C1
FERRY-BOAT	2	C2-D2
FEUILLANTS (Rue des)	1	C4
FIACRES (Rue des)	2	A2-A3
FOLIES BERGERES (Passage des)	2	B2
FONDERIE VIEILLE (Impasse)	2	C1
FONDERIE VIEILLE (Rue)	2	C1
FONGATE (Rue)	6	D4
FONTAINE D'ARMENIE (Rue)	1	B3
FONTAINE DE CAYLUS (Rue)	2	B1
FONTAINE DE CAYLUS (Traverse)	2	B1
FONTAINE DES VENTS (Rue)	2	C1
FONTAINE NEUVE (Rue)	2	B2
FONTAINE ROUVIERE (Place)	2	C1
FORBIN (Rue de)	2	A1-A2
FORT NOTRE-DAME (Rue)	1-7	D2
FORTIA (Rue)	1	D3
FOUR DU CHAPITRE (Rue)	2	B1
FRANCIS CHIRAT (Place)	2	B1
FRANCIS DAVSO (Rue)	1	D3-D4
FRANCIS DE PRESSENSE (Rue)	1	B3-B4
FRANCIS-CHIRAT (Place)	2	B1
FRANCOIS BAZIN (Rue)	1	B4
FRANCOIS MASSABO (Rue)	2	A2
FRANCOIS MIREUR (Place)	1	B3
FRANCOIS MOISSON (Place)	2	B2
FRANCOIS MOISSON (Rue)	2	A2-B2
FRATERNITE (Quai de la)	1	C3-D3
FREDERIC OZANAM (Rue)	3	A3
GABRIEL PERI (Place)	1	C3
GARE SAINT-CHARLES (Escalier)	1	A4
GARIBALDI (Boulevard)	1	C4
GENERAL DE GAULLE (Place)	1	C3
GENERAL LECLERC (Avenue du)	3	A3-A4
GILBERT DRU (Rue)	2	B1-A2
GLACE (Rue de la)	1	C3-C4
GLANDEVES (Rue)	1	D3
GOURJON (Rue)	2	A1-A2
GRAND'RUE	2	C2-C3
GRANDS CARMES (Place des)	2	B2
GRANDS CARMES (Rue des)	2	B2-A3
GRIGNAN (Rue)	1-6	D2-D4
GUINTRAND (Rue)	2	B2
GUIRLANDE (Rue de la)	2	C2
GUSTAVE DESPLACES (Boulevard)	3	A3-A4
GUSTAVE RICARD (Rue)	6	D3
GUY MOCQUET (Rue)	1	C4
HALLE DELACROIX (Rue)	1	C4
HALLE PUGET (Rue)	1	B3
HAXO (Rue)	1	C3-D3
HENRI BARBUSSE (Rue)	1	B3-C3
HENRI FIOCCA (Rue)	1	C3
HENRI TASSO (Rue)	2	C1
HONNEURS (Rue des)	2	B1
HONNORAT (Rue)	1-3	A4
HONORE D'ESTIENNE D'ORVES (Cours)	1	D2-D3
HOTEL DES POSTES (Place de l')	1	B3
HOTEL-DIEU (Rue de l')	2	B2
HOZIER (Rue d')	2	A2
HUGOLINS (Place des)	2	B2-B3
HUGOLINS (Rue des)	2	B2
HUILES (Place aux)	1	D2
ICARDINS (Rue des)	2	B2
ITALIE (Rue d')	6	D4
JACQUES BORY (Rue)	3	A4
JEAN BALLARD (Cours)	1	D3
JEAN COLOMBANI (Impasse)	2	B1-C1
JEAN GALLAND (Rue)	2	C1
JEAN ROQUES (Rue)	6	C4
JEAN TRINQUET (Rue)	2	A2-B2
JEAN-FRANCOIS LECA (Rue)	2	A1-B2
JEAN-MARC CATHALA (Rue)	2	A2-B2
JEMMAPES (Rue de)	1	B4
JEUNE ANACHARSIS (Rue du)	1	D3-C4
JOLIETTE (Place de la)	2	A1
JOLIETTE (Quai de la)	2	A1-B1
JOLIETTE (Rue de la)	2	A2-A3
JOSEPH AUTRAN (Rue)	6	D3
JUGE DU PALAIS (Rue)	2	C3
JUGE PIERRE MICHEL (Square)	6	D3
JULES FERRY (Rue)	3	A3
JULES GUESDE (Place)	2-3	A3-B3
JULES VERNE (Place)	2	C2
JULIEN (Cours)	1-6	C4
LACYDON (Rue du)	2	C2
LAFAYETTE (Rue)	1	A4-B4
LAFON (Rue)	6	D4
LEMAITRE (Rue)	1	B4
LENCHE (Place de)	2	C1
LEON BLUM (Place)	1	B4
LEON GAMBETTA (Allée)	1	B4
LEON GOZLAN (Rue)	3	A4
LEON JOUHAUX (Place)	1	C4
LES CARMELINS (Résidence)	2	B2
LIBERTE (Boulevard de la)	1	B4
LIEUTAUD (Cours)	6	C4-D4
LOGE (Rue de la)	2	C1-C2
LONGUE DES CAPUCINS (Rue)	1	A3-C4
LORETTE (Passage de)	2	A1-B2
LORETTE (Place de)	2	B2
LORETTE (Rue)	2	B2
LOUIS ASTOUIN (Rue)	2	B2
LOUIS BRAUQUIER (Promenade)	2	C1
LOUIS SALVATOR (Boulevard)	6	D4
LUCIEN GAILLARD (Rue)	1-2	B3
LUCIEN ROLMER (Rue)	3	A3
LUDOVIC-HENRI MONNIER (Montée)	1	D2
LULLI (Rue)	1	D3
LYCEE THIERS (Place du)	1	C4
MADELEINE (Traverse de la)	2	B1
MAGENTA (Rue)	1	B3
MAIRIE (Rue de la)	2	C2
MAJOR (Place de la)	2	B1
MALAUCENE (Rue)	2	B2
MALAVAL (Rue)	2	A2
MARCEAU (Place)	2-3	A2
MARCEL PAGNOL (Quai)	7	D1
MARCEL SEMBAT (Rue)	1	A4
MARCHE DES CAPUCINS (Place du)	1	C4
MARCHE DES CAPUCINS (Rue du)	1	C4
MARCHETTI (Rue)	2	B1
MARECHAL LECLERC (Avenue du)	3	A2-A3
MARSEILLAISES (Place des)	1	A4
MARTEGALES (Rue des)	2	C1
MAURICE BOURDET (Boulevard)	1	A4
MAURICE KORSEC (Rue)	1	A4-B4
MAUVESTIS (Rue des)	2	B2
MAZAGRAN (Rue)	1	C4
MAZEAU (Place du)	2	C2
MAZENOD (Rue)	2	A1-B1
MEOLAN (Rue)	1	C4
MERY (Rue)	2	B2-C2
MESSAGERIES MARITIMES (Square des)	2	B2
MICHEL SALVARELLI (Rue)	2	B1-B2
MIRADOU (Rue)	2	B1-C1
MISSION DE FRANCE (Rue)	1	B4
MOGADOR (Place)	3	A3
MOLIERE (Rue)	1	D3
MONTBRION (Rue)	2	B2
MONT-DE-PIETE (Rue du)	1	B3
MONTGRAND (Rue)	6	D3-D4
MONTOLIEU (Rue)	2	A2-A3
MONTYON (Place)	6	D3
MOULINS (Place des)	2	B2
MOULINS (Rue des)	2	C1-B2
MOUSTIER (Rue)	1	C4-D4
MUETTES (Rue des)	2	C1-B2
MURE (Rue de la)	2	C2
MUSEE (Rue du)	1	C4
NARWICK (Square)	1	A4
NATIONALE (Rue)	1	B3-B4
NEUVE SAINTE-CATHERINE (Rue)	7	D1-D2
NEUVE SAINT-MARTIN (Rue)	1	B3
OBSERVANCE (Rue de l')	2	A1-B1
PAIX MARCEL PAUL (Rue de la)	1	D2-D3
PALAIS (Place du)	2	C2
PALAIS DE LA BOURSE	1	C3
PALUD (Rue de la)	1-6	C4-D4
PANIER (Rue du)	2	B1-B2
PAPERE (Rue)	1	C4
PARADIS (Rue)	1	C3-D3
PARMENTIER (Rue)	1	B4
PAUL PEYTRAL (Boulevard)	6	D4
PAVILLON (Rue)	1	C3-C4
PENITENTS BLEUS (Rue des)	1	B3
PENTECONTORE (Passage)	2	C2
PERE PIERRE SAISSE (Place du)	2	B1
PETIT CHANTIER (Rue)	7	D2
PETIT PUITS (Rue du)	2	B1-B2
PETIT SAINT-JEAN (Rue du)	1	B3-B4
PETITES MARIES (Rue des)	1	B3-A4
PETITES MARIES (Traverse)	1	A4
PHILIPPE DE GIRARD (Rue)	1	A4-B4
PHOCEENS (Rue des)	2	A1-B2
PIERRE BERTAS (Place)	2	B3
PIERRE SEMARD (Avenue)	1	A4
PISANCON (Rue)	1	C4-D4
PISTOLES (Place des)	2	B1
PISTOLES (Rue des)	2	B1
PLAN FOURMIGUIER (Rue)	7	D1-D2
PLUMIER (Rue)	2	A1-A2
POIDS DE LA FARINE (Rue)	1	C3-C4
POIRIER (Rue du)	2	B2-C2
PORT (Quai du)	2	C1-C3
PORTE BEAUSSENQUE (Rue)	2	C1
PRECHEURS (Place des)	1	B2
PRECHEURS (Rue des)	1	B2-B3
PREFECTURE (Place de la)	6	D4
PRISON (Rue de la)	2	C2
PROTIS (Square)	2	C1
PROVIDENCE (Rue de la)	1	B4
PUITS BEAUSSENQUE (Rue)	2	C1
PUITS DU DENIER (Rue)	2	B2
PUITS SAINT-ANTOINE (Rue)	2	B2
PUVIS DE CHAVANNES (Rue)	1-2	B3
PYTHEAS (Rue)	1	C3-D3
RACATI (Rue du)	3	A3
RECOLETTES (Rue des)	1	B3-C4
REFUGE (Rue du)	2	B1-C1
REINE ELISABETH (Rue)	1	C3
RELAIS (Rue du)	1	B3
REPENTIES (Rue des)	2	B1
REPUBLIQUE (Rue de la)	1-2	A1-C3
RIGORD (Rue)	7	D2
RIVE NEUVE (Quai)	1-7	D1-D3
ROBERT (Rue)	7	D1
ROBERT SCHUMAN (Avenue)	2	A1-B1
RODILLAT (Rue)	2	B1
RODOLPHE POLLAK (Rue)	1	C4
ROME (Place de)	6	D4
ROME (Rue de)	1-6	C4-D4
ROQUEBARBE (Place)	2	B2
ROQUEPLAN (Impasse)	2	C2
ROUGET DE LISLE (Rue)	1	C3-C4
ROUVIERE (Rue)	1	C4
SADI CARNOT (Place)	2	B2
SAINT-ANTOINE (Rue)	2	B2
SAINT-ANTOINE (Traverse)	2	B2
SAINT-BAZILE (Rue)	1	B4
SAINT-CANNAT (Rue)	1	B2-B3
SAINT-CHARLES (Esplanade)	1	A4
SAINT-DOMINIQUE (Rue)	1	B4
SAINT-DOMINIQUE (Traverse)	1	B4
SAINTE (Rue)	1-7	D2-D3
SAINTE-BARBE (Rue)	2	B3
SAINTE-ELISABETH (Rue)	2	B2
SAINTE-FRANCOISE (Impasse)	2	B1
SAINTE-FRANCOISE (Rue)	2	B1-C1
SAINTE-FRANCOISE (Traverse)	2	B1
SAINTE-JULIE (Rue)	2	A2
SAINT-ESPRIT (Montée du)	2	B2-C2
SAINT-FERREOL (Rue)	1	C3-D4
SAINT-JAUNE (Rue)	2	C3
SAINT-JEAN (Avenue)	2	C1
SAINT-LAURENT (Parvis de)	2	C1
SAINT-LAURENT (Rue)	2	B1-C1
SAINT-LAZARE (Rue)	3	A3
SAINT-LOUIS (Cours)	1	C4
SAINT-MATHIEU (Rue)	2	B2
SAINT-MAURICE (Rampe)	7	D1
SAINT-PONS (Rue)	2	C1
SAINT-SAENS (Rue)	1	D2-D3
SAINT-THEODORE (Rue)	1	B3
SAINT-THOME (Rue)	2	C1
SAINT-VICTORET (Rue)	2	C2
SEMINAIRE (Place du)	2	B1
SOUVENIR FRANCAIS (Montée du)	7	D1
TANCREDE MARTEL (Impasse)	1	A3-B3
TAPIS VERT (Rue)	1	B3-B4
TAULIERE (Rue de la)	1	D2
TERRAS (Place du)	2	A2-B2
TERRAS (Rue du)	2	A2-B2
THEATRE FRANCAIS (Rue du)	1	B4-C4
THIARS (Place)	1	D3
THUBANEAU (Rue)	1	C3-B4
TIMON (Rue du)	2	B2
TIMON DAVID (Passage)	1	D3
TOUR (Rue de la)	1	C3-D3
TOURETTE (Esplanade de la)	2	B1-C1
TOURETTE (Quai de la)	2	B1-C1
TOURETTE 1 (la)	2	B1
TREIZE CANTONS (Place des)	2	B1
TREIZE ESCALIERS (Rue des)	3	A2-A3
TRIGANCE (Rue)	2	B1-B2
TUNNEL PRADO CARENAGE	7	D1
TUNNEL SAINT-CHARLES	1-3	A3-A4
TUNNEL SAINT-LAURENT	7	C1-D1
TURENNE (Groupe)	3	A3
TURENNE (Rue de)	3	A3
TYRANS (Rue des)	7	D2
VACON (Rue)	1	C3-C4
VAUDOYER (Avenue)	2	B1-C1
VENTURE (Rue)	1	D3-D4
VICTOR GELU (Place)	2	C2
VICTOR HUGO (Place)	3	A3-A4
VIEILLE TOUR (Rue de la)	2	B2
VIEUX PALAIS (Rue du)	2	B3
VILLENEUVE (Rue)	1	A4-B4
VILLENEUVE BARGEMON (Place)	2	C2
VINCENT LEBLANC (Rue)	2	A2
VINCENT SCOTTO (Rue)	1	C3-C4
23 JANVIER 1943 (Place)	2	C2
VIVAUX (Place)	2	C1-C2
VOLTAIRE (Boulevard)	1	A4
YSER (Square de l')	1	C3

METZ

ABBE RISSE (Rue de l') B3
ABREUVOIR (Rue de l') C3-C4
ALGER (Rue d') A3
ALLEMANDS (Impasse des) B4
ALLEMANDS (Porte des) B4
ALLEMANDS (Rue des) B3-B4
AMBROISE THOMAS (Rue) B2
AMPHITHEATRE (Avenue de l') C4-D4
AMPHITHEATRE (Passage de l') D3-D4
ANDRE MAGINOT (Boulevard) A4-C4
ANTOINE (Rue) D2
ARGENTIERES (Promenade d') B1-C2
ARMAND KNECHT (Place) B2
ARMES (Place d') A3-B3
ARSENAL (Rue de l') A3
ASFELD (Rue d') D3-C4
AUGUSTINS (Rue des) C3-D3
AUSTRASIE (Rue d') D2-D3
BASSE SEILLE (Rue de la) A4-B4
BAUE (Rue de la) B4-C4
BELLE-ISLE (Rue) A1-A2
BLE (Rue au) B2
BOUCHERIE SAINT-GEORGES (Rue) A3
BOUDAT (Ruelle) C4
BOUFFLERS (Jardin) B2
BRAS MORT (Allée du) C1-D1
BRAS MORT (Pont du) D1
CAMBOUT (Rue du) C3-C4
CAMILLE HOCQUARD (Place) D4
CAPUCINS (Rue des) A3-A4
CASERNE (Pont de la) C4
CATHEDRALE (Place de la) B2
CHAMBRE (Place de) A2
CHAMPE (Rue du) B3-B4
CHANGE (Rue du) B3
CHANOINE COLLIN (Rue du) A3
CHANOINE RITZ (Place du) A3
CHAPLERUE (Impasse) B3
CHARLEMAGNE (Rue) D3
CHARRONS (Place des) B4-C4
CHATILLON (Rue) C2-D3
CHEVRE (Rue de la) B3-C3
CHEVREMONT (Rue) A3
CITADELLE (Rue de la) C1-C2
CLERCS (Rue des) B2-C2
COETLOSQUET (Rue du) C2-C3
COFFE MILLET (Rue du) A3
COISLIN (Rue) C3-C4
COMEDIE (Place de la) A2
COUR AU PUITS (Impasse) B4
DEROULEDE (Pont) D1
DUPONT DES LOGES (Rue) C2-B3
ECOLES (Rue des) B3
EN BONNE RUELLE B2-C2
EN CHANDELLERUE C3
EN CHAPLERUE B3-C3
EN FOURNIRUE B3
EN JURUE B3
EN NEXIRUE B2
EN NICOLAIRUE C3
EN NOUVELLERUE B2-B3
ENFER (Rue d') B3
EPAISSE MURAILLE (Rue de l') B4
ESTREES (Rue d') A2-B2
ETUVE (Rue de l') A3
FABERT (Rue) B2-B3
FAISAN (Rue du) A2-B2
FAVADE (Impasse de la) B3-B4
FELIX MARECHAL (Quai) A2-A3
FOCH (Avenue) D2-D3
FONTAINE (Rue de la) C3
FOUR DU CLOITRE (Rue du) A3-B3
FRANCOIS DE CUREL (Rue) D3
FRANCOIS DE GUISE (Rue) D1
GAMBETTA (Rue) D2-D3
GARDE (Rue de la) B2
GAUDREE (Rue) C4
GENDARMERIE (Rue de la) C3-D3
GENERAL DE GAULLE (Place du) D3
GENERAL FOURNIER (Rue du) A4
GENERAL GASTON DUPUIS (Rue du) C2-D2
GEORGES CLEMENCEAU (Boulevard) D1
GIRAUD (Square) C2
GISORS (Rue) B4
GLACIERE (Rue de la) A3-A4
GLATIGNY (Rue) A3
GOUSSAUD (Rue) A2
GRAND CERF (Rue du) C3
GRAND WAD (Rue du) B4
GRANDE ARMEE (Rue de la) B3-B4
GREVE (Rue de la) B4
GUSTAVE KAHN (Square) A3
HACHE (Rue de la) B4
HARELLE (Rue) D2
HAUT DE SAINTE-CROIX (Rue du) A3
HAUT POIRIER (Rue du) A3
HAUTE PIERRE (Rue) B2
HAUTE SEILLE (Rue) B3-C4
HAYE (Rue de la) A2-B2
HENRY DE RANCONVAL (Pont) B4
HENRY MARET (Rue) D2
HILDEGARDE (Promenade) C1-D1
HOLANDRE PIQUEMAL (Rue) A2
HUILIERS (Rue des) C3
JACQUES-FRANCOIS BLONDEL (Rue) B2-B3
JARDINS (Rue des) A3
JEAN XXIII (Avenue) C4-D4
JEANNE D'ARC (Place) A3
JOFFRE (Avenue) D1-D2
JUGE PIERRE MICHEL (Rue du) B2
LADOUCETTE (Rue de) B3
LANCIEU (Rue du) B2-C3
LA FAYETTE (Rue) D3
LASALLE (Rue) C3
LATTRE DE TASSIGNY (Avenue de) D1
LECLERC DE HAUTECLOCQUE (Avenue) D2
LIEVRE (Place au) B4
LOUIS LE DEBONNAIRE (Avenue) D4
MABILLE (Rue) B4
MAGASIN AUX VIVRES (Rue du) A1
MARCHANT (Rue) A3-A4
MARCHE DE LA CHEVRE (Place du) B3
MARECHAL LYAUTEY (Rue) C2
MARIE SAUTET (Rue) B3
MAURICE BARRES (Rue) C2-C3
MAZELLE (Place) C4
MAZELLE (Rue) B3-C4
METZ PLAGE (Allée de) A1
MEXICO (Rue) B4
MINIMES (Rue des) B4
MONNAIE (Rue de la) B3-C3
MORTS (Pont des) A1
MOYEN PONT B2
MOYEN PONT (Rue du) B2
MOZART (Rue) D1-D2
MURS (Rue des) B3-A4
NEUFBOURG (Rue du) C3-D3
NEY (Avenue) D1-C2
OSSONS (Rue aux) C4
OURS (Rue aux) B2
PAIX (Rue de la) B2
PAIXHANS (Boulevard) A4
PALAIS (Rue du) B2
PARADIS (Rue du) A4
PARAIGES (Place des) B3
PARIS (Rue de) A1
PARMENTIERS (Rue des) C3
PASTEUR (Rue) D2
PASTEUR GRIESBECK (Place du) C2
PAUL BEZANSON (Rue) B2-B3
PAUL VAUTRIN (Quai) A2-B2
PAUL WILTZER (Quai) A1
PERE POTOT (Rue du) C3
PETIT CHAMPE (Rue du) B4
PETIT PARIS (Rue du) B2-B3
PETITE BOUCHERIE (Rue de la) B3
PIERRE HARDIE (Rue) B2
PIERRE MORLANNE (Rue) D1
PIERRE PERRAT (Rue) D2
PIQUES (Rue des) A2-A3
PISCINE (Rue de la) A1-A2
PLANTIERES (Passage de) C4
POINCARE (Boulevard) D1-B2
PONCELET (Rue) B2
PONT A SEILLE (Place du) C4
PONT DE LA GREVE (Rue du) B4
PONT DE LA PREFECTURE (Rue du) A2
PONT DES MORTS (Rue du) A1-B2
PONT DES ROCHES (Place du) A2
PONT DES ROCHES (Rue du) A2
PONT MOREAU (Rue du) A2-A3
PONT SAILLY (Rue du) B3
PONT SAINT-MARCEL (Rue du) A1-A2
PREFECTURE (Place de la) A2-A3
PREFECTURE (Pont de la) A2
PRESIDENT J.F. KENNEDY (Avenue du) D1
PRINCERIE (Rue de la) B3
QUARTEAU (Place du) C3
RABBIN ELIE BLOCH (Rue du) A3
RAYMOND MONDON (Place) D2
RECOLLETS (Rue des) B3-A4
REGATES (Quai des) B1-C1
REPUBLIQUE (Place de la) C2
RIMPORT (Quai du) A3
ROBERT SCHUMAN (Avenue) C2-D2
ROBERT SEROT (Boulevard) A1-B2
ROCHES (Pont des) A2
ROCHES (Rue des) A2
ROI GEORGE (Place du) D2
ROYALE (Rue) C3
SAINT-CHARLES (Rue) C4
SAINT-ETIENNE (Place) B2-A3
SAINT-ETIENNE (Rue) C4
SAINT-EUCAIRE (Rue) B4
SAINT-FERROY (Rue) A3
SAINT-GENGOULF (Rue) C2-C3
SAINT-GEORGES (Pont) A3
SAINT-GEORGES (Rue) A2
SAINT-HENRY (Rue) C3
SAINT-JACQUES (Place) B3
SAINT-JEAN (Impasse) B2
SAINT-LOUIS (Place) B3-C3
SAINT-LOUIS (Rue) A2-B2
SAINT-MARCEL (Pont) A2
SAINT-MARCEL (Rue) A1-A2
SAINT-MARTIN (Place) C3
SAINT-NICOLAS (Place) C3
SAINT-SIMPLICE (Place) B3
SAINT-SYMPHORIEN (Allée) D1
SAINT-THIEBAULT (Place) D3
SAINT-THIEBAULT (Rempart) C2-D3
SAINT-VINCENT (Place) A2
SAINT-VINCENT (Rue) A2
SAINTE-BARBE (Pont) A4
SAINTE-CROIX (Place) A3
SAINTE-GLOSSINDE (Impasse) C2
SAINTE-GLOSSINDE (Place) C2
SAINTE-GLOSSINDE (Rue) C2
SAINTE-MARIE (Rue) B2
SALIS (Rue de) D1
SAULCY (Place du) A1
SAULNERIE (Rue) B3
SEBASTIEN LECLERC (Rue) D2
SEILLE (Pont de la) D4
SERPENOISE (Porte) D1
SERPENOISE (Rue) C2-B3
SOUS SAINT-ARNOULD (Rue) B2
TAISON (Impasse) B3
TAISON (Rue) A3-B3
TANNEURS (Jardin des) B4
TANNEURS (Rue des) B3-B4
TETE D'OR (Rue de la) B3
THERMES (Esplanade des) A3
TOMBOIS (Rue du) A4
TRINITAIRES (Rue des) A3
TROIS BOULANGERS (Rue des) C2-C3
TURMEL (Rue de) B4
UNIVERSITAIRE (Cité) A1-B1
VALLADIER (Place) A3
VAUBAN (Rue) D3-D4
VICTOR DEMANGE (Boulevard) A4-B4
VICTOR HEGLY (Allée) C1-D1
VIGNE SAINT-AVOLD (Rue) C4
VIGNOTTE (Rue de la) A1-A2
VISITATION (Rue de la) B4
VIVIER (Rue du) A2-A3
WAD BILLY (Rue du) B4
WAD BOUTON (Rue du) B4-C4
WILSON (Rue) D1-D2
WINSTON CHURCHILL (Rue) B2-C2

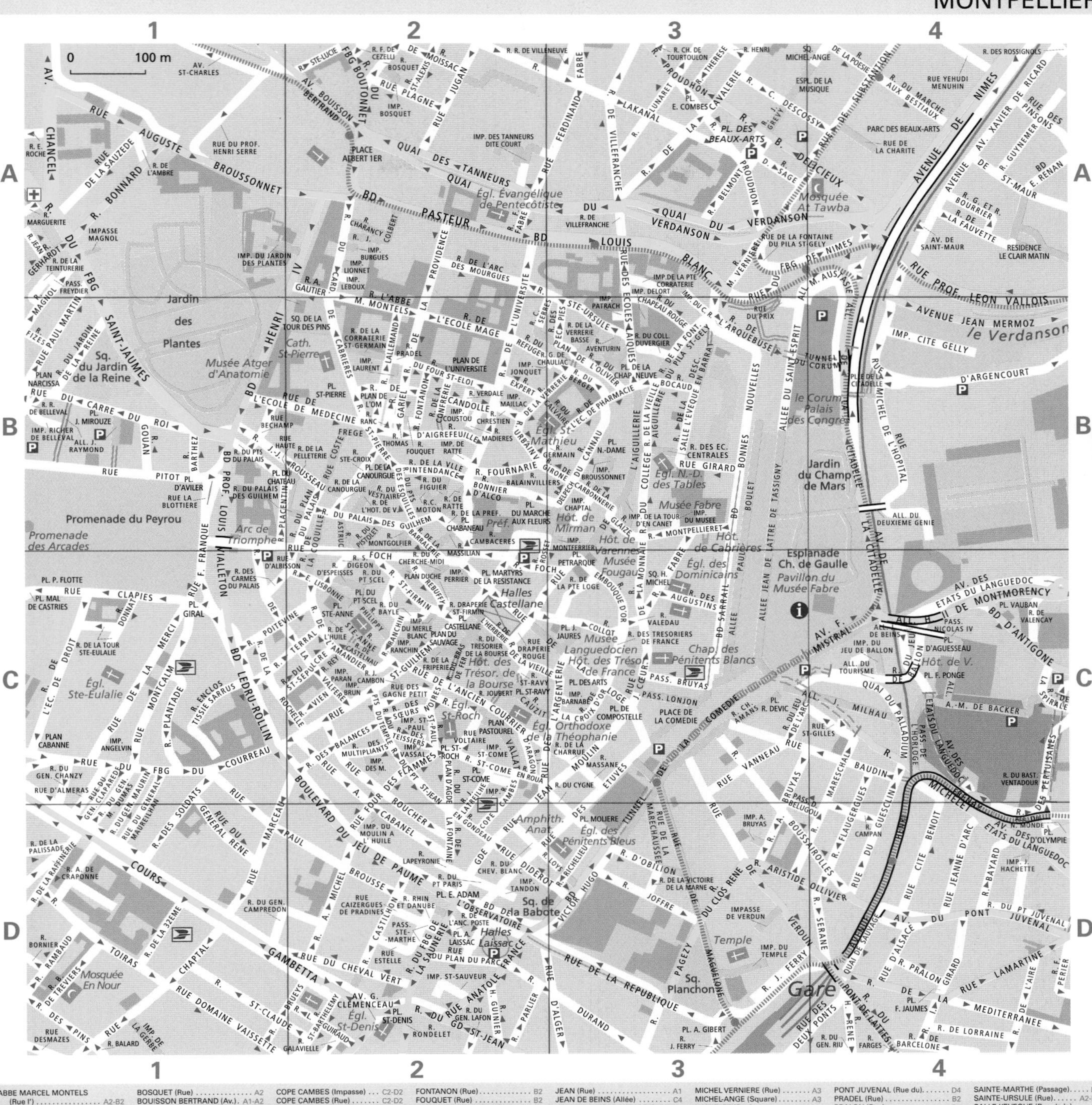
1
2
3
4
A
B
C
D
0 100 m
Jardin des Plantes
Sq. du Jardin de la Reine
Musée Atger d'Anatomie
Cath. St-Pierre
Promenade du Peyrou
Promenade des Arcades
Arc de Triomphe
Égl. Évangélique de Pentecôtiste
Mosquée At Tawba
Jardin du Champ de Mars
le Corum Palais des Congrès
Esplanade Ch. de Gaulle
Pavillon du Musée Fabre
Musée Fabre
Égl. N.-D. des Tables
Égl. St-Mathieu
Halles Castellane
Égl. Ste-Eulalie
Égl. St-Roch
Égl. Orthodoxe de la Théophanie
Musée Languedocien
Hôt. des Trésor. de France
Chap. des Pénitents Blancs
Égl. des Dominicains
Musée Fougau
Hôt. de Varennes
Hôt. de Cabrières
Hôt. de Mirman
Préf.
Hôt. des Trésor. de la Bourse
Amphith. Anat.
Égl. des Pénitents Bleus
Sq. de la Babote
Halles Laissac
Égl. St-Denis
Mosquée En Nour
Temple
Sq. Planchon
Gare
le Verdanson
Hôt. de V.
PLACE DE LA COMÉDIE

1 2 3 4

ABBE MARCEL MONTELS (Rue l') A2-B2
ADAM DE CRAPONNE (Rue) D1
AGUESSEAU (Place d') C4
AIGREFEUILLE (Rue d') B2
AIGUILLERIE (Rue de l') C2-B3
AIRE (Rue de l') D4
ALBERT 1ER (Place) A2
ALBISSON (Rue d') B2-C2
ALEXANDRE CABANEL (Rue). C2-D2
ALEXANDRE LAISSAC (Place) D2
ALFRED BRUYAS (Impasse) D3
ALFRED BRUYAS (Rue) C3-D3
ALGER (Rue d') D2-D3
ALMERAS (Rue d') C1-D1
ALSACE (Rue d') D4
AMANDIER (Rue de l') C2
AMBRE (Rue de l') A1
ANATOLE FRANCE (Rue) D2
ANCIEN COURRIER (Rue de l') C2
ANCIENNE POSTE (Rue de l') D2
ANDRE MICHEL (Rue) D2
ANGELVIN (Impasse) C1
ANNE-MARIE DE BACKER (Allée) C4
ANTIGONE (Boulevard d') C4
ARC DES MOURGUES (Rue de l') A2
ARGENCOURT (Rue d') B4
ARGENTERIE (Rue de l') C2-C3
ARISTIDE OLLIVIER (Rue) D3-D4
ARMAND GAUTIER (Rue) A2
ARQUEBUSE (Rue de l') B3
ARTS (Place des) C3
ASTRUC (Rue) B2-C2
AUGUSTE BROUSSONNET (Rue) A1-A2
AUGUSTE GIBERT (Place) D3
AUGUSTINS (Rue des) C3
AVENTURIN (Rue) B3
AVILER (Place d') B1
BALAINVILLIERS (Rue) B2
BALANCES (Rue des) C2
BALARD (Rue) D1
BARCELONE (Rue de) D4
BARNABE (Impasse) C3
BARRALERIE (Rue de la) B2-C2
BARTHEZ (Rue) B1
BASTION VENTADOUR (Rue du) C4-D4
BAUDIN (Rue) C3-C4
BAYARD (Rue) D4
BAYLE (Rue du) C2
BEAUX-ARTS (Parc des) A4
BECHAMP (Rue) B1
BELMONT (Rue) A3
BERGER (Rue du) B3
BERNARD DE TREVIERS (Rue) D1
BERNARD DELICIEUX (Rue) A3-A4
BLOTTIERE (Rue la) B1
BOCAUD (Rue) B3
BONNARD (Rue) A1
BONNES NOUVELLES (Bd) B3
BONNIER D'ALCO (Rue) B2
BORNIER (Rue) D1
BOSQUET (Impasse) A2
BOSQUET (Rue) A2
BOUISSON BERTRAND (Av.) A1-A2
BOUSSAIROLLES (Rue) C3-D4
BRAS DE FER (Rue du) C2
BROUSSONNET (Impasse) B3
BRUEYS (Rue) D1-D2
BRUN (Impasse) C2
BRUYAS (Passage) C3
BURGUES (Impasse) A2
CABANNE (Plan) C1
CAIZERGUES DE PRADINES (Rue) D2
CALVAIRE (Rue du) B2-B3
CAMBACERES (Rue) B2-C2
CAMILLE DESCOSSY (Rue) A3-A4
CAMPAN (Rue) D4
CANDOLLE (Rue de) B2
CANNAU (Rue du) B3
CANOURGUE (Place de la) B2
CANOURGUE (Rue de la) B2
CARBONNERIE (Rue de la) B3
CARDINAL DE CABRIERES (Rue du) A2-B2
CARMES DU PALAIS (Rue des) C1-C2
CARRE DU ROI (Rue du) B1
CASTEL MOTON (Rue) B2
CASTELLANE (Place) C2
CASTELNAU (Rue de) C2
CASTILHON (Rue) D2
CAUZIT (Rue) C2-C3
CAVALERIE (Rue de la) A3
CHABANEAU (Place) B2
CHANCEL (Avenue) A1
CHAPEAU ROUGE (Imp. du) A3-B3
CHAPEAU ROUGE (Rue du) B3
CHAPELLE NEUVE (Place de la) B3
CHAPTAL (Impasse) B3
CHAPTAL (Rue) D1
CHARANCY (Rue) A2
CHARITE (Rue de la) A4
CHARLES AMANS (Rue) C3
CHARLES DE TOURTOULON (Rue) A3
CHARRUE (Rue de la) C2-C3
CHATEAU (Place du) B1
CHERCHE-MIDI (Rue du) C2
CHEVAL BLANC (Rue du) D2
CHEVAL VERT (Rue du) D1-D2
CHRESTIEN (Rue) B2
CITADELLE (Allée de la) A4-B4
CITADELLE (Avenue de la) B4-C4
CITADELLE (Passerelle de la) B4
CITE BENOIT (Rue) C4-D4
CITE GELLY (Impasse) B4
CLAIR MATIN (Résidence le) A4
CLAPIES (Rue) C1
CLAUDE SERRES (Rue) B2-A3
CLOS RENE (Rue du) D3
COLLEGE (Rue du) B3
COLLEGE DUVERGIER (Rue du) B3
COLLOT (Rue) C3
COMEDIE (Place de la) C3
COMPOSTELLE (Place de) C3
CONFRERIE (Rue de la) B2
COPE CAMBES (Impasse) C2-D2
COPE CAMBES (Rue) C2-D2
COQUILLE (Rue de la) B2-C2
CORRATERIE SAINT-GERMAIN (Rue de la) B2
COSTE FREGE (Rue) B2
COUSTOU (Impasse) B2
CROIX D'OR (Rue de la) C3
CYGNE (Rue du) C2-D3
DANIEL SAGE (Rue) A3
DAVID BELUGOU (Passage) C3-D4
DELORT (Impasse) B3
DELPECH (Rue) B3
DESMAZES (Rue) D1
DEUX PONTS (Rue des) D4
DEUXIEME GENIE (Allée du) B4
DIDEROT (Rue) D2-D3
DOMAINE VAISSETTE (Rue) D1
DONNAT (Rue) C1
DRAPERIE ROUGE (Rue) C2
DRAPERIE SAINT-FIRMIN (Rue) C2
DU GUESCLIN (Rue) C4-D4
DUCHE (Plan) C2
DURAND (Rue) D2-D3
ECOLE DE DROIT (Rue de l') C1
ECOLE DE MEDECINE (Rue de l') B1-B2
ECOLE DE PHARMACIE (Rue de l') B3
ECOLE MAGE (Rue de l') B2
ECOLES CENTRALES (Rue des) B3
ECOLES LAIQUES (Rue des) A3-B3
ECOLES PIES (Rue des) B3
EDOUARD ADAM (Place) D2
EDOUARD ROCHE (Rue) A1
EMBOUQUE D'OR (Rue) C3
EMILE COMBES (Place) A3
EN BARRAT (Descente) B3
EN GONDEAU (Rue) D2
EN ROUAN (Rue) C2
ENCLOS TISSIE SARRUS (Rue) C1
ERNEST RENAN (Boulevard) A4
ESPEISSES (Rue d') C2
ESTELLE (Rue) D2
ETATS DU LANGUEDOC (Avenue des) C4-D4
ETUVES (Rue des) D2-C3
EUGENE LISBONNE (Rue) C2
EXPERT (Rue) B2
FABRE (Rue) B3-C3
FARGES (Rue) D4
FBG BOUTONNET (Rue du) A2
FBG DE LA SAUNERIE (Rue du) D2
FBG DE NIMES (Rue du) B3-A4
FBG DU COURREAU (Rue du) C1
FBG SAINT-JAUMES (Rue du) A1-B1
FAUVETTE (Rue de la) A4
FERDINAND FABRE (Rue) A2-A3
FIGUIER (Rue du) B2
FIZES (Rue) B1
FLAUGERGUES (Rue) C4-D4
FOCH (Rue) B1-C3
FONTAINE (Rue de la) D2
FONTAINE DU PILA SAINT-GELY (Rue de la) A3-B3
FONTANON (Rue) B2
FOUQUET (Rue) B2
FOUR DES FLAMMES (Rue) C2-D2
FOUR SAINT-ELOI (Rue du) B2
FOURNARIE (Rue) B2
FRANCEZE DE CEZELLI (Rue) A2
FRANCIS MONGE (Place) C4
FRANCIS PONGE (Place) C4
FRANCOIS FRANQUE (Rue) B1-C1
FRANCOIS JAUMES (Place) D4
FRANCOIS PERIER (Rue) D4
FREDERIC MISTRAL (Avenue) C3-C4
FREYDIER (Passage) A1
FRIPERIE (Rue de la) C2
GAGNE PETIT (Rue des) C2
GALAVIELLE (Rue) D2
GAMBETTA (Cours) C1-D2
GARIEL (Rue) B2
GENERAL CAMPREDON (Rue du) D1-D2
GENERAL CHANZY (Rue du) C1
GENERAL CLAPAREDE (Rue du) C1-D1
GENERAL LAFON (Rue du) D2
GENERAL MATHIEU DUMAS (Rue du) C1-D1
GENERAL MAUREILHAN (Rue du) C1-D1
GENERAL MAURIN (Rue du) C1-D1
GENERAL RENE (Rue du) C1-D1
GENERAL RIU (Rue du) D4
GEORGES CLEMENCEAU (Av.) D2
GERBE (Impasse de la) D1
GERHARDT (Rue) A1
GERMAIN (Rue) B2-B3
GIRAL (Place) C1
GIRARD (Rue) B3
GIRONE (Rue de) B2-B3
GLAIZE (Rue) B3
GOUAN (Rue) B1
GRAND SAINT-JEAN (Rue du) D2
GUI DE CHAULIAC (Rue) B3
GUY ET ROBERT BOURRIER (R.) A4
GUYNEMER (Rue) A4
HAUTE (Rue) B1-B2
HENRI (Rue) A3
HENRI FRENAY (Avenue) C4-D4
HENRI GUINIER (Rue) D2
HENRI II DE MONTMORENCY (Allée) C4
HENRI IV (Boulevard) B1-A2
HENRI MICHEL (Square) C3
HENRI RENE (Rue) D4
HERBERIE (Rue de l') C2
HORLOGE (Passage de l') C4
HOTEL DE VILLE (Rue de l') B2
HUILE (Rue de l') C2
ISIDORE GIRARD (Rue) D4
JACQUES CŒUR (Rue) C3
JACQUES D'ARAGON (Rue) C2
JACQUES MIROUZE (Place) B1
JARDIN DE LA REINE (Rue du) B1
JARDIN DES PLANTES (Impasse du) A1-A2
JEAN (Rue) A1
JEAN DE BEINS (Allée) C4
JEAN DE LATTRE DE TASSIGNY (Allée) B3-C3
JEAN JAURES (Place) C2-C3
JEAN MERMOZ (Avenue) A4-B4
JEAN MOULIN (Grande rue) D2-C3
JEAN RAYMOND (Allée) B1
JEAN-JACQUES ROUSSEAU (Rue) B1-B2
JEANNE D'ARC (Rue) D4
JEANNE HACHETTE (Impasse) D4
JEU DE BALLON (Impasse du) C4
JEU DE BALLON (Rue du) C3-C4
JEU DE L'ARC (Rue du) C3-C4
JEU DE PAUME (Bd du) C1-D2
JOACHIM COLBERT (Rue) A2
JOFFRE (Rue) D3
JONQUET (Impasse) B2-B3
JOSEPH CAMBON (Rue) C2
JOUBERT (Rue) C2
JUGAN (Rue) A2
JULES FERRY (Rue) D3-D4
JULES GREVY (Rue) A3
JULES LATREILHE (Rue) C2-D2
JULES MILHAU (Allée) C3-C4
LAKANAL (Rue) A2-A3
LALLEMAND (Rue) B2
LAMARTINE (Rue) D4
LAPEYRONIE (Rue) D2
LAURENT (Impasse) B2
LEBOUX (Impasse) A2
LEDRU-ROLLIN (Boulevard) C1
LIONNET (Impasse) A2
LOGE (Rue de la) C2-C3
LONJON (Passage) C3
LORRAINE (Rue de) D4
LOUIS BLANC (Boulevard) A2-B3
LOUISE GUIRAUD (Rue) D2
LOYS (Rue) D2-D3
LUNARET (Rue) A3
MADIERES (Rue) B2
MAGNOL (Impasse) A1
MAGNOL (Rue) A1-B1
MAGUELONE (Rue de) C3-D3
MAILLAC (Impasse) B2
MARCEAU (Rue) D1-C2
MARCHE AUX BESTIAUX (Rue du) A4
MARCHE AUX FLEURS (Place du) B2-B3
MARECHAL DE CASTRIES (Place) C1
MARECHAUSSEE (Rue de la) C3-D3
MARESCHAL (Rue) D3-C4
MARGUERITE (Rue) A1
MARTYRS DE LA RESISTANCE (Place) C2
MASSANE (Rue) C3
MASSILIAN (Rue) B2
MEDITERRANEE (Rue de la) D4
MERCI (Rue de la) C1
MERLE BLANC (Impasse du) C2
MICHEL AUSTASIE (Allée) B3-A4
MICHEL DE L'HOPITAL (Rue) B4
MICHEL VERNIERE (Rue) A3
MICHEL-ANGE (Square) A3
MICHELET (Rue) C3-D4
MOISSAC (Rue de) A2
MOLIERE (Place) C3-D3
MONNAIE (Rue de la) B3-C3
MONTCALM (Rue) C1
MONTFERRIER (Impasse) B3
MONTGOLFIER (Rue) B2-C2
MONTPELLIERET (Rue) B3
MOULIN A L'HUILE (Impasse du) D2
MULTIPLIANTS (Impasse des) C2
MULTIPLIANTS (Rue des) C2
MUSEE (Impasse du) B3
MUSIQUE (Esplanade de la) A3-A4
NARCISSA (Plan) B1
NICOLAS IV (Passage) C4
NIMES (Avenue de) A4
NOTRE-DAME (Place) B3
NOUVEAU MONDE (Allée du) D4
OBILION (Rue d') D3
OBSERVATOIRE (Boulevard de l') D2
OLYMPIE (Place d') D4
OM (Plan de l') B2
PAGEZY (Rue) D3
PALAIS DES GUILHEM (Rue du) B1-B2
PALISSADE (Rue de la) D1
PALLADIUM (Quai du) C4
PARAN (Impasse) C2
PARLIER (Rue) D2
PASTEUR (Boulevard) A2
PASTOUREL (Plan) C2
PATRACH (Impasse) B3
PAUL BOULET (Allée) B3-C3
PAUL BROUSSE (Rue) C1-D2
PAUL MARTIN (Rue) A1-B1
PELLETERIE (Rue de la) B1-B2
PERRIER (Impasse) C2
PERTUISANES (Rue des) C4-D4
PETIT PARIS (Rue du) D2
PETIT SAINT-JEAN (Rue du) C2-D2
PETIT SCEL (Place du) C2
PETIT SCEL (Rue du) C2
PETITE CORRATERIE (Im. de la) A3
PETITE LOGE (Rue de la) C3
PETRARQUE (Place) C3
PHILIPPY (Rue) C2
PIERRE FLOTTE (Place) C1
PINS (Rue des) D1
PINSONS (Rue des) A4
PISTOLET (Rue du) B2
PITOT (Rue) B1
PLACENTIN (Rue) B1
PLAGNE (Rue) A2
PLAN D'AGDE (Rue du) C2-D2
PLAN DE L'OLIVIER (Rue du) B2-B3
PLAN DU PALAIS (Rue du) B2
PLAN DU PARC (Rue du) D2
PLANTADE (Rue) C1
POESIE (Rue de la) A4
POITEVINE (Rue) C1-C2
PONT DE LATTES (Rue du) D4
PONT JUVENAL (Avenue du) D4
PONT JUVENAL (Rue du) D4
PRADEL (Rue) B2
PRALON (Rue) D4
PREFECTURE (Rue de la) B2
PRIX (Rue du) A3-B3
PROFESSEUR HENRI SERRE (Rue du) A1-A2
PROFESSEUR LEON VALLOIS (Rue) A4-B4
PROFESSEUR LOUIS VIALLETON (Boulevard) B1-C1
PROUDHON (Rue) A3
PROVIDENCE (Rue de la) A2-B2
PUITS DES ESQUILLES (Rue du) B2
PUITS DU PALAIS (Rue du) B1
PUITS DU TEMPLE (Rue du) C2
RAFFINERIE (Rue de la) D1
RAMBAUD (Rue) D1
RANC (Rue) B2
RANCHIN (Impasse) C2
RANCHIN (Rue) C2
RATTE (Impasse de) B2
RATTE (Rue de) B2
REBUFFY (Rue) C2
REFUGE (Rue du) B2-B3
RENAUD DE VILLENEUVE (Rue) A3
RENE DEVIC (Place) C3
REPUBLIQUE (Rue de la) D2-D3
REY (Rue) C2
RHIN ET DANUBE (Rue) D2
RICHELIEU (Rue) D3
RICHER DE BELLEVAL (Impasse) B1
RICHER DE BELLEVAL (Rue) B1
ROCHELLE (Rue de la) C1-C2
RONDELET (Rue) D2
ROSSET (Rue) C2-B3
ROSSIGNOLS (Rue des) A4
ROUCHER (Rue) C2-D2
SAINT-ALEXIS (Rue) A2
SAINT-BARTHELEMY (Rue) D2
SAINT-CHARLES (Avenue) A1-A2
SAINT-CLAUDE (Rue) D1-D2
SAINT-COME (Impasse) C2
SAINT-COME (Place) C2
SAINT-COME (Rue) C2
SAINT-DENIS (Place) D2
SAINT-ESPRIT (Allée du) B3
SAINT-FIRMIN (Rue) B2-C2
SAINT-GILLES (Rue) C3-C4
SAINT-GUILHEM (Rue) C1-C2
SAINT-MAUR (Avenue de) A4
SAINT-PAUL (Impasse) C2
SAINT-PAUL (Rue) C2
SAINT-PIERRE (Place) B2
SAINT-PIERRE (Rue) B2
SAINT-RAVY (Place) C2
SAINT-RAVY (Rue) C2
SAINT-ROCH (Place) C2
SAINT-SAUVEUR (Impasse) D2
SAINT-SEPULCRE (Rue du) C1-C2
SAINTE-ANNE (Place) C2
SAINTE-ANNE (Rue) C2
SAINTE-CROIX (Rue) B2
SAINTE-LUCIE (Rue) A2
SAINTE-MARTHE (Passage) D2
SAINTE-URSULE (Rue) A2-B3
SALLE L'EVEQUE (Rue de la) B3
SARRAIL (Boulevard) B3-C3
SAUVAGE (Plan du) C2
SAUVAGE (Quai de) D4
SAUZEDE (Rue de la) A1
SERANE (Rue) D4
SŒURS NOIRES (Rue des) C2
SOLDATS (Rue des) C1-D1
SPIRALE (Rue de la) C4
STANISLAS DIGEON (Rue) C2
SUBSTANTION (Rue de) A4
TANDON (Impasse) D2
TANNEURS (Quai des) A2-A3
TANNEURS DITE COURT (Impasse des) A2-A3
TEINTURERIE (Rue de la) A1-B1
TEISSIERS (Rue des) C2
TEMPLE (Impasse du) D3
TERRAL (Rue) C1-C2
THERESE (Rue) A3
THOMAS (Rue) B2
TOIRAS (Rue) D1
TOUR D'EN CANET (Imp. de la) B3
TOUR DES PINS (Square de la) B2
TOUR SAINTE-EULALIE (Rue de la) C1
TOURISME (Allée du) C4
32EME (Rue de la) D1
TRESORIER DE LA BOURSE (Rue du) C2
TRESORIERS DE FRANCE (Rue des) C3
TUNNEL DE LA COMEDIE C3-D3
TUNNEL DU CORUM B3-B4
UNIVERSITE (Plan de l') B2
UNIVERSITE (Rue de l') A2-B2
URBAIN V (Rue) B2
VALEDAU (Rue) C3
VALENCAY (Rue de) C4
VALFERE (Rue de la) B1-C2
VALLAT (Rue) C2
VANNEAU (Rue) C3
VASSAL (Impasse) C2
VAUBAN (Place) C4
VERDALE (Rue) B2
VERDANSON (Quai du) A2-A4
VERDUN (Impasse de) D3
VERDUN (Rue de) C3-D4
VERRERIE (Rue de la) B2-B3
VERRERIE BASSE (Rue de la) B3
VESTIAIRE (Rue du) B2
VICTOIRE DE LA MARNE (Rue de la) D3
VICTOR HUGO (Boulevard) D2-C3
VIEILLE (Rue de la) C2-C3
VIEILLE AIGUILLERIE (Rue de la) B3
VIEILLE INTENDANCE (Rue de la) B2
VIEN (Rue) C2
VILLEFRANCHE (Rue de) A3
VOLTAIRE (Rue) C2
XAVIER DE RICARD (Avenue) A4
YEHUDI MENUHIN (Rue) A4

NANCY

ABBE DIDELOT (Rue) D3-D4
ACQUES MURIET (Allée) A4
ALBERT 1ER (Boulevard) A1-B1
ALEXANDRE 1ER (Place) D3
ALLIANCE (Place d') B4
AMERICAN LEGION (Boulevard de l') . . D2
AMERVAL (Rue d') B3
ANDRE MAGINOT (Place) C3
ANDRE SCHOCK (Rue) D2
ARLETTE GRUSS (Allée) A2-B2
ARMEE PATTON (Rue de l') B1-C2
ARSENAL (Place de l') A2-A3
ARTS (Cours des) C3-C4
BAILLY (Rue) B4
BARON LOUIS (Rue) A1-A2
BASSOMPIERRE (Rue) C1
BEAUVAU (Rue de) C1
BEGONIAS (Rue des) C1-D1
BELFORT (Rue de) D1
BENIT (Rue) C3
BERNARD FEDER (Allée) A4
BICHAT (Square) A2
BLEU (Passage) C3
BLONDLOT (Parc) B2
BLONDLOT (Rue) C3
BON PAYS (Impasse du) B3
BOUDONVILLE (Rue de) A1
BRACONNOT (Rue) A3
CALLOT (Rue) B3
CARDINAL TISSERANT (Rue du) D4
CARMES (Rue des) B3-C3
CARNOT (Place) B2-B3
CARRIERE (Place de la) A3-B4
CHANOINES (Rue des) C4
CHANZY (Rue) C3
CHARITE (Rue de la) A3
CHARLES III (Rue) D4
CHARLES V (Boulevard) A2
CHEVAL BLANC (Rue du) B3
CHRISTIAN PFISTER (Rue) D1
CLAUDE CHARLES (Rue) B4
CLAUDE LE LORRAIN (Quai) A1-C2
CLERIN (Impasse) D1
CLODION (Rue) C3
CLOITRE (Rue du) B4-C4
COLONEL DRIANT (Place) B4
COLONEL FABIEN (Place du) A3-B3
COMMANDERIE (Place de la) D1
COMMANDERIE (Rue de la) D1-C2
CORDELIERS (Rue des) A3
COUARAIL SAINT-SEBASTIEN
(Place du) C3
COURBET (Rue) D2
CRAFFE (Porte de la) A2-A3
CRAFFE (Rue de la) A2
CRAMPEL (Rue) C2
CROIX DE BOURGOGNE
(Passage de la) D1
CROIX DE BOURGOGNE (Place) D1-D2
CYFFLE (Rue) D3-D4
DAMES (Rue des) A3
DESILLES (Rue) A1-A2
2EME RUELLE DU GRAND VERGER C1
DIDION (Rue) C4
DOCTEUR SCHMITT (Rue du) C4
DOMBASLE (Place) B3-C3
DOMINICAINS (Passage des) C3-B4
DOMINICAINS (Rue des) B4-C4
DOMINIQUE CALMET (Rue) B3-C3
DOMREMY (Square) C1
DRAGEE (Ilot de la) C4-D4
DUC ANTOINE (Rue du) A3
DUC RAOUL (Rue du) A3
ECURIES (Rue des) A3
EMILE BADEL (Allée) A4
ESPRIT (Ruelle de l') A1-A2
ETANG SAINT-JEAN (Place de l') D2
ETATS (Rue des) A3
FABRIQUES (Rue des) D4
FAIENCERIE (Rue de la) C4
FERRI III (Rue) D2
FOCH (Avenue) D1-C3
FOSSE AUX CHEVAUX (Cour du) A3
FOUR (Rue du) D4
FRANCOIS DE NEUFCHATEAU (Rue) D1
FRANCOIS JACOB (Passage) B2
FRERES HENRY (Rue des) A2
FUSILLES (Pont des) D3
GABRIEL MOUILLERON (Rue) D2-D3
GAMBETTA (Rue) B3-B4
GENERAL DE GAULLE (Place du) A3
GENERAL DROUOT (Rue) C4-D4
GENERAL HOCHE (Rue) D1
GENERAL LECLERC (Avenue) D4
GEORGES CHEPFER (Allée) A3
GILBERT (Rue) C3
GIRARDET (Rue) B4
GLACIS (Rue des) A2
GODEFROY DE BOUILLON (Place) B1
GODRON (Rue) B4
GRAND RABBIN HAGUENAUER
(Rue du) C3-D3
GRAND VERGER (1ERE ruelle du) C1
GRAND VERGER (Rue du) C1
GRANDE RUE A3-B3
GUERRIER DE DUMAST (Rue) B2-B3
GUIBAL (Rue) B4
GUISE (Rue de) A2-A3
GUSTAVE SIMON (Rue) B3
HACHE (Rue de la) D3-C4
HALDAT (Passage de) B2
HAUT BOURGEOIS (Rue du) A2-A3
HENRI MENGIN (Place) C3
HENRI POINCARE (Rue) C2-B3
HERE (Rue) B3-B4
HERMITE (Rue) A2-B2
INSURRECTION DU GHETTO
DE VARSOVIE (Boulevard de l') . . D3-D4
ISABEY (Rue) A1-C2
JACQUARD (Rue) A2-B3
JACQUES BELLANGE (Rue) D2
JACQUES MURIET(Allée) A3-A4
JACQUINOT (Rue) A1
JACQUOT (Rue) A3
JAMERAI DUVAL (Rue) D3
JEAN PROUVE (Rue) D2
JEANNE D'ARC (Rue) C1-D2
JEANNOT (Rue) C4
JENNESSON (Rue) B1
JOFFRE (Boulevard) C2-D3
JOSEPH MALVAL (Place) A3
KENNEDY (Viaduc) C2-D2
KLEBER (Rue) D1
LACORDAIRE (Rue) C4
LACRETELLE (Rue) C1
LAFAYETTE (Place) B3
LAFAYETTE (Rue) B3
LAVOIR SAINT-JEAN (Rue du) D2
LAXOU (Rue de) D1
LAZARE CARNOT (Rue) D1
LEON TONNELIER (Allée) A3-A4
LEOPOLD (Cours) A2-B3
LEOPOLD LALLEMENT (Rue) C3
LEPOIS (Rond-point) B2
LEPOIS (Rue) B2
LIBERATION (Avenue de la) B1
LORRAINE (Rue de) C1-C2
LOUPS (Rue des) A2
LUXEMBOURG (Place de) A2
LYAUTEY (Rue) B4
LYCEE (Rue du) C3
MABLY (Rue) C4
MANEGE (Rue du) B4-C4
MARCEAU (Passage) D1
MARECHAUX (Rue des) B3
MAURE QUITROMPE (Rue du) A3-B3
MAURICE BARRES (Rue) B4
MAZAGRAN (Rue) C2
MENSIAUX (Ruelle des) A1-B1
METZ (Rue de) A2
MICHEL NEY (Rue) A1-A2
MICHOTTES (Rue des) B3
MILTON (Avenue) A1-B1
MON DESERT (Rue de) D3
MONNAIE (Rue de la) B3
MONSEIGNEUR RUCH (Place) B4
MONSEIGNEUR THOUVENIN (Rue) C3
MONSEIGNEUR TROUILLET (Rue) A3
MONTESQUIEU (Rue) B4-C4
MOREY (Rue) C2
MOULIN (Rue du) B3
MOZART (Rond-point) A3
MULHOUSE (Rue de) D3
NICKLES (Rue des) B1
NOTRE-DAME (Rue) C3
NOTRE-DAME DES ANGES (Rue) D1
OBELISQUE (Allée de l') B2-B3
ORATOIRE (Rue de l') B1
PALISSOT (Rue) D1
PEPINIERE (Terrasse) A3-B4
PETIT BOURGEOIS (Rue du) A2-A3
PHALSBOURG (Rue de) D3
PIERRE CHALNOT (Rue) D2
PIERRE FOURIER (Rue) B4
PIERRE GRINGOIRE (Rue) A3
PIERRE SEMARD (Rue) C2-C3
PIERRE-ALAIN GORIUS (Square) D4
PIROUX (Rue) C2
PONT MOUJA (Rue du) C4
PONTS (Rue des) C3-D4
PREFET CLAUDE ERIGNAC (rue du) B4
PRESIDENT HUSSON (Rond-point du) . . A4
PRIMATIALE (Rue de la) C4
QUATRE EGLISES (Rue des) C3-D4
RAME (Passage de la) C1-C2
RAUGRAFF (Rue) C3
RAVINELLE (Passage de la) A1
RAVINELLE (Rue de la) A1-B2
RAYMOND POINCARE (Rue) D1-C2
RENE D'ANJOU (Rue) A2
RÉPUBLIQUE (Place de la) C2
RIGNY (Rue de) B1
ROME (Rue de) B1
ROTONDE (Rue de la) D2
SAINT-ANTOINE (Ruelle) C2
SAINT-DIZIER (Rue) B3-D4
SAINT-EPVRE (Place) A3
SAINT-EPVRE (Terre-plein) A3
SAINT-GEORGES (Rue) C3-B4
SAINT-JEAN (Rue) C3
SAINT-JULIEN (Rue) B4-C4
SAINT-LAMBERT (Impasse) D1
SAINT-LAMBERT (Rue de) D1
SAINT-LEON (Esplanade) C2
SAINT-LEON (Rue) C2
SAINT-MICHEL (Rue) A2-A3
SAINT-NICOLAS (Rue) C4-D4
SAINT-SEBASTIEN (Rue) C3
SAINT-THIEBAUT (Rue) C3
SAINT-URBAIN (Rue de) B3
SAINTE-ANNE (Rue) C4
SAINTE-CATHERINE (Rue) B4
SALPETRIERE (Rue de la) D4
SEBASTIEN BOTTIN (Passage de la) . .B2-C2
SERRE (Rue de) B2-C2
SŒURS MACARONS (Rue des) C4
SOURCE (Rue de la) A3-B3
SOUVENIR (Esplanade du) A2
STANISLAS (Place) B4
STANISLAS (Porte) C2
STANISLAS (Rue) C2-B3
TEMERAIRE (Rue du) C1-D1
THIERRY ALIX (Rue) D2
THIERS (Place) C2
THIONVILLE (Rue de) B1
TIERCELINS (Rue des) C4
TURIQUE (Rue de) B1-C1
VAUDEMONT (Place de) B3
VERDUN (Rue de) A1
VICTOR BASCH (Square) B2
VICTOR HUGO (Rue) B1-C1
VICTOR HUGO (Ruelle) C1
VICTOR POIREL (Rue) C2-C3
VILLERS (Rue de) D1
26EME REGIMENT D'INFANTERIE
(Boulevard du) A4
VISITATION (Rue de la) B3-C3
VOSGES (Place des) D4
YSER (Square de l') B1

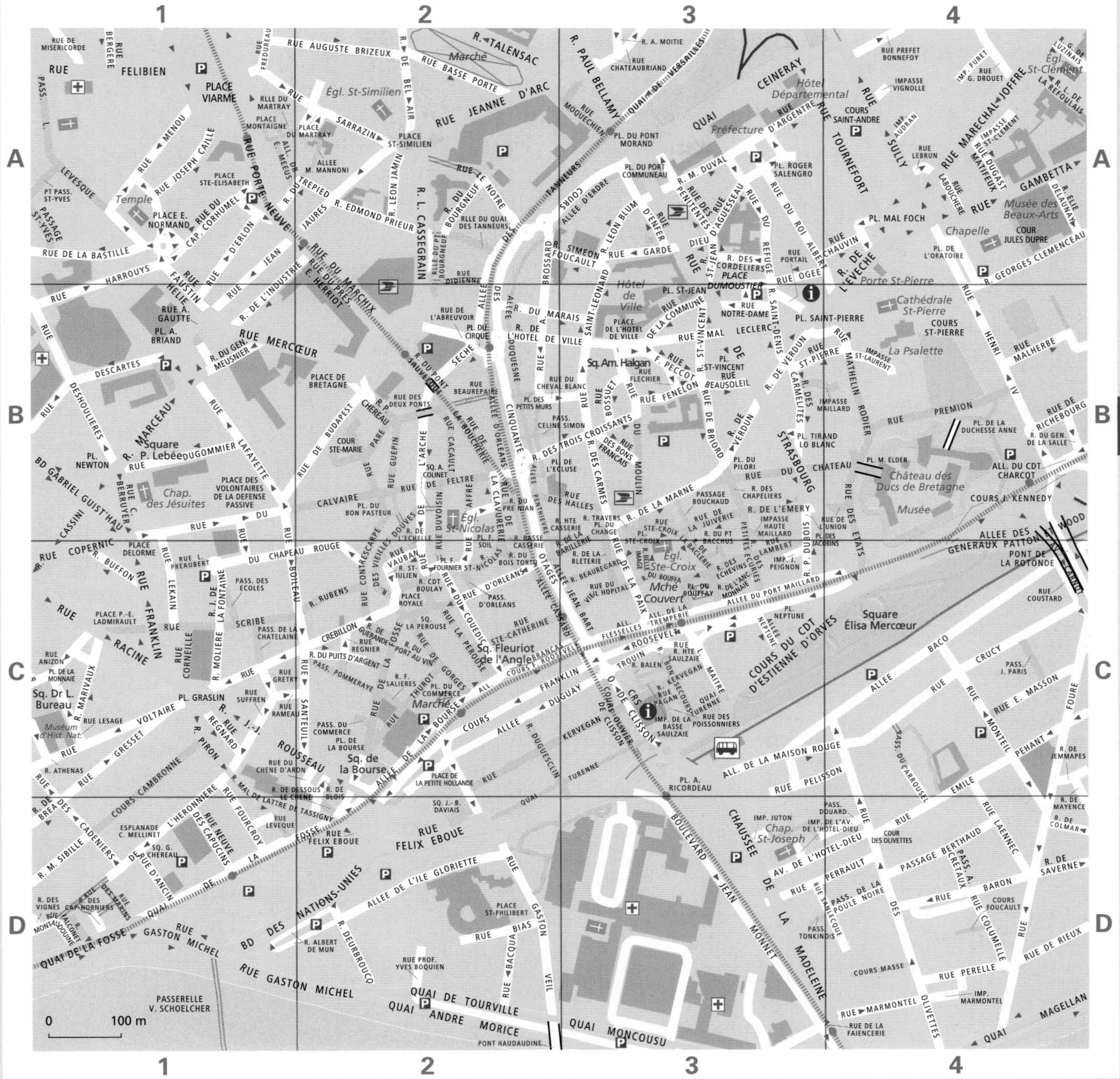
1
2
3
4
A
B
C
D
PLACE VIARME
RUE FELIBIEN
RUE AUGUSTE BRIZEUX
Marché
R. TALENSAC
Égl. St-Similien
RUE JEANNE D'ARC
R. PAUL BELLAMY
QUAI CEINERAY
Hôtel Départemental
Préfecture
RUE TOURNEFORT
RUE SULLY
RUE MARECHAL JOFFRE
RUE GAMBETTA
Musée des Beaux-Arts
Chapelle
Égl. St-Clément
Temple
RUE DE LA BASTILLE
RUE PORTE NEUVE
RUE DU MARCHIX
R. L. CASSEGRAIN
Hôtel de Ville
Cathédrale St-Pierre
PL. SAINT-PIERRE
COURS SAINT-ANDRE
COURS ST-PIERRE
La Psalette
RUE MERCŒUR
PLACE DE BRETAGNE
Sq. Am. Halgan
RUE DE STRASBOURG
Château des Ducs de Bretagne
Musée
COURS J. KENNEDY
Square P. Lebée
Chap. des Jésuites
Égl. St-Nicolas
Égl. Ste-Croix
Mché Couvert
Square Élisa Mercœur
COURS DU CDT D'ESTIENNE D'ORVES
ALLEE DES GENERAUX PATTON ET WOOD
PONT DE LA ROTONDE
PL. GRASLIN
Sq. Dr L. Bureau
Muséum d'Hist. Nat.
Sq. Fleuriot de l'Angle
Sq. de la Bourse
COURS FRANKLIN ROOSEVELT
CRS OLIVIER DE CLISSON
PL. A. RICORDEAU
CHAUSSEE DE LA MADELEINE
BOULEVARD JEAN MONNET
Chap. St-Joseph
RUE FELIX EBOUE
BD DES NATIONS-UNIES
ALLEE DE L'ILE GLORIETTE
QUAI DE LA FOSSE
RUE GASTON MICHEL
PASSERELLE V. SCHOELCHER
QUAI DE TOURVILLE
QUAI ANDRE MORICE
PONT HAUDAUDINE
QUAI MONCOUSU
QUAI MAGELLAN
RUE MARMONTEL
RUE DE LA FAIENCERIE
0
100 m

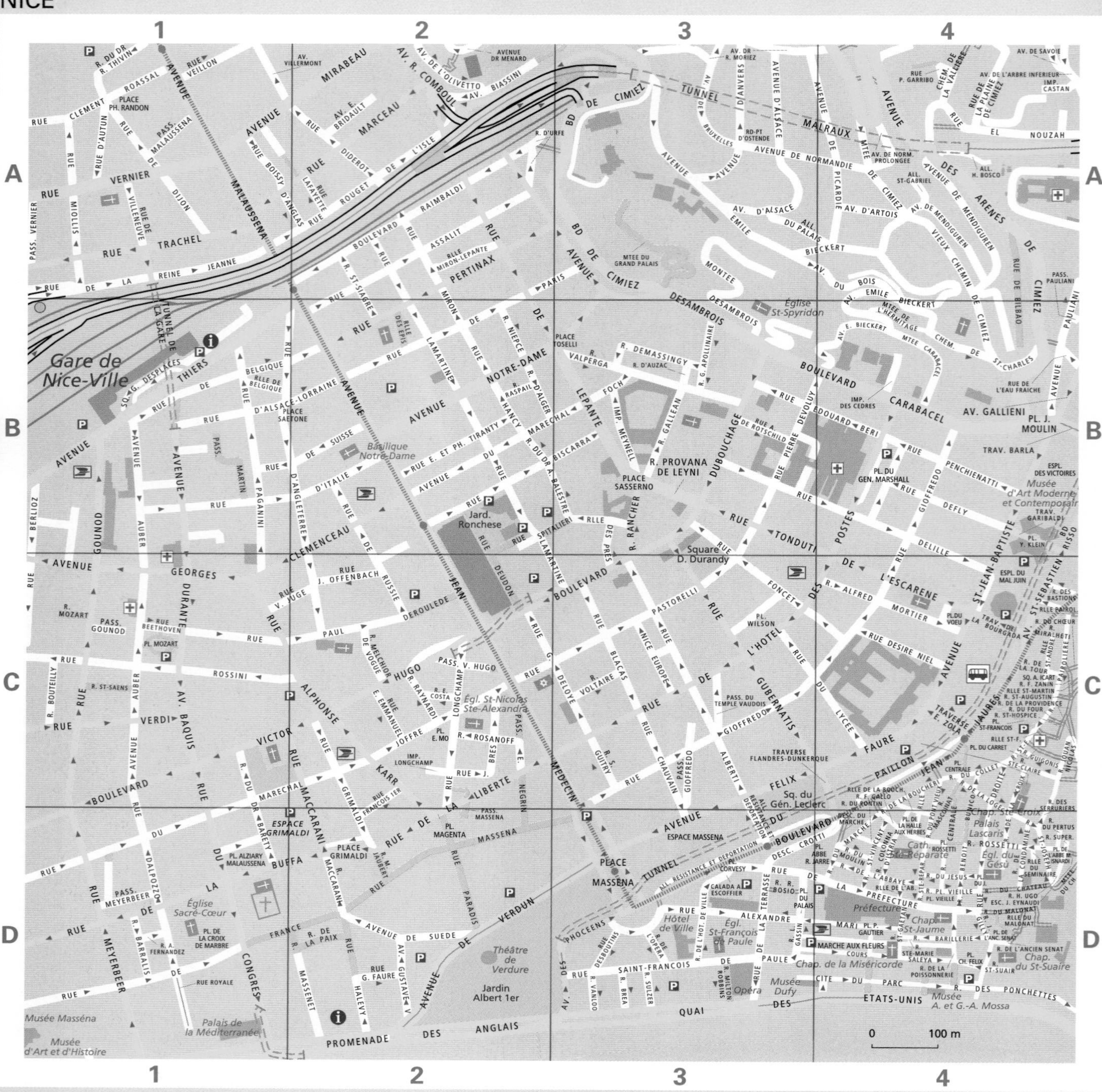
1
2
3
4
A
B
C
D
Gare de Nice-Ville
Basilique Notre-Dame
Jard. Ronchese
Square D. Durandy
Église St-Spyridon
Égl. St-Nicolas Ste-Alexandra
Église Sacré-Cœur
Espace Grimaldi
Espace Massena
Place Massena
Sq. du Gén. Leclerc
Palais Lascaris
Préfecture
Hôtel de Ville
Égl. St-François Paule
Chap. de la Miséricorde
Opéra
Musée Dufy
Musée A. et G.-A. Mossa
Théâtre de Verdure
Jardin Albert 1er
Musée Masséna
Musée d'Art et d'Histoire
Palais de la Méditerranée
Musée d'Art Moderne et Contemporain
Promenade des Anglais
Quai des États-Unis
Tunnel Malraux
Boulevard Carabacel
Avenue Jean Médecin
Boulevard Victor Hugo
Avenue Georges Clemenceau
Avenue Malaussena
Bd de Cimiez
Av. Gallieni
0
100 m

ABBAYE (Rue de l') D4
ABBAYE (Ruelle de l') D4
ABBE MARCEL ISNARDI (Place de l') . . . D4
ABBE ROBERT JARRE (Placette) D4
ADOLPHE DE ROTSCHILD (Rue) B3
ALBERTI (Rue) C3
ALEXANDRE MARI (Rue) D3-D4
ALFRED MORTIER (Rue) C4
ALGER (Rue d') B2
ALPHONSE KARR (Rue) C1-D2
ALSACE (Avenue d') A3
ALSACE-LORRAINE (Rue d') B1-B2
ALZIARY MALAUSSENA (Place) D1
ANCIEN SENAT (Place de l') D4
ANCIEN SENAT (Rue de l') D4
ANGLAIS (Promenade des) D1-D3
ANGLETERRE (Rue d') B1-C2
ANTONIO FERNANDEZ (Rue) D1
ANVERS (Avenue d') A3
ARBRE INFERIEUR (Avenue de l') A4
ARENES DE CIMIEZ (Avenue des) . . . A4-B4
ARTOIS (Avenue d') A4
ASSALIT (Rue) A2-B2
AUBER (Avenue) B1-C1
AUGUSTE ICART (Square) C4
AUTUN (Rue d') A1
AUZAC (Rue d') B3
BAQUIS (Avenue) C1
BARILLERIE (Rue) D4
BARLA (Traverse) B4
BARRALIS (Rue) D1
BASTIONS (Rue des) C4
BEETHOVEN (Rue) C1
BELGIQUE (Rue de) B1-B2
BELGIQUE (Ruelle de) B1
BENOIT BUNICO (Rue) C4-D4
BERLIOZ (Rue) B1-C1
BIASSINI (Avenue) A2
BILBAO (Rue de) A4-B4
BISCARRA (Rue) B2-B3
BLACAS (Rue) C3
BOIS (Avenue du) A3-A4
BOISSY D'ANGLAS (Rue) A1-A2
BOUCHERIE (Rue de la) C4-D4
BOUCHERIE (Ruelle de la) C4-D4
BOURGADA (Traverse de la) C4
BOUTEILLY (Rue) C1
BREA (Rue) D3
BRUXELLES (Avenue de) A3
BUFFA (Rue de la) D1-D2
CALADA AUGUSTE ESCOFFIER D3
CARABACEL (Boulevard) B3-B4
CARABACEL (Montée) B4
CARRET (Place du) C4
CASTAN (Impasse) A4
CEDRES (Impasse des) B4
CENTRALE (Place) C4
CENTRALE (Rue) C4-D4
CHARLES FELIX (Place) D4
CHATEAU (Montée du) D4
CHATEAU (Rue du) D4
CHAUVAIN (Rue) C3-D3
CHŒUR (Rue du) C4
CIMIEZ (Boulevard de) A2-A3
CIMIEZ (Montée de) A4
CIMIEZ (Vieux chemin de) A4-B4
CLEMENT ROASSAL (Rue) A1
COLLET (Rue du) C4
COLONNA D'ISTRIA (Rue) C4-D4
CONDAMINE (Rue de la) D4
CONGRES (Rue du) C1-D1
CORVESY (Place) D3
CROIX (Rue de la) C4-D4
CROIX DE MARBRE (Place de la) D1
CROTTI (Descente) D3-D4
DALPOZZO (Rue) C1-D1
DEFLY (Rue) B4
DELILLE (Rue) B3-C4
DESAMBROIS (Avenue) A2-B3
DESAMBROIS (Montée) A3-B3
DESBOUTINS (Rue) D3
DESIRE NIEL (Rue) C4
DEUDON (Rue) B2-C2
DIDEROT (Rue) A1-A2
DIJON (Rue de) A1
DOCTEUR ALBERT BALESTRE (Rue du) B2-B3
DOCTEUR BARETY (Rue du) C1-D1
DOCTEUR MENARD (Avenue) A2
DOCTEUR ROBERT MORIEZ (Avenue) A3-A4
DOCTEUR ROBERT THIVIN (Rue du) A1
DROITE (Rue) C4-D4
DUBOUCHAGE (Boulevard) C2-B3
DURANTE (Avenue) B1-C1
EAU FRAICHE (Rue de l') B4
EDOUARD BERI (Rue) B3-B4
EL NOUZAH (Rue) A4
EMILE BIECKERT (Avenue) A3-B4
EMILE NEGRIN (Passage) C2-D2
EMILE ZOLA (Traverse) C4
EMMA ET PHILIPPE TIRANTY (Rue) B2
EMMANUEL BRIDAULT (Avenue) A2
EMMANUEL COSTA (Rue) C2
EPIS (Ruelle des) B2
ETATS-UNIS (Quai des) D3-D4
EUGENE EMMANUEL (Rue) C2
EUGENE MO (Place) C2
FELIX FAURE (Avenue) D3-C4
FLANDRES-DUNKERQUE (Traverse) . C4-D4
FLEURS (Marché aux) D3-D4
FONCET (Rue) B3-C4
FOUR (Rue du) C4
FRANCE (Rue de) D1-D2
FRANCIS GALLO (Rue) D4
FRANCOIS 1ER (Rue) C2-D2
FRANCOIS ZANIN (Rue) C4
GABRIEL FAURE (Rue) D2
GALLEAN (Rue) B3
GALLIENI (Avenue) B4
GARIBALDI (Traverse) B4
GENERAL MARSHALL (Place du) B4
GEORGES CLEMENCEAU (Avenue) . . C1-B2
GIOFFREDO (Passage) C3
GIOFFREDO (Rue) C3-B4
GOUNOD (Passage) C1
GOUNOD (Rue) B1-D1
GRAND PALAIS (Montée du) A3
GRIMALDI (Place) D2
GRIMALDI (Rue) C2-D2
GUBERNATIS (Rue) B3-C4
GUIGONIS (Rue) C4
GUILLAUME APOLLINAIRE (Rue) B3
GUSTAVE DELOYE (Rue) C2-C3
GUSTAVE DESPLACES (Square) B1
GUSTAVE V (Avenue) D2
HALEVY (Rue) D2
HALLE AUX HERBES (Place de la) D4
HALLE AUX HERBES (Ruelle de la) . . C4-D4
HANCY (Rue) B2
HENRI BOSCO (Allée) A4
HERMITAGE (Montée de l') B4
HONORE UGO (Rue) D4
HOTEL DE VILLE (Rue de l') D3
HOTEL DES POSTES (Rue de l') C2-B4
ITALIE (Rue d') B1-B2
JACQUES OFFENBACH (Rue) C2
JEAN JAURES (Boulevard) D3-C4
JEAN MEDECIN (Avenue) A1-C3
JEAN MOULIN (Place) B4
JESUS (Place du) D4
JESUS (Rue du) D4
JOSEPH BRES (Rue) C2
JOUAN NICOLAS (Rue) C4
JULES EYNAUDI (Escalier) D4
JULES GILLY (Rue) D4
LAFAYETTE (Rue) A2
LAMARTINE (Rue) A2-C3
LEPANTE (Rue de) A2-B3
LIBERTE (Rue de la) C2-D2
LOGE (Rue de la) C4-D4
LONGCHAMP (Impasse) C2
LONGCHAMP (Rue) C2-D2
LOUIS GASSIN (Rue) D3
LYCEE (Rue du) C3-C4
MACCARANI (Rue) C1-D2
MAGENTA (Place) D2
MALAUSSENA (Avenue) A1
MALAUSSENA (Passage) A1
MALONAT (Rue du) D4
MALONAT (Ruelle du) D4
MARCEAU (Rue) A1-A2
MARCHE (Descente du) D4
MARCHE (Rue du) D4
MARECHAL FOCH (Avenue du) B2-B3
MARECHAL JOFFRE (Rue du) D1-C2
MARECHAL JUIN (Esplanade du) B4-C4
MARTIN (Passage) B1
MASCOINAT (Rue) C4-D4
MASSENA (Espace) C3-D3
MASSENA (Passage) C2-D2
MASSENA (Place) C3-D3
MASSENA (Rue) D2-D3
MASSENET (Rue) D2
MASSINGY (Rue de) B3
MAURICE JAUBERT (Rue) D2
MELCHIOR DE VOGUE (Rue) C2
MENDIGUREN (Avenue de) A4
MEYERBEER (Passage) D1
MEYERBEER (Rue) D1
MEYNELL (Impasse) B3
MILTON ROBBINS (Rue) D3
MIOLLIS (Rue) A1
MIRABEAU (Avenue) A1-A2
MIRALHETI (Rue) C4
MIRON (Rue) A2-B2
MIRON-LEPANTE (Ruelle) A2
MOULIN (Rue du) D4
MOZART (Place) C1
MOZART (Rue) C1
NICE EUROPE C3
NIEPCE (Rue) B2
NORMANDIE (Avenue de) A3-A4
NORMANDIE PROLONGEE (Av. de) A4
NOTRE-DAME (Avenue) B2-A3
OLIVETTO (Avenue de l') A2
OPERA (Rue de l') D3
OSTENDE (Rond-point d') A3
PAGANINI (Rue) B1-C1
PAIROLIERE (Rue) C4
PAIROLIERE (Ruelle) C4
PAIX (Rue de la) D2
PALAIS (Allée du) A3-A4
PALAIS (Place du) D3
PARADIS (Rue) D2
PARC (Cité du) D3-D4
PARIS (Rue de) B2-A3
PASTORELLI (Rue) C2-B3
PAUL DEROULEDE (Rue) C1-C2
PAULIANI (Avenue) A4-B4
PAULIANI (Passage) B4
PENCHIENATTI (Rue) B4
PERTINAX (Rue) A2-B2
PERTUS (Rue du) D4
PHILIPPE RANDON (Place) A1
PHOCEENS (Avenue des) D3
PICARDIE (Avenue de) A3-A4
PIERRE DEVOLUY (Rue) B3-B4
PIERRE GARRIBO (Rue) A4
PIERRE GAUTIER (Place) D4
PLACE VIEILLE (Rue) D4
PLAINE DE CIMIEZ (Rue de la) A4
POISSONNERIE (Rue de la) D4
PONCHETTES (Rue des) D4
PONT VIEUX (Rue du) C4-D4
PONTIN (Rue du) D4
PREFECTURE (Rue de la) D3-D4
PRES (Ruelle des) B3-C3
PROVANA DE LEYNI (Rue) B3
PROVIDENCE (Rue de la) C4
RAIMBALDI (Boulevard) A1-A2
RANCHER (Rue) B3-C3
RAOUL BOSIO (Rue) D3
RASPAIL (Rue) B2
RAYMOND COMBOUL (Avenue) A2
RAYNARDI (Rue) C2
REINE JEANNE (Rue de la) A1
RESISTANCE ET DEPORTATION (Allée) C3-D4
RISSO (Boulevard) B4
ROSANOFF (Rue) C2
ROSSETTI (Place) D4
ROSSETTI (Rue) D4
ROSSINI (Rue) C1-C2
ROUGET DE L'ISLE (Rue) A1-A2
ROYALE (Rue) D1
RUSSIE (Rue de) B2-C2
SACHA GUITRY (Rue) C3
SAETONE (Place) B1
SAINT-ANDRE (Ruelle) C4
SAINT-AUGUSTIN (Rue) C4
SAINT-CHARLES (Chemin de) B4
SAINTE-CLAIRE (Rue) C4
SAINTE-MARIE (Rue) D4
SAINTE-REPARATE (Rue) D4
SAINT-FRANCOIS (Place) C4
SAINT-FRANCOIS (Rue) C4
SAINT-FRANCOIS (Ruelle) C4
SAINT-FRANCOIS DE PAULE (Rue) D3
SAINT-GABRIEL (Allée) A4
SAINT-GAETAN (Rue) D4
SAINT-HOSPICE (Rue) C4
SAINT-JEAN-BAPTISTE (Avenue) B4-C4
SAINT-JOSEPH (Rue) D4
SAINT-MARTIN (Ruelle) C4
SAINT-SAENS (Rue) C1
SAINT-SEBASTIEN (Avenue) B4-C4
SAINT-SIAGRE (Rue) A2-B2
SAINT-SUAIRE (Rue) D4
SAINT-VINCENT (Rue) D4
SALEYA (Cours) D3-D4
SASSERNO (Place) B3
SAVOIE (Avenue de) A4
SEMINAIRE (Ruelle du) D4
SERRURIERS (Rue des) C4-D4
SPITALIERI (Rue) B2-B3
SUEDE (Avenue de) D2
SUISSE (Rue de) B1-B2
SULZER (Rue) D3
SUPERIEURE (Rue) D4
TEMPLE VAUDOIS (Passage du) C3
TERRASSE (Rue de la) D3
THIERS (Avenue) B1-B2
TONDUTI DE L'ESCARENE (Rue) B3-C4
TOSELLI (Place) B3
TOUR (Rue de la) C4
TRACHEL (Rue) A1
TUNNEL DE LA GARE A1-B1
TUNNEL DU PAILLON D3-B4
TUNNEL MALRAUX A3-A4
URFE (Rue d') A2
VALLIERE (Chemin de la) A4
VALPERGA (Rue) B3
VANLOO (Rue) D3
VEILLON (Rue) A1
VERDI (Rue) C1
VERDUN (Avenue de) D2-D3
VERNIER (Passage) A1
VERNIER (Rue) A1
VICTOIRES (Esplanade des) B4
VICTOR HUGO (Boulevard) D1-C2
VICTOR HUGO (Passage) C2
VICTOR JUGE (Rue) C1-C2
VIEILLE (Place) D4
VILLENEUVE (Rue de) A1
VILLERMONT (Avenue) A1
VOEU (Place du) C4
VOLTAIRE (Rue) C3
WILSON (Place) C3
YVES KLEIN (Place) B4

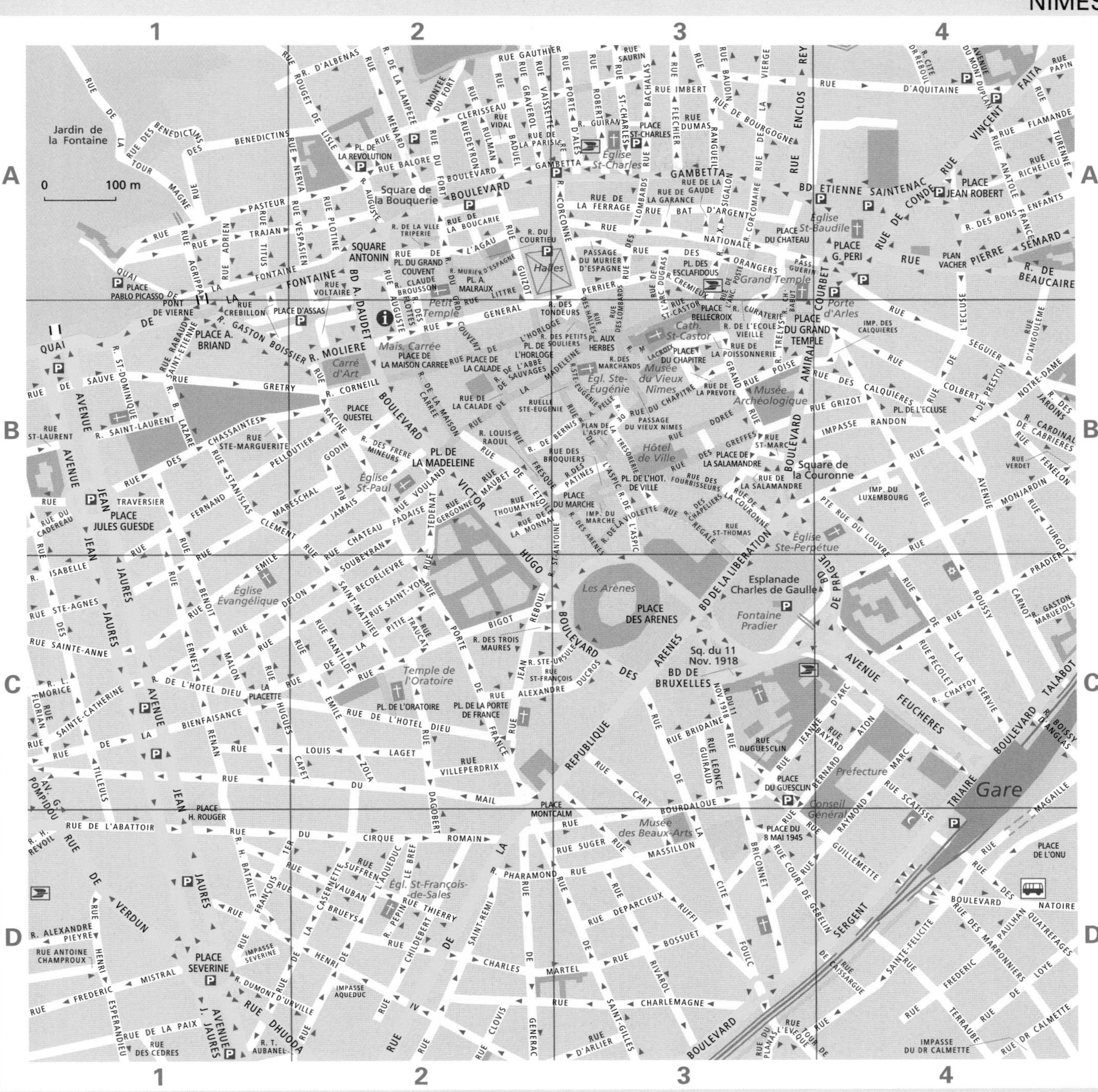
1
2
3
4
A
B
C
D
Jardin de la Fontaine
0 100 m
Square de la Bouquerie
SQUARE ANTONIN
PLACE A. BRIAND
PLACE PABLO PICASSO
PLACE D'ASSAS
PL. DE LA REVOLUTION
Halles
Eglise St-Charles
PLACE ST-CHARLES
GAMBETTA
Eglise St-Baudile
PLACE G. PERI
PLACE JEAN ROBERT
Mais. Carrée
Carré d'Art
PLACE DE LA MAISON CARREE
Petit Temple
Cath. St-Castor
Grand Temple
Porte d'Arles
PLACE DU GRAND TEMPLE
Musée du Vieux Nîmes
Egl. Ste-Eugénie
Musée Archéologique
PL. DE LA MADELEINE
Eglise St-Paul
Hôtel de Ville
Square de la Couronne
PLACE JULES GUESDE
Eglise Ste-Perpétue
Esplanade Charles de Gaulle
Les Arènes
PLACE DES ARENES
Fontaine Pradier
Eglise Evangélique
Sq. du 11 Nov. 1918
BD DE BRUXELLES
Temple de l'Oratoire
PL. DE L'ORATOIRE
PL. DE LA PORTE DE FRANCE
Préfecture
Conseil Général
Gare
PLACE DU GUESCLIN
PLACE H. ROUGER
PLACE MONTCALM
Musée des Beaux-Arts
PLACE DU 8 MAI 1945
PLACE DE L'ONU
Égl. St-François-de-Sales
PLACE SEVERINE
BOULEVARD VICTOR HUGO
AVENUE JEAN JAURES
AVENUE FEUCHERES
BOULEVARD TALABOT
BD DE LA LIBERATION
BD DE PRAGUE
BOULEVARD DES ARENES
RUE DE LA REPUBLIQUE
BD ETIENNE SAINTENAC
BOULEVARD NATOIRE
BOULEVARD SERGENT TRIAIRE
QUAI DE LA FONTAINE
RUE DE VERDUN
RUE DHUODA

ABATTOIR (Rue de l') D1
ABBE DE SAUVAGES (Rue de l') B2
ADRIEN (Rue) A1
AGAU (Rue de l') A2
AGRIPPA (Rue) A1-B1
ALBENAS (Rue d') A2
ALEXANDRE DUCROS (Rue) C2-C3
ALEXANDRE PIEYRE (Rue) D1
ALPHONSE DAUDET (Boulevard) A2-B2
AMIRAL COURBET (Boulevard) B3-A4
ANATOLE FRANCE (Rue) A4
ANCIENNE POSTE (Rue de l') A3-B3
ANDRE MALRAUX (Place) A2
ANGOULEME (Rue d') A4-B4
ANTOINE CHAMPROUX (Rue) D1
ANTONIN (Square) A2
AQUEDUC (Impasse) D2
AQUEDUC (Rue de l') D2
AQUITAINE (Rue d') A3-A4
ARC DUGRAS (Rue de l') A3-B3
ARENES (Boulevard des) C3
ARENES (Place des) C3
ARENES (Rue des) B3-C3
ARISTIDE BRIAND (Place) B1
ARLIER (Rue d') D3
ASPIC (Plan de l') B3
ASPIC (Rue de l') B2-C3
ASSAS (Place d') B2
AUGUSTE (Rue) A2-B2
AUGUSTE PELLET (Rue) B3
BACHALAS (Rue) A3
BADUEL (Rue) A2
BALORE (Rue) A2
BAT D'ARGENT (Rue) A3
BAUDIN (Rue) A3
BAYARD (Rue) C3-C4
BEAUCAIRE (Rue de) A4
BECDELIEVRE (Rue) C1-B2
BELLECROIX (Place) B3
BENEDICTINS (Rue des) A1-A2
BENOIT MALON (Rue) B1-C1
BERNARD ATON (Rue) D3-C4
BERNARD LAZARE (Rue) B1
BERNIS (Rue de) B2-B3
BIENFAISANCE (Rue de la) C1
BIGOT (Rue) C2-C3
BOISSY D'ANGLAS (Rue) C4
BONS ENFANTS (Rue des) A4
BOSSUET (Rue) D3
BOUCARIE (Rue de la) A2
BOURDALOUE (Rue) D2-C3
BOURGOGNE (Rue de) A3
BRICONNET (Rue) C3-D3
BRIDAINE (Rue) C3
BROQUIERS (Rue des) B3
BRUEYS (Rue) D1-D2
BRUXELLES (Boulevard de) C3
CADEREAU (Rue du) B1
CAISSARGUES (Rue de) D4
CALADE (Place de la) B2
CALADE (Rue de la) B2
CALQUIERES (Impasse des) B3-B4
CALQUIERES (Rue des) B3-B4
CARDINAL DE CABRIERES (Rue) B4
CARNOT (Avenue) B4-C4
CART (Rue) C3-D3
CASERNETTE (Rue de la) D1-C2
CEDRES (Rue des) D1
CHAFFOY (Rue) C4
CHAPELIERS (Rue des) B3
CHAPITRE (Place du) B3
CHAPITRE (Rue du) B3
CHARLEMAGNE (Rue) D2-D3
CHARLES BABUT (Rue) A3-B3
CHARLES MARTEL (Rue) D2-D3
CHASSAINTES (Rue des) B1-B2
CHATEAU (Place du) A3
CHATEAU FADAISE (Rue) B2-C2
CHILDEBERT (Rue) D2
CIRQUE ROMAIN (Rue du) D1-D2
CITE DOCTEUR REBOUL (Rue) A4
CITE FOULC (Rue de la) C3-D3
CLAUDE BROUSSON (Rue) A2
CLERISSEAU (Rue) A2-A3
CLOVIS (Rue) D2
COLBERT (Rue) B4
CONDE (Rue de) A4
CORCOMAIRE (Rue) A3
CORCONNE (Rue) A3
CORNEILLE (Rue) B2
COURONNE (Rue de la) B3
COURT DE GEBELIN (Rue) D3-D4
COURTIEU (Rue du) A2
CREBILLON (Rue) A1-B1
CREMIEUX (Rue) A3
CURATERIE (Rue) B3
DAGOBERT (Rue) C2-D2
DELON SOUBEYRAN (Rue) C1-B2
DEPARCIEUX (Rue) D3
DEYRON (Rue) A2
DHUODA (Rue) D1-D2
DOCTEUR CALMETTE (Impasse du) D4
DOCTEUR CALMETTE (Rue) D4
DOREE (Rue) B3
DU GUESCLIN (Place) C3
DU GUESCLIN (Rue) C3
DUMAS (Rue) A3
DUMONT D'URVILLE (Rue) D1-D2
ECLUSE (Place de l') B4
ECLUSE (Rue de l') A4-B4
ECOLE VIEILLE (Rue de l') A3-B3
EMILE JAMAIS (Rue) C1-B2
EMILE ZOLA (Rue) C1-C2
ENCLOS REY (Rue) A3
ERNEST RENAN (Rue) B1-C1
ESCLAFIDOUS (Place des) A3
ETIENNE SAINTENAC (Boulevard) A3-A4
ETOILE (Rue de l') B2-B3
FENELON (Rue) B4
FERNAND PELLOUTIER (Rue) C1-B2
FERRAGE (Rue de la) A3
FEUCHERES (Avenue) C4
FLAMANDE (Rue) A4
FLECHIER (Rue) A3
FLORIAN (Rue) C1
FLOTTES (Rue des) A2-B2
FONTAINE (Quai de la) B1-A2
FORT (Montée du) A2
FORT (Rue du) A2
FOURBISSEURS (Rue des) B3
FRANÇOIS 1ER (Rue) D1-D2
FREDERIC MISTRAL (Rue) D1
FREDERIC PAULHAN (Rue) D4
FRERES MINEURS (Rue des) B2
FRESQUE (Rue) B2-B3
GABRIEL PERI (Place) A4
GAL PERRIER (Rue) B2-A3
GAMBETTA (Boulevard) A2-A4
GARANCE (Rue de la) A3
GASTON BOISSIER (Rue) B1-B2
GASTON MARUEJOLS (Rue) C4
GAUDE (Rue de la) A3
GAUTHIER (Rue) A2-A3
GENERAC (Rue de) D2
GEORGES POMPIDOU (Avenue) C1-D1
GERGONNE (Rue) B2
GODIN (Rue) B2
GRAND COUVENT (Place du) A2
GRAND COUVENT (Rue du) A2-B2
GRAND RUE B3
GRANDTEMPLE (Place du) B4
GRAVEROL (Rue) A2
GREFFES (Rue des) B3
GRETRY (Rue) B1-B2
GRIZOT (Rue) B3-B4
GUERIN (Passage) A3-A4
GUILLEMETTE (Rue) D3-D4
GUIRAN (Rue) A3
GUIZOT (Rue) A2-B2
HALLES (Rue des) A3-B3
HENRI BATAILLE (Rue) D1
HENRI ESPERANDIEU (Rue) D1
HENRI IV (Rue) D1-D2
HENRI REVOIL (Rue) D1
HERBES (Place aux) B3
HORLOGE (Place de l') B2
HORLOGE (Rue de l') B2-B3
HOTEL DE VILLE (Place de l') B3
HOTEL DE VILLE (Rue de l') B3
HOTEL DIEU (Rue de l') C1-C2
HUBERT ROUGER (Place) D1
HUGUES CAPET (Rue) C1-C2
8 MAI 1945 (Place du) D3
IMBERT (Rue) A3
ISABELLE (Rue) C1
JARDINS (Rue des) B4
JEAN JAURES (Avenue) B1-D1
JEAN REBOUL (Rue) C2
JEAN ROBERT (Place) A4
JEANNE D'ARC (Rue) C3-C4
JULES GUESDE (Place) B1
LA PLACETTE C1
LAMPEZE (Rue de la) A2
LEONCE GUIRAUD (Rue) C3
LEOPOLD MORICE (Rue) C1
LIBERATION (Boulevard de la) B3-C3
LITTRE (Rue) A2-B2
LOMBARDS (Rue des) A3-B3
LOUIS LAGET (Rue) C1-C2
LOUIS RAOUL (Rue) B2
LOUVRE (Petite rue du) B4-C4
LOYE (Rue de) D4
LUXEMBOURG (Impasse du) B4
MADELEINE (Place de la) B2
MADELEINE (Rue de la) B2-B3
MAGAILLE (Rue) D4
MAIL (Rue du) C1-C2
MAISON CARREE (Place de la) B2
MAISON CARREE (Rue de la) B2
MARCHANDS (Rue des) B3
MARCHE (Impasse du) B3
MARCHE (Place du) B3
MARESCHAL (Rue) C1-B2
MARRONNIERS (Rue des) D4
MASSILLON (Rue) D3
MATHIEU LACROIX (Rue) B3
MAUBET (Rue) B2
MENARD (Rue) A2
MOLIERE (Rue) B2
MONJARDIN (Rue) B4-C4
MONNAIE (Rue de la) B2-B3
MONT DUPLAN (Avenue du) A4
MONTCALM (Place) D2
MURIER D'ESPAGNE (Passage du) A3
MURIER D'ESPAGNE (Rue) A2
NANTILDE (Rue) C2
NATIONALE (Rue) A3-A4
NATOIRE (Boulevard) D4
NERVA (Rue) A2
NOTRE DAME (Rue) B4
ONU (Place de l') D4
11 NOVEMBRE 1918 (Rue du) C3
ORANGERS (Rue des) A3
ORATOIRE (Place de l') C2
PABLO PICASSO (Place) A1
PAIX (Rue de la) D1
PAPIN (Rue) A4
PARISIERE (Rue de la) A2-A3
PASTEUR (Rue) A1-A2
PATINES (Rue des) B3
PECOLET (Rue) C4
PEPIN LE BREF (Rue) D2
PETITS SOULIERS (Rue des) B3
PHARAMOND (Rue) D2-D3
PIERRE SEMARD (Rue) A4
PITIE (Rue de la) C1-C2
PLANAS (Rue du) D3
PLOTINE (Rue) A2
POISE (Rue) B3
POISSONNERIE (Rue de la) B3
PORTE D'ALES (Rue) A3
PORTE DE FRANCE (Place de la) C2
PORTE DE FRANCE (Rue) B2-C2
PRADIER (Rue) B4-C4
PRAGUE (Boulevard de) C3-B4
PRESTON (Rue de) B4
PREVOTE (Rue de la) B3
QUATREFAGES (Rue des) D4
QUESTEL (Place) B2
RABAUD ST-ETIENNE (Rue) B1
RACINE (Rue) B2
RANDON (Impasse) B4
RANGUEIL (Rue) A3
RAYMOND MARC (Rue) D3-C4
REGALE (Rue) B3-C3
REPUBLIQUE (Rue de la) D2-C3
REVOLUTION (Place de la) A2
RICHELIEU (Rue) A4
RIVAROL (Rue) D3
ROBERT (Rue) A3
ROUGET DE LISLE (Rue) A1-A2
ROUSSY (Rue) B4-C4
RUFFI (Rue) C3-D3
RULMAN (Rue) A2
SAINT-ANTOINE (Rue) C2-B3
SAINT-CASTOR (Rue) A3-B3
SAINT-CHARLES (Place) A3
SAINT-CHARLES (Rue) A3
SAINT-DOMINIQUE (Rue) B1
SAINT-FRANÇOIS (Rue) C2
SAINT-GILLES (Rue de) D2-D3
SAINT-LAURENT (Rue) B1
SAINT-MARC (Rue) B3
SAINT-MATHIEU (Rue) B2-C2
SAINT-REMI (Rue) D2
SAINT-THOMAS (Rue) B3
SAINT-YON (Rue) C2
SAINTE-AGNES (Rue) C1
SAINTE-ANNE (Rue) C1
SAINTE-CATHERINE (Rue) C1
SAINTE-EUGENIE (Rue) B3
SAINTE-EUGENIE (Ruelle) B3
SAINTE-FELICITE (Rue) D3-D4
SAINTE-MARGUERITE (Rue) B1-B2
SAINTE-URSULE (Rue) C2-C3
SALAMANDRE (Place de la) B3
SALAMANDRE (Rue de la) B3
SAURIN (Rue) A3
SAUVE (Rue de) B1
SCATISSE (Rue) C4-D4
SEGUIER (Rue) A4-B4
SERGENT TRIAIRE (Boulevard) D3-C4
SERVIE (Rue de la) C4
SEVERINE (Impasse) D1
SEVERINE (Place) D1
STANISLAS CLEMENT (Rue) B1-B2
SUFFREN (Rue) D2
SUGER (Rue) D2-D3
TALABOT (Boulevard) C4
TEDENAT (Rue) B2-C2
TERRAUBE (Rue) D4
THEODORE AUBANEL (Rue) D2
THIERRY (Rue) D2
THOUMAYNE (Rue) B2
TILLEULS (Rue des) B1-D1
TITUS (Rue) A1
TONDEURS (Rue des) A3-B3
TOUR DE L'EVEQUE (Rue) D3
TOUR MAGNE (Rue de la) A1
TRAJAN (Rue) A1-A2
TRAUCAT (Rue) C2
TRAVERSIERE (Rue) B1
TRELYS (Rue) B3
TRESORERIE (Rue de la) B3
TROIS MAURES (Rue des) C2-C3
TURENNE (Rue) A4
TURGOT (Rue) B4
VACHER (Plan) A4
VAISSETTE (Rue) A2-A3
VAUBAN (Rue) D1-D2
VERDET (Rue) B4
VERDUN (Rue de) D1
VESPASIEN (Rue) A2
VICTOR HUGO (Boulevard) B2-C3
VIDAL (Rue) A2
VIEILLETRIPERIE (Rue de la) A2
VIERGE (Rue de la) A3
VIERNE (Pont de) A1-B1
VIEUX NIMES (Passage du) B3
VILLEPERDRIX (Rue) C2
VINCENT FAITA (Rue) A4
VIOLETTE (Rue de la) B3
VOLTAIRE (Rue) A2-B2
VOULAND (Rue) B2
XAVIER SIGALON (Rue) A3

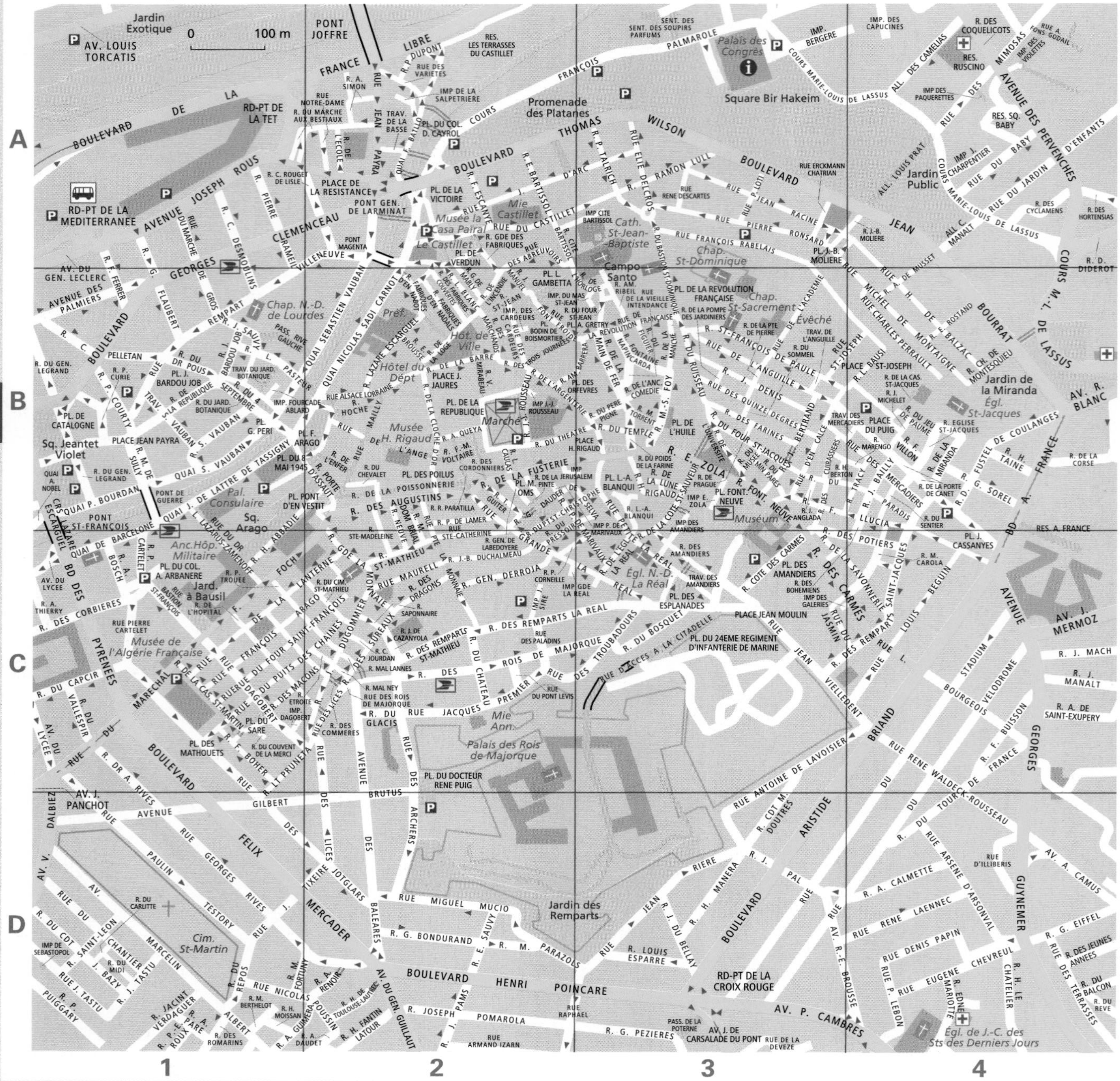

PERPIGNAN

ABREUVOIRS (Rue des) A2-B2
ACADEMIE (Rue de l') B3
ACCES A LA CITADELLE (Rue d') C3
ALBERT CALMETTE (Rue) D4
ALBERT CAMUS (Avenue) D4
ALFRED DE MUSSET (Rue) . . A4-B4
ALFRED NOBEL (Quai) B1
ALPHONSE DAUDET (Rue) D2
ALPHONSE SIMON (Rue) A2
ALSACE LORRAINE (Rue) B2
AMANDIERS (Impasse des) . . B3-C3
AMANDIERS (Place des) C3
AMANDIERS (Rue des) B3-C3
AMANDIERS (Traverse des) C3
AMBROISE PARE (Rue) D1
AMIRAL BARRERA (Rue) B2-B3
AMIRAL RIBEIL (Rue) B3
ANATOLE FRANCE (Bd) B4-C4
ANATOLE FRANCE (Rés.) B4-C4
ANCIENNE COMEDIE (Rue de l') B3
ANDRE BOSCH (Rue) C1
ANDRE FONS GODAIL (Rue) . . . A4
ANDRE GRETRY (Place) B3
ANGE (Rue de l') B2
ANGEL GUIMERA (Rue) D1-D2
ANGUILLE (Rue de l') B3
ANGUILLE (Traverse de l') B3
ANTOINE DE LAVOISIER (Rue) D3-C4
ANTOINE DE SAINT-EXUPERY (Rue) C4
ANTOINE QUEYA (Rue) B2
ARCHERS (Rue des) C2-D2
ARGENTERIE (Rue de l') B2-B3
ARISTIDE BRIAND (Bd) D3-C4
ARMAND IZARN (Rue) D2
ARSENE D'ARSONVAL (Rue) . . . D4
AUGUSTE RENOIR (Rue) D2
AUGUSTIN THIERRY (Rue) C1
AUGUSTINS (Rue des) B2
BABY (Rue du) A4
BALCON (Rue du) D4
BALEARES (Avenue des) C2-D2
BARCELONE (Quai de) B1-C1
BARRE (Rue de la) B2
BASSE (Traverse de la) A2
BASTION SAINT-DOMINIQUE (Rue du) A3-B3
BASTION SAINT-FRANÇOIS (Rue) C1
BERGERE (Impasse) A3-A4
BODIN DE BOISMORTIER Place) B2
BOHEMIENS (Rue des) B4-C4
BOSQUET (Rue du) C3
CAMELIAS (Allée des) A4
CAMILLE DESMOULINS (Rue) A1-B1
CAMILLE JOURDAN (Rue) C2
CAMILLE PELLETAN (Rue) B1
CAPCIR (Rue du) C1
CAPUCINES (Impasse des) A4
CARDEURS (Impasse des) B2
CARDEURS (Rue des) B2
CARLITTE (Rue du) D1
CARMES (Rue des) C3-C4
CASERNE SAINT-JACQUES (Rue de la) B4
CASERNE SAINT-MARTIN (Rue de la) C1
CASTILLET (Rue du) A2-A3
CATALOGNE (Place de) B1
CELESTIN MANALT (Allée) A4
CHANTIER (Rue du) D1
CHARLES DE MONTESQUIEU (Rue) B4
CHARLES PERRAULT (Rue) B4
CHATEAU (Rue du) C2
CHEVALET (Rue du) B2
CIMETIERE SAINT-MATHIEU (Rue du) C2
CITE BARTISSOL (Impasse) . . A2-A3
CITE BARTISSOL (Rue) A2-B2
CLAUDE ROUGET DE LISLE (Rue) A2
CLOCHE D'OR (Rue de la) B2
COLONEL ALFRED ARBANERE (Place du) C1
COLONEL DOMINIQUE CAYROL (Place du) A2
COMMANDANT JEAN BAZY (Rue du) D1
COMMANDANT MICHEL DOUTRES (Rue) C3-D3
COMMERES (Rue des) C1-C2
COQUELICOTS (Rue des) A4
CORBIERES (Rue des) C1
CORDONNIERS (Rue des) B2
CORSE (Rue de la) B4
COTE DES CARMES (Rue) C3
COTE SAINT-SAUVEUR (Rue de la) B3-C3
COUVENT DE LA MERCI (Rue du) C1
CROIX ROUGE (Rond-Point de la) D3
CUIRASSIERS (Rue des) B3
CYCLAMENS (Rue des) A4
DAGOBERT (Impasse) C1
DAGOBERT (Rue) C1-C2
DENIS DIDEROT (Rue) A4-B4
DENIS FUSTEL DE COULANGES (Rue) B4
DENIS PAPIN (Rue) D4
DEVEZE (Rue de la) D3
DOCTEUR ALFRED RIVES (Rue) C1-D1
DOCTEUR LUDWIG LAZARUS ZAMENOFF (Rue du) B1-C1
DOCTEUR POUS (Rue du) B1
DOCTEUR RENE PUIG (Place du) C2
DRAGONS (Rue des) C2
ECOLE (Rue de l') A2
EDMOND BARTISSOL (Rue) A2
EDMOND ROSTAND (Rue) B4
EDNE MARIOTTE (Rue) D4
EGLISE LA REAL (Rue de l') C3
EGLISE SAINT-JACQUES (Rue) . . B4
ELIE DELCROS (Rue) A3
EMILE ZOLA (Impasse) B3
EMILE ZOLA (Rue) B3
EMMANUEL BROUSSE (Rue) . . . B2
EN CALCE (Rue d') B3
ENFER (Rue de l') B2
ERCKMANN CHATRIAN (Rue) . . A3
ESPLANADES (Place des) C3
ETROITE (Rue) C2
EUGENE CHEVREUL (Rue) D4
EUGENE SAUVY (Rue) D2
FABRIQUES COUVERTES (Rue des) B2
FABRIQUES D'EN NABOT (Rue) . B2
FABRIQUES D'EN NADALS (Rue) B2
FARINES (Rue des) B3
FELIX MERCADER (Bd) C1-D2
FERDINAND BUISSON (Rue) C4
FIGUIER (Rue du) B3
FONT FROIDE (Rue) B2-B3
FONTAINE NAPINCARDA (Rue) . B3
FONTAINE NEUVE (Place) B3
FONTAINE NEUVE (Rue) B3-C3
FOUR SAINT-FRANÇOIS (Rue du) C1-C2
FOUR SAINT-JACQUES (Rue du) B3
FOUR SAINT-JEAN (Rue du) B3
FOURCADE ABLARD (Impasse) . B1
FRANCE LIBRE (Bd de la) A1-A2
FRANCISCO FERRER (Rue) . . A1-B1
FRANÇOIS ARAGO (Place) B2
FRANÇOIS ARAGO (Rue) C1-C2
FRANÇOIS BATLLO (Quai) A2
FRANÇOIS BOHER (Rue) C1
FRANÇOIS LLUCIA (Rue) B3-B4
FRANÇOIS PALMAROLE (Cours) A2-A3
FRANÇOIS RABELAIS (Rue) A3
FRANÇOIS VILLON (Rue) B4
FRANÇOIS-MARIE VOLTAIRE (Rue) B2
FREDERIC ESCANYE (Rue) A2
FUSTERIE (Rue de la) B2-B3
GABRIEL DE MABLY (Rue) . . . A2-B2
GABRIEL PERI (Place) B1
GALERIES (Impasse des) C3-C4
GENERAL DE LABEDOYERE (Rue) B2
GENERAL DE LARMINAT (Pont) A2
GENERAL DERROJA (Rue) C2
GENERAL GUILLAUT (Avenue du) D2
GENERAL LECLERC (Avenue du) A1
GENERAL LEGRAND (Rue du) . . . B1
GEORGES BONDURAND (Rue) . D2
GEORGES CLEMENCEAU (Boulevard) B1-A2
GEORGES GUYNEMER (Avenue) C4-D4
GEORGES PEZIERES (Rue) . . D2-D3
GEORGES RIVES (Rue) D1-D2
GEORGES SOREL (Rue) B4
GILBERT BRUTUS (Avenue) . D1-C2
GLACIS (Rue du) C2
GRANDE DES FABRIQUES (Rue) A2-B2
GRANDE LA MONNAIE (Rue) B2-C2
GRANDE LA REAL (Impasse) C2-C3
GRANDE LA REAL (Rue) B2-C3
GUERRE (Pont de) B1
GUILLAUME DAUDER DE SELVA (Rue) B2-B3
GUSTAVE EIFFEL (Rue) D4
GUSTAVE FLAUBERT (Rue) . . A1-B1
HENRI ABBADIE (Rue) C1-B2
HENRI BERTON (Rue) B3-B4
HENRI DE TOULOUSE LAUTREC (Rue) D2
HENRI FANTIN LATOUR (Rue) . . D2
HENRI LE CHATELIER (Rue) D4
HENRI MOISSAN (Rue) D1
HENRI POINCARE (Bd) D2-D3
HIPPOLYTE TAINE (Rue) B4
HOCHE (Rue) B2
HONORE DE BALZAC (Rue) . . A4-B4
HOPITAL (Rue de l') C1-C2
HORLOGE (Rue de l') A2-B3
HORTENSIAS (Rue des) A4
HUILE (Place de l') B3
8 MAI 1945 (Place du) B1
HYACINTHE MANERA (Rue) . . . D3
HYACINTHE RIGAUD (Place) B3
HYACINTHE RIGAUD (Rue) B3
ILLIBERIS (Rue d') D4
INCENDIE (Rue de l') B2
JACINT VERDAGUER (Rue) D1
JACQUES DUGOMMIER (Rue) . . C2
JACQUES MACH (Rue) C4
JACQUES MANUEL (Rue) . . . A2-B2
JACQUES PREMIER (Rue) C2
JARDIN BOTANIQUE (Rue du) . . . B1
JARDIN BOTANIQUE (Traverse du) B1
JARDIN D'ENFANTS (Rue du) . . A4
JASMIN (Rue du) C3-C4
JEAN BAILLY (Rue) B4
JEAN BOURRAT (Boulevard) A3-B4
JEAN DE CAZANYOLA (Rue) C2
JEAN DE LATTRE DE TASSIGNY (Quai) B1
JEAN JAURES (Place) B2
JEAN MANALT (Rue) C4
JEAN MERMOZ (Avenue) C4
JEAN MOULIN (Place) C3
JEAN PAYRA (Place) B1
JEAN PAYRA (Rue) A2
JEAN RACINE (Rue) A3
JEAN RIERE (Rue) D3
JEAN VIELLEDENT (Rue) C3-C4
JEAN-BAPTISTE DUCHALMEAU (Rue) C2
JEAN-BAPTISTE MOLIERE (Place) A3
JEAN-BAPTISTE MOLIERE (Rue) A3-A4
JEAN-JACQUES ROUSSEAU (Impasse) B2
JEAN-JACQUES ROUSSEAU (Rue) B2
JEANNE D'ARC (Rue) A2-A3
JERUSALEM (Impasse) B2-B3
JEU DE PAUME (Rue du) B4
JEUNES ANNEES (Rue des) . . . D4
JOACHIM DU BELLAY (Rue) D3
JOFFRE (Pont) A2
JOSEPH ANGLADA (Rue) B3
JOSEPH BERTRAND (Rue) B3
JOSEPH CASSANYES (Place) . . . B4
JOSEPH CHARPENTIER (Imp.) . . A4
JOSEPH DENIS (Rue) B3
JOSEPH PAL (Rue) D3-D4
JOSEPH POMAROLA (Rue) D2
JOSEPH ROUS (Avenue) A1-A2
JOSEPH SAUVY (Rue) B1
JOSEPH SIRE (Impasse) C2
JOSEPH TASTU (Rue) D1
JOSEPH TIXEIRE (Rue) D1-D2
JOTGLARS (Rue des) C1-D2
JULES DE CARSALADE DU PONT (Avenue) D3
JULES MICHELET (Rue) B4
JULES PAMS (Rue) D2
JULIEN PANCHOT (Avenue) C1
JUSTIN BARDOU JOB (Place) . . . B1
JUSTIN BARDOU JOB (Rue) B1
LANTERNE (Rue de la) C1-C2
LAZARE ESCARGUEL (Cours) B1-C1
LAZARE ESCARGUEL (Rue) B2
LEON BOURGEOIS (Rue) C4
LEON GAMBETTA (Place) B2
LEVIS (Rue du Pont) C2
LICES (Rue des) C2-D2
LIEUTENANT PRUNETA (Rue) D1-C2
LOGE (Rue de la) B2
LOUIS AUGUSTE BLANQUI (Rue) B3-C3
LOUIS BAUSIL (Rue) B4
LOUIS BEGUIN (Rue) C4
LOUIS BLANC (Rue) A2-B2
LOUIS CAULAS (Rue) B2
LOUIS ESPARRE (Rue) D3
LOUIS PASTEUR (Rue) B1-B2
LOUIS PRAT (Allée) A4
LOUIS TORCATIS (Avenue) A1
LOUIS-AUGUSTE BLANQUI (Place) B3
LUNE (Rue de la) B3
LYCEE (Avenue du) C1
MACONS (Rue des) C1-C2
MAGENTA (Pont) A2
MAILLY (Rue) B2
MAIN DE FER (Rue de la) B3
MANCHE (Rue de la) B3
MARCEL OMS (Place) B2
MARCEL PARAZOLS (Rue) . . . D2-D3
MARCELIN ALBERT (Avenue) . . D1
MARCELLIN BERTHELOT (Rue) . D1
MARCHANDS (Rue des) B2
MARCHE AUX BESTIAUX (Rue du) A1-A2
MARCHE DE GROS (Rue du) A1-B1
MARECHAL FERDINAND FOCH (Rue du) C1-B2
MARECHAL LANNES (Rue) C2
MARECHAL NEY (Rue) C2
MARENGO (Rue) B3-B4
MARIANO FORTUNY (Rue) . . D1-D2
MARIE LOUIS DE LASSUS (Cours) A3-B4
MAS SAINT-JEAN (Impasse du) . B3
MATHOUETS (Place des) C1
MAURELL (Rue) C2
MAXIMILIEN DE SULLY (Rue) . . . B1
MAXIMILIEN SEBASTIEN FOY (Rue) B3
MEDITERRANEE (Rond-point de la) A1
MERCADIERS (Rue des) B3-B4
MERCADIERS (Traverse des) B3-B4
MICHEL CAROLA (Rue) B4-C4
MICHEL DE MONTAIGNE (Rue) A3-B4
MICHEL DOM BRIAL (Rue) . . . B2-C2
MICHEL TORRENT (Rue) B3
MIDI (Rue du) D1
MIGUEL MUCIO (Rue) D2
MIMOSAS (Rue des) A4
MIRANDA (Rue de la) B4
MOULIN PARES (Rue du) B3
MUSEE (Rue du) B3
NEUVE (Rue) B2-C2
NICOLAS POUSSIN (Rue) . . . D1-D2
NICOLAS SADI CARNOT (Quai) . B2
NOTRE-DAME (Rue) A2
ORFEVRES (Place des) B2
PALADINS (Rue des) C2
PALMIERS (Avenue des) B1
PAQUERETTES (Impasse des) . . A4
PARADIS (Rue du) B3-B4
PARFUMS (Sentier des) A3
PAUL COURTY (Rue) B1
PAUL DE LAMER (Rue) B2
PAULIN TESTORY (Rue) C1-D1
PERE PIGNE (Rue du) B3
PERVENCHES (Avenue des) A4
PETIT SAINT-CHRISTOPHE (Rue du) C2-B3
PETITE LA MONNAIE (Rue) . . B2-C2
PETITE LA REAL (Rue) B3-C3
PHILIPPE LEBON (Rue) D4
PIERRE BOURDAN (Quai) B1
PIERRE CAMBRES (Avenue) . D3-D4
PIERRE CARTELET (Rue) B1-C1
PIERRE CORNEILLE (Rue) . . . C2-C3
PIERRE CURIE (Rue) B1
PIERRE DE MARIVAUX (Impasse) B2
PIERRE DE MARIVAUX (Rue) B2-C3
PIERRE DUPONT (Rue) A2
PIERRE LOTI (Rue) A3
PIERRE PUIGGARY (Rue) D1
PIERRE RAMEIL (Rue) A1-B1
PIERRE RONSARD (Rue) A3
PIERRE TALRICH (Rue) A3
PIERRE TROUEE (Rue) C1-C2
PIERRE-EMILE ROUX (Rue) D1
PINTE (Rue de la) B2
POIDS DE LA FARINE (Rue du) . . B3
POILUS (Place des) B2
POISSONNERIE (Rue de la) B2
POMPE DES JARDINIERS (Rue de la) B3
PONT D'EN VESTIT (Place) B2
PORTE D'ASSAUT (Rue) B2
PORTE DE CANET (Rue de la) . . . B4
PORTE DE PIERRE (Rue de la) . . . B3
POTERNE (Passage de la) D3
POTIERS (Rue des) B3-C4
PRAGUE (Rue de) B3
PRESSOIR (Rue du) C2-B3
PUIG (Place du) B4
PUITS DES CHAINES (Rue du) C1-C2
PYRENEES (Boulevard des) C1
4 SEPTEMBRE (Rue du) B1
QUINZE DEGRES (Rue des) B3
RAMON LULL (Rue) A3
RAPHAEL (Rue) D2-D3
REMPART VILLENEUVE (Rue) B1-A2
REMPARTS LA REAL (Rue des) C2-C3
REMPARTS SAINT-JACQUES (Rue des) C3-B4
REMPARTS SAINT-MATHIEU (Rue des) C2
RENE DESCARTES (Rue) A3
RENE LAENNEC (Rue) D3-D4
RENE PARATILLA (Rue) B2
RENE WALDECK-ROUSSEAU (Rue) C4-D4
REPOS (Rue du) D1
REPUBLIQUE (Place de la) B2
REPUBLIQUE (Rue de la) B1
RESISTANCE (Place de la) A2
REVE (Rue du) D4
REVOLUTION FRANÇAISE (Place de la) B3
REVOLUTION FRANÇAISE (Rue de la) B3
RIVE GAUCHE (Passage) B1-B2
ROBERT-EMMANUEL BROUSSE (Avenue) D3-D4
ROIS DE MAJORQUE (Rue des) C2-C3
ROMARINS (Rue des) D1
ROSETTE BLANC (Avenue) B4
RUISSEAU (Rue du) B3
RUSCINO (Résidence) A4
SAINT-FRANÇOIS (Pont) B1-C1
SAINT-FRANÇOIS de PAULE (Rue) B3
SAINT-JEAN (Rue) B2
SAINT-JOSEPH (Place) B4
SAINT-JOSEPH (Rue) B3-B4
SAINT-LEON (Rue) D1
SAINT-MATHIEU (Rue) C2
SAINTE-CATHERINE (Rue) . . . B2-C2
SAINTE-MADELEINE (Rue) . . B2-C2
SALPETRIERE (Impasse de la) . . A2
SAPONNAIRE (Rue) C2
SARE (Place du) C1
SAVONNERIE (Rue de la) B3-C4
SEBASTIEN VAUBAN (Quai) . B1-A2
SEBASTIEN VAUBAN (Rue) B1
SEBASTIEN VAUBAN (Traverse) . B1
SEBASTOPOL (Impasse de) D1
SENTIER (Rue du) B4
SOMMEIL (Rue du) B3
SOUPIRS (Sentier des) A3
SQUARE BABY (Résidence) A4
STADIUM (Rue du) D3-C4
SUREAUX (Rue des) C2
TEMPLE (Rue du) B3
TERRASSES (Rue des) D4
TERRASSES DU CASTILLET (Résidence les) A2
TET (Rond-Point de la) A1
THEATRE (Rue du) B2-B3
THEODORE GUITER (Rue) B2
THOMAS WILSON (Bd) A2-A3
TOUR DE FRANCE (Rue du) . . C4-D4
TRACY (Rue) B3-B4
TROIS JOURNEES (Rue des) B2
TROUBADOURS (Rue des) . . C2-C3
UNIVERSITE (Rue de l') B3
VALLESPIR (Rue du) C1
VARIETES (Rue des) A2
VELODROME (Rue du) D3-C4
VERDUN (Place de) A2
VICTOIRE (Place de la) A2
VICTOR DALBIEZ (Avenue) . . C1-D1
VICTOR MIRABEAU (Rue) B2
VIEILLE INTENDANCE (Rue de la) B3
24EME REGIMENT D'INFANTERIE DE MARINE (Place du) C3
VIOLETTES (Impasse des) A4

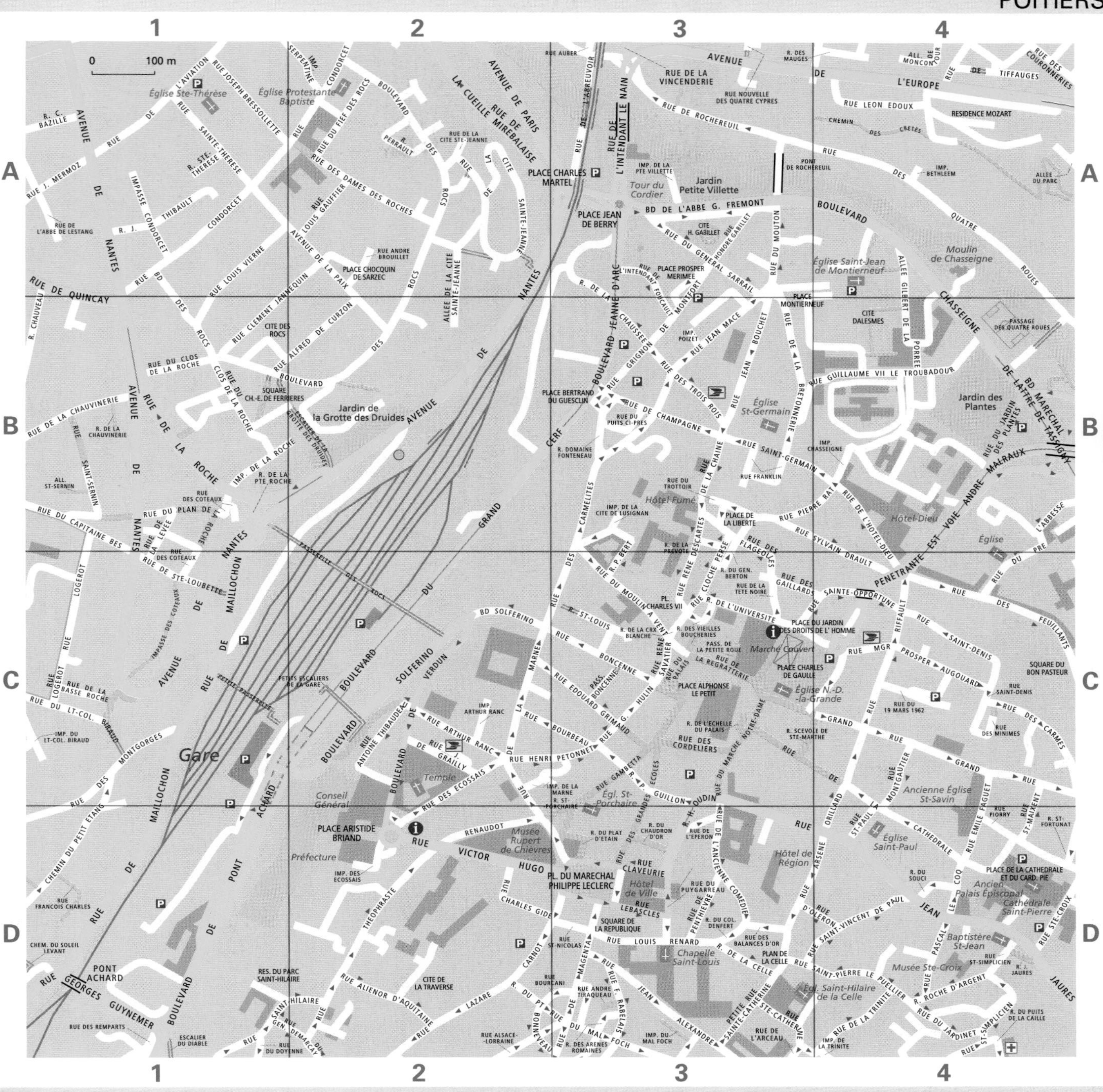

ABBE DE LESTANG (Rue de l') A1
ABBE GEORGES FREMONT (Rue de l') . . A3
ABREUVOIR (Rue de l') A3
ACHARD (Pont) D1
ALFRED DE CURZON (Rue) B1-B2
ALIENOR D'AQUITAINE (Rue) D2
ALPHONSE LE PETIT (Place) C3
ALSACE-LORRAINE (Rue) D2-D3
ANCIENNE COMEDIE (Rue de l') C3-D3
ANDRE BROUILLET (Rue) A2
ANDRE TIRAQUEAU (Rue) D3
ANTOINE THIBAUDEAU (Rue) C2
ARCEAU (Rue de l') D3
ARENES ROMAINES (Rue des) D3
ARISTIDE BRIAND (Place) D2
ARSENE ORILLARD (Rue) D3-C4
ARTHUR RANC (Impasse) C2
ARTHUR RANC (Rue) C2
AUBER (Rue) A3
AVIATION (Rue de l') A1
BALANCES D'OR (Rue des) D3
BASSE ROCHE (Rue de la) C1
BERTRAND DU GUESCLIN (Place) B3
BETHLEEM (Impasse) A4
BON PASTEUR (Square du) C4
BONCENNE (Passage) C3
BONCENNE (Rue) C2-C3
BOURBEAU (Rue) C2-C3
BOURCANI (Rue) D2-D3
BRETONNERIE (Rue de la) B3
CAMILLE BAZILLE (Rue) A1
CAPITAINE BES (Rue du) B1-C1
CARMELITES (Rue des) C2-B3
CARMES (Rue des) C4
CATHEDRALE (Rue de la) C3-D4
CATHEDRALE ET DU CARDINAL PIE (Place de la) D4
CELLE (Plan de la) D3
CELLE (Rue de la) D3
CHAINE (Rue de la) B3
CHAMPAGNE (Rue de) B3
CHARLES DE GAULLE (Place) C3
CHARLES GIDE (Rue) D2-D3
CHARLES MARTEL (Place) A3
CHARLES VII (Place) C3
CHARLES-ELIE DE FERRIERES (Square) B1-B2
CHASSEIGNE (Boulevard) A3-B4
CHASSEIGNE (Impasse) B4
CHAUDRON D'OR (Rue du) D3
CHAUSSEE (Rue de la) A3-B3
CHAUVEAU (Rue) A1
CHAUVINERIE (Rue de la) B1
CHOCQUIN DE SARZEC (Place) A2
CITE DE LUSIGNAN (Rue de la) B3
CITE SAINTE-JEANNE (Allée de la) . . A2-B2
CITE SAINTE-JEANNE (Rue de la) A2
CLAVEURIER (Rue) D3
CLEMENT JANNEQUIN (Rue) B1-A2
CLOCHE PERSE (Rue) B3-C3
CLOS DE LA ROCHE (Rue du) B1
COLONEL DENFERT (Rue du) D3
CONDORCET (Impasse) A1
CONDORCET (Rue) A1-A2
CORDELIERS (Rue des) C3
COTEAUX (Impasse des) C1
COTEAUX (Rue des) B1-C1
COURONNERIES (Rue des) A4
CRETES (Chemin des) A4
CROIX BLANCHE (Rue de la) C3
CUEILLE MIREBALAISE (Rue de la) . . A2-A3
DALESMES (Cité) A4-B4
DAMES DES ROCHES (Rue des) A2
DIABLE (Escalier du) D1
19 MARS 1962 (Rue du) C4
DOMAINE FONTENEAU (Rue) B3
DOYENNE (Rue du) D1
ECHELLE DU PALAIS (Rue de l') C3
ECOSSAIS (Impasse des) D2
ECOSSAIS (Rue des) C2-D2
EDOUARD GRIMAUD (Rue) C2-C3
EMILE FAGUET (Rue) C4-D4
EPERON (Rue de l') D3
EUROPE (Avenue de l') A3-A4
FEUILLANTS (Rue des) C4
FIEF DES ROCS (Rue du) A2
FLAGEOLLES (Rue des) B3-C3
FRANCOIS CHARLES (Rue) D1
FRANCOIS RABELAIS (Rue) D3
FRANKLIN (Rue) B3
GAILLARDS (Rue des) C3-C4
GAMBETTA (Rue) C3-D3
GASTON HULIN (Rue) C3
GENERAL BERTON (Rue du) B3-C3
GENERAL DEMARCAY (Rue du) D1-D2
GENERAL SARRAIL (Rue du) A3
GEORGES GUYNEMER (Rue) D1
GILBERT DE LA PORREE (Allée) A4-B4
GRAND CERF (Boulevard du) C1-B3
GRAND RUE C4
GRANDES ECOLES (Rue des) C3-D3
GRIGNON DE MONTFORT (Rue) A3-B3
GROTTE DES DRUIDES (Escalier de la) . B2
GUILLAUME VII LE TROUBADOUR (Rue) B3-B4
HENRI OUDIN (Rue) C3-D3
HENRI PETONNET (Rue) C2-C3
HONORE GABILLET (Cité) A3
HONORE GABILLET (Rue) A3
HOTEL-DIEU (Rue de l') B4-C4
INTENDANT FOUCAULT (Rue de l') . A3-B3
INTENDANT LE NAIN (Rue de l') A3
JACQUES DE GRAILLY (Rue) C2
JACQUES THIBAULT (Rue) A1
JARDIN DES DROITS DE L'HOMME (Place du) C3
JARDIN DES PLANTES (Rue du) B4
JARDINET (Rue du) D4
JEAN ALEXANDRE (Rue) D3
JEAN BOUCHET (Rue) B3
JEAN DE BERRY (Place) A3
JEAN JAURES (Rue) C3-D4
JEAN MACE (Rue) A3-B3
JEAN MERMOZ (Rue) A1
JEANNE D'ARC (Boulevard) A3-B3
JOSEPH BRESSOLLETTE (Rue) A1-A2
LAZARE CARNOT (Rue) D2-D3
LEBASCLES (Rue) D3
LEON EDOUX (Rue) A4
LEON PERRAULT (Rue) A2
LEVEE (Rue de la) B1-C1
LIBERTE (Place de la) B3
LIEUTENANT-COLONEL BIRAUD (Impasse du) C1
LIEUTENANT-COLONEL BIRAUD (Rue du) C1
LOGEROT (Rue) B1-C1
LOUIS GAUFFIER (Rue) A2
LOUIS RENARD (Rue) D3
LOUIS VIERNE (Rue) A1-B1
MAGENTA (Rue de) D3
MAILLOCHON (Rue de) B1-D1
MARCHE NOTRE-DAME (Rue du) C3
MARECHAL DE LATTRE DE TASSIGNY (Boulevard) B4
MARECHAL FOCH (Impasse du) D3
MARECHAL FOCH (Rue du) D2-D3
MARECHAL PHILIPPE LECLERC (Place du) D3
MARNE (Impasse de la) C2-C3
MARNE (Rue de la) C2-D3
MAUGES (Rue des) A4
MINIMES (Rue des) C4
MONCONTOUR (Allée de) A4
MONSEIGNEUR PROSPER AUGOUARD (Rue) C4
MONTGAUTIER (Rue) C4-D4
MONTGORGES (Rue des) C1-D1
MONTIERNEUF (Place) A3
MOULIN A VENT (Rue du) B3-C3
MOUTON (Rue du) A3
MOZART (Résidence) A4
NANTES (Avenue de) C1-A3
NOUVELLE DES QUATRE CYPRES (Rue) A3
OLERON (Rue d') D3-D4
PAIX (Avenue de la) A1-B2
PALAIS (Rue du) C3
PARC (Allée du) A4
PARC SAINT-HILAIRE (Résidence du) . . . D1
PARIS (Avenue de) A2-A3
PASCAL LE COQ (Rue) D4
PAUL BERT (Rue) B3-C3
PAUL GUILLON (Rue) C3
PENETRANTE EST VOIE ANDRE MALRAUX B4-C4
PENTHIEVRE (Rue de) D3
PETIT BONNEVEAU (Rue du) D2-D3
PETIT ETANG (Chemin du) C1-D1
PETITE PASSERELLE C1
PETITE ROCHE (Rue de la) B1
PETITE ROUE (Passage de la) C3
PETITE VILLETTE (Impasse de la) A3
PETITS ESCALIERS DE LA GARE C2
PIERRE RAT (Rue) B3-B4
PIORRY (Rue) D4
PLAN DE LA ROCHE (Rue du) B1
PLAT D'ETAIN (Rue du) D3
POIZET (Impasse) B3
PONT ACHARD (Boulevard de) C1-D1
PRE L'ABBESSE (Rue du) B4-C4
PREVOTE (Rue de la) B3
PROSPER MERIMEE (Place) A3
PUITS CI-PRES (Rue du) B3
PUITS DE LA CAILLE (Rue du) D4
PUYGARREAU (Rue du) D3
QUATRE ROUES (Passage des) B4
QUATRE ROUES (Rue des) A3-B4
QUINCAY (Rue de) A1-B1
REGRATTERIE (Rue de la) C3
REMPARTS (Rue des) D1
RENE DESCARTES (Rue) B3-C3
RENE SAVATIER (Rue) C3
REPUBLIQUE (Square de la) D3
RIFFAULT (Rue) C4
ROCHE (Impasse de la) B1-B2
ROCHE (Rue de la) B1-B2
ROCHE D'ARGENT (Rue) D4
ROCHEREUIL (Pont de) A3
ROCHEREUIL (Rue de) A3
ROCS (Boulevard des) B1-A2
ROCS (Cité des) B1
ROCS (Passerelle des) B1-C2
SAINT-DENIS (Rue) C4
SAINT-FORTUNAT (Rue) D4
SAINT-GERMAIN (Rue) B3-B4
SAINT-HILAIRE (Rue) D1-D2
SAINT-LOUIS (Rue) C3
SAINT-MAIXENT (Rue) C4-D4
SAINT-NICOLAS (Rue) D3
SAINT-PAUL (Rue) D4
SAINT-PIERRE LE PUELLIER (Rue) . . . D3-D4
SAINT-PORCHAIRE (Rue) D2-C3
SAINT-SERNIN (Allée) B1
SAINT-SERNIN (Rue) B1
SAINT-SIMPLICIEN (Rue) D4
SAINT-VINCENT DE PAUL (Rue) D3-D4
SAINTE-CATHERINE (Petite rue) D3
SAINTE-CATHERINE (Rue) D3
SAINTE-CROIX (Rue) D4
SAINTE-LOUBETTE (Rue de) C1
SAINTE-OPPORTUNE (Rue) C3-C4
SAINTE-THERESE (Rue) A1
SCEVOLE DE SAINTE-MARTHE (Rue) . C3-C4
SERPENTINE (Impasse) A2
SOLEIL LEVANT (Chemin du) D1
SOLFERINO (Boulevard) C1-C2
SOUCI (Rue du) D4
SYLVAIN DRAULT (Rue) B3-C4
TETE NOIRE (Rue de la) C3
THEOPHRASTE RENAUDOT (Rue) D2
TIFFAUGES (Rue de) A4
TRAVERSE (Cité de la) D2
TRINITE (Impasse de la) D4
TRINITE (Rue de la) D3-D4
TROIS ROIS (Rue des) B3
TROTTOIR (Rue du) B3
UNIVERSITE (Rue de l') C3
VERDUN (Boulevard de) C2-D2
VICTOR HUGO (Rue) D2-D3
VIEILLES BOUCHERIES (Rue des) C3
VINCENDERIE (Rue de la) A3

REIMS

ALBERT REVILLE (Rue) B2-A3
ANATOLE FRANCE (Cours) C3
ANDRE MALRAUX (Esplanade) D1
ANDRIEUX (Rue) A2-B3
ANJOU (Rue d') C3
ARBALETE (Rue de l') B2-B3
ARISTIDE BRIAND (Place) B4
ARLETTE REMIA-COUDRON (Rue) D1
ARQUEBUSE (Rue de l') C1
AUGUSTINS (Rue des) C4-D4
AVENAY (Rue d') B3
BACQUENOIS (Rue) C1
BARBATRE (Rue du) D4
BARREE (Place) C3-C4
BELLE IMAGE (Rue de la) B3
BELLE TOUR (Rue) C4
BERTIN (Rue) B3
BETHLEEM (Rue de) A4
BIR HAKEIM (Rue) C1
BOCQUAINE (Chaussée) D1
BONHOMME (Rue) B3
BOUCHERIES (Rue des) B2
BOULARD (Rue) D2-D3
BOULINGRIN (Place du) A2-A3
BRAS D'OR (Impasse) B2-B3
BRULEE (Rue) D2-D3
BUIRETTE (Rue) C1-C2
CADRAN SAINT-PIERRE (Rue du) B2
CAMILLE LENOIR (Rue) A4-B4
CAPUCINS (Rue des) C2-D3
CAPUCINS (Square des) D2
CAQUE (Rue) C1
CARDINAL DE LORRAINE (Rue) C3
CARDINAL GOUSSET (Rue du) A4-B4
CARDINAL LUCON (Place du) C3
CARMELITES (Impasse des) C2
CARMELITES (Rue des) C2
CARNEGIE (Place) C3
CARNOT (Rue) C3
CARROUGE (Rue du) B2
CERES (Rue) B3-B4
CERF-VOLANT (Impasse du) C3
CERNAY (Rue de) B4
CESAR POULAIN (Rue) C4
CHABAUD (Rue) C1-D2
CHAIX D'EST ANGE (Rue) A2
CHAMP DE MARS (Rue du) A2-A3
CHANOINE WARNIER (Parvis) B4
CHANZY (Rue) C2-D3
CHAPELAINS (Rue des) B2-C2
CHAPITRE (Passage du) C3
CHAPITRE (Place du) C3
CHARLES SARAZIN (Square) B3
CHATEAU PORTE MARS (Rue du) A2
CHATIVESLE (Rue de) C1-B2
CLAIRMARAIS (Rue de) B1
CLIQUOT BLERVACHE (Rue) B4
CLOITRE (Rue du) C3
CLOU DANS LE FER (Rue du) B2-C2
CLOVIS (Rue) C2-D2
COLBERT (Rue) B2-B3
COLIN (Place) D1
COLONEL DRIANT (Rue du) B1-B2
COMMERCE (Passage du) C2
COMTE D'ARTOIS (Impasse du) C2
CONDORCET (Rue) C2
CONTRAI (Rue de) D3-D4
COQUEBERT (Rue) A3-A4
CORDELIERS (Rue des) C3-C4
CORDELIERS (Square des) C4
COTTA (Rue) B3
COURCELLES (Rue de) B1
COURMEAUX (Rue) B3-B4
DAUPHINOT (Cour) A4-B4
DEFRANCOIS (Rue) D2
DESAUBEAU (Boulevard) A2
DIDEROT (Rue) C4
DOCTEUR CHEVRIER (Place du) A4
DOCTEUR JACQUIN (Rue) B2-B3
DOCTEUR POZZI (Rue du) A3
DORIGNY (Rue) A4
DROUET D'ERLON (Place) B1-C2
ECHELLES (Cour des) B4
ECREVEES (Rue des) B2
ECREVISSE (Rue de l') B3-C3
ECU (Rue de l') B4
EDOUARD MIGNOT (Rue) A1
EDOUARD VAILLANT (Rue) D4
ELUS (Rue des) C2-B3
EMILE CAZIER (Rue) B3
EQUERRE (Rue de l') D3
ERLON (Galerie d') C2
ETAPE (Rue de l') B2-C2
EUGENE DESTEUQUE (Rue) C3-B4
EUSTACHE DESCHAMPS (Rue) A4
FILLES DIEU (Rue des) C3-C4
FOCH (Boulevard) B1-A2
FORUM (Place du) B3
FUSELIERS (Rue des) C3-D3
GABELLE (Rue de la) B3-C3
GAMBETTA (Rue) D3-D4
GARE (Cour de la) B1
GASTON POITEVIN (Place) D2
GENERAL BARATIER (Rue du) B3-B4
GENERAL DE GAULLE (Avenue du) D1-D2
GENERAL ESTIENNE (Rue du) B1
GENERAL LECLERC (Boulevard du) B1-D1
GENERAL SARRAIL (Rue du) A2-B2
GERBERT (Rue) D4
GODINOT (Place) C3-C4
GRAND CREDO (Rue du) B3-C3
GRENIER A SEL (Rue du) B3
GROSSE ECRITOIRE (Rue de la) B2
GRUE (Rue de la) B3-C3
GUILLAUME DE MACHAULT (Rue) C3
HENRI DELACROIX (Rue) D1
HENRI IV (Rue) A2-B2
HENRI JADART (Rue) C2
HENRI MENU (Rue) C2
HINCMAR (Rue) D1-C3
HOTEL DE VILLE (Place de l') B2-B3
HOUZEAU MUIRON (Rue) C4
ÎLOT JADART C2
IRENEE LELIEVRE (Rue) D1
ISLE (Rue de l') C4
JACOBINS (Rue des) D2-C3
JACOBINS (Square des) C3
JACQUART (Rue) A4
JARD (Rue du) D2-D3
JEAN D'ORBAIS (Rue) D2
JEAN JAURES (Avenue) B4
JEAN LE LOUP (Rue) D2
JEAN-BAPTISTE LANGLET (Cours) B2-C3
JEAN-JACQUES ROUSSEAU (Rue) B3-B4
JEANNE D'ARC (Rue) B1-C2
JEANNE D'ARC (Square) C3
JOFFRE (Boulevard) B1-A2
JOVIN (Rue) A2
JULES CESAR (Boulevard) A2
JULES LOBET (Place) B2
JUSTICE (Impasse de la) A3
JUSTICE (Rue de la) A3
KELLERMANN (Rue) A3-A4
LABORI (Rue) C4
LAGRIVE (Rue) D4
LAON (Avenue de) A2
LAON (Pont de) A2
LAURENT DERAMEZ (Rue) A4-B4
LEGENDRE (Rue) B3
LEON BOURGEOIS (Place) B3
LEVANT (Impasse du) C4
LIBERGIER (Rue) D1-C2
LIEUTENANT HERDUIN (Rue) D3-D4
LINGUET (Rue) A3-B3
LOGES COQUAULT (Place des) D3
LOUIS BERTON (Rue) C4-D4
LOUIS ROEDERER (Boulevard) B1-C1
LUNDY (Boulevard) A2-B4
LUNDY (Impasse) B4
LUXEMBOURG (Rue du) B3
MACON (Rue de) B4-C4
MACQUART (Rue) A4
MAGDELEINE (Rue de la) C1-D1
MARC (Rue du) B3
MARCEL THIL (Rue) A1
MARIE STUART (Rue) C4
MARIE-CLEMENCE FOURIAUX (Rue) A1
MARLOT (Rue) D2-D3
MARMOUZETS (Rue des) B3
MARS (Porte de) A2
MARS (Rue de) A2-B3
MARTYRS DE LA RESISTANCE (Place) C3
MARX DORMOY (Rue) C2
MAUCROIX (Rue) A1
MAURICE NOIROT (Boulevard) C1-D1
MOISSONS (Rue des) B4-C4
MONT D'ARENE (Rue du) A1
MONTESQUIEU (Rue) A4
MONTLAURENT (Rue) D4
MONTOISON (Rue) B4-C4
MURS (Rue des) C4-D4
MYRON HERRICK (Place) C2-C3
NANTEUIL (Rue de) B3
NICOLAS HENRIOT (Rue) B4
NOEL (Rue) B2
NOTRE DAME DE L'EPINE (Rue) B3
OLIVIER METRA (Rue) A3
ORMESSON (Rue d') A4
ORPHELINS (Rue des) D3-D4
PAIX (Boulevard de la) B4-D4
PASTEUR (Boulevard) D4
PAUL ADAM (Rue) D3
PAUL BOCQUET (Square) D1
PAUL DOUMER (Boulevard) D1-D2
PAUL JAMOT (Place) C4
PAYEN (Rue) D1
PERSEVAL (Rue) B4
PETIT ARSENAL (Rue du) B3
PETIT FOUR (Rue du) B2
PIERRE BROSSOLETTE (Rue) A1
PIPER (Rue) B4-C4
PLUCHE (Rue) B3
POISSONNIERS (Rue des) C1
POL NEVEUX (Rue) C3
POLONCEAU (Allée) D1
PONSARDIN (Rue) B4-D4
POUILLY (Rue de) B2
PREAU (Rue du) C3
PRESIDENT F ROOSEVELT (Rue) A1-A2
PRISON DU BAILLAGE (Rue de la) B3
RAINSSANT (Rue) D1
RAYMOND GUYOT (Rue) A4
RENE ET HENRI DRUARD (Square) C2
RENE HUET (Rue) A4
RENFERMERIE (Rue de la) B2
REPUBLIQUE (Place de la) A2
ROBERT DE COUCY (Rue) C3
ROCKEFELLER (Rue) C2-C3
ROGIER (Impasse) B3-B4
ROGIER (Rue) B3-B4
ROMAINS (Rue des) A1
ROUILLE (Rue) B2
ROYALE (Place) B3-C3
SAINT-BRICE (Rue de) B1-C1
SAINT-ETIENNE (Impasse) C3
SAINT-GILLES (Passage) D4
SAINT-HILAIRE (Rue) A3-B3
SAINT-JACQUES (Passage) C2
SAINT-JUST (Rue) C3
SAINT-MARCEAUX (Boulevard) C4-D4
SAINT-PIERRE LES DAMES (Rue) C3-C4
SAINT-SYMPHORIEN (Rue) C3
SAINT-YON (Rue) B3-B4
SALIN (Rue) B2
SALLE (Impasse de la) C2
SALLE (Rue de la) C2
SAVOYE (Rue de) A3-A4
7 ET 8 MAI 1945 (Allée des) B1-A2
SOLIDARITE (Place de la) C2
STALINGRAD (Place) D1
SUBE (Passage) C2
TALLEYRAND (Passage) C2
TALLEYRAND (Rue de) B2-C2
TAMBOUR (Rue de) B3
TAPISSERIES (Impasse des) C3
TELLIERS (Rue des) B2
TEMPLE (Rue du) A2-B3
TEMPLIERS (Rue des) B3-A4
THEODORE DUBOIS (Rue) C2
THIERS (Rue) B2
THILLOIS (Rue de) C1-C2
TIRELIRE (Impasse de la) B2
TIRELIRE (Rue de la) A2-B2
TOURNELLES (Rue des) C3
TRESOR (Rue du) C3
TRIANON (Rue de) B1
TROIS RAISINETS (Rue des) B3-C4
TRONSSON DUCOUDRAY (Rue) C2-C3
TRUDAINE (Rue) B3
UNIVERSITE (Rue de l') C3-D4
VAUTHIER LE NOIR (Rue) C3
VENISE (Rue de) D3
VESLE (Pont de) D1
VESLE (Rue de) D1-C2
VICTIMES DE LA GESTAPO (Square des) C2
VILLEMINOT HUART (Rue) A2
VOLTAIRE (Rue) D3-B4
WARNIER (Rue) B4
WERLE (Rue) A3-A4

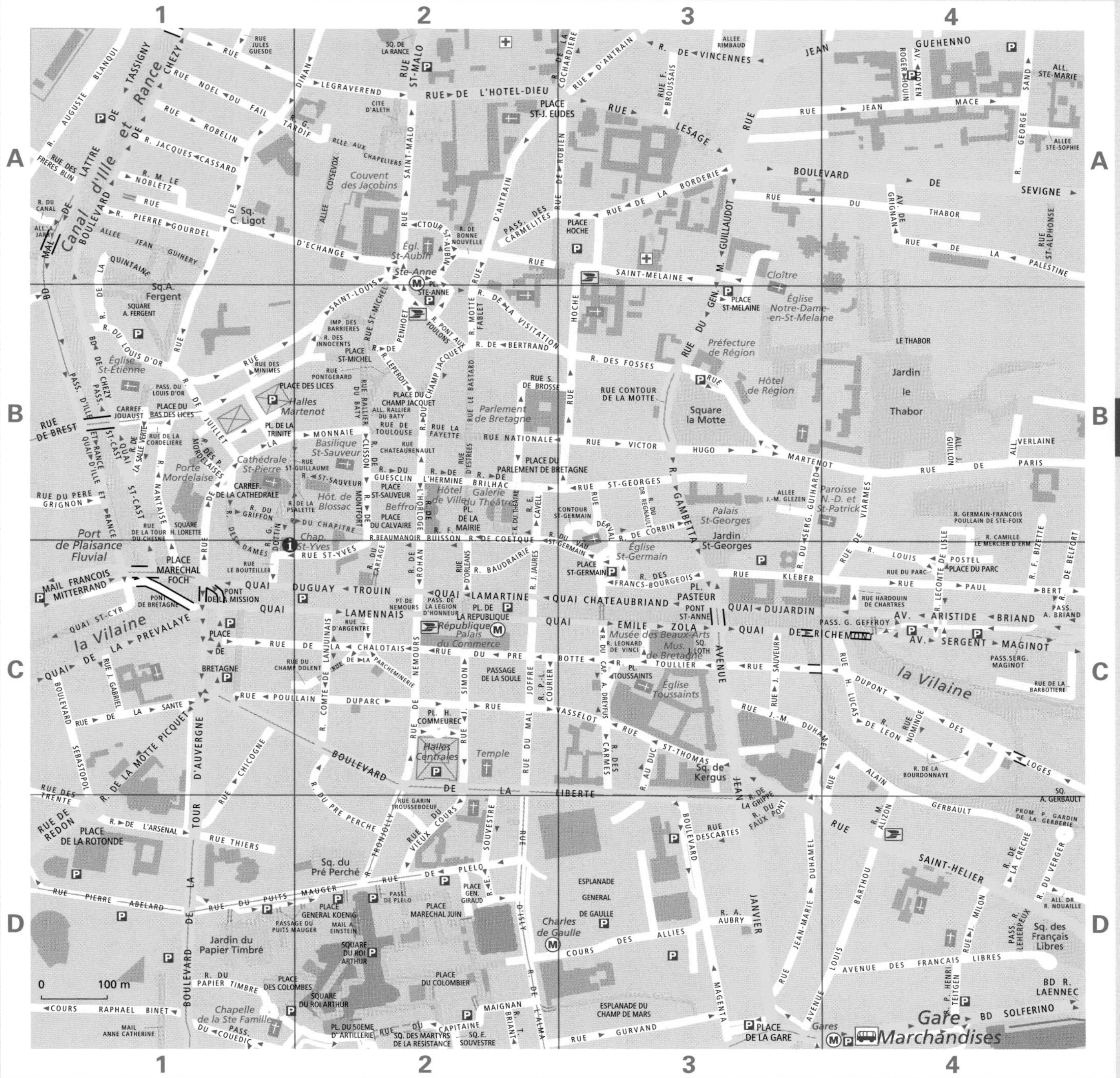

ALAIN FERGENT (Square) B1
ALAIN GERBAULT (Rue). C3-D4
ALAIN GERBAULT (Square). D4
ALBERT AUBRY (Rue). D3
ALBERT EINSTEIN (Mail) D2
ALETH (Cité d') A2
ALFRED JARRY (Allée) A1
ALLIES (Cours des). D2-D3
ALMA (Rue de l'). D2
ANNE CATHERINE (Mail) D1
ANTRAIN (Rue d') B2-A3
ARGENTRE (Rue d') C2
ARISTIDE BRIAND (Avenue) C4
ARISTIDE BRIAND (Passage). C4
ARSENAL (Rue de l') D1
AUGUSTE BLANQUI (Rue). A1
BARBOTIERE (Rue de la) C4
BARRIERES (Impasse des). B2
BAS DES LICES (Place du). B1
BASTARD (Rue le). B2
BAUDRAIRIE (Rue) C2
BEAUMANOIR (Rue). B2
BEAUMONT (Boulevard de). D3
BELFORT (Rue de). B4-C4
BERTRAND (Rue de). B2-B3
BONNE NOUVELLE (Rue de) A2
BORDERIE (Rue de la) A3
BOURDONNAYE (Rue de la) C4
BOUTEILLER (Rue le) C1
BREST (Rue de). B1
BRETAGNE (Place de). C1
BRETAGNE (Pont de) C1
BRILHAC (Rue de). B2
CALVAIRE (Place du). B2
CAMILLE LE MERCIER D'ERM (Rue) . .B4-C4
CANAL (Impasse du) A1
CAP ALFRED DREYFUS (Rue du). C3
CAPITAINE MAIGNAN (Rue du). D2
CARMELITES (Passage des). A2
CARMES (Rue des) C3
CARREFOUR JOUAUST (Rue) B1
CARTAGE (Rue du) B2-C2
CATHEDRALE (Carrefour de la) B1
CHALOTAIS (Rue de la) C1-C2
CHAMP DE MARS (Esplanade du) . . D2-D3
CHAMP DOLENT (Rue du) C1-C2
CHAMP JACQUET (Place du). B2
CHAMP JACQUET (Rue du) B2
CHAPELIERS (Ruelle aux) A2
CHAPITRE (Rue du). B1-B2
CHATEAUBRIAND (Quai) C2-C3
CHATEAURENAULT (Rue) B2
CHEVAUX (Ruelle aux). A2
CHEZY (Boulevard de) A1-B1
CHICOGNE (Rue). C1-D1
50EME REGIMENT D'ARTILLERIE
(Place du) D2
CLISSON (Rue de). B2
COCHARDIERE (Rue de la). A3
COETQUEN (Rue de) B2
COLOMBES (Place des) D1-D2
COLOMBIER (Place du). D2
COMTE DE LANJUINAIS (Rue) C2
CONTOUR DE LA MOTTE (Rue) B3
CONTOUR DE SAINT-AUBIN (Rue) A2
CORBIN (Rue de). B3-C3
CORDELIERE (Rue de la) B1
COUEDIC (Passage du). D1
COYSEVOX (Allée) A2
CRECHE (Rue de la) D4
DAMES (Rue des) B1-C1
DERVAL (Rue) B3-C3
DESCARTES (Rue) D3
DINAN (Rue de). B1-A2
10EME D'ARTILLERIE (Rue du). D2
DOCTEUR FRANCIS JOLY (Rue du). . D1-D2
DOCTEUR REGNAULT (Rue du). B3
DOCTEUR ROGER NOUAILLE (Allée) . . . D4
DOCTEUR ROUX (Rue du) D1
DOYEN ROGER HOUIN (Avenue) A4
DUC (Rue au). C3-D3
DUGUAY TROUIN (Quai) C1-C2
DUJARDIN (Quai) C3-C4
DUPONT DES LOGES (Rue). C3-C4
ECHANGE (Rue d') A1-A2
EDITH CAVELL (Rue). B2
EMILE SOUVESTRE (Rue) C2-D2
EMILE SOUVESTRE (Square) D2
EMILE ZOLA (Quai). C2-C3
ESTREES (Rue d') B2
FAUX PONT (Rue du) D3
FERDINAND BUISSON (Rue). B2
FOSSES (Rue des) B3
FRANCAIS LIBRES (Avenue des). D4
FRANCOIS BIZETTE (Rue) B4-C4
FRANCOIS BROUSSAIS (Rue). A3
FRANCOIS MITTERRAND (Mail) C1
FRANCS-BOURGEOIS (Rue des) C3
FRERES BLIN (Rue des) A1
GAMBETTA (Rue) B3-C3
GARE (Place de la) D3-D4
GARIN TROUSSEBOEUF (Rue) D2
GASTON TARDIF (Rue) A1-A2
GENERAL DE GAULLE (Esplanade). . D2-D3
GENERAL GIRAUD (Place) D2
GENERAL KOENIG (Place) D1-D2
GENERAL MAURICE GUILLAUDOT
(Rue du) A3-B3
GEORGE SAND (Rue). A4
GEORGES DOTTIN (Rue) B1-C1
GERMAIN-FRANCOIS POULLAIN DE
SAINTE-FOIX (Rue) B4
GRIFFON (Rue du) B1
GRIGNAN (Avenue de). A4
GRIPPE (Rue de la) C3-D3
GUESCLIN (Rue du) B2
GURVAND (Rue) D2-D3
GUSTAVE GEFFROY (Passage) C4
HARDOUIN DE CHARTRES (Rue) C4
HERMINE (Rue de l'). B2
HIPPOLYTE LUCAS (Rue) C4
HOCHE (Place). A2-A3
HOCHE (Rue). A3-B3
HONORE COMMEUREC (Place). C2
HORLOGE (Rue de l') B2
HOTEL DIEU (Rue de l') A2-A3
HYACINTHE LORETTE (Square). B1
ILLE ET RANCE (Passage d') B1
ILLE ET RANCE (Quai d') B1-C1
INNOCENTS (Rue des) B2
ISLY (Rue d') C2-D2
JACQUES CASSARD (Rue). A1
JACQUES GABRIEL (Rue) C1
JACQUES-MARIE GLEZEN (Allée). B3
JEAN GUEHENNO (Rue) A3-A4
JEAN GUIHERY (Allée). A1
JEAN JANVIER (Avenue) C3-D3
JEAN JAURES (Rue). B2-C2
JEAN MACE (Rue). A3-A4
JEAN MILON (Rue) D4
JEAN-MARIE DUHAMEL (Rue) D3-C4
JEANNE GUILLON (Allée) B4
JOSEPH LOTH (Square) C3
JOSEPH SAUVEUR (Rue). C3
JUILLET (Rue de) B1
JULES GUESDE (Rue) A1
JULES SIMON (Rue). C2
KLEBER (Rue) C3-C4
LA FAYETTE (Rue). B2
LAMARTINE (Quai). C2
LAMENNAIS (Quai) C1-C2
LE THABOR B3-A4
LECONTE DE LISLE (Rue). B4-C4
LEGION D'HONNEUR (Passage de la). . . C2
LEGRAVEREND (Rue) A1-A2
LEON (Rue de). C4
LEONARD DE VINCI (Rue) C3
LEPERDIT (Rue). B2
LESAGE (Rue) A3
LIBERTE (Boulevard de la) C1-D3
LICES (Place des) B1-B2
LOUIS BARTHOU (Avenue) D3-D4
LOUIS D'OR (Passage du) B1
LOUIS POSTEL (Rue) C4
MAGENTA (Boulevard). D3
MAIRIE (Place de la) B2
MARECHAL DE LATTRE DE TASSIGNY
(Boulevard). A1-B1
MARECHAL FOCH (Place) C1
MARECHAL JOFFRE (Rue du) C2
MARECHAL JUIN (Place) D2
MARIE ALIZON (Rue) C4-D4
MARTENOT (Rue) B3-B4
MARTYRS DE LA RESISTANCE
(Square des). D2
MICHEL LE NOBLETZ (Rue) A1
MINIMES (Rue des) B1
MISSION (Pont de la) C1
MONNAIE (Rue de la). C1-B2
MONTFORT (Rue de) B2
MOTTE (Square de la) B3
MOTTE FABLET (Rue). B2
MOTTE PICQUET (Rue de la) C1-D1
NANTAISE (Rue) B1-C1
NATIONALE (Rue). B2-B3
NEMOURS (Pont de). C2
NEMOURS (Rue de) C2
NOEL DU FAIL (Rue). A1
NOMINOE (Rue) C4
ORLEANS (Rue d') B2-C2
PALESTINE (Rue de la) A4
PAPIER TIMBRE (Rue du) D1
PARC (Place du). C4
PARC (Rue du). C4
PARCHEMINERIE (Rue de la) C2
PARIS (Rue de) B4
PARLEMENT DE BRETAGNE
(Place du) .B2-B3
PASTEUR (Place). C3
PAUL BERT (Rue) C4
PAUL-LOUIS COURIER (Rue) C2
PENHOET (Rue de) B2
PERE GRIGNION (Rue du) B1
PIERRE ABELARD (Rue) D1
PIERRE GARDIN DE LA GERBERIE
(Promenade). D4
PIERRE GOURDEL (Rue). A1
PIERRE HENRI TEITGEN (Rue). D4
PLELO (Passage de) D2
PLELO (Rue de) D2
PONT AUX FOULONS (Rue). B2
PONTGERARD (Rue). B2
PORTES MORDELAISES (Rue des) B1
POULLAIN DUPARC (Rue) C1-C2
PRE BOTTE (Rue du). C2-C3
PRE PERCHE (Rue du) C2-D2
PREVALAYE (Quai de la). C1
PSALETTE (Rue de la). B1-B2
PUITS MAUGER (Passage du). D2
PUITS MAUGER (Rue du). D1-D2
QUINTAINE (Rue de la). A1-B1
RALLIER DU BATY (Allée) B2
RALLIER DU BATY (Rue) B2
RANCE (Square de la) A2
RAPHAEL BINET (Cours) D1
REDON (Rue de) D1
RENE LAENNEC (Boulevard) D4
RENE LEHERPEUX (Passage). D4
REPUBLIQUE (Place de la) C2
RICHEMONT (Quai de) C3-C4
RIMBAUD (Allée) A3
ROBELIN (Rue) A1
ROBIEN (Rue de). A2-A3
ROHAN (Rue de) B2-C2
ROI ARTHUR (Square du). D2
ROTONDE (Place de la) D1
SAINT-ALPHONSE (Rue). A4
SAINT-ANNE (Pont) C3
SAINT-CAST (Passage) B1
SAINT-CAST (Quai) B1-C1
SAINT-CYR (Quai) C1
SAINTE-ANNE (Place). A2-B2
SAINTE-MARIE (Allée) A4
SAINTE-SOPHIE (Allée) A4
SAINT-GEORGES (Rue). B3
SAINT-GERMAIN (Contour) B3-C3
SAINT-GERMAIN (Place). B3-C3
SAINT-GUILLAUME (Rue). B1-B2
SAINT-HELIER (Rue) C3-D4
SAINT-JEAN EUDES (Place). A3
SAINT-LOUIS (Rue) B1-A2
SAINT-MALO (Rue) A2
SAINT-MELAINE (Place) A3-B3
SAINT-MELAINE (Rue) A2-A3
SAINT-MICHEL (Place) B2
SAINT-MICHEL (Rue). A2-B2
SAINT-SAUVEUR (Place) B2
SAINT-SAUVEUR (Rue). B1-B2
SAINT-THOMAS (Rue) C3
SAINT-YVES (Rue). C1-B2
SALLE VERTE (Rue de la) B1
SALOMON DE BROSSE (Rue) B2-B3
SANTE (Rue de la) C1
SEBASTOPOL (Boulevard) C1-D1
SERGENT GUIHARD (Rue du) B3-C3
SERGENT MAGINOT (Avenue) C4
SERGENT MAGINOT (Passage). C4
SEVIGNE (Boulevard de) A3-A4
SOLFERINO (Boulevard) D3-D4
SOULE (Passage de la). C2
THABOR (Rue du) A3-A4
THEATRE (Rue du) B2
THEOPHILE BRIANT (Rue) D2
THIERS (Rue) D1
TOULLIER (Rue) C3
TOULOUSE (Rue de). B2
TOUR D'AUVERGNE
(Boulevard de la) C1-D1
TOUR DU CHESNE (Rue de la) B1
TOUSSAINTS (Place) C3
TRENTE (Rue des). C1-D1
TRINITE (Place de la) B1
TRONJOLLY (Rue). C2-D2
VASSELOT (Rue) C2-C3
VAU SAINT-GERMAIN (Rue du) B2-C3
VERGER (Rue du) D4
VERLAINE (Allée). B4
VIARMES (Rue de) B4-C4
VICTOR HUGO (Rue). B3
VIEUX COURS (Rue du) C2-D2
VINCENNES (Rue de) A3
VISITATION (Rue de la). B2-B3

ROUEN

300

ABBE COCHET (Rue de l') . . . B2
ABBE DE L'EPEE (Rue) . . . B4-C4
ADOLPHE CHERUEL (Rue) . . . A4
ADRIEN AUZOUT (Impasse) . . . A4
ADRIEN PASQUIER (Rue) . . . C4-D4
AIMABLE FLOQUET (Rue) . . . B4
AITRE SAINT-MACLOU (Place de l') . . . C4
AITRE SAINT-NICAISE (Rue l') . . . B4
ALAIN (Place) . . . B4
ALAIN BLANCHARD (Rue) . . . A2-B2
ALSACE-LORRAINE (Rue) . . . D3-D4
AMBROISE FLEURY (Rue) . . . C4-D4
AMIENS (Rue d') . . . C3-D4
ANATOLE FRANCE (Rue) . . . C1
ANCIEN HOTEL DE VILLE (Passage de l') . . . C2
ANCIENNE PRISON (Rue de l') . . . B2
ANCIENS MOULINS (Passage des) . . . C3
ANDRE GIDE (Rue) . . . C1-C2
ANDRE MAUROIS (Square) . . . A4
ANVERS (Rue d') . . . A1
ARMAND CARREL (Rue) . . . C4-D4
ARPENTS (Rue des) . . . D4
ARSINS (Rue des) . . . B3-C3
ARTS (Place des) . . . D2
AUGUSTE HOUZEAU (Rue) . . . D3
AUGUSTINS (Rue des) . . . D3-D4
AVALASSE (Rue de l') . . . A3
BAC (Rue du) . . . D3
BAILLIAGE (Rue du) . . . B2-B3
BARTHELEMY (Place) . . . C3
BASNAGES (Rue des) . . . B2
BASSE VIEILLE TOUR (Place de la) . . . D3
BEAUVOISINE (Place) . . . A4
BEAUVOISINE (Rampe) . . . A4
BEAUVOISINE (Rue) . . . C3-A4
BEC (Rue du) . . . C2-C3
BEFFROY (Rue) . . . B3
BEGUINES (Rue des) . . . B1-B2
BELGES (Boulevard des) . . . B1-C1
BERNARD TISSOT (Place) . . . A3
BIHOREL (Rue de) . . . A4
BLAINVILLE (Rue de) . . . A2
BOIELDIEU (Pont) . . . D2
BONNETIERS (Rue des) . . . C3-D3
BONS ENFANTS (Rue des) . . . B1-B2
BOUCHERIES SAINT-OUEN (Rue des) . . . C4
BOUQUET (Rue) . . . A2
BOURG L'ABBE (Rue) . . . B4
BOURSE (Quai de la) . . . D2
BOUVREUIL (Rampe) . . . B1-A2
BOUVREUIL (Rue) . . . A3-B3
BRAS DE FER (Rue) . . . A3-A4
BRAZZA (Rue de) . . . A1-A2
BUFFON (Rue de) . . . B1
CALENDE (Place de la) . . . C3-D3
CAMILLE SAINT-SAENS (Petite rue) . . . C2
CAMILLE SAINT-SAENS (Rue) . . . C2
CAMPULLEY (Rue de) . . . A2
CARMELITES (Petite rue des) . . . B3-B4
CARMELITES (Rue des) . . . B3-B4
CARMES (Place des) . . . C3
CARMES (Rue des) . . . C3
CARON (Impasse) . . . B4
CARON (Rue) . . . B4
CARVILLE (Rue de) . . . B1
CATHEDRALE (Place de la) . . . C3
CAUCHOISE (Place) . . . B1
CAUCHOISE (Rampe) . . . B1
CAUCHOISE (Rue) . . . B1-B2
CAVELIER DE LA SALLE (Quai) . . . D1
CERCLE (Rue du) . . . B1-B2
CHAINE (Rue de la) . . . C3
CHAMP DE MARS (Esplanade du) . . . D4
CHAMP DES OISEAUX (Rue du) . . . A3
CHAMPMESLE (Rue de la) . . . C2-D2
CHAMPS MAILLETS (Rue des) . . . B2
CHANGE (Rue du) . . . C3
CHANOINES (Rue des) . . . C3
CHARCOT (Promenade) . . . D2
CHARLES LENEPVEU (Rue) . . . B3
CHARRETTES (Rue des) . . . C1-C2
CHASSELIEVRE (Rue) . . . A1
CIDEVILLE (Rue de) . . . D3
CIGOGNE (Rue de la) . . . B3
CLAUDE GROULARD (Rue) . . . A1
COIGNEBERT (Rue) . . . B4
CONTRAT SOCIAL (Rue du) . . . B1
CORDIER (Rue du) . . . B3
CREVIER (Rue) . . . A1-B1
CROIX DE FER (Rue de la) . . . C3
CROIX VERTE (Rue de la) . . . C3
CROSNE (Rue de) . . . B1-B2
DAMIETTE (Rue) . . . C3
DEFRANCE (Rue) . . . B4
DESHAYS (Rue) . . . B3
2 ANGES (Rue des) . . . B4
DINANDERIE (Rue) . . . B2
19 AVRIL 1944 (Place du) . . . B3-C3
DOCKS (Rue des) . . . D1
DOCTEUR ALFRED CERNE (Place du) . . . B3
DOCTEUR BLANCHE (Rue du) . . . C4
DOCTEUR LOUIS DUMENIL (Rue du) . . . A1-A2
DOCTEUR ROBERT RAMBERT (Rue du) . . . C2-D2
DONJON (Rue du) . . . A3-B3
DUGUAY TROUIN (Rue) . . . C1
DULONG (Rue) . . . B3-B4
EAU DE ROBEC (Rue) . . . C4
ECOLE (Rue de l') . . . B3-C3
ECOSSE (Rue d') . . . B3
ECUREUIL (Rue de l') . . . B3
ECUYERE (Rue) . . . B2-C2
EGLISE SAINT-GERVAIS (Place de l') . . . A1
EMILE VERHAEREN (Rue) . . . C2
EPICERIE (Rue de l') . . . D3
ERNEMONT (Rue de l') . . . A4
ESPACE DU PALAIS . . . C2
ETAMEUR (Place de l') . . . C3
ETOUPEE (Rue) . . . B2
EUGENE BOUDIN (Rue) . . . C3
EUGENE DELACROIX (Allée) . . . C2-B3
EUGENE DUTUIT (Rue) . . . D3-D4
FARDEAU (Rue du) . . . C2
FARIN (Rue) . . . A1
FAUCON (Rue) . . . B3
FAULX (Rue des) . . . C4
FLANDRE (Impasse de) . . . B4
FLORENCE (Rue de) . . . B1-B2
FONTENAY (Rue de) . . . D4
FONTENELLE (Rue de) . . . C1-B2
FOSSES LOUIS VIII (Rue des) . . . B2-C3
FOULERIE (Rue de la) . . . C4
FRANCE LIBRE (Promenade de la) . . . C1-D2
GAILLARDBOIS (Place du) . . . D3
GAMBETTA (Boulevard) . . . D4
GAMBETTA (Résidence le) . . . D4
GANTERIE (Rue) . . . B2-C3
GARDE MONSIEUR (Rue) . . . C4
GAUGUIN (Impasse) . . . A4
GENERAL DE GAULLE (Place du) . . . C3-B4
GENERAL GIRAUD (Rue du) . . . C1-C2
GENERAL LECLERC (Rue du) . . . C2-D3
GENERAL SARRAIL (Rue du) . . . C4
GEORGES LANFRY (Rue) . . . C3
GERICAULT (Rue) . . . C4-D4
GIFFARD (Impasse) . . . A1
GLACIERE (Rue de la) . . . A3-B3
GRAND PONT (Rue) . . . C2-D2
GRANDE MESURE (Passage de la) . . . C4
GRANDE MESURE (Rue de la) . . . C4
GRAVIER (Passage du) . . . C2
GROS HORLOGE (Rue du) . . . C2-C3
GUILLAUME LE CONQUERANT (Rue) . . . B2-C2
GUILLAUME LION (Square) . . . D3
GUSTAVE FLAUBERT (Avenue) . . . B1
GUY DE MAUPASSANT (Rue) . . . A1-A2
HARCOURT (Rue d') . . . C1
HAUTE VIEILLE TOUR (Place de la) . . . D3
HAUTS MARIAGES (Impasse des) . . . C3-C4
HAVRE (Quai du) . . . C1-D2
HENRI IV (Place) . . . C1
HERBIERE (Rue) . . . C2
HERBOUVILLE (Rue d') . . . A1-A2
HOPITAL (Rue de l') . . . C3
JACQUES CARTIER (Avenue) . . . D1
JACQUES LELIEUR (Place) . . . C2
JACQUES LELIEUR (Trémie) . . . C2-D2
JACQUES VILLON (Rue) . . . B3
JEAN LECANUET (Rue) . . . B1-B3
JEAN MOULIN (Quai) . . . D1-D2
JEAN REVEL (Rue) . . . A1
JEAN-BAPTISTE DE LA SALLE (Place) . . . A1
JEANNE D'ARC (Pont) . . . D1-D2
JEANNE D'ARC (Rue) . . . D2-A3
JOUVENET (Rue) . . . A4
JOYEUSE (Rue de) . . . B4
JUIFS (Rue aux) . . . C2-C3
LAUMONIER (Rue) . . . A2
LECAT (Rue de) . . . A1-B1
LEGENDRE (Rue) . . . A1
LEMERY (Rue de) . . . B2
LEPECQ DE LA CLOTURE (Rue) . . . A3
LEZURIER DE LA MARTEL (Rue) . . . B1-A2
LIEU DE SANTE (Rue du) . . . B1
LIEUTENANT AUBERT (Place du) . . . C3-C4
LOUIS AUBER (Rue) . . . A1
LOUIS BRUNE (Rue) . . . D3
LOUIS MALLIOT (Rue) . . . A3
LOUIS RICARD (Rue) . . . A4-B4
LOUIS THUBEUF (Rue) . . . A1
MAILLOTS SARRAZINS (Rue des) . . . D3
MALADRERIE (Passage) . . . A2
MALADRERIE (Rue) . . . A2-A3
MALPALU (Rue) . . . C3-D3
MARCEL DUCHAMP (Esplanade) . . . B3
MARECHAL FOCH (Place) . . . C2
MARNE (Boulevard de la) . . . B1-A3
MARTAINVILLE (Rue) . . . C3-D4
MARTIN LUTHER-KING (Place) . . . C1-C2
MASSACRE (Rue) . . . C2
MAULEVRIER (Rue du) . . . B4
MAURICE LENFANT (Passage) . . . C3
MICHEL CORRETTE (Rue) . . . D1
MINIMES (Rue des) . . . B4
MOLIERE (Rue) . . . D3-C4
MONTBRET (Rue de) . . . B3-B4
MORAND (Rue) . . . B2-B3
MOULINET (Rue du) . . . B2
MOYNE D'IBERVILLE (Place le) . . . D1
NEUFCHATEL (Route de) . . . A4
NICOLAS MESNAGER (Rue) . . . A1
NICOLE ORESME (Rue) . . . C2
NORD (Rue du) . . . A4
NOSTRE (Rue le) . . . C1
ORBE (Rue) . . . B4-C4
ORLEANS (Boulevard d') . . . D1
OURS (Rue aux) . . . C2
PARIS (Quai de) . . . D3-D4
PAUL PARAY (Rue) . . . C2-D2
PERCIERE (Rue) . . . B2-C2
PERE ADAM (Petite rue du) . . . C3
PERE ADAM (Rue du) . . . C3
PETIT DE JULLEVILLE (Rue) . . . C3-D3
PETIT MOUTON (Rue du) . . . C3-C4
PETIT PORCHE (Rue du) . . . B3-B4
PETIT SALUT (Rue du) . . . C2-C3
PHILIPPE AUGUSTE (Rue) . . . B3
PIE (Rue de la) . . . B1-C1
PIERRE CHIROL (Rue) . . . D1
PIERRE CORNEILLE (Pont) . . . D3
PIERRE CORNEILLE (Quai) . . . D2-D3
PITRY (Rue) . . . B4
PLEINS CHAMPS (Rue des) . . . A4
POMME D'OR (Place de la) . . . C4
PONT CODRILLE (Rue du) . . . C4
PONT DE L'ARQUET (Rue du) . . . C4
PORET DE BLOSSEVILLE (Rue) . . . C1
PORTE AUX RATS (Rue) . . . B2
PORTE DES CHAMPS (Avenue de la) . . . C4
POTERNE (Rue de la) . . . B2-C2
POUCHET (Rue) . . . A2-A3
POUSSIN (Rue) . . . A4-B4
PUCELLE D'ORLEANS (Place de la) . . . C2
QUEBEC (Rue de) . . . D3
RACINE (Rue) . . . C1
RAFFETOT (Rue) . . . A1
RAQUETTE (Rue de la) . . . D3
REIMS (Rue de) . . . A4
REMPART BOUVREUIL (Rue du) . . . B3
REMPART MARTAINVILLE (Rue du) . . . D4
RENARD (Impasse du) . . . B1
RENARD (Rue du) . . . A1-B1
REPUBLIQUE (Place de la) . . . D3
REPUBLIQUE (Rue de la) . . . C3-D3
REQUIS (Rue des) . . . B4
RESTOUT (Place) . . . B3
RICARDIERE (Rue) . . . C2
RICHARD LALLEMANT (Rue) . . . C3
ROBERT SCHUMAN (Rue) . . . D4
ROCHE (Rue de la) . . . B4
ROCHEFOUCAULD (Rue de la) . . . A3
ROI (Rue du) . . . A1
ROLLON (Rue) . . . C2
ROSIER (Rue du) . . . C3-C4
ROUGEMARE (Place de la) . . . B3-B4
RUISSEL (Rue du) . . . C4
SACRE (Rue du) . . . B2
SAINT-AMAND (Passage) . . . C3
SAINT-AMAND (Place) . . . C3
SAINT-AMAND (Rue) . . . C3
SAINT-ANDRE (Rue) . . . A1-B2
SAINT-DENIS (Rue) . . . D3
SAINT-ELOI (Rue) . . . C1-C2
SAINT-ETIENNE DES TONNELIERS (Passage) . . . D2
SAINT-GERVAIS (Rampe) . . . A1
SAINT-GERVAIS (Rue) . . . A1-B1
SAINT-GODARD (Place) . . . B3
SAINT-HERBLAND (Tunnel) . . . C2-B3
SAINT-JACQUES (Rue) . . . C1
SAINT-LO (Rue) . . . C2-C3
SAINT-MARC (Place) . . . D4
SAINT-MAUR (Impasse) . . . A2
SAINT-MAUR (Rue) . . . A2-B2
SAINT-NICAISE (Rue) . . . B4
SAINT-NICOLAS (Rue) . . . C3
SAINT-PATRICE (Rue) . . . B2
SAINT-PIERRE DU CHATEL (Jardin) . . . C2
SAINT-ROMAIN (Rue) . . . C3
SAINT-SEVER (Quai) . . . D1-D2
SAINT-VIVIEN (Place) . . . C4
SAINT-VIVIEN (Rue) . . . C4
SAINTE-CROIX-DES-PELLETIERS (Rue) . . . B2
SAINTE-MARIE (Impasse) . . . A4
SAINTE-MARIE (Rampe) . . . A4
SAINTE-MARIE (Rue) . . . A4
SAMUEL BOCHARD (Rue) . . . C1
SAVONNERIE (Rue de la) . . . D2-D3
SEILLE (Rue de la) . . . B3
SENARD (Rue) . . . A2
SOCRATE (Rue) . . . C3
STANISLAS GIRARDIN (Rue) . . . B1
TABARLY (Promenade) . . . D2-D3
TABOURET (Impasse) . . . A1
TABOURET (Rue) . . . A1
TAMBOUR (Rue du) . . . C2
THOMAS CORNEILLE (Rue) . . . B1-C1
THOURET (Rue) . . . C2
TOUR D'ARGENT (Impasse de la) . . . B1
TOUR DE BEURRE (Rue de la) . . . D2-C3
39EME R.I. (Place du) . . . C4
VERDIERE (Rue) . . . A4
VERDREL (Square) . . . B2
VERGETIERS (Rue des) . . . C2
VERT BUISSON (Rue du) . . . B3-B4
VERTE (Rue) . . . A2-A3
VICOMTE (Rue de la) . . . C2
VICTOR HUGO (Rue) . . . C4-D4
VIEUX MARCHE (Place du) . . . C1-B2
VIEUX PALAIS (Rue du) . . . C1
YSER (Boulevard de l') . . . A3-A4

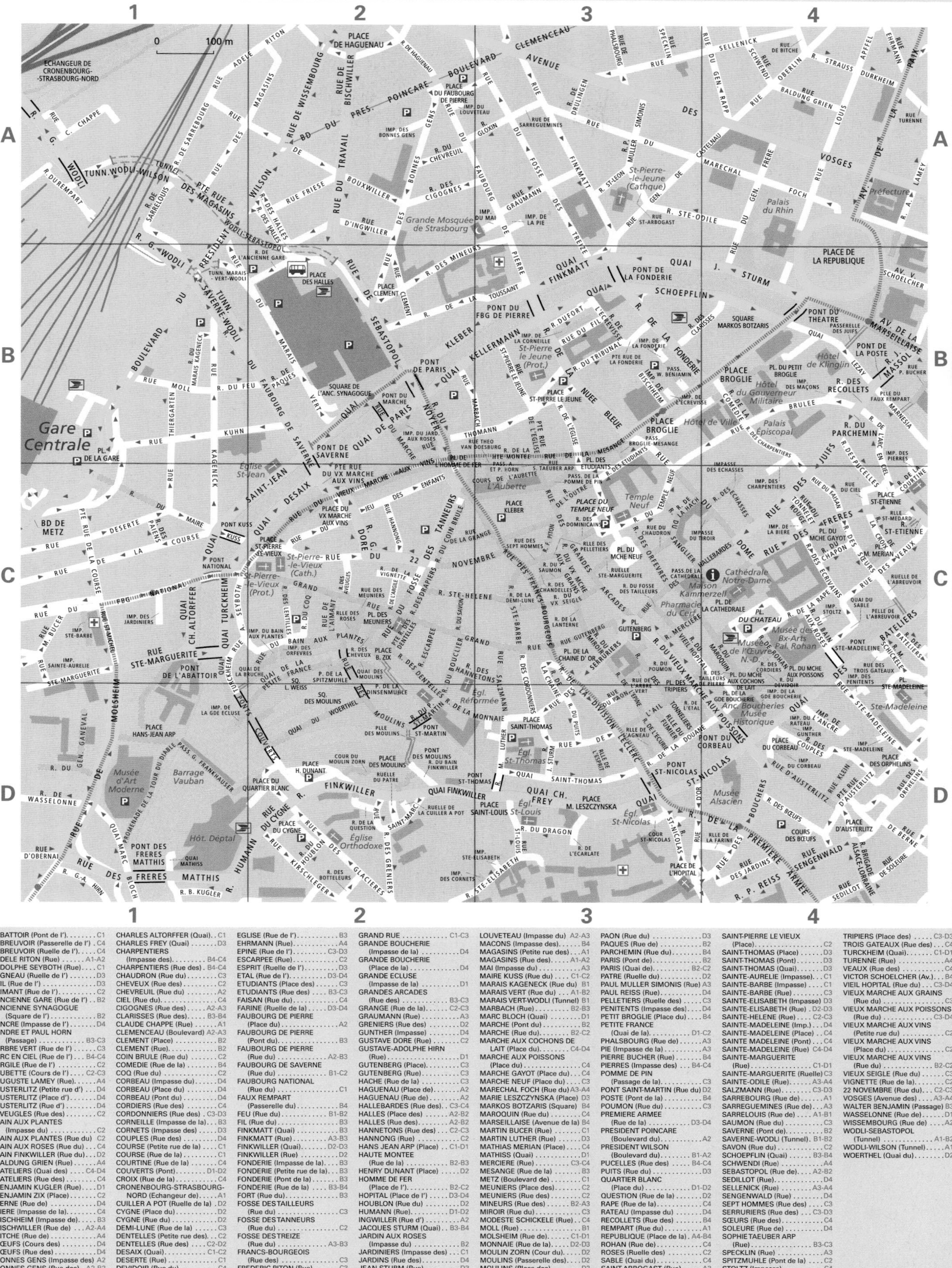

ABATTOIR (Pont de l') C1
ABREUVOIR (Passerelle de l') . C4
ABREUVOIR (Ruelle de l') C4
ADELE RITON (Rue) A1-A2
ADOLPHE SEYBOTH (Rue) C1
AGNEAU (Ruelle de l') D3
AIL (Rue de l') D3
AIMANT (Rue de l') C2
ANCIENNE GARE (Rue de l') . . B2
ANCIENNE SYNAGOGUE (Square de l') B2
ANCRE (Impasse de l') D4
ANDRE ET PAUL HORN (Passage) B3-C3
ARBRE VERT (Rue de l') C3
ARC EN CIEL (Rue de l') . . . B4-C4
ARGILE (Rue de l') C2
AUBETTE (Cours de l') C2-C3
AUGUSTE LAMEY (Rue) A4
AUSTERLITZ (Petite rue d') . . . D4
AUSTERLITZ (Place d') D4
AUSTERLITZ (Rue d') D4
AVEUGLES (Rue des) C2
BAIN AUX PLANTES (Impasse du) C2
BAIN AUX PLANTES (Rue du) C2
BAIN AUX ROSES (Rue du) . . . C4
BAIN FINKWILLER (Rue du) . . . D2
BALDUNG GRIEN (Rue) A4
BATELIERS (Quai des) C4-D4
BATELIERS (Rue des) C4
BENJAMIN KUGLER (Rue) D1
BENJAMIN ZIX (Place) C2
BERNE (Rue de) D4
BIERE (Impasse de la) C4
BISCHHEIM (Impasse de) B3
BISCHWILLER (Rue de) . . . A2-A4
BITCHE (Rue de) A4
BŒUFS (Cours des) D4
BŒUFS (Rue des) D4
BONNES GENS (Impasse des) A2
BONNES GENS (Rue des) . A2-B2
BOTTELEURS (Rue des) D2
BOUCHERS (Rue des) D4
BOUCLIER (Rue du) C2-D2
BOUXWILLER (Rue de) A1-A2
BRIGADE ALSACE-LORRAINE (Rue de la) D4
BROGLIE (Place) B3-B4
BROGLIE-MESANGE (Passage) B3
BRUCHE (Quai de la) C2
BRULEE (Rue) C3-B4
CATHEDRALE (Passage de la) C3-C4
CATHEDRALE (Place de la) C3-C4
CHAINE (Rue de la) C3-D3
CHAINE D'OR (Place de la) C3
CHANDELLES (Rue des) C3
CHAPON (Rue du) C4
CHARLES ALTORFFER (Quai) . . C1
CHARLES FREY (Quai) D3
CHARPENTIERS (Impasse des) B4-C4
CHARPENTIERS (Rue des) . B4-C4
CHAUDRON (Rue du) C3
CHEVEUX (Rue des) C2
CHEVREUIL (Rue du) A2
CIEL (Rue du) C4
CIGOGNES (Rue des) A2-A3
CLARISSES (Rue des) B3-B4
CLAUDE CHAPPE (Rue) A1
CLEMENCEAU (Boulevard) A2-A3
CLEMENT (Place) B2
CLEMENT (Rue) B2
COIN BRULE (Rue du) C2
COMEDIE (Rue de la) B4
COQ (Rue du) C2
CORBEAU (Impasse du) D4
CORBEAU (Place du) D4
CORBEAU (Pont du) D4
CORDIERS (Rue des) C4
CORDONNIERS (Rue des) . C3-D3
CORNEILLE (Impasse de la) . . . B3
CORNETS (Impasse des) D3
COUPLES (Rue des) D4
COURSE (Petite rue de la) C1
COURSE (Rue de la) C1
COURTINE (Rue de la) C4
COUVERTS (Pont) D1-D2
CROIX (Rue de la) C4
CRONENBOURG-STRASBOURG-NORD (Echangeur de) A1
CUILLER A POT (Ruelle de la) . D2
CYGNE (Place du) D2
CYGNE (Rue du) D2
DEMI-LUNE (Rue de la) C3
DENTELLES (Petite rue des) . . . C2
DENTELLES (Rue des) C2-D2
DESAIX (Quai) C1-C2
DESERTE (Rue) C1
DEVIDOIR (Rue du) C4
DINSENMUHLE (Pont de la) . . . D2
DIVISION LECLERC (Rue de la) C3-D3
DOME (Rue du) B3-C4
DOMINICAINS (Rue des) C3
DOUANE (Rue de la) D3-D4
DRAGON (Rue du) D3
DRAPIERS (Rue des) C2
DRULINGEN (Rue de) A3
ECARLATE (Rue de l') D3
ECHASSES (Impasse des) C4
ECHASSES (Rue des) C4
ECREVISSE (Impasse de l') . . . B3
ECREVISSE (Rue de l') B3
ECRIVAINS (Rue des) C4
ECURIE (Rue de l') D3
EGLISE (Petite rue de l') B3
EGLISE (Rue de l') B3
EHRMANN (Rue) A4
EPINE (Rue de l') C3-D3
ESCARPEE (Rue) C2
ESPRIT (Ruelle de l') D3
ETAL (Rue de l') D3-D4
ETUDIANTS (Place des) C3
ETUDIANTS (Rue des) B3-C3
FAISAN (Rue du) C4
FARINE (Ruelle de la) D3-D4
FAUBOURG DE PIERRE (Place du) A2
FAUBOURG DE PIERRE (Pont du) B3
FAUBOURG DE PIERRE (Rue du) A2-B3
FAUBOURG DE SAVERNE (Rue du) B1-C2
FAUBOURG NATIONAL (Rue du) C1
FAUX REMPART (Passerelle du) B4
FEU (Rue du) B1-B2
FIL (Rue du) B3
FINKMATT (Quai) B3
FINKMATT (Rue) A3-B3
FINKWILLER (Quai) D2-D3
FINKWILLER (Rue) D2
FONDERIE (Impasse de la) B3
FONDERIE (Petite rue de la) . . . B3
FONDERIE (Pont de la) B3
FONDERIE (Rue de la) B3-B4
FORT (Rue du) B3
FOSSE DES TAILLEURS (Rue du) C3
FOSSE DES TANNEURS (Rue du) C2
FOSSE DES TREIZE (Rue du) A3-B3
FRANCS-BOURGEOIS (Rue des) C3
FREDERIC PITON (Rue) C3
FRERE MEDARD (Place du) . . . C4
FRERES (Rue des) C4
FRERES MATTHIS (Pont des) . . D1
FRERES MATTHIS (Rue des) . . D1
FRIESE (Rue) A2
FUMIER (Ruelle du) D3
GARE (Place de la) B1-C1
GENERAL DE CASTELNAU (Rue) B3-A4
GENERAL FRERE (Rue du) . A4-B4
GENERAL GANEVAL (Rue du) D1
GENERAL RAPP (Rue du) A4
GEORGES FRANKHAUSER (Passage) D1
GEORGES WODLI (Rue) . . . A1-B1
GLACIERES (Rue des) D2
GLOXIN (Rue) A2-A3
GRAND RUE C1-C3
GRANDE BOUCHERIE (Impasse de la) D4
GRANDE BOUCHERIE (Place de la) D4
GRANDE ECLUSE (Impasse de la) D1
GRANDES ARCADES (Rue des) B3-C3
GRANGE (Rue de la) C2-C3
GRAUMANN (Rue) A3
GRENIERS (Rue des) D2
GUNTHER (Impasse) D4
GUSTAVE DORE (Rue) C2
GUSTAVE-ADOLPHE HIRN (Rue) D1
GUTENBERG (Place) C3
GUTENBERG (Rue) C3
HACHE (Rue de la) C3
HAGUENAU (Place de) A2
HAGUENAU (Rue de) A2
HALLEBARDES (Rue des) . . C3-C4
HALLES (Place des) A2-B2
HALLES (Rue des) A2-B2
HANNETONS (Rue des) . . . C2-C3
HANNONG (Rue) C2
HANS JEAN ARP (Place) . . C1-D1
HAUTE MONTEE (Rue de la) B2-B3
HENRY DUNANT (Place) D2
HOMME DE FER (Place de l') B2-C2
HOPITAL (Place de l') D3-D4
HOUBLON (Rue du) D2
HUMANN (Rue) D1-D2
INGWILLER (Rue d') A2
JACQUES STURM (Quai) . . B3-B4
JARDIN AUX ROSES (Impasse du) B2
JARDINIERS (Impasse des) . . . C1
JARDINS (Rue des) D4
JEAN STURM (Rue) D3
JEU DES ENFANTS (Rue du) . . C2
JOSEPH MASSOL (Rue) B4
JUIFS (Passerelle des) B4
JUIFS (Rue des) B4-C4
KAGENECK (Rue) B1-C1
KELLERMANN (Quai) B2-B3
KIRSCHLEGER (Rue) D2
KLEBER (Place) C2-C3
KLEBER (Quai) B2-B3
KLEIN (Rue) D4
KUHN (Rue) B1-B2
KUSS (Pont) C1
LANTERNE (Rue de la) C3
LENTILLES (Rue des) C2
LEZAY MARNESIA (Quai) B4
LOUIS APFFEL (Rue) A4
LOUISE WEISS (Square) C2
LOUVETEAU (Impasse du) A2-A3
MACONS (Impasse des) B4
MAGASINS (Petite rue des) A1
MAGASINS (Rue des) A1-A2
MAI (Impasse du) A3
MAIRE KUSS (Rue du) C1-C2
MARAIS KAGENECK (Rue du) B1
MARAIS VERT (Rue du) . . . A1-B2
MARAIS VERT-WODLI (Tunnel) B1
MARBACH (Rue) B2-B3
MARC BLOCH (Quai) D1
MARCHE (Pont du) B2
MARCHE (Rue du) B2-C2
MARCHE AUX COCHONS DE LAIT (Place du) C4-D4
MARCHE AUX POISSONS (Place du) C4
MARCHE GAYOT (Place du) . . . C4
MARCHE NEUF (Place du) C3
MARECHAL FOCH (Rue du) A3-A4
MARIE LESZCZYNSKA (Place) D3
MARKOS BOTZARIS (Square) B4
MAROQUIN (Rue du) C4
MARSEILLAISE (Avenue de la) B4
MARTIN BUCER (Rue) C1
MARTIN LUTHER (Rue) D3
MATHIAS MERIAN (Place) C4
MATHISS (Quai) D1
MERCIERE (Rue) C3-C4
MESANGE (Rue de la) B3
METZ (Boulevard de) C1
MEUNIERS (Place des) C2
MEUNIERS (Rue des) C2
MINEURS (Rue des) B2-A3
MIROIR (Rue du) C3
MODESTE SCHICKELE (Rue) . . C4
MOLL (Rue) B1
MOLSHEIM (Rue de) C1-D1
MONNAIE (Rue de la) D2-D3
MOULIN ZORN (Cour du) D2
MOULINS (Passerelle des) D2
MOULINS (Place des) D2
MOULINS (Pont des) D2
MOULINS (Quai des) D2
MOULINS (Rue des) C2-D2
MOULINS (Square des) D2
NATIONAL (Pont) C1
NOYER (Rue du) B2
NUEE BLEUE (Rue de la) B3
OBERLIN (Rue) A4
OBERNAI (Rue d') D1
OR (Rue d') D3
ORFEVRES (Impasse des) C2
ORFEVRES (Rue des) C3
ORPHELINS (Place des) D4
ORPHELINS (Rue des) D4
OUTRE (Rue de l') B3
PAIENS (Rue des) B2
PAIX (Avenue de la) A4
PAON (Rue du) D3
PAQUES (Rue de) B2
PARCHEMIN (Rue du) B4
PARIS (Pont de) B2
PARIS (Quai de) B2-C2
PATRE (Ruelle du) D2
PAUL MULLER SIMONIS (Rue) A3
PAUL REISS (Rue) D4
PELLETIERS (Ruelle des) C3
PENITENTS (Impasse des) C4
PETIT BROGLIE (Place du) B4
PETITE FRANCE (Quai de la) D1-C2
PHALSBOURG (Rue de) A3
PIE (Impasse de la) A3
PIERRE BUCHER (Rue) B4
PIERRES (Impasse des) . . . B4-C4
POMME DE PIN (Passage de la) C3
PONT SAINT-MARTIN (Rue du) D2
POSTE (Pont de la) B4
POUMON (Rue du) C3
PREMIERE ARMEE (Rue de la) D3-D4
PRESIDENT POINCARE (Boulevard du) A2
PRESIDENT WILSON (Boulevard du) B1-A2
PUCELLES (Rue des) B4-C4
PUITS (Rue du) D3
QUARTIER BLANC (Place du) D1-D2
QUESTION (Rue de la) D2
RAPE (Rue de la) C4
RATEAU (Impasse du) D4
RECOLLETS (Rue des) B4
REMPART (Rue du) A1
REPUBLIQUE (Place de la) . A4-B4
ROHAN (Rue de) C4
ROSES (Ruelle des) C2
SABLE (Quai du) C4
SAINT-ARBOGAST (Rue) A3
SAINT-ETIENNE (Place) C4
SAINT-ETIENNE (Rue) C4
SAINT-JEAN (Quai) C1-B2
SAINT-LEON (Rue) A3
SAINT-LOUIS (Place) D3
SAINT-LOUIS (Rue) D3
SAINT-MARC (Rue) D2
SAINT-MARTIN (Pont) D2
SAINT-MEDARD (Ruelle) C4
SAINT-MICHEL (Rue) C1
SAINT-NICOLAS (Cour) D3
SAINT-NICOLAS (Pont) D3
SAINT-NICOLAS (Quai) D3-D4
SAINT-NICOLAS (Rue) D3
SAINT-PIERRE LE JEUNE (Place) B3
SAINT-PIERRE LE JEUNE (Rue) B3
SAINT-PIERRE LE VIEUX (Place) C2
SAINT-THOMAS (Place) D3
SAINT-THOMAS (Pont) D3
SAINT-THOMAS (Quai) D3
SAINTE-AURELIE (Impasse) . . . C1
SAINTE-BARBE (Impasse) C1
SAINTE-BARBE (Rue) C3
SAINTE-ELISABETH (Impasse) D3
SAINTE-ELISABETH (Rue) . D2-D3
SAINTE-HELENE (Rue) C2-C3
SAINTE-MADELEINE (Imp.) . . . D4
SAINTE-MADELEINE (Place) . . C4
SAINTE MADELEINE (Pont) . . . C4
SAINTE-MADELEINE (Rue) C4-D4
SAINTE-MARGUERITE (Rue) C1-D1
SAINTE-MARGUERITE (Ruelle) C3
SAINTE-ODILE (Rue) A3-A4
SALZMANN (Rue) C3-D3
SARREBOURG (Rue de) A1
SARREGUEMINES (Rue de) . . . A3
SARRELOUIS (Rue de) A1-B1
SAUMON (Rue du) C3
SAVERNE (Pont de) B2
SAVERNE-WODLI (Tunnel) . B1-B2
SAVON (Rue du) C2
SCHOEPFLIN (Quai) B3-B4
SCHWENDI (Rue) A4
SEBASTOPOL (Rue de) A2-B2
SEDILLOT (Rue) D4
SELLENICK (Rue) A3-A4
SENGENWALD (Rue) D4
SEPT HOMMES (Rue des) C3
SERRURIERS (Rue des) . . . C3-D3
SŒURS (Rue des) C4
SOLEURE (Rue de) D4
SOPHIE TAEUBER ARP (Rue) B3-C3
SPECKLIN (Rue) A3
SPITZMUHLE (Pont de la) C2
STOLTZ (Impasse) C4
STRAUSS DURKHEIM (Rue) . . A4
TAILLEURS DE PIERRE (Rue des) C4
TEMPLE NEUF (Rue du) C3
THEATRE (Pont du) A4-B4
THEO VAN DOESBURG (Rue) B3-C3
THIERGARTEN (Rue) B1-C1
THOMANN (Rue) B2-B3
TIROIR (Impasse du) C3-C4
TONNELET ROUGE (Rue du) . . C4
TONNELIERS (Rue des) . . . C3-D3
TOUR DU DIABLE (Promenade de la) D1
TOUSSAINT (Rue de la) . . . B2-B3
TRAVAIL (Rue du) A2
TRIBUNAL (Rue du) B3
TRIPIERS (Place des) C3-D3
TROIS GATEAUX (Rue des) . . . C4
TURCKHEIM (Quai) C1-D1
TURENNE (Rue) A4
VEAUX (Rue des) C4
VICTOR SCHOELCHER (Av.) . . . B4
VIEIL HOPITAL (Rue du) . . . C3-D4
VIEUX MARCHE AUX GRAINS (Rue du) C3
VIEUX MARCHE AUX POISSONS (Rue du) C3-D4
VIEUX MARCHE AUX VINS (Petite rue du) C2
VIEUX MARCHE AUX VINS (Place du) C2
VIEUX MARCHE AUX VINS (Rue du) B2-C2
VIEUX SEIGLE (Rue du) C3
VIGNETTE (Rue de la) C2
22 NOVEMBRE (Rue du) . . . C2-C3
VOSGES (Avenue des) A3-A4
WALTER BENJAMIN (Passage) B3
WASSELONNE (Rue de) D1
WISSEMBOURG (Rue de) A2
WODLI-SEBASTOPOL (Tunnel) A1-B2
WODLI-WILSON (Tunnel) A1
WOERTHEL (Quai du) D2

A L'HUILE (Place) . . . C3
A. VALLE (Place) . . . C3
ADOLPHE GUIOL (Rue) . . . B2
ALBERT (Rue) . . . C3
ALBERT 1ER (Place) . . . A2
ALEZARD (Rue) . . . B3-C3
ALGER (Rue d') . . . C2-C3
ALPHONSE DAUDET (Rue) . . . C4
AMIRAL COLLET (Avenue) . . . A1
AMIRAL COURBET (Allée) . . . B1-B2
AMIRAL JAUJARD (Rue) . . . D3-D4
AMIRAL SENES (Place) . . . B2
ANATOLE FRANCE (Rue) . . . B2-C2
ANCIENNE PLACE DE LA FONTAINE DES PUCELLES . . . C3
ANTOINE BONNET (Rue) . . . A1
ANTRECHAUS (Rue d') . . . B3
ARMES (Place d') . . . B2-C2
ASTOUR (Rue d') . . . C3
AUGUSTE BERTHON (Avenue) . . . A1
AUGUSTIN DAUMAS (Rue) . . . C2-C3
BABOULENE (Place) . . . C2
BASTIDE (Rue) . . . C3
BAUDIN (Impasse) . . . C3
BAUDIN (Rue) . . . B3-C3
BERRIER FONTAINE (Rue) . . . A1-B1
BERTHELOT (Rue) . . . B3
BESAGNE (Allée de) . . . D3
BESAGNE (Avenue de) . . . C3-D3
BESAGNE (Place) . . . C3
BIR HAKEIM (Rond-point) . . . C4
BON PASTEUR (Rue du) . . . B2-C2
BONDIL (Square) . . . C3
BONNETIERES (Rue des) . . . C2-C3
BORTOLASO (Square) . . . C3-D3
BOUCHERIES (Rue des) . . . C3
CAMILLE LEDEAU (Place) . . . C2-C3
CAPUCINS (Traverse des) . . . C2
CASSARD (Rue) . . . B1
CATHEDRALE (Place de la) . . . C3
CENTRALE (Rue) . . . A3-A4
CESAR VEZZANI (Rue) . . . B2
CHABANNES (Rue de) . . . A2-B2
CHALUCET (Rue) . . . A1-B1
CHAPEAU ROUGE (Passage du) . . . C3
CHARLES PONCY (Rue) . . . B2-C2
CHEVALIER PAUL (Rue) . . . C2
CHOISEUL (Rue de) . . . B1
CLARET (Avenue de) . . . A1
COLBERT (Avenue) . . . B3
COLONEL DESIRE LUCCA (Square du) . . . D3-D4
COLONEL FABIEN (Avenue) . . . C4
COLONEL REYMOND (Square) . . . C4
COMMANDANT EMMANUEL DAVIN (Rue) . . . A4
COMMANDANT MARCHAND (Avenue) . . . B3-B4
COMMANDANT NICOLAS (Boulevard) . . . A2-A3
COMMANDANT NICOLAS PROLONGEE (Boulevard) . . . A1
COMMISSAIRE MORANDIN (Rue du) . . . B1-B2
CONSIGNE (Quai) . . . C2
CONSIGNE (Rue de la) . . . C2
CORDERIE (Passage de la) . . . B1-C2
CORNEILLE (Rue) . . . B3
CORSE (Quai de) . . . D3
CRONSTADT (Quai) . . . C2-D3
CURETTI (Square) . . . D3
CYPRIEN (Place) . . . C3
DAME SIBILLE (Place) . . . B2
DANTON (Rue) . . . B4-C4
DARDANELLES (Avenue des) . . . A1
DARIUS MILHAUD (Rue) . . . D4
DARSE (Rue de la) . . . C2
DELPECH (Rue) . . . A4
DEMOCRATIE (Boulevard de la) . . . B3-A4
DENFERT ROCHEREAU (Rue) . . . B2
DESAIX (Boulevard) . . . B4
DOCTEUR AURRAN (Rue) . . . A1
DOCTEUR CAMILLE AUBAN (Rue) . . . C2
DOCTEUR CARENCE (Rue) . . . B2
DOCTEUR CHARLES AUBIN (Place du) . . . B3
DOCTEUR CHARLES BARNIER (Boulevard) . . . A2
DOCTEUR JEAN BERTHOLET (Rue du) . . . B2
DOCTEUR LOUIS PUY (Rue) . . . C4
DOCTEUR MARTINENQ (Rue) . . . B4
DOMINIQUE SANTINI (Rue) . . . D3
DOUAUMONT (Place de) . . . C3-C4
DROITS DE L'HOMME ET DU CITOYEN (Place des) . . . C4
DUGOMMIER (Rue) . . . B2
DUMONT D'URVILLE (Rue) . . . A2-B2
DUTASTA (Rue) . . . C3-D3
EDOUARD LE BELLEGOU (Avenue) . . . C4-D4
ELYSEE ROERE (Rue) . . . A4
EMILE VINCENT (Avenue) . . . A1
EMILE ZOLA (Rue) . . . C2-C3
ENTRECASTEAUX (Rue d') . . . D4
EQUERRE (Rue de l') . . . C2
ETIENNE DAUPHIN (Rue) . . . B2
ETIENNE PELABON (Square) . . . D3
ETOILE (Rue de l') . . . B2
EUGENE SILVAIN (Rue) . . . C4
EUROPE (Place de l') . . . A2
EXPRESS (Voie) . . . B3-D4
FELIX BRUN (Rue) . . . C3
FELIX PYAT (Rue) . . . B3-C3
FERDINAND BRUNETIERE (Rue) . . . C3
FERDINAND DE LESSEP (Boulevard) . . . A3-B4
FERDINAND PELLOUTIER (Rue) . . . B3
FILS BLANCARD (Rue des) . . . D3-D4
FLANDRES DUNKERQUE (Jardin) . . . A4
FOUGASSIERE (Rue) . . . B3
FRAIZE (Impasse) . . . A4
FRANCHET D'ESPEREY (Rue) . . . A1
FRANCIS DE PRESSENCE (Rue) . . . C3
FRANCOIS CUZIN (Avenue) . . . C4
FRANCOIS FABIE (Rue) . . . B3
FRANCOIS MARCEL (Impasse) . . . A3-A4
FRANKLIN ROOSEVELT (Avenue) . . . D3-C4
FRATERNITE (Rue de la) . . . C3
FULCRAN SUCHET (Place) . . . B2
GABRIEL PERI (Place) . . . B1
GAMBETTA (Place) . . . C2
GARIBALDI (Rue) . . . C3
GENERAL BONAPARTE (Rond-point) . . . D3
GENERAL LECLERC (Boulevard) . . . B1-B2
GENERAL LEFORT (Rond-point) . . . C4
GENERAL MAGNAN (Avenue) . . . B1-C2
GENERAL POUYADE (Place) . . . C4
GEORGE SAND (Rue) . . . C4
GEORGES CLEMENCEAU (Avenue) . . . B3-C4
GEORGES RICHARD (Boulevard) . . . A4
GERMAIN NOUVEAU (Square) . . . C2
GIMELLI (Rue) . . . A1-B3
GLACIERE (Rue de la) . . . C2
GLOBE (Place du) . . . C2
GRANDE RUE (Passage) . . . C2
GRANDVAL (Impasse) . . . A4
GRANDVAL (Rue) . . . A4
GUSTAVE LAMBERT (Passage) . . . C2
GUSTAVE LAMBERT (Place) . . . C2
HENRI MATHIS (Avenue) . . . A4
HENRI PASTOUREAU (Rue) . . . B2
HENRI PERTUS (Rue) . . . C4
HENRI POINCARE (Rue) . . . C4-D4
HENRI SEILLON (Rue) . . . C2-C3
HENRI VIENNE (Rue) . . . A1
HIPPOLYTE DUPRAT (Rue) . . . B2
HOCHE (Rue) . . . B3-C3
HOPITAL (Rue de l') . . . B2
HOREIA (Montée des) . . . C3
HUBAC (Place) . . . C3
HUMILITE (Rue de l') . . . B3
INFANTERIE DE MARINE (Avenue de l') . . . D3
INGENIEUR GENERAL MONSENERGUE (Place) . . . C2
JEAN AICARD (Rue) . . . C3
JEAN BARTOLINI (Rue) . . . C4
JEAN JAURES (Rue) . . . B1-B2
JEAN MOULIN (Avenue) . . . B2
JEAN-PHILIPPE RAMEAU (Rue) . . . D4
JOSE MANGE (Rue) . . . D4
JULES MAZARIN (Place) . . . B3
JULES MURAIRE DIT RAIMU (Rue) . . . B2-B3
JULES-ALEXANDRE RENAUX (Rue) . . . A4
L. BLANC (Place) . . . C3
LAFAYETTE (Cours) . . . C3
LAINDET LALONDE (Rue) . . . C3
LAMINOIS (Rue) . . . C3
LARMODIEU (Rue) . . . B2-C2
LAURENTI (Place) . . . D3
LAZARE CARNOT (Avenue) . . . A1-B1
LE MASSENET . . . A4
LEBLOND SAINT-HILAIRE (Rue) . . . B1-B2
LEGION ETRANGERE (Allée de la) . . . C3-C4
LENOIR SARRAIRE (Avenue) . . . B4
LEON BLUM (Place) . . . B1
LEON REBOUL (Rue) . . . D3-D4
LEON VERANE (Square) . . . C2
LES MAGES . . . A4
LIBERTE (Place de la) . . . B2
LICES (Avenue des) . . . A3-B3
LIEUTENANT COLONEL CARMI (Allée) . . . D3-D4
LORGUES (Rue de) . . . B3-C3
LOUBIERE (Chemin de la) . . . A4-B4
LOUIS ARMAND (Pont) . . . A1
LOUIS BOZZO (Avenue) . . . A4
LOUIS JOURDAN (Rue) . . . B2
LOUIS PASTEUR (Place) . . . D4
LOUIS-MARTIAL LAPORTERIE (Place) . . . A4
LOUVOIS (Boulevard) . . . A2
MAGNAQUE (Rue) . . . C3
MAIRAUD (Rue) . . . B3-C3
MAISSIN (Avenue) . . . B4-C4
MANNHEIM (Allée) . . . B2
MARC BARON (Rue) . . . D3
MARCEL CASTIE (Avenue) . . . B4
MARECHAL DE LATTRE DE TASSIGNY (Avenue) . . . D3-D4
MARECHAL DES LOGIS LORENZI (Rue) . . . A4
MARECHAL FOCH (Avenue du) . . . B1
MARQUETAS (Rue) . . . D3-D4
MERIDIENNE (Rue) . . . C3
MERLE (Rue) . . . C3
MINERVE (Quai) . . . D2
MINIMES (Traverse des) . . . C3
MIRABEAU (Rue) . . . A1-A2
MOLIERE (Rue) . . . B2-B3
MONTEBELLO (Rue) . . . A2
MONTETY (Cité) . . . A2
MURIER (Place du) . . . C3
MURIER (Rue du) . . . C3-D3
9EME D.I.C. (Rond-point de la) . . . D4
NICOLAS LAUGIER (Rue) . . . C2
NOEL BLACHE (Place) . . . B3
NORFOLK (Quai de) . . . C2
NOTRE DAME (Rue) . . . B2
NOYER (Rue du) . . . C2
OBSERVATOIRE (Rue de l') . . . A1-B1
OLIVE TAMARI (Place) . . . C4
112EME REGIMENT D'INFANTERIE (Boulevard du) . . . A2-B3
ORDONNANCE (Rue de l') . . . B2
ORFEVRES (Place des) . . . C3
PAIX (Rue de la) . . . B2
PAUL BERT (Boulevard) . . . D4
PAUL CONTE (Place) . . . C3
PAUL LANDRIN (Rue) . . . B3-C3
PAUL MAUREL (Square) . . . D3
PAULIN GUERIN (Rue) . . . B1-A2
PAVE D'AMOUR (Place) . . . C3
PECHERET (Passage) . . . C3
PECHERET (Place) . . . C3
PECHERET (Rue) . . . C3
PEIRESC (Rue) . . . A1-B2
PETIT RANG (Quai du) . . . D2-D3
PHILIPPE LEBON (Avenue) . . . B4-C4
PICOT (Rue) . . . B2-B3
PIERRE LAVENNE (Rue) . . . D3
PIERRE LETHUAIRE (Rue) . . . C2
PIERRE SEMARD (Rue) . . . C2
PIERRE TOESCA (Boulevard) . . . A1-A2
POISSONNERIE (Place de la) . . . C3
POMET (Rue de) . . . B2-C2
POMME DE PIN (Rue) . . . C3-D3
POMPIDOU (Place) . . . C4
POSSEL (Rue) . . . B2
PRESIDENT PIERRE FOURNEL (Quai du) . . . D2-D3
PRIMAUGUET (Rue) . . . B1
PROSPER FERRERO (Rue) . . . B2
PUGET (Place) . . . B3
RACINE (Rue) . . . B2
RAGEOT DE LA TOUCHE (Avenue) . . . A1
RAIMU (Place) . . . C2
RAYNOUARD (Boulevard) . . . B3-B4
REMPARTS (Rue des) . . . B3-C3
REMPARTS (Traverse des) . . . C3
REPUBLIQUE (Avenue de la) . . . C2-D3
REVEL (Rue) . . . B1-B2
RIAUX (Passage des) . . . C2
RIAUX (Rue des) . . . C2
RICAUD (Impasse) . . . A4
RICHARD ANDRIEU (Rue) . . . C2-B3
ROBERT GUILLEMARD (Rue) . . . B1
ROCHE (Rue) . . . B3-C3
RODE (Passerelle de la) . . . C4
ROGER DEVOUCOUX (Avenue) . . . C4
ROLLE (Impasse) . . . A4
ROMAIN (Impasse) . . . A4
ROSA BONHEUR (Rue) . . . A4
SAINT-ANDRIEUX (Rue) . . . C3
SAINT-BERNARD (Passage) . . . C3
SAINT-BERNARD (Rue) . . . B3-C3
SAINT-CYPRIEN (Rue) . . . C3
SAINT-LOUIS (Traverse) . . . B2
SAINT-VINCENT (Place) . . . C3
SAINT-VINCENT (Rue) . . . C3
SAUNIER (Rue) . . . B2
SAVONNIERES (Rue des) . . . C2
SERGENT MARIUS VARENCE (Rue) . . . A1
SIBLAS (Avenue de) . . . A3-B3
SINSE (Quai de la) . . . D3
SOUVENIR FRANCAIS (Place du) . . . B3-B4
SPEZIA (Allée la) . . . B2
ST-PIERRE (Square) . . . C4
STRASBOURG (Boulevard de) . . . B2-B3
TESSE (Boulevard de) . . . A2-B3
TOMBADES (Rue des) . . . C3
TROIS DAUPHINS (Place des) . . . B3
TRUGUET (Rue) . . . B3
VAUBAN (Avenue) . . . A2-B2
VERT COTEAU (Avenue) . . . B4
VICTOIRE (Avenue de la) . . . A1
VICTOR CLAPPIER (Rue) . . . B2-B3
VICTOR HUGO (Place) . . . B2-B3
VICTOR MICHOLET (Rue) . . . C2
VIEUX ORDINAIRES (Rue des) . . . C2-C3
VINCENT ALLEGRE (Rue) . . . A1-B1
VINCENT COURDOUAN (Rue) . . . C3
VINCENT RASPAIL (Place) . . . C3
VISITATION (Place de la) . . . C3
VISITATION (Rue de la) . . . C3
WILLIAM ET CATHERINE BOOTH (Square) . . . C2
WINSTON CHURCHILL (Avenue) . . . B1
XAVIER SAVELLI (Rue) . . . B1-B2

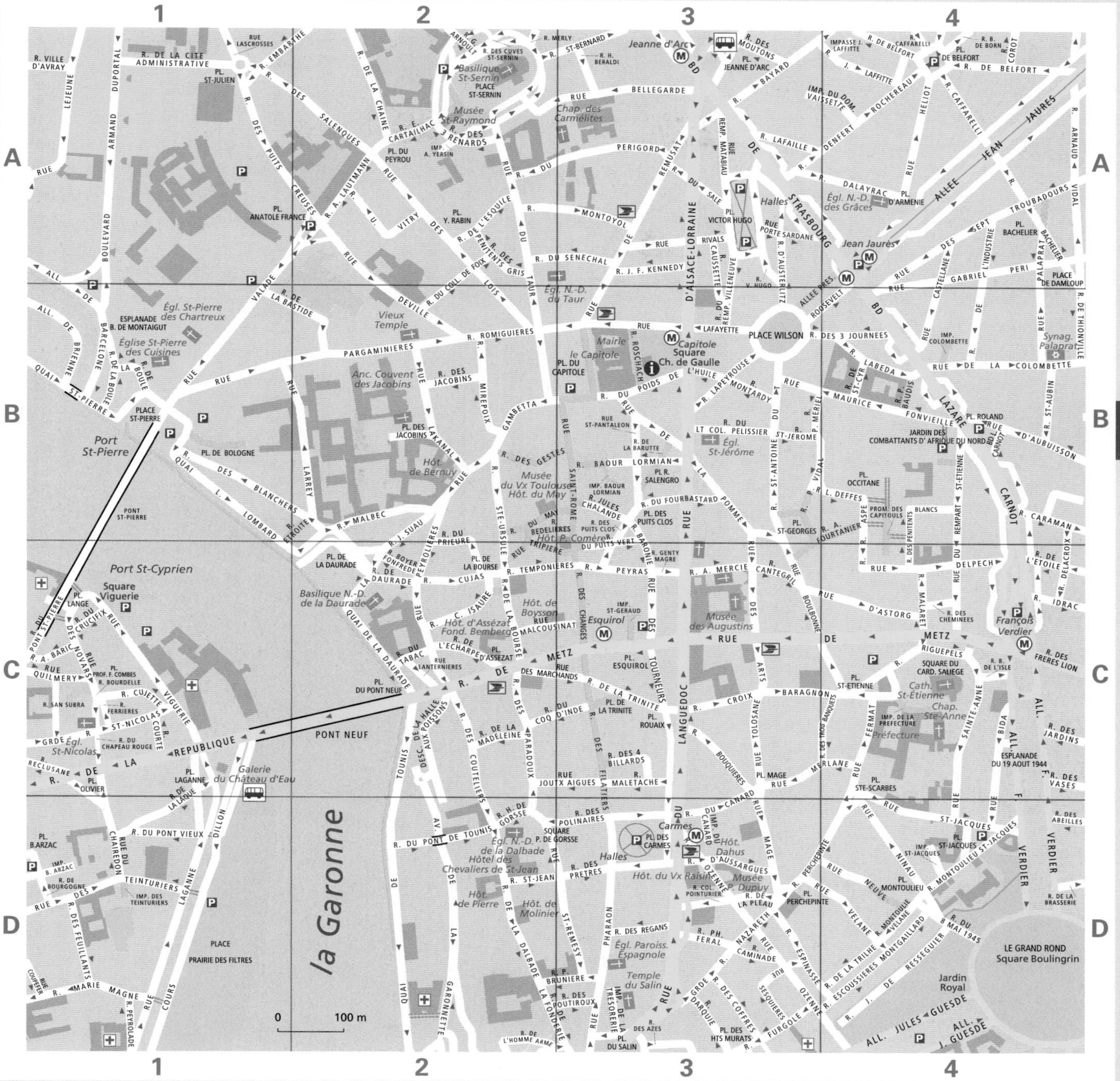
1
2
3
4
A
B
C
D
Basilique St-Sernin
Musée St-Raymond
Chap. des Carmélites
Jeanne d'Arc
Halles
Égl. N.-D. des Grâces
Jean Jaurès
Égl. N.-D. du Taur
Vieux Temple
Égl. St-Pierre des Chartreux
Église St-Pierre des Cuisines
Mairie le Capitole
Capitole
Square Ch. de Gaulle
PLACE WILSON
Synag. Palaprat
Anc. Couvent des Jacobins
Hôt. de Bernuy
Port St-Pierre
Musée du Vx Toulouse Hôt. du May
Égl. St-Jérôme
Port St-Cyprien
Square Viguerie
Basilique N.-D. de la Daurade
Hôt. de Boysson
Hôt. d'Assézat Fond. Bemberg
Esquirol
Musée des Augustins
François Verdier
Cath. St-Étienne
Chap. Ste-Anne
Préfecture
Égl. St-Nicolas
PONT NEUF
Galerie du Château d'Eau
la Garonne
Carmes
Égl. N.-D. de la Dalbade
Hôtel des Chevaliers de St-Jean
Hôt. de Pierre
Hôt. de Molinier
Hôt. Dahus
Musée P. Dupuy
Égl. Paroiss. Espagnole
Temple du Salin
PLACE PRAIRIE DES FILTRES
LE GRAND ROND Square Boulingrin
Jardin Royal
ESPLANADE DU 19 AOUT 1944
0
100 m

ABEILLES (Rue des) D4
ALBERT LAUTMANN (Rue) A2
ALEXANDRE FOURTANIER (Rue) B3-B4
ALEXANDRE YERSIN (Impasse) A2
ALSACE-LORRAINE (Rue d') A3-C3
ANATOLE FRANCE (Place) A1-A2
ANTONIN MERCIE (Rue) C3
ARMAND DUPORTAL (Boulevard) A1-B1
ARMENIE (Place d') A4
ARNAUD BARIC (Rue) C1
ARNAUD VIDAL (Rue) A4
ARTS (Rue des) B3-C3
ASSEZAT (Place d') C2
ASTORG (Rue d') C3-C4
AUBUISSON (Rue d') B4
AUSSARGUES (Rue d') D3
AUSTERLITZ (Rue d') A3-B3
AZES (Rue des) D3
BACHELIER (Place) A4
BACHELIER (Rue) A4
BAOUR LORMIAN (Impasse) B3
BAOUR LORMIAN (Rue) B3
BARCELONE (Allée de) A1-B1
BARONIE (Rue) B3-C3
BARUTTE (Rue de la) B3
BASTIDE (Rue de la) B1-B2
BAYARD (Rue) A3-A4
BEDELIERES (Rue) B2-B3
BELFORT (Place de) A4
BELFORT (Rue de) A4
BELLEGARDE (Rue) A2-A3
BENOIT ARZAC (Place) D1
BENOIT ARZAC (Impasse) D1
BERTRAND DE BORN (Rue) A4
BERTRAND DE L'ISLE (Rue) C4
BERTRAND DE MONTAIGUT (Esplanade) B1
BIDA (Rue) C4-D4
BLANCHERS (Rue des) B1-B2
BOLOGNE (Place de) B1
BOULBONNE (Rue) C3-C4
BOULE (Rue de la) B1
BOUQUIERES (Rue) C3
BOURDELLE (Rue) C1
BOURGOGNE (Rue de) D1
BOURSE (Place de la) C2
BOURSE (Rue de la) C2
BOYER FONFREDE (Rue) C2
BRASSERIE (Rue de la) D4
BRIENNE (Allée de) B1
CAFFARELLI (Rue) A4
CAMINADE (Rue) D3
CANARD (Impasse du) D3
CANARD (Rue du) C3-D3
CANTEGRIL (Rue) C3
CAPITOLE (Place du) B2-B3
CAPITOULS (Promenade des) B4-C4
CARAMAN (Rue) B4
CARDINAL SALIEGE (Square du) C4
CARMES (Place des) D3
CASTELLANE (Rue) A4-B4
CAUSSETTE (Rue) A3-B3
CHAINE (Rue de la) A2
CHAIREDON (Rue du) D1
CHANGES (Rue des) C3
CHAPEAU ROUGE (Rue du) C1
CHEMINEES (Rue des) C4
CITE ADMINISTRATIVE (Rue de la) A1
CLEMENCE ISAURE (Rue) C2
COFFRES (Rue des) D3
COLLEGE DE FOIX (Rue du) A2-B2
COLOMBETTE (Impasse) B4
COLOMBETTE (Rue de la) B4
COLONEL POINTURIER (Rue) D3
COMBATTANTS D'AFRIQUE DU NORD (Jardin des) B4
COQ D'INDE (Rue du) C2-C3
COROT (Rue) A4
COUPEFER (Rue) D1
COURTE (Rue) C1
COUTELIERS (Rue des) C2-D2
CROIX BARAGNON (Rue) C3-C4
CRUCIFIX (Rue du) C1
CUJAS (Rue) C2
CUJETTE (Rue) C1
CUVES SAINT-SERNIN (Rue des) A2
DALAYRAC (Rue) A3-A4
DALBADE (Rue de la) D2
DAMLOUP (Place de) A4-B4
DARQUIE (Rue) D3
DAURADE (Place de la) B2-C2
DAURADE (Quai de la) C2
DAURADE (Rue de la) C2
DELACROIX (Rue) B4-C4
DELPECH (Rue) C4
DENFERT ROCHEREAU (Rue) A3-A4
DEVILLE (Rue) A2-B2
DILLON (Cours) C1-D1
19 AOUT 1944 (Esplanade du) C4
ECHARPE (Rue de l') C2
EMBARTHE (Rue) A1-A2
EMILE CARTAILHAC (Rue) A2
ESCOUSSIERES MONTGAILLARD (Rue) D3-D4
ESPINASSE (Rue) D3-D4
ESQUILE (Rue de l') A2
ESQUIROL (Place) C3
ETOILE (Rue de l') C4
ETROITE (Rue) C1-B2
FERMAT (Rue) C4
FERRIERES (Rue) C1
FEUILLANTS (Rue des) D1
FILATIERS (Rue des) C3-D3
FONDERIE (Rue de la) D2-D3
FOURBASTARD (Rue du) B3
FRANCOIS VERDIER (Allée) C4-D4
FRERES LION (Rue des) C4
FURGOLE (Rue) D3
GABRIEL PERI (Rue) A4-B4
GAMBETTA (Rue) B2
GARONNETTE (Avenue de la) C2-D2
GATIEN ARNOULT (Rue) A2
GENTY MAGRE (Rue) C3
GESTES (Rue des) B2-B3
GRAND ROND (le) D4
HALLE AUX POISSONS (Descente de la) C2-D2
HAUTS MURATS (Place des) D3
HELIOT (Rue) A4
HENRI BERALDI (Rue) A3
HENRI DE GORSSE (Rue) D2
HOMME ARME (Rue de l') D2
8 MAI 1945 (Rue du) D4
IDRAC (Rue) C4
IMPASSSE DU DOMAINE VAISSETTE A3-A4
INDUSTRIE (Rue de l') A4-B4
JACOBINS (Place des) B2
JACOBINS (Rue des) B2
JACQUES LAFFITTE (Impasse) A4
JACQUES LAFFITTE (Rue) A3-A4
JARDINS (Rue des) C4
JEAN JAURES (Allée) A4
JEAN SUAU (Rue) B2-C2
JEANNE D'ARC (Place) A3
JOHN FITZGERALD KENNEDY (Rue) A3
JOUTX AIGUES (Rue) C2-C3
JULES CHALANDE (Rue) B3
JULES DE RESSEGUIER (Rue) D4
JULES GUESDE (Allée) D4
LABEDA (Rue) B4
LAFAILLE (Rue) A3
LAFAYETTE (Rue) B3
LAGANNE (Place) C1-D1
LAGANNE (Rue) D1
LAKANAL (Rue) B2
LANGE (Place) C1
LANGUEDOC (Rue du) C3-D3
LANTERNIERES (Rue) C2
LAPEYROUSE (Rue) B3
LAQUE (Rue de la) C1-D1
LARREY (Rue) B1-B2
LASCROSSES (Rue) A1
LAZARE CARNOT (Boulevard) A4-C4
LEJEUNE (Rue) A1
LIEUTENANT COLONEL PELISSIER (Rue du) B3
LOIS (Rue des) A2-B2
LOUIS DEFFES (Rue) B3-B4
LUCIEN LOMBARD (Quai) C1-B2
MADELEINE (Rue de la) C2
MAGE (Place) C3
MAGE (Rue) C3-D3
MALARET (Rue) C4
MALBEC (Rue) B2
MALCOUSINAT (Rue) C2-C3
MALETACHE (Rue) C3
MARCHANDS (Rue des) C2-C3
MARIE MAGNE (Rue) D1
MAURICE FONVIEILLE (Rue) B3-B4
MAY (Rue du) B2-B3
MERLANE (Rue) C3-C4
MERLY (Rue) A2
METZ (Rue de) C2-C4
MIREPOIX (Rue) B2
MONTARDY (Rue) B3
MONTOULIEU (Place) D4
MONTOULIEU SAINT-JACQUES (Rue) D4
MONTOULIEU VELANE (Rue) D4
MONTOYOL (Rue) A2-A3
MOUTONS (Rue des) A3
NAZARETH (Grande rue) D3
NEUF (Pont) C1-C2
NEUVE (Rue) D3-D4
NINAU (Rue) D4
NOVARS (Rue des) C1
OCCITANE (Place) B4
OLIVIER (Place) C1-D1
OZENNE (Rue) D3-D4
PALAPRAT (Rue) A4-B4
PARADOUX (Rue des) C2-D2
PARGAMINIERES (Rue) B1-B2
PAUL MERIEL (Rue) B3-B4
PAUL VIDAL (Rue) B3
PENITENTS BLANCS (Rue des) B4-C4
PENITENTS GRIS (Rue des) A2
PERCHEPINTE (Place) D3
PERCHEPINTE (Rue) D3-D4
PERIGORD (Rue du) A2-A3
PEYRAS (Rue) C3
PEYROLADE (Rue) D1
PEYROLIERES (Rue) B2-C2
PEYROU (Place du) A2
PHARAON (Rue) D3
PHILIPPE FERAL (Rue) D3
PIERRE BAUDIS (Rue) B4
PIERRE BRUNIERE (Rue) D2-D3
PIERRE DE GORSSE (Square) D2
PLEAU (Rue de la) D3
POIDS DE L'HUILE (Rue du) B3
POLINAIRES (Rue des) D2-D3
POMME (Rue de la) B3-C3
PONT DE TOUNIS (Rue du) D2
PONT NEUF (Place du) C2
PONT SAINT-PIERRE (Rue du) C1
PONT VIEUX (Rue du) D1
PORTE SARDANE (Rue) A3-A4
POUTIROUX (Rue des) D2-D3
PRAIRIE DES FILTRES (Place) D1
PREFECTURE (Impasse de la) C4
PRESIDENT ROOSEVELT (Allée) B3-A4
PRETRES (Rue des) D3
PRIEURE (Rue du) B2-C2
PROFESSEUR FRANCOIS COMBES (Place) C1
PUITS CLOS (Place des) B3
PUITS CLOS (Rue des) B3-C3
PUITS CREUSES (Rue des) A1-A2
PUITS VERT (Rue du) B3-C3
4 BILLARDS (Rue des) C3
QUILMERY (Rue) C1
RECLUSANE (Rue) C1
REGANS (Rue des) D3
REMPART MATABIAU (Rue) A3
REMPART SAINT-ETIENNE (Rue du) B4-C4
REMPART VILLENEUVE (Rue du) A3-B3
REMUSAT (Rue de) A3-B3
RENEE ASPE (Rue) B4-C4
REPUBLIQUE (Rue de la) C1
RIGUEPELS (Rue) C4
RIVALS (Rue) A3
ROGER SALENGRO (Place) B3
ROLAND (Place) B4
ROMIGUIERES (Rue) B2
ROSCHACH (Rue) B3
ROUAIX (Place) C3
SAINT-ANTOINE DU T (Rue) B3
SAINT-AUBIN (Rue) B4
SAINT-BERNARD (Rue) A2-A3
SAINT-CYR (Rue de) B4
SAINTE-ANNE (Rue) C4-D4
SAINTE-SCARBES (Place) C4-D4
SAINT-ETIENNE (Place) C4
SAINTE-URSULE (Rue) B2-C2
SAINT-GEORGES (Place) B3-C3
SAINT-GERAUD (Impasse) C3
SAINT-JACQUES (Impasse) D4
SAINT-JACQUES (Place) D4
SAINT-JACQUES (Rue) C4-D4
SAINT-JEAN (Rue) D2-D3
SAINT-JEROME (Rue) B3
SAINT-JULIEN (Place) A1
SAINT-NICOLAS (Grande rue) C1
SAINT-PANTALEON (Rue) B3
SAINT-PIERRE (Place) B1
SAINT-PIERRE (Pont) B1-C1
SAINT-PIERRE (Quai) B1
SAINT-REMESY (Rue) D2-D3
SAINT-ROME (Rue) B3-C3
SAINT-SERNIN (Place) A2
SALE (Rue du) A3
SALENQUES (Rue des) A1-A2
SALIN (Place du) D3
SAN SUBRA (Rue) C1
SENECHAL (Rue du) A2-A3
SEPT TROUBADOURS (Rue des) A4-B4
SESQUIERES (Rue) D3
STRASBOURG (Boulevard de) A3-A4
TABAC (Rue du) C2
TAUR (Rue du) A2-B2
TEINTURIERS (Impasse des) D1
TEINTURIERS (Rue des) D1
TEMPONIERES (Rue) C2-C3
THIONVILLE (Rue de) B4
TOLOSANE (Rue) C3
TOUNIS (Quai de) C2-D2
TOURNEURS (Rue des) C3
TRESORERIE (Impasse de la) D3
TRILHE (Rue de la) D4
TRINITE (Place de la) C3
TRINITE (Rue de la) C3
TRIPIERE (Rue) B2-C3
TROIS BANQUETS (Rue des) C4
3 JOURNEES (Rue des) B3-B4
3 RENARDS (Rue des) A2
URBAIN VITRY (Rue) A2
VALADE (Rue) B1-A2
VASES (Rue des) C4
VELANE (Rue) D3-D4
VICTOR HUGO (Place) A3
VICTOR HUGO (Rue) A3
VIGUERIE (Rue) C1
VILLE D'AVRAY (Rue) A1
WILSON (Place) B3
YITZHAK RABIN (Place) A2

ALBERTTHOMAS (Rue) ... A4
ALEXANDRE DUMAS (Rue) ... B1
ALFRED DE VIGNY (Rue) ... D3-D4
ALFRED MAME (Cité) ... C1
ALLERON (Rue) ... A1-B1
ALMA (Passage de l') ... D3
AMANDIERS (Rue des) ... A4
AMPERE (Rue) ... B1-C1
ANATOLE FRANCE (Place) ... A2-A3
ANDRE DUCHESNE (Rue) ... A1-B1
ARBALETE (Rue de l') ... B2
ARGENTINE (Rue d') ... D1
ARMORIAL (Cour de l') ... A4
ARSENAL (Rue de l') ... C1
AUBER (Rue) ... A4
AUGUSTE CHEVALLIER (Rue) ... D1
AUGUSTE COMTE (Rue) ... C3-C4
AUMONES (Place des) ... C4
AUMONES (Rue des) ... C4
AUMONT (Square d') ... B2
BABEUF (Rue) ... B4
BALAIS (Rue des) ... B1-B2
BALESCHOUX (Rue) ... B2
BALLAN (Rue de) ... A1
BALZAC (Rue de) ... B4-C4
BARRE (Rue de la) ... A4
BEAUNE SEMBLANCAY (Jardin de) ... A3
BELVEDERE (Rue du) ... C3-D3
BENJAMIN CONSTANT (Rue) ... A3
BERANGER (Boulevard) ... C1-C3
BERNARD PALISSY (Rue) ... B4
BERTHELOT (Rue) ... A3
BLAISE PASCAL (Rue) ... C4-D4
BOISDENIER (Rue de) ... D1-D4
BONS ENFANTS (Rue des) ... B2
BORDEAUX (Rue de) ... C3-C4
BOUCICAUT (Allée) ... A1
BOURDAISIERE (Allée de la) ... D4
BOURDE (Rue de la) ... C1-B2
BRICONNET (Rue) ... A2
BROCHE A ROTIR (Passage de la) ... A1
BUFFON (Rue de) ... B4
CALIFORNIE (Rue de la) ... D1-D2
CAMP DE MOLLE (Rue) ... B1
CAPUCINS (Rue des) ... A4
CARMES (Place des) ... A2
CARMES (Rue des) ... A2
CATHEDRALE (Place de la) ... A4
CERISIERS (Rue des) ... A2
CHALMEL (Rue) ... D4
CHAMP DE MARS (Rue du) ... A1
CHAMPOISEAU (Rue) ... B1-C1
CHANGE (Rue du) ... A2-B2
CHANOINEAU (Rue) ... C2
CHANOINES (Jardin des) ... A2
CHANTELOUP (Rue) ... A1
CHAPTAL (Rue) ... B3
CHARDONNET (Place du) ... B3
CHARLES GILLE (Rue) ... C3-C4
CHARLES GUINOT (Rue) ... D2
CHARLES V (Allée) ... B1
CHATEAUNEUF (Place de) ... B2
CHATEAUNEUF (Rue de) ... B2
CHINON (Rue de) ... D1
58 RUE GEORGE SAND (Impasse) ... C3
CLAUDE THION (Rue) ... D2
CLAUDE VIGNON (Rue) ... B2
CLOCHE (Rue de la) ... A4
CLOCHEVILLE (Rue de) ... C2-B3
CŒUR NAVRE (Passage du) ... A3
COLBERT (Rue) ... A3-A4
COMMERCE (Rue du) ... A2-A3
CONSTANTINE VOIE EST (Rue de) ... A2
CORDELIERS (Rue des) ... A3-A4
CORNEILLE (Rue) ... A3-B4
COURSET (Rue de) ... C2
CROC (Rue du) ... B1
CUILLERE (Rue de la) ... B2
CYGNE (Rue du) ... A4
DABILLY (Rue) ... B1
DAMIEN (Impasse) ... B4
DEPORTES (Rue des) ... B3
DESCARTES (Rue) ... B2
DOCTEUR (Rue du) ... A3
DOCTEUR BRETONNEAU (Rue du) ... A2
DOCTEUR GUERIN (Rue du) ... D3
DOCTEUR HERON (Rue du) ... C1
DOLVE (Rue de la) ... C3
DOREE (Rue) ... A2
DUPORTAL (Rue) ... D4
EDOUARD VAILLANT (Rue) ... C4
ELISE DREUX (Rue) ... C1
EMILE OTTIA (Passage) ... A2
EMILE ZOLA (Rue) ... B3-A4
ENTRAIGUES (Rue d') ... D1-C3
ESTELLE (Rue) ... D3
ETIENNE DOLET (Rue) ... C1-D1
ETIENNE MARCEL (Rue) ... A1-A2
ETIENNE PALLU (Rue) ... B3
EUGENE FLANDIN (Square) ... B2
EUGENE SUE (Rue) ... A1-A2
EUPATORIA (Rue) ... D3-D4
FERDINAND DUBREUIL (Rue) ... A1
FLEURY (Rue) ... A4
FOIRE LE ROI (Place) ... A3-A4
FRANCOIS 1ER (Jardin) ... A2-A3
FRANCOIS ARAGO (Rue) ... C1
FRANCOIS RICHER (Rue) ... C1-D1
FRANCOIS SICARD (Place) ... A4-B4
FRANCOIS TRUFFAUT (Place) ... C4
FROMONT (Rue) ... C1-D1
FUSILLES (Rue des) ... A3
GALPIN THIOU (Rue) ... D4
GAMBETTA (Rue) ... B3
GASTON PAILLHOU (Place) ... B2-C2
GENERAL CHANZY (Rue du) ... D1
GEORGE SAND (Rue) ... C3-D3
GEORGES COURTELINE (Rue) ... B1
GEORGES DELPERIER (Rue) ... B1-C1
GEORGET (Rue) ... C1-D2
GIRAUDEAU (Rue) ... C1-D1
GLASER VERY (Rue) ... B2-C2
GRAMMONT (Avenue de) ... C3-D4
GRAMMONT (Forum) ... C3-C4
GRAND MARCHE (Place du) ... B2
GRAND MARCHE (Rue du) ... B1-A2
GRAND PASSAGE (Galerie du) ... C4
GRANDIERE (Impasse de la) ... C2-C3
GRANDIERE (Rue de la) ... B2-C2
GRECOURT (Rue) ... C4-D4
GREGOIRE DE TOURS (Place) ... A4
GRILLE (Rue de la) ... A1-A2
GROSSE TOUR (Place de la) ... B1
GROSSE TOUR (Rue de la) ... B1-B2
GUESCLIN (Rue du) ... B1
HALLEBARDE (Rue de la) ... A1
HALLES (Carreau des) ... B2
HALLES (Place des) ... B1-B2
HALLES (Rue des) ... B2-B3
HENRI BARBUSSE (Rue) ... B1-B2
HENRI DE SEGOGNE (Square) ... A2
HENRI ROYER (Rue) ... B2
HERBES (Carroi aux) ... A1
HEURTELOUP (Boulevard) ... C3-B4
HOPITEAU (Rue de l') ... A4
HOUX (Rue des) ... B1-C1
INKERMANN (Rue d') ... C2-C3
JACOBINS (Passage des) ... A4
JAMES CANE (Rue) ... D3
JEAN DUVAL (Place) ... A1
JEAN JAURES (Place) ... C3
JEAN LEJUSTE (Rue) ... A1
JEAN MACE (Rue) ... B1
JEAN MEUNIER (Place) ... C2
JEAN-JACQUES ROUSSEAU (Rue) ... C1
JEHAN FOUQUET (Rue) ... C2-D2
JERUSALEM (Rue de) ... B2
JEU DE PAUME (Jardin) ... A3
JOULINS (Place des) ... A2
JULES CHARPENTIER (Rue) ... C1-B2
JULES FAVRE (Rue) ... A3-B3
JULES MOINAUX (Rue) ... A4
JULES SIMON (Impasse) ... B4
JULES SIMON (Rue) ... A4-B4
JULIEN LE ROY (Rue) ... B2
JULIEN LEROY (Square) ... B2
LAKANAL (Rue) ... C2-D2
LAMPROIE (Place de la) ... A2
LAMPROIE (Rue de la) ... A2
LAPLACE (Rue) ... B1
LAPONNERAYE (Rue) ... D3
LAVOISIER (Rue) ... A4
LEDRU-ROLLIN (Rue) ... C1
LEGION D'HONNEUR (Place de la) ... C1
LEON BOYER (Rue) ... C1
LEONARD DE VINCI (Rue) ... B2
LITTRE (Rue) ... A2
LONGUE ECHELLE (Rue de la) ... B2
LUCE (Rue de) ... B3
MADELEINE (Rue de la) ... A1-B1
MAILLE (Rue de) ... A2
MANOIR (Allée du) ... B4
MARCEAU (Rue) ... A2-C3
MARCHANT DUPLESSIS (Boulevard) ... D2
MARECHAL FOCH (Rue du) ... B2-A3
MARECHAL LECLERC (Place du) ... C4
MARESCOT (Place) ... B1
MARGUERON (Rue) ... D1
MAURES (Rue des) ... A4
METROPOLE (Galerie du) ... C3-C4
METZ (Rue de) ... D3
MICHEL DUCLOS (Impasse) ... B2-B3
MICHELET (Place) ... D3-D4
MICHELET (Rue) ... C4-D4
MINIMES (Rue des) ... B3-B4
MONNAIE (Rue de la) ... A2
MONNAIE TOURNOIS (Place de la) ... B2
MONSEIGNEUR MARCEL (Rue) ... A2
MONTLOUIS (Allée de) ... D4
MOQUERIE (Rue de la) ... A3
MURIER (Rue du) ... A2
NANTES (Rue de) ... C4
NAPOLEON (Pont) ... A1
NATIONALE (Galerie) ... B3
NATIONALE (Rue) ... A3-C3
NERICAULT DESTOUCHES (Rue) ... B2-B3
NICOLAS FRUMEAUD (Place) ... C1
ORANGERIE (Galerie de l') ... C3
ORFEVRES (Rue des) ... A2
ORIGET (Impasse) ... D2
ORIGET (Rue) ... D1-C3
ORLEANS (Quai d') ... A3-A4
PAIX (Rue de la) ... A2
PALAIS (Impasse du) ... B3-C3
PANIER FLEURI (Rue du) ... B2
PARMENTIER (Rue) ... D4
PASTEUR (Rue) ... D4
PAUL-LOUIS COURIER (Rue) ... A2
PENSEES (Impasse des) ... D4
PETIT FAUCHEUX (Rue du) ... A2
PETIT SAINT-MARTIN (Carroi du) ... A1
PETIT SAINT-MARTIN (Rue du) ... A1-B1
PETIT SOLEIL (Rue du) ... A2-B2
PHILIPPE LEBON (Rue) ... B1
PIERRE BOILLE (Rue) ... A4
PIMBERT (Rue) ... A3
PINAIGRIER (Rue) ... C3-D3
PLAILLY (Rue) ... D1
PLAT D'ETAIN (Rue du) ... D1
PLUMEREAU (Place) ... A2
POIRIER (Rue du) ... A2
PONT NEUF (Quai du) ... A1-A2
PORT DE BRETAGNE (Quai du) ... A1
PORT DE BRETAGNE (Rue du) ... A1
PREBENDES (Rue des) ... D3
PREFECTURE (Place de la) ... B4
PREFECTURE (Rue de la) ... B3-B4
PRESIDENT MERVILLE (Rue du) ... A2-B2
PREUILLY (Boulevard) ... A1
PSALETTE (Rue de la) ... A4
PUITS (Rue du) ... A2
14 JUILLET (Place du) ... B2
QUATRE FILS AYMON (Placis des) ... A1
4 SEPTEMBRE (Place du) ... D4
4 SEPTEMBRE (Rue du) ... D4
QUATRE VENTS (Rue des) ... A1-B1
RABELAIS (Impasse) ... B2
RABELAIS (Place) ... D1
RABELAIS (Rue) ... B2
RAPIN (Rue) ... B2
REMPART (Rue du) ... C4
RENE BOYLESVE (Rue) ... D3
RESISTANCE (Place de la) ... A3-B3
RICHE (Place de la) ... A1-B1
RICHELIEU (Rue) ... B2-B3
ROBERT PICOU (Place) ... A1
ROCHE MARC D'OR (Rue) ... A4
ROGER SALENGRO (Rue) ... D1-D4
ROTISSERIE (Rue de la) ... B2
ROUGET DE L'ISLE (Place) ... B1
ROUGET DE L'ISLE (Rue) ... B1
SAINT-ELOI (Place) ... C1
SAINT-ISIDORE (Rue) ... A1
SAINT-PIERRE PUELLIER (Jardin) ... A2
SAINT-SATURNIN (Carroi) ... A2
SAINT-SYMPHORIEN (Pont suspendu de) ... A4
SAN FRANCISCO (Rue) ... D1-D2
SCELLERIE (Rue de la) ... B3-A4
SEBASTOPOL (Rue de) ... C2-D3
SENTIER (Rue du) ... C3
SERGENT BOBILLOT (Rue du) ... D2
SERPE (Rue de la) ... B1-B2
SERPENT VOLANT (Rue du) ... A2-B2
SIMIER (Rue) ... C3
SOURDILLON (Square) ... B2
SULLY (Rue de) ... B2-B3
TANNEURS (Rue des) ... A1-A2
TOUR DE GUISE (Rue de la) ... A4
TRAVERSIERE (Rue) ... B4
TROIS ECRITOIRES (Rue des) ... B2
TROIS PAVES RONDS (Rue des) ... B2
TURONES (Place des) ... A4
URSULINES (Rue des) ... A4-B4
VAILLANT (Place) ... D4
VARENNES (Allée de) ... D4
VENDEE (Rue de la) ... C4
VERLAINE (Rue) ... B3
VERT GALANT (Jardin du) ... B2
VERTE (Rue) ... C1
VICTOIRE (Place de la) ... A1-B1
VICTOIRE (Rue de la) ... A1-B1
VICTOR HUGO (Rue) ... D1-C3
VICTOR LALOUX (Rue) ... B4-C4
VOLTAIRE (Rue) ... A3-B3
WILSON (Pont) ... A3